The New Encyclopædia Britannica

in 32 Volumes

FOUNDED 1768
15TH EDITION

ENCYCLOPÆDIA
Britannica

Encyclopædia Britannica, Inc.
Jacob E. Safra, Chairman of the Board
Jorge Aguilar-Cauz, President

Chicago
London/New Delhi/Paris/Seoul
Sydney/Taipei/Tokyo

The information on this page refers to
The New Encyclopædia Britannica.

First Edition	1768 – 1771
Second Edition	1777 – 1784
Third Edition	1788 – 1797
Supplement	1801
Fourth Edition	1801 – 1809
Fifth Edition	1815
Sixth Edition	1820 – 1823
Supplement	1815 – 1824
Seventh Edition	1830 – 1842
Eighth Edition	1852 – 1860
Ninth Edition	1875 – 1889
Tenth Edition	1902 – 1903

Eleventh Edition
© 1911
By Encyclopædia Britannica, Inc.

Twelfth Edition
© 1922
By Encyclopædia Britannica, Inc.

Thirteenth Edition
© 1926
By Encyclopædia Britannica, Inc.

Fourteenth Edition
© 1929, 1930, 1932, 1933, 1936, 1937, 1938, 1939, 1940, 1941, 1942, 1943,
1944, 1945, 1946, 1947, 1948, 1949, 1950, 1951, 1952, 1953, 1954
1955, 1956, 1957, 1958, 1959, 1960, 1961, 1962, 1963, 1964
1965, 1966, 1967, 1968, 1969, 1970, 1971, 1972, 1973
By Encyclopædia Britannica, Inc.

Fifteenth Edition
© 1974, 1975, 1976, 1977, 1978, 1979, 1980, 1981, 1982, 1983, 1984, 1985,
1986, 1987, 1988, 1989, 1990, 1991, 1992, 1993, 1994, 1995, 1997,
1998, 2002, 2003, 2005, 2007
By Encyclopædia Britannica, Inc.

Printed in U. S. A.

Library of Congress Control Number: 2006921233
International Standard Book Number-10: 1-59339-292-3
International Standard Book Number-13: 978-1-59339-292-5

Britannica may be accessed at http://www.britannica.com on the Internet.

不列颠百科全书

国际中文版

修订版

Encyclopædia Britannica
International Chinese Edition

18

中国大百科全书出版社

《不列颠百科全书》国际中文版

vinegar 醋 用各种含酒精度低的液体经发酵产生醋酸而制成的酸液。醋可用各种原料制成:苹果或葡萄、大麦芽或燕麦以及工业用酒精;啤酒、糖、稻米等亦可制醋,不过商品醋主要用葡萄酒制成。凡是可转化成酒精的液体都能做醋,酵母酶可使果汁或其他含糖液体转化成酒精与二氧化碳,酒精受醋酸杆菌的作用,与空气中的氧结合即生成醋酸和水。水果或其他物料中所含的有机酸和酯类,赋予成品不同的香与味,烹调用醋约含4%的醋酸。1864 年法国科学家 L. 巴斯德指出,将酒精转化为醋酸的醋酸杆菌属是共生在一起作用的,它们生成足够的醋酸以防止其他微生物的侵入。制醋技术尽管起源很早,进步却很慢,主要是改善了通风方法。有名的奥尔良法,是用容量 200 升的木桶,倾入葡萄酒或其他含酒精液体的醪液,用少量富含醋酸菌的醋母接种发酵。在液面上方打一两个小气孔,使表面流通空气。醋制成后,从靠近桶底的龙头放出,再装料时,要尽量避免破坏液面上的细菌皮膜。早在 18 世纪荷兰技师 H. 布尔哈夫发现,醋的产酸率和接触空气的表面积成正比,就设法在桶中通入更多空气。20 世纪发展了对醪液的连续通气法。醋主要用作鱼、肉、蔬菜、水果等食品的调味剂和防腐或酸渍剂。作为佐料,醋常与大蒜、洋葱、茵陈或其他香草或香料同时使用,以提高香味。与油和调料混合便成为传统的维纳格雷酸辣沙司,用作蔬菜沙拉的调料和蔬菜、肉、鱼等冷菜的调味汁。醋也是浸渍调味液的通用原料,用于醋渍黄瓜或其他蔬菜。

vinegar fly 果蝇 又作 pomace fly。又称醋蝇。果蝇科果蝇属(*Drosophila*)昆虫。约1 000 种。有些种类尤其是黑腹果蝇(黄果蝇,*D. melanogaster*)易于培育,生活史短,在室温下不到两周,故广泛用作遗传和进化的室内外研究材料。关于果蝇的遗传资料收集得比任何动物都多。果蝇的染色体,尤其是成熟幼虫唾液腺中的巨染色体,可用以研究遗传特性和基因

黄果蝇(*D. melanogaster*)
供图:E.S. Ross

作用的基础。对果蝇在自然生境中的生物学了解得还不够。有些种的幼虫生活在腐烂水果上,成虫易为发酵的植物汁液吸引前去取食。另一些种则在真菌或肉质的花中生活。

vinegarroon 喷醋鞭蝎 有鞭蝎(whip scorpion)的一种。

Vineland 瓦恩兰 美国新泽西州南部坎伯兰县城市。濒临莫里斯河。1861 年建立,1880 年设自治镇,1952 年与兰迪斯镇合并为市。现为蔬菜农场及家禽饲养区的中心市场,也有各种制造业(以玻璃、化学药品及服装为主)。有美国精神病研究所设立的训练学校、州立瓦恩兰学校(1888)、美国精神病研究所(1888)、新泽西州残废退伍军人纪念之家(1900)和坎伯兰县立学院(1963)。人口:市 56 271;瓦恩兰-米尔维尔-布里奇顿主要都会统计区146 438(2000)。

Viner, Jacob 瓦伊纳(1892-05-03,蒙特利尔~1970-09-12,美国新泽西普林斯顿) 加拿大出生的美国经济学家,对生产成本、国际经济及经济学史均卓有贡献。1914 年毕业于加拿大麦吉尔大学,1922 年获哈佛大学哲学博士学位。1925 ~ 1946 年在芝加哥大学任教授,人称芝加哥学派;1946 ~ 1960 年在普林斯顿大学任教授,1960 年以后为该校名誉教授。早期与经济学家 F. 陶西格共事,在国际贸易理论上受其影响至深。瓦伊纳著作涉及国际贸易的理论与政策,范围甚广。其理论见于:《加拿大的国际借贷差额》(1924)、《国际贸易理论研究》(1937)、《关税同盟问题》(1950)。三书皆为名著,并被认为是经典作品。在国际贸易方面,其著作全面概括了纯理论以至于政策。他是经济史的伟大作家,既有渊博学识又能评论深刻。在其《远期观点与近期观点》(1931)一书中,他对成本理论阐明了长期与短期之间的关系,从而对成本埋论作出了基本的贡献。

Vinet, Alexandre-Rodolphe 维内(1797-06-17,瑞士乌希 ~ 1847-05-04,克拉朗) 瑞士法裔神学家、伦理学家、文学批评家,他为新教在瑞士法语居民中奠定基础作出贡献。他

伯尔尼瑞士国家图书馆供图

曾在洛桑大学学习。1817 ~ 1837 年在巴塞尔大学讲授法语,后任洛桑学院教授,1837 ~ 1845 年授实用神学,1845 ~ 1846 年授法语文学。在著作中宣传宗教习俗自由,坚持政教分离。他认为,人的真正道德准则是良心,而不是教条。1845 ~ 1847 年倡导自由教会运动,反对政府干涉教会自主权。他强调个人遵行宗教原则,对教会教条采取实用主义态度,这种思想在法兰西、英格兰和瑞士都有影响。他的纯文学著作大多在死后出版。

Vingt, Les 二十人画派 又称二十人画社。艺术家团体。1891 ~ 1893 年一群画家因对象征主义绘画具有共同兴趣,集体在比利时举行作品展览并结成团体。他们以布鲁塞尔为活动中心,如同法国和德国的同时代画家一样,在作品中把创作重点从印象派画家所注重的日常事物的外观,转移到赞颂神秘、暗示和象征的内心世界。比利时的象征主义绘画采用简化的形式,线条粗重,运用色彩主观,突出宗教、异国情趣和原始文化的精神内容。这些技巧显现在 J. 恩索尔、J. 托罗普和 H. 范·德·费尔德等人的绘画及书画印刷艺术作品之中,他们都是二十人画派的成员。该画派特别是费尔德,后来将象征主义的风格融入了"新艺术"运动的设计构思之中。

Vinh 荣市 越南中北部城市。地处大河(又称蓝江,在荣市东北注入北部湾)三角洲。位于河内以南 260 千米处。为人口稠密的农业区的中心和周围地区重要的商贸中心。建有一座发电厂。有化学工业和纺织工业。附近有锰矿和磷矿。人口110 793(1989)。

Vinh Long 永隆 越南南部湄公河三角洲地区城镇。为前江右岸的一个河港。三角洲地区罗马天主教会所在地,建有天主教大教堂。有一所医院和商业机场。镇内名胜有 18 世纪晚期的总督宫和中国广州式宝塔。人口81 620(1989)。

Vinh San(Vietnamese emperor) **永珊** 参阅 **Duy Tan** 维新。

Vinita 维尼塔 美国俄克拉何马州东北部城市、克雷格县县城(1907)。位于塔尔萨东北。1871 年铁路通车时初建,为纪念国会大厦林肯塑像的作者维尼·里姆(Vinnie Ream)而命名。1898 年设建制。经济以农业为主,牲畜饲养与运输以及肉类加工业占重要地位。附近有油井。设有州立东部医院。每年 8 月有为纪念幽默家 W. 罗杰斯而举行的牧人竞技表演。城东格兰德湖有水电、游乐之利。人口 6 472(2000)。

Vinje, Aasmund Olafson 温尼耶(1818-04-06,挪威温尼耶~1870-07-30,格兰) 挪威诗人、新闻工作者。他提倡用新挪威语写作。出身于贫苦佃农家庭;他在 1858 年自己创办《山谷人》以前,已为报章和期刊撰写文章多年。他致力于对民众进行启蒙教化,使教育更为普及。40 岁开始写诗,名著有《1860 年夏游回忆》、《诗集》(1864)及组诗《斯托雷古特》(1866)。

Vinland 文兰 公元1000年左右北欧探险家利夫·埃里克松在北美洲发现的一片遍布森林的土地。确切位置不详,或即为现在加拿大东部或东北部沿大西洋一带。据传,埃里克松率领 35 个人前去寻找布约尼·海约夫松于 986 年无意中看到的一片土地。他们首先到达一块满是冰雪的不毛之地,命名为赫柳兰;接着向南航行进入一片平坦多树的土地,命名为马尔克兰;然后再向南航行驶至第 3 块温暖多树地区,命名为文兰。他们在文兰建立营帐。据说这里的植被有一种"酒浆果",后人一直认为这种"酒浆果"就是葡萄,但亦有人认为实系蔓越橘。

viññāṇa 参阅 **vijñāna** 识。

Vinnitsa 文尼察 乌克兰中西部一州。位于沃伦-波多尔斯克高地的南布格河和德涅斯特河流域。面积26 500平方千米。其丘陵地区起伏不大,为河谷和侵蚀沟严重切割。北部多森林草原,南部属草原地带。70%的地表已成耕地。农业高度发展。农村人口约占1/2。乌克兰甜菜主要产区。其他重要经济作物有向日葵、烟草。谷物主要为小麦与玉米。果园面积甚大。制奶业与菜牛、生猪、家禽饲养业很发达。除首府文尼察以外,文尼察州其他城镇很小,主要从事农产品加工,特别是制糖。人口约1 914 400(1991)。

Vinnitsa 文尼察 乌克兰中西部文尼察州城市和首府。在南布格河畔。1363年由立陶宛大公阿尔吉达斯建立要塞。鞑靼人多次劫掠,后属波兰,1793年归属俄国。1795年建镇。1870年基辅—敖德萨铁路经过此地,之后城市繁荣起来。现为农业地区中心,生产化肥,有食品加工机械、电子、农业设备、轻型机械、服装和制鞋业。有师范学院、医学院、数座剧院和交响乐团。人口约380 900(1991)。

Vinogradoff, Sir Paul Gavrilovitch 维诺格拉多夫(1854-11-30[旧历11-18],莫斯科附近的科斯特罗马～1925-12-19,巴黎) 俄国出生的英籍法学家和中世纪史专家。他可能是他那个时代在英国封建法和习惯法方面的最高权威。曾在莫斯科大学学习(获哲学博士,1884),以后他被任命为莫斯科大学的教授,并且成为俄国教育改革的积极分子。当大学当局限制学生们的言论自由时,他就辞去了他的教授职务(1902)前往英国。1903年,他在英国担任牛津大学的法理学教授。1917年被封为爵士,因为在一年之前他已成为英国公民。他的最重要的著作是《英国的佃农劳役制度》(1887年用俄文发表,1892年用英文发表)。在这本书里他提出一种理论:盎格鲁-诺曼式的采邑不是由以农奴制为基础的社会而是从一种自由村社发展起来的。他的巨著《历史法理学大纲》(1920～1922)在其死时尚未完成。

Vinogradov, Ivan Matveyevich 维诺格拉多夫(1891-09-14,俄国米勒柳勃～1983-03-20,莫斯科) 苏联数学家。主要由于对解析数论的贡献而著名。他部分解决了哥德巴赫猜想。1914年毕业于圣彼得堡大学。1918～1920年在彼尔姆大学任教,后被任命为列宁格勒工业学院数学教授。1925年起兼任国立列宁格勒大学数论教研室主任。1932年起任苏联科学院斯捷克洛夫数学研究所所长。1934年起为国立莫斯科大学教授。已出版的著作有《数论中的三角和方法》(1954;1980第2版)、《数论基础》(1965第7版;1981年第9版;中译本,1952第5版)。他的文集1953年在苏联出版。他还编辑了C.F.高斯的著作和数学百科全书。

Vinson, Fred(erick) M(oore) 文森(1890-01-22,美国肯塔基路易莎～1953-09-08,华盛顿[哥伦比亚特区]) 美国律师、第13任美国最高法院首席大法官。他积极支持对联邦政府的权力给予广泛的解释,他时常支持这种权力以反对个人的权利要求。1911年在肯塔基州丹维尔中央学院完成法律学业后在路易莎执律师业,很快就积极参与当地的政治

美国国会图书馆供图

活动。1923年起任美国众议员,除间断两年外,一直任职到1938年。作为国会议员,他被认为是税收和财政政策方面的杰出专家。1938～1943年任哥伦比亚特区美国上诉法院法官。1943～1945年历任第二次世界大战中一些临时机构的高级行政职务。1945年他被杜鲁门总统任命为财政部长,协助建立了国际复兴开发银行和国际货币基金组织。经杜鲁门总统任命,他于1946年6月24日就任美国最高法院首席大法官。他的最重要的意见之一是,他根据宪法第14修正案关于"法律上的同等保护"的条款,支持少数民族的权利;他代表最高法院说话,拒绝准许一个州的法院执行一项关于只把不动产售给白人的私人间的协议("限制约款")("谢利诉克雷默"案,1948)。他强烈反对最高法院的意见:认为总统在朝鲜战争期间强制管理受到罢工威胁的钢铁工业一事是违反宪法的("扬斯敦钢板钢管公司诉索耶"案,1952)。

Vinson Massif 文森山 南极洲最高峰,海拔5 140米。位于埃尔斯沃思山脉,在森蒂纳尔与赫里蒂奇岭之间,俯瞰龙尼冰架。1935年由美国探险家L.埃尔斯沃思发现。当地发现一些软体动物化石,包括三叶虫和腕足动物,这说明在寒武纪时当地气候温和。

Vint 文特牌 类似惠斯特和桥牌的一种纸牌游戏,19世纪末曾流行于俄国,故又称俄国惠斯特牌。叫牌的花色等级从小到大顺次为:黑桃、草花、方块、红心和无将。8次连续不叫即确立定约。不论将牌如何,比定约每多获1墩牌即在记分线下记定约值的10倍(如叫1,记10分;叫2,记20分,依此类推)。最先做成500分的一家为胜方。

vinyl acetate 醋酸乙烯酯 无色、液态有机化合物,其聚合物为聚醋酸乙烯酯(**polyvinyl acetate**)。

vinyl chloride 乙烯基氯 又称氯乙烯。无色、可燃性有毒气体有机卤化物。主要用于生产重要合成树脂聚氯乙烯(**polyvinyl chloride**)。乙烯基氯于1835年由氯化乙烯与苛性钾反应首次制得,并注意到它暴露于阳光下会慢慢变成片状固体,但直到多年以后人们才认识到这是一种聚合作用。20世纪初,发现乙炔和氯化氢在氯化汞(Ⅱ)存在下反应生产乙烯基氯的工业方法,但直到第二次世界大战需要天然橡胶代用品时,才投入工业生产。由乙炔生产乙烯基氯的方法在欧洲仍甚重要;但在美国,则通常是将氯化乙烯加热到480～510℃或用苛性钠稀溶液处理以制取乙烯基氯。乙烯基氯的化学性质与烯类相似,但除了能转变成聚合物之外,其唯一重要的化学反应是与次氯酸反应生成氯乙醛,用于制取如磺胺噻唑等药物。人或试验动物长期暴露在乙烯基氯气氛中则可致癌。

vinyl compound 乙烯基化合物 丙烯酸系化合物、苯乙烯及其衍生物等多种有机化合物的总称。用于制造塑料薄膜、片材、室内装饰物、塑料地板砖、吹气玩具和实心玩具、钮扣、模塑和挤塑制品、织物纤维、电线绝缘材料、纱网、管材(尤其是化学品的输送管)、橡胶代用品、水基涂料组分和织物整饰剂。乙烯基化合物含有乙烯基团(CH_2 ═CH —)。简单乙烯基化合物分子可发生聚合,尾尾相接,形成聚乙烯化合物如聚氯乙烯。两种不同的乙烯基化合物分子也可以连接,形成共聚物,如乙烯基系树脂和维荣纤维。参阅**polyvinyl acetate; polyvinyl alcohol; polyvinyl chloride; vinyl chloride; vinylidene chloride**。

vinyl fluoride 乙烯基氟 又称氟乙烯。无色、无毒、可燃、化学性质稳定的气体有机卤化物。用作制取聚氟乙烯(**polyvinyl fluoride**)塑料的原料,聚氟乙烯塑料用作结构材料的保护层。1901年首次制得乙烯基氟。工业生产是用乙炔与氟化氢反应。

vinylidene chloride 亚乙烯基二氯 又称1,1-二氯乙烯。无色、浓稠、有毒、易挥发的可燃性液体有机卤化物。主要和氯乙烯、丙烯腈或甲基丙烯酸甲酯一起,用于制取称作莎纶的塑料。亚乙烯基二氯也用作生产甲基氯仿即1,1,1-三氯乙烷的原料,甲基氯仿是清洗电器设备的有效溶剂。亚乙烯基二氯是由1,1,2-三氯乙烷(由乙炔或乙烯制得)与石灰或苛性钠反应制得。一般临用时现制,因其极易与氧反应生成过氧化物,后者促使生成不希望得到的聚合物。

viol 维奥尔琴 又作viola da gamba。弓弦乐器,主要用于16～18世纪室内乐。其6根弦的调音与文艺复兴时期的诗琴相同,为两个4度,一个大3度,两个4度。琴颈上装有肠衣制的品。有3种型号:高音、次中音和低音;并且有底弦,分别定弦为d、G(或A)和D。后来在这些型号以外又另外增加了维奥隆内琴,定弦常比低音维奥尔琴低8度。维奥尔琴的特点是琴肩倾削、侧板宽、琴背薄而平;演奏时竖着拉琴,把琴的底部放在膝上或夹在两腿间,所以又称作膝持维奥尔琴。琴马略弯以增加宽度,使弓能够分别接触每根弦。但这一宽度无法进行强劲的演奏。至16世纪下半叶维奥尔琴已有了一套重要的曲目,有供重奏的、低音琴独奏的,也有小型低音维奥尔琴用的。17世纪,器乐创作风格发生变化,强调高音区的富有表现力的歌唱般的音

响。由于小提琴的兴起,次中音和高音维奥尔琴趋于衰退。到17世纪末叶,正常型号的低音维奥尔琴(即膝持维奥尔琴)用在巴罗克时期的器乐曲中。进入18世纪,低音维奥尔

1659年插图画中演奏低音维奥尔琴的男子
不列颠博物馆供图

琴独奏继续在德国和法国流行。在其他地方低音维奥尔琴之所以得以保存下来,主要是因为它的持续的音给予拨弦键琴以合适的衬托。当作曲家在比较新的古典风格中创作完整的上声部和声时,维奥尔琴失去了它最后的一点有用功能,便完全被废弃不用。20世纪,为了演奏文艺复兴时期和巴罗克时期的音乐,维奥尔琴又成功地复苏了。

viola 中提琴 弦乐器。提琴族中的次中音乐器,其结构与小提琴相似,但身长37至43厘米,约比小提琴长5厘米。4根弦定为c-g-d′-a′,从中央C下的C开始。声音比小提

中提琴的侧面(左)与正面(右)
美国不列颠百科全书公司供图

琴低沉、滞重和温暖。现代交响乐队用6～10把中提琴。中提琴是弦乐四重奏和更大的室内乐演奏团中不可或缺的成员。在18世纪的管弦乐队中,它往往重复大提琴的声部。格鲁克、莫扎特和海顿都给它以特有的处理,因此它在管弦乐队中逐渐承担起独立的作用。柏辽兹的《哈罗德在意大利》中有一段很长的中提琴独奏,在R.施特劳斯的《堂吉诃德》中桑丘的主题由中提琴演奏。中提琴亦常用于20世纪诸如勋伯格和布莱兹等人的室内乐演奏中。参阅 **stringed instrument**。

Viola 堇菜属 堇菜科的一属。约500种。草本或矮灌木。包括株形小、花色单的紫罗兰及花较大、常为多色的堇菜类和三色堇类。广布全球。但在温带气候条件下最繁盛,在南美安第斯山脉地区种类最多。亦广泛栽种于花园及苗圃。受欢迎的在花店出售的紫罗

丘陵堇菜(*Viola sproria*)
供图:John H. Gerard—美国不列颠百科全书公司

兰类,常称为香紫罗兰,包括多种杂品系,其中许多属香堇菜(*V. odorata*)。野生堇菜一年或多年生。因堇菜容易杂交,不易鉴定究属何种。花单生,5瓣,其中4瓣成对,各对形状不同,第5瓣有短距;通常蓝色、紫蓝色、丁香色、红紫色、黄色或白色。有茎种类叶和花生于同一梗上,无茎种类则分别生于不同的梗上。最熟知的种类可具心形叶,但其他种类的叶可具不同形态。堇菜最常见于牧场和潮湿林地。野生种早春开花,有些栽培种类花期较迟。许多堇菜的花分可育和不可育两类:不育花艳丽,春季开放;可育花不甚鲜艳,夏季开放,花瓣完全闭合,行自花授粉。最常见的北美种类有蝶花堇菜(*V. papilionacea*)及鸟足堇菜(*V. pedata*)。前者高20厘米,叶心形,叶缘有细齿;花色由浅紫蓝色至深紫蓝色,亦有白色者。后者为多年生;叶有深裂,形似鸟足,故名;花色各异,杂以丁香色及紫色。三色堇(**pansy**)为杂交种,数百年来栽于庭园。所谓非洲紫罗兰(**African violet**)不属堇菜目而属玄参目。

viola da gamba (musical instrument) 参阅 **viol** 维奥尔琴。

Violales 堇菜目 显花植物的一目,属木兰纲(双子叶植物)。主要为灌木或乔木,但亦含草本植物,包括堇菜科这一大科。堇菜目与山茶目、锦葵目、杨柳目、白花菜目,可能还有其他目近缘;现在某些权威甚至将其视为山茶目的后裔。结果,堇菜目包含哪些组成部分,分类系统各不相同。有些权威认为本目含9科,而有的人认为包含多至24科。一个保守的分类系统将堇菜科(Violaceae)、大风子科、葫芦科及西番莲科归入堇菜目。除世界性分布的堇菜科外,堇菜目的种类主要仅分布于热带及亚热带地区。堇菜目的种类多为小乔木或灌木,在森林中高大的乔木下生长成低矮的植被。堇菜目植物在任何地区都难以形成占优势的植物种类。葫芦科(偶或置入单独的葫芦目)包括葫芦、瓜类、小果南瓜、南瓜等可用作食物的种类。最著名的种类有西瓜(*Citrullus lanatus*)、黄瓜(*Cucumis sativus*)、坎塔卢波香瓜及香瓜(*Cucumis melo*),以及南瓜属(*Cucurbita*)的种类。堇菜目另一个为人熟知的科是堇菜科,其种类分布于所有大陆。堇菜(紫罗兰)无论野生还是栽培品种,都是受欢迎的庭园观赏植物。西番莲科

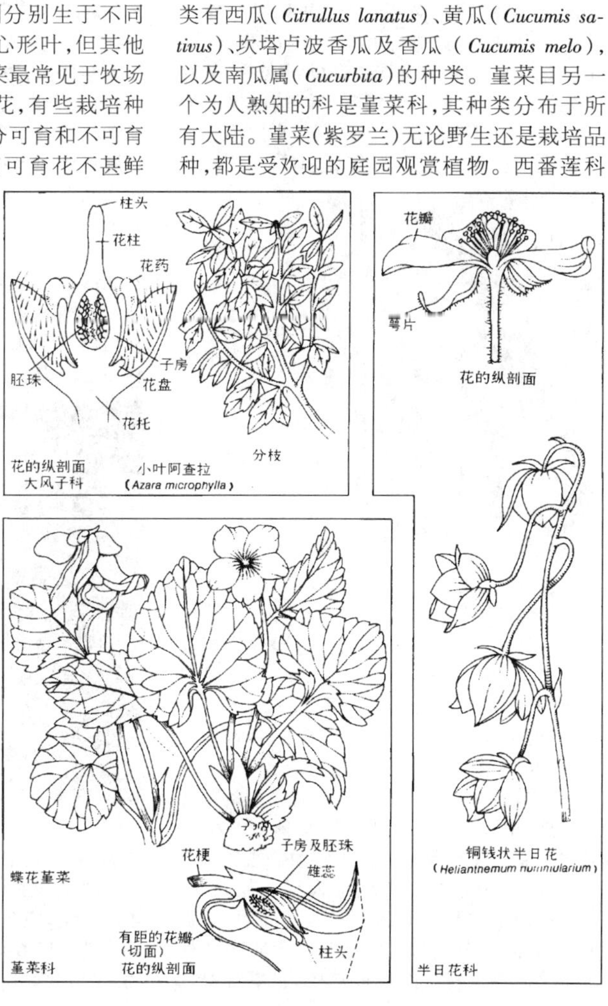

堇菜目植物营养部、花部与果部的特征

包含许多具卷须，花具特色的藤本。大风子科是一个大科，少数种结出小型果实，在热带地区用来制造果酱及蜜饯。堇菜目种类之间在特征方面千差万别。多为灌木或小乔木，常绿或落叶。花通常包含5枚萼片，5枚花瓣，呈辐射对称；多为两性花。堇菜目的各属除一属外，均为侧膜胎座式，即种子附于果实的内壁。果为浆果或蒴果，蒴果成熟后裂成数瓣以释出种子。单叶，互生，沿茎螺旋形排列，叶柄基部具成对的托叶。本书的分类系统中堇菜目的12个科是：Acharitaceae科，番木瓜科（Caricaceae），葫芦科，十萼花科（Dipentodontaceae），大风子科，Lacistemataceae科，Malesherbiaceae科，西番莲科，Peridiscaceae科，Scyphostegiaceae科，Turneraceae科，以及堇菜科。

Violence Against Women Office 反暴力伤害妇女局 美国联邦机构，隶属美国司法部，成立于1995年3月，旨在帮助贯彻与协调1994年《反暴力伤害妇女法》提出的某些措施。《反暴力伤害妇女法》为综合性立法，通过严惩犯罪人、改进警察对家庭暴力的反应、为预防暴力及为受害人服务划拨资金等措施打击针对妇女的暴力。反暴力伤害妇女局的职责是配合司法部及其他打击对妇女施暴的政府和私人机构的工作。该机构还与社区治安办公室紧密合作，培训执法人员掌握有效的防范技巧，如实施事发前逮捕，并在警察局与受害人援助组织之间建立合作关系。

violin 小提琴 弦乐器。文艺复兴时期由早期的弓弦乐器（包括中世纪的提琴、它的16世纪意大利旁系乐器"臂持利拉琴"和雷贝克琴）发展而来。小提琴可能是世界上最广为人知而且分布最广的乐器。小提琴像它的祖先，但不像它的远亲维奥尔琴，它的指板

小提琴的内部结构
美国不列颠百科全书公司供图

无品。弦栓在调弦的轴上，越过琴马到系弦板。琴马把弦的振动传到音板上。音板是松木制的，能把声音放大。乐器的内部有一根音柱，处于琴马的高音一边的足下，在音板和槭木制的琴背之间，把弦的振动传给琴背，发出小提琴特有的音响。音板下有窄木条低音板支撑，用以扩大乐器的共鸣。侧板是松纹槭木所制。小提琴早先由于它如歌的音调而为人赏识，在它的原产地意大利尤其如此。意大利最早的制造家达·萨洛、阿马蒂、马吉尼在16世纪末以前已经把它的一般比例规定下来。在小提琴的发展史中，它不断得到改进以逐渐适应它那演变的音乐功能。一般说来，比较早期的小提琴的音板和琴背拱度比较大；比较近代的小提琴则遵循斯特拉迪瓦里（1644～1737）的革新，音板和琴背比较浅，发音比较雄浑。19世纪随着大礼堂和小提琴技巧名家的出现，小提琴的设计经受最后一次改革：琴马加高，音柱加粗和低音板加厚，琴身也变得更加扁平。琴颈后仰，使琴弦对琴马的压力加大。结果，比较有力和辉煌的音响取代了18世纪小提琴的柔弱、亲切的音响。最早的小提琴用于流行音乐和舞蹈音乐。到17世纪它取代维奥尔琴成为室内乐中的首要弦乐器。意大利作曲家蒙特威尔地把小提琴用在他的歌剧《奥菲欧》（1607年初上演）的管弦乐队中。法国国王的管弦乐团"国王的24把小提琴"于1626年组成。技巧高超的小提琴家科莱利是为小提琴创作新音乐的最早的作曲家（包括维瓦尔第、巴赫及小提琴演奏家塔蒂尼）之一。从18世纪起，许多大作曲家都为小提琴写独奏曲，其中有莫扎特、贝多芬、舒曼、勃拉姆斯、格里格、兴德米特、勋伯格和贝尔格。像杰米尼亚尼、帕格尼尼、约阿希姆、克莱斯勒、奥伊斯特拉赫、梅纽因和斯特恩等演奏大师都促进了优秀小提琴音乐作品的产生。小提琴被吸收到中东和南印度的艺术音乐中，并在许多国家的民间音乐中演奏。

Violle, Jules(-Louis-Gabriel) 维奥尔（1841-11-16，法国朗格勒～1923-09-12，菲克桑） 法国物理学家，在法国-瑞士边界阿尔卑斯山脉勃朗峰上对太阳常数进行高空测定的第一人（1875）。他毕业于巴黎高等师范学校，先在里昂大学任教，后在高等师范学校任教，自1891年起在巴黎工艺学院任教。他还测定了钯、铂和金的熔点。对高温辐射的研究促使他提出光度单位维奥尔，即维奥尔标准。此外，他还研究间歇泉理论、冰雹的起源，并利用气球探测大气。

Viollet-le-Duc, Eugène-Emmanuel 维奥莱-勒-杜克（1814-01-27，巴黎～1879-09-17，瑞士洛桑） 法国仿哥特式风格建筑师，曾修复许多法国中世纪的建筑。他在建筑设计理论

巴黎图片档案馆供图

的著作中，将浪漫主义时期的复古倾向与20世纪的功能主义联系在一起。他是A.勒克莱尔的学生，但在事业上却深受H.拉布鲁斯特的启迪。1836年去意大利研究建筑，回国后，为哥特式艺术所吸引，参加圣日尔曼-奥塞鲁瓦教堂的修复工程（1838）。1839年，经作家P.梅里美介绍，负责韦兹莱的拉马德莱娜教堂修复工程（1840）。梅里美是历史文物委员会的成员，维奥莱-勒-杜克很快成为该委员会的中心人物，1840年他与F.-L.-J.迪旁合作，修复巴黎圣徒小教堂。1845年，他与拉修斯被聘从事巴黎圣母院的修缮工作，并添建了一个哥特式风格的圣器收藏室。另一项重要的工程为1846年修复圣但尼教堂。1848年后，他参加教区建筑部门的工作，主管许多中世纪建筑的修复事宜，其中最著名的修复工程为亚眠大教堂（1849）、卡尔卡松堡（1852）及图卢兹的圣塞尔南教堂（1862）。他在19世纪建筑修复工程的理论方面是首屈一指的权威，主张古建筑的修复应恢复其原有的风格，但在他自己的实践中，却往往添加完全由他自己设计的部分。他设计的宗教建筑都带有一些哥特式风格，如卡尔卡松的圣吉默教堂（1853～1859）和新奥德教堂（1855）等，他在设计世俗建筑时，却并不采取中世纪的风格，这些作品都带有一些文艺复兴的形式。他的著述甚多，都附有精美的插图；有两部百科全书式的巨著，《11至16世纪法国建筑辞典》（1854～1868）和《加洛林王朝至文艺复兴时期法国家具辞典》（1858～1875），总共16卷，资料丰富精确，对推动仿哥特式的发展起了很大作用。他并没有把哥特式停留在浪漫主义的感情上，而是从研究法国18世纪的建筑理论和观察哥特式建筑的体会中提出结构和形式之间应有内在联系的理性建筑理论。主张建筑必须直接表现出当时的材料、技术和功能需要。具有讽刺意味的是，他自己却未能遵守他的理论，因为他本人和他的法国追随者依旧在用折衷主义的风格进行设计。他的建筑理论发表在《建筑论述》（1858～1872）中，对现代有机建筑理论和功能主义的发展，特别是19世纪后期的芝加哥学派影响很大。其他重要著作还有《俄罗斯艺术》（1877）和《建筑装饰》（1879）。

violoncello（musical instrument） 参阅 **cello** 大提琴。

Viotti, Giovanni Battista 维奥蒂（1755-05-12，皮埃蒙特丰塔内托达波～1824-03-03，伦敦） 意大利小提琴家和作曲家。19世纪小提琴演奏乐派主要奠基人。1768年到都灵，师承小提琴演奏大师G.普尼亚尼，并与之同去德、波、俄等国旅行，1782年在巴黎首次登

中国大百科全书出版社供图

台。1792年去伦敦，指挥意大利歌剧并在萨洛蒙音乐会上以独奏演员身份演奏自己的小提琴协奏曲。1819～1822年在巴黎任意大利歌剧院院长。他大大发展了小提琴协奏曲。写有29首小提琴协奏曲（以《作品第22号A小调协奏曲》最有名）、10首钢琴协奏曲、弦乐四重奏和其他室内乐作品。

Vipāśā (India) 参阅 **Beās River** 贝阿斯河。

viper 蝰蛇 蝰蛇科毒蛇类约200种。分为两个亚科，即蝰蛇亚科（Viperinae，旧大陆蝰蛇）和响尾蛇亚科（Crotalinae，颊窝蝰蛇）。某些权威人士认为，蝰蛇的这两个类群应是各

蝰蛇（*Bothrops nummifera*）
供图：Dade Thornton—the National Audubon Society Collection/Photo Researchers

自独立的科。蝰蛇的特征是具有一对中空的注射毒液的牙齿，着生在上颌骨上，不用时可折回嘴内。颊窝蝰蛇（响尾蛇，铜头蛇等）的特征是：在每侧鼻孔与眼之间有一热敏感小窝，有助于准确地袭击捕食温血动物。蝰蛇体长从奥尔西尼氏蝰蛇（草原蝰，*Vipera ursini*）的30厘米到巨蝮（*Lachesis muta*）的3米以上。捕食小型动物，捕猎方法是先咬伤猎物，再追踪。旧大陆的蝰蛇分布在欧洲、亚洲和非洲。特点是行动迟钝，身体粗壮，头宽大。许多种类为陆栖。树蝰（树蝰属［*Atheris*］）的身体细长，尾能缠住树枝，营树栖生活。而穴蝰属（*Atractaspis*）则为洞栖，眼细小。大多数种类卵胎生。响尾蛇亚科主要在新大陆，从沙漠到雨林皆有。中、南美洲的洞蛇属为地栖或树栖种类。有些种如噬鱼蛇（蝮蛇属［*Agkistrodon*］）水栖。某些种类产卵；其他为卵胎生。

viperfish 蝰鱼 鲑形目蝰鱼科蝰鱼属（*Chauliodus*）海水鱼类的统称。共6种，见于各主要大洋的热带海区。均为深海种类，沿体侧有发光器，有的在鳍末端和口腔内也有发光器，所发的光有时用于诱集其他鱼类以捕食之。因牙大且突出两颌之外似蝰蛇而得名。体型均小，最大的是太平洋蝰鱼（*C. macouni*），长达30厘米。

Viphya Mountains 维皮亚山地 马拉维中北部姆津巴县的高地。从南部的昌皮拉山（1 820米）到东北部的乌祖马拉山（1 943米），绵延约209千米。西面为姆津巴平原，东为尼亚萨湖裂谷的峭壁。海拔1 500～1 800米，被海拔1 200米的鞍形山口分为两部分。地势起伏，覆盖着草地、小块原始森林和残丘。境内有卢韦亚河、利姆帕萨河以及卡西图河的源头。由于大量种植软材树，发展了纸浆工业。山地北部用于军事训练。南部有桐树和茶叶种植园。姆祖祖（人口62 700［1994］）是北部的行政和服务中心。

Vir Singh, Bhai 维尔·辛格（1872，印度旁遮普～1957，旁遮普） 印度锡克教作家和教理学家，为旁遮普语上升到空前的文学水平作出了重要贡献。在他进行写作的时代，锡克教、锡克政治和旁遮普语受到英国人和印度教徒的强烈抨击，以致锡克教徒开始怀疑自己生活方式的价值。他运笔灵活，歌颂锡克教徒的英勇、锡克教的哲学和理想，使旁遮普语成为文学载体，威望上升。他认为，人必须克服自大亦即自我，才能理解神，这是他的哲学的核心。人一旦战胜自我，就可以认识神的一切表征。维尔·辛格在阿姆利则创办《卡尔沙教团新闻》周报，现仍在出版。他的长篇小说有：《大师的故事》（1935），叙述17世纪祖师哥宾德·辛格的生平；《祖师那纳克事迹》（两卷，1936），是锡克教创始人那纳克的传记。其他阐发锡克教哲学、叙述该教武功的小说，有《松达里》（1943）、《比贾伊·辛格》（1899）和《巴巴·努德赫·辛格》（1946）。他使用旁遮普语从来未有的诗文体裁，如短韵诗和无韵诗。他的诗《守夜》发表于他逝世之后。旁遮普大学授予他荣誉博士学位以表彰他的贡献。

Viracocha 维拉科查 又拼Huiracocha或Wiraqoca。秘鲁地区居民在被印加帝国征服前所信奉的造物神，后来又被融合到印加宗教之中。此神司行云作雨，据说太阳和月亮

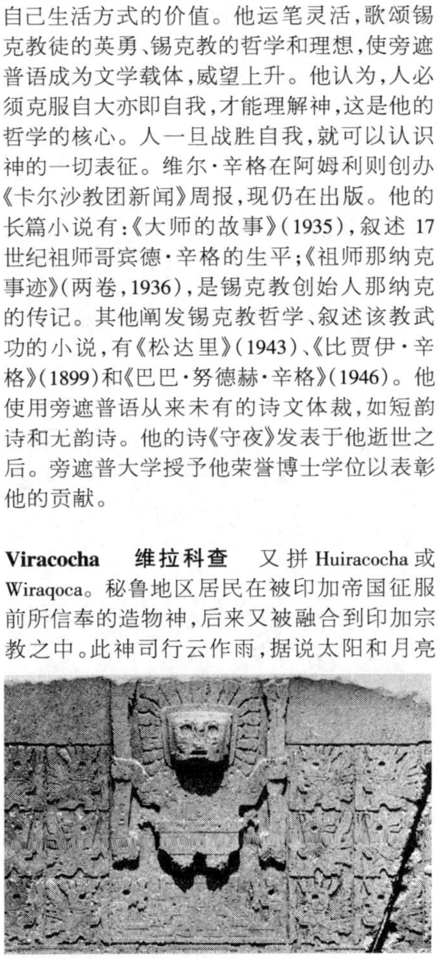

蒂亚瓦纳科太阳门上的维拉科查浮雕像
供图：Georg Gerster Rapho/Photo Researchers

是由他在的的喀喀湖创造的。他的形象有时是一个长须老者，长袍执杖。印加人认为维拉科查住在远方，把日常事务交由他所创造的其他诸神司掌。

viral hemorrhagic fever 病毒性出血热 各类高致命性病毒感染性疾病的统称，其特点是身体外（或体内）大范围出血或是皮肤出血性淤斑。其他症状则与感染病毒的类型有关，最常见的有发热、全身不适、肌肉痛、呕吐和休克。绝大多数病毒性出血热都有明显的地域特征，因为该病毒大都通过动物或虫媒进行传播。作为病毒宿主的传媒动物的生存条件要求苛刻，或是对生态环境有特殊要求，故其生存空间不大，或仅局限于某些狭窄地域。可导致病毒性出血热的病毒有四类：黄病毒科（Flaviviridae）、沙粒病毒科（Arenaviridae）、布尼亚病毒科（Bunyaviridae）和丝状病毒科（Filoviridae）。

最常见的病毒性出血热是登革热和黄热病，分别由寄生在蚊子体内的黄病毒属传播。18世纪末，黄热病在美国很多海岸城市的流行曾引起广泛的恐慌。但在今天，黄热病仅见于非洲和南美洲的某些发展中国家。在各种病毒性出血热中，黄热病是唯一一种可被有效疫苗免疫的疾病，并且该疫苗已广泛使用。登革热（一种热带地方病）患者的症状类似感冒，大都不严重；不过，登革病毒的四种类型都能引起严重的登革出血热，或更为严重的登革热休克综合征。登革热和黄热病不同，后者主要导致肝脏损伤和严重出血；而前者的肝损害不重，出血也不足以致命，但登革热休克综合征一旦发生，患者则会由于严重失水而造成水、电解质平衡紊乱、血容量减少、血压下降，最后死于感染中毒性休克。不过，在所有的致命性出血热中，登革热是唯一一种能够经过有效调节水电平衡而治愈的疾病，即便病情非常严重者亦如是。

沙粒病毒非常适于寄生在某些啮齿类动物体内，并经由粪便、尿和唾液排出体外。人类如果接触到被动物排泄物污染的食物或土壤，就有可能发病。由沙粒病毒引起的出血热主要有发生在非洲的拉沙热、阿根廷出血热、玻利维亚出血热、巴西出血热和委内瑞拉出血热。

汉坦病毒、裂谷热病毒和克里米亚—刚果出血热病毒都属于布尼亚病毒科。汉坦病毒和沙粒病毒一样，都是由啮齿类动物传播给人类的。高丽出血热和汉坦病毒肺综合征都是由汉坦病毒引起的，后者出血虽不严重，但由于高度肺水肿而成为一种高致命性疾病。裂谷热是一种由蚊子传播的疾病，历史上曾造成大量的牛、羊病死，有动物性肝炎之称，主要分布在非洲东南部和中东地区。感染了裂谷热的患者大都无性命之忧，但也有少量患者发生致命性的出血热、脑炎或是严重的眼病。克里米亚—刚果出血热主要分布在非洲东南部、中东地区和俄罗斯，是一种蜱传播疾病，主要殃及家畜，偶可传播给人类。

丝状病毒主要分布在非洲中东部，主要有埃博拉病毒和马尔堡病毒，它们都是最高致命性出血热的病原体，其中埃博拉病毒的某些株群可使患者死亡率高达90%。丝状病毒还可感染灵长类动物。马尔堡病毒在德国马尔堡最初发现，因直接接触输入到当地染病的猴子而致病。丝状病毒感染的来源一直被疑为是经由动物，如蝙蝠传播的，但目前尚无直接证据。

Vīraśaiva (Hindu sect) **维拉撒伊瓦派** 参阅 **Liṅgāyat** 林伽派。

Virchow, Rudolf (Carl) 菲尔绍（1821-10-13，普鲁士波美拉尼亚希韦尔宾～1902-09-05，柏林） 又译微耳、魏尔啸或斐尔科。德国病理学家、人类学家、政治家，细胞病理学说的创始人。1843年获柏林大学医学博士学位。1845年发表关于白血病的论文，报告了最早的白血病病例。该文后成经典。1847年

与人合办《病理解剖学、生理学及临床医学汇录》。他有自由主义观点，1848年奉政府之派遣到上西里西亚调查一次斑疹伤寒爆发，在报告中归罪于社会条件及政府。同年参加过

供图：Bildarchiv Preussischer Kulturbesitz，Berlin

柏林巷战。后着手医学改革（如废除医师中的等级）。1848～1849年发行《医学改革》周刊。1849年任维尔茨堡大学病理解剖学教授，培养了许多杰出的学生。在前人研究的基础上，系统地阐述了其细胞病理学理论，使之成为一个重要的影响深远的体系，强调疾病首先不是在整个器官、组织内，而是在细胞内发生的，人体是由彼此平等的细胞组成的自由国家。细胞来自已有细胞，抨击了当时极盛行的体液病理学理论，促进了病理学的发展。1856年到柏林大学任教，并积极参加政治活动，关心公共卫生及医学教育。1858年发表《细胞病理学》使整个生物科学改观。1861年建进步党，坚决反对俾斯麦。1880～1893年任帝国议会议员。其病理学研究范围尚包括血栓和栓塞、炎症、淀粉样变性、肿瘤、能感染人的动物寄生虫（如旋毛虫）等。设计了尸检的标准方法，可用以发现隐藏的疾病。他反对细菌致病的理论，认为某些细菌具有毒素；认为达尔文的理论缺少证据。也曾研究过人类学，参加过特洛伊遗址的发掘。

Virden　弗登　加拿大马尼托巴省西南部城镇。在阿西尼博因河附近，是该地区农业和谷物转运中心。1951年发现石油后发展成为该省石油工业经营总部。有些油井临近镇界。当地钾碱矿藏丰富，工业有面粉加工、饲料和奶制品生产、金属加工及印刷等行业。1890年建村，1904年建镇。人口2 894（1991）。

Virden　弗登　美国伊利诺伊州中西部马科平县城市。1852年沿芝加哥—密西西比铁路而建。1873年设建制。曾为采煤镇。1898年10月发生矿工暴动后煤矿关闭。现为农业社区，主要出产玉米和大豆。畜牧业也重要。人口3 488（2000）。

virelai　双韵短诗　14和15世纪法国抒情诗和抒情歌曲中几种固定形式之一。在中世纪和欧洲文艺复兴时期的文学中可以找到相类似的形式。标准的双韵短诗有3个诗节，各诗节前后都有副歌；每一诗节分为三段，其中开头的两段是相同的韵律组合，第三段按副歌的韵律组合。在音乐谱曲上亦然，第三段的音乐与副歌相同，开头的两段用不同的音乐。双韵短诗在法国音乐史上可分为3个时期：初期是单音音乐（单声部），按简朴的节奏和音节谱写曲调；14世纪后半叶按一种大型复调音乐谱曲；到15世纪上半叶，双韵短诗不再受人欢迎，但它也由大型结构退回到单诗节形式，用于15世纪后期某些最有吸引力的歌曲之中。这些仅有单诗节的后期双韵短诗常被称为牧羊歌。

Virén，Lasse　维伦（1949-07-22，芬兰米尔斯卡莱～　　）芬兰长跑运动员。在1972年慕尼黑奥运会和1976蒙特利尔奥运会上连获5 000和10 000米赛跑金牌。他在1972年所创的10 000米世界纪录为27分38.4秒，5 000米世界纪录为13分16.4秒。1980年的莫斯科奥运会是他最后一次参加奥运会，获得10 000米赛跑第5名。因为专心备战奥运会，他在其他赛事获得的最高荣誉是1974年欧洲冠军杯铜牌。1999年曾经当过警察的维伦当选芬兰议员。

vireo　绿鹃　雀形目绿鹃科（Vireonidae）42种新大陆鸟类的统称。包括胡椒鵙和绿伯劳——约5种热带鸟类，有时分别归入胡椒鵙科（Cyclarhidae）和绿伯劳科（Vireolaniidae）。约15个热带种在英语中又称为greenlet，该词以前用以指称所有绿鹃。绿鹃是新大陆最原始的鸣禽，嘴结实，但狭窄，稍有缺刻，末端钩

白眼绿鹃（*V. griseus*）
供图：Thase Daniel—Bruce Coleman Inc./美国不列颠百科全书公司

曲，嘴基有细须；体长10～18厘米，体色不鲜艳，灰色或淡绿色，有白或黄的色调（雌雄相似）；生活于林地或灌丛，在叶丛中觅食昆虫，反复发出短促洪亮的鸣声；巢为杯状，挂在树枝的分叉处；卵白色，有少量浅红褐色斑点。红眼绿鹃（橄榄色绿鹃，*Vireo olivaceus*）是人们熟悉的分布最广的种类，繁殖于加拿大南部到阿根廷一带；体长15厘米，有白色眼纹，镶以黑边，与灰色的头顶形成对比。白眼绿鹃（灰绿鹃，*V. griseus*）一般外貌与之相似。

Viret，Pierre　维雷（1511，瑞士奥尔布～1571-05-04，法国奥尔泰兹）　宗教改革家，主要活动于沃州。1531年受亡命瑞士的法兰西宗教改革家法雷尔影响，不久即在沃州传教。1533年在纳沙特尔任牧师时受伯尔尼人的爱戴。1536年伯尔尼与沃州合并，其后伯尔尼人仍支持维雷在沃州首府洛桑推行宗教改革。1536年10月他在洛桑主持辩论会，继而在沃州各地成立归正会。1559年因布道引起争议被迫离开洛桑。死前任奥尔泰兹神学院教授。

Virgil　维吉尔（公元前70-10-15，曼图亚附近安第斯［意大利］～前19-09-21，布伦迪休姆）　又作Vergil。拉丁语全名作Publius Vergilius Maro。维吉尔被罗马人看成是他们最伟大的诗人，这一评价得到了后世的认可；他的声誉主要在于他的民族史诗《埃涅阿斯纪》，该诗叙述罗马传说中建国者的故事，并且宣告罗马在神的指引下教化世界的使命。作为一位诗人，他的持久不衰的声誉不仅在于他的诗句的音乐性和美妙的措辞以及大规模地把一部错综复杂的作品创作出来的能力，而且因为他通过他的诗歌体现了各方面具有永恒意义的经验和行为。

维吉尔出身于农民家庭。他对意大利农村和在农村耕作的人民的爱是贯穿他全部诗作的主要色调。他先在克雷莫纳和米兰、最后在罗马受教育；对希腊和罗马作家，特别是诗人有透彻了解，并且在修辞学和哲学方面受过完备的训练。人们都知道，他有一位老师就是伊壁鸠鲁派的西罗；在他早期诗作里实质上反映的是伊壁鸠鲁哲学，但逐渐让位给更加接近斯多葛哲学的观点。

政治背景　在维吉尔青年时期罗马共和国已接近尾声，意大利的政治与军事形势是混乱的，并且往往是灾难性的。继马略乌斯和苏拉之间的内战之后则是庞培和尤里乌斯·凯撒争夺最高统治权。维吉尔20岁时，凯撒从高卢挥师南下，渡过鲁比孔河，从而挑起了一连串的内战，这些内战直到公元前31年奥古斯都在亚克兴取得胜利才告结束。维吉尔和与他同时的贺拉斯对内战都表现了极大的憎恶与恐惧。确实，要想真正理解奥古斯都时代和它的诗人，关键便在于要真正理解奥古斯都和平之前的动乱。

维吉尔的一生完全倾注在他的诗歌和同诗歌有关的研究上。他的身体从来没有健壮过，他在政治和军事生活中不曾起过任何作用。据说他在法庭作过一次演说，反映平平。他的害羞的和不喜出头露面的性格使得他根本不敢想自己会涉足于男女之事。他从未结婚，他的前半生过的是一位学者和近于隐士的生活。但是由于诗歌使他获得声誉，他逐渐同罗马世界的许多重要人物交上了朋友。他既是外省居民，又渐渐成了一个罗马人（他度过童年的地区，也就是被称为山南高卢省的波河流域地区，直到公元前42年才最后并入意大利。因此维吉尔好像是从罗马以外的地方来到罗马的。从他的第一篇牧歌，他最早的诗作之一，可以看到一位外省居民对罗马的向往之情；在诗歌里牧人蒂图鲁斯叙述了他不久之前对首都的访问和他对首都壮丽感到的惊讶）。

文学生涯　维吉尔的最早诗作可能保存在被认为是他所作的名为《维吉尔诗作补遗》的一部诗集里，但这里的许多诗不像真是他的。他的最早的可靠的作品是《牧歌》，包括10首田园诗的一部诗集，写于公元前42年和前37年之间。其中某些诗篇是以避世的态

度通过写作而徜徉于以希腊诗人忒奥克里托斯(活动于公元前280年前后)为依据的阿卡迪亚的田园牧人世界,不过它们大都是非现实的和程式化的。它们通过流畅的歌表达了一个理想世界的被理想化了的情景,在这里牧人们在阳光下歌唱他们淳朴的欢乐,以一种成为定式的凄楚之情来减缓他们的悲哀(不论是由于不幸的爱情或不适时的死亡)。但是某些诗篇或是直接地或是通过比喻使田园的模式和现实世界相接触,从而给这种体裁指出一个新的方向。第5首牧歌在牧人的国王达佛尼斯的死亡这件事上显然同当时不久前尤里乌斯·凯撒的死亡有某种联系。第10首牧歌把和他一样的另一位诗人、身居高位的政治家加卢斯带入了田园世界;第1首和第9首牧歌对牧人被赶出农庄表示悲痛。(在古代,人们普遍地相信这两篇诗歌以比喻的手法表现了维吉尔本人失去自己家乡农庄的情况,因为当时安东尼和屋大维——后来的皇帝奥古斯都——的老兵在公元前42年的菲利皮一战之后重新被安置。人们认为他后来是通过有权势友人的干预才收回自己的财产。但不管怎样,可以肯定的是,诗篇是以维吉尔个人的经验为依据的,不管失去的是他自己的农庄还是他友人的农庄;它们以一种沉痛的凄楚情绪——这种情绪已被看成是维吉尔所特有的——表达了被剥夺了财产的人们的悲哀。)

但是特别有一首牧歌显然同当时的局势有关,这就是第4首牧歌(有时被称为救世主牧歌,因为它被认为预言了基督教)。这是一个崇高的诗篇,它以响亮而又神秘的词句预言了一个孩童的诞生,他将带回黄金时代,驱除罪恶,恢复和平。它显然是在这样一个时代写成的,当时内战的阴云正在升起;人们能肯定地把这一时代定在公元前41～前40年,而看来最可能的情况是,维吉尔这里指的是三巨头之一安东尼和他的妻子屋大维娅,即屋大维之姊,将会诞生的一个孩子。虽然诗歌指的是一个特定的事件,却超越了特殊事件以象征词语提供一幅世界和谐的景象,即在某种程度上注定要在奥古斯都统治下实现的景象。

内战最悲惨的后果之一——这是作为乡下人的维吉尔最感切肤之痛的一个后果——便是意大利农村地区人口的减少。农民被迫参加战争,农庄无人过问,结果归于荒芜。作于公元前37年到前30年间(内战的最后阶段)的《农事诗》反映了作者迫切要求恢复意大利传统农业生活的心情。从形式上看它是教导性的,但正如塞内加后来所说,写作此诗"并不是为了教导农民而是为了使读者读了高兴"。在给予实用教导时(关于耕种、植树、看管牲畜和养蜂)还对大自然作了生动而深入的描绘,并对意大利乡村美景(第2卷第136行以次)和农民在颗粒归仓后的喜悦(第2卷第458行以次)等题材作了精心刻画。

《农事诗》是献给梅塞纳斯的(在每卷开头处)。梅塞纳斯是奥古斯都的主要辅弼之一,又是文艺的一位主要保护人。维吉尔这时可以称之为宫廷圈内的一员,他希望看到他所爱的意大利能恢复昔日光荣的心愿与国家想在土地上重新安置农民以减少对城市的压力的需要是一致的。如果以为维吉尔是在写政治宣传品那就不对了,而如果认为他的诗歌同当时政治与社会需要的主流无关,那也同样是错误的。

公元前31年,维吉尔38岁时奥古斯都

公元2～3世纪罗马镶嵌画中的维吉尔(中坐者)与史诗缪斯(左)和悲剧缪斯(右)

突尼斯勒巴尔多博物馆供图

(当时还叫屋大维)在亚克兴对安东尼和克娄巴特拉的军队取得了内战最后一战的胜利,从那时起开始了奥古斯都时代。维吉尔和许多他同时代的人一样感到大大地松了一口气,因为毫无意义的内部斗争终于过去了;深深地感谢使和平得以实现的那个人。奥古斯都渴望保存共和国的传统和它的组织形式,但实际上他是罗马世界的独一无二的统治者。他用自己的权力建立了一个和平与稳定的时期,并努力在罗马人中重新唤起民族自豪感,对他们祖先的宗教、传统道德价值(即勇敢、节约、义务、责任)与对家庭的忠诚的新的热情。维吉尔在内心里是个乡下人,他对意大利人民淳朴的道德和宗教传统也怀有深深的依恋之情。他终生都在准备写作一部史诗(当时这被认为诗歌成就的最高形式),现在他便通过《埃涅阿斯纪》来体现他理想中的罗马。《埃涅阿斯纪》记述在意大利建立第一个居留地的故事,罗马便从这里一跃而起。居留地的建立者是一位特洛伊王子,他是公元前12世纪特洛伊被希腊人摧毁后从那里逃出来的。他选择这个题材有两大优点:一是时期和主题同荷马的《伊利亚特》和《奥德赛》的时期和主题十分接近,这样他便能重新塑造取自他伟大希腊先行者的事件与人物;二是通过把埃涅阿斯表现为罗马人生活方式的原型(最后一个特洛伊人和第一个罗马人),他使史诗同他当时的奥古斯都世界发生了联系。此外,通过使用预言、幻象和手法诸如描述埃涅阿斯盾牌上的图画或当时风俗习惯与体制等以预示罗马历史上的真实事件。因此史诗展开在双重时间尺度上,既是史诗英雄时代的,仍然是奥古斯都时代的。

维吉尔对奥古斯都政权所允诺的新生罗马的热情在史诗中常有反映。朱庇特响亮和使人生畏的预言(第1卷第257行以次)描述了罗马为上天的启示的使命,它有一种感人的爱国冲击力量:"对这些人我没有设置时空方面的任何限制——我给予他们无限的统治"(第278～279行);还有,在奥古斯都统治下,"那时严酷的世代将得到缓和,战争将被搁置一旁"(第291行)。这段话最后以一个令人难忘的形象来结束,它表现为一个拟人化带着镣铐的"狂人",徒劳地咬着他那染血的牙齿。在第6卷结尾处埃涅阿斯访问了地下世界,在那里他亲眼看到了罗马历史上有待降生的英雄形象。他父亲安喀塞斯的幽灵向他描述了这些人物,最后明确指出罗马的使命乃是涉及统治和文化的使命(同希腊在艺术、文学和理论科学方面的成就相对照)。"用你的权力统治万民,宽恕被征服者,击败傲慢者";这就是皇帝奥古斯都和诗人维吉尔所想象的当前罗马的使命——上天授意罗马首先通过战争征服世界,然后在各民族中传播文明和法治。正如贺拉斯在他的一首诗里告诉罗马人的,"因为你们是诸神的仆人,你们才是大地的主人"。

《埃涅阿斯纪》所表述的想象中的罗马是一个崇高的罗马,但是诗歌的真正伟大之处在于维吉尔了解人的生活的公私方面。《埃涅阿斯纪》不是一首颂诗;它把罗马统治当局巨大组织的成就和抱负,放在同个人受挫的希望和痛苦的紧张关系上。诗中最值得怀念的人物——据说这是罗马诗人创造的唯一进入世界文学的人物——就是迦太基的女王、反对罗马生活方式的狄多。在对罗马的单纯赞颂中,对狄多本来可以这样描述,即埃涅阿斯拒绝她应是值得喝彩的一次胜利;但是,事实上,在第4卷里她竟赢得了如此多的同情,乃至读者会怀疑罗马是否应当用这样的价钱被收买。再有,在埃涅阿斯登陆意大利时,反抗他的图努斯是抵抗想把他的新娘劫走的侵略者。显而易见,比起埃涅阿斯来图努斯是开化程度较差的人物;但是在维吉尔笔下,图努斯的失败却赢得了很大的同情。这是两个不利于罗马的乐观情绪的例子。维吉尔还通过其他许多办法在全诗中探讨人的处境的苦难和悲伤情绪的问题。但最后埃涅阿斯还是坚持并继续向他的目标前进,他对义务的忠诚取得了胜利,罗马读者感到就应当是这样。"建立罗马国是如此伟大的一项任务"(第1卷第33行)。

《埃涅阿斯纪》用了维吉尔11年,直到死他也没有修订完毕。公元前19年,他计划再把3年时间用在这部史诗上,他启程去希腊——毫无疑问这是为了在修订《埃涅阿斯纪》中以希腊海洋为背景那些部分时能获得地方色彩。在旅程中他得了热病于是返回意大利,但到达布伦迪休姆后不久便去世了。《埃涅阿斯纪》是否还要加以很大改动,这一点我们无法猜测,但据传说维吉尔临终时要把他的诗稿烧掉,而这一请求被奥古斯都下令取消了。事实上,这一史诗无论对于罗马奥古斯都时代的国家成就和理想来说,还是对于了解"事物的酸辛"和光荣的诗人的敏感而孤独的声音来说,都具有丰碑的意义。

影响和声誉 维吉尔的诗歌在罗马一举成名,受到罗马人的赞赏是由于下列两个原因——第一因为他被视为罗马人本国的诗人,他们的理想和成就的代言人;第二因为他的艺术似乎已达到了尽善尽美的地步(他的结构、用词、韵律)。由于后一个理由,他的诗作被用作学校的课本,1世纪的罗马评论家

和教师昆体良便建议说，教育的全部课程应当以维吉尔的作品为依据。在维吉尔去世后几年，比他年轻的诗人奥维德便在模仿他、响应他，这过程在整个白银时代一直在持续着。在4世纪，赞美维吉尔的一个新的理由占了优势：学者们在维吉尔的诗歌里发现了大量的智慧和知识——基于这个理由，他不仅作为一位诗人，而且作为知识宝库而受到尊敬。这一方面主要表现在作家兼哲学家马克罗比乌斯（活动于公元400年左右）、公元4世纪晚期和5世纪早期维吉尔的注释者塞尔维乌斯的著作和后来许多作家的著作里。比喻性的解释开始占有优势；在基督教影响下，这在整个中世纪变得特别流行。基督教比喻的两个主要的依据都在第4首牧歌之中，人们认为这一牧歌预言了基督的降生；《埃涅阿斯纪》——特别是它的主人公——体现了同基督教相近的价值，因为此人忠于自己神圣的使命。这一观点的顶峰是维吉尔在但丁的《神曲》里的荣誉地位，它把维吉尔当成把诗人从地狱和炼狱引到天堂门口的向导。

维吉尔对英国文学的影响是巨大的。在斯宾塞写作《仙后》时，维吉尔是启发他寻求奇妙之美的永恒灵感。J.弥尔顿的《失乐园》不仅在史诗的结构和设计方面，而且在风格和用词方面，都以《埃涅阿斯纪》为楷模。在英国文学的奥古斯都时代，J.德莱顿和无数其他人都认为，维吉尔的诗歌无论就形式还是就伦理内容而言，都已达到极度完美的境界。在浪漫主义时期对维吉尔有过某种不利反应，但是维多利亚时代的作家如阿诺德和丁尼生勋爵都充分地重新发现了浪漫主义者抱怨维吉尔所缺少的敏感和哀伤之情。

Virgilian series　弗吉尔统　美国晚石炭世的重要年代地层单元（晚石炭世大约相当于宾夕法尼亚纪，开始于约3.2亿年前，终止于约2.86亿年前）。得名于堪萨斯州维吉尔地区研究过的露头，是晚石炭世最顶部的统，位于密苏里统之上。在美国大陆中部，该统由砂岩、页岩（多为杂页岩）、薄层灰岩和一些煤组成。该统往往有旋回层，就是韵律式地重复的地层序列，常常在该统中很明显。在弗吉尔统中，现在公认的有3个次一级的划分单元：最下面是道格拉斯群，然后是肖尼群和瓦邦西群。每个群又进一步划分成组。

Virgin Birth　童贞女之子　正统基督教基本教义谓：耶稣基督没有肉体的父亲，马利亚是从圣灵感孕而生他的，马利亚是耶稣的唯一肉身长辈亲人。此说据《马太福音》和《路加福音》有关婴孩耶稣的记载，到2世纪已为基督教会所普遍承认，载入《使徒信经》。此后，除少数小教派有所怀疑外，一直未曾受到责难；直到19世纪新教自由派神学兴起，才受到质疑。它目前仍然是天主教、东正教和大多数新教派别所信奉的一条基本教义。伊斯兰教也承认耶稣（尔萨）为童贞女所生。由这项信条推演出来的教义是，马利亚不仅在受孕时，而且在分娩时、分娩后毕生都是童贞，她未经分娩之苦。这条教义始见于教父著作，为卡尔西顿会议（451）所承认。东正教会和天主教会都以它为正式教理，新教安立甘宗和信义宗某些神学家也予以承认。

Virgin Gorda Island　维尔京戈尔达岛　西印度群岛英属维尔京群岛一岛屿。在波多黎各东面130千米。面积21平方千米。西南部的半岛上布满花岗岩巨砾，有的高达9米。

维尔京戈尔达岛沿岸的斯普林湾
美国不列颠百科全书公司供图

北部笔直升出水面，形成小山，最高的维尔京峰为414米。1680年以后，有一部分种植园主离开安圭拉岛到此定居。农业在当地经济中占重要地位，旅游业正日益发展。人口2 800（1995）。

Virgin Islands　维尔京群岛　参阅 **British Virgin Islands 英属维尔京群岛**；**Virgin Islands of the United States 美属维尔京群岛**。

Virgin Islands National Park　维尔京群岛国家公园　西印度群岛美属维尔京群岛圣约翰岛上的自然保护区。面积5 947公顷，几乎占全岛面积的2/3。园中有陡山、深谷、白色的海滩和珊瑚礁丛。较湿润的内地高原植被以常绿硬木林为主；较干旱的坡地上生长阔叶林，但热带植物不甚多，其中最主要的有无花果树、桃花心木、月桂、芒果、番石榴、面包果树、红树、木槿属植物、鸡蛋花和九重葛。鸟类有100多种，有苍鹭、白鹭、鹈鹕等。当地的陆上哺乳动物只有蝙蝠。最初的务农居民阿拉瓦克人只留下村庄遗迹和一些岩石雕刻。

Virgin Islands of the United States　美属维尔京群岛　美国属地，位于大安的列斯群岛东端，波多黎各以东约64千米处，在加勒比海东北部。由圣克罗伊、圣约翰和圣托马斯3个大岛，以及50余个小岛和沙洲组成。面积352平方千米。人口约105 000（1990）。首府为圣托马斯岛上的夏洛特阿马利亚。

土地　从地质学上讲，该群岛连同英属维尔京群岛均为波多黎各中央断层山脉的延伸，是大安的列斯群岛的一部分，由变质火成岩和沉积水成岩组成，部分覆盖有石灰石和冲积土，从大陆架升出海面，几个最高点为圣托马斯岛上的克朗山（474米），圣约翰岛上的波尔多山（389米）以及圣克罗伊岛上的伊格尔山（331米）、蓝山（334米）。圣克罗伊岛是群岛中最大的一个岛，面积达218平方千米。圣托马斯和圣约翰岛十分崎岖不平，而圣克罗伊岛却只有北部有山脉，南部为由起伏变平坦的平原。所有岛屿皆为珊瑚礁所环绕，而隆起的古礁则围绕着主要岛屿。

群岛气候宜人，圣托马斯岛1月平均最高温度为28 °C，7月为31 °C，全年有东北信风调节。夜间最低温度约比日间低6 °C，其相对湿度在热带地区算是低的。年均降雨量1 100毫米，9～12月为明显的雨季。干旱时有发生，飓风却很少袭击群岛。早期农耕的大开垦破坏了岛上的热带森林，现仅在圣托马斯岛上的少数地方能见到，其他地方则只有再植林和灌木丛。岛上除鸟类外，动物稀少，但周围海域却富于商业性和供狩猎的动物。

人民　近80%的人口为黑人和黑白混血种人，其余多数为西班牙人（主要是波多黎各人）或新近来的白人移民。土生土长者不到人口的一半。英语为官方语言，但在圣托马斯岛上也讲一些法语，圣克罗伊岛上的波多黎各人之间讲西班牙语。居民绝大多数为基督徒，但也有一个东正教犹太人社区。20世纪60年代初至70年代中期人口增长迅速，主要因为从美国大陆、加勒比海东部和波多黎各来了大量的移民。70年代中期之后，人口增长比西印度群岛平均率缓慢一些，主要由于该群岛的出生率较低。婴儿死亡率和总死亡率也相对较低，预期寿命达69岁，为该地区之首。首府夏洛特阿马利亚是唯一人

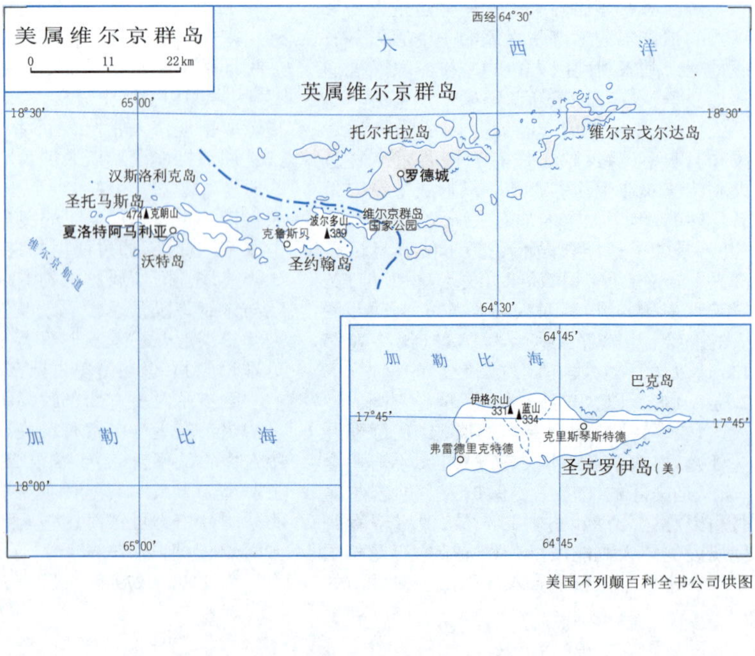

美国不列颠百科全书公司供图

口超过 1 万的城镇。

经济 该群岛属发展中自由企业经济，以旅游业和制造业为基础。国民生产总值的增长较人口的增长快，人均国民生产总值位居加勒比海地区最前列。土地面积约 1/5 为农田，大多在圣克罗伊岛。20 世纪 70 ～ 80 年代农业生产经历了从传统依赖甘蔗种植转化为较多样化的农作物种植。柑橘属水果、罗望子果、芒果、香蕉、高粱（作动物饲料用）和蔬菜是主要种植的农作物，均提供岛内消费。牛（牧场在圣克罗伊岛）、山羊、绵羊和猪是主要的牲畜。圣克罗伊生产的牛奶足够供应岛内所需。政府在圣克罗伊和圣托马斯两岛建有水坝以改进农民们的用水供应。

土地中只有 6% 为森林覆盖，但政府在圣克罗伊岛种植了大面积的桃花心木，并在圣托马斯岛的部分土地上重新植树造林。在圣约翰岛上的月桂树林为月桂发油工业提供了月桂树叶。

捕鱼限于供应本地需要和娱乐垂钓。圣约翰岛建有一所海洋生物实验室。

制造业除传统的朗姆酒酿造业外，已趋于多样化，包括炼油、手表装配，以及生产化学制品、药品和服装。电力由火力发电厂生产。美国政府准许某些产品免税进入美国以鼓励工业的发展，当地政府也实施优惠税的办法。

由于该群岛热带气候宜人、风景如画、垂钓环境优美，接近美国大陆，加上又是自由港，旅游业迅速发展，且成为经济的主导。占圣约翰岛 2/3 面积的维尔京群岛国家公园，以及竖立在珊瑚礁上的巴克岛国家纪念碑也是主要的游览场所。为满足旅游市场的需要，纪念品和手工艺品生产业已发展。

主要就业部门有政府机关、零售业（包括私人商店、公司和家庭店铺）、制造业、农业和个体经营以及旅馆业。

岛上遍布的公路网大都铺设了路面。圣克罗伊和圣托马斯岛上有定时公共汽车服务。圣托马斯岛上的夏洛特阿马利亚和圣克罗伊岛上的弗雷德里克斯特德以及酸橙树湾均为深水港。圣克罗伊南岸新建的一个集装箱码头可处理群岛上的大部分货运。3 个主要岛屿之间有渡船往来，渡船也通往英属维尔京群岛。2 座国际机场分别建在圣托马斯和圣克罗伊岛。各岛之间有海上飞机通航，并飞往波多黎各、英属维尔京群岛和圣马丁。

年出口值为进口值的 4/5 强。精炼石油、服装、手表和朗姆酒为大宗出口品，主要运往美国、波多黎各和英属维尔京群岛。进口品为原油、食品和半成品及元件。

政府与社会状况 政府根据维尔京群岛基本法组成。该基本法由美国国会于 1936 年通过，1954 年及以后又几经修改。总督由普选产生，任期 4 年。总督任命各行政部门首长及圣克罗伊和圣约翰岛的行政助理，由一院制议会批准。参议院有 15 名议员，经普选产生，任期 4 年。岛上居民为美国公民，但不参加美国大选；可选举一名无投票权的代表参加美国众议院。美国内政部任命一名联邦审计官监督群岛的收入和支出。有 3 个政党：民主党和共和党分别附属美国本土的两个党，另一个是独立公民运动党。维尔京群岛的地方法院按照联邦法律进行工作，其法官和地方检察官由美国总统任命，美国参议院提出意见和批准。此外还有一个属地法院。

圣托马斯和圣克罗伊岛建有医院，公共卫生服务局还设有流动医疗队为外围岛屿地区服务，并实行免疫计划、门诊服务、家庭医疗服务以及特殊医疗计划。岛上居民健康状况极佳，随着住房和卫生设施的改善，热带疾病已被根除。

5 岁半至 16 岁未成年人可免费在公立小学、中学和职业学校接受义务教育。维尔京群岛大学提供高等教育和师资培训。这是一所土地由美国拨给的学府，校园分别设在圣托马斯和圣克罗伊岛。公共图书馆总馆设在圣托马斯岛，分馆分别设在圣克罗伊和圣约翰岛。文物保护与文化部掌管博物馆和图书馆工作。

历史 岛上最早的居民可能是阿拉瓦克印第安人，但当哥伦布于 1493 年登陆克罗伊岛时，岛上却住着好战的加勒比人。他们在岛上拥有广阔的农田和定居点。哥伦布把群岛命名为圣乌尔苏拉及一万一千名处女群岛，以纪念传说中的圣乌尔苏拉和殉难的1.1 万名处女。1555 年西班牙远征队打败加勒比人，群岛为西班牙占领，但到了 1625 年，英国和法国殖民者开始在圣克罗伊岛耕作，该岛并成为海盗船的避风港。1650 年西班牙人将留在岛上的英国移民逐出，但法国人却在同年稍后时期占据群岛。1653 年圣克罗伊岛又被遗赠给马耳他骑士团，但他们又把它转售给法国西印度公司。荷兰海盗一度占据托尔托拉岛，但 1666 年被英国人逐出，此时丹麦人又宣称圣托马斯岛和圣约翰岛为其领土。丹麦人将两岛划分为若干种植园，开始种植甘蔗，起初让服刑犯人为他们耕种，1763 年后使用非洲黑奴为劳动力。商业是从三角贸易开始发展的：人们从非洲贩运奴隶，将朗姆酒和糖浆运至欧洲，再将欧洲货物运回群岛。圣托马斯岛成为加勒比海地区的主要奴隶市场。丹麦人于 1733 年购买了圣克罗伊岛，该岛成为主要的甘蔗生产中心。美国政治家 A.汉密尔顿 1755 年生于尼维斯岛，1765 年被带至圣克罗伊岛，后在此成为一会计所办事员。19 世纪初期，制糖业开始衰落，两次奴隶暴动也严重影响了种植园经济。1848 年废除奴隶制之后，美国开始与丹麦就购买群岛的事进行谈判。1917 年美国以 2 500 万美元购下群岛。初由美国海军管辖，1931 年移交给内政部，由总统任命的文职总督治理群岛。旅游业于 1945 年开始发展。1954 年维尔京群岛基本法经修改，建立了现行的政府结构。1970 年第一位民选总督就职，1976 年群岛被授予起草宪法的权利，但须经美国国会和总统的批准。1978 年宪法草案完成，但在 1979 年公民表决中被否决，1981 年修改后再次被否决。1960 ～ 1975 年间从美国本土、加勒比海东部和波多黎各涌入的大量移民造成了岛民和新移民之间的社会紧张局面。

Virgin Mary, Presentation of the 圣母进殿节 天主教和东正教节日，规定在11月21日，为纪念圣母马利亚年满 3 岁时前往耶路撒冷圣殿行献身礼，准备为上帝服务。事据未收进《圣经》的 2 世纪著作《雅各第一福音》中的一段传说。

virginal 维金纳琴 可能是拨弦键琴族中最古老的乐器。和拨弦键琴、斯皮内琴不同，它的单根弦伸张的方向几乎与键盘平行。此乐器的键盘装在长方形琴箱前方的一边或另一边，由于拨弦点的变换能奏出不同的音色。意大利的维金纳琴通常为多边形，与佛兰德斯和英国的长方形的维金纳琴不同，它的键盘放在中央，因而发出富于特色的柔和音色。有时，两架维金纳琴连接在一起，小的像抽屉一样安装在大的琴箱内，用小的弹较高的音；有时小的放在大的键盘上，使一个演奏者能同时弹两架维金纳琴。维金纳琴在 16 和 17 世纪的英国最流行，在英国还用这个名称泛指任何种类的拨弦键琴。17 世纪《菲茨威廉维金纳琴曲集》所收乐曲均为典型英国曲目。该琴琴箱常饰以绘画、镶嵌和雕刻。

R.哈特利 1664 年制作的英国维金纳琴

供图：Benton-Fletcher Collection at the National Trust Property, Fenton House, Hampstead, London

Virginia 弗吉尼亚 南非奥兰治自由邦省中北部城镇和金矿中心。在世界上最富金矿区之一的地带内。在附近发现金矿后，建于 1954 年，为一现代化、规划有序的城镇。采矿、选金厂、回收铀及硫酸的加工厂构成其经济基础。人口 17 624（1985）。

Virginia 弗吉尼亚 美国明尼苏达州东北部圣路易斯县城市。在梅萨比山区。原为伐木镇。附近矿藏丰富，1890 年后作为采矿中心发展起来。1894 年设市。第二次世界大战后，铁燧石矿生产日渐重要。为地区零售中心，旅游业对当地经济贡献很大。设有梅萨比社区学院（1918）。市北有卢考特山滑雪区和苏必利尔国家森林。人口 9 157（2000）。

Virginia 弗吉尼亚 弗吉尼亚州别名“老自治领州”，以表示其对在清教徒共和政体期间被放逐的查理二世的忠诚。美国最初的 13 州之一，也是美国历史最悠久的州之一，可追溯至 1607 年在詹姆斯敦建立的殖民地。它是为纪念伊丽莎白一世而以她的尊称命名的。根据最初的特许状，它被授予大西洋海岸殖民地以西直至密西西比河和越过该河的未探测的大部分土地。弗吉尼亚州人诸如 G.华盛顿、T.杰斐逊和 J.麦迪逊所作的贡献，对美国的成立具有决定性作用，在共和国最初的数十年里，该州以"总统诞生地"而闻名。

虽然弗吉尼亚在南北战争期间支持南部邦联，且R.E.李和其他将军担任南军领导职务，但该州在20世纪业已发展成为北方和南方之间桥梁的一个州。它的北方诸县反映波托马克河北岸的国家首都华盛顿（哥伦比亚特区）的世界性特征。该州其他地区保持着几个世纪以来的农业生活和贵族传统所形成的保守主义色彩，这种贵族传统使"弗吉尼亚绅士"一词成为彬彬有礼和举止文雅的同义词。

历史与自然风光使弗吉尼亚成为一个主要的旅游中心。境内有许多重要历史遗迹，包括修复和重建的殖民地时期建筑物，例如：威廉斯堡的文物，华盛顿、杰斐逊和其他著名的弗吉尼亚州人士的故居，独立战争和南北战争的许多战场。弗吉尼亚虽然正日益成为一个工业化和都市化的州，但它的土地的3/5多一点仍为森林所覆盖，这些森林从西部的山脉与河谷向下倾斜至大西洋海滨。弗吉尼亚州面积40 767平方英里（105 587平方千米），东北与马里兰州交界，南与北卡罗来纳州和田纳西州接壤，西与肯塔基州毗连，西北与西弗吉尼亚州相邻。首府里士满。

自然地理和人文地理

土地 *地形* 从地形学上划分，弗吉尼亚西部包括3个山岭自然区。从西到东，它们分别是阿巴拉契亚高原、岭谷自然区和蓝岭地区。该州最高点罗杰斯山海拔5 729英尺，位于蓝岭地区。弗吉尼亚中部的皮德蒙特山麓是较低的波状起伏的丘陵地区，从蓝岭延伸至瀑布线，在这里河流常常形成急流，从较高和地质更为古老的地区向下倾泻，流入较为平坦的滨海平原。滨海平原地区（也称潮水区）位于瀑布线与大西洋海岸之间，地势很低。这里潮河纵横交错，形成北涅克半岛、米德尔半岛和半岛地区（这样称呼是因岛上有许多文化景点），均在切萨皮克湾以西。切萨皮克湾以东和与该州其余部分隔开的地区是东岸地区，这里是德尔马瓦半岛的南端，该半岛为弗吉尼亚与特拉华州和马里兰州东岸地区所共有。滨海平原地区还据有詹姆斯河以南地区，包括诺福克区和750平方英里的大迪斯默尔沼泽，它向南延伸进入北卡罗来纳州。

水系与土壤 注入大西洋的有8大水系。其中波托马克河在西弗吉尼亚的哈珀斯费里接纳向北流的谢南多厄河水，流向切萨皮克湾，成为该州与马里兰州的界河。拉帕汉诺克河、约克河和詹姆斯河使海岸成为锯齿状，形成几个大的半岛。另有两条水系流入北卡罗来纳，而在该州的西南角顶端有两条主要的水系最终流入墨西哥湾。弗吉尼亚的土壤一般都很肥沃。滨海平原的潮间低地一般都覆盖着沃土，这是一种富含有机物质的混合土壤。西部大都是含沙的沃土和黏土。在皮德蒙特山麓自然区，绝大部分是黏土和石灰岩土壤。在蓝岭以西的河谷地区也发现有石灰岩土壤。

气候 该州气候一般温和和稳定，随高度和离切萨皮克湾和大西洋远近而变化。弗吉尼亚东南部和东岸，1月平均温度约为4°C，7月约26 °C。这样的温度使植物生长期长达8个月，比弗吉尼亚最西部要长3个月。在滨海平原和皮德蒙特山麓区的其他地方，大陆性气候压倒东部海洋性气候的影响，使冬季较为寒冷。在山区冬天温度可达 –18°C，而在夏天，白天的最高温度通常将近32 °C，晚上则很凉快。该州全境平均降雨量约为32～44英寸。平均降雪量在东南部有几英寸，在山区约30英寸。

动植物 滨海平原和皮德蒙特山麓区的森林主要是松林和一些阔叶树林。除森林外，潮水区覆盖着沼泽草，其他地区覆盖着须芒草属植物、马唐、蓠蓄和栽培作物。山区生长着大片针叶林和诸如山胡桃树和橡树等阔叶树林。早熟禾和大田作物广泛地覆盖着附近的河谷。由于气候和土壤原因，野花和结浆果的灌木长势茂盛。

当欧洲人约于1730年在弗吉尼亚大谷地建立殖民地时，沿谢南多厄河岸到处都有大群野牛；但像其他地方一样，这些野牛现已绝灭。在弗吉尼亚山区和大迪斯默尔沼泽有黑熊。常见的野生动物有野兔、花栗鼠、松鼠、鼹、麝鼠、土拨鼠、狐和鹿。其他较少的动物有獭、海狸、貂和山猫。主要的可捕猎的鸟类有野鸽、鹌鹑、鸭和鹅，有时可以发现少数野火鸡和山鹬。食腐动物有海岸边的海鸥和随处都会出现的兀鹰。食肉鸟类有许多鹰、猫头鹰、稀有的金鹏和白头鹏。当地有大量鸣禽，包括北美红雀，这种鸟被定为州鸟。有毒的爬虫类有响尾蛇、铜头蛇和水蝮蛇。弗吉尼亚内地水体和近海盛产鲑科鱼和鲨。切萨皮克湾是世界海洋动物最丰富的海湾，以有脊鳍鲸、蓝蟹、牡蛎和蛤而闻名。通常，每年的商业性和娱乐性捕鱼量表明这类鱼和贝的数量很多。

人民 弗吉尼亚州的人口将近80%是欧洲人后裔，其余大部分是黑人。这提醒人们不要忘记非洲奴隶在该州的发展中所起的重要作用。该州居民几乎没有在外国出生的人，但却有各种不同的种族集团，特别是在华盛顿（哥伦比亚特区）附近的北部诸县。

弗吉尼亚东部大部分地区的最初移民来自英格兰中部地区和南部诸郡，特别是来自伦敦及其周围地区。在18世纪威尔士人和法国新教徒是主要的移民，并有大量的苏格兰-爱尔兰人后裔和德国人后裔从宾夕法尼亚州移居谢南多厄河谷。苏格兰-爱尔兰人后裔和英格兰人后裔在数量上仍占多数，特别是在西部和西南部诸县。几个世纪以来，由于阶级结构和隔离的原因，语言上的差异发展了。民间语言大部分地方化了，较为"文雅的"或主流语调在更为广泛的地区使用。弗吉尼亚州的主要语言带有南方口音，但这已被人口的流动所冲淡，并掺杂了美国不同地区的其他口音。

当英国殖民者建立詹姆斯敦这一英国在新世界的第一个永久性殖民地时，美洲印第安人就居住在他们的身边。殖民者从这些印第安人那里学会了种植烟草，烟草成为弗吉尼亚早期农业经济的主要支柱。从广义上说，1607年在今天的弗吉尼亚州境内，有3大语言关系密切的部族：阿尔冈昆族、易洛魁族和苏族。1607年阿尔冈昆族人口约1.4万～2.1万人。今天弗吉尼亚仅有两个美洲印第安人保留地：一为帕芒基部落保留地，另一为马特波尼部落保留地；它们分别位于帕芒基河和马特波尼河沿岸接近西点的地方，那里两河汇合形成约克河。虽然一些美洲土人生活在州内各地，特别是在华盛顿（哥伦比亚特区）、诺福克-弗吉尼亚比奇-纽波特纽斯和罗阿诺克的都市区，但今天弗吉尼亚只有另一个土著人集中地——奇克哈默尼印第安人集中地，即聚居于奇克哈默尼河沿岸，从新肯特和查尔斯城诸县至该河与詹姆斯河汇合处一带。帕芒基人、马特波尼人和奇克哈默尼人都属于阿尔冈昆族。

黑人最初于1619年作为契约仆人被带至詹姆斯敦。法律认可的奴隶制数十年来一

在里德维尔附近弗吉尼亚近海切萨皮克湾中用拖网围捕油鲱
供图：© Medford Taylor—FOCUS/VIRGINIA

直没有被采用。黑奴是种植园农业的基础，这种农业始于潮水区，扩展至皮德蒙特山麓区。南北战争爆发时，该州一半人口是黑人。但从那时起，尽管黑人总数增加了一倍，比例却急剧下降。

20世纪发展最快的地方是都市走廊，该地区从华盛顿(哥伦比亚特区)向南延伸，经阿灵顿和亚历山德里亚至里士满，然后转向东南至汉普顿罗兹地区，包括纽波特纽斯、汉普顿、诺福克、弗吉尼亚比奇和朴次茅斯。这一走廊常被视为从波士顿至华盛顿(哥伦比亚特区)呈弧线穿过美国东北部人口稠密区的延伸。其他主要都市区包括罗阿诺克、林奇堡和周围地区，以及丹维尔、布里斯托尔和夏洛茨维尔周围正在形成的一些都市区。

农业的机械化程度和生产率的提高，以及农场面积和数量的随之减少，使黑人和白人纷纷走向城市谋生。里士满的人口现在已有一半以上是黑人，位于都市走廊的查尔斯城农业县黑人已占3/4以上。蓝岭以西各县的农场主要是靠家庭经营的小型农场，黑人人口与皮德蒙特和潮水区相比要少得多。

在弗吉尼亚州全境，种族关系上的麻烦比美国其他许多地区要少。尽管起初对联邦政府取消学校种族隔离的命令感到担忧，但多年来黑人和白人共同工作已形成了一种普遍的互相关心和缓和的气氛。

位于威廉斯堡的布鲁顿教区教会现在仍很活跃，过去曾是殖民地首府的国教。独立战争期间被废除的英国圣公会成为主教派教会，仅有1/3的人口仍信奉其中的一个教派。不同信仰者主要包括长老会教徒、贵格会教徒、浸礼会教徒和卫理公会教徒，形成基督徒的均势。弗吉尼亚虽然有许多天主教徒，但一直保持着基督教徒的传统。教徒人数最多的是南方浸礼会教徒、联合卫理公会教徒、天主教徒、主教派教徒和长老会教徒。人口7 078 515(2000)。

经济 弗吉尼亚已形成一种发展均衡的经济，远远超过该州最初以农业为基础的经济。农业已降至该州年商品和公用事业总值的大约1%，仅超过商业性渔业对经济作出的贡献。弗吉尼亚州的经济已明显地变成一种新旧经济的混合体，并为通过私人和政府的进取精神和合作提高生活水平提供机会。

从该州的收入和支出、从它的公用事业和宣传以及从它通过一些机构对各种规定的控制和实施来看，州政府在经济中的作用是很大的。但经济的大部分管理工作由私营部门担负，对政府的各种规定、公众的需要和股东的压力予以应有的重视。协助企业的主要私营联合会是强大的弗吉尼亚商会及其地方分会。在弗吉尼亚的制造业，弗吉尼亚制造商协会的势力也很强大。各种行业协会在该州颇多，有弗吉尼亚旅游协会、弗吉尼亚火鸡协会等。在州政府一级，通过州长领导下的经济开发部的合作，企业和经济的广泛发展得到了重要的援助。这一机构除在里士满设立总部外，还在阿宾登、斯汤顿和南波士顿设立了地区办事处，在布鲁塞尔和东京设立了国外办事处。

设在靠近华盛顿(哥伦比亚特区)的及弗吉尼亚州的许多军事设施和联邦政府的其他设施所带来的好处，对该州经济的发展是一种很有利的支持。该州的历史遗产和自然风光也以提供娱乐消遣的方式作出很大贡献，该州极好的港口设施使之成为全国最繁忙的港口之一。弗吉尼亚州人均收入在东南部诸州中是最高的，并超过全国平均水平。

从60年代开始，弗吉尼亚经济生产率的年度增长略高于美国全国的年度增长。制造业是最主要的部门。联邦政府在弗吉尼亚经济中一直保持着主要的地位，肩负着该州生产总值将近1/7的份额。弗吉尼亚也是联邦资金人均分配最多的5个州之一。其他日益发展的部门是服务业和贸易部门，包括旅游、运输和公用事业。生产率有所提高的部门还有金融、保险和房地产业，以及地方政府经营的产业和采矿业。建筑业的产值相对有所下降，农业也是如此。规模很小的商业性渔业对弗吉尼亚的整个生产继续作出贡献。至于弗吉尼亚的就业情况，批发和零售贸易提供的工作最多，其次是服务业、联邦政府、州政府和地方政府以及制造业。其余依次为：建筑业、运输和公用事业、金融服务业、农业、采矿业和商业性渔业。

按照南方诸州的模式，弗吉尼亚制订了《工作权利法》，禁止排外性雇佣制企业。结果，弗吉尼亚的非农业劳工参加工会的人数很少。该州的失业率一直低于全国和邻近的东南部诸州。

政府经营 州和地方政府在弗吉尼亚提供的工作是联邦政府直接提供的工作的两倍。但通过与该州私营企业签订的合同，联邦政府在私营工商业中提供的就业机会则要多出许多。

仅军事设施在弗吉尼亚就占了近450平方英里，其中包括五角大楼。许多军队设施在训练、工程、供应和运输劳务方面在全州处于突出的地位；所有这些，包括军事和民用两方面，对地方经济状况和就业有着重大的影响。陆军运输培训中心设在尤斯蒂斯堡；历史上著名的门罗堡位于附近，是陆军训练与理论培训司令部和后备军官训练队军校学生司令部的所在地。海军活动集中在世界上最大的美国海军设施诺福克海军基地周围。在匡蒂科的海军陆战队设施是主要的训练和教育基地。美国空军和国家航空航天局在汉普顿-纽波特纽斯地区建有主要设施。美国海岸警卫队以及美国海军武器站和海军供应中心都在约克敦附近建有庞大的设施。军事情报机构的训练在威廉斯堡附近的皮里营海军专用地进行。

制造业 烟草和化学制品在弗吉尼亚生产的产品中居于首位，其他非耐用品包括食品、纺织品和服装。主要耐用品是运输设备，由田纳科富有经验的纽波特纽斯造船和干船坞公司集中制造，它是世界上最大的私营造船厂。其他主要耐用品有家具、电气设备和木制品等。

农业、林业、采矿业和渔业 蔬菜农场在东岸和诺福克地区星罗棋布。其他农场也遍布全州。产品有奶制品、谷物和饲料及蔬菜等，但皮德蒙特南部仍以生产烟草为主。该州的苹果和桃非常出名，特别是温切斯特附近的大果园和弗吉尼亚西北部的马匹繁殖区的品种。谢南多厄河谷罗金厄姆县是全国主要的火鸡饲养地之一。弗吉尼亚的主要林产品是松木。主要商业性矿产品是西南部的煤和许多地区的石料、黏土、砂和砾石。切萨皮克湾的产品有比目鱼、鲈鱼和其他许多食用鱼。此外，还有用飞机测位仪可观察到的大量油鲱鱼群，用拖网捕获后进行加工以获取油和蛋白质丰富的鱼粉饲料。牡蛎用钳收集，硬蛤和软蛤可挖取和用捞网捞取，蓝蟹可设陷阱捕捉和用网捕捉。近海处可以捕获大量的海蛤和扇贝。除此以外，诸如箭鱼和金枪鱼等远洋大鱼，用饵钩串在线上放入大西洋水面下不太深处捕捉。有些线长达50英里。因70年代初杀虫剂溢出而禁止在从霍普韦尔至詹姆斯河下游捕鱼的法令，已于1988年基本废除。为保护自然资源和从事娱乐活动，弗吉尼亚州和马里兰州都通过了针对切萨皮克湾的新的反污染法。

运输 虽然弗吉尼亚有极好的管道和水路运输设施，汉普顿罗兹港通常在外来船舶总吨数方面也是美国最大的港口，但该州的主要运输设施仍是公路、铁路和机场。由于弗吉尼亚处于"桥梁"州的位置，大部分交通的走向是从北到南。用草地和树木隔开的科洛尼尔国家历史大道是诸多的沿途风景如画的公路之一，它连接詹姆斯敦、威廉斯堡和约克敦，于20世纪30年代完成设计，故只有两条车道。地平线大道和蓝岭大道在罗克菲什隘口会合，形成一条沿着弗吉尼亚和北卡罗来纳的蓝岭山脉山顶蜿蜒的公路，景色壮丽，路旁建有停车场供游人观赏自然风光。同样令人叹为观止的，是将东岸的开普查尔斯与诺福克以东弗吉尼亚比奇的度假中心连为一体、长达23英里的切萨皮克湾隧道桥。它由高出湾口的高架桥公路和两条隧道(在主航道的下面)组成，是全国同类结构中规模最大的。

商业航空网使空中运输十分便利，其中最大的机场是杜勒斯国际机场、华盛顿里根机场、里士满国际机场、诺福克国际机场和帕特里克·亨利(纽波特纽斯)国际机场。一些大型运输公司，包括世界最大的以铁路为主的运输公司中的两家——CSX公司和诺福克南方公司——都将它们的总部设在该州。

金融业务 由于取消了管制法令，银行得以开展州际业务，几家总部设在弗吉尼亚的机构已在该地区获得了很大的发展。同样值得注意的是，里士满是第五联邦储备区总部的所在地。

行政与社会状况 *政府* 1776年的弗吉尼亚州宪法于1971年作了第7次修改。这次修改后的宪法规定该州保留基本的权力，这些权力在宪法第3修正案(1851)中首次单独作出阐述，并列举了行政、立法和司法机构的组织形式。行政官员中只有州长、副州长和检察总长由选举产生，任期4年，仅州长不得连任。州议会包括40人的参议院和100人的众议院，每年在里士满举行会议。州政府和地方政府结构简单，旨在对公民的需要和意见作出迅速反应。全州95个县都由选举产生的行政会议治理。县以下约有190个镇(都在县的范围之内)以及约40个与县行政分开的自治市(由选举产生的行政会议雇用城市经理治理）。

民主党于1883年东山再起之后，便完全控制着该州政坛，直至共和党人于1969年选出他们一个世纪以来的第一位州长、1970年选出该州10名国会众议员中的6名。以后两党激烈争夺该州国会议员的席位。但州议会仍牢固地由民主党人控制，选民继续显示出温和的保守倾向。

弗吉尼亚的司法制度相对简单。法院共分4级，从而毋需设立许多特别法庭，避免了案件初审和上诉的过多层次。州的最高司法机构弗吉尼亚最高法院的7名法官由州议会选举产生，选举是错开进行的，任期12年。最高法院的主要工作包括审理弗吉尼亚上诉法院提交的刑事、民事上诉和巡回法院提交的民事上诉，对有关人身保护令、致下级法院的训令和司法调查与评议委员会提交的各类案件行使初审管辖，以及扩充弗吉尼亚普通法的主体。在司法委员会进行了15年的调查研究后，州议会成立了弗吉尼亚上诉法院，该法院于1985年1月1日开始审理案件。其最初的目的是将司法权力放开，以清理最高法院积压的一大堆刑事和民事案件。该法院有10名法官，全由州议会选出，任期8年。弗吉尼亚有31个司法巡回区，各区各设一个法院，行使一般司法权。这些法院的法官也由州议会选出，任期8年。其他法院包括一般的地区（自治市和县）法院、少年法院和家庭关系法院。此外，所有司法巡回区都设有地方法官，他们有权签发逮捕状，但没有进行审讯的司法权。各县和市都有一位州的司法代理人，其主要职责是对罪犯提出起诉。

法律的执行主要由地方警察部门和县行政司法长官负责。州警察厅的主要职责是执行该州的公路法。

教育 公立学校作为教育机构，可追溯至1846年。自20世纪60年代以来，学校的设备和课程加速改进，弗吉尼亚州人接受教育的平均年数有所提高。州教育委员会负责管理公立小学和中学教育，州高等教育委员会协调公立高等教育。弗吉尼亚州有完善的公立社区学院系统，分校遍设全州。该州4年制的公立和私立学院和大学为数众多。最著名的有威廉斯堡的威廉和玛丽学院，这是成立于1693年的一所州立大学，也是全国第二所最古老的学院；夏洛茨维尔的弗吉尼亚大学，成立于1819年，其组织结构与建筑物和场地的设计主要是T.杰斐逊的创作。布莱克斯堡的弗吉尼亚工业学院和州立大学是一所由政府赠地建立的高等学府。哈里森堡的詹姆斯·麦迪逊大学最初是州立女子师范学院。从60年代起，城市州立大学如雨后春笋般地兴起；著名的有费尔法克斯的乔治·梅森大学、里士满的弗吉尼亚州立大学以及诺福克的老自治领大学。著名的私立华盛顿和李大学、州政府资助的弗吉尼亚军事学院都坐落在列克星敦。黑人学生占多数的私立汉普顿大学是全国知名大学。诺福克州立大学是该州最大的以黑人学生为主的公立大学。由各教会创办的学院在该州众多的私立学院中占有很大比例。

保健与福利 弗吉尼亚州的私立和公立医疗机构共同提供保健服务。直接或间接的公共服务项目有上下水道系统、免疫注射，以及对残疾儿童和精神病患者的照顾。福利事业和政府援助款由地方福利部门和监督人共同管理。

文化生活 弗吉尼亚州的许多殖民者和领导人是来自英国有教养的、常常是属于贵族阶级的移民。他们形成了一种文化生活传统，这种传统与该州长期的农业背景似乎多少有些矛盾。

艺术是该州政府和私人倡导者所积极关心的事。里士满的弗吉尼亚美术馆创立于1934年，是该州第一座州立美术馆。该馆还赞助一项发展表演艺术的积极计划。它以地方艺术团体作为其分支机构，从而在全州产生影响。除弗吉尼亚艺术馆以外，该州还设立了艺术与人文学科委员会。物物交换剧场由演员R.波特菲尔德于1933年在西南部阿宾登小镇建立。其最初的门票费是农产品、手工艺品或观众所能提供的任何其他实物。全弗吉尼亚有数十家美术陈列馆。有几个芭蕾舞团、管弦乐队、市民合唱队、歌剧与戏剧剧团，以及许多艺术节。

每年都有数百万游客前往弗吉尼亚州的名胜古迹参观游览。最著名的是殖民地时期的威廉斯堡，该市许多修复和重建的17和18世纪建筑物体现出专家们的研究成果。美国初期建筑的范例是一些保存完好的名人故居，其中包括华盛顿（哥伦比亚特区）附近的G. 华盛顿的芒特弗农故居、夏洛茨维尔附近的T. 杰斐逊的蒙提萨罗故居。州内南北战争时期的遗址包括华盛顿（哥伦比亚特区）附近南方人称作马纳萨斯、北方人叫做布尔兰的战场，以及李将军于1865年向格兰特将军投降的地方——阿波马托克斯郡府。州内有100多个历史学会和博物馆，并有数种学术性和通俗性的历史杂志出版，读者遍布全国。

历史

移民与殖民地时期 1607年5月在今詹姆斯敦登陆的弗吉尼亚公司的目的，不仅是为了开拓殖民地，同时也是为了使该地区基督教化、开辟新的贸易区和防止西班牙人的进一步侵蚀。饥饿、残破的棚屋、印第安人的敌视和猖獗的疾病使这里最初的岁月充满苦难。当这块殖民地在濒临解体的边缘摇摇欲坠时，J.罗尔夫开创了烟草工业，召开代议制会议。1624年公司特许状被废除，英国第一块皇家殖民地建立。在以后的年月里，又开辟了新的殖民地，并制订了地方行政制度。

威廉·伯克利爵士担任总督期间——1642年上任，1652～1660年由于清教徒统治而中断，后任职至1677年——殖民地获得了巩固。1649后，许多反对清教徒的保王党党员纷纷逃往弗吉尼亚，使当地人口构成增加了一个重要的成分，其中有不少是订立契约作7年仆人的白人和黑人。1676年由N.培根领导的叛乱虽然时间不长，却导致伯克利被召回，并标志着殖民地居民为争取进一步自治而变得日益焦躁不安。这一情绪在以后的一个世纪变得更加强烈，英国人试图公正地进行统治，但却不同意其北美殖民地居民获得英国本土人民所拥有的全部权利。

这是一个扩张的时期，也是内部力量加强的时期。移民们从潮水区进入皮德蒙特山麓区，越过蓝岭，于18世纪40年代进入远至俄亥俄的地区，在那里与觊觎这一地区的法国人发生冲突。数十年来，民选的下议院一直领导着反对英王在殖民地拥有特权的斗争，并随着英国于1763年禁止向西部扩张，一场使反叛合理化的协调一致的运动开始了。独立战争前夕，弗吉尼亚地区的人口达12万人以上，其中有许多是熟谙世故和学识渊博的人。它还有着基础虽小但却稳定的经济。

独立与建州时期 美国独立战争的领导人和导致爆发独立战争的一些大事件（例如1774年第一届大陆会议的召开）的领导人都有弗吉尼亚州人。T.杰斐逊是《独立宣言》的最初起草人，G.华盛顿则担任军队的指挥。在约克敦英国军队被迫于1781年10月19日向美法联军投降，导致1783年《巴黎条约》承认北美英属殖民地独立。1788年弗吉尼亚成为批准宪法的第10州。

在随后的数十年中，该州继续发挥领导全国的作用。美国建国初期的5位总统中的4位均来自弗吉尼亚，特别是通过杰斐逊和J.麦迪逊的智慧和想象力，这个年轻国家的基本政治制度逐渐形成。该州于1778年废除奴隶贸易，但奴隶制仍为该州农业经济的基础。1831年南安普敦县爆发N.特纳领导的奴隶起义，局势变得紧张起来。

南北战争与重建时期 1861年弗吉尼亚退出联邦。里士满成为南部邦联的首都，弗吉尼亚成为整个战争的主要战场。1863年该州丧失了1/3的土地以建成西弗吉尼亚州。1867年国会将南方置于军事统治之下，直到1870年弗吉尼亚才重新被接纳为联邦的一个州。弗吉尼亚逃脱了重建时期应受的许多惩罚，但它却失去了数千名青年男子，并被攻入的军队破坏得满目疮痍；它的银行关闭了，货币成为一堆废纸，劳动力委靡不振，土地被它从前的敌人所占领。1871年4月，它还负担着一笔战前债务，这笔债务是为改进内政而欠下的，数目达4 500万美元以上，其中1/3多是战争和重建时期自然增长的利息。

19世纪70和80年代期间，同州的债务进行斗争成为政治生活中突出的特点。当重建前的领袖们重新进行治理时，他们为偿还全部债务作了准备，指定其中1/3是西弗吉尼亚所应承担的份额，而弗吉尼亚对这部分债务的偿还负有责任。但这个破产了的州无力完成其对公民应尽的义务，也无力对其债权人支付利息，1870年组织起来的新的公立学校系统蒙受损失。接着于1882年，一个名叫重新调整者的小组宣称，这笔债务和利息需要削减，他们在共和党人的支持下，夺取了对政府的控制，“重新调整”了债务。直到1891～1892年才与债权人达成了一项满意的折衷解决办法，后来西弗吉尼亚还清了它那部分债务。民主党于1883年重新兴起。弗吉尼亚于1902年通过了新宪法。

20世纪 1926年，H.F.伯德出任弗吉尼亚州州长，对政府机构进行彻底改革。在他上任后的头60天里，州议会修订了税制；改革了收费制度；开始修改宪法，减少候选人，将权力集中在州长手中;鼓励在该州兴办工业。第一次世界大战后,该州日益繁荣昌盛,农业实现了多样化发展,制造业亦获得重大发展,旅游业成为一项重要的事业。30 年代大萧条在弗吉尼亚的严重程度较其他许多州要小。在美国加入第二次世界大战之前的时期里,弗吉尼亚是建立州防御体系的最早的州。战争将数万名士兵送入该州军营。随着诺福克海军基地和纽波特纽斯造船业的扩大,汉普顿罗兹地区获得了巨大的发展。战后,就业率继续保持高水平,包括政府部门在内的非农业部门的就业率继续上升。

在总统选举方面,1928 年该州第一次选举共和党候选人为总统,这是自 1872 年以来的第一次。1948 年,由于多数票在共和党人和迪克西民主党人之间分摊,致使 H.S.杜鲁门获得了虽未超过半数但却是最多的票数。在随后的大选中,一般多数票都归共和党。

至于州的政治领导职务则继续由原州长伯克担任。1933 年伯克被任命为美国参议员,1934 年重又当选,并继续担任这一职务直至 1965 年退休。1966 年伯克去世之前,他和他手下的人对全体美国人民的政治、社会和经济的需要和权利的关心变得更加敏锐。

于 1971 年 7 月 1 日生效的重又修订的宪法,并未改变该州的基本结构。它删去了过时的和非基本的条款,增加了对现代需要作出反应的条款,诸如关于最新财政政策、年度立法会议、资源和环境保护等。

在美国最高法院于 1954 年作出取消公立教育设施中种族隔离的决议后,爱德华王子县的各校于 1959 ～ 1964 年关闭,从而引起了全国的关注。尽管有这类事件和少数零星的暴动发生,弗吉尼亚还是避免了影响北方以及南方的许多种族冲突事件,并审慎地着手执行各项民权法律。20 世纪后期的主要挑战看来是都市化所带来的一系列问题。

Virginia, University of　弗吉尼亚大学　美国弗吉尼亚州夏洛茨维尔市的一所高等学校。校园位于蓝岭山麓附近,占地面积 405 公顷。由 T.杰斐逊创建,1819 年获办学许可证。杰斐逊得到了弗吉尼亚州议会议员、主要捐款人 J.C.卡贝尔的帮助。该校选举杰斐逊为视察员委员会(该校的管理机构)首任负责人。J.麦迪逊和 J.门罗两位美国总统也曾在该委员会任职。杰斐逊为他的“学术之村”规划校园,设计校舍,并监督圆形大厅(由杰斐逊根据罗马万神殿设计)的建造,制定课程计划和选择教职人员。学校于 1825 年开学,有教职员 8 名。杰斐逊让该校采用选修制,反对把学位的颁发当成“人为的装饰”。美国南北战争时期,弗吉尼亚大学的教职员和学生数量仅次于哈佛大学。该校自 1868 年起颁发理科学士学位,1899 年学士学位成为这所大学颁发的主要学位(该校在 1831 年批准颁发了一个文科硕士学位,这是 19 世纪的主要学位;1829 年首次颁发医学博士学位,1840 年首次颁发法学学位)。1904 年,E.A.艾尔德曼被选为首任校长。此前,首席行政官为教授会主席。在艾尔德曼的领导之下(1904 ～1931),弗吉尼亚大学建立了基本的现代结构。麦金太尔商学院建于 1952 年,高级研究中心建于 1965 年。该校设有亚洲研究、美国黑人研究、拉丁美洲研究和俄罗斯研究以及环境科学和计算机科学等专业。入学人数以文理学院最多。此外还有建筑学院、教育学院、工程和应用科学学院及护理学院。专业性研究生院有科尔盖特·达登商业管理学院、文理研究生院、法学院和医学院。1944 ～1972 年,玛丽·华盛顿女子学院(1908 年获办学许可证)与该校合并。20 世纪 70 年代,该校各院系均有女生入学;此前,她们只能选学一些专业或在研究生院学习。设在弗吉尼亚州怀斯的克林奇河谷学院是弗吉尼亚大学的一所附属学校。

Virginia and Kentucky Resolutions　《弗吉尼亚和肯塔基决议》(1798和1799)　美国历史上,弗吉尼亚和肯塔基议会为抗议联邦政府的《客籍法》和《镇压叛乱法》而通过的议案。决议认为联邦政府是诸州契约的产物,凡未授予中央政府的权力均为各州或人民所有,因此各州有对联邦立法是否符合宪法精神进行裁决的权力。决议的主旨原在于抗议《客籍法》和《镇压叛乱法》中对于公民自由的限制,并非驳斥宪法的原理。后来人们把决议当作拒绝执行国会法令和脱离联邦的理论根据,则是有违决议起草人 T.杰斐逊和 J.麦迪逊的初衷。

Virginia Beach　弗吉尼亚比奇　美国弗吉尼亚州东南部独立市。濒大西洋,临切萨皮克湾。邻诺福克与切萨皮克两市,向南延伸到北卡罗来纳州边界。面积 782 平方千米(包括陆地与水域)。滨海区长 45 千米。1887 年始建,1906 年设镇,1952 年设市。第一次世界大战后,它成为海岸防御体系的一个重要基地。经济以旅游业和军事设施为基础。有小克里克海军两栖基地、海洋海军航空站、达姆内克舰队战斗指挥训练中心和斯托里要塞等军事设施。当地农业以生产谷物、蔬菜和乳制品为主。工业产品种类繁多。设于诺福克的卫斯理学院(1966)亦跨入该市界内。湾口和海滨都有水上娱乐和钓鱼设施。以产牡蛎等海味著称。人口:市425 257;诺福克-弗吉尼亚比奇-纽波特都会统计区 1 569 541(2000)。

Virginia Capes, Battle of　弗吉尼亚海角战役(1781-09-05)　美国独立战争中,法国海军在切萨皮克湾外击败英国舰队的一次战斗,这次战斗对 1781 年 8 ～ 10 月法美两国的约克敦围城战役产生决定性的影响。1781 年夏末,康华里勋爵率领南方英军主力到达弗吉尼亚的约克敦半岛,等待英舰的增援。与此同时法国海军上将格拉斯伯爵率舰 24 艘从西印度群岛驶向切萨皮克湾。9 月 5 日,英国 T.格雷夫斯海军上将率 19 艘军舰,在弗吉尼亚海角与法国格拉斯伯爵的舰队相遇。双方仅有部分舰只进行短时交战,未决胜负。3 天后,法国舰队从罗得岛纽波特得到增援舰只和重炮,遂驶入切萨皮克湾,并控制港口。英国舰队驶回纽约。英国海军史学家 W.M.詹姆斯爵士称此役为战争中决定性的战役,它决定了康华里和英国在美洲的事业的命运(参阅 **Yorktown, Siege of**)。

Virginia City　弗吉尼亚城　美国蒙大拿州西南部城市,麦迪逊县县城(1876)。滨拉比河。建于 1863 年。1864 年设镇。曾为准州首府(1865～1875)。经济以旅游为主,以牲畜饲养业为辅。奥尔德剧院夏季演出 19 世纪的戏剧和轻歌舞剧。人口 130 (2000)。

蒙大拿州的弗吉尼亚城

供图:Herb and Dorothy McLaughlin

Virginia City　弗吉尼亚城　美国内华达州西部非自治城镇,斯托里县县城(1861)。位于内华达山脉东坡、里诺城以南 32 千米处。建于1859年。自附近戴维森山发现康斯托克银矿后,弗吉尼亚城日见繁荣。1864 年曾设为市。19 世纪 70 年代人口增至 3 万,有 6 座教堂,酒肆逾百家,1875 年毁于大火。美国名作家马克·吐温曾任该城《领地事业报》记者。19 世纪 80 年代矿藏采掘殆尽,人口锐减,被废弃。部分残留酒店、陈列馆等可供旅游者参观,现辟为国家历史文物保护区。

内华达州弗吉尼亚城维多利亚式的第 4 区学校校舍

供图:Shostal—美国不列颠百科全书公司

Virginia Colony of Plymouth　普利茅斯弗吉尼亚殖民地公司　参阅 **Plymouth Company** 普利茅斯公司。

Virginia Company of London　伦敦弗吉尼亚公司　参阅 **London Company** 伦敦公司。

Virginia creeper　(*Parthenocissus quinquefolia*)　**弗吉尼亚爬山虎**　又作 woodbine 或 American ivy。又称苦壁藤、美洲常春藤、五叶爬山虎。葡萄科木质藤本,以尖端具吸盘的卷须攀缘,常见于北美东部。常栽培以遮蔽墙壁、围栏、大树干部等。秋叶黄至红紫色。已培养出几个栽培变种,叶较小,卷须较短,

弗吉尼亚爬山虎(*Parthenocissus quinquefolia*)
供图:Louise K. Broman—Root Resources

藤叶更为稠密。与之近缘的木质藤本波士顿常春藤(**Boston ivy**,即凸头爬山虎)用途相似。

Virginia Declaration of Rights 《弗吉尼亚人权宣言》 美国宪法史上,1776年6月12日由弗吉尼亚殖民地立宪会议通过的人权宣言。它是15年后美国宪法的《人权法案》的雏形。弗吉尼亚宣言主要由G.梅森起草,宣布人人生来就是同样自由和独立的,他们拥有某些生来就有的权利,他们不能使自己或后代丧失这些权利;"即,享有生存权和自由权,借以获得并据有财产以及借以谋求并得到幸福和安全"。该宣言列举的具体公民自由权利包括新闻自由、宗教自由,以及除了本国法律或其同等地位的公民的判决外,人的自由不能被剥夺的禁制令。

Virginia deer 弗吉尼亚鹿 参阅 **white-tailed deer** 白尾鹿。

Virginia Falls 弗吉尼亚瀑布 加拿大西北地区利亚德河的支流南纳汉尼河上的大瀑布。在育空边界以东120千米的纳汉尼国家公园里。为该地区最高的瀑布,落差96米,水雾迷蒙,蔚为奇观。中心附近有一根石灰岩柱,把瀑布分为两半。峡谷两旁时有高达610米的巉岩陡壁巍然耸立。

Virginia reel 弗吉尼亚里尔舞 轻快的美国乡村对舞。起源于基督教前的一种爱尔兰舞,后演变为英国舞,称罗杰·德·科弗利爵士舞,被英国殖民者带至弗吉尼亚,最后成为弗吉尼亚里尔舞。该舞有多种变体,从18世纪弗吉尼亚舞厅中跳的典雅型至现今所跳的较快的一种。这是一种成对直行行进的舞蹈,即舞蹈者排成两行,每对舞伴面对面。舞蹈者随着小提琴的伴奏和提琴手的号令编成多种图形。在形成独特的"卷筒"形时,队首的一对舞蹈者与对方以及队中其他舞蹈者交替旋舞直至舞向队尾。每对舞蹈者均轮流舞至队首后,舞蹈方告结束。

Virginius affair "弗吉尼厄斯"号事件 (1873) 西班牙当局俘获古巴船"弗吉尼厄斯"号,并杀死乘客和船员53人,其中有美国和英国公民。事后西班牙归还了船只,并向被杀死的美国人和英国人家属赔款了事。

Virgo 室女座 又称室女宫。在狮子座和天秤座之间的黄道星座,为黄道十二宫之一,位于赤经(类似于地球上经度的天球坐标)13时和南赤纬(天赤道以南的角距离)2°附近。

意大利约1475年《祈祷书》中的室女座插图画
供图:Pierpont Morgan Library, New York, the Glazier Collection

座内最亮的恒星角宿一(室女座 α)是一等星。在占星术中,室女宫是黄道第六宫,被看作是主宰8月23日至9月22日前后的命宫。室女宫的形象是一个手持一捆麦子的少女。她被想象为丰收女神(其中包括巴比伦和亚述神话中的伊斯塔)或在收割中的少女(希腊的珀尔塞福涅和其他女神)。

Virgo A 室女座A 星表号为M87和NGC4486,一个位于室女座中的巨型椭圆星系。它是组成所谓室女座星系团的数千个星系中最强的射电源。室女座A也是一个强X射线源,因而可能有高热气体弥漫到整个星系。有一亮气体喷流从星系核心向外抛射。喷流和核心似乎都发出同步加速辐射。这是一种带电粒子被磁场加速并以接近光速运动而发出的非热辐射。室女座A距地球约2 000万秒差距。

virion 病毒粒子 指成熟病毒,包括由蛋白质外壳——衣壳及核酸(核糖核酸或脱氧核糖核酸)内芯组成的完整病毒颗粒。内芯使病毒具有侵染性,而衣壳则决定病毒的专一性。有些病毒粒子的衣壳外还有一层脂膜,在接触乙醚、氯仿等脂溶剂后会失活。许多病毒粒子为球状,更精确地说是廿面体,有20个三角形的面。衣壳由规则排列的最小形态单位——壳粒组成,每条边有2～5个以上的壳粒。核酸则紧密地蜷曲在衣壳内。有些病毒粒子的衣壳表面有数目不定的钉状突起,核酸松散地蜷曲于衣壳内。大多数植物病毒的粒子为棒状,其衣壳圆筒状、无脂膜,内有一条直线状或螺旋状的核酸链。有几种植物病毒结构略异。

viroid 类病毒 一类小于任何已知病毒的侵染性粒子,可引起某些植物病害。实为极小的环状RNA分子,无外膜。似通过细胞碎屑进行传播。由于类病毒具有亚病毒的特性,其作用方式又依然未明,所以引起人们的研究兴趣。马铃薯的纺锤块茎病即由类病毒所引起。类病毒能否在动物细胞内存在尚有争论。

virology 病毒学 研究病毒的科学。1892年D.伊凡诺夫斯基观察到,烟草花叶病的病原体(后知为病毒)能通过细菌不能通过的瓷滤器,这时,人们才知道病毒的存在。1940年左右采用电子显微镜后才能直接观察病毒。1935年烟草花叶病毒最先被结晶,1955年脊髓灰质炎病毒亦被结晶。病毒"结晶"纯度高,内含数千个病毒,适用于化学研究。病毒学与人类有直接利害关系,许多人类疾病(如天花、流感、普通感冒等)及许多在经济上有重要意义的植物、动物的病害都是由病毒引起的。

Virtanen, Artturi Ilmari 维尔塔宁(1895-01-15,赫尔辛基～1973-11-11,赫尔辛基)芬兰生物化学家。其改进含高蛋白质青饲料的生产和贮存的研究,对冬季漫长的严寒地区极为重要,因而获得了1945年诺贝尔化学奖。1924～1939年在赫尔辛基大学任化学讲师,1939～1948年任该校生物化学教授,他研究造成青贮饲料腐烂的发酵过程。得知发酵产物(乳酸)能提高青贮饲料的酸度达到一定程度而使发酵终止,因而研究出一种方法(按他姓名第一个字母称为AIV法),即向新贮存的青贮饲料中加入稀盐酸或稀硫酸,提高其酸度达到发酵停止点以上。他在1928～1929年的系列实验证明,用这种经酸处理的饲料饲养牲畜,并不影响其产品的营养价值和食用价值。他还研究了豆科植物根瘤的固氮细菌、奶油的保存方法以及研制经济的半合成牛饲料。他的著作《养牛基础AIV方法》于1943年出版。

Virtsjärv (Estonia) 参阅 **Võrtsjärv** 沃尔茨湖。

virtual reality (VR) **虚拟现实** 采用计算机造型与计算机模拟,使人能同人造的三维可视环境或其他感知环境进行交互活动。虚拟现实的应用使用户通过戴上眼镜、头戴送受话器、手套或穿上特制的衣服,即使用能发送和接收信息的交互式装置而沉浸在计算机生成的模拟现实的环境中。典型的虚拟现实的做法是,用户戴上带立体镜屏幕的头盔以便每个眼睛都能看到模拟环境的活动图像。身临其境的幻觉是通过运动传感器(它通常是实时采集用户的运动并据以调节屏幕上的视图)达到的。用这种方法,用户可以参观一套模拟的房间,令人信服地体验到相对于他自己的头部转动和脚步而不断改变的视点和透视。戴上配有能提供触觉的、具有力反馈装置的数据手套,用户甚至可以拾取和操纵他在虚拟环境中看到的物体。虚拟现实这一术语还适用于与开发这种系统有关的计算机科学分支。虚拟现实技术的基础,在20世纪60年代通过使用具有跟踪系统的头戴显示器来教飞行员如何驾驶飞机的模拟器中就出现了。在80年代,虚拟现实成熟了。当时美国军队和美国国家航空和航天局开始建立能进行交互式计算机造像的新系统。现在，各种程度的虚拟现实技术被用于游戏、展览、销售演示和航天模拟器中。虚拟现实在许多不同的领域有潜在的应用价值，特别是娱乐、医学、生物工艺学、工程、设计和销售领域。

virtue 德 在基督教教义中，指选定作为基督教伦理学的七种基本美德中的任何一种。七德包括四种“自然”美德，即旧的异教所传而源出人类共通秉性的美德；还包括三种“神学”美德，它们是基督教教义中特别规定的，源出上帝的特别恩赐。人们一向给德下的定义是：“生活和行为符合道德原则。”如此说来，德就是顺应这些原则而采取的实际态度和习惯。德一般列为七种，因为人们认为，对应着七大罪，七德覆盖着人类全部行为。自然美德有时称为四项基本美德，因为它们是一切较次要的态度的核心，它们是审慎、节制、坚毅和公正。据说这种列举法可以追溯到苏格拉底，而在柏拉图和亚里士多德的著作中肯定曾有这种列举法。罗马帝国晚期和中世纪的基督教道德学家——如安布罗斯、奥古斯丁和托马斯·阿奎那——接过这种排列法，用以总结古代哲学家的学说和他们所推崇的最高美德。在这四德之外，基督教增加了三种神学美德：信、望、爱。这种分类法是从使徒保罗那里继承来的，他一方面举出这三种为特殊的基督教美德，另一方面还特别突出爱：“如今常存的有信，有望，有爱，这三样，其中最大的是爱。”根据基督教教义，神学美德不来源于自然的人，它们是上帝通过基督颁赐给信徒而由信徒践行的。根据基督教伦理学，异教哲学家所不语的爱，是占统治地位的准则，其他一切准则都根据它来判断，在它与其他责任发生冲突时，必须为了爱而牺牲其他。鼓吹道德观应变论的人们提出：不应对人的行为定下先验的规则，应当就事论事，唯一的原则是爱的原则。这样，爱就是唯一的德。

Virunga Mountains 维龙加山脉 又拼 Birunga Mountains，又称姆丰比罗山。非洲中东部的火山山脉。沿刚果(金)、卢旺达和乌干达边境延伸近 80 千米。有 8 个主要的火山，其中卡里辛比火山(4 507 米)最高。在山脉中部和东部的 6 个都是死火山，以米凯诺火山和萨比尼奥火山为最老，始于更新世早期，火山口已经消失，侵蚀成崎岖地形；山脉西端的尼拉贡戈火山和尼亚穆拉吉拉火山形成还不到 2 万年，有许多火山口，熔岩仍在活动，熔岩远流到基伍湖。著名的喷发发生于 1912、1938 和 1948 年。2002 年从尼拉贡戈火山喷发的熔岩毁坏了戈马附近一些城市，数千人无家可归。维龙加山脉耸立于人口稠密的高原外缘；高原居民大部为卢旺达农民，有些地区也有牧牛人。南段刚果(金)境内山地为刚果(金)维龙加国家公园(**Virunga National Park**)，中部和东部山脉的南侧包括卢旺达西北部的火山国家公园。

Virunga National Park 维龙加国家公园 前称艾伯特国家公园。刚果(金)国家公园。位于刚果(金)东北部。1925 年建立，面积 8 090平方千米。公园南端与基伍湖北岸相接。基伍湖与爱德华湖之间为维龙加山脉，其巨大火山覆盖着云林。往北是鲁丘鲁瀑布。公园中部很大一片为爱德华湖占据。东北为鲁文佐里山脉(**Ruwenzori Range**)，高达 4 880 米以上。园中多野生动物，有象、河马、稀有的山猩猩和霍加狓。

virus 病毒 一种极小的、结构简单的、只有寄生在动、植物和细菌体内才能繁殖的致感染性微生物。病毒的直径介于 20 ～ 400 纳米，而最小的细菌直径也在 400 纳米左右。病毒的核心是一条单链或双链的核糖核酸，外被一层蛋白壳体，有些病毒的最外层还被有一层脂质包膜(脂肪和蛋白质)。其核心的核酸带有病毒的全部基因组；蛋白壳体除了保护作用外，还可能包含一些能使病毒进入宿主细胞的酶。病毒的形状各异，有杆状、廿面体类球形，或呈有多边球形头和圆柱状尾的蝌蚪形。根据核心核酸的种类可以将病毒分为 DNA 病毒和 RNA 病毒二大类；有时还可以根据病毒的大小、壳体形状或有无脂蛋白包膜对病毒进行分类。活细胞外的病毒颗粒不具活性，而侵入合适的宿主细胞以后，病毒就成了能通过自身的繁殖来破坏宿主细胞代谢活动的致病实体。因此，病毒的核酸(有时是蛋白壳体)对易感宿主细胞的入侵就成了病毒生命周期的起点。细菌病毒(噬菌体)首先通过壳体蛋白和细菌的细胞壁结合而牢固地附着在细菌上；壳体融穿细菌坚固的细胞壁后，便将其核酸注入细菌体内。动物病毒进入宿主细胞的过程称为内摄作用；而植物病毒则是直接通过细胞保护层的损伤(如风伤、虫伤等)侵入的。进入宿主细胞后，病毒基因组即可在宿主细胞环境中指导新的病毒蛋白(含壳体和结构蛋白)合成，同时进行核酸复制；并以此组装成新的成熟病毒体；然后溢出细胞外。子代噬菌体溢出细菌时，通常伴有细菌的溶解、破裂，此谓“裂解性侵染”。噬菌体感染还有一种所谓“溶原性侵染”，即在宿主细胞分裂前，噬菌体基因组便稳定地整合入细菌宿主的染色体(即所谓前噬菌体)，并以整合后的染色体组为单位进行复制，一同进入细胞分裂过程。在这种情况下，虽然没有子代噬菌体产生，细菌宿主细胞也保持完整，但病毒基因组并没有消失，而是以整合状态存在于宿主细胞的基因组中。有时，在某些外界刺激(如紫外线)的作用下，前噬菌体会从宿主的基因组整合体上分离出来，重新单独复制并指导蛋白合成。这样，就又有了新的子代噬菌体产生，并会以裂解性感染的方式使细菌溶解。和这种先溶原、后裂解性侵染密切相关的现象是所谓细菌的转导变异。因为由先溶原、后裂解而释放出来的噬菌体基因组上会或多或少地带有原宿主细菌的一些基因成分。当它再以溶原方式感染第二宿主时，就会把这些原宿主的基因成分传递给第二宿主。整合上第一宿主部分基因成分的第二宿主就会出现新的基因性状。这就是所谓转导变异，而参与这一过程的噬菌体即所谓“转导噬菌体”。动、植物的病毒感染在许多方面都和噬菌体相似，但裂解现象并不多见。尤其是动物病毒感染时，大量子代病毒体多被宿主细胞以细胞膜芽突的方式排出，而细胞并不一定死亡。总的说来，动、植物感染病毒所产生的结果有四型：隐匿型(即无症状的带病毒者)、细胞病型(以细胞死亡为主)、增生型(宿主细胞分裂，而后死亡)、癌变型(以病理性核分裂为主要表现的无节制增生现象)。动物对病毒感染的反应也有多种不同的表现形式。最常见的反应是发热，而很多病毒在稍高于体温的温度条件下就会失去活性。受到病毒感染的宿主细胞释放干扰素也是一种常见的反应方式；干扰素蛋白再刺激感染灶及其周围细胞产生另一类能抑制病毒复制的蛋白质。感染病毒还会激发人和其他脊椎动物的特异性免疫功能，使这些动物体内产生针对感染病毒的特异性抗体和特异性细胞免疫反应。动物也会因此而获得对这种病毒的长期的、甚至是终生的免疫功能。据此，科学家们发明了主动免疫技术，也就是通过把灭活的或是减毒的致病病毒株注入人体。这些减毒病毒株没有致病性，但有抗原性，从而使人获得对该病毒的免疫功能。目前，针对麻疹、流行性腮腺炎、小儿麻痹和风疹的主动免疫接种已经成为常规的预防措施。如果从已经感染过某种病毒的动物(包括人)体内抽取带有特异性抗体的血清，然后再把这种抗体血清注入未经感染的个体，从而使动物直接获得免疫抗体，此即所谓被动免疫法。这种免疫的时效虽短，但却应急，应赶在病毒尚未广泛播散之前才能有效，如对麻疹和肝炎。人类和动物病毒都是以活细胞为生存环境，当杀灭病毒时也多会伤及细胞，故几乎没有几种可供实用的抗病毒药。因此，病毒性疾病的治疗也就多以对症为主，如补液疗法以控制脱水，服用阿司匹林以解热镇痛等。控制病毒性疾病最成功的例子就是通过全球性的主动免疫措施消灭了灾难性的流行病天花。因为病毒性传染病、流行病大多是通过接触传染或是通过虫媒传染的，所以，严格的隔离措施和消灭虫媒是防治病毒性疾病的有效措施。人类对病毒性疾病的记载可追溯到公元前 10 世纪，但直到公元 19 世纪 90 年代才建立起病毒的概念，当时人们只知道还有比细菌更小的致病微生物。第一个被确认为病毒的是噬菌体，这是 1915 ～ 1917 年的事。

Vis 维斯 意大利语作 Lissa(利萨)。克罗地亚亚得里亚海岛屿，达尔马提亚群岛最外侧的大岛。面积 90 平方千米。最高点胡姆峰海拔 587 米。气候和植被属地中海和亚热带型。有棕榈、地中海松、柑橘、桉树、仙人掌以及早熟蔬菜。居民从事渔业和罐头加工业。有酿造优质酒的悠久历史。城内有建于公元前 390 年的希腊殖民都市伊萨的废墟。附近海域发生过数次重大海战：1811 年法国-威尼斯同英国舰队之战，英国取胜；1866 年奥地利同意大利海军之战，是现代铁甲蒸汽舰船第一次交锋，奥地利获胜。人口 4 338(1991)。

Visalia 维塞利亚 美国加利福尼亚中南部城市、图莱里县县城(1853)。位于圣华金谷地，在卡维亚河三角洲。1852 年创建，1874 年设镇，1923 年设市。原为农牧业中心，现有轻工业（印刷设备、电子零件和金属产品）。位于该城的中加利福尼亚中国文化中心有一座博物馆和一座孔庙。图革尔县穆尼·格罗夫博物馆（位于维塞利亚穆尼·格罗夫公园）展有美国印第安人的史前古器物。有一所社区学院（1925）。设有红杉学院。市东有红杉国家公园和金斯河谷国家公园。人口：市约 91 565；维塞利亚-图莱里-波特维尔都会统计区 368 021（2000）。

Visayan　米沙鄢人　又作 Bisayan。菲律宾一民族，包括 3 个文化-语言集团，即*宿务人*（**Cebuano**）、*希利盖农人*（**Hiligaynon**）和*萨马人*（**Samaran**）。

Visayas　米沙鄢群岛　又作 Bisayas。菲律宾中部的岛群。由米沙鄢海、萨马海和卡莫特斯海周围的 7 个大岛及数百个小岛组成。总面积为 61 077 平方千米。7 个主要岛屿是*保和*（**Bohol**）、*宿务*（**Cebu**）、*莱特*（**Leyte**）、*马斯巴特*（**Masbate**）、*内格罗斯*（**Negros**）、*班乃*（**Panay**）和*萨马*（**Samar**）。这些岛屿及其邻近的小岛组成菲律宾群岛的中央岛群。米沙鄢群岛大部分地区有高山，萨马和马斯巴特除外，此二岛山丘极多。班乃岛东部是广阔平原，种植甘蔗和水稻。内格罗斯岛西部有广阔平原，种植甘蔗。米沙鄢群岛也广泛种植玉米、椰子、香蕉、烟草、麻蕉和块根植物。渔业也具有重要地位。人口稠密的米沙鄢群岛构成一个种族语言区，有 3 种主要的米沙鄢语占支配地位：宿务语（约 1/4 菲律宾人口的母语）、希利盖农语和萨马语。说宿务语的人主要住在宿务、保和、内格罗斯岛东部和莱特岛西部。说希利盖农语的人集中在班乃、内格罗斯岛西部和马斯巴特。说萨马语的人主要住在萨马和莱特岛东部。米沙鄢群岛的两个主要的城市中心是宿务岛上的宿务城和班乃岛上的伊洛伊洛城。

Visby　维斯比　瑞典东南部城市、哥得兰省省会。位于波罗的海哥得兰岛西北岸。约在公元前 2000 年石器时代已有居民点。在 13 世纪达到了鼎盛，为欧洲重要的商业中心；该市铸造自己的货币，并制定了一个国际海事法则。现仍可看到中世纪建筑，围绕中世纪

维斯比市的一段中世纪城墙
供图：Sven Samelius

建筑区的是 13 世纪建筑的城墙，长 3.4 千米，高达 9 米多，有 40 座塔楼。狭窄的街道两旁尚留存有 13 及 14 世纪建造的几所石灰石商人住宅。现为基督教信义会的教区中心。居民就职于行政机构以及工商业和手工业。人口 21 462（1994）。

Viscaceae　槲寄生科　檀香目的一科，有时划为桑寄生科的亚科。共约 11 属，450 多种半寄生灌木。主要分布在热带地区，寄生于多种乔木枝上。叶常对生，具平行脉；许多种的叶鳞片状。花单性，很小。浆果，具 1 粒种子，种子覆被黏性物质。重要的种类有欧洲槲寄生（白槲寄生，*Viscum album*）、美洲寄生子属（*Phoradendron*）和油杉寄生属（*Arceuthobium*）。

viscacha　兔鼠　啮齿目毛丝鼠科南美洲哺乳动物，栖息在多岩山区（山兔鼠）或阿根廷的南美大草原（平原兔鼠）。山兔鼠（山毛丝鼠，鼦属［*Lagidium*］）耳大，形似兔；体长约35

平原兔鼠（*Lagostomus maximus*）
供图：Tom McHugh—Photo Researchers

厘米；尾黑色，长 25 厘米；体色黄褐或浅灰，在背部中间常有一黑色条纹；毛柔软，可与羊毛混纺成毛线使用；昼间活动，群居于地穴或缝隙中；动作灵活；以植物为食；一年产 2 ～ 3 窝，每窝 1 仔，妊娠期 3 个月。平原兔鼠（最大平原鼦，*Lagostomus maximus*）集群，栖于地穴系统内，穴道深广，入口周围堆积有石块和其他无用的物体；毛粗，灰色；头短粗，面部有黑色及白色横纹；体长约 50 厘米，尾长 10 厘米；每窝常产 2 仔，妊娠期约为 4 个月；行动敏捷；因在地下挖洞及食去家畜所需的草类而被视为害兽。

visceral arch（anatomy）　参阅 **branchial arch** *鳃弓*。

visceral leishmaniasis（disease）　**内脏利什曼病**　参阅**kala azar***黑热病*。

Vischer FAMILY　**菲舍尔家族**　15 和 16 世纪在纽伦堡工作的德国雕刻家和铜器铸工家族。老赫尔曼（？ ～ 1488-01-13）建立铸造厂。其子老彼得（1460 ～ 1529）是家族中最杰出的成员，所造的纪念性黄铜器和青铜器，吸引了远在波兰和匈牙利的主顾。在 5 个儿子的帮助下，彼得的作品有马格德堡大教堂 E. von 萨克森总主教的墓碑（1494 ～ 1495）；由皇帝马克西米连一世设计的狄奥多里克和亚瑟王墓前的巨大青铜像（1513）；1516 年建造的纽伦堡圣塞巴尔德教堂圣塞巴尔德圣像龛。

Vischer, Friedrich Theodor von　菲舍尔（1807-06-30，符腾堡路德维希堡［德国］～ 1887-09-14，奥地利格蒙登）　德国文学批评家和美学家，以努力为文学的现实主义建立一个理论基础著称。曾就读于蒂宾根大学。1844 年就在蒂宾根大学任教授，但由于他的就职演说坦率直言而被推迟任职两年。在该校执教期间，在黑格尔思想的基础上开始形成自己的美学理论。他的作品最后发表时共 6 卷，题为《美学，或美的科学》（1846 ～ 1857）。1855 年在苏黎世任教授，1866 年返回蒂宾根。其他作品包括《险要的道路》（2 卷，1844），一本杂文集，以及《旧与新》（1881）。还写过一本奇妙的受人欢迎的长篇小说《又一个》（2 卷，1879）。

viscometer　黏度计　测量流体黏度（流体内部流动阻力）的仪器。有的黏度计记录一定量的流体流过某一出口的时间。毛细管黏度计则测量迫使流体按一定速度流过一根细管所需的压力。其他类型的黏度计还有：测量圆球在流体中下落所需的时间；用一对同心的圆筒，在两筒之间充满待测的流体，测定使内筒旋转所需的力；或者令一圆盘在液体中振动，测定其振动衰减的速度。

Visconti FAMILY　**维斯孔蒂家族**　米兰的家族，14 和 15 世纪在意大利北部的历史中占支配地位。这一家族原为小贵族，大概在 11 世纪初取得米兰子爵（viscount）的世袭官职，后以职称为姓。1262 年奥托内（1207～

维斯孔蒂家族的菲利波·马利亚
美国国家美术馆供图

1295）任米兰大主教。他于 1277 年打败托雷家族。后把权力传给侄孙马泰奥一世（参阅 **Visconti, Matteo I**）。后来，这一家族成为皇帝代表和米兰执政官，把统治权扩大到意大利北部的许多城镇。马泰奥之子加勒阿佐一世（约 1277 ～ 1328）以后，这个家族继续扩张领土，并与其他城市的领主以及法、德两国的公侯结亲。乔凡尼（1290 ～ 1354）于 1349 年继承米兰执政官和大主教后，一度兼并博洛尼亚和热那亚。乔凡尼死后，家族领地由 3 个侄子继承，他们虽独自治理，但协调家族立场，卷入当时主要反对佛罗伦萨和教皇的全意大利战争。其中加勒阿佐二世（1321 ～ 1378）建立了帕维亚大学。15 世纪初，这一家族的权力达到顶峰，成为米兰公爵和帕维亚伯爵，控制着意大利北部的大部分地方。但到乔凡尼·马利亚（1388 ～ 1412）时代，许多伦

巴第城市重归当地的领主。此人庸碌无能，极端残忍，1412 年被人暗杀。他的兄弟菲利波·马利亚(1392 ～1447)励精图治，努力开辟财源，但不幸猝然死去。这一家族的统治一直延续到 18 世纪。此后，维斯孔蒂的姓氏消失，但其血统却通过母系由欧洲的一些著名王朝(如哈布斯堡王朝和都铎王朝)承续。

Visconti, Gian Galeazzo　维斯孔蒂(1351，米兰～1402-09-03，米兰附近梅莱尼亚诺)　意大利米兰的领袖，使维斯孔蒂王朝达到权力的顶峰，几将成为整个意大利北部的统治者。加莱阿佐二世之子。其父与叔父贝尔纳博分享米兰统治权。1378 年继承父业。1382 年贝尔纳博与法国缔结军事同盟。维斯孔蒂认为，贝尔纳博增强地位就是对他的威胁，因而在 1385 年把其叔逮捕。两月后，贝尔纳博的孙女嫁给查理六世，成为法国王后，而贝尔纳博则死于狱中。从此，维斯孔蒂把本族的所有领地都掌握在自己手里，并且进一步扩大领地。他企图建立一个统一的国家。1387 年推翻维罗纳的斯卡拉王朝，得以控制特雷维索的马尔凯的大部分。德意志国王封他为米兰公爵(1395)和帕维亚伯爵(1396)。1399 年他兼并比萨和锡耶纳，1400 年兼并佩鲁贾和翁布里亚的其他城镇，1402 年兼并博洛尼亚。在整个意大利北部，只有佛罗伦萨没有落到他的手中。

Visconti, Louis-Tullius-Joachim　维斯孔蒂(1791-02-11，罗马～1853-12-23，巴黎)　意大利出生的法国建筑师，拿破仑一世陵墓的设计人及法国国立图书馆的建筑师之一。早年在巴黎美术学院从柏西埃学建筑，曾获建筑二等大奖。1825 年任国立图书馆的建筑师，负责修复公共阅览室。早期从事住房及巴黎几座喷泉的建筑，包括加永喷泉(1824 ～1828)、卢瓦喷泉(1835 ～ 1839)、莫里哀喷泉(1841 ～1843)的设计。后参与仿哥特式风格的设计，这时期的作品有模仿英国村舍的卢西别墅(1844)。1842 年法王路易-菲力普下令将拿破仑一世的骨灰运回巴黎，葬于荣军院，并请他设计恰如其分的陵墓，结果他用各色大理石建造了一座富丽豪华的构筑物。拿破仑三世即位后，命他设计连接老罗浮宫与土伊勒里宫之间的建筑，由 H.-M.勒菲埃尔修建，但在装饰上作了大量修改。

Visconti, Luchino　维斯孔蒂(1906-11-02，米兰～ 1976-03-17，罗马)　又译维斯康蒂。全名 Don Luchino Visconti, Conte Di Modrone。意大利电影导演，他的影片真实地表现了个人在现代社会矛盾中的处境，对第二次世界大战后意大利电影的革新做出重大贡献，为他赢得"新现实主义之父"的美称。他还是一位富于创新精神的戏剧和歌剧导演。维斯孔蒂出身贵族家庭，熟悉各种艺术，受过全面的正规教育。1935 年被法国电影导演 J.雷诺阿聘为助手，在其影响下提高了社会政治意识。他根据 J.M.凯恩的小说《邮差总按两声铃》改编拍摄的影片《沉沦》(1942)树立了他的导演声誉。他在这部影片中采用自然布景，由职业演员和当地居民共同表演，试用了移动摄影的长镜头，并插入一些偷拍的段落以增强真实感。这部现实主义的杰作成为战后新现实主义电影的先声。6 年后，他的《大地在波动》(1948)获威尼斯电影节大奖，这是一部表现西西里岛渔民的纪录风格的影片，全部在现场拍摄，没有职业演员。维斯孔蒂的其他著名影片有：《小美人》(1951)、《我们女人》(1953)、《罗科和他的兄弟们》(1960)、《豹》(1963)、《陌生人》(1967)、《众神之死》(1969)和《魂断威尼斯》(1971)。逝世前将近完成他的最后一部影片，根据 G.邓南遮的小说改编的《无辜者》。作为戏剧导演，他把许多当代法国和美国戏剧大师的作品搬上意大利舞台。在歌剧方面，他导演了《茶花女》(1955)、《梦游者》(1955)和《唐·卡洛斯》(1958)，把现实主义同豪华场面结合起来，艺术上获得极大成功。

Visconti, Matteo I　维斯孔蒂(1250-08-15，伦巴第因沃里奥～ 1322-06-24，米兰)　统治米兰将近两世纪之久的、有权势的维斯孔蒂家族的王朝的早期首领。1287 年在其叔祖、米兰大主教奥托内的帮助下，被立为民众首领；他成功地把 6 个月的任期延长到 5 年，而且几次重新当选。1294 年德意志国王任命他为驻米兰的帝国代表。1302 年被逐。1310 年得到神圣罗马帝国皇帝亨利七世的援助，又回到米兰。1315 年用武力征服意大利北部城市皮亚琴察、贝加莫、洛迪、科莫、克雷莫纳、亚历山德里亚、托尔托纳、帕维亚、韦尔切利和诺瓦拉。1317 年改用米兰执政的称号。1320 年被教皇处以绝罚。1322 年逊位。

Visconti, Tedaldo (pope)　**维斯孔蒂**　参阅 **Gregory X, Blessed 格列高利十世(蒙福者)**。

Visconti - Venosta, Emilio, Marchese (Marquess)　**维斯孔蒂-韦诺斯塔**(1829-01-22，米兰～ 1914-11-24，罗马)　意大利政治家，其 50 余年的政治外交生涯跨越意大利历史，从复兴运动直至第一次世界大战的权力斗争时期。青年时代参加 1848 年开始的反奥地利的革命运动，1859 年逃往皮埃蒙特。意大利独立战争期间，他在皮埃蒙特从事外交工作。1863 年成为新的意大利的外交大臣。后因缔结 1864 年协定而垮台。后任驻土耳其大使，1866 年回外交部，1869 ～ 1876 年再任外交大臣。1896 年灾难性的阿多瓦战役后，在新政府中他又一次出任外交大臣。他与法国谈判，达成一项协议：意大利承认法国对突尼斯的保护权；作为交换，法国保证意大利在突尼斯的利益。1902 年又与法国达成一项协议：意大利与法国在摩洛哥和利比亚可以各自采取自由行动，互不干涉。1906 年任意大利出席阿尔赫西拉斯会议的代表。他的亲法政策到他死时已产生了两项成果：对土战争后意大利占领了利比亚，第一次世界大战爆发时意大利保持着中立的态势。

viscosity　黏性　流体(液体或气体)抵抗形变或阻止相邻流体层产生相对运动的性质。黏性与流动性正好相反。黏度是对黏性的一种度量，例如，糖浆的黏度比水大得多。一部分流体受力作用产生运动时，必然在一定程度上带动邻近流体，因此，又可把黏性看成是分子间的内摩擦，这种内摩擦抵抗着流体内部速度差的扩大。当流体用作润滑剂或在管道中输送时，都必须克服阻力，而黏性则是构成阻力的一个重要因素。它控制着喷涂、注射成型和表面涂覆工艺过程中的流体流动。对许多流体来说，引起流动的剪应力与产生的剪应变速率或变形速率成正比。换言之，在一定温度下，给定流体的剪应力除以剪应变速率为常数，此常数称为动力黏度或绝对黏度，简称黏度。牛顿首先给予黏性以上述数学描述，为纪念他而把以这种方式流动的流体称为牛顿流体。液体黏度随温度上升迅速降低，气体黏度则随温度上升而增加。因此，加热时液体更易于流动，气体更不易于流动。动力黏度的量纲是力乘以时间，除以面积，因此黏度的单位为牛顿·秒/米^2。在某些应用场合下，运动黏度比绝对黏度或动力黏度更有用。运动黏度是绝对黏度除以流体的质量密度(质量密度是物质的质量除以体积)。运动黏度的量纲是面积除以时间，单位为米^2/秒。

viscount　子爵　欧洲的一种贵族称号，位于伯爵之下。在法国，到 11 世纪末，法国的子爵用他们的主要封地名做自己的称号。在阿基坦和图卢兹县，子爵往往不听宗主的管辖。但是在法兰西岛、香槟和勃艮第的一部分，到 12 世纪末，子爵仅是一种低级的封爵。在英格兰，直到诺曼征服以后将近 400 年，贵族才设子爵爵位。1440 年博芒特勋爵约翰封博芒特子爵，位于所有男爵之上。英格兰现存的最古老的子爵是 1550 年封的赫里福德子爵，爱尔兰现存的最古老的子爵是 1478 年封的戈曼斯通子爵。在西班牙，8 世纪查理大帝在加泰罗尼亚设立子爵爵位，此后传至阿拉贡和卡斯蒂利亚。但是子爵的职权日益缩小。腓力四世采取"先封子爵"制度，即任何人在取得伯爵或侯爵称号之前必须先封为子爵。

Viscount Melville Sound　梅尔维尔子爵海峡　前称梅尔维尔海峡。北冰洋的海峡。位于加拿大北部西北地区的基蒂克米奥特和巴芬行政区。长 400 千米，宽 160 千米。海峡是由帕里从东部(1819～1820)、麦克鲁尔从

1969 年从穿越西北航路途中的"曼哈顿"号破冰船甲板上眺望梅尔维尔子爵海峡
供图：Joe Rychetnik—Photo Researchers

西部(1850～1854)发现的，从而证实西北航路的存在，提供了穿过北极群岛的通道。作为北极海上通道，海峡位于南部的班克斯岛、维多利亚岛、威尔士王子岛和北部的梅尔维尔岛、巴瑟斯特岛之间。天气好时可通航。

vise 虎钳 又作vice。用以夹持工件的装置。由两个平行钳口组成:其中一个固定;另一个可以用螺杆、杠杆或凸轮使之移动。当用作锉、锤或锯之类的手工作业的夹持装置

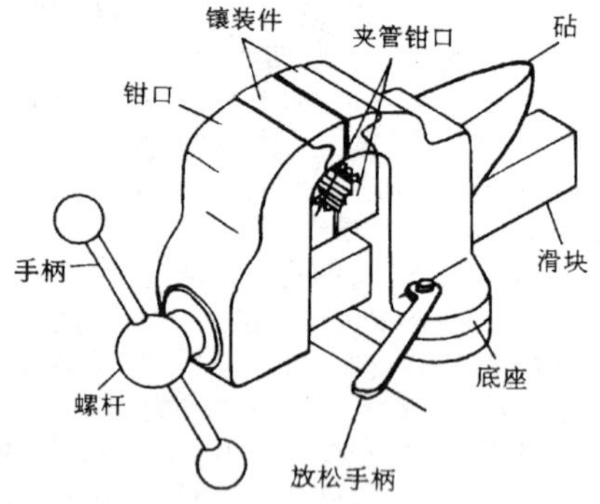

台式管虎钳

时，可用螺栓把虎钳持久地固定在钳工台上。加工金属零件时，钳口的工作表面用淬火钢板镶装，板上带有细齿以夹持工件，此钢板不用时可卸下。为了防止损伤软质零件，其持久性固定钳口可用铜板或皮革制的临时性钳口覆盖。管虎钳上有双V字形钳口，可夹持工件的四处而不是两处。木工虎钳具有平滑的木制钳口，其夹持作用仅仅依靠摩擦而不靠细齿。为了在机床工作台上夹持工件，使用一种具有光滑淬火钢钳口和平底座的虎钳。这些机器虎钳是可以移动的，使用时，可夹紧在机床工作台上。它具有使虎钳工作部分转动的机构，以便使工件可以夹持在相对于底座的各种位置上。为了夹持那些不能用平钳口夹持的零件，可配备专用钳口。

Viseu 维塞乌 葡萄牙北部一地区。境内西部有卡拉穆卢山、阿拉达山和蒙特穆罗山。属蒙德古河和沃加河的上部流域。在较潮湿的西部高原人口稠密，在深深的河谷斜坡上有层层梯田，给人印象深刻。主要产玉米、甘蓝、葡萄和绵羊。主要城镇是维塞乌，为地区首府。区内有铀和锡矿藏。面积5 007平方千米。人口约419 400(1990)。

Viseu 维塞乌 葡萄牙北部维塞乌区的首府及城镇。位于波尔图的东南面。著名古迹有罗马式及哥特式大教堂(12和16世纪)和格朗-巴斯科博物馆。附近有古城瓦卡以及公元前2世纪所建的古罗马军事驻防地维里亚托壕堑。当地以葡萄酒(世称德昂酒)和一年一度的农产品交易会而闻名。当地手工艺品有黑陶、梭结花边、刺绣、铜以及锻铁制品。人口:镇21 454(1981);行政区约83 500(1987)。

Vishākhapatnam 维沙卡帕特南 印度南部安得拉邦东北部的一个城市，濒临孟加拉湾，在马德拉斯东北约612千米。维沙卡帕特南位于一个小海湾沿岸，其天然港湾由两个海角组成，有一条小河将南边的海角与城市隔开。由于维沙卡帕特南港口是科罗曼德尔海岸唯一的安全港，它的重要性已极大增长。对于该港所作的改进已经使它能够容纳吃水10.2米的船舰。该市也是一个重要的造船中心;印度制造的第一艘轮船1948年在维沙卡帕特南港下水。在港湾北部尽头的郊区瓦尔泰为安得拉大学所在地。维沙卡帕特南出口锰和油籽，并建有一座炼油厂。该市有一所医学院，还有医学博物馆。该市西边为森林茂密的东高止山区，东边河流众多，其中有哥达瓦里河和因德拉瓦蒂河，该地区的经济以农业为主。人口:市约750 024;都会区约1 051 918(1991)。

Vishinsky, Andrey Yanuaryevich 参阅 **Vyshinsky, Andrey Yanuaryevich** 维辛斯基。

Vishnu 毗湿奴 梵语作Viṣṇu。印度教的主神之一，据说他守护并保存世界，匡复诸法。同印度教另一大神湿婆一样，毗湿奴融合许多小派别的崇拜对象和地方英豪为一身。毗

可能是14世纪的南印度毗湿奴铜像
波士顿美术博物馆供图

湿奴主要通过他的诸化身(**avatar**)特别是罗摩和黑天来显现。寺庙里的毗湿奴像或坐在配偶吉祥天女和大地女神立像中间;或手执武器而立;或斜倚盘蛇而酣睡于介乎世界的周期性毁灭与新生交替期间之间的宇宙大海上。毗湿奴立像着王者服，四手(或两手)，执海螺、转轮、杵或莲花。胸上生有一卷毛发，象征永生不死，项佩吉祥宝石。一般画中的毗湿奴肤色黑，各个化身也有这个特点。毗湿奴乘迦卢荼(金翅鸟)飞行，居所叫作毗昆陀。他有千名，其中主要有婆苏、提婆、那拉扬和诃利。

Vishnuism (Hinduism) 参阅 **Vaishnavism** 毗湿奴教。

Vishnupur (India) **维什努布尔** 参阅 **Bishnupur** 比什努布尔。

Vishtaspa (king of Parsa) 参阅 **Hystaspes** 希斯塔斯普。

visible trade 有形贸易 经济学中，指国家之间有形货物的交换。包括进口、出口及转口各种不同程度的产品。它有别于无形贸易即进出口无形物品如劳务。有些国家缺少原料如煤或原油，就得从能够出口这些原料的国家进口。有时原料在生产国经过部分加工或改变成生产者货物再出口。有的货物在出口或进口前或最后被顾客购买以前，加工成为消费品。这些消费品可以是耐用的如家用电器或汽车，也可以是不耐用的如食品;有形贸易还包括资本货物如工业机械、设备。一国有形贸易出口和进口的关系反映在贸易差额上。当出口超过进口时，贸易差额就有盈余;当进口大于出口时，就有亏损。贸易差额是一国的国际收支的重要组成部分，其中也包括无形贸易的差额。

Visigoth 西哥特人 哥特人(**Goth**)的一个分支，为日耳曼最重要部落之一，4世纪时与东哥特人分离，不断侵犯罗马的领土，并在高卢和西班牙建立庞大的王国。西哥特人原是达西亚(在今罗马尼亚境内)定居农民，376年遭到匈奴人的袭击，被赶过多瑙河，进入罗马帝国。他们因不堪帝国官吏的勒索而造反，劫掠帝国的巴尔干诸行省。378年8月9日，在阿德里安堡平原战役中，他们击溃罗马军队，杀死皇帝瓦林斯。382年，瓦林斯的继位人狄奥多西一世把他们作为同盟者，让他们在莫西亚(在巴尔干地区)定居，给予他们土地，要他们担负保卫边界的责任。395年，他们在阿拉里克领导下离开莫西亚，首先南迁希腊，然后到意大利。410年他们洗劫罗马。同年阿拉里克卒，由阿陶尔夫继任。他率领西哥特人先在高卢南部定居，然后在西班牙定居(415)。418年他们被君士坦丁召回，作为同盟者使之定居于加龙河下游与卢瓦尔河下游之间的第二阿基塔尼亚省。他们的首领狄奥多里克一世在451年卡泰隆尼平原对阿提拉之战中阵亡。然而狄奥多里克是能够被称为君主的第一个西哥特领袖。西哥特人不断企图扩大他们的领土。475年，狄奥多里克之子欧理克宣称自己是独立的国王。在他的领导下，以图卢兹为首府的高卢王国的版图最为广阔，从卢瓦尔河直达比利牛斯山脉，并延伸到罗讷河下游，包括西班牙的大部分。欧理克之子阿拉里克二世继位后，于507年在普瓦捷附近的武耶的决战中被克洛维斯和法兰克人击败和杀死。此后西哥特人以托莱多为首府，统治着塞蒂马尼亚和大部分西班牙地区，711年，最终被穆斯林消灭。

Visigothic art 西哥特艺术 公元5～8世纪西哥特人统治法国南部和西班牙时期所产生的艺术风格。大体为当地罗马传统与拜占廷影响的结合。在西哥特装饰艺术中可见到日耳曼金属制作工艺的影响。西哥特艺术还吸收了源自地中海和东方民族传统艺术的草木禽兽主题。西哥特人的建筑规模不大，多采用石筒拱结构。马蹄形拱廊为其独特创

公元7世纪的西哥特人胸饰十字架

供图：Archivo Mas，Barcelona

造。7世纪的建筑平面图多似古罗马时期的长方形教堂，正面不高而宽阔。以建筑内外的饰雕为这些教堂的显著特色。

Vision of Adamnan, The (Gaelic tale) 参阅 **Adamnan, Vision of**《亚当南的梦幻》。

vision quest 求幻 在美国东部林地和大平原的印第安猎人中，一个男孩（或女孩，但较少见）进入成人时期的一个重要步骤。他被派出营地单独守夜，需要禁食和祷告，才能看到他的守护灵（**guardian spirit**）显现的某些迹象和它的本性。在某些传说中，这个孩子要守候一个行迹带有某种意义的动物；在别的传说中，他找到一个与某种动物相像的物体（通常是一块石头）。最流行的说法是，他做了一个梦，他的守护灵在梦中现身（通常以动物的形体），指导他，带他做一次梦幻旅行，并教他唱歌。他得到这些迹象和幻象后，返回家中，说明他的成绩，然后找一位宗教专家帮助他解释梦中所见幻象。

Viśiṣṭādvaita 适任不二论 梵语，意为局限的非二元论。印度正统的吠檀多梵学的一个主要学派的理论。这一学派是从毗湿奴派（7世纪起主要在南印度盛行的、崇拜大神毗湿奴的虔信运动）产生出来的。早期婆罗门（祭司阶级）中的首倡者是纳特牟尼（10世纪），他是斯里朗加姆（今泰米尔纳德邦）一个寺院的住持。他的继承人是雅木那（11世纪），写过一些哲学论文但没有注释。他的继承人罗摩奴阇即罗摩奴阇大师（1050～1137）是最突出的人物。他为《梵经》写了注释（《吉祥注疏》），又注释了《薄伽梵歌》；他还写了一篇论述奥义书的论文《吠陀要义》。罗摩奴阇在吠檀多派的思想家中第一个把一位人格神与奥义书和吠檀多经（他的体系的依据）中的梵等同起来。作为一位人格神，梵完美地具有一切优良品质，这是罗摩奴阇一直不倦地提到的。他用一种新的方式来解释统一的和无限的梵与多元的和有限的世界间的关系，而这一新方式在奥义书中是有一些依据的。在他看来，无限和有限之间的关系有如灵魂和肉体之间的关系。因此虽然主张不二论，却仍然可以谈论区别。灵魂和物质的存在完全有赖于神，正如肉体依赖灵魂。神有两种存在方式，一作为原因，一作为派生物。作为原因，他在本质上只能由他的各种完美性来说明。作为派生物，他以各种灵魂和现象世界作为身体。在创造和吸收的这些过程中，有一种脉动的节奏。在罗摩奴阇看来，解脱并不是消极地摆脱轮回，而是对神的沉思的快乐。只有终生一心一意敬奉“虔信”神，为他唱赞诗，在庙宇和私人礼拜仪式中奉承他，并不断凝思他的各种完美品质才能得到这种快乐。神将回报，施恩于虔信者，帮助他得到解脱。在罗摩奴阇之后，适任不二论盛行，但在神恩的重要性问题上人们发生了意见分歧。使用梵语的南方派认为神恩对于求得解脱是重要的，但是人本身也应当尽力而为。这一派的代表是思想家文格德纳特（他的尊号是吠檀多代希格，意为吠檀多大师）。使用泰米尔语的北方派则认为只有神恩是必要的。适任不二论的影响一直远达北印度；在那里，特别在孟加拉的虔信者贾伊登耶（1485～1533）领导下的毗湿奴教派的虔信复兴中起了作用。在南印度，这一哲学本身现在仍有其重要的学术影响。

visit and search 海上搜查 交战国军舰为了查明要不要扣留某一商船而采取的行动。如查看船证后发现船只属于敌方，或装有禁运物品，或企图冲破封锁，或从事非中立的活动，就可立即将船只俘虏。常见的情况是船只仅有进行上述活动的嫌疑，就可加以搜查。搜查人员认为船只是无害的，应允许其继续航行；如对它仍有怀疑，可命令它驶入港口，作更彻底的搜查；如最后证明它是无害的，海军军事法庭也认为没有像样的理由可以将其扣留，就可下令赔偿其损失。由于现代船只的体积太大，无法在公海进行仔细搜查，第一次世界大战期间，英国海军采取一律把船只带到港口进行搜查的办法。但是美国为此提出抗议，理由是国际法并不允许改变船只的航向，除非在海上搜查时发现有可将其俘虏的理由。于是英国在1916年采用了运输执照制度。交战国代表在中立国签发的运输执照等于船只的通行证。海上自由的原则一般禁止和平时期在公海上搜查别国商船。但这种搜查，在实行“和平封锁”时也偶尔发生。“和平封锁”往往是大国对小国的一种报复手段。例如，1962年10月23日美国总统J.肯尼迪宣布“隔离”古巴，据此，任何被怀疑装有违禁物资（特别是导弹）去古巴的船只均在古巴周围的划定区域内被拦截、阻止并登船搜查，一旦被发现载有此类物资，则须改变航向。如果企图逃走或抵抗，将对其开火乃至将其击沉。有几艘苏联船只被迫改变航向，但无一被击沉。这种做法有违联合国宪章规定的除非为了抵御武装进攻，禁止使用武力或以武力相威胁这一原则。

visitador 巡视员 中世纪末由王室任命的官员，定期派往西班牙北部卡斯蒂利亚王国的各城镇，调查司法行政事宜。15世纪末，巡视员又被责成视察其他市政，包括财政及修路筑桥等。这种巡视制度也曾适用于西属美洲的殖民地。巡视制规定巡视员应向设在马德里的西印度事务委员会报告工作。巡视工作不作事先通知，巡视内容可能涉及一人、一省或全部殖民地司法事宜。巡视制在西班牙国王腓力二世统治期间（1556～1598）成为殖民地政府的常规事项，它常把对某些殖民地官员的控诉上报马德里。西印度事务委员会如果遇到当事一方对巡视员的报告提出异议时，也可命令进一步调查。何塞·加尔维斯任新西班牙巡视员（1765～1771）期间，曾在西属美洲殖民地进行广泛改革。加尔维斯敢于忠实执行王室命令，即使遭到既得利益阶层强烈反对亦在所不顾，由于他的建议，新西班牙总督受到免职处分。

Visitandine 圣母往见会会士 天主教女修会圣母往见会的成员。该会于1610年由圣方济各·撒肋爵与尚塔·圣雅内·弗朗切斯成立于法兰西阿讷西。其本旨是进行探望和护理贫病者等慈善工作，5年后改为隐修会。现代该会许多修女献身于教育。该会的共同信仰特点是传播对耶稣圣心的崇拜。该会在20世纪后期共有隐修院190所。

Visitation 圣母往见 基督教名词。指身怀圣婴耶稣的童贞女马利亚探望表姐妹以利沙伯。事见《路加福音》（1:39—56）。当马利亚向她问好时，以利沙伯感到她所怀婴儿施

R.范·德尔韦登绘《圣母往见》（约1435）

供图：Museum der bildenden Kunste zu Leipzig，Germany

洗约翰跳动，据后来教义说，这种现象表明约翰已经成圣而摆脱原罪。马利亚随即诵“尊主颂”。天主教会规定5月31日为圣母往见瞻礼日（1969年以前为7月2日）。在12世纪以前，圣母往见的艺术处理一直是两位妇女互相问候，或端庄淑静（严肃的希腊化艺术传统），或温柔相抱（叙利亚传统）。12世纪以后，为了投合较晚的中世纪更加讲求写实

的习尚，出现了更加富有感情的表现方法。15世纪初，圣母马利亚作为崇拜对象具有了更加重要的意义，因而表现方法上又出现了新的变化：以利沙伯跪在马利亚面前。另外一种别具一格的表现方法，源起于拜占廷，15世纪传到西方，风行一时：以利沙伯腹中婴儿施洗约翰灼然可见，向马利亚腹中的婴儿耶稣（亦显然在目）行礼。反宗教改革运动中的特伦托会议认为这种画法有失体统，予以禁止。后来，较为严肃的显示以利沙伯下跪的表现方法成为定法。

Visitation Order（nuns） **圣母往见会** 参阅 **Visitandine** 圣母往见会会士。

Viṣṇu（Hindu god） 参阅 **Vishnu** 毗湿奴。

Viṣṇuism（Hinduism） 参阅 **Vaishnavism** 毗湿奴教。

Visscher, Anna (Roemersdochter) 菲斯海尔（1583-02-02?，荷兰阿姆斯特丹～1651-12-06，阿尔克马尔） 荷兰女诗人。R.菲斯海尔之女。她的诗比较古板，并缺乏个性，大部分是十四行诗和"高歌"，一种巧妙地颂扬显要人物的颂诗。她花费了12年时间翻译J.蒙特内的《基督教标志百种》。但是她对荷兰文学的主要贡献在于1640年出版了R.菲斯海尔的《标志》的修订本。

Visscher, Roemer (Pieterszoon) 菲斯海尔（1547，西班牙哈布斯堡领地[今荷兰境内]阿姆斯特丹～1620-02-19，阿姆斯特丹） 荷兰文艺复兴初期诗人和道德学家。他努力使荷兰语纯洁化和标准化并使之应用于教育。与文艺复兴时期大多数多才多艺的文人一样，他并不认真把自己看成是一个诗人，把自己唯一的诗集称为《闲聊》(1612)。其中大部分是爱情诗，但许多地方间接提到荷兰社会、政治和日常生活情况，表现出一幅当时的阿姆斯特丹的权威性画面。诗的风格变化多端。另一部作品《标志》(1614)是道德短文集，同样显示出作者对荷兰题材的喜爱。

Visser 't Hooft, Willem Adolph 菲瑟特·霍夫特（1900-09-20，荷兰哈勒姆～1985-07-04，瑞士日内瓦） 荷兰牧师和神学家。1948～1966年作为秘书长，领导世界基督教协进会。他曾在哈勒姆大学预科求学，在莱顿大学进修神学，准备充任荷兰归正会牧师。他作为基督教组织领袖的长期生涯始于1924年任基督教青年会世界委员会秘书时。1931年他离职就任世界基督教学生联合会秘书长。1936年被日内瓦归正会任命为牧师。促进不同教会之间的合作和友谊的运动终于在1937年于荷兰的乌得勒支成立世界基督教协进会的临时组织，菲瑟特·霍夫特在1938年被选为该会秘书长。第二次世界大战期间会务中断。战后二三十年间菲瑟特·霍夫特成为普世教会运动的关键人物。在他领导下，在1948年由147个新教和正教派别正式组成世界基督教协进会。随后几十年间这个组织发展到有近300个派别参加。他在吸收共产主义国家的教会参加世界基督教协进会方面起了主要作用，他还谋求扩大亚洲、非洲和正教教会在该组织中所起的作用。他努力争取天主教会入会，但没有成功。1948～1966年间任《普世教会评论》编辑，还写了许多有关普世教会运动和教会性质及作用的书籍。

Vistula Lagoon 维斯图拉潟湖 波罗的海沿岸水浅和边缘有沼泽的潟湖。分属波兰和俄罗斯，被认为是格但斯克湾的一部分。长90千米，宽10～19千米，面积855平方千米，深达5米。注入潟湖的主要河流为维斯图拉河三角洲东部支流诺加特河。潟湖外有狭长维斯图拉沙嘴作为屏障，可免受格但斯克湾影响。人工疏浚的狭窄航道将俄罗斯重要港口加里宁格勒与波罗的海格但斯克湾连接起来。其他港口有埃尔布隆格（波兰）和波罗的斯克（俄罗斯）。潟湖内有重要渔场。

Vistula River 维斯图拉河 波兰语作Wisła。波兰最大的河，也是波罗的海流域最大河流。源出于波兰南部贝斯基德山脉。

维斯图拉河向东流。然后向北穿过波兰，经格但斯克城东宽广的三角洲地区注入波罗的海。全长1 047千米，流域面积194 424平方千米，4/5以上在波兰境内。维斯图拉河全程可以分成3个主要河段。上游从河源大致向东流经克拉科夫至桑多梅日附近的桑河口；中游从桑河口沿着一条很大的曲线向北流至华沙附近的纳雷夫河口；下游穿过华沙向西北流经托伦直到比得哥什附近，然后向东北急转注入波罗的海。过去有两条主要的分支航道通向波罗的海——通维斯图拉潟湖的诺加特河和通格但斯克湾的列尼乌卡，现称马尔图瓦·维斯图拉河——但现在的主要支流则是从希维比诺直接流入大海的航道。右岸主要支流有布格河、维普日河、桑河、维斯沃卡河和杜纳耶茨河；左岸有尼达河、皮利察河及维日察河。

维斯图拉河流域的气候变化引起河流流量的差异，因而造成河流水平面来回摆动。桑河以上只能通小船；桑河以下，在波兰的西里西亚重工业中心与波罗的海各港口间可通轮船（运载煤、木材和工业产品）。东以布格河和纳雷夫河及聂伯—布格河运河与白俄罗斯、乌克兰及俄罗斯的内陆水系沟通。

visual-field defect 视野缺损 正常视觉范围内的暗点或盲区。大多数情况下，暗点或盲区是恒定不变的，但有些情况暗点是暂时的，可变的（如偏头痛时）。梅毒性视神经炎或青光眼可引起视野狭窄，但当被观察物体的距离加大时，其视野亦增宽。但癔病患者可发生另一种类型的视野狭窄，称作管状视野，其视野缺损不随视标距离的延长而增宽。视神经乳头水肿可导致视野收缩伴视野中心的生理暗点增大。视乳头是视神经入眼处，视乳头内缺乏视细胞（即视杆细胞和视锥细胞），从而引起正常视野中央的小暗点。许多其他原因，包括木醇或奎宁中毒、侵犯神经鞘的一些疾病、营养不良以及动脉粥样硬化等，都能使视野中出现暗点。视野的一半缺失，偶然也能见到。可为两眼相对应的半侧偏盲（同侧偏盲）或为双眼内侧的一半视野缺损或双眼外侧的一半视野缺损（鼻侧偏盲或颞侧偏盲）。同样，视野缺损亦可见于视野的1/4部分。视野缺损的范围和位置，可能是有关病变定位的线索。双颞侧偏盲（两眼视野外侧一半缺损）表明病变部位在视交叉（来自双眼视网膜的神经，在此交会，部分来自一侧视网膜的神经纤维交叉到脑的对侧）。垂体瘤可压迫视交叉并导致双颞侧偏盲。

visual pigment 视色素 任何一种能将光能转变为（神经）电位从而使动物感受光刺激的物质。据信，一切动物都使用相同的基本色素结构：内含一个带色分子（或称发色团，即类胡萝卜素[视黄醛]），和一个中等大小的蛋白质（视蛋白）。视黄醛$_1$由维生素A_1所衍生，视黄醛$_2$由维生素A_2所衍生。许多脊椎动物有两种或更多种视色素。暗视蛋白色素与低光强时的视觉有关，在脊椎动物中见于视网膜的杆细胞；视黄醛$_1$型的暗视蛋白色素称为视紫红质，视黄醛$_2$型的称为视紫质。光视蛋白素在较高光强下发挥作用，见于脊椎动物的锥细胞中；光视蛋白与暗视蛋白不同之点仅在于视蛋白部分的性质。视黄醛$_1$型的光视蛋白色素称为视蓝紫质，视黄醛$_2$型的称为视蓝质。

visual purple（biochemistry） **视紫质** 参阅 **rhodopsin** 视紫红质。

Viśvakarman 毗首羯磨 印度教神话中，为众天神设计房屋的神灵。他精通木工和其他各种工艺，为众天神制作武器、建城造车。他把土木制作之术传给人类，保佑工匠、手工艺人和艺术家。

Vitaceae 葡萄科 鼠李目的一科。含12属木本植物，多为具卷须的藤本。最大的属是白粉藤属（*Cissus*），广泛分布热带，约350种。葡萄属（*Vitis*）约60～70种，有重要经济价值，包括欧洲酿酒葡萄（葡萄，*V. vinifera*）。北美的狐臭葡萄（*V. labrusca*）是很多易脱皮的美洲栽培葡萄的亲本种。爬山虎（**Boston ivy**, *Parthenocissus tricuspidata*）和弗吉尼亚爬山虎（**Virginia creeper**, *P. quinquefolia*）是著名的木质藤本植物，美国东部常见。

Vital, Ḥayyim ben Joseph 维塔尔（1543，巴勒斯坦塞费德[今以色列采法特]～1620-05-06，大马士革[今在叙利亚]） 巴勒斯坦犹太教卡巴拉派领袖。维塔尔约1570年拜卢里亚为师，卢里亚死后，他自称是卢里亚学派的独家传人。曾任耶路撒冷犹太教拉比，自1577至1585年任高级教义学校校长。他的主要著作《生命之树》详细阐述了卡巴拉派卢里亚学派的学说。

vital rates 生命率 对一个居民群人口的规模和构成产生影响的各种生命活动的相对出现频率。当我们以1 000人为基本单位来计算时——这是生命率统计的传统方法——仅能得出概略统计结果。当我们有目的地分析一个居民群人口的变化时，往往需要进行分类更为细致的统计。生命率统计主要包括出生率和死亡率的概略统计，也就是以每年年中人口的统计数为基础，统计每年每 1 000 人中出生及死亡的人数。这两种统计数之差就是人口自然增长率(或下降率，如果死亡率超过出生率)。人口自然增长率是人口生育趋势、健康状况及年龄结构变化等因素的实际结果。民族人口增长率等于自然增长率加上移民顺差(即外来移民的人数多于迁居国外的人数)。如果移民顺差数量较小时，则人口自然增长率接近于民族人口增长率。结婚率是对每 1 000 名居民中每年结婚人数的统计。这是一种概略统计，因为它既受该民族年龄结构和习惯婚龄的影响，还要包括统计数中丧偶者和离婚者的再婚数字。更重要的是，这种统计不包括以不合法方式结成的婚姻，而对于什么是合法婚姻却又众说纷纭。例如，有的国家承认习惯法婚姻为合法，有些国家则不然；在某些拉美国家，按地方部落礼仪结成的婚姻被视为非法。流行最广的生命率统计还包括离婚率及婴儿死亡率的统计。婴儿死亡率即每年出生的每 1 000 婴儿中的死亡数目(限于 12 个月以下的幼婴)。这些生命率统计法用途十分广泛，能显示出一国之内或多国之间不同时间发展趋势的比较情况以及地区差异的比较情况。生命率统计是一种笼统的统计，因而无法显示出妨碍我们在进行某些特定项目比较时得出正确结果的一些因素。这些因素中最重要的是居民群年龄结构的变化无常。因此，概略的出生率会妨碍我们正确地统计生育力，因为没有考虑育龄人口在全体人口中的百分比。概略的死亡率使我们在进行死亡率比较时会在更大程度上得出错误的结论。即使在最良好的健康状况下，老年人的死亡率至少会相对高一些。因此，一个居民群中老年人(例如 65 岁及以上的老人)的比例，对于死亡率的统计数字会有较大的影响。参阅 **mortality**。

Vitale DA BOLOGNA **维塔莱(博洛尼亚的)** (约 1309，艾米利亚博洛尼亚［意大利］～1361) 又拼 Vidolini 或 Vidolino。意大利博洛尼亚画派的画家，其早期绘画反映了锡耶纳画派的影响和国际哥特式风格。其精致的人物形象常常处在柔和的阴影之中。早年曾在博洛尼亚方济各会奥道夫雷第小教堂作画，并曾为圣方济各会隐修院的一个房间画过《最后的晚餐》(1340)，为圣洛伦佐小教堂和圣方济各客房创作了抒情的湿壁画。1348 年他到乌迪内，为圣尼古拉小教堂作画。他在表现圣尼古拉生平的湿壁画中更多地运用乔托的画法。《巴杜提圣母》和《丹提的圣母》是仅存的有他签名的作品。博洛尼亚圣马利亚教堂和蓬波萨圣马利亚教堂的拱顶湿壁画也是维塔莱所作。晚期作品用流畅的哥特式线条表现民间的游戏场面。在蓬波萨，他在湿壁画构图中运用强烈的动势，使画面具有非凡的形象感。他在博洛尼亚圣仆会的圣马利亚教堂的湿壁画中继续发扬柔雅的因素。他这一阶段作品的生动表现力可以在《圣母子》和《圣乔治与龙》中看到。其他传为他的作品的，有作于 1350 年的表现耶稣诞生的湿壁画和《马可升天》、《圣安东尼》等。

Vitale Ⅱ Michiel **维塔莱** 参阅 **Michiel，Vitale Ⅱ** 米奇尔。

Vitalian，SAINT **维塔利安，圣**(？，罗马公国塞尼～约 672-01-27，罗马) 教皇(657 ～ 672 在位)。登位后立即采取和平手段处理基督一志论问题。起初，拜占廷皇帝君士坦斯二世于 648 年下令禁止继续争论这一问题，结果引起东西两派教会分裂。维塔利安回避这一问题，不谴责君士坦斯的谕令，于是君士坦斯批准他为教皇。668 年维塔利安任命狄奥多尔(塔尔苏斯的)为第一任坎特伯雷大主教，主持全英格兰教会。

vitalism **生机论** 源于亚里士多德的一种科学思想流派。与机械论和机体论相反，它试图根据生命的机体所独有的、不同于生物之外的各种力的一种生命力来解释生命的本质。它认为这种生命力控制着机体的形态和发展并指导其活动。由于发现越来越多的生命现象可用物理化学性质加以说明，生机论已经衰微。

vitamin **维生素** 多数动物为维持正常新陈代谢活动所必需的一类有机化合物。虽然动物对维生素的需求量不大，但自身不能合成(或合成量不足)，只能从食物中摄取。维生素基本上是作为辅酶或辅酶前质在代谢过程中发挥作用的。和蛋白质、脂肪、碳水化合物不同，维生素不向机体提供能量，也不参与组织构建。18 ～ 19 世纪，虽然人们还不知道维生素是何物，但却已经知道柑橘可用以预防坏血病，糙米可用以治疗脚气病。人们开始认识维生素，是进入 20 世纪以后。1906 年，英国生物化学家弗雷德里克·霍普金斯爵士证明，食物中除了含有蛋白质、脂肪、碳水化合物、矿物质和水外，还有多种人体必需的“辅助因子”。1912 年，化学家 C.芬克证实糙米中的抗脚气病因子是一种胺，并为之命名为 vitamine(意为生命之胺)。虽然后来发现的维生素家族中众多成员的化学性质各异，分子结构不同，而且大多都没有胺基集团，但 vitamin(e)一词已经约定俗成地取代了“辅助因子”，成了世界通用名词。霍普金斯和芬克进一步提出“维生素缺乏疾病”的学说，他们把坏血病和脚气病都划归此类疾病。同时，以某种维生素功能的缩写字母为注脚，为维生素分类，如维生素 B 意指防脚气病维生素。这种分类方法也被沿用下来，尽管它们都有各自的学名。虽然现已证实对维生素有绝对需求的动物种类繁多(甚至包括异养细菌和酵母)，但对这种动物来说是维生素的东西，而对另一种动物来说却可能什么也不是。另外，有些动物机体必需的物质虽然可以自身合成，但合成量却不敷所需，仍需进补，亦称其为维生素，如维生素 D。维生素 K 也不能为人体合成，但却能被正常寄生于肠道的细菌所合成，并被人体吸收利用。如果因服用大量抗生素而将肠道的正常菌群杀灭，维生素 K 就没有了来源，患者就必须再服维生素 K，以补机体之需。维生素可分为水溶性(维生素 B、C)和脂溶性(维生素 A、D、E、K)二类。水溶性维生素经肠道吸收，经血液到达靶器官、组织。它们在水中的溶解度直接影响到人体对它们的利用水平。机体贮存水溶性维生素的能力有限，未被利用的就随尿排出体外，故每天必须经食物补充。游离形式的维生素 B 没有生物活性，但易于吸收和扩散，进入组织细胞后便被磷酸化(激活)并与酶蛋白分子结合，形成有生物活性的焦磷酸酯(辅羧酶，活性强但不易被吸收)。维生素 C 的生理功能虽已明确，但其许多方面的作用机制(如其辅酶性质)迄今尚未充分阐明。维生素 C 对生命活动的许多方面具有重要影响，因此长期以来，除用维生素 C 防治坏血病、促进创伤愈合和解毒等外，临床各科还广泛用大剂量维生素 C 作为治疗或辅助治疗的重要药物。但维生素 C 在普通感冒、细菌感染和恶性肿瘤等疾病中的治疗作用还是一个颇有争议的问题，而且支持证据不多。脂溶性维生素的肠道吸收有赖于胆盐的作用，然后主要通过淋巴道进入靶器官和组织。机体可以大量贮存脂溶性维生素，如维生素 A、D 主要贮存在肝脏，维生素 K 主要贮存在脂肪组织和生殖器官中。机体对维生素 K 的贮存能力有限。脂溶性维生素的生物活性各异：维生素 A 和视网膜蛋白结合主司夜视功能；维生素 D 可促进钙磷代谢和骨骼的生长发育；维生素 E 促进动物生长，缺乏时可致某些动物不育；维生素 K 具有促进凝血的功能。

vitamin A **维生素 A** 又称视黄醇。一种脂溶性醇，在鱼体(尤其是鱼肝油)中含量最为丰富，在奶油及各种动物的肝脏中亦有。植物中不存在维生素 A，但许多蔬菜和水果含有一种或多种能在体内转变成维生素 A 的色素，其中 β-胡萝卜素(前维生素 A)是极好的来源。维生素 A 在接触光、热或空气时容易破坏。它是视网膜中的色素——视紫质的成分。在动物脂肪中有数种与维生素 A 作用密切相关的化合物。如在淡水鱼的脂肪中，除维生素 A 外，还含有能够组成感光色素的维生素 A_2，在结构上它比维生素 A 少二个氢原子。人体对维生素 A 的需要量甚微，每天 5 000 国际单位(其中 β-胡萝卜素 4 000 国际单位)就够了。维生素 A 在 1913 年被发现，1933 年确定其化学性质，1947 年首次合成。

vitamin A deficiency **维生素 A 缺乏症** 饮食中缺乏维生素 A 可以造成多种病患，最常影响到眼睛和上皮组织(包括皮肤和覆盖体内管腔的黏膜)。人类缺乏维生素 A 的最早迹象之一就是夜盲症，即由明处进入暗处时视力不能及时适应以及在暗处不能视物。这种视力在正常情况下是依靠眼中的一种蛋白质称视紫红质，而视紫红质要在维生素 A 存在时才能维持它的光敏感性。若缺乏症很严重并持续下去，特别对于营养不良的幼儿和儿童，还会出现一种病情称干眼症。患干眼症时，双眼对光敏感，眼泪停止分泌，眼睑肿胀并出现脓性分泌物。眼球的黏膜出现点状侵蚀使感染得以侵入，于是导致角膜和其他眼结构的溃疡和其他破坏性病变。最后可造成失明。维生素 A 缺乏症的早期征象还可反映在口腔、咽喉，以及呼吸道和泌尿生殖道的黏膜上。这些处的黏膜萎缩，变干，失去平素帮助清除异物颗粒的纤毛。这些发生缺陷的黏膜对细菌侵袭的抵抗力降低，因而对各种感染的易感性增加。如果维生素 A 继续摄入不足，皮肤可变干、变粗糙，在毛囊周边可出现角栓（毛囊角化症）。维生素 A 缺乏症还可造成骨骼和牙齿形成的缺陷以及生长不良。在实验大鼠和牛中，生殖能力可丧失或活产大为减少。维生素 A 存在于一些动物的肝脏（维生素 A 的正常储存部位）以及含乳脂的乳制品中。此外，许多黄叶及绿叶蔬菜含有胡萝卜素，其化学构造相近可在体内转化为维生素 A。除非到了晚期角膜和相关的深层组织的细胞损坏太广泛了，否则用维生素 A 治疗干眼症很有效。若佐以富含蛋白质的平衡膳食，通常可收到最佳效果。虽然在乳制品丰富的国家干眼病现已很少见到，但在世界某些地区它一直是个严重的问题。干眼病在印尼、孟加拉、印度和菲律宾的贫穷学前儿童中很常见。据估计，全球发病率为每年出现 50 万个新病例，其中一半导致失明。

vitamin A excess 维生素 A 过多症 又作 hypervitaminosis A。维生素 A 摄入过量引起的中毒。中毒剂量通常为每天 7.5 万～50 万国际单位，持续数月。与水溶性维生素 C、维生素 B_1 和 B_2 等不同，维生素 A 只溶于脂肪。因此当其在体内过量时，它不能随尿排出，而是贮存于肝脏，最后到达中毒水平。一般症状为恶心、声音变粗、脱发、皮肤干燥脱屑、骨痛、倦怠嗜睡。成人可有视力模糊和头痛，婴儿可有发育不良、肝大及神经过敏。当维生素 A 摄入减少时，其预后良好。北极地区的探险家和居民当中在食用北极熊的肝脏以后，亦有维生素 A 过多症的发生。胡萝卜素是存在于胡萝卜、甜薯及蛋黄中的一种黄色色素，其本身并无毒性，在体内可转变成维生素 A。当血浆中胡萝卜素浓度过高时可使皮肤呈淡黄色，引起胡萝卜素血症。

vitamin B complex 维生素 B 复合体 在性质、自然来源及生理功能上近似的几种维生素的传统的总称。所有 B 族维生素同维生素 C 一样，均为水溶性，而维生素 A、D、E 及 K 则为脂溶性。B 族维生素多为各种动物体内代谢过程中所需要的辅酶。维生素 B 复合体包括**叶酸**（**folic acid**）、核黄素（参阅 **vitamin B_2**）、硫胺素（参阅 **vitamin B_1**）、吡哆醇（参阅 **vitamin B_6**）及氰钴胺（参阅 **vitamin B_{12}**）。**胆碱**（**choline**）、肌醇（参阅 **inositol**）及**对-氨基苯甲酸**[**para-aminobenzoic acid**（**PABA**）]，它们在动物体内的作用与 B 族维生素相似，故亦可归入 B 族维生素。两种促生长物质（暂名为维生素 B_{13} 和 B_{15}）也可归入这类复合体。

vitamin B_1 维生素 B_1 又称硫胺素。一种含氮的水溶性醇。除反刍动物（如牛）外，所有动物都需要这种维生素，它可以预防**脚气病**。1926年，维生素 B_1 最早以纯品形式分离

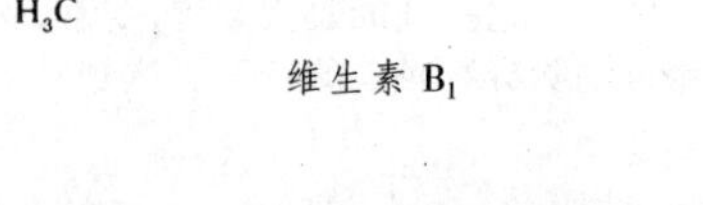

维生素 B_1

出来，1936 年对其结构作了充分阐明并进行了合成。维生素 B_1 参与糖代谢中某些酶的组成，如焦磷酸硫胺素。谷物及其他一些种子含有丰富的硫胺素，动物中瘦猪肉是最好的来源。日摄入量要求：男：1.2～1.4 毫克，女：1.0～1.1 毫克。

vitamin B_1 deficiency 维生素 B_1 缺乏症 参阅 **beriberi** **脚气病**。

vitamin B_2 维生素 B_2 又称核黄素。一种黄色的含氮醇，大量存在于乳清和蛋清中，是动物必需的营养素。它可由绿色植物及许多细菌、真菌合成。乳清及蛋清中有黄绿色荧

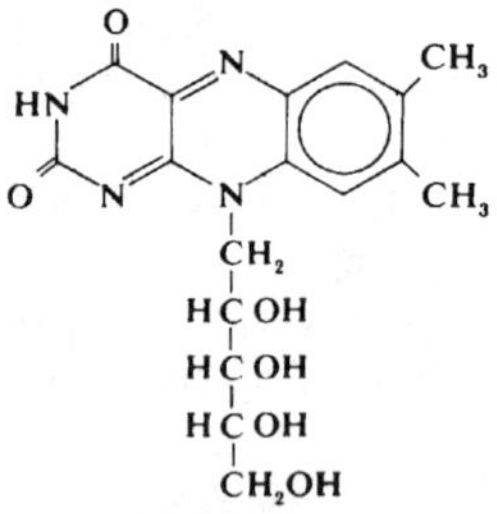

维生素 B_2

光就是因核黄素的存在。1933 年核黄素被确认为维生素，1935 年被首次合成。已知此种维生素参与糖和氨基酸代谢过程中的氧化反应。同维生素 B_1 一样，它以复合物的形式（如核黄素单核甙酸 FMN、核黄素腺嘌呤二核甙酸 FAD 等）发挥作用。维生素 B_2 广泛分布于植物和动物体内，但它们的含量差异很大。乳、蛋、肾、肝等是其良好食物来源。成人每天需要这种维生素 1.2～1.7 毫克。

vitamin B_2 deficiency 维生素 B_2 缺乏症 又称核黄素缺乏症。由于饮食中缺乏维生素 B_2 而引起的一种病症。特征为双唇发红，口角干裂，舌炎，眼球血管增生伴有疲劳、畏光，以及皮肤出现脂溢性皮炎及脱屑。由于核黄素缺乏常伴有其他维生素（特别是烟酸）的缺乏，因此其表现与典型症状并不完全一致（参阅 **pellagra**）。

vitamin B_6 维生素 B_6 微生物和动物的必须营养素，能预防高等动物的皮肤糜烂。它有三种形式：吡哆醇、吡哆醛及吡哆胺。吡哆醇最早在 1938 年被分离出来，1939 年被合成。吡哆醛和吡哆胺在 20 世纪 40 年代发现，较吡哆醇分布广，其活性也较强。维生素 B_6 影响活组织中氨基酸的生成与分解，亦参与五羟色胺、去甲肾上腺素和亚铁原卟啉（血红素）的合成过程。至今尚未发现因缺乏维生素 B_6 引起的人体疾病，然而，某些不明原因的疾病通过服用维生素 B_6 可以得到缓解。在实验动物身上，维生素 B_6 缺乏是否产生症状在某种程度上取决于食物中其他成分的存在。例如，食物中若存在有一定脂肪，小鼠就可以不出现皮肤损伤。若饲养食物中所含蛋白质或某些氨基酸（如蛋氨酸）过多，则维生素 B_6 缺乏症的严重程度及预防这些症状所需维生素 B_6 的量都会增加。大约在 1950 年，实验性地在成人和婴儿身上诱发了维生素 B_6 缺乏症。在婴儿身上，这种症首先表现为惊厥，这种惊厥很容易通过服用维生素 B_6 而被控制。在人乳代用品喂养的婴儿中，已报道过不少这样的病例，因为牛乳经过加热会使这种维生素破坏，但改变牛乳的加工方法，即可纠正这种病症。维生素 B_6 分布于各种食品中，酵母和某些谷物中尤为丰富。成人每天需要补充 2.0～2.2 毫克维生素 B_6。

vitamin B_{12} 维生素 B_{12} 又称氰钴胺。许多微生物和动物所需要的一种结晶状化合物。既是抗恶性贫血因子，又是有助于高等动物形成红细胞的外因子。维生素 B_{12} 化学

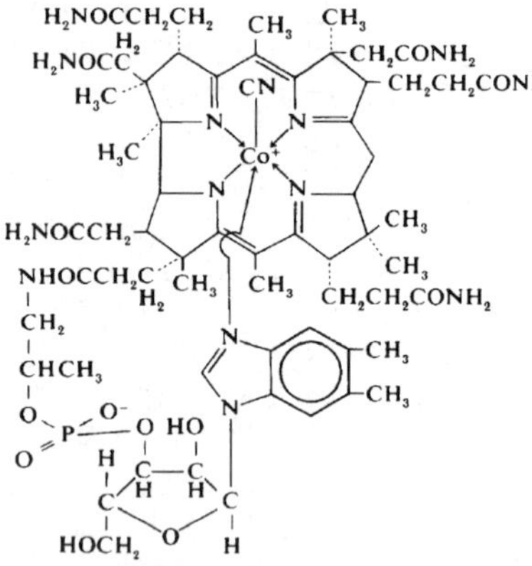

维生素 B_{12}

结构复杂，其中含有一种金属离子——钴。它有数种形式，统称"钴胺"；氰钴胺是医学上常用的一种。20 世纪 30 年代，美国内科医生 W.B.卡斯尔在正常的胃内分泌物中分离出一种"内因子"，这种因子在恶性贫血患者的胃液中是不存在的。卡斯尔假设某种能够缓解或预防恶性贫血的"外因子"存在于动物的肝脏中，因为恶性贫血患者在进食大量肝脏后，病情明显改善。1948～1949 年，化学家 K.福克尔在美国与 A.托德在英国同时由肝脏中分离出纯体抗贫血因子，并证明其为维生素 B_{12}。人对维生素 B_{12} 的需要量是3毫克/日。迄今为止，还未发现高等植物中有维生素 B_{12} 存在。所有已知的高等动物均需要维生素 B_{12}。这种维生素可由一些霉菌及细菌合成，而且，肝脏和其他动物组织中的这种维生素，其最后来源一般都是各种微生物。一些缺乏制造能力的细菌也需要少量这种维生素以维持生长。能合成维生素 B_{12} 的微生物多见于反刍动物的瘤胃中。维生素 B_{12} 和叶酸盐一起，在核酸的合成方面发挥重要作用。因此，维生素 B_{12} 和叶酸二者缺一不可，否则就会严重干扰红细胞的生成过程，恶性贫血的病因也正在于此。此外，维生素 B_{12} 还参与神经髓鞘中脂肪酸的合成。

vitamin B_{12} deficiency 维生素 B_{12} 缺乏 肌体对维生素 B_{12} 的摄取不足。维生素 B_{12}（氰钴胺）呈红色结晶，对人和动物的消化、吸收至关重要，可用来预防**恶性贫血**（**pernicious anemia**）。维生素 B_{12} 缺乏可影响舌乳头的形成，造成舌面异常光滑。它还经常引起肠道机能障碍，导致消化不良，有时是便秘或腹泻交替出现。维生素 B_{12} 缺乏造成的另一种严重病变是脊髓运动束或感觉束发生变性（这种变性若持续一定时间，用维生素 B_{12} 治疗可能也无济于事），开始表现为指端和舌尖的麻

木、麻刺感，若不加治疗，可发展至步态不稳及麻痹。由于维生素B_{12}只存在于动物性食物，而不是植物性食物中，所以完全吃素食的人易发生维生素B_{12}缺乏。另外，阔节裂头绦虫或肠道内细菌亦可影响维生素B_{12}的吸收而造成缺乏。

vitamin C　维生素 C　又称抗坏血酸。一种水溶性碳水化合物样物质，参与动物的某些代谢活动。虽然大多数动物都能合成维生素C，但有些动物（包括人和其他灵长目动物

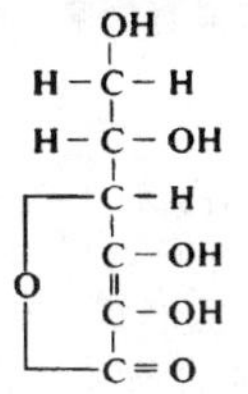

维生素 C

以及豚鼠）的食物中必须有维生素 C，以预防发生坏血病（**scurvy**）。维生素 C 于 1928 年首次被分离出来，1932 年被证明为抗坏血病因子。以后，许多实验室一直对其进行着积极的研究。对维生素 C 的详细作用原理，目前了解的还相当少，虽然已知该维生素是许多代谢活动所不可缺少的，包括胶原（对形成健康皮肤、肌腱、骨骼和结缔组织以及治疗伤口有重要作用的一种蛋白质）的合成、血管结构强度的维持、某些氨基酸的代谢以及肾上腺激素的合成与释放。有人还推测维生素 C 具有抗感染的部分保护作用，然而还没有科学数据清楚地证实这种推测。对维生素 C 的需要量通常比较大，成年人据说每天需要 70 毫克。柑橘类水果及新鲜蔬菜是维生素 C 最好的食物来源。维生素 C 因容易同氧起反应而遭破坏（尤其是在中性和碱性溶液中或在高温时），故不易在食物中保存下来。有些水果加入维生素 C 可防止颜色变褐。

vitamin C deficiency　维生素 C 缺乏症　参阅 **scurvy** 坏血病。

vitamin D　维生素 D　在动物体内对钙代谢有重要作用的两种脂溶性醇，由皮肤内的固醇经紫外线照射形成。这些固醇为动物代谢过程中形成的 7-脱氢胆固醇和植物油中的麦角甾醇（**ergosterol**）。日光的作用将这两种化合物分别转化成维生素D_3（胆骨化醇）和维生素D_2（麦角骨化醇）。两者对人体代

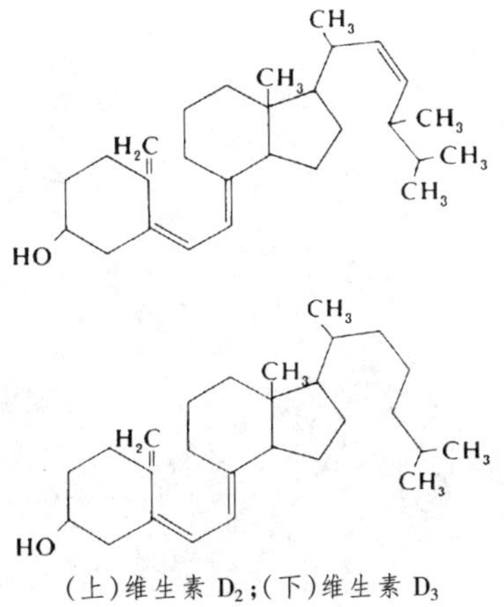

（上）维生素 D_2；（下）维生素 D_3

谢的作用相同，但在禽类体内，维生素D_2不如D_3作用强，因此D_3常被用作禽类饲料的补充成分。维生素D_2、D_3形成之后，在肝内经过进一步的化学反应，转化成参与钙代谢、促进钙沉着的化合物。维生素 D 通常不需要通过食物摄取，但北方冬季的阳光和透过玻璃、云雾或城市污染空气的阳光所含有的紫外线不足以能够促进维生素 D 的大量产生。在这些情况下，必须补充摄取维生素 D。从每天的需要量来讲，维生素 D 是最富活性的维生素之一。对正在发育的儿童，每天大约需要 10 毫克（即 400 国际单位）。维生素 D 缺乏可引起佝偻病（**rickets**），但长期摄取过量维生素 D 会导致中毒反应。参阅 **vitamin D excess**。

vitamin D deficiency　维生素 D 缺乏症
参阅 **rickets** 佝偻病。

vitamin D excess　维生素 D 过多症　又作 hypervitaminosis D。长期大量服用维生素 D（脂溶性维生素之一）而产生的中毒症状。与抗坏血酸、硫胺、核黄素等水溶性维生素不同，体内多余的维生素 D 不能随尿排出，而是蓄积在体内，有时可达到中毒水平。维生素 D 中毒症状可有无力、疲劳、食欲不振、恶心及呕吐。查体时可见指甲下面、眼内及皮肤上散布有浅黄色沉积物，婴幼儿可有生长停止。由于维生素 D 促进钙在肠内的吸收，因此患有维生素 D 过多症时可有血钙过高，而且尸解时可见这种病人全身各部尤其是肾脏有广泛的磷酸钙沉着。成人每天摄取 5 万至 10 万国际单位，婴儿每天摄取2 000～4 000 国际单位，即可出现中毒反应。

vitaminE　维生素 E　又称生育酚。一种脂溶性化合物，主要存在于一些植物油中，麦胚油含量尤其丰富。维生素 E 于 1922 年被发现，1936 年首次获得其纯品，1938 年确定其化学结构。现已分离出许多具有维生素 E 活性的类似化合物（统称生育酚）。维生素 E 是一种机体组织生物氧化过程的抑制剂，可以有效地防止体内不饱合脂肪被过氧化物及其他自由基氧化。关于维生素 E 减慢生物膜的氧化，帮助延长生命活力的研究正在进行之中。生育酚在商业上被用作抗氧化剂，延缓脂肪（尤其是含植物油产品）的腐败。参阅 **vitamin E deficiency**。

vitamin E deficiency　维生素 E 缺乏　饮食中维生素 E 含量不足。维生素 E 是一组称为生育酚化合物的总称，在机体组织氧化过程中，它起抑制剂的作用。维生素 E 广泛存在于各种食物中，在谷胚及植物油中含量尤其高。因此自然发生的饮食性维生素 E 缺乏是不可能的，而且至今亦没有完全确定人类因维生素 E 缺乏引起的症状。在实验动物身上，人为造成维生素 E 缺乏而引起的特征性症状随动物种类不同而有区别。对于成年的雌鼠，表现为胚胎被吸收而不能繁殖；对于成年雄鼠，表现为生发组织变性即导致不育。兔和豚鼠主要表现为急性肌营养不良。在家鼠身上也会肌营养不良，但急性的仅限于幼鼠。对于雏鸡，维生素 E 缺乏使血管系统异常和肌肉无力。对于猴，除肌肉无力外，还会贫血。人类在维生素 E 缺乏时，主要表现为贫血、脂肪吸收障碍、轻度共济失调以及视网膜色素的变化等。可用维生素 E 治疗。

vitamin K　维生素 K　植物叶中存在的几种脂溶性萘醌化合物。机体需要维生素 K 的帮助来合成下面 4 种凝血因子：凝血酶原、因子Ⅶ、因子Ⅸ和因子Ⅹ。体内缺乏维生素 K 时会引起凝血时间延长（参阅 **vitamin K deficiency**）。1929 年发现凝血过程需要一种存在于绿叶植物中、以前不认识的脂溶性物质。该物质被命名为维生素 K，取凝血维生素（Koagulation vitamin）的首字母。1939 年分离出纯品并测定其结构；几个与之有关也具有维生素功能的化合物也分离出来并合成。1939年鉴定的是维生素K_1，是植物合成的，而维生素K_2则为微生物合成，并且是哺乳动物组织中的重要形式。所有其他形式的维生素K在体内都转化为维生素K_2。维生素K_2系列包括一些近缘的化合物。除天然化合物外，还有许多具有维生素 K 活性的合成化合物也用于减少凝血时间。

vitamin K deficiency　维生素 K 缺乏症　体内维生素 K 的缺乏，可造成凝血障碍和内出血。因体内合成 4 种凝血因子（特别是凝血酶原）时需要维生素 K 作辅因子，故缺乏时造成凝血时间延长或不凝血。自然情况下，维生素 K 缺乏症很少见于高等动物，因为饮食中供应很丰富，而肠道细菌还可合成。人类的缺乏症出现于服用某些抑制肠道细菌的药物，或见于某些疾病影响了胆汁的形成和运输，因为维生素 K 在肠道吸收需要胆汁的帮助。对于新生儿，因肠道缺乏细菌而身体又无维生素 K 的储备，所以可以出现一种新生儿出血病。这只要事先给孕妇或产后给新生儿服用维生素 K 便可预防。

Vitascope　维太放映机　1895年T.阿玛特取得专利的一种电影放映机。现代电影放映

T.阿玛特 1895 年取得专利的维太放映机
美国史密森学会供图

机仍保留着它的一些主要特点，如用一种机件（马尔蒂十字轮）转动带齿孔的影片，使每个画面在镜头前停留片刻，以及将影片绕成环形以减少拉力等。

Vitebsk 维捷布斯克 白俄罗斯东北部一州。面积 40 100 平方千米。大部在西德维纳河流域，东部和南部为平缓起伏的高地。西德维纳河谷地多沼泽。全州大部分地区有松树、云杉、橡树、桦树、赤杨混合林。高地多开垦为耕地，水土流失严重。农作物有亚麻和裸麦，牛猪饲养业亦重要。南部多果园。除维捷布斯克市、奥尔沙和新波洛茨克炼油中心外，其余城镇规模很小，仅有木材和农产品加工业。开采泥炭，多用作发电站的燃料。人口约 1 439 200（1995）。

Vitebsk 维捷布斯克 白俄罗斯东北部维捷布斯克州城市和首府。在西德维纳河和卢切萨河汇合处。1201 年始见记载，为著名要塞和商业中心。1320 年属立陶宛，后归波兰，1772 年被俄国兼并。现为重要工业中心，生产机床、电工仪器、纺织品、肉制品和乳制品等。设有医科、兽医、师范、工业等学院。人口约 365 000（1996）。

Vitellius, Aulus 维特利乌斯（公元 15 ～ 69-12-29，罗马） 罗马皇帝，尼禄死后三位短命继承人中的最后一位。公元 48 年曾任执政官，61年左右任阿非利加总督。68年被任命

供图：Alinari—Art Resource

为下日耳曼军团司令官。在尼禄死后被部下拥戴为皇帝（69-01-02）。他随即向意大利进军，4 月 16 日与他争夺皇位的奥托自杀。维特利乌斯于 7 月进入罗马。但是 7 月 1 日东方军团的一位司令官韦斯巴芗也被拥立为皇帝。维特利乌斯在自己的军队战败后曾考虑宣布退位，但为禁卫军所止。最后，当韦斯巴芗的军队攻进罗马时，维特利乌斯被其手下以极其残酷的方法杀害。

Viterbo 维泰博 意大利中部拉齐奥区维泰博省省会、城市。位于罗马西北，奇米尼山脚。由埃特鲁斯坎人建立。约公元前 310 年被罗马人占领。后长期属于教廷。1309 年归属法兰西的阿维农后衰落。第二次世界大战中 70% 的建筑被毁。该市为意大利战后重建最早的城镇之一。中世纪所建居民区变化不大，周围有 11 ～ 13 世纪的城墙和城楼，内有罗马式的拱廊、13 ～ 14 世纪的房屋和宫殿。著名建筑有罗马教皇宫、12 世纪的圣洛伦佐大教堂、13 世纪的圣方济各教堂、文艺复兴时期的市政厅等。维泰博的圣罗塞的遗体即保存在以他的名字命名的教堂内。工业以农产品加工为主。人口：城市区约 59 798（1990）。

Viti Levu 维提岛 斐济最大岛屿，面积 10 388平方千米。在南太平洋的科罗海西面。岛上的中央山脉有多座休眠火山，最高点托马尼维峰海拔1 323米。东南部湿润多雨，

维提岛纳坦多拉附近运输甘蔗的印度农民
美国不列颠百科全书公司供图

年均降雨量 3 050 毫米；西北部较干燥，年降雨量 1 800 ～ 2 300 毫米。出产甘蔗、菠萝、棉花、稻米和烟草。中北部的瓦图科乌拉有金矿。首都苏瓦（Suva）位于东南岸，港湾优良。西北岸的劳托卡是出产甘蔗地区的港口。西部的楠迪设有国际机场，附近的旺达角有加油站。人口 594 791（1996）。

viticulture 葡萄栽培 参阅 **grape 葡萄**。

Vitier, Cintio 比铁尔（1921，美国佛罗里达基韦斯特～ ） 古巴诗人，文选编者、文学评论家，古巴诗歌研究者。他的诗作收集于《晚祷曲》（1953）和《证词》（1968）之中。他早期创作的诗极为晦涩难懂。《质朴的歌》（1954）发表前，他的诗主要涉及诗的本质、记忆的功能，以及语言在创作过程中的复杂作用等。他的论文《诗歌》（1961）清晰地阐明了自己的艺术信条。随着卡斯特罗领导的革命到来，他的诗歌风格也发生了激烈的转变，变得直率、明确，易于为大多数读者所接受。一些评论家认为，他既抓住了革命的精神实质，又不乞灵于简单的宣传。他编纂了三部优秀的古巴诗文集。《诗中的古巴韵味》（1958）揭示了作者深邃的批判直觉力。比铁尔的文学评论，尤其是他有关何塞·马蒂作品的评论，有助于他取得最重要和最有影响的拉丁美洲文学研究学者的令誉。

vitiligo 白癜风 又称白斑病。皮肤黑素斑片状脱失的一种遗传性疾病。虽然患者的黑素细胞结构完整，但失去合成黑素的能力。病因不明。临床表现为皮肤表面出现乳白色、不规则的卵圆形斑，初较小，后渐扩大。分布大致对称，常见于手、腕、面、颈及躯干上部。白斑局部毛发亦为白色。白癜风在成年人中发病率为 1%。患者一般健康良好，但影响美观，对肤色较黑的人来说更为严重。皮损颜色很难恢复正常。无特殊疗法。

Vitim Plateau 维季姆高原 俄罗斯东部东西伯利亚平缓起伏的高原地区。位于布里亚特和赤塔州。海拔 1 200 ～ 1 600 米。有维季姆河流经。高原由花岗岩、花岗岩-片麻岩，以及片麻岩-花岗岩组成。中部和西南部由火山形成的玄武岩和玄武岩熔岩组成。当地河流冲蚀出像峡谷一样的河道。

Vitim River 维季姆河 俄罗斯东西伯利亚河流，勒拿河的支流。源出布里亚蒂亚共和国境内伊卡特山东坡，向北流，注入维季姆镇三角洲上的勒拿河，长 1 229 英里，流域面积 87 650 平方英里。博代博镇（金矿中心）以下至河口约 185 英里的河段可通航。

Vitória 维多利亚 巴西东部圣埃斯皮里图州首府。位于维多利亚岛西侧，临圣埃斯皮里图湾。设有圣埃斯皮里图联邦大学（1961）。市内及附近有纺织厂、榨糖厂和其他小型制造厂。第二次世界大战后是巴西的

圣埃斯皮里图湾畔的维多利亚市
供图：Plessner International

主要铁矿砂出口港。1962 年因出口量超过港口能力，在北面的图巴朗另建能停泊最大矿砂船的新设施。维多利亚亦输出少量咖啡、可可、谷物、肉类、糖蜜、酒精、独居石沙和木材。出口的矿物有铁矿砂、钢、独居石和煤。港湾中已勘探石油。有铁路通里约热内卢和贝洛奥里藏特，亦有公路、航空和海运相通。人口 299 400(2002)。

Vitoria　维多利亚　西班牙巴斯克地区阿拉瓦省省会。在维多利亚山脉北面，圣塞瓦斯蒂安市西南。濒临萨多拉河。公元 581 年后由西哥特人创建。12 世纪时由纳瓦拉国王桑乔六世特许建市。1200 年卡斯蒂利亚王国阿方索八世占领该城，将其并入他的版图。附近的维多利亚盆地是 1813 年半岛战争中英、西、葡联军击败法军的决胜战场。现有家具、自行车和农机等工业。人口 216 852(2001)。

Vitoria, Battle of　维多利亚战役(1813-06-21)　半岛战争的决定性战役，它彻底粉碎了拿破仑在西班牙的势力。交战一方为威灵顿第一代公爵韦尔斯利指挥的英、西、葡三国联军 7.2 万人和 90 门大炮，另一方为国王 J.波拿巴统率的 5.7 万名法军和 150 门大炮。法军在维多利亚盆地占据一块防御阵地，长 19 千米，纵深 11 千米，周围环山，北、西两方有萨多拉河为屏，河上有几座防守不严的桥。上午 8 时刚过，联军以 4 个纵队向整个战线挺进，从西面的几座桥上渡河，终于迫使法军左、中两翼为掩护维多利亚而后撤。法军右翼经过苦战后，最后溃退。到午后 7 时，法军全部退往潘普洛纳，丢下大批掠夺品和辎重，以及他们的全部大炮。法军损失约 8 000 人，联军损失约 5 000 人。由于此次胜利，英军和他们的盟军得以控制巴斯克地区的省份，并迫使法军越过比利牛斯山退回法国。

Vitoria, Francisco de　维多利亚(约1486，卡斯蒂利亚阿拉瓦维多利亚～1546-08-12)　西班牙神学家。他正言批评西班牙殖民者在新大陆的暴行。青年时入多明我会，旋被派往巴黎大学学习。1523 年返西班牙，在巴利阿多利德讲学。1526 年他被推举为萨拉曼卡大学首席神学讲师。在讲授法兰西与西班牙历次战争时指出，双方都有过失，两国如长期积怨，必将使基督教世界遭受毁灭。维多利亚认为：西班牙征服新大陆，不见得是正义行动；仅仅因为某一民族不信基督教或不愿放弃固有宗教信仰就对他们作战，这不能说是正确的；非基督教徒开罪于天主，不应受到惩罚；教皇无权将原始部族人民交给欧洲君主统治；非基督教徒有权享用自己的财产，有权拥护本族的领袖；一个地方本来就有人居住，不能说是发现；说征服新大陆是为了保护那里的无辜者免被他人吃掉是一种借口；印第安人同西班牙人一样，都是西班牙国王的百姓。维多利亚就战争问题发表著作，意在限制当时战争的恐怖性。他认为：除了自卫或矫正严重不公之事以外，一般战争都是非正义的；在宣战之前，双方必须尽力求得和解，必须有人进行仲裁；如果百姓凭良知判断一次战争是非正义的，他就应拒绝参加。

Vitória da Conquista　维多利亚-达孔基斯塔　巴西东北部巴伊亚州中南部城市。地处巴塔利亚山间，海拔 928 米。1891 年升为市。里约热内卢市和萨尔瓦多之间的公路穿过该市。为一贸易和运输中心。有航空线通州首府萨尔瓦多。人口 179 868(1991)。

vitreous enamelling　涂玻璃釉　参阅**porcelain enamelling** 涂瓷釉。

vitriol　矾　某些水合硫酸盐和硫酸的通称。大多数矾都有重要而广泛的工业用途。蓝矾或罗马矾为五水合硫酸铜(Ⅱ)，绿矾(又名皂矾，以前各种矾均称皂矾)是硫酸铁(Ⅱ)，白矾为硫酸锌，红矾或玫瑰矾为硫酸钴，铀矾是一种天然硫酸铀。矾油即浓的硫酸(**sulfuric acid**)。

Vitruvius　维特鲁威(创作时期公元前1世纪)　全名马可·维特鲁威·波利奥。罗马建筑师、工程师，名著《建筑十书》的作者。该书是罗马建筑师的参考书，据推断完成于公元前 27 年之后。估计他在凯撒时代已活跃于建筑界。他根据自己的经验，并参照著名希腊建筑师如赫莫琴尼等的著作，写了这部《建筑十书》。该书内容几乎涉及建筑的各个方面，但范围有限，因为它主要以希腊的例子为依据。全书分 10 卷，内容有：城市规划与建筑概论，建筑材料，神庙构造与希腊柱式的应用，公共建筑(剧场、浴室)，私家建筑，地坪与灰泥饰面，水力学，计时、测量与天文，以及土木与军用机械等。他的观点基本是希腊化的，他的理想是在神庙和公共建筑的设计中保存古典的传统。普林尼所著的《自然史》一书中关于罗马建筑方面的内容，大部分采自维特鲁威的著作。在文艺复兴时期、巴罗克古典化时期以及新古典主义时期，他的著作成为古典建筑的经典。

Vitry, Philippe de　维特里(1291-10-31，法国巴黎～1361-06-09，莫城)　法国高级教士、音乐理论家、诗人和作曲家。就学于巴黎大学，早年被委任为助祭。任查理四世秘书是他最早担任的著名职务，后任查理国王及其在巴黎宫廷的继任人腓力六世和约翰二世的顾问。在此期间曾多次承担外交和政治使命，其中几次被派赴阿维尼翁的教廷。在 1351 年的访问中，教皇克雷芒六世任命他为莫城的主教。维特里以诗人和作曲家著称，被认为是当时最重要的一位知识分子。他的学识和献身精神受到彼特拉克的热烈称颂，称之为"法国无与伦比的诗人"。然而他在历史上的重要性主要是作为音乐家而获得。他是著名的权威性音乐论文《新艺术》(约 1320)的作者，这是论述 14 世纪上半叶法国音乐理论的文章，它阐述了有量记谱的新理论，详细论述色彩音符的不同用法和意义，以及介绍新记谱体系中的附加时值符号。现代学者认为《新艺术》的 24 章中只有最后 10 章(论述有量节奏和记谱法)是他的原作。从论文中关于他的经文歌的许多论述来判断，他的大部分音乐作品均已散失。现存的一些乐曲由 L.施拉德在《14 世纪的复调音乐》(第 1 卷，1956)中出版。

Vitry-sur-Seine　塞纳河畔维特里　法国巴黎地区瓦勒德马恩省城市。巴黎东南郊工业区和居住区。面积 11.6 平方千米。与巴黎只隔塞纳河畔伊夫里郊区，有铁路(10 公里)相连。城东缘为塞纳河，已高度工业化。商品菜园仍然存在。圣日耳曼教堂有 13 世纪的三重中殿和一个 14 世纪的唱经班席位。人口 82 820(1990)。

Vittone, Bernardo Antonio　维托内(1702，皮埃蒙特都灵[意大利]～1770-10-19，都灵)　整个欧洲最有独创性和创作力的晚期巴罗克式教堂建筑师之一，皮埃蒙特建筑艺术昙花一现时的主要人物。曾在罗马学习绘画。1733 年返回都灵，观察了正在施工中的 F.尤瓦拉的后期作品，1737 年编辑了 G.瓜里尼的论文集《民用建筑》。1737 ～ 1770 年在都灵和皮埃蒙特的其他地方设计了许多小教堂，获得非常显著的外观和结构效果。这些教堂的内部是多层次的，复合的穹顶运用了革新的架拱技术。中心穹顶可以有两个甚至三个连续拱，下层拱有穿孔，使观看者可以通过它们去看上层拱。如果以妙手丹青或者巧置窗户运用光线，也可以从幻觉上达成或者加强这种结构套结构的技巧。布拉的圣基亚拉教堂(1742)是一个主要范例，它有一个以窗户为孔洞的低拱，从孔洞中可以看到第二个骨架，上面绘有天堂景色，以从内部看不见的窗户采光。维托内往往在一个较大、较低的中央穹顶周围加上几个陪衬的小穹顶，又爱用一些比较细长的扶壁开辟观赏的空间，在装饰极为华丽的内部，它们的曲线形式使人增添腾云驾雾、飘飘欲仙的感觉。其他杰作有瓦利诺托的圣母往见小礼拜堂(1738)、基耶里的圣贝纳迪诺教堂(1740)。他后期设计的一些教堂，如格里尼亚斯科的阿松塔教堂(1750)和里瓦罗洛-卡纳韦塞的圣米凯莱教堂，比较大，比较简单，也更气势磅礴，但是仍以同样手法将曲线的、聚合的拱和杆一层层逐渐收缩。

Vittoria　维多利亚　意大利西西里岛东南部拉古萨省城镇。位于拉古萨西面平原上，俯瞰伊帕里河。该镇 18 世纪的著名建筑有马德雷教堂、圣玛丽亚·德莱格拉齐耶教堂和新古典主义的公共剧院。是葡萄酒和橄榄油的重要集散地，亦输出早熟水果和蔬菜。人口：都市区约 56 056(1993)。

Vittorini, Elio　维多里尼(1908-07-23，西西里锡拉库萨～1966-02-13，米兰)　意大利小说家、翻译家、文学评论家。意大利新现实主义一些优秀长篇小说的作者；这些小说记录了他的国家的遭受法西斯统治的经历以及 20 世纪的人的社会、政治和精神方面的苦难。他和 C.帕韦泽同为译介英美一些作家的作品的先驱。铁路雇员家庭出身，17 岁辍学，6 个月后在意大利北部当筑路工。后迁居佛罗伦萨，任校对员时学习英语，并开始在《太阳》杂志上发表短篇小说。1941 年前一直靠翻译维持生活。他翻译了美国和英国作家 W.萨罗扬、D.H.劳伦斯、E.爱伦·坡、W.福克纳、D.笛福和海明威的作品,此外还译了英国诗人T.S.艾略特、W.H.奥登和L.麦克尼斯的作品。第一部主要小说《红石竹花》(1933～1935著,1948出版),在公开描写一青年的私人、学习及性问题的同时,也揭露法西斯统治下的邪恶政治气氛。1936年开始写他最著名的小说《西西里的谈话》(1941,修订版1965),明确表达了他反法西斯的思想感情。法西斯政府对这本小说进行了严格审查,甚至禁止发行。1942年这部小说出版后,他被召受审,终于在1943年被监禁。德军占领意大利后被释放,他继续参加抵抗运动与法西斯斗争。战后,他出版很有影响的政治文化刊物《政治》(1945～1947),又与卡尔维诺合编米兰文学季刊《沉默》。其他重要作品还有《人与非人》(1945)、《大象的暮年》(1947)、《墨西拿的妇女》(1949)。他的评论文章均收在《公开的日记》(1957)中。作者死后出版的作品有《两种紧张形势:文艺思潮评论集》(1967)。

Vittorino DA FELTRE　维多里诺(费尔特雷的)(1378,费尔特雷[意大利]～1446-02-02,曼图亚)　原名维多里诺(兰博尔迪尼的)。意大利教育家。常被认为文艺复兴时期最伟大的人文主义教师。在帕多瓦大学求学与执教20年后,于1423年应邀任曼图亚的统治者贡扎加家族的家庭教师。他以在宫廷外建立学校为条件同意就职,以免受政治影响。在他的学校"快乐之家"入学的除王室子弟外,还有其他贵族子弟以及有才能的贫家男孩,共约70名。主要课程是希腊和罗马的语言与文学;其他学科有算术、几何、音乐及游戏和体育,因为这所学校遵循身心发展并重的希腊理想。然而,他将教育看成是通向基督徒生活的道路。他的学生们将他描绘成一个成功的教师:他爱他们,关心他们的健康和品德,并因材施教,不用体罚。"快乐之家"可能是欧洲第一所寄宿学校。他不仅教育意大利未来的统治者和专业人员,而且将拉丁文教给来自东部的希腊学者,使他们能将希腊文手稿翻译出来。这些手稿后来启迪了文艺复兴时期的伟大思想家们。1897年W.H.伍德沃德出版《费尔特雷的维多里诺及其他人文主义教育家》。

Vittorio Veneto　维托里奥威尼托　意大利东北部威尼托区特雷维索省城镇。1923年以前称维多利奥。位于特雷维索北面。1866年由北部(住宅区)塞拉瓦莱和南部(工业区)切内达合并而成。是1918年意大利一举挫败奥匈军队的场所。塞拉瓦莱是环有城墙的老区,有16世纪的房屋、1755年的大教堂和1462年的塞拉瓦莱凉廊。为阿尔卑斯山山麓的度假地,亦为工商业中心。生产汽车、机械和纺织品等。人口:都市区约29 185(1993)。

Vittoriosa　维托里奥萨　马耳他东部城镇。位于瓦莱塔南面的小半岛上,濒临大港。与科斯皮夸和森格莱阿组成中世纪马耳他著名的三镇。1530年成为圣约翰骑士团在马耳他岛上的第一处驻地。在1565年的马耳他围城战中,为骑士团抵御土耳其人入侵的重要据点。1570年以前一直为都城。17世纪时,当地商业和造船业发达。第二次世界大战期间该城镇遭到严重破坏。人口约3 548(1992)。

Vitu Islands(Papua New Guinea)　参阅 **Witu Islands 维图群岛**。

Vivaldi, Antonio(Lucio)　维瓦尔第(1678-03-04,威尼斯共和国威尼斯[意大利]～1741-07-28,奥地利维也纳)　意大利作曲家、小提琴家,对协奏曲形式和巴罗克晚期器乐风格均有决定性影响。

梵蒂冈使徒图书馆供图

生平　主要师从其父乔凡尼·巴蒂斯塔,巴蒂斯塔于1685年被接纳为威尼斯圣马可大教堂乐队小提琴师。维瓦尔第是长子,曾接受教士训练并于1703年受神职。他的富有特色的淡色红头发后来使他得到"红发神父"的诨名。初次公开演出是1696年以"编外"小提琴师身份随父在大教堂拉琴,后即成为一名杰出小提琴师,1703年被委派为慈爱院(弃婴收养院)小提琴教师。维瓦尔第一生事业中多次与慈爱院打交道:任小提琴教师(1703～1709;1711～1715);器乐指导(1716～1717;1735～1738);有偿在院外提供作品(1723～1729;1739～1740)。接受神职后不久,维瓦尔第即因慢性疾病不再主持弥撒。他的最早音乐作品作于任职慈爱院的头几年。三重奏鸣曲集与小提琴奏鸣曲集分别于1705与1709年印行问世;1711年,他的第一集也是最有影响的小提琴与弦乐队协奏曲集《和谐的灵感》(作品第3号)由阿姆斯特丹的罗格音乐出版商行出版。到1717年,罗格又出版他的3本协奏曲集(作品第4、6、7号)和1本奏鸣曲集(作品第5号)。1713年慈爱院的唱诗班指挥离职,该院不得不请维瓦尔第和其他作曲家创作新作品,于是维瓦尔第首次以宗教声乐作曲家身份亮相而取得极大成功,后来还接受其他慈善、宗教机构约请创作宗教声乐。同年他的第一部歌剧《乡下铜管乐队》在维琴察上演,为他开辟了又一个新的领域。回到威尼斯后,维瓦尔第以作曲家和剧团经理人的双重身份立刻投入歌剧活动。1718～1720年间在曼图亚任该城统领黑塞-达姆斯塔特菲利普王子府的音乐总监。他在曼图亚的主要作品是歌剧,但也创作康塔塔和器乐曲。

18世纪20年代是维瓦尔第事业的顶峰时期。他又一次以威尼斯为基地,为全欧洲的赞助人和主顾提供器乐曲。1725～1729年间他将5部新的协奏曲集(作品第8～12号)托付给罗格的出版事业继承人勒·塞内。1729年后,维瓦尔第不再将作品交给出版商行出版,而是把手稿卖给个别买主。在这10年中他还接受约请创作大量歌剧,并在威尼斯和其他意大利城市重操旧业,从事剧团经理人的活动。1726年女低音歌唱家吉罗首次在维瓦尔第的歌剧中演唱,后成为维瓦尔第的随员之一,他后来的歌剧每次上演必由她担任女主角。18世纪30年代,维瓦尔第的事业逐渐衰退。法国旅行家布罗塞斯于1739年报导说,维瓦尔第的音乐不再符合时尚而为之深感痛惜。担任剧团经理人的活动也以失败告终。1740年维瓦尔第去维也纳旅行,但染病不起,未及出席他的歌剧《麦西尼亚的神谕》在该城的演出便溘然长逝。维瓦尔第去世后,他所收集的大量音乐手稿(主要是他自己的作品)装订成27大卷,先由威尼斯藏书家J.索兰佐获得,后又转入C.W.格鲁克的恩主杜拉佐伯爵之手。20世纪20年代被重新发现后,这些手稿现已归入国立都灵图书馆的福阿-焦尔达诺藏书。

器乐和声乐　维瓦尔第所作协奏曲有近500余首留传至今,其中300余首是为独奏乐器和弦乐队加通奏低音而作。在这300余首中,近230首为小提琴独奏、40首为大管、25首为大提琴、15首为双簧管、10首为长笛。还有为维奥拉达莫、竖笛、曼多朴琴和其他乐器而作的。其余的或为二重协奏曲(包括约25首为2把小提琴而写的)、用3或4件独奏乐器的大协奏曲、无独奏乐器的弦乐协奏曲或为由一组乐器演奏而没有乐队的室内协奏曲。维瓦尔第完善了古典三乐章协奏曲的形式。确实,他帮助确定了协奏曲3个乐章的快-慢-快布局。也许更重要的是,他是在协奏曲中固定采用里托奈罗形式的第一人,使反复陈述的叠歌与插部性的独奏段落交替出现。维瓦尔第大胆地把叠歌(里托奈罗)和独奏段落并列,为独奏器乐家的炫技表演开创了新的可能性。在他的协奏曲中,快乐章以其节奏冲力和主题的自由驰骋而引人瞩目,而慢乐章则常用于表现独奏乐器咏叹调的性格。维瓦尔第协奏曲的活力、激情和抒情性及其器乐色彩和纯朴的戏剧效果(它们是不借助对位手法而求得的)很快就成为普通的音乐语言。许多巴罗克晚期作曲家(包括J.S.巴赫,他曾将维瓦尔第的10首协奏曲改编成键盘乐曲)都把他的协奏曲奉为这一曲式的楷模。他为协奏曲所写的独奏小提琴段落具有高度炫技风格,反映出他本人遐迩闻名的小提琴精湛技艺。维瓦尔第某些协奏曲采用描绘性或暗示性曲名。题为《四季》(作品第8号,no.1～4)的1套4首小提琴协奏曲是标题性的,构思周密,每一首协奏曲描写一年中的一个不同季节,从春季开始。他对自然界声音的栩栩如生的刻画开创了诸如贝多芬《田园交响曲》一类作品所属的一种新传统的先河。维瓦尔第还留下90余首奏鸣曲,主要为弦乐器而作。与其协奏曲相比,这些奏鸣曲的形式和风格是传统的,但其中不乏优美动人之作。

维瓦尔第现存的宗教声乐作品有50余首，有短小的独唱赞美诗，也有清唱剧和为双圣咏队和乐队而作的复杂精美的多乐章诗篇配乐。其中许多展示出灵性的深度，以及可与当时的最佳作相媲美的对位技巧。人声与乐器互相独立的手法，常常预示后来海顿与莫扎特的交响弥撒曲。随着这些曲目的现代版不断出现，它们会日益名扬天下。对维瓦尔第的世俗声乐的反应似乎比较难以肯定。他的近50部歌剧已经过鉴定，确定是出自他的手笔，其中16部是完整的。当年它们都是一些影响巨大的作品，旋律动人，管弦乐伴奏新颖独特。但是，由于现代听众不熟悉巴罗克时期那种常常是矫揉造作的诗歌和戏剧艺术，他们中的非专业人员势必难以欣赏这些作品。维瓦尔第的近40部康塔塔似乎大有可能全部重新上演。

Vivarais 维瓦赖 法国古代山区省份，以维维耶城（罗讷河畔维维耶）为中心，大致相当于今阿尔代什省。原为古罗马维瓦里姆所在地，后为主教府所在地维维耶；而维维耶的主教实际上也是维瓦赖的地方长官。9世纪起属于图卢兹伯爵。13世纪时归属法国王室。16世纪宗教战争中，因其居民天主教徒和新教徒各半，因而蒙受苦难不浅。

Vivarini, Alvise 维瓦里尼（约1446，威尼斯共和国穆拉诺［意大利］？～约1505） 晚期哥特风格画家。其父安托尼奥是威尼斯艺术家中最有影响的维瓦里尼家族的奠基人。最早的作品是在蒙特菲奥雷蒂诺的一幅祭坛画

维瓦里尼绘《圣克莱尔》（约1480～1485）
供图：SCALA—Art Resource/美国不列颠百科全书公司

（约1475）。最后一件作品是1503年始为威尼斯托钵修会教堂画的祭坛画。画法有些因袭和保守，在极大程度上无视了当时那种摆脱哥特式绘画严肃形式的趋势。其少数晚期作品仍有个人特点，不同于当时威尼斯风格的主流，如现藏伦敦国家美术馆、作于1497年的一幅佚名威尼斯绅士的富有心理刻画的肖像。

Vivarini, Antonio 维瓦里尼（约1415，威尼斯共和国穆拉诺［意大利］？～约1480） 15世纪上半叶威尼斯最重要的和多产的画家。自1444年起，与其妻兄乔凡尼·达莱马尼亚（卒于1450）合作，现留存于世的作品有威尼斯圣扎卡里亚教堂（1443～1444）、圣潘塔隆教堂（1444）与威尼斯学院（1446）的祭坛画以及米兰布雷拉宫的一件多联画（1448）。此二人的风格不易区分，但维瓦里尼肯定是合作中的主要者。

Vivarini, Bartolomeo 维瓦里尼（约1432，威尼斯共和国穆拉诺［意大利］？～约1499） 威尼斯有影响的维瓦里尼画家家族一员。可能是他的哥哥安托尼奥的学生。从标明年代（1448）的第一幅画起就可看出他擅长造形。1459年作的卡皮斯特拉努的圣约翰教堂画（巴黎罗浮宫）最可代表其严肃而有个性的风格。他接触到曼特尼亚的作品大概是他一生事业的转折点。其全部优秀作品都是此后产生的，其中有威尼斯圣乔瓦尼教堂与圣保罗教堂（1473）、布拉戈拉圣乔瓦尼教堂（1478）和威尼斯学院（1477）的祭坛画。其最后的作品是1491年创作的一幅三联画。

Vivekananda 辨喜（1863-01-12，加尔各答～1902-07-04，加尔各答） 原名纳伦德拉纳特·达达。印度教精神领袖、改革家。出身孟加拉的迦耶士陀（教士）种姓，就学于西方型大

供图：Indian High Commission Office, London

学，受到西方哲学、基督教和科学的熏陶。辨喜提倡实践哲学，重视社会改革。他参加梵社，强调吠陀中的普世一家精神和人本主义，重服务而轻教条，力图振兴印度教思想，不去趋世逢时大闹和平主义，反而向西方介绍印度教的灵性价值。1893年，代表印度教参加芝加哥世界宗教会议。此后曾在美国和英国讲学，劝人参加吠檀多运动。1897年回到印度，创办罗摩克里希纳教会（**Ramakrishna Mission**）。

viverrid 灵猫 食肉目灵猫科灵猫属和獴属小型兽类的统称。原产于旧大陆，在始新世或渐新世从欧亚大陆类型进化而成，后来扩散至整个非洲。大多数体型细长，尾长，腿短，足端有4～5趾。颈和头通常较长，吻渐尖，耳小，牙式各异（牙数32～40）。大多数种有肛门臭腺。昼行性或夜行性。主要以小动物和植物为食。许多种一年生2窝，每窝2～4仔。寿命5～15年。参阅 **binturong**；**civet**；**fossa**；**genet**；**linsang**；**mongoose**；**suricate**。

Vives, Amadeo 比韦斯（1871-11-18，西班牙科尔巴托～1932-12-01，马德里） 西班牙作曲家，因所作近100部轻歌剧而闻名。在巴塞罗那学习后，1891年与L.米勒特共同创办奥菲欧-加泰拉合唱团。所作第一部歌剧《阿尔图斯》（1895，首演于巴塞罗那）中采用了加泰罗尼亚民歌，而《欧达·杜里亚奇》（1900，巴塞罗那）的台本原为加泰罗尼亚文。最受欢迎的歌剧可能是《玛鲁克萨》（1914，马德里）。其他著名歌剧尚有《狂欢节叙事曲》（1919，马德里）和《唐娜·弗兰西斯-基塔》（1923，马德里），后者系受到L.德·维加的戏剧《机智的情人》启发而作。比韦斯也作有一些比较严肃的音乐，诸如为某些杰出西班牙诗人的诗词谱曲的组歌《警句歌曲》。他的论文集《索非亚》于1923年出版。

Vives, Juan Luis 比维斯（1492-03-06，阿拉贡巴伦西亚～1540-05-06，布鲁日） 西班牙人文主义者，伊拉斯谟的学生，在教育、哲学及心理学方面很有名望，强烈反对经院主义

不列颠博物馆供图

烦琐哲学，强调用归纳法作为研究方法。17岁离开西班牙以避免宗教裁判。在巴黎学习（1509～1512）后，到卢万任人文学科教授（1519）。1522年注释圣奥古斯丁的《上帝城》，并献给英王亨利八世。1523年去英格兰，任威尔士公主玛丽的教师，并在牛津讲授哲学。1527年因反对国王亨利和凯瑟琳离婚，被囚禁6星期；然后去荷兰致力于写作。在教育方面，他的成名之作是：《论教育儿童的正确方法》（1523完成）和《论纪律二十卷》（1531）。书中主张在学校中用本族语，建立高等学府，并支持妇女教育。最大的创新可能是主张运用个人的探索与经验进行归纳的原则学习自然。在心理学及哲学方法方面，他的声望来自《论心灵及生活三卷》（1538），书中讨论概念联想、记忆的性质，甚至动物心理学。这

一著作因强调以归纳法作为心理学及哲学探索的一种方法，在一定程度上预示了他逝世后一个世纪中伟大思想家们的想法。

Viviani, René **维维亚尼**（1863-11-08，阿尔及利亚西迪贝勒阿巴斯～1925-09-07，法国勒普莱西-罗班松） 法国社会党政治家，第一次世界大战第一年的法国总理。出身于定居阿尔及利亚的意大利人家庭。初为律师，先在阿尔及尔，后在巴黎开业；在许多政治案件中，他为工人和社会党人辩护，颇有名声。1893～1902年为代表巴黎的社会党众议员，与J.饶勒斯共同创办《人道报》(1904)，协助建立统一的社会党。他再度被选入众议院以后，于1906年10月参加G.克列孟梭政府，为法国首任劳工部长。后脱离这个新党，成为"独立的"社会党人。他在克列孟梭内阁中任职3年，没有通过法令为改善工人或贫民的状况进行有效的改革。他在A.白里安政府中留任劳工部长至1910年11月，曾负责汇编1900年以来通过的一切社会立法。1913年12月至1914年6月任教育部长，1914年6月16日任总理兼外交部长。1914年8月3日德国向法国宣战后，他辞去外交部长职务；8月底成立民族团结政府，有各党派代表参加。1915年10月因军需物资短缺遭到指责后辞去总理职务，担任司法部长至1917年3月。1920和1921年任日内瓦国际联盟法国代表，1921年任出席华盛顿海军会议法国代表。1922年进入参议院，但再未从事政治活动。

vivianite **蓝铁矿** 磷酸盐矿物，即水合磷酸铁[$Fe_3(PO_4)_2 \cdot 8H_2O$]。产在磷酸盐矿床的风化带中，无色（刚暴露时）或呈深蓝色（长时间暴露后）玻璃状晶体，在黏土中作为结核出现。也产于现代的沉积物、褐煤、泥煤及森林的土壤中，并且是蓝铁染骨化石(odontolite)的着色剂。产地包括英国、德国、玻利维亚、日本和乌克兰。在美国新泽西州和科罗拉多州蕴量甚多。详细物理性质，参阅 **phosphate mineral**（表）。

Vivien, Renée **维维安**（1877，伦敦～1909，巴黎） P.M.保利娜·塔恩的笔名。法国女诗人。她的诗形式上严格死板，但却蕴藏着热烈的激情。她是一个严谨的写作者，十四行诗和罕见的十一音节行诗的大师。祖先有苏格兰和美国血统。本人曾在英国受教育，一生大部分时间住在巴黎，用法文写作。她的诗受济慈和斯温伯恩影响；也受波德莱尔和希腊文化影响；还有她广游挪威、土耳其和西班牙，以及她的同性恋行为，所有这些都使她的作品中带有一定的异国情调。像她的同时代人A.诺阿耶一样，维维安有美貌、家财、天才和名望等优越条件。可是，她极为不幸，因为她无法适应生活中的现实。她憎恨她那个时代的愚钝。主要著作有《灰烬与尘埃》(1902)、《航迹》(1908)等。

viviparity **胎生** 一种生殖方式，受精卵在母体内发育成长直至幼体（如幼虫、新生儿）能独立生存为止。发育中的胚胎通过胎盘或类似的结构从母体不断获得营养。胎生见于多数哺乳动物、许多爬行动物及少数低等动物。某些蛇类有一种较原始的生殖方式（卵胎生）：卵在母体内存留直至幼体孵出；胚胎只需要母体的保护，所需营养则来自卵中的卵黄。参阅 **oviparity**。

Vizcaya **比斯开** 英语作Biscay。西班牙北部巴斯克地区省份。面积2 217平方千米。北部坎塔布连海沿岸地区多峭壁和港湾，经济以渔业和旅游业为主。贝尔梅奥和翁达罗阿为主要渔港。省会和海港毕尔巴鄂（**Bilbao**）和四周地区为该省工商业中心。矿藏量居本国各省之首。内陆内尔维翁河谷为农业区，出产玉米、苹果和牲畜，所产苹果酒闻名全国。东部有铁矿和畜牧业区。人口约1 135 390(1994)。

Vizcaya, Golfo de 参阅 **Biscay, Bay of** 比斯开湾。

Vizetelly FAMILY **维泽泰利家族** Vizetelly原拼作Vizzetelli，意大利裔家族，自18世纪末叶起在英国、法国和美国积极从事新闻和出版工作。詹姆斯·亨利·维泽泰利（?～1838）曾出版《克鲁克香克喜剧年鉴》。其子亨利·里查德(1820～1894)为《伦敦新闻画报》记者，常驻巴黎。1852年出版美国女小说家H.B.斯托所著《汤姆叔叔的小屋》的廉价重印本。1882年创建自己的公司，出版英国早期剧作家的著作及福楼拜、陀思妥耶夫斯基、托尔斯泰等人著作的译本之廉价版。曾因出版É.左拉的小说而被课以罚金，并坐牢(1889)。晚年发表了一本回忆1840～1870年间伦敦与巴黎文坛轶闻趣事的《七十年回顾：自传及其他回忆》(1893)。其弟弗兰克(1830～1883?)曾协助创办巴黎《世界画报》(1857)并任主编两年。后任《伦敦新闻画报》战地记者，为时24年(1859～1883)，采访过意大利、西班牙、美国南北战争及埃及。英军在苏丹战败后，他即失踪。亨利·里查德之子爱德华·亨利(1847～1903)也是战地记者，为伦敦《每日新闻》及《纽约时报》撰稿。其弟欧内斯特·艾尔弗雷德(1853～1922)是左拉作品的翻译家和传记作者(1904)并著有若干法国史著作。亨利·里查德的另一子弗朗西斯·霍勒斯(1864～1938)于1891年移居美国。在芬克-瓦格纳出版社任总编辑并为报纸杂志大量撰稿。弗朗西斯曾在《文学文摘》中办一专栏"词书编者安乐椅上漫谈"，并且极为成功。1930年他为哥伦比亚广播公司建立一所播音员学校，坚持用美国发音标准训练播音员。

Vizianagaram **维济亚纳格勒姆** 印度南部安德拉邦东北部城镇。位于东高止山中部，为铁路交叉点，大麻与黄麻制品集散地，附近有锰矿。设有几所学院。1712年建镇，为维济亚纳格勒姆王公的驻地。其城堡(1714)位于火车站以东1.6千米处。公路交通便利，有东南铁路网支线。人口160 359(1991)。

vizier **维齐** 又拼wazīr或vezir。起初指阿拔斯哈里发的首席大臣或代表，后来指各穆斯林国家的高级行政官员。8世纪开始设此官职。阿拔斯王朝的维齐代表哈里发执行一切与臣民有关的事务。约1380年奥斯曼帝国把维齐的称号授予一名司令官。从此以后直到1453年伊斯坦布尔被征服，维齐表示统治机构的最高职位，同时可有数人。在穆罕默德二世时代(1444～1446，1451～1481)奥斯曼人恢复穆斯林旧习，称首席大臣为维齐，但加一"大"字。大维齐为苏丹的全权代表，1654年设官邸，称为高门。高门取代王宫，变成奥斯曼政府的实际中心。从19世纪起，大维齐主持大臣会议。1908年以后，他们获得任命内阁大臣的权力。奥斯曼帝国崩溃后，维齐称号也随之消失。维齐亦曾用于古代埃及拥有总督权力的民政官员，至迟始于第4王朝（约公元前2575～前2465）。塞索斯特里斯三世（公元前1836～前1818）时期维齐获得司法权，地位更加重要。

vizsla **维兹拉狗** 猎狗一个品种，其祖先可能是1 000多年前由马札尔人带到匈牙利。在匈牙利开阔的平原育成。善于指示猎物，又可寻取猎物。敏捷谨慎，能小心地监视着猎物。体形优美，外形似指示猎狗。被毛短而平滑，金红色或沙黄色。肩高53～61厘米，体重18～27千克。

匈牙利维兹拉狗

供图：Sally Anne Thompson—美国不列颠百科全书公司

Vizzetelli FAMILY 参阅 **Vizetelly family** 维泽泰利家族。

Vlaardingen **弗拉尔丁恩** 荷兰西南部南荷兰省城市。位于鹿特丹西侧，紧临新水道。20世纪从一个小渔村发展成为全国最大港口之一。附近罗普堡岛上建有荷兰最大造船厂，有捕鱼、乳品、冶金和化工业。名胜古迹有市政厅(1650)、大教堂(1643)、鱼市(1778)和磅房(1556)等。荷比卢隧道(1967年建成)以弗拉尔丁恩为起点。人口约73 820(1994)。

Vlach **弗拉其人** 又作Romanian或Ruman。欧洲一民族。罗马尼亚和摩尔多瓦的主要居民；有些较小的居民集团住在巴尔干半岛及多瑙河以南及以西地区。他们的斯拉夫邻族称他们为沃洛赫人。弗拉其人一词源自沃洛赫人，但他们自称为罗马尼人、罗明尼人、鲁明尼人或阿罗马尼人。弗拉其人在欧洲中世纪出现于历史舞台上，主要生活在多瑙河以南地区。他们自称为古罗马人后裔，在公元 2～3 世纪时占据达西亚行省，其地位于今罗马尼亚境内特兰西瓦尼亚及喀尔巴阡山地区。另说弗拉其人始祖为色雷斯一部落，原住达西亚省，因与罗马移民通婚而采用其语言及文化。公元 271 年，罗马人退出达西亚，此地即屡遭异族入侵。据某些学者意见，当时罗马化的达西亚人仍留原地，大概在喀尔巴阡山区避难。他们在这一地区继续生活了数世纪，以农牧为业，直到局势平定他们才返回平原地区。另有一种看法是：当罗马人撤离达西亚时，已罗马化的达西亚居民也许曾在多瑙河之南游动。根据此说，弗拉其人在蛮族侵扰停止之后，曾作为大股移民自其罗马化家园移往多瑙河之南及巴尔干地区。此说举出弗拉其人在缔造与发展第二保加利亚帝国（又称弗拉其-保加尔帝国；建于 1184）中的重大作用，以证明当时弗拉其人口的中心已转移到多瑙河之南。到 13 世纪，弗拉其势力扩展到多瑙河以北，包括特兰西瓦尼亚在内。他们又由特兰西瓦尼亚进入瓦拉几亚（意为“弗拉其人的土地”）和摩尔达维亚。两地于 13～14 世纪成立两大公国。最终两大公国于 19 世纪末合并成为罗马尼亚。迁往巴尔干其他地区的弗拉其人中的马其顿弗拉其人或岑查尔人定居在色萨利山区；据 12 世纪拜占廷历史家安娜·康内娜的记载，他们曾建立独立的大瓦拉几亚国家，囊括品都斯山脉南部和中部及马其顿部分地区。另一弗拉其人居民区——小瓦拉几亚则位于埃脱利亚和阿卡纳尼亚。此外，称为摩拉奇人的弗拉其部落，曾定居在门的内哥罗（黑山）、黑塞哥维那、阿尔巴尼亚北部以及达尔马提亚南部沿海地区，创建有拉古萨（今杜布罗夫尼克）。14 世纪，部分摩拉其人往北迁至克罗地亚。

Vladikavkaz 弗拉季卡夫卡兹 1931～1944 年和 1954～1990 年称奥尔忠尼启则。1944～1954 年称藻吉考。俄罗斯西南部北奥塞梯亚共和国城市和首府。位于高加索山地北坡，临捷列克河。1784 年建立弗拉季卡夫卡兹为军事要塞，以控制穿越高加索山的格鲁吉亚军用公路（经捷列克河谷）和奥塞梯军用公路（沿阿尔东河谷）。1860 年设镇。工业产品有有色金属、电设备、车辆部件和食品。设有数所学院和科研机构。人口约 306 000（1991）。

Vladimir 弗拉基米尔 俄罗斯西部一州。首府弗拉基米尔市。位于奥卡河流域，在莫斯科以东大部为低地平原，南部多沼泽。植被为云杉、松和橡树。许多森林已被砍伐。制造业发达，生产纺织品、机械、木材制品和玻璃制品。农业主要集中在西北部，多商品菜园。许多沼泽地已被开垦。面积 2.9 万平方千米。人口约 1 645 000（1996）。

Vladimir 弗拉基米尔 俄罗斯西部弗拉基米尔州城市及行政中心。位于克利亚济马河畔。1108 年由基辅大公弗拉基米尔二世莫诺马赫所建。该镇因克利亚济马河上的贸易而

弗拉基米尔市的圣德米特里大教堂
供图：Shostal

具重要地位，并成为公国中心。1157 年安德鲁·博戈柳勃斯基将其首都从基辅迁此。1238 和 1293 年曾先后两次被蒙古人劫掠，后均迅速恢复。1300 年在此建立东正教大主教区，但在 1326 和 1328 年，教会权力和世俗权力先后转至莫斯科。15 世纪遭鞑靼人进攻，后成为次要地方中心。1796 年为州首府。十月革命后工业以纺织、机械制造和化工为主。有许多壮丽的俄罗斯建筑古迹，如内城、圣母升天教堂（始建于 1158 年）、圣德米特里教堂（始建于 1197 年）和金门（1158 年建）等。人口约 339 000（1995）。

Vladimir I 弗拉基米尔一世（约956，基辅罗斯基辅[今在乌克兰]～1015-07-15，基辅附近的别列斯托瓦） 基辅大公。基辅罗斯的第一位基督教统治者。他征服基辅和诺夫哥罗德，并把它们建成单一的国家。他的拜占廷式的浸礼确定了他统治地区的基督教道路。基辅公斯维亚托斯拉夫与娼妓生的儿子。属留里克家系。970 年成为诺夫哥罗德公。980 年他已经把从乌克兰到波罗的海的俄国土地统一到一起。他原是异教徒，娶过 7 个妻子。当拜占廷皇帝巴西尔二世为了镇压人民起义而向他求援时，他要求以娶巴西尔的妹妹安妮为妻作为交换条件。约 987 年双方达成协议。他同意成为基督教徒，命令基辅和诺夫哥罗德的居民改信基督教。然而拜占廷保持着对新的罗斯教会的控制，它任命希腊人为基辅的牧首（或主教），作为君士坦丁堡教宗和皇帝的代表。罗斯-拜占廷的宗教-政治一体化抑制了罗马拉丁教会对东斯拉夫人的影响，确定了俄罗斯基督教的道路。弗拉基米尔在基辅建造的什一教堂（约 996 年，由拜占廷建筑师设计和装饰）成为罗斯改宗的象征。在位期间修建了许多教堂，发展教育事业，建立司法机构，帮助穷苦大众。被尊为圣弗拉基米尔。他的事迹为无数民歌和传奇故事所称颂。

Vladimir II Monomakh 弗拉基米尔二世（1053～1125-05-19，基辅附近[今在乌克兰]）基辅大公（1113～1125）。符谢沃洛德一世和拜占廷皇帝君士坦丁九世（莫诺马库斯）的女儿伊利娜之子。早年积极参与罗斯的政治活动，协助其父和叔父伊兹雅斯拉夫打败堂兄弟奥列格和鲍利斯（1078）。当其父符谢沃洛德就任基辅大公（1078～1093）时，他接任切尔尼戈夫公（1078～1094）。1113 年基辅大公斯维雅托波尔克二世死后，切韦选他继任大公。在位期间，几乎总是忙于战争，主要敌人是波洛伏齐人。他给儿子写过一篇“遗训”，叙述他参加 83 次大战役和杀死 200 个波洛伏齐王公。除杰出的军事素质外，他还是一个能干的行政人员，曾制止王公贵戚之间的内讧，使基辅罗斯的国运中兴。他在俄罗斯东北部的克利亚济马河畔兴建了弗拉基米尔市，12 世纪末取代基辅成为大公的所在地。

Vladimir-Suzdal school 弗拉基米尔-苏兹达尔画派 俄罗斯中世纪壁画和圣像画学派。12～13 世纪活跃于俄罗斯东北部苏兹达尔地区弗拉基米尔和苏兹达尔两个毗邻城市。该地同西北部的诺夫哥罗德城继承了基辅的拜占廷艺术传统。基辅的地位于1157年

弗拉基米尔-苏兹达尔画派佚名画家的圣像画《天使长米迦勒》（约 1300）
供图：Novosti Press Agency, Moscow

转归弗拉基米尔。同作为王权中心的基辅一样，弗拉基米尔-苏兹达尔以宏伟的气派和贵族式的精神，保持了基辅拜占廷艺术的连续性，创作了质量极高的作品。该画派的作品，具有拜占廷艺术逼真的立体造型，并转向了更为俄罗斯化的表现方式：感情具有强烈的禁欲色彩，人物解剖不准确，手画得极小，并日益自觉地使用富有表现力的色彩。此外，利用面部表情来刻画各种特定的感情，是其独到之处，为当时或以后的各画派

所不及。13 世纪中叶，由于蒙古人的大举入侵，该画派的艺术发展突然中断，无数珍宝被毁。

Vladimir-Volynsky　弗拉基米尔-沃伦斯基 乌克兰西北部沃伦州城市。在布格河与科韦利至利沃夫铁路交会处附近。10 世纪基辅大公弗拉基米尔一世兴建，后成为基辅罗斯一个公国的首府。古代建筑有 1160 年营造的圣母升天大教堂。1347 年割让与波兰，1795 年归还俄国，1919 年重归波兰。1939 年被苏联占据。1945 年被其兼并。有农产品加工工业。人口约 40 300(1991)。

Vladimirescu, Tudor　弗拉迪米雷斯库(约 1780，瓦拉几亚弗拉迪米尔[今在罗马尼亚]～1821-06-07，特尔戈维什泰)　瓦拉几亚民族革命英雄，1821 年人民起义领袖。原在俄国军队中当军官，深受塞尔维亚自治运动的影响。最初参加以推翻土耳其在巴尔干的统治为宗旨的希腊革命团体友谊社。但 1821 年友谊社在伊普西兰蒂斯大公领导下在摩尔达维亚举行起义时，他却反对希腊人对罗马尼亚各公国的革命领导权。他在瓦拉几亚发动过一次起义，起初受到广大人民的拥护，但后来由于他与布加勒斯特的贵族政府妥协，失掉了人民的支持。伊普西兰蒂斯大公怀疑他勾结土耳其人，下令将其逮捕处决。

Vladislas　弗拉迪斯拉斯　又作 Vladislaus 或 Vladislaw。统治者之名，按国别分列于后，并各以●为标记。

与此字相等之外语：

捷克语	Vladislav
匈牙利语	Ulászló
波兰语	Władysław

波希米亚

● **Vladislas II　弗拉迪斯拉斯二世**(1456～1516-03-13，匈牙利布达)　波希米亚国王(1471 起)和匈牙利国王(1490 起)。波兰亚盖沃王朝卡齐米日四世的长子。1471 年当选为波希米亚国王。在位初期，不断与匈牙利国王马提亚发生冲突。马提亚死后，他于 1490 年被选为匈牙利国王，称乌拉斯洛二世。在他的软弱统治下，波希米亚和匈牙利的贵族都大大扩充自己的权力，加强对农民的压榨剥削。当马克西米连一世皇帝与他争夺匈牙利的王位时，他同意如果王室绝嗣，则由哈布斯堡家族继承他的领土。这个协议导致哈布斯堡家族的多瑙河帝国的形成。

Vladivostok　符拉迪沃斯托克　又称海参崴。俄罗斯东南端滨海地区的港口和行政中心。位于日本海分隔阿穆尔湾和乌苏里湾的半岛西侧的金角湾附近。1860 年建镇，成为俄国的军事前哨基地，取名符拉迪沃斯托克(意为"统治东方")。因地处俄国远东的极南端，故必然起着港口和海军基地的重要作用。1872 年，俄国太平洋主要海军基地迁此，从此符拉迪沃斯托克开始发展。1880 年设市。在修建横贯中国东北的绥芬河至赤塔的中东铁路(1903 年完工)后，符拉迪沃斯托克同俄国

符拉迪沃斯托克市的火车站——西伯利亚大铁路的东部终点站

供图：© Wolfgang Kaehler

其他地方有了更为直接的铁路联系，该城市的重要性增加。第一次世界大战时，符拉迪沃斯托克是从美国运往俄国的军事供应物资和铁路设备的主要太平洋运入港。1917 年俄国革命爆发，各种革命团体在市内积极活动。1918 年符拉迪沃斯托克被外国军队占领，主要是日本军队。美国、英国、法国、意大利和捷克军队于 1920 年撤离，但最后一批日本军队到 1922 年 10 月 25 日才撤走。符拉迪沃斯托克的反革命力量迅即瓦解，建立了苏维埃政权。符拉迪沃斯托克的主要作用是港口，商船(客运船和货船)主要通往远东的其他俄罗斯港口。该港是俄罗斯北极沿海起自摩尔曼斯克北部海上通道的东端，也是车里尤斯金角以东各北极港口的主要补给基地。符拉迪沃斯托克主要输出石油、煤和谷物，主要输入石油制品和鱼。也输入其他远东港口捕捞或加工的鱼，转运到国内其他地方。在苏联时期，工业种类繁多。除大型修船厂外，有铁路装备工厂和采矿设备制造厂。轻工业有仪器和收音机工厂、木材企业(主要是生产家具和镶板)、瓷器工厂和药品制作厂。食品业(主要是鱼和肉类加工及面粉制作)和建筑业(房屋预制板)也很重要。符拉迪沃斯托克是西伯利亚大铁路东部终点。该市还有一个机场。符拉迪沃斯托克是俄罗斯远东的主要教育和文化中心。设有远东科学中心、国立远东大学(1920 年成立)和医学、艺术教育、工艺、贸易和海洋工程等几所高等院校。有业余的和专业的剧院，以及爱乐协会和交响乐团。有地方史博物馆和太平洋舰队历史博物馆以及几所图书馆。人口约 632 000(1995)。

芝加哥美术学院供图

弗拉曼克绘《红色村的风景》

中国大百科全书出版社供图

Vlaminck, Maurice de　弗拉曼克(1876-04-04，法国巴黎～1958-10-11，吕埃-拉-加德里耶尔)　法国画家。曾尝试用强烈的厚涂纯色作画，和野兽派绘画风格接近。1895 年开始学习素描并研究印象派，1899 年和童年时代的朋友 A.德兰同在一个画室作画。1901 年其用色豪放的作品首次在巴黎独立沙龙展出。1905 年参加引起争论的秋季沙龙联合展览。1908 年转向用厚涂的灰色、白色和深蓝色作风景画，画风更接近P.塞尚。约在1915 年，其艺术形成一种个人的、非常固定的，并且是十足的法国表现派风格。

Vlasov, Andrey Andreyevich　弗拉索夫(1900-09-14，俄罗斯弗拉基米尔州～1946-08-01?)　反斯大林主义的军队司令，他在第二次世界大战初期被德军俘虏，成为叛徒，与德军一起与苏联作战。富农之子，1919 年应征加入红军，参加俄国内战。1930 年加入共产党，1938 年前往中国，任蒋介石的军事顾问。1939 年回到俄国，1941 年在保卫基辅和莫斯科的战斗中起过重要的作用，1942 年 7 月同他的军队

一起被俘。1944年纳粹首领们允许弗拉索夫组成“俄罗斯民族解放委员会”，它的目的是推翻苏联领导人斯大林的政权。由被德军俘虏的前俄罗斯士兵组成的“俄罗斯解放军”也由他领导。战争即将结束时，他的5万军队得到对他们并不信任的德国主子的同意投入战斗，阻止前进中的红军。他们中的大部分人不久向正向捷克斯洛伐克挺进的美军投降，美军将他们强迫遣返给苏联当局。弗拉索夫于1945年5月被交给苏联，经审讯后被处绞刑。

Vlissingen 弗利辛恩 英语作Flushing（弗拉兴）。荷兰西南部泽兰省城市。在瓦尔赫伦岛南岸，西斯海尔德河口湾口。中世纪时为商业城镇和安特卫普的门户。现为重要商业和渔业港以及海滨胜地和海军基地。工业有造船、炼油和机械制造等。名胜古迹有圣詹姆斯教堂（1308）、“囚犯塔”（1563）、旧交易所（1672）、市政厅（1733）和旧城门的一部分等。人口44 776（2001）。

Vlorë 发罗拉 又作Vlora，意大利语作Valona。阿尔巴尼亚第二大海港。位于发罗拉湾的顶端，该海湾有多山的卡拉布伦半岛和萨赞岛作屏障。古代初建时名奥隆，是希腊在伊利里亚沿海3个殖民地之一。在罗马时代以及11～12世纪诺曼人和拜占廷人的战争中，有重要的战略地位，其后又成为威尼斯人、塞尔维亚人和土耳其人争夺的目标。1912年11月28日，I. 捷马利在此宣告阿尔巴尼亚独立。1915～1920年间以及1939年曾两度被意大利占领。第二次世界大战中，萨赞被用为德、意两国的潜艇基地。战后苏联改善港口及潜艇基地设施，将海湾用作其海军基地。1961年阿、苏两国发生冲突，苏军撤离。城市居民有的信奉伊斯兰教，有的信奉希腊正教，也有少数信奉天主教。发罗拉四面是山，山上有橄榄树林，城市在与其港口相连的内陆。港口有油管直通油田和采里克炼油厂。该城有渔场和罐头工厂、酿酒厂，还有一家橄榄油提炼厂。附近的塞列尼策产天然沥青供出口。人口约73 800（1990）。

Vlorë proclamation 《发罗拉宣言》（1912-11-28） 阿尔巴尼亚摆脱奥斯曼帝国统治获得独立的宣言。1909～1912年阿尔巴尼亚民族主义领导人举行了一系列起义，要求统一奥斯曼帝国内的阿尔巴尼亚各地区，并实行政治与文化自治。1912年10月巴尔干国家同盟向奥斯曼帝国宣战。目的之一是瓜分阿尔巴尼亚。1912年11月28日，来自阿尔巴尼亚各地的83名代表在发罗拉集会，放弃在奥斯曼帝国内实行自治的计划，宣布阿尔巴尼亚独立。尽管巴尔干同盟继续占据阿尔巴尼亚，但大多数欧洲国家仍同意成立一个主权的阿尔巴尼亚国家。《伦敦条约》（1913-05-30）结束了巴尔干战争，划定阿尔巴尼亚的边界。1913年7月29日欧洲列强正式承认阿尔巴尼亚为独立的公国并保障其地位。

Vltava River 伏尔塔瓦河 德语作Moldau River（莫尔道河）。捷克最长河流。长435千米，流域面积28 093平方千米。源出波希米亚西南部，上游为波希米亚森林中的泰普拉伏尔塔瓦河和斯图代纳伏尔塔瓦河。先向东南而后向北穿越波希米亚，在布拉格北29千米处的梅尔尼克注入易北河（捷克称拉贝河）。沿河城市有布拉格和捷克布杰约维采。中部流域的捷克布杰约维采有一宽广湖区。中下游区形似峡谷，多急流和锯齿状曲流。主要支流有卢日尼采河、萨扎瓦河（东）、奥塔瓦河和贝龙卡河（西）。

Vo Chi Cong 武志公（1912，南越广南省～2011-09-08，越南胡志明市） 强烈反对法国的共产主义革命者、争取越南独立的最早的战士之一。越南战争期间在南越民族解放阵线和临时革命政府——越共游击队的两个政治部门——中担任要职。1930年在早期民族主义反抗者潘佩珠和潘周桢领导下开始革命活动。第二次世界大战期间参加反对日本人和法国维希政府的地下活动，1942年被捕，并受监视。直至1961年才在政坛中具有重要地位，为南越民族解放阵线的创立者之一。他是人民革命党——南越共产党的主要的组织者，美国支持的西贡政权的坚强反对者。1976年越南统一后加入新成立的全国政府，任渔业部长（1976～1977）、农业部长（1977～1978）和副总理（1976～1982）。1976年成为越南共产党的政治局委员。

Vo Nguyen Giap 武元甲（1912，越南安舍～ ） 越南军事和政治领袖，他的完美的游击战争和常规战争的战略战术使越盟得以战胜法军（从而在东南亚结束法国殖民主义），并使北越得以战胜南越和美国。强烈的反殖民主义学者之子，青年时即为越南自治而奋斗。中学与越南共产党领袖胡志明同学。1926年当他仍是一名学生时即参加新越革命党。1930年因支持学生罢课而被法国保安局逮捕，判处3年徒刑，数月后即获假释。之后进河内阿尔贝-萨罗中学学习，1937年获法学学位。接着在河内升龙中学任历史教员。1938年与明彩结婚，两人一起为印度支那共产党工作。1939年该党被禁止，武元甲逃往中国，其妻和妻妹被法国警察逮捕。妻妹上了断头台，其妻被判无期徒刑，3年后死于狱中。1941年他与越南北方少数民族土族游击队领导人朱文晋结成联盟，以期建立一支能够赶走法国人并支持越盟的军队。1945年8月，他和胡志明一起率军进入河内。9月胡志明宣告越南独立，由武元甲统率全部警察和保安部队，并任武装部队总司令。他的作为军事战略家和战术家的卓越才能使他于1954年5月赢得了具有决定性意义的奠边府战役，从此结束了法国的殖民统治。7月国家分为两部分，武元甲出任北越副总理、国防部长兼武装部队总司令。他领导北方武装部队在越南战争中赢得最后胜利，迫使美军于1973年撤离越南，并使南越于1975年崩溃。从1976年越南统一至1980年任越南国防部长，1976年并任副总理。1982年前为越南共产党政治局委员。著有《人民战争和人民军队》（1961）等。

vocal cord 声带 在矢状位延伸于喉腔中部最狭处的两条平行的黏膜皱襞，主要功能是发音。皱襞按照适于音高的频率迅速启闭，就产生声音。妇女和儿童的声带较短，较薄，因而在某种程度上他们的声音较高（参阅**speech**）。凸出于声带上方的室襞，因为不发音，故有时称为假声带。

vocal fry 低语音 又称私语音或送气音。语音学术语。某些语言中的语音或音值，发音时，声带振动不像正常说话时拉得那样紧，在气流中产生局部湍流，结果成了介乎浊音和耳语音之间的中间音。参阅**voice**；**whisper**。

vocal-instrumental concerto 声乐-器乐协奏曲 巴罗克初期（16世纪末至17世纪初）由合唱、一些独唱和乐器形成对比的乐曲。虽有时用世俗歌词，但主要与圣乐有密切关联，有时指宗教协奏曲。其对比原则源于文艺复兴后期的一些发展，诸如威尼斯的多重合唱团，以及音乐美学上要求更多的情感表现等。这种体裁大致可分为两种：声部众多的和声部较少的协奏曲。多声部的一种由多重合唱团演唱，伴奏为管风琴和（或）管弦乐队。声部较少的协奏曲则相反，通常为一个或几个独唱，再加通奏低音。17世纪末这两种形式结合，大规模的协奏曲常常包括由通奏低音伴奏的声乐独唱。意大利的声乐-器乐协奏曲被德国作曲家用于基督教信义会音乐，这些作品常以众赞歌或德国赞美诗的曲调为基础，成为德国教堂康塔塔的先导。

vocal pouch 声囊 蛙和蟾蜍类用作共振箱的囊状结构。单个或成对。开口于口咽腔底部，部分为声带所覆盖。空气被逼入声囊时，声带振动而发声。不同种类的声囊大小、形状差异很大。达尔文氏蛙的声囊可膨胀，雄体将卵藏入其中直至孵出，蝌蚪能在外存活为止。

vocalization 发嗓音 由动物呼吸系统的动作产生的用以传达信息的声音。嗓音只限于蛙类、鳄类、壁虎类、鸟类和兽类，有时候是主要的通信形式。在许多鸟类和灵长类（不包括人）中，成体的行为中包括各种叫声，用以表示占有领域、进攻、警报、恐怖、满足、饥饿、有食物或需要伴侣。动物发嗓音中受到研究最多的是鸟类的**鸣啭**（**bird song**），主要由领域性鸣叫或求偶鸣叫所组成。

vocational education 职业教育 旨在传授工商业职业知识的教育。它可通过正规的中等专业学校、中等技术学校或在职培训计划来获得，也可没有实际指导而在工作岗位上不正规地学会某些必需的技能。学校的职业教育是近代发展起来的一种事业。19世纪以前，除了专业性训练外，职业教育主要以学徒的方式进行。随着19世纪工业化的发展，一些欧洲国家，特别是德国，开始在小学和中学推行职业教育。但英国则反对职业教育，并一直坚持到20世纪；只是在第二次世界大战前，地方当局才建立了少数中等专业学校和初等技术学校。美国公立（普通）学校的职业教育内容直到19世纪后期还仅限于手工训练和实用工艺。这些教学项目逐渐扩展，到1917年就由联邦政府资助公立学校开设贸易、工业、农业和家政等课程。第二次世界大战后，由于计算机科学、电子学和医疗服务等较新领域对受过训练的辅助性专业人员的需求，使人们对于在这些领域内对中学毕业生进行短期专门培训越来越有兴趣，以使之作为传统学院教育之外的另一种选择。

Vöcklabruck　弗克拉布鲁克　奥地利中北部城市。属上奥地利州，在弗克拉河畔。广场很美，矗立着两座古老的门塔。有两座15世纪的教堂和圣埃吉迪乌斯教堂(1688)。工业发达，有大型石棉水泥厂，还有纺织、冶金和造纸厂等。人口11 239(1991)。

Vocontii　沃康蒂人　罗马帝国高卢地区纳尔博省一支凯尔特部落，可能居住在阿尔卑斯山西麓。公元前125～前124年被罗马人征服，成为"盟邦"，有两座都城——瓦西奥(罗马韦松)和奥古斯都卢库斯(迪瓦山畔吕克)。在韦松的发掘已表明，这座罗马城镇建筑在一个早期山堡的北面，遗存有一座剧院、门廊及两组房屋。

Vodafone　沃达丰公司　电信公司，总部设在英国，在欧洲和美国均有业务。最初是雷卡公司(英国雷达电子公司，创建于1950年)的一部分。雷卡公司1983年创建了它的沃达丰子公司，并得到授权建立英国第一个移动电话网。此项工程于1985年开始。20世纪90年代，沃达丰收购了其他公司并在全世界建立了它的网络伙伴。2000年沃达丰获得了德国曼内斯曼公司，从而将规模扩大了2倍。曼内斯曼公司原名曼内斯曼钢管公司，1890年建立，后成为一家最大的钢管件制造厂。20世纪30年代成为鲁尔区六大钢铁厂之一。1952年德国基础工业按照盟国占领方针改组后，该公司成为一个独立的曼内斯曼公司，并在巴西、加拿大、阿根廷、奥地利和其他欧洲国家开展业务。沃达丰对曼内斯曼的竞标促成了世界上最大的合并。沃达丰成为世界上最主要的移动电讯服务的提供商，并在30多个国家有业务。

vodka　伏特加　蒸馏酒。无色透明，没有独特的香气和风味，含酒精40%～55%(容量)。因为在加工时除去了香味成分，质地非常纯粹，所以可用最廉价发酵原料的醪液制成，俄罗斯与波兰传统上用马铃薯，但现今已同其他产伏特加酒的国家一样多用谷物。伏特加酒源于14世纪的俄国，名称来自俄语voda(水)。这种饮料流行于俄罗斯、波兰及巴尔干国家。第二次世界大战后不久，消费量猛增，先是美国，而后扩大到欧洲。多数生产者购进精馏的、几乎不含香味成分的高浓度纯酒精，经木炭过滤提纯后，加蒸馏水稀释装瓶，不经陈酿制成。俄罗斯的伏特加含酒精40%(美国标准酒精度80)，波兰一般为45%；伏特加一般不与其他酒混合，经冷藏后就着开胃菜用小杯饮用。其他国家多用作混合饮料，因为伏特加酒本身无臭无味，可以代替其他烈性酒配制不带原烈性酒味的鸡尾酒。流行的伏特加饮料，有加橙汁的伏特加橙汁鸡尾酒、加番茄汁的伏特加番茄汁鸡尾酒、伏特加滋补酒(一种高杯饮料)以及代替杜松子酒配制的伏特加马丁尼酒。也有香料型伏特加，如芳香露酒，色黄、浓香带苦，用水牛草浸泡而成。其他有添加柠檬皮、浆果、胡椒粒及茜蒿的伏特加酒。

vodyanoy　沃迪亚诺伊　斯拉夫神话中的水妖。是一种心怀邪恶和喜欢报复的精灵。他最喜爱的活动是把人溺死。凡是在日落之后，或在圣日，或没有事先划十字就洗澡的人，都有被水妖吸入水中的危险。他还能变化成多种形体来诱骗受害者。

Voegelin, Eric (Herman Wilhelm)　沃格林(1901-01-03，科隆～1985-01-19，美国加利福尼亚斯坦福)　德裔美籍政治学家、多学科学者，以研究现代政治思想及努力开创一种有关人类、社会与历史的综合哲学而著称。1922年获维也纳大学哲学博士学位，1929～1938年在该校讲授法律。纳粹德国吞并奥地利时他避往瑞士，后转美国，1944年加入美国籍。先后在哈佛大学、佛蒙特本宁顿学院、亚拉巴马大学和路易斯安那州立大学执教。1958～1969年在慕尼黑大学讲授政治学。返回美国后，任加利福尼亚州斯坦福市胡佛战争、革命和和平研究所高级研究员。尤以对存在哲学的研究最为著称。他考察各国政治制度，遍阅古今典籍，研究语言符号和文化性质。他的工作集中于对政治社会中的统治符号和虚构的信念作出解释。其主要著作有：《专制国家》(1936)、《新政治学》(1952)、《秩序与历史》(4卷本，1956～1974)、《科学、政治与诺斯替教》(1959)和《由启蒙到革命》(1975)等。

Voetius, Gisbertus　富蒂乌斯(1589，荷兰赫斯登～1676)　荷兰基督教归正宗神学家、闪米特语学者、教育家。曾在乌得勒支大学任教。他严格持守加尔文的得救预定说，抨击17世纪法兰西哲学家笛卡儿的理性主义思想，斥之为无神论。

Vogel, Hermann Karl　沃格尔(1842-04-03，德国莱比锡～1907-08-13，德国波茨坦)　德国天文学家。他发现分光双星——两子星彼此十分靠近的一种双星，因为它们距离太近，用任何现今的望远镜都无法分辨，只有分析它们的光线才能发现它们是两颗彼此快速绕转的恒星。从1867年起沃格尔是莱比锡天文台的助理。1870年他成为德国博斯康普地方一座私立天文台的台长。他早期的主要工作是研究行星光谱(行星星光的特征波长)，以获得关于行星大气的资料。研究结果发表在他的《行星光谱》(1874)一书中。1874年为新建成的波茨坦天体物理台的成员，1882年任台长。1887年沃格尔开始进行一项研究恒星视向运动的光谱测量计划，并在恒星分光中引进了照相术。在工作中他发现大陵五有一个暗星(约有太阳那么大小)伴随，这颗暗星周期地掩食大陵五，使大陵五亮度发生变化。沃格尔也因恒星分类工作而出名。1874年首次提出沃格尔系统，1895年作了修改。该系统的基础是意大利天文学家A.塞奇的早期研究。

Vogel, Sir Julius　沃格尔(1835-02-24，伦敦～1899-03-12，英格兰萨里东莫尔西)　新西兰政治家、新闻工作者和商人，以其在19世纪70年代通过由英国贷款资助兴建大规模公共工程从而复兴新西兰经济的大胆规划而著称。为在维多利亚发现金矿所吸引，于1852年移居澳大利亚，从事商业和新闻业，获得成功。在竞选公职遭到惨败后，于1861年迁往新西兰奥塔戈，不久将《奥塔戈每日时报》办成这个殖民地最重要的报纸。1863年选入议会，1865～1868年领导反对党。1869年成为W.福克斯内阁的殖民地财政部长，这是他掌管"一系列部"的开始，不管他掌管哪个部，他总是新西兰政府中真正的掌权者。只要合他的意，他对过去由别人制订的方针政策，例如废除各省政府，他都执行。他还选用曾组成各部和领导政府达10年以上的那些老人。他的财政手段，特别是与英国政府进行谈判取得贷款，使他得以一展宏图。他任财政部长(1869～1872)和总理(1873～1875，1876)时所实行的发展计划承担修建交通运输和通信设施以及其他公共工程。1875年受封为爵士。他坚决主张英国在太平洋扩展势力，促使英国于1874年吞并斐济。1876～1880年任新西兰驻伦敦总代表，1884年重返新西兰政坛，成为R.斯托特内阁(1884～1887)中的实权人物。但他未能阻挡新西兰经济萧条，1889年辞去议员职务。同年出版小说《公元2000年：妇女的命运》。

Voghera　沃盖拉　意大利北部伦巴第区帕维亚省城镇。位于帕维亚西南，斯塔福拉河畔。17世纪的圣洛伦佐教堂和尚未用过的罗马式圣伊拉里奥教堂很著名。为重要的农产品市场。设有农业培训学校。有纺织、机械和食品等工业，建有水电站。人口：都市区约40 498(1993)。

Vogt, Johan Herman Lie　福格特(1858-10-14，挪威特维斯特朗～1932-01-03，特隆赫姆)　挪威地质学家和岩石学家。首先引用物理和化学方法研究火成岩和矿石起源。1886年任克里斯蒂安尼亚(现名奥斯陆)大学冶金学教

挪威新闻处供图

授。其第一部重要著作《对炉渣的研究》(1884)探讨了高炉熔渣的结晶情况，并指出熔渣同某些火成岩之间在矿物成分和结构上都十分相似。关于熔渣的主要著作《熔融的

硅酸盐熔液》于 1903 ～ 1904 年出版。其研究开始将溶液的已知规律用于火成岩岩浆的结晶作用，并大大地激发了后继的定量研究。1912 年在特隆赫姆高等技术专科学校任矿物学教授，16 年后退休。

Vogt, Nils Collett　沃格特(1864-09-24，挪威克里斯蒂尼亚[今奥斯陆]～ 1937-12-23，奥斯陆)　挪威小说家、诗人。作品主要描写两代人之间的矛盾以及争取思想自由的斗争。他的第一部小说《他家的不幸》(1889)描述青年人对老年人主宰的社会制度的反抗。他本人就曾反抗过自己的守旧家庭，而成为豪放不羁的激进派。他非常同情工人运动，并写歌词颂扬他们。他最受赞赏的作品是他的多卷抒情诗，其中有《珍贵的面包》(1900)，《九月之火》(1907)以及最后的诗作《一生见于诗》(1937)。

Vogtland　福格特兰　德国东南部萨克森州西南部的一个自然和文化区。位于巴伐利亚州和捷克共和国之间。是一个森林茂密、多山的高原，有魏斯-埃尔斯特河向北流过。东有厄尔士山脉、南有菲希特尔山、西有图林根林山和弗兰克林山。在神圣罗马帝国霍亨斯陶芬王朝统治时期(1138 ～ 1254)，管理这一地区的官员称为福格特。到 1466 年，韦廷家族控制这一地区的大部分地方，此后其政治兴衰与萨克森地区相联系。长期以来主要产品为纺织品和服装。从 17 世纪开始，福格特兰东南部地区的乐器制造业占有重要地位。克林根塔尔和马克诺伊基兴分别以制作簧管和弦乐器为其特色。福格特兰亦为娱乐中心。尤以冬季运动为主。巴特埃尔斯特和拉迪温巴特-布兰巴赫的温泉吸引了许多人来此休假和疗养。

Vogul (people)　**沃古尔人**　参阅 **Khant and Mansi** 汉特人和曼西人。

Vohu Manah　善思　琐罗亚斯德教智慧神阿胡拉·玛兹达所创造的六天使之一，目的在于帮助他除恶扬善。根据琐罗亚斯德教教义，由于先知琐罗亚斯德是在梦幻中由善思领至阿胡拉·玛兹达面前，任何人如要认识智慧神都必须由此不死天使指引。由于善思是最亲近阿胡拉·玛兹达的天使，所以琐罗亚斯德历法中的 2 月就称善思月。他的圣兽是母牛，即善的象征。

voice　语态　语法术语。动词的一种形式，表明一句话里所述事件之参与者(主语，宾语)同该事件之间的关系。各种语言中通常都把语态区分为主动语态、被动语态和中间语态。这种区分方式可以像拉丁语那样，以单词的屈折变化来表示，也可以像英语那样，用句法变化表示。关于主动语态与被动语态的对照情况，可用下列两个句子说明：

主动语态：The hunter killed the bear.
(猎手杀了熊。)
被动语态：The bear was killed by the hunter.
(熊被猎手杀了。)

两句所表达的动作相同，但其中心点则不同。在主动语态句子里，主语作为动作者或主动者支配动作过程，而动作可以有一个宾语作为其目的。被动语态则表示主语是接受动作的。如上述被动句里，动作的目的("熊")已经主题化，成为语法主语并接受主动者("猎手")的动作，这个主动者就成了逻辑主语而非语法主语。被动结构的句子并不一定要求表示出主动者，例如：

被动语态：The bear was killed.
(熊被杀了。)

虽然英语的许多及物动词都可以有主动语态或被动语态这两种形式，但仍有例外。有些英语及物动词不能用于被动语态，由下例可见：

句子：This hotel room sleeps six people.
(这个旅馆房间睡六个人。)
非句子：Six people are slept by this hotel room.
(六个人被这个旅馆房间所睡。)

语言学者认为，原始印欧语区分主动语态和中间语态，后来印欧诸语言里的被动语态就是由中间语态发展而成的。中间语态可以表示一种动作，也可以表示一种以动词的主语为主要注意对象的状态，这可由下述俄语例句中看出：

主动语态：Ivan bril Pyotra.
(伊凡正在为彼得修面。)
中间语态：Ivan brilsya.
[伊凡正(由他自己或别人给他)修面。]

在中间语态的句子里，主语可以是主动者，也可以不是：中心点是影响主动者的动作；而在被动语态里，中心点是动作的接受者。

语态范畴并不是所有语言里都有的。凡是凭借句中动词的不同形式以改变其中心点而又保持其涵义不变的各种语言，均可视为具有语态范畴的语言。

voice　浊音　又作full voice。语音学术语，发音时声带振动的语音。所有元音一般都是浊音，而辅音则既可能是浊音，也可能是清音(发音时声带不颤动)。英语中流辅音 *l* 和鼻音 *m*、*n*、*ng* 通常都是浊音，而塞音、擦音、塞擦音一般都有浊音与清音两种形式。例如，英语中 *b* 音是一个双唇浊塞音，而 *p* 则是一个双唇清塞音。在其他塞音、擦音和塞擦音中，*v*、*d*、*th*[如 this(这个)中的 *th*]、*z*、*zh*[pleasure(高兴)中的 *s* 音]、*j*[如 jam(果酱)中的 *j*]和 g 音一般都是浊音；而 *f*、*t*、*th*[如 thin(薄的)中的 *th*]、*s*、*sh*、*ch* 和 *k* 音都是清音。参阅 **vocal fry**；**whisper**。

voice box (anatomy)　参阅 **larynx** 喉。

voiceidentification　语音识别法　警务人员根据不同的人声波的间歇、频率和强度的差异对人进行识别的一种方法。使用音响摄谱仪可把声波以曲线形式记录下来，再与别人的声波曲线相比较，加以识别。这种声波曲线虽然在法庭的诉讼程序中一直在使用，但它在识别上是否准确，言语科学家们现在仍有争议。

Voice of America (VOA)　**美国之音**　美国政府办的无线电广播网，为美国新闻署一个下属单位。最早以德语于 1942 年 2 月 24 日开播，目的是为了抵消纳粹对德国人民的宣传。第二次世界大战结束时，美国之音以 40 种语言播音，每周播放3 200小时的节目。美国新闻署 1953 年成立时，VOA 成为它的组成部分。美国之音的职能是促进了解美国和传播美国价值观。冷战期间，它的报道针对东欧和中欧共产党国家。每天播放的节目包括新闻报道、关于美国政治和文化事件的报道和论述，以及阐述美国政府政策的社论。美国之音用英语和多种外语制作和播放节目，并拥有广播发射台和转播台传送这些节目。

void (mysticism and religion)　参阅 **emptiness** 空。

voir dire　陪审官资格审查　在法律上，指从大批预期的陪审官名单中或是从陪审官的候选人中通过询问来挑选陪审团组成人员的程序。陪审官候选人是由法官询问，而且，更多地是由双方当事人的律师询问。这种审查力图考察陪审官候选人是否怀有偏见或对被告人有罪、无罪是否已有预先的想法。当事人(包括原告)可以要求陪审官有因回避，这种申请的次数不受限制。他们还可以要求陪审官无因回避，但次数有一定限制。

Voit, Carl von　福伊特(1831-10-31，德国巴伐利亚安贝格～ 1908-01-31，慕尼黑)　德国生理学家。精确测量了哺乳动物(包括人)机体总的新陈代谢(可观测到的所有身体新陈代谢过程的总和)，促进了关于代谢的生理学研究，并为现代营养科学打下基础。曾在慕尼黑大学师从 J. 李比希及 F. 维勒；1863 ～ 1908 年任该校生理学教授；并参加了一系列实验以测定不同情况下动物对蛋白质、脂肪及糖类的利用和代谢。1862 年与德国化学家 M. 冯·佩滕科弗合作，开始研究新陈代谢。他们建成一个可供人体实验的"呼吸室"，并准确地测量食物的摄入和排泄量、氧气的消耗量、二氧化碳和热的产生量等，以研究活动、休息和禁食(包括糖尿病和白血病病例)状态下动物的新陈代谢。经过 11 年认真细致的实验，他们最先根据热的摄取量，精确测定了人类的能量需要，证明了能量守恒定律亦适用于活动物体，从而建立了新陈代谢的基础在于细胞，而不在于血液的概念。福伊特还指出，动物需要氧气是新陈代谢的结果，而不是原因；二氧化碳的产生与肌肉活动速度成正比；身体对蛋白质的需要决定于新生组织的构成需求，而身体对脂肪和糖的需要则决定于进行机械功的数量。

Voiture, Vincent　瓦蒂尔(1597-02-24，法国亚眠～ 1648-05-26，巴黎)　法国诗人、书简作家，朗布耶夫人沙龙中的活跃人物。早年在巴黎完成学业，结识了老诗人 F. 德·马莱伯和 G. 德·巴尔扎克，并与后者共同致力于法语的改革。在政治上，他效忠奥尔良公爵，甚至于 1632 年陪同他一起流放，后又作为他的代表出使西班牙，1634 年回到法国，随即当选为法兰西学院院士。瓦蒂尔的社交诗文笔轻浮而不失魅力;《书信集》(1649)情趣盎然,引喻精妙,颇受朋友们推崇。他又是重要的"十四行诗论战"中的核心人物之一,当朗布耶夫人沙龙的外围成员 I. 德·邦塞拉德的十四行诗《约伯》发表后,瓦蒂尔即以《乌拉尼与菲利斯之爱》酬答,瓦蒂尔的崇拜者终于最后获胜,但激烈的争吵使双方失和,时值"投石党"内战爆发,朗布耶夫人沙龙因而停办。

Vojvodina 伏伊伏丁那 塞尔维亚共和国的自治省,包括位于多瑙河和提苏河及匈牙利边境间的巴齐卡、巴齐卡东面的巴纳特和南面的斯雷姆。全省大部为广阔的平原,属潘诺尼亚流域(或平原)的一部分。近似大陆性气候,年平均降雨量约 610 毫米。肥沃的黑土壤使该省成为塞尔维亚的农业中心。谷类(尤其是小麦和玉米)以及经济作物均有栽培,还有制糖厂、酿酒厂、水果和蔬菜罐头厂以及大型磨粉中心。还饲养家畜。巴纳特油田和天然气田就在弗尔沙茨和基金达附近。潘切沃有一个重工业联合企业。省内交通网四通八达,有公路和铁路通往贝尔格莱德、札格拉布、布达佩斯、罗马尼亚和巴尔干南部诸国,此外还有广大的运河网和航行水道。主要城镇有行政中心诺维萨特、苏博蒂察和兹伦亚宁。伏伊伏丁那省内的人口一半以上为塞尔维亚人,匈牙利人为人数多的少数民族,还有克罗地亚、斯洛伐克人和其他一些种族。6、7 世纪时首先定居该省的是斯拉夫民族;匈牙利游牧民族(马扎尔人)于 9 ~ 10 世纪抵达该地,奥斯曼突厥人则于 16 世纪初来此。17 世纪末和 18 世纪许多塞尔维亚人从土耳其统治的塞尔维亚本土移民迁入,同一时期,大量的德国人及匈牙利人也来到此地。1918 年伏伊伏丁那并入塞尔维亚。面积 21 506平方千米。人口2 031 992(2002)。

voladores, juego de los 飞人舞 哥伦布发现美洲前的墨西哥礼仪舞,可能起源于现韦拉克鲁斯和普埃布拉两州的托托奈克和华斯

墨西哥塔欣的托托奈克印第安人表演飞人舞
墨西哥全国旅游事业管理委员会供图

台克地区,当地至今仍跳此舞。虽然服装、音乐均显示出西班牙文化的影响,但舞蹈本身几乎完全保留原来形式。一根高 18 ~ 27 米的柱子上端设有一平台,4 名或 6 名男子就在平台上跳舞,舞蹈结束时把舞蹈者系于柱上的安全索被放松,他们遂绕柱盘旋而下。古时该舞所具有的庆丰年的意义已消失,但 4 名或 6 名舞蹈者这一数字,反映了基督教出现前的典礼仪式朝向:东南西北加上天顶、天底。

volante 西班牙式双轮马车 曾在西班牙、古巴、墨西哥和美国路易斯安那州流行的双轮、有篷马车,能乘坐一二人。车身装在轮子的前方,与长车辕连接。这种马车通常由

西班牙式双轮马车
供图:Suffolk Museum and Carriage House at Stony Brook, Long Island, N.Y., U.S.

车夫乘骑在一匹马上拉行,但有时也可用二三匹马牵引。

Volapük 沃拉卜克语 1880年德国传教士 J.M.施莱耶尔构拟的一种人造语言,原拟用作国际第二语言。沃拉卜克语的词汇以英语和罗曼诸语言为基础,但其词根事实上已经变得面目全非,例如 *lol* 来自英语"rose"(玫瑰花),*nim* 来自"animal"(动物),*Melop* 来自"America"(美洲)。这些词的外形生疏,语法几乎与拉丁语同样复杂,所以很难学习。沃拉卜克语的名词有 4 个格;6 个代词有复数形式;动词有 6 个人称和时态,还有陈述式、被动式、不定式、不定过去时、条件-连接式、祈使语气和分词形式,每一种形式都有或几乎都有词形变化。尽管沃拉卜克语复杂的语法使它难于学习,但其拼写法和语法的规律性却使它的难度相对地有所减低,因之在 19 世纪 80 年代,在它的竞争者世界语(Esperanto)出现以前,成千上万的热心者学习沃拉卜克语,举行各种会议,并用这种语言出版各种书籍和期刊。

volcanic dome 火山穹丘 又称熔岩穹丘(lava dome)。当到达地球表面的熔岩是那样黏滞,以致不能顺畅流走而积聚在火山口周围而形成的任何边壁陡峭的穹丘。有时,穹丘由自顶峰火山口反复喷出的短熔岩流形成,偶尔地也有特别黏稠的熔岩自火山口挤出,就像从稍稍压窄了的管子里挤出一段短牙膏一样。但是,更常见的情况是,最初较小的喷出物逐渐被从内部挤出的新熔岩所增大。扩大的穹丘凝固的外壳里形成的裂缝可以容许小的熔岩流到它的侧翼或它基底的周围,但是,在极大程度上,穹丘的生长单纯地是缓慢的膨胀。当穹丘生长时,扩大的外壳破裂,它的碎块向下滚,在其底部周围形成大量角状岩屑。穹丘外壳连续不断地破裂的结果形成大量细屑,几乎埋住了穹丘的固体部分。火山穹丘可以在复式火山(也就是由熔岩流与火山渣、火山砾、火山灰及其他火山碎屑喷出物相交替组成的火山)的顶峰火山口上发育,也可以完全远离任何火山口而发育。它们可以达到几百米的高度,而横径可达几千米。已知最大的火山穹丘之一是构成美国加利福尼亚州北部拉森峰上部的火山穹丘。拉森穹丘高 600 多米,直径约 3.2 千米。刚好位于拉森峰以北的克欧斯崖构成一列壮观的穹丘。

volcanic glass 火山玻璃 由化学成分接近花岗岩(石英加碱性长石)的熔岩或岩浆形成的任何玻璃质岩石。这种熔融的物质可以达到很低的温度还不结晶,但黏度可以变得很高。因为黏度高阻止了结晶作用,当这种物质从火山口喷出时,突然冷却和丧失挥发物,被迫凝固,淬冷成为玻璃,而不结晶。火山玻璃不稳定,往往自然从玻璃态转变为结晶态(脱玻作用),这种转变经历的时间,从地质标准来看是比较短的。这种物质由于出现了微小的结晶质集合体,而具有石质的外观。因此,地质年代古老的玻璃很少见,多数玻璃质岩石都是第三纪的或第三纪以后的(不超过6 640万年)。有很好的理由相信,在古老的地质时期曾有过大量玻璃质岩石,但是以后几乎全部都脱玻化了。脱玻作用常常沿着玻璃内的裂缝或围绕大晶体开始,并向外扩展,直至全部岩体转变成为石英、鳞石英和碱性长石的细小晶体为止。许多天然玻璃的特征是具条纹状或旋涡状构造,这由晶体和晶质体的条带或成串排列构成,这种构造被认为是黏性熔岩流动形成的。一些流动构造由各种不同颜色物质的条带相互交替而成;另一些流动构造则是无气泡的玻璃层与高度泡沫化的玻璃相互交替而成。参阅 **obsidian; tachylyte**。

volcanism 火山活动 也作 vulcanism。与火山、间歇泉、喷气孔相关联的地表排放熔岩或热水与蒸汽的任何一种过程和现象。虽然地球上的火山活动最为人们熟知,但是有迹象表明,在水星、金星、火星这类行星以及某些卫星的演化过程中,火山活动起着重要的作用。在地球上,火山活动通常在一些不寻常的地质背景上发生,其中大多数都与构成岩石圈(包括地壳与上地幔)的庞大、刚性板块的边界有关。参阅 **plate tectonics**。大多数地球活火山(约 80%)和有关的现象发生在两个岩石圈板块相聚,并且其一叠置到另一之上(迫使在下者沉入地幔重被吸收)之处。通常称为岛弧的长弧形岛链就形成于这个俯冲消减带上。爆发型火山构成许多单排岛弧或双排岛弧中内侧的一排岛链。所有这些邻接太平洋海盆的岛屿,通常都是由玄武岩浆和安山岩浆自海底喷出而造成的。活火山活动的第二种主要地点是沿着大洋中脊轴,该处的板块在脊两侧向两边分开,岩浆自地幔涌出,沿两侧板块的后缘形成新的洋底。所有这类火山活动实际上都发生于水下。在少数地方,洋中脊自深海底高耸出水面而出现地表火山活动,冰岛就是最著名的实例。沿洋中脊涌出的岩浆为玄武岩成分。也有较少数的火山发生在远离板块边缘的内部。某些火山,如位于太平洋板块中部的夏威夷火山岛群,据信是因为板块运动经过"热点"(岩浆

由此流出地表)而形成的。这些岩浆独特地生成一串逐次老化的火山链,这标志出过去板块运动经过特殊的“热点”的轨迹。高度活跃的东非大裂谷火山群也发生在板块(非洲板块)的中部,不过表现为不同机制的结果,可能是一种特别缓慢的板块扩张形式的结果。

volcano 火山 复数为 volcanoes 或 volcanos。在地球或其他行星或卫星(例如木卫一)的表壳上,排出熔融岩石、火成碎屑物质及喷气的任何出口。火山通常划分为两个大的类型:裂隙式和中心式。每一类型都有与之相关的不同喷发方式及表面构造。裂隙式火山比中心式火山要常见得多。它们沿地壳断裂分布,可以延伸很多千米。其熔岩通常成分为玄武岩质的,从裂隙里比较宁静地、连续不断地溢出,并形成广大的火山岩平原或高原。沿着大洋中脊顶部,常有海底裂隙喷发,这在海底扩张假说中是起关键作用的(参阅 **seafloor spreading hypothesis**)。当熔岩在水下喷发时,常常形成枕状熔岩,也就是直径达几米的布袋状岩块成堆产出。中心式火山有简单的、竖直方向的熔岩管,并倾向于发育出锥状剖面。火山锥一般由熔岩、熔结凝灰岩及熔合凝灰岩(为固化火山灰及火山尘埃颗粒胶结而成的多孔状岩石)的层序所构成。熔岩从中心式火山的喉管,沿着最易行的通道,向山下流去,其流动模式强烈地受到地形的影响。

任何已给定的火山地貌之形态,决定于地方性环境的类别,也决定于熔岩、凝灰岩和熔结凝灰岩的相对丰度。这相对丰度本身,又决定于到达地表的岩浆的成分。黏度越低,熔岩越易于从火山喉管或裂隙中往外流出。结果,形成边坡陡峻火山锥的趋势就较小。但是,岩浆越是黏稠,它在靠近源头处变冷、凝固并形成火山锥的趋势就越大。在很多情况下,高黏稠度的熔岩也可能堵塞火山喉管,使得压力上升,只有通过猛烈爆发并形成炽热火山云,这种压力才得到解除。这种爆发的例子有20世纪80年代早期美国华盛顿州西南部的圣海伦斯火山及公元79年意大利的维苏威火山,这种喷发可以完全掀掉火山锥的顶部,偶尔还能将火山锥内部之一部分也掀掉。结果产生的、大约呈圆形的洼地就叫作破火山口。再度的喷发可能导致在火山锥内形成一个熔岩湖,如果熔岩冷却凝固,雨水向内流入,则可能在熔岩湖的表面上

世 界 主 要 火 山

名称及所在地	海拔(米)	首次喷发时间(年)	备 注
非 洲			
乞力马扎罗火山,坦桑尼亚	5 895	…	包括3座休眠火山:基博、马文济及希拉,均未在有史时期喷发
喀麦隆火山,喀麦隆	4 100	1650	1982年喷发使得300名以上的邻近居民撤离家园
泰德峰火山(特内里费岛),加那利群岛	3 718	…	1705年的一次喷发掩埋了加拉奇科城,并填满了港湾
尼拉贡戈火山,刚果(金)	3 475	1884	1928～1977年几乎连续地多次喷发
尼亚穆拉吉拉火山,刚果(金)	3 055	1882	1982年喷发时造成的最大熔岩流,摧毁了一片13千米长的森林
福古火山,佛得角岛	2 829	1500	
卡尔塔拉火山,科摩罗	2 361	1828	
富尔奈斯火山,留尼汪岛	1 823	1640	1640年第一次喷发,据报道持续了近10年
艾尔塔-阿莱火山,埃塞俄比亚	503	1873	此火山1967～1980年几乎连续地喷发
北 美 洲			
锡特拉尔特佩特火山,墨西哥	5 610	…	
波波卡特佩特火山,墨西哥	5 465	1347	
雷尼尔火山,美国华盛顿州	4 392	1825	
沙斯塔火山,美国加利福尼亚州	4 317	…	
科利马火山,墨西哥	4 240	1576	
塔胡穆尔科火山,危地马拉	4 220	1821	
阿卡特南戈火山,危地马拉	3 976	1924	
富埃戈火山,危地马拉	3 763	1524	
胡德山,美国俄勒冈州	3 424	1800	
斯珀火山,美国阿拉斯加州	3 374	1953	1953年喷发的火山灰高19千米
贝克火山,美国华盛顿州	3 285	1820	
拉森火山,美国加利福尼亚州	3 187	1650	美国本土少数的活火山之一
里道特火山,美国阿拉斯加州	3 108	1778	
伊利亚姆纳火山,美国阿拉斯加州	3 053	1768	
希沙尔丁火山,美国阿拉斯加州	2 857	1775	
帕里库廷火山,墨西哥	2 807	1943	1943年的喷发一直持续到1952年,火山锥增高了427米,1949年的喷发造成1 000人死亡
巴甫洛夫火山,美国阿拉斯加州	2 714	1790	1981年的喷发使得火山灰及蒸气冲入大气层中5千米
波阿斯火山,哥斯达黎加	2 704	1834	
帕卡亚火山,危地马拉	2 552	1565	活动的火山锥体在20世纪80年代初成长了274米以上
圣海伦斯火山,美国华盛顿州	2 549	1500	1980年的喷发使得约66人死亡或失踪,并摧毁了259平方千米以上的森林
韦尼阿米诺夫火山,美国阿拉斯加州	2 507	约1750	1984年一新的火山渣锥和山顶的火山口一起生成
埃尔奇琼火山,墨西哥	2 225	…	1982年的喷发毁去方圆8千米之内大多数的村庄,死亡100多人,喷发造成的火山尘冲入大气32千米,并围绕地球
圣米格尔火山,萨尔瓦多	2 180	1586	
奇吉纳加克火山,美国阿拉斯加州	2 126	1852	
卡特迈火山,美国阿拉斯加州	2 047	1912	1912年的喷发在附近堆积了近15米厚的火山灰,位于160千米外的科迪亚克岛火山灰厚达30厘米
马库欣火山,美国阿拉斯加州	2 035	1768	
伊萨尔科火山,萨尔瓦多	1 965	1770	
圣克里斯托瓦尔火山,尼加拉瓜	1 745	1522	
大锡特金火山,美国阿拉斯加州	1 737	1760	
阿雷纳尔火山,哥斯达黎加	1 633	1968	自1968年以来,熔岩几乎不断地涌出
康塞普西翁火山,尼加拉瓜	1 610	1750	

续表 1

名称及所在地	海拔(米)	首次喷发时间(年)	备　注
培雷火山,马提尼克	1 397	1792	1902 年的一次喷发使得 26 000 人死亡
莫莫通博火山,尼加拉瓜	1 280	1550	莫莫通博的地热厂在 1983 年启用
基斯卡火山,美国阿拉斯加州	1 220	1907	
特利卡火山,尼加拉瓜	1 060	1527	1982 年的喷发,火山灰喷入大气中几达 5 千米,并散布到 48 千米之远
南 美 洲			
瓜亚蒂里火山,智利	6 060	1825	
科托帕希火山,厄瓜多尔	5 897	1532	世界上最高的持续性活火山
埃尔米斯蒂火山,秘鲁	5 823	1542	在印加文化的宗教上有重要意义的休眠火山
图蓬加蒂托火山,智利	5 640	1829	
拉斯卡尔火山,智利	5 592	1848	
鲁伊斯火山,哥伦比亚	5 400	1595	1985 年由爆发而造成的泥流使 22 000 多人死亡
桑盖火山,厄瓜多尔	5 230	1628	
托利马火山,哥伦比亚	5 215	1822	
通古拉瓦火山,厄瓜多尔	5 033	1534	
普拉塞火山,哥伦比亚	4 800	1827	1949 年的一次喷发使得 1 000 人死亡
瓜瓜皮钦查火山,厄瓜多尔	4 794	1533	
劳塔罗火山,智利	3 380	1878	
亚伊马火山,智利	3 125	1640	
比亚里卡火山,智利	2 840	1558	
哈得孙火山,智利	2 615	1971	
南 极 洲			
埃里伯斯火山,罗斯岛	3 743	1841	20 世纪 70 年代几乎每年都喷发
达恩利火山,桑威奇群岛	1 100	1823	
迪塞普申岛火山	576	1800	
亚洲、大洋洲、太平洋			
克柳切夫火山,俄罗斯堪察加半岛	4 750	1697	堪察加半岛上 22 座活火山中最高者
冒纳凯阿火山,夏威夷	4 205	…	常为白雪覆盖的休眠火山,由位于海床的底部算起到顶端高达 9 750 米,是世界上最高的海岛山峰
冒纳罗亚火山,夏威夷	4 169	1750	世界上最大独立山块的一部分。1984 年的喷发造成向上延伸 11 千米的云,及超过 47 平方千米的熔岩流
葛林芝火山,印度尼西亚苏门答腊	3 800	1838	
富士火山,日本本州岛	3 776	781	日本最高山峰,其白雪覆盖的对称火山锥,是日本艺术界最喜好的主题
林贾尼火山,印度尼西亚龙目	3 726	1847	
托尔巴奇克火山,俄罗斯堪察加半岛	3 682	1740	1940 年来曾在山顶及南、西南两翼喷发
塞梅鲁火山,印度尼西亚爪哇	3 676	1818	
伊钦斯卡亚火山,俄罗斯堪察加半岛	3 621	…	无喷发记录的熔岩穹窿
克罗诺基火山,俄罗斯堪察加半岛	3 528	1922	
科里亚克斯卡亚火山,俄罗斯堪察加半岛	3 456	1895	
士拉末火山,印度尼西亚爪哇	3 428	1772	18 世纪以来已有 30 多次的喷发记录
拉翁火山,印度尼西亚爪哇	3 332	1586	1638 及 1730 年的喷发均造成约 3 000 人死亡
希韦卢奇火山,俄罗斯堪察加半岛	3 283	1793	
登波火山,印度尼西亚苏门答腊	3 159	1817	
孙多罗火山,印度尼西亚爪哇	3 151	1806	
希里梅火山,印度尼西亚爪哇	3 078	1698	
御岳火山,日本本州岛	3 063	1979	
帕潘达扬火山,印度尼西亚爪哇	2 987	1772	
格德火山,印度尼西亚爪哇	2 958	1747	有记载的喷发超过 20 次
茹帕诺夫斯基火山,俄罗斯堪察加半岛	2 958	1776	
阿波火山,菲律宾棉兰老	2 954	…	
默拉皮火山,印度尼西亚爪哇	2 911	1006	1006 年以来已有 55 次以上的喷发记录
别济米扬尼火山,俄罗斯堪察加半岛	2 900	1955	1956 年的大爆发,在约 10 千米的范围内火山灰堆积深达 50 千米,29 千米的范围内仍可量到 28 厘米深度,泥流则延伸达 80 千米
马拉皮火山,印度尼西亚苏门答腊	2 891	1770	有 50 多次喷发的记录
坦博拉火山,印度尼西亚松巴哇	2 850	1812	1815 年喷发引起的海啸,致使 56 000 人死亡
鲁阿佩胡火山,新西兰北岛	2 797	1861	
珀韦萨古火山,印度尼西亚苏门答腊	2 780	1918	
阿瓦恰火山,俄罗斯堪察加半岛	2 751	1737	
巴尔比火山,巴布亚新几内亚布干维尔	2 743	…	在近代历史中无任何喷发记录
马荣火山,菲律宾吕宋岛	2 421	1616	
阿莱德火山,俄罗斯千岛群岛	2 335	1790	
乌拉文火山,巴布亚新几内亚新不列颠	2 296	1700	
拉明顿火山,巴布亚新几内亚新几内亚	1 780	1951	1951 年的喷发造成 3 000 人丧生
克鲁德火山,印度尼西亚爪哇	1 731	1000	1586 及 1919 年的喷发分别造成 10 000 及 5 000 人丧生

续表 2

名称及所在地	海拔(米)	首次喷发时间(年)	备　注
皮纳图博火山,菲律宾吕宋岛	1 460	1380	1991 年的喷发可能造成比 20 世纪中任何一次火山喷发更多的火山灰和火山尘
洛佩维岛火山,瓦努阿图	1 364	1864	
云仙火山,日本九州岛	1 360	860	1792 年的喷发造成 10 000 多人丧生
阿武火山,印度尼西亚桑义赫岛	1 320	1640	1711 及 1856 年的喷发分别造成 3 200 及 2 800 人丧生
基拉韦厄火山,夏威夷	1 243	1750	1983 年起基拉韦厄的熔岩河到达 48 千米远的海中
喀拉喀托火山,印度尼西亚喀拉喀托	813	1680	喀拉喀托火山 1883 年的喷发是历史上最大的灾难之一。一系列的大爆发,最大的一次在 4 670 千米以外都可听见,爪哇及苏门答腊的 36 000 死亡人数中,大部分是被潮浪淹死
诹访之濑岛火山,日本琉球群岛	799	1813	
塔阿尔火山,菲律宾吕宋岛	400	1572	1906 及 1911 年的喷发分别使得 1 500 及 1 300 人丧生,1965 年喷发时,伴随的潮浪使得围绕着火山的塔阿尔湖中许多船只沉没
欧洲和大西洋			
埃特纳火山,意大利	3 323	…	约200 次有记载的喷发。1536 年的喷发使得约 1 000 人丧生,1669 年则造成 20 000 人丧生
贝伦火山,挪威	2 277	1558	
特里斯坦-达库尼亚岛火山,南大西洋	2 060	1700	
克韦尔克火山,冰岛	1 920	1477	
阿斯恰火山,冰岛	1 570	1875	
海克拉火山,冰岛	1 491	1104	
卡特拉火山,冰岛	1 363	1177	
维苏威火山,意大利	1 280	…	公元 79 年的喷发以火山灰及火山砾摧毁了庞贝城及斯塔比伊城,并以泥流埋没了赫库兰尼姆
斯特龙博利火山,意大利	926	…	西西里北方,与所在海岛同名的火山。其火山活动造成了"斯特龙博利的喷发"一词
克拉夫拉火山,冰岛	818	1300	自 1975 年至 20 世纪 80 年代初期几乎不断地有火山喷发
锡拉火山,希腊	556	…	约在公元前 1500 年的一次火山喷发,使得锡拉岛上所有的生物死亡
武尔卡诺火山,意大利	195	…	亚里士多德曾观察过的火山,他并以希腊字"tephra"(灰)来描述正被喷出的物质
叙尔特塞火山,冰岛	173	1963	

产生一个水湖。即使没有爆发,也可以通过火山锥顶部塌陷到下伏的岩浆聚集地而形成破火山口。夏威夷岛东南部的基拉韦厄火山是具有发育很好的、由塌陷产生的破火山口的大火山锥之极好实例。

volcano, mud　参阅 **mud volcano** 泥火山。

Volcano Islands　火山列岛　在西太平洋,小笠原群岛和马里亚纳群岛之间。属日本东京都。由北硫黄(圣亚历山大)、硫黄和南硫黄(圣奥古斯蒂诺)3 个小火山岛组成。1887 年前无归属。1891 年日本宣布该列岛为己有。***硫黄岛*(Iwo Jima)**为列岛最大岛,第二次世界大战中岛上设有军用机场,1945 年日美两国军队曾在此激战。1951 年起列岛由美国管辖。1968 年归还日本。

volcanology　火山学　又拼 vulcanology。涉及火山现象各方面的学科。研究火山的形成、分布和分类;也研究火山构造和各种喷出物(例如熔岩、尘土、火山灰和气体);还研究火山喷发与其他大规模地质过程如造山运动以及地震活动的关系等。研究的主要目的之一是为了预报它们的出现而确定火山喷发的性质和原因。火山学的另一实用价值是获得有助于寻找有工业价值的矿床,特别是某些金属硫化物矿床资料数据。人们对火山现象的兴趣可以追索到古代。小普林尼曾于公元 79 年详细记录了维苏威火山的喷发。但直至 19 世纪初期对火山现象都没有作出过系统的研究。从那时起火山学才成为物理地质学的一个重要分支。这个领域的专家们用地球物理和地球化学的原理和方法以及地震学的仪器获得了关于地球内部深处发生的过程的大量知识。

Volchov River(northwest Russia)　参阅 **Volkhov River** 沃尔霍夫河。

Volcker, Paul A(dolph)　沃尔克(1927-09-05,美国新泽西开普梅～　　)　美国经济学家兼银行家。1979 ～ 1987 年任联邦储备系统管理委员会主席,对稳定 20 世纪 80 年代美国经济起过关键性作用。沃尔克 1949 年毕业于普林斯顿大学,1951 年在哈佛大学获文科硕士学位。1953 ～ 1957 年在纽约联邦储备银行工作,任经济学家;1957 ～ 1961 年在大通曼哈顿银行工作;1963 ～ 1965 年任财政部助理副部长;1965 ～ 1968 年任大通曼哈顿银行副总裁。自 1969 ～ 1974 年沃尔克任财政部副部长,主管金融事务;他是美国放弃金本位制和 1971 与 1973 年实行美元贬值的主要设计师。1975 ～ 1979 年沃尔克任纽约联邦储备银行总裁。1979 年美国通货膨胀高达近 13%时,卡特总统任命他为联邦储备系统的首脑。沃尔克决心终止长期的高通货膨胀;在他的领导下,联邦储备系统放慢货币供应的迅速增长,允许利率提高。这些政策导致了自大萧条以来美国 1982 ～ 1983 年的最严重的经济衰退,然而通货膨胀却得到牢固的控制,从此保持低速。1983 年沃尔克被重新任命,任期 4 年;他继续了他那被广泛推崇的货币供应经理和通货膨胀控制人的业绩。1987 年他拒绝接受第三次任期,随后在普林斯顿大学讲授经济学并做一个投资银行家。

vole　田鼠类　啮齿目仓鼠科多种鼠形动物,特别是田鼠属(*Microtus*)各种的统称。其特征为尾短,吻钝,眼、耳小,四肢短。一般吃植物,有时损坏庄稼和树木,是食肉鸟类和哺乳动物的重要捕食对象。田鼠属有45种,常

田鼠(*Microtus pennsylvanicus*)
供图:Judith Myers

被称为草甸田鼠或草甸鼠、田鼠,身体粗壮,分布于北美、中美及欧亚大陆的北部;有些栖于森林或荒漠地区,但大部分栖于田野和草甸。草甸田鼠体长 10 ～ 26 厘米(包括 2 ～ 10 厘米的尾);毛粗而长,通常背面呈灰褐色,腹面颜色稍淡;穴居,在草间开出一些很有特点的狭窄小径;每 2 个月左右产 1 窝,每产 8 ～ 9 仔。草甸田鼠的种群,像某些其他田鼠类的种群一样周期性地增减,故可能一年特别多,一年又特别少。鼾属(*Clethrio-*

nomys）的种称红背田鼠或红背鼠；水鼾属（*Arvicola*）的种称水田鼠、水鼠；松田鼠属（*Pitymys*）的种称松田鼠。有人把水鼾属和松田鼠属划归田鼠属。鼾属有许多种，栖息在北美洲和欧亚大陆的寒冷地区；善攀缘，通常生活在森林中；体长 7 ～ 11 厘米，尾短，外形似草甸田鼠，但多为灰色，背部呈红褐色；穴居，像草甸田鼠一样，种群数量也发生周期性波动。水鼾是欧洲和亚洲所独有的旧大陆种；居于溪流、沟渠和湖泊旁，或果园、田野和沼泽里；有 2 种。陆栖水鼾（*A. terrestris*）有时见于离水相当远的地方。水鼾穴居，常在水道两侧挖洞，洞口挖在水面以下；被褐色厚毛，最大体长（不包括尾）22 厘米。松田鼠有 10 种，分布北美洲和欧亚大陆，穴居；其生境却多种多样，有沼泽、田野、耕地和稀疏的硬木林；体长 8 ～ 12 厘米，尾长 2 ～ 4 厘米，毛柔软光滑像天鹅绒，呈红褐或灰褐色。美国松田鼠（*P. pinetorum*）有时啃食树皮而破坏果树。

Volendam　福伦丹　荷兰西北部北荷兰省埃丹-福伦丹市的一个城镇。临艾瑟尔湖。现渔业已衰落，港湾封闭成为内湖。经济以旅游业为主。当地古雅的建筑、湖堤桩上的小房、渔民鲜艳的传统服装和附近的马尔肯岛吸引着游人和画家。人口包括埃丹约24 968(1992)。

Volga-Baltic Waterway　伏尔加-波罗的海航道　正式名称为列宁伏尔加—波罗的海航道。俄罗斯西部连接伏尔加河与波罗的海的河流与运河水系。于 1964 年建成，取代了 18 世纪建的马林斯克运河水系。始于伏尔加河畔、雷宾斯克水库滨的雷宾斯克，北流经舍克斯纳河（该河通过切列波韦茨的水坝和电站变为水库）、别洛耶湖、科夫扎河、人工运河、维捷格拉河与奥涅加湖相通再西经斯维里河、拉多加湖、新拉多日运河、涅瓦河，可达波罗的海芬兰湾沿岸的圣彼得堡。从切列波韦茨河到奥涅加湖全长 368 千米，该航道建有 7 座现代化自动控制的船闸，可通行吃水 3.5 米的 5 000 吨级船舶。该航道在奥涅加湖与白海-波罗的海运河相连接。

Volga-Don Ship Canal　伏尔加河-顿河运河　俄语拉丁字母转写作 Volgo - Donskoy Sudokhodny Kanal。俄国连接伏尔加河下游与顿河及亚速海的运河。位于俄罗斯西部的伏尔加格勒州。连接两河的尝试可以上朔至 1697 年，当时彼得大帝曾试图在两河支流卡梅申河与伊洛夫利亚河之间修筑一条运河，但他的努力归于失败。现今运河的工程于 1948 年开始兴建，1952 年竣工。起于顿河齐姆良斯克水库东岸的卡拉奇，止于伏尔加格勒正南面的伏尔加河畔的红军村。长度为 101 千米。沿途设有 13 个船闸，到伏尔加河的落差为 88 米，到顿河的落差为 44 米。有卡尔波夫卡、别列斯拉夫卡和瓦尔瓦罗夫卡 3 个水库，共长 45 千米。可通行大型内河船只及小型海轮，打开了伏尔加河-卡马河-里海的通海航道。西运的主要货物是木材，东运的主要货物是煤炭。

伏尔加河-顿河运河航闸处的木材运输

供图：Novosti Press Agency

Volga River　伏尔加河　俄语拉丁字母转写作 Volga，古希腊语作 Ra，鞑靼语作 Itil 或 Etil。欧洲最长的河流，俄罗斯西部的主要水道。源自莫斯科西北面的瓦尔代丘陵，大致东南流，注入里海，全长 3 530 千米。伏尔加河流域共计 1 380 000 平方千米，容纳了俄罗斯全体人口的绝大部分，其巨大的经济重要地位及强烈的显著特征，使它在世界河流中名列前茅。它是俄罗斯的象征，长久以来在歌曲 、传说和民族记忆中都是一个中心要素。通常认为伏尔加河分为 3 个部分：从其源头至奥卡河汇流处为上游，从奥卡河口至卡马河汇流处为中游，从卡马河汇流处至伏尔加河口处为下游。在瓦尔代丘陵海拔 228 米处发源，河流转向东北经过勒热夫和特维尔两城市，穿过雷宾斯克水库，往西南通过一个狭窄的河谷，奔流在南面的乌格利奇高地和北面的丹尼洛夫高原以及加利奇-丘赫洛姆低地之间，然后沿着温扎和巴拉赫纳平原直奔下诺夫哥罗德。从奥卡汇流处至喀山市的东南偏东的水道为伏尔加河的中段，在往南进入萨马拉水库之前，水量增加一倍，在萨马拉水库，其主要支流卡马河在左岸与其汇合。在下游沿伏尔加丘陵向西南伏尔加格勒方向奔流。从伏尔加格勒，流经里海洼地，在阿斯特拉罕注入里海。伏尔加河的水源主要依靠雪（年流量的 60%），其次是地下水（30%）和雨水（10%）。整个河段多半均可航行，连同其各支流，均可开展客运和货运业务。该河在俄罗斯人的生活中扮演了一个重要角色 ，在俄罗斯的民间传说中，它被独特地称之为“母亲伏尔加河”。

Volga-Ural Petroleum and Gas Province　伏尔加-乌拉尔石油与天然气区　又称第二巴库。俄罗斯主要产油区。位于俄罗斯欧洲部分南部。从乌拉尔河西侧伸展至伏尔加河以西。最大的油田分布在巴什科尔托斯坦和鞑靼斯坦以及萨马拉（塞兹兰油田）、彼尔姆和奥伦堡附近布古鲁斯兰有大型天然气田。1929 年开始油气田开发。第二巴库是针对阿塞拜疆的巴库附近的老油田而言的。有多座大型炼油厂。1960 ～ 1964 年建成一条总长为 5 000 千米的输油管道系统，70 年代中期建设与此平行的、直径更大的第二条输油管道系统，把原油输送到俄罗斯的工业中心，以及波兰、德国、斯洛伐克、捷克和匈牙利。

Volgian Stage　伏尔加阶　俄罗斯大陆和北极区晚侏罗世地层（也就是 1.52 亿年前至 1.44亿年前形成的地层）重要的划分单元。其他地区，普贝克阶（Purbeckian）通常公认为是侏罗系最上部的地层单元。根据发育完善的菊石化石群，划分为上、下伏尔加阶。伏尔加动物群的地理分布似乎很局限。

Volgograd　伏尔加格勒州　1961年前称斯大林格勒州。俄罗斯西南部一州。地处伏尔加河及顿河下游。面积 11.39 万平方千米。伏尔加河西面是伏尔加高地，南接叶尔格尼高地。霍皮奥尔河和顿河的西面为另一低高地。诸高地之间和伏尔加河东面是平原。大部为干旷草原带，几乎全已垦殖，水土流失严重，高地尤甚。土壤普遍盐渍化，尤其是外伏尔加地区和南部地区。早期为鞑靼等游牧民族活动区。俄罗斯人于 16 世纪中叶在此定居。沿伏尔加河以北大部地区曾属伏尔加-日耳曼自治共和国的一部分（该自治共和国于 1941 年撤销，日耳曼人被迁往苏联其他地区）。大部分人口居住在伏尔加河沿岸及北部低地。工业主要集中在首府伏尔加格勒。其他城市以农产品加工为主。北部的日尔诺夫斯克附近开采石油，科托沃和弗罗洛沃附近开采天然气。农业很重要，但水土流蚀严重。许多地区灌溉农业正在稳定发展，主要农作物是小麦、粟、玉米和向日葵等商业化蔬菜种植业和奶牛养殖业发达。南部及外伏尔加地区牛、羊饲养业占重要地位。人口约 2 632 500（1991）。

Volgograd　伏尔加格勒　1925年以前名察里津。1925 ～ 1961 年称斯大林格勒。俄罗斯西南部伏尔加格勒州城市和行政中心。位于伏尔加河畔。1589年建察里津要塞。以保

伏尔加格勒市的“祖国召唤”雕塑，以纪念斯大林格勒战役中的苏联军人

供图：Alexander M. Chabe

卫新据有的伏尔加沿河领地。1918 ～ 1920 年内战中，斯大林曾在此指挥部队与白俄军队激战。后以其姓氏重新命名。第二次世界大战的决定性战役之一曾在此进行（1942-08 ～1943-02），德军未能占领该市，被歼 35 万

人(参阅 **Stalingrad, Battle of**)。战后重建城市。新市区和工厂沿伏尔加河延展 65 千米。主要工业产品有钢、铝、机械、木材、建设材料和食品。1957 年建成炼油厂;60 年代生产化学制品。1952 年开通伏尔加河—顿河运河,城北建成水电站,设有医学、土木工程、师范、机械和市政经济等学院。1980 年创立伏尔加格勒大学。人口约 1 007 300(1991)。

Volhynia　沃利尼亚　又拼 Volynia。乌克兰语及俄语作 Volyn(沃伦),波兰语作 Wołyń(沃文)。乌克兰西北部地区名。10 ～ 14 世纪为公国。14世纪末起为立陶宛大公国的

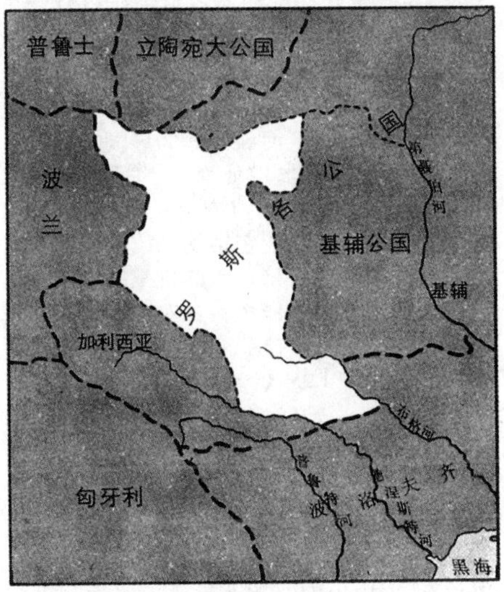

约 1250 年的沃利尼亚

自治区,主要由自己的贵族统治。12 世纪有很多移民从基辅公国前来此地和西面毗邻的加利西亚定居。1199 年沃利尼亚大公罗曼·姆斯季斯拉维奇组成一个强大的公国,曾战胜波兰人、立陶宛人、匈牙利人和波洛夫齐人。1260 年蒙古人入侵,沃利尼亚和加利西亚遭劫掠并被迫承认蒙古可汗的宗主权。14 世纪并入立陶宛,加利西亚并入波兰。1569 年波兰与立陶宛结盟后划归波兰,直到波兰第二次被瓜分时(1793)才大部分划归俄国。第一次世界大战后,沃利尼亚又被俄国和波兰瓜分。第二次世界大战后成为乌克兰苏维埃社会主义共和国的一部分。

Volkhov River　沃尔霍夫河　又拼 Volchov。俄罗斯西北部河流。为伊尔门湖的主要出水口,流过诺夫哥罗德,向东北偏北穿过有沼泽的平坦盆地,注入拉多加湖。长 224 千米,流域面积80 200平方千米。结冰期 11 月中～ 4 月中。1926 年在沃尔霍夫市建成苏联第一座水电站。该河很早就是波罗的海-黑海贸易航道的重要组成部分,通行小型船只。

Völkischer Beobachter　《人民观察家报》　1920 ～ 1945 年间的德国纳粹党机关报。原为 1887 年创立的 4 版周报,称《慕尼黑观察家报》。被纳粹党收买时,日销量约 7 000 份。1941 年日销售量超过 110 万份。20 世纪 20 年代初,该报因登载反犹文章和攻击政府被希特勒上台前的德国政府三度查禁。希特勒购下该报后任命 A.罗森贝格为主编,该报一面仍继续其反犹太宣传,一面成了希特勒和其宣传部长戈培尔的讲坛。1930 年创办柏林版和南德版,1933 年在柏林新设编辑部及印刷所。1938 年德国吞并奥地利后增设维也纳版。外国记者和外交官通常从该报推测纳粹政治动向和宣传重点。

Volkmann's contracture　福尔克曼氏挛缩　腕及手部的一种缺血性挛缩,表现为手及指固定于具特征性的屈曲位置。病因为绷带、止血带、夹板压迫(如骨折后)、肘部严重外伤等。若早期发现,迅速去除病因,则有可能恢复,否则肌肉退化,而代之以结缔组织。

Volkov, Vladislav Nikolayevich　沃尔科夫(1935-11-23,苏联俄罗斯莫斯科～ 1971-06-29,太空中)　苏联宇航员,1969 年"联盟"7 号和 1971 年"联盟"11 号飞行的参加者。3 名遇难宇航员中的第二位。航空设计工程师之子,就读于莫斯科航空学院。与 A.V.菲利普钦科完成"联盟"7 号飞行任务,任飞行工程师,并参加 2 次太空焊接技术试验和齐射试验。在 G.T.多布罗沃尔斯基指挥的"联盟"11 号飞行中,他再次任飞行工程师,V.I.帕察耶夫也参加了这次飞行。他们在太空创纪录地飞行了 24 天,并将"联盟"11 号飞船与两个月以前发射的不载人的"礼炮"1 号航天站对接,建立了第一个载人轨道科学站。当航天舱在哈萨克顺利着陆后,发现他们已死于舱内。此次事故据说是由于舱口盖未关好,密封舱漏气减压所致。他们在航天站中曾进行过气象实验和植物生长实验。

Volkova, Vera　沃尔科娃(1904,俄罗斯圣彼得堡～ 1975-05-05,丹麦哥本哈根)　苏联芭蕾教师,对西方的芭蕾舞训练起过巨大影响。曾就学于帝国芭蕾舞学校,后在列宁格勒(今圣彼得堡)沃伦斯基的俄罗斯舞蹈学校师从 A.瓦冈诺娃,并成为瓦冈诺娃舞技派的高手。1929 年从列宁格勒移居中国上海,在 G 冈察洛夫芭蕾舞团中从事演出及教学。1936 年移居伦敦,1943 ～ 1950 年应邀在萨德勒的韦尔斯芭蕾舞学校任教。1950 年在米兰拉斯卡拉歌剧院短期工作后,任丹麦皇家芭蕾舞团艺术顾问,并为该团舞蹈学校的主要教师之一。

Volkovysk　沃尔科维斯克　白俄罗斯格罗德诺州城市。13 世纪为格罗德诺公国和立陶宛大公国之间边境地区一边防哨所,19 世纪发展成为贸易和手工业中心。通铁路后经济获发展。现有食品工业和机械制造业。人口约 42 000(1991)。

Volksraad　人民议会　又作People's Council。1917 年荷兰人在东印度群岛(今印度尼西亚)建立的咨询机构,于 1918 年 5 月开始工作。它充当发表意见的论坛,但无权实行实际的改革。议员一部分是选举的,一部分是任命的。第一部分由地区和城市议会间接选举产生,第 2 部分由总督圈定。最初,大多数议员是任命的,主要为欧洲人。1925 年成为半立法机构,虽决定仍由荷兰政府作出,但要求总督在重大问题上能与之磋商。印度尼西亚议员人数虽有所增加,但荷兰议员仍有 30 名,而印度尼西亚议员只有 25 名,其他民族有 5 名议员。直到 1929 年情况才有所改变,印度尼西亚议员增至 30 名,荷兰人减至 25 名。但有资格直接选举代表进入人民议会的人,特别是印度尼西亚人,仍为数很少。议员任期初为 3 年,1925 年增至 4 年。人民议会最后一次选举是在 1939 年,1942 年日军占领印度尼西亚时,人民议会解散。

Volkswagen AG　大众汽车公司　德国主要的汽车制造业公司,1937 年德国政府为批量生产廉价的大众牌汽车而创立。总部设于沃尔夫斯堡。该公司原为纳粹组织德国劳动阵

美国多伊尔-戴恩-伯恩巴克广告公司为大众汽车公司的"金龟虫"制作的广告

大众汽车公司供图

线所经营,F.波尔舍被调入设计汽车。第二次世界大战时生产中断,战争结束时大众汽车厂和沃尔夫斯堡市都沦为废墟。战后联合复兴西德汽车工业的努力集中于大众汽车公司,在十余年内该公司生产出西德一半的机动车辆。该公司汽车向世界大多数地方的出口都很强劲;唯因车身小、外表特圆且因与纳粹德国有历史渊源,开始时在美国销售不旺。1959 年美国一广告社——多伊尔-戴恩-伯恩巴克公司——开展一次划时代的广告宣传运动,指出其造型的优越性并冠以"金龟虫"的绰号;于是销路扩大,在以后若干年内"金龟虫"车都是美国进口量最大的汽车。然而大众汽车公司几乎没有变更汽车的原来设计,到 1974 年由于其他外国小型汽车竞争日烈,该公司濒于破产。此后,该公司开发生产新式的华丽的小汽车,其中以"野兔"汽车最受欢迎。虽然该公司原由政府所创建,但 1960 年国家已将其 60% 的股票售给民众,基本上实现了非国有化。1965 年该公司购并了奥迪汽车公司。大众公司及其联营公司在世界多数地区设有工厂。除轿车外,大众公司还生产货车、小型巴士、汽车零件和工业引擎。它还拥有其他几家汽车公司,如在德国的奥迪公司和在西班牙的西亚特公司;它还同意大利的菲亚特公司和捷克的斯科达公司一起制造和销售汽车。

Vollard, Ambroise　沃拉尔(1865,留尼汪圣但尼～ 1939-07-21,法国凡尔赛)　法国美术品商人和出版商。在大学读书时就放弃了研究法律,开始经营美术品买卖。1893 年独自

创设巴黎画廊，并不顾时尚，举办过塞尚(1898)、毕加索(1901)、马蒂斯(1904)等人的首次个人画展。他还刊印过由德加、毕加索及其他画家作插图的许多文学名著的豪华版。自传有《画商回忆录》(1937)。

volleyball　排球　由两队各6人，以中间球网为界，用手击球过网以决胜负的一项球类运动。球为圆形，周长 65 厘米，重 260 ～ 280 克。排球是美国马萨诸塞州霍利奥克市基督教青年会体育主任W.G.摩根，鉴于篮球运

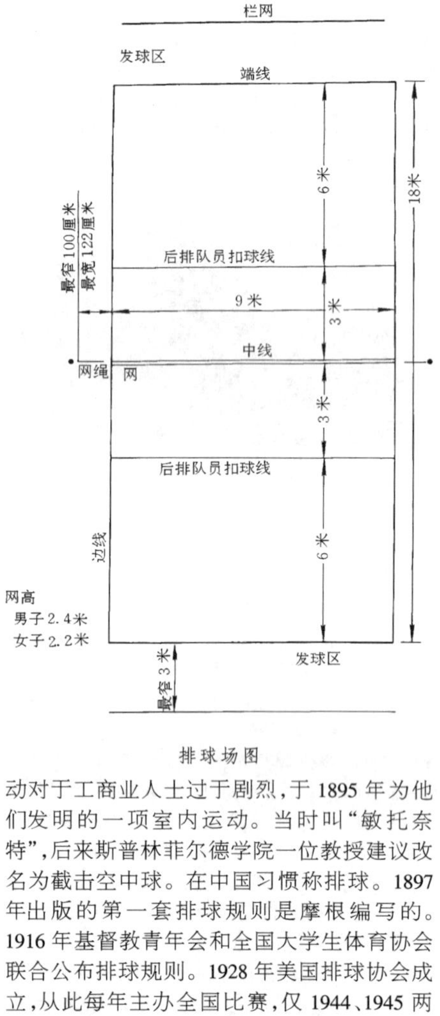

排球场图

动对于工商业人士过于剧烈，于 1895 年为他们发明的一项室内运动。当时叫“敏托奈特”，后来斯普林菲尔德学院一位教授建议改名为截击空中球。在中国习惯称排球。1897 年出版的第一套排球规则是摩根编写的。1916 年基督教青年会和全国大学生体育协会联合公布排球规则。1928 年美国排球协会成立，从此每年主办全国比赛，仅 1944、1945 两年第二次世界大战期间停办。该协会的女子排球部成立于 1949 年。排球运动是在第一次世界大战美国军队传至欧洲的。首届国际排球联合会于 1947 年在巴黎成立。到 20 世纪后期，国际排球联合会已拥有 180 多个全国性成员组织。1913 年马尼拉首届远东运动会有排球比赛项目。从 20 世纪初起，一直到第二次世界大战以后，亚洲的排球每队 9 名队员上场，队员在场上的位置是固定的，不轮转，场地较大，球网较低。国际排球联合会主办世界排球锦标赛，男子锦标赛始于 1949 年，男女锦标赛始于 1952 年。1964 年东京奥运会规定排球为比赛项目。截至 80 年代中期，苏联队所获世界比赛及奥运会比赛排球冠军次数超过其他各国。私营工商界逐渐重视排球运动，此点可见于日本女子排球队的兴起。该队队员在同一家公司工作，她们把全部业余时间和精力用于训练，并在专家和严格的教练指导下进行比赛。该队受到日本排球协会支持，1962、1966、1967 年三次获世界冠军，1964 年为奥运会冠军。由国际排球联合会创议举办四年循环制的比赛安排规定，两次奥运会之间第一年举行世界杯比赛，第二年举行世界锦标赛，第三年举行区域比赛(如欧洲锦标赛、亚洲运动会、非洲运动会、泛美运动会)。参阅 **Sporting Record**: Volleyball；并参阅 **Olympic Games**。沙滩排球由两队各两人在沙地上进行。这一运动于 1930 年传入加利福尼亚。1996 年被列入夏季奥运会项目。

排球场须平坦，面积和布置如图。双方队员在比赛进行时不得越过中线，但可以脚踏中线。后排队员在扣球时不得进到后排队员扣球线之前。正式比赛每队 6 人，前排 3 人，后排 3 人。比赛开始时，由发球一方后排右(一号位队员)发球，用手、拳或臂将球击过网而进入对方场地。对方必须在击球三下以内将球从网上击回发球一方。两方任何队员都不得握球，不得触网，不得进入对方场地，不能让球落地，不得连击，臂部以下任何部位不得触球。一队员担任发球，直到本队队员失误、犯规或打完一局为止。换发球指原接发球队转为发球队，此时其队员照顺时针方向旋转易位，前排右(2 号位)改为后排右(1 号位)，担任发球。比赛由五局构成，采用每球得分制。在前四局的比赛中，获胜的一方须达到 25 分，或在此基础上比对方高出两分。在第五局的比赛中获胜一方只需达到 15 分，或在此基础上比对方高出两分。2000 年的奥林匹克运动会对国际排球比赛规则作了一些重要改变。其中一个改变就是创立了“自由人”。每队自由人的主要功能是在于防守，必须身着同其他球员的颜色不同的球衣，不得发球或轮转至前排。另一个改变是采用每球得分制，即允许防守方得分，此前只是发球方得分。

Volney, Constantin-François de Chasseboeuf, comte de　沃尔内(1757-02-03，法国克朗～1820-04-25，巴黎)　法国历史学家和哲学家。他的著作《废墟》集中体现了 18 世纪理性主义者的历史和政治思想。在巴黎求学时，经常出入哲学家爱尔维修夫人(哲学家C.爱尔

供图：Giraudon—Art Resource

维修的遗孀)的沙龙，从而认识了霍尔巴赫男爵和B.富兰克林。早年就对历史和古代语言发生兴趣，后去埃及和叙利亚旅行，著《叙利亚和埃及游记》(2 卷，1787)。1791 年出版他最有影响的著作《废墟》(又称《各大帝国革命概观》)，书中探讨文明社会的起源及其消亡的原因，认为革命是抛弃自然法原则，抛弃宗教、平等、自由的结果。作为三级会议成员(1789)和 1790 年任立宪会议议员时，他提议建立国民警卫队。1792 年在科西嘉岛买一处田产，企图为改进农业示范。作为吉伦特派成员，1793 年访问巴黎时，正值恐怖统治时期，被关进监狱。释放后于 1794 年任巴黎师范学院历史教授。1795 ～1798 年旅居美国。1814 年封为贵族。

Vologda　沃洛格达　俄罗斯西北部一州。面积 145 700 平方千米。境内宽河谷和冰碛丘陵相间，西部 1/3 地区有伏尔加河上游诸支流；东部属北德维纳河流域，有苏霍纳河；西北端一小部分为奥涅加湖。全州位于针叶林或泰加林带(云杉、松、白桦、冷杉、落叶松)，南部有落叶林(欧椴)。低地有大片泥炭沼泽和水草沼地。河流两岸为广阔的泛滥平原。经济主要与木材业有关。河上筏运木材，沿铁路有锯木厂，镇内有纸浆、造纸和木材加工业。其他工业包括切列波韦茨大规模冶金业和首府沃洛格达市的机械制造业。当地大量泥炭开发用作燃料。农业主要集中在南部，饲养奶牛，种植亚麻、饲料作物、黑麦和燕麦。人口约 1 350 000(1996)。

Vologda　沃洛格达　俄罗斯西北部沃洛格达州城市和行政中心。位于沃洛格达河畔，沃洛格达河与苏霍纳河汇流处。在莫斯科东北偏北 400 千米处。该镇由诺夫哥罗德商人所建，地扼伏尔加河和北德维纳河之间水陆联运的要冲。1147 年曾在此建隐修院。14 世纪在莫斯科与诺夫哥罗德相互争霸中曾几次易手；1478 年终被莫斯科控制。后迅速发展为俄罗斯北部及东北部主要毛皮集市和莫斯科与俄罗斯中部之间货物交流的贸易中心。18 世纪初因圣彼得堡的兴起而趋衰落。19 世纪随当地木材工业的发展和通往莫斯科的铁路建成(1872)而复兴。1898 年和 1906 年又有铁路分别通阿尔汉格尔斯克和圣彼得堡、维亚特卡(今基洛夫)。现为俄罗斯北部重要铁路枢纽和专运中心之一。还是木材工业中心，有机械制造业及多种轻工业。人口约 299 000(1995)。

Vologeses　沃洛加西斯　又作 Vologaeses。安息国王的名字，按年代顺序分列于后，并各以●为标记。

● **Vologeses I　沃洛加西斯一世**(？～约 80)　安息国王(约公元 51 ～ 80 在位)。前代国王沃诺奈斯二世和一个希腊妃子所生之子。他将米底亚-阿托帕特内王国给与他的弟弟帕科罗斯，并为另一弟弟梯里达底占领了亚美尼亚。安息控制亚美尼亚曾导致同罗马人进行长期的战争(公元 54 ～ 63)，最后缔结和约，承认梯里达底为从属罗马人的亚美尼亚国王。由于游牧民族达哈人和萨卡人的攻击，希尔卡尼亚人的叛乱，阿兰部落民对米底和亚美尼亚的入侵，以及他的儿子瓦尔达奈斯二世的篡权，他的势力进一步削弱。他在位时期还有一个标志，就是坚决反对希腊化。他在泰西封附近建立沃洛盖西亚斯镇，

公元 1 世纪钱币上的沃洛加西斯一世像
不列颠博物馆供图

目的在于把希腊城市底格里斯河畔塞琉西亚的居民和商业吸引到这个新镇上来。

● **Vologeses Ⅲ(or Ⅱ)　沃洛加西斯三世(或二世)**(?～147?)　争夺安息国王帕科罗斯二世的王位的对手之一。105 或 106 年第一次充当安息的统治者，并在奥斯罗斯的整个在位时期(约 109 或 110 ～约 128 或 129)似乎能够坚持他对王位的要求。奥斯罗斯死后，他能击败另一对手米特拉达梯四世，获得安息版图的较大部分，并统治到死时为止。

● **Vologeses Ⅳ(or Ⅲ)　沃洛加西斯四世(或三世)**(? ～ 192)　安息国王(148 ～ 192 在位)。在位初期，得以恢复安息帝国的内部团结。161年他侵入卡帕多西亚和叙利亚，因

公元 2 世纪晚期钱币上的沃洛加西斯四世像
不列颠博物馆供图

而遭到一支强大的罗马远征军的进攻(162 ～165)。罗马的军队摧毁杜拉-欧罗波斯和塞琉西亚，焚烧在巴比伦泰西封的安息王宫，甚至进入米底亚。因为在巴比伦和亚美尼亚的战争持续不断，安息的势力进一步削弱，在和约中把美索不达米亚北部割让给罗马人。沃洛加西斯由子继承王位，称沃洛加西斯五世(或四世)。

● **Vologeses Ⅴ(or Ⅳ)　沃洛加西斯五世(或四世)**(活动时期公元2～3世纪)　安息国王(191 ～ 208 或 209 在位)。191 年作为父王沃洛加西斯三世的反叛者第一次出现，192 年继承王位。193 年在罗马的附属国家奥斯罗伊那和阿迪亚贝纳煽动叛乱，但在 195 年，S.塞维鲁指挥罗马军队收复了这些地区。罗马军队撤离以后，沃洛加西斯再一次席卷美索不达米亚，恢复对阿迪亚贝纳的宗主权。后来，塞维鲁又兴兵作战(197 或 198 ～ 202)，进军美索不达米亚，占领尼西比斯，并劫掠泰西封。但是，他企图攻克边境要塞阿特拉却失败了。沃洛加西斯在位时期的其他情况不详。209 年由子即位，称沃洛加西斯六世(或五世)。

Vologeses Ⅵ (or Ⅴ)　沃洛加西斯六世(或五世)(活动时期公元3世纪早期)　安息国王(209 ～约 212 在位)。安息国王沃洛加西斯五世(或四世)之子，209 年继承王位。他践位不过 4 年，其弟阿尔达班五世即兴兵作乱，与之抗衡，俨然成为安息帝国境内一方之主。不过，沃洛加西斯六世终能保住其在巴比伦的一隅之地；所铸钱币标明其统治年代，且能流通到 228 ～ 229 年。

Vólos　沃洛斯　希腊第三大港口，马格尼西亚州和沃洛斯地区首府。在色萨利区东部、帕加西蒂科斯湾顶端。1956 年起对旧城两座迈锡尼殿堂进行了考古开发。当地青铜器时代初(公元前 2500 年)已有人居住，曾为迈锡尼时期色萨利的都城。新石器时代的城镇塞斯克洛和迪米尼即在今沃洛斯附近，南面则有帕加塞遗址。公元前 293 年，马其顿德梅特里亚斯城建立，帕加塞失去重要性。1881 年后脱离土耳其归属希腊，发展迅速。现代工业区沿海湾兴建，旧城已成为近郊山区。国际轮渡通航后，工业化发展尤为显著。输出粮食、葡萄酒、棉花、铬铁矿石、水泥、纱线、鲜果、烟草、橄榄和橄榄油。市内有重要的考古陈列馆。人口 71 378(1981)。

Volsci　沃尔西人　古意大利民族，在公元前 5 世纪罗马人对外扩张时期，势力强盛，属奥斯卡-萨贝利部落群。公元前约 600 年居住在利里斯河上游河谷，但后来形势发展，他们先被驱往西方，然后又迁至拉丁姆南部的肥沃土地上。沃尔西人曾长期与罗马为敌。沃尔西人为加强对罗马城及拉丁人的压力，曾与埃魁人结盟。罗马城及拉丁人则与居住在沃尔西人及埃魁人之间的赫尔尼基人联合以期与之抗衡。两方时战时停，持续约200年之久。公元前 340 年沃尔西人参加拉丁同盟者反罗马的叛变，但被击败(公元前 338)，最后于公元前 304 年向罗马投降。此后他们迅速罗马化，其原来文化消失殆尽。沃尔西人的语言由韦莱特里出土的一块公元前 3 世纪早期的碑铭中，可见其梗概。

Volscian language　沃尔西语　意大利语族语言或方言，与翁布里亚语和奥斯坎语关系密切，同拉丁语和法利希语则较远，为意大利中部沃尔西人语言。沃尔西人是操奥斯坎语的桑尼特人的近邻，公元前 304 年被罗马征服，逐渐罗马化，其语言为拉丁语所代替。现代关于沃尔西语的知识，大都来自意大利韦利特拉埃(今韦莱特里)发现的一则铭文，可溯到公元前 3 世纪早期。虽然资料很少，但它似乎与翁布里亚语极其相似。

Volsinii　沃尔西尼　埃特鲁斯坎文拼作 Velzna。古代埃特鲁斯坎人的小镇，遗址位于今博尔塞纳(意大利维泰博省)。经考古发掘，发现该城建筑在几个小丘上。小丘上有卫城，周围为居民区。公元前 90 年此城被授予罗马公民权利。

Volsk　沃利斯克　俄罗斯西部萨拉托夫州城市。位于大伊尔吉兹河与伏尔加河汇合处对岸。最初名为马雷科夫卡，1780 年建镇，称伏尔加斯克，后改称今名。十月革命(1917)以来，是俄罗斯最大的水泥生产中心之一。人口约 65 500(1991)。

volt　伏特　国际单位制(SI)中的电势、电势差和电动势的单位。当导体的两点间电流 1 安培、耗功 1 瓦特时两点间的电势差就是 1 伏特。这等价于 1 安培电流通过 1 欧姆电阻时，电阻两端的电势差。这单位是以 18 ～ 19 世纪意大利物理学家 A.伏打的姓氏命名。这些单位按欧姆定律确定，电阻等于电势与电流的比值，相应的单位欧姆、伏特和安培普遍地用于表示相应的电学中的物理量。参阅 **electric potential; electromotive force**。

Volta, Alessandro Giuseppe Antonio Anastasio　伏打(1745-02-18，意大利伦巴第科莫～1827-03-05，科莫)　意大利物理学家，发明了电池——最早的直流电源。1775 年因对电有兴趣而发明了用来产生静电的仪器(起电盘)。1774 年任科莫皇家学院物理学教授。1778 年发现并分离了甲烷气体，一年后被任为帕维亚大学物理学教授。1780 年他的朋友 L.伽伐尼发现两种不同的金属与蛙的肌肉接触就产生电流。1794 年他开始单用金属实验，发现产生电流并不需要动物组织。这个发现引起动物生电派和金属生电派的很多争论。但是，随着 1800 年他展示的第一个电池，他取得决定性的胜利。1801 年他在巴黎把电池表演给拿破仑看，拿破仑封他为伯爵

供图：Alinari—Art Resource

和伦巴第王国参议员。奥地利皇帝在 1815 年任命他为帕多瓦大学哲学院院长。1881 年把驱动电流的电动势的单位定为伏特，就是为纪念他而命名。

volta, la　沃尔塔　意大利语，意为“旋转”。又拼lavatoe, lavolta 或 levalto。16 世纪的一种男女对舞，多跳跃、旋转。起源于意大利，流行于法国民间和德国宫廷舞会，直至 1750 年左右。舞蹈时男女双方亲密拥抱，在英国女王伊丽莎白一世和莱斯特伯爵共跳此舞后，该舞身价得到提高，但仍不属高贵。伴奏音乐为 3/4 拍，有一连串复杂的单足跳、走步、跳跃及转身动作。为帮助女舞伴作高跳动

作，男方以左手扶持女方后腰靠近自己，左胯紧靠其右胯，右手紧抵其胸部下的硬衬。女方则右手扶男方背部或肩，左手压住衣裙不使飘起。此舞作为民间舞在法国普罗旺斯省至今还在流传。

Volta, Lake　沃尔特湖　加纳的人工湖，由阿科松博坝（**Akosombo Dam**）形成。位于阿杰纳南面。该湖自水坝向上游延伸远至里沃尔特河与白沃尔特河汇合处以北的亚佩伊。库容1 530亿立方米。沃尔特湖是世界上最大的人工湖之一。长约400千米。水域面积8 502平方千米，占加纳面积的3.6%。为加纳北部热带草原与海岸之间的通航水道，也是淡水水源和渔场，可保障沃尔特河下游平原的灌溉用水。水坝发电量为912兆瓦。

Volta Redonda　沃尔塔雷东达　巴西里约热内卢州西部城市。临南帕拉伊巴河。海拔460米。以钢铁业闻名。城址距动力、水源及基本原料产地近，又地处里约热内卢与圣

沃尔塔雷东达市及其钢铁联合企业

供图：Eric Carle—Shostal

保罗这两座钢铁消费大城之间。1941年建市。1942～1946年国家钢铁公司在此建成吉莱尔梅金莱钢铁厂，已成为南美洲最大的钢铁联合企业。作为模范城市，建有各种类型的单一家庭住宅，实行先进的职工福利项目，建有学校、医院和众多的娱乐设施。通公路和铁路。人口约219 988（1991）。

Volta River　沃尔特河　加纳的主要河系。由黑沃尔特河（**Black Volta River**）和白沃尔特河（**White Volta River**）两大源流汇合而成，流向南，汇入几内亚湾。全长约1 600千米。流域面积39.8万平方千米，年平均流量为每秒1 210立方米。沃尔特河河谷的北部4/5现在是沃尔特湖。该湖为全世界最大的人工湖之一。沃尔特湖是阿科松博坝（**Akosombo Dam**）1965年竣工后形成的。在水坝下方，沃尔特河急剧东转，越过阿克拉平原在阿达注入大西洋。参阅 **Volta, Lake**。

voltage regulator　电压调整器　简称调压器。使电源电压保持在一定限度内的电器或电子器件。这种器件广泛用于各种型号的机动车以使发电机的输出电压与电负载及蓄电池的充电要求相匹配。电压调整器还用于电子设备中以防电压变化过大引起损害。在机动车中，电压调整器用一个弹簧双极开关快速地从三种电路状态中的一个弹接到另一个。低速时，发电机发出的一部分电流被用来增强发电机的磁场，从而提高了输出电压。速度较高时，在发电机的电路中加进电阻，使电压与电流都适中。速度更高时，电路断开，磁场减弱。开关速率通常是每秒50～200次。电子调压器利用固态半导体器件使电流保持平稳。在大多数应用中，调压器的功能像个变阻器。当电负载重时，电阻变小；当负载较轻时，电阻增大。

大规模电力分配系统中，调压器的作用也同机动车和其他机器中一样，用来减小电压变动，以保护用电设备。配电系统的调压器可以配置在变电站或馈电线路中。有两类调压器：分级调压器用电键调整电流；电感式调压器用感应电动机供给次级的连续调整的电压来稳定馈线中电流变动的影响。

Voltaic languages　沃尔特诸语言　又称古尔诸语言，尼日尔-刚果语系的一个语支，通行于多哥北部及贝宁（前达荷美）与其接壤地区、加纳北部、科特迪瓦（前象牙海岸）东北部、布基纳法索（前上沃尔特）的大部、马里境内尼日尔河与布基纳法索-马里边界之间的地区。在沃尔特通用的莫西语是这个语支的最重要语言。参阅 **Niger-Congo languages**。

Voltaire　伏尔泰（1694-11-21，巴黎～1778-05-30，巴黎）　伏尔泰是法国最伟大的作家之一，虽然他的作品只有少数仍然被人们阅读，但他却具有世界的声誉，被视为反对暴政、偏狭和残酷的英勇战士。他体现了法兰西民族精神的特点——批判的精神、机智和讽刺的才能。他的全部作品大力宣传一种进步的理想，这一理想一直引起世界各国人民的共鸣。他的漫长的一生从古典主义的末期延伸到革命时代的前夕；在这一过渡时期，他的著作和活动对欧洲文化采取的方向是有影响的。

身世与青年时代　伏尔泰的出身背景是中产阶级。本名弗朗索瓦-玛丽·阿鲁埃（François-Marie Arouet）。但是也不排除他的出生是个秘密这样一种猜测。因为在好几个场合下他说他出生的日子实际上是1694年2月20日。他认为自己是一位名叫罗什布律恩的军官的儿子，此人也是一位流行歌曲作

供图：Cliche Musees Nationaux, Paris

家。他一点也不爱他的推定的父亲弗朗索瓦·阿鲁埃，此人一个时期内做公证人，后来成了审计法院的委托管理人；他也一点不爱他的哥哥阿芒。关于他的母亲几乎一无所知，他也几乎不谈有关她的任何事情。当他7岁的时候母亲便去世了，他似乎很早便成了家庭权威的叛逆者。他非常喜欢他的教父夏多诺夫教士，这位自由思想家兼享乐主义者把这个孩子交给了著名的交际花妮·秾·德·朗克洛，当时她已经84岁了。无可怀疑的是，他的积极的看法和他的现实感来自他的资产阶级出身。

他在巴黎的耶稣会开办的路易-勒-格朗中学，学习时开始喜爱文学、戏剧和社交生活，同时他也十分感激中学灌输给他的古典趣味，而另一方面长辈们的宗教的教诲只会激起他的怀疑和嘲笑。他亲眼看到了路易十四的可悲的最后年代，从未忘记1709年的伤心事和战争灾难，也没有忘记恐怖的宗教迫害。但是他保留了对君主的某种程度的爱戴，并且深信开明的国王乃是进步的不可缺少的动因。

他离开中学之后决定不去学习法律。在他被任命驻海牙的法国大使馆秘书期间，他迷上了一位冒险家的女儿。法国大使害怕造成丑闻，便把他送回巴黎。他不顾父亲对他的期望，决定献身文学，并且常常去丹普尔社团，当时那里是自由思想界的一个中心。路易十四死后，在道德方面放松的摄政时期，伏尔泰成了巴黎社会的机智人物，他的警句被人们广泛地引用。但是当他竟敢嘲弄放荡的摄政王奥尔良公爵时，他便被赶出了巴黎，继而又被囚禁在巴士底狱约一年（1717）。他在欢乐的外表背后，从根本上说是严肃的，他还着手学习一般公认的文学形式。在1718年他发表了他的第一部获得成功的悲剧《奥狄浦斯王》之后，他被称颂为伟大的古典剧作家J.拉辛的继承人，并从此使用了伏尔泰的名字。人们一直不清楚这个笔名的来源。人们也不能肯定这是不是把小阿鲁埃这个词的字母变化重新组成的。特别是他想成为法国从来不曾有过的维吉尔。他写作了一部以亨利四世为主人翁的史诗，亨利四世是因结束了宗教战争而为法国人民所爱戴的国王。题为《亨利亚德》的这部史诗由于学究式地模仿维吉尔的《埃涅阿斯》而没有成功，但他同时代的人们只是看到了启发他写作此诗的慷慨的宽容理想。这些文学方面的光辉成就使他从摄政王那里获得一笔年金并得到年轻王后玛丽的热情赞许。于是他开始了他的宫廷诗人的生涯。

伏尔泰同他当时的其他思想家——文人与科学家——因信仰理性的效能而结合在一起，因此他是18世纪所说的哲人。在沙龙里他所宣扬的是一种咄咄逼人的自然神论，这种自然神论引起了虔诚信徒的极大反感。他对英国发生了兴趣，因为这个国家容忍思想的自由；他拜访了托里党的领袖，这时流亡法国的博林布鲁克子爵，这位政治家、演说家和哲学家备受伏尔泰的爱戴，乃至被他比之为西塞罗。按照博林布鲁克的劝告，他学了英语以便阅读J.洛克的哲学著作。一件偶然的事情加速了他的智力的发展：由于法国主

要家族之一的一位成员 C. de 罗昂拿伏尔泰所采用的名字开玩笑，伏尔泰同他吵了起来，结果被狠狠地揍了一顿并被送往巴士底狱，继而在 1726 年 5 月 5 日从那里又被解往加来，他是从那里去伦敦的，现在他注定要过流亡者和反对派的日子了。

流亡英国 在英国居留的两年多的时间里，他掌握了英语；他用英语记笔记并且一生都能流利地说和写英语。他结识了这样一些英国文人，如 A. 蒲柏、S. 斯威夫特和 W. 康格里夫、哲学家 G. 贝克莱和神学家 S. 克拉克。他被引荐到宫廷去，他把他的《亨利亚德》献给了卡罗琳王后。虽然起初他的保护人是流亡返回的博林布鲁克，但是看来他和托里党的领袖也发生了争吵，并且转向 R. 沃波尔爵士和自由主义的辉格党。他十分欣赏英国体制的自由主义，尽管党派间的暴力行动使他感到震惊。他羡慕英国人在讨论宗教与哲学问题时的那种无畏精神，并且对贵格会教徒特别感兴趣。他深信正是因为英国人享有个人自由，所以他们，特别是牛顿爵士和洛克才在科学思想中处于领先的地位。他认为这个商人与水手的国家是因为他们在经济上的优势才战胜了路易十四的。因此他得出结论，甚至在文学方面法国也应当向英国学习某些东西，他对于莎士比亚戏剧的体验是压倒一切的；不管莎士比亚剧作的“蛮族风味”使他感到多么吃惊，他仍然被剧中人物的生动和情节的悲剧力量所感动。

返回法国 1728 年底或 1729 年初他返回了法国，并且决定把英国作为榜样介绍给他的同胞。他的社会地位得到了巩固。通过审慎的投机活动，他开始积累了保证他的独立地位的一笔巨大的产业。他试图通过小心地模仿莎士比亚来恢复悲剧。在伦敦开始写作的《布鲁图斯》和所附的《献给尊贵的博林布鲁克先生的论文》在 1730 年几乎不能说是一次成功。《凯撒之死》只在一所学校里上演（1735）；在《埃莉菲列》（1732）里，一个鬼魂像在《哈姆雷特》里那样出现引起了观众的反感。但是《扎伊尔》却取得了巨大的成功。剧中的苏丹奥洛斯玛尼因受到一封含意模棱两可的信的欺骗，而在突发的一阵嫉妒情绪中刺死他的囚徒、生来便是虔诚的基督教徒的扎伊尔，这一剧本因其具有异国情调的题材而吸引了观众。

与此同时，伏尔泰又转向一个新的文学门类：历史。在伦敦他认识了一个名叫法布里斯的人，此人先前曾是瑞典国王查理十二世的朋友。他对这位伟大军人的非凡性格感到的兴趣，从而促使他写这位国王的生平。《查理十二史》（1731）是根据文献细心撰述的历史叙事作品，但是读起来像一部小说。当他写到瑞典国王的功业带来了荒芜，而另一方面他的对手彼得大帝却将俄罗斯带入一个巨大的文明帝国以留给后人的时候，深刻的哲学思想开始出现了。伟大的人物并不是战争狂人；他们促进文明——这个结论同英国的例子是符合的。经过长期的思索，在一部极为简要而深刻的著作《哲学书简》（1734）里，伏尔泰正是使这一思路取得了成果。这些虚构的书信首先是要证明宗教的宽容的有利效果。它们把洛克的明智的经验主义的心理学拿来同 R. 笛卡儿的出于猜测的冥思苦想作了对比。一个不愧于这个称号的哲学家，诸如牛顿，是不屑于进行空洞的、先验的冥思的。他从中观察事实和原因。在向法国阐明了英国的政治制度、它的商业、它的文学和法国几乎不知道的莎士比亚之后，伏尔泰最后向法国的数学家和宗教哲学家帕斯卡发起指控：人生的目的并不是通过悔罪进入天堂，而是通过科学与艺术的进步保证所有人的幸福，而人的本性是注定会实现这一点的。这部了不起的小书是思想史上的一个里程碑：它不仅体现了 18 世纪的哲学，而且确定了现代思想的主要方向。

同夏特莱夫人的生活 这部著作发表之后随即招来了毁谤，因为此书极为坦率地发表了反对宗教和政治体制的言论。当 1734 年 5 月发出了逮捕证的时候，伏尔泰便逃到香槟地区西雷的夏特莱夫人的庄园，并且开始同这位年轻、才华出众的女人发生了暧昧的关系。他同她一道住在这座由他本人出资改建的庄园里。在退隐的这一时期，他只在 1736 年 12 月去了一次低地国家——在一篇篇幅不长但是大胆宣传享乐思想的题名为《利禄之徒》的叙事诗流传之后，到外面躲几个星期的做法是可取的。

这两个人的同居生活既是奢侈的又是刻苦用功的。在《阿戴拉伊德·杜·盖斯克兰》（1734）这出描写民族悲剧的戏之后，他在 1736 年又把《阿尔济勒》搬上了舞台并获得了巨大的成功。《阿尔济勒》的情节发生在西班牙占领时期的秘鲁利马，它使人们看到了人道主义文明对残暴力量的方法在道德上的优越性。尽管这一悲剧在描述“高贵的野蛮人”方面使用了传统的手法，但它列入法兰西喜剧院保留剧目约一个世纪之久。夏特莱夫人热衷于科学与形而上学并且在这方面对伏尔泰的作品有影响。他们在庄园设立了一个自然科学的“长廊”或实验室，并且为科学院的一次会议，就火的性质问题写了一份备忘录。夏特莱夫人学习英语以便翻译牛顿的著作和曼德维尔的《蜜蜂寓言》的时候，伏尔泰则通过他的《牛顿哲学要义》（1738）来普及英国科学的那些发现，因为这时只有少数先进的法国知识界人士如天文学家兼数学家 P.-L. de 莫佩尔蒂才熟悉它们。与此同时，他还继续进行他的历史研究。他开始撰写《路易十四时代》，为有关国王、战争、文明和风尚的一部通史拟订了大纲，后来成为他的《风俗论》。此外他还钻研圣经注释的问题。夏特莱夫人自己撰写了一部《研究集》，对《旧约》和《新约》进行了高度的批判研究。正是在西雷，伏尔泰完善了他的科学知识，获得了贯通各种学科的修养，这是他的天才的一个突出的方面。

由于一次诉讼，他在 1739 年 5 月随同夏特莱夫人去了布鲁塞尔，自此之后他们便经常来往于比利时、西雷和巴黎之间。伏尔泰同普鲁士的王储有通信关系，这位王储不满意他父亲的那一套僵硬的军事训练和教育方法，便托庇于法国文化之中以求解脱。当这位王储继承了王位，成了腓特烈二世即腓特烈大帝的时候，伏尔泰先是在克莱沃，后在柏林拜会了他的弟子。当奥地利王位继承战争爆发时，伏尔泰奉派前往柏林（1742～1743），他此行负有一项秘密任务，即要普鲁士国王——他表明自己是一个不守信义的联盟者——帮助法国军队。这样的任务——还有他介绍他的朋友阿尔让松兄弟受路易十五的情妇蓬巴杜夫人的保护，这兄弟二人分别担任了国防和外交部长——使他重新得到凡尔赛的好感。在他发表了庆祝丰特努瓦胜利（1745）的诗篇之后，他被任命为史官、宫廷侍从和院士。他的有关希腊神话中的王后悲剧《梅罗珀》在首场演出便受到了公众的喝彩（1743）。但是《穆罕默德》一剧在 1742 年成功地上演之后却遭禁止，因为伏尔泰在此剧中把伊斯兰教的创立者描写成一个骗子。他通过受宠于蓬巴杜夫人的 J. P. 迪韦尔内——负责军事供应的财务负责人——所作的手脚积累了大量财产。在这种富裕的环境里，他又勾引上了他的甥女德尼夫人，这是一位姿色动人的寡妇，但他同夏特莱夫人的关系一直也没有断绝。

但是他仍然免不了有失望的事情。路易十五不喜欢他，宫中虔诚的天主教集团对他仍十分敌视。他犯了生活不检点的罪过。当夏特莱夫人在王后的赌桌上输掉巨款的时候，他用英语对她说：“你正在同一个在纸牌上作弊的人赌博。”这句话被听懂，于是他不得不在 1747 年以曼恩公爵夫人的客人的身份躲藏到乡间的别墅去。不安定的生活使他疾病缠身精疲力尽，他终于发现了理想的适合他的欢快和清醒心情的文学形式：他写了他最初的短篇小说。《米克罗梅加斯》（1752）用宇宙的尺度来衡量人的渺小。《巴布的幻象》（1748）和《美姆农》（1749）则是对 G. W. 莱布尼兹和蒲柏的哲学的乐观主义表示怀疑。《查第格》（1747）是一种比喻的自传：巴比伦的贤人查第格和伏尔泰一样受到迫害，身遭厄运，而最后则怀疑上天是否爱护人类。

他一生中的巨大危机正在迫近。1748 年他在科梅尔西进入了斯坦尼斯瓦夫（波兰前国王）的宫廷，在这里他察觉了夏特莱夫人和诗人圣朗贝尔的情事，这是一次有点荒唐的感情事件，但它的结果却是悲惨的。1749 年 9 月 10 日他亲眼看到了这位具有非凡才智的女人，15 年来一直是他的指导和顾问的女人，在分娩时死去。他怀着绝望的心情返回巴黎他们曾同居过的住宅；他在夜里起来，并彷徨在黑暗里，呼叫着她的名字。

晚年的游历 他的一些剧本的失败加剧了他的失落感。他曾尝试过写作当时流行的伤感剧：在《浪子》（1736）这部以浪子为主题的戏之后，他按照自己的目的改编了 W. 威彻利的讽刺的复辟题材的剧本《直率的人》，题为《一本正经的人》；他的《纳尼纳》（1749）的依据是 S. 理查森的小说《帕梅拉》中的一个场景，但是它们都没有得到成功。他导演的宫廷表演使他对舞台效果很有兴趣，他给《谢米腊米斯》（1748）设计了一种豪华的舞台装置还有鬼魂的幻象，但是他的观众并没有被吸引。他的敌人把他同克雷比永相比，此人在当时法国的悲剧作家中是一位杰出的人物。虽然伏尔泰使用了和他的对手相同的主题（奥列斯特、谢米腊米斯），但巴黎的观众还是更喜欢克雷比永的剧本。既恼怒又失望的伏尔泰于是答应了腓特烈二世的恳切邀请，于1750年6月28日启程去柏林。

就在他离开的时候，反抗他始终忠于的思想和趣味的文学界新一代正在法国出现，传播当时哲学思想的人们，诸如D.狄德罗、霍尔巴赫男爵和他们的朋友都倡导一种彻底的唯物主义，而视伏尔泰的自然神论为胆怯。另一部分人则和卢梭一道重新发现了基督教的诗意，所有的人实际上更倾心于感情和激情的魅力，而不是理性的启蒙作用。随着年代的流逝，伏尔泰在自己的荣耀中变得越来越孤立了。

起初他在柏林和波茨坦的逗留使他颇为陶醉，但很快便出现了困难。在同放债人打了官司并同著名的贵族发生争吵之后，他又同莫佩尔蒂(腓特烈的科学院柏林科学院院长)在科学问题上发生了矛盾。在一本题为《阿卡奇亚博士的抨击》(1752)的小册子里，伏尔泰对他极尽嘲笑之能事 。被激怒的国王下令烧掉《阿卡奇亚》，并且对它的作者痛加申斥。伏尔泰于1753年3月26日离开普鲁士，对此大为恼火的腓特烈决定惩罚他。在途中，由于普鲁士驻当地官员的命令，他被软禁在法兰克福的一家客店里，路易十五也不许他接近巴黎。他不知道应当去哪里，于是在科尔马停留了一年多。最后他在日内瓦找到了避难所，他在那里买了一所被称为“乐庐”的房子，同时又在洛桑弄到了一处过冬的住所。

这时他完成了两项重要的历史研究。《路易十四时代》(1751)，这部有关路易十四时代的作品是作者向“伟大时代”的遗老们进行了20年之久的详尽调查之后才写出来的。伏尔泰特别重视要通过从尽可能多的目击者那里搜集证据来弄清真相，而对于证据他都加以极为严格的批判。他的愿望是通过认真考察这个民族的艺术与科学以及它的社会生活来撰写这个民族的历史，但是军事事件和政治在他的考察中依然占有重要的地位。《风俗论》是他在1740年便已开始的对于习俗和德行的研究(第一个完整的版本出版于1756年)，这部书从罗马帝国的覆亡起，记述世界历史的进程并且给予东方和远东各国以重要的地位。伏尔泰的目的是表明人类如何超越野蛮状态而缓慢地向前发展。在这两部作品之外，他还写了一部彼得大帝统治期间的俄国历史《彼得大帝统治时期俄罗斯帝国史》(1759～1763)、《历史哲学》(1765)和《路易十五时代概要》(1768)。

在日内瓦，起初他作为宽容精神的捍卫者而受到欢迎和尊敬。但不久他便使他周围的人们感到不安了。在乐庐，他的剧本被禁止上演，因为日内瓦共和国的法律对公私的戏剧演出一概禁止。随后又发表了他的一篇题名为《少女》(1755)的模拟英雄叙事诗，这首诗很不得体地描述了贞德(奥尔良少女)。尽管伏尔泰提出反对意见，书商还是把它出版了。

受他的欢快的才智所吸引的加尔文派牧师以及妇女和青年人都拥到他的沙龙里来。但他很快激起瑞士的重要知识界人士的敌视。风波爆发在1757年11月，就是狄德罗的《百科全书》第7卷出版的日子。伏尔泰曾鼓励他的友人哲学家J.达朗伯在访问乐庐后写一篇关于日内瓦的文章；文章写出来了，它不仅要求加尔文的城市在城内修建一座剧场，而且对加尔文派的某些牧师怀疑基督的神性加以称赞。这一引起反感的做法招来迅速的回报：《百科全书》被迫中止出版，而卢梭则在一篇论戏剧表演的道德问题的论战性文章《论戏剧表演致达朗伯书》(1758)中对哲学家们的理性哲学进行了笼统的攻击。卢梭认为戏剧很可能被取消的观点标识着两位作家之间最后的决裂。

伏尔泰在日内瓦不再感到安全并且渴望退出这些争吵。1758年他写了他的最著名的作品《老实人》。在这部哲学的幻想作品中，庞格洛斯博士(庞格洛斯本人则是莱布尼兹的哲学乐观主义的信徒)的弟子、年轻的康第德见到并遭到如此的不幸，乃至他不能相信这是“一切可能的世界中最好的世界”。在和自己的同伴们退隐到普罗彭提斯的沿海地带去之后，他才发现幸福的秘密乃是“种自己的园地”，这种实际的哲学排斥了过分的理想主义和含混不清的形而上学。伏尔泰自己的园地是费尔奈，这是1758年年底他购置的一处产业，这里和法国的图尔奈都在瑞士的边界上。一越过国境他就能保护自己不受瑞士或法国任何一国警方的侵犯。

在费尔奈的成就 伏尔泰在费尔奈进入了他一生中最活跃的时期之一。作为这一庄园的家长和主人，他把庄园办成了一处现代的产业，还参预当时贵族也感到兴趣的农业改革运动。但是，如果他要对自己忠实的话，他就不能不在村庄里引起纠纷，他曾为了什一税的问题以及有关打了他的一名工人的问题而到地方长官那里去申辩。他修复了教堂并把“伏尔泰建此献给上帝”的字样刻在教堂的正面。在1762年复活节的圣餐式上，他就偷盗和酗酒进行了一次布道，第二年把这种渎神的冒犯行为又重复了一次，拿阿讷西的主教的禁酒开玩笑，因为费尔奈就在他的管区之内。他也参预日内瓦的政治，站在工人(没有公民权的本地人)的一面，又在他的土地上设立了一个袜子工场和钟表工场以帮助他们。他号召解放汝拉的农奴，但并未成功，但是他确实做到消除汝拉的热克斯和日内瓦之间路上的关卡，因为日内瓦是热克斯的产品的天然的出口。对当地政治的这种慷慨的干预为他赢得了巨大的声望。1777年他受到了费尔奈人民对他的欢呼致敬。1815年维也纳的议会为了对他表示敬意而中止瑞士对费尔奈的合并。

现在他已经是一位世界知名的人物。“欧洲的旅店老板”——人们都这样称呼他——他欢迎了这样一些文人，诸如J.鲍斯韦尔、G.卡萨诺瓦、E.吉本、利涅亲王和时髦的巴黎哲学家。他进行了大量的通信，和他通信的有哲学家、演他的戏的男女演员以及宫廷集团的上层人物，诸如黎塞留公爵(枢机主教黎塞留之侄孙)、舒瓦瑟尔公爵和路易十五宠爱的巴里夫人。他恢复了同腓特烈二世的通信并且同俄国的叶卡捷琳娜二世也有书信来往。

几乎没有一个重要的题目伏尔泰对之没有发表过自己的意见。就他的政治思想而论，他基本上是一位自由主义者，尽管他也赞赏把进步措施施加给本国人民的那些国王的权力。在化石问题上，他同著名的法国博物学家布丰伯爵展开了不顾一切的论战。另一方面，他又宣布自己站在意大利科学家A.斯帕兰扎尼教士的一面以反对自生的假设。根据这一假设，微生物在有机物里是自动产生出来的。他还忙于政治经济学的研究，并且由于吸收了17世纪哲学家B.de斯宾诺莎和N.马勒伯朗士的思想而对形而上学重新有了兴趣。

但在这时他的主要兴趣还在于他反对“无耻者”，他用这个词来指教会，特别当它指的就是教会的不能容忍异己的做法的时候。对于人类的未来他设想了一种简单的有神论，以加强国家的世俗权力。当1770年前后巴黎、维也纳和马德里的宫廷同教皇发生冲突的时候，他相信这一目的正在达到；但是这却是对于教会体制的团结和人民对于传统信仰的忠诚的一次错误的估计。伏尔泰的信念促使他写出惊人数量论战性作品。他增加了他的个人攻击，往往不惜采用低级的狡猾手法；在他的爱情喜剧《苏格兰女人》(1760)里，他通过把对手描写成干预两个苏格兰家庭之间的争吵的流氓记者，对著名的评论家E.弗雷隆加以丑化，因为弗雷隆在评论中也攻击过他。他的《公民的感情》(1764)是反对卢梭的。在这个据称是表达了日内瓦人的意见的匿名小册子里，消息灵通的伏尔泰向公众揭露说，卢梭曾遗弃自己的孩子。作为作家，伏尔泰使用过各种各样的笔名：R.阿奇布先生、布尔恩牧师、博林布鲁克勋爵、“向英国国王传译东方语言的人”玛玛奇先生、克洛克皮特、库布斯多夫、J.普洛科夫——不断地叫各种傀儡出来表演。作为一位业余从事学术研究的人，他编了一部个人的百科全书《哲学辞典》(1764)，这部辞典在1770年后又通过《百科全书问题》而得到增订。在这一时期的大量作品中有：《白与黑》，这是一个哲学故事，其中东方的幻想与《让诺与科兰》的现实主义形成对比；《巴比伦的公主》，这是在《一千零一夜》的仙境里展示欧洲的各种哲学；还有《白公牛》，一个圣经故事。

伏尔泰一而再地回到他选定的题目上来：确立宗教的宽容，增进物质上的繁荣，通过取消酷刑和无用的惩罚以尊重人权。而当他对这些年间已公之于众的臭名昭著的事件进行干预的时候，这些原则便得到了运用。比如，在图卢兹经商的一个名叫J.卡拉斯的新教徒因被控杀死自己的儿子以便不使他改宗天主教，此人在因自己的无辜而表示抗议时遭到车裂的刑罚(1762年3月10日)。气得脸色青白的伏尔泰插手了这一案件，并由于他的大力干预使不幸的卡拉斯得到辩护，卡拉斯一家也得到补偿。但是在涉及一个19岁的名叫巴尔的人的戏剧性事件中，他却不那么成功。这个青年曾因对宗教仪仗队有不敬之举和毁坏耶稣受难像而被斩首(1766年7月1日)。舆论对这种野蛮行为深为痛心，但只有伏尔泰积极地提出抗议，他甚至建议法国的哲学家都离开法国迁到腓特烈二世为他们提供的克莱沃城去住。虽然他甚至未能使这一丑恶的审判重新审理，但他却能以此纠正其他审判上的错误。

通过这样的手段，他保持了在哲学运动中的领导地位。另一方面，作为一位作家，他想中止他感到痛心的发展趋势——导向浪漫主义的趋势。通过向喜爱暴力和异国情调场面的观众所作的让步，他试图挽救舞台上的悲剧，比如在《中国孤儿》(1755)里，扮演成吉思汗的列肯穿的就是引起轰动的蒙古服装。伏尔泰认为列肯是当时最伟大的悲剧演员，列肯在《坦克雷德》一剧中担任了同名的角色。《坦克雷德》在上演时舞台装置极为豪华(1760)，它表明是伏尔泰最后的巨大成功。后来的悲剧则枯燥乏味，结构也不好，并且哲学的宣传过多，因此，这些剧本不是因观众反对而无法再演，就是根本没有上演。对于莎士比亚的日益增长的影响，伏尔泰深感震惊；当他把一所住宅赠给17世纪伟大古典剧作家P.高乃依的侄孙女，并且代表她出版了著名悲剧作家的一个注释版本的时候，他在《西拿》一剧的后面加进了《尤里乌斯·凯撒》的一个译本，并深信这样一种对照可以证明法国剧作家的优越。1776年P.de图尔纳翻译莎士比亚激怒了他，因为这使得法国人非常欣赏这位更为直爽的、非古典的剧作家，于是他写了一封谩骂性的《给科学院的信》。他从来不曾停止承认莎士比亚的某种程度的天才，但是又说他是一个"喝醉了的野蛮人"。在他最后的剧本中，他又回到了严格的古典主义，但是没有成功，因为他自己先前的悲剧的大胆做法，尽管它们还是放不开的，已经给浪漫主义的戏剧铺平了道路。

在1778年使他返回巴黎的正是戏剧。为了指导《伊雷娜》的排练，他于2月10日胜利地返回了他已经28年没有到过的巴黎。在他到达的第二天就有300多人访问了他。3月30日他在一片欢呼声中访问了科学院，而当《伊雷那》在狂欢的观众前演出时，他在他的包厢里被戴上了荣誉之冠。这一切激动人心的事件大大地损害了他的健康。5月18日他得了尿毒症。在临死前他受到了很大的痛苦，就此人们很快便编造了一些荒谬的说法；5月30日他去世了，看上去很平静。他的外甥米尼奥教士接纳了他穿着原来服装的遗体，把他迅速运往塞利耶尔修道院，在这里由当地的牧师为他举行了基督教的葬礼。对这类葬礼的禁令是在仪式举行之后才到来的。他的遗体在1791年7月大革命期间被转到了先贤祠。

对他的评价 伏尔泰的名字总是会引起生动的反应。在他的一生终结时，他受到卢梭的信徒的攻击，而在1800年之后，他又被认为要对大革命负责。但是教会反对派在复辟时期和第二帝国时期的过火行为又使中产阶级和工人阶级回忆起他来。到19世纪末，虽然保守的评论家仍对他持敌视态度，但是G.朗松却推动了对他的生平和著作的科学研究。伏尔泰本人并不希望后人会把他的全部大量作品都记住。他的叙事诗和抒情诗就和他的剧本一样实际上已经死亡了。但是他的短篇小说继续重新出版，而他的书信则被视为法国文学的丰碑之一。他赠给人类一个丝毫未失去其价值的教训。他教导人们要清楚明确地进行思考；他思想精确，心胸开阔。朗松写道："在一个官僚、工程师和生产者的世界里，他是一位必不可少的哲学家。"

voltammetry 伏安法 参阅 **polarography** *极谱法*。

Volterra 沃尔泰拉 意大利中部托斯卡纳大区比萨省城镇和主教区。位于锡耶纳西北。沃尔泰拉原为埃特鲁斯坎联盟的12个城市之一，在公元前205年第二次布匿战争中支持罗马。12世纪为自由社区。1361年由佛罗伦萨的梅迪契家族控制。以埃特鲁斯坎和中世纪的艺术中心而闻名。沃尔泰拉尚存有埃特鲁斯坎墙、两个埃特鲁斯坎-罗马式城门和公元前6世纪同心环拱顶圆形坟墓。瓜尔纳奇·埃特鲁斯坎博物馆藏有埃特鲁斯坎人的著名艺术品，包括600多个骨灰坛。还有美术馆和博物馆。其他重要古迹有托斯卡纳最古老的市政厅、城堡(1343)、10世纪的大教堂等。传统工业有雪花石膏开采及其艺术品制作业和制盐工业。人口：城市区约12 782(1993)。

Volterra, Daniele da 沃尔泰拉(1509，佛罗伦萨共和国沃尔泰拉[意大利]～1566-04-04，罗马) 意大利风格主义画家和雕刻家，以精细的素描和用米开朗琪罗的风格高度理想化的人物形象著名。早年师从锡耶纳画家索多马，1538年前后移居罗马，成为米开朗琪罗的学生和密友。1541年为马西米宫创作描绘法比尤斯·马克修姆斯历史故事的壁画，画中人物肌肉发达、线条流畅，已看出米开朗琪罗的影响。同年，为罗马蒙蒂圣三一教堂创作了其最著名的作品《下十字架》，在有力而又激动人心的画面中，人物造型坚实如纪念碑，又富于动感，是罗马的年轻一代风格主义画家最重要的作品之一。其他主要画作有：《屠杀无辜》(佛罗伦萨乌菲齐美术馆藏)和《大卫杀歌利亚》(巴黎罗浮宫藏)。1559年，教皇保罗四世分派他修改米开朗琪罗在西斯廷礼拜堂里的壁画《最后的审判》，要他在裸体人物上画上一些布条遮住羞处。沃尔泰拉的最后一件作品是根据米开朗琪罗去世时的面具创作的青铜胸像。

Volterra, Vito 沃尔泰拉(1860-05-03，教皇国安科纳[意大利]～1940-10-11，罗马) 意大利数学家，对现代微积分学的发展有巨大影响。1878～1882年就读于比萨大学，以后在分析和数学物理方面的工作受到该校教授E.贝蒂的影响。1883年任比萨大学理性力学教授，是年，开始构思泛函的一般理论。这个概念导致分析的新领域的发展，包括在解积分方程和积分微分方程方面的重要应用。调和积分这个重要概念主要是从他的泛函计算推导出来的。他还把他的分析方法应用到光学、电磁学、弹性力学和畸变理论中，取得很好的结果。1892年任都灵大学力学教授，8年后任罗马大学数学物理教授。1905年成为意大利王国参议员。他虽然年逾55岁，在第一次世界大战中却参加了意大利空军，协助研制了飞艇作为战争武器。他第一个提出在飞艇中用氦代替氢，并帮助组织了意大利的制氦工业。战后，他把注意力集中在数学生物学方面。他不知道他的许多工作前人已经做过。他的生物共生体的抽象数学模型与物理科学有许多相似之处。1931年因拒绝向墨索里尼的法西斯政府宣誓效忠而被迫离开罗马大学；次年被迫辞去意大利科学机构中的一切职务；此后，主要住在国外。他最重要的著作中有《泛函、积分方程和积分微分方程理论》(1930)。

Volterrano, Il 沃尔泰拉诺 参阅 **Franceschini, Baldassare** *弗兰切斯基尼*。

voltmeter 电压表 又称伏特计。测量直流和交流电压的仪器，其标尺通常用伏，毫伏(0.001伏)或千伏(1 000伏)作单位。现代常用的典型商品或实验室标准电压表采用一种机电机构，将流过线圈的电流转换成电压读数。其他类型的电压表有静电伏特计，它利用静电力，这是唯一的一种直接测量电压而不利用电流效应的电压表。另一种是电位计，它比较被测电压和已知电压，此法适用于很低电压的测量。电子伏特计代替了以前用的真空管伏特计，这里利用放大作用或整流作用(或二者并用)来测量直流或交流电压，使电表动作的电流不取自被测电路，因此对被测电路的负载很小，引起的误差也小。上述仪器的读数都是模拟形式的，即一根活动的指针在标尺上指示出电压值。数字电压表给出数字显示的电压值。这种方法适用于远距离传输，可以驱动记录仪器或打印机(或打字机)，也能馈送入计算机。数字电压表一般比模拟电压表有较高的精确度。有一种仪表能测量电压，也能测量欧姆和电流值，称为伏特-欧姆-毫安计，又称多用表。

Volturno River 沃尔图诺河 意大利中南部河流。源出阿布鲁齐山，流向东南与卡洛雷河汇合，转西南，在那不勒斯西北注入第勒尼安海。全长175千米，流域面积5 450平方千米。20世纪50年代建有水坝以调节沃尔图诺河的排水并提供可靠的灌溉水。由于该河的流向与连接罗马和那不勒斯的几条公路干线成直角，因而战略地位重要。意大利统一战争期间，民族领袖G.加里波第于1860年在此打败那不勒斯军队。第二次世界大战期间，意大利南部的德军以该河为防线，直至1943年10月13日才为美国第五军突破。沃尔图诺上游河谷随1943年11月8日英军攻陷伊塞尔尼亚而落入盟军之手。

Voltzia 沃尔茨氏杉属 一个发现于早三叠世(始于2.45亿年前)地层的化石植物属。属球果目(Coniferales，有时是沃尔氏茨杉目[Voltziales])沃尔茨氏杉科(Voltziaceae)。该属的球果与更早期的种属相比，已发生一些值得注意的变化。花粉囊围绕一轴螺旋排列，构成雄孢子叶球。雌孢子叶球5个扁平融合的鳞片上有3个胚珠，这种融合和简化的趋势在以后出现的球果类植物中继续发展下去。

Volubilis 沃吕比利斯 古代北非遗址，位于摩洛哥宰尔洪山平原的非斯附近。公元前

1 世纪至公元 1 世纪为希腊化时代晚期文化的繁荣中心。约公元 44 年为罗马吞并，成为重要的内陆城市。公元 788 年以后成为伊德里斯一世(伊德里斯王朝的缔造者)的首都。留有很多罗马遗迹，最值得注意的是一个广场、一座公元 2 世纪的长方形会堂和卡拉卡拉拱门(公元 217)。

volumetric analysis 容量分析 测量物质所占有的容积，以测定其含量的定量化学分析法，广义地说是测量与第一种物质按已知比例关系化合的第二种物质容积的方法。也可更确切地称为滴定分析法(参阅 **titration**)。第一种方法的实例有法国化学家杜马所发明的测定有机化合物中与其他元素化合的氮的含量的方法。称取一定重量的试样，使其在炉中燃烧，控制好条件以确保所有的氮都能转变成元素氮气 N_2。氮被二氧化碳气流从炉中带出，并通入强碱溶液中，碱吸取二氧化碳而让氮气聚集到一个带有刻度的量管中，在已知温度和压力条件下，从氮气所占体积可计算出氮的质量，这样就可测定出试样中氮的含量。容量分析也应用于硝酸盐的分析，即把硝酸盐转变成一氧化氮气体进行分析。生物过程中产生或消耗的二氧化碳也常用此法测定。气体燃料和燃烧产物的组成可通过测定试样经过某些试剂连续处理后的体积变化而确定。这些试剂可以选择性地吸收二氧化碳、一氧化碳、氧和其他气体组分。

voluntarism 唯意志论 任何形而上学的或心理学的体系只要认为意志(拉丁语 voluntas)比理智起更重要的作用，就可归为唯意志论。一些基督教的哲学家 J.D.斯科特斯有时也被说成是唯意志论者。圣奥古斯丁的非亚里士多德思想强调热爱上帝的意志；J.邓斯·司各脱的后托马斯思想坚持绝对的意志自由，认为意志高于其他能力；法国作家 B.帕斯卡则主张用心的理由取代理性的命题；他们均属唯意志论。I.康德所说的绝对命令把意志对行为的选择作为无条件的道德律令，是一种伦理的唯意志论。德国哲学家 A.叔本华在 19 世纪提出一种形而上学的唯意志论，把意志当作处于整个实在与实在的全部概念背后的单纯的、非理性的和不自觉的力量。F.尼采的关于压倒一切的"权力意志"的学说，认为人靠着这种意志终会把自己重建为"超人"，这种学说是存在主义的唯意志论。W.詹姆斯将知识和真理与目的和实践结果联系起来，显然是一种实用主义的唯意志论。

voluntary muscle 随意肌 参阅 **striated muscle** 横纹肌。

Volunteer Island (Kiribati) **沃伦蒂尔岛** 参阅 **Starbuck Island** 斯塔巴克岛。

Volunteer Island (Pacific Ocean) **沃伦蒂尔岛** 参阅 **Jarvis Island** 贾维斯岛。

Volunteers of America 美国义勇军 美国的宗教性社会福利组织，向贫困者提供精神及物质援助。它是救世军分裂后由布思夫妇于 1896 年在纽约市创立的，采取准军事性组织形式。主要管理机构为战地大委员会，由中将衔以上全体军官组成，选举总司令和其他行政官。美国义勇军通过 800 多个服务中心进行多种福利事业，包括日托所、敬老院和老年人俱乐部、儿童及成年人夏令营、未婚产妇产院、女青年公寓、妇幼急救所、家庭中心，对囚犯、刑满释放人员及其家属的救济，对精神病人及残疾人的救护和安置。该组织的灵性服务事业包括福音堂和主日学，它们以保守的观点讲解基督教义。驻地军官在当地公民组成的顾问委员会的协助下，负责地方组织的管理。资金来自直接公众捐助和当地不同教派提供的赞助。总部设在纽约市。

volute 涡螺 腹足纲前鳃亚纲涡螺科海产动物。多数壳大而艳丽，壳口长，位于第一螺环，内唇多褶痕。在浅暖水中最常见，也见于两极海水中。帝王涡螺(*Aulica imperialis*)产于菲律宾，为收集者所珍视；长 25 厘米；体螺层上有刺状突起，并有褐色方形斑纹；外唇宽，边缘金色。

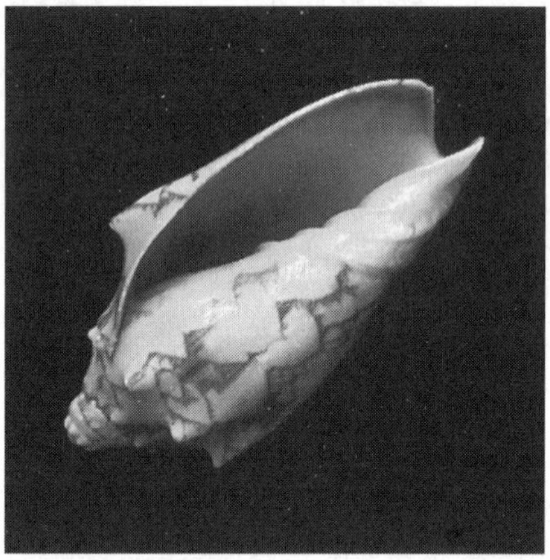

蝙蝠涡螺(*Aulica vespertilio*)
供图：J. M. Clayton from the Natural History Photographic Agency

Volvo Aktiebolaget 沃尔沃汽车公司 瑞典大汽车业公司，制造汽车及有关产品。1926 年成立，原为瑞典滚珠轴承公司独资的附属公司，1935 年独立出来。1931、1942、1969 年先后收购了制造发动机、传动装置和车身的三家工厂，从装配厂发展为大制造商。它主要生产中型轿车，以其坚固耐用和乘客安全的特点而著名。1928 年开始生产卡车，成为欧洲重型卡车最大的生产者之一；1931 年开始制造公共汽车。它还生产船用与工业用以及飞机和火箭用各种机械和发动机、推土机和农业及林业设备、旅游车和野营车。总公司在哥德堡。

volvocid 团藻类 植鞭毛藻类团藻目(Volvocida)的圆形植物样原生生物。生活于淡水，常使池塘、沟渠变成绿色。植物学家将某些种类划归绿藻门。典型的团藻中央有一胞核，2～4 根鞭毛从紧贴胞膜的纤维素质(或矿物质与纤维素质)的甲前端开口处伸出。有色体含绿色素。有些种，如雨红球藻(*Haematococcus pluvialis*)和雪衣藻(*Chlamydomonas nivalis*)，含有一种红色的色素(血色素)，能使雪变成红色。单栖藻类如衣滴虫属(**Chlamydomonas**)种类可小于 25 微米，而成群体的团藻如团藻属(**Volvox**)种类可达 1 毫米。团藻类可营光合作用，也可借吸收作用获取营养物质，也可两种方法兼用。无性繁殖为纵分裂，新生的个体在母膜内还停留一段时间。团藻类也有有性繁殖。群体形式各异，从由类似的个体疏松集合成的扁盘样结构(如盘藻属[*Gonium*])，到排列复杂的结构如团藻属。

Volvox 团藻属 一个含叶绿素的淡水生物属，营群体生活；动物学家将其划为团藻目(Volvocida)鞭毛原生动物，植物学家则将其归属于绿藻门(Chlorophyta)。团藻群体呈椭圆形，中空，厚度只有一个细胞，大小如针头，含 500～60 000个细胞，包在胶质壁内。无性群体含具双鞭毛的体细胞和生殖细胞(繁殖胞)。繁殖胞在亲体内产生子群体。在有性群体中，相当于繁殖胞的是卵子和精子。卵受精后形成合子，合子结成包囊，包囊在母体死亡后释出。夏末形成的厚壁合子则可越冬。团藻中群体已分化出体细胞及生殖细胞，此一现象有助于推导由原生动物到高等动物的演化途径。某些种类的体细胞间似有胞丝相连，这可视为从单细胞生物体向多细胞生物体发展的过程。

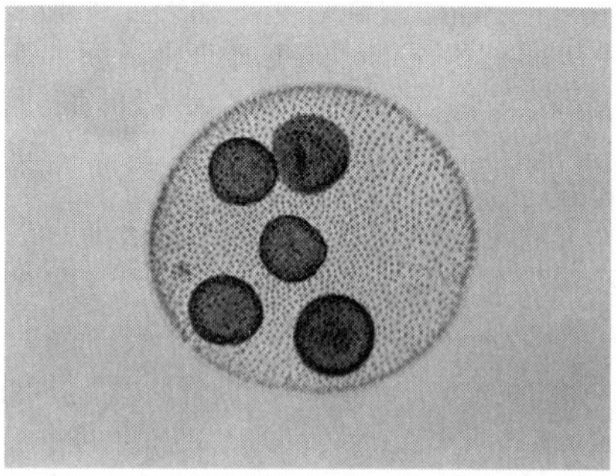

球形团藻(*Volvox globator*)群体
供图：Robert W. Hoshaw

volvulus 肠扭转 表现为一段消化管绕肠系膜旋转的消化系统疾病。可致肠梗阻、剧痛，受累肠段扩张及供血障碍。可分先天性及获得性两种。易发生于乙状结肠、回盲区及胃部。扭转严重者常需手术治疗。切除部分消化道可防止复发。

Volyn 沃伦 乌克兰西北角的一个州。面积 20 200 平方千米。北部有平坦的普里佩特沼泽低地，芦苇沼泽及禾草沼泽分布广泛。非沼泽地带一般森林密布。南部为沃伦-波多尔斯克高地的丘陵地带，经河川侵蚀切割，多河谷和沟渠。高地的森林草原大多已经开垦。农业占经济主要地位，农村人口占 1/2 以上。高地产甜菜、黑麦、小麦和玉米。北方主要饲养家畜。城镇规模小，主要从事农产品加工。首府卢茨克(**Lutsk**)。西南部有小块煤田。该州原是前沃利尼亚(**Volhynia**)区的一部分。人口 1 075 200(1996)。

Volyn-Podolsk Upland 沃伦-波多尔斯克高地 在乌克兰西部。西迄德涅斯特河与布格河上游河谷，东至第聂伯河。北部以悬崖为界，伸延到日托米尔、克列梅涅茨与利沃夫一线。南部边缘在扎波罗热一巴尔塔一线，以外为黑海低地。西北部最高，海拔471米。高原多由黄土和水平岩层组成，河谷中（尤其是东部）多结晶岩露头。东部介于南布格河和第聂伯河之间的地区有时称第聂伯高地。

Volynia（Ukrainian region）　参阅 **Volhynia** *沃利尼亚*。

Volzhsky　伏尔加斯基　俄罗斯西南部伏尔加格勒州城市。位于伏尔加河畔。1951年为伏尔加水电站的工作人员提供住地而建市。电站于1961年竣工后，工业兴起，人口迅速增长。有较大的化工企业，利用伏尔加格勒的石油化工产品和天然气。其他工业产品有滚珠轴承、钢管和砂轮。人口约288 000（1995）。

Vom　沃姆　尼日利亚中部高原州城镇。位于乔斯高原的卡杜纳河源附近，在乔斯城东北29千米处。为联邦兽医研究部（1924）和西非第一所兽医学校（1942）所在地。有政府经办的乳品厂。富拉尼牧民提供牛奶。附近的火山土地为耕地，种植高粱、粟、阿恰稻（俗称饿稻）、马铃薯和蔬菜。城东有锡和铌矿开采业。人口约11 264（1972）。

vomeronasal organ（anatomy）　**犁鼻器**　参阅 **Jacobson's organ** *雅各布森氏器官*。

vomiting　呕吐　又作emesis。胃内容物被迫经口腔吐出的一种症状。和恶心一样，呕吐的病因多种多样，如晕动病、药物反应（含酒精饮料、毒品和处方药等）、肠梗阻、内耳疾病、颅脑外伤、阑尾炎等；有时，呕吐并不伴有恶心，如剧烈运动后的呕吐等。据信，呕吐受控于两个位于延髓的神经中枢：呕吐中枢和化学感受器启动区。呕吐中枢兼有传入和传出两种神经功能：一方面，它能启动和控制呕吐动作——一系列消化道平滑肌的收缩动作，收缩首先自小肠开始，然后沿胃幽门、贲门、食管逐级向上方蠕动，直到将胃内容物从口腔迫出；另一方面，它还可以直接感受来自机体各部位的张力性或疾病性刺激。化学感受器启动区则只能感受来自各种毒素和药物的化学性刺激，然后再通过呕吐中枢驱动呕吐动作以排除体内毒物。严重呕吐可导致机体脱水、营养不良或食管破裂。

von Gierke's disease　冯·吉尔克氏病　又称Ⅰ型糖原贮积症。糖原贮积症是一组遗传性糖代谢障碍疾病的涵称，可分为多种亚型，冯·吉尔克氏病是其中最为常见的一型，为常染色体隐性遗传，表现为患者体内缺乏葡萄糖-6-磷酸酯酶（G-6PT）。G-6PT的作用是将肝糖原分解为葡萄糖单糖，并从肝脏释放入血，是调节血糖浓度的重要环节。故当体内缺乏G-6PT时，就会出现肝糖原代谢障碍，并大量贮积在肝脏，致使肝脏肿大、低血糖和高尿酸血症（痛风）。本病的全员发病率约为20万分之一，儿童期发病、早年患病者预后不良。患儿肌肉发育差、呈匀称性侏儒、骨质疏松，并有出血倾向。存活至成年者的最主要合并症是高尿酸血症（痛风）和肝癌。

von Hügel, Friedrich, FREIHERR（Baron）VON HÜGEL　**冯·许格尔**（1852-05-05，佛罗伦萨［意大利］～1925-01-27，英国伦敦）　天主教哲学家和著作家。他带头在哲学界发起实在论复兴并在神学界提倡研究宗教感情。他是奥地利裔，1870年承袭其父男爵身份，但大半生（1876～1925）在英格兰生活，第一次世界大战爆发时（1914）入英国籍。冯·许格尔笃信天主教，但持有宽容观点，因而在许多派别的思想家中间都有友人。20世纪初，现代派在教会内形成危机，由于他同卢瓦齐和提勒尔等现代派人士接触频繁，因而与颠覆教会的人们归在一类。其实，冯·许格尔完全拥护罗马教廷，只是认为，天主教会管理体制失之过分集中，应当加以改进，建立健康的上下关系。从他的信函和著作看，他不赞成犯上，反对现代派的信仰。作为宗教学者，冯·许格尔力图说明神学教理与历史、基督与人类、自由意志与教会监督、天主教教义与当时的科学推理之间的关系。

von Neumann, John　冯·诺伊曼（1903-12-03，匈牙利布达佩斯～1957-02-08，华盛顿［哥伦比亚特区］）　生于匈牙利的德裔美国数学家。对量子物理学、数学逻辑、气象学和计算

供图：Alan W. Richards

机科学都有重要贡献；关于对策的数学理论对经济学极有影响。他先在柏林大学攻读化学，1926年在苏黎世工业大学取得了化学工程毕业文凭，同年在布达佩斯大学以关于集合论的论文获得博士学位。他处理问题的公理化特点为这一课题留下了永久的纪念；他关于序数的定义（20岁时发表）已被普遍采用。1926～1930年，先后在柏林大学和汉堡大学任讲师，着重研究量子物理学和算子理论。主要由于他的工作，量子物理学和算子理论可以看作是同一课题的两个侧面。1930年，作为访问讲师去普林斯顿大学，次年任该校教授。1932年，给出统计数学中"遍历假说（或叫各态历经假说）"的一个清晰的表述和证明。是年出版的《量子力学的数学基础》，至今仍是这一领域的标准著作。1933年起一直任新建的普林斯顿高级研究院教授。这时他转向德国数学家D.希尔伯特（**Hilbert, David**）在1900年为20世纪的数学研究所提出的23个基本理论问题，并解决了紧群这一特殊情形下的希尔伯特第五问题。30年代后半期，他的主要著作（部分与F.J.默里合作）是关于算子环（现在称为诺伊曼代数）的；在他所有的工作中这方面的概念可能将被人们长久牢记，而目前这已成为研究量子物理学的强有力的工具之一。算子环的重要副产品是"连续几何"。第二次世界大战期间，他作为陆军和一些民间机构的顾问提出了许多咨询意见。他的两项主要贡献是帮助确定使核燃料爆炸的内爆方法以及参与发展氢弹。他的对策论的数学基石是1928年表述的"极小极大定理"，在他同O.莫根施特恩合写的《对策论与经济行为》（1944）中，这一定理得到了详尽的阐述和应用。他在计算机理论中，对逻辑设计、可靠性问题、储存功能、随机性模拟机、自动机的构造等方面，都做了许多开拓性工作。

von Recklinghausen's disease of bone　骨封·雷克林豪森氏病　参阅 **parathyroid adenoma** *甲状旁腺腺瘤*。

von Willebrand's disease　封·维勒布兰德氏病　又称假血友病B、血管性血友病。以出血时间延长，第Ⅷ因子活性减低为特征的遗传性出血性疾病。本病的基本缺陷是血浆中缺乏一种使血小板黏附的因子，即VWF（封·维勒布兰德因子）。因VWF和第Ⅷ因子的抗原部分平行，故本病患者的VWF和第Ⅷ因子的相关抗原减少，故而第Ⅷ因子活性降低。症状于儿童时期即出现，包括轻微挫伤后即见皮下出血、牙龈和胃肠道经常出血、皮肤破损后出血不止等，黏膜自发性出血亦常见。双亲均有本病病史者症状常更严重。本病病程中严重程度起伏不定。血小板计数往往正常或轻度升高，但间歇性血小板数下降亦常见，血小板黏附能力明显低于正常。本病的VWF血浆浓度并不恒定，它和患者的治疗情况、免疫状态及激素水平有密切关系。另外，正常人亦可因反复输血、免疫性疾病或淋巴系统病变而获得本病，因为在反复输血的过程中，有可能输入抗VWF抗体，而使正常人血浆中的VWF数量减少。参阅 **thrombocytopathy**。

Vonck, Jean-François　翁克（1743-11-29，奥属尼德兰［今比利时］巴尔德海姆～1792-12-01，法国里尔）　比利时律师和政治活动家。他在1789年比利时人反对奥地利的统治的起义中领导一个民主派别翁克主义派。原在布鲁塞尔当律师，1781年开始从事反对约瑟夫二世皇帝所推行的行政和宗教改革的活动。他和他的追随者赞成一种完全的代议制政府形式，而由诺特（**Noot, Henri van der**）领导的比利时的另一个革命先驱团体国家主义派则谋求恢复贵族和僧侣的统治。他曾组织秘密团体"祭坛与炉床社"和以列日为根据地的志愿军。1789年与诺特共同击败奥地利入侵者。1789年12月与诺特在布鲁塞尔成立新政府，称"比利时合众国"。1790年3月因与诺特政见不合而流亡国外。同年12月奥地利人重新在奥属尼德兰掌权后，他组织一个军团，协助法国解放比利时（1792-11）。

Vondel, Joost van den 冯德尔(1587-11-17,科隆～1679-02-05,阿姆斯特丹) 荷兰诗人、戏剧家。出身寒微,主要靠自学成才。他自学过法语,又学习了拉丁文,翻译了维吉尔和塞内加的作品。剧本《逾越节》(1612)根据《出埃及记》写成,是他最重要的早期作品。他受大法学家格劳秀斯的影响,使他从仿效拉丁戏剧转向希腊戏剧。剧本《阿姆斯特尔的海斯布雷赫特》(1637)就是在这个转折点写出的作品,其英雄人物系模仿维吉尔的埃涅阿斯。模仿希腊戏剧的作品有:《耶弗他》(1659)以及他的最伟大成就即三部曲《路济

阿姆斯特丹国家博物馆供图

弗尔》(1654)、《流放中的亚当》(1664)、《挪亚》(1667)。他年逾花甲才达到文学创作的成熟期,显示出自己是精通多种体裁的大师。然而,他最重要的艺术成就则在悲剧方面。

Vonnegut, Kurt, Jr. 冯内古特 (1922-11-11,美国印第安纳印第安纳波利斯～2007-04-11,纽约市) 美国悲欢小说和讽刺小说家。其作品运用幻想和科学想象突出20世纪恐怖而令人啼笑皆非的文明。曾就学于康奈尔大学。第二次世界大战期间在美国空军服役,曾被德军俘虏。战后在芝加哥大学攻读人类学。20世纪40年代后期成为记者和作家。第一部小说《自动钢琴》(1952)形象地描写了一个完全机械化、自动化的社会,其失去人性的影响遭到纽约一工厂区的科学家和工人的徒劳抵制。《巨人的警笛》(1959)是一部半科幻小说,在其中整个人类历史被看作是在一颗外星上寻找太空飞船一个部件时伴随发生的偶然事件。在《挑棚子游戏》(1963)中,一些加勒比海岛民信奉一种由无害的日常琐事构成的新宗教,以应付一未预见到并最终毁灭地球上所有生命的科学发现。《第五号屠场,又名儿童十字军》(1969)企图以小说形式再现其被俘后在德累斯顿的经历,用对该城的空袭作为千百年来战争的残酷和毁灭性的象征。此外还写有包括《旺达·琼,祝你生日愉快》(1970)在内的几部剧本、几部非小说作品和几部短篇小说集,其中主要为《欢迎到猴子屋来》(1968)。其他小说有《母亲之夜》(1961)、《上帝保佑您,罗斯沃特先生》(1965)、《优胜者的早餐》(1973)、《击板》(1976)、《囚犯》(1979)、《神枪手迪克》(1983)和《加拉珀戈斯》(1985)。

Vonones I 沃诺奈斯一世(?～公元19,叙利亚安条克) 安息国王(公元7或8～11在位)。弗拉特斯四世(**Phraates IV**)的长子。

公元1世纪钱币上的沃诺奈斯一世像

不列颠博物馆供图

曾作为人质留在罗马。当安息国王奥罗德斯三世去世,安息人请求送还弗拉特斯四世的一个儿子时,罗马皇帝提比略把他送了回来。但是,他的外国作风与安息人格格不入,他的屈从罗马也引起安息人的反感。约公元12年末底阿特罗帕特尼的国王阿尔达班三世起来造反。沃诺奈斯逃往亚美尼亚,在那里获得王位。但在阿尔达班的压力下,约公元15年退位。此后去叙利亚的安条克,在那里遭到罗马总督的拘禁。后因企图逃跑被杀。

voodoo 伏都教 又作voudou,海地的民间宗教;它糅合法国殖民统治时代遗留下来的天主教礼仪成分以及原属非洲约鲁巴族、丰族、刚果族和其他一些民族的奴隶带到海地的非洲宗教和巫术成分。voodoo一词源出贝宁(原达荷美)丰人语言vodun(神灵)。伏都教徒自称信奉缥缈之中的一位至尊上帝,但是经常灵验的却是大批"罗阿(loa)",其中有地方神灵、非洲神灵、神化祖先和天主教的圣人。信徒相信,罗阿要求人们礼拜他们,个人或家族可以通过礼拜某位罗阿而受到他的特殊保佑。在伏都教礼拜中,一群信徒聚会在圣殿(一般是矮小简陋的会堂),由祭司(或男或女)主持,内容有唱歌、击鼓、舞蹈、祈祷、准备饭食、宰牲献祭。祭司男者称"洪甘"(houngan),女者称"曼玻"(mambo),还为人出谋划策,医治疾病,祛除魔法。伏都教徒相信,罗阿护持人,保佑人,指引前程,罗阿在礼拜中与人沟通,在人入定时附在他身上,于是此人就会吃喝,照定式舞蹈,向他人提出奥秘忠告,给人治病或表演特殊技艺。海地城市许多居民信奉两派罗阿:拉达罗阿智慧仁慈;佩特罗罗阿粗暴不仁。礼拜后者的仪式更为激烈狂乱。伏都教中一种最引人注意的特殊现象是"宗鬼"(zombi)。伏都教徒认为,宗鬼可能是供法术利用的死者游魂,也可能是用法术自坟墓中调来而任人驱使从事农田劳动的尸体。在实际操作上,某些伏都教祭司确实像是在某人皮肤上涂抹某种毒药而使他在许多小时之内处于麻痹状态,成为宗鬼。几十年间海地天主教会谴责伏都教,甚至要求迫害伏都教徒,但是,到了20世纪末,伏都教仍是海地至少80%人口的主要宗教,天主教会似乎无可奈何,只好与它共处。

Voortrekker 移民先驱 指1835年至19世纪40年代初期离开英属开普殖民地,向内地大迁徙(**Great Trek**)的所有阿非利堪人。

Voragine, Jacobus de 参阅**Jacobus de Voragine** 雅各(沃拉吉纳的)。

Vorarlberg 福拉尔贝格 奥地利最西边的一个州。北临巴伐利亚(德国)和康斯坦茨湖,西接瑞士(以莱茵河为界)和列支敦士登,南临瑞士,东隔阿尔贝格山口与蒂罗尔州相邻。面积为2 601平方千米。境内有伊尔河和布雷根茨河穿过。康斯坦茨湖以南以及莱茵河和伊尔河流域地势平坦,东北部的布雷根茨林山(**Bregenzerwald**)为丘陵地带,南部有锡尔夫雷塔山,最高峰为布因峰,海拔3 312米。公元前15世纪～公元5世纪属于罗马帝国的腊埃提亚省。由于阿勒曼尼人入侵,593年成为法兰克王国的一部分。14～15世纪不断日耳曼化。至1523年已大部归哈布斯堡王朝统治,将其与蒂罗尔合并治理。1918年成为奥地利独立的州。这里的人民是阿勒曼尼人的后裔,所操方言近似瑞士德语,1919年曾投票要求并入瑞士。福拉尔贝格的工业仅次于维也纳,居全国第二位。居民多半是产业工人或手工业工人。主要工业有纺织、服装、钟表制造、金属加工、化工、制药等。主要城镇有布雷根茨(**Bregenz**,首府)、多恩比恩(**Dornbirn**)、费尔德基希(**Feldkirch**)、布卢登茨(**Bludenz**)和卢斯特瑙。农业以草原放牧和养牛为主。各地都生产奶制品。莱茵河谷种植马铃薯、玉米、小麦和水果,还有一些葡萄园。旅游业日益发达。人口345 272(1998)。

Vordingborg 沃尔丁堡 丹麦西兰岛南部斯托海峡州城市。濒临马斯讷海峡。12世纪围绕城堡而建,为国民议会经常开会的地点,1241年的一次会议发布了最早的国家法令。1415年建市。14世纪瓦尔德马四世在其城堡(现为一植物园)广场上,建成一座稀奇古怪的"鹅塔",并冠以一只金鹅风向标(现为铜制)。现有工业包括肉类加工、制砖和水泥等。附近有18世纪的罗森费特庄园。一座长3.2千米的桥连接沃尔丁堡和法尔斯特岛。人口:市约8 816(1986);城市区约20 488(2003)。

Vorkuta 沃尔库塔 俄罗斯西北部科米共和国城市。位于沃尔库塔河畔。1932年开始采煤。第二次世界大战之后,工业和城市建设有重大发展。起初使用劳役采煤。后该地区成为斯大林时期政治犯劳改营的一部分。这里的犯人多因气候酷寒而死去。人口约104 000(1995)。

Voronezh 沃罗涅日 俄罗斯西部一州。位于顿河中游。面积52 400平方千米。顿河将全州分为东西两部分。东北部是奥卡河-顿河平原;西部为中俄罗斯高地,有许多沟谷。地处森林草原带,小片橡树林与草原相间。土地肥沃,大部分已辟为耕地,水土流失严重。然而农业高度发达,主要种植小麦、玉米和其他谷物,是俄罗斯少有的几个气候条件适合玉米生长的地区之一。向日葵和甜菜

是主要经济作物。首府沃罗涅日市蔬菜种植业占重要地位。果园比比皆是。当地大量养殖奶牛、菜牛、猪和绵羊。除沃罗涅日市外,工业多为小型农产品加工。有低品位铁矿床。人口约 2 504 000(1996)。

Voronezh　沃罗涅日　俄罗斯西部沃罗涅日州城市和行政中心。滨临沃罗涅日河与顿河汇流处的沃罗涅日河右岸。1586 年建为要塞。后成为别尔哥罗德防线的一部分。彼得大帝曾在此建立海军小舰队对抗土耳其人的亚述要塞。随森林草原集约农业的发展,成为谷物贸易和面粉加工的中心。现有机械制造业、化学工业和食品加工业。动力来自热电站和新沃罗涅日原子能电站。建有综合大学(1918 年从爱沙尼亚塔尔图迁此)以及农学、医学、林业、兽医和师范学院。人口约 908 000(1995)。

Vorontsov, Mikhail Illarionovich　沃龙佐夫(1714-07-23[旧历 07-12]～1767-02-26[旧历 02-15],俄罗斯圣彼得堡)　俄国政治家。在女皇叶利扎维塔(1741～1762 在位)统治期间,曾起过很大作用,特别在外交方面。出身于一个在 18 世纪俄国宫廷中取得重要地位的家庭。14 岁任彼得大帝之女叶利扎维塔的宫中侍从。1742(俄历 1741)年协助叶利扎维塔推翻伊凡六世而成为女皇。后来任副总理大臣(1744)。1758 年取代亲英的别斯图热夫-留明,当总理大臣。他亲法国,但当彼得三世继位后废除与法国和奥地利的联盟时,他并未努力劝阻,甚至当彼得三世被他的妻子叶卡捷琳娜二世废黜时(1762),沃龙佐夫依然支持他,结果遭受软禁。只是在彼得死后,他宣誓效忠叶卡捷琳娜,才恢复总理大臣的职位,一直到 1763 年退休。

Vorontsov, Mikhail Semyonovich, Prince　沃龙佐夫大公(1782-05-30[旧历 05-19]～1856-11-18[旧历 11-06],帝俄乌克兰敖德萨)　俄国军事家、杰出的帝国行政官员。外交家 S. R. 沃龙佐夫的儿子。出身于一个 18 世纪在俄国政治事务中已有很大权势的家庭。1801 年入伍,参加了 1806～1815 年俄国对拿破仑法国的战争。1813 年左右晋升为中将,1815～1818 年指挥俄国驻法国占领军。1823 年出任包括克里米亚、比萨拉比亚和敖德萨市在内的人口稀少的边疆地区总督。1823～1854 年漫长的任职期间,他建立起一个正直有效的政府,并阻止了因俄国殖民者大量涌入,将农奴制带入他所管辖的领土。他极大地促进了这一地区工商业的发展,并且建立了学校和其他文化机构。1844 年出任总司令和高加索总督,成功地巩固了俄国对这片领土的虚弱控制。到 1848 年他已将达吉斯坦(高加索东部)2/3 地区收归俄国。沃龙佐夫赞成在俄国实行温和的改良,包括解放农奴。1853 年退休,1856 年晋升为元帅。

Vorontsova, Yekaterina Romanovna　沃龙佐娃　参阅 **Dashkova, Yekaterina Romanovna Vorontsova, Knyaginya** 达什柯娃。

Voroshilov, Kliment Yefremovich　伏罗希洛夫(1881-02-04,俄罗斯韦尔赫涅耶～1969-12-02,莫斯科)　苏联军政领导人,在其密友和合作者斯大林去世后任国家元首。1903 年起成为布尔什维克积极分子,十月革命后参加国内战争,显示出卓越的指挥才能。1919 年夏在保卫察里津(今伏尔加格勒)时,与该地区政治委员斯大林结为密友。1925 年斯大林任命他为国防人民委员。1926 年当选联共(布)中央政治局委员,1935 年成为苏联元帅。由于要对第二次世界大战中苏联最初的失败负责,他被免去国防人民委员的职务,但 1941 年 6 月仍被任命为国防委员会委员,该委员会在德军入侵苏联后,拥有全部政府权力。他并于 1941 年 7 月 10 日兼任西北方面军司令,负责保卫列宁格勒。他虽然拼死抵抗,奋不顾身,但仍未能阻止德军对列宁格勒的包围,因而在 1941 年 9 月被剥夺指挥权,但仍处在领导岗位上,直至战争结束。1945～1947 年作为斯大林的代表,监督在匈牙利建立共产党政权。战后继续担任苏共中央政治局委员。但他的作用和权力渐渐衰落,这可能是因为到 1953 年时他已失去斯大林的宠信。1953 年 3 月斯大林死后,他任最高苏维埃主席团主席(苏联国家元首),继续保持其在苏联政府中的影响。1957 年与党的主席团(前政治局)其他委员一起企图把新领导人赫鲁晓夫赶下台,但没有成功。虽然他是"反党集团"的成员(这一事件直至 1961 年 10 月才公布),他仍保持重要党政职务,1960 年退休。

Voroshilovgrad (Ukraine)　**伏罗希洛夫格勒**　参阅 **Luhansk** 卢甘斯克。

Voroshilovsk (Ukraine)　**伏罗希洛夫斯克**　参阅 **Kommunarsk** 科穆纳尔斯克。

Vörösmarty, Mihály　弗勒什毛尔蒂(1800-12-01,匈牙利涅克～1855-11-19,佩斯)　匈牙利社会改革时期(1825～1849)致力于建立真正匈牙利文学的诗人和戏剧家。他使匈牙

布达佩斯匈牙利国家博物馆供图

利文学不仅在语言而且在精神上均成为民族文学。生于破落贵族家庭,很快就不得不自食其力。1825 年发表史诗《卓兰的出走》,描写匈牙利被阿尔帕德征服的历史。1830 年,他成为新建立的匈牙利科学院的第一名院士,创作了真正伟大的诗剧《钟哥与金黛》,这是一部《仲夏夜之梦》一类的回忆往事的象征性神话故事。他迟至 1843 年才结婚。其妻乔亚吉·劳拉给他以灵感,使他写出一些优美的诗篇,其中最优秀的一首是《致作白日梦者》(1843)。独立战争(1848～1849)爆发时,作为科苏特的一名热情战士,拥护民族独立事业,并任国会议员。在随之而来的镇压期间,他不得不躲藏起来,和 3 个孩子过着极其艰苦的生活。个人的挫折和国家的苦难,影响了他的精神,虽然他还能写些好诗如《老茨冈》(1854)等,但他再也不能继续往日那样的活动。

Vorschule　中学预备学校　19世纪中叶在普鲁士和德国北部其他各州发展起来的为上层社会的儿童升入中学作准备的一种私立初等学校。在理论上,每个普鲁士男孩在完成小学(一种免费的、普及的、义务的小学)学习后,都可升入中学。但小学和中学的课程共同点极少,以致许多小学毕业生不能掌握中学课程。预备学校为学生在中学顺利学习提供了必要的背景知识。这种预备学校有些是私立的,有些由当地政府开办。它们都收取学费;因此,家庭较贫困的子弟很少能入学。学校课程通常为 3 年。1919 年,德国通过魏玛宪法,要求各州建立使所有儿童都能进入中学的小学。随着这一要求的实施,预备学校不复存在。

Vorskla River, Battle of the　沃尔斯克拉河战役(1399-08-12)　金帐汗国大败立陶宛大公维陶塔斯的战役,从而粉碎了他控制南部俄罗斯的企图。14 世纪末,金帐汗国发生内讧,帖木儿和埃迪古将军取代了陶赫塔梅希汗,陶赫塔梅希企图复辟,就向维陶塔斯求援。维陶塔斯纠集一支由俄罗斯-立陶宛兵、鞑靼兵、波兰兵和普鲁士条顿骑士组成的杂牌军队。帖木儿和埃迪古的军队从大平原地带向第聂伯河进发。两军在第聂伯河支流沃尔斯克拉河畔相遇。维陶塔斯的部队起初打得很出色,但当帖木儿抄其后路时,则阵脚大乱,溃不成军。维陶塔斯本人幸免于难。维陶斯塔从此放弃对金帐汗国建立宗主权的计划,而致力于与波兰、条顿骑士团和北俄罗斯打交道。

Vorst (Belgium)　**沃斯特**　参阅 **Forest** 福雷斯特。

Vorster, John　沃斯特(1915-12-13,南非联邦开普省詹姆斯敦～1983-09-10,开普敦)　南非国民党右翼政治家、南非共和国总理(1966～1978),1978 年当选总统,翌年因政治丑闻被迫辞职。一个富裕的布尔人养羊业者的第 13 个孩子,在斯泰伦博斯大学学习,作为国民党学生领袖而受到重视。1938 年离开学校,任开普省主任法官的注册官,翌年在伊丽莎白港当律师。第二次世界大战期间参与成立反英"牛车卫队",成为过激派"将军"。他公开表示鄙夷民主,尊崇德国,1942 年以破坏战争努力罪被捕。14 个月后获释,准予重执律师业。在 1948 年的议会选举中因票数仅差一点而落选。1953 年成为德兰士瓦省奈杰尔选区国民党的一位成功的候选人。作为国民党右翼的领导成员,他协助 H. F. 维沃尔

德于1958年出任总理。10月被任命为教育、艺术和科学以及社会福利部副部长。他立即获得严酷执行种族隔离政策的名声。1960年3月发生沙佩维尔严重种族骚乱后，被任命为司法、警察和监狱部长，对反对政府种族政策的人进行强烈镇压和不断地骚扰。维沃尔德遇刺(1966-09)后一星期，国民党核心小组选他为继承人。尽管他郑重声明坚持种族隔离，但他的政纲实际上较其前任略为开明。1974年葡萄牙殖民帝国崩溃后，他很快觉察到南部非洲力量的变化，表示愿意与邻国黑人领导人进行合作，以图和平解决罗得西亚和纳米比亚连绵不断的危机。但当他派南非军队进入安哥拉以反对苏联和古巴支持安哥拉人民解放运动时，失掉良机。他与美国国务卿H.基辛格一起说服罗得西亚I.史密斯与黑人领导人分享权力，而自己则顽固反对南非出现这样的前途。1978年9月他因健康

供图：Archiv fur Kunst und Geschichte, Berlin

原因辞职，10月10日出任南非总统，这主要是个礼仪性职务。11月，业已沸腾了几个月的所谓马尔德门丑闻(包括挪用政府巨款和滥用议会权力)达到顶点。当调查委员会提出报告，揭露他对滥用公款全部知情并帮助掩盖事实真相后，他于1979年6月4日辞去总统职务。

voršud　沃尔苏德　西伯利亚的沃加克人所崇奉的护宅精灵。据说，家人只要在神棚中礼拜这个精灵，就会蒙保佑幸福无灾、万事亨通。沃尔苏德龛置于神棚后墙一架上，龛下有用细枝编成的垫子，每逢礼拜前更换。沃尔苏德龛代代由长子继承，若家族人丁旺盛，也可以增制小龛。

Vorticella　钟形虫属　缘毛目纤毛原生动物的一个属。钟形或圆筒形。口端有一圈明显的纤毛环，反口端有一根能伸缩而不分枝的柄，在口端与反口端间通常没有纤毛。以细菌和微小的原生动物为食。常附于淡水或咸水中的水生植物、水面浮膜、淹没物或各种水生动物上。虽然常成簇生长，但每一个体的柄均单独固着。虫柄由包含液体的外鞘和一根螺旋状的伸缩丝构成。当虫体收缩时其柄丝变短，外鞘盘曲如瓶塞起子。纵分裂繁殖，两个子体之一留在原柄上，另一子体在反口端长出一圈临时纤毛，借纤毛的推动游开，最后长出一柄附着在基质上，临时的纤毛随即消失。在接合生殖时，一个形小而游动的

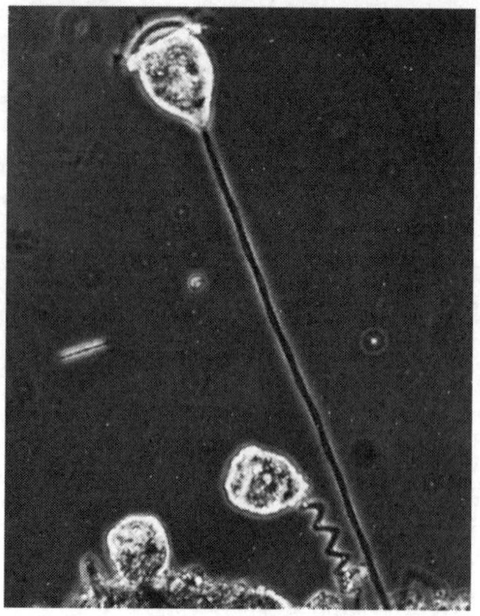

放大的小口钟形虫(*Vorticella microstoma*)
供图：Eric V. Grave

小接合子找到固着的个体(大接合子)，两者完全合并成一体，最后导致分裂。

Vortigern　沃尔蒂格恩(活动时期425～450)　又拼Wyrtgeorn。5世纪时不列颠人的国王。当时正值亨吉斯特和霍萨领导撒克逊人到来。虽然沃尔蒂格恩是许多传奇的主角，但也许可以比较稳妥地认为他是实际存在的历史人物。他利用亨吉斯特和霍萨保护其王国，以对抗皮克特人和苏格兰人，并赠地回报。后来不列颠人与这些已经在肯特定居的新来者作战达4次。据《不列颠历史》记载，最后一次战役中撒克逊人的主要对手不列颠国王之子沃特米尔被杀。该史书还记载了不列颠贵族们在沃特米尔死后遭到屠杀，后沃尔蒂格恩将埃塞克斯和萨塞克斯让给了入侵者。

vortograph　旋涡照片　最早的一种纯抽象照片。它通过安装成三角形的3片镜子来拍摄物体，从而得到千变万化重复的图像。旋涡照片是摄影决裂者组织的成员和抽象摄影

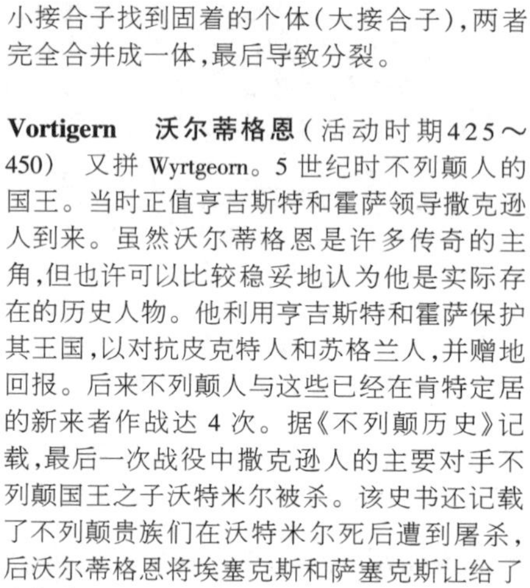

A.L.科伯恩为E.庞德拍摄的旋涡照片肖像
供图：George Eastman House Collection

的创始人A.L.科伯恩在1917年发明的。后来他一直提倡和运用这种技术。这个名称来源于英国的旋涡派作家和画家，旋涡照片中断裂的平面和复杂的空间特征反映旋涡派画家和科伯恩对立体派的兴趣。

Võrtsjärv　沃尔茨湖　又拼Virtsjärv。俄语作Ozero Vyrts-Yarv。爱沙尼亚中南部湖泊。面积约280平方千米。为200千米长的埃马河的一部分。该河自南注入沃尔茨湖，向北和东流入爱沙尼亚-俄罗斯边界上的佩普西湖。沃尔茨湖及埃马河下游可通航。沃尔茨湖和埃马河介于爱沙尼亚东南部汉亚丘陵区和平原之间。沃尔茨湖及其沼泽盆地很可能是更大的史前冰坝湖(其水系原向西流)的残存部分。湖畔设有动植物研究所。

Vosges　孚日山　法国东部山脉。绵延于上莱茵省、下莱茵省和孚日省境内莱茵河谷以西地区。由古老岩石构成，山顶均为圆丘形，最高点在贝尔福山口北侧。从山口向西朝摩泽尔河谷延伸超过64千米，并向北与莱茵河平行延伸超过114千米。南部山峰高逾1 200米，最高者盖布维莱尔峰海拔1 424米。西南部为度假者喜爱的山区，其高山缓缓降低至美丽的峡谷和湖泊。孚日山北部在斯特拉斯堡西南的多农山，高达1 008米。较高山地一年中有9个月被积雪覆盖，既是旅游胜地又是冬季运动场所。孚日山东南面在最高峰的遮蔽下有阿尔萨斯葡萄园。

Vosges　孚日　法国东部洛林大区省份。主要由前洛林省南部地区组成，南部加上弗朗什孔泰省一小部分，西面加上香槟省小部分。面积5 871平方千米，东起孚日高地山顶，西到默兹河一带的林木高地。该省主要位于默兹、摩泽尔河流域，冬季多雪寒冷，夏季温和，是法国林木最多的省份之一。当地种植谷物，饲养牛。水果丰盛，樱桃和李子为本地特产。工业以纺织为主。孚日山区是旅游区，内有数处矿泉。默兹河西岸的栋雷米拉皮塞勒是法国杰出女英雄贞德的出生地，现为瞻仰地。省下设埃皮纳勒(省会)、讷沙托和圣迪耶等三个专区。属南锡教育区。人口385 158(1997)。

Voskhod　“上升”号飞船　苏联第二个载人航天飞船系列，共飞行两次。继“**东方**”**号飞船**(**Vostok**)第一次将人送进太空的胜利之后，苏联研制第一艘多乘员的航天飞船。1964年10月12日“上升”1号载着3名航天员进入绕地球轨道。“上升”1号比以前的“东方”号载人轨道飞行器有许多重要的进步，它比“东方”号重680千克，是第一艘使用离子推进系统的飞船。在飞行中航天员不穿航天服，可见其性能非常可靠。重返大气层的程序也有了改进，“东方”号航天员必须从飞船中跳伞出来，“上升”号的航天员则使用专门的减速伞和减速火箭驾驶飞船在硬路面上着陆。“上升”1号也是第一次取得重要的生物医学资料的航天飞行。航天员B.叶哥罗夫是生理学家，他的任务是检查其他乘员的生理情况、测量血压、采血样、记录脑电波等。1965年3月18日发射的“上升”2号继续苏联争取航天项目第一的老做法，其双人乘员组进行了第一次太空行走。在发射的当天，航天员A.A.列昂诺夫经过气闸室从飞船上走出来，在太空活动10分钟。“上升”2号返回地球前在轨道上飞行了27小时。

Voskresensk 沃斯克列先斯克 俄罗斯西部莫斯科州城市。位于莫斯科市东南,濒临莫斯科河。是重要工业中心,有生产浓缩化肥的大型联合企业,还生产建筑材料。人口约81 400(1991)。

Vosna River(Bosnia and Hercegovina) 参阅**Bosna River** 波斯尼亚河。

Voss, Johann Heinrich 福斯(1751-02-20,梅克伦堡索默多夫[今在德国]～1826-03-29,巴登海德堡) 德国诗人,主要因翻译荷马的作品而闻名。其父是农民。他于1772年前往格

供图:Kurpfalzische Museum, Heidelberg

神学和语文学,后成为"格丁根林苑派"的主要人物之一。1778～1802年担任中小学校的校长,并开始翻译《奥德赛》;后在耶拿自修,成为学者。1805年前往海德堡任古代语文学教授,并从事自己的翻译工作。他是一个热情的唯理主义者,与年轻的浪漫派进行了艰苦的斗争,结果在他去世前变得越来越孤独。1802年出版了他的诗集。作为抒情诗人,他主要写歌曲、颂歌、哀歌以及田园牧歌,仿效古人和新古典主义派诗人克洛卜施托克的风格。福斯的牧歌《路易斯》(1795)以自然主义的平易笔调,描绘一个乡村牧师家庭的生活。然而,福斯的声誉主要在于他的翻译,尤其是《奥德赛》(1781)和《伊利亚特》(1793)具有永恒的重要性。歌德和其他德国作家把他视为古典韵律的权威。但是,他过于拘泥于形式美和语言美,后期的译作显得牵强造作。他翻译的古典作品包括维吉尔、奥维德和贺拉斯的作品。1781～1785年还译过《一千零一夜》,并同两个儿子一起翻译了莎士比亚的戏剧(1818～1829)。

Vossius, Gerardus Johannes 福西厄斯(1577,海德堡附近～1649-03-19,阿姆斯特丹) 荷兰人文主义神学家,荷兰共和国"黄金时代"最杰出的学者之一。曾就读于莱顿大学,同法学家和学者H.格劳秀斯结成持久的友谊。1615年任莱顿议会神学院董事,不久参与有关阿明尼主义的论战。这一主义是对加尔文派的前定说所作的一种自由主义的反应。然而加尔文派不相信他的调解作用,于是他在1619年辞去董事职务。福西厄斯享有学者的盛名,1622年被任命为莱顿大学修辞学和年代学教授(后又任希腊语教授)。1629年获牛津大学民法博士学位。1632年离开莱顿到阿姆斯特丹新设立的综合大学任历史学教授。他是个于学无所不通的人物,但生前声誉主要是在古典语文和教育学著作方面,其中包括教会史和学说若干卷。他与所有领域杰出人士的各种各样的广泛的通信,特别是与英国文学家L.安德鲁斯和C.雷恩的通信,使人得以了解当时的各种问题,饶有趣味。文集于1695～1701年间在阿姆斯特丹出版,共6卷。

Vostochno-Kazakhstan 东哈萨克斯坦 英语作East Kazakhstan。哈萨克斯坦最东部一州。在跨中国边界的阿尔泰山脉地区,面积97 300平方千米。州首府乌斯季卡缅诺戈尔斯克。有额尔齐斯河上游段流经,南部有斋桑湖。属大陆性气候。有丰富的锌、铅、铜、金、银和其他金属矿藏,18世纪末开始开采,是哈萨克斯坦主要有色冶金中心之一。主要矿区有列宁诺戈尔斯克、济良诺夫斯克、别洛乌索夫卡和尼古拉耶夫卡。额尔齐斯河两座水电站可提供廉价电力。工业产品有钻机、选矿机、自动化设备、电容器等。农业以畜牧为主,也种小麦和向日葵,还有渔、林、皮毛和养蜂业。居民中俄罗斯人占70%,哈萨克人占23%。人口约949 000(1991)。

Vostochno-Sibirskoye more(Arctic Ocean) 参阅**East Siberian Sea** 东西伯利亚海。

Vostochno-Yevropeyskaya Ravnina(Russia) **东欧平原** 参阅**Russian Plain** 俄罗斯平原。

Vostok "东方"号飞船 苏联第一次将人送进太空的航天飞船系列。"东方"1号于1961年4月12日发射,航天员Y.A.加加林绕地球一圈后返回。"东方"号系列在两年中发射6次。"东方"1号飞行1小时48分。"东方"2号于1961年8月6日发射,在空间历时25小时以上,绕地球17周。其他的"东方"号飞船均成对发射。"东方"3号和4号于1962年8月11日发射,在相互可以看到的轨道上飞行。"东方"3号创造了航天飞行94小时的新纪录,在绕地球轨道上飞行256万千米以上。"东方"5号于1963年6月14日发射,两天后"东方"6号载着第一名女航天员V.V.捷列什科娃发射。这两艘飞船非常接近,有时只相距4.8千米,为以后轨道飞行器太空对接奠定了基础。

Vostok Island 沃斯托克岛 旧名斯塔弗岛。太平洋西南部基里巴斯南莱恩群岛的珊瑚环礁。位于塔希提岛西北640千米。陆地面积0.3平方千米。地势低,所环潟湖中无锚地。1856年美国宣布对该岛拥有主权。1979年属新独立的基里巴斯。现无人居住。

vote 投票 在政治活动和政府运作中,表明关于赞同或反对某项建议、动议或人事任命的意见和意愿的一种正式的表达方式。参阅**election**。

Votic language 沃提克语 属于乌拉尔语系芬兰-乌戈尔语族的语言。几乎近于消亡。现在只有极少数操沃提克语的人,居住在爱沙尼亚和俄罗斯之间接壤地区(说俄语或爱沙尼亚语的压力不很大的地方)。参阅**Finno-Ugric languages**。

Voting Rights Act 《选举权法》 美国国会于1965年8月6日通过的法案,旨在保障非洲裔美国人在州和地方政府一级的选举权。尽管1870年宪法第15修正案已经针对种族保障了人们的选举权,但到20世纪60年代美国民权运动将全国焦点集中在黑人选举权的保障之前,南方的黑人仍旧必须面对种种剥夺他们此项权利的举动(如人头税、识字测验)。国会以《选举权法》回应运动的诉求,禁止南方各州以识字测验来决定选民投票资格。后来的法律更全面禁止各州的识字测验,认为在国家或地方选举中课征人头税均属不合法。《选举权法》执行后白人与黑人之间的选民注册差异明显降低。例如,在20世纪60年代中期,白人与黑人的注册总比例大致为2比1到3比1(在密西西比约为10比1);到20世纪80年代末选民注册的种族变化基本上已消失。由于非洲裔美国选民的增加,成为政府官员的非洲裔人数也相应增加。在20世纪60年代中期在南方约有70名非洲裔美国人当选政府官员,但到了21世纪初约有5 000名,美国国会的非洲裔美国议员人数也从6人增加到40人。

Votkinsk 沃特金斯克 俄罗斯西部乌德穆尔特城市。位于沃特卡河与卡马河汇流处的沃特卡河畔。建于1759年,1935年设市。因俄罗斯著名作曲家柴科夫斯基在此出生而闻名,设有柴科夫斯基纪念馆。主要经济活动为机械制造、泥炭砖生产和木材加工。人口约102 000(1999)。

Vouet, Simon 武埃(1590-01-09,法国巴黎～1649-06-30,巴黎) 法国画家,曾把意大利的巴罗克绘画风格引进法国。1612～1627年住在意大利,确立了自己的风格。1627年应路易十三之召回到巴黎,受命为首席宫廷画师,自此几乎囊括所有重要的绘画委托,支配巴黎美术界达15年之久。他的铜版画和

武埃绘《财富》(约1630)

供图:Giraudon—Art Resource

留下的油画板表明他曾学过意大利幻觉式的天顶装饰。17 世纪 30 年代早期所作的宗教画表现出成熟而仍有所节制的巴罗克艺术风格。《圣母像》(约 1640)和《狄安娜像》(1637)则代表了他最著名的风格:造型温和、宁静、理想化,色彩明亮,技法纯熟。

Vouri River (Cameroon) 参阅 **Wouri River 武里河**。

vow 愿 自愿发出的保证奉献自己、本家族成员或本人所属社区履行超乎一般社会要求或宗教要求的特别义务的神圣诺言。在古代中东,人们往往向神灵许愿,表示为了取悦于神而甘愿采取某种行动或生活方式。例如,《旧约》士师撒母耳之母哈拿许愿说,假如以色列的上帝雅赫维赐她一子,她必将他献上,归上帝使用。她果然生一子,还了愿(《撒母耳记上》1)。但是,献给雅赫维的人,也可以付上一笔钱而解除原来所许的愿。古代罗马宗教鼓励人们以国家的名义向神许愿,人许愿之后即向诸神负债,必须偿还。一有战争,人们向战神马尔斯许愿,祈求他在战场上保佑,保证用大批动物献祭还愿。北欧海盗一般认为向诸神许愿是一种祈祷,是极其神圣的,许愿不还的人要被逐出社区。在印度教、佛教和耆那教中,许愿是经常的事,不仅出家人许愿,在家信士也许愿。印度教守贞专奉派信徒往往许愿要向自己的本尊提供特殊的服务。印度教一般信徒也常在特别日期向祭司和神许愿,保证要斋戒或上供。佛教僧人许愿遵守十戒,包括不杀生、不淫欲和不妄语。佛教居士一生中有时也许愿遵守僧尼的戒律。大乘佛教信徒可以许菩萨所许之愿,其内容十分严峻,包括许多作为先决条件的行动或能力乃至证得彻悟的能力。耆那教修持者许愿遵守公元前 6 世纪该教改革家大雄所定的五戒:不杀生、不欺狂、不偷盗、不奸淫、不蓄私财。在犹太教、基督教和伊斯兰教中,修会会士和在俗信徒都可以发愿。在犹太教中,所发的愿分为正面愿和负面愿两种。正面愿保证自愿地把某一事物奉献给上帝成圣或者采取虽非律法所要求而荣耀上帝的行动。负面愿保证自愿地戒绝或放弃享受合法乐趣的权利。但是,拉比一般认为,除非再无其他办法,不必发愿。天主教各修会一般要求会士发三愿:不保有私财、不婚娶、服从长上;有时加上第四愿:安心住院隐修。在新教中,信徒在某些典礼(坚振礼、按立礼和婚礼)上发愿。穆斯林有时请求圣人治病或发挥灵力,许愿受惠效验之后报恩。

vowel 元音 发音时从肺部呼出的气流通过起共鸣器作用的口腔时阻力极小并无摩擦声音,此种语音叫做元音。例如:fit(适合)中的 i 音,pack(包)中的 a 音。尽管在一般情况下发元音时声带都振动,但也可使声带不振动,发成清音或耳语音。从发音语音学的观点看,元音按舌面和双唇的部位分类,但有时也按空气是否自由通过鼻腔来分类。高元音[如 machine(机器)中的 i 音,rule(规则)中的u音]发音时舌面拱起,紧靠口腔顶部。低元音[如 father(父亲)或 had(有——过去时)中的a音]发音时舌的部位相对地低平,开口度比高元音稍大。中元音[如 bed(床)中的 e 音和 pole(极点)中的 o 音]发音时舌的位置处于中间状态。高、中、低元音也按前后列分类。发前元音时舌的最高部位移向口腔前部并稍许拱起。had 中的 a 音、bed 中的 e 音、fit 中的 i 音都是前元音。后元音——例如 rule 中的 u 音和 pole 中的 o 音——发音时舌后部向软腭抬起。唇的位置和形状是元音分类的第三个标准。双唇可呈圆形,或双唇扁平时即成圆唇化。半元音的发音方法与元音相同,但常被视为辅音;yawn(打呵欠)中的 y 音,walk(步行)中的 w 音是半元音。

voyage, continuous (maritime law) 参阅 **continous voyage 连续航行**。

Voyager "旅行者"号试验机 美国的试验飞机,1986 年成为第一架中途不停留、不加油的环球飞行飞机。这架飞机由 D. 鲁坦和 J. 耶格尔驾驶,12 月 14 日从洛杉矶东北 100 千米处的爱德华兹空军基地起飞,历时 9 天,在环绕地球一周40 251 千米后返回原基地着陆。"旅行者"号轻而易举地打破了 1962 年创造的连续直线飞行20 167 千米的前纪录。它在环球飞行中,平均速度为 186 千米/时。飞机由 B. 鲁坦设计,主翼位于飞机后部,翼展33.8米,水平安全面位于飞机前部。机体极轻,但很坚固,是以环氧树脂将多层碳纤维带与环氧饱和纸胶合而成。在首途之前,机身、机翼以及其他框架全都装载一定量的燃料,燃料总重为机重 840 千克的 4 倍。这些燃料在飞行中几乎完全用光,仅剩余几加仑(1 加仑约 3.8 升)而已。

Voyager "旅行者"号探测器 美国进行太空探测的 2 枚不载人行星际探测器,其发射目的是观察外行星系并将其信息传送回地球。"旅行者"1 号于 1977 年 9 月 5 日发射,1979 年 3 月越过木星,1980 年 11 月逼近土星,然后沿轨道飞离太阳系。"旅行者"2 号于 1977 年 8 月 20 日发射,与"旅行者"1 号相比速度较低。1979 年 7 月 9 日掠过木星,1981 年 8 月 25 日飞越土星,1986 年 1 月 24 日飞近天王星,1989 年 8 月 24 日与海王星"遭遇"。2 枚"旅行者"探测器发回了各种数据及照片,揭示了以往不为人知的巨大行星及其卫星的细节。例如,"旅行者"号近距离拍摄的图像发现了环绕木星的各种云状物以及木卫一(伽利略卫星之一)火山活动的情况;土星除已知的环外,还有一个由数千个小环组成的系统;并且证明天王星还有 10 个卫星以及一个真实的磁场。由于"旅行者"号飞经海王星发现该星由 3 个环和以往未知的 6 个卫星环绕,并存在着一个强大的磁场,在类似于地球范艾伦辐射带的地区,其强度足以捕获太阳风中能量高的质子和电子。"旅行者"号探测器将继续飞向深空间并飞越太阳系边缘。"旅行者"2 号估计可持续使用至 2020 年,并定期发回太阳磁层最远处的资料。

Voyageurs National Park 沃亚哲斯国家公园 美国明尼苏达州北部多湖泊的荒野地带,邻美加边境,位于国际瀑布城以东。1975 年建立。面积 883 平方千米。多湖泊、河流,较大的湖泊有雷尼河(一部分在公园内)、纳马坎湖、卡伯托格马。卡伯托格马半岛是公园的中心,几乎完全被三个大湖所包围。生长着冷杉、云杉、松树、欧洲山杨和桦树林,有鹿、驼鹿、狼、山狗、河狸和各种鸟类及水禽。夏天可乘船进入公园,冬天主要乘雪上汽车和滑雪橇进入。卡伯托格马半岛设有永久的道路,但冬天在雷尼河上有一条冰上大道可允许汽车沿半岛北端行驶 11 千米。

Voyer de Paulmy, René-Louis de 瓦耶·德·波尔米 参阅 **Argenson, René-Louis de Voyer de Paulmy, marquis d' 阿尔让松侯爵**。

voyeurism 窥阴癖 以窥视别人的性活动或看人脱衣而引起性唤起。在一定程度上,特别是男性当中,窥阴现象是很普遍的;在包括人在内的大多数动物中,不同类型的性暴露都是性吸引和交配行为的正常组成部分;但若窥视成为性兴奋和性满足的最主要的或唯一的源泉时,窥视则可视为异常的表现。窥阴癖还有一个引起兴奋的因素,就是冒着被捉住的危险窥视。

Voysey, Charles Francis Annesley 沃伊齐 (1857-05-28,英国约克郡赫斯尔～1941-02-12,汉普郡温切斯特) 英国建筑师、设计师。他的作品在1890～1910年间影响过欧洲各

沃伊齐 1901 年在英国莱斯特郡北卢芬汉设计的住宅

供图:A. F. Kersting

国,成为新艺术学派的一个源泉。1874 年从 J. P. 塞登学艺,1880 年充任著名乡村别墅设计师 G. 德维的助手,不久成为墙纸及窗帘的设计师。1888 年在《英国建筑师》杂志上发表其小住宅设计图样,获得不少设计委托任务。1895 年,英国及欧洲许多刊物上广泛刊登其作品。他摒弃各种古典建筑的教条,拥护 A. 普琴和 J. 罗斯金的理论,并把他们的理论应用到设计简单而完善的小住宅中。住宅的特点是体形低而长,带有白而粗糙的墙面、高耸的屋顶、厚实的烟囱。他的设计广为他人仿效,但 1914 年以后他没有再设计过重要的建筑物。著作有《理智:艺术的基础》(1906)和《个性》(1915)。

Voznesensky, Andrey Andreyevich 沃兹涅先斯基 (1933-05-12,俄罗斯联邦莫斯科～2010-06-01,俄罗斯莫斯科) 苏联诗人,斯大林时代之后涌现出的最杰出一代作家之一。他在弗拉基米尔度过童年。1941

年随母亲移居库尔干，当时他父亲正从事列宁格勒的撤退工作。战争对他幼小心灵的深刻影响生动地反映在以后的诗作中。第二次世界大战后，继续在莫斯科求学。在学习期

供图：AP/Wide World

间，曾把自己写的一些诗文寄给著名作家B.帕斯捷尔纳克，他支持鼓励沃兹涅先斯基写作，并在以后的3年中成为青年诗人的榜样和导师。1958年，他最初发表的诗是一些实验性作品，表现出生动的音乐语言特征。其早期的重要作品包括《大师》(1959)、《东拼西凑》(1960)和《抛物线》(1960)。50年代末至60年代初，苏联诗人开始进行富有生机的文艺复兴。诗歌朗诵流行起来，有时听众多达数千，朗诵会要在体育场举行。他和Y.叶夫图申科一起，成为这一诗坛盛事的明星。但在1963年从事"过分实验性"风格的苏联艺术家和作家遭到官方严厉谴责，沃兹涅先斯基和其他脱离官方所赞许的社会主义现实主义创作方式的一些诗人受到长达7个月的官方批判。只是在《真理报》公开发表他那篇具有讽刺意味的认错文章后，他才重得一些信任。沃兹涅先斯基尽管一贯直言不讳地批评苏联政府，但他那典型的诗歌主题依旧是不同政治，而是颂扬艺术自由和人类不受拘束的精神。在他最有名的一首诗《戈雅》中，作者用一系列有力的隐喻表达了战争的恐怖。《阿喀琉斯的心》和《白画像》描绘了他在1963年受批判时的痛苦与愤怒。晚期作品有长诗《三角梨》(1962)、《反世界》(1964)、《把鸟儿放走》(1974)和《诱惑》(1978)。

Vrancea　弗朗恰　罗马尼亚中东部一县。面积4 863平方千米。东喀尔巴阡山和外喀尔巴阡山俯瞰县内谷地和低地居民区。南流的锡雷特河为该县东部大部分地区的界河。泽巴拉河、勒姆纳河和特罗图什河向东南汇入锡雷特河。县首府**福克沙尼**(**Focşani**)和奥多贝什蒂、科泰什蒂、潘丘以及伊韦什蒂均为葡萄酒的主要产地。其他农业项目有牲畜饲养和谷物种植。默勒谢什蒂有化工厂。多阿加生产建筑材料，福克沙尼和古杰什蒂为木材生产中心。福克沙尼通公路和铁路。人口约394 257(1994)。

Vrangel, Ferdinand Petrovich (Russian explorer)　参阅**Wrangel, Ferdinand Petrovich 弗兰格尔**。

vrata　誓愿　印度耆那教的一种誓愿。参阅**Jaina vrata**。

Vratsa　弗拉察　保加利亚西北部城镇。在西巴尔干山北麓。15世纪初，在土耳其人摧毁原保加利亚城堡后迁至现址。在土耳其人统治下，曾为横穿欧洲路线上的贸易中心。1878年保加利亚解放后，其商业和手工业衰退，但仍为行政中心和军队驻地。第二次世界大战后，工业大幅度增长，有以天然气为动力的化学联合企业以及纺织、家具、陶瓷、金属工业等。附近贝利伊兹沃尔有一大型水泥厂。为铁路枢纽。博物馆内有丰富的陈列品。西面几英里处有莱代尼卡山洞，吸引大批游人。人口约75 526(1986)。

vrātya　弗拉迪耶　古代印度的流浪虔修者。主要在摩揭陀(今南比哈尔)地区，是少数民族，也是一个教派。他们生活在占统治地位的雅利安人社会之外，实行自己的刻苦生活方式和秘密礼仪。弗拉迪耶可能是最先从伊朗迁入印度的雅利安人，但也可能不是，此点仍有待考证。

Vreeland, Diana Dalziel　弗里兰　(约1903，法国巴黎～1989-08-22，美国纽约州纽约)婚前名Diana Dalziel。美国编辑和时装专家。她充满激情的个性和与众不同的鉴赏力决定了她在20世纪中期美国主要时装杂志中的领导地位。1914年全家为躲避第一次世界大战而移民美国，定居于纽约市。1924年与T. R. 弗里兰结婚。婚后在纽约州奥伯尼生活至1928年，后在伦敦生活至1936年，之后前往纽约市。1925年加入美国籍。1936年开始为《哈珀市场》撰稿，1939年成为该杂志全职编辑。担任该职位达23年，成为该杂志最杰出的名人，并被一致认为是时装舞台上最有眼力、最有影响力的评论家之一。1962年离开《哈珀市场》，加盟《Vogue服饰与美容》杂志编辑部工作。1963～1971年任该杂志主编。在她强有力的指导下，该杂志很快便开始反映出她个人对新奇、古怪和独特样式的鉴赏力。杂志以显著版面刊登年轻的和古怪的服装样式。刊登的照片和设计样式反映了青年人文化时代、摇滚音乐以及传统标准的颠覆。1971年被任命为创立于1937年的大都会艺术博物馆服装研究所特别顾问。1980年出版论述时装的书《魅力》。1984年出版自传。

Vries, Adriaen de　德弗里斯(1545或1546，海牙～1626-12-15，布拉格)　荷兰最重要的风格主义雕刻家。早年离家在佛罗伦萨拜意大利风格主义雕刻家詹博洛尼亚为师，后在萨瓦公爵C.伊曼纽尔手下工作。1601年起，在布拉格任鲁道夫二世宫廷雕刻师。其最成功的作品是《赫丘利斯喷泉》(1596～1602)，建于奥格斯堡，是为纪念1600年该城节日而建的一座意大利式雕刻。《普绪喀与潘多拉盒子》是其风格特征的范例。

Vries, Hugo (Marie) de　德弗里斯(1848-02-16，荷兰哈勒姆～1935-05-21，阿姆斯特丹附近)　对生物进化进行实验研究的荷兰植物学家和遗传学家。1900年他对孟德尔遗传原理的发现(与柯伦斯和切尔马克同时)和他的生物突变学说(虽然同现代对这种现象的了解有极大差别)，澄清了关于物种变异的本质概念。这一概念直到那时还模糊不清，所以达尔文的生物进化论体系并没有被广泛接受，没有得到积极的调查研究。他曾在莱顿大学、海德堡大学以及维尔茨堡大学受教育，1878～1918年任阿姆斯特丹大学植物学教授，1886年注意到拉马克氏月见草(*Oenothera lamarckiana*)的野生变种与栽培种有明显的不同。这促使他想到用不同于观察和推论的新的实验方法来研究进化。他栽培月见草时发现其新类型(或变种)在寻常类型中的出现是随机的。他称此现象为突变，他证明这是突然发生的，与达尔文所说通过自然选择的物种变异不同。他认为这些变种可以作为进化的实例，可以用实验的方法来研究，他设想进化是一系列突然的彻底的变化，足以一跃而产生新种。他把对变异性质的研究，写入所著《变异论》(1901～1903)中。研究结果导致他于1892年开始植物育种计划，8年后提出与孟德尔所提相同的遗传定律。他在查看有关文献时发现这位奥地利修士在1866年发表的豌豆育种论文。他在以后出版的著作中将遗传定律的发现归功于孟德尔。他证明了渗透作用在植物生理学中所起的作用，1877年证明渗透压与植物细胞所含物质的分子量之间有关系。他的其他著作包括《细胞内泛生论》(1889)及《植物育种》(1907)。

Vriesea　花叶兰属　凤梨科的一属，近200种附生植物，原产南美地区。许多种种植于室内作为装饰。叶肉质挺硬，剑形，绿色，莲座状簇生，常有斑点或褐色带状条纹。花粉红色、黄色、绿色或白色，花瓣3枚，萼片3枚，穗状花序扁平，自莲座中央长出。

Vrije Volk, Het　《自由人民报》　荷兰出版的社会主义晚报，在鹿特丹及其他地区发行30种地区版，是荷兰最大、最有影响的报纸之一。1900年创刊，名为《人民报》，是社会民主工党的正式机关报。第二次世界大战中德国占领荷兰期间，该报遭纳粹镇压。1945年复刊，改称《自由人民报》，仍为工党机关报，保持强烈的政治倾向。星期日停刊。20世纪末发行量约为16万份。

Vṛjji　瓦吉联盟　巴利语作Vajji。公元前6世纪到公元4世纪印度比哈尔境内的梨车族及其邻近的部族组成的联盟，首府在吠舍离(今巴萨尔赫)。这是一个贵族共和国。据说乔达摩·佛陀按瓦吉政府制度建立了佛教僧侣等级。旃陀笈多与梨车族王子的联姻有助于孔雀王朝的建立。

VTOL airplane　垂直起降飞机　VTOL是vertical takeoff and landing的缩写。有旋翼系统的非常规飞机，例如直升机和自转旋翼机。这类飞机也包括有可转向的喷气系统、能在比它自身总尺寸略大的场地上垂直起降的飞机。第一架实用的喷气式垂直起降飞机是英国皇家空军的鹞式飞机，它的喷气发动机是水平安装的，燃气流偏转向下产生起飞所需的垂直推力。它在水平飞行中能达到高亚

音速。

Vuillard, (Jean-)Édouard 维亚尔（1868-11-11，法国奎索～1940-06-21，拉博勒） 法国油画家、版画家和装饰美术家，与勃纳尔共同发展了*内景主义*（**Intimism**）绘画风格。在巴黎美术学院学习时，与P.勃纳尔、P.塞律西埃和F.瓦洛东相识，后与老友M.德尼及K.-X.鲁塞尔一起组成*纳比画派*（**Nabis**）。其作品《巴黎公园》装饰嵌板组画，是纳比派作品的典型。他用弱光和中性色平面纹样引起恬静感，用单调色彩填充形象轮廓的内部，产生类似壁毯的平面效果。1899年纳比派画家举行最后一次展出。他作了两套石版画，显示他深受当时欧洲流行的日本版画的影响。其大部作品是描写家庭场面的，诸如《扫地的女人》（约1892，华盛顿特区菲利普斯藏品）等，因此被人称为描绘内心的画家。曾为香榭丽舍剧院（1913）、夏乐宫（1937）和日内瓦国际联盟大厦（1939）作装饰画，还为作品剧院和俄罗斯芭蕾舞团做过设计。

维亚尔的装饰嵌板组画《巴黎公园》之一——《树下》（约1894）
克利夫兰艺术博物馆供图

Vulcan 伏尔甘 古罗马宗教所信奉的火神，专门象征破坏性的火，如火山爆发和火灾。在诗歌中描写他在各方面与希腊火神*赫菲斯托斯*（**Hephaestus**）相同。他的主要节期伏尔甘节定在8月23日，届时家长行向火中投小鱼之礼，用意不详。人们常向伏尔甘祈求免除火灾。

Vulcan automatic cannon 火神式自动机关炮 一种口径为20毫米的机关炮，最高射速为每分钟7 200发。这种极高的速度据认为对超声速飞机作战来说是必要的，因为目标在瞄准具上出现每次只有一秒甚至不足一秒钟。为了获得这样高的发射速度，这种机关炮采用6根炮管，进行电动旋转式连续发射，基本上与19世纪加特林机枪的发射方式相类似。火神式自动机关炮广泛用于飞机及各种地面战术武器系统。

vulcanism 参阅 **volcanism** *火山活动*。

vulcanization 硫化 改进天然橡胶或合成橡胶物理性质的化学过程。硫化橡胶具有较高的抗张强度、较好的耐溶胀性和耐磨性并在较大的温度范围内保持弹性。最简单的硫化处理是把橡胶与硫一起加热。1839年美国发明家C.古德伊尔发明硫化方法，注意到某些添加剂对硫化起重要作用——这些物质称为*促进剂*（**accelerator**）——使得硫化速度加快或在较低温度下进行。橡胶与硫之间的反应过程尚未彻底搞清。但在产品中，硫并非是简单地溶解或分散在橡胶中，而是与橡胶化学结合，主要是在长链分子间形成交联键，或称桥键。现代硫化处理的温度约140～180°C。除加入硫和促进剂外，通常还加入炭黑或氧化锌，不仅作为增充剂，而且可进一步改进橡胶质量。也常加入防老剂以抑制氧和臭氧所引起的老化作用。某些合成橡胶不是加硫硫化，而是加入金属氧化物或有机过氧化物做类似处理，得到性能良好的产品。

Vulcano Island 武尔卡诺岛 意大利语作Isola Vulcano，希腊语作Hiera。意大利西西里岛东北面埃奥利群岛最南端岛屿。位于第勒尼安海。面积21平方千米。行政上受墨西拿省管辖。1888～1890年岛上火山喷发，现仍有火山活动。人口434（1971）。参阅 **Eolie Islands**。

vulcanology 参阅 **volcanology** *火山学*。

Vulci 瓦尔奇 古代埃特鲁斯坎人的重要城镇，其废墟离海约10英里，坐落在意大利维泰博省卡尼诺和蒙塔尔托·迪·卡斯特罗两村之间。1956年在其遗址进行发掘，发现该处有大片墓地及规模宏大的街道网和墙垣。瓦尔奇是在若干维朗诺瓦村庄的基础上发展起来的，公元前6～前4世纪繁荣昌盛，主要因为贸易发达，以及附近有阿米亚塔矿山的开采以及青铜壶、青铜三脚鼎等制造业。瓦尔奇是一座大城邦的中心，但6世纪后只好将部分领土让与罗马人。在诸墓穴之一的"弗朗索瓦墓"中所发现的壁画极有价值，这些壁画展示了埃特鲁斯坎早期的历史场面。从其他的墓穴中发掘出珍贵的石雕和进口的希腊花瓶。瓦尔奇的出土陶器现多存于巴黎罗浮宫、慕尼黑博物馆以及不列颠博物馆。出土文物中有彩绘的鸵鸟蛋和亚述与腓尼基的手工艺品。城中残存有罗马建筑物和一座由埃特鲁斯坎圆柱支撑的精致的罗马石桥。

Vulgar Latin 民间拉丁语 非古典拉丁语的口语形式，罗曼族诸语言即源于此。民间拉丁语主要是罗马和罗马各行省中层阶级的语言，从古典拉丁语分化而来，但因居民教育程度、与罗马联系情况以及本地语言等各有不同，其变体扩及整个罗马统辖区。罗马帝国解体后，天主教会成为西南欧主要统一力量，交际和教育受到限制，地域性语言和语法变体逐渐增加。大约到公元600年以后，民间拉丁语的各种地区形式已达到互不了解的程度，此后它们都被看作各自独立的罗曼语。作为罗曼诸语言的母语，民间拉丁语有时被称为原始罗曼语。不过，原始罗曼语常用以指称那种构拟形式的现代诸罗曼语言的母语，而不是文献中所见到的民间拉丁语。拉丁语书面材料几乎全用古典拉丁语，民间拉丁语书面文献较为罕见。现代关于民间拉丁语的知识，来源于下述各方面：罗马语法学家关于"不正确"用法的论述、相当数量的铭文以及早期手稿、有学问的作家的作品中的"笔误"、古典拉丁语"非正确"的形式和注释词表以及偶尔出现的由文化水平低的人执笔或为未受教育的人写作的一些作品。除此而外，罗曼诸语言的早期文献（始于9世纪），也常显出民间拉丁语早期用法的痕迹。民间拉丁语或含有民间拉丁语词的最有用的文献有《朝圣记》，是4世纪时一个未受过教育的西班牙修女所写的；还有3世纪的一个记载词汇正误形式的《正字表》。参阅 **Latin language**。

Vulgate 通俗拉丁文本圣经 主要由圣哲罗姆翻译而由天主教会采用的拉丁文《圣经》。382年教皇达马苏指派当时重要圣经学者哲罗姆根据流行的各种译本编译合用的拉丁文《圣经》。383年前后，经哲罗姆修订的拉丁文福音书译本问世。哲罗姆又根据七十子希腊文本《旧约》译出《诗篇》（通称《高卢诗篇》）、《约伯记》以及另外几卷。后来，他发现七十子希腊文本有缺欠，于是根据希伯来文原本重译整部《旧约》，约于405年告成。

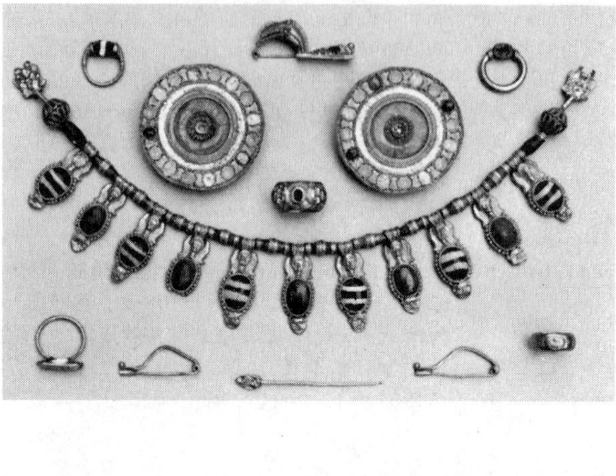

瓦尔奇出土的埃特鲁斯坎人的珠宝首饰
纽约大都会艺术博物馆供图

哲罗姆的译本并没有立即为人所接受，但是从6世纪中期起，通用一种包含各卷的合订本《圣经》，它一般采用哲罗姆从希伯来文译出的《旧约》版本（但不包括《诗篇》）、他的《高卢诗篇》、他所译的《托比传》和《犹滴传》和他的修订译本“福音书”。《新约》其他部分采用较早的拉丁文本，或许曾经哲罗姆略加修订。“七十子希腊文本”所包含的几卷——新教和犹太教定为外典而天主教定为次经——采用更早的译本。此后数百年间通俗拉丁文本各种修订本纷纷出现。13世纪巴黎大学所出版的版本较为重要。它主要是要为神学教学和神学辩论提供公认的标准。最初印刷的通俗拉丁文《圣经》都以巴黎版为据。1546年特伦托会议将通俗拉丁文本定为唯一权威拉丁文译本。1592年教皇克雷芒八世颁发新版通俗拉丁文本，号称克雷芒通俗拉丁文本，是天主教会的正式版本。1941年美国天主教教理弟兄会英文本即据此本译出。1965年第二次梵蒂冈会议决定成立委员会，负责校订通俗拉丁文本《圣经》。

vulture　秃鹫　隼形目多种大型食腐鸟类的统称。虽然外形往往相似，但新、旧大陆的秃鹫各自形成独立的分类群。前者构成独特的一科新域鹫科（Cathartidae），后者则在隼形目

王鹫（*Sarcoramphus papa*）
供图：Kenneth W. Fink—Root Resources

鹰科之下构成秃鹫亚科（Aegypiinae）。秃鹫有20种，均秃头，并具大的嗉囊。脚大但无力，趾甲扁平，适于步行和握持尸体。有些种类的喙特别强壮而坚实，用于撕开尸体的皮和肉，视力发达，红头美洲鹫还有很敏锐的嗅觉。秃鹫广布于温带和热带地区，但不见于澳大利亚和大多数大洋岛屿。大多数秃鹫是广食性，食腐肉、垃圾和排泄物，很少吃活动物。少数种偶然也吃毫无自卫能力的活猎物（如羊羔和龟）。秃鹫能利用其长而宽的翅膀滑翔，在空中停留数小时之久。一只秃鹫发现一只已死或即将死去的动物时，其他同类可以从几英里外飞来。进食的秃鹫保持严格的种内社会秩序，按体型大小和喙的强弱而决定取食顺序。但遇到兽类（豺和鬣狗）敌手时，却退让一旁。栖息于多种类型的地形中，常成群宿夜或营巢于陡壁、高树或地面。每窝产1或2枚卵（罕见3枚）。孵化期7～8周。幼雏成熟较其他隼形目鸟类缓慢得多。鹰科（旧大陆）秃鹫有雕型的脚，适于抓握。新域鹫科（新大陆）秃鹫没有鸣管，不能发声；鼻中隔膜具穿孔；脚无力，后趾略抬高，前趾基部稍有蹼膜。新域鹫科除下面所列种类外，还包括两种称为神鹰（**condor**）的鹫。

羽冠秃鹫（*Necrosyrtes monachus*）
供图：Alain Gille—联合国教科文组织

新大陆秃鹫种类如下：黑美洲鹫（*Coragyps atratus*），亦称黑兀鹫或食腐鸦，是美洲热带、亚热带留鸟，常遨游远至温带地区；色黑、矮胖，体长60厘米，尾短，翅短，头部黑而无毛，后颈有羽毛。王鹫（*Sarcoramphus papa*）也属新大陆秃鹫，体色最鲜明：头和颈红、黄和淡蓝色相间，眼白色，具红色眼环；上体黄褐，下体白色；翎颌灰色；翅展约1.7米，体长约70厘米；栖于墨西哥南部至阿根廷之间，成群翱翔于雨林上空。

旧大陆秃鹫种类如下：灰秃鹫（*Aegypius monachus*），亦称黑秃鹫，是现存最大和最重的的能飞行的鸟类之一；体长约100厘米，重达12.5千克，翅展2.7米；体羽全黑，翅宽，尾短而稍呈楔形；见于欧洲南部、小亚细亚和亚洲中部草原和最高的山脉；营巢于高树上。埃及秃鹫（*Neophron percnopterus*），又名法老之鸡，形小，体长约60厘米，体羽白色，飞羽黑色；面部裸露；有波浪形鬣羽；分布于非洲北部和东部、欧洲南部、中东到阿富汗和印度。兀鹫（*Gyps fulvus*），分布于非洲西北部、西班牙高地、俄罗斯南部和巴尔干地区；上体灰色，下体红褐色，具白色条纹；体长可达100厘米。垂肉秃鹫（*Torgos tracheliotus*），亦称有耳秃鹫或努比亚秃鹫，是非洲干旱地区的一种巨型旧大陆秃鹫，体长约100厘米，翅展2.7米，故争食时压倒所有其他种类的秃鹫；上体黑色褐色相间，尾楔形，下体有大量白色绒羽；头顶秃，两侧悬挂着垂肉，面桃色或淡红色。棕榈秃鹫（*Gyphohierax angolensis*），是中非和西非的一种旧大陆秃鹫；体长约50厘米；面橘色，裸露；喙黄色；特殊之处是主要以植物为食，有时亦吃甲壳动物和死鱼。本地治里兀鹫（*Sarcogyps calvus*）或称印度（黑）兀鹫，分布于巴基斯坦至马来西亚之间；体长约75厘米，翅展2.7米；胸部黑色有白色绒羽；喙大，色黑；颈两侧有大肉垂。白头鹫（西部三角头鹫，*Trigonoceps occipitalis*），体长约80厘米，翅展约1.8米；体黑色，次级飞羽及腹部白色；翎颌高而色黑，喙大而色红；头形独特，呈棱锥形，除白色的绒羽冠外头部光秃，呈淡黄色。关于有须的秃鹫，参阅**lammergeier**。

vulva　外阴　阴道口周围的女性外生殖器，包括大阴唇、小阴唇、阴蒂、阴道前庭、前庭球部及巴尔多林氏腺（前庭大腺）。所有这些器官均位于肛门前方，阴阜的下面。大阴唇是一对厚的皮肤皱襞，由阴阜向肛门走行，阴唇的外侧皮肤富含色素及皮脂腺，青春期后生有粗糙的毛。内侧面平滑，无毛，含有一些汗腺。皮下主要是脂肪组织及一些韧带、平滑肌纤维、神经、血管及淋巴管。在阴阜下面，两侧大阴唇之间有一块小小的勃起组织，称为阴蒂，性兴奋时可因充血而稍增大。结构上阴蒂与男性阴茎同源，但较小。与阴茎不同的是阴蒂没有尿道。阴蒂头为一圆形隆起的组织。小阴唇的起始部围绕阴蒂头两侧，称为阴蒂包皮。在少数情况下可行包皮环切术将包皮切除。同阴茎龟头一样，阴蒂头含有神经末梢，因此非常敏感。小阴唇为一对较小的皮肤皱襞，位于两侧大阴唇之间、阴道前庭周围；皮肤平滑，潮湿，粉红色，无脂肪及毛发，有皮脂腺和汗腺。阴道前庭起始于阴蒂下方，包括尿道口、阴道口及巴尔多林氏腺导管口。尿道口为一小裂隙，位置紧靠阴蒂。略靠后为阴道口。两个巴尔多林氏腺导管开口于阴道口的两侧，可分泌黏液，较易感染。每个腺体直径约1厘米，30岁以后逐渐缩小。处女的阴道口由处女膜覆盖，性交以后处女膜破裂，仅沿阴道口周围遗留处女膜痕。阴道前庭两侧为一对长形勃起组织称前庭球。前庭区内分布有许多黏液腺。大、小阴唇往往覆盖前庭。外阴部的疾病有：溃疡、梅毒损害、疣、细菌性感染、恶性肿瘤及先天性畸形等。

vulvitis　外阴炎　外阴的炎症及感染。外阴皮肤同身体其他部位的皮肤一样，可患各种感染及皮肤病。外阴皮肤可被尿、粪便、阴道分泌物及月经血污染。全身性、代谢性及精神性的疾病都能影响到外阴的组织。有些疾病有明显的特异性致病原，而另一些则可能由一种以上的微生物引起或者无明显肯定的原因。非特异性外阴炎可表现为表皮红肿、潮湿，伴有组织缺损、皲裂或溃疡。细菌性感染有时可继发于已有的霉菌性感染，常致痒和疼痛。溃疡性损害可能为皮肤病、全身性疾病或感染的一部分；病损可深可浅，呈红色、易出血、有触痛的皮疹。如做细菌培养，结果常为葡萄球菌或链球菌。外阴霉菌性疾病常见，病原常为白色念珠菌。糖尿病患者因血糖、尿糖水平均高，极有利于霉菌生长，故极易受染。症状为奇痒、尿痛，阴道分泌物呈白色黏稠的乳酪状。由于抗生素能杀死正常存在的细菌，所以应用抗生素只能促进霉菌生长。霉菌性感染很难治愈，容易复发。局部细菌感染可致外阴痒、烧灼感、脓肿、囊肿及炎症。其中前庭大腺感染最为常见，腺管逐渐堵塞，感染以致形成巨大的脓肿。腺体肿胀非常疼痛、分泌物增多。寄生虫感染也可引起外阴炎。阴虱可通过性交传播，偶可通过有阴虱的衣服、被褥或公共浴室设施传播。阴虱寄生部位奇痒、有烧灼爬行

感、皮肤上有小的脓性溃疡及黄褐色斑点；诊断有赖于找到阴虱及其卵。阴虱还可寄生于身体其他有毛发的部位。治疗需用杀寄生虫药。有肠道蠕虫(多为蛲虫)可从肛门移至外阴，造成痒感及分泌物，但不致病损，皮肤常因搔抓而发红，该病多见于儿童。

Vung Tau　头顿　又称圣雅克角。越南南部港口。坐落在伸入南海 18 千米的岬角北端。有领航站、燃料库和港湾，为进出胡志明市港口的船只提供服务。有一所官方办的农村工作者培训中心。过去曾为海滨胜地，建有几座旅馆。在一座俯瞰海港的小山上建有著名佛教寺庙。人口145 145(1992)。

Vuri River（Cameroon）　参阅 **Wouri River** 武里河。

Vyādhapura　威阿达普拉　意为“猎户城”。公元 1～6 世纪繁荣于今柬埔寨和越南的扶南王国的首都。是往整个东南亚大陆传播印度文明和文化的中心。距湄公河口190千米，靠近今柬埔寨南部的巴山。到 3 世纪时已发展成为有砖墙围绕的城市，房屋和宫殿是用砖和灰泥筑造的。有运河通泰国湾和内地城市。运河可容纳海船。直至扶南覆灭为止，这个城市始终是印度支那的巨大文化中心。很久以后高棉帝国的统治者仍以传自扶南为荣。

vyāla　芙耶拉　又称沙尔杜拉。印度艺术中一种极普遍的图案，绘一狮身野兽，长着虎、象、鸟或其他兽类的头，与人类决斗，或是猛扑一头大象。这一图案是太阳的象征，代

印度奥里萨邦戈纳勒克 13 世纪太阳神庙中的孔兹岩芙耶拉雕像，作猛扑一头大象状

供图：P. Chandra

表茫茫上苍战胜浑浊的人世。在最早纪念碑上出现图案较写实，著名的有桑吉(约公元前50)大塔和马图拉的贵霜雕刻(公元 1～3 世纪)。5 世纪前后芙耶拉有了固定的形式，8 世纪以后，被作为建筑装饰，常出现在寺庙的墙壁上。

Vyāsa　毗耶娑（活动时期公元前1500?）即广博仙人，传为印度史诗《摩诃婆罗多》的作者或编纂者。据传，他是修道人波罗奢罗和渔家女贞信之子，在森林中长大，一直与向他传授吠陀的修道人生活在一起。其后，他住在娑罗室伐底河畔附近的森林里，成为一个教师和祭司，认输迦为子，并收之为门徒，还聚集了一大群门徒。晚年居住在喜马拉雅山脉的洞窟中，据说曾划分诸吠陀，编著多部往世书，还在两年半的时间内由他口授象头神笔录，编著成他的伟大诗著《摩诃婆罗多》。

Vyatka（city，Russia）　**维亚特卡**　参阅 **Kirov** 基洛夫。

Vyborg　维堡　俄罗斯西北部圣彼得堡州城市。濒临芬兰湾的维堡湾顶端，圣彼得堡西北 113 千米处，12 世纪已有人定居。1293 年瑞典人占领卡累利阿后在此建立要塞。1710 年被彼得大帝占领。1918～1940 年属芬兰，名为维普里。俄芬战争后，于 1940 年归属苏联，现为渔业、船舶修理和木材加工业中心，还生产家具、农业机械和电器设备。夏季凉爽、冬季暖和，有海滨沙滩，为旅游疗养胜地。人口约 81 100(1991)。

Vychegda River　维切格达河　俄罗斯西北部北德维纳河支流。流经科米共和国和阿尔汉格尔斯克州。全长 1 130 千米，流域面积 122 800 平方千米。源出季曼岭山坡，在科特拉斯注入北德维纳河。沿河多沼泽、湖泊和沙洲。沃尔季诺以下 960 千米河段可通航。11～4 月末为结冰期。

Východní Slovensko　东斯洛伐克　斯洛伐克东部的州。西毗中斯洛伐克州，北邻波兰，东接乌克兰，南连匈牙利。面积 16 193 平方千米。北部有上塔特拉山和下贝斯基德山，西部有斯洛伐克矿山山脉，东南部为博德罗格河及其支流形成的大平原。另一主要河流为霍尔纳德河，在斯洛伐克矿山山脉与斯兰斯克山之间形成峡谷。南部平原经济以农业为主，主要种植小麦、玉米、大麦、甜菜、烟草、蔬菜，也产葡萄、水果。畜牧以猪、羊为主。北部地区生产马铃薯、燕麦、大麦、玉米、亚麻和饲料。斯洛伐克矿山山脉矿藏占全州大部分，鲁德纳尼及罗日尼亚瓦开采大量铜、铁矿，其他地点有菱镁矿、锑、菱铁矿、重晶石、汞和石棉等，又有几地生产建筑石料。东南部有天然气田。分别位于霍尔纳德河与斯拉纳河上的两座大坝为附近工业中心提供水电动力。首府科希策为主要工业中心，有钢铁、机械、陶瓷、纺织、服装、食品加工等工业。其他工业城镇斯维特、波普拉德、普雷绍夫、斯特拉日斯凯、胡门内等有化工、建筑材料、纺织、食品加工等工业。山区若干城镇以伐木与木材加工业为主。有引人入胜的自然风光、矿泉疗养地及位于杜纳耶茨河峡中央的皮耶尼内国家公园。科希策为全州主要文化教育中心，市内有沙法里克大学、理工学院、兽医学院、国立科学图书馆、东斯洛伐克博物馆。东部与西南部分别有乌克兰及匈牙利少数民族。人口约1 505 495(1991)。

Východočeský　东捷克州　捷克中北部的一个州。西接中捷克州和北捷克州，北邻波兰，东连北摩拉维亚州，南界南摩拉维亚州和南捷克州。面积 11 240 平方千米。北部有克尔科诺谢山，源出该山的拉贝河(即易北河)与其支流一起形成该州中央平原。平原渐渐升高，南至捷克摩拉维亚高地，东至斯维塔瓦丘陵和奥尔利采山。主要作物有玉米(用为饲料)、甜菜、小麦、大麦、马铃薯、燕麦、黑麦、亚麻和蔬菜。西部地区种植苹果、李、樱桃、梨等。有猪、牛和家禽饲养业。全州 1/3 的牛为乳牛。云杉、栎、冷杉和松树构成的森林约占该州面积 1/3，有几处伐木业和造纸业中心。布罗乌莫夫高地有大型烟煤田。西南部地区开采镍、铅、锌，其他地区开采锰、萤石和建筑石料。主要工业城市为首府赫拉德茨-克拉洛韦和帕尔杜比采，有金属制品、电子、化工、合成橡胶、木制品、纺织和食品加工等工业。首府还有玻璃工业，帕尔杜比采还有炼油和石化工厂。其他工业中心为拉贝河谷和奥尔利策河谷地区，几乎每一城镇都有纺织和服装工厂。赫鲁迪姆、万贝尔克、普拉霍维采、兰什克龙和伊钦分别生产重型机械、运输设备、电子产品、合成橡胶、器具、水泥和玻璃。克尔科诺谢山是全国最重要旅游区之一，可供冬季运动，徒步旅行、垂钓、野营。旅游中心是什平德莱鲁夫姆林。当地有著名的扬斯凯拉兹涅热矿泉疗养地和雪山下的佩奇疗养地。还有乌帕河谷的自然保护区等。赫拉德茨-克拉洛韦市的历史可追溯至 10 世纪，当时为波希米亚王后宫殿；14 世纪该地可与布拉格争雄，现为全州文化中心。其他文化名城有帕尔杜比采、万贝尔克、霍尔采和哈拉霍夫。人口 1 233 858(1998)。

Vyrts-Yarv，Ozero（Estonia）　参阅 **Võrtsjärv** 沃尔茨湖。

Vyshinsky，Andrey　维辛斯基(1883-12-10，俄罗斯敖德萨～1954-11-22，美国纽约州纽约)　Vyshinsky 又拼 Vishinsky。苏联政治家、外交家和律师，20 世纪 30 年代莫斯科进行大清洗审判时任首席检察官。1903 年起为俄国社会民主工党孟什维克派成员，1913 年成为律师，1920 年加入共产党。在国立莫斯科大学任教和作为检察官从事法律业务时，他获得法律理论家的声誉。1928 年被任命为教育人民委员部部务委员，并在对被指控为是破坏分子和反革命分子进行的几起著名的审判中任检察官。在任俄罗斯联邦社会主义共和国检察官(1931)之后，他被提升为苏联副检察长(1933)和检察长(1935)。1933 年在米特罗-维克斯审判案(有几名英国工程师被指控试图破坏苏联水电建设工程)中闻名遐迩。在大清洗审判期间(1934～1938)，他对许多苏联重要领导人提起公诉，控以叛国罪，因而在全世界得到一个打击报复的法庭律师的恶名。1940 年成为党中央委员会委员和副外交人民委员，监督拉脱维亚并入苏联的工作(1940)，后来又主持由共产党政权掌管罗马尼亚(1945)。1949 年 3 月成为外交部长，在代表苏联出席联合国大会时，经常唇枪舌剑地对美国进行猛烈抨击。1953 年斯大林逝世后，他被降职为外交部第一副部长，但仍为苏联常驻联合国代表。

Vyshny Volochyok 上沃洛乔克 俄罗斯西部特维尔州城市。地处莫斯科与圣彼得堡之间的公路线上。18 世纪即为重要城市，纺织和针织业重要，尚有木材加工、造纸和食品加工业。设有纺织学院和医学院。因有多条运河，被誉为“俄国的威尼斯”。人口约 64 600（1991）。

Vysotsky, Vladimir Semyonovich 维索茨基（1938-01-25，苏联俄罗斯莫斯科～ 1980-07-24，莫斯科） 苏联演员、抒情诗人、民歌手，其作品具有社会性和政治性，对严格的苏维埃制度及其困难进行了讽刺。他甘冒官方对他的不快，成为受大众欢迎的人物，甚至在去世后仍受到尊敬。维索茨基出生后不久，其父母即离异，大部分时间是与任技术翻译的母亲一起生活，先住在布祖卢克，1945 年起住在莫斯科。1955 ～ 1956 年在土木工程学院读书一年，接着进入莫斯科艺术剧院附属涅米罗维奇-丹钦科戏剧学校，1960 年毕业并成为一名专业演员。先在莫斯科普希金剧院、后在小剧院工作。1964年起成为塔甘卡的莫斯科戏剧与喜剧院成员，扮演哈姆雷特和唐璜这类主角，并曾在 26 部影片中扮演角色。他作为作家比作为演员具有更高的知名度。他写过数百首歌词和诗歌，并为许多戏剧和电影写配乐。苏联官方很少让他的歌在电影、电视中出现或公开录放。他抒情表演的名声主要通过在俱乐部、工厂和大学的演出和非法录音带及地下出版物的大量传播而获得。他演唱一些以苏联监狱生活为主题的歌曲（如《只有最后审判才会更糟》）、揭露苏联官员伪善的歌曲（如《我痛心荣誉遭践踏、诽谤受鼓励》）和反映俄国人日常生活（拥挤的居住区、排长队的购物人群、社会上层不公正的特权）的歌曲。他 42 岁时死于心脏病，据说是由于他习惯于狂欢暴饮的生活方式所致。20 世纪 80 年代末苏联政府开始允许他的诗歌和抒情歌曲出版。

Vytautas THE GREAT **维陶塔斯（伟大的）**（1350，立陶宛～ 1430-10-27，立陶宛特拉凯） 波兰语作 Witold Wielki。立陶宛民族领袖。他巩固国土，培植民族意识，打败条顿骑士团。凯斯图蒂斯之子。凯斯图蒂斯与兄弟阿尔吉达斯争夺对立陶宛的控制权。维陶塔斯又与阿尔吉达斯之子亚盖沃进行斗争。1382 年维陶塔斯和他的父亲都被亚盖沃俘获。凯斯图蒂被害，但维陶塔斯后越狱逃跑。两年后设法与亚盖沃讲和，收回原有的土地。亚盖沃于 1386 年兼任波兰国王。1392 年双方签订正式协议，他成为立陶宛的实际统治者。即位后企图征服东面的蒙古人，但 1399 年在沃尔斯克拉河战役（**Vorskla River, Battle of the**）中被蒙古人打败。1401 年 1 月波兰和立陶宛在维尔纽斯缔结一项条约，其中规定：立陶宛贵族保证，一旦维陶塔斯去世，他们将承认亚盖沃为立陶宛大公；波兰贵族认可，如果亚盖沃去世，他们决不会不与维陶塔斯商量就另立新王。1409 年初，维陶塔斯与亚盖沃联合进攻条顿骑士团。1410 年 6 月，波兰立陶宛联军跨过普鲁士边界。1410 年 7 月，条顿骑士团在格伦瓦尔德战役中遭到沉重打击，从此乃一蹶不振。1429 年亚盖沃同意维陶塔斯为立陶宛国王，但他未及加冕即死去。

W

W particle　W 粒子　传递核弱力(它支配某些类原子核的放射性衰变)的两个带电亚原子粒子之一。这些粒子也称为中间矢量玻色子或弱子。20 世纪 60 年代,物理学家 S. 格拉肖、S. 温伯格和 A. 萨拉姆曾预言中间矢量玻色子的存在及其性质。根据他们的理论成果(现称电弱理论),长期以来被认为不同本质的电磁力和弱力其实是同一相互作用的不同表现形式。正如电磁力靠光子传递那样,弱力靠三类中间矢量玻色子传递。除传递弱力外,这些玻色子中的两类还带有正或负电荷,并分别以 W^+ 和 W^- 表示。第三类称 Z^0,是电中性的。与光子不同,每个中间矢量玻色子都有很大的质量,因此核弱力的范围极小(它的影响局限于约 10^{-16} 厘米距离之内)。根据量子力学,任一给定力的作用范围与此力的传递粒子的质量成反比。在如 β 衰变的低能过程中,只能交换重的 W 粒子,因为量子力学允许质量-能量的涨落时间尺度十分短(参阅 **uncertainty principle**)。这样重的 W 粒子不可能直接观察到。然而,能量足够高的亚原子粒子间的碰撞能够产生可检测到的 W 粒子。这类 W 粒子可典型地衰变为荷电的轻子(如电子、μ 子和 τ 子)及相关联的中微子。1983 年,设于瑞士日内瓦的欧洲核研究组织粒子物理学实验室内的一群研究者探测到 W 及 Z 粒子的形成和衰变特征与预测的相近。他们的发现成为弱玻色子存在的最早出现的直接证据,也为电弱理论提供强有力的支持。该研究组织的科学家报告,在 540 吉电子伏(1 吉电子伏 = 10^9 电子伏)的碰撞束储存环内的质子与反质子碰撞实验中,观察到许多清晰的弱玻色子出现的例子。全部观察到的 W 粒子的质量约为 81 吉电子伏,或近似为质子质量的 80 倍,与电弱模型所预测的一致。探测到的电中性 Z 粒子的静止质量为 93 吉电子伏,也和预测的一致。

Wa　佤人　又称拉瓦人(Lawa)、哈佤人(Hkawa)、卡瓦人(Kawa)或卡拉人(Kala)。缅甸东部和中国云南省西南部的山居民族,在缅甸通常称作拉瓦人,在中国则称作佤人。他们操与孟-高棉语族有关的一种澳斯特罗-亚细亚语言。"野蛮的"佤人集中居住在缅甸佤族各邦偏僻的北部和中部,以猎头著称,相信死者的头颅是丰收和健康的保证。所谓的驯服的佤族已适应邻近群体的文化,有时与这些群体互相通婚,大部分人信仰佛教。

Waadt (Switzerland)　**瓦特州**　参阅 **Vaud** 沃州。

Waagenoceras　瓦根菊石　头足类的绝灭属(与现生的乌贼、尤鱼和鹦鹉螺有关系的动物)。化石见于二叠纪(2.86 亿年前至 2.45 亿年前)海相地层。具有球形的小壳,房室间缝合线的独特式样是复杂旋绕的,这有助于

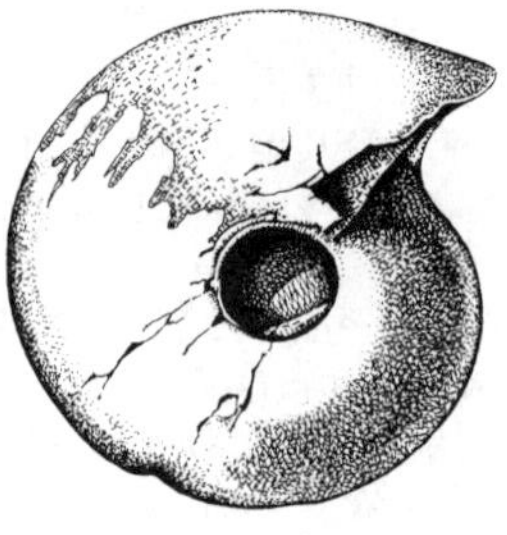

瓦根菊石(*Waagenoceras*)

对它的鉴定。有些种是区分二叠统不同时距极好的标准化石。

Waals, Johannes Diederik van der　范德瓦耳斯(1837-11-23,荷兰莱顿～1923-03-09,阿姆斯特丹)　荷兰物理学家。由于对物质的气态和液态的研究而荣获1910年诺贝尔物

供图:American Institute of Physics, Meggers Gallery of Nobel Laureates, New York City

理学奖。他的研究成果使得对于接近绝对零度的研究成为可能。1873 年他的论文《论液态和气态的连续性》首次引起人们的注意,为此他被授予博士学位。经过不断的研究,他认识到假定气体分子体积为零,且分子之间不存在引力,则理想气体定律就能从气体运动论导出。但考虑到上述假定均不真实,1881 年给这个定律引入两个参量(表示分子的大小和引力),得出一个更准确公式即范德瓦耳斯方程。由于这些参量对每一种气体都不同,他继续研究而得出一个对所有物质都适用的方程(对应态定律)。此项研究工作使他获得了诺贝尔物理学奖并使英国的詹姆斯·杜尔爵士和荷兰的 H.K. 昂内斯能确定出氢和氦液化所需的数据。范德瓦耳斯是利用莱顿大学提供的机会自学成才的科学家,1877 ～ 1907 年间任阿姆斯特丹大学物理学教授。为了纪念他,原子间和分子间的弱引力被命名为范德瓦耳斯力。

Wabana　沃巴纳　加拿大纽芬兰东南部城镇。地处圣约翰斯西北方,康塞普申湾的贝尔岛上。坐落在世界最丰富的赤铁矿藏之一的中心。1895 年开始开采之后,这个城镇发达起来,1961 年人口已超过 8 000 人。可惜由于市场销售问题和矿砂中磷的含量高,开采工作于 1966 年完全停顿,造成经济的不景气和人口的大量外迁。城镇与阿瓦朗半岛上的波图加尔港之间有定期的摆渡往返。1950 年设建制。人口3 608(1991)。

Wabanaki　(North American Indian confederacy)　**瓦班纳基人**　参阅 **Abnaki** 阿布纳基人。

Wabar Craters　瓦巴尔陨石坑　沙特阿拉伯鲁卜哈利沙漠 1932 年发现的一组陨石坑。最大的直径 100 米、深 12 米,局部为沙充填,被认为是一爆炸坑(由撞击爆炸形成)。在主坑西北1 000米处另有一坑,大小为主坑的一半,被认为是两个局部叠置的坑。该地区其余两个坑则完全被沙填满。在主坑附近发现了熔融的二氧化硅玻璃和极小的镍铁球粒。

Wabash　沃巴什　美国印第安纳州东北部城市,沃巴什县县城(1835)。位于韦恩堡西南偏西 72 千米,濒临沃巴什河。1835 年始有人定居。1854 年设建制。19 世纪 50 年代,沃巴什-伊利湖运河的建成促进了城市的发展。是世界上最早(1880)用电照明的城市之一。现为一农贸中心。有轻工业,生产橡胶和纸制品等。市内沃巴什县历史博物馆展有有关印第安文化和南北战争的文物。附近有哈尼韦尔玫瑰园以及州立萨拉莫尼和密西西纳瓦水库游乐区。人口约12 271(1991)。

Wabash River　沃巴什河　美国俄亥俄河北岸最大支流。源出俄亥俄州西部的格兰德湖,向西流,穿过印第安纳州北部后,沿印第安纳-伊利诺伊州界南流(320 千米),在印第安纳州西南角汇入俄亥俄河。全长 851 千米,流域面积约85 860平方千米。主要支流有怀特、蒂佩卡诺伊、小沃巴什、恩巴勒斯和弗米利恩河。河口以上 120 千米处流量达 860 立方米/秒。18 世纪时法国人利用沃巴什河作为路易斯安那与魁北克之间的运输通道。1812 年战争后沃巴什河流域发展迅速。该河仍为主要贸易通道。19 世纪 50 年代修通铁路后,河上运输除下游的驳船外几乎完全停止。

Wabi (people)　参阅 **Huave** 瓦维人。

Wabē Shebelē (Horn of Africa)　参阅 **Shebeli River** 谢贝利河。

Waccho　瓦霍(?～约539)　伦巴第人的国王,他们当时所占据的领土大致相当于多瑙河以北的奥地利境域。瓦霍暗杀了他的叔父塔托,约 510 年篡夺王位,统治 30 年。536 年以后不久,他与拜占廷皇帝查士丁尼一世缔结一项协定,共同反对格庇德人。他曾先后与图林根人、格庇德人和赫鲁尔斯人的国王的女儿结婚。瓦霍由其幼子继位,后者在

伦巴第人首领奥德英摄政时期死去。后由奥德英之子继承王位，歼灭格庇德人并入侵意大利。

Wace 瓦斯（约1100，海峡群岛泽西～1174以后） 盎格鲁-诺曼语作家，著有两部诗体编年史：《布鲁特传奇》（1155）和《鲁的传奇》（1160～1174），分别得名于布立吞人及诺曼人据称的奠基人。《鲁的传奇》是由英王亨利二世授命编写的；1169年前的某个时期，他曾授予瓦斯法国西北部巴约的教士职务。《布鲁特传奇》也许是献给亨利的王后阿基坦的埃莱亚诺的一部作品。这本书采用八音节诗行，是蒙茅斯的杰弗里所写《不列颠诸王纪》一书的传奇式的改写本，追溯自传说中的特洛伊人布鲁图斯建立不列颠以来的历史。书中增加了许多虚构情节（包括亚瑟王圆桌骑士的故事），有助于亚瑟王传奇的传播。《鲁的传奇》采用八音节对句及亚历山大诗体单韵诗节，是一部记述诺曼底各公爵的历史，从北欧海盗罗洛的时代（911年以后），述及罗贝尔二世时期（1106）。但到1174年，亨利二世又转而赞助另一名叫本涅特的诗人，此人正撰写另一稿本，以争高下，于是瓦斯之作未能终篇。瓦斯在《布鲁特传奇》中表现的匠心独具，对后世诗体传奇的写作风格影响极大（显著的影响是对盎格鲁-诺曼语作家托马斯改写的特里斯坦故事），莱亚门的英语诗篇《布鲁图斯》（约1200）则是许多直接摹拟作品中最著名的一首。

Wach, Joachim 瓦赫（1898-01-25，德国开姆尼茨～1955-08-27，瑞士奥尔塞利纳） 基督教新教神学家。曾任宗教史教授（莱比锡大学，1929～1935；芝加哥大学，1945～1955），对宗教社会学有显著贡献。他首先提出宗教学这一概念，认为它是用比较的方法从现象学和心理学角度研究宗教，其中包括解经原理、宗教经验研究以及宗教社会学。他认为解经原理的初步是以实验的方法研究宗教，包括一般宗教历史和各个宗教的历史。瓦赫的英文著作包括《宗教社会学》（1944）、《宗教经验的不同类型——基督教的与非基督教的》（1951）和《比较宗教学》（1958）。

Wachirayanwarorot （Siamese prince-patriarch） 参阅 **Vajirañāṇavarorasa** *瓦栖拉那纳·瓦罗拉沙*。

Wachsmann, Konrad 瓦克斯曼（1901-05-16，德国奥得河畔法兰克福～1980-11-25，洛杉矶） 德国出生的美国建筑师，对建筑构件的大批量生产卓有贡献。先后在柏林和德累斯顿的工艺美术学校和柏林艺术学院学习。20世纪20年代后期，任一家木构房屋制造厂的总工程师。1932年获罗马德国学院的罗马奖后，在意大利居住了几年，设计了多幢钢筋混凝土公寓，当时法国建筑师科比西埃对他的结构设想颇为欣赏。1941年移居美国，1948年前与W. 格罗皮厄斯合作，二人共同创立了一家生产预制建筑构件的公司。1950年任芝加哥伊利诺伊理工学院设计学院教授及建筑研究系主任。1950～1953年与别人合作设计了以预制构件建造大型飞机库的结构体系。1964年任洛杉矶南加利福尼亚大学建筑研究部主任和建筑系研究生院院长。著有《建筑的转折点》（1959），特别强调技术和艺术是不可割裂的。

Wackenroder, Wilhelm Heinrich 瓦肯罗德尔（1773-07-13，柏林～1798-02-13，柏林） 德国作家和评论家，同蒂克一起提出一些最重要的德国浪漫主义思想。其父是一位高级文官。在学校里，威廉腼腆而忧郁，只有在听音乐时才感到快乐。他与更活泼、更有创造性的蒂克结成朋友。这种友谊后来对于他们两人的工作起到极为重要的作用。在埃朗根和格丁根（1793～1794）学习之后，于1794年回到柏林，在父亲敦促下，进入普鲁士政府工作，但关心的仍然是文艺。他翻译轻松的英国小说，撰写A. 丢勒、达·芬奇、米开朗琪罗、拉斐尔和J. 贝格林格尔的生平轶事（贝格林格尔是他虚构的音乐家和他艺术观点的代言人）。在这些故事里，他发展出一种热情的感情美学，根据这种美学，完善的艺术作品是由奇迹创造出来的，是一个道德的、美学的和宗教的整体，只能用心来把握。1797年按照蒂克的意见，出版了这些著作，题为《一个喜爱艺术的修士心情的流露》。1799年蒂克发表其续篇，题为《关于艺术的遐想》。瓦肯罗德尔24岁时死于伤寒。

Wackernagel, Jacob 瓦克纳格尔（1853-12-11，瑞士巴塞尔～1938-05-22，瑞士巴塞尔） 瑞士历史比较语言学家，主要以其关于梵语的划时代著作而著名。其父威廉系巴塞尔大学日耳曼学教授，他因受父亲影响，在格丁根大学求学时即对比较语言学和梵语发生兴趣。1876年，他在巴塞尔大学任古典语言名誉讲师，1881年升为希腊语言文学教授，对希腊语的历史和比较研究多所贡献，后又著有《古印度语语法》（1896～1905；1930），内容丰富，由此而知名。1902年起在格丁根大学执教，1915年返回巴塞尔大学。讲稿辑录为《句法讲义》（1924）一书。

Waco 韦科 美国得克萨斯州中北部城市，麦克伦南县县城（1850）。北距达拉斯160千米，濒临布拉索斯河畔。1849年始建，1856年设建制。早期经济几乎全部以棉花为基础。1881年修通铁路，促进了经济的发展。现在经济仍部分依靠谷物和牲畜，但工业发展（服装、机械、轮胎和玻璃生产）扩大了其经济基础。设有贝勒大学（1845）、保罗·奎因学院、麦克伦南社区学院和得克萨斯州立工学院詹姆斯·康纳利分院。有地方动物园、得克萨斯体育名人堂和几所博物馆。市西韦科湖为旅游胜地。人口：市113 726；都会统计区213 517（2000）。

wad 锰土 又称沼锰矿（bog manganese）。黑色土状物质，主要由各种水合氧化锰组成；是锰的一种重要矿石。化学成分变化很大，而且含有不同的杂质，含量往往很大。锰土非常软，易污手，被认为主要是软锰矿和硬锰矿的混合物。它由其他锰矿物分解形成，常沉积于沼泽中或泉水旁，它对各种氧化锰的关系，同褐铁矿和脂铅铀矿对各种氧化铁和氧化铀的关系一样。

Wad Madanī 沃德迈达尼 苏丹中部的中部地区城市，杰济拉省省会。位于青尼罗河西岸，海拔411米。杰济拉灌溉规划的实施，使当地农田受益（种植花生和小麦），促进了该市经济发展。现为杰济拉产棉区的商业中心。设有杰济拉大学（1975建立）、农业研究公司和杰济拉研究公司图书馆。有铁路和公路与喀土穆、库斯提和加达里夫相连，在青尼罗河上有渡轮。当地建有国内机场。大部分居民操阿拉伯语，属于苏丹北部民族。人口218 714（1993）。

Wadai, Kingdom of 瓦代王国 历史上的非洲王国，在乍得湖以东，达尔富尔以西。16世纪创建。约1630年成立一个穆斯林王朝。曾长期臣属达尔富尔，到18世纪90年代才获得独立，并开始一个迅速扩张的时期。由于地处从上尼罗河经达尔富尔通往博尔努和卡诺的东西商道和从阿贝歇（瓦代的主要城镇）通往地中海畔班加西的跨越撒哈拉的两条重要商路交叉点而繁荣起来。因历代瓦代国王治理有方，该地区比较安全，19世纪商队放弃了其他商路而循阿贝歇-班加西路线跨越沙漠。1906～1914年由法国占领，结束了横跨撒哈拉的贸易。瓦代王国的领土为今乍得的*瓦达伊*（**Ouaddaï**）地区。

Wadd（Arabian god） **瓦德** 参阅 **Ilumquh** *伊伦库赫*。

Waddenzee 瓦登海 荷兰北部的北海浅湾。位于大陆与西弗里西亚群岛之间。低潮时露出大面积沙滩，沙滩上有许多深沟。经过西弗里西亚群岛的小水湾与北海沟通。有一些渔业，主要港口有登海尔德和哈灵根。

Waddington, C(onrad) H(al) 瓦丁顿（1905-11-08，英格兰伍斯特伊夫舍姆～1975-09-26，爱丁堡） 又译沃丁顿。英国胚胎学家、遗传学家、科学哲学家。初从事生物学研究，在鸟类及哺乳动物胚胎发育方面作出贡献。1933年证明，来自某些组织的化学信使能诱导其他组织的发育，并由此进而研究基因对组织和器官发育的调节作用。他在《组织者与基因》（1940）一书中试图将孟德尔遗传学与实验胚胎学的新发现联系起来。第二次世界大战期间，瓦丁顿为军方从事运筹学的研究。战后，将新设计的手术方案用于饲养家畜及培育家畜新品种。他坚信，科学方法应广泛用于公众事务，瓦丁顿1926年毕业于剑桥大学。未毕业时已发表诗作并研究地质学。后又研究古生物学、生物学，战前在剑桥讲授动物学及胚胎学，1946年后在爱丁堡大学讲授遗传学。著作甚多，包括生物学及哲学，其《胚胎学原理》（1956）被视为标准教科书。

Waddington, William Henry 瓦丁顿（1826-12-11，法国阿夫尔河畔圣雷米～1894-01-12，巴黎） 法国学者、外交家和政治家。他被温和共和派任命为法国总理，主要因为他为人谨慎和无甚政治倾向，这标志着第三共和国将杰出人物排除在权力地位以外的一种倾向的开始。瓦丁顿是1780年后定居法国的一个英国制造商之子，在法国开始受教育，但毕业于英格兰拉格比学校和剑桥大学三一学院。他曾旅游地中海东部，发表过一系列论中东和罗马古迹的论文，1865年当选为法国铭文和文学院院士。1871年作为无党派人士当选为众议员；1876年当选为参议员。1873年5月曾当过几天教育部长，1876年3月至1877年5月复任此职。1877年12月任外交部长，作为法国代表出席1878年柏林会议取得了成功。1879年1月的选举加强了温和共和派的势力，P. 麦克马洪被迫辞去总统职务。继任者J. 格雷维遴选他为总理(1879-02)，后仅保留外交部长职务，以主要精力积极从事外交活动，1879年12月被迫辞职。瓦丁顿在任驻英国大使时期(1883～1893)，于1884年进行关于埃及问题的谈判。1893年失去参议院议席。

Wade, Arthur Sarsfield　韦德　参阅 **Rohmer, Sax** 罗默。

Wade, Benjamin F(ranklin)　韦德(1800-10-27，美国马萨诸塞斯普林菲尔德～1878-03-02，俄亥俄杰斐逊)　美国南北战争时期(1861～1865)的参议员，以激进政见与A. 林

美国国会图书馆供图

肯和A. 约翰逊总统发生冲突。原为俄亥俄州律师，1837年作为辉格党人选入州参议院。因持坚定反奴隶制立场，1839年竞选连任失败，1841年再次当选，1851年作为辉格党人选入美国参议院。1857和1863年作为共和党人再次当选。作为参议员，他坚决反对扩展奴隶制，强烈反对通过为奴隶制向西部扩展打开大门的《堪萨斯-内布拉斯加法》(1854)。战争期间采取激进派共和党人立场，主张全力推进战争，解放奴隶，严峻地惩罚南方。作为国会两院战争行为联合调查委员会主席，对全面调查联邦军事努力的过程中发挥杰出但又引起争议的作用。1864年联合提出《韦德-戴维斯法案》，声称南部各州政府的重建系立法问题而非行政问题，从而与林肯总统发生直接冲突。对约翰逊总统的重建政策亦采取严厉批评立场。1867年3月2日被选为参议院临时议长，是1868年5月弹劾总统案(如果约翰逊被参议院撤职的话)的总统继位人。后因约翰逊终被宣告无罪而大失所望。竞选第四任参议员失败后返俄亥俄州重操律师业(1869)。

Wade, Sir Thomas Francis　威妥玛(1818-08-25，伦敦～1895-07-31，英国剑桥郡剑桥)　英国外交官、汉学家，为威妥玛-翟理斯汉语罗马字拼音法创始人。为一英国军官之长子，1837年毕业于剑桥大学三一学院，随即入伍。1842年被派到中国，孜孜研习汉语，任驻华汉语翻译，为少数通晓汉语的官员之一。1845年曾一度返英，后供职于英国驻华使团，在南京、香港、北京等地担任过各种职务，参与订立《天津条约》(1857)和《烟台条约》(1876)。1875年受封为爵士。1883年退职后重返剑桥大学，1888年被选为该大学第一任汉语教授，曾撰写大量有关汉语研究的著作，其《北京字音表》(1859)为汉语罗马字拼音威妥玛-翟理斯式之基础，在西方和中国均广为使用。他临终时将其所收藏的中国图书全部遗赠给剑桥大学。

Wade-Davis Bill　《韦德-戴维斯法案》(1864)　在南北战争将结束时，激进的共和党人在国会提出的重建政策法案(1864)，但未获通过。原由参议员B.F. 韦德和H.W. 戴维斯提出，主张在原来加入南部邦联的各州中设军事长官；只要州内多数白人宣誓效忠联邦，即可召集制宪会议；各州宪法必须规定消灭奴隶制；撤销南部邦联政府官员的一切职务。A. 林肯总统否决了这一法案。

Wade-Giles romanization　威妥玛-翟理斯拼音法　现代书面汉语的拉丁化拼音体系，原为西方读者学习汉字设计的，最初由威妥玛(**Wade, Sir Thomas Francis**)提出，后由剑桥大学教授H.A. 翟理斯予以修正，载于其《华英字典》(1912)中。由于翟理斯对音节所作的改动，使这种拼音法式成为英语国家中学术界与一般人均乐于采用的汉语译音体系，并逐译为荷兰语、芬兰语、法语、意大利语、挪威语、西班牙语、瑞典语及土耳其语，以之作为译写汉语的工具。中国人士也曾设计几种拼音体系，以供非汉字出版物译写汉语词汇之用；但1979年全部为更清楚的汉语拼音文字所取代。虽然威妥玛-翟理斯拼音法对于汉字改革有一定贡献，但与较晚设计的各种汉字注音方法相比，一般认为易致混乱。威妥玛-翟理斯拼音法根据非标准音制定，既有以相同符号标注不同语音的地方，例如汉语拼音文字的j，q，zh，ch在威妥玛-翟理斯拼音法中分别以ch和ch'来标注；也有以不同符号标注相同语音的地方，例如ts和tz都用以标注汉语拼音文字中的z。汉语声调变化用数字注于字母之右上角，如tu^2(图)；送气及音位分隔都用分离符号，如t'a(他)；央元音变体则以附加的重音符号来表示，如êrh(二)。有时印刷工人省去附加符号，字音就变得含混。威妥玛-翟理斯拼音系统收入单音节和多音节总计407个，西方人按照威妥玛-翟理斯拼音法学习汉语时，发觉把音节再划分为单音节的做法，只会被许多僵硬的声调所混淆而大大降低语语"流出"时自然而持续的效果。在美国，人们为使汉字读音标准化，除使用威妥玛-翟理斯拼音法之外，还辅以国语辞典和注音符号。关于威妥玛-翟理斯拼音法与汉语拼音文字的对照表，可参阅 **Pinyin romanization**。

Wadgaon, Convention of　《沃德冈条约》(1779-01-13)　第一次马拉塔战争(1775～1782)中，一支英国远征军在沃德冈被围后，被迫签订的条约。《沃德冈条约》中规定，英国归还1773年以来侵占马拉塔的所有领土，包括萨尔塞特岛在内；从孟加拉出发的英国军队必须停止前进；巴罗治地区的部分田赋由马拉塔酋长信希亚征收。由于孟加拉的英国当局不接受这些条款，战争一直拖到1782年。结果以英国放弃罗库纳特和保留萨尔塞特而告结束。

Wadhwān (India)　**沃特万**　参阅 **Surendranagar** 苏伦德拉讷格尔。

wadi　参阅 **arroyo** 干谷。

Wādī al-Jadīd, al-　新河谷　埃及沙漠省份。东起尼罗河谷，西至利比亚边境，南至苏丹边境。位于埃及西南部，总面积376 505平方千米，约为埃及面积的2/5。根据全国规划，新河谷荒漠包括以自流井为基础的5个分散的绿洲群，即锡瓦绿洲、拜哈里耶绿洲、费拉菲拉绿洲、达赫莱绿洲和哈里杰绿洲。为东撒哈拉的一个几乎无雨的高原，包括利比亚沙漠的中东部。20世纪70年代末期，开始勘探石油。最大的哈里杰绿洲在海拔112英尺的低地内，有大量的耕地。种植蔬菜、海枣、小麦和三叶草(牲畜饲料)。绿洲居民和沙漠部族饲养绵羊和骆驼。哈里杰已发现煤矿，阿布泰尔图尔山的一个大磷酸盐矿已开采。达赫莱绿洲较小，海枣种植业为传统行业。20世纪70年代，农业试验计划试种新品种的棉和其他作物，以发展能适应沙漠条件的新品种。70年代在达赫莱发现古王国(约公元前2686～前2160)的坟墓。哈里杰有更多的古迹。在整个法老时代，绿洲是流放地或失宠者的避难地。在罗马帝国和拜占廷时代，绿洲成为繁荣的基督徒聚居地。绿洲上的居民源于讲柏柏尔语的利比亚人，后与南方来的移民和被放逐的埃及人混血。穆斯林时期，阿拉伯人曾与他们混血，现在他们都讲阿拉伯语。沙漠的游牧民属奥拉德阿里部族。人口约141 737(1996)。

Wādī Ḥalfā　瓦迪哈勒法　苏丹北方省城镇。位于尼罗河东岸，在第二瀑布以下10千米，北近埃及边界。地处古代努比亚境内，镇内和附近古迹甚多，河对岸有布亨(埃及中王国时期的殖民地)遗址。为铁路和河运终端站，埃及和苏丹两国的农业、商业中心。20世纪70年代，为使埃及的纪念物免遭纳赛尔湖(阿斯旺高坝上游形成的水库)淹没，曾为考古活动中心。人口约11 006(1956)。

Wadjet (Egyptian goddess)　**瓦杰特**　参阅 **Buto** 布托。

Wafangdian 瓦房店 又拼 Wa-fang-tien。中国辽宁省县级市。位于辽东半岛中西部,沈大铁路线上。距东北最大的海上门户大连100千米。面积3 791平方千米。辽兴宗(1031～1054)置永宁县,并为复州治所。金大定七年(1167)改县名为永康,元废县。明洪武四年(1371)改置复州卫。清雍正四年(1726)改复州厅。光绪年间(1875～1908),瓦房店扼北京经沈阳至旅顺的军事要道,清政府在该地设军事驿站,是调换军队及运送粮饷的必经之路。当时有瓦房几间作为客店,故得名。1903年中东铁路通车,瓦房店得铁路运输之利,经济逐渐发展。1913年改复县。1925年县治由复州城迁至瓦房店。1985年,改复县为瓦房店县级市,现由大连市代管。该市的农产品有玉米、花生、苹果、梨、柞蚕茧等。苹果产量居全国各县、市首位。矿产资源有铜、铁、磷、黏土、石灰石、煤炭等。金刚石矿探明储量居全国首位。沿海产鱼、盐。工业有冶金、石油、化学、机械、纺织、食品等,以机械工业为主导,瓦房店轴承厂是中国轴承行业三大骨干企业之一。瓦房店交通条件比较优越,除沈大铁路贯通市境外,还有瓦五、瓦老两条支线。公路有哈大公路以及省级公路亮盖线和城八线。人口1 020 000(2005)。

Wafd 华夫脱党 推动埃及国家独立的民族主义政党。1918年11月13日作为一个埃及人民的常设代表团,由札格卢勒建立。1923年9月正式成为政党。它要求埃及实行自治,成立立宪政府,给予公民权利,由埃及人管理苏丹和苏伊士运河。1924年大选中赢得90%的议席,华夫脱党组织政府。1936年埃及完全独立后,华夫脱党政府与国王经常发生冲突。1937年左右,华夫脱党组织华夫脱青年联盟,努力培养骨干。1953年革命指导委员会解散一切政党时,华夫脱党掌握4家日报、4家周刊。1978年2月4日,萨达特总统宣布实行多党制,华夫脱党重新建立。同年6月2日,该党自行解散。

wafer ash 薄脆饼树 参阅 **hop tree** *榆橘*。

waffle 华夫饼干 用华夫饼干烤模烤成的松脆而鼓起的饼干。这种烤模带有蜂巢状或其他形状的刻纹,可使稀面糊薄层焙烤均匀和松脆。美式华夫饼干以焙烤粉作膨松剂,而比利时和法国则用酵母发酵。在美国是公众所喜爱的早餐食品,常涂奶油、槭糖浆或果酱食之。也可作沾酱汁的海味及家禽肉之类美味的衬底食品。在比利时是受欢迎的小吃。12世纪的法国诗歌中就曾提及在集市或宗教节日,街上有华夫饼干出售。

Wagadugu (Burkina Faso) 参阅 **Ouagadougou** *瓦加杜古*。

Waganda (people) **瓦干达人** 参阅 **Ganda** *干达人*。

wage-price control 工资-物价管制 政府为限制工资和物价上涨所制定的方针。它是收入政策(**incomes policy**)中的一项主要手段。

wage theory 工资理论 试图说明如何决定劳动报酬的经济理论。李嘉图及其他古典经济学家提出的糊口工资论,是以马尔萨斯人口理论为基础的。它认为劳动力的市场价格总是趋向于维持最低生活所要求的最低费用。如果劳动力供应增加,工资将下降,最终导致劳动力供应减少;如果工资上升到高于最低生活费用水平,人口将增加,直到大量劳动力再次迫使工资下降。工资基金论认为,工资取决于:①为支付工人工资而留出的资本;②工人人数。只有资本增加或工人人数减少,工资才能增长。尽管从长期看来工资基金的大小可以变动,但在一定时期内总是固定的。因为一定时期内可资利用的工资基金是固定的,通过立法提高工资总归无用。马克思提倡的劳动价值论认为,由于大量失业的存在,工资才保持在维持最低生活费用的水平。

美国经济学家F.A.沃克提出的残余额权利工资理论认为,工资是工业总收入扣除租金、利息和利润后的剩余。按照协议工资论,没有任何经济原理或力量能确定工资;相反,工资和其他工作条件都是工人、雇主和工会通过协议而决定的。边际生产率工资理论于19世纪末期形成,它认为,雇主雇用某一类型的工人,直至要雇用的最后一名(或边际的)工人对总产出所带来的增加额等于再雇用另一名工人的费用时才停止。工资率是等于最后所雇用的一名工人的边际产品的价值。

wager of law (early English law) **宣誓断讼法** 参阅 **compurgation** *据誓断讼*。

Wages and Hours Act 《工资与工时法》 参阅 **Fair Labor Standards Act** *《合理劳动标准法》*。

Wagga Wagga 瓦加瓦加 澳大利亚新南威尔士州东南部城市。濒临马兰比吉河。为肥沃的里弗赖纳地区的服务中心。设有农业学院和研究院、高等教育学院、土壤保护研究站及皇家澳大利亚空军基地。有橡胶制品、木林、面粉、乳品、铸铁和机械等工厂。每年庆祝艺术节并举办农业展览会。19世纪30年代始有人定居。紧临斯特公路,有铁路和航班通东北380千米处的悉尼市。人口56 070(1993)。

Wagner, Carl 瓦格纳(1901-05-25,德国莱比锡～1977-12-10,格丁根) 德国物理化学家和冶金学家。他对固态化学的理论发展做了大量工作,特别是原子级缺陷对化合物(如氧化物和硫化物)及金属和合金等性质的影响。曾在慕尼黑大学和莱比锡大学学习,并在许多德国大学教学和进行研究工作。1949～1958年,瓦格纳在麻省理工学院任冶金学教职。1958～1968年任格丁根的马克斯·普朗克化学研究所所长。他在固体缺陷结构方面的早期研究,对半导体材料的发展做出了很重要的贡献。

Wagner, Cosima 瓦格纳(1837-12-25,奥地利帝国伦巴第贝拉焦～1930-04-01,德国拜罗伊特) 母家姓李斯特。作曲家R.瓦格纳之妻,自1883年瓦格纳去世到1908年期间,一直担任拜罗伊特音乐节的艺术指导。她是李斯特的非婚生女,于1857年与当时最杰出的指挥家之一、也是李斯特得意门生的H.冯·比洛结婚。尽管她在工作上鼓励比洛,但他们的婚姻却是不美满的。1868年她带着四个女儿离开比洛,到特里布申与R.瓦格纳同居,1870年与瓦格纳结婚。是年,瓦格纳创作了《齐格弗里德牧歌》以纪念他们的儿子齐格弗里德(1869～1930)的诞生。瓦格纳去世后,她担负起拜罗伊特音乐节的管理工作,直至1908年由她儿子继任。对这项自愿承担的工作,她花费了大量精力并继续致力于瓦格纳作品的演出。她是音乐节商务与社交方面的组织者,对节目、艺术家和表现风格的选择均有影响。逝世时双目失明。

Wagner, Honus 瓦格纳(1874-02-24,美国宾夕法尼亚曼斯菲尔德[今卡内基]～1955-12-06,卡内基) 美国职业棒球运动员,首批入选棒球名人堂的5人之一(1936)。他被公认为棒球运动史上最优秀的游击手,也有人认为他是全国棒球联盟史上最佳全能运动员。绰号"飞行荷兰人"。1897～1899年为路易斯维尔上校队队员;1900～1917年为匹兹堡海盗队队员。在匹兹堡队,有8个赛季的击球率和5年的偷垒数均为全国联盟之冠。在21年的棒球经历中平均击球率为0.327或0.329,安全打总数为3 415或3 430(资料来源不同)。他创造的252次三垒打的纪录在全国联盟中一直保持不破。

卡尔弗图片公司供图

Wagner, Otto 瓦格纳(1841-07-13,维也纳附近的潘津～1918-04-11,维也纳) 奥地利建筑师、教师,欧洲现代建筑运动的创始人和领导人。他的早期作品属新文艺复兴式。1893年获维也纳总体规划设计竞赛的首奖,但未实施。1894年任教授。在建筑教学中,他很快放弃传统风格,强调功能、材料和结构是建筑设计的基础。他的众多著名作品中,有若干座维也纳高架铁路和地下铁道的车站(1894～1897)以及邮政储蓄银行(1904～1906)。后者很少装饰,而中央大厅建有圆拱玻璃屋顶,被认为是现代建筑史上的里程碑。

瓦格纳 1904～1906 年设计的维也纳邮政储蓄银行

供图：Osterreichisches Nationalbibliothek, Vienna

尽管开始时遭到很多人的攻击，但他的影响却日益深远。他的讲义于 1895 年出版，名为《现代建筑》。

Wagner, (Wilhelm) Richard　瓦格纳（1813-05-22，莱比锡～1883-02-13，威尼斯）　德国戏剧作曲家和理论家，所作歌剧与音乐对西方音乐的历史进程有着突破性的影响，无论

供图：Richard Wagner-Gedenlkstatte, Bayreuth, W. Ger.

是从发展还是反对他的创新的角度来看都是如此。主要作品有《漂泊的荷兰人》（1843）、《汤豪泽》（1845）、《洛亨格林》（1850）、《特里斯丹和绮瑟》（1865）和他的杰出的四部曲《尼贝龙根的指环》（1869～1876）。

早期生活　瓦格纳早年的艺术背景和戏剧背景（几个姐姐都是歌剧演唱员或演员）是形成他的性格的主要影响。他经常听音乐会，自学钢琴和作曲，并阅读莎士比亚、歌德和席勒的剧本。曾在莱比锡大学作旁听生。虽然生活放荡不羁，但对于作曲却是专心致志。他不耐烦学完所有的正规技巧，只跟托马斯学校的乐长 T. 魏因利希学了短短 6 个月，获得了一点基础知识。他真正的训练来自独自认真研读一些大师的总谱，特别是贝多芬的四重奏和交响曲。他自己的《C 大调交响曲》于 1833 年在莱比锡布业会堂音乐会首演。同年离开莱比锡大学，夏天在维尔茨堡任歌剧指导，并创作第 1 部歌剧取材于 C. 戈奇荒诞故事的《仙女》。1836 年与歌舞团女演员明娜·普兰纳结婚。他的第 2 部歌剧取材于莎士比亚《一报还一报》的《爱情的禁令》但演出彻底失败。1839 年为逃债而前往巴黎，决定在那里博取功名以了夙愿。虽然有梅耶贝尔这位有影响的德国作曲家的推举，瓦格纳却未能打入法国歌剧院的针插不透、水泼不进的圈子。不过，在 1840 年他完成了取材于布尔沃-利顿小说的《黎恩济》，1841 年创作了他的第 1 部歌剧代表作《漂泊的荷兰人》。1842 年，29 岁的瓦格纳欣喜地回到德累斯顿，10 月上演《黎恩济》，一举成功。翌年《漂泊的荷兰人》上演，成绩平平，因为观众期盼的是一部类似《黎恩济》的法-意传统的作品，而新歌剧中将音乐与戏剧内容相结合的创新手法使他们感到困惑。尽管如此，瓦格纳还是被任命为宫廷歌剧院的指挥，任此职直到 1849 年。1845 年 10 月根据德国传说而写的《汤豪泽》反应冷淡，但不久就证明这是一部常演不衰、引人入胜的佳作。在这之后，他的每部新作都得到了观众的欢迎，但许多评论家则坚持敌对态度。德累斯顿宫廷歌剧院当局拒不上演他的下一部歌剧《洛亨格林》，这不是出于艺术原因，而是因为他们反对瓦格纳规划中的行政和艺术改革。接着，充满社会革新思想的瓦格纳又卷入 1848～1849 年的德国革命，写了大量鼓吹革命的文章，积极参加 1849 年的德累斯顿起义。起义失败后政府下令逮捕他，他立即逃离德国，未及出席他的朋友李斯特于 1850 年 8 月在魏玛举办的《洛亨格林》首演。

流亡　此后 15 年中瓦格纳没有发表任何新作。他在苏黎世一直住到 1858 年，从事作曲、写论文和指挥（1855 年指挥了伦敦爱乐乐团的音乐会）。他研读有关齐格弗里德的传说和古斯堪的纳维亚神话并打算用作歌剧的基础，写了歌剧"诗"《齐格弗里德之死》，接着又着手写作几本散文著作来讨论社会革命和艺术革命的问题。1849～1852 年写了主要的几本散文著作：《艺术与革命》、《未来的艺术作品》、《歌剧与戏剧》。最后这本概括地描述了一种革命性的新型音乐戏剧作品——实际上就是他正在从事的那种巨大作品。1852 年他在《齐格弗里德之死》前面加了另外 3 首，统称《尼贝龙根的指环》，从而构成一组乐剧四部曲：《莱茵黄金》、《女武神》、《青年齐格弗里德》和《众神的黄昏》（即原来的《齐格弗里德之死》）。《指环》展示出瓦格纳成熟的风格和方法，这是他专心致志于考虑社会问题的那一时期中终于形成的。他期盼很快会缔造出一个社会主义的政权，预言歌剧作为专供上层人士消遣用的矫揉造作的娱乐形式必将消亡，而一种为普通百姓的新型音乐戏剧将会出现。这种新作品后来将被称为"乐剧"，虽然瓦格纳从未用过这一术语，而是更喜欢"戏剧"一词。瓦格纳的新艺术形式将是一种诗剧，当它配上一气呵成的声乐-交响乐织体时，就充分表现为乐剧。这个织体由一些基本的主题思想交织而成，瓦格纳称这些思想为"动机"，但是现在通用的说法却是他的一个门生所杜撰的"主导动机"一词。"主导动机"的概念在《指环》中得到充分的体现。随着这一方法的运用，瓦格纳立刻成长到令人惊讶的高度：他的风格变得极其统一而深化，他能够从头至尾在作品中表现具有强烈特性的音乐。他的原有缺点，不管是形式上还是风格上的，全都烟消云散；旧"歌剧"的最后的痕迹也随之而消失殆尽。1857 年时他的风格由于受到李斯特音诗的激励而更加丰富，他创作了《莱茵黄金》、《女武神》和《齐格弗里德》的两幕。但此时因为这部巨作在近期内不可能上演，他不得不暂时放下《指环》的工作而去规划一部可立即上演的"正规"作品。同时，他的乐观的社会哲学因为受叔本华哲学的影响而转向形而上学的弃世悲观主义，结果写成了《特里斯丹和绮瑟》（1857～1859），而促成它最后成形的因素却是他与一位富有的庇护人的妻子 M. 韦森东克的无望的爱情，此事导致他和妻子明娜分手。由于与韦森东克的风流韵事，他在苏黎世的生活变得很尴尬，因此《特里斯丹和绮瑟》是在威尼斯和瑞士的卢塞恩完成的。

流亡归来　1861 年一道大赦令使瓦格纳得以重返故里。然后他又去维也纳，在那里第一次听了《洛亨格林》的演出。他在维也纳逗留约一年时间，其后以指挥身份广泛巡回演出，并期待《特里斯丹》的一次规划中的公演。但由于演员们不理解此剧在风格上的创新，演出未能实现，于是瓦格纳开始写作又一部"正规的"作品，即喜歌剧《纽伦堡的名歌手》。在剧中他把某些旧的"歌剧"因素纳入他的乐剧新概念。但是，至 1864 年，由于他挥霍无度，又习以举债为生，致使债台高筑，不得不逃离维也纳以免因债务而被关押。到达斯图加特时，这个 51 岁的人不名一文，前途渺茫，几乎到了走投无路的地步。一件事奇迹般救了他。1864 年在巴伐利亚即王位的路易二世是瓦格纳艺术的狂热崇拜者，他读了前一年发表的《指环》的诗（发表时还附有恳求经济资助的说明），便邀请瓦格纳到慕尼黑来完成这部作品。其后 6 年中瓦格纳的所有代表作均在慕尼黑成功地演出，包括《特里斯丹和绮瑟》（1865）、《名歌手》（1868）、《莱茵黄金》（1869）和《女武神》（1870）的首演，前两剧由著名瓦格纳歌剧指挥家比洛指挥演出。起初曾计划为这些演出在慕尼黑建造一座新剧院，但由于瓦格纳的生活方式，有人对此持

有异议而使计划落空。另外，瓦格纳又爱上了比洛的妻子即李斯特的女儿科西玛，并和她生了3个孩子（这是她1870年和比洛离婚而嫁给瓦格纳以前的事）。由于种种原因，他认为还是离开慕尼黑为好，遂于1865年离去。

晚年在拜罗伊特 1869年瓦格纳恢复《指环》的工作。原先曾与国王商定，这四部曲作为一个整体在慕尼黑首演，但瓦格纳坚信应该为此建造一座新型剧院，因而违约。他在拜罗伊特物色到一块适当的地基，便到德国各地指挥演出以筹集资金；剧院于1872年奠基。尽管在艺术上、行政上和经济上都是困难重重，这个庞大的规划最后还是得以实现。《指环》于1876年8月13～17日在拜罗伊特新建的节日剧院首演，大获全胜。瓦格纳在拜罗伊特度过余年，创作了他最后一部作品"宗教节日剧"《帕西法尔》(1882)。自1865年起他向妻子口述了自传《我的一生》。他在名声最盛的时候死于心脏病。自那以后，除两次世界大战期间外，节日剧院每年都要举办瓦格纳作品音乐节。

成就与影响 瓦格纳的一大丰功纬绩是单枪匹马创造出他自己的乐剧形式。他的方法是将手头的杂乱无章的素材——他选用的无数互相矛盾的传奇版本——凝练为井然有序的布局。除《名歌手》外，瓦格纳的所有成熟作品都有一个共同的主题，即"通过爱情补救"这一浪漫主义概念；但是，这个在早期的3部歌剧中用得相当自然朴素的因素在后来的乐剧中却仅仅成了更为深邃的思想群的催化剂。作为音乐戏剧家和作曲家，瓦格纳的影响是强大有力的。虽然很少歌剧作曲家能像他那样自己提供台本，但所有歌剧作曲家都从他的改革中获益，学会赋予其作品以戏剧深度、连续性和内聚力。在纯音乐方面瓦格纳的影响甚至更为深远。他发展了如此广泛的表情范围，因而能够使他的每一部作品都具有独一无二的感情世界，从而把德国音乐的旋律风格与和声风格提高到许多人公认的最高的艺术激情和感官刺激的水平。

Wagner，Robert F(erdinand) 瓦格纳 (1877-06-08，德国黑森-拿骚州纳施泰滕～1953-05-04，美国纽约州纽约) 美国参议员，现代福利国家的主要设计者。8岁来到美国，与其父母一起在纽约公共住房区定居。1898年毕业于纽约城市学院后继续上学，1900年获纽约法学院法学学位。同年取得律师资格并开业。不久投身民主党政治活动，1904年选入州众议院，4年后当选为州参议员。正是在纽约州参议院，特别是作为他对纽约市产业工人工作情况进行调查的结果，他赢得制订社会立法先驱者的声誉。1919～1926年任纽约最高法院法官。1926年竞选美国参议员获得成功，之后连任3届。在第一届任期内，他提出援助劳工和失业者的立法，但却遭到冷遇。直到新政出现后，他的提案才能成为法律。他参与起草了《全国工业复兴法案》(1933)、"联邦紧急救济署"法(1933)和成立"民间资源保护队"法案(1933)。作为F.罗斯福总统的支持者，他坚决认为，政府负有在促进公众利益方面发挥积极作用的责任。1935年他倡议两项重要的新政法案：《社会保障法》(1936年颁布)和《国家劳工关系法案》(《瓦格纳法案》)。根据后一个法案建立全国劳工关系委员会，确保工人拥有集体谈判的权利，而不能危及他们的工作，并宣布一系列不公正的劳动规定为非法。1937年的《瓦格纳-斯蒂高尔法案》规定成立美国住房管理局，这是为向建造低价公共住房提供贷款的机构。当新政失去势头时，瓦格纳仍继续坚持。他提出全国医疗保健和反对私刑的立法，但均未能通过。他的扩大住房和社会保险项目的努力取得了更大的成功，1945年他的充分就业的议案成为法律。1949年因健康原因辞去参议员职务。在纽约市家中度过晚年，将许多时间奉献给建立新的以色列国。

Wagner Act 《瓦格纳法案》 正式名称为《国家劳工关系法案》(National Labor Relations Act，1935)。美国在20世纪通过的唯一的最重要的劳工立法。它的通过是为了排除雇主对工人自发组织工会的干涉。由来自纽约的民主党人罗伯特·F.瓦格纳参议员提出的《瓦格纳法案》规定联邦政府是劳资关系的管理人和最终的仲裁人。它建立了一个常设的、由3人组成的**全国劳工关系局**(**National Labor Relations Board**)，该局有权保护大多数工人(明显的例外是不包括农业劳动者和家务劳动者)组织他们自己选择的工会的权利，并鼓励集体谈判。《瓦格纳法案》禁止雇主从事诸如建立公司内的独立工会和解雇或歧视组织或参加工会的工人之类的不公正的做法。《瓦格纳法案》授权全国劳工关系局安排选举，以便工人们能够通过选举来选择他们希望由哪个工会代表他们。该法案禁止雇主拒绝同全国劳工关系局确定由大多数雇员选择的任何工会谈判。

Wagner-Jauregg，Julius 瓦格纳-尧雷格 (1857-03-07，奥地利韦尔斯～1940-09-27，维也纳) 奥地利精神病学家、神经病学家。通过人工诱导疟疾治疗梅毒性脑膜炎(即麻痹性痴呆)，首创休克疗法，使这一过去不治之症成为可治，因此于1927年获诺贝尔生理学或医学奖。1883～1889年他在维也纳大学精神病学教研组任职时，注意到神经病患者在感染热病后症状有显著改进。1887年建议人为诱发热病，以治疗精神病。他主张诱导疟疾来治疗精神病，因为疟疾可用奎宁控制。1889～1893年，他任奥地利格拉茨大学精神病学、神经病学教授，开始尝试用结核菌素引起精神病患者的热病，但效果不大。瓦格纳-尧雷格于1917年任维也纳大学精神病学、神经病学教授及附属神经精神病医院院长(1893～1928)，他在麻痹痴呆患者身上诱发疟疾，取得巨大成就。虽然对该病的疟疾疗法已经在很大程度上被抗生素所取代，但他启发了治疗其他一些精神疾病的热病疗法和休克疗法。在当时他也是呆小病和其他甲状腺疾病方面的权威。

供图：Harlingue—H. Roger-Viollet

wagon 载重马车 用挽畜牵引的四轮车，装有轮辐和金属轮缘，早在公元前1世纪就已使用。早期的车还有支枢前轴和固定车轮的车辖，这种车型已经通用了约2 000年。公元9世纪挽具和悬架装置有了改进，使载重马车在载客和长途运输上比两轮畜力车有显著的优越性。载重马车具有箱形车身，适于运载货物和农产品，四轮车的稳定性较好，因此乘坐平稳；缺点是构造比较笨重。这种车有各种大小和型式，用于载客时在车厢和轮轴之间装有弹簧。有一种四轮载重马车叫做草原大篷车，是美国西部旷野上的移民最常用的车辆。

wagon 和琴 又称大和古琴(yamato koto)。日本的一种6弦板形齐特琴，琴马可移动。与宫廷的神道教和声乐有密切关系。它不按上行次序定音，而是按下面序列形成5声音阶(从底弦起)：e′，g′，b′，d′，a′，d″。这种不寻常的定弦法同它最主要的演奏风格有关，它由4个琶音式的固定音型组成。有人认为这种乐器是在3世纪日本工艺的基础上土生土长的，也有人认为是从朝鲜输入的。

供图：K.B.S. Photo

wagon train 篷车队 在18世纪后期和19世纪大部分时间内，美国人向西部移民时组成的车队。车队有多达100辆草原大篷车。不久，篷车队变成陆上长途运输的主要方式。运输路线随着不断扩张的边界向西推进，在19世纪出现了著名的圣菲小路、俄勒冈小路、斯莫基希尔小路和南方陆上邮路等，但以在俄勒冈-加利福尼亚小路上西行篷车队的组织化、制度化程度最高。早春，车辆在密苏里河畔的城市会合，通常在5月份编组车队、选举队长、雇请向导、准备粮秣，以待天气好转。乘车人由几个骑马者引导和保护。他们组织就绪并启程出发后，即按比较固定的日程活动：每天早4点起床，7点动身，下午4点宿营、烧饭，稍事休息便及早就寝。车队还必须为跋山涉水以及遇到怀有敌意的印第安人作好准备。移民的篷车队远较运货的篷车队著名，并被广泛在书中介绍，虽然运货的车队在扩大美国的版图中也发挥了重要的作用。

wagonette 轻便游览马车 为运载大量乘客而设计的马车,乘客面对面地坐在长凳上。车夫座位设在前面,乘客从后门上车。第一辆这种车是1843年前后在英国制造的,因为维多利亚女王的丈夫艾伯特亲王的喜爱而十分流行。后制成各种式样和尺寸,供公用和私用,到20世纪还流行了很久。

Wagram, Battle of 瓦格拉姆战役 拿破仑获得胜利的战役,发生在1809年7月5～6日,使奥地利签订停战协定,并最终导致10月签订《申布伦条约》,以结束1809年奥地利反对法国控制德意志的战争。战场在马希费尔德(维也纳东北平原)。拿破仑麾下的法军和其他军队为15.4万人,查理大公麾下的奥地利军为15.8万人。5月拿破仑曾在阿斯珀恩-埃斯灵受挫,需要打一个胜仗,以阻止成立新的反法联盟。查理将部队部署在23千米长的战线上,严阵以待法军。拿破仑决定在查理得到其弟约翰大公的3万援军之前,先发制人。7月5日晚,法军渡过多瑙河,匆忙进攻,受挫。7月6日晨,查理在南边进攻,以便切断法军与多瑙河的联系,从而包围他们的南翼。拿破仑则在北边对鲁斯河沿河奥军战线展开主攻。拿破仑指挥支援其南翼,击退奥军的包围;同时,法军在北边的进攻也颇得手。然后,拿破仑就对奥军的中军发起总攻,一举将敌击溃。查理的军队已经退却,约翰也轻易被驱走。由于炮火密集,这次战役双方伤亡惨重,奥军损失在4万人以上,法军损失约为3.4万人。4天后,查理要求停战。

wagtail 鹡鸰 鹡鸰科鹡鸰属(*Motacilla*)7～10种鸟类以及亚洲的山鹡鸰(*Dendronanthus indicus*)的统称。生活在海滩、草甸和溪边。羽色图案明显。常在地上营巢,在树

灰鹡鸰(*Motacilla cinerea*)
供图:H. Reinhard—Bruce Coleman Inc.

上栖息。尾长,不停地上下摆动,故英文名原意为"摇尾鸟"。林栖的鹡鸰全身左右摇摆。欧亚大陆常见的白鹡鸰(*M. alba*)的雄鸟体色各异,灰白相间或黑白相间。不列颠的亚种称为杂色鹡鸰。唯一分布到新大陆的种是黄鹡鸰(*M. flava* 或 *Budytes flavus*),在阿拉斯加繁殖,并迁飞到亚洲。

Wāh 瓦赫 巴基斯坦北部旁遮普省城镇。有公路与白沙瓦、拉瓦尔品第相通,为一发展中的工业中心,有印度次大陆最大水泥厂之一,还有军火厂、拖拉机厂、农具和零件制造厂。游览地有一座据说建于16世纪的花园。人口122 335(1981)。

Waha (people) 瓦哈人 参阅 **Ha** 哈人。

Wahankh Intef 瓦汗·因提夫 参阅 **Intef II** 因提夫二世。

Wāḥāt al-Khārijah, Al- 哈里杰绿洲 又拼 Kharga 或 El-Kharga。利比亚(西部)沙漠中的绿洲。在埃及中南部新河谷省内。由两处沃土带组成,南北长160千米,东西宽19～80千米。面积3 650平方千米以上。主要城镇哈里杰位于中央。旧石器时代起即有居民。古埃及人把此地作为流放地。阿契美尼德国王大流士一世在此该建造一座供奉阿蒙神的庙宇,在1908～1911年出土。现有常住居民,主要是柏柏尔和贝都因人后裔。20世纪60年代深井打钻计划使一些人从尼罗河谷到此定居,建起灌溉系统,种植海枣、小麦、橄榄、三叶草和水果蔬菜。人口:哈里杰镇约38 544(1986)。

Wahaya (people) 瓦哈亚人 参阅 **Haya** 哈亚人。

Wahhāb, Muḥammad ibn ʿAbd al- 瓦哈布(1703,阿拉比亚欧耶伊奈[今在沙特阿拉伯]～1792,迪里耶) 全名为穆罕默德·伊本·阿布杜·瓦哈布。又译瓦哈卜。阿拉伯伊斯兰教教义学家、瓦哈比教派创始人。该派试图恢复伊斯兰教的"真正"信念。曾在阿拉伯圣城麦地那受正规教育。其后在国外久居,在伊拉克境内巴士拉执教4年。1736年在伊朗开始驳斥他所谓的苏非主义各种极端思想。返回故乡欧耶伊奈,撰写《认主独一论》,此书是瓦哈比教派的主要经籍。瓦哈布主张严谨束身,尊重传统,以早期伊斯兰教为典范。坚决抵制伊斯兰教的任何改革。他认为,若伊斯兰社团能恢复先知穆罕默德阐述的原则,伊斯兰教将能重现辉煌。该派反对在信徒与真主之间有中介的主张,反对装饰清真寺和崇拜圣徒,甚至反对吸烟。瓦哈布因宣传的教旨引起争论而于1744年被迫离开欧耶伊奈,定居于内志的统治者伊本·沙特的首府迪里耶(今在沙特阿拉伯境内)。

Wahhābī 瓦哈比教派 伊斯兰教的派别之一,主张谨守传统教规。18世纪由穆罕默德·伊本·阿布杜·瓦哈布创立于阿拉伯半岛中部的内志,1744年为沙特家族所承认,与沙特王朝共盛衰。1932年沙特阿拉伯王国建立,该派在阿拉伯半岛取得宗教和政治上的统治地位。瓦哈比教派自称是认主独一派,因为他们强调真主的绝对独立性。他们反对一切含有崇拜多神意义的行为,如朝觐圣人陵墓、尊崇圣人等。并主张恪守《古兰经》和圣训,反对标新立异。瓦哈比教派的教义和律法观点分别基于伊本·太米叶和罕百里法学派的学说,他们强调遵循《古兰经》和圣训的表义,主张穆斯林国家的建立只能以伊斯兰法为基础。

Wahiawa 瓦希阿瓦 美国夏威夷州瓦胡岛中部火奴鲁鲁(檀香山)县城市。在考科纳胡阿河两岔流之间的高地上。为附近种植园和军事驻地的商业中心。建有农场工人住宅区。该地区生产的菠萝经此转运到檀香山。旅游胜地有瓦希阿瓦植物园和杜尔菠萝馆。人口16 151(2000)。

Wahībah Dunes, Āl (Oman) 参阅 **Āl Wahībah Dunes** 沃希拜沙丘。

Wahidin Sudirohusodo Mas Ngabehi 瓦西丁·苏迪罗胡索多(1852-01-07,爪哇梅拉蒂[今在印度尼西亚]～1916-05-26,爪哇日惹[今在印度尼西亚]) 印度尼西亚模仿西方机构的第一个组织"至善社"的创始人。他是个退休的医生,"至善社"的存在是他努力为印度尼西亚大学生筹集助学金的结果。1908年5月20日,东印度医专的一些学生与瓦西丁大夫一起创办"至善社",其目的在于建立一个爪哇总联合会。到1910年,社员已经增加到近1万名,主要为大学生和文职官员。他们所提出的目标远远超过瓦西丁为印度尼西亚人谋求增加受教育机会的旨趣,而要求振兴农业与商业以及传播人文主义的思想。

wahoo (species *Acanthocybium solanderi*) 刺鲅 鲈形目鲭科游动迅速、凶猛有力的掠食性食用鱼和游钓鱼。世界性分布,尤见于热带。体细长,流线形。具锐牙,两颌呈喙状,

刺鲅(*Acanthocybium solanderi*)
绘图:Tom Dolan

体后部渐尖,尾柄细长,尾鳍新月形。体上侧灰蓝色,下侧色淡。具一列垂直的带斑,背、臀鳍后各有一行小鳍,类似有亲缘关系的金枪鱼。最大的可长达1.8米,重达55千克。

Wahunsonacock (American Indian chief) 瓦洪索纳科克 参阅 **Powhatan** 波瓦坦。

Wahutu (people) 瓦胡图人 参阅 **Hutu** 胡图人。

Waialeale, Mount 怀厄莱阿莱峰 美国夏威夷考爱岛中部一山峰(5 148英尺)。该峰(原名意为"波动峰")是个切割(侵蚀)的穹隆,为包括紧靠南面的该岛最高峰卡韦基尼(5 243英尺)在内的中央山体的一部分。位于现称阿拉凯沼泽的高原,即一死火山破火山口的东南边缘。怀厄莱阿莱峰笼罩在云雾中,是世界上最潮湿的地点之一。年平均降雨量为430毫米。1982年降雨量16 916毫米,建立了正式记录。但是,仅在几英里以外,降雨量就骤然跌到了每年不到250毫米。

深断层和流水侵蚀作用已在高山侧面切成峡谷。有三道山谷呈辐射状向北伸展：怀尼哈(深2 910英尺)、卢马海(深3 250英尺)和哈纳莱伊(深3 439英尺)。怀厄莱阿莱峰的西面是怀梅阿峡谷——夏威夷的“小型大峡谷”(或称“太平洋大峡谷”)；这是一处州立公园(占地约750公顷)的中心，长26千米，宽1.6～3.2千米，深1.1千米。山体是许多瀑布的供水源，四面向下形成奔腾的急流，成为州内几条可通航河流的源头。当地主要河流有怀梅阿、怀卢阿、马卡韦利和哈纳佩佩。

Waianae Range 怀厄奈岭 美国夏威夷州平行于瓦胡岛西海岸的山脉。为岛上最老的火山活动区，长35千米，宽14千米，由三组熔岩构成。原有的破火山口宽5千米，长8千米，原位于卢阿卢阿莱谷的谷源(在科莱科莱通道附近)，由于沉没和侵蚀作用，现在已被掩埋。该山脉主要由玄武岩质岩石构成，侵蚀严重。山脉的西坡陡峭、险峻，并被一些深谷，如纳纳库利、卢阿卢阿莱、怀厄奈、马卡哈等刻压成锯齿状。其东坡较平缓，临近斯科菲尔德高原中部有狭小峡谷；山脉的北部末端是陡峻的滨海峭壁(225～300米)；其南坡在接近海滨平原时坡度均匀。卡阿拉峰(1 227米)，是瓦胡岛上的最高点，位于马卡哈谷的谷源；该峰有一个直径约1.6千米布满沼泽的平坦半圆形高原。其南面约5千米处的科莱科莱通道(1937年建)是连接西海岸和肥沃的中部高原的重要通道。

Waiau River 怀奥河 在新西兰南岛西南部。源出马纳普里湖，向南流入塔斯曼海的蒂瓦伊瓦伊湾。全长217千米。流域包括马拉罗阿河、蒂阿瑙湖和莫诺怀湖。图阿塔皮里为该河流域农场、林场的商业和锯木业中心。河中产鲑鱼。

Waiau River 怀奥河 原名怀奥-瓦或迪隆河。在新西兰南岛东部。源出斯潘塞山脉，南流后转东流，在切维厄特东北10千米处注入太平洋。全长169千米。流域面积3 290平方千米。包括怀奥和帕纳瑟斯在内的城镇为该地区牲畜的集市。接纳刘易斯河等支流。沿河有数处峡谷，可建水电站。

Waigeo Island 卫古岛 印度尼西亚伊里安查亚省丹皮尔海峡拉贾安帕岛群中最大的岛屿。位于鸟头半岛西北约64千米。岛隔海峡与伊里安查亚相望。东西长110千米，南北宽48千米。几乎被丹皮尔海峡狭窄的水道分为两部分。岩岸陡峭，中部地区多山，海拔高达1 000米，有浓密的硬木森林，河流湍急。部分地区覆盖着一人高的禾草，以及木麻黄树丛和松树林。动物有绯红色的极乐鸟，以及负鼠、袋貂、蛇、龟、庞大的皱皮巨蜥、羽毛丰满的苍鹭和吸蜜鸟。沿海边缘气候炎热潮湿，内地凉爽。农业不发达，主要物产是西米。饲养家畜，海洋渔业很重要。出口玳瑁壳和鱼类。人口稀少，居民为巴布亚人，操奥斯特洛尼西亚语。主要居民区是绍讷和沃克勒。与南方的巴当塔、科菲奥和萨拉瓦蒂等岛屿有船只往来，通过伊里安查亚西北端的索龙港可达新几内亚。

Waiheke Island 怀希基岛 在新西兰北岛东岸豪拉基湾南部。为火山岛。总陆地面积96平方千米，为新西兰第5大岛。怀希基岛现为度假地和住宅区。乘飞机或汽艇经塔马基海峡可通奥克兰。有数处牛羊牧场。奥内坦吉等主要居民点集中在西岸。人口4 662(1986)。

Waihi 怀希 新西兰北岛北部城市。濒临怀霍河支流奥希尼穆里河。位于科罗曼德尔半岛底部。1875年在其北方发现金银矿，三年后建镇。金矿一直开采到20世纪50年代。该市有铁路和公路通奥克兰。现为当地乳品产区的服务中心，有一家加工厂。怀希市的其他工业产品有靴鞋、收音机、家用器具、水泥制品、通用机器、锯材等。向东11千米沿普伦蒂湾的怀希海滩为旅游胜地。人口约3 680(1987)。

Waikaremoana, Lake 怀卡雷莫阿纳湖 在新西兰北岛东部。长19千米，宽10千米，面积54平方千米。流域面积427平方千米。现在树木茂密的乌雷韦拉国家公园内，但仍归当地毛利人所有。一度因自然溢流和地下渗水而枯竭。根据通过虹吸管向下游水电站供水量的多少，湖水深度变幅达14米。东北岸的怀卡雷莫阿纳镇为游览地。

Waikato 怀卡托 新西兰北岛北部的地方行政区。其东北部是多山的科罗曼德尔半岛和毗连的豪拉基平原，西北部是肥沃的怀卡多河河谷，西南部是金地区的丘陵、石灰岩峭壁和峡谷，东南部是北岛崎岖的中央火山高原的大部分和新西兰最大的湖——陶波湖。该区西濒塔斯曼海，东临南太平洋。科罗曼德尔半岛长约110千米，宽约30千米，由科罗曼德尔山脉形成，海拔超过880米。多山的半岛西以泰晤士河口湾和豪拉基海湾为界。半岛上的大片森林在19世纪后半叶被英国人砍去用作造船木料。此区内现在饲养绵羊和奶牛。流向西北的怀卡托河的河谷位于科罗曼德尔半岛以西。河谷中原来聚居着许多毛利人，在欧洲人于19世纪把河谷排干之前，一直是沼泽湿地。该河谷现在主要由茂盛的牧草地构成，维持着奶牛和肉用牛的饲养以及纯种马的繁育。位于此河谷里的哈密尔顿，在奥克兰以南约113千米处，是新西兰最大的内陆城市，也是个著名的农业研究中心。向普纽河(怀卡托河上游的一条支流)以南伸展的金地区是个相对孤立的耕种和原木生产区，由贫瘠的土地、被森林覆盖的丘陵和大山以及塔斯曼海沿岸的海景胜地构成。在东南面，北岛的中央高原高出朗伊坡荒原，成为3座白雪盖顶的火山：汤加里罗、恩高鲁怀和鲁阿佩胡(此山最高，海拔2 707米)，全在汤加里罗国家公园内。位于高原中心的陶波湖，现有面积606平方千米，最早被欧洲人发现是在20世纪30年代。国家公园和湖区都是主要旅游中心；绵羊饲养和原木生产在该地区经济上也很重要。人口365 200(1998)。

Waikato River 怀卡托河 新西兰最长的河流。在北岛中部。上游汤加里罗河源出汤加里罗国家公园内的鲁阿佩胡火山。向北流经陶波湖、胡卡瀑布，折向西北，注入塔斯曼海。全长425千米。主要城镇有陶波、罗托鲁阿、剑桥和哈密尔顿。主要支流为怀帕河和波图河。下游多湖泊和潟湖。陶波至卡拉皮罗河段建有几座水电站。亨特利建有利用附近产煤的火力发电站，1980年开始发电。河上的人工湖为著名娱乐区。

Waikiki 怀基基 美国夏威夷州瓦胡岛南海岸上火奴鲁鲁(檀香山)县一游乐区。夏威夷语意为“喷水”。它位于火奴鲁鲁县东南部，阿拉怀运河(在西、北两面)和戴蒙德火山口(东南面)之间的马马拉湾上。其海滩是世界上最著名的旅游胜地之一。该地建有排列成行的豪华宾馆，是水上运动设备中心，并拥有水族馆、动物园、优美的花园和国际商场。怀基基是个军人休养区德卢西堡的所在地。此区一度曾是瓦胡岛统治者们喜爱的游乐场，区内有一些椰子林、鱼塘，还有一块围起来种植芋头的土地，向内地延伸约1英里。

Wailing Wall(Judaism) **哭墙** 参阅**Western Wall 西墙**。

Wailua River 怀卢阿河 美国夏威夷州考爱岛上一河流，从在内陆约16千米的怀厄莱阿莱峰山坡上流到中东部海岸边。河流南端是怀卢阿瀑布，落差60米。怀卢阿河州立公园占地约450公顷，是富于夏威夷传统的州立海滨公园，面积238公顷。第一批移民塔希提人包括大酋长普纳-努伊于12世纪到达，在现今的滨海城市怀卢阿和卡帕阿附近定居。在历代岛王统治期间，只有王族才能游览该区，而且历代考爱女王于临产时总是尽力要摸到城镇附近的王家诞生石，以确保王家地位；刚降生的婴儿都是用波利亚胡附近历史上有名的钟石通报的。怀卢阿(夏威夷语意为“两水道”)大概也指在距海岸3千米处与主流汇合的北支流。河两岸都是盘根错节的茂盛植被；向上游约6千米，在小船航行终点，有一景色优美的熔岩洞，名为蕨洞，洞口有蕨类植物构成彩饰，并有小瀑布形成水帘。破败的庙在该区随处可见，但一座叫霍洛霍洛库的庙现已修复。

Wailuku 怀卢库 美国夏威夷州毛伊岛北部城市，毛伊县县城。地处伊奥河谷口和毛伊西部山脉山麓的地峡。它东与卡胡卢伊相邻接，连成岛上人口最稠密、经济最活跃地区。伊奥河流经该市西部。怀卢库(夏威夷语意为“毁灭性的水”)使人想起1790年克潘尼瓦战役中浮尸满谷，结果使毛伊并入卡米哈米哈大帝王国的版图。怀卢库经济主要依靠旅游业、木器与草裙舞用品。产品经卡胡卢伊港转运各地。有凯帕尼怀公园和文化遗产花园，还有一个州立博物馆。人口12 296(2000)。

Waimakariri River 怀马卡里里河 在新西兰南岛中东部。源出南阿尔卑斯山，流向东南，注入太平洋的佩格瑟斯湾。全长160

千米。流域面积2 600平方千米。主要支流为比利河等。河口三角洲为班克斯半岛的主要部分和坎特伯雷平原的一部分。河谷地区有牧羊业,河南部分地区种植谷物。

Waimea 怀梅阿 美国夏威夷州考爱岛西南部怀梅阿湾上的考爱县城镇,位于怀梅阿河河口。怀梅阿(夏威夷语意为"带红色的水")河及其支流马卡韦利的峡谷流域,一度人烟稠密,该镇也曾是当地政府早期的中心。此地正是英国航海家兼探险家J.库克船长1778年1月20日在夏威夷群岛首次登陆之处。怀梅阿作为捕鲸者和檀香木商人的食物供应港发展起来。1815年为入侵占考爱岛(未遂)而修建的俄国堡垒遗迹位于怀梅阿河畔的海滨峭壁。富饶的甘蔗种植区穿过凯卡哈向怀梅阿西北延伸15千米到马纳。咆哮沙滩军用地位于马纳附近的海岸上。人口1 787(2000)。

Wain, John (Barrington) 韦恩(1925-03-14,英格兰斯塔福德郡特伦河畔斯托克~1994-05-24,牛津郡牛津) 英国小说家,诗人。因其早期作品格调激进而被称为20世纪50年代"愤怒的青年"之一。他还是批评家、剧作家。在牛津大学圣约翰学院求学,后成为该院评议员。1949~1955年任雷丁大学英国文学讲师,1973~1978年任牛津大学诗歌教授。他的诗作有《复杂的感情》(1951)、《印刻在窗台上的字》(1956)、《在上帝面前哭泣》(1961)、《荒野小径》(1965)、《致五位艺术家的信》(1969)和《芬格》(1975)。《诗:1949~1979》出版于1980年。他的诗机智、敏锐,但因有时有过于做作的俏皮而受到批评。《每况愈下》(1953)是韦恩第一部也是一些评论家认为最出色的一部小说,描写一位大学毕业生勇敢地企图在战后眼花缭乱、瞬息万变的英国社会中建立并保持某种个人特性的冒险经历。

韦恩的其他小说有《生活在当今》(1955)、《竞争者》(1958)、《打死神父》(1962)、《年轻的客人们》(1965)、《狭小的天空》(1967)、《山里的冬天》(1970)和《宽恕者的故事》(1978)。他的短篇小说收于《叔叔及其他故事》(1960)、《后腿之死》(1966)和《救生员及其他故事》(1971)中。此外,他还写有大量文学评论,包括《评论初试》(1957)、《论文学与思想》(1963)和《莎士比亚的生动世界》(1964)。韦恩还写有一部S.约翰逊的传记(1974)和自传《轻快地奔跑》(1962)。

Wainganga River 韦恩根格河 印度西部哥达瓦里河支流。源出中央邦中南部的默赫代奥丘陵,向南流580千米,在马哈拉施特拉邦的卡加兹纳加尔东北汇入沃尔塔河(哥达瓦里河的一个河源)。最后229千米河道为安得拉邦和马哈拉施特拉邦的界河,称布兰希达河。韦恩根格河流域多森林,除了马哈拉施特拉邦的那格浦尔周围的北方工业区以外,人口相对稀少。人口多集中在沿河两岸种植水稻的地区。

wainscot 护墙板 室内墙面镶板,特指内墙或隔板下部的镶板,起装饰或保护作用,常用木板,但有时也用面砖或大理石。护墙板上缘的线脚称为护墙板压顶,可作为靠椅栏以防止椅背的撞击。英国常用从俄罗斯、德国或荷兰进口的栎木作护墙板,壁板栎木成为一种专门的商品。英国文艺复兴初期庄园府邸中使用的护墙板比较典型,高2.5~3米,上挂油画或盔甲。在法国,17、18世纪的护墙板上常作浅浮雕,高度直到天花板,有时施以油漆、涂金或镶嵌工艺。

wainscot chair 板椅 又称嵌板椅(panel chair)。一种用榫拼接制成的木椅。通常用栎木材料制成。板椅这个词有两种含义:一般指结构简单的重型木椅;特指一种木椅,其

英国17世纪早期的板椅
纽约大都会艺术博物馆供图

前腿用车床成形,后腿断面呈正方形,装有扶手,椅座简单,不用垫子,椅背嵌板稍微倾斜,上面通常刻有某种图案作为装饰,顶端有时装有一个雕刻的顶饰。板椅是17世纪初期英国及其殖民地居民家庭中普遍使用的一种家具。

Wainwright 韦恩赖特 加拿大艾伯塔省中东部城镇。位于埃德蒙顿东南208千米处。1909年太平洋铁路大干线修经该地。地处混合经营的农业区,1929年发现石油、天然气后,经济基础发生变化。当地有名的野牛于1910年运养于韦恩赖特公园以利保护。第二次世界大战期间,当地一些动物运至埃尔克岛国家公园(**Elk Island National Park**),而韦恩赖特公园则成为军事基地。1908年建村,1910年建镇。人口4 732(1991)。

Wainwright, Jonathan M(ayhew) 温赖特(1883-08-23,美国华盛顿沃拉沃拉~1953-09-02,得克萨斯圣安东尼奥) 美国将军,第二次世界大战期间保卫菲律宾抵抗日军进攻时著名的巴丹和科雷希多英雄。1906年温赖特在西点军校毕业后即参加骑兵,曾于第一次世界大战期间赴欧洲作战。1940年9月晋升少将,前往马尼拉指挥菲律宾师。第二次世界大战在远东爆发(1941-12)时,他已是训练有素的美军和菲律宾军队的干练领导人。在1942年3月已面临绝望的军事形势下接替D.麦克阿瑟将军指挥菲律宾群岛上的全部美军。温赖特最后从巴丹半岛退至马尼拉湾内科雷希多岛的要塞,终因弹尽粮绝被迫于5月6日下令投降。嗣后直至1945年8月与士兵被囚于台湾与满洲。他于日本投降后返国,受到英雄式的热烈欢迎,被授予荣誉勋章。

wairakite 斜钙沸石 水合硅铝酸钙矿物。它存在于温泉的沉积物中,著名产地有新西兰的怀拉基和日本的鬼首。与方沸石一样,斜钙沸石也被归入两个矿物族:①由于其化学性质、分子结构和形成方式,而被看作是一种似长石;②由于其离子交换性能和可逆的脱水性能又被看作是一种沸石。斜钙沸石无色,常呈具单斜对称性的双晶。化学式为$CaAl_2Si_4O_{12}\cdot 2H_2O$。在高温、高压和有水的情况下其他几种沸石矿物可转变成斜钙沸石。

Wairarapa 怀拉拉帕 新西兰北岛东南端行政区和平原。原为海槽,后被鲁阿玛汉加河和马纳瓦图河的沉积物所填平。高耸的里穆塔卡和塔拉鲁阿山脉绵亘向西突起。宽阔的低地面积为830平方千米。行政区面积为6 894平方千米。该区西部与南部边界是濒临南太平洋的丘陵起伏的沿海地带。怀拉拉帕(毛利语意为"波光闪闪的海水")是北岛最早的欧洲人定居区之一,拓殖于19世纪40年代。1880年,始于哈特的一条铁路穿越里穆塔卡群山将其与位于库克海峡的惠灵顿相连接。怀拉拉帕地区境内以产水果、蔬菜、乳牛、羊、肉牛为主。因天然森林遭砍伐,水土大量流失。北部的马斯特顿是该区商业和行政中心。该地区境内怀拉拉帕湖面积80平方千米,是鲁阿玛汉加河的沉积物淤塞陶赫雷尼考河后形成的一浅洼。湖水源于两条溪流,经鲁阿玛汉加河注入库克海峡。人口约39 600(1988)。

Wairau River 怀劳河 新西兰南岛北部河流。源出斯潘塞山脉。经过圣阿诺和拉格伦两山岭之间,注入库克海峡克劳迪湾。全长169千米。流域面积共为4 220平方千米。有雷恩博河等支流。下游常发生洪水。该河流域主要居民点为河口附近的布莱尼姆。1843年新西兰公司与当地毛利人酋长之间曾发生冲突。

wait 唱更人 英国城镇中在夜晚敲更报时的更夫或公众乐人。欧洲中世纪后期他们是巡夜人,以鸣号,甚至演奏曲调来通报时刻。15和16世纪,这种唱更人发展成巡回乐人乐队,圣诞节期间的夜晚在街头奏乐演唱。18世纪和19世纪初形成一种习俗,由这些普通的街头巡夜人在圣诞节期间向各住户奏唱夜曲,并在节后第2日索取赏钱。1829年他们充任城市安全守卫者的职责由警察取代后,仍有一些人保持这种习俗,唱、奏适时的圣诞音乐。

Waitaki River 怀塔基河 在新西兰南岛中部。由南阿尔卑斯山的奥豪、普卡基、特卡波等湖的溪流汇成。向东南流,在达尼丁以北的格莱内维注入太平洋。全长209千米。

怀塔基河上的本莫尔坝

供图:G.R.Roberts, Nelson, N.Z.

怀塔基河电力开发计划为全国最大的水力发电工程之一。

Waitangi, Treaty of 《怀唐伊条约》(1840-02-06) 英国与新西兰北岛毛利人一些部族签订的具有历史意义的条约。条约的宗旨是保护毛利人的权利,它成为英国合并新西兰的直接依据。由英国领事和代理总督 W. 霍布森同毛利人的一些主要首领在怀唐伊移民区签订。条约有 3 个条款:①签约的毛利人承认英国女王对他们的土地拥有主权;②英国王室保护毛利人的土地所有权,非英国女王不得购买毛利人的土地;③签约的毛利人享有英国臣民的一切权利。1840 年英国根据怀唐伊条约兼并了北岛。旨在防止私人大规模购买毛利人土地的有关土地出售的条款,一直实行到 1862 年。条约在实行中有着严重的缺陷。殖民地政府无钱购买许多土地,而已购买的土地又以高价转售给欧洲人,引起毛利人不满。欧洲移民对政府谋取高利和将许多土地荒废也异常愤怒。种族之间和文化之间的紧张关系导致 1844 ~ 1847 年的战争和 19 世纪 60 年代的毛利战争。条约中有关土地出售的条款,自 1862 年《土著土地法》通过之日起停止实行,私人可以购买毛利人的土地。1960 年起,新西兰人将 2 月 6 日作为"怀唐伊节"加以庆祝。

Waite, Morrison Remick 韦特(1816-11-29,美国康涅狄格莱姆~ 1888-03-23,华盛顿[哥伦比亚特区]) 第七任美国最高法院首席大法官(1874~1888)。他经常代表最高法

美国国会图书馆供图

院解释南北战争后宪法的各条修正案和重新说明在美国企业大发展的情况下政府对商业的管辖权。针对南北战争时期和战后重建年代的早期占统治地位的极端的工业国有化主义,韦特主持下的最高法院在恢复关于州的权利的概念方面做了许多工作。他曾在俄亥俄州托莱多执律师业。1871 ~ 1872 年,他作为在日内瓦举行的亚拉巴马号索赔案仲裁委员会的美国顾问之一而誉满全国。该委员会处理英国由于准许南部邦联的战舰在英国港口建造和维修而对美国应负的责任。他给格兰特总统的好印象使格兰特于 1874 年 1 月 19 日任命他为首席大法官。韦特的最著名的意见是在"芒恩诉伊利诺伊州"一案(美国《联邦报告》第 94 卷第 113 页[1877])中,他借用了英国高等法院首席法官 M. 黑尔的一句话,认为当一个企业或私人财产"妨害公众利益"时,它就要受到政府节制。

在有关新得到解放并可能给予公民权的黑奴的几起案件中,韦特认为,《第 14 条修正案》并没有增加美国公民的特权和豁免权,而且认为,无论是该条修正案或《第 15 条修正案》(1870)都没有扩大国会关于保护公民权的权力。在"美国诉克鲁克香克"一案(美国《联邦报告》,第 92 卷第 542 页[1876])中,他说,尽管《第 15 条修正案》的词句显然很平易,它没有赋予黑人以联邦选举权,因为"选举权来自各州"。在"霍尔诉德·居伊尔"一案(美国《联邦报告》,第 95 卷第 485 页[1878])中,他以"直接妨碍"州际贸易为理由,撤销了路易斯安那州重建期间的一项法令,该法令要求在公共交通工具上完全取消乘客之间的种族隔离。

Waitemata Harbour 怀特马塔港 新西兰北岛北部一海港。为奥克兰区中心点,经由斯坦利湾通往豪拉基湾(在东面)。沿岸曲折而有许多较小港湾,其中艾兰湾、索尔哲斯湾和奥尼通加湾在西北面,赫恩湾在东南面,斯坦利湾和弗里曼斯湾在东面。有几条有潮河注入该港的西部,其中有亨德森河和沃河。为红树林和盐沼所覆盖的潮泥坪是怀特马塔港两岸的标志。东面有奥克兰港大桥,连接南面的奥克兰同北面的塔卡普纳。航道深、海流缓、潮汐落差小,都为大海船提供了良好的停泊条件。怀特马塔港还为每年可吸引成千上万的人来到奥克兰的一日帆船比赛提供赛场。

waiting-line theory (management science) **等待线论** 参阅 **queuing theory** 排队论。

Waitomo 怀托莫 新西兰北岛中北部石灰岩洞。位于哈密尔顿南约 80 千米处,怀帕河支流附近。有旅游公路通达。地下岩洞有精美的钟乳石、石笋等,沿地下河道乘船游览最吸引人,小船一直通向有无数发光虫照亮的发光虫洞室。

Waits, Tom 韦茨(1949-12-07,美国加利福尼亚波莫纳~) 全名 Thomas Alan Waits。美国歌唱家和歌曲作家,其对城市下层阶级生活勇敢的、有时又是浪漫的描述,为他赢得了一批人数有限但非常忠实的听众,并得到一些批评家和演唱其歌曲的著名表演者的欣赏。出身于加利福尼亚一个中产阶级家庭,但热衷于"垮掉的一代"的那种放荡不羁的生活方式。开始演唱事业时住在他的汽车和破旧的洛杉矶宾馆里。他独特的深厚而低沉的嗓音里传出的刺激性声音,展示出 20 世纪 60 年代末他深夜在烟雾弥漫的酒吧里首次表演时的情景。借助爵士乐、布鲁斯、流行音乐以及先锋派摇滚乐,他把非正统的配器法与自己的钢琴和吉他演奏和受到作家 J. 克鲁奥和 C. 布科夫斯基影响的意识流歌词结合在一起。尽管韦茨的专辑从 20 世纪 80 年代中期开始在英国就获得了相当不错的商业成功,但是包括其《小小改变》(1976)和《心脏病与葡萄藤》(1980)的畅销专辑也没能进入美国排行榜前 40 名。他的歌曾被雄鹰、布鲁斯·斯普林斯廷和罗德·斯图尔特录音公司制成唱片。现场演出时摆出的夸张姿势使他在 20 世纪 80 年代当上了一名电影演员,参演的著名电影有《法律至上》(1986)。他还为电影配乐,与人合写舞台音乐剧《弗兰克的疯狂年代》(1986),与作家 W.S. 伯勒斯和戏剧导演 R. 威尔逊合作,创作音乐剧《黑骑士》(1990)。韦茨的专辑《骨头机器》(1992)具有他的实验音乐剧的特点,获得格莱美最佳另类音乐专辑奖。1999 年的专辑《骡马变奏曲》也受到好评。

Waitz, Georg 魏茨(1813-10-09,石勒苏益格弗伦斯堡~ 1886-05-24,柏林) 德国历史学家。格丁根著名的中世纪问题研究学派的奠基人。他是兰克的批判方法的主要门徒,被视为是能力出众的德国宪政史学家;许多人认为他治学之严谨超过老师。魏茨曾在基尔大学和柏林大学受教育,早年受兰克影响,在校时即开始研究中世纪德意志史。1842 年任基尔大学历史教授,并从事政治。1846 年任省议会议员,1848 年出席法兰克福国民议会。他主张在德皇领导下统一德意志各邦,当普鲁士国王拒绝帝位后,他辞去议员之职。1849 年任格丁根大学教授,他的讲座和学术成就不久便为该大学的历史学派确立世界声誉。他的主要著作为《德意志宪政史》(8 卷,1844 ~ 1878)。1875 年主编《德意志历史文件》。

Waiuku 怀乌库 新西兰北岛北部城市。临马努考湾南支怀乌库河口湾。建于 1843 年,为港口。1955 年设市。现为奥克兰西南 65 千米处的乳品产区和多种经营农业区的贸易和服务中心。有轻型机械、小型船舶修造、黄油、服装等工厂。市东北的格伦布鲁克建有新西兰第一家钢厂(1970)。人口约 4 360(1987)。

Wajda, Andrzej 瓦伊达(1926-03-06,波兰苏瓦乌基~) 波兰电影学派的主要导演。"波兰电影学派"是一小批极有才华的人物,他们的影片赢得国际上对50年代波兰电

供图:Renata Pajchel Socha

影的普遍赞赏。他早期的3部影片《一代人》(1954)、《下水道》(1957)和《灰烬与钻石》(1958)曾在一些国际电影节上获奖。这3部影片组成一个3部曲，以富于象征意义的形象表现德国占领期间、1944年华沙起义前后和战后最初年代波兰发生的巨大社会政治变迁。演员Z. 齐布尔斯基因扮演片中主人公而成名。这个主人公由少年进入成年，历经占领期间的种种屈辱和挫折，亲眼目击许多同伴和自己心爱的姑娘被害，但仍坚信自己的理想。后期的一些影片《二十岁的爱情》(1962)和《一切可供出售》(1968)、《大理石人》(1977)、《铁人》(1981)和《丹东》(1983)等，越来越多地表现出他对当代世界青年问题和人类环境中的固有冲突的关切。

wak'a(Inca religion)　参阅 **huaca** 华卡。

waka　和歌　日本诗歌，特别指6～14世纪的宫廷诗歌，其中包括长歌与旋头歌这样的形式，同后来的连歌、俳谐与俳句这样的形式形成对照。但和歌一词也用为短歌的同义语，短歌乃是日本古典诗歌的一种基本形式。长歌("长诗")的长度没有限制，5音节句和7音节句交替吟咏，最后联以一个7音节句作为结束。虽然许多长歌已经失传，但现存的长歌最短的有7行，最长的有150行，在它们后面可以有一首或多首反歌。柿本人麿和山上忆良(二人活动时期均在8世纪)的长歌均被收入《万叶集》。旋头歌即"首节反复诗"，包括两首3行诗，分别由5、7、7音节组成。这一特殊形式有时被用于对话。人麿的旋头诗是有名的。但在8世纪之后人们便很少写长歌与旋头歌了。短歌即"短诗"，是日本诗歌的基本形式，存在于诗歌写作的整个历史，并延续至今，它的寿命长于长歌并且成为俳句的先河。短歌句式是5、7、5、7、7；5行31个音节。长歌后面的反歌则采用短歌的形式。作为一个独立的形式，短歌也可以说是连歌和俳句的滥觞。连歌即"相连接的诗歌"，有严格规定的形式，即由2个或更多的诗人按5、7、5和7、7个音节的顺序轮流造句。《金叶和歌集》(约1125)是第一部收有连歌的敕选和歌集。当时的连歌只不过是由两个诗人所作的短歌，一人作开头的5、7、5，另一人作后面的7、7。这些是短连歌，它们的调子通常是轻松的。15世纪，这一形式得到充分发展，室町时代(1138～1537)，人们把遵照宫廷诗歌传统的"有心连歌"("庄重的"连歌)同俳谐即"无心连歌"("非传统的"即"轻浮的"连歌)加以区分。"无心连歌"在语汇和措辞方面有意识地突破那些传统。连歌的标准句数是100句，但也有变化。诗句之间有词句和题材方面的联系，全诗的情绪则随着一个人连续另一个人的思绪而发生微妙的变化。著名的代表作品则是情调感伤的《水无濑三吟》(1488)，作者为宗祇(1421～1502)、肖柏(1443～1527)和宗长(1448～1532)。后来，一首连歌的首句(发句)便发展成为独立的俳句形式。日本诗歌通常由很小的基本单位构成，它的历史发展是逐步地压缩成3行的俳句，在这里一种情绪或知觉的瞬间片断取代了更加广阔的展示。参阅 **haiku**。

Wakatipu Lake　瓦卡蒂普湖　新西兰南岛中南部湖泊。呈S形，长77千米，宽5千米，面积293平方千米，为南部湖区的第二大湖。该湖位于山谷的冰川堰塞湖，最深点378米，湖面海拔310米，湖床低于海平面61米以上。瓦卡蒂普湖接纳达特河、里斯河、格林斯通河和冯河。集水面积2 978平方千米。湖水向东泄入克卢萨河支流卡瓦劳河。湖口南侧的里马克布尔山(2 300米)俯瞰全湖。湖区为游览区，昆斯敦为中心。南部的金斯顿有轮船通往格莱诺基。该处与昆斯敦亦有公路相通。

Wakayama　和歌山　日本本州岛中部偏南的县。在纪伊半岛，濒临纪伊海峡和太平洋。面积4 725平方千米。全境大部为山地和深邃的河谷。气候温和，夏季台风频繁。沿海平原和大河谷为富庶的农业区。当地人自古便捕捞金枪鱼、鲣鱼、鲭鱼和沙丁鱼。工业大部集中在西北部。首府和歌山及其邻近的海南市为阪神工业区的一部分。工业产品有石油化工产品、纺织品和钢铁。20世纪70年代初热电站投产。该县亦为一主要游览区，建有海景、海滩、温泉胜地、神道神龛和佛教庙宇。太池町有日本捕鲸业发祥地之称，建有捕鲸展馆。1949年建一所大学。人口约1 078 000(1997)。

Wakayama　和歌山　日本本州岛中南部和歌山县城市。地处纪伊半岛，纪川河口，濒临连结太平洋和濑户内海的纪伊海峡。和歌山市为该县首府及最大城市。1585年丰臣秀吉在此建城堡，当地得以发展。后成为德川家族纪伊支的总部，1716～1867年间统治日本的最后7任幕府即为该支成员。该市的传统工业有家具制造和棉纺业。第二次世界大战后又建钢厂和石油化工厂。原丰臣秀吉所建城堡在第二次世界大战中被毁，后重建。周围为一公园。附近名胜有一佛庙。人口约400 143(1987)。

wake　守夜　看守死者遗体以待丧葬，有时伴有悼念活动；在英格兰，此词又指为庆祝堂区教堂落成祝圣典礼而举行的守夜礼拜。这种守夜礼拜内容包括在新教堂内通宵祈祷默念。这种礼拜或许起源于盎格鲁-撒克逊基督教会初期。每一个堂区都以守夜礼拜后的次日为节日。虔敬的守夜礼拜很快变成集市；邻堂区的红男绿女也赶来一起寻欢作乐，人们纵情恣意，狂饮求醉，大失体统。教堂落成祝圣典礼一般选定在星期日或圣人节日，于是这种胡闹尤其不成体统。1445年，英格兰国王亨利六世曾力图取缔星期日和圣日的集市。看守遗体(守灵)的习俗在英格兰或许早在基督教传入以前即有，起先基本上是凯尔特人的习俗。无疑它起源于迷信，人们担心恶鬼伤害乃至移走遗体。基督教传入之后，守灵增加了祈祷。按照习俗，尸体停在桌下，其胸间置一盘盐，桌上陈有守灵人饮用的酒。这种私家守灵活动不久往往成了纵饮狂欢。经过宗教改革运动，不再为死者举行祈祷，守灵的习俗在英格兰渐废，但仍存于爱尔兰。许多国家和民族都有对应于守夜的习俗，只是完全不同于丧宴。

Wake Island　威克岛　旧称哈尔西恩岛或赫尔西恩岛。太平洋中部的环礁，美国无建制领地。在檀香山以西3 700千米。包括3个珊瑚小岛，总陆地面积6.5平方千米。3岛有堤道相连，呈新月形展开，中间有潟湖。地势低平，海拔6米，降雨量小。1899年归属美国。1934年由美国海军管辖，1939年开始建海军航空兵和潜艇基地。1941年12月为日军占领，1945年由美国收回。1974年后为商业飞机的紧急着陆站。现有喷气式飞机机场(由空军管辖)。岛上有美国国家气象局及国家海洋与大气局的探测站。与檀香山和关岛通海底电缆。人口302(1980)。

Wake Island, Battle of　威克岛战役　1941年12月美国海军陆战队和由居民组织起来的守卫者为保卫太平洋中部名为威克岛的小珊瑚岛而与日本人侵者进行的战役。当时，威克岛是尚未建成的美国空军和潜艇基地。1941年12月8日中午，即珍珠港被袭击后几小时，日本出动36架轰炸机首次对威克岛发动进攻。12月11日，日本一支特遣舰队投入战斗，但被海防炮和飞机击退，损失惨重。此后日本接连不断地对该岛进行空袭，12月23日以更为强大得多的兵力再次袭击该岛，美国增援部队未能在这之前抵达该地区，致使日军在5小时内迫使该岛美国海军司令官W.S.坎宁安投降。在威克岛战役中被俘的美国人共有1 616人，其中大部分被押到中国和日本。日本对该岛的占领持续到1945年9月4日。

Wakefield　韦克菲尔德　英格兰西约克都会郡东南部一城市、城市区和都会自治市。属约克历史郡。面积333平方千米。西部是奔宁山麓，有古老的煤矿和羊毛加工业；东部是平原。采煤业在20世纪末急剧衰落，只在东部的庞蒂弗拉克特还保留有采煤业，为弗恩布里奇发电厂提供煤。该地根据主要人口集中地韦克菲尔德古镇命名。19世纪及20世纪初，该市以毛纺织品的中心而闻名，现纺织业仍然十分重要，但其他工业，如食品加工、机械加工、金属预制件也比较重要。该市在行政方面仍保持其重要性，但作为商业中心则次于利兹。人口：城市区73 955(1991)；都会自治市约310 915(1999)。

Wakefield, Edward Gibbon　韦克菲尔德　(1796-03-20，英国伦敦～1862-05-16，新西兰惠灵顿)　南澳大利亚和新西兰的英国殖民者，也是论述加拿大殖民地政策的《关于英国北美事务的报告》(1839)的促成者。1814年韦克菲尔德成为英国派驻意大利都灵公使的秘书。1816年结婚，1820年妻子亡故。1826年他在英国驻巴黎大使馆任职时，曾骗使一个年轻女继承人和他结婚。韦克菲尔德因此受审，以诱拐罪被判处3年监禁，婚姻关系也被一项国会法令解除。在伦敦纽盖特监狱服刑时，韦克菲尔德直接看到刑罚制度的大量问题并获悉当时盛行把罪犯强迫迁往贫穷和环境恶劣的英国海外领地。他认为解决由于人口剧增而引起的贫困和犯罪问题的最好办法是向殖民地输送普通公民，而不是流放罪犯。在他的第一本重要著作《悉尼来信》(1829，这时他仍在狱中，因此许多人认为该

伦敦国立肖像画陈列馆供图

著作来自澳大利亚)中建议：皇家在该地的土地不应免费大片授予，而应以“适当价格”固定地或适中地分成小块出售，并把所得收入作为向海外移民之用；移民人数男女各半，并包括英国社会各个阶层。1831年澳大利亚新南威尔士(最初由罪犯移居)和南非开普殖民地实施了体现“适当价格”思想的法规。此外，韦克菲尔德的匿名著作《英国和美国》(2卷，1833)详尽阐述了他的理论，影响到1834年的《南澳大利亚法》，该法禁止把南澳大利亚建成罪犯定居地，并使资助移民的“适当价格”概念具体化。这个殖民地于1836年12月28日成立。通过韦克菲尔德的影响，1837年建立了新西兰协会。1838年该协会与两个其他组织合并为新西兰公司。1839年9月24日以他的兄弟威廉为首的一伙人抵达新西兰，购买土著毛利人的土地，从而引起法律和道义上的反对。但是这家土地公司的行动无疑加速了英国对新西兰的吞并，还可能抢先一步防止法国的同样行动。1838年韦克菲尔德花费5个月时间在加拿大作为总督兼高级专员达拉谟伯爵(第一)乔治·兰普顿的非正式顾问，总督的主任秘书C. 布勒是韦克菲尔德思想的热衷者。达拉谟的《关于英国北美事务的报告》(1839年1月31日呈交议会)鼓吹在单一立法机关下的上加拿大(安大略)和下加拿大(魁北克)联合，像韦克菲尔德极力主张的那样，殖民地行政会议应对这个立法机关负责。达拉谟写这份报告时，韦克菲尔德的鼓励和见解影响了他。在新的加拿大立法机关中，韦克菲尔德曾短期担任魁北克博阿努瓦的代表，他设计了圣劳伦斯河上的博阿努瓦运河。后来，韦克菲尔德在新西兰南岛的坎特伯雷设计了一座英国殖民地教堂。1847～1850年大量“坎特伯雷流浪者”移居那里。1853年2月2日韦克菲尔德自己也到达新西兰。他成为那里议会的一员。1854年12月患病后退隐。

Wakefield (of Kendal), William Wavell Wakefield, Baron　韦克菲尔德(坎达尔的)(1898-03-10，英格兰肯特郡贝肯纳姆～1983-08-12，英格兰坎布里亚郡肯德尔)　英格兰橄榄球运动员。任前锋，以其速度快、运球技艺高超而闻名。参与英式橄榄球联合会的创立(1919)，1950～1951年任联合会主席。从1920年起，入选国家队参加比赛共31次，创42年来英格兰橄榄球运动中的最高纪录。1922-1923年赛季大学校际比赛中任获胜的剑桥队队长，并曾领导皇家空军队。1935～1963年为议会议员。1963年受封男爵。1944年受封爵士。

Wakefield plays　韦克菲尔德组剧　指15世纪初由32个圣经剧即神秘剧组成的组剧。该组剧是中世纪在英格兰北部的韦克菲尔德城作为夏季的基督圣体节庆祝活动的一部分而上演的。现存的这组剧本是与原本稍有出入的汤纳利手稿(根据一度拥有这部手稿的家族而得名)，有时这部组剧也被称为“汤纳利组剧”。可能是在14世纪后期的某个时间，原在约克城演出的这个组剧被完整地搬到韦克菲尔德，并被确定为基督圣体节组剧。从纯文学角度看，韦克菲尔德组剧比现有任何组剧都要出色。

wakerobin(herb)　参阅**Trillium延龄草属**。

Wākhān(Afghanistan)　参阅 **Vākhān瓦罕**。

Wakkanai　稚内　日本北海道最北部城市。位于野寒布岬，濒临宗谷湾。1926年通铁路。1934年开辟稚内至利尻、礼文诸岛的定期轮船航线后成为重要深海渔业港口。现为地方

稚内市的“冰雪之门”纪念碑
供图：Shostal—美国不列颠百科全书公司

行政中心，有海产加工业。当地宗谷岬有反映北部日本历史和生活的古迹。人口51 854(1985)。

wakō　倭寇　13～16世纪骚扰朝鲜和中国沿海地带的强盗集团。“倭”指身材短小，有贬义。倭寇意为“日本海盗”。14世纪，日本封建主开始派遣大批商人到中国和朝鲜进行贸易。当中、朝两国拒绝给予贸易特权时，他们就用暴力来达到自己的目的。倭寇曾经在朝鲜海域大肆掠夺，迄1443年朝鲜允许日本商船入境，其风始息。13世纪末，倭寇在中国沿海一带也猖獗一时。他们乘坐能容300人的大船，有时登岸，洗劫整个村庄。16世

《倭寇上岸掠夺民财图》
中国大百科全书出版社供图

纪中叶，海盗与倭寇勾结，劫掠残杀浙东一带人民的生命和财产，被杀者达数十万人。1553年，明朝总兵俞大猷于普陀山重创倭寇。1565年，戚继光与俞大猷两军配合最后击灭盘踞在东南沿海的倭寇。

Waksman, Selman Abraham　瓦克斯曼(1888-07-22，乌克兰普里卢加～1973-08-16，美国马萨诸塞州海恩尼斯)　乌克兰出生的美国生物化学家，世界公认的土壤微生物学

拉特格斯大学供图

权威之一。青霉素发现后他开创了有计划地、系统地由微生物中寻找抗生素的工作。后发现第一种结核病特效药链霉素，因而获1952年诺贝尔生理学或医学奖。1916年入美国籍，大部分生涯在新泽西州新不伦瑞克的拉特格斯大学度过。1930～1940年任土壤微生物学教授；1940～1958年任微生物学系教授及系主任；1949～1958年任拉特格斯微生物研究所所长。他对放线菌进行了广泛的研究，从中提取出多种有使用价值的、对革兰氏阳性及阴性菌均有杀菌作用的抗生素(1941年创“抗生素”一词)。1940年和同事从土壤细菌中分离出放线菌素，但在动物试验时发现其毒性极高。三年后他们从一种放线菌(灰色链霉菌[*Streptomyces griseus*])中提取出毒性较低的链霉素，并发现它能控制结核病。他还分离并研究过一些其他抗生素，如新霉素等。著有《土壤微生物学原理》(1927年，被认为是这一领域最透辟的专著之一)及自传《我跟微生物打交道的生涯》(1954)。

Wal-Mart　沃尔玛　全称沃尔玛商店有限公司(Wal-Mart Stores, Inc.)。美国折扣商店，1962年由S.沃尔顿在阿肯色州罗杰斯创办。总部设在阿肯色州的本顿维尔。公司的早期发展主要集中在农村地区，这样就避免了与其他美国零售业巨头(如西尔斯和科玛特)的竞争。随着公司的发展，沃尔玛采取了新的零售模式，包括山姆俱乐部折扣仓储店(1983)和沃尔玛超大购物中心(1988)。此类

综合杂货店和商品超大购物中心开业还不到10年，沃尔玛就已经成为美国最大的食品杂货店之一。重视顾客联络、价格控制和公司销售网络的效率，帮助沃尔玛在1990年成为美国最大的零售商。一年后公司进入国际市场，在墨西哥开了一家商店，并且不断发展，在加拿大、中国、德国和英国开新店或并购零售店。到1999年沃尔玛已成为世界最大的私人雇主，到2001年，公司总销售额超过了埃克森美孚，成为世界最大公司。过度增长并非没有引起争议；沃尔玛就因促使城市无序发展和长期支付低工资而受到各种批评。然而，该公司的销售方式还是被其他零售商模仿，并继续在世界各地受到顾客的欢迎。

Wala 瓦剌 中国明代对西部蒙古的总称。清代译称厄鲁特、额鲁特或卫拉特，突厥语各族则称之为喀尔木克。先世为斡亦剌，分布在叶尼塞河上游一带，称为“林木中百姓”，以狩猎为生。成吉思汗称汗次年归顺蒙古贵族。以协助统一斡亦剌部有功，与蒙古皇族世代通婚，成为蒙古贵族集团的一部分。窝阔台时在其地设置谦谦州，忽必烈时又置万户府，加强管辖。元代后期正式册封斡亦剌首领也不干为延安王。元亡后斡亦剌强大起来，15世纪初，部分斡亦剌人越过阿尔泰山进入准噶尔盆地，明史称为瓦剌。领地分属马哈木、太平、把秃孛罗，分别受封为顺宁王、太平王、安乐王，每岁朝贡，明朝准其在甘州（今张掖）、凉州（今武威）贸易。马哈木之子脱欢时势力强大，兼并瓦剌诸部。脱欢子也先继位后一度统一东西蒙古各部，领地扩展到天山西部。在土木堡之役俘明英宗。与明议和后送还英宗，恢复贡市，继续与中原地区保持传统贸易关系。明代漠西瓦剌蒙古与漠南蒙古、漠北喀尔喀蒙古形成蒙古地区三大集团。1456年也先死于内讧，瓦剌势力渐衰。16世纪末分为绰罗斯（准噶尔）、杜尔伯特、土尔扈特和硕特四部。17世纪前期又渐趋强盛，70年代，准噶尔部兴起，兼并各部，威胁清统治。康熙年间屡对之用兵，至乾隆二十二年（1757），始全部统一于清。

Wala, Saint 瓦拉，圣（约755～836-08，博比奥[意大利]） 法兰克人伯爵、本笃会隐修院院长，神圣罗马皇帝查理大帝和虔诚者路易一世两朝的宫廷权臣。他拥护帝国统一，反对企图分割皇帝领土的传统派。他是查理大帝的堂兄弟，曾帮助其统治萨克森和意大利。虽然他是主张保持帝国统一的一派人的坚定代表，但查理大帝于813年决定立其子路易为帝，也许主要是他促成的。次年，新统治者继位，他失宠，在科尔比成为修士。约从821年起重新得宠，在路易的宫廷中权势很大。826年任科尔比隐修院院长。829年路易赐给其最小的儿子查理（秃头）以领地，他和帝国统一派反对皇帝的做法，认为此举违反817年《帝国敕令》，该法令决定在路易死后不得分割帝国疆土。830年，他因支持反对路易的叛乱而被路易放逐。后于833年支持路易之子洛泰尔反对其父，可能曾建议洛泰尔求助于教皇格列高利四世。在随同洛泰尔到意大利时，于834年成为博比奥隐修院院长。

Walach, Meir 瓦拉奇 参阅 **Litvinov, Maksim Maksimovich** 李维诺夫。

Walachia 瓦拉几亚 又拼Wallachia。罗马尼亚文拼作Tara Românească。多瑙河下游的公国，1859年与摩尔达维亚联合形成罗马尼亚国家。北部和东北部以特兰西瓦尼

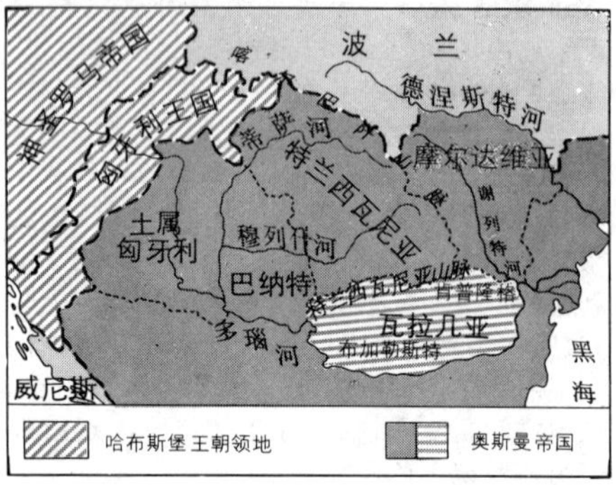

16世纪中叶的瓦拉几亚

亚山脉为界，西部、南部和东部濒临多瑙河，东北部靠近谢列特河。传统认为，它由黑拉尔夫建于1290年。初由匈牙利控制。1330年巴萨拉布一世（1330～1352在位）打败匈牙利国王查理一世罗伯特，维护了瓦拉几亚的独立。它因农业发展和有由北欧通往黑海的商路而繁荣，但面临匈牙利和奥斯曼的威胁。到1391年，国君老米尔恰（1386～1418在位）被迫向土耳其人纳贡，并在1417年承认土耳其的宗主权，此后，瓦拉几亚被允许保留王朝、领土和宗教，但在政治、经济上要屈从奥斯曼帝国。有几个大公曾起来反抗土耳其人。18世纪，俄国对瓦拉几亚的影响日益增大。1774年，这个公国尽管仍承认土耳其的宗主权，但实际上已被置于俄国的监护之下。克里米亚战争（1856）以后，欧洲列强结束了俄国对这个公国的保护。瓦拉几亚的统治集团于1859年投票同意与东北部的邻国摩尔达维亚联合，在A.I.库扎大公的领导下，组成单一的罗马尼亚国家，1878年罗马尼亚摆脱土耳其的统治，获得独立。

Walafrid Strabo 瓦拉弗里特·斯特拉勃（约808，士瓦本～849-08-18，法兰克尼亚赖谢瑙[今在德国]） 本笃会隐修院院长、神学家和诗人。曾在康斯坦茨湖畔的赖谢瑙隐修院接受开明派的教育，后来在富尔达隐修院摩鲁斯门下深造，829年任神圣罗马帝国皇帝路易一世之子秃头查理的教师。在宫中工作成绩卓著，因此838年被任命为赖谢瑙隐修院院长。他参与路易一世众子之间的权力斗争，支持洛泰尔一世谋取王位，因此于839年被德意志人路易流放。842年洛泰尔失败，瓦拉弗里特却得以恢复赖谢瑙原职，并任德意志人路易派到秃头查理身边的使者。瓦拉弗里特在当代之所以闻名，主要是由于他的神学著作和神学思想，而不是他的诗，但现代研究家则注意他的诗。他最著名的神学著作《论若干教会习俗的起源与沿革》（拉丁文）是了解加洛林王朝教务和政务的珍贵资料。最重要诗作《园艺之书》是抒情作品，描写23种花草，介绍有关它们的神话和基督教传说，并且指出它们的药用价值。

Wałbrzych 瓦乌布日赫 波兰西南部一省，设于1975年，面积4 168平方千米。西北邻耶莱尼亚古拉省，北邻莱格尼察省，东北邻弗罗茨瓦夫省，东邻奥波莱省，东、南、西边与捷克共和国交界。本省为下西里西亚的一部分。地形学上可分为西部多山区（苏台德山脉中部的一部分）和东部丘陵平原区（东苏台德山脉的一部分）。经济以重工业为主，有焦炭和化工产品生产、纺织业，以及建筑材料（玻璃、陶瓷、水泥）的制造业。镍矿为重要矿藏，其他矿藏有煤、盐、硫。亦开采花岗岩。省会瓦乌布日赫（**Wałbrzych**）市。人口约741 200（1995）。

Wałbrzych 瓦乌布日赫 德语作Waldenburg（瓦尔登堡）。波兰西南部城市，瓦乌布日赫省省会。位于苏台德山脉中部，是下西里西亚第二大城市，重要的铁路枢纽，重工业中心。生产煤炭、焦炭和化工产品，有冶金和纺织厂。史载1290年博莱斯瓦夫一世在此首建城堡。始于14世纪的银、铅矿开采至今不断。1400年设市。15世纪后一直为服装业中心。1818年西里西亚的第一家机械化纺织厂建于此地。19世纪后期因亚麻纺织和焦炭生产而繁荣，成为工业中心。第二次世界大战期间格罗斯-罗森纳粹集中营位于该城附近。1945年被苏军解放，划归波兰。市博物馆藏有采煤历史展品。人口约130 268（2002）。

Walburga, Saint 沃布尔加，圣（约710，英格兰韦塞克斯王国？～779-02-25，阿列曼尼亚海登海姆[今在德国]） 又称沃布尔吉斯。基督教传教士。她原是本笃会修女，在多塞特郡一隐修院隐修，其兄维纳包尔德召请她到海登海姆隐修院管理女修士。761年维纳包尔德死去，沃布尔加兼管男隐修院。她死后原葬在海登海姆，后来移葬在艾希施泰特的圣十字架教堂。她死后不久，人们似乎把她同先于基督教的丰产女神沃尔德伯革混淆起来了。她的遗骸是在5月1日前夕运到艾希施泰特的，这一夜叫做沃布尔加夜，据说女巫在那一夜聚会于哈茨山。

Walcott, Derek 沃尔科特（1930-01-23～ ） 全名为Derek Alton Walcott。西印度群岛诗人和剧作家。以探索加勒比地区文化发展过程的作品而知名。沃尔科特的先人中有黑人、荷兰人和英国人。他就读于圣卢西亚的圣玛丽学院及牙买加的西印度群岛大学。他早年就开始写诗，在圣卢西亚和格林纳达教书，并向特立尼达和牙买加出版的刊物投寄评论和其他稿件。1950年他的剧本开始在圣卢西亚上演，1958～1959年他在纽约市攻读戏剧。此后，他在特立尼达和美国生活，每年在波士顿大学短期授课。沃尔科特的主要成就在诗歌，其第一本诗集为《在一个绿色的夜晚》（1948～1960）。这是一本赞美加勒比地区美丽的自然风光的诗作，可作为他的早期诗歌的代表。其《诗作选》（1964）、《漂泊者》（1965）

和《海湾》(1969)抒发了他的个人孤独感，一方面因他所受的欧洲文化教育，另一方面则受加勒比土著黑人文化的影响，风格华丽，情调沉郁。《另一生命》(1973)为一篇自传性长诗。在《海葡萄》(1976)和《星和苹果的王国》(1979)中，他以较为急促的节奏，更加凝练的文字来表达加勒比地区语言和人种方面深刻的文化区分。《幸运的旅人》(1981)和《仲夏》(1984)描写了他作为一个生活在美国的黑人作家，与自己的加勒比乡土日益疏远的处境。沃尔科特的近30部剧作中，最著名的有《猴山上的梦》(1967年上演)、《梯琴和他的弟兄们》(1958)和《哑剧》(1978)。他的许多剧本都以加勒比地区黑人文化中民间故事为主题。

Walcott, Jersey Joe　沃尔科特(1914-01-31，美国新泽西默切尔恩特维尔～1994-02-25，新泽西卡姆登)　美国职业拳击运动员，最重量级拳击世界冠军。1951年7月18日在匹兹堡以7个回合击倒查尔斯赢得冠军，1952年9月23日在费城经过13个回合被马西亚诺击倒，丧失冠军称号。他获冠军时已37岁(也许还要大)，是获此项荣誉的年龄最大的选手。1952年对马西亚诺的比赛精彩空前，扣人心弦。1930～1953年(其间几度退役后又复出)，沃尔科特共参加67场比赛，胜49场，其中30场直接击倒对手取胜。

Walcott, Mary Morris Vaux　沃尔科特(1860-07-31，美国宾夕法尼亚费城～1940-08-22，加拿大新不伦瑞克圣安德鲁斯)　原名Mary Morris Vaux。美国艺术家和自然主义者，她画的北美野花给人的印象尤为深刻，特别是美国史密森协会出版的画册。出身于一个富有的贵格会信徒家庭。1879年从家乡费城的择友学校毕业之后数年，曾在家和家族乳牛场工作。在加拿大的落基山脉连续与家人一起度过几个暑假，其间作为业余的自然主义者和水彩画家，她的技能得到加强。1914年6月嫁给地质学家和古生物学家C. D. 沃尔科特，他当时是史密森协会的秘书。此后她一直活跃在美国首都华盛顿，在各方面帮助丈夫。同时，继续绘画野花。1925年史密森协会出版限量精装版的北美野花绘画集(5卷)，该书包括400幅她的水彩画，每幅画都附有简短说明，其绘画的美丽和逼真程度受到称赞。1927～1932年是美国联邦印第安委员会成员。1933年当选美国女地理学家协会主席，两年后将15幅作品赠予史密森协会的《北美瓶状植物图示》。

Wald, George　沃尔德(1906-11-18，美国纽约州纽约市～1997-04-12，马萨诸塞剑桥)　美国生物化学家。因对视觉化学的研究成果与美国的H. K. 哈特兰和瑞典的R. A. 格拉尼特共获1967年诺贝尔生理学或医学奖。在柏林任全国研究理事会研究员时(1932～1933)，他发现维生素A是视网膜感光色素的重要成分，因此为保持正常视力所必需。在海德堡及苏黎世和芝加哥大学深造之后，1934年他到哈佛大学任教，40年代早期在该校发现摘除眼球晶状体的白内障患者能看见紫外线，因此推断晶状体能滤掉紫外线。反复研究后终于阐明了杆状细胞在视觉过程中的化学反应。50年代后期，与P. K. 布朗一道确定了对黄绿光及红光敏感的色素，60年代早期确定了对蓝光敏感的色素。他和布朗还发现了维生素A在形成不同颜色色素过程中的作用，并确认色盲是由于缺少某种感光色素所致。1977年成为哈佛大学的名誉教授。

Wald, Lillian D.　沃尔德(1867-03-10，美国俄亥俄州辛辛那提～1940-09-01，康涅狄格州韦斯特波特)　美国护士、社会工作者。她创建了国际闻名的纽约市亨利街社会服务社(1893)。1893年，沃尔德与玛丽·M. 布鲁斯特共同筹建一所社会服务社，很快就迁到曼哈顿东低坡亨利街265号，此处也成为由她组织的巡回护理服务工作总部。1902年，该服务社一名护士被派到市内各公立学校进行巡回护理，市卫生局于是建立起世界第一套公立学校护理制度。部分地由于她的努力，美国红十字会于1912年开始了农村护理服务工作，美国政府也在这一年建立了儿童局。沃尔德还在纽约市贫民区开辟体育场地，建立文化机构，特别是戏院。著有《亨利街大厦》(1915)及《亨利街的窗子》(1934)。

Waldeck　瓦尔德克　德国前行政区和邦，位于威斯特伐利亚和黑森-拿骚之间。若干世纪以来一直是一公国，1918年11月至1929年3月间为魏玛共和国中一个组成邦。根据人民要求，1929年4月1日与普鲁士合并。面积1 088平方千米，境内多山，遍布农田、矿山、采石场等。原首府为阿罗尔森。

Waldeck-Rousseau, René　瓦尔德克-卢梭(1846-12-02，法国南特～1904-08-10，科尔贝)　法国政治家，任总理时解决了德雷福斯事件；并促成法国工会的合法化(1884)。1879年

巴黎国家图书馆供图

当选众议员时，是一个崭露头角的保守派律师，以善于雄辩与精通法律细节而闻名。1881年任L. 甘必大内阁中内政部长，1883～1885年在J. 费里内阁中仍任此职。1884年提出《瓦尔德克-卢梭法》，使工会合法化，尽管尚有一些重要限制。1885～1889年为众议员，任满后引退，操律师业，获得成功。1894年成为参议员，1899年6月，因重审德雷福斯事件(Dreyfus affair)问题而引起的示威和反示威有危及治安之虞，他应邀成立一个"保卫共和政府"。该政府虽然主要依靠支持德雷福斯的温和派，但也包括左右两派成员。1899年9月，军事法庭坚持德雷福斯有罪，政府说服总统给予宽大处理，以免进一步发生争执。他的政府后期所采取的最重要措施是1901年7月的《结社法》，该法律取消了为司法目的而对结社权所作的种种限制。1902年6月，他因为健康欠佳而辞职。退休后曾起而反对其继任者É. 孔布拒绝承认教会有权结社并关闭数千所天主教学校的行动。

Walden, Paul　瓦耳登(1863-07-26，俄罗斯帝国拉脱维亚采西斯～1957-01-24，西德加默廷根)　化学家。发现瓦耳登转化是发生在许多共价键化合物的反应中的立体化学构型的翻转。俄国1917年革命后，瓦耳登移居德国，1919～1934年任罗斯托克大学化学系主任。1947年任蒂宾根大学化学教授。他还以表示非水溶液黏度和导电率之间关系的瓦耳登规则而闻名。

Walden Pond　沃尔登塘　美国马萨诸塞州东部小水塘。面积约26公顷。位于康科德南面。因1845～1847年，H. D. 梭罗在此隐居并准备撰写其名著《沃尔登，或林中生活》而闻名。他在北岸的小屋原址有堆石为记。

Waldenburg (Poland)　**瓦尔登堡**　参阅 **Wa」brzych** 瓦乌布日赫。

Waldenses　韦尔多派　又拼Valdenses。原为12世纪起源于法国的宗教运动，现指流行于法意边境地区的瑞士基督教派。据说该派创始人韦尔多自1170至1176年以在俗信徒身份在里昂传教。他曾出席1179年在罗马举行的第3次拉特兰会议。他在教皇亚历山大三世的主持下发神贫愿。他与门徒继续传教，受到里昂大主教谴责，教皇卢西乌斯三世也于1184年宣布取缔该派。此后，该派即公开反对天主教义，否认几件圣事，驳斥关于炼狱的说法。该派迅速发展至西班牙、法兰西北部、佛兰德、德意志、意大利南部乃至波兰和匈牙利。罗马教廷严厉处置该派信徒，先是处以绝罚，继而迫害残杀。韦尔多派定期举行告解礼，每年举行一次圣体圣事，经常禁食并鼓吹神贫，反对为死者祈祷和拜苦像，并且不承认世俗法庭，因为世俗法庭要求人起誓。到了15世纪末，该派仅存在于法意两国接壤的科蒂安山两侧。1526年法国宗教改革家法雷尔向韦尔多派领导人传输新教教义，该派第二阶段发展史就此开始。该派在礼仪和教会组织上进一步迎合新教日内瓦派，实际上演变成瑞士新教教会之一。但他们继续受迫害，直到1848年才获得全面的公民权利。19世纪后半叶有韦尔多派信徒迁居乌拉圭，然后又自乌拉圭迁入美国，汇合来自法国和瑞士的同派信徒，定居在密苏里、得克萨斯、犹他等州，特别是在北卡罗来纳州伯克县韦尔迪斯市附近，该市是新兴的工业城市，居民大多为韦尔多派信徒。

Waldheim, Kurt　瓦尔德海姆(1918-12-21，奥地利圣安德烈-沃尔登～2007-06-14，维也纳)　奥地利外交家，联合国第4任秘书长，连任两届(1972～1981)。奥地利选举产生的总统

总统(1986～1992)。瓦尔德海姆祖籍捷克，父亲将姓由“瓦克拉维克”改为“瓦尔德海姆”。瓦尔德海姆曾在奥地利军队中当一名志愿兵(1936～1937)，后又学习，以便从事外

合众国际社—美国不列颠百科全书公司供图

交工作。但不久即被征召入德国军队，在俄国前线服役，直至1941年受伤为止。据瓦尔德海姆后来所作的声明，他在战争的其余年代在维也纳大学学习法律，这与1986年重新发现的文件相冲突，这些文件表明，1942～1945年他是驻巴尔干半岛的德军参谋。瓦尔德海姆于1945年进入外交界。他于1955年领导了奥地利第一个驻联合国代表团。1956～1958年任奥地利驻加拿大公使，1958～1960年任大使。在奥地利外交部担任一个时期的掌管政务工作的司长之后，任奥地利驻联合国大使(1964～1968，1970～1971)，并被任命为联合国和平利用外层空间委员会主席。1968～1970年任奥地利外交部长。1971年以奥地利保守的人民党候选人身份参加总统竞选失败。瓦尔德海姆于1972年开始担任联合国秘书长，任职期间，以有效率和能起作用见长，但不如他的一些前任那么有活力。尽管如此，他在孟加拉、尼加拉瓜和危地马拉的有效的、有时是大规模的救济工作中，以及在两个也门、安哥拉、几内亚和中东维持和平行动方面仍监督有方。1982年瓦尔德海姆从联合国退休。1986年他作为人民党的候选人竞选奥地利总统。但重新发现的战时和战后的文件指出，他曾是德军一支部队的翻译和情报官员，这支部队对南斯拉夫游击队和平民实行残忍的报复，并于1943年将希腊萨洛尼卡即塞萨洛尼基的大部分犹太人驱逐到纳粹死亡集中营，因此他的候选人资格引起争论。瓦尔德海姆承认，他没有坦白说明他的经历，但却否认他全部了解或曾参与战时的暴行。1986年他赢得了奥地利总统的最后一轮选举，任期6年。

Waldmann, Hans **瓦尔德曼**(约1435?，瑞士楚格布利肯斯多夫～1489-04-06，苏黎世) 瑞士军事和政治领袖。一度为苏黎世市长和实际独裁者，向欧洲半数国家提供雇佣军，成为瑞士最富有、最有权势的人物。在苏黎世军队服役时，曾参加击败勃艮第的大胆查理的莫拉战役(1476-06-22)。后来参加签订避免州际冲突的施坦斯协定(1481)。1483年当选苏黎世市长。因专横跋扈被市民处死。

Waldseemüller, Martin **瓦尔德塞弥勒**(约1470，符腾堡拉多尔夫采尔[德国]～1518-1521? 洛林圣迪耶[今在法国]) 又拼Waltzemüller。希腊语拉丁字母转写作Hylacomylus或Ilacomilus。德意志地图绘制家，1507年出版了第一幅将新大陆标名为《亚美利加》的地图。早先在布赖斯高地区弗赖堡求学，后迁居圣迪耶。1507年在圣迪耶出版木刻版世界地图1 000份。地图用12块版印成，根据托勒密的记载和亚美利哥·韦斯普奇的航海记录编绘。为纪念亚美利哥·韦斯普奇，他将新大陆命名为亚美利加。其后1516年的《海图》是以航线图的方式画的。

Waldstein, Albrecht Wenzel Eusebius von (Bohemian soldier) 参阅 **Wallenstein, Albrecht Wenzel Eusebius von 华伦斯坦**。

Waldteufel, (Charles) Emil **瓦尔特费尔**(1837-12-09，法国斯特拉斯堡～1915-02-12，巴黎) 法国(阿尔萨斯)钢琴家。当时最知名的圆舞曲作曲家之一。出身音乐世家，曾从父母和在巴黎音乐学院学习，1865年成为欧仁妮皇后的宫廷钢琴家，翌年任宫廷舞会指挥。第一批圆舞曲成功后，决心完全献身于舞蹈音乐创作。写有舞曲约270首，包括圆舞曲、波尔卡舞曲和加洛普舞曲。

Wales **威尔士** 威尔士语作Cymru。大不列颠及北爱尔兰联合王国的组成国。威尔士三面为天然边界：北临迪河河口湾和利物浦湾，西濒爱尔兰海，南为塞文河河口湾海岸线。东与英格兰交界，交界线不代表国界，只是一条行政分界线。作为联合决议内容的一部分，这条分界线于1536年勘定，终将英格兰和威尔士紧密连在一起。

自然地理与人文地理 威尔士起伏不平的地形由4部分组成。首先是两个高于600米的山地区，西北为斯诺登山区，南为布雷肯比肯斯山区。该地最高峰高1 085米，位于斯诺登山区。其次为高原和丘陵区，高地上有河流蜿蜒流过，连接和环绕着山区。第3部分为台地高原，在临海一带由一系列高30～210米的沿岸高原所围绕。最后为谷地，包括一些发源于中部高地的较大河流谷地；当这些河水西流入海或向东流向英格兰边境的低地平原时，谷地也随之变宽。

威尔士属变化较大的大西洋海洋性气候。天时而不是水土气候对当地人的生活起居影响较大。年平均降雨量为1 385毫米，在高地冬季可出现英国最猛烈的暴风雪。年平均温度为10 °C，1月为4 °C，7和8月约16 °C。

从公元前第3个千年期起，威尔士就开始有了当地基本的种族群体——来自海上的地中海移民。与这些西部海上移民相比，东部移民则与英国低地和欧洲大陆有较密切的联系。后者将凯尔特语传入威尔士。这种语言成为构成现代威尔士人基础的那些人所使用的语言。盎格鲁-撒克逊人和盎格鲁-诺曼人从英格兰边界渗入该地区，后来逐渐开始支配这个国家种族和语言的演变。

由于威尔士在政治上和经济上同联合王国的其他部分完全结成一体，其国民经济反映了较大行政单位的趋向和模式。它的经济不能提供它所需的足够资金，失业率一直高于英国的平均水平。

煤是一种尚可开发的矿物资源。19世纪首先开采的南威尔士煤矿区，现成为英国主要的煤炭来源地，但20世纪70年代煤炭产量大幅度下降。威尔士也有金属制造工业，加工铁、钢和马口铁。

除煤和耕地外，这个国家仅有的资源是水和森林。虽然威尔士建有几座水力发电站，但水资源主要用于供应生活及工业用水。威尔士没有通商航道，但有几座港口，如霍利黑德、菲什加德和米尔福德港。后者是西欧主要的石油输入和炼制中心之一。加的夫机场经营国际和国内航空运输。

尽管威尔士从16世纪即已与英格兰联合，威尔士人始终能够保存和发展其文化特点；这种文化虽然与英格兰的文化有共同点，但在某些重要方面却完全不同。其传统文化的基本理论是口述的、无形的，甚至是非尘世的，并发展为一种独特的混合文化，在诗歌和散文中特别注重韵味和修辞，其中声乐，特别是赞美诗合唱，起着重要作用。

这种民族文化最明显地表现在威尔士语中，许多具有文化意识和政治意识的威尔士人将文化保存同语言保存联系起来。但到1981年，只有不到20%的人口能讲威尔士语；为了提高这一比例，教学中不得不采用双语。政府支持威尔士艺术协会不遗余力地发展威尔士文学、艺术、音乐和戏剧。威尔士国家歌剧团和威尔士戏剧团属于英国的重要艺术团体，后者包括英语剧组和威尔士语剧组。

位于阿伯里斯特威斯的威尔士国家图书馆是一所版权图书馆，即根据法律它可收藏在联合王国出版的所有图书。威尔士国家博物馆位于加的夫，威尔士民间博物馆设在圣法甘斯附近。国家博物馆展出威尔士的古代史和自然史展品，同时收藏有大量的艺术品。威尔士大学是一所由7所高等院校组成的联合大学，它包括位于加的夫的威尔士国立医学院、位于兰彼得的圣戴维兹大学以及位于班戈、斯旺西和加的夫的几所大学；联合大学同时还管理几所师范学院。

另一项文化活动是一年一度的全国皇家艾斯特福德赛会，每年8月轮流在南、北威尔士举行，为期一周，没有固定场所。内容包括在音乐、文学、戏剧和艺术所有方面的比赛，同时还举行一系列戏剧演出和音乐会——所有这一切都使用威尔士语。

历史 从传说、考古学和语言学角度对威尔士历史的解释，均侧重于自青铜器时代末期讲凯尔特语的移民大量涌入。罗马的统治结束于公元400年；地中海文化在南威尔士地区有最好的范例。该地区在凯尔文特和卡马森郡有重要城镇。罗马统治结束后，许多小王国纷纷建立，在以后的数百年中许多统治者试图将它们统一成一个王国。约1093年，南威尔士作为威尔士接界地区成为英格兰的属地，圭内斯、波伊斯和德赫尤巴斯3个王国虽已臣服并效忠英格兰国王，但仍保持自治。根据1536和1543年的法案，威尔士被并入英格兰版图，在此后数个世纪中，威尔士人民一直为保护本国文化不受大国的影响而斗争。

19世纪威尔士的工业发展反而使向外

移民迅速增加。一种不信奉国教的宗教传统在政治斗争和工业骚乱中以及开始在自由党后来又在工党的支持者中都有类似的表现。1925年威尔士国民党成立,直到20世纪60年代才取得一定势力。1997年公民投票赞成权力下放,成立威尔士议会,1999年议会召开第一次会议。近年来威尔士的文化保护工作越来越受到重视。面积20 768平方千米。人口约2 933 500(1998)。

Wales, Church in　威尔士圣公会　基督教安立甘宗在威尔士的自立教会。威尔士圣公会原为天主教会,直接受英格兰教会管辖,16世纪宗教改革时期,1534年英格兰国王亨利八世宣布自己为圣公会首脑,于是威尔士教会也同罗马教廷断绝关系。圣公会信徒在威尔士人数不多,因此1920年威尔士圣公会丧失国定教会地位。但其后信徒人数和势力都有所增长。

Wales, prince of　威尔士亲王　英国王储的专用称号。英王爱德华一世征服威尔士,并在1283年处死威尔士的最后一个土著王大卫三世。1301年,他把威尔士亲王的称号赐给了自己的儿子,即未来的爱德华二世。此后,英王的长子绝大多数都被赐予这个称号。在一个威尔士亲王成为国王之后,到他把这一称号赐给自己的儿子之前,这一称号停止使用。

Wałęsa, Lech　瓦文萨(1943-09-29,波兰弗沃茨瓦韦克附近波波沃～　　)　工会活动家,帮助建立并领导(1980～1990)了共产党波兰的第一个独立工会——**团结工会**(**Solidarity**)。他是数百万波兰工人的魅力非凡的领袖,后任波兰总统(1990～1995),1983年获诺贝尔和平奖。木匠之子,仅受过小学和职业教育,1967年开始在格但斯克大型列宁造船厂当电工。1970年他目睹示威群众在当地遭到枪杀。1976年爆发新的反对波兰共产党政府的抗议示威时,他以反政府的工会积极分子身份出现,结果失去了工作。1980年8月14日,当列宁造船厂由于食品价格上涨激起抗议时,瓦文萨站在工人一边,并被选为罢工委员会主席,与厂方进行谈判。3天后,罢工者的要求得到承认,当格但斯克其他企业的罢工者要求瓦文萨出于团结的原因而继续罢工时,他立即同意。瓦文萨负责联合格但斯克-索波特-格丁尼亚地区各企业的厂际罢工委员会。委员会提出一系列大胆的政治要求,其中包括罢工和组织自由工会的权利,并宣告举行总罢工。慑于全国性的造反,共产党政府对工人要求作出让步。8月31日瓦文萨与波兰第一副总理雅盖尔斯基签署协议,给予工人以自由、独立地组织起来的权利。当1 000万波兰工人和农民加入半自治工会作为对这一重要协议的反应时,厂际委员会随即改组成团结工会,瓦文萨任主席和首席发言人。10月波兰政府正式承认了团结工会。瓦文萨强调工会实行限制与政府对抗的方针,以防止苏联对波兰军事干涉的可能性。然而,工会的果实被证明是暂时的。1981年12月31日,波兰政府实施军事管制法,团结工会被宣布为非法,其大部分领导人被捕,包括瓦文萨在内,他被拘留了将近一年。1983年授予瓦文萨以诺贝尔和平奖一事遭到波兰政府的抨击。由于担心被非自愿放逐,瓦文萨留在波兰,由他的妻子达努塔代表他前往挪威奥斯陆领奖。作为地下团结工会运动的领袖,瓦文萨经常受到骚扰,直到经济状况恶化和1988年新的工人动乱迫使波兰政府和他及其他团结工会领导人举行谈判。这次谈判达成的协议使团结工会重新取得合法地位,并认可为重建的上院有限的议席举行自由选举。1989年6月团结工会赢得了这些席位中的绝大多数。瓦文萨拒绝与共产党组织联合政府,议会不得不接受团结工会领导的政府,尽管瓦文萨拒绝出任总理。瓦文萨帮助团结工会中的同事马佐维耶茨基于1989年获得总理职位,但他在1990年与马佐维耶茨基竞选总统中,以压倒多数赢得了波兰第一次直接总统选举的胜利。作为总统,瓦文萨帮助引导波兰举行第一次自由议会选举(1991),并监视政府把波兰的国营经济转变成自由市场体制。作为团结工会的领袖,他表现出非凡的政治才干;但是他平淡的演说、对抗的风格及拒绝放宽对流产的禁令,损害了他在总统任职后期的民望。1995年他竞选连任,但以微弱之差被民主左翼联盟领袖、前共产党人克瓦希涅夫斯基所击败。

Walewski, Alexandre-Florian-Joseph Colonna, Comte　瓦莱夫斯基伯爵(1810-05-04,华沙公国华沙附近瓦勒维斯[波兰]～1868-09-27,法国斯特拉斯堡)　法国政治家,拿破仑三世的外交大臣。拿破仑一世与瓦莱夫斯卡伯爵夫人玛丽亚的私生子。14岁时因拒绝参加俄国军队,逃往伦敦,后又去巴黎,法国政府拒绝把他引渡给俄国当局。路易-菲力普于1830年把他送往波兰,波兰的革命领导人派他出使伦敦。华沙陷落后,他取得归化法国的证件,旋加入法军,在阿尔及利亚服役。1837年辞去军职,开始为剧院和报刊写作。据说,他曾与大仲马在《贝尔岛小姐》中合作,他的喜剧《世界学堂》于1840年在法兰西剧院上演。同年出使埃及。在F.基佐内阁期间,他被派往布宜诺斯艾利斯。路易-拿破仑在法国取得最高权力后,他先后被任命为驻佛罗伦萨、那不勒斯和伦敦特命全权公使。1855年出任外交大臣,并作为法国全权代表出席翌年的巴黎会议。1860年离开外交部,改任国务大臣,直至1863年。1855～1865年任参议员,1865年任众议院议长,两年以后发生一次反对他的权力的叛乱,他被送回参议院。1866年被封为公爵。他是美术学院院士,曾获荣誉军团大十字章。

Waley, Arthur David　韦利(1889-08-19,英格兰肯特坦布里奇韦尔斯～1966-06-27,伦敦)　英国汉学家,汉语和日本语翻译家。他优秀的东方古典著作英译作品对叶芝和E.庞德等现代诗人有深刻影响。曾就读于拉格比学校和剑桥大学国王学院。1913～1929年任不列颠博物馆书画部助理保管员,其后在伦敦东方和非洲研究学院任教。韦利最优秀和最有影响的译作有《汉诗170首》(1918)、《日本诗歌》(1919)、紫式部所写的6卷本《源氏物语》(1925～1933)和清少纳言所写的《枕草子》(1927)。此外,他也写有论述东方哲学的作品并翻译、编辑了孔子的《论语》。其他著作包括《日本的能剧》(1921)、《中国画研究引论》(1923)、《中国人眼里的鸦片战争》(1958)和《敦煌民歌及故事集》(1960)。

Walgreen, Charles R(udolph)　沃尔格林(1873-10-09,美国伊利诺伊州盖尔斯堡附近～1939-12-11,伊利诺伊芝加哥)　美国药剂师和企业主,被称作现代药店之父。广泛分布的沃尔格林药店形成了美国最大的零售药店联号。父母为瑞典移民,1887年随父母迁至伊利诺伊州迪克森。在工商学院学习后,在一鞋厂工作,但很快对药物学发生兴趣。1893年迁居芝加哥,1897年成为注册药剂师。1902年他购得第一家药店,1909年建立C.R.沃尔格林公司。1916年公司改名为沃尔格林公司。到沃尔格林逝世时,公司经营的药店达490家以上。沃尔格林在推销方法上有许多创新,公开展销就是其中之一。他还以推广出售便餐食品的长柜台而著名。他直到1939年8月前任公司总经理。他给迪克森镇捐款建起一座飞机场,1937年给芝加哥大学捐款建起一家研究美国社会公共机构的基金会。

Walī Allāh, Shāh　瓦里·阿拉(1702或1703,印度德里～1762,德里)　印度伊斯兰教教义家、现代伊斯兰教思想的创始人。率先根据新形势重新评价伊斯兰教教义学。从其父受伊斯兰教传统教育,据说七岁即能背诵《古兰经》。1732年前往麦加朝觐,以后留居汉志(今在沙特阿拉伯境内),与著名的教义学家共同研究教旨。印度莫卧儿帝国末代皇帝奥朗则布死于1707年,其后帝国大部分地域沦于德干和旁遮普的印度教和锡克教统治者之手,印度穆斯林不得不接受非穆斯林的统治,人心沮丧,瓦里·阿拉即于此时成年。他认为,应当进行宗教改革,调整伊斯兰教的宗教理想而使之适应变化中的印度社会经济状况,借以恢复伊斯兰教政体的光彩。主张打破常规,让教义学家在有关伊斯兰教法问题上独立思考。反对崇拜圣徒或任何不符合认主独一原则的事物。其最著名的著作为《信仰的秘密》,所注释的波斯文本《古兰经》目前仍流行于印度和巴基斯坦。

Walīd, al-　瓦利德(668?～715,大马士革[今在叙利亚])　伍麦叶王朝第6代哈里发(705～715,以建造清真寺而闻名)。前任哈里发阿卜杜勒·马利克的长子。早年不曾担任任何军政要职,只受过一般教育。他持有强烈的正统宗教观点,对建筑表示巨大兴趣。他最大的成就是建造大马士革的大清真寺。他在麦地那和耶路撒冷也造了一些华丽的清真寺。在其统治时期,中亚、北非沿海一带及西班牙的一些地区被他征服,直接受到伊斯兰教的影响。

walk　慢步　马术术语,马的中等慢步的四蹄音步法。四蹄依次着地,马的躯体总有两肢或三肢支撑。一般慢步抬腿的顺序是右后肢，右前肢、左后肢、左前肢。行走时马头先向下向前，然后向上向后。马在走轻松慢步（自由慢步）时，应将缰绳放松，以便马头和颈部自由活动。疏开慢步是轻松慢步的一个变体，表现为有节奏的不急不忙的大步。自然慢步的跨步较短，要求骑手控制马缰，使马头和颈部平衡。此步态也要求骑手将两腿压向马身两侧，从而产生推动力。自然慢步加速即产生伸长快步，四蹄先后踏地，发出有节奏的清晰的四声音响。

Walker, David 沃尔克（1785-09-28，美国北卡罗来纳威尔明顿～1830-06-28，马萨诸塞波士顿） 美国黑人废奴主义者，所写《致全世界有色人种呼吁书》（1829）号召奴隶为获取自由而战斗，是反奴隶制运动最激进的文献之一。父为奴隶，他与母亲同为自由人，受过教育，曾游历全国。定居波士顿后参加废奴运动，经常为《自由人杂志》撰稿。19世纪20年代开设旧衣店，在收购的水手旧衣服的口袋内放入他的作品《呼吁书》，然后再出售给海上水手，或者将《呼吁书》直接交与黑人水手，携至南部港口散发以扩大影响。南部各州发现该《呼吁书》后，即通过立法取缔传播废奴主义的书刊，并禁止奴隶学习文化。沃尔克接到警告，但拒绝外逃，不久即遇害。《呼吁书》被重印散发，然而当时大多数反奴隶制的领导人和自由黑人拒绝接受他的诉诸暴力的主张。

Walker, Sir Emery 沃克（1851-04-02，伦敦～1933-07-22，伦敦） 英国雕刻家及印刷商。曾参与19世纪末、20世纪初英国精美印刷的复兴运动。13岁失学，1873～1883年受雇于伦敦蚀刻活版公司，对印刷术的历史和工艺有了深刻的了解。1886年，与W.鲍塔尔合作，创办了一家著名的雕版印刷公司。1883年与诗人W.莫里斯结识，两人都对精美活版印刷深感兴趣。1888年，他在伦敦工艺美术展览协会上的一次讲话，激发莫里斯积极参加印刷出版活动，从而导致凯尔姆斯科特出版社的诞生（1891）。这个出版社的成立，被认为是英国私人出版运动的开端。在出版社开业的7年间，沃克在各项活动中都起了重要作用。1900年，他与T.J.科布登-桑德森创办达夫斯出版社，由于采用了以N.詹森的活字为基型的特制活字，并出版使用特制活字印刷的达夫斯版《圣经》（5卷本，1903～1905），而享有盛名。他还为德国魏玛著名的阿申登出版社与克拉纳赫出版社设计活字。1930年受封为爵士。

Walker, Francis A(masa) 沃克（1840-07-02，波士顿～1897-01-05，波士顿） 美国经济学家和统计学家，在英美世界带头促使经济学研究现代化和扩大经济学的研究范围。曾在马萨诸塞州阿默斯特学院学习。1861年参加联邦军队。1869年任财政部统计局的领导人，大力改进了统计技术的应用。1870年和1880年负责人口普查。1873～1881年任耶鲁大学政治经济学教授。1881年直到逝世，任麻省理工学院院长。他还兼任过美国

麻省理工学院供图

统计协会主席（1883～1897）和美国经济协会主席（1885～1892）。他对抛弃通行的工资-基金论有决定性影响。著作有：《工资问题》（1876）、《货币》（1878）、《政治经济学》（1883）等。

Walker, James J(ohn) 沃克（1881-06-19，纽约市～1946-11-18，纽约市） 浮夸的纽约市长（1925～1932），百老汇剧院和中央公园娱乐场之类高级秘密酒店的常客。他的市政府贪污舞弊，搞得一团糟。父母是爱尔兰移民，天主教徒，住在纽约格林尼治村。沃克曾就学于圣方济各·沙勿略学院，1904年毕业于纽约法学院。但毕业后，他开始常去百老汇剧院和观看歌舞杂耍表演，写流行歌曲，终于与一位音乐喜剧歌唱演员结婚（1912）。同年，他被批准在纽约州当律师。他早已倾向于政治，1909年成为州众议员选区首领和州议会众议员。在A.E.史密斯的指导下，1914年当选为州参议员。沃克以坦曼尼协会和州长史密斯为后台，1925年在预选举中被提名为民主党市长候选人。他任两届纽约市市长。在第一届任期内，他创设卫生局，促成纽约市公共医院的统一，显著地改进了运动场和公园的体系，并且在他的指导下，运输局批准了建造一个精美的地下铁道系统的合同。1929年重新当选市长，他受到几方面的猛烈批评。1931年纽约立法机关组成一个委员会，专门调查纽约市的事务。调查结果揭露了大量的贪污舞弊现象，对他提出15项控诉。其中指控他为不正当和非法的考虑所驱使，并指控他把大量的现金存到自己的银行户头上，而他又不能作出令人满意的解释，他乃于1932年9月1日辞职。此后他携带歌女情妇前往欧洲，直至1935年才返回美国。1940年他被任命为全国服装工业主席，后来成为宏伟唱片公司总裁。

Walker, John E. 沃克（1941-01-07，英国约克郡哈里法克斯～　　） 全名John Ernest Walker。英国化学家。由于对形成腺苷三磷酸（ATP）的酶催化过程作出解释而与P.D.博耶共获1997年诺贝尔化学奖。丹麦化学家J.C.斯科也因单独研究这种分子而分享此奖。沃克1969年在牛津大学获得博士学位，后在美国和巴黎的大学中承担研究项目。他的获奖研究是在剑桥大学医学研究委员会分子生物实验室中进行的。他1974年进入该实验室，并于1982年成为高级化学家。80年代初，沃克开始研究腺苷三磷酸合酶——大多数生物的主要产能分子，这种分子有助于腺苷三磷酸这种化学能量载体的合成。研究重点在酶的化学成分和结构成分上，他确定了构成合酶蛋白质单元的氨基酸的序列。90年代，沃克与X射线结晶学家们一起工作，澄清了酶的三维结构。他的研究工作支持了博耶的“束缚转变机制”，（解释酶特性的不平常的方法）。沃克的发现为了解生物产生能量的方法提供了真知灼见。

Walker, Maggie Lena Draper 沃克（1867-07-15，美国弗吉尼亚里士满～1934-12-15，里士满） 婚前名Maggie Lena Draper。美国商人，对19世纪末和20世纪初里士满的非洲裔美国人社区有条理的和商业性的生活起到很大作用。母亲曾当过奴隶。她本人毕业于阿姆斯特朗师范学校（1883），后在兰开斯特学校教书，直到1886年嫁给A.沃克（小）。婚后，她把大部分精力投入到圣路加大联合会，这是一个非洲裔美国人的兄弟互助会。她从基层做起，担任过多种不同职务，1899年成为重新命名的圣路加独立会的执行财务长。她接任时，该会拥有会员约3 400名，分属57个地方分会，并且处于负债状态。她工作干劲十足并在商业上表现得相当精明。1902年创办《圣路加信使报》，把有关圣路加独立会的消息登载出来，传达给各分会并帮助该组织的教育工作。这包括有关教育儿童养成勤俭节约和讲卫生习惯的信息。1903年开办圣路加小额储蓄银行，自任总裁。到1924年独立会总部的工作人员已有50人，服务对象是1 500个地方分会的5万多名会员。1929～1930年小额储蓄银行把里士满非洲裔美国人拥有的所有其他银行全部吸纳进来，成为银行信托联合公司。沃克后来担任银行董事长。她还帮助建立了里士满有色妇女联合会（1912）。作为联合会主席，她帮助筹集了大量资金，为一些机构提供支持，如J.P.巴雷特的弗吉尼亚有色女子技工学校。1975年沃克的旧居被列为国家历史建筑。

Walker, Mary Edwards 沃克（1832-11-26，美国纽约奥斯威戈附近～1919-02-21，奥斯威戈） 美国医生、改革家，被认为是美国南北战争期间正式参与战地救治的唯一女外科医生。1855年毕业于锡拉丘兹（纽约）医学院。在俄亥俄州哥伦布生活了几个月之后，与医生A.米勒结婚，1859年起二人分居，10年后最终离异。沃克很小就对服装改革产生了兴趣，并成为A.布卢默在服装改革事业上的坚定支持者。美国南北战争刚爆发，她就来到华盛顿哥伦比亚特区提供医疗服务。在当地的专利局医院当志愿护士，同时谋求做一名陆军医院的正式医生。1862年在纽约市的卫生-治疗医院获得学位。同年开始战地工作，1863年9月被G.托马斯将军任命为坎伯兰军的助理外科医师。沃克显然是参与美国南北战争的唯一女医师。1864年4～8月被关在弗吉尼亚州里士满的狱中。10月她得到一份当“代理助理外科医师”的合同，但她却被派到妇女监狱医院，又去了孤儿院。1865年6月离开政府部门，此后不久被授予荣誉奖章。1866年当选全国服装改革协

会主席，此后几年与 B.A. 洛克伍德在各种不同的改革运动中紧密协作。女权运动组织大力宣传沃克在南北战争中的事迹，但她却由于变得性情古怪慢慢与这些组织疏远了。她经常因女扮男装被逮捕。1886 年以后，她以偶尔在收费低廉的展览会上露面而知名。她时常佩戴荣誉奖章，甚至在奖章因没有颁奖记录于 1917 年被陆军委员会吊销之后依然如故。

Walker, Mickey　沃克（1901-07-13，美国新泽西州伊丽莎白～1981-04-28，新泽西州弗里霍尔德）　绰号"玩具斗牛狗"（The Toy Bulldog）。美国职业拳击运动员（1919 年起）。

合众国际社—美国不列颠百科全书公司供图

1922 年 11 月 1 日击败布里顿赢得次中量级冠军，1926 年 5 月 20 日败于拉策，丧失此项荣誉。1926 年 12 月 3 日击败弗劳尔斯夺得次重量级冠军，1931 年 6 月放弃此项冠军称号。在争夺重量级冠军的比赛中，先于 1929 年败于原冠军洛克伦，继而于 1933 年败于罗森布鲁姆。1931 年 7 月 22 日同身材比他高大、体重比他重得多的夏基斗 15 个回合不分胜负，夏基于次年获最重量级世界冠军。1935 年沃克退出比赛，研究艺术，在 40 年代颇有成就。

Walker, Robert J(ohn)　沃尔克（1801-07-19 或 23，美国宾夕法尼亚诺森伯兰～1869-11-11，华盛顿[哥伦比亚特区]）　来自密西西比州的美国参议员（1835～1845），墨西哥战争时期任财政部长（1845～1849），堪萨斯准州围绕奴隶制问题展开激烈斗争时任州长（1857-04-12）。在参议员任内，他主张合并得克萨斯，并使开拓疆土成为 1844 年总统竞选中的主要问题。在任财政部长时，他资助墨西哥战争，力促通过《沃尔克关税法》，并制订设立内务部的编制条例。在堪萨斯州，他向自由土壤派承诺进行公正选举，并申明该州奴隶制问题将取决于"气候而不是政治"，从而激怒了南部，使 J. 布坎南总统的政府感到震惊。后因拒绝接受赞成奴隶制的《莱康普顿宪法》而辞职。

Walker, Sarah Breedlove　沃克（夫人）（1867-12-23，美国路易斯安那德尔塔附近～1919-05-25，纽约州哈得孙河畔欧文顿）　美国女实业家、慈善家，公认为美国第一名黑人女富豪。她原是寡妇，母家姓布里德洛夫，靠洗衣维持生活，抚养幼女。1905 年发明使卷发变直的技术，于是雇用人员逐户推销这种技术。1906 年再嫁，其夫为新闻工作者沃克。其后她成立沃克夫人制造公司，1910 年将公司迁至印第安纳州印第安纳波利斯市。公司鼎盛时期雇用 3 000 多人，其中许多为女推销员，她们的制服白衫黑裙为美国及加勒比黑人社区所熟知的形象。沃克夫人在美国许多地方成立沃克美容学校，为她的工作人员拟定卫生守则，这些规定成为州整容法的先声。她在地产业投资致富，为人慷慨好施，热心慈善事业，设置奖学金，资助全国有色人种促进协会、养老院和全国反对迫害黑人会议。她临终将财产 2/3 赠与慈善团体和教育机关，1/3 留与女儿肯尼迪夫人。肯尼迪夫人日后资助文化沙龙"黑塔"，这个组织促进了 20 世纪 20 年代哈莱姆黑人文化复兴。

Walker, Thomas　沃克（1715-01-25，弗吉尼亚国王-王后县～1794-11-09，弗吉尼亚阿尔伯马尔县）　美国医师、土地投机商、探险家和官员。早年学医。1748 年开始买卖土地，后来成为忠诚土地公司总代理人。1750 年率探险队考察公司所属的西部土地。1752 年任奥古斯塔县副县长。1755 年在 E. 布雷多克将军率弗吉尼亚军队远征时，他任军需处长。1756 年选入议会。1768 年代表弗吉尼亚签署《斯坦尼克斯堡条约》。1775 年充任与印第安人谈判的代表，次年成为弗吉尼亚州安全委员会委员。1776～1781 年在弗吉尼亚新州政府内任行政委员会委员。最后任州众议院议员。

Walker, William　华尔克（1824-05-08，美国田纳西纳什维尔～1860-09-12，洪都拉斯特鲁希略）　美国冒险家、拉丁美洲国家叛乱煽动者和革命领袖，1856～1857年自封为尼加

美国国会图书馆供图

拉瓜总统。1850 年移居加利福尼亚，企图在那里开拓殖民事业。但是后来，他策划在拉丁美洲国家内部制造叛乱。1853 年 10 月，他带领小股武装力量在拉巴斯登陆，宣布下加利福尼亚和索诺拉为独立共和国。由于补给不足，并遭到墨西哥人的抵抗，1854 年 5 月被迫返回美国。一年后应革命派的邀请前往尼加拉瓜。他在那里连连取得军事胜利，1855 年底即已成为尼加拉瓜的实际首领。1856 年 7 月 12 日就任尼加拉瓜总统，并反对中美洲国家联盟。1857 年 5 月为免于被俘，向美国海军投降，并返回美国；11 月再次组织突袭，被捕返回美国。1860 年第三次去中美洲，在洪都拉斯登陆时被英国海军捕获，引渡给洪都拉斯当局处决。

Walker Cup　沃克杯　高尔夫球赛奖杯，奖给美国和不列颠群岛之间男子业余比赛中获胜的球队。沃克杯赛自 1922 年起隔年举行，地点交替在美国和英国。20 世纪 20 年代美国高尔夫球协会主席沃克是这项比赛的主要组织者，故名。沃克杯赛分两天进行，每天举行 4 场 18 穴双打和 8 场 18 穴单打，每场获胜者记 1 分。每队 8 名选手、2 名替补选手和 1 名队长，分别由美国高尔夫球协会和苏格兰法夫圣安德鲁斯皇家古老高尔夫球俱乐部选拔。关于比赛成绩，参阅 **Sporting Record**：Golf。

Walker Law　《沃克法》（1920）　美国第一个有关拳击运动的重要立法，由纽约州参议院议长沃克提出，1920 年在该州实施。根据这项法案，职业拳击运动在纽约州取得合法地位，基本上由英国拳击运动事业家盖文所拟订的拳击规则也得到承认。这项法律为其他各州树立了典范。纽约州体育运动委员会也是根据这项法案成立的。该委员会一直是独立的并继续公布它自己的世界拳击冠军名单。

walking　竞走　又作 race walking。运动员走路前脚触地后后脚方可离地的田径竞赛项目。世界各国（除英格兰外）和奥运会都规定在脚接触地面时腿要挺直。竞走在19世纪

1968 年墨西哥城奥运会上的 20 公里竞走比赛
供图：Don Wilkinson

后半叶成为体育项目。英格兰业余田径俱乐部在 1866 年一次锦标赛中设有 7 英里竞走比赛项目。19 世纪 70 年代和 80 年代纽约市曾举行职业室内竞走，连续 6 昼夜，运动员可以吃饭、休息或打盹，行程最多者胜。1908 年奥运会增加男子 10 英里和3 500米竞走项目。自 1956 年起奥运会竞走赛程规定为 20 公里和 50 公里。1992 年奥运会增加女子 10 公里竞走项目，2000 年改至 20 公里。参阅 **Sporting Record**：Athletics；**Olympic Games**。

walking fern　过山蕨　铁角蕨科过山蕨属植物，仅两种。根叶过山蕨（*Camptosorus rhizophyllus*）原产于北美东部；西伯利亚过山

蕨(*C. sibiricus*)原产于东亚。叶呈三角形，不分裂，顶端渐尖，常绿，稍革质；孢子囊成群沿叶脉生长。过山蕨是耐寒植物，见于

根叶过山蕨（*Camptosorus rhizophyllus*）
供图：Mary W. Ferguson

石灰岩岩脊阴面和林木茂盛的石灰质地区。母株触地的叶能萌发新株，故英文名意为“走蕨”。

walking fish　步行鱼　参阅 **climbing perch** 攀鲈。

walking leaf　参阅 **leaf insect** 叶蝽。

Walking Purchase　量步购地(1737-08-25)　北美宾夕法尼亚当局诈骗德拉瓦尔印第安人土地的事件，而印第安土人曾与该殖民地创立者 W. 佩恩最为友好。当局声称发现一份遗失的 1686 年条约，其中规定印第安人应割让特拉华河与利哈伊河之间长度为一人在一天半的时间内步行所及(约为 40 英里)的一片土地。殖民地创立者 W. 佩恩之子 T. 佩恩雇用了 3 个健足的行者，事先清除行走的路径，并允诺对行程最远者赏以重金。结果优胜者走出了比印第安人预料远一倍多的距离，使他们因此而丧失了约3 100平方千米的土地。T. 佩恩并要求易洛魁联盟协助执行这项丧失人心的决定。殖民当局的多次欺骗行径所招致的积怨促使德拉瓦尔印第安人与俄亥俄的法国人联合，并且在最后一次法国人与印第安人战争(1754～1763)中摧毁了宾夕法尼亚的边境地区。1758 年，这片土地的北部让与易洛魁联盟的 6 个部落。4 年之后，德拉瓦尔印第安人得到了 400 英镑的赔偿金。

walkingstick　竹节虫　又作 stick insect。又称䗛。竹节虫目竹节虫科(䗛科，Phasmatidae)昆虫，约2 000种。行动缓慢，绿色或褐色。形态像树枝，其他保护措施包括具锐刺、臭气或卵形似种子。足和触角能再生。某些种的覆翅短，为革质，后翅大而色艳，但常折于腹上。热带的种类形体最大，数量最多。亚洲的 *Palophus* 属及东印度群岛的 *Pharnacia* 属体长可超过30厘米。北美的普通竹节虫(*Diapheromera femorata*)危害严重时使栎树落叶。

普通竹节虫(*Diapheromera femorata*)
供图：D. Dwight Davis

Walkyrie(Norse legendary figure)　参阅 **Valkyrie** 瓦尔基里。

wall　墙　用于分隔或围护空间的结构部件，在房屋构造中形成房间或房屋的外围部分。在传统的砖石结构中，墙承受楼板和屋顶的重量，而在现代的钢或钢筋混凝土框架结构以及木结构和其他框架结构中，外墙只起围护作用，有时底层不用外墙以便于出入。传统的砖石承重墙，其厚度与所承受的荷载(包括墙身的自重、楼板和屋顶的静荷载和活荷载，以及拱、拱顶与风力的侧向推力)成正比。这种墙往往越往下越厚，或沿全长加厚，或在集中受力的某些点上加扶垛。门窗洞口的大小要依墙的强度而定。在多层建筑中，窗洞要上下对齐，以便墙体将荷载直接传递到地面。承重墙的位置取决于楼板和屋顶的支承方式。梁的两端一般须连接在墙上，两道承重墙间的距离取决于梁的长度。除穹顶外，其他所有的楼板和屋顶用平行的直线墙支承最为方便。当荷载由梁、柱或其他构件承受时，不承重的墙称为幕墙，可立在或悬在框架构件上。任何耐风雨侵蚀的材料如玻璃、塑料、合金或木材都可用作非承重墙，其形式不受结构的限制。

wall creeper(*Tichodroma muraria*)　**旋壁雀**　南欧到中亚山区最大的鸟类，属雀形目

旋壁雀(*Tichodroma muraria*)
绘图：Murrell Butler

䴓科。体长约 17 厘米。多呈灰色。翅宽而圆，黑色，中部有红色块斑。喙细长而下曲。在峭壁上觅食昆虫，会拍动翅膀急速飞升。冬季可以来到低地，或攀附在城市建筑物的墙上。

wall newspaper　墙报　通常在发展中国家的城市、区镇和乡村中张贴在墙上或其他醒目地方的一种出版物。它可以为某一单独的居民点或若干居民点服务，由政府机构在报纸印制发行费用昂贵或居民买不起报纸的地区出版。一般在某个地方由某人负责将墙报张贴在校舍和社区活动中心墙上某一固定的地方，或张贴在一般人能接近地方的墙上和布告板上。这个人也可以向不识字的人高声读报。在亚洲、非洲、南美洲和中美洲，墙报形式广为应用，有时用地区方言出版。墙报通常刊登大量的图片，只有少数文章或特写。

Wall Street　华尔街　纽约市曼哈顿区南部的街名。美国一些主要金融机构的所在地。街道狭窄而短，从百老汇到东河仅有 7 个街区。1653 年荷兰殖民者为抵御英国人侵犯而建筑一堵土墙，因而得名。华尔街(或金融区)设有：纽约证券交易所、美国证券交易所、投资银行、政府证券和市政证券经纪人、信托公司、联邦储备银行、各公用事业和保险公司的总部以及棉花、咖啡、糖、可可等商品交易所。该区也是美国众多经纪商号总部的所在地。华尔街是金融和投资高度集中的象征。对 19 世纪美国的平民党人说来，华尔街是贪婪地盘剥农民、工人的强盗大王的象征。在繁荣年代，华尔街意味着迅速致富的道路。在 1929 年毁灭性的证券市场崩溃之后，华尔街也是能破坏国民经济的金融操纵者的堡垒。

Wall Street Journal, The　《华尔街日报》　纽约出版的商业和金融日报，行销全美。其他几个日报版有《亚洲华尔街日报》(香港出版)和《欧洲华尔街日报》(布鲁塞尔出版)。1889 由道·琼斯公司的 C.H. 道创办，主要报道商业和金融消息，一开始就以其准确而广泛细致的报道赢得重视和欢迎。从创刊至大萧条初期该报很少涉及商业和经济新闻以外的问题。但后来开始偶尔登载其他问题的专稿，第二次世界大战后这一趋向逐渐加强，到 20 世纪 60 年代每天头版有两篇很少涉及商业问题的专稿。社论版和舆论版广泛登载商业、政治和经济评论、读者来信和文艺述评。固定栏目有前一天金融动态和股市行情的完整表格以及对当天商业问题的报道与分析。每周一至周五出版。21 世纪初其国内版、亚洲版和欧洲版总发行量超过 200 万份。该刊物在 2002 和 2003 年均获得普利策奖。

Walla Walla　沃拉沃拉　美国华盛顿州东南部城市，沃拉沃拉县县城(1859)。濒临沃拉沃拉河。靠近俄勒冈州。1836～1856 年创建，1862 年设建制。1875 年通铁路后成为小麦和蔬菜产区的中心城市，有食品加工和木材工业，为哥伦比亚河的驳船港。该市是美国陆军工兵部队地区司令部驻地，锡蒂康

蒂机场为美国空军疏散基地之一。设有惠特曼学院(1859)、沃拉沃拉学院(1892)、沃拉沃拉社区学院和华盛顿州监狱。人口 30 134 (2003)。

wallaby 沙袋鼠 袋鼠科(参阅**kangaroo**)几种中等大小的有袋哺乳动物的统称，主要产于澳大利亚。灌丛沙袋鼠有 11 个种，归入袋鼠属(*Macropus*)沙袋鼠亚属(*Protemnodon*)，

系带甲尾鼬(*Onychogalea fraenata*)

供图：© Mitch Reardon—National Audubon Society Collection/Photo Researchers

身体结构似大袋鼠，只是牙列稍异。体长 45～105 厘米，尾长 33～75 厘米。其中红颈沙袋鼠(*M. rufogriseus*)是常见种，后颈和两肩为浅红色，产于澳大利亚东南部和塔斯马尼亚的灌木地区。该种常见于动物园。俊面沙袋鼠(*M. elegans* 或 *M. parryi*，又名鞭尾沙袋鼠)，具有独特的颊斑，见于澳大利亚东部海岸疏林中。岩沙袋鼠(岩袋鼠属[*Petrogale*])的 6 个命名种常栖息于临水的岩石间，毛色鲜艳，褐灰色相间，具条纹、斑片或其他花纹。在多岩石地形中活动轻快。3 种甲尾鼬属(*Onychogalea*)动物因尾尖具角质而得名；肩部有鲜艳的条纹；跳动时转动其前肢，所以俗称手摇风琴手袋鼠；有 2 个种已濒于绝灭。兔沙袋鼠属(*Lagorchestes*)2 种，形小，有些动作及习性似兔。灰沙袋鼠属(*Thylogale*)有 3 种分布于新几内亚及俾斯麦群岛至塔斯马尼亚，体小壮实，鼻尖，后腿短，常为人捕猎以取其肉及皮。短尾灰沙袋鼠(*Setonix brachyurus*)与之近似，现仅残存于西澳大利亚 2 个近海岛屿。

Wallace, Alfred Russel 华莱士(1823-01-08，英国蒙茅斯郡阿斯克～1913-11-07，多西特郡布罗德斯通市) 英国博物学家，与达尔文同时独立地建立一套通过物种自然选择而进化的理论，因此著名。

幼时他即对植物学感到兴趣并开始收集植物。1844～1845 年在莱斯特任特别中学教师时识英国博物学家 H. W. 贝茨，受影响而对昆虫感到兴趣。1848 年两人到亚马孙河流域考察，1853 年他发表《亚马孙河和内格罗河旅行记》。他的船在归途中沉没，除先前已寄回英格兰的材料外，他的收集品均丢失。1854～1862 年他到马来群岛旅行，以收集更多的证据，作为其亚马孙之行收集品的补充，用以支持其进化理论。1855 年 2 月，他在婆罗洲沙捞越停留时写成一篇初步而详尽的文章：《论调节新种引入的法则》，该文同年晚些

伦敦国立肖像画陈列馆供图

时候发表，"每一个新种的出现在时间上和空间上均与一个原来已经存在的、与之近缘的种相重合"。他写道，10 年来"我难得想到物种改变如何发生这样的问题"。最后，在 1858 年 2 月，他在摩鹿加特尔纳特岛思考人类进化问题时身患严重的疟疾，他想到马尔萨斯的《人口论》，他报告说："我突然想到适者生存这么一个观念。"他构思了理论，用一晚上起草，以后的两个晚上写完全文，交送下一个邮班寄给达尔文，但邮件直到 1858 年 3 月 9 日才离开特尔纳特岛。在英格兰的达尔文说他一下子就从这位年轻博物学家的手稿中认出自己的理论。6 月 3 日他收到手稿，当日他写信给地质学家 C. 赖尔："我从未见过如此令人惊异的重合。"他又说甚至华莱士所用的"术语现在就用在我篇章的标题里"。在赖尔和植物学家 J. 胡克的建议下，华莱士的文章和达尔文自己的思想的摘要，作为一篇合作的文章，1858 年 7 月 1 日在林奈学会宣读。华莱士文章的标题是《论变种不确定地偏离原先类型的倾向》。文章证明了生存斗争，动物的增殖率和动物数量对食物供应的依赖，并得出结论："只有最健康最强有力的个体才能活得更久；……最弱、组织得最不完善的总是要灭亡。"达尔文自己的著作《物种起源》于次年 1859 年 11 月出版，人们把通过自然选择的进化理论主要归功于达尔文，因为他提出的理论比华莱士要详尽得多，又为此提供了多得多的证据，在促使人们接受进化论方面更负起主要责任。华莱士在他的文章中也讨论了拉马克主义(认为获得性可以遗传)与自然选择之间的差异，他指出，隼和猫都具有可以伸缩的爪，这并非由于它们的意志，而是因为"更能捕获猎物的个体总是活得更久"。长颈鹿具有颀长的脖子，这并非因为它伸长脖子去够食物，而是因为脖子长的个体与脖子长度一般的个体相比，就能一下子在同一个地点的更高处够到新的食物来源，当第一次食物匮乏出现时脖子长的个体比脖子短的个体活得更久。华莱士对拉马克的理解还是不完全的。真正的差异在于拉马克认为身体上出现的改变是可以遗传的，因此是物种改变的决定因素；而华莱士强调生存竞争和适者生存。华莱士也强调指出，动物特别是昆虫表现得与环境相似的方式，因为"颜色适于躲过天敌捕食的类群肯定活得时间更长"。华莱士在其《马来群岛》(1869)一书中将马来群岛分为两部分：西组，包括婆罗洲和巴厘岛，其动物类型属东方区；东组，包括西里伯斯岛和龙目岛，其动物类型属澳大利亚区。东方区的婆罗洲和巴厘岛与西里伯斯岛和龙目岛之间隔以一条狭窄的海峡——华莱士氏线。在该线两侧的土生哺乳动物，其偏离程度与世界上任何两个部分一样。华莱士就是在这些旅行中得出其自然选择理论的。

1870 年华莱士将在沙捞越和特尔纳特写成的两篇文章与其他文章一起汇集成册，出版了《自然选择文集》一书。在此书和其他著作中华莱士谈到一些与达尔文不同的观点。两人都认为人类当前的身体结构形式是通过自然选择得来的。但华莱士坚信，人的高智力不是像达尔文所说那样是自然选择的结果，而某些非生物学因素一定起了决定作用。这里可以看出华莱士受唯灵论的影响。他也不满意达尔文关于雌性个体选择色彩鲜艳的雄体的"性选择"假说。他强调保护和隐蔽，认为自然选择只会使雌鸟具有暗淡的颜色。1910 年英国政府授予华莱士功绩勋章。他也是土地国有化和妇女选举权的热心分子。

Wallace, Anthony F(rancis) C(larke) 华莱士 (1923-04-15，加拿大安大略多伦多～) 加拿大出生的美国心理人类学家，对于技术变革影响下的涵化过程作过分析，为学术界所重视。华莱士曾发表过产业革命时期的心理人类学史并研究过有关认识过程的诸文化形态，尤其是涉及科技发展时期知识转移的文化形态。在他的著作中，曾把宗教比作美洲印第安人中间所出现的一种"社会复兴"运动，而在现代亦复如此。华莱士于 1950 年在费城宾夕法尼亚大学获得博士学位，后来主要任教于母校。主要著作有《特拉华人之王：蒂迪尤斯昆，1700～1763》(1949)、《文化与性格》(1961，修订重版 1970)、《宗教：一种人类学观点》(1966)、《塞内卡人的生死观》(1970)、《石谷：产业革命早期美国一村庄》(1978)。

Wallace, De Witt and Lila Bell Acheson 华莱士夫妇(德威特1889-11-12，美国明尼苏达圣保罗～1981-03-30，纽约州芒特基斯科；莱拉·贝尔·艾奇逊 1889-12-25，加拿大马尼托巴省维尔登～1984-05-08，芒特基斯科) 世界发行量最大的杂志之一《读者文摘》的创办人和发行人。华莱士是圣保罗一教授之子，在伯克利加利福尼亚大学求学时与艾奇逊相识。华莱士曾把若干政府小册子缩编成一本关于农业的小书出售，由此想到可用此法缩编公众有兴趣的杂志文章。第一次世界大战中他在美军服役受重伤，养伤期间进一步设想出版一种文摘杂志。1920 年他精心编印一个样本寄给许多出版商，但均遭拒绝。此时他与艾奇逊重新相见。艾奇逊对他的想法深有信心。艾奇逊是一长老会牧师之女，华莱士参战期间她在东部军工女工中间从事基督教女青年会工作。1921 年二人结婚，决心自力出版《读者文摘》，在一地下室亲自向外邮寄。第一期于 1922 年 2 月问世，发行量迅猛

增加，从 1922 年的1 500份增长到 1929 年的 20 万份，到 80 年代中期已在世界各地用 17 种语言出版 41 种版本，总发行量约达3 000万份。华莱士自 1921 ～ 1965 年任主编，1921 ～ 1973 年任社长。在最初的 11 年里，《读者文摘》仅刊载其他杂志发表的文章的删节或摘要部分，1933 年起偶尔刊载新作，不加删减，1934 年起刊载书摘。1940 年起出版若干外文版，同年开始登载广告以弥补发行费用的上涨。作为发行人，华莱士夫妇力求保持正面的姿态——这被一些批评者视为庸俗甚至反动——但所收文章则范围极其广泛。杂志的巨大成功给他们赢得大笔财富，他们积极支持许多慈善事业。例如修复法国画家莫奈的故居、保护埃及阿布·辛拜勒神庙等。1972 年华莱士夫妇被授予自由勋章，1980 年被选入美国商界名人堂。

Wallace,(Richard Horatio) Edgar　华莱士(1875-04-01，伦敦格林尼治～ 1932-02-10，好莱坞)　英国小说家、戏剧家和记者，是一个极受欢迎的侦探和悬念故事作家。12 岁离开学校，打过各种零工，18岁从军，在南非战争中服役直到 1899 年成为一名记者。回英国后，发表了第一部成功之作《四个正直的人》(1905)。华莱士实际上发明了现代“惊险小说”，他这种体裁的作品情节错综复杂，但轮廓清晰，并以紧张的高潮而著称。他洋洋洒洒，下笔千言，传为逸事。共著有 175 部小说，15 个剧本和无数短文、评论小品。他的文学声誉在他死后下降。作品包括《河中紫檀》(1911)、《血红的圆圈》(1922)、《快速特警队》(1928)和《恐怖》(1930)等。他的最后一部作品是与别人合作的电影剧本《金刚》，于死前不久完成。

供图：Keystone

Wallace,George C(orley)　华莱士(1919-08-25，美国亚拉巴马克利俄～ 1998-09-13，蒙哥马利)　美国民主党政治家，4 次担任亚拉巴马州长，20 世纪 60 年代领导南方反对联邦政府下令取消种族隔离。1968 年作为第 3 党强有力的候选人竞选美国总统，但未获成功。在 1972 年 5 月遇刺受伤后，退出当年的总统竞选。80 年代不再坚持其种族隔离主义的思想。

华莱士为农民之子，自谋进入亚拉巴马大学法学院学习，1942 年毕业。在第二次世界大战中服役后，1946 年出任该州助理检察官，后来两次选入州议会。1953 ～ 1959 年，他任亚拉巴马第三巡回法院法官。在1948年民主党全国代表大会上带头反对民权纲领，初次受到全国瞩目。1958 年竞选州长失败，4 年后以强调种族隔离和经济问题的政纲而获胜。任职第一年(1963 年 6 月)，为实现诺言，他“站在校门口”，阻止亚拉巴马大学黑人学生进行注册。他宣告联邦政府在教育领域篡夺州的权力，在联邦出动国民警卫队之后才作出让步。在塔斯基吉、伯明翰、亨茨维尔和莫比尔等地的进一步对抗，使他成为对取消学校种族隔离拒不妥协态度的全国象征。由于他在法律上无资格再度参加竞选，他的结发妻子勒利恩于 1966 年竞选州长成功，但 1968 年在任内去世。华莱士于 1970 年和 1974 年连选连任。1968 年他成为反自由主义的美国独立党的总统候选人，赢得 46 张选举人票。4 年后，当他竞争民主党总统候选人提名时，于 1972 年 5 月 15 日在马里兰州劳雷尔遇刺受伤，腰部以下永久性瘫痪。1976 年他又一次竞争民主党总统候选人提名未果。1982 年他在轮椅上再度竞选州长，由于他公开声明放弃种族隔离政策，他得到大量黑人选民的支持而获胜。1987 年由于健康原因而退出政界。

美国国会图书馆供图

Wallace,Henry A(gard)　华莱士(1888-10-07，美国艾奥瓦阿代尔县～ 1965-11-18，康涅狄格丹伯里)　美国第 33 任副总统(1941 ～ 1945)。象征着新政民主党人的“平民”哲学。设计了整个 30 年代民主党政府引起争议的农业政策，但于 1946 年在对外关系问题上与民主党决裂。原为农业专家，曾作高产玉米品种的实验，结果使植物遗传学取得重大进展。后来他从事杂交玉米的生意，获得高额利润。1928 年参加民主党。1933 ～ 1940 年在罗斯福总统的政府中任农业部长，制订和执行新政的法律(特别是 1933 年的《农业调整法》)，以提高和稳定农产品价格，保护土壤，储存储备粮和控制生产。在罗斯福总统第 3 个任期(1941 ～ 1945)内，作为副总统，他成为总统的友好大使，访问拉丁美洲和远东。第二次世界大战爆发后，承担许多紧急任务，特别是国内经济任务。党内保守派反对他于 1944 年再次被提名为副总统候选人，遂由参议员杜鲁门取代。此后两年，华莱士任商业部长，但因反对杜鲁门政府对苏联“强硬的”冷战政策而辞职。1946 ～ 1947 年任自由主义的《新共和》周刊主编，接着离开周刊，参加筹建左派进步党。1948 年参加总统竞选，提出与苏联更紧密地合作，由联合国统管一切对外援助和裁减军备，结果获得 100 多万张普选票，但没有获得一张选举团票。后来脱离进步党，退出政坛。他是个多产作家，著作有：《六千万个就业机会》(1945)、《平民世纪》(1943)、《美国必须抉择》(1934)和《向前看》(1960)等。

合众国际社—美国不列颠百科全书公司供图

Wallace, Lewis　华莱士(1827-04-10，美国印第安纳布鲁克维尔～ 1905-02-15，印第安纳克劳福兹维尔)　别名 Lew Wallace。美国军人、律师、外交家及作家。主要以其历史小说《本·赫尔》闻名于世。父为印第安纳州州长，本人于16岁时弃学，去县文书室任抄写员，暇时读书，后在其父办公处开始学习法律，但旋即为墨西哥战争招募志愿兵而离去。1846 ～ 1847 年在战争中服役。1849 年以印第安纳波利斯开业律师身份取得律师资格。美国南北战争时在联邦军服务，升至志愿军少将衔。在门诺卡西战役中(1864-07-09)，败于南部邦联军的厄尔利将军，但仍能阻止后者攻占华盛顿。在调查联邦军比尔将军的行为和对南部邦联军在佐治亚州安德森维尔的监狱司令官、南部邦联军上尉沃茨判罪时，他都担任审判庭庭长。他还是审讯被控暗杀林肯总统罪犯的法庭成员。1865 年退役，重操法律业务。他受总统任命，两次担任外交职务。曾任新墨西哥州州长(1878 ～ 1881)，后任驻土耳其公使(1881 ～ 1885)，任内土耳其苏丹曾为其援助。华莱士虽也写过诗和剧本，但他的文学声誉主要建立在 3 部历史小说上：《公正的上帝》(1873)，描写西班牙征服墨西哥的故事；《印度王子》(1893)，描写流浪的犹太人和拜占廷帝国；最著名的《本·赫尔》(1880)，描写基督降临之际，一个以罗马帝国为背景的浪漫故事。其中的主要人物是一个名叫本·赫尔的有教养的犹太青年，由于罗马官员的不公正行为使他失去了家庭和自由，但终于

美国国会图书馆供图

靠他自己的能力和基督的干预取得了胜利。《本·赫尔》是极受欢迎的成功之作，曾被改编为戏剧和电影(1927)，后又以宏大规模重新摄制(1959)。《华莱士自传》于1906年出版。

Wallace, Sir Richard, Baronet　华莱士(1818-06-21，英格兰伦敦～1890-07-20，法国巴黎)　英国美术品收藏家和慈善家。他因伦敦赫特福德大厦的**华莱士收藏馆(Wallace Collection)**的艺术珍品收藏而留名。其收藏品有法国17～18世纪的家具和艺术品、古今法国画家的作品、盔甲和中世纪与文艺复兴时期的美术品。早年在巴黎求学。1871年封为男爵。1878年巴黎博览会时为英国专员。曾任英国国立美术馆、国立肖像画陈列馆理事，爱尔兰国立美术馆馆长。1873～1885年任议会议员。1885年退休去巴黎。他没有后嗣，死后封号废除。他的夫人将艺术收藏品赠给美国政府。华莱士夫人于1897年去世。

Wallace, Sir William　华莱士(约1270，可能在苏格兰伦弗鲁区佩斯利附近～1305-08-23，伦敦)　苏格兰最伟大的民族英雄之一。苏格兰为摆脱英格兰统治而进行的长期而最后取得成功斗争的初期，苏格兰抵抗力量的领导人。小地主之子。1296年英格兰国王爱德华一世废黜并囚禁苏格兰国王巴利奥尔，并宣称自己为苏格兰的统治者。翌年5月华莱士带领30来人烧毁拉纳克，杀死那里的行政司法长官。随后，他组织了一支由平民和小地主组成的军队，进攻福斯河与泰河之间的英格兰驻军。同年9月11日，英格兰的一支军队在斯特灵附近的福斯河和他遭遇。他的兵员人数远远不及敌军，但敌军必须跨过福斯河上一道小桥才能到达苏格兰人的阵地。他趁英格兰人渡河时击杀，获得全胜，攻克斯特灵城堡。此时，苏格兰几乎完全脱离被占领状态。10月，他攻入英格兰北部，袭击诺森伯兰郡和坎伯兰郡。12月初返回苏格兰，被封为爵士，并成为王国的监护人，以巴利奥尔的名义进行统治。然而，许多贵族不肯支持他。1298年7月3日爱德华一世的军队入侵苏格兰。7月22日，华莱士的队伍在斯特灵的福尔柯克战役中被爱德华的军队打败。12月，华莱士辞去监护人的职务，带领游击队在苏格兰进行活动。虽然苏格兰的绝大多数贵族在1304年向爱德华屈服，但英格兰人继续追捕华莱士。1305年8月5日他在格拉斯哥附近被捕，解往伦敦。英格兰人把他绞死后，切腹取肠，割下头颅，肢解为4块。关于他，有许多传奇故事，表明人民对他的崇敬。

Wallace Collection　华莱士收藏馆　伦敦艺术博物馆，藏有西摩-康韦家族的赫特福德伯爵和侯爵自18世纪以来收集的文物，尤以17和18世纪的英国和法国绘画和雕刻著称。理查德·华莱士爵士的妻子华莱士夫人在1871年继承这批珍藏，1897年赠给英国政府。该馆设于西摩-康韦家族的原伦敦住所赫特福德府邸。1900年正式开馆。藏品有武器和盔甲、中世纪和文艺复兴艺术品、青铜器、陶器、钟表、家具、细密画、艺术用品和瓷器。

Wallaceburg　华莱士堡　加拿大安大略省南部肯特县城镇。位于密歇根州底特律东北50千米锡德纳姆河东北两支流汇合处。该镇原名福克斯，后为纪念中世纪苏格兰民族英雄威廉·华莱士改为现名。因该地与圣克莱尔湖及五大湖可深水通航，因此发展成输入港和制造业中心。工业有玻璃、木器、造船、制糖等，还生产汽车零件以及管件。人口11 846(1991)。

Wallace's Line　华莱士氏线　19世纪英国博物学家A.R.华莱士提出的、在东洋区和澳大拉西亚区两个动物区系分区之间的假设分界线。华莱士氏线从印度洋通过龙目海峡

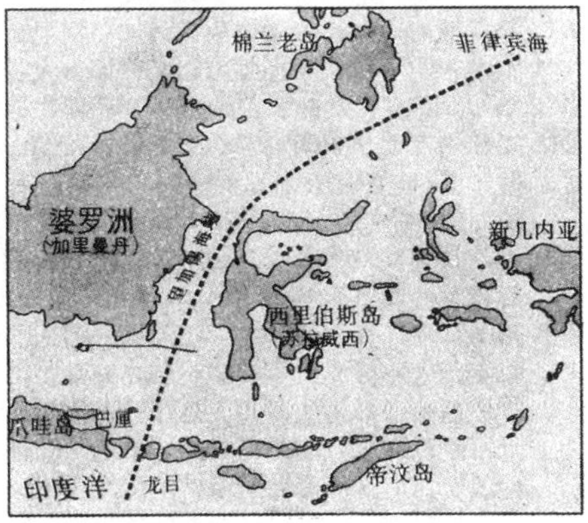

华莱士氏线图示

(在巴厘岛和龙目岛之间)，向北通过望加锡海峡(在婆罗洲和西里伯斯之间)，向东经过棉兰老南面，进入菲律宾海。虽然许多动物地理学家不再把华莱士氏线看作为两区间的界线，但它确实代表了许多动物大类群分布的突然中断的界线。许多鱼类、鸟类和兽类的类群，以及某些无脊椎动物类群，在华莱士氏线的一侧很丰富，但另一侧则很稀少或者完全没有。参阅 **Weber's Line**。

Wallach, Otto　瓦拉赫(1847-03-27，普鲁士柯尼斯堡～1931-02-26，德国格丁根)　德国化学家，因分析天然芳香油获1910年诺贝尔化学奖。他就学于格丁根大学，师从F.维勒，

供图：Bavaria-Verlag

1869年获博士学位，次年去波恩大学与A.凯库勒合作并讲授药物学，1876年任教授，1889～1915年任格丁根化学研究所所长。在波恩时，热衷于研究药剂中常用的挥发油的组成。凯库勒则认为这类物质是不能分析的。瓦拉赫是一位实验的高手，对挥发油进行了反复蒸馏，终于将这种复杂混合物分离成功。然后研究这些组分的物理性质，鉴别了许多性质十分相近的化合物。他发现这类化合物大都属于现在称作类异戊二烯的化合物。

Wallachia (European principality)　参阅 **Walachia 瓦拉几亚**。

Wallack, Henry John　沃利克(1790，伦敦～1870-08-30，纽约市)　英、美著名演员，剧院经理。查塔姆加登剧院和科文特加登剧院的著名演员。出身于戏剧之家。1819年在美国巴尔的摩首次登台演出，1821年第一次在纽约市演出。1829年扮演尤利乌斯·凯撒，他弟弟J.W.沃利克扮演安东尼。沃利克经常在纽约市和伦敦巡回演出。1837年同其兄弟一起接管纽约市国家剧院，任舞台监督。剧院被烧后，又重返舞台。他的第一个妻子是演员，他们有3个孩子，都是有天赋的演员。

Wallack, James William　沃利克(1795-08-24，伦敦～1864-12-25，纽约市)　英、美著名演员，纽约市一些剧院的经理。19世纪美国大部分重要演员都是由他的演出公司培养而

伦敦维多利亚和艾伯特博物馆供图

成。4岁时与家庭其他成员首次在皇家马戏团表演。12岁时便在特鲁里街剧院的莎士比亚和谢里丹的戏剧中演出。从1818年他在美国第一次登台扮演麦克白起，直到1852年止，为了在伦敦和纽约之间演出，他横渡大西洋35次。1837年同哥哥H.J.沃利克一起接管纽约国家剧院，他任总经理，其兄任舞台监督兼主要演员。1852年他接管纽约兰心剧院，改名为沃利克剧院，和他儿子一起经营。1861年他把沃利克剧院迁到百老汇和第13街的一座新建剧场中。

Wallack, James William II　沃利克(第二)(1818-02-24，伦敦～1873-05-24，美国南卡罗来纳艾肯)　英、美卓越的悲剧和情节剧演员。H.J.沃利克之子。曾随其父在伦敦学艺。以饰演莎士比亚《奥瑟罗》中的伊阿古、《麦克白》中的麦克白和《理查三世》中的理查三世最为著名。1865年成为沃利克剧团成员。

Wallack, Lester　沃利克(1820-01-01，纽约市～1888-09-06，美国康涅狄格斯坦福)　演员、剧作家兼沃利克剧院经理。J.W.沃利克之子。19世纪美国每一个重要的戏剧表演家都是由该剧院培养而成。其专业舞台生涯

是从他到英国各省巡回演出时开始的。1847年在纽约市首次登台演出。在沃利克剧院扮演了许多喜剧和浪漫剧中的角色，并任舞台监督。1861 年接替其父任经理。在他领导下，该剧院以轮流演出英国戏剧和一些新戏剧而闻名，其中包括他任主角的最成功的《罗斯戴尔》(1863)。1882 年他又开办一座新的沃利克剧院，后于 1915 年关闭，另一个沃利克剧院在 1924～1931 年间处于兴旺时期，他的《50 年的回忆》一书于 1889 年问世。

wallaroo　新南威尔士大袋鼠　又作 euro。一种最大的袋鼠(**kangaroo**)。

Wallas, Graham　华莱斯(1858-05-31，英国森德兰～1932-08-10，伦敦)　英国教育家、公职人员和政治学家，以对发展用实验方法研究人类行为做出贡献而闻名。曾在牛津大学学习(1877～1881)和执教(1881～1890)。1886年参加费边社，是《费边社社会主义文集》(1889)的撰稿人。由于对费边社许多领导人的反自由主义观点日益不满，1895 年辞去执行委员会的职务，并于 1904 年脱离费边社。1890年作为大学附设部分的讲师开始其卓越的高等教育生涯。1895 年加入伦敦经济学院的教员队伍，在那里执教至 1923 年退休。1904～1907 年任伦敦郡议会议员，1908～1910年任郡教育委员会委员，并任伦敦校董会学校管理委员会主席。1914 年成为伦敦大学政治学教授。他的著作对社会问题抱基本的乐观态度而带一点怀疑。他激烈批评同时代的社会科学，认为它缺少足够的科学性。主要著作有：《F. 普莱斯生平》(1898)，这是一部关于这位 19 世纪自由主义改革家和工会拥护者的专著；《政治学中的人性》(1908)，呼吁对政治行为中的心理状态作更多的了解；《大社会》(1914)，这是《政治学中的人性》所论述的主题的引申，观察复杂的工业社会里的人性。

wallboard　墙板　干墙板结构中固定在内墙面上的大张硬板状的建筑装修材料。干墙板结构的墙面不使用砂浆或灰泥。墙板材料包括胶合板、纤维板、石棉水泥板和石膏板等。纤维板表面可显现木质纹理或其他花纹，并可具有吸音和隔热能力。石棉水泥板经固化剂、防水剂等处理可改善其性能，并使之容易加工。石棉水泥薄板通常用胶合板或绝缘板作衬垫，以增加抗撞击的性能。石膏板是由石膏芯板夹在两层特制纸中制成的。在石膏中加上玻璃纤维可具有一定的耐火能力。用铝材做衬背的镶板具有隔热性能。石膏板、木板和纤维板还可作建筑物外表的饰面材料。

Wallenberg, Raoul　瓦伦贝里(1912-08-05，斯德哥尔摩～1947-07-17，莫斯科？)　瑞典商人和外交官，由于在第二次世界大战期间努力营救匈牙利犹太人以及因被囚禁在苏联时失踪而成为一位传奇人物。他是一个富有的和拥有特权的银行家、工业家和外交家家族的后裔。曾学习建筑学。1936 年任一家中欧贸易公司驻外代表，这家公司的总裁是一位匈牙利犹太人。1944 年 3 月纳粹军队和党卫军进入匈牙利搜捕"颠覆分子"和犹太人，他说服瑞典外交部派他持外交护照前往布达佩斯(1944-07-09)。在那里，有成千上万的犹太人(据不同估计，从4 000～3 5000人)被他收容到挂着瑞典以及其他一些中立国家的国旗的"保护所"里。而在此时，已有约 40 万匈牙利犹太人被驱赶至纳粹死亡营。他还尾随德军至运送车厢中向在押的犹太人分发食物和衣服，并设法拯救其中一些人，给他们出国所用的证件和金钱。他曾一再受到 A. 艾希曼的恫吓。苏军进驻布达佩斯后不久，瓦伦贝里于 1945 年 1 月 17 日到占领当局那里报到，但以间谍嫌疑立即被捕。据瑞典当局说，苏联人后来私下承认逮捕他是在战争结束时的混乱时期的一个错误，但是他们所透露的唯一消息是：瓦伦贝里已于 1947 年在莫斯科的牢房里因心脏病死去。但是，据从苏联获释的一些人说，他们于 1951、1959 和 1975 年在监狱里见到过他。1981 年 9 月 22 日，美国国会授予失踪的瓦伦贝里以荣誉公民称号(这一称号过去仅授予丘吉尔一人)。

Wallenda, Karl　瓦伦达(1905，德国马格德堡～1978-03-22，波多黎各圣胡安)　大瓦伦达杂技团创立人。这个杂技团以在高钢丝上叠 3 人高的罗汉闻名。它第一次在欧洲出名的节目是 4 人在自行车上叠罗汉走高钢丝。1928 年加入美国林林兄弟和巴纳姆-贝利联合马戏团，遂把叠罗汉的节目发展到 7 人表演(1947)。后来，这个团的成员大多数因意外事故丧生。瓦伦达本人在圣胡安一次表演时遇到大风，从露天的高钢丝上掉下来摔死。

Wallenstein, Albrecht Wenzel Eusebius von　华伦斯坦(1583-09-24，波希米亚赫曼尼斯～1634-02-25，埃格尔)　Wallenstein 又拼 Waldstein。波希米亚军人和政治家，三十年战争

供图：Bayerische Staatsgemaldesammlungen, Munich

期间神圣罗马帝国皇帝斐迪南二世的军队统帅。他与皇帝的疏远及策划政治军事阴谋活动导致他被暗杀。13 岁时成为孤儿，由叔父抚育成人。1599 年入阿尔特多夫的新教大学。1600～1602 年漫游德国、法国和意大利。1604 年参加波希米亚人部队，对匈牙利人作战。1606 年皈依天主教。在波希米亚人反哈布斯堡王朝的起义期间(1618～1623)，他效忠斐迪南，招募骑兵参加战斗。斐迪南得胜后，他出任波希米亚王国总督。1623 年成为帝国王公会议成员，1624 年封弗里德兰公爵。丹麦战争(1625～1629)爆发后，华伦斯坦招兵 2.4 万人，1625 年 4 月任神圣罗马帝国和低地国家军队最高统帅。他的新军旗开得胜，在德绍附近击败新教指挥官曼斯费尔德伯爵恩斯特。他迫使匈牙利接受《普雷斯堡和约》(1626-12)，将丹麦人从西里西亚赶走(1627-07)，并征服梅克伦堡、荷尔斯泰因、石勒苏益格和整个大陆丹麦。他个人得到西里西亚的萨冈公国(1627)和梅克伦堡公爵领地(1629)。提升到前公爵的地位后，华伦斯坦改变了整个看法，不再是哈布斯堡王朝的臣仆，开始实行独立的方针。1628 年华伦斯坦任帝国舰队和北海、波罗的海舰队司令。1630 年斐迪南二世根据雷根斯堡选侯议会的意见，解除了华伦斯坦的统帅职务。华伦斯坦遂与瑞典国王古斯塔夫私下勾结。1632 年 4 月斐迪南不得不授给华伦斯坦统辖帝国所有军队的大权。同年 7 月华伦斯坦迫使古斯塔夫从巴伐利亚和法兰克尼亚撤走，自己占领了萨克森大部地区。同年 11 月在吕岑战役中，古斯塔夫被杀死。从此，华伦斯坦打算平定全国，自充主宰者。1634 年 1 月华伦斯坦在比尔森召集约 50 名将校开会，准备举起叛旗。斐迪南二世正式免除华伦斯坦的军职，并下令俘获或杀死华伦斯坦。同年英国军官德弗罗用戟将华伦斯坦刺死。德国诗人席勒以华伦斯坦的生平为主题写下著名的戏剧三部曲《华伦斯坦》。

waller(fish)　参阅 **wels 欧鲇**。

Waller, Edmund　沃勒(1606-03-03，英格兰赫特福德郡科尔斯希尔～1687-10-21，白金汉郡比肯斯菲尔德)　英国诗人，所采用的流畅而规则的诗律，为17世纪末诗歌的主要表现形式英雄对句的出现铺平了道路。他的重要性已为他的同时代人充分认识。曾在伊顿公学和剑桥大学受教育，青年时期就进入议会。在17世纪40年代的政治动乱中，沃勒

伦敦国立肖像画陈列馆供图

企图玩弄两面派的手法：起初为反对派的积极成员，后转移到王党方面(但仍受到议会党人的信任)，1643 年深深卷入一项阴谋(有时被叫作"沃勒阴谋")，要把伦敦建立为国王的

堡垒,因此被捕。他大批出卖同事,不惜破费进行贿赂,才得免于死刑,但受到放逐和从重罚款。后在国外居住,直至1651年与其远亲克伦威尔,即日后共和国的护国公,取得和解。沃勒的几首诗,其中有《去吧,可爱的玫瑰花!》,是英国文学里最著名的抒情诗之一,在1645年出版他的《诗集》之前,已经流传近20年。1655年出版《献给我的护国公的颂诗》,但是,1660年他也歌颂国王:《献给国王,恭贺陛下光复归来》。他成了皇家学会会员,1661年回到议会。在议会里他持温和的观点,赞成宗教容忍。后来的作品有《神圣的诗》(1685)。《沃勒先生的第二部分诗》出版于1690年。

Waller, Fats 沃勒(1904-05-21,纽约市～1943-12-15,美国密苏里堪萨斯城) 美国钢琴家、作曲家,他是少数几位赢得商业广告声誉的著名爵士乐音乐家之一,但这是在以粗俗的喜剧因素掩盖其纯音乐才华为代价的情况下做到的。他战胜了牧师父亲的反对,15岁即成为一名职业钢琴家,在酒吧间和剧院演奏,不久又受爵士乐钢琴家、左手跨越弹奏法创始人J.P.约翰逊的深刻影响。20年代末确立了歌曲作家的地位,其作品经常在百老汇的小型歌舞剧中上演。自1934年起与自己的小乐队共同录制了数以百计的唱片,其中优秀的爵士乐与敲板结合,形成一种独具一格的混合体。最著名的歌曲包括《不是我行为不端》、《金银花》和他的成名之作《紧紧地搂我》(1925)。他是第一位精通管风琴的爵士音乐家。曾在《暴风雨天气》(1943)等几部影片中露面。常以一个和蔼可亲的丑角形象留在人们的记忆中。然而作为最伟大的爵士乐钢琴家之一和才华横溢的歌曲作家,他的重要性持久不衰。由他儿子M.沃勒所作传记《胖子沃勒》于1977年问世。

Waller, Max 瓦莱尔(1860-02-24,布鲁塞尔～1889-03-06,布鲁塞尔附近圣吉尔) 利奥波德-尼古拉-莫里斯-爱德华·瓦洛蒙的笔名。比利时抒情诗人。他以创办《青年比利时》(1881～1897)杂志而为人所铭记。该杂志是当时著名的文艺刊物,发表过大量后来在比利时文艺复兴运动中纷纷成名的作家的大多数的早期作品。他本人对具有法国帕尔纳斯派诗人特色的格律工整的诗风甚为赞同,但反对象征派的自由诗。然而,他却做了大量介绍工作,使比利时诗人能够知道巴黎文艺界的各种发展动向。瓦莱尔原学法律,但很年轻即去世,传世只有一卷诗集《给西贝尔的长笛》(1892),集中收有仿帕尔纳斯诗派的一些小诗。

Waller, Sir William 沃勒(约1598,英格兰肯特诺尔～1668-09-19,伦敦) 英国内战头3年在英格兰南部作战的议会军司令。曾参加三十年战争。1622年受封爵士。1640年选入长期议会。内战爆发时任议会军上校。1642年9月占领朴次茅斯,此后不久又占领英格兰东南部其他几个城镇,人称"征服者威廉"。晋升将官后,于1643年4月攻占赫里福德郡的赫里福德。7月13日在威尔特郡朗德威唐大败于霍普顿。1644年1月阻止保皇军入侵萨塞克斯,3月阻止霍普顿向伦敦推进,但6月在牛津郡班伯里附近被查理一世击溃。在要求议会军改组声中,他显然是头一个建议建立一支职业军队的人。新模范军组成后两个月,他辞去职务。在议会中,他是长老派领袖。因反对克伦威尔的共和政权,他在1649～1659年期间屡遭监禁。

Waller's gazelle (antelope) **沃勒氏羚羊** 参阅 **gerenuk** 长颈羚。

walleyed pike 大眼鰤鲈 又作 walleye。狗鱼鲈(**pikeperch**)的一种类型鱼。

wallflower 墙头花 十字花科桂竹香属(*Cheiranthus*)及糖芥属(*Erysimum*)植物的俗称,因能生长在墙缝间而得名。其中开金黄色或褐色花的种类普遍栽培。欧洲墙头花

墙头花(*Erysimum*)
供图:V.E.Ward from the National Audubon Society Collection/Photo Researchers—美国不列颠百科全书公司

(桂竹香,*C. cheiri*)原产于欧洲南部,见于峭壁及草地,已在英国归化;二年或多年生,茎直立,高70厘米,茎上着生花穗;花金色到赭色,芳香,花瓣4枚。西方墙头花(粗糙糖芥,*E. asperum*)见于北美中部至西部的新大陆北部草原、沙岗及疏林;花芳香,黄色至橙黄色,花穗长。

Wallingford 沃灵福德 美国康涅狄格州中南部纽黑文县城镇。位于纽黑文东北,濒临奎恩尼皮亚克河。1667年始有白人定居。1670年设镇。当地著名的银器生产始于1835年。现有多种制造业。市内的乔特学校(1896年建,招收学龄前男童)1977年并入罗斯马里楼,成为乔特罗斯马里楼学校,男女生兼收。面积101平方千米。人口43 026(2000)。

Wallis, Sir Barnes (Neville) 沃利斯(1887-09-26～1979-10-30,英国萨里郡莱瑟黑德) 英国航空设计师和军事工程师,他曾发明在第二次世界大战中使用的新式炸弹"反堤坝弹"。沃利斯在1913年进维克斯有限公司飞艇(可操纵)部任设计师。在此之前,他曾受轮机工程师训练。最后他转向研制飞机。在第二次世界大战中他将其测地系统用于英国皇家空军惠灵顿轰炸机。他对爆炸效应的研究导致他发明旋转跳跃炸弹,这种炸弹从飞机上投下后,从水面上跳跃前进,当炸弹沉没到堤坝的挡土墙墙基处才爆炸。在第二次世界大战中英国皇家空军曾用这种炸弹轰炸了德国鲁尔工业区的默讷水坝和埃德尔水坝,造成洪水,减慢了德国工业生产的速度。沃利斯不仅发明了"反堤坝弹",还研制了1.2万磅的"高脚柜"炸弹和2.2万磅的"大满贯"炸弹。他也负责设计了炸毁德国军舰"提尔皮茨"号和V型火箭发射场以及许多德国铁路系统的炸弹。1945～1971年,沃利斯担任位于萨里郡韦布里奇的英国飞机公司航空研究与发展部主任。1971年他设计了一架能以5倍音速飞行的飞机,但只需要275米(300码)长的跑道。1954年他成为皇家学会的会员;1968年受封为爵士。

Wallis, Hal B(rent) 沃利斯(1899-09-14,芝加哥～1986-10-05,加利福尼亚兰乔米拉日) 美国电影制片人,自20世纪20年代末至70年代中期参与制作了400多部影片。自14岁开始做工。1922年到洛杉矶经营一家电影院。1923年进华纳兄弟影片公司。1930年起任华纳公司制片人并制作《小凯撒》以及一连串华纳公司的强盗片,如《我是一个越狱犯》(1932)和《1933年的掘金人》。1933年他接替D.F.柴纳克负责华纳公司的制片部门。此后10年中他制作了若干好莱坞最受欢迎的影片,如《仲夏夜之梦》(1935)、《侠盗罗宾汉》(1938)、《海鹰》(1940)、《马耳他之鹰》(1941)、《约克军曹》(1941)和《卡萨布兰卡》(1942)等。他不仅处理影片的筹资和预算,而且善于挑选导演和演员。由他"发现"的演员有B.兰开斯特和K.道格拉斯,在他扶持下成名的有J.卡格尼、P.茂尼、B.戴维丝、H.博加特等多人。1944年以后成为独立制片人,为华纳、派拉蒙和环球等影片公司制作影片。他制作了《回来吧! 小希巴》(1952)和《OK牧场的枪战》(1957)等;历史片有《贝克特》(1964)和《苏格兰女王玛丽》(1971)等。沃利斯经手制作或监制影片共获得32项奥斯卡奖和121次提名。

Wallis, John 沃利斯(1616-11-23,英格兰肯特阿什福德～1703-10-28,牛津郡牛津) 英国数学家,对微积分的最初发展有重大贡献。他是牛顿以前英国最有影响的数学家。1632年入剑桥大学,先后获得学士和硕士学位。1640年被委任为牧师,不久即显示出数

伦敦国立肖像画陈列馆供图

学才能。1649年，被任命为牛津大学萨维里几何学教授，从此开始紧张的数学研究活动，直至去世几乎没有中断。意大利物理学家E.托里拆利从意大利数学家B.卡瓦列里的工作导出的用不可分量求曲边形面积的方法激发了他对化圆为方这一古老问题的兴趣。在1655年出版的《无穷算术》中，他设想了包括负指数和分数指数的一种方法，对空间不可分量赋以数值，以代替卡瓦列里的几何方法。他通过复逻辑序列建立了下述关系式：

$$\frac{4}{\pi}=\frac{3\cdot3\cdot5\cdot5\cdot7\cdot7\cdot9\cdot9\cdot11\cdot11\cdot\cdots}{2\cdot4\cdot4\cdot6\cdot6\cdot8\cdot8\cdot10\cdot10\cdot12\cdot\cdots}$$

1657年，他的论述代数、算术和几何的《泛数学》出版，其中进一步发展了数学符号，例如引进了无穷大记号"∞"以及负指数、分数指数记号。在《圆锥曲线简论》中，他用代数坐标的性质来描述圆锥曲线。在《力学，或运动简论》(1669～1671)中，他较为严格地给出了力和动量等名词的意义，并设想地球引力集中于地心。1685年出版的《代数专论》，对方程作出了重要研究，并把它应用于劈锥曲面。书中还使用了复数概念。他使用代数方法而不是传统的几何方法对求解涉及无穷小的问题作出了卓越贡献。

Wallis, Wilson D(allam)　沃利斯(1886-03-07，美国马里兰福雷斯特希尔～1970-03-15，康涅狄格南伍德斯托克)　美国人类学家。对原始社会的科学和宗教所作的探索，被公认为是他的重要贡献。沃利斯1907年曾获得罗得斯奖学金在牛津大学学习，他对文化人类学的兴趣和研究方法，均受当时著名英国人类学家E.B.泰勒的影响很深。回美后继续求学，曾先后在加拿大东部的米克马克印第安人(1911～1912)和加拿大达科他人(1914)中间从事人种志的实地考察。原始宗教成为他主要研究的问题之一。所著《基督教弥赛亚与非基督教弥赛亚》(1918)一书，是人类学研究弥赛亚学说的最早论著。1923～1954年在明尼苏达大学任教。沃利斯探索有关风习、信仰、文化传播和比较人类学等问题，始终遵循泰勒的传统，曾与其妻R.S.沃利斯合著《加拿大达科他人》(1947)和《新不伦瑞克的马莱西特印第安人》(1957)；此外，他还著有《弥赛亚在人类文明中所起的作用》(1943)，并与J.E.朗赫斯特合著《基督教的文化模式》(1964)。

Wallis and Futuna　瓦利斯群岛和富图纳群岛　法语作Territoire de Wallis et Futuna。太平洋西南部的法国海外领地，位于萨摩亚西面约400千米，斐济瓦努阿莱武岛东北约240千米处。该领地包括乌韦阿岛(又称瓦利斯岛)和西南200千米处的富图纳岛及阿洛菲岛(合在一起又称霍恩群岛或富图纳群岛)，陆地总面积274平方千米。首府马塔乌图，位于乌韦阿岛。人口约16 000(1990)。

土地　两组群岛的地质结构各不相同。乌韦阿岛面积60平方千米，为一侵蚀性的火山环礁累积群，含有小型湖泊的火山口点缀其间。乌韦阿岛的沙滩之外是一个带有珊瑚礁和22个荒凉小岛的潟湖。相反，富图纳岛(64平方千米)和阿洛菲岛(29平方千米)则是新生的崎岖火山岛，两者之间隔一条3千米宽的圣恩海峡。三个岛中富图纳岛最高，达760米。富图纳岛和阿洛菲岛都有热泉和蒸汽喷溢道，部分环绕着一系列隆起的裙礁。乌韦阿岛除了火山口地区以外，其他部分均为可耕种的火山土壤；而富图纳岛的可耕地仅见于河谷、低矮的山崖和狭长的沿岸地带。虽然阿洛菲岛没有适合饮用的水，因而没有常住居民，但其高地一带长满大片森林。

该地气候温暖潮湿，平均年降雨量约2 540毫米。温度在25～28°C之间，雨季可达33°C。虽然雨水流失迅速，泉水也不多，但供水情况良好；岛上众多的溪流和水塘，确保了对乌韦阿岛和富图纳岛的饮用水供应。野生动物稀少，以鸟类、蝙蝠和乌龟为主。海洋生物很丰富，包括潟湖和海里的鱼类、甲壳动物和软体动物。

人民　居民绝大部分为波利尼西亚人，其余为数百欧洲人和其他种族的居民。通行的瓦利斯语是一种深受东加语影响的方言，它也受萨摩亚语的影响，但程度较轻微。法语被用作官方语言。居民绝大多数为天主教徒。出生率和死亡率在太平洋地区属中等水平，但婴儿死亡率则偏高。由于当地居民为寻找工作而大量迁徙至新喀里多尼亚，人口增长率下降。

经济　瓦利斯群岛和富图纳群岛属发展中的经济，主要以农业为基础。大部分土地的产权仍然依照传统习俗的规定，由亲属或村落共同体拥有，有些则划为公有地。富图纳岛上的椰子是唯一的经济作物，可从中取得椰干。粮食作物包括芋、薯蓣、香蕉、面包果、木薯淀粉以及喂饲家畜用的椰干。猪和鸡是主要的家畜。渔业活动在潟湖以及深水区进行，捕得的鲔鱼大部分供当地消费。传统的手工业是唯一的制造业。传统工艺品塔帕(一种树皮画)可供出口。由于旅馆的客房有限，观光业并不发达。劳动力大部分从事农业生产或在政府的部门就职。

乌韦阿岛上铺设有公路。乌韦阿岛的马塔乌图和富图纳岛的新加瓦为两个主要港口。霍尼古卢通道可使深水轮船进入乌韦阿岛的潟湖。乌韦阿岛上的希希弗建有一个国际机场。出口品仅限于椰干及塔帕两项，主要销售至法国。进口品包括食物、机器、运输设备、燃料、纺织品及衣服。

政体与社会状况　政府首长由一名法国任命的高级行政官担任，总部设在马塔乌图。领地大会的20名成员和群岛在法国国民议会中的一名代表均由全民投票产生。领地大会再选出一名参议员出席法国参议院。地方政府由3位传统的国王(乌韦阿岛一位，富图纳岛两位)和另外3位由高级行政官任命、领地大会同意的酋长组成政务会，决定大政方针。

乌韦阿岛上设有一间医院，富图纳岛上设有数间诊疗所。政府发起的一项改善饮水供应及卫生状况的计划，降低了整体的死亡率，并将人均寿命提高到69岁。

小学教育由法国国民教育部免费提供。乌韦阿岛和富图纳岛各设有一所初级中学。传统文化在群岛上仍很盛行。房屋建造在泥土筑成的平台上，表面铺满珊瑚片，体现出传统的风格，如棕榈叶葺成的屋顶、芦苇草编成的隔间屏及格子窗。基督教改变了群岛上大部分的风俗习惯，甚至废除了其中的一部分，诸如多妻制及传统宗教信仰。

历史　公元前1千纪末期富图纳岛可能已有人居住，并可能是波利尼西亚人向偏远岛屿迁徙的一个中心点。公元1千纪中叶以前，群岛一直受到东加人的攻击，乌韦阿岛和富图纳岛很可能是在对抗东加人攻击的情况下产生了酋长和国王。在这两个岛屿上，酋长之间的争霸战争持续不断，一直到19世纪初期，乌韦阿·图阿(即新加瓦)和阿洛3个王国出现，纷争的局面才告结束。今日所见3位国王就是这3个王国的后人。1616年，一支荷兰的探险队在斯考滕与勒梅尔的率领下来到这里，成为最先到达群岛的欧洲人。勒梅尔把富图阿和阿洛菲两个岛屿命名为霍恩群岛。1767年，"海豚"号船长瓦利斯发现了乌韦阿岛，并以自己的名字替它命名。19世纪20年代，捕鲸船开到这些岛屿补给食物和休息，一些富图纳岛的岛民到捕鲸船上工作。1837年，玛利亚修道会的传教士抵达这里。他们最初受到排斥，但后来一位富图纳岛的传教士终于成功地改变了全岛居民的信仰。乌韦阿岛则到1846年它的国王改信基督教以后，传教活动才获得进展。在法国于1887年把瓦利斯群岛变成其保护国以前，传教团体一直是群岛最具影响的一股力量。翌年，富图纳群岛成为法国保护国。第二次世界大战期间，美国在乌韦阿岛上建飞机场，其中希希弗成为群岛现在的主要机场。1959年，瓦利斯群岛和富图纳群岛在经过公民投票后，改为法国海外领地，建立现在的政府制度。

Wallis Islands　瓦利斯群岛　法国瓦利斯群岛和富图纳群岛海外领地的东北部分。在太平洋西南部。由乌韦阿岛(又称瓦利斯岛)和四周的珊瑚礁等23个岛屿组成，总面积62平方千米。乌韦阿岛上雨量丰富，有肥沃的火山土壤，种植粮食作物，建有简易机场和公路网。首府马塔乌图有港口设施。群岛于1842年被法国占领。1959年经公民投票为海外领地的一部分。人口9 400(1996)。

Wallonia　瓦隆尼亚　法语作Wallonne。正式名称瓦隆区(法语作Région Wallonne)。比利时一地区，涵盖该国南半部。1995年比利时根据种族语言界线重划省行政区时设立。包括操法语的**埃诺(Hainaut)**、**列日(Liège)**、**卢森堡(Luxembourg)**、**那慕尔(Namur)**及**瓦隆布拉班特(Walloon Brabant)**诸省。经选举产生的议会组成该地区的政府，对社会和经济政策以及行政管理拥有广泛权力。区首府那慕尔市。面积16 844平方千米。人口约3 332 454(1999)。

Walloon　瓦隆人　参阅**Fleming and Walloon 佛兰芒人和瓦隆人**。

Walloon Brabant　瓦隆布拉班特　法语作Brabant Wallon。比利时中南部一省。北邻佛兰芒布拉班特省，东南接列日省，南与那慕尔省交界，西南与埃诺省接壤。该省为法语区，建于 1995 年，当时布拉班特省被划分成瓦隆布拉班特省、佛兰芒布拉班特省以及布鲁塞尔首都区。省会瓦夫尔。该省占据低而起伏的中央高原的部分，南部海拔为 166 米。为肥沃和耕种很好的壤土所覆盖。塞讷河、代勒河及热特河向北流经该省。西半部包括蒂比兹和尼韦勒社区，有金属制品、电机工程及造纸等工业。东半部主要为农业区，生产小麦、甜菜与牛。有铁路、公路与运河连通北方的布鲁塞尔首都区。当年的滑铁卢战场位于西北部。面积1 091平方千米。人口约347 423（1999）。

Walloon literature　瓦隆语文学　指以法语方言瓦隆语写成的作品。该方言通行于现代比利时的埃诺、列日、那慕尔、卢森堡等省和布拉班特省南部。1830 年比利时王国建立之前，这些省份曾受勃艮第、西班牙、奥地利、法国和荷兰控制，但仍保留了本地语言的特色。瓦隆语文学的根源不清，从 9 至 11 世纪，所有隐修院全部用拉丁文，而隐修院是当时唯一的知识中心。除了大约 900 年时有一部《圣尤拉利叙事抒情曲》外，12 世纪中叶才开始有方言作品。17 世纪，作品数量有明显增加，到 18 世纪，喜歌剧脚本也开始用这种方言写作。1856 年 12 月 27 日列日的瓦隆语文学社的成立更促进了瓦隆语文学的发展。20 世纪瓦隆文学十分兴盛，有些学者也在他们的著述中采用这种方言。

wallpaper　壁纸　装饰和保护墙壁用的大幅纸张，其上模印、手绘或印刷抽象图案或故事画。15 世纪后半期造纸术传入欧洲后不久，壁纸即得到发展。虽然常常认为这是中国人的发明，但却没有证据证明在欧洲有壁纸之前远东已普遍使用。英国和法国最早的壁纸用手绘或模板印刷。17 世纪盛行一种毛面壁纸，即在纸上用一种慢慢收干的树胶或清漆画上图案，然后在上面撒上毛屑或金属屑。现存的最早一张毛面壁纸是 1680 年左右在伍斯特制造的。17 世纪末中国的画纸进入欧洲。把单张的纸拼贴在墙上时，画面不重复或重叠，各组画面又着力避免雷同，因此这种纸声誉极高。由于物美价贵，中国壁纸原件大多保存至今。其中的珍品在北约克郡的诺斯特尔小隐修院和贝德福德郡的沃本隐修院仍能见到。18 世纪壁纸生产的发展大大超过初期生产者的预料。在法国和英国，各种新式壁纸，如蜡光印花纸、缎面纸和条纹纸等应运而生。1785 年，C.P.奥伯卡姆夫发明了第一部印刷壁纸的机器；不久，L.罗伯特设计了一套用滚筒连续反复生产壁纸的工艺。法国在设计和生产方面的领先地位，在 19 世纪初期达到顶点。而英国则在 19 世纪中叶臻于全盛。机器印刷的壁纸于 1840 年由兰开夏的一家印刷厂制成。在 W.莫里斯的作品及工艺运动的推动下，发生了设计革命。莫里斯设计的壁纸于 1862年问世，以朴素、规范和自然主义的图样、瑰丽柔和的色彩为特点。此后的 100 年，壁纸制造业无甚进展。但到 20 世纪 50 和 60 年代，壁纸在设计和生产方面获得了比以前任何时期都大的突破。设计者采用新的工序，用照相凹版印刷来美化壁纸。壁纸制造业与设

J.B.雷维永手绘的壁纸，约 1780 ～ 1790 年
伦敦维多利亚和艾伯特博物馆供图

计方面的现代化趋向并驾齐驱，产品从莫里斯原作的复制品到观赏艺术中的最新式样应有尽有。耐久性和牢固性也由于使用塑料薄膜而得到改进。

Wallraf-Richartz Museum　瓦尔拉夫-里夏茨博物馆　艺术收藏馆，设在德国科隆一所现代建筑中。该博物馆的藏品收集工作始于 1824 年，主要为德国绘画，也有西欧各流派的优秀作品。博物馆还藏有版画艺术品和雕刻品。1957 年开放一所研究图书馆，有藏书 13 万余册。

Wallsend　沃尔森德　英格兰泰恩-韦尔都会郡北泰恩塞德都会自治市一城镇。罗马人在此修建塞格杜努姆城以保卫哈德良长城东端，这是保卫英格兰免遭来自北方袭击的防护堤。现为工业社区。铁路机车的主要发明者英国工程师史蒂芬森及其子罗伯特曾在此

沃尔森德泰恩河畔的造船厂
供图：J. Allan Cash—美国不列颠百科全书公司

居住过。机械、造船、采矿、玻璃制造业曾是城市经济的一个主要部分。现在造船业仍十分重要，采矿业已停止生产，传统工业被轻型制造业和服务业所取代。人口45 280（1991）。

walnut　胡桃　胡桃科胡桃属（*Juglans*）植物，约 20 种落叶乔木，原产于北美、南美、欧洲南部、亚洲和西印度群岛。叶长，有 5 ～ 23 枚具短柄的小叶；雌雄同株异枝。花无瓣，簇生成束。枝条有多隔的髓部。果为木质坚果，包藏于厚的外果壳内。北美东部的黑胡桃（*J. nigra*）和原产于伊朗的英格兰胡桃（波斯胡桃，*J. regia*）是材用树，种子可食。北美东部的灰胡桃（**butternut**[*J. cinerea*]）种子亦可食。黑胡桃树高 20 ～ 30 米，直径 60 ～ 90 厘米，树皮具深沟，深褐色或灰黑色。叶长约

（上）黑胡桃（*J. nigra*）；（下）英格兰胡桃（*J. regia*）
供图：（上）Walter Chandoha；（下）A to Z Botanical Collection—美国不列颠百科全书公司

30 ～ 60 厘米，由 15 ～ 23 枚有短柄的小叶组成。种子味甜，含油，包在黄绿色被毛的外果壳内。黑胡桃树可供观赏和材用，外果壳可制取染料。黑胡桃树生长缓慢，在适宜的土壤约 150 年方成熟；寿命可越过 250 年。英格兰胡桃在英国栽培历史久远，现在南美、北美均作为观赏植物和经济作物种植。其小叶顶端圆形，全缘，复叶中顶生小叶最大。只有生长在肥沃而排水良好、质地中等黏重的土壤中才能生产出优质的种子。原产于北美的胡桃则叶中部的小叶最大。英格兰胡桃和黑

胡桃的木材用制家具及镶板枪托。

Walnut Canyon National Monument 沃尔纳特峡谷国家保护区 美国亚利桑那州中北部考古遗址和自然保护区。位于沃尔纳特河畔，在弗拉格斯塔夫东南16千米处。1915年设立，占地8平方千米。保存有300余所哥伦布发现美洲以前的普韦布洛印第安人居处，筑于有突岩遮蔽的谷壁浅洞。因淡水水源充足，当年印第安居民在方山顶部以耕作为生。现设有博物馆和观察站。

Walnut Creek 沃尔纳特克里克 美国加利福尼亚州中西部康特拉科斯塔县城市。位于圣拉蒙谷地。1849年淘金热期间创建，1914年设建制。1878年修通太平洋中央铁路。1914年与奥克兰修通电气化铁路。现为附近工农业区的商业和物流中心。人口64 296(2000)。

Walpi 沃尔皮 美国亚利桑那州东北部纳瓦霍县印第安人村庄。位于霍皮印第安人保留地一高峻桌子山的边缘。建筑多为两三层楼的角形石屋，集中在海拔1 897米的山头。以每个奇数年8月举行的羚羊节和民间蛇舞表演闻名。

Walpole, Horace, 4TH EARL OF ORFORD **沃波尔**（1717-09-24，伦敦～1797-03-02） 即奥福德伯爵（第四）。英国作家、鉴赏家、收藏家，在当时因他的中世纪恐怖故事《奥特朗托

伯明翰博物馆和美术陈列馆供图

堡》而闻名。该书开创了哥特小说的风气。他时至今日仍为人们铭记，可能由于他是最勤奋的英语书信作家。他是首相R.沃波尔之幼子，在伊顿公学和剑桥大学国王学院受教育。1739年，同伊顿校友、诗人格雷（后写《墓园挽歌》）漫游法国和意大利，途中因争吵而分手。后两人和解，沃波尔一生均为格雷诗歌的热情赞赏者。1741年，他回到英国，进入议会。终身未娶，一生全神贯注的事情，就是他的交游和1747年在特威克纳姆弄到的一座小别墅，后来他把别墅改成仿哥特式的游览胜地，几年后加上了回廊、角楼和雉堞，内部挂上了画，摆设了古玩，搜集了一批珍贵的藏书。沃波尔的文艺作品多种多样。《奥特朗托堡》(1765)的成功之处在于恢复了当时小说中的自由虚构成分。他还写了《神秘的母亲》(1768)，是一本以乱伦为主题的悲剧。还写有《对国王查理三世的生活与统治的历史疑问》(1768)和《英格兰的绘画轶事》(4卷集，1762～1771)。他的最重要的作品是准备死后发表的。他的私人信札有3 000多封，据此可概观当时的历史、风俗和情趣。他的大多数信件是给他在法国和意大利旅行中遇上的一位英国外交官H.曼的。两人保持通讯联系达45年，尽管两人从未再见过。他的书信由W.S.刘易斯等编辑出版(42卷，1937～1980)。沃波尔还留下记述乔治二世和乔治三世统治时期政治事件的《回忆录》(1822～1859)。

Walpole, Sir Hugh (Seymour) 沃波尔(1884-03-13，新西兰奥克兰～1941-06-01，英格兰坎伯兰凯西克附近) 英国小说家、评论家和戏剧家。英国一圣公会牧师之子，曾在

美国国会图书馆供图

剑桥大学伊曼纽尔学院求学。后在圣公会教堂任教并代替牧师主持礼拜，因不成功转而致力于创作和撰写书评。1937年被授予爵位。最初的重要作品有小说《佩林先生与特雷尔先生》(1911)、根据他在第一次世界大战期间在俄国的经历所写的《黑暗的森林》(1916)和半自传性系列小说《杰里米》(1919)、《杰里米与哈姆雷特》(1923)、《杰里米在克拉勒》(1927)。《大教堂》(1922)一书反映了作者对19世纪英国小说家特罗洛普的钟爱。所著4卷《赫里斯记事》由《罗格·赫里斯》(1930)、《朱迪斯·帕里斯》(1931)、《堡垒》(1932)和《瓦奈萨》(1933)组成，描写一个英国乡村家庭。此外，他还著有评论特罗洛普、W.司各特和J.康拉德等人的作品。

Walpole, Robert, 1ST EARL OF ORFORD **沃波尔**(1676-08-26，英格兰诺福克霍顿霍尔～1745-03-18，伦敦) 即奥福德伯爵(第一)。英国国务活动家(1721～1742掌权)。常被视为英国第一位首相。曾在伊顿公学和剑桥大学国王学院学习。后承袭其父产业，并当选议员，任职40年，在下院以雄辩出名。马尔伯勒公爵和戈多尔芬勋爵赏识他的行政才能。1708年升任陆军大臣，1710年任海军财务总监。这些年间，他成为辉格党少壮派领袖之一，辉格党文人的基特-卡特俱乐部的主要成员。他能言善辩，成为下院中反对党的领袖。执政的托利党决心把他除掉。1712年他以贪污的罪名遭弹劾，被革出下院并关入伦敦塔。他对攻击他的托利党领袖牛津伯爵哈利和博林布鲁克子爵圣约翰恨之入骨。1714年乔治一世即位，他出任军需总监，以叛逆罪弹劾哈利和圣约翰，得以报仇雪恨。沃波尔控制了下院。1715年任财政委员会首席委员兼财政大臣。1717年因在外交政策上与

伦敦国立肖像画陈列馆供图

国王最亲密的顾问J.斯坦厄普和森德兰伯爵C.斯潘塞发生争执而去职。不久，国王与威尔士亲王发生激烈争吵。此时，他与亲王妃安斯巴赫的卡罗琳成为朋友。他运用他的影响，使亲王于1720年4月与国王和解。他也重返政府，任军需总监。1721年4月任财政委员会首席委员兼财政大臣。1730年左右是沃波尔在政坛上的鼎盛时期。乔治一世和乔治二世对他的支持是他的权势基础。他利用这种支持达到各种政治目的。他在宫廷、教会、海陆军以及文职部门担任过各种职务，均着眼于增强他在下院左右投票的力量。他在宫廷和财务部门培植起的派系，成为辉格党的力量核心。外交事务经常困扰他。虽然1725年的《汉诺威条约》有助于加强英法联盟，但与西班牙在直布罗陀问题上和英国在西印度群岛贸易权问题上的争执，处理起来非常棘手。通过签订1729年的《塞维利亚条约》以及1731年的《维也纳条约》，这些问题始得以解决。1733年波兰王位继承战争爆发，他运用对国王的一切影响，使英国保持中立。1733年沃波尔决定征收烟酒货物税以制止走私和偷漏关税行为。此举极不得人心，给反对派以可乘之机。沃波尔取消了这些措施，才免于垮台。1734年他在大选中获胜。他克服了由于爱丁堡的波蒂厄斯暴动(**Porteous Riots**)而引起的困难局面，敦促下院否决了约翰·巴纳德爵士降低国债利息的方案。但从1737年起他的地位开始变弱。W.皮特等青年政治家已崭露头角。以威尔士亲王弗雷德里克·路易斯为首的反对派与其父母发生激烈争吵。他们利用在对西印度群岛贸易问题与西班牙的争执难为沃波尔。沃波尔于1739年被迫对西班牙宣战。但在战争中英国一无所获，又引起对他的反对。1741年大选中他虽获胜，但辉格党的许多政治家和一些独立人士都认为他已无力指挥战争和再领导7年议会。1742年2月2日沃波尔被迫辞职。国王封他为奥福德伯爵，发给他4 000英镑的年金。下院企图弹劾他，但证据不足。此后他继续在政治上起积极而可贵的作用，直到去世仍对乔治二世起着影响。沃波尔虽拒绝接受首相的称号，但他掌管财政，驾驭下院，得到两代君主的信任，表明他是能给18世纪的政治带来稳定与秩序的那种领导人。

Walpurgis, SAINT 沃布尔吉斯 参阅**Walburga, Saint** 沃布尔加，圣。

Walras, Léon 瓦尔拉(1834-12-16，法国埃夫勒～1910-01-05，瑞士蒙特勒附近克拉朗) 法国出生的经济学家。1854年就读于矿业学校。一年后离校投身文学界，无成绩。1858年，其父经济学家A.瓦尔拉说服他致力于经济学研究。他又在新闻界和几家商业公司中工作，但也未见成效。1865年和L.萨伊创建了一家为生产合作社服务的银行，瓦尔拉任常务董事；1866年二人创办关于合作社的月刊《劳动》；1868年银行停办，杂志停刊。1870年任瑞士洛桑学院政治经济学教授。1892年退休。他是经济学“洛桑学派”的奠基人。他的名著《纯粹政治经济学纲要》(1874～1877)是最早用数学方法对一般经济均衡进行全面分析的著作之一。他将古典力学的联立方程式体系应用到经济学领域。瓦尔拉以完全自由竞争社会制度这一假设为前提，创立了一种数学模型，其中生产要素、产品和价格会自动调节达到均衡。这样，他把生产、交换、货币和资本各方面的原理联系起来。瓦尔拉也设想改革的必要性，使自由企业制度发挥效能，主要是土地的国有化和修改金本位制。

walrus (species *Odobenus rosmarus*) **海象** 又作morse。大型海兽，形似海豹，海象科唯一现存种。栖息在欧亚大陆和北美的北极海域。有两个亚种：大西洋海象(*O. r. rosmarus*)及太平洋海象(*O. r. divergens*)，后者的雄体体型较大，獠牙较长。海象体笨重，头圆，眼小，无外耳。鼻口部短宽，有挺硬的羽形须。皮肤浅灰色，肩部折成很深的叠褶，生有浅红色短毛，年老时毛变稀。雄体比雌体约大1/3，体长可达3.7米，重量可达1 260千克。两性都有獠牙(上腭的犬齿)，从嘴里向下伸出，雄体的獠牙牙长约1米，重5.4千克。海象像海狮和海豹(海豹科)一样，在陆地可将后鳍足转向前方身体下面，然后用四肢向前移动。群居，一群可达100头以上，一雄多雌。海象和其他大多数鳍脚类动物(水栖哺乳动物)不同，一只幼仔与母兽一同生活两年左右。海象常见于较浅的水域，出没于河滩或浮冰上。主要以蛤肉为食，用獠牙挖出蛤肉，用硬须送进口中。偶尔“离群而凶猛”的海象食海豹及其他海生动物。爱斯基摩人及商业性捕海象者常获取其脂肪、皮及獠牙。如其他鳍脚动物一样，海象的数量也因捕杀而减少。

大西洋海象(*O. r. rosmarus*)
供图：Francisco Erize/Bruce Coleman Ltd.

Walsall 沃尔索尔 英格兰西米德兰兹郡会郡都会自治市。属斯塔福德历史郡。位于伍尔弗汉普顿和伯明翰工业区之间的山岭上。面积106平方千米。因为当地产煤、铁矿石和石灰石，很早就繁荣起来。14世纪起就成为金属加工业城镇，皮革业也发展起来。现为繁荣的工业中心，产品多种多样。威伦霍尔的制锁业很重要，达勒斯顿以生产螺栓螺母闻名。19和20世纪开采石灰石和铁石，到20世纪30年代才开始采煤。人口261 200(1998)。

Walsenburg 沃尔森堡 美国科罗拉多州南部城市，韦尔法诺县县城(1874)。位于桑格雷-德克里斯托山脉以东，普韦布洛之南，濒临卡查拉斯河。1873年建市，1876年左右通火车后发展成为煤转运点。由于煤产量下降，现经济主要靠农业、畜牧业、旅游业、农产加工和制造业。附近有大沙丘国家纪念地、卡查拉斯峡谷区的印第安象形文字、圣伊莎贝尔国家森林之一部和火山残迹韦尔法诺孤山。人口3 300(1990)。

Walsh, Bill 沃尔什(1931-11-30，美国加利福尼亚洛杉矶～) William Ernest Walsh的别名。颇具影响力的美国棋盘式橄榄球教练，他的“西海岸进攻”战术改变了20世纪80年代期间对橄榄球的报道。他手下最著名的选手包括四分卫J.蒙塔纳和直传手J.赖斯，后者是几乎所有职业传球纪录的保持者。尽管只是一个普通运动员，但沃尔什1955年从圣何塞州立大学一毕业就开始了教练工作。曾在高中、大专和大学的橄榄球队执教，1968年成为全国橄榄球联盟的辛辛那提孟加拉虎队的助理教练。在P.布朗的带领下当边锋和四分卫教练直到1975年，因把K.安德森培养成一个明星四分卫而得到赞扬。布朗退休时，沃尔什因没有被任命为主教练而感到失望，曾一度考虑不再当教练，后来转而加盟圣迭戈冲锋者队的教练班子，在他的调教下D.福茨入选四分卫名人堂。1979年作为旧金山49人队的主教练返回全国橄榄球联盟。该队在他的第一赛季仅取得2胜14负0平的成绩，但到1981年在第16届超级杯赛中获得冠军。在沃尔什的带领下该队还赢得第19届和第23届超级杯赛冠军。1979～1988年旧金山49人队的成绩是102胜63负1平。沃尔什强调事先安排好一场比赛前25招的重要性。他的“西海岸进攻”就是控球进攻，主要是由直传手和跑动后卫短传和快速斜传路线。这形成一定范围的不协调和空间，后卫和直传手可放弃长距离持球跑动打法。

Walsh, Courtney 沃尔什(1962-10-30，牙买加金斯敦～) 全名Courtney Andrew Walsh。牙买加板球手，2001年成为第一个获得500多个板球锦标赛三柱门的投球手。1982年首次代表牙买加出场，表现极为出色。1984年在澳大利亚珀斯开始其锦标赛事业，但直到4年后他才成为西印度群岛队进攻位置的正式成员，与C.安布罗斯一起组成最佳组合，在94场锦标赛中总共获得752个三柱门。安布罗斯投球准确，沃尔什则以攻击力强著称，从不允许击球手打出节奏。他的常用投球法是瞄准腿部掷球，手臂有一个不雅观的挥舞动作。随着年龄的增长和其不断快速掷球的能力减弱，他练就了一手破坏性极大的慢速坏球和带有欺骗性的内弧线球。沃尔什最令人钦佩的品质也许就是他的耐力，因为他很少由于伤痛缺赛板球锦标赛。到1999年3月他成为一名全能的快速投球手和达到400个锦标赛三门柱的第三人。尤其受到英国球迷的喜爱，特别是在格洛斯特郡，从1984年起他就为该郡打球。1994年首次带领西印度群岛队在印度巡回比赛。1996年作为正式队长，带领该队战胜印度队和新西兰队，但连续败给巴基斯坦后引起争议，把队长职位让给了B.拉腊。2002年3月27日沃尔什在金斯敦得到他的第435个板球锦标赛三柱门，打破了1994年印度的K.德夫创下的纪录。2001年3月19日，他成为历史上第一个达到500板球锦标赛三柱门的投球手，4月退休，总成绩为519个锦标赛三柱门。该纪录直到2004年3月才被澳大利亚运动员S.沃恩打破。4天之后又被一名斯里兰卡选手打破。

Walsh, Raoul 沃尔什(1887-03-11，纽约市～1980-12-31，洛杉矶附近锡米) 美国电影导演，以其30～40年代粗犷豪放的影片而闻名。1910年登台表演，1912年起演电影，同年开始导演。他在D.W.格里菲思的《一个国家的诞生》(1915)中扮演过刺杀林肯的刺客。他导演了约200部影片，以朴素和动作敏捷著称。包括西部片《高山》(1941)、暴力片《白色狂热》(1949)、根据长篇小说改编的《裸者与死者》(1958)等。

Walsh, Thomas J(ames) 沃尔什(1859-06-12，美国威斯康星图里弗斯～1933-03-02，乘火车由佛罗里达前往华盛顿[哥伦比亚特区]途中) 美国民主党参议员(1913～1933)，因

美国国会图书馆供图

揭露蒂波特山丑闻而震撼W.G.哈定总统的共和党政府。原为蒙大拿著名律师，1912年当选为美国参议员，勤恳工作20年，致力于实现诸如童工条例、妇女选举权、国际联盟、军备限制以及农业组织与工会免受反托拉斯诉讼等改革。1922年参议院决议委托沃尔什对加利福尼亚与怀俄明两州海军石油储备租借案进行小组调查。经过18个月耐心、准确的工作，石油租借案中官员(包括部长一人)受贿情节大白。结果损害了社会对哈定政府的信任。1933年被任命为美国司法部长，于就职前两天逝世。

Walsingham, Sir Francis　沃尔辛厄姆（约1532，可能是英格兰肯特富茨克雷～1590-04-06，伦敦）　英格兰政治家，1573～1590年为伊丽莎白一世女王的首席秘书。长于外交，

伦敦国立肖像画陈列馆供图

其语言知识和组织间谍活动的能力在推行伊丽莎白外交政策方面具有无可估量的作用。律师之子，1552年进入律师界。1563年当选议员。不久受到女王首席秘书W.塞西尔的赏识，1568～1570年负责搜集在伦敦的外国间谍活动的情报。1570～1573年任驻法国宫廷大使，曾谈判伊丽莎白与法王查理九世之弟安茹公爵亨利（后为国王亨利三世）联姻，因双方均不愿在宗教问题上让步而未成。接着又谈判与安茹公爵之弟阿朗松公爵弗朗索瓦联姻。在此期间签订了防御联盟《布卢瓦条约》（1572-04）。1573年4月被召回国。1573年12月进入枢密院并任国务大臣，担任此职直至去世。1576年当选议员。1577年封爵士，次年任嘉德勋位授勋大臣。1583年最后一次任驻外国大使。此后直到去世主要负责侦察天主教徒谋害伊丽莎白的阴谋。他揭露了思罗克莫顿企图释放玛丽·斯图亚特的阴谋。3年后又发现玛丽表示完全支持巴宾顿杀害伊丽莎白计划的信件，卒使玛丽于1587年被送上断头台。

Walsingham, Thomas　沃尔辛厄姆（？～约1422）　英格兰本笃会修士。继续帕里斯的工作，编著圣奥尔本斯隐修院的年代志，详细记述从创始起到他那个时代为止的该隐修院的历史。他所编的《英格兰史》包括1272～1422年间的历史，是理查二世、亨利四世和亨利五世统治时期的重要史料。

Waltari, Mika (Toimi)　瓦尔塔里（1908-09-19，赫尔辛基～1979-08-26，赫尔辛基）　芬兰作家，所写历史小说在国外畅销一时。曾在赫尔辛基大学攻读神学和哲学。早期小说描写在两次世界大战之间成长的一代人的危

芬兰驻美大使馆供图

机。小说《埃及人西奴海》（1945）问世后在国际上受到重视。其他作品有《流浪者》（1949）、《黑天使》（1952）、《埃特鲁斯坎人》（1955）等。

Walter of Coventry　沃尔特（考文垂的）（活动时期1290～1300）　英格兰僧侣或修士，史料搜集者。以其文集《考文垂修士沃尔特回忆录》著称。可能属于约克主教区一宗教团体。他并非历史学家或编年史家，只是把M.斯科塔斯、弗洛伦斯（伍斯特的）、亨利（亨廷登的）、罗杰（霍夫登的）以及巴恩韦尔隐修院一位佚名作者的著作汇编在一起。巴恩韦尔的记载是沃尔特文集的最重要部分，涉及1201～1225年这一时期，是关于约翰王的统治，特别是他与教会和英格兰贵族的斗争的当今最珍贵的原始资料。《回忆录》中提及的最晚日期为1293年。

Walter, Bruno　瓦尔特（1876-09-15，柏林～1962-02-17，美国加利福尼亚贝弗利希尔斯）德国指挥家。主要以表演维也纳乐派作品而闻名。虽与20世纪的潮流不一致，但他却是一位极其优秀的音乐家，因而成为一位主要人物，填补了当时两大对立面托斯卡尼尼和富特文格勒之间的鸿沟。1894年在科隆歌剧

供图：Osterreichische Nationalbibliothek, Vienna

院首次登台指挥。1900年时已在柏林国家歌剧院，翌年在维也纳成为马勒的助理，这是他毕生宣传这位大师的音乐之始。他指挥该院乐队首次演出了马勒的《大地之歌》（1911）及《第九交响曲》（1912）。1914～1922年任慕尼黑歌剧院指挥。自1922年起在萨尔茨堡指挥，接着的其他任命有：国立柏林歌剧院（1925～1929）和在莱比锡继富特文格勒任布业会堂管弦乐队指挥（1929～1933）。纳粹统治德国后被迫离开莱比锡和他的柏林音乐会，先移居维也纳（1936～1938），继而到巴黎，最后到美国（1939）。常在纽约市大都会歌剧院指挥。1947～1949年任纽约爱乐乐团指挥。

Walter, Hubert　沃尔特　参阅**Hubert Walter 休伯特**。

Walter, John, I　沃尔特第一（1739，大约是在伦敦～1812-11-16，英国米德尔塞克斯特丁顿）　英国《泰晤士报》创办人。其家族经营该报达125年之久。他从报道丑闻转向报道严肃新闻，并在坐牢期间建立了采编欧洲大陆新闻的机构，从而使《泰晤士报》以报道国外新闻而大大闻名。他原是一煤炭商和海上

伦敦泰晤士报社供图

保险业者。1783年他获得一项连合铅字的专利，遂购下一废弃的印刷厂应用此法印制图书。1785年元旦创办《每日环球纪事报》，原意只为引起人们对他的印刷方法和出版物的注意。连合铅字法失败后他不得不全力经营该报，于1788年元旦改为《泰晤士报》。在若干年间他的主要收入是来自那些不希望被新闻披露的名人。后来由于发表诽谤威尔士亲王（后成为英王乔治四世）和约克公爵的文章而被判徒刑两年。他一面坐牢，一面编辑《泰晤士报》。1795年起，将该报让给两个儿子威廉·沃尔特和约翰·沃尔特第二经营。

Walter, John, II　沃尔特第二（1776-02-23，伦敦巴特西～1847-07-28，伦敦）　英国新闻工作者，伦敦《泰晤士报》创始人约翰·沃尔特第一的次子，他与《泰晤士报》1817～1841年任主编的T.巴恩斯一起将该报从一份单页小报办成重要的大报。以其父创建国外新闻报道为基础，他使《泰晤士报》不仅优于其他竞争对手，而且胜过官方的政府快报。他在英国政府获得关于英国在特拉法尔加海战获胜的正式报告前数日就发表了这一胜利的消息。1803年继其长兄威廉·沃尔特任《泰晤士报》经理，到1814年使该报财力充实，同年采用蒸汽机印报，增加了发行量，满足了读者和广告商的需要。因此而无需依靠政党的补贴

伦敦泰晤士报社供图

或私人的捐助，使该报成为"英国公众舆论的真正代表"。他花费巨资保持从英属印度向回传送"特急快讯"，建立由马赛至巴黎的驿传线路、从巴黎到布洛涅的信鸽传送线路、从布洛涅到多佛尔用汽船再经由铁路至伦敦的传送消息的线路。他还率先使用电报收发新闻。据说他还首次设置了专职的战地记者。

Walter, John, III　沃尔特第三（1818-10-08，伦敦～1894-11-03，英国伯克郡沃金厄姆附近）　英国《泰晤士报》业主。于1847年继承他父亲沃尔特第二获得这份产业。他的最大

贡献是在1866年创制沃尔特式轮转印刷机的装置。这种印刷机印刷速度快，而且用卷筒纸，可以在纸张正反两面同时进行印刷。因而他的《泰晤士报》在和伦敦《每日电讯报》

伦敦泰晤士报社供图

及其他新创办的廉价报纸的竞争中处于有利地位。他把产业传给他的次子A.F.沃尔特(1846～1910)。

Walter, Lucy　沃尔特(1630?，威尔士彭布罗克郡哈弗福德韦斯特附近罗奇城堡～1658-09或10，巴黎)　英王查理二世的情妇。出身于在内战期间公开宣布支持查理一世的威尔士望族。1644年罗奇城堡被议会军攻占和焚烧后，她先后去伦敦和海牙避难。1648年在海牙与未来的英王相遇，也可能是旧友重逢。人们很难相信她是查理的第一个情妇，但可肯定说查理绝不是她第一个情人。查理与她断断续续厮混到1651年秋。她于1649年生一子，查理声称是他之子，此子即日后的**蒙茅斯公爵**(**Monmouth, James Scott, duke of**)。她与查理二世断绝来往后，生活放荡，与人乱交，以致早死。

Walter, Thomas Ustick　沃尔特(1804-09-04，费城～1887-10-30，费城)　美国建筑师。他按古希腊模式进行设计，曾对美国建筑产生影响。任费城富兰克林学院建筑学教授，

沃尔特1833年开始设计的费城吉拉德学院创办人纪念厅

费城吉拉德学院供图

1843～1845年任委内瑞拉拉瓜伊拉港的工程师。1876～1887年任美国建筑师学会主席，他为该会的创立(1857)作出很大贡献。两度在费城的斯特里克兰建筑事务所任职，在那里形成了他的建筑风格。1833年任费城吉拉德学院主楼的设计人，与主楼同一风格的该学院的创办人纪念厅是美国希腊复古式建筑最优秀的作品之一。吉拉德学院理事N.比德尔的住宅是他在费城的另一希腊复古式杰作。在国会大厦的扩建工程中，他将原先较低的木圆顶改为高大的铸铁圆顶(1855～1863)，进一步提高了他的声誉。他还设计过哥特式和埃及式的建筑，费城监狱(1835)即是一例。晚年在小麦克阿瑟的建筑事务所工作。

Walters, Barbara　沃尔特斯(1931-09-25，美国马塞诸萨波士顿～　)　美国电视新闻记者，以在电视采访世界名流中展现的娴熟技巧而闻名。1958年毕业于纽约的萨拉·劳伦斯学院，在广告公司短期工作之后，成为纽约市NBC附属电视台广告主任助理。在该职位获得了电视制作和写作的经验。不久被CBS电视网聘用为新闻与公众事务制作人和撰稿人。1961年成为受欢迎的NBC早间栏目《今日》的撰稿人，偶尔还客串广播电台的专题新闻栏目。1976年以当时最高年薪100万美元的待遇到美国广播公司主持《晚间新闻》，成为晚间网络新闻栏目的第一位女主播。1978年离开该栏目。其《芭芭拉·沃尔斯特》专题节目有独家专访，颇受人们欢迎。1979年作为记者加入美国广播公司新闻节目《20/20》，1984年与H.唐斯一道成为节目主持人。1982和1983年两次获得艾美最佳采访者奖。1990年入选电视艺术与科学学院名人堂。

Waltham　沃尔瑟姆　美国马萨诸塞州东部米德尔塞克斯县城市。位于波士顿西面，濒临查尔斯河。17世纪30年代创建。1738年设镇。1884年设市。早期利用丰富的水力资源办起磨坊和纸坊。1813年建起棉纺织厂。从此开始了工业化。1854年创办的美国沃尔瑟姆钟表公司曾是世界最大手表厂之一，对该市发展有重要作用。现有多样化工业，生产精密仪器、电机、照相机、电子成套设备、导弹和金属制品。为电子研发中心。设有布兰代斯大学(1948)、本特利学院(1917)。1885年在此成立全美第一所护士培训学校。人口59 226(2000)。

Waltham Forest　沃尔瑟姆福里斯特　英格兰伦敦外围自治市。在埃塞克斯北部边缘，雷德布里奇东部。西邻利河谷和都市水源委员会的水库群，东北面为埃平森林。主要是居住区。有一些工业。在利顿出土了许多罗马时代和撒克逊时代的文物。劳埃德公园里的水宫是乔治式建筑，曾是19世纪诗人、工匠和艺术家W.莫里斯的故居。现有许多公园和开旷地，其中包括大面积的埃平森林。面积40平方千米。人口约218 341(2001)。

Waltharius　瓦尔塔里乌斯　9世纪或10世纪时一首描述日耳曼英雄传说的拉丁语英雄诗。曾一度认为此诗作者为瑞士修道士埃克哈德第一(老；973卒)。自1941年以来，经考证，断定其作者可能为一个名叫盖拉尔杜斯(或叫盖拉尔德)的巴伐利亚人。此人肯定是韵文序诗的作者。该诗共1 456行，时代背景为民族大迁移。法兰克人、勃艮第人和阿基坦人的国王们受阿提拉麾下的匈奴人威胁，决定进贡并送上人质：吉比科送上他的出身高贵的亲随哈加诺；赫里里库斯送上他的女儿希尔特贡特；阿尔菲雷送上他的儿子瓦尔塔里乌斯。哈加诺一听说吉比科业已亡故，他的儿子贡塔里乌斯不准备继续进贡，他就逃跑了。为了把瓦尔塔里乌斯约束在身边，阿提拉提议他与匈奴国的一个公主结婚；但是，瓦尔塔里乌斯从小与希尔特贡特已订有婚约，他们也计划逃走。他们跨过莱茵河到达贡塔里乌斯的国土，人们向国王报告此事。哈加诺从人们的描绘中知道他们是谁，但是贡塔里乌斯坚持要追捕他们并获取他们的财产。瓦尔塔里乌斯意识到这种危险，就在孚日山的一个狭谷里占据有利地形，此地一次只能有一个敌人靠近，诗歌接着描绘一系列瓦尔塔里乌斯同贡塔里乌斯的11个武士逐个格斗的经过，11人全部被瓦尔塔里乌斯杀死。休息一夜之后，他和希尔特贡特继续赶路，在旷野又被贡塔里乌斯和哈加诺袭击。最初哈加诺克制自己，不拿武器对付自己的朋友，但他的主人最终以责任感说服了他。贡塔里乌斯、哈加诺和瓦尔塔里乌斯全都身负重伤，但无人被杀；于是，瓦尔塔里乌斯和希尔特贡特又继续赶路。

Waltheof　沃尔特奥夫(？～1076-05-31)　诺森伯里亚伯爵，因其女马蒂尔达同苏格兰王戴维一世结婚而成为苏格兰诸王的祖先。其父为丹麦的诺森伯里亚伯爵西沃德。1065年获得伯爵领地，包括亨廷登、北安普敦、贝德福德、拉特兰和剑桥等郡。1067年顺从英王征服者威廉一世，虽在1069年参加北部叛乱，但又受到宠信，获准与威廉的侄女朱迪思结婚。1075年参与反对威廉的叛乱，后以叛国罪被处决。

Walther von der Vogelweide　瓦尔特·封·德尔·福格威德(约1170～约1230，维尔茨堡?［德国］)　最伟大的中世纪德语抒情诗人。他的称号表示他出身在骑士之家。他的诗强调无论在社会的和个人的范围内保持平衡生活的好处，并反映了他不赞成那些干扰这一和谐的个人、行动和信念。他不会因人而异：在他和他的理想之间，无论插进什么人，即使教皇本人也罢，都会受到他的猛烈抨击。他曾在寺院受正式教育，在维也纳宫廷学习作诗技巧，1197年皇帝亨利六世死后，霍亨施陶芬家族和韦尔芬派争夺王位，瓦尔特撰文支持霍亨施陶芬家，因而获得士瓦本的菲利浦的关怀。英诺森三世站出来支持韦尔芬派，瓦尔特的大部分政治诗中贯穿着的反教皇情绪由此产生。然而，瓦尔特对菲利浦给自己的待遇感到失望，遂改替别的主子效劳至1212年。这一次他支持韦尔芬派皇帝奥托四世，反对英诺森三世。他仍然没有获得所期望的优厚待遇。同年，腓特烈二世要求恢复霍亨施陶芬家王位，瓦尔特转而欢迎这位新统治者，后者于1215年加冕。从后者他获得一小块领地。领地在维尔茨教区，他的余生似乎就在那里度过。现存瓦尔特的诗200首左右，半数以上为政治、道德或宗教诗，其余则是爱情诗。在宗教诗中，他鼓吹人必须积极满足上帝的要求，例如，去朝拜圣地或参加十字军；在他的劝人行善的诗里，他赞扬人类的德行，如忠诚、诚恳、慈善和律己——这些德行在他自己的生活中也并非特别显著。作为爱情诗人，他发展了一种对典雅爱情的写法，新颖而独特，并且最终在《菩提树下》等名篇中，获得一种自由奔放和无约

束的风格:宫廷中的矫揉造作让位于普通百姓的自然情感。

Walther, Carl Ferdinand Wilhelm **沃尔特**(1811-10-25,萨克森朗根库尔斯多夫[德国]~1887-05-07,美国密苏里圣路易斯) 基督教信义会神学家。坚持正统教义,对美国

康科迪亚历史学会供图

信义会密苏里大会的早期发展发挥重要作用。早年就学于莱比锡大学,1839年随斯蒂芬和一批萨克森州人迁居美国密苏里州,任佩里县信义会牧师兼教义学校校长。斯蒂芬因通奸被驱逐,沃尔特继任这一批信徒的领袖,先后于1847~1850年及1864~1878年任他们所建立的信义会大会主席。此外还在圣路易斯市任康科迪亚神学院院长,1850~1887年兼该院神学教师。1844年创办《信义会信徒》杂志,用以联合持基要主义或保守观点的中西部信义会人士。

Walther, Johann Gottfried **瓦尔特**(1684-09-18,美因茨爱尔福特~1748-03-23,魏玛) 德国管风琴家、作曲家,最早的音乐词典编辑者之一。1702年在爱尔福特的托马斯教堂、1707年在魏玛任管风琴乐师,1721年起为魏玛的宫廷乐师。与J.S.巴赫友善,是巴赫的表亲。作品深受同时代人崇敬,有众赞歌前奏曲、为管风琴写的变奏曲,还把阿尔比诺尼、托雷利和其他意大利作曲家的协奏曲改编为管风琴曲。所著《音乐辞典》(1732)是第一部包括音乐家传记、作品目录与音乐术语的音乐百科全书。该书现仍是研究巴罗克音乐的非常有价值的著作。

Walton, Ernest Thomas Sinton **瓦耳顿**(1903-10-06,爱尔兰沃特福特郡邓加文~1995-06-25,北爱尔兰贝尔法斯特) 爱尔兰物理学家。和英格兰的J.D.考克饶夫一起由于研制了名为考克饶夫-瓦耳顿起电机的第一台核粒子加速器而获得1951年诺贝尔

供图:A.J.Walton

物理学奖。加速亚原子粒子装置的出现促进了对核结构的研究,为原子核物理学的发展开辟了道路。1927年瓦耳顿到剑桥三一学院,和考克饶夫一起在E.卢瑟福领导下的卡文迪什实验室工作。次年他试图用两种方法加速粒子,由于缺少必要的设备和技术,尝试失败,但这两种方法经改进,后用在电子感应加速器和直线加速器上。1929年考克饶夫和瓦耳顿设计了他们的加速器。1931年用质子使锂原子核蜕变成功,这是第一次不用放射性物质的人工核反应。1934年,瓦耳顿在剑桥大学获博士学位后,返回都柏林三一学院,在那里工作40年后于1974年荣誉退休。1946~1974年,任自然和实验哲学教授,1952年后任都柏林高级研究院宇宙物理学部主任。

Walton, Izaak **沃尔顿**(1593-08-09,英格兰斯塔福德郡斯塔福德~1683-12-15,汉普郡温切斯特) 英国传记作家。《高明的垂钓者》一书的作者,这是一部描写钓鱼的快乐和

伦敦国立肖像画陈列馆供图

技巧的古典田园诗。曾受过几年教育,后到伦敦当五金店学徒,后自己开一间小铺,开始发迹。1608年被接受加入五金商人公会。尽管他受教育不多,但博览群书,培养了研究学术的兴趣,常与有学问的人,包括许多教士交往。因为寓所邻近圣邓斯坦教堂,他积极参加堂区事务,成了教区牧师J.多恩的朋友和钓鱼伙伴。多恩死于1631年,他的诗集两年后出版时,沃尔顿为这部诗集创作了"一首哀歌"。1640年,他为多恩写的《传记》随同多恩的布道集一起出版。英国内战期间,沃尔顿是坚定的保皇党员。1651年,保皇党败于伍斯特后,他参加了保藏查理二世的宝石的成功的冒险活动。他的第2本《传记》描写伊顿教区长亨利·沃顿爵士的一生,于1651年出版。两年后,《高明的垂钓者,又名沉思者的娱乐》一书出版,使沃尔顿成为不朽人物。1665年创作《理查德·胡克先生传》,次年又对其加以修改。1670年出版了他关于牧师、诗人G.赫伯特的《传记》,同年,出版上述4部传记的合集。他的《高明的垂钓者》的最后一次修订本(第5版)于1676年问世。1678年他发表了主教桑德森的传记。1683年他临死前编完了他去世很久的朋友J.乔克希尔写的一首鸿篇巨制的田园诗。18世纪末以来,《高明的垂钓者》已再版300多次。这部朴实无华的论著已经成为家喻户晓的名篇。

Walton, Samuel Moore **沃尔顿**(1918-03-29,美国俄克拉何马金菲希尔~1992-04-05,阿肯色小石城) 美国零售业巨头,美国最大的零售连锁企业沃尔玛商店有限公司的创办者。沃尔顿毕业于密苏里大学,获经济学学位(1940)。后在艾奥瓦州得梅因参加彭尼公司管理人员培训计划。1945年他在阿肯色州纽波特开办了自己的本·富兰克林杂货铺,出售5~10美分的廉价商品。5年后杂货铺迁往本顿维尔。60年代初,他和兄弟詹姆斯经营本·富兰克林地区连锁店;当公司董事会拒绝他的关于在小城镇开设新的廉价连锁店主张后,他决定自行开设这样的连锁店。1962年,他在阿肯色州罗杰斯开办了第一家沃尔玛商店沃尔玛廉价商城,在不作装修的环境中出售大量的各式廉价商品。大型的美国廉价连锁店通常位于大城市内或邻近地区,但是沃尔顿相信即使是小镇也能有足够的生意使这样的商店有利可图。为了在偏僻地区开展经营,他把一群地区连锁店设置在距沃尔玛大型货栈卡车一天的行程范围内,用自己的卡车运输系统向这些商店发送各种各样的商品。大批量采购和低价送货系统使沃尔玛商店能在其他零售连锁店很少竞争的地方,以折扣价格经销名牌产品。结果,沃尔玛连锁店有了惊人的持续发展,1977年是190家,到1985年达到800家。1983年,沃尔顿又创办山姆俱乐部折扣仓储店。1987年他开始创办连锁的超大型购物中心,其规模甚至超过了仓储式的沃尔玛连锁店。到1991年,沃尔玛公司已超出西尔斯-娄巴克公司,成为美国最大的零售商。1988年,沃尔顿辞去首席执行官之职,但保留公司董事长职务。到他辞世时,他总共建立了1 735个沃尔玛商店、212个山姆俱乐部折扣仓储店、13个超大型购物中心,雇员38万人,年销售额几达500亿美元。沃尔顿使其家族成为美国首富,当他死时其净资产超过200亿美元。

Walton, Sir William (Turner) **沃尔顿**(1902-03-29,英国兰开夏郡奥尔德姆~1983-03-08,意大利伊斯基亚) 英国作曲家,以其管弦乐特别闻名。早期作品使他成为V.威廉斯和B.布里顿时期的英国最重要作曲家之一。1912年考入牛津大学,并参加那里的基督教堂唱诗班。作曲主要靠自学,但亦受到E.安泽尔梅特和F.布索尼的指点。以配合伊迪恩·西特韦尔的诗朗诵的一套室内重奏《门面》(1923)、为钢琴和管弦乐队写的《交响协奏曲》(1928,1943修订)和《朴次茅斯岬角》(1926)获得管弦乐作曲家的声望。他也为很多电影,包括《巴巴拉少校》(1941)、《亨利五世》(1944)、《王子复仇记》(1947)和《理查三世》(1954)写过配乐。声乐作品包括清唱剧《伯沙撒王的宴会》(1931)、歌剧《特罗伊罗斯与克瑞西达》(1954)和《熊》(独幕,1967)。1951年封为爵士。

Walton-le-Dale **沃尔顿-勒-戴尔** 英格兰兰开夏行政、历史郡南里布尔区普雷斯顿镇工业郊区一城镇。俯瞰着达温河与里布尔河。建于盎格鲁-撒克逊时期。1648年,克伦威尔和J.汉密尔顿公爵的军队曾在此交战。棉纺和造纸业是当地的重要产业。人口约29 009(1981)。

waltz　华尔兹　极流行的舞厅舞，由18世纪的伦德莱尔舞(**ländler**)演变而来。特点为3/4拍，一走步，一滑步，再一走步。华尔兹初出现时因其多旋转、男女搂抱而舞，使高

贝特曼档案馆供图

雅的社交界感到震惊。但19世纪它变为舞厅舞中的首要舞蹈，20世纪仍流行不衰。有快速旋转的维也纳式华尔兹和起伏滑步的波士顿式华尔兹等种类。著名华尔兹舞曲的作曲家有肖邦、柴可夫斯基、J. 斯特劳斯父子，其中小斯特劳斯被誉为"华尔兹舞曲之王"。

Waltzemüller, Martin　参阅 **Waldseemüller, Martin** 瓦尔德塞弥勒。

Waluguru (people)　参阅**Luguru**卢古鲁人。

Walvis Bay　鲸湾港　阿非利堪斯语作Walvisbaai。港口城镇，优良锚地，连同其腹地是南非共和国在纳米比亚(前西南非)境内的飞地。纳米比亚宣称该飞地是纳米比亚领土，反对南非占有鲸湾港。飞地位于大西洋沿岸，面积1 124平方千米。19世纪中叶，毗邻数岛出现鸟粪开采热，随后英国于1878年吞并该湾及腹地。1884年该地区被并入英国的开普殖民地(现为南非的一部分)，同年德国吞并西南非。根据《合并法令》(1910)，鲸湾港被纳入新联合的南非。为了方便，1922～1977年鲸湾港一直是作为西南非的一

鲸湾港镇的港湾
供图：Gerald Cubitt

部分进行管理。然而自1978年开始，则交由南非直接管辖。1990年纳米比亚独立后，南非仍保留该飞地。鲸湾港位于间歇河凯西布河河口、纳米比沙漠的边缘。镇区低于海平面(1.2米)的部分建有防洪堤。鲸湾港是纳米比亚的主要港口。西北有佩利肯角半岛作为屏障，有公路、铁路和飞机通往内地。海港是南非海军的深水锚地。自20世纪70年代后期起，该港一直出口勒辛产的铀。勒辛在其东北80千米处，是世界上最重要的铀矿之一。70年代中叶沿海渔场严重的过度捕捞，致使港口主要经济支柱地位远不如前。人口：城镇40 849(2001)。

Wambaugh, Sarah　旺博(1882-03-06，美国俄亥俄辛辛那提～1955-11-12，马萨诸塞剑桥)　美国政治学家，被公认为世界著名的公民投票问题专家之一。1902年毕业于剑桥大学拉德克利夫学院。她留校当助教到1906年，后又继续攻读历史学和政治学。此后十年在波士顿妇女教育与行业联盟工作，并参加妇女选举权运动。1916年在拉德克利夫学院重新开始其研究，1917年获得国际法与政治学硕士学位。同年开始进行关于公民投票的理论、实践和历史的研究，当时这是进行系统性研究的全新领域。所写的妇女投票专论著作，与一部《官方文件集》(1920)一起出版，最初是为1919年凡尔赛和平会议准备的，确立了著作者在该领域的权威地位。1920～1921年在伦敦大学经济学院和牛津大学求学时，曾在国联秘书处的管理委员会和少数民族署工作。后在韦尔斯利(马萨诸塞州)学院执教历史一学年(1921～1922)。此后她协助观察、策划和监管各种形式的妇女投票，并向政府和国际机构提出有关这一问题的建议。1934～1935年帮助策划和监管萨尔河(法国，今在德国)妇女投票，此后一年曾在日内瓦的高级国际研究院演讲。曾担任观察希腊选举(1945～1946)的联合国使团的顾问，帮助策划了印度查谟和克什米尔地区的一次妇女选举(1949)。著作包括《国际妇女投票的实践》(1928)、《世界大战以来的妇女投票》(1933)、《萨尔河妇女投票》(1940)。

Wampanoag　万帕诺亚格人　操阿尔冈昆语的北美东部印第安人，住在罗得岛州和马萨诸塞州部分地区、马撒葡萄园岛及其附近岛屿。他们是半定居农民，在固定居地之间随季节迁移，以种植玉米为主，辅以渔、猎。他们分为几个亚部落，各有首领进行管理。1620年移到美洲的英国清教徒在普利茅斯定居之后，万帕诺亚格酋长马萨索伊特曾与英人缔结和平条约，在他死前，条约一直得到信守。后来白人抢占印第安人土地，并对土著居民肆行虐待，因而导致马萨索伊特之子米塔科姆组织部落联盟，共同驱逐白人；英人称米塔科姆为菲利普王，故此次战争又名**菲利普王战争**(**King Philip's War**)。结果菲利普王及其他主要酋长被杀，万帕诺亚格人及纳拉干塞特人几遭灭绝。有些幸存者逃往内地，另一些人则投奔住在南塔基特岛和马撒葡萄园岛守中立的亲属，在那里避难。疾病和时疫使大多数南塔基特印第安人死亡，但有些混血后裔则生存至今，尤以马撒葡萄园岛上居多。

wampum　贝壳币　串成一串或织在腰带或刺绣饰物中的管状贝壳珠，北美印第安人用作交换媒介。17世纪初，因为缺乏欧洲通

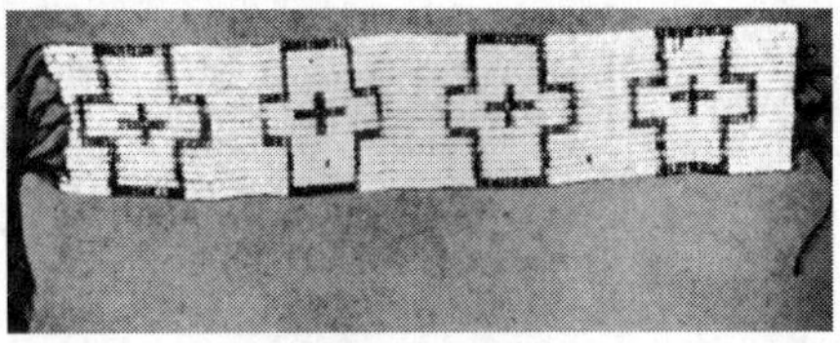

1682年支付给彭威廉的串状贝壳币
纽约美洲印第安人博物馆供图

货，贝壳币就作为白人和印第安人交易的货币。18世纪中叶，由于机器的发明，贝壳珠大量生产，造成通货膨胀，美国东部的印第安人就停止使用此种货币，但西部印第安人直至19世纪中叶仍用它进行交易。

Wan-dang (Korean calligrapher)　**阮堂**　参阅 **Kim Chŏng-hi** 金正喜。

Wan-hsien (China)　参阅**Wan Xian**万县。

Wan Li　万里(1916-12-01，中国山东东平～　)　中华人民共和国第七届全国人民代表大会常务委员会委员长。1933年考入山东曲阜师范学校，毕业后任小学教师。1936年5月加入中国共产党。抗日战争时期，

中国大百科全书出版社供图

任中共地委书记兼军分区政委等职。解放战争时期，任中共冀鲁豫区党委委员、秘书长，南京市军管会军代表、建设局长。重庆解放后任西南军政委员会工业部部长等职。中华人民共和国建立后，担任中央建筑工程部副部长、城市建设部部长。1958年起任北京市副市长，分管市政建设。文化大革命初期遭到迫害，被撤销工作，后于1969年任中共北京市委书记、副市长、市政协主席。1975年初，任铁道部部长。1976年4月再次受到批判，被撤销一切职务。同年10月"四人帮"垮台后，被任命为轻工业部部长。1977年7月，调任中共安徽省委第一书记、省长。1980年春调任国务院副总理。中共第十一、十二、十三届中央委员会委员，第十一届中央书记处书记，第十二届中央政治局委员、书记处书记，第十三届中央政治局委员，1988年4月，在全国人民代表大会七届一次会议上当选为全国人大常务委员会委员长(1988～1993)。

Wan Zhou　万州　中国重庆直辖市辖区，长江上游重要河港。位于四川盆地东部长江北岸，东近长江三峡，船舶下行过三峡前历来都要停靠于此。东汉末刘备置羊渠县，三国蜀建兴八年(230)改南浦县。后曾改名鱼泉、

长江上游的河港城市万州
中国大百科全书出版社供图

安乡、万川。隋开皇十八年(598)复改南浦县。唐武德八年(625)在此置浦州,贞观八年(634)改为万州。明洪武六年(1373)降万州为万县。1902年依《中英通商条约》辟为商埠,1915年日、英两国在此设立海关。1950年设万县市。1992年升为四川省辖市。1997年设万县区划归重庆市管辖。1998年更名为万州区。面积3 457平方千米。山峦起伏,丘陵交错。街道楼房背山面江,故又称"江城"。有丰富的煤炭、硫铁矿、盐卤及天然气资源。盛产柑橘、桐油、乌桕、生漆、蘑菇等农副产品,以及山羊板皮。万州港将成为可通行万吨轮的综合枢纽港,有多条高速公路向周边辐射,它已成为四川盆地东部水陆交通要冲及川东、湘鄂西、陕南的物资集散地。食品、轻纺、化工、机电和建材为该区五大支柱工业。人口:全区1 697 000;城区545 000(2005)。

Wanaka Lake　瓦纳卡湖　新西兰南岛中西部湖泊。位于南阿尔卑斯山东麓,海拔280米。面积192平方千米。流域面积2 543平方千米。为冰川堰塞湖。最深点可能超过300米,有马卡罗拉及马图基图基河注入,为克卢萨河河源,出口处有水闸调节水位用以发电。湖南端的瓦纳卡镇为游览区中心。

Wanamaker, John　沃纳梅克(1838-07-11,美国宾夕法尼亚费城～1922-12-12,费城)美国商人,美国最早一批百货商店的创办人之一。他14岁开始在书店当听差,1856年在男服装店当店员,1857～1861年任费城基督教青年会干事。1861年他同N.布朗合伙经营布朗-沃纳梅克服装店,1868年布朗逝世时商店散伙。1869年他创建约翰·沃纳梅克公司;1875年买下宾夕法尼亚铁路的仓库做店房。在一栋房子里集合许多特产品零售铺面,

美国国会图书馆供图

实为一新型商店,很快成为美国最大的百货商店之一。1896年他还在纽约市购得以前名为A.T.斯图尔特的商店。这两所沃纳梅克商店在约翰之子L.R.沃纳梅克(1863～1928)的领导经营下,处在全国最大的最富有创新精神的百货公司之列。约翰以成功地使用广告而著名,是首先雇用广告社推销的主要商人之一。1889～1893年他在哈里森总统政府内任邮政总局局长。

wandering Jew　永世流浪的犹太人　基督教传说中的人物,由于他在耶稣被押赴钉十字架刑场的途中对耶稣进行辱骂,因而被罚永世流浪,直到世界末日。《约翰福音》第18

G.多雷1856年所绘插图画中的永世流浪的犹太人
不列颠博物馆供图

章20～22节中记述一个差役在押解耶稣到髑髅地(各各他)的途中曾殴打耶稣,这一记载有时被认为是该传说的依据。英国中世纪编年史家罗杰(文多弗的)在他的《史传》中曾写到,一个来自大亚美尼亚的大主教1228年访问英格兰时,告诉人们说:在亚美尼亚有一个原叫卡塔菲勒斯的人,他自称原是本丢·彼拉多的守门人,在耶稣被押往髑髅地的途中曾打耶稣,催逼他快走。耶稣回答说:"我走,可你要一直等到我回来。"卡塔菲勒斯后来受洗,改名约瑟夫,在神职人员中间过着虔修的生活,希望能在世界末日时得到拯救。这一故事在意大利流传开来,这个人的名字变成了乔凡尼·布塔代奥(意为触犯上帝)。该传说于1602年在一个德文小册子《一个名叫阿哈苏鲁斯的犹太人的简短故事》中重新出现。在这本书里,阿哈苏鲁斯这个名字第一次用来称呼这个未曾受洗礼的流浪者,故事描述德国石勒苏益格主教冯·埃岑于1542年在汉堡遇见一个年老的犹太人,此人自称在耶稣被押赴十字架受刑的途中曾辱骂他。他得的回答是:"我站着并得到安息,而你却得永世流浪。"在欧洲各个城市,常有报道这位永世流浪的犹太人又重新出现的消息。迟至1868年,还有报道说他又在美国盐湖城出现。

wandering Jew　白花紫露草　园艺学名词,鸭跖草科数种受欢迎的室内植物的通称。参阅 **spiderwort; Zebrina**。

wandering spider　栉状蛛　蜘蛛目栉状蛛科动物。种类不多,形大。主要分布于热带和亚热带,常见于叶簇和地面上。前两对步足的腹面有硬刺。南美洲的杀人蛛(*Phoneutria fera*)对人有毒。美国东部常见的小洁蛛(*Zora pumila*)主要黄色,有橙褐色斑纹,步足有斑点,体长3.5～6毫米。

wandjina style　旺吉纳式绘画　又拼Wondjina。澳大利亚洞穴画中描绘创世传说中神话人物的绘画形式。澳大利亚现代土著人相信,这些人像是西北部金伯利地区史前居民旺吉纳人所绘制。这一地区是发现旺吉纳式洞穴画的唯一地方。每一幅都经土著人中旺吉纳血统的在世最年长者修补或重画过。旺吉纳式人像魁伟、呈鬼怪相,无嘴。放大的脸部总是涂成白色。头部通常以红晕圈或马蹄形花边环绕,并有向四外放射的线条,人物四肢用简略方式描绘,足部画作足迹状,这是狩猎文化重视猎路标记的表现。旺吉纳人像色彩以白色和天然赭石色为主。因为土著人认为在这两种颜色中包含水与血的元素。

Wandsworth　旺兹沃思　英格兰伦敦内城的自治市。位于泰晤士河南岸,兰贝斯的西面。旺德尔河把该市分为两部分。历史上,法国胡格诺派难民将织布技术传入旺德尔河流域。现生产轻型机械、啤酒、煤气、油漆、蜡烛、油墨等。主要工业区沿泰晤士河从旺兹沃思桥至切尔西桥巴特西电站则为伦敦一大景观。该区大部分是在19世纪时都市化的,自第二次世界大战以来建造了许多新房产。泰晤士河上有5座主要公路桥。几条从伦敦到英格兰南部的铁路线在克拉珀姆铁路枢纽站交汇。巴特西公园(80公顷)建于1858年。人口260 380(2001)。

Waner, Paul; and Waner, Lloyd　韦纳兄弟(保罗1903-04-16,美国俄克拉何马哈拉～

1965-08-29，佛罗里达萨拉索塔；劳埃德1906-03-16，俄克拉何马哈拉～1982-07-22，俄克拉何马俄克拉何马城） 兄弟二人均为美国职业棒球运动员、外场手。两人因击球技术高超而获绰号大毒与小毒。两人都是全国棒球联盟匹兹堡海盗队队员，保罗1926年、劳埃德1927年入队，保罗1940年离队，劳埃德1941年离队。两人都以速度闻名；但劳埃德在外场防守和跑垒方面速度更高，而且传球力大。保罗在头12个赛季中，每赛季平均击球率都超过0.300；曾3次居全国联盟之首，在全部经历中平均击球率为0.333。劳埃德在头6个赛季平均击球率超过0.300，全部经历中平均击球率为0.316。两人均曾参加全国联盟所属其他球队，有时同在一队，有时分属两队。保罗还曾一度为美国联盟纽约扬基队打球。劳埃德为海盗队外队物色人才，直到1949年。保罗于1952年、劳埃德于1967年入选棒球名人堂。

Wang, An 王安（1920-02-07，中国上海～1990-03-24，美国马萨诸塞波士顿） 中国出生的美国实业家和电子工程师，他建立了王氏研究室。王安是教师之子，1940年在上海交通大学获学士学位。1945年移居美国，1948年获哈佛大学应用物理学和工程学博士学位。在哈佛时期，他投身于计算机研究，并于1948年发明了磁存储芯，它用作计算机存储器的磁芯，直到微芯片出现。1951年他建立王氏研究室，制作桌上计算机和办公用计算机。在70年代和80年代早期，该室是美国最成功的高技术公司之一。他担任该公司总裁到1986年，由他的儿子弗雷德里克继任。王安发明文字程序系统的许多基本部件，总共拥有约40项专利。他去世后，他的家属仍保有王氏研究室的所有权。

Wang Anshi 王安石（1021～1086） 又拼Wang An-shih。中国北宋政治家、文学家、思想家。字介甫，号半山，抚州临川（今江西抚州）人，世称临川先生。庆历进士。初为鄞县

中国大百科全书出版社供图

（今浙江宁波）知县，督修水利，将官谷贷给农民，有治绩。仁宗嘉祐三年（1058）自提点江东刑狱改任三司度支判官、知制诰，翌年春至京城开封，上万言书要求改革法度，提出理财应从增加社会财富入手等主张，未被采纳。神宗熙宁二年（1069），神宗决心变法，擢安石为参知政事，次年任宰相。设“制置三司条例司”议订新法，推行改革。在财政上推行青苗法、农田水利法、募役法、市易法、方田均税法；军政上实施置将法、保甲法；教育上颁行《三经新义》，以期富国强兵，但为保守派坚决反对，未见成果。1074年辞宰相职位。次年再相。1076年又辞职退居江宁（今江苏南京市），封荆国公，忧郁病卒。死后谥为文，故亦称为王荆公和王文公。文学上有多方面成就，他的散文雄健峭拔，被崇为“唐宋八大家”之一；诗歌沉郁清新，词亦格调峻秀，在北宋独树一帜。哲学上强调事物的运动变化，提出“新故相除”、“权时之变”的进化观点。著作颇多，现存有《临川先生文集》、《王文公文集》等。

Wang Bi 王弼（226～249） 又拼Wang Pi。中国三国时期魏国哲学家，魏晋玄学开创者之一。字辅嗣。山阳高平（今山东金乡县）人。曾任尚书郎。他是中国哲学史上第一个

中国大百科全书出版社供图

系统论证本末、体用、有无、动静、自然和名教等哲学范畴的哲学家。他注《老子》和《周易》，一反汉代经学家的烦琐之风和谶纬神学的迷信思想，运用抽象思辨，注重义理分析，在学术上开创新风，世称“正始之音”。王弼强调“有”（现象、存在）以“无”为本、为体，“凡有皆始于无”，进而肯定名教（有）也出于自然（无），为封建伦理纲常作哲学辩护。著有《周易注》、《周易略例》、《老子道德经注》、《老子指略》和《论语释疑》。其中《周易注》在唐孔颖达编《五经正义》时定为标准注本。《论语释疑》已佚，部分散见于皇侃《论语义疏》和邢昺《论语正文》中。《老子指略》已佚，据近人考证，《云笈七籤》中的《老子指归略例》和《道藏·老子微旨略例》可能是王弼《老子指略》的原文。王弼著作有楼宇烈整理的《王弼集校释》（1980）。

Wang Chen（Chinese courtier） 参阅 **Wang Zhen** 王祯。

Wang Ching-wei（Chinese Nationalist leader） 参阅 **Wang Jingwei** 汪精卫。

Wang Chong 王充（27～约97） 又拼Wang Ch'ung。中国东汉哲学家。字仲任。会稽上虞（今属浙江）人。出身寒门。曾师事班彪，好博览而不守章句。任过地方官吏，因与当权者不合，罢职家居，从事教学著述。痛

中国大百科全书出版社供图

恨虚妄，反对天是神明的说法，提出天和地都是固定的物质性的“体”，无所谓尊卑高下。在哲学体系中也运用“气”的概念，认为“气”为“体”所包含，万物由天地阴阳二气相合产生（“天地合气，万物自生”）。着重驳斥当时谶纬迷信宣扬的生而知之说，主张感官经验是知识基础，重视理性思维，强调用“效验”、“证验”作为检验知识可靠性的标准。在历史观方面提出“今胜于古”，批判“今不如古”之说。著作宏富，有《讥俗之书》、《政务之书》、《论衡之书》、《养性之书》。现除《论衡》外，都已失传。《论衡》共30卷，85篇（内佚失《招致》篇），约20余万字。由于书中《问孔》、《刺孟》抨击了孔孟之道，《非韩》批评了法家学说，曾被斥为“异端邪说”。东汉末期蔡邕入吴，将《论衡》带到中原，才逐渐流传。注本有近代黄晖《论衡校释》、刘盼遂《论衡集解》、北京大学历史系《论衡注释》。《论衡》已被译成英文在海外发行。

Wang Chongyang 王重阳（1112～1170） 又拼Wang Ch'ung-yang。中国金代著名道士。道教全真道创立者。原名中孚，入道后改名嚞，字知明，号重阳子。陕西咸阳人。出身豪

中国大百科全书出版社供图

富。应礼部试未第，后应武举中甲科。自言48岁时遇仙人吕洞宾得修炼秘诀，于是弃家云游终南山，掘地穴静坐其中，自号“活死人墓”。1167年赴山东传教，收马丹阳、丘处机、谭处端、刘处玄、王处一、郝大通、孙不二（女）7人为徒，创建全真道。教义倡导三教合一，融摄道教、佛教、儒教思想。还制定道士出家住庵制度。全真道后来迅速传播，与正一道成为道教的两大教派。著有《重阳立教十五

论》、《金关玉锁诀》、《重阳全真集》、《重阳教化集》等。死后弟子尊为全真道教祖。元世祖封他为"重阳全真开化真君"，元武宗加封他为"帝君"。

Wang Fuzhi　王夫之（1619～1692）　又拼 Wang Fu-chih。中国明末清初思想家。字而农，号薑斋。衡阳人（今属湖南）。明亡后曾和友人管嗣裘在衡山举兵抗清，战败退广东、广西，辗转苗瑶山区。最后定居衡阳石船山麓，专心著述近40年，自署船山老农，学者称他为船山先生。王夫之学识极其渊博，对天文、历法、数学、地学都有研究，尤精于经、史、文学，在总结古代唯物主义思想上有卓越贡献。在"理"、"气"关系上批判程朱学派"有理而后有气"的思想，强调气是世界实体。在"道"、"器"关系上，认为"天下惟器"，世界上只有具体事物。"道"（规律）是"器"的"道"，"器"不能说是"道"的"器"，从而驳斥程朱理

中国大百科全书出版社供图

学把规律看成超物质的唯心主义观点。在"有无"问题上，认为"无"并不是世界万物构成因素，否定了"无"的实在性。认为物质世界永恒存在，不是从无到有，而是无穷无尽，从而肯定物质不灭的事实，否定道家"有生于无"说。在"能"（认识主体）、"所"（客体）关系上批判佛家"所"不能离开"能"存在的学说，认为两者关系是对象引起主体的认识作用，主体认识一定要符合外在对象。坚持客体不依靠主体作用而独立存在的唯物主义立场。在"知行"上批评朱熹、陆九渊的知先行后说，指出知行互相依靠，又彼此有别。认为行中包含知，但知不能代替行；行可得到知的效果，知却不能得到行的效果，确定行是知的基础。在"动静"上强调物质在运动变化，提出"静者静动，非不动也"的观点，批判道学家主静的形而上学。在方法论上，提出"由用以得体"，即主张从观察现象开始，然后达到对本体的认识。还提出"即事以穷理"，即就事实研究规律的方法。主要哲学著作有《周易外传》和《尚书引义》，两书体现王夫之唯物论和辩证法的思想高峰。此外有《张子正蒙注》、《思问录》、《读四书大全说》。还有《续春秋左氏传博议》、《老子衍》、《庄子通》等。王夫之著作由后人汇集为《船山遗书》。研究王夫之思想的《船山学》已日益引起学术界重视。

Wang Ganchang　王淦昌（1907-05-28，中国江苏常熟～1998-12-10，北京）　中国核物理学家。中国科学院院士。1929年毕业于清华大学物理系。随即留校任助教。1930年赴德国留学，入柏林大学，在L.迈特纳指导下从事β衰变能谱研究。1934年完成《ThB +

中国大百科全书出版社供图

C + C″的能谱》论文，获博士学位。同年回国，1934～1936年在山东大学物理系任教授，1936～1950年任浙江大学物理系教授。50年代以后，主要任职于中国科学院和第二机械工业部，历任中国科学院近代物理所研究员（1950～1956）、副所长（1952起），苏联杜布纳联合原子核研究所研究员（1956～1960）、副所长（1958～1960），第二机械工业部研究院副院长（1961～1978），第二机械工业部副部长（1978～1982）和部科学技术委员会副主任，原子能研究所所长（1978～1982）、名誉所长（1982）。1955年受聘为中国科学院数学物理学化学部学部委员。还担任过中国科学技术联合会副主席、中国物理学会副理事长、中国核学会理事长。王淦昌在实验物理与理论物理方面均有重要贡献。1930年提出过用云室研究高能射线，一年多以后J.查德威克用此法发现了中子。1941年他提出通过轻原子核（如$^{7}_{4}$Be）俘获K壳层电子释放中微子时所产生的反冲探测中微子。1942年1月他的文章《探测中微子的建议》在《物理评论》上发表，美国人J.S.阿伦据此进行实验，证实了他的预言，成为该年世界物理学的重要成就之一。1959年，王淦昌领导的一个研究小组在杜布纳联合原子核研究所发现反西格马负超子（Σ^-）。他们从4万张照片中观察到有反粒子产生、衰变和衰变产物湮没等的完整图像。这一成就进一步证实了任何粒子都存在反粒子。1982年，这一成果获中国国家自然科学一等奖。1960年王淦昌离开杜布纳回国后，参加并领导中国第一颗原子弹和第一颗氢弹的研制工作，作出了巨大的贡献。此外，他在1964年独立于苏联的H.T.巴索夫，提出用激光惯性约束产生核聚变的设想，并组织进行研究。他还为发展中国核能发电做了大量工作。

Wang Guowei　王国维（1877-12-03，中国浙江海宁～1927-06-02，北京）　中国近代历史学家，金石学家。字静安，又字伯隅，号观堂。清秀才。1898年到上海《时务报》社任书记和校对，业余在金石学家罗振玉主办的东文学社学习外文和科学知识。1901年留学日本东京物理学校，次年因病回国。从此开始研究康德、叔本华的哲学。1903年起，先后在通州、苏州任教。1906年随罗振玉到北京，治宋词元曲。1907年起历任学部总务司行走，图书馆编译，名词馆协修等职。1911年辛亥革命后随罗振玉流寓日本，潜心研究甲骨文、金文和汉简。1916年应上海犹太富商哈同之聘，回国在上海编辑《学术丛编》杂志，后兼任仓圣明智大学教授。1922年任北京大学研究所通讯导师。1923年应召为清故宫南书房行走，次年去职。1925年任清华学校国学研究院导师。1927年在北伐进军声中，遗书"不愿再辱"，投北京颐和园昆明湖自尽。他第一个把乾嘉学派的传统考据方法同近代西方的科学方法融合起来从事研究。主张把地下发掘的新材料和文献史籍放在同等地位。对甲骨文、金文所作的考释，力求形、音、义兼通，因而创获甚多。他研究殷商甲骨，探讨商代历史、地理、礼制，著成《殷卜辞中所见先公先王考》（1917）及其《续考》（1917）、《殷周制度论》（1917）、《古史新证》（1926）等。他以殷商甲骨证实《史记·殷本记》所载商王世系的可靠程度，并据卜辞予以纠正。文学方面的主要著作《红楼梦评论》（1904），第一个对《红楼梦》的美学价值作出评价；《人间词话》（1908～1909）确立了自己的美学理论体系，提出境界说，影响极大；《宋元戏曲史》（1913）对被视为"文格卑俗"的戏曲给予高度评价。还著有

中国大百科全书出版社供图

《论性》（1904）、《释理》（1904）、《原命》，用西方哲学解释中国哲学史上的性、理、命这些传统概念。自编文集《观堂集林》（1923）。后罗振玉将其遗著编成《海宁王忠慤公遗书》（1927），后赵万里等又辑成《海宁王静安先生遗书》（1940）。

Wang Hsi-chih　参阅 **Wang Xizhi** 王羲之。

Wang Hui　王翚（1632～1717）　中国清代画家。字石谷，号耕烟散人、剑门樵客、乌目山人、清晖老人等，江苏常熟人。祖上五世均善画，父王云客专画山水，画风秀雅。王翚自幼受家庭影响，喜爱绘画，先拜同里张珂为师，专摹元代黄公望的山水画，几可乱真，青年时一度以此谋生。后受王鉴赏识，被其收为弟子，教他读书和学习书法。王翚从此精研画理，大量临摹古人名作，文思画艺大进，在画坛上崭露头角名声日著。后王鉴远出为官，又将他推荐给王时敏学画，王时敏观其画后惊叹不已，乃尽出所藏供其临摹学习，并携他同游大江南北，使其画艺益臻成熟。康熙三十年（1691）他与弟子杨晋北上京师，诏画

《康熙南巡图》,越三年而成,得到清圣祖玄烨褒奖,题赠"山水清晖"4字,赏赐丰厚,公卿官宦亦多与之来往。玄烨欲给予官职,王翚不受,南归。家居20余载,以作画为业,从其

王翚绘《渔庄秋霁图》
檀香山美术学院供图

学画者甚多,如杨晋、顾昉、蔡嘉、徐政、宋骏业、姚匡等,形成虞山派。与王时敏、王鉴、王原祁合称为四王,再加吴历、恽寿平又称清六家。曾孙王玖亦有画名,与王昱、王愫、王宸称为小四王。王翚的山水画虽以临古入手,但并非专摹一家,王维的雪景、李成的寒林、董源的平峦远渚、巨然的秋山萧寺、王诜的渔村小雪、米氏父子的云山雨以及元代赵孟頫、黄公望、吴镇、王蒙、倪瓒的作品,都是他摹绘的对象。他不但于传统技法有很深的功底,而且能融会贯通,合众长于一手,但又不完全为成法所束缚。他比较注重写生,曾与恽寿平同登虞山剑门作画,画有《虞山十二景图》。代表作有《寒塘鸂鶒图》、《秋山萧寺图》、《虞山枫林图》、《秋树昏鸦图》等。画风影响清代。

Wang Jiaxiang **王稼祥**(1906-08-15,中国安徽泾县～1974-01-25,北京) 又拼 Wang Chia-hsiang。中国共产党和中国人民解放军重要领导人之一。早年就学于芜湖中学,1925年5月因参与领导学潮被开除。9月入上海大

中国大百科全书出版社供图

学附中,不久加入中国共产主义青年团。同年冬,到莫斯科中山大学学习。1928年被选送莫斯科红色教授学院深造,同年转为中国共产党党员。1930年3月回国后,任中共中央宣传部干事和中共中央机关报《红旗》、《实话》总编辑。1931年4月到中央苏区后,担任中共苏区中央局委员、中央革命军事委员会副主席、中国工农红军总政治部主任和中华苏维埃共和国外交人民委员。长征途中接受毛泽东的主张,并在遵义会议上批判了博古、李德的"左"倾冒险主义,拥护毛泽东担任党中央和红军的领导。会后,补选为中央政治局委员,并成为中央三人军事指挥小组成员。1935年6月红一、四方面军会合后,同张国焘的分裂主义作斗争。1936年任中共驻共产国际代表。1938年夏回国后,任中共中央军事委员会副主席、总政治部主任,负责中央军委的日常工作。1943年7月在《中国共产党与中国民族解放的道路》一文中首次提出和论证"毛泽东思想"的科学概念。解放战争时期是中共中央东北局领导人之一,并在中共七届二中全会上递补为中央委员。1949年中华人民共和国建立后,首任驻苏联大使和外交部副部长。1951年起,任中共中央对外联络部部长、中央书记处书记等职。在此期间,他参与国家的外交工作和中共对外联络工作的许多重大决策。是中共第六届中央政治局委员,第七、八、十届中央委员。在文化大革命期间受到林彪、江青集团的迫害。

Wang Jingwei **汪精卫**(1883-05-04,中国广东三水～1944-11-10,日本名古屋) 又拼 Wang Ching-wei。中国国民党早期领导人,亲日派首领,后堕落为汉奸卖国贼。名兆铭,字季新。原籍浙江山阴(今绍兴)。早年留学日

中国大百科全书出版社供图

本,参加中国同盟会,任评议部评议长、同盟会机关报《民报》主编。1910年行刺清摄政王载沣,事泄被捕,武昌起义后获释。1919年孙中山改组中华革命党为中国国民党,汪在党内历任要职。1925年孙中山逝世后,被选为国民政府常务委员会主席兼军事委员会主席。1926年北伐进展顺利,蒋介石的国民党右派夺取党政最高权力。国民党左派在武汉成立以汪为首的政府。1927年7月汪与蒋介石南京政府合流,于7月15日在武汉发动反革命政变,残杀共产党人和革命群众。其后与粤系、桂系、阎系、冯系等军人联合反蒋,均遭失败。1932年蒋、汪合作,分掌南京政府军政大权,汪任行政院长、外交部长等职。1937年中日战争爆发后任国防最高会议副主席、国民党副总裁等职。主张对日妥协。1938年12月潜往越南河内发表"艳电",主张中止抗战,对日乞和。1940年3月在南京成立伪国民政府,任主席兼行政院长。对内残杀爱国人民,搜刮民脂民膏;对外支持日本帝国主义的侵略战争。1943年10月与日本签订《中日同盟条约》及《附属议定书》等卖国密约。1944年3月赴日治病,11月死于日本。

Wang Junxia **王军霞**(1975-01-19,中国辽宁大连～) 中国田径运动员,国际级运动健将。自幼生活在农村,1988年被选入大连体育学校,开始进行长跑训练。1991年入选辽宁田径队,师从马俊仁教练。1995年9月入选中国国家田径队。1992年获第4届世界青年田径锦标赛女子10 000米跑冠军。1993年获第4届世界田径锦标赛10 000米跑金牌;第5届世界级马拉松比赛个人和团体冠军;第10届亚洲田径锦标赛10 000米跑冠军;第7届全国运动会(北京)3 000米跑冠军,并在预赛和决赛中先后以8′12″19和8′06″11两次打破该项目的世界纪录,又以29′31″78的成绩打破10 000米跑世界纪录,成为世界上第一位突破女子10 000米跑"30分钟大关"的运动员。1994年获第12届亚运会10 000米跑金牌;1995年获第11届亚洲田径锦标赛10 000米和5 000米跑两枚金牌。1996年在第26届奥运会上获5 000米跑金牌和10 000米跑银牌,成为中国第一位获奥运会长跑金牌的运动员。1994年在美国纽约接受第14届杰西·欧文斯国际奖,是中国和亚洲首位获此殊荣的运动员。有"东方神鹿"的美誉。

Wang Li **王力**(1900-08-10,中国广西博白～1986-05-03,北京) 中国语言学家,诗人。字了一。幼年家贫,1924年得亲友资助,先后在上海南方大学和国民大学求学。1926

中国大百科全书出版社供图

年考入清华大学国学研究院,师从梁启超、赵元任,获硕士学位后赴法国留学,1931年获巴黎大学文学博士学位。1932年回国,任清华大学教授。1937年抗日战争爆发后,先后任广西大学和西南联合大学教授,1939～1940年间在越南研究东方语言。抗日战争胜利后,历任中山大学、岭南大学和北京大学教授。曾担任中国文字改革委员会委员、副主任,中国语言学会名誉会长等职。是中国科学院哲学社会科学部学部委员。王力从事语言科学研究和教学工作60年,在汉语语法方面,他的《中国现代语法》(1943)、《中国语法

理论》(1944)，都以《红楼梦》为研究对象，突破了《马氏文通》以来因袭西方语法的研究方法，从汉语实际出发建立了自己的语法体系，有力地促进了汉语语法研究。他的《中国音韵学》(1936，再版改名《汉语音韵学》)用现代语音学理论解释传统音韵学概念，介绍了传统的今音学、古音学和等韵学的基本内容，摒弃了传统音韵学中的神秘、虚妄因素，把音韵学引上科学道路。他还著有《汉语音韵》(1962)、《汉语语音史》(1985)等专著，以及《南北朝诗人用韵考》(1936)、《上古韵母系统研究》(1937)等论文。汉语史研究是他的另一重要成就。他的《汉语史稿》(3册，1957～1958)对汉语的语音、语法、词汇作了描写的和历史的研究。后经修订，分为《汉语语音史》、《汉语语法史》和《汉语词汇史》。所著《中国语言学史》(1981)对中国两千年来的语言研究做了全面的叙述和初步的总结。他在汉语词汇研究方面代表性成果是《同源字典》(1982)。他重视文字改革、汉语规范化和推广普通话的工作。50年代参加《汉字简化方案》、《汉语拼音方案》的制订工作。作为诗词格律学家和诗人，著有《汉语诗律学》(1958)和《龙虫并雕斋诗集》(1984)。并译有莫里哀、小仲马、左拉、都德等作家的文学作品共20余部。1985年开始陆续出版20集的《王力文集》。

Wang Mang　王莽(公元前45～公元23)　字巨君。中国新王朝(8～23)的建立者。汉元帝皇后王政君庶弟王曼之子。成帝时封新都侯。毒死平帝后，拥立年仅两岁的刘婴，由莽摄政。公元8年代汉称帝，国号新，年号始建国。令全国土地改称"王田"，奴婢称"私属"，不得买卖。推行赊贷，控制工商业，增加税收，企图缓和社会危机。但法令苛细，赋役

新莽铜嘉量
中国大百科全书出版社供图

繁重，屡改币制，造成经济混乱，使各种矛盾进一步激化，导致爆发绿林(17年)、赤眉(18年)为主的大规模农民起义。公元22年王莽派大军讨伐赤眉军，败于成昌(今山东东平)。23年讨伐绿林军于昆阳(今河南叶县)，全军覆没。同年，绿林军攻入长安，王莽被杀。

Wang Meng　王蒙(1308～1385)　中国元代画家。字叔明，号香光居士，一号黄鹤山樵，吴兴(今浙江湖州)人。元末入仕，旋弃官隐居黄鹤山(在今浙江余杭)。明初出任泰安(今属山东)知州，因胡惟庸案所累，死于狱中。工书法，诗歌亦清壮可诵。尤擅画山水，自幼受到外祖赵孟頫的影响，其后又得到黄公望的指教，曾与倪瓒、陈惟寅等切磋画艺。主要学习董源、巨然，更于郭熙"卷云皴"中化出"解索皴"，且善用渴墨苔点，所作得意之笔常用数家皴法，山水多至数十重，树木不下数十种，景色稠密，山重水复。据现存作品而

王蒙绘《葛稚川移居图》
中国大百科全书出版社供图

论，或设色，或水墨，有的较工整，有的较淹润，知其愈到晚年，愈见功力，且都具有一定的生活气息。所画虽变化多端，"纵横离奇"，但几乎无一不是一气运转，布局繁密，苍郁深秀，风格独具。倪瓒称赞云："叔明笔力能扛鼎，五百年来无此君。"后人将他和黄公望、吴镇、倪瓒合称"元四家"，对明清山水画的发展影响很大。如沈周便是由他筑基，髡残便是从他取势，王翚三摹王蒙而艺境益进。因其画面空白不多，他自行题咏时或用篆书，或用隶书，或用行楷，或篆、隶、行楷相兼，虽字数较少，但非常讲求书画二者之间风格的和谐与统一。存世作品有《青卞隐居》、《夏日山居》、《夏山高隐》、《秋山草堂》、《花溪渔隐》、《溪山高逸》、《谷口春耕》、《葛稚川移居》、《太白山》、《丹山瀛海》等图。

Wang Meng　王蒙(1934-10-15，中国北京～　)　中国作家。祖籍河北南皮。1948年参加中国共产党。50年代初期在北京市新民主主义青年团东四区区委会工作。1953年创作长篇小说《青春万岁》。1956年发表短篇小说《组织部来了个年轻人》，引起社会强烈反响。不久，作品受到批判，同年已付排的小说《春青万岁》也未能出版，直到1978年才问世。1962年调入北京师范学院中文系任教。同期发表短篇小说《眼睛》和《夜雨》。1963年举家迁往新疆，曾在伊犁农

中国大百科全书出版社供图

村劳动锻炼6年。1973年调回新疆自治区文化局，翻译了《在奔腾的伊犁河上》等作品。1978年发表短篇小说《最宝贵的》等。1979年回到北京，先后在北京作家协会、中国作家协会任职，1983～1986年出任《人民文学》主编，1985年当选为中国作协常务副主席，1986～1989年出任文化部部长。先后发表了中短篇小说《布礼》(1979)、《蝴蝶》(1980)、《春之声》(1980)、《说客盈门》(1980)、《风筝飘带》(1980)、《海的梦》(1980)、《相见时难》(1982)、《坚硬的稀粥》(1989)等，长篇小说《活动变人形》(1986)、《暗杀—3322》(1994)和"季节"系列中的《恋爱的季节》(1992)、《失恋的季节》(1994)、《踌躇的季节》(1997)，诗集《旋转的秋千》，以及报告文学与文学研究和评论集《当你拿起笔》(1981)、《创作是一种燃烧》(1995)、《红楼启示录》(1991)、《双飞翼》等，成为中国文坛上最有活力的作家和学者之一。他的创作风格多变，方法多样，曾多次获得全国优秀小说奖，1987年获日本创价学会和平文化奖和意大利蒙德罗国际文学特别奖。他的作品被译成多种文字在意、德、英、法、荷、美、俄、日、墨西哥、罗马尼亚和挪威等国家出版，并以"荣誉客人"身份出席国际笔会年会。

Wang Mian　王冕(1287～1359)　中国元代画家、诗人。字元章，号煮石山农，会稽外史等。诸暨(今属浙江)人。出身农家，贫而好学。试进士不第，即弃去，读古兵法。知天下将乱，归隐会稽(今浙江绍兴)九里山，种田、灌园，卖画为生。由于历经贫困，对社会黑暗与人民苦难有比较深刻的认识。擅画墨梅，与南宋杨无咎(补之)相比，杨画"疏枝冷花，清意逼人"；他画繁枝密花，生意盎然。杨依照林和靖著名诗句多横斜取势，清逸淡远；他则或直下，或上翻，或横出，变化多端，显得气盛体壮，磊落不凡。他画花创造一种一笔两顿挫的方法，更觉变化多姿；还善于用墨色的浓淡变化来表现梅花在不同时令和天气中的姿态韵度。总的说来，杨是"清意逼人"，他是生气勃勃，比杨更能激动人心，对后代的影响更大。他诗、书、刻印无一不佳。相传以花乳石(青田石)治印由他创始。画后题诗用印，使诗书画印结合在一个画面之中，形成中国绘画艺术的独特风格与气派。他的诗歌反映出人民的苦难，抨击了统治阶级的残酷，表

王冕绘《南枝春早图》
中国大百科全书出版社供图

达了民族意识。作品有《墨梅图》、《梅花图》、《照水古梅图》、《三君子图》等。

Wang Ming　王明(1904-04-09,中国安徽金寨～1974-03-27,苏联莫斯科)　中国共产党早期领导人之一。原名陈绍禹。1925年加入中国共产党。同年秋去莫斯科中山大学学习,得到校长米夫的赏识。在米夫支持下逐步形成以王明为首的教条主义的宗派。1929～1930年间王明和其他一些教条主义者陆续从苏联回国。他们打着拥护"共产国际路线"、反对"立三路线"旗号,进行夺取中共中央领导权的活动。12月米夫以共产国际东方部部长身份来华。王明等人在米夫支持下迫使中共中央于1931年1月召开六届四中全会。王明在这次会议上被选为中央委员和中央政治局委员,实际上主持中共中央的工作。同年10月去苏联,任共产国际执行委员会委员、书记处候补书记。1931～1934年间王明、博古等人掌握了中共中央领导权,在政治上和军事上推行教条主义"左"倾冒险主义,使中国革命事业受到严重危害。1935年1月遵义会议批评了这种错误,结束了他们在中共中央的统治。王明在1937年11月回国,任中共中央书记处书记、中共中央长江局书记。主张对国民党只要团结、不要斗争,使他领导地区的革命事业又受到严重损失。1938年中共六届六中全会决定撤销长江局,免去他的书记职务。1942年延安整风运动他受到了严厉批评。1945年4月中共扩大的六届七中全会作出了《关于若干历史问题的决议》。当时王明给全会写信对决议表示"完全同意和拥护"。中华人民共和国建立后,任中央法律委员会主任、中央人民政府法制委员会主任委员、政协全国委员会委员等职。1956年被选为第八届中央委员会委员,但他已去苏联就医,从此拒不回国。60、70年代写了许多文章和小册子,攻击中国共产党。

Wang Mo-ch'i　王摩诘　参阅 **Wang Wei** 王维。

Wang Qingren　王清任(1768～1831)　又拼 Wang Ch'ing-jen。中国清代解剖学家。字勋臣,河北玉田人。认为"著书不明脏腑,岂不是痴人说梦?治病不明脏腑,何异盲子夜行"。因此,从1797年起在滦州福地镇义冢剖视儿童残尸百余具,整尸30具。又到刑场检视罪犯尸体弄清脏腑结构,并与动物尸体解剖对比,绘制解剖图。著《医林改错》,纠正了古代医书在解剖学上的误差。记载了腹主动脉、上腔静脉、颈总动脉、气管、津管、总胆管及十二指肠入口、胰脏、胰腺管、输精管等脏器,丰富了中国的解剖学。他的血府逐瘀理论和活血化瘀法至今对治疗冠心病还切合实用。

Wang Shifu　王实甫(约1250～1337?)　又拼 Wang Shih-fu。中国元代杂剧作家。名德信,大都(今北京)人。创作活动大致在元成宗元贞、大德年间(1295～1307)。所作杂剧

元末明初刻本《西厢记》残页
中国大百科全书出版社供图

现知有13种,今存《西厢记》、《丽春堂》、《破窑记》三种,《芙蓉亭》、《贩茶船》两剧各存词曲一折。《西厢记》是王实甫代表作。全名《崔莺莺待月西厢记》。写书生张珙在普救寺遇崔相国之女莺莺,两人相爱,在侍女红娘帮助下冲破封建礼教束缚而结合。故事最早见于唐元稹传奇小说《莺莺传》。全剧突出反对封建礼教观念,情节描写细致入微,剧中主要人物张珙、莺莺、红娘、老夫人等都有鲜明的典型性格。还打破杂剧每剧4折和1人(正末、正旦)主唱的体例,全剧共5本21折,每折且不限一人主唱,促进了元杂剧剧本结构体例的革新。《西厢记》上演后广为流传。后世许多剧作都受到本书影响。现代不少地方剧种仍作为保留剧目经常上演。

Wang Shizhen　王世贞(1526～1590)　又拼 Wang Shih-chen。中国明代文学家、史学家。字元美,号凤洲,又号弇州山人。太仓(今属江苏)人。右都御史王忬之子。嘉靖进士,授刑部主事,官至南京刑部尚书。父为严嵩所害,曾作长诗斥严氏父子罪恶,传颂一时。早年与李攀龙同为复古派"后七子"盟主。攀龙死,主持文坛20年。主张文必秦汉,诗必盛唐,大力倡导文学复古运动。晚年主张稍有改变。所撰《艺苑卮言》12卷评述南北曲源流及其优劣,是戏曲史重要文献。传以反严嵩为题材的传奇剧本《鸣凤记》出其手笔。史学著作以《史乘考误》为代表,考证明代史实,颇见功力。生平著述甚多,有《弇州山人四部稿》174卷、《弇州山人续稿》207卷。

Wang Shouren　王守仁(1472～1529)　又拼 Wang Shou-jen。中国明代哲学家、教育家。字伯安,号阳明。余姚(今属浙江)人。早年因反对太监刘瑾,贬为贵州龙场驿丞。

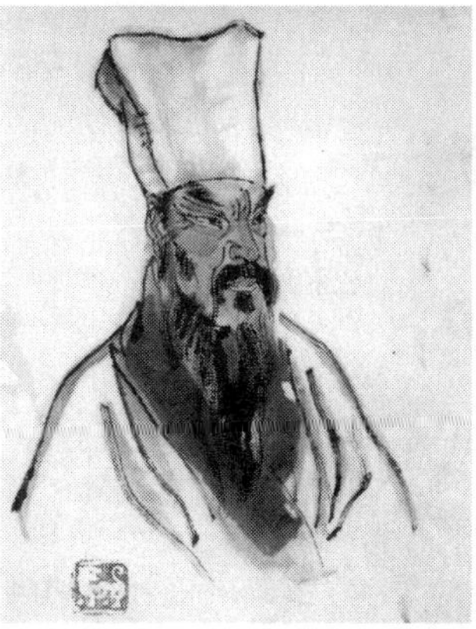

中国大百科全书出版社供图

后镇压农民起义和平定"宸濠之乱",官至南京兵部尚书参赞,封新建伯,卒谥文成。在哲学上发展陆九渊学说,有陆王学派之称。标榜"心学",强调"圣人之学,心学也",主张"心外无理","心外无物",批评朱熹"析心与理为二"的观点。还提出"致良知"说,认为"良知"是人人天赋的本性,"致良知"即恢复良知,达到良知的至极。他还提出著名的"知行合一"说,以反对朱熹等人的"知先行后"以及各种割裂知行关系的说法。所谓"知行合一"是"致良知"的一种方法,要求把不善念头在内心活动过程中及时克服,但又从道德修养上强调不能只说不做,主张能行才是真知。王守仁的学说在明代中期以后影响很大,并流行到日本,被称为"阳明学"。其著作由门人编成《王文成公全书》(又称《阳明全书》)38卷,其中最重要的哲学著作是《传习录》和《大

学问》。

Wang Shuwen　王叔文(753～806)　中国唐代中期政治家。越州山阴(今浙江绍兴)人。德宗时与王伾同为皇太子李诵(顺宗)侍读。由于王叔文的高深见解,深得李诵的赏识。当时一批有才之士形成革新集团,其中包括王叔文、王伾、韦执谊、韩泰、陈谏、柳宗元、刘禹锡、韩晔、凌准、程异,史称"二王八司马",他们以王叔文为其领袖。顺宗即位授王叔文翰林学士,兼度支、盐铁转运使。"二王八司马"等人革新朝政,贬斥贪暴的京兆尹李实,赦免百姓积欠赋税,罢除诸道进奉,废止由宦官把持的宫市及五坊小儿使,企图夺取宦官的兵权。后遭到宦官及部分朝官、藩镇的反对。805年宦官俱文珍等迫使卧病的顺宗禅位于宪宗,贬王叔文为渝州司户,次年被杀。王伾被贬为开州司马,不久病死,其他8人也先后被贬为边远八州司马。王叔文集团掌权共146天,意在抑制宦官集团,改革弊政,史称"永贞革新"。

Wang Tao　王韬(1828-11-10～1897?)　中国清末改良派政论家,现代新闻业的开拓者之一。本名利宾,号紫诠,字仲弢,别号弢园老人。江苏长洲(今属吴县)人。18岁中秀才。1849～1862年任职上海英人开办的印刷所——墨海书馆。曾上书太平天国苏州守将刘肇均,被清政府通缉,逃往香港。1862～1884年在港期间曾游历英、德、法、俄等国。1874年在香港主编《循环日报》,宣传变法自强,主张向西方学习,建立机器工业,开发矿藏,改变重农抑商政策,改革科举和教育制

中国大百科全书出版社供图

度。1884年经洋务派官僚丁日昌斡旋,得李鸿章默许,返沪定居,任格致书院掌院,常为洋务派出谋献策,并一度主编《申报》。著有政论集《弢园文录外编》、《弢园尺牍》、《弢园尺牍续抄》、《王韬日记》等数十种。

Wang Tingyun　王庭筠(1151～1202)　中国金代书画家、文学家。字子端,号黄华山人。河东(今山西永济)人,一说熊岳(今辽宁盖县)人。世宗大定十六年(1177)进士。他工诗文、精书法、善画山水墨竹。曾著《藂辨》10卷,文集40卷,今俱不传。书学米芾,得米之神髓,有晋人风韵。传世作品有《重修蜀先主庙碑》、《行书七绝诗碑》与《清华台诗帖》等。他的山水画宗法文同,更常在灯下照竹枝模影写真。从传世《幽竹枯槎图》中可以看到笔法苍辣,墨韵精微,在文同的基础上又有

王庭筠绘《幽竹枯槎图》
中国大百科全书出版社供图

新的发展。金章宗尚文重艺,任命他为书画局都监,品第内府书画,后为翰林修撰。其子曼庆,号澹游,亦长于书画,尤以画竹得名。元朝墨竹名家辈出,多受到他们父子的影响。他的诗文有辑本《黄华集》。

Wang Wei　王维(701～761)　中国唐代诗人、画家。字摩诘,蒲州(今山西永济)人。少多才艺,精诗、画、音乐。721年中进士,累官至给事中、尚书右丞,世称王右丞。40岁

王维绘《雪溪》
檀香山美术学院供图

起即亦官亦隐,常居蓝田别墅,生活悠闲。诗以写山水田园风景及隐居情趣最具特色,对自然美有细致入微的锐敏感受,善于状写深长悠远的意境。工绘画,自云"前身应画师"。山水、宗教人物、肖像、花竹各体兼擅,尤长于山水。《历代名画记》称其"画山水体涉今古"。所作有近于吴道子之狂逸者,亦有近于李思训、李昭道父子之工细者,其自得处,乃在取吴、李两家所长,又有新的发展。其对后世影响最大者,尤在于拔出吴、李两家之外的将诗情禅意融合于画图之中的"破墨(水墨渲染)山水"。其所作构思奇巧,风格潇洒,笔墨宛丽,气韵高洁。宋代苏轼说:"味摩诘之诗,诗中有画;观摩诘之画,画中有诗",且曾一度将其评品位于"画圣"吴道子之上。到了明代董其昌更推尊他为山水画"南宗"之祖,并说"文人之画,自王右丞始"。《宣和画谱》收录他的作品有126幅之多,今传世者仅《雪溪》与《济南伏生像》二图。又从石刻本《辋川》与《竹》二图中亦可想象其风采。笃信佛教。诗作现存不满400首。在写幽静恬淡境界中常流露远离社会的超脱情绪。还写过军旅、边塞、赠别、怀人的诗篇,其中《使至塞上》、《渭城曲》、《老将行》、《九月九日忆山东兄弟》等都是历来传诵的佳作。北京图书馆藏有宋蜀刻本《王摩诘文集》10卷。清人赵殿成有《王右丞集笺注》。

Wang Wenjiao　王文教(1933-11-22,印度尼西亚～　)　中国羽毛球运动员,羽毛球国家级教练。祖籍福建南安。上学时擅长打羽毛球。1954年回国,进北京体育学院羽毛球班学习。1957年进福建体育学院羽毛球队,当年获全国羽毛球赛男子单打冠军,并在第3届国际青年友谊运动会羽毛球赛中与陈福寿获双打冠军。在1958年全国羽毛球赛和1959年第1届全国运动会羽毛球赛中均获男子单打冠军和男子双打冠军(与陈福寿)。他打法积极,速度快,进攻意识强,扣球力量大。1957年获中国运动健将称号。1960年起任福建省男子羽毛球队教练。1972年2月调任国家羽毛球集训队教练。1981年任总教练。在他和其他教练指导下,中国国家队多次在重大国际比赛中获胜。1979年王文教被国家体委评选为国家级教练。同年任中国羽毛球协会副主席。1981、1983年两度荣获国家体委颁发的体育运动荣誉奖章。1988年任中国羽毛球协会主席。1986年当选为国际羽毛球联合会(IBF)理事。1987年当选为亚洲羽毛球联合会副主席,1993年连选连任。

Wang Xianzhi　王献之(344～386)　又拼Wang Hsien-chih。中国东晋书法家。字子敬,王羲之第七子。官至中书令。善正、行、草书。先学父书,后学张芝,鉴于"古法局而

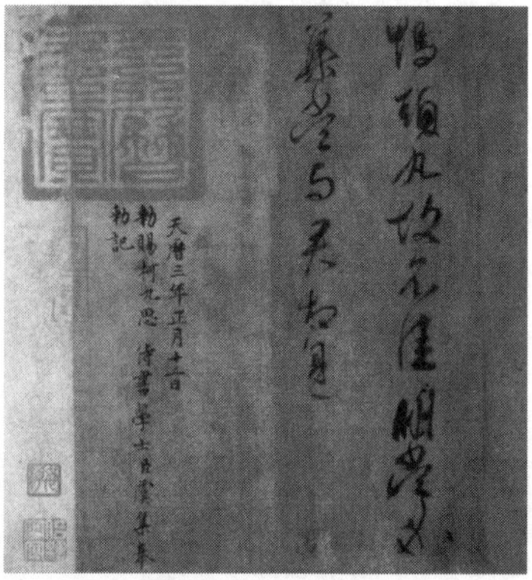

王献之书《鸭头丸帖》
中国大百科全书出版社供图

执",别创新法,形成笔迹流泽、婉转妍媚的风格,以至与父齐名,人称"二王"。他在草书方面更创造了"一笔书",有"破体"之称,变其父上下不相连之草为上下相连之草,往往一笔连贯数字。由于其书法豪迈很有气势,且书写便利,既符合当时的审美情趣,又具有很高

的实用价值,故为世所重。由晋末至梁代的一个半世纪中,其影响之大超过其父。存世墨迹有行书《鸭头丸帖》,小楷刻本有《洛神赋十三行》。其正、行、草诸帖札散见宋人所刻丛帖中。其中以《送梨帖》与《十二月割至残帖》最受到重视。

Wang Xizhi　王羲之(303～361)　又拼 Wang Hsi-chih。中国东晋书法家。字逸少,琅玡临沂(今属山东)人,后移居会稽山阴(今浙江绍兴)。官右军将军、会稽内史,人称王右

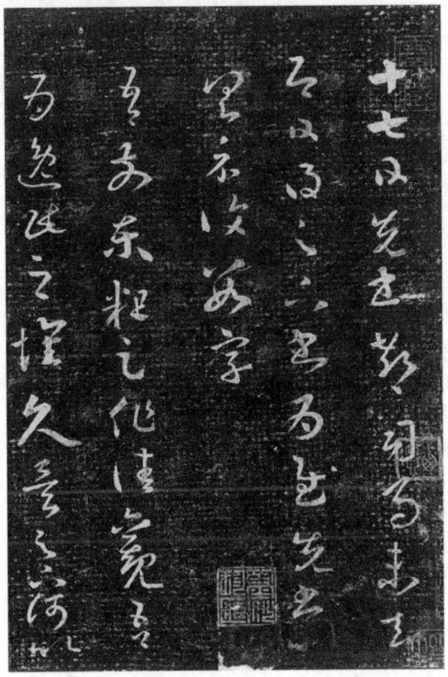

王羲之书《十七帖》
京都国家博物馆供图

军。为人正直,居官有善政。早岁从姨母卫夫人学书,又得家传,其后又博览秦、汉、魏各时期及李斯、蔡邕、鍾繇、张昶等人碑迹,更加努力学习,改变初学,博采众长,备精诸体。主要师法张芝、鍾繇,推陈出新,一变汉魏以来比较质朴的书风,创造出一种劲健流便"如龙跳天门,虎卧凤阁"或"飘若浮云,矫若惊龙"的书体。其草书会通民间书风,省章草之波磔为今草。其行书更创新自我,一空前古。梁武帝特别赞扬他的成就。到了唐太宗更说:"详察古今,尽善尽美,其王逸少乎?"历代学书、论书者都以他作为最高典范,故有"书圣"之称。书迹刻本甚多,散见宋代以来丛帖中。真书有《东方朔画赞》、《乐毅论》、《曹娥碑》等。行书多保存在《圣教序》内,代表作为《兰亭序》,但真伪问题目前尚有争论;草书代表作有《十七帖》等。其真迹原作现已无存,惟有唐人临摹之《姨母》、《奉橘》、《快雪时晴》、《丧乱》、《孔传中》及《初月》等帖。羲之家人多能书,第七子王献之尤能继美。人称"二王"。

Wang Xuan　王选(1937-02,中国江苏无锡～2006-02-13,北京)　中国计算机专家,中国科学院和中国工程院院士。1958年北京大学数学力学系毕业。历任北京大学教授、博士研究生导师、计算机研究所所长,方正集团顾问、董事长,文字信息处理技术国家重点实验室主任,电子出版技术国家工程研究中心主任等职。当选为第三世界科学院院士,香港方正集团董事局主席,中国科学技术协会副主席。1975年开始主持研制华光与方正型计算机激光汉字照排系统,用于书刊报纸等正式出版物的编排,引发了中国出版印刷业"告别铅与火,迈入光与电"的一场技术革命,并在海外也得到广泛使用。他被誉为中国现代电子出版系统的开创者和奠基人。

Wang Yang-ming　王阳明　参阅 **Wang Shouren** 王守仁。

Wang Yaoqing　王瑶卿(1881-06-14,中国河北宛平～1954-10-07,北京)　中国京剧演员、戏曲教育家。原名瑞臻,字稚庭,号菊痴,艺名瑶卿,晚年用名瑶青。原籍江苏清江。9岁由田宝琳开蒙,习青衣,入四箴堂科班练武功,14岁登台演出《祭塔》,师从钱金福、谢双寿,打下了旦行文、武、昆、乱的基础。16岁变嗓辍演,得陈德霖教益,重进福寿班演出,声名大震。1902年被选为升平署外学民籍生员,常与谭鑫培、杨小楼合演。1906年入同庆班,遂与谭鑫培长期合作,珠联璧合,名重一时。1909年自己挑班演出于丹桂园,改变了以往京剧舞台上以生行领衔的局面,形成了独树一帜、风格清晰的"王派"艺术。王瑶卿在表演上博采众长,勇于创新。在艺术上他上承梅巧玲、余紫云之衣钵,下开梅兰芳、程砚秋之端绪,打破行当限制,兼取青衣、刀马、闺门、花旦和昆曲旦行之长,对唱、念、做、打进行了系统的改革,为旦角艺术的发展开拓了宽广的道路。王派唱腔明丽刚健、遒劲爽

中国大百科全书出版社供图

脆,尤以西皮见长,所唱[快板]最显功力。念白生动自然,刻画人物性格栩栩如生。做功娴熟工稳,身段准确干净,并率先废除了有辱妇女形象的跺跻。由于他在艺术上不断进取,勇于改革,后人把他与谭鑫培并称为"梨园汤武"。王瑶卿擅演《汾河湾》、《南天门》、《十三妹》、《乾坤福寿镜》、《梅玉配》、《棋盘山》、《雁门关》、《木兰从军》等剧目,可惜1926年因"塌中",息影舞台。此后,即致力于戏曲教育事业,几十年如一日,诲人不倦,堪称一代宗师。入室弟子数以百计。1949年后,历任中国戏曲学校校长、顾问,主要传人有梅兰芳、程砚秋、荀慧生、尚小云、荣蝶仙、徐碧云、黄玉麟、朱琴心、赵桐珊、雪艳琴、章遏云、王玉蓉、杜近芳、刘秀荣、谢锐青等。

Wang Yinglai　王应睐(1907-11-13,中国福建金门～2001-05-05,上海)　中国生物化学家。中国科学院院士。1929年毕业于金陵大学化学系,获金钥匙奖。1938年考取庚款留

中国大百科全书出版社供图

英,在剑桥大学攻读生物化学,1941年免试通过,获哲学博士学位。此时,因珍珠港事件,太平洋战争爆发,王应睐无法回国,遂留在剑桥大学邓恩营养学实验室和莫梯诺研究所从事研究。他在细胞色素发现者D.基林的指导下,从事血红蛋白研究,首次以完整的实验数据证明豆科植物根瘤中含有血红蛋白(1945)。他还和T.穆尔在国际上首先发现服用过量维生素A的毒理作用以及机体缺乏维生素E时的组织变态现象。1945年回国后,历任中央大学教授、中央研究院高级研究员;中国科学院上海分院院长,生物化学研究所所长、名誉所长,中国生物化学学会理事长、名誉理事长等职。1955年当选为中国科学院生物学地学部委员。1946～1948年间,他提纯并结晶了寄生在马胃的马蝇蛆的血红蛋白,并阐明了不同生活条件下血红蛋白的性质与功能的关系。1949年后,他与邹承鲁、汪静英等成功地分离、纯化了琥珀酸脱氢酶,发现该酶含有异咯嗪辅基与非血红素铁,酶以共价键与异咯嗪腺嘌呤二核苷酸相联接。这项工作在1955年第三届国际生物化学大会得到极高评价,并荣获1978年中国全国科学大会重大成果奖。1963年,他担任人工合成胰岛素协作组组长,指导、协调生物化学研究所与中国科学院有机化学所、北京大学合作,于1965年9月,完成人工合成牛胰岛素的工作。1977年又担任人工合成酵母丙氨酸转移核糖核酸协作组组长,于1981年得到世界上第一个人工合成的转移核糖核酸,获1982年国家自然科学奖一等奖。1988年,在第20届迈阿密生物技术讨论会上获"特殊成就奖"。他还是比利时皇家科学、文学和美术学院外籍院士,美国生化学会名誉会员,匈牙利、捷克等科学院名誉院士。先后发表论文60多篇。

Wang Yinglin　王应麟(1223～1296)　中国南宋学者。字伯厚,号深宁居士。淳祐元年(1241)进士。官至礼部尚书兼给事中。博学,对经史百家、天文地理等都有研究。熟悉掌故制度,长于考证。著有《困学纪闻》、《玉海》、《诗考》、《诗地理考》、《汉艺文志考证》、《玉堂类稿》、《深宁集》等。《玉海》200卷,征引经、史、子、集以至百家传记、杂书。其中宋

史辑自当时《国史日历》和《实录》，是研究宋代史事的珍贵史料。

Wang Yongzhi 王永志（1932，中国辽宁昌图～ ） 中国火箭专家，中国工程院院士，国际宇航科学院院士，俄罗斯宇航科学院院士。中国载人航天工程总设计师。1952年入清华大学学习。1961年毕业于苏联莫斯科航空学院。回国后从事火箭导弹总体研究设计工作。历任国防部五院一分院总体部室主任，七机部一院副院长，中国运载火箭技术研究院院长。在中国第一代战略导弹和运载火箭研制中，他采用先进技术，提高了导弹射程、实战使用性能和卫星运载能力。在第二代战略导弹研制中，先后担任了3种导弹的总设计师，在提高可靠性和命中精度、实现机动发射方面成绩卓著。是研制“长征”2号E大推力运载火箭的总指挥，确保了技术设计上的高可靠性和高质量。主持中国载人航天工程的设计与研制工作，“神舟”5号飞船载人航天飞行圆满成功。

Wang Yunwu 王云五（1888-07-09，中国上海～1979-08-14，台湾台北） 中国现代出版家、教育家。原名之瑞，号岫庐，笔名龙倦飞。祖籍广东香山（今中山）。早年入私塾，后在上海一五金店学徒，业余在夜校学英文等。曾先后担任上海同文馆英文教员及报社职员。1912年任南京临时大总统府秘书，同年9月加入国民党。1913年升任教育部主任秘书。同年5月任中国公学大学部教授。1917年

中国大百科全书出版社供图

起在上海从事编译工作，并创办公民书局。1921年经胡适推荐，任上海商务印书馆编译所所长。1925年3月发明四角号码检字法，并编《王云五大词典》等书。1927年完成中外图书统一分类法。1930年出任商务印书馆总经理。1937年7月，应邀出席庐山会谈。抗日战争爆发后，王云五投身政界，连任四届国民参政会参政员。1944年创制四角号码中文排字架，并当选中国发明协会理事长。1946年辞去商务印书馆总经理职，出任国民政府经济部部长。翌年任行政院副院长。1948年4月，任行政院政务委员兼财政部部长。1949年2月赴香港，倡议发行《自由人》三月刊。同年在香港创办华国出版社。1951年到台湾定居，被聘为“总统府”国策顾问，先后任故宫博物院共同理事会理事长、台湾商务印书馆业务计划委员会主任委员、“考试院”副院长等职。1958～1963年任“行政院”副院长，辞职后应聘为“总统府”资政。1964年当选为台湾商务印书馆董事长。任内该馆印行《四库全书》珍本、《百衲本二十四史》、《辞源》修订本、《人人文库》等大型丛书。

Wang Zhen 王祯 又拼Wang Chen。中国元代（1206～1368）农学家、木活字印刷发明人。字伯善，山东东平人。1295～1300年先后在安徽、江西任县尹，对农、桑、六谷和农

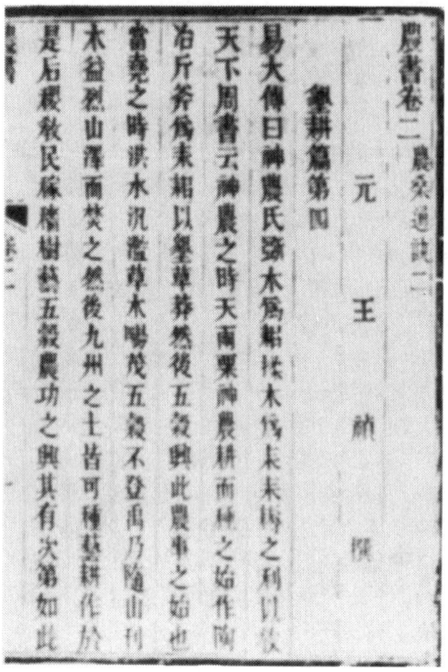

農書卷二 農桑通訣二

元 王禎 撰

墾耕篇第四

易大傳曰神農氏斲木爲耜揉木爲耒耒耨之利以教天下周書云神農之時天雨粟神農耕而種之始作陶冶斤斧爲耒耜以墾草莽然後五穀興此農事之始也當堯之時洪水汎濫草木暢茂五穀不登禹乃隨山刊木益烈山澤而焚之然後九州之土皆可種藝耕作於是后稷教民稼穡樹藝五穀農功之興其有次第如此

武英殿聚珍丛书本《农书》书影

中国大百科全书出版社供图

器有精深研究，著有《农书》22卷。《农书》根据中国南北方水田旱田生产实践写成。分三部分：《农桑通诀》为总论，贯穿农本观念和天时、地利、人力决定农业生产的思想。《百谷谱》是农作物栽培各论。《农器图谱》中306幅图大多是农具实物写真，许多农具今天还在使用。《农书》元刻本已佚，明初收入《永乐大典》。后有传抄、传刻本。为准备出版农书，王祯按自己设想“命匠创活字”，以两年时间雕板木为字，并发明转轮排字法，即把木活字按音韵排列在两个可转动的木轮上，排字工转动木轮拾字排版。木活字印刷在中国印刷史上占有重要地位。

Wang Zhen 王振（？～1449） 又拼Wang Chen。中国明代宦官。蔚州（今河北蔚县）人。初为皇太子朱祁镇（英宗）教师。英宗即位后命掌司礼监。1442年后权势大盛，勾结内外官僚，排陷异己，擅作威福，把持朝政。朝廷多呼为“翁父”，为明代宦官专政之始。1449年瓦剌军进攻北京，王振挟英宗亲征。至土木堡（今河北怀来东）全军覆没，英宗被俘（史称“土木之变”），王振死于乱军中。

Wang Zhenzhi 王贞治（1940-05-20，日本东京～ ） 又拼Wang Chên-chih。旅日华人棒球运动员，被称为日本的“本垒打大王”。父王仕福，母王富美，早年赴日经商。小学时开始打棒球。初中时加入高中部青年棒球队，职业棒球评论家荒川曾鼓励他改用左臂打击。在早稻田实业高中读书时，被选拔加入棒球队校队。1959年加入职业棒球读卖巨

中国大百科全书出版社供图

人队，出赛到第27场始击出第一个本垒打。到第4年他采取独特的“稻草人式”（即“金鸡独立式”）打击法，球赛一季往往击出本垒打30个以上。此后声誉日隆，成为职业棒球迷崇拜的对象。1973和1974年王贞治连续获“王冠王”称号（打击率、本垒打及打点三项均为同一球季中所有球员之冠）。1977年9月3日击出第756个本垒打，打破美国黑人运动员艾伦（**Aaron，Hank**）累计755个本垒打的世界纪录。1980年宣布退出比赛，改任巨人队副监督，创累计868个本垒打的世界纪录。1983年任巨人队监督，1988年宣布退职。

Wanganui 旺阿努伊 新西兰北岛西南部地方行政区，面积9 171平方千米，包括旺阿努伊河谷地，北起于凯马纳瓦山西北坡，东邻朗伊蒂基河流域。行政区内的海滨平原西临塔斯曼海，宽8～24千米，为旺阿努伊城所在。区内饲养牛羊，从事奶酪和园艺业。旺阿努伊河上游曾是毛利人早年聚落中心，以风景幽美辟为国家公园。人口约69 400（1988）。

Wanganui 旺阿努伊 新西兰北岛西南部城市和港口。邻近旺阿努伊河河口。1841年新西兰公司在此建立居民点。1862年设镇。1924年设市。为附近羊、菜牛、奶牛产区的服务中心。有食品加工、毛纺、服装、印刷和通用机械等工厂。卡普尼天然气田有输气管经此。输出羊毛、肉类、乳品，输入水泥、煤和化肥，主要通过位于河口的卡斯尔克利夫。有铁路和公路通惠灵顿。人口：城市区约41 400（1992）；区约44 933（1991）。

Wanganui River 旺阿努伊河 新西兰北岛中部河流。源出瑙鲁霍伊山西坡，向西北转南流，注入塔斯曼海南塔拉纳基湾。全长290千米，有翁加鲁伊、坦加拉考、奥胡拉等河注入。流域面积7 380平方千米。通航小船。具有水力发电潜势。

Wangaratta 旺加拉塔 澳大利亚维多利亚州北部城市。位于墨尔本东北，奥丁斯河和金河汇合处。为公路和铁路交接点，是澳大利亚阿尔卑斯山区的门户。为所在地区农产品（羊毛、小麦、葡萄、烟草、亚麻）的销售加工中心。有毛纺、尼龙、汽车制造等工厂，还

建有石油和煤气库等设施。每年1月举办"澳大利亚日"体育赛会。1959年建市。人口约15 984(1991)。

Wankel, Felix　汪克尔(1902-08-13,德国拉尔～1988-10-09,西德林道)　德国工程师,汪克尔旋转活塞式发动机的发明者。该发动机的独到之处在于它采用一个沿轨道旋转的弯曲的等边三角形转子代替其他内燃机中上下移动的活塞作功。这种发动机的优点是重量轻、活动部件少、结构紧凑、性能良好,起价低,几乎不需修理,因此在汽车和飞机上得到广泛应用。1936～1945年他在德国航空研究所进行回转阀的研制工作。1951年开始在内卡苏尔姆一家发动机厂的研究部工作。1954年他完成了第一台旋转活塞式发动机的设计,1957年试验第一台样机。1971年日本的马自达汽车公司制造生产汪克尔发动机并将它投向美国市场。他在林道创建并主持一所研究机构,对旋转活塞式发动机的基本问题和未来应用进行研究。

Wankel engine　汪克尔发动机　内燃旋转发动机,有一个环行的三角形转子起活塞的作用。参阅 **gasoline engine**。

Wankie (Zimbabwe)　**万基**　参阅 **Hwange** 万盖。

Wankie National Park (Zimbabwe)　**万基国家公园**　参阅 **Hwange National Park** 万盖国家公园。

Wanli　万历　参阅 **Ming** ——:明朝帝王序列下 **Mingshenzong Zhu Yijun** 明神宗朱翊钧。

Wannsee Conference　万塞会议(1942-01-20)　纳粹官员在柏林郊区格罗森-万塞召开的会议,讨论"犹太人问题"的"最后解决"方案。据说由希特勒下令召开。出席者为以海德里希为首的15名纳粹官员,包括帝国中央保安局犹太处处长艾希曼在内。最初,他们想要将全部犹太人放逐到马达加斯加,但是由于在战时无法执行,就放弃了这一计划。新策划的"最后解决"是在欧洲各地搜捕全部犹太人,将他们东运,并组成劳动队。艰苦的劳动和生活条件足以使大批犹太人"自然减少",而幸存者则可以"相应处理"。万塞会议的最后文件没有明确提到灭绝犹太人。但不出几个月,就在波兰灭绝营中设置了第一个毒气室。整个计划由希姆莱和他的党卫军与盖世太保负责。参阅 **Holocaust**。

Wanquan He　万泉河　中国海南岛东南部河流。有两源:南支乐会水为干流,长109千米,发源于五指山林背村南岭;北支定安水,源出黎母岭南。两水在琼海市合口嘴会合始称万泉河,经嘉积(琼海市区)至博鳌入南海。全长163千米,流域面积3 683平方千米。上游高山峻岭,流经深山峡谷。过合口嘴以后河槽渐宽,水流平缓。总落差523米,水能蕴藏量26.3万千瓦。河口呈葫芦状,港口如钳,宽约100米。洪水大多由台风雨产生,年

万泉河风光
中国大百科全书出版社供图

最大洪峰一般出现在7～10月,来势凶猛;非汛期(11～4月)流量甚少。通航河道约73千米。

Wansbeck　旺斯贝克　英格兰北部诺森伯兰行政、历史郡一区。濒临北海,位于郡的东南角。西接诺森伯兰高地,为狭窄的沿岸平原。20世纪60～70年代诺森伯兰煤田和北海渔业的衰落,使该区阿兴顿、贝德灵顿和滨海纽比金3大镇的经济一蹶不振。现有奶牛饲养业、综合性农业。阿兴顿是行政中心和最大的城镇。面积69平方千米。人口62 100(1998)。

Wantage　旺蒂奇　英格兰牛津行政郡怀特霍斯河谷一城镇("堂区")。为古老的集镇。盎格鲁-撒克逊的统治者阿尔弗烈德大王(871～899)诞生于此。他的雕像竖立在市场上。附近的哈韦尔设有原子能研究站等机构,雇用了许多人。人口9 452(1991)。

Wanyan Min　完颜旻　又拼 Wan-yen Min。参阅 **Jintaizu Wanyan Min** 金太祖完颜旻。

Wanyang Shan　万洋山　中国湖南、江西两省边境山地。属罗霄山脉中段。为湘江支流洣水和赣江支流遂川江的分水岭。海拔多在1 500米左右。主峰南风面海拔2 120米,为罗霄山脉最高峰。万洋山北端为井冈山。井冈山与周围丘陵平原间相对高差约500米左右,山峦陡起。进山的五大哨口如黄洋界等是险峻的隘道。

Wanyika (people)　**瓦尼卡人**　参阅 **Manyika** 马尼卡人。

wapentake　小邑　英格兰约克、林肯、莱斯特、诺丁汉、德比和拉特兰等郡的行政区划,相当于英格兰其他各地的"百户"。小邑源出斯堪的纳维亚语,意即拿起武器。在有小邑的各郡中,丹麦影响较大。

wapiti (species *Cervus canadensis*)　**美洲赤鹿**　又作 American elk。又称美洲�、美洲马鹿、加拿大鹿。偶蹄目鹿科的北美动物,或认为与欧亚大陆的赤鹿(马鹿,*C. elaphus*)是同

雄美洲赤鹿(*C. canadensis*)
供图:Alan Carey

一种。往常见于北美洲大部分地区,现在分布局限于落基山脉和加拿大南部。体大仅次于驼鹿,是现存第二大鹿科动物。雄体肩高可过1.5米,体重平均295千克,但最大可达500千克。雌体较矮,较轻。淡褐至深褐色,有一灰白色臀斑。肩和颈覆有深褐色蓬松长毛。雄体具大角,常有5个分叉,高出头部1.2米。冬季成大群活动;夏天大群分成小群,年龄较大的雄体独居或2～3头成群。需大量的草、叶等作为食物,严冬乏食时,常成群去耕地、果园或干草堆觅食。常被捕猎以取其肉及皮,头可做装饰品。在人类活动地点周围,其数量靠有控制的狩猎来调节。通常认为美洲赤鹿包括图莱狍(*C. nannodes*)和已绝灭的梅里亚姆氏狍(梅里亚姆氏鹿,*C. merriami*)两种鹿,前者为一种加利福尼亚鹿,比美洲赤鹿体型小,颜色浅。

Wapping-Rotherhithe Tunnel　沃平-罗瑟海斯隧道　参阅 **Thames Tunnel** 泰晤士河隧道。

Wappinger　瓦平格尔人　北美东部操阿尔冈昆语的印第安部落联盟,早在17世纪即居住在哈得孙河东岸,其范围自曼哈顿岛至今之波基普西,并东向到达康涅狄格河下游一带。他们是半定居农民,根据食物资源,按季节来往于固定住地之间,主要以玉米为生,辅以渔、猎,耕作专靠妇女。各部落都分成若干族群,由一首长及长老议事会进行管理。因受白人移民的压力,康涅狄格瓦平格尔人将其土地售出,加入其他地区(在今美国及加拿大)的其他阿尔冈昆语部落。西部各族群曾

在1640～1645年间与荷兰人作战，损失惨重。1756年，留在韦斯特切斯特县的瓦平格尔人加入了纽约州希南戈县的南蒂科克人，最后又同特拉华人混在一起；另外的瓦平格尔人则与其他印第安人混居各地。

Wāqidī, al-　瓦吉迪（747，阿拉比亚麦地那［今在沙特阿拉伯］～823，伊拉克巴格达）阿拉伯历史学家。记录先知穆罕默德征战的名著《武功记》的作者。据说他年轻时已经是宗教圣地麦加和麦地那的权威人士，曾为阿拔斯王朝哈里发哈伦·赖世德朝觐时的向导。819年马蒙哈里发任命他为东部鲁萨费城的法官。据说他写了约21本书，大部分为历史作品，其中有麦加和麦地那两城市的历史，有些著作论述《古兰经》、伊斯兰法学和圣训学。唯有不朽的编年史《武功纪》至今尚存。

war　战争　通常指政治单位例如国家或民族之间，以及一国或一民族内各敌对政治派别之间公开的和宣布的敌对武装冲突。战争是以大的个人集团有意识地施用暴力为其特征，这些集团是特意组织起来进行训练参加这种暴力行动的。民族国家间的战争可能是为了取得对某种损害的赔偿，获得某一特定的领土或利益，得到对某项要求的承认，或是达到消灭敌方或使敌方无条件投降的目的。时间相当长的战争通常分为若干个在一个地区、一个人指挥之下进行一个时期的“战役”。这些战役又由若干“战斗”组成，在战斗中敌对的军队一次直接接触一两天（尽管在现代战争中战斗倾向于延续更长的时间）。随着科学和技术的进步，及由此引起的武器破坏力的增大，战争对人类的生存具有越来越大的毁灭性后果。

war, just　参阅 **just war** 正义战争。

war, law of　战争法　指国际公法中有关战争的开始、进行和终止的法律。它规定交战国间的关系和它们与中立国间的关系。不论是否正式宣战，都适用战争法。战争法也规定了卷入战争的个人的权利和义务。到20世纪中期，内战也逐渐受这些法规的约束。

战争法的历史发展　远古的战争是十分野蛮的，但目前战争法中的若干部分可以追溯到古代。由于宗教和骑士制度的影响，又由于理智和人道感情的增长，中世纪末期曾经形成一部比较具体的法律，对战争的某些方面加以规定，如基督教徒不得把被俘虏的基督教徒作为奴隶，但它适用的范围很窄。

格劳秀斯和第一部国际法。真正具有国际法性质的法律随着由独立的国家所组成的国际社会的出现而出现，其中最著名的就是格劳秀斯的划时代著作《战争与和平法》（1625）。后来随着武器破坏力的增加，战争法在19世纪中期以后有了较大幅度的发展。重要的如下：1856年《巴黎宣言》禁止了私掠船的使用；1863年美国林肯总统宣布了《第100号指令》（关于管理战场军队的若干指示）；1864年订立了为保护战时伤员的第一个《日内瓦公约》；1899和1907年的两次海牙会议又在不同的公约中编纂了现行的战争法和中立法；1909年缔结了关于海战的《伦敦宣言》，但并未得到批准，因而从未正式产生法律效力。至于1864年的《日内瓦公约》，经几次修改后1949年又再度修改，形成了4个现行的公约：即改善战地武装部队伤病员待遇公约，改善海上武装部队伤病员和遇船难者待遇公约，战俘待遇公约以及战时保护平民公约。此外，一系列条约还禁止在战争中使用某些特定武器，如1925年的《日内瓦议定书》禁止使用窒息性的、有毒的或其他气体和细菌作战方法，1948年联合国大会通过了一项关于禁止灭绝种族的公约。1954年在海牙签订了一项关于战时保护文化财产的公约。国际上为了防止空间成为战场，目前也正在开展工作，1967年各国曾订立一项条约，禁止在外层空间设置核武器和利用月球及其他天体作为和平目的以外的用途。1963年还曾订立关于禁止在大气层、外层空间或水下试验核武器的条约。1968年签订了《防止核武器扩散条约》。1971年订立了禁止在洋底安置核武器的条约。

现代战争的准则　*正义的战争和非正义的战争*　以往战争的性质取决于它是否符合法律和宗教仪式，或发动战争的人有无这种权力。但一直到第一次世界大战，每一个国家在战争中都是判断人。随后在国联盟约中，确立了侵略战争是严重的国际不法行为这一概念。其后，1928年巴黎非战公约更是庄严地谴责诉诸战争的行为，并有63个国家承诺放弃把战争作为推行国家政策的工具，这对第二次世界大战后审判战犯的纽伦堡法庭曾有很大的影响。

纽伦堡法庭的作用　该法庭1946年的判决书综合了国际间多年形成的关于非法的战争的思想，今天它已深深扎根于国际法中，并普遍被国际社会所接受。其次1945年的《联合国宪章》实际上也已把诉诸战争的权利限于合法的自卫以及联合国为保证国家安全而采取的行动。

战争法的基础——文明标准的维持　战争是一种政治行为。它允许交战国的一方使用一切军事力量来制服对方，但又禁止使用过分的暴力，而且交战国的关系也并不是单纯的暴力关系。这一切都需要战争法加以规定，使战争不致过分残酷。

战争法的执行　执行的方法包括报复、对战争罪进行法律惩罚以及世界舆论的压力。赔偿也是一种执行的方法。违反战争法的罪犯，不论是军人或平民，都应因其所犯罪行受到惩罚。战争罪包括反和平罪、反人道罪、灭绝种族罪、违反调整战争行为的法规和惯例的罪行。

战争法的来源　关于战争的习惯法出于交战双方在作战中一些互相克制的做法，这些做法逐渐具有法律效力，违反它就要受到惩罚。另一个渊源是条约，尤其是多边条约。其他的渊源则同于一般的国际法，包括著名国际法专家的著述，著名法院的判决以及各法系所共有的原则。

自卫　使用武力的自卫目前主要由《联合国宪章》第51条加以规定，即一国受到武力攻击时，有固有的权利来进行单独的或集体的自卫。但这条文曾引起辩论，简单的说法是，开第一枪就是武装攻击，但开枪可能只是攻击过程中的最后阶段。一个拥有足够武力的攻击者可以在不开枪的情况下实现它的目标，例如纳粹德国入侵奥地利（1938）和捷克斯洛伐克（1939），苏联入侵匈牙利（1956）和捷克斯洛伐克（1968）。如果自卫者坐待这一事态发展，他的自卫权就等于丧失。

自助　除自卫外，一个国家是否有权使用除战争以外的其他形式的自助（如干涉和报复）仍是问题。大多数意见认为一国无权干涉他国内政。和平时期的报复是非法的。借助于它是为了制止或纠正对方的非法行为。目前联合国对受害国尚不能提供有效的保障，所以许多国家仍继续使用这一强制方法。

战争行为的限制　*作战区域*　可以进行战斗的区域包括交战国的领土、领水、公海以及这些区域上的空域。如果中立国不能有效地阻止入侵，它还可能延伸到中立国境内。对敌方的军事目标可以就地加以攻击。这包括防御工事、营房、军需库、战舰、战斗机和军械厂。有标志的医院、医疗船、医疗机构和教育文化宗教财产则应不受攻击。

中立国　中立国是不参战而且不偏袒交战双方中任何一方的国家。在联合国对违法国家采取行动的情况下，这种中立是否可能仍有问题。中立国最重要的权利就是它的领土应不受侵犯，最重要的义务则是防止这种侵犯。与中立国不同，中立人员可以向交战国提供金钱和战争物资，但不能提供战舰和作战飞机。

破坏方法的限制　就交战方法说，国际法特别禁止背信弃义，如用白旗或红十字作进攻掩护。对投降者不予宽恕或予以折磨也在禁止之列。间谍活动是允许的，但对间谍人员可以判刑，以表示不鼓励间谍活动。至于武器，所有目的在于造成不必要的痛苦和死亡的武器都在禁止之列。多数的意见也赞成禁用达姆弹、窒息性气体和毒气、细菌武器和辐射武器。大多数的意见也谴责使用原子弹。但喷火器、凝固汽油弹和燃烧弹则不被认为非法。

战斗人员与非战斗人员的区分　这是文明战争一个最重要的原则。但第二次世界大战期间空袭的使用削弱了这个原则。有人甚至主张利用轰炸居民点作为破坏敌方斗志的方法。第二次世界大战后，这个区分仍被1949年日内瓦各项公约所确认。

军人与平民的区分　和平民不同，军人必须具备下列4个条件：他们是在司令官的控制之下，他们的衣着表明他们是军人，他们公开地携带武器，他们遵守战争法规和惯例。1949年的几个日内瓦公约和它们的1977年的议定书规定这4个条件也适用于游击队。否则就要作为非法战斗员受审并受罚。

战俘　关于敌方伤病员和战俘的待遇，原则是一旦敌人丧失了作战能力，并已不是战斗人员，他就不应再受到攻击。伤病员和遇船难者必须受到保护和照顾。死者要予以埋葬。战俘必须受到人道待遇。拘留只是为了阻止他们重新参战。他们的权利和义务都规定在1949年日内瓦的第三公约中。敌对行为终止时，战俘必须毫不拖延地予以

遣返。

海战法规的来源 由于1907年海牙第四公约的签订，陆战法规比较确定，但海战没有这样确定的法典。1909年的《伦敦宣言》曾试图确定海战的若干方面问题，如封锁、战时禁制品、战利品，但并未生效，而且在两次大战中均被破坏无余。目前适用于海战的法规是来源于习惯规则、陆战原则、日内瓦公约、1907年海牙诸公约中有关海战的规则和1936年关于使用潜艇的伦敦议定书。但实际上各交战国在海战中几乎都进行漫无节制的总体战。海战法规的纷乱情况使纽伦堡法庭对德国的一些从事袭击商船的潜艇战的海军将领未予判刑，但战犯法庭的确惩罚了一些向沉船上的幸存者开火的不人道行为。空战法规比起海战法规尤其令人不能满意。1923年国际法学家委员会曾起草了一部空战法规，虽未被正式采纳，但它仍是目前空战的指南。另外就是要遵循日内瓦各项公约和一般惯例中可适用的部分，如不许向从被击毁的飞机上跳出来的飞行员射击之类。狂轰滥炸以及对居民点作恐怖性的袭击是违法的，但由于战时双方的实践和空战法规的不确定，所以在第二次世界大战后的战犯审判中，没有提出过这类的起诉。

战争的终止 和平条约是终止战争的最好方法。但战争也可以因双方停止敌对行动而终止，不需要正式的协议，尽管这可能留下许多问题没有解决。战争也可以通过一方的被征服而终止。但仅仅占领对方领土并不意味着主权的转移。尤其在侵略战争中，侵略国不应被允许取得对占领地的合法主权，即使它强迫对方签订了条约。1932年史汀生的不承认主义就是例子。这一观点是国际社会所承认的。

war, prisoner of 参阅**prisoner of war战俘**。

War Communism 战时共产主义 苏联历史名词，布尔什维克在俄国内战时期（1918～1920）采取的一种经济政策。更确切地说，战时共产主义政策从1918年6月一直持续到1921年3月。这项政策的主要特征是在全苏俄境内没收私人企业和实行工业国有化，以及由国家从农民那里强制征用剩余谷物和其他食物产品。这些措施消极地影响了农业和工业生产。由于不能鼓励种植剩余谷物（因为它只会被没收），农民的粮食及其他作物的产量急剧下降。结果，饥饿威胁着许多城市居民。在城市中，由于仓促任命了大量未经训练的官吏去管理新的中央控制的国有经济，结果使得劳动生产率和工业产量急剧下降。到了1921年，工业生产已下降到其战前水平（即1913年）的1/5，城市工人的实际工资据估计仅3年就下降了2/3。无控制的通货膨胀使纸币毫无价值，因此政府不得不求助于无须使用货币的商品及劳务的交换和配给。1921年初，对经济状况的普遍不满已从农村蔓延到城市，导致为数众多的罢工和抗议，当年3月在喀琅施塔得发生的叛乱达到顶点。作为对应，布尔什维克不得不采取新经济政策，从而暂时放弃他们通过政府法令实现社会主义经济制度的企图。

war crime 战争罪 由国际习惯法和某些国际条约规定的违反战争法的罪行。对战争罪这个名词很难下确切的定义。但第二次世界大战后有3种违反国际法的犯罪被认为是战争罪。①反和平罪，包括计划、准备、发动或实施侵略战争，或违反国际条约、协定或诺言的战争，或参与为实现上述任何战争的一种共同计划或同谋。②战争罪，又称常规战争罪，包括违犯战争法规与惯例，诸如杀害、虐待、放逐被占领地的平民，杀害或虐待战俘或海上人员，杀害人质，抢劫公私财产，对市、镇、村进行放肆的或军事上不必要的破坏。③反人道罪，包括在战前或战争中杀害、灭绝、奴役平民和其他对平民的非人道行为，或以政治的、种族的或宗教的理由，在实施其他战争罪或与其他战争罪有联系时对平民进行迫害。

审判战犯的做法可以追溯很远。第一次世界大战后在1919年的《凡尔赛条约》中曾规定由特设的国际法院对德皇威廉二世进行审判，但实际上这一审判并未进行，因为荷兰拒绝引渡他。而且，由于德国拒绝交出其他战犯，仅由德国自己的莱比锡最高法院加以审讯。他们大部分被判无罪，即使判罪的，量刑也很轻（其中有些人很快被安排从中脱逃），反而被德国报界和公众视为英雄。

在第二次世界大战期间，同盟国在战争一开始就曾为战争罪问题发表许多声明，其后不断地酝酿研究，逐渐形成具体的办法。其中最重要的是1943年11月1日的《莫斯科宣言》和1945年7月26日的《波茨坦宣言》。在《莫斯科宣言》中，美、英、苏3国声称，一旦对德休战后，德国的战犯将被遣送到犯罪地的各国，由他们审讯处理，无特定犯罪地点的"主要战犯"则由联合国共同作出决定。《波茨坦宣言》对日本战犯作出了同样的原则声明。

审讯纳粹领导人的计划 1943年10月，同盟国的17个国家的代表在伦敦成立了联合国处理战争罪委员会，之后不久一个远东小组委员会也在重庆成立起来。1945年8月8日战争结束后，美、英、苏、法四国更进一步签订了《伦敦协定》，此后又有19国加入。协定包括一个审理轴心国主要战犯的国际军事法院宪章。其中除列举上述3种战争罪为法院管辖权的对象以外，还规定被告人所具有的国家元首或政府负责官员的地位不能成为免除罪责或减刑的理由；被告人执行政府及上司的命令，也不能作为免除罪责的理由，但可酌情从轻量刑。法庭可以宣告任何集团或组织具有犯罪性质，如果作出了这样的宣告，任何签字国的国家法院，军事法院或占领地法院均可审讯曾参加该组织的人员。为了保证审判公平，被告人有权在事先得到起诉书的一份副本，其中包括对他的各项具体的指控，另外他还有包括律师辩护权在内的其他一些权利。

纽伦堡法庭 该法庭于1945年10月18日在柏林第一次开庭。由最初签字的4个国家各指派法庭成员一人和候补成员一人组成，苏方成员尼基钦科将军任主席。这时24名纳粹领导人被指控犯有大量反和平罪、常规战争罪、反人道罪和共谋罪。一些团体和组织（例如"盖世太保"）则被指控为具有犯罪性质。1945年11月20日以后，该法庭的审讯移到纽伦堡举行，由英方成员劳伦斯爵士主持。被告人中有一人自杀，一人因病不能受审。经过10个多月的审讯后，法庭宣读了对其余22名被告人及7个团体和组织的判决书。其中3人被宣告无罪，12人被判处绞刑，3人被判处无期徒刑，4人被分别判处10～20年徒刑。除苏方成员提出一些异议外，判决书是一致通过的。参阅 **Nürnberg trials**。

对日本战争领导人的审判 1946年1月19日，盟军驻日最高司令麦克阿瑟将军颁布了一份关于审判远东主要战犯的国际军事法庭宪章，其内容与欧洲审判纳粹战犯的法庭的宪章大同小异。按远东军事法庭宪章的规定，该法庭共有成员6～11人，由签署受降文件的9国及印度和菲律宾提名。不同的是，这一宪章规定：被告人犯罪时所具有的官方地位，和听命于上级的事实可以作为减刑的考虑因素。该法庭不采取由每个国家各任命1名检察官的办法，而由盟军最高司令官任命1名总检察官，其他参加国各任命1名助理检察官。法庭包括11个国家（澳大利亚、加拿大、中国、法国、印度、荷兰、新西兰、菲律宾、苏联、英国、美国）的代表。审判从1946年5月3日起在东京举行，由澳大利亚的韦布爵士主持，美国的基南任首席检察官。共开庭2年多，于1948年11月4～12日宣读判决书。在28个被告人中，7人被判处绞刑，16人被判处无期徒刑，2人被判处较轻的徒刑。剩下的，有2人在审判期间死亡，1人被宣告为不适于受审。

第二次世界大战后的其他审判 纽伦堡审判之后，战犯的审判改由占领德国的各国在其各自的占领区内进行。其中美国在其占领区内的纽伦堡举行了对主要战犯的审判12次。此外，就常规战争罪论，还有数以千计的德、日罪犯受到各国法院的审判。据统计，举行了2 000多次这样的审判，牵涉的被告人数是这个数字的好几倍。但这并不包括苏联占领区及东欧各国进行的审判。

对这些审判的批评 头一点批评是，这种宣判违反了法律不溯及既往的原则。但纽伦堡法庭坚持认为，远在第二次世界大战之前，侵略战争已被确认为违反国际法的行为。而且，许多反人道罪和绝大多数常规战争罪在一切国家中都是犯罪行为，受审并无不合理之处。另一点批评是，被告人是在胜利国的法院中受审，审判是否公正客观。事实上在绝大多数的案件中，法院确实表现得公正客观。还有一点批评是，法院不接受军事上的必要性和执行上级命令作为免罪的理由是不合理的。但这是有先例可援的。作为所谓"纽伦堡原则"之一，也得到苏联的承认。

以后的发展 重要的有，1949年8月12日的关于保护战争受难者的4个日内瓦公约。其中每个都有"严重破坏"条款，规定如果对受该条约保护的人员实施犯罪就应受到惩处。至于在联合国组织中，联合国国际法委员会向联合国大会提出了关于危害和平和人类安全罪的法典草案，联合国大会曾多次向各会员国发出的关于引渡战犯的号召。朝鲜战争及越南战争都引起了审判战犯的问题,但并未进行审判。1961 年在以色列审判阿道夫·艾希曼引起了关于管辖权的问题。尽管在第二次世界大战期间以色列并未作为一个国家存在,从而无权声称曾是艾希曼的罪行的受害者,但法庭辩称以色列是纳粹暴行的犹太受害者的代表,纳粹大屠杀的严重性和地域分布之广使任何捕获这种罪犯的国家可以对他审判。另外几个国家废除了对反人道罪的起诉时效,例如,这就使得法国一个法院能够对纳粹分子克劳斯·巴比 40 多年以前犯下的罪行定罪。

War Democrat 主战派民主党人 美国历史用语。主张将南北战争进行到底的北方民主党人。南方脱离联邦后,北方民主党人绝大多数继续拥护联邦。所谓主和派民主党人(联邦主义者贬之为"铜头毒蛇")反对战争,主张对南方让步,进行和谈,以求南方重新加入联邦。支持战争的主战派民主党人不赞成共和党的经济政策,也不支持 A.林肯总统废止民权法。1864 年总统选举期间,主战派民主党人与共和党人联合组成全国联邦党,提名林肯竞选连任总统,并提名主战派民主党人 A.约翰逊为其竞选伙伴。

war finance 战时财政 为应付战争支出而采取的财政金融措施,如征税、强制性借贷、自愿借贷、外债和增加货币发行量。政府致力于筹措战时资金,往往导致税收制度的巨大变化,如第二次世界大战期间,美国个人所得税在政府岁入财源中的重要性曾显著增加。强制性借贷往往作为税收的替代性措施,公众也将其看作税收。自愿借贷为利用销售公债以筹集款项,类型有二:①来自大众的储蓄额;②来自金融界和其他机构通过扩大货币供应量得来的信用额。前者可压缩过度购买力因而能起到反通货膨胀的作用;而后者在战时很可能形成类似发行等额新纸币的通货膨胀。战时财政最危险的形式就是当政府未能征收较多税款和政府信用破产时,就采取印发新纸币的手段。大规模的战争,其花费往往要程度不同地采取通货膨胀的措施来筹集资金。通货膨胀将战费硬性分摊给有固定收入的人们。

War Hawk 鹰派 美国历史用词,主要由 1810 年选入国会的南部和西部青年议员组成的领土扩张主义者。他们煽动对英作战,以遂其向西北地区和佛罗里达拓土的野心。代表人物有 H.克莱和 J.C.卡尔霍恩等未来的政治领袖。该派为拿破仑战争期间美国蒙受的经济损失和国耻以及英国怂恿印第安人骚扰美国西北地区移民的行径深感愤恚,期望通过对英战争自英盟邦西班牙手中夺取佛罗里达。鹰派激起的民族主义热情和反英情绪是引发 1812 年战争的原因之一。

War of the Sons of Light Against the Sons of Darkness, The 《光明之子对黑暗之子之战》 犹太教艾赛尼派重要文献。该派曾在公元前 200 ~前 150 年间在犹太旷野建立教团,自称以色列人中的特选圣民、光明之子,将在末日与以色列的敌人决一死战。这部古卷于 1947 年发现于库姆兰 1 号洞穴,是关于军事组织与战略的手册,内容包括关于装备与信号的详细描述,兼论神学。据大多数学者意见,文中所谓敌人指公元前 63 年侵占犹太的罗马人。假定此说不误,即可断定,这部古卷(可能为一汇编之作)的主要部分写成于那个时间以后,但不迟于公元 68 年。因为 66 ~70 年发生犹太人起义,库姆兰教团被解散。参阅 **Dead Sea Scrolls**。

War Refugee Board(WRB) 战时难民事务委员会 1944年1月22日成立的美国机构,试图把纳粹受害者(主要是犹太人)从德国占领的欧洲解救出来。该委员会开始运作时纳粹分子已经在集中营和灭绝营杀害数百万人。由于投入滞后、缺少资源以及美国政府内部的钩心斗角而使委员会的成效大打折扣。美国财政部长 H.摩根索递交给总统 F.罗斯福一份写有国务院迟迟不动的新的确证文件后,使罗斯福明白此文件一旦被公开将会造成政治轰动之后,美国开始对在 1944 年 1 月大屠杀中被抓的犹太人进行解救行动。随后在摩根索的努力和敦促下,罗斯福总统召开会议成立了战时难民事务委员会。该委员会负责在其权力范围内采取一切措施援救"那些受敌人压迫行将死亡的受害者"。委员会成员包括国务卿、财政部长和作战部部长。此行政令在联邦资金中拨款大约 100 万美元用于管理费用,但实际上委员会工作的所有其他资金都须从民间筹集。结果,该委员会的运作一直资金不足,由于赞成救援的美国财政部与不赞成救援的美国国务院,以及不打算让国内问题妨碍战争计划的作战部之间的矛盾,该委员会从来就没能获得计划或指令的一致通过。尽管美国人的援助工作在 85%以上的大屠杀受害者已经死亡之后才开始(在万塞会议召开和灭绝营建立之后两年),但战时难民事务委员会的成立时机还是有利的。此后不久犹太人被驱逐出匈牙利,且德军败势已定,救援行动开始。因此,各中立国家甚至一些德国的盟友也准备参加救援行动,以确立它们在战后世界的地位。在财政部律师 J.佩勒的指导下,战时难民事务委员会开始为被解救的犹太人寻找避难所。委员会从罗斯福那里得知政府谴责屠杀犹太人的言论,草拟出战后战争罪审判计划,犹豫再三之后提出了轰炸奥斯威辛集中营的请求。该委员会的活动涉及尽力劝说中立政府,包括罗马教皇,共同参与援救工作。战时难民事务委员会还寻求建立一个供犹太人逃离的免费港口。值得一提的是,该委员会得到允许,带领 982 名犹太人前往美国纽约州奥斯威戈的难民营。在第二次世界大战快要结束的几个月里,委员会是最有说服力的美国机构,提出并多次促进用德国公民交换犹太人的解救计划。历史学家现在还不愿评判战时难民事务委员会的成功。虽然委员会帮助挽救了 20 万人的生命,但纳粹分子还是杀害了大约 600 万犹太人。很显然,纳粹分子犯罪的大量事实和用于报道欧洲犹太人被杀害的资源远远超过了解救犹太人的各种努力,包括不足和迟来的美国援救。

Warabi 蕨 日本本州埼玉县城市。位于荒川冲积平原。早期为驿镇,长期以来为棉纺织业中心。1899 年通铁路。第二次世界大战后开始城市化。毛纺和电气工业有相当规模。现为东京-横滨都市区的卫星城。人口 73 620(1990)。

Warangal 瓦朗加尔 印度南部安得拉邦北部城市。位于马德拉斯—加济贝德—德里铁路线上。市内有建于 1162 年的千柱庙。瓦朗加尔要塞就在现在城市的东南面。为工商业中心。产品有地毯、毛毯及丝织品。城内有医学院、工程学院、艺术和理科学院。人口约446 760(1991)。

Warao(people) 参阅 **Warrau** 瓦劳人。

Waray-waray(people) **瓦赖-瓦赖人** 参阅 **Samaran** 萨马人。

Warbeck, Perkin 沃贝克(1474?,佛兰德图尔奈[今在比利时]~ 1499-11-23,英格兰伦敦)冒名顶替的骗子,英格兰都铎王朝亨利七世的王位觊觎者。受亨利的政敌约克派的利用,在英格兰和欧洲大陆阴谋推翻新建立的都铎王朝,但白费心机。佛兰德一地方官员之子,1491 年到爱尔兰。他穿着主人的豪华丝装,招摇过市,人们以为他是王室子弟。于是约克派分子叫他冒名顶替据信已在伦敦塔遇害的约克公爵理查德。他前往欧洲大陆,搜罗入侵英格兰的力量,曾先后得到法国、奥地利、苏格兰等国君主以及英格兰一些权贵的支持。1495 和 1496 年两次入侵英格兰失败后,1497 年又在康沃尔登陆,所部达6 000余人。但为亨利七世的军队所败,他逃往汉普郡比尤利后被俘,关入伦敦塔。因企图逃跑而处绞刑。

warble fly 皮瘤蝇 又作 cattle grub 或 heel fly。又称牛皮蝇、足跟蝇。双翅目狂蝇科及皮蝇科昆虫。纹皮蝇(*Hypoderma lineatum*)和牛皮蝇(*H. bovis*),体大,厚实,形似峰,卵产在牛腿上。幼虫(牛皮蝇蛆)穿过牛的皮

牛皮蝇(*H. bovis*)的幼虫

供图:William E. Ferguson

肤,在体内迁移数月,在其背上形成一个具特征性的肿块(皮瘤),皮瘤上有一小孔以供呼吸之用。成熟后幼虫钻出落在地上化蛹,变为成虫。牛皮因有孔而质量降低。驯鹿皮蝇(*Oedemagena tarandi*)造成驯鹿的皮革、肉和奶减产。皮瘤蝇广泛分布于欧洲和北美。可采用给牲畜口服杀虫药以及手工除去其背上的幼虫来控制。

warbler 莺 雀形目莺科(Sylviidae;有时视为鹟科[**Muscicapidae**]的莺亚科[Sylviinae])和林莺科(Parulidae)的小型鸣禽。莺活跃,以昆虫为食;见于花园,林地以及沼泽地。莺

苇莺(*Acrocephalus scirpaceus*)
供图:Stephen Dalton—Natural History Photographic Agency

科约350种,俗称旧大陆莺,与鸫类和鹟类近缘。主要分布范围从欧洲、亚洲到澳大利亚和非洲,但少数种类,尤其是戴菊属(*Regulus*)的种类——*戴菊*(**kinglet**)和蚋莺属(*Polioptila*)的种类——*蚋鹟鹎*(**gnatcatcher**),分布于南北美洲。许多欧洲的莺类非常熟见,有一些种类还另有专门的俗名,如黑顶林莺(*Sylvia atricapilla*)俗称黑帽莺;普通莺(*S. communis*)俗称白喉莺;棕柳莺(*Phylloscopus collybita*)的俗名模拟其鸣声,称契恰莺。苇莺属(*Acrocephalus*)、短翅莺属(*Bradypterus*)、芦莺属(*Calamocichla*)和树莺属(*Cettia*)的种类俗称芦苇莺、灌丛莺或沼泽莺;羽衣多为褐色,鸣声多刺耳。莺科其他著名的种类有*扇尾莺*(**cisticola**)和*鹪莺*(**prinia**)。莺科种类羽色多不鲜艳。多为绿色、橄榄色、褐色、暗黄色或黑色。体型多小,长9～26厘米。喙细长,适应于捡食叶上的昆虫。巢形各异,从简单的杯形到有圆顶的结构,筑于树上、灌丛中、草丛中或地面的隐蔽处。印度的裁缝鸟(缝叶莺属[*Orthotomus*]会将树叶缝合起来成为钱包状,以容纳其巢。莺科种类的卵通常有斑点,幼雏由双亲共同照顾。林莺科种类——林莺俗称新大陆莺,约120种,为小型鸣禽。虽与新大陆的裸鼻雀近缘,但因外形、结构和习性似亲缘关系较远的莺科,故得林莺之名。林莺主要分布于北美和中美,生活于森林、灌丛或沼泽的多草地区。体长18厘米,颜色较旧大陆莺鲜艳。许多林莺的鸣声较轻弱,给人发音不清晰之感;但少数林莺鸣声嘹亮。林莺的取食习性和营巢习性均似旧大陆莺。参阅 **woodwarbler**。

Warburg FAMILY **瓦尔堡家族** 成员在银行、慈善事业和学术界都显赫有名的一个家族。他们大概原为意大利人,1559年定居于德国的瓦尔堡古姆镇,该家族由此得名。此后,各分支分别迁居于斯堪的纳维亚、英格兰和美国。西蒙·埃利亚斯·瓦尔堡(1760～1828)在瑞典建立了第一个犹太人社区,其孙弗雷德里克·埃利亚斯·瓦尔堡(1832～1899)是中部伦敦电气铁路公司的创建人之一。哥本哈根的分公司采用了该家族的原有姓氏德尔班科。摩西·马库斯·瓦尔堡(1830卒)及其兄弟格尔松(1825卒)于1798年在汉堡创设了名为M.M.瓦尔堡公司的银行。在他们的后代(摩西之孙)中有五弟兄,其中四人都是银行家,他们是:马克斯·M.瓦尔堡(1867～1946),1919年巴黎和会德国代表团的金融顾问;保罗·莫里茨·瓦尔堡(1868～1932),美国银行库恩-洛布公司和联邦储备委员会成员;弗利克斯·莫里茨·瓦尔堡(1871～1937),库恩-洛布公司的合伙人;还有费里茨·莫里茨·瓦尔堡(1879～1964)。费利克斯是成人教育和犹太神学院的赞助人,他还活跃于其他慈善组织中。保罗之子詹姆斯·保罗·瓦尔堡(1896～1969)是一位银行家兼经济学家,是罗斯福总统原有智囊团的成员,著书数本。

学者当中有:埃米尔·瓦尔堡(1846～1931,物理学家;卡尔·约翰·瓦尔堡(1852～1918),瑞典文学史家和国会议员;奥托·瓦尔堡(1859～1938),植物学家,犹太人在巴勒斯坦殖民和农业工作的支持者;阿比·莫里茨·瓦尔堡(1866～1929,前文中所谓四银行家的兄弟),研究文艺复兴时期艺术的历史学家;还有埃米尔之子奥托·海因里希·瓦尔堡。活跃于社会与公众中的人们有:弗里达·希夫·瓦尔堡(1876～1958,费利克斯的夫人)及其子数人,即:弗雷德里克·马库斯·瓦尔堡(1897生),投资银行家及纽约市92号街希伯来青年会会长;杰拉尔德·费利克斯·瓦尔堡(1902～1971),杰出的大提琴家和音乐赞助人;保罗·费利克斯·瓦尔堡(1904～1965),金融家兼慈善家;爱德华·莫蒂默·莫里斯·瓦尔堡(1908～1992),慈善家、现代艺术赞助人及艺术品收藏家。

Warburg, Otto (Heinrich) 瓦尔堡(1883-10-08,德国布赖斯高地区弗赖堡～1970-08-01,西德西柏林) 德国生物化学家。因对细胞呼吸的研究而获1931年诺贝尔生理学或医学奖。1906年获柏林大学化学博士学位,1911年获海德堡大学医学博士学位。后成为柏林-达勒姆研究所中的杰出人物、他在那不勒斯海洋生物学站研究各种类型的卵细胞的代谢时首次扬名。1931年因对呼吸酶的研究而获诺贝尔奖,1944年他被第二次授予诺贝尔奖,因是犹太人,希特勒政权禁止他接受,可是由于他具有国际威望,未敢将他投入监狱!从1931年始他担任(西)柏林马克斯·普朗克细胞生理学研究所所长。20世纪20年代早期即研究活机体细胞内氧气消耗的过程,采用测压法以研究活组织切片的吸氧率;寻找细胞的活性成分,结果搞清了细胞色素的作用。1932年分离出第一种黄酶——参与细胞脱氢反应的黄素蛋白,发现黄酶是与一种非蛋白质成分(今称辅酶)黄素腺嘌呤二核苷协同起作用。1935年发现另一种亦参与生物脱氢的辅酶(今称尼克酰胺腺嘌呤二核苷)的成分中包含尼克酰胺。又研究过光合作用。首先观察到:恶性细胞生长时所需氧气量明显小于正常细胞。

Warburton, William 沃伯顿(1698-12-24,英格兰诺丁汉郡纽瓦克～1779,格洛斯特郡格洛斯特) 圣公会格洛斯特主教、文学评论家、论辩家。1727年受按立为牧师。1728年被派到林肯郡布兰特布劳顿教区工作,在任18年。沃伯顿于1736年著《教会与政府的

供图:BBC Hulton Picture Library

联盟》。1737～1741年著《摩西的神圣使命》(两卷),该书试图根据理神论原则阐明摩西著作的神圣权威,因为理神论者否认这种权威。沃伯顿1747年编订出版莎士比亚著作,1751年出版蒲柏的著作。沃伯顿因为研究蒲柏著作而卷入激烈争论。1759年任格洛斯特主教。

Ward, Artemus 沃德(1834-04-26,美国缅因沃特福德～1867-03-06,英格兰汉普郡南安普敦) 查尔斯·法勒·布朗的笔名。19世纪最受欢迎的美国幽默作家之一,他的演讲

供图:Lightfoot Collection

技巧对马克·吐温等幽默作家有巨大影响。初为印刷厂学徒,后当波士顿幽默杂志《毡袋》的排字工人。在任托莱多(俄亥俄)《商报》和克利夫兰《老实人》地方编辑数年后,1860年成为纽约《名利场》(又译《浮华世界》)的撰稿人。在《老实人》工作期间布朗创造了阿蒂默斯·沃德这个巡回戏班班主的角色,并以其名义给《老实人》、《笨拙》和《名利场》投书评论各种问题。其幽默的最明显特色是双关语和粗劣的错别字。1861年布朗转而用沃德这个假名演讲。虽然他的书受人欢迎,但给他带来声誉的却是他那毫无表情的演讲。著作有《阿蒂默斯·沃德的书》(1862)、《阿蒂默斯·沃德旅行记》(1865)和《阿蒂默斯·沃德在伦敦》(1867)。

Ward, Arthur Sarsfield 韦德 参阅 **Rohmer, Sax** 罗默。

Ward, Elizabeth Stuart Phelps 沃德(夫人)(1844-08-31,美国马萨诸塞波士顿~1911-01-28,马萨诸塞牛顿) 原名Mary Gray Phelps。19世纪受人欢迎的美国女作家和女权主义者。13岁开始写儿童小说。1868年发表其最成功之作《半开着的大门》。此书在美国销售8万册,在英国销售10万册,至少被译成4种其他文字。随后,她又写了56部小说,还写有诗歌、小册子及短文。后来的作品常涉及妇女在家庭中的地位。例如《阿维斯的故事》(1877)和《扎依博士》(1882)均着重写妇女面对事业和婚姻两种需要的问题。她还在小说中支持劳工事业、戒酒及反对活体实验。1888年与作家H.D.沃德结婚。她的自传《生活的篇章》出版于1896年。

Ward, Frederick Townsend 华尔(1831-11-29,美国马萨诸塞塞勒姆~1862-09-21,中国浙江慈溪) 19世纪中叶美国政治冒险家,清末在华镇压太平天国军队的外国雇佣军头子。1846~1848年在诺维奇大学上学,曾受军事训练。后从事海上冒险生活,一度在法国军队任尉官。1859年从旧金山到中国。1860年太平天国军队进逼上海时,华尔在清政府苏松太道吴煦和候补道杨坊支持下,于6月间组织外国雇佣军,号称"洋枪队",任统领。同年8月在青浦被击败,受重伤。1861年请求加入中国籍。旋因招募兵士时诱逃英国水兵被英国舰队司令何柏逮捕,不久逃出。又招募中国士兵由外国军官训练,使用西方武器。1862年2月洋枪队改名"常胜军"。华尔任参将。9月,攻浙江慈溪,被太平军击毙。由美国人白齐文继承其职。

Ward, Hortense Sparks Malsch 沃德(1872-07-20,美国得克萨斯辛普森维尔附近~1944-12-05,得克萨斯休斯敦) 婚前名Hortense Sparks。美国律师和改革家,在得克萨斯州努力争取妇女权利并取得成功,特别是在房地产、劳工和选举法等方面。曾经教过一年书,后于1891年嫁给锡矿矿工A.马尔施(1906年离异)。她开始通过函授学习法律,并当过两年县法院记者。1909年嫁给律师W.H.沃德,在其帮助下完成法律学业,一年后加入得克萨斯州律师业。此后不久,夫妻二人成立了沃德-沃德律师事务所。1912年给一家休斯敦报纸写了一封有关在得克萨斯州需要建立已婚妇女财产法的信,引起《描绘者杂志》编辑们的注意,他们将该信在全国转载并在得克萨斯州发行她写的关于已婚妇女财产权利的小册子。沃德积极代表法律为此目的游说并在1913年获得成功,所制定的法律被广泛称作《霍滕斯·沃德法》。她还曾争取制定工人赔偿制度和妇女每周工作54小时的法律,这两项法律均于1913年通过;提出过允许妇女在党派初选中有选举权的议案(1918年通过)以及其他改革措施。1915年2月获准在美国最高法院进行法律辩护。1920年竞选县法院法官,未获成功,1924年代表M.弗格森竞选州长。1925年得克萨斯最高法院的所有法官全都无资格办理约翰逊诉达尔案,因为该案涉及这些法官所属的兄弟会,沃德与其他两名妇女组成一个特别最高法院审理该案,沃德为主法官。1939年退休。

Ward, Mrs. Humphry 沃德(夫人)(1851-06-11,塔斯马尼亚~1920-03-24,伦敦) 原名玛丽·奥古斯塔·阿诺德。英国女小说家,以《罗伯特·埃尔斯梅尔》一书闻名。该书主张以社会关系而不是神学为基础的基督教,在当时引起轰动。1872年同H.沃德结婚。1881年迁往伦敦,开始为《蓓尔美尔报》和其他报刊撰稿。小说《罗伯特·埃尔斯梅尔》(1888)写一个年轻的英国圣公会牧师的信仰的改变,他认为:"宗教的唯一目的就是为人服务。"此后写了20多部说教式的小说。她的人物往往是根据真人真事写成,读者一看便知。沃德夫人为社会进步而不倦地工作,负责创办了残疾儿童学校(1899)和伦敦郡议会的娱乐中心(1905)。但她反对妇女参政运动,担心妇女的解放会使其失去精神上的影响。1908年创建反对妇女参政联盟。

Ward, James 沃德(1843-01-27,英国约克郡赫尔~1925-03-04,剑桥郡剑桥) 英国哲学家、心理学家。对英国心理学的发展有较大影响。初学神学,后获得格丁根大学一年的奖学金,从生理心理学这门新兴科学的倡导者鲁道夫·赫尔曼·洛采学习。回英后,因其非传统观点而被认为是一个不受欢迎的公理会教士。他放弃神职而在剑桥三一学院继续研究,1875~1925年任院士。1891年建立一个实验室从事生理心理学研究。他的观点也受到布伦坦诺和进化论的影响。也认为心理活动在知觉和判断过程中是主动的,心理过程是在进化,日益趋向分化的。反对当时流行的联想主义,并和G.F.斯托特一起提出了功能主义理论,该理论后在美国由W.詹姆斯所发展。他在《不列颠百科全书》第9版的著名条目《心理学》(1886)中提出了他的体系。1911年在第11版中,他又作了修改。1918年在《心理学原理》一书中,最后完成了这一体系。

Ward, Sir Joseph (George) 沃德(1856-04-26,墨尔本~1930-07-08,新西兰惠灵顿) 新西兰政治家、总理(1906~1912,1928~1930),1891~1906年间为自由党内阁中的关键人物,以其在财政、社会福利和邮政等方面采取的措施而闻名。1877年在新西兰因弗卡吉尔经营谷物贸易,获得成功。1887年选入议会。1891年任自由党巴兰斯政府的邮政部长,接着在塞登政府(1893~1906)中兼任财政部长。曾制订向新西兰银行提供国家担保的立法(1894)、《移民贷款法》(1894)、一分钱邮资服务法案(1901)和铁路员工退休计划(1902)。1891~1906年发行大量海外公债为自由党政府社会福利措施筹措资金。1901年创立被认为是世界上第一个公共卫生部,同年受封爵士。1906~1912年任总理期间主要的国内成就是:设立全国福利备用基金,制订《国防法》(1910)和寡妇养恤金法案(1911)。他鼓吹在英帝国内部紧密合作,增加新西兰对皇家海军分摊的份额。他领导自由党参加梅西联合政府(1915~1919),再度担任邮政部长和财政部长,陪同梅西参加帝国战时内阁会议和1919年巴黎和会。此后6年(1919~1925)退出国家政治生活。1925年回到议会,1928年作为统一党(自由党的新名称)的领袖出任总理。1930年5月因病退休。

Ward, Sir Leslie 沃德(1851-11-21,伦敦~1922-05-15,伦敦) 英国漫画家,笔名斯派,以给《名利场》杂志画当时名人肖像闻名。出身画家家庭,1867年在伊顿公学求学时,初次展出作品。一度学习建筑,1871年入英国皇家学院美术学校。画家约翰·埃弗里特·密莱司爵士把他推荐给《名利场》杂志。1873年起为该刊固定供稿。此后画过各种名人。其石版复制的作品销路很广。他的回忆录《斯派的四十年》于1915年出版。1918年受封为爵士。

伦敦国立肖像画陈列馆供图

Ward, Lester F(rank) 沃德(1841-06-18,美国伊利诺伊乔利埃特~1913-04-18,华盛顿[哥伦比亚特区]) 美国社会学家,其主要贡献是使社会学在美国成为一门独立的学科。他认为社会科学已经赋予人类一种为寻求幸福而必备的知识,于是提倡建立一个以全民教育为主要因素的有计划的或"有目的的"社会("全民政治"),其中教育事业为重要因子,必须由国家统一组织。他还认为,社会科学家应该在华盛顿(哥伦比亚特区)的立法咨询机构集会,按照此种设想,则社会科学家很像法国社会学家孔德所倡那种乌托邦式的社会学家兼教士的角色。沃德在南北战争期间参加联邦军,战后就学,得到植物学和法学的学位。他大半生在联邦政府中从事地质、古生物学、植物学和古植物学等方面的研究工作,对植物学理论有重要贡献。1906年任布朗大学社会学教授。沃德师承孔德,认为社会学是一门基础社会科学,它的首要任务是教给人们建立更为美好的社会的方法。沃德强调社会职能和社会计划的重要性,对T.凡勃伦及制度学派经济学家影响甚大。主要著作《动态社会学》(2卷,1833)原以教育为主题,后来才把社会学作为重点。其他著作有《理论社会学》(1903)、《社会学教科书》(与J.Q.迪利合著,1905)和《应用社会学》(1906)。

Ward, (Aaron) Montgomery 沃德(1844-02-17,美国新泽西查塔姆～1913-12-07,伊利诺伊海兰帕克) 美国商人。引进通过邮购销售百货的方法并创建了庞大的邮购商店——

芝加哥蒙哥马利·沃德公司供图

蒙哥马利·沃德公司。1859年在密歇根州圣约瑟夫一家百货店当售货员,后任经理。后来在农村做旅行推销员,了解到艰难困苦的农民对中间商的盘剥深表怨恨与不满,于是有了用现金成批购物,通过邮购薄利销售的主意。1872年8月,沃德有资金1 600美元,发出第一份商品目录。1873年姻亲G.R.索恩以500美元买下他企业的一半股权。1875年目录又列入一项新内容——如顾客不满意包退货款。至1888年年销售额已达100万美元,沃德死时已增至4 000万美元。

Ward, Nancy 沃德(约1738,可能在美国田纳西乔塔村[今属门罗县]?～1822,今田纳西本顿附近) 原名Nanye'hi。美洲土著领袖,在美洲早期移民和她所属的切罗基人之间是一个重要的关系调解人。出生在小田纳西河畔的一个切罗基印第安人村庄,母亲是沃尔夫部落的切罗基人,父亲是德拉瓦尔人。她在切罗基人与克里克人之间进行的一场争斗中表现英勇,并且接替身受重伤的丈夫。此后,她被称作Agi-ga-u-e(意为"受爱戴的女人")。她的第二任丈夫B.沃德是一个白人商人。尽管他于18世纪50年代晚期离开了切罗基部落,后在南卡罗来纳娶了白人女子为妻,但南希·沃德(她的英语名字)依然很欣赏白人。沃德因为曾秘密警告J.塞维尔和沃托加移民协会切罗基人即将在1776年7月发动攻击而立功。她后来利用其"受爱戴的女人"的影响力拯救了一名白人女俘,使之免于火刑;作为回报,她所在的乔塔村没有被横扫切罗基人地盘的边地民兵摧毁。沃德1780年又警告说切罗基人要发动起义并试图阻止军队的报复。在1785年的《霍普韦尔协定》的谈判中恳请双方友好。她坚决支持采用农耕和乳品业,自己成为第一个切罗基人牛场主,晚年曾敦促该部落拒绝白人移民不断施加的压力,不出卖他们剩余的土地,但未获成功。1819年部落在海沃西河以北的土地售出,迫使她搬家。沃德在田纳西东南的奥科伊河畔(今本顿附近)开了一家小旅馆,1822年死于该地。在此后的几十年里,她成为当地许多故事和传说中的主要人物;这些故事经不同作家之笔在全国广为流传,其中包括T.罗斯福写的《赢得西部》(1905)。

Ward, Nathaniel 沃德(约1578,英格兰萨福克黑弗里尔～1652-10,埃塞克斯申菲尔德) 清教派牧师兼作家。在英国迫害清教派时代移居美洲马萨诸塞英属殖民地。1641年写《自由的主体》,这部供马萨诸塞使用的法典把英国习惯法某些部分同摩西法结合在一起。还著有《一个朴实的阿加瓦姆皮匠在美洲》(1647),这本小册子为当时马萨诸塞的现状辩解,反对对其他信仰采取宽容态度。

Ward, Samuel Ringgold 沃德(1817-10-17,美国马里兰～约1866,牙买加圣乔治堂区) 美国以辩才出名的黑人废奴主义者。奴隶出身,1820年随双亲逃到纽约州,受教育后担任黑人学校教师。1839年加入美国反对奴隶制协会工作,同年由纽约公理协会委任为牧师。19世纪40年代加入自由党,走遍北方各州,宣传反对奴隶制度。由于口才出众,被称为"黑韦伯斯特"。可是,在1850年,他尖锐批评韦伯斯特对《逃亡奴隶法》的默认态度。1851年参与援助一逃奴,后因怕遭逮捕,逃往加拿大,在该地反奴隶制协会工作,帮助从美国逃过边界的奴隶。1853年去英国募集基金。在英国的两年间发表大量演说,并出版《一个逃亡奴隶的自传》(1855)。1855年后移居牙买加当牧师。

Ward, William George 华德(1812-03-21,英国伦敦～1882-07-06,伦敦) 英国著作家、神学家、牛津运动的领导人之一。1840年受按立为圣公会牧师,在纽曼的影响下参加牛

供图:BBC Times Hultion Picture Library

津运动,积极主张服从天主教会的权威。他提出,圣公会的《三十九条信纲》与它所标榜的"公"字不合,于是新教各派人士纷纷反对他。他发表一批小册子,支持纽曼的主张,因而被牛津大学巴利奥尔学院停职。1844年出版《基督教会的理想》,鼓吹圣公会应跪在罗马教廷脚下"谦卑乞求宽恕与复原",受到牛津大学的批判。华德于1845年9月加入天主教会,次月纽曼等人也加入天主教会。

Wardar River (Europe) 参阅 **Vardar River** 瓦尔达尔河。

Wardha 沃尔塔 印度西部马哈拉施特拉邦东部城镇。邻近沃尔塔河。位于那格浦尔与孟买之间的主要线路上,与那格浦尔历史关系密切。有几所附属于那格浦尔大学的学院。其周围地区地处萨特普拉山麓的沃尔塔河流域。经济以农业为主,作物有黍类、棉花和油籽。人口88 495(1981)。

Wardian case 沃德氏箱 参阅 **terrarium** 陆栖动植物育养箱。

wardrobe 衣柜 一种通常装有抽屉、镜子和其他装置的大橱,用以存放衣服。最初,存放衣服的家具叫做橱,分为两部分:一部分挂衣服,一部分平放衣服。到17世纪,叫做衣

赫特兄弟约1880年制作的美国樱桃木衣柜
纽约大都会艺术博物馆供图

橱。早先在橱门及其四周有密布的雕刻,后来改为精致的贴片和镶嵌。到18世纪末,出现了由衣橱和两侧稍微凹进去的小橱组成的衣柜。19世纪已成为卧室内一件非常重要的家具,造得既结实又华丽,通常与五屉柜、盥洗台、梳妆台和床组成一套卧室家具。19世纪60年代,开始在中间的橱门外侧装镜子。20世纪越来越倾向于在橱门里面装镜子。当代时尚也比较喜欢使用那些成为建筑结构一部分的衣柜。

wardship and marriage 监护权和婚姻 封建法律用语,指一个封邑的领主所拥有的管辖其封臣的个人生活的权利。监护权使领主可以控制一个封邑和一个年幼的继承人,直至该继承人成年为止。婚姻权使领主在其封臣的女儿或遗孀应与谁结婚的问题上拥有发言权。这两种权利使领主的收入增多。在婚姻权方面,一个女人往往要花钱才能使她的求婚者得到领主的同意,或者不与领主给她选择的对象结婚。这种情况在中世纪的英格兰特别普遍。监护权的行使一般是要求封邑内的封臣服兵役,但有时是要求农业租佃或服农役。领主收取属于一个未成年的继承人的封邑的收入,直到这个继承人成长到能够服兵役或其他服役时为止,那时领主将封邑照他原来收取时那样交还给该继承人。从理论上说,监护权的设立是为了保护未成年的继承人或遗孀使其免受无耻的亲属们的欺凌,那些人可能想要控制财产。例如,在法国,未成年的继承人的土地往往由那些以后可能继承这些土地的人管理。另一方面,监督权则在某个不可能继承这些财产的人手

中，因此，他对继承人丧失土地或死亡不感兴趣。在欧洲其他地方流行一种简单的由近亲监督的制度。然而，监护权制度开始逐渐盛行，特别是在诺曼底和英格兰，根据的理论是：由于未成年的继承人不能服兵役，领主应该能够用封邑的收入来雇人服兵役。领主可以支配被监护的男人和女人的婚姻，也可以支配佃户的遗孀和女儿的婚姻。未经领主同意的婚姻并不失效，但对土地的某些法定权会引起异议。一般地说，如果一个佃户想要使他的女儿出嫁，他必须获得他的领主或国王的批准。然而，不能违背一个寡妇的意志而强迫她嫁人。在法国，领主的这些权利到16世纪不复存在，只有诺曼底一直延续到法国大革命为止。在英格兰，国王在16世纪拥有这些权利，到17世纪末，他就丧失了这些权利。

Ware 韦尔 英格兰赫特福德行政、历史郡东赫特福德区一教区城镇。位于大伦敦北侧。有些轻工业，有医药和塑料品制造。人口17 000(1991)。

Warenne, John de 瓦朗 参阅**Surrey and Sussex, John de Warenne, 7th earl of** *萨里伯爵（第七）*；**Surrey and Sussex, John de Warenne, 8th earl of** *萨里伯爵（第八）*。

Warens, Louise-Éléanore de la Tour du Pil, baronne de 瓦朗男爵夫人（1700，瑞士沃韦～1762，萨伏依尚贝里） 出生于瑞士的乐善好施的贵妇。从1728到1742年，她同哲学家J.-J.卢梭处于一种私通关系之中，她以卢

供图：Harlingue—H. Roger-Viollet

梭的情人和母性的保护者身份促进了他的教育和社会地位。年轻时嫁与瓦朗男爵，后离开丈夫，改宗天主教。她的包括一个丝袜厂在内的许多商业投资都遭破产。她逃到萨伏依国王维克托那里去寻求保护。维克托利用她进行政治间谍活动，并要她促使基督教新教徒改变宗教信仰。改变信仰者中有年轻的卢梭。卢梭16岁时在萨伏依的阿讷西与她相识，当时他在日内瓦一家雕版师那里当学徒，因故逃出。在重新流浪了一段时间后，卢梭于1733年徒步返回住在尚贝里的瓦朗夫人处。这位比他大12岁的夫人正式建议他们同居，把他安置在她的乡间别墅莱沙尔梅特。从此他就时来时去，直到1742年。卢梭十分欣赏瓦朗夫人的本能德行和自然宗教。他和她的管家C.阿内分享她的宠爱。卢梭由于生病而长期离开之后，她又找到一个更年轻的情人，但对卢梭的幸福仍有一种充满深情的关心。当1754年卢梭最后一次去看她时，她把她的戒指送给了他的妻子戴莱丝。

Wareru 伐丽流（活动时期1300） 缅甸勃固的著名国王。1287～1296年统治下缅甸的孟族。是出身卑微的泰人冒险家，娶素可泰的兰坎亨国王的女儿为妻。1281年成为萨尔温江畔马达班的领主。1287年蒙古人洗劫蒲甘后，他与勃固的孟族王公多罗跋一起把缅族赶出伊洛瓦底江三角洲，恢复孟族的独立。后来他杀死多罗跋，成为孟族的唯一统治者，定都马达班。虽然名义上他是兰坎亨的封臣，但他与中国的忽必烈汗有独立的外交关系。传说他汇编了现存的最早一部缅甸法典。后为其孙辈所杀。

Warfield, David 沃菲尔德（1886-11-28，旧金山～1951-06-27，纽约市） 美国有电影以前成为百万富翁的为数不多的几个舞台演员之一。他之所以发迹并成为明星，是因为他在25年里曾饰过4个主要角色：《音乐大师》中的冯·巴威格、《伟大的军人》中的比格罗、《彼得·格林的归来》中的主角及《拍卖商》里的勒维。他在韦伯和菲尔兹滑稽剧团里干了10年。D.贝拉斯科看过他的演出后，专门为他创作了《拍卖商》一剧（1901），连演3年，使他成为百老汇著名演员。1923年在《威尼斯商人》中饰夏洛克一角。他谢绝了拍电影的邀请，而与洛伊一起投资于地产生意并获得成功。后来二人共同组建了全美闻名的娱乐公司。作为性格演员，沃菲尔德常说，他所以能成功是因为他理解“人们希望痛痛快快地哭一场”。

Wargla（Algeria） 参阅**Ouargla** *瓦尔格拉*。

Warham, William 渥兰（约1450，英格兰汉普郡马尔珊格～1532-08-22，肯特坎特伯雷） 宗教改革前最后一任坎特伯雷大主教。1486年在牛津大学新学院获民法博士学位。常被国王亨利七世委以外交使命。1493年受神职为司铎，1502年任伦敦主教和国玺官，1504年1月任坎特伯雷大主教兼大法官。1531年遵命主持宣布亨利七世为英格兰教会首脑的会议。1532年2月发表宣言，反对议会自1529年以来所颁布的各项宗教改革法规。

Warhol, Andy 沃霍尔（1928?-08-06，美国宾夕法尼亚匹兹堡？～1987-02-22，纽约市） 原名安德鲁·沃霍拉。美国美术家，电影制片人，20世纪60年代大众艺术运动发起人和主要倡导者。在纽约市做过10年商业设计工作，1962年因展出汤罐头筒、可口可乐瓶子的绘画和布利洛肥皂盒“雕刻”而轰动。后来开始制作名人肖像，他所有的作品都是用照相丝网制作的，可把形象复制无数次。形象经过复制变得冷漠呆板，反映作者的超然情感。从60年代初开始，他从事地下电影的制片工作。他的影片没有情节，没有一定长度（最长可达25小时），充满别出心裁的色情描写。他制作的影片有：《切尔西的姑娘们》（1966）、

供图：Ken Heyman

《吃》（1963）、《帮我捞钱的人》（1965）和《蓝色电影》（1969）等。

Waring, Edward 华林（1734，英格兰什罗普郡什鲁斯伯里附近旧希斯～1798-08-15，什罗普郡蓬泰斯伯里） 英国数学家，首先提出逼近虚根值的方法。先后在伦敦及其他各地的医院行过医。1760年起任剑桥大学卢卡斯数学教授。1770年放弃行医，1776年提出柯西比率检验。1909年华林问题的解决标志着分析的一个新时代，导致了算术中一些影响深远的定理。他除了把二次曲线分为12大类，84 551种以外，还对笛卡儿符号规则作了证明，并提出代数根的对称函数理论。他提出数论中的一系列命题，如把一个整数分解为立方数之和或四次方数之和，以及找出一种方法（未加证明）把任何一个偶数分解为两个素数之和。发表的著作有：《分析论丛》（1762）、《关于代数的思想》（1770）、《代数曲线的性质》（1772）、《关于分析的思想》（1776）等。

Waring, Laura Wheeler 韦林（1887-05-16，美国康涅狄格哈特福德～1948-02-03，宾夕法尼亚费城） 原名Laura Wheeler。美国画家和教育家，经常描绘非洲裔美国人的主题。出身于美国上层家庭，以优异的成绩毕业于哈特福德（康涅狄格州）高中，当时还几乎没有非洲裔美国女性上学。1908年进入费城的宾夕法尼亚美术学院学习。毕业后，在费城郊区切尼的州立师范学校（后来成为切尼大学）创办了艺术和音乐系，并在这两个系执教30多年。20世纪20年代后期嫁给了费城林肯大学的教授W.韦林。她以教书为职业，同时还继续绘画。她的肖像画非常著名，但同时也画风景和静物。1927～1931年其作品曾在多个机构展出，包括史密森协会和芝加哥的艺术学院。其描绘非洲裔美国人主题的插图出现在多部图书和杂志中。1943年一个为承认非洲裔美国人的成就而发展起来的纽约市组织哈蒙基金委托韦林绘画一系列具有黑人血统的著名美国公民的肖像画。她为这个项目画的著名肖像画包括W.E.B.杜波依

斯、G.W.卡弗、M.安德森和J.W.约翰逊。去世后一年，华盛顿哥伦比亚特区的霍华德大学美术馆展出了她的绘画作品。

Wariston, Archibald Johnston, Lord 参阅 **Warriston, Archibald Johnston, Lord** 沃里斯顿勋爵。

Warkā', Tall al-（ancient Mesopotamian city）**泰勒沃尔卡** 参阅**Erech** 埃雷克。

Warkworth 沃克沃思 英格兰诺森伯兰行政、历史郡阿尼克区一村庄（教区）。临科凯特河，距该河的北海口2.5千米。镇内有一座诺曼城堡（建于1200）遗迹，由狮塔、大厅和一座15世纪的城楼组成。该城堡属于珀西家族近600年（1332～1922）。莎士比亚在《亨利四世》中曾提到该城堡。人口1 642（1991）。

warlock 术士 男性巫师。参阅 **witchcraft** 巫术。

Warlock, Peter 沃洛克（1894-10-30，伦敦～1930-12-17，伦敦） 原名菲利普·赫塞尔廷（Philip Heseltine）。英国作曲家、评论家、音乐编辑。以所作歌曲以及为伊丽莎白时期音乐所编的典范版本著称。真名主要用于文学与编辑工作，假名则用于音乐作品。主要依靠自学，曾获作曲家F.戴流士与B.范·迪伦的帮助与鼓励。1920年创办音乐期刊《拉推号》。著有《弗雷德里克·戴流士》（1923）、《音乐家与谋杀者——韦诺萨亲王卡洛·杰苏阿尔多》（1926，与C.格雷合著）。还发表了有关T.怀索恩和英国埃尔曲的专题文章。他改编并编辑出版了道兰德、雷文斯克罗夫特、普赛尔和其他一些人的作品，他的音乐受伊丽莎白时期的音乐、戴流士和迪伦的影响，结合而成为一种高度个性化的语汇。作品以歌曲为主，包括《杓鹬》（1924）及《烛光》（1924）等。还有弦乐曲《马跃组曲》、钢琴曲《民歌前奏曲》（1918）及一些合唱作品。自杀身亡。

Warlomont, Léopold - Nicolas - Maurice-Édouard 瓦洛蒙 参阅**Waller, Max** 瓦莱尔。

warlord 军阀 又称北洋军阀、北洋军。在中国近代史上，指以袁世凯为首的封建军阀集团。1895年清廷命袁在天津小站编练"新建陆军"。这支军队采用新的兵制，使用近代武器，归北洋大臣节制。1901年袁出任北洋大臣，所辖军队称北洋军。辛亥革命（**Chinese Revolution of**, 1911）后，袁凭借北洋军的实力控制中华民国中央和地方政权，出卖国家主权，镇压人民，实行独裁统治，企图恢复帝制。1916年袁死后，北洋军阀分化为三个派系，即以段祺瑞为首的皖系军阀，以冯国璋、曹锟为首的直系军阀和以张作霖为首的奉系军阀，彼此争权夺利，不断发生政争和混战。为了争夺北京中央政权，1920年7月发生直皖战争，皖系失败下台，直系上台。1922年和1924年先后发生了两次直奉战争，直系失败后，奉系控制中央政权。不断的军阀混战，消耗了巨大的人力物力，给人民造成深重的灾难，北洋军阀自身的实力也受到削弱。1926年7月，在国共两党合作倡导下，国民革命军进行了北伐战争（**Northern Expedition**），消灭了直系军阀吴佩孚、孙传芳的军队，打击了奉系势力。1928年国民党各军事实力派联合再次北伐，奉系军阀张作霖因战败退回东北，在皇姑屯被日本关东军炸死，至此，北洋军阀的统治最后结束。北洋军的一些余部被并入国民党军队。

warm-bloodedness 温血性 又作homoiothermy或homeothermy。又称恒温性。动物保持内部温度相对稳定而与环境温度无关的能力，哺乳动物的体温大约保持在37 °C，鸟类大约在40 °C。鸟类和哺乳类能维持内部温度的相对稳定，与变温动物（或称冷血动物）不同。变温动物的体温大致与它们的环境一样。在变温动物不能活动的条件下，恒温动物往往还能保持活动。恒温动物的体温依靠调节机制维持在一个稳定的值上，这种调节机制抵偿了外界环境的影响。在寒冷的环境中，调节机制通过增加产热量和减少失热量来维持体温。在热的环境中，调节机制靠增加失热量来保持体温。在范围为几个摄氏度的中性温度区内（对于人类是27～31 °C），为了维持体温无需得热，也无需失热。颤抖是许多温血动物的调节机制，可用以增加产热量。冬眠是某些温血动物的另一种机制，用以减少失热。喘气和出汗是增加失热的机制。

Warm Springs 沃姆斯普林斯 美国佐治亚州西部梅里韦瑟县的温泉疗养胜地。邻近F.D.罗斯福州立公园。1924年建市。当地温泉水流量约3 030升/分，水温约31°C。1924

沃姆斯普林斯的罗斯福总统的小白宫
供图：Milt and Joan Mann from CameraMann

年罗斯福在患脊髓前角灰质炎后到此，该地从此闻名全国。罗斯福相信温泉水对脊髓前角灰质炎患者有好处，因此1927年成立沃姆斯普林斯基金会，这一非营利公司在当地建起一个完善的医疗村。1973年，州政府买下这一占地380公顷的设施。1945年4月12日，罗斯福总统在沃姆斯普林斯的小白宫逝世，该建筑现为佐治亚州历史名胜。西南面的沃姆斯普林斯市是为温泉疗养地服务的铁路交轨站。人口482（2003）。

Warmerdam, Cornelius 沃莫丹（1915-06-22，美国加利福尼亚长滩～2001-11-13，弗雷斯诺） 美国撑竿跳高运动员。最先取得4.57米的成绩，又是最后一名使用竹竿创纪录的运动员。沃莫丹跳过4.57米43次以后才有人达到这一高度。1940年在加利福尼亚州伯克利市第一次跳过4.57米。1942年在加利福尼亚州莫德斯托市用竹竿创室外世界纪录（4.77米）。1937～1944年（1939年除外），连续获得美国撑竿跳高冠军称号。1944年退出体坛。1975年他60岁时还跳出3.2米的好成绩。

1942年赛场上的沃莫丹
合众国际社—美国不列颠百科全书公司供图

Warming, Johannes Eugenius Bülow 沃明（1841-11-03，丹麦马讷～1924-04-02，哥本哈根） 丹麦植物学家，因研究植物与其环境的关系而成为植物生态学创始人。曾在哥本哈根大学求学（1871年获博士学位），1882～1885年任斯德哥尔摩皇家理工学院植物学教授。1884年参加费拉考察队，到格陵兰西部研究当地植物的生态适应现象。1885年返回哥本哈根大学，任植物学教授和该校植物园主任（1885～1911）。他根据这次考察的结果，写出《论格陵兰植被》（1888）一书。这是他关于植物生态分布的第一部著作，阐述了植物结构对环境的适应变化。他进而在丹麦、委内瑞拉等国和西印度群岛的一些岛屿运用这种研究方式。他在名著《圣湖镇，从生物学角度研究植物地理学》（1892）和另一些著作中对温带、热带和北极地区的植被作了详尽的叙述。这项工作为他的最重要著作《植物生态学》（1895）作了准备。该书对遭受相同外界条件（各种生态因子交互作用才形成这些条件）的各种植物群落进行分类和描述。

Warmińsko-Mazurskie 瓦尔米亚-马祖尔 波兰语作Województwo Warmińsko-Mazurskie。波兰北部省份，北邻俄罗斯，东连波德拉斯省，南接马佐夫舍省，西南与库亚瓦滨海省交界，西邻滨海省交界，西北靠波罗的海。1999年波兰省级行政区改革建立的16个省份之一。主要包括原奥尔什丁省，以及苏瓦乌基省和埃尔布隆格省的一部分。省会为奥尔什丁。该省地形多样。有很多冰碛、丘陵和数千个湖泊。森林面积占全省面积的1/3。由于森林覆盖率高、空气质量非常好，该省被称为"波兰绿肺"。是波兰最寒冷的省份，夏季短暂，冬季漫长严寒。年平均气温为7.5°C；年平均降雨量为550～750毫米。是波兰人口密度最小的省份之一。3/5的人口为城市人口。当地的德国人在第二次世界大战后被迫迁离。该省一半的土地为耕地，主要农作物包括谷物、饲料、马铃薯和油菜籽。广阔的牧场和草原支撑着畜牧业和奶制品业。该地区也是重要的禽类生产地。当地工业与农业有密切联系，包括奶制品、肉类、鱼类加工，以及酿酒和面粉业。当地的木材为该省的众多家具制造商提供了原料。金属加工、轮胎制造和电气工程业也非常重要。水路主要用来运输木材和经营观光游船。该省是波兰最主要的旅游胜地之一。有多个日尔曼城堡和中世纪城镇城墙遗址。16世纪，该地区经济发展迅速，波兰与普鲁士的关系得到改善。17世纪，成为普鲁士王国的一部分。三分波兰(1772，1793和1795)以后，并入东普鲁士，经历了德意志化。第一次世界大战后，根据《凡尔赛条约》(1919)，5个城镇并入波兰。1920年经过公民投票，该地区其他地方归属德国。第二次世界大战以前，东普鲁士的很多人移民到德国。第二次世界大战期间，该地区对纳粹德国来说有很大的战略重要性。1945年德国战败以后，该地区划归波兰。面积24 203平方千米。人口1 428 357(2002)。

Warna（Bulgaria） 参阅**Varna**瓦尔纳。

Warner, Pop 沃纳（1871-04-05，美国纽约斯普林维尔～1954-09-07，加利福尼亚帕洛阿尔托） 美国大学橄榄球教练。在第一次世界大战后10年中，他对单翼和双翼进攻战术进行改进。多年来他所训练的球队在46个赛季中共胜312场，负104场，平32场。在单翼进攻战术中，前中卫位于一端锋的外侧后方，四名后场手排成一条直线，与居于场地一侧的己方大多数队员所排成的队形形成锐角。沃纳在匹兹堡大学和斯坦福大学任教练期间，不断对这一战术进行改进。他所提出的双翼进攻战术1928年经斯坦福大学队运用成功以后得到推广，但现在采用者不多。根据这种战术，每一个端锋身后都配有一名中卫。

Warner, Rex (Ernest) 沃纳（1905-03-09，英格兰沃里克郡伯明翰～1986-06-24，牛津郡沃灵福德） 英国小说家、希腊语学者、诗人、翻译家和评论家。他在小说中用恶梦为寓言提醒人们警惕资本主义社会的邪恶。1928年从牛津大学沃德姆学院毕业后，曾在英国和埃及任教。20世纪40年代任雅典的英国研究所所长。1961年迁居美国，1964～1974年任康涅狄格大学英语教授。沃纳只写有一部诗歌《诗集》(1937)。他翻译的希腊作品，特别是埃斯库罗斯的《被缚的普罗米修斯》(1947)、色诺芬的《远征记》(1949)以及欧里庇得斯的《希波吕托斯》(1950)和《海伦》(1951)，文字优美、清新、明晰。沃纳最著名的小说是《教授》(1938)和《机场》(1941)。他还写了两部关于凯撒的小说体"自传"：《年轻时的凯撒》(1958)和《帝王凯撒》(1960)。其他历史小说有《雅典人伯里克利》(1963)和《皈依者》(1967)。《雅典人》(1972)是论述公元前5世纪雅典杰出人物的系列短论。

Warner, Susan Bogert and Anna Bartlett 沃纳姐妹（苏珊1819-07-11，美国纽约州纽约～1885-03-17，纽约海兰福尔斯；安娜1827-08-31，纽约市～1915-01-22，海兰福尔斯） 美国作家，她们合作或分别写有许多极受欢迎的小说、赞美诗和非小说类作品。出身于一个殷实的家庭，受到过良好的私人教育。1837年她们的父亲在财务上受挫，此后全家人到哈得孙河的宪法岛上居住，与西点隔河相望。两姐妹的秉性极不相同，但却能一同工作和娱乐并颇具讲故事的天赋。1851年苏珊以笔名伊丽莎白·韦瑟雷尔出版名为《大世界》的小说，该书极受欢迎，被译成多种文字在世界各地销售，据说是美国作家写的首部销售量达到100万册的书。苏珊1852年又出版了《奎奇》(用她的本名)，同一年安娜也出版了《金钱》一书。安娜从前曾发明过一种称作"鲁宾孙农家场院"的教育类游戏，游戏用的彩色纸牌就是两姐妹画的；多年来该游戏一直由苏珊的出版商G.P.帕特南公司代理销售。在随后的几十年里两姐妹继续大量写作。苏珊写出小说《沙特马克人的山丘》(1856)，该书在出版的当天就销售了1万册；《老哈姆雷特》(1863)、《小开端的故事》(1872)、《松针》(1877)、《小人物》(1882)、《红色桂竹香》(1884)等。她还写了几本儿童读物和一些圣经题材的作品。安娜的出版物包括《我兄弟的监护人》(1855)、《教会军人的赞美诗》(1858)、《雅各之星》(1868)、《园艺小常识》(1872，美国第一本敦促妇女自己动手整理花园的书)，以及《十字角》(1887)和《苏珊·沃纳》(1909)。她写了许多赞美诗，其中包括受欢迎的《我知道基督爱我》和《基督祝我们前途光明》。两姐妹还合著过多部作品，多年来她们还每周定期为西点军校学生上圣经课。苏珊去世后，安娜独自一人继续居住在宪法岛上。她几次拒绝把该岛卖给开发商，因为她希望有一天这个岛能成为西点保留地的一部分。美国联邦政府几次提出收购该岛的议案都未能在国会通过，但1908年M.O.S.塞奇购得宪法岛，并把它赠予美国政府。

Warner, W(illiam) Lloyd 沃纳（1898-10-26，美国加利福尼亚雷德兰兹～1970-05-23，伊利诺伊芝加哥） 美国有影响的社会学家和人类学家，以专攻阶级结构著称。他先在伯克利加利福尼亚大学主修人类学，1935年获得哈佛大学哲学博士学位。后在哈佛及拉德克利夫任教，对新英格兰南部及中西部各社区的社会生活进行研究，集中于种族关系、阶级结构及符号行为等三种课题，曾将社会阶级划定为下、中、上三等，每等再分为上下两种。1939～1959年担任芝加哥大学人类学与社会学教授，自1959年起，任密歇根大学社会研究教授。沃纳将文化人类学的研究方法应用于当代社会问题的探索，贡献甚大，是一位重要社会学家。他对当代美国文化的理解和识别所作的贡献，反映了其对有关阶级结构、符号系统及人类动机这三个课题的深厚兴趣。著有《琼斯维尔的民主》(1949)，此书探讨平等与不平等；《美国社会阶级》(1949)，是一本社会测量程序的手册。他的主要论点见于《美国生活：梦想与现实》(1953；1962年修订再版)；《生者与死者》(1959)，此书为有关美国人符号行为之研究，是沃纳最重要著作之一；还有《非常时期的美国社会》(1967)。沃纳为社会科学界泰斗，他对美国社会阶级体系的研究，已成为行政官员及建制计划负责方面的重要参考模式。他力图洞察社会阶层形成之复杂性，并探讨经济体制与人类传统等问题。

Warner Brothers 华纳兄弟影片公司 全称为Warner Brothers Pictures, Inc.(1923～1969)，或Warner Bros. Inc.(从1969年起)。美国电影制片公司，拍摄了第一部真正的有声电影(1927)。由哈里、艾伯特、塞缪尔和杰克等华纳4兄弟创立，其父为波兰移民。4兄弟在俄亥俄和宾夕法尼亚巡回放映电影的基础上开始其事业，从1903年起，他们开始拥有电影院，之后转入电影发行。约于1913年开始制作自己的影片，1917年将制作总部迁至加利福尼亚的好莱坞。1923年4兄弟建立了华纳兄弟影片公司。长兄哈里(1881-12-12，波兰～1958-07-25，美国加利福尼亚好莱坞)任公司总裁，管理设在纽约市的公司总部；艾伯特(1884-07-23，波兰～1967-11-26，美国佛罗里达迈阿密海滩)任司库兼销售发行部主任；塞缪尔(1888～1927)和杰克(1892-08-02，加拿大安大略伦敦～1978-09-09，美国加利福尼亚洛杉矶)管理设在好莱坞的制片厂。20年代中期公司陷入财政困境，塞缪尔说服兄弟们合作发展一项维他风专利，这使有声电影成为可能。该制片厂的《唐璜》(1926)首创完全同步的音乐声带，《爵士歌王》(1927)则兼有同步的音乐和对话。接着华纳兄弟公司制作了第一部足本的全对白影片《纽约的显贵》(1928)和第一部全对白彩色影片《戏正上演》(1929)。这些早期的有声影片在财政上的巨大成功，使华纳兄弟公司成为一家大影片公司。到30年代，华纳兄弟公司每年生产约100部影片，控制了美国360家和国外400多家电影院。华纳兄弟公司以生产成本低而技术上过硬的娱乐片著称。30年代初期，公司对强盗片发生浓厚兴趣，摄制了《小凯撒》(1930)、《公敌》(1931)和《疤脸大盗》(1932)，而整个30年代所摄制的影片，均由J.卡格尼和E.G.鲁宾逊等影星扮演强盗角色。华纳兄弟公司并在30年代摄制了B.伯克利的音乐狂想剧，由E.弗林主演的许多虚张声势和冒险的影片，以及由P.茂尼、B.戴维丝、H.博加特和J.加菲尔德等影星主演的故事片。公司40年代和50年代最著名的影片有《马耳他之鹰》(1941)、《卡萨布兰卡》(1942)、《守望莱茵河》(1943)和《欲望号街车》(1951)等。公司此后在票房收入上成功的影片有：《窈窕淑女》(1964)、《邦妮与克莱德》(1967)、《驱魔人》(1973)、《紫色》(1985)和《亡命徒》(1993)等。杰克是华纳兄弟公司长期的负责制片的副总裁，在其最后一个兄长退休后，于1956年任公司总裁，并于1972年退休。与此同时，华纳兄弟公司历经多次改组，70年代增设了电视节目、书籍出版和音乐录音等部门。1969年成为华纳传播公司的一个子公司——华纳兄弟公司。1989年华纳传播公司与时代公司合并，组成时代华纳公司，成为世界上最大的传播与娱乐公司之一。1995年时代华纳公司建立了一个广播电视网(WB)。

Warner Robins 沃纳罗宾斯 美国佐治亚州中部休斯敦县城市。位于梅肯南面16千米处。初建时为铁路旁的一座小村庄韦尔斯顿。自1940年罗宾斯空军基地建成后，该城发展迅速。1943年建市，以美国陆军航空兵先驱A.W.罗宾斯准将之名命名。曾是空军"飞虎队"的驻地。现为空军后备队总部所在地。空军基地为城市主要经济来源之一，也建有轻工企业。人口48 804(2000)。

Warnerius(Italian scholar) 参阅**Irnerius 伊尔内留斯**。

Warragul 沃勒格尔 澳大利亚维多利亚州中南部城镇。位于吉普斯兰地区内，在墨尔本东南偏东103千米处。欧洲人居民点最早建于1865年，在距现镇址约1.6千米。该镇是奶牛、果树和林场的服务中心。人口8 910(1991)。

warrant 令状 对称令证。法律术语，指以书面授权某人完成某个行为或执行某项公务的令状。此术语适用于多种公文，最普通的是司法令状或准司法令状，其中最常用的是为逮捕或搜查而签发的逮捕证或搜查证。除法律和法令准许无证逮捕的情况外，只有持逮捕证的逮捕方为合法(参阅**arrest**)。在通常情况下，逮捕证根据控诉人的要求签发，控诉人必须提出一份附誓证明，列举充分事实说明犯罪已经发生以及被告人即为有罪的当事人。按照大多数国家法律，附誓证明所陈述的事实必须是控诉人附誓保证是自己直截了解的。传闻和凭情报或主观信念而陈述的事实，一般不能作为签发逮捕证的充分依据。逮捕证必须书明被逮捕人的姓名；如不知其姓名，可用一假名代替(即所谓约翰·多伊逮捕证，或代名逮捕证)。在这样的情况下，必须描述被逮捕人的体形特征。逮捕证是否合法，以及逮捕本身是否合法，可通过提起非法拘禁民事诉讼进行审查；在普通法国家，则通过人身保护状程序进行审查(参阅**habeas corpus**)。签发搜查令，要受到许多和签发逮捕状相同的限制。必须具体说明所要扣押的财产或者所要搜查的地点，使负责执行该搜查的官员不能任意行事。法令一般都规定可以扣押的财产类别，多数仅限于盗窃的赃物、武器及赌具。其他司法令状包括用来缉捕逃犯的逃犯缉捕令，用来在审讯前或审讯后将犯人收押的收押令。还有一些其他类型的令状，一般包括授权征收税的税收令，以及政府发给公地地块持有人作为转让凭据的土地证等。

Warrau 瓦劳人 又拼 Warao 或 Guarauno，南美游牧印第安人，操大奇布查语群的一种语言，现今居住于委内瑞拉奥里诺科河三角洲的沼泽地和圭亚那波莫龙河东部；也有一些瓦劳人居住在苏里南。据估计，20世纪末有20 000人。他们主要以渔、猎和采集野生植物为生，在比较干燥的地区也普遍种植大蕉、甘蔗、西瓜、木薯和辣椒。野生的莫里茨棕特别重要：树汁可制作发酵饮料，树心可作面包，果实可食，纤维可编织吊床和衣服。村落以半坡房及蜂房状茅屋为主，湿地村落建于泥木搭起的平台之上。瓦劳人与其他南美印第安部落具有许多共同的文化特点。他们居住在村庄中，社会结构以亲属关系为基础。这些都与其他河边农民一样，不过他们的社会阶级独特而复杂，有酋长、祭司、萨满教僧、术士和寺庙劳工。瓦劳人的青春仪式、葬礼及巫术，与其他热带森林印第安人相似，而另有祭司、庙宇、偶像，崇奉一最高造物神。他们的祭祀礼仪和复杂的社会结构在加勒比地区发达的农业酋长领地虽属常见，但在狩猎采集牧民中尚不普遍。多数学者认为，瓦劳人原在更北或更西地区以耕作为生，后来被迫迁到三角洲地带后原有文化已逐渐消失；另说瓦劳人自更先进的农业邻族吸收了相似的文化特点，逐渐形成了现在的模式。无论如何，瓦劳人当前简单的经济并不能产生他们奇异的社会特点。

Warren 沃伦 美国密歇根州东南部马科姆县城市，底特律北郊。1837年创建，1893年设村，1955年设市。20世纪20年代起发展成为工业和住宅区。第二次世界大战后发展迅速。有通用汽车公司技术中心、底特律兵工厂以及马科姆县社区学院南校区。人口约136 016(2003)。

Warren 沃伦 美国俄亥俄州东北部特兰伯尔县城市。濒临马霍宁河。为扬斯敦都会区的一部分。1799年由康涅狄格地产公司股东E.奎因比拓居。1803年定为县城。在1840年宾夕法尼亚-俄亥俄运河从匹兹堡到阿克伦一段完成后，发展成为内陆港。1869年设市。后开采煤矿、发展炼铁业，又因地近扬斯敦和修通横贯大陆公路和高速公路而繁荣起来。生产汽车、钢铁、工业设备和电器等。设有州立肯特大学特兰伯尔分校(1959)。市内有帕卡德音乐厅、J.S.爱德华兹故居(1807，西部保留地中最古老的住所)。人口：市46 608(2003)；扬斯敦-沃伦都会统计区594 746(2000)。

Warren, Bertram Eugene 沃伦(1902-06-28，美国马萨诸塞沃尔瑟姆～1991-06-27，阿灵顿) 美国晶体学家，所作X射线研究对理解晶体和非晶体物质以及由非晶态向结晶态的转变作出贡献。他的学术和教学生活绝大部分是在麻省理工学院度过的。1928年在该校获得科学博士学位，1930年在校任教，先后任物理学助理教授、副教授，最后任教授。和L.布拉格一起，研究了透辉石。他们的X射线分析，是理解硅酸盐矿物的里程碑，对观察到的硅酸盐中硅氧比的差异提供了一种解释，他后来把注意力转向非晶态物质和晶体的缺陷，指出碳黑不是完全非晶形的，而是有无规取向的二维层状结构；金属的一般物理性质，很大程度是由晶体缺陷决定的。

Warren, Earl 沃伦(1891-03-19，美国加利福尼亚洛杉矶～1974-07-09，华盛顿[哥伦比亚特区]) 第14任美国最高法院首席大法官(1953～1969)。在他主持最高法院期间，

合众国际社—美国不列颠百科全书公司供图

正是美国宪法进行广泛改革的时期，特别是在种族关系、刑事诉讼程序和立法机关的议员人数分配等方面。沃伦是铁路工人之子，曾在伯克利加利福尼亚大学学习法律。在其50年不间断地担任公职期间，历任加利福尼亚州阿拉梅达县地方检察官(1925～1939)、加利福尼亚州检察长(1939～1943)和3任加利福尼亚州州长(1943～1953)。1953年艾森豪威尔总统任命他为最高法院首席大法官，直到1969年退休为止。在他的第一届任期内，他代表意见一致的法院对一个后来成为判例的校内种族隔离案"布朗诉托皮卡教育委员会"案(美国《联邦报告》，第347卷第483页[1954])发言，宣布在公立学校内把儿童按种族分开的做法是违反宪法的。他在驳斥那个从1896年以来一直流行的"分开但是平等"的原则时说："分开来的教育设施本来就是不平等的。"他在"沃特金斯诉美国"一案(美国《联邦报告》，第354卷第178页[1957])中坚持认为证人有权拒绝在一个国会的委员会上作证；而且在有关联邦和州的忠诚和保安调查的其他意见中，他同样采取了对20世纪50年代在美国流行的那种担心共产党破坏的想法不予重视的立场。在"米兰达诉亚利桑那州"一案(美国《联邦报告》，第384卷第436页[1966])中，他裁决说，警察在讯问一个刑事嫌疑犯之前，必须首先告知他有权保持沉默，有权要求有律师在场(如果他贫穷的话，应为他指定律师)，并且裁决说，违反上述任何要求而获得的供词不能为法院所采用，这是沃伦主持的最高法院在刑事审判裁决中一个前所未有的决定。1963年11月29日，约翰逊总统任命他担任为调查肯尼迪总统被暗杀(11月22日)和涉嫌刺客L.H.奥斯瓦德的被谋杀而设立的委员会的主席。**沃伦委员会(Warren Commission)**于1964年9月提出一个报告并于同年晚些时候公布。

Warren, Harry 沃伦(1893-12-24，美国纽约布鲁克林～1981-09-22，加利福尼亚洛杉矶) 原名Salvatore Guaragna。美国歌曲作家。据他本人估计，1922～1960年间共创作了

300～400首歌曲,其中有许多是为好莱坞影片和百老汇音乐剧创作的。虽曾得过3次奥斯卡奖(1935、1943和1946),但在其漫长的一生中没有引起广泛重视。音乐靠自学。15岁起随一些铜管乐队和游艺团体到处巡回演出,并在私人制片厂中当保管员,后来在无声影片中任钢琴伴奏。1922年斯塔克与考恩音乐出版社公司购买了他的第一首歌曲《里奥格兰德的玫瑰》。直到30年代初一直为百老汇一些成功的音乐剧写了60多首流行歌曲。1932年迁居好莱坞,与歌词作家A.杜宾合作至1939年。他们一起为《1933年的淘金者》(1933,内有歌曲《在钱堆里》)、《第42街》(1933,包括主题歌《你习惯与我在一起》和《漫步去布法罗》)等一些影片创作音乐。他的音乐配合剧本的需要,但并未表示出特别的个人风格。40年代,与歌词作家M.戈登合作为《去阿根廷》(1940)和《太阳谷小夜曲》(1941,内有《查塔努加的查查舞》)等一系列影片创作歌曲,1962年后虽仍继续作曲,但很少发表。

Warren, Joseph　沃伦(1741-06-11,美国马萨诸塞罗克斯伯里～1775-06-17,马萨诸塞邦克山)　美国独立战争时期的军人和领袖。1775年4月18日派P.里维尔和W.道斯到列

波士顿美术博物馆供图

克星敦和康科德飞骑报警,告知当地爱国者英军将发动进攻。1759年毕业于哈佛医学院,很快成为知名的内科医生。1765年《印花税条例》通过时,激起沃伦与殖民地居民同仇敌忾的心情,乃与马萨诸塞的著名辉格党人密切联系,参与起草对英国议会抗议的文件即《萨福克决定》,1774年9月9日在马萨诸塞萨福克县议会上通过,并经费城大陆会议批准。他是马萨诸塞最初三届殖民地议会的议员,曾主持第三届会议。他还是马萨诸塞公安委员会的活跃成员。1775年6月14日,沃伦升为少将,3日后在邦克山战役中阵亡。

Warren, Leonard　沃伦(1911-04-21,美国纽约州纽约市布朗克斯～1960-03-04,纽约市)　美国男中音歌剧歌唱家。以演唱莱翁卡瓦洛和普契尼的歌剧而闻名。俄国犹太移民之子,先在纽约市格林尼治大厦音乐学校学习,1935～1938年在广播城音乐厅合唱队演唱。1938年从S.迪奇学习声乐后,进入大都会歌剧院广播试听室,获得一份合同和赴米兰学习的奖学金。1938年第一次在大都会歌剧院露面,1939年正式在该院扮演歌剧角色。除了在美国的大量演出活动外,他还巡回演出于南美洲、加拿大、意大利和苏联。也在广播和电影中表演,并灌有许多唱片。在演唱威尔地歌剧《命运的力量》时死于大都会歌剧院的舞台上。

Warren, Mercy Otis　华伦(1728-09-25,美国马萨诸塞巴恩斯特布尔～1814-10-19,马萨诸塞普里茅斯)　婚前名Mercy Otis。美国诗人、剧作家和历史学家,熟悉当时政治领袖和各种事件,这对她写作有关美国独立战争时期的书具有特殊价值。她是政治活动家詹姆斯·奥蒂斯的妹妹,詹姆斯很早就投入美国独立战争前的各种事件。华伦没有受过正规教育,但从哥哥的老师那里受了一些教育。1754年与马萨诸塞州的政治领袖J.华伦结婚。通过个人关系她认识了许多革命领袖人物,1765～1789年间一直处于或接近各种事件的中心。她将这种地位优势与其写作天分相结合,成为革命年代的诗人兼历史学家。曾写过几部剧本,包括讽刺剧《谄媚者》(1772)。该剧直接反对马萨诸塞州总督,预告了革命战争的发生。1775年发表了《团体》,讽刺性地推测英国国王如果取消马萨诸塞的特许权将会发生的后果。1788年发表《对新宪法的观察》,表明她反对批准新宪法。曾与朋友亚当斯夫人通信。她认为把妇女置于很少受关心的地位,反映出来的不是她们的智力低下,而是提供她们发展自己能力的机会太少。1805年完成了一部三卷的历史书,书名为《美国革命崛起、发展和终结的历史》,对当时一些重要人物所作的颇有见地的评说使该书至今仍颇有影响。

Warren, Robert Penn　沃伦(1905-04-24,美国肯塔基加斯里～1989-09-15,佛蒙特州斯特拉顿)　又译华伦。美国诗人、小说家、评论家和教师,以长于刻画南部各州传统的农村价值观念消失带来的精神困境闻名。1986

供图:Random House, Inc.

年成为美国第一位桂冠诗人。1921年进田纳西州纳什维尔范德比尔特大学,在大学里参加一个自称为"**逃亡者**"(**Fugitive**)的诗人团体。与其他南方作家出版短文选《我要表明我的态度》(1930),主张在南方实行农业生活方式。1925年从范德比尔特大学毕业后入伯克利加利福尼亚大学,1927年获硕士学位,又在耶鲁大学学习,后获罗得斯奖学金赴牛津大学。1930～1950年在范德比尔特大学和明尼苏达大学等校任教。他与C.布鲁克斯和C.W.皮普金创办并编辑《南方评论》(1935～1942)。1951～1973年在耶鲁大学任教。他与布鲁克斯合著的《理解诗歌》(1938)和《理解小说》(1943)在传播**新批评派**(**New Criticism**)的原则方面影响极大。第一部小说《夜骑者》(1939)是根据肯塔基州个体种植者和大烟草公司之间的烟草战(1905～1908)写成的。小说用悲剧性的讥讽笔调刻画处于精神困境的人物。他最著名的小说《国王的人马》(1946)写一个理想主义政客的故事,对权力的欲望使他和他周围的人堕落。小说1947年获普利策奖,改编成电影后获1949年最佳电影学院奖。其他小说有《在天堂门前》(1943)、《尘世与岁月》(1950)、《天使们》(1956)和《洞穴》(1959)等。他根据杰斐逊家族故事写的长篇叙事诗《龙的兄弟》(1953)实质上是一部韵文小说。他的诗作还有《诺言:1954～1956年的诗》、《皇帝陛下》(1960)等。短篇小说集有《顶楼里的马戏团》(1948)。评论文集有《论文选》(1958)。曾两次获普利策奖(1958、1979)。

Warren Commission　沃伦委员会　美国总统L.B.约翰逊于1963年11月29日指定组成的一个委员会,负责调查J.F.肯尼迪一周前在达拉斯被刺和刺客L.H.**奥斯瓦德**(**Oswald, Lee Harvey**)两天后又被开枪击毙的原委。委员会主席为美国最高法院首席法官E.沃伦,委员有参议员R.B.拉塞尔和J.S.库珀,众议员H.博格斯和G.R.福特,前中央情报局局长A.W.杜勒斯和前国际复兴开发银行总裁J.J.麦克洛伊。经过数月的调查,该委员会于1964年9月向约翰逊总统提交调查报告,并立即公布。该报告说,杀死肯尼迪的枪弹是奥斯瓦德用一支步枪从得克萨斯教科书仓库六楼一扇窗户里射出的,关于奥斯瓦德以及杀死他的J.鲁比是否参与国内或外国的刺杀肯尼迪的阴谋,委员会没有发现任何证据。后来许多书籍、文章以及1979年国会特别委员会的报告都对该委员会的结论表示异议。该报告后由美国政府印刷局以《关于J.F.肯尼迪总统被刺事件的总统委员会报告》(1964)为名出版。

Warrensburg　沃伦斯堡　美国密苏里州中西部城市,约翰逊县县城(1836)。西北距堪萨斯城84千米。1833年始有人定居。1844年设镇,1856年设市。早期为农贸中心。密苏里太平洋铁路修通(1864)后迅速发展,建起面粉厂、毛纺厂、谷仓和酿酒厂。19世纪后期以矿泉闻名。现经济多样化,农业仍占重要地位,生产小麦、玉米、干草和牛。主要制造业产品有服装、割草机、电子设备、化工品和金属铸件。当地还开采砂岩。设有中密苏里州立大学(1870)和怀特曼空军基地。1870年,当地县法院以咬死羊为罪名审讯一只名为老德鲁姆的狗,后任美国参议员的G.维斯特在法庭上宣读了他的著名的"狗的礼赞"一文,成为美国演说词的经典之作。人口约15 469(1992)。

Warri　瓦里　尼日利亚南部本代尔州港口城镇。在尼日尔河三角洲西部,濒临瓦里河,距福卡多斯港48千米。15世纪末创建,发展成瓦里的伊策基里人的王国的首邑和商业中心。15～17世纪,其国王与葡萄牙人接触频

繁，其中几位皈依天主教，后积极从事奴隶贸易。瓦里在19世纪中叶转而出口棕榈油和棕榈仁，但王国势衰，1884年成为英国人保护地。长期为当地产品的贸易中心。附近发现石油和天然气后经济得以发展。1972年创办石油培训学院。1978年建全国第二大炼油厂，油制品经输油管道输往北部的卡杜纳和卡诺。1981年附近的阿拉贾建成轧钢厂，此后大瓦里拟建为全国主要钢铁基地之一。有家具和软饮料工业。为瓦里地方政府参议会所在地。有中学、商业学校、公立医院和手工业中心。人口约111 300(1991)。

warrigal(dog)　参阅**dingo**澳大利亚野狗。

Warring States Period　战国时期（公元前475～前221）　又作Contending States Period。中国历史上秦国统一全国以前中原地区各诸侯国连年争战的时期。西汉末刘向编《战国策》，始作为时代专称。从周元王元年（公元前475)到秦王政二十六年（公元前221)止，各国长期进行兼并战争。在战国初年先后出现秦、齐、楚、燕、韩、赵、魏7个大国，最后秦征服其余6国建立起统一的帝国。战国初各国相继变法，进行社会改革。国家以什一税的方式取代了井田制。冶铁业的发展使生产工具出现了根本性变革，生产力得到迅速提高。这个时期经济繁荣，文化发展，逐步形成百家争鸣的各种学术流派。

Warrington　沃灵顿　英格兰柴郡地理郡的城市区和单一政区。面积176平方千米。位于利物浦和曼彻斯特之间，濒临默西河和曼彻斯特通海运河。沃灵顿历史中心和默西河以北的政区属兰开夏历史郡，而默西河以南的区域属柴郡历史郡。罗马时期以前建立在默西河渡口处。中世纪成为拥有毛纺、棉纺工业的集镇。现为工业城市，有锯木、酿酒、印刷、金属、皮革制造等工厂。位于利物浦-曼彻斯特区的高速公路枢纽处；附近设有研究所和物资储存和集散中心，这些均为新城镇开发计划的一部分。人口：城市区152 458(1991)；单一政区190 200(1998)。

Warriston, Archibald Johnston, Lord　沃里斯顿勋爵（1611～1663-07-22，苏格兰爱丁堡）　Warriston又拼Wariston。即A.约翰斯顿。苏格兰长老派教徒。英国内战时期反对保王派的主要人物。后成为O.克伦威尔共和政权的官员。以脾气暴躁，动辄与人争吵而闻名。早年学习法律。《苏格兰民族誓约》(1638)的主要起草人。他认为主教制是一切腐败之源。1641年受封爵士，被任命为苏格兰最高民事法庭法官。1644～1646年帮助协调誓约派和议会军对查理一世军队的联合作战行动。1646年任苏格兰检察长。当温和誓约派与查理一起反对议会中的独立派时，他领导极端誓约派反对这一联合。但当独立派处死查理并建立共和体制后，他支持查理的继承人查理二世。1657年他接受克伦威尔的任命——苏格兰档案官和司法专员。1658年入克伦威尔的议会。查理二世复辟后被处绞刑。

Warrnambool　瓦南布尔　澳大利亚维多利亚州西南部城市。濒临莱迪湾，邻近霍普金斯河口。1847年建村，1918年设市。为农产品转运中心。经济以乳品、服装和汽车生产为主。设有瓦南布尔高等教育学院。人口29 616(2001)。

Warrumbungle Range　沃伦邦格尔岭　澳大利亚新南威尔士州北部山岭。火山作用形成，从平原拔地而起，最高峰埃克斯茅斯山海拔3 953英尺。1953年建为国家公园，保护当地的秀丽风景。有一块楔形岩石，称面包刀，结构奇异，高300英尺，宽5英尺。赛丁斯普林山（海拔3 822英尺）上有国立澳大利亚大学的天文台。该岭为卡斯尔雷河与纳莫伊河源头。

Wars of Yahweh, Book of the　雅赫维战记　《旧约·民数记》(21：14起）提到并引用的古代文献（汉译本《圣经》作"耶和华的战记"），今已失传。此书可能是早期以色列人的战歌汇编，其中有胜利歌、咒敌歌、嘲敌歌以及叙述以色列人之神雅赫维克敌制胜的其他体裁作品。由此书可见，《圣经》是根据文字与口头两种传统写成。大多数学者认为，此书与《雅煞尔书》相似而非同一著作。

Warsaw　华沙　波兰语作Warszawa，波兰首都及中东部城市。华沙在欧洲各首都城市中之所以出名，并非因其规模、历史或美丽，而是因其不可摧毁性。它是一只从战火灰烬中一次又一次飞起的凤凰。它在1655～1656年瑞典和普鲁士占领期间已经遭到可怕的破坏，1794年又再一次受到袭击，俄国军队屠杀了维斯图拉河右岸普拉加郊区的居民。1944年，华沙起义失败后，城市按希特勒命令被夷平；受德国人控制的维斯图拉河左岸各郊区剩余的居民全部被赶出，建筑物也有计划地用大火和炸药化为瓦砾。然而，1945年，华沙的人民回来了，华沙又重新担当起波兰首都及国家社会、政治、经济、科学和文化生活中心的任务。许多历史性的街道、房屋和教堂都已完全按照原状恢复。华沙的市徽（原来是一只警笛）自18世纪下半叶起，一直是个手持剑和盾的美人鱼，代表传说中把一位王子带到华沙这个地点并命令他建造这座城的那个生灵。该市的箴言是"不畏风暴"。

自然地理和人文地理

景观　**城市位置**　华沙地处维斯图拉河（维斯瓦河）河畔，在波罗的海海滨城市格但斯克东南约386千米，位于华沙平原中部——此平原由冰川形成，海拔高度在76～116米之间。城市被维斯图拉河分割成东、西岸两个部分，市区范围南北约18英里，东西约16英里。河面在此处宽约1 190米，不过，通过堤防工程，河床已被人为地缩窄到这个宽度的1/3。

气候　气候温和且颇有凉意，盛行的西风带来天气的不断变化。年平均气温为8 ℃，7月平均气温19 ℃，1月平均气温-3 ℃。年平均降水量541毫米，其中大部分落在夏季。地面积雪持续时间每年约有50～64天。

城市布局　华沙的规模反映出华沙的历史命运。它从17世纪的大约0.5平方英里（1.25平方千米），到1937年前扩展到50平

华沙市的旧集市广场，第二次世界大战后按15世纪时期的原样重建

供图：© Hubertus Kanus—Photo Researchers, Inc.

方英里。战后，到1957年前，又扩展到172平方英里。此后，仍在继续扩大。全市现分为7个区：①市中心，②左里波尔，③意志，④愿望，⑤莫科托夫，⑥南普拉加，⑦北普拉加，反映出有几百年历史的当地的地名；但华沙现在实质上是个新创造，其布局仅仅部分地与历史上的华沙城相似。改变反映出对各种社会功能和经济功能的有意识的规划。各种企事业和批发店都设在郊外或现代住宅开发区之间；公园面积已扩大到原有的3倍；街道尽管基本上仍建在旧的格局上，却都已加宽。另一方面，旧城、新城、新世界大街以及市内那些教堂和宫殿，则都已精心地重建了。

华沙拥有种类极多的建筑纪念物，有复制品也有原作。旧城里有从中世纪留存下来的哥特式圣约翰大教堂和称作碉楼的红砖堡垒。旧城市场广场的房屋已按照其壮丽的15世纪风格重建。那里有反宗教改革时期的许多巴罗克式教堂，包括紧靠大教堂的耶稣会教堂和保存着肖邦心脏的圣十字架教堂。经过很好重建的、按照18世纪晚期风格装饰的皇家城堡，位于扎姆科夫广场上。其他皇家的和贵族的宫殿位于瓦瑾科夫斯基公园和约翰三世·索别斯基的维拉诺夫宫。沙皇时代的遗迹有三十字架广场中央的圣亚历山大教堂以及新城以北河边上庞大的亚历山大城堡。最庄严的沙皇纪念物——庞大的东正教大教堂(1911)——被波兰政府在20世纪20年代拆除了，但它在该城的象征性作用已由苏联人在旧城以南建造的庄重的科学文化宫(1949)所取代。华沙的现代建筑一般都被认为是平凡的。虽然战前的花园式郊区——左里波尔和萨斯卡洲——幸存下来，但是当代郊区大规模扩展则很大部分是单调的预制混凝土单元楼区。无数的历史纪念物装饰着华沙，其中有些曾经是政治冲突的目标。战后的政府对于竖立纪念物颇为敏感，往往对竖立未经批准的表现人民和事件的艺术作品加以劝阻。例如，保存着在1919年争夺利沃夫的战斗中牺牲的一位波兰青年遗体的无名战士墓这块国家圣地的铭文，只记有自1937年西班牙内战以后的事件。有一座庄严的纪念碑于1948年在穆拉诺夫地区揭幕，纪念犹太人区起义(1943)的英雄，但直到1989年(即团结工会组成第二次世界大战以来波兰第一个非共产党的全国政府的那一年)才有一座纪念碑纪念1944年华沙起义中与德军作战的国内军。苏联保安警察创建人捷尔任斯基的塑像于1990年被搬开，这座塑像原来立在萨克森广场、沙皇尼古拉一世为效忠他的波兰将军们曾竖立过的一座塑像的位置上。其他受政治影响的纪念物有克拉科夫郊区街上的哥白尼塑像(为此像曾与纳粹占领军作过斗争)，还有瓦瑾科夫斯基公园里的肖邦塑像(此像于1940年遭纳粹破坏，但现已恢复)。

人民 华沙多民族人口状况因第二次世界大战的结果已经改变，现在市内几乎全部是波兰人。不过，几百年来，华沙一直是占多数的操波兰语的天主教徒与犹太人、德国人和俄国人一同生活之处。20世纪初，大部分操依地语的犹太人在人口总数中几乎占一半，不过1918年以后略有减少。最初从事贸易和商业的旧的德国人社区那时正在被同化，而在19世纪有影响的俄国人社区则已经衰落。1939～1945年，残存无几的早先的民族多样性被摧毁了。华沙的犹太人实际上已被纳粹灭绝，少数幸存的犹太人也继续在减少。知识界人士也大批被消灭，与战前的共和国有联系的行政人员疏散了，工人阶级因死亡和驱逐出境也削弱了。战后的华沙不得不完全通过返回的难民、通过大批涌入的乡下农民以及与新的共产主义政权有联系的官员的家属，重新使城内有人居住。居民中绝大多数是天主教徒。人口1 615 369 (2000)。

经济 *工商业* 波兰共产党政府1948年建立后，全市绝大部分劳动力受雇于国民经济中国有企业和合作社企业；20世纪80年代，制造业雇佣的工人约占1/3。当时某些消费品和食品的短缺成了问题，人们排长队购物的常见景象就是说明。经济中占优势的是电机、冶金(包括华沙钢厂)、机器制造(包括汽车制造)、工具、化工、印刷、纺织和服装、食品等各种企业。华沙地区的农业对波兰非常重要，因为该地区是一个高度专业化的园艺和蔬菜中心。

运输 华沙是对东欧具有重要意义的主要铁路线、公路线和航空线的枢纽。沿维斯图拉河两岸穿过市区和穿过近郊区的环行路已修建高速公路。然而，汽车流量与西欧城市相比还是少的，而且仍与地面有轨电车系统一同在首都各主要街道上通行。奥基谢机场位于南面的愿望区，有两个航空站：一是国际站，一是国内站。

行政与社会状况 *政府* 作为波兰首都，华沙驻有国家政府的所有中央机构。色姆——波兰的国家立法机关，距新世界大街和耶罗左林斯基街交叉的十字路口不远。“瞭望阁楼宫”——国家政府总统办公厅，在瓦瑾科夫斯基公园以南。华沙政府由当选的市政委员会管理，市长兼市政委员会主席。华沙的7个区也各有其当选的立法机关。到1990年为止，市的行政当局以往仅仅名义上是选任的，并附属于波兰统一工人党(即波兰共产党)。该市也是华沙京畿区行政中心。

公用事业和保健 像大多数大城市一样，华沙也在持续扩大其基础设施，以适应其发展。战后的住房短缺靠预制构件装备单元房得到了缓和，郊区住房建设和未来规划仍在继续进行。像许多欧洲国家那样，医疗和保健设施对所有公民实质上都是免费的。医院、门诊部以及各种医疗研究机构很普遍。

教育 华沙的教育得益于波兰科学院总部设在该市，该院通过许多研究所和产业机构协调着自然科学和社会科学两方面的研究。华沙工科大学和华沙大学是著名学府。主要图书馆有华沙大学图书馆(建于1817年)和国家图书馆(1919)；还有许多专业图书馆。

文化生活 华沙的作家、艺术家和音乐家在创造国家的文化价值方面起着重要作用。像波兰作家协会和波兰作曲家协会这样一些团体的大多数会员都在该市工作，该市也是国家博物馆和“鼓励”美术馆这样一些突出的机构的所在地。波兰一流的剧院以及广播和电视业务都以华沙为中心。国家交响乐团吸引着大批听众。有许多专业博物馆，此外，在众多的社会、文化和教育的协会当中，华沙历史之友学会和肖邦学会十分突出。市内和周围有大量娱乐设施。几个大公园和许多小公园提供开敞的空间，以适应多种多样室外活动之需。室内和室外的游泳池、运动和体育中心、溜冰场等都很普遍。许多体育比赛活动及其他活动在一些露天体育场内举行，最大的是为纪念第二次世界大战后重建华沙10周年而修建的、可容纳10万人的十周年纪念体育场。

历史

创立和初期发展 华沙的起源现在仍然不清楚。在今市区范围内的发掘结果已肯定了“老布罗德诺”——公元10世纪和11世纪初的一个小的贸易村庄——的存在。它的作用先后被卡米雍(约1065)和雅斯多夫(最早的记录在1262年)取代。约在13世纪末，雅斯多夫向北迁移了约2英里，搬到一个名为华绍瓦(即华沙)的村庄，此处有一座碉堡，防护得到加强。从1339年起，权力被授予一位镇长，从1376年起，被批准设一个城市委员会。到14世纪末，这个发展中的居民点有了两道防护城墙。15世纪时，该城镇成了马佐维亚公国首府，而在原来狭窄的地方以北，“新城”迅速兴起，此后老地方便被称为“旧城”。1526年，城区和乡区并入波兰王国；从1569年起，“色姆”在华沙召开，从1573年起，国王的选举也在华沙进行。1573年建成了跨过维斯图拉河的第一座永久性桥梁，同年，国王西格蒙德三世开始将城堡改建成一处皇家寓所。1611年，他和他的朝廷终于从克拉科夫迁到华沙，使华沙成为波兰王国首都。有权势的人在华沙建起住宅，围绕华沙周边也迅速兴起了自主的居住区。这次发展是短暂的，瑞典的入侵(1655～1656)摧毁了这座正在兴起的城市。后来，波兰王位继承的战争(1733～1738)更带来了经济衰落和瘟疫。

现代城市的发展 *18世纪* 制造业、银行及其他企业在18世纪初的发展，为城市规划中的许多早期的实践提供了坚实的经济基础。在国王斯坦尼斯瓦夫二世当政期间，华沙成为波兰启蒙运动的中心。第一所世俗学校开办于1765年。1773年时，国家教育委员会也在市内开始活动。波兰剧院和许多印刷企业也兴旺起来。在1772年奥、普、俄三国第一次瓜分波兰之后，华沙在为争取波兰政治再生的斗争中起了重要作用，1791年5月3日正式在华沙颁布了一部议会制宪法。1794年，柯斯丘什科领导的反对俄、普两国二次瓜分的民族起义遭到残酷镇压；随后的俄、普、奥三国的第三次瓜分波兰，使华沙成了南普鲁士省的一座普通城市。

19世纪和20世纪初 华沙于1806年被法军占领，一年以后，拿破仑创立了华沙公国，这一措施使华沙恢复了首都的地位。不过，拿破仑倒台导致了华沙被俄国占领。在波兰会议王国(根据维也纳会议建立并受俄国沙皇统治)期间(1815～1830)，真正的民族

独立仍然是难以捉摸的目标，而在摆脱异族统治的斗争中，华沙的形象表现突出。在1831年的波俄战争中，波兰占有初战优势，但结局是华沙的防御工事遭到猛攻，并开始被军事统治了30年。不过，经济的发展仍继续进行，到19世纪中叶，纺织工业、五金工业和制革工业都已完全建成，而且该市已成为全欧洲铁路系统的中心。1863年1月爆发了新的一轮起义，导致一地下民族政府在华沙的短暂存在。对起义的镇压导致1864年对会议王国的废除。华沙变成了沙皇俄国"维斯图拉领地"的一个地方城市。开始了一个俄罗斯化阶段，华沙人也在不惜一切代价以保存波兰文化为目的的一段"实证主义"时期内放弃了民族政策。人口骤增，到1903年已达到75.6万人，城市公用设施也经历了广泛改进。尽管有1905～1907年之间的革命行动，审查制度还是缓和了，波兰语学校及其他文化机构也建立了，于是华沙经历了一段文化复兴期。第一次世界大战后，华沙重新获得了国家首都的地位。

第二次世界大战和当代华沙 华沙人口于1925年越过了百万大关。两次世界大战之间的阶段以更深远的进步为标志，尽管有一个时期的通货膨胀，商业上的萧条和下降，以及政治的不稳定。引进了汽车制造和飞机制造；城市公用设施经历了进一步的扩大，而且华沙也成了欧洲的一个文化中心，其标志是开始举办了这样一些国际比赛，如：肖邦国际钢琴比赛(1927)和维尼亚夫斯基国际小提琴比赛(1935)。华沙1939年受纳粹围攻期间，公民牺牲1万多，受伤的5万多，后因缺乏给养，被迫投降。随后的纳粹占领恣意要把华沙降为一个地方城市；华沙的文化珍宝遭到有计划掠夺，华沙居民也被遣送到德国的劳动营或集中营。华沙的犹太人居住区被毁成废墟。20世纪开始时，华沙是世界上最大的犹太人城市集中居住区。华沙犹太人在城市资产阶级和知识分子阶层中人数极多，尤其是在商业界和各种知识性专业中。除了充分的宗教自由和政治自由，华沙犹太人还有他们自己的报纸、自己的依地语剧场和犹太人学校。同华沙社会的其余部分存在着矛盾，但直到战争开始前不久，矛盾程度也并不严重。德国人进驻华沙后，建立了一个用大墙包围的犹太人集中区。由于疾病、饥饿、过度拥挤，犹太人在1941年下半年开始被驱逐到纳粹的那些死亡营——特别是到特雷布林卡灭绝营——之前，就已有数千人死亡。仅1942年就有大约31.2万犹太人被送进毒气室。1943年4月的华沙犹太区起义是在迫在眉睫的绝灭之前作一次最后的英勇反抗行动的一个信号，起义中犹太人牺牲6万多。纳粹分子对希维尔柴夫斯基将军大街附近的犹太教大会堂的拆毁(现已恢复)，象征6个世纪之久的犹太人华沙的结束。战争临近结束时，华沙成了民族抵抗中心。随着苏联军队接近华沙市区，华沙国内军奋起抵抗已削弱的德国驻军，并已接近取得胜利，但那时德国援军赶到，击退了波兰人的抵抗。华沙市民在1944年的华沙起义中牺牲人数有15～18万。估计在1939～1944年之间，华沙人总共牺牲了60～80万，1945年苏军发现这座城市处在一种几乎全部毁灭的状态。1945年2月1日，临时波兰政府以华沙为首都，并设立了一个负责城市重建的办公厅。在后来的几十年里，城市得到重建；战争创伤几乎全部得到医治，城市扩展在面积和人口方面都超过战前规模。随着1989年波兰共产主义政府的结束，华沙经历了一次由中央集权经济向市场经济的快速转变。华沙证券交易所在第二次大战期间关闭，之后重新开张并成为中欧一个重要交易中心。20世纪90年代，华沙经历了经济繁荣和建筑热，这大大减少了失业人口，新建的办公大楼和旅馆改变了城市景观。

Warsaw, Compact of 《华沙公约》(1573-01-28) 波兰保障所有非天主教徒享有绝对宗教自由的宪章。1572年西格蒙德二世死后，亚盖沃王朝结束；欧洲各王室有5个人竞争波兰王位，其中以安茹公爵亨利的呼声最高。但在推选时，波兰新教徒提出异议，因为亨利曾参与策划屠杀成千法国新教徒的圣巴托罗缪惨案。为了消除这一反对意见，波兰天主教徒同意接受华沙公约。选举之前，国会全体世俗议员在公约上签字，公约规定所有非天主教各教派都享有宗教自由。这一公约使波兰避免了蹂躏其他欧洲国家的宗教战争。

Warsaw, Duchy of 华沙公国(1807～1815) 拿破仑缔造的波兰独立国，成了复兴波兰民族的活动中心。波兰曾于1772、1793和1795年被俄国、普鲁士和奥地利3次瓜分。

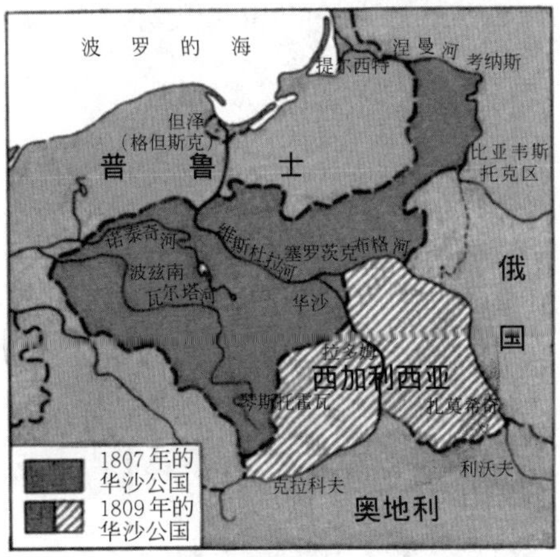

1807～1815年的华沙公国

公国是在波兰人帮助拿破仑打败普鲁士之后，根据《蒂尔西特条约》(1807)建立的。它包括1793和1795年被普鲁士吞并的中部波兰各省的大部分，而但泽自由市、比亚韦斯托克地区和诺泰奇河地区除外。1809年，奥地利在第3次瓜分时攫取的领土也并入公国。成立后不久，拿破仑为公国制订宪法。它是根据法国模式起草的，并成立了以奥古斯特一世为首的拥有实权的执行机构。《拿破仑法典》成了公国的法律。1812年拿破仑宣布对俄国开战，称之为其"第二次波兰战争"。华沙公国投入军队近9.8万人，拿破仑在俄国遭受的毁灭性打击，也决定了公国的命运。1813年2月8日，俄国人占领华沙，并控制了公国。维也纳会议决定华沙公国一分为三：波兹南大公国归还普鲁士；克拉科夫独立共和国置于俄国、普鲁士和奥地利保护下；波兰王国加入俄国，由俄国皇帝为其国王。

Warsaw Ghetto Uprising 华沙犹太区起义(1943) 在纳粹德国占领下，波兰犹太人为反抗运往特雷布林卡二号死亡营所举行的起义。起义从1943年4月19日开始，5月16日被镇压下去。作为希特勒灭绝犹太人的"最终解决办法"的一部分，凡是德军占领的地方都建立犹太区，把犹太人看管起来准备处决。华沙犹太区(840英亩)起初用铁丝网围住，后来又筑起高10英尺、长11英里的砖围墙。德军把大批犹太人从附近各地区赶入墙内。到1942年夏，其中已容约50万人。平均每间屋子住13个人，食品热量每日每人184卡，饥饿和伤寒每月夺去几千人的生命。1942年7月22日开始每天向特雷布林卡死亡营输送5 000名犹太人。1943年1月18日当纳粹分子进入犹太区集合一批准备运走的犹太人的时候，遇到了犹太人战斗组织的武装反抗。巷战延续4天，击毙德国人50名，缴获不少枪支弹药。纳粹分子撤走，停止了输送计划。4月19日，党卫军的头子H.希姆莱发起一次特别行动来扫荡犹太区，以祝贺4月20日希特勒的生日。德军在拂晓前包围犹太区。早晨6点钟，2 000名党卫军带有坦克和快速火炮进入犹太区中心部分。犹太人战斗组织和几支独立的犹太人游击队，共约1 500名，用手枪、步枪、机枪以及土制炸弹摧毁坦克，杀死德军，堵截企图进入犹太区的纳粹增援部队。德军傍晚撤退了。次日又开始战斗，德国人使用瓦斯、警犬、火焰喷射器把犹太人逐出掩体。几日内华沙犹硝烟弥漫。5月8日，德军夺取犹太人战斗组织总部的地堡。里面的战士为了避免被俘而自杀或互杀。经过28天的战斗，德军死伤几百人，约5.6万名犹太人被杀或被放逐。党卫军少将J.斯特罗普在其报告中写道："华沙犹太区已不复存在。"

Warsaw Pact 《华沙条约》 正式名称为华沙友好合作互助条约(1955-05-14～1991-07-01)。建立一个共同防御组织(华沙条约组织)的条约，该组织最初由苏联、阿尔巴尼亚、保加利亚、捷克斯洛伐克、东德、匈牙利、波兰和罗马尼亚组成(阿尔巴尼亚于1968年、东德于1990年退出)。该条约(于1985年4月26日续签)建立了统一的军事指挥机构，允许在其他缔约国领土上保留苏联军队。

建立《华沙条约》的直接原因是西方列强的巴黎协定允许西德加入北大西洋公约组织。但是，《华沙条约》是加强苏联对其卫星国控制的一整套计划的第一步，1955年初苏联领导人赫鲁晓夫和布尔加宁掌权后就开始实施这一计划。该条约也作为增强苏联在国际外交中讨价还价地位的杠杆，因为该条约的最后条款规定，当全面的东西方集体安全协议生效时，将终止《华沙条约》。

1956年波兰和匈牙利发生暴动时，《华沙条约》、特别是允许苏军在卫星国领土上存在的条款成为这两个国家民族主义者敌视的目标。当捷克斯洛伐克政府放松对言论自由的限制、寻求与西方国家建立更为密切的关系时，1968年8月苏联以该条约为借口，决定以华约军队入侵捷克斯洛伐克，迫使捷克斯洛伐克政府就范。只有阿尔巴尼亚和罗马尼亚拒绝参加对捷克斯洛伐克的镇压行动。

1989年东欧发生民主革命后，《华沙条约》名存实亡，1991年7月1日在捷克斯洛伐克布拉格华沙条约组织领导人最后一次最高级会议上正式宣布《华沙条约》"不复存在"。原部署的苏联军队逐渐从原卫星国（现在政治上的独立国家）撤退。华沙条约组织成员国正式消除了东西欧之间数十年的对抗。

Warsaw Uprising 华沙起义（1944-08-10）第二次世界大战期间，波兰人为驱逐德军、赶在红军到达前控制城市，而在华沙举行的起义。它的失败，使亲苏的波兰政府而不是流亡伦敦的政府控制了波兰。1944年7月末，苏联红军逼近华沙。苏联政府答应提供援助，要求华沙的地下组织举行反德暴动。波兰国内军企图在苏联红军解放华沙之前控制该城，因而采纳了苏联政府的建议。在T.科莫罗夫斯基将军指挥下，5万名起义大军于8月1日向占领华沙的德军发起进攻，3天内就控制了华沙的大部地区。德军随即增援，从空中和地面进行连续63天的狂轰滥炸。然而，在华沙郊外的苏军没有采取支援行动，也拒绝盟国利用苏军机场增援被围困的波兰军队。10月2日，国内军因弹尽粮绝被迫投降。随后德军摧毁了整个城市。

wart 疣 又作verruca。由病毒引起的境界清楚、形态各异的小型皮表赘生物。由增生的表皮细胞所组成。最常见者呈圆形、隆起、表面干燥、粗糙的皮赘。亦见呈扁平或丝状病变者。除发生于受压部位的蹠疣外，一般无疼痛。病变可单发或多发（特别是在体表潮湿部位）。单发病变可数年不变，亦可蔓延至身体其他部分形成新的病变。疣能通过接触传染，一家中常有数名患者。治疗方法很多，以去掉疣体而只留下最小瘢痕为目的。一般可用电烧、化学腐蚀。有时疣体亦可自然消退。最快捷的方法是手术切除。

wart cress 臭荠 又作swine cress。又称肾果荠、硕果荠。十字花科臭荠属（*Coronopus*）植物。约10种，原产于欧亚和北美的干燥地区。为一年或二年生匍匐草本，花小，紧密簇生；角果哑铃状，有瘤；直根长。全株有强烈臭味。生命力强，在路面上被踏扁仍能生存。小臭荠（*C. didymus*）是一顽强的杂草，分布广泛，花小，白色，4瓣。叶有细缺刻。原产北美，已在欧洲归化。

wart snake 瘰鳞蛇 远东两种瘰鳞蛇属（*Acrochordus*）以鱼为食的水蛇的统称。组成瘰鳞蛇科（常被划为游蛇科的一个亚科）。躯体粗大，皮肤松弛，鳞细小呈角锥形，一直延伸至腹部。嘴和鼻孔具瓣膜，可在水里关闭。爪哇瘰鳞蛇（象鼻蛇，*A. javanicus*）体长约1.2米，褐色。分布在中国至澳大利亚北部一带的江河和沿海水域。其皮革坚实，商业上称"水蛇"。对捕获的瘰鳞蛇进行观察可知其粗糙如锉的皮肤用于夹住鱼类将其勒死。另一种瘰鳞蛇——颗粒瘰鳞蛇（*A. granulatus*）——略小，腹部皮肤上有一鳍状突起。只生活在海水中，分布于亚洲南部至所罗门群岛一带。

Warta River 瓦尔塔河 波兰中西部河流。源出西里西亚-克拉科夫高地扎维尔切附近，流向北转西，在大波兰地区戈茹夫西部的科斯琴人奥得河。全长808千米。为波兰全部位于境内的第二大河。流域面积54 607平方千米，在波兰位居第三。流程约1/2（自科斯琴至科宁）可通航。河源至河口河床落差373米。该河灌溉波兰平原的大片农业区。沿河主要城市仅为琴斯托霍瓦、波兹南和大波兰地区戈茹夫。

Wartburg 瓦特堡 德国历史及传说中的著名城堡，在德国图林根俯视爱森纳赫市镇的陡山上。该山早在1080年即已设防建堡，后由图林根方伯赫尔曼一世（1217年卒）重建为府邸，成为流浪诗人及音乐家经常造访的活动中心。数十年后，在《歌唱家之战》一诗里，诗人们竞相颂扬他们各自的庇护人，由此追述了赫尔曼的瓦特堡的情况。作曲家瓦格纳在歌剧《坦华瑟》（1845）中采用了这个故事。1485年起，城堡和周围的土地归属于萨克森公爵恩斯提内。1521年5月～1522年3月萨克森选侯腓特烈三世将马丁·路德掩藏在此，路德在此开始将原希腊文的《新约圣经》译成德文。瓦特堡在路德之后即已荒废，萨克斯-魏玛-爱森纳赫的恩斯提内家族的C.亚历山大（1818～1901）曾发起进行大修。城堡中有图林根方伯的罗马式的宫殿。瓦特堡于1999年被列为世界遗产。

warthog（*Phacochoerus aethiopicus*） **疣猪** 偶蹄目猪科动物，栖于非洲的开阔和疏林地区。被毛稀疏，头大，灰黑或褐色，肩高约76厘米。从颈到背中部有粗的鬃毛。尾细长，

疣猪（*Phacochoerus aethiopicus*）
供图：Karl H. Maslowski

有丛毛，奔跑时高高翘起很高。雄体脸部有两对隆起或肉疣。雌雄都有獠牙；下腭的獠牙锐利，上腭的獠牙向上，再向内弯曲，构成半圆形，雄性的可长达60厘米以上。群居，以草和其他植物为食。常躲藏在扩大了的土豚的地穴里，以往后退的动作进入洞中，以利于保护自己。

Warton, Joseph 沃顿（1722-04-22受洗，英国萨里邓斯福尔德～1800-02-23，汉普郡威克姆） 英国评论家、古典文学学者。他预见到一些浪漫主义的评论准则。其弟托马斯是1785～1790年的桂冠诗人。沃顿对于新古典主义诗歌的某些方面不能容忍，这种情绪表现在他的诗《热忱的人；或自然的热爱者》（1744）里。他的《咏事颂歌》（1746）企图强调想象在诗歌里的作用。继而他在1756年发表《论蒲柏的作品与天才》的第一部。这部著作最显著的特点是，强调崇高的诗和哀婉动人的诗是最美好的诗，及强调独创性和不受规则束缚的重要性。伦理诗、劝世诗，或像蒲柏那样的讽刺诗，都被他看作是次要的和低下的。

Warton, Thomas 沃顿（小）（1728-01-09，英格兰汉普郡贝辛斯托克～1790-05-21，牛津） 英国桂冠诗人，第一部英国诗史的作者。诗人兼评论家的J.沃顿之弟。早年获诗人声

牛津三一学院供图

誉，在他的无韵沉思诗《忧郁的乐趣》（1747）里，已表现对中世纪和"浪漫主义"主题的喜爱。他的最佳诗作多半在23岁以前完成。成为桂冠诗人（1785）以后，他的作品便是一些奉命而作的礼节应酬诗。作为学者和文学史先驱，沃顿现今极受尊重。《从11世纪末至18世纪初的英国诗的历史》一书，他生前未能完成。

Warwick 沃里克 澳大利亚昆士兰州东南部城市。濒临康达迈恩河。位于达令草地南部。经济以生产乳品和小麦为主。灌溉用水由附近桑迪河的莱斯利水坝提供。人口8 853（1981）。

Warwick 沃里克 英格兰沃里克行政、历史郡中部一区。面积283平方千米。位于中部地区工业区南部边缘，考文垂工业城市的南面。该区的两个城镇沃里克和凯尼尔沃思都是围绕城堡发展起来的。利明顿皇家矿泉疗养地现在仍是浴场，有娱乐和疗养设施。沃里克镇和利明顿疗养地均有一些轻工业，反映它们是近似西米德兰兹的制造业城市。人口约123 800（1998）。

Warwick 沃里克 英格兰沃里克行政、历史郡沃里克区一堂区城镇。以古城堡闻名。大约公元915年即建城堡，城镇在埃文河渡口、城堡周围发展起来。后威廉一世下令扩建。现存城堡约建于14～15世纪。该城堡规模宏大，结构完整，收藏有精美绘画和兵器，是英格兰中部地区主要名胜。沃里克是

沃里克镇埃文河畔的城堡
供图：A. B. Allen—Bruce Coleman Inc.

行政中心和集市城镇，有一些轻工业。人口约22 476(1991)。

Warwick 沃威克 美国罗得岛州中东部肯特县城市。位于纳拉甘西特湾西岸。为普罗维登斯南郊住宅区。1642年为最早的欧洲人移民点，1647年建镇，1931年设市。现生产珠

沃威克市纳拉甘西特湾的港湾
供图：Alan Pitcairn from Grant Heilman—美国不列颠百科全书公司

宝首饰、金属制品、电子器件和机器。旅游业也十分重要。设有新英格兰技术学院(1940)和罗得岛社区学院奈特分院(1972)。沃威克音乐剧院为世界最大中心舞台剧院之一，每年在此庆祝葛斯比节，纪念1772年罗得岛爱国者烧毁英国缉私武装帆船"葛斯比"号。建有罗得岛州最大的商用机场格林机场。人口：市85 808；普罗维登斯-福尔里弗-沃威克都会统计区1 188 613(2000)。

Warwick, EARLS OF 沃里克伯爵 英格兰数代封爵贵族，按年代顺序分列于后，并各以● 为标记。

● **Warwick, Thomas II de Beauchamp, 4th Earl of 沃里克伯爵(第四)**(？～1401-07-08) 即T.博尚。抵抗英格兰国王理查二世的领袖之一。1369年继承其父托马斯一世的博尚伯爵爵位。1376和1377年两度任贤明议会贵族改革委员会委员，1379年任调查委员会委员。1381年被任命为理查二世的监护人。他加入了那些企图将自己的权威强加于国王的贵族集团。1389年这派人垮台，他虽隐退，暂时逃脱了理查的报复，但1397年被捕，囚禁于伦敦塔。亨利四世继位后获释并恢复名誉。

● **Warwick, Richard Beauchamp, 5th Earl of 沃里克伯爵(第五)**(1382-01-25或28，英格兰伍斯特郡索尔沃普～1439-04-30，法国鲁昂) 即R.博尚。军人和外交家，为英格兰国王亨利四世、亨利五世和亨利六世效劳的骑士式英雄。1401年继承其父的伯爵爵位。1403年什鲁斯伯里战役中为亨利四世作战，并协助镇压了O.格伦道尔在威尔士的叛乱。在前往罗马和圣地朝圣返回后任国王会议的成员(1410)。1414年2月亨利五世任命他为加来的地方长官。同年10月出席康斯坦茨会议，为国王的首席世俗代表。他经常被派去与法国和勃艮第宫廷进行外交谈判。在征服诺曼底和皮卡第时，他是亨利五世的主要副官之一，因功获得法国的欧马勒为封地。亨利五世死后，他虽然是年幼的亨利六世的枢密会议成员，但他在法国度过大部分时间。1428～1436年任幼王亨利六世的导师。1430～1432年伴随国王住在法国。1437年起任法国和诺曼

15世纪手卷书插图画中的沃里克伯爵(下跪者)接受加来地方长官的任命
不列颠图书馆供图

底的英格兰军事总督，死于任上。沃里克是英格兰最大的土地所有者之一，他前后与两个女遗产继承人结婚，从而扩大了自己的领地。

● **Warwick, Richard Neville, 1st Earl of, 2ND EARL OF SALISBURY 沃里克伯爵(第一)**(1428-11-22～1471-04-14，英格兰赫特福德郡巴尼特) 即R.内维尔。别名"拥立国王者"。英格兰贵族，在兰开斯特家族和约克家族之间的玫瑰战争前半期充当仲裁者的角色。1461年帮助约克家族的爱德华四世登基，后来又使被废黜的兰开斯特家族的亨利六世恢复王位，因此被人们称为"拥立国王者"。第一代索尔兹伯里伯爵之子，1449年通过结婚成为沃里克伯爵，并获得大片领地。1453年他和其父与约克公爵联合，以夺取亨利六世的首席大臣、兰开斯特家族的萨默塞特公爵E.博福特的权力。双方终以兵戎相见。1455年5月在圣奥尔本斯战役中，沃里克为约克家族取得胜利，因而被任命为加来军事长官。1460年他从加来渡海进军英格兰，7月在北安普敦击败并俘虏亨利六世。由于沃里克宁愿有一个软弱的国王，所以约克公爵和议会同意让亨利六世继续当国王。但局势很快发生变化。约克公爵和沃里克之父在1460年12月战死，翌年2月兰开斯特家族在圣奥尔本斯击溃沃里克，重新掌握了国王。而沃里克则与约克公爵之子爱德华合兵一起，进入伦敦。爱德华于1461年3月4日自立为国王，称爱德华四世。同月，沃里克和爱德华在陶顿大败兰开斯特军队，取得决定性胜利。爱德华在位头3年，沃里克掌握实权。但国王逐步独立行事，双方关系紧张。爱德华任用王后亲友担任要职。沃里克与爱德华之弟克拉伦斯公爵一起于1469年8月短时期拘押了国王，并处死王后之父和一个兄弟。1470年3月沃里克在北方策划叛乱，但被镇压，沃里克和克拉伦斯于4月逃往法国。沃里克在法国与亨利六世的妻子安茹的玛格丽特和解。1470年9月返回英格兰，赶走了爱德华，重新拥立亨利六世并再度主宰了英格兰。但1471年3月爱德华在北方登陆，并于4月14日在巴尼特战役中杀死了沃里克。

● **Warwick, John Dudley, 1st Earl of 沃里克伯爵(第一)** 参阅 **Northumberland, John Dudley, Duke of** *诺森伯兰公爵*。

● **Warwick, Robert Rich, 2nd Earl of 沃里克伯爵(第二)**(1587-06？～1658-04-19，英格兰伦敦) 英国殖民官员，鼓吹在北美殖民地实行宗教宽容。1619年继承其父第一代沃里克伯爵爵位。先后加入百慕大、几内亚、亚马孙河、新英格兰、弗吉尼亚等公司。因同情清教，在英格兰宫廷得不到信任，但在新英格兰殖民地受到欢迎。1628年协助清教徒取得马萨诸塞湾殖民地专利权；1632年向康涅狄格的赛布鲁克殖民地授予专利权。1632年被迫辞去新英格兰公司董事长职务，继续经营百慕大公司和普罗维登斯岛公司(1630成立)。在英格兰，特别是在长期议会

的上院中，他是清教徒的代表人物。1642年3月下议院任命他为舰队司令。在他鼓动下海军投向议会一方。内战时期他曾拦截国王的船只和援救受威胁的港口。1643年任殖民政府委员会主席。在职期间致力于保证在殖民地实行宗教自由。罗得岛的沃里克即以他的姓氏命名。

不列颠博物馆供图

Warwickshire　沃里克郡　英格兰中部地区的行政、历史郡。10世纪起就为一行政单位，郡首府沃里克位于中部。现在的沃里克行政郡的区域比历史郡略小而稍有不同，主要为林地、耕地和牧场，只有几个大城镇。下设北沃里克、纳尼顿-贝德沃思、拉格比、埃文河畔斯特拉特福和沃里克5个区。行政郡几乎完全位于历史郡内，但还包括埃文河畔斯特拉特福区的3块区域（属其他历史郡），奥尔德贝劳教区和沿斯托尔河从奥尔德明斯特南部到斯托尔河畔希普斯顿北部区域属伍斯特历史郡。埃文河以南和斯托尔河以西的一块区域，包括在韦尔福德和上昆顿，属格洛斯特历史郡。而沃里克历史郡则不包括这些地方，它包含北部一些更大、人口更多、更都市化的地区。这些地区（现属西米德兰兹都会郡）包括索林哈尔、伯明翰和考文垂3个都会自治市的部分或全部。历史郡还包括塔姆河以东和安可河以南的塔姆沃思（现属斯塔福德行政郡）。沃里克行政郡西部为埃文河流域，南临泰晤士河支流查韦尔河。北部纽尼顿附近的煤矿13世纪起即已开采，直至整个20世纪。许多历史郡地区原为茂密的森林，极少有史前居住遗迹。在盎格鲁-撒克逊时代，该区为麦西亚王国的一部分，后该王国在9世纪被韦塞克斯王国吞并。直到诺曼时代，埃文河以北称为阿登，埃文河以南是费尔登。沃里克城和凯尼尔沃思在中世纪发展为两个主要城镇。斯特拉特福有许多与莎士比亚有关的著名建筑。在中世晚期，历史郡的最南端的地区（处在科茨沃尔德丘陵地带的边缘）羊毛产业十分繁荣。北伯明翰则发展成为一个金属加工中心，考文垂是重要的毛纺织业和教会中心。英国内战第一次重大的埃奇丘陵战役于1642年发生在该郡与牛津郡边界线附近。经济以农业为主，乳品业是重要产业。西南部水果和蔬菜种植业闻名。北部煤矿区已实现工业化。一些轻工业区和住宅区已从西米德兰兹制造业带扩展到该郡。面积：行政郡1 981平方千米。人口：行政郡506 700（1998）。

Warwickshire Avon（river，England）　**沃里克郡埃文河**　参阅**Avon，River** 埃文河。

Was，Juan　参阅**Guas，Juan** 瓜斯。

Wasatch National Forest　**沃萨奇国家森林**　在美国犹他州和怀俄明州的斯坦斯伯里、希普洛克、沃萨奇和尤因塔等山脉中。1906年建成，分为四个区域，共占地434 002公顷，包括南面延伸至阿什利国家森林的高尤因塔斯原始区的一部分，还包括若干滑雪胜地。森林中其他受欢迎的运动项目有鳟鱼钓捕、狩猎、骑马和徒步旅行，其总部均设在盐湖城。

Wasatch Range　**沃萨奇岭**　美国落基山脉中南段一支脉。从爱达荷州东南向南延伸至犹他州中北部。绵亘400千米。在盐湖城东、南一带多3 400米以上山峰，包括这段山脉最高点廷帕诺戈斯峰（3 660米）。奥格登河在此发源。境内有卡什、尤因塔和沃萨奇国家森林的一部分及廷帕诺格斯洞穴国家纪念地。当地经济以采矿和旅游业为主。

犹他州沃萨奇岭的卡什谷地
供图：Josef Muench

Wase（ancient Egypt）　**瓦塞**　参阅 **Thebes** 底比斯。

Wase　瓦塞　尼日利亚中东部高原州城镇。地近瓦塞河。与巴沙尔、朗唐和申达姆通公路。原为受朱昆人统治的巴舍拉瓦人居民点。约1820年由富拉尼人建城，成为臣服包奇酋长国的一酋长领地首邑。1898年为英国皇家尼日尔公司占领。1902年英国占领包奇后，瓦塞宣布脱离包奇，其酋长获埃米尔称号。现瓦塞埃米尔领地在某些传统习俗方面仍为高原州中一行政单位。居民以耶尔贡、安加斯、巴舍拉瓦和富拉尼人为主，多从事农业，种植高粱和黍类。生产铅和锌，部分出口欧洲。热带草原上耸立的瓦塞岩（240米高）为一景观。该镇设有保健站和诊疗所。人口4 304（最近统计）。

Waseda University　**早稻田大学**　日本东京的一所男女合校高等学府。建于1882年。该校系私立，但由政府提供部分经费并在一定程度上受政府控制。原名东京高等专门学校，1902年更名为早稻田大学。第二次世界大战后改组。该校在文学、政治学和商业教育等领域颇有名望，现设有政治学和经济学、法律、文学、教育、商业、理工和社会科学等学部。隶属于大学的研究机构有社会科学研究所、比较法律研究所、语言教学研究所、商业管理研究所、当代政治与经济事务研究所和系统科学研究所，还有铸造研究实验室、电子计算中心和理工研究实验室。

Waser，Johann Heinrich　**瓦泽**（1600-04-02，苏黎世～1669-02-20，苏黎世）　苏黎世市长，17世纪瑞士最著名的人物之一。1644年他在格里松主持法庭工作时，努力调解各社会团体之间的争端。1652年当选为苏黎世市长。他主张加强邦联，提议签订单一集权的条约，授予邦联全体成员平等的权利与义务，以取代传统的地方联盟。1663年率邦联代表团去巴黎与法国商定延长两国的盟约。

wash（dry stream bed）　参阅**arroyo**干谷。

Wash，The　**沃什湾**　北海浅水湾。位于英格兰林肯郡和诺福克郡之间。长15英里，宽12英里。曾一度伸入到彼得伯勒和剑桥，后被河流和潮流夹带的淤泥填平。波士顿和林恩两条水道为开往波士顿和金斯林进行贸易活动的小船提供了锚地。

wash drawing　**水墨画法**　通常用画笔将稀释的墨水、比斯特褐色颜料（**bistre**）或水彩颜料在宽阔画面上均匀涂开，作品上不留画笔痕迹的一种技法。这种技法通常与钢笔或铅笔线条结合运用，以线条确定画的轮廓而以水墨表现色彩、景深和体积感。水墨的自由运用首先见于15世纪意大利画家波提切利和达·芬奇等人的作品中。其后100年内，此项技法曾获得高度发展，它可以同时运用两种色调的水墨，使一种色调逐渐转化成其他色调。水墨技法可以自由运用的特点，受到善于着色的画家们所赏识。由于这种技法颇宜表现风景，为18、19世纪的地形画家所乐用。绘画时，在画面上添施淡水墨，即先在整幅画面上（除留作最明亮的部分外）涂上一层打底的单色，然后再着上各种色彩以造成最后的美感效果。19世纪末以来，水

N.普桑的水墨画法绘画《婴儿巴库斯受托于仙女》(1657)
哈佛大学福格艺术博物馆供图

墨的运用已大为减少。

Washakie 华谢基(约1804,蒙大拿～1900-02-20,美国怀俄明沃沙基堡) 美国印第安人肖肖尼部族酋长,对白人定居者极其友善,作为一名武士,在抗击本部落敌人时又英勇无比。19世纪40年代为怀俄明州肖肖尼族东部落的酋长。他对通过他管区的白人友好相待,曾帮助白人移民渡过险滩湍流和寻找失落的牲口。有9 000个白人移民在对他和他的部族的模范行为的感谢信上签名。1862年秋,他未能阻止许多本族人参加班诺克人对白人移民的攻击和抢劫。事件平定后,他又将肖肖尼人团结到一起。1868年布里杰堡谈判时,他充当肖肖尼人和班诺克人的代表,谈判的结果是:印第安人让出犹他州东部格林河谷和怀俄明州南部,供联邦建筑太平洋铁路用。1876年苏人战争期间,他派出许多武士与美国政府军一道反对肖肖尼族传统的敌人。事实上,当美国政府军与夏延人、苏人、阿拉帕霍人和犹他人以及敌视美国的其他部落作战时,他常充当侦探。晚年,他在肖肖尼保留地里继续统治他的部族。当他70岁时,一些有野心的青年企图推翻他,他两个月没有露面。正当部族开会推举新酋长时,他带着从战斗中得来的6块敌人头皮,大踏步走进会场,显示不减当年之勇。

Washburn, Margaret Floy 沃什伯恩(1871-07-25,美国纽约州纽约～1939-10-29,纽约波基普西) 美国心理学家,她在波基普西瓦萨尔学院的工作使得该学院在大学本科心理学教育和研究方面据领先地位。1891年毕业于瓦萨尔学院,后短期进入纽约哥伦比亚大学,获取了旁听资格,并在J.M.卡特尔新建的心理学实验室里工作,但未注册为正式学生。1892年进入纽约伊萨卡的康奈尔大学学习,师从E.B.铁钦纳,并于1894年获心理学博士学位。其后6年,她在纽约奥罗拉威尔斯学院任心理学、哲学和伦理学教授。1900～1902年回到康奈尔大学出任塞奇学院学监,在此期间,还兼职教授动物和社会心理学。在俄亥俄州辛辛那提大学执教一年后又返回瓦萨尔学院教授心理学,1908年升任正教授,一直工作到1937年退休。著述主要包括在专业杂志上发表的多篇学术论文、综述、笔记,另外还有两本专著《动物的思想》(1908)和《运动和心理意象》(1916)。前者总结了她多年的研究成果,成为传世经典;后者则是沃什伯恩进一步发展了她的心理活动的二元动力论,试图在行为主义与内省派这两个相互对立、但又各有缺陷的学派之间找到一种妥协。1903～1925年出任《美国心理学杂志》特邀编辑,1925年以后成为4位主编之一;她还与《心理学公报》、《心理学评论》、《比较心理学杂志》和《美国行为学杂志》有密切的合作。1927年《美国心理学杂志》出版特刊专门表彰沃什伯恩。1931年当选为美国国家科学院院士。

Washburne, Carleton W(olsey) 沃什伯恩(1889-12-02,芝加哥～1968-11-17,美国密歇根奥凯莫斯) 美国教育家。因提出学校改革纲要即温内特卡计划(Winnetka Plan)而闻名。曾就学于J.杜威及F.帕克管理的芝加哥学校,后获斯坦福大学(加利福尼亚斯坦福)学士学位,并获加利福尼亚大学教育学博士学位。在加利福尼亚若干学校执教(1912～1914)并任旧金山州立师范学院自然科学系主任(1914～1919)之后,返回伊利诺伊州任温内特卡学校监督,提倡早期教育,创办中学,制定小学指导大纲。在温内特卡居住到1945年。第二次世界大战期间及战后,他对改组意大利公立学校体系起过重要作用。曾在纽约市布鲁克林学院主持研究生部及教师教育计划(1949～1960)。最后在东兰辛密歇根州立大学任教育学教授(1961～1967),声名卓著。

他的著作有《旧世界的新学校》(1926)、《使学校适应儿童》(1932)、《充满活力的教育哲学》(1940)、《什么是循序渐进的教育》(1952)、《教育实验的历史及意义》(1963)及《通向理解之窗》(1968)。

washer 垫圈 一种机械零件,通常与螺栓、螺母等螺钉紧固件配合使用,以防止螺钉松脱,或使螺母和螺栓头上的负荷分布在较大的面积内。用于分布负荷时,通常用平的软钢薄圆环;用于防松时,有几种其他类型垫圈。所有的防松垫圈都起弹簧作用,以补偿螺栓头与螺母间,或螺钉头与被夹紧体间的松动。除起弹簧作用外,有些垫圈上还有齿,

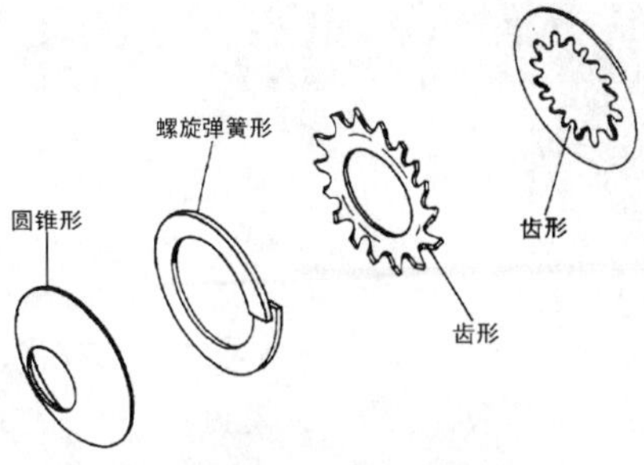

垫圈的几种型式

以咬入被紧固件或螺钉头而起锁紧作用。这些垫圈称为齿形垫圈或防振锁紧垫圈,垫圈的齿弯曲或扭曲到垫圈平面以外。图中左面所示的圆锥形垫圈具有弹簧的作用,其仅有的锁紧作用是由摩擦产生的。螺旋弹簧形垫圈是最常用的锁紧垫圈之一。

washing soda 洗涤碱 十水碳酸钠。用于洗涤(尤其是洗纺织品)的风化晶体。是钠(**sodium**)的一种化合物。

Washington 华盛顿 英格兰泰恩-韦尔都会郡森德兰都会区的城镇,属达勒姆历史郡。位于韦尔河北岸。采煤和工业发展较早。当地有乔治·华盛顿的祖先居住的地方华盛顿村。现代城镇设计成网格状。目前正发展新兴工业以吸收附近工业区和煤矿的人口。建有一野禽栖息处和一座艺术中心。人口56 848(1991)。

Washington 华盛顿 1889年11月11日被接纳为美国第42州,位于美国本土48个州的西北角。北与加拿大不列颠哥伦比亚省交界,东接爱达荷州,南邻俄勒冈州,西濒太平洋。沿海的地理位置和诸多良港使该州在与阿拉斯加、加拿大和太平洋沿岸地区诸国的贸易往来中处于主导地位。该州一些城市和其他一些国家的城市结为姐妹城市,它们的业务和贸易联系一般总包括加拿大的成员在内。

该州面积176 479平方千米,比其相邻两州爱达荷和俄勒冈略小,但人口却是3个州中最多的。多数人住在西雅图-埃弗里特和塔科马大都会区以及皮吉特湾沿岸的城市,包括州首府奥林匹亚。

地势和气候将全州分为1/3的西部多雨区和2/3的东部较干旱区,即喀斯喀特岭的雨影区。该州西部的工业有赖于农业、林业和渔业以及进口原料,而东部则以农业为主,生产小麦、灌溉作物和牲畜。

自然地理和人文地理

土地 *地形* 全州分成7个地理区域。西北部奥林匹克半岛濒临胡安·德富卡海峡以南的太平洋。浓密的雨林沿崎岖的奥林匹克山西坡延伸,山最高点奥林波斯高2 428米。

威拉帕丘陵与起自格雷斯港至西南面的哥伦比亚河的海岸平行。和缓的林坡下斜至犬牙交错的太平洋海岸以及北面和东面的奇黑利斯和考利茨河谷。

皮吉特湾低地从加拿大经奥林匹克山和

华盛顿州北喀斯喀特国家公园内的皮克彻湖与舒克桑山

供图:Bob and Ira Spring

喀斯喀特岭之间向南延伸,与伸展至哥伦比亚河的奇黑利斯和考利茨河谷汇合。皮吉特湾的深水良港连同较为平坦的沿岸地势使此处有该州最稠密的人口,贸易也最为发达。

皮吉特湾低地东面的喀斯喀特岭有该州的最高峰。其一连串的火山峰包括4 392米高的雷尼尔山,是美国本土第5高峰。圣海伦山位于俄勒冈边界的喀斯喀特岭之间,1980年猛烈喷发。几个最高的山峰均有永久的冰川。

哥伦比亚盆地占了该州中部的大部分土地,西面被喀斯喀特岭所环绕,北部有奥卡诺根高地,东部至爱达荷为高地,东南部为蓝山。玄武岩高原海拔约305～762米。哥伦比亚河及其主要支流斯内克河流经该地区。冰河作用、洪水和风灾形成各种不同的地形,虽然总体地貌还是大片的内地平原。

东北部的奥卡诺根高地是落基山脉的延伸。它们的南北山脉被冰冻的深沟所分隔,最高峰海拔超过2 100米,州的大部分金属矿都蕴藏在这一地区。

从俄勒冈延伸入华盛顿州的蓝山包括隆起的高原和州东南角的山脉。和缓的山坡和宽阔的河谷从1 800米的高度下降至哥伦比亚盆地。西部的外露层有马天堂丘陵和响尾蛇丘陵。

土壤 该州最丰饶的土壤是河涝平原和风化的玄武岩以及哥伦比亚盆地的随风刮来的粉沙。在较潮湿的地区,酸性土壤培育了森林,但是在喀斯喀特岭东面最干旱地区,植物稀少,农业需要灌溉。大本德和帕芦斯地区的优质土壤则易受风、水的侵蚀。

气候 西面吹来的盛行风和太平洋的影响控制着州的气候,尽管喀斯喀特岭屏障造成东西两区域明显的差异。西部比美国同一纬度任何地方的气候条件都要温和。西雅图的1月平均气温为5 °C,7月平均气温为19 °C。奥林匹克半岛太平洋一侧的年降水量超过3 810毫米,但是在半岛西北部的一些地方年降水量不足508毫米。皮吉特湾低地的762～1 016毫米是典型的年降水量总数,由此又开始逐渐增加至喀斯喀特岭的2 540毫米以上。

喀斯喀特岭东部的季节性温度变化极大,但是落基山脉在某种程度上保护了该地区在冬季免受加拿大冷空气团的袭击。夏季最高气温通常超过38 °C,不过每年也只有几天。斯波坎的1月平均温度为 -4 °C,7月为21 °C。斯波坎年降水量430毫米,但是在较低的亚基马河谷不足200毫米。

全州在较冷的月份降水量最大,即在暴风雨从北太平洋连续向内地移动时,有时风力可达7～10级。即使在较干旱的西部有时也连日大雨滂沱。有时来自北方或东北方的大陆风可吹至海岸外,给冬季带来凝冻的条件,给夏季带来了增加森林大火危险性的干热风。

动植物 华盛顿州9 308 000公顷森林是美国范围最广阔的森林之一。主要树种有花旗松、铁杉、西部红雪松和美国黄松,大多生长在山区。哥伦比亚盆地的半干旱地区最多的是青草,在最干旱的地方则和山艾及其他散布在四处的灌木丛连成一片。

大型哺乳动物有鹿、麋、熊、山羊和美洲狮,此外还有一些毛皮兽。太平洋候鸟飞行路线,即北美洲水禽移栖的主要路线,沿着皮吉特湾低地前进。可捕钓的淡水鱼有鳟鱼、欧洲鲈鱼、茴鱼和鲟鱼。有5种太平洋鲑到华盛顿州西部的小溪中产卵。沿海海湾和皮吉特湾是水生介壳类动物的居住地。

住区模式 该州约有3/4的人口居住在市区,主要在皮吉特湾低地。50%以上人口居住在西雅图和塔科马大都会区。喀斯喀特岭以东最大城市斯波坎是"内陆王国",即包括农业、林业和矿业的一个大经济区的中心,该区扩及俄勒冈东北部、爱达荷北部、蒙大拿西部和加拿大不列颠哥伦比亚省南部。该州东部较小城市有韦纳奇、亚基马和沃拉沃拉这样的农业贸易中心。三城市区(里奇兰-肯纳威克-帕斯科)位于斯内克河和哥伦比亚河的汇流处,形成灌溉农业、制造业和汉福德基地(原子能设施)的运输中心。

东部小麦产地的典型城镇中,粮食升运机林立,灌溉田附近的城镇里食品加工厂极为普遍。沿着哥伦比亚盆地的高地边缘有木材城镇和小矿区。

人民 19世纪30～50年代,早期居民主要沿着俄勒冈小道从中西部来到此地。人口一直增长缓慢,直到19世纪80年代,铁路将皮吉特湾和哥伦比亚河与东部、加利福尼亚连接起来,结束了太平洋西北部的开拓时代。从1881～1890年该州的人口增长了5倍,几达36万人,至1920年达到136万左右。

移民不断地涌来,尤其是从中西部,在20世纪20年代,国家对外国移民规定限额之前,大量外国出生的人已进入该州,特别是来自加拿大和斯堪的纳维亚国家。日本人来得较晚,至1930年约有1.8万人;第二次世界大战期间,不论是否美国公民,他们都从沿海地区被转移到内地,重新安置在集中营。战后,只有少数人收回了他们的家园和财产,多数人决定他迁。

华盛顿州的黑人比例相对较少。但是美洲印第安人和亚洲人的数量却在前10个州之列。

几十年来国家人口的西移运动左右了华盛顿州的人口增长。但是20世纪50年代,自然增长第一次以相当大的幅度超过移民数。移民重新获得少许从前的重要地位,不过作为增长因素一直处于自然增长之下。人口5 894 121(2000)。

经济 自从欧洲人早期在此定居以来,农业、林业和渔业一直对该州经济的贡献很大。制造业和服务业的迅速增加始于20世纪40年代,导致人口集中于都市区。该州近1/5的非农业劳动力受雇于制造业;另有1/5为州或联邦政府机构工作。

资源 水是华盛顿州最宝贵和用途最多的自然资源。主要的淡水来源是建在哥伦比亚河水系的一系列水坝,水坝蓄水用于灌溉、水力发电和防洪,当然也提供航行、渔业、娱乐和工业用水。哥伦比亚河与华盛顿西部诸条河流的水力发电占全美国水力发电的1/3。大古力坝的发电量约650万千瓦,是世界最大的发电厂之一。地下水的开发主要是为家庭、工业和有限地灌溉皮吉特湾低地提供用水,此外,还少量地灌溉哥伦比亚盆地主要河谷周边地区。

森林既供应木材生产行业又供养野生动物,还供娱乐用。自从20世纪初以来,不论在私有或公共林地上,多种利用和持续生产都是主要的经营目标。商业渔场是该州经济另一重要部门。鲑鱼、大比目鱼、鳕鱼、鲱鱼等均为在格雷斯港、威拉帕湾和皮吉特湾拉上岸的主要鱼类。水产养殖的发展增加了鲑、鳟和水生介壳类动物的产量。

沙、砂砾和黏土是该州最珍贵的有限矿产。菱镁、铅和锌产于奥卡诺根高地;喀斯喀特岭和皮吉特湾的煤开采在20世纪已趋下降。靠近森特勒利亚的露天采掘煤矿为热电厂提供燃料。

农业 冬小麦是该州的主要作物,并且是哥伦比亚盆地主要出口产品,哥伦比亚盆地还生长大麦、干豆、小扁豆。灌溉作物有马铃薯、蔬菜、水果、蛇麻草和薄荷。华盛顿州在市场上出售的苹果比其他任何州都多,并且还是梨、越橘和酒葡萄的产地。蔬菜籽、浆果、罐装或冷冻蔬菜以及花球茎是皮吉特湾低地的特产。

奶品制造业是皮吉特湾低地北部主要的农村行业,这里的家禽也很有名。肉牛和绵羊放牧在东部草地和山区露天林地。

农场面积从几英亩到几百英亩不等;自从20世纪中叶以来农场向大而少的趋势发展。大城市附近的农田不断地被城市征用。

制造业 农业、林业、渔业和矿业为华盛顿州的加工厂提供原料已达一个世纪以上。到20世纪中叶,西雅图的飞机和航天产品已跃升州制造业的首位。在皮吉特湾的美国海军设施提供船舶建造和修理;主要设施是在布雷默顿附近的三叉戟核潜艇基地。

该州的几家炼铝厂有赖水力发电和进口矾土来生产美国1/4的原生铝。皮吉特湾北部的炼油厂主要加工阿拉斯加州和外国生产的原油。

旅游业 旅游业已成为华盛顿州收入的一个主要来源。景色各异的风景区,包括三座国家公园,吸引了越来越多的游客来到该州。划船、徒步旅行、滑雪、各种运动会和地方节日是另外一些吸引游客的活动。

运输 皮吉特湾和近海岸的诸多海港使得轮船全年都能在世界海洋航线上通行,一个州渡船体系提供往来于圣胡安岛和加拿大温哥华岛之间的服务。在西雅图,航运水闸使船能在皮吉特湾和华盛顿湖之间通过。驳船沿哥伦比亚—斯内克河水道运载谷物和原材料。

各航空公司将州内各城市相互连接起来,并将这些城市与美国其他地方以及世界各地相连接。西雅图-塔科马机场是美国国际客运量最多的机场之一。

该州有一个发展完善的公路和州际高速公路系统。数座浮桥使奥林匹克半岛的胡德运河和西雅图的华盛顿湖连为一体。州内铁路四通八达,但在货运上落后于卡车运输。输油管将州外的石油和天然气运入,并把精炼产品送往各地。

行政与社会状况 *政府* 1889年的华盛顿州宪法反映出对政府的不信任,这在当时是一个特点,内容包括许多限制州政府权力的规定。措施之一就是创设一个分开的行政机构。与联邦政府的行政机构不同(只有总统和副总统是选举产生),该州有9位分别选出的官员。最主要的官员是州长。

立法机构由49名参议员和98名众议员组成,他们均由选举产生,任期分别为4年和2年。对立法权力的主要限制包括专款专用,例如,将汽油税用于公路建设方面。由于宪法禁止州征收所得税,华盛顿州一半以上的税收都有赖于一般销售税,该项收入约占州总收入的30%。有关立法的提案权和表决权以及对当选官员的罢免权给选举人以检查州议会的权利。州长的“分项否决权”已被扩大以包括所有的立法(除了表决权和提案权),达到了删除预算法案中的条文或其他法律的条款的地步。

法院分为4级。有限司法权的法院是地方法院,审理交通案件、不重要的刑事和民事案件以及小赔偿诉讼。高级法院是一般审判法院,对不授权予有限法院审判的重罪和民事案件有初审权。州最高法院和上诉法院几乎仅为复审法院。除某些类任命的自治市法官和治安法官外,所有法官均由不受任何党派控制的投票选举产生。由州高级法院产生的大陪审团主要用于调查政治腐败,尽管他们的法定权力相当大。

华盛顿州的39个县是由立法机构根据人口来划分的。多数县的管理机构是县委员会,3名委员既担任首席行政长官又代表县立法机构。非强制性的自治市法规于1969年通过,显著地扩大了愿意受其管辖的城市的权力。人口达10 000或更多的城市可以采用内部自治特许状的形式,选民全民公决同意即可。300～10 000人的自治市被授予根据法规制订的非强制性、无特许状的内部自治。

选举和政党要遵守州法律的规定。华盛顿州的人事任命过程的独特之处是“综合初选”,该制度于1935年取代了仅由一个政党成员参加的预选,准许公民在不表明党派身份的情况下投票选举任何候选人。这项法律反映了该州投票人的独立性格。在初选和最后选举中总有3/4投票人进行跨党派选举。

教育 州教育委员会制定公立学校的必修课程,此事由一名当选的公共教育主管和300多个地区学校委员会负责管理。8～16岁的未成年人必须入学。高等教育主要由州政府管理,规模最大的高等院校是位于西雅图的华盛顿大学,建于1861年。普尔曼的华盛顿州立大学创立于1890年,当时是利用政府赠地成立的一所农业和机械学院。3所州立学院——分别设在贝灵汉、埃伦斯堡和切尼——在19世纪90年代是师资培训机构,至1977年已发展成大学,1971年又增设了奥林匹亚的常青州立学院。1967年在州政府管理下又开办了社区学院。有几所私立的、教派的学校增加了高中教育的机会。

保健和福利 1936年,为响应1935年社会保障法案的颁布,该州承担了广泛的福利计划责任。社会和保健服务部为儿童、老人和家庭谋求福利;该机构负责监督私立和公立医疗机构的服务,包括医疗辅助制度。华盛顿州对有受抚养儿童的家庭提供的补助可位居全国前10个州之列。该州还设有一些机构专门帮助盲人和退伍军人。该州还设有人权委员会和保护消费者保险委员会。就业保障部帮助求职的人并负责发放失业救济金。

文化生活 华盛顿作为一个年轻的州,有一幅西部的和开拓的景色。人们对考古探险和印第安居民的文化模式有极大的兴趣。华盛顿州立大学的科学家们在跨学科领域的研究中发现了一些分属两个截然不同的考古遗址的人工制品。在干旱的华盛顿州东部的马米斯岩石场挖掘出1万年以前猎人和采集者遗留下的工具和一些西半球最古老的符合史实的骸骨化石。在奥林匹克沿岸的奥泽特遗址有一些独具特色的遗物,包括保存完好的衣服、篮筐和500年以前人们捕鱼、捕海豹及捕鲸所使用的鱼叉。那里还找到了2 000年以前属于相类似文化群落的工具。这些遗址和该州其他考古发现的遗址反映出史前迁徙之后逐渐从东北亚演变成的不同文化形式。

19世纪欧洲移民的到来不但使华盛顿州的文化景色改观,并且还引进了新的社会模式。当代的户外活动多以当地历史或经济为依据。牧人竞技节(主要在州的东部)和“老移民联欢会”都是回忆当时开拓这片土地时艰辛的活动。农业集市、少数民族节、花节和游行都以展览产品和技巧为主。一年一度的西雅图海上博览会以游行、划船比赛和水上狂欢活动为特色。在许多湖泊、河流上,经常开展水上运动,尤其是在皮吉特湾。在喀斯喀特岭和奥卡诺根高地滑雪是人们最喜爱的冬季运动。夏季吸引露营爱好者的有公共林地、3个国家公园和125个以上的州立公园。

华盛顿州的居民对艺术有广泛的兴趣。西雅图交响乐团、西雅图歌剧联合会和西雅图定期换演剧目的剧场备受全国注目。华盛顿大学戏剧学院开创现代的圆形剧场演出。几个较小城市也有管弦乐队和剧团。在大约25个主要的艺术馆和博物馆中,西雅图艺术博物馆有大量的东方艺术收藏品。在华盛顿大学西雅图校园内的托马斯·伯克华盛顿州立纪念博物馆有关于西北部太平洋沿岸印第安人的重要收藏品。值得参观的还有历史和工业博物馆、太平洋科学中心,两者均位于西雅图。设在塔科马的华盛顿州立历史学会博物馆是该州重要的历史博物馆之一。

该州的第一个图书馆是奥林匹亚的华盛顿州立图书馆,国会对该馆的财政援助可追溯至1853年的准州法令。公共图书馆系统的迅猛发展发生在20世纪最初的10年,当时卡内基基金会提供了建筑资金。全州现有250多个图书馆。尤其值得一提的是两个州立大学图书馆、华盛顿州立档案馆和西雅图公共图书馆。

历史

早期边远地区 当欧洲人最初考察华盛顿州地区时,他们遇到了一些印第安人部落,最著名的有奇努克人、沿海萨利什人、内兹佩尔塞人和亚基马人。华盛顿州及西北部的早期历史与努力寻找西北通道、开展与东方的皮货贸易以及天主教和新教的传教士力图使印第安人改变信仰等各种事例交织在一起。

西班牙人很早就沿着海岸航行，但是直至1778年J.库克海军上校在一次航行中从印第安人那里获得水獭皮才标志着真正探险和毛皮海上贸易的开始。G.温哥华于1792年受英国派遣试图找到西北通道并测绘出沿海地图。R.格雷是来自美国的第一位商人，他于1792年发现了哥伦比亚河。到1812年，美国几乎完全控制了毛皮贸易。但是英国哈得孙湾公司在进入19世纪40年代仍维持其统治区域。

印第安人通常很欢迎传教团的到来，虽然并非为了基督教的拯救而只是为了这些白人能带给他们的知识和物质上的好处。最著名的传教团包括医师传教士M.惠特曼和牧师H.斯波尔丁于1836年在州的东南部建立的传教团以及由德斯梅特在州的东北部设立的天主教传教团。

新教传教士们认为白人的文明对印第安人是必要的，因而鼓励白人移民。随着俄勒冈小道的开通，第一大批人，约1 000名于1843年抵达西北部。这些人和随后而来的移民主要进入威拉米特河谷，即后来成为俄勒冈州的地方，后来又进入哥伦比亚河的北面（今华盛顿州地区），当时该地仍由哈得孙湾公司控制。最初，印第安人对移民尚能接受，但是后来由于移民在与印第安人的交往中反复无常，遂爆发了卡尤塞战争（1848～1850）、亚基马战争（1855～1858）以及内兹佩尔塞战争（1877）。

到19世纪末，大部分印第安人被安置在保留地内，其中主要有3个部落：沿海萨利什人、内地萨利什人和萨哈普廷人。人类学者根据语言和其他当地文化特征来识别许多不同的部族。华盛顿州西部较大的部族有麦加、奎因诺特、鲁米、斯诺霍米什和普雅勒普；华盛顿州东部的部族有奥卡诺根、亚基马、克里基塔特、卡里斯培尔和斯波坎。

准州和州　19世纪40年代之前，美国和英国公民通过协议可在当时还叫做俄勒冈地区的地方定居和经商。1846年两国达成今美国和加拿大的边界划分，1848年，国会设立了俄勒冈准州，包括今俄勒冈州、华盛顿州、爱达荷州的全部领土和怀俄明州及蒙大拿州的部分领土。位于威拉米特河谷的准州首府很难管理好面积这么大的一片地方。随着皮吉特湾四周人口的增长，出现了骚扰现象，要求将哥伦比亚北部和西部划为独立地区。1853年国会设立了华盛顿准州——以美国第一任总统姓氏命名——范围从哥伦比亚河以东延伸至落基山脊，包括今爱达荷和蒙大拿两州的部分地区。

人口增长率的不同和交通的不便继续产生问题，各种运动相继而起，要求在华盛顿东部建立一个单独的地区，甚至要建立一个独立的太平洋共和国。19世纪70年代和80年代，电报和铁路延至西北部，加强了与美国的联系，于是注意力转向谋求州的地位，1889年这一要求终于如愿以偿。

19世纪50年代内地多处发现金矿，使沃拉沃拉一时成为华盛顿东部的中心，但对于这些淘金者来说华盛顿的金矿仅仅是一个开始，19世纪90年代末他们又前往阿拉斯加和育空的金矿去寻找更大的财富。黄金刺激了皮吉特湾城市的贸易，1909年在阿拉斯加-育空展览会上新的繁荣受到赞扬。

20世纪对该州进步的最大促进是哥伦比亚盆地的开发和有关的一些规划，这些发展极大地增加了水力发电，并为增加灌溉和洪水控制打下了基础。早在1911年该州就通过了一项改进航运的规划，1933年开始着手邦纳维尔坝和大古力坝的建设，1937年邦纳维尔坝完成，1941年大古力坝的主建筑完成。最初的两个大古力电厂完成于1951年，第三个电厂于1975年开始发电。

华盛顿州的繁荣及其在太平洋贸易中日益增长的作用是1962年西雅图世界博览会显著特色之一，该博览会被称为21世纪展览会。20世纪后半叶的发展是都市化加快、农业土地的合并、交通运输网的改善，以及与太平洋盆地国家不断扩大的贸易。环保意识的增强导致该州制定一系列法规以控制不断增长的人口所造成的影响。

Washington　华盛顿　全称华盛顿（哥伦比亚特区）。美国城市和首都，地处哥伦比亚特区，1790年由国会议定建都于此，是世界上少数几个专为政府驻地和国际机构而建的首都城市之一。位于波托马克河航段北端。该河是华盛顿西南面与弗吉尼亚州的分界河，其余边界线将华盛顿从马里兰州划出，基本上成为马里兰的一块飞地，面积177平方千米（68平方英里）。然而，华盛顿标准都会统计区面积2 809平方英里，包括马里兰州2个县、弗吉尼亚州的费尔法克斯、福尔斯彻奇和亚历山德里亚等市及4个县。

自然地理与人文地理

城市特点　城市的夸张设计象征着不久前获得但尚未为全国公民牢牢把握的自由理想。这个生机勃勃的城市，是美国联邦政府所在地。市内有国家最神圣庄严的大型纪念性建筑物和最有意义的美国历史原始文物，驻有各外国使馆和国际机构办事处，还收藏有可观的国家艺术珍品。该市最初就计划成为目前仍然是旅游观光者和寻找过去和现代美国精神的人们的焦点。虽然华盛顿继续将自己描绘成美国传统和统治的首要象征，但它也日渐成为国家安全关注的焦点。城市早年悠闲从容的生活态度逐渐被来自恐怖分子的威胁所笼罩。过去H.S.杜鲁门早晨能悄然到户外散步，而现在总统公开出行的典型特征是在联邦调查局密探包围下的装甲豪华轿车里。以前人们能轻易地接近政府大楼和进入公共地方，现在却受到越来越多的限制和安全审查。尽管这样，惨案还是不断发生。1981年一名持枪分子在一家市内酒店外射伤里根总统；1998年另一名持枪分子在国会大厦杀死两名保安；2001年五角大楼部分建筑遭劫持飞机的恐怖分子撞毁，造成多人丧生。

市政发展的障碍　由于许多原因，在世界主要城市中华盛顿的发展独特。作为首都，哥伦比亚特区设有联邦设施；作为城市，有其复杂的社会、经济和政治问题，在某种程度上已形成具有两种完全相反特色的都会：因其丑陋和犯罪而臭名昭著，又因其多样的令人惊叹的美而遐迩闻名。它位于从波士顿沿东海岸向南蔓延的城市化地带端部的附近，也具有许多其他重要的大都会（波士顿、纽约、费城、巴尔的摩）以及全国都市所面临的同样问题。

华盛顿市和华盛顿都会区之间还存在着另一种差异。都会区26岁以上居民中有1/4

华盛顿市的国会山鸟瞰

供图：H. Armstrong Roberts

以上具有大学学位，这在全国10个最大都会区中是比例最高的；它也是全国人均收入最高的地区之一。但另一方面，华盛顿市内需要政府救济的低收入家庭、残疾人、老人在居民中的比例亦很高。

这些因素使人明了为什么华盛顿——这有别于首都和都会区的城市——的发展既没有社会稳定性，也没有连续性，并缺乏其他大多数城市所具有的活力。居住和工作在华盛顿的居民属全国流动性最大的。只有很少一部分居民长期居住在华盛顿，而政府和服务业雇员中很大一部分人每日往返于城市和郊区的家之间。华盛顿最富有的工作人员令人失望地在邻近县、州花销他们的大部分收入和缴纳大部分税款，而把城市的需要和命运交给基本上是侨民似的立法者和行政官员。

不完善的城市 由于其历史和特性深受国会多变的、非地方利益和价值观的影响，因而对华盛顿社会和环境质量的关心有限。华盛顿约一半的土地归美国政府所有，所以不用纳税。另有1/10的土地是外国政府和非营利机构所占地，也不用纳税。城市景观中公园和公路系统的优先地位反映出国会和许多联邦机构的利益，但是一贯缺乏对城市作为整体的关心，使景色、纪念碑和政府设施的辉煌与城市广大地区间形成令人惊讶的对照，物质上的先进与精神上的衰败使许多观察者感到震惊。

华盛顿平日和周末的反差可以说是个缩影。除洛杉矶以外，可能没有一个美国城市的交通如此依赖于私人汽车。上班高峰时，轿车和公共汽车使街道堵塞，一天两次交通堵塞的现象与周末车辆稀少的街道和空空如也的停车场形成鲜明对照。扩建的地铁系统自20世纪70年代开始运营，缓解了交通堵塞问题。

景观 **城市布局** 1791年由法国工程师P.-C.朗方完成的华盛顿市计划的最初方案有两个特别重要的考虑。第一，他对该市的设想，不是作为仅有300万居民、13个殖民地的国都，而是以最后将发展到有5亿公民和50个州的共和国首都为基础的。在他预见到该市将有80万人口的时候，美国全国人口不到此数的4倍。第二，朗方在巴黎和凡尔赛时，技艺已臻于成熟，他深受巴罗克式园林建筑风格的影响——此种风格在18世纪后数十年处于其全盛期。他所作的华盛顿的原始设计，既反映了规划本身的恢宏气魄，也反映了巴罗克风格的华美壮观。

①朗方的基本规划。在朗方的设计中，最重要的成分可能是以国会大厦、大草坪和行政大厦白宫为核心构成的组合区了。国会大厦和白宫均吸收了巴罗克式建筑风格的因素，其坐落处成为条条长而直的林荫道的后景（或称为最终远景）。从这两座建筑物向外呈放射状延伸的有两系列宽阔的大路；这些大路会聚成圆形的交叉线，造成一种朗方称之为"景色交映成趣"的效果；即这样设计，可以使长长的远景有一个尽头，指出城市的方位和突出其特有的格调，同时又在全市形成一系列彼此相望的次中心。这些次中心多数都是依自然地形起伏而精心设置的，国会大厦和白宫也是依自然地势而建。现在这些次中心都是一些内有小公园的圆形或方形广场。按设计，由国会大厦通向林肯纪念堂的国会前大草坪是像巴黎的香榭丽舍大街那样宽阔的、两旁植有树木的大道，但后来铺上草地，中间间或有些建筑物和十字路口。原设计在以白宫为轴心的南北轴线和以国会大厦为轴心的东西轴线相交之处立有华盛顿骑马塑像，但因该处土质松软及有地下潜流而地点略作挪动，即现在华盛顿纪念塔耸立之处。呈放射状延伸的大路与一排排街道相交，形成格状格局。以国会大厦为轴心，南、北两侧街道（东西走向）以字母命名，东、西两侧街道（南北走向）则按数字编排。呈放射状的大道以各州名命名。全市分为西北、东北、东南和西南四个扇形区，亦以国会大厦为中心。朗方设计的规划北面到现在的弗罗里达大道为止，该处有一陡峭的绝壁，使入城旅客得以将全城壮观景色尽收眼底，一览无遗。

②后来的发展。国会大厦奠基之前，朗方因与公共建筑委员会的意见不一而不情愿地被解除了职务。19世纪及以后年代，他的设计中原有的和谐格调因新的市政和政府运作的紧急需要而被破坏。棋盘格式的街道和斜街之间，尤其是街道交叉路口的连接处笨拙不雅；各环形交叉口虽向行人提供了赏心悦目的绿洲，但却因未曾预见到后来汽车增多需要修筑许多街道、反而成为城市干道上的障碍。直到1887年，原设计实际上已完全改观。因复建时，发现沿宾夕法尼亚大道、白宫周围以及国会山的大量19世纪建筑物已经将原规划意图中的几何对称性改变了。

沿大多数主要街道植树，虽然已成为今日的市容特色，但在很大程度上破坏了修筑一个恢宏开阔的城市的概念。其他著名纪念碑，特别是林肯纪念堂、杰斐逊纪念堂和肯尼迪表演艺术中心的建立，如同设立各种博物馆和大草坪上临时建筑物一样，进一步改变了原来的设计。无论后来改变的影响怎样，总之在朗方之后没有为这个首都重新作整体设计付出多少努力。

③继续影响首都的因素。对于旅游者来说，除了数十幢硕大的建筑物和数百个纪念碑表明华盛顿是国家首都外，对它的特色不会留下更多的印象。联邦建筑结构的风格在过去的岁月里已改变多次，但朗方计划中的国会和白宫仍是包容一种基本符合华盛顿作为首都城市构想的错综复杂的纪念碑和建筑物的聚焦点。

在大草坪一端的国会大厦居中心地位，其映在天际的轮廓给人以难忘的印象。许多人批评它是"许多厨师烹出的大杂烩"，国会大厦可能缺乏一个文艺复兴时代硕大的穹顶赋予它灵气；但是另一些人却认为它向人们作出一种感情上的保证，代表代议制政府那广泛而坚实的基础。另一幢能突出朗方意图的建筑是迷人的完美的典型——白宫，许多人一直认为它是世界上最精美、最得体的国家元首官邸之一。

将国会大厦与白宫联系起来的最大公共建筑群"联邦三角"，富丽堂皇，正对宪法大道，在国会前大草坪之旁。政府各部在"联邦三角"之内，此外，其他具有全国重要性的活动亦在此举行。国会前大草坪两旁的建筑物还有国家美术馆、国家档案馆、国家自然史博物馆、国家历史博物馆和国家航空航天博物馆。在国会山上国会大厦的周围有最高法院、国会图书馆和参众两院办公楼。由于政府部门机构增多，建筑急剧膨胀，尤以独立大道旁及延伸至华盛顿雾谷西南的地区为甚。这些建筑物的设计无甚特色，只是一些以花岗石或大理石贴面的柱形或方形结构。对于许多人来说，这些建筑物与早期政府部门建筑物的形式成为鲜明对比，它们丑陋的外形使人们如实地想起那些索然无味、千篇一律

白宫的南门廊

供图：Authenticated News International

的、许许多多现代组织机构赖以生存的官僚主义日常事务。自朗方力主在华盛顿大量建立"雕塑像、圆柱或其他装饰物"以颂扬美国的伟大之后，市内不断在各处开阔地建立有代表性的大型纪念性建筑物。仅在哥伦比亚特区便有各种纪念堂、纪念碑、塔、像等300余座，大小、目的和美学价值不一，有典雅而使人肃然起敬的林肯纪念堂、杰斐逊纪念堂，有朴素庄严的华盛顿纪念塔，有南北战争中的大英雄和不甚著名的英雄的纪念像，还有纪念座，以至于多立斯式殿堂和日本塔。人们愈来愈担心华盛顿将成为一个充斥着纪念小人物、小业绩的石质和金属纪念物的乱摊子，因而产生一种建立"活跃的"或"实用的"纪念物的趋向，以此表达出所纪念人物的个人品格。在这种情况下，为纪念肯尼迪总统建立了表演艺术的文化中心。此外，拆除了国会前大草坪上多数临时性建筑物，使之恢复了朗方原计划中明净的景色。

现代风貌 作为一个城市，华盛顿的影响与作用早已极大地越出1790年设置为哥伦比亚特区的疆界。

这个地区扩大造成的负担，主要反映了联邦政府的规模和影响的增加，这一点在改变城市中心的自然特征上起很大作用。制订了进一步发展华盛顿的计划，包括把联邦的各种活动及设施大力分散至郊区，以缓解交通拥挤的问题。但同时也努力使市中心区的商业活动更具有吸引力，也更方便。在主要市中心购物区修了若干人行道，还建造了一个新的商业区朗方购物中心，从一批最新的公共建筑物步行可达此处。此外，还建了一座大型会议中心，一个地下铁道系统已经启用，称为地铁(Metro)。20世纪70年代，城市面貌开始更迅速地改变，其中有：宾夕法尼亚大道的翻修，这条大道是1965年确定为有历史意义的地点；还重修了华盛顿火车站，用作国家旅游指导中心；又重新设计了白宫对面的拉斐特广场——此项建议引起热烈争论，因为要拆掉一些精美的古老建筑物。1982年11月11日，在西波托马克公园举行了越战阵亡将士纪念碑的落成典礼。两年后，三名军人雕像落成。1993年另一尊雕像——越战女兵纪念碑建成。1995年朝鲜战争阵亡将士纪念碑落成。随后1997年罗斯福纪念园落成。到2001年，清理和修复华盛顿纪念碑的工程已大部分完成。

人民 该市约3/5的人口为黑人，白人不到1/3，其余的1/10的人口为亚洲人、非洲人、拉丁美洲人及其他少数民族人口，包括使馆人员。相反，郊区人口主要为白人，黑人则占少数。如果问在华盛顿居民中美国哪一个地区的人最多，那就是美国东南部和该市边界邻近各州的人。部分是由于其种族与社会经济结构，哥伦比亚特区和它周围市郊县的人口分布有特别的格局，因而形成城市各居民区的不同特色。总的说来，在城西北区和在城市这一侧的马里兰郊区三角地带包括切维蔡斯、贝塞斯特和锡尔弗斯普林等未设建制的居民点居住的，大都是白种人的中等或中上层阶级。西部临波托马克河一带，是最古老的乔治敦居民点，现仍为华盛顿最豪华优美的住宅区。在这些地区中，向东延伸至康涅狄格大道和第16街，几乎坐落着所有外国使馆，以及大教堂、私人俱乐部，还有中等或豪华的住宅。第16街以东向北一直到马里兰郊区是华盛顿黑人住区的中心地带。此地区反映出华盛顿黑人居民居住条件的悬殊，霍华德大学附近绿树成荫的街道旁有中上阶层的住宅、一排排破旧不堪的房屋和经济公寓。第14街一带是该市犯罪活动严重的地区，1968年的"4月骚乱"就发生在此。城市南部各区另有特色，部分决定于地理特征，部分决定于居民的种族和社会经济状况。第一个地区是波托马克河的西南岸，河上横跨6座桥，将特区与弗吉尼亚州相连。总的说来，该区为非住宅区，但有一些著名的地标性建筑，如阿灵顿国家公墓。第二个地区是在波托马克河和阿纳卡斯蒂亚河之间形成的不规则三角形地带，两条河流在三角形顶端汇合。此地区内有成片新建政府大楼如麦克奈尔堡和国防大学；还有大型的娱乐场所东波托马克公园(通俗地称为海恩斯角)。城市改建计划使该地区住宅布局从主要是黑人贫民窟改变为中上层白人住的公寓和市内住宅。许多黑人居民按城市西南部改建计划迁至原已过于拥挤的特区东北部或集中到该市黑人数量居第三位的阿纳卡斯蒂亚河东南岸地区。这个低收入居民居住的三角形地带是特区的东南边缘，一直延伸到马里兰州的乔治王子县内。

人口：市572 059；华盛顿主要都会统计区4 923 153；华盛顿-巴尔的摩联合都会统计区7 608 070(2000)。

经济 城市及其居民的全部收入实质上来自两大经济部门：联邦行政机构是都会区最大的雇主，旅游业包括零售商及相关服务居第二位。制造业和其他商业活动在经济结构中仅占很小一部分。

政府 华盛顿是美国联邦政府所在地，绝不能低估此地位对该市经济和社会生活特点的形成所起的极大作用。尽管联邦政府雇用了大量都会区的居民，但更多人则在下列各种机构工作：有的是资助政府举办的项目；有的是从属于政府兴办的项目；有的是全国性的、有的则是世界范围的组织。

20世纪中期以来，华盛顿已由一个"联邦城"演变为一个与国内最大城市区竞争的信息与通讯中心。此外，它已成为重要的涉外活动的协调中心。无论私营部门或政府部门，无论国内或国外，联邦政府的广泛介入造成一种全国性公司逐渐把机构从纽约、芝加哥迁至华盛顿都会区的趋向。驻该市的全国性贸易和专业组织及团体的总部，比驻在美国其他任何地区的都要多，约300个。因是世界银行和国际货币基金组织等国际机构所在地，故成为在国际水平上援助、贸易和金融的主要协调中心之一，地位更加重要。

哥伦比亚特区人口多，社会经济发展水平低。大多数是黑人的居民依靠联邦机构雇用，但总体上他们缺乏从事较高收入工作的教育资格证书。此外，缺乏监控收入的系统，缺乏课税的机构和那里大部分居民处于免税状态，迫使城市严重依赖政府的拨款和援助。

旅游业 该市收入第二大来源是每年接待约数百万游客。旅游高峰在春、夏两季，但基本上终年游客不断。此外，华盛顿作为各种全国性组织和专业团体每年举行年会的所在地而变得更加有吸引力。

交通运输 20世纪70年代以前华盛顿地区交通网络的性质和数量决定了它的某些特点。首先朗方规划所覆盖的仅是今哥伦比亚特区的一小部分，尽管许多主要的辐射道路已达到和越过特区边界，在1791年，原来城市以外的街道在最好的情况下也是不规范的。其次，20世纪中期之前华盛顿是沿东海岸南北交通的汇聚点，波托马克河和阿纳卡斯蒂亚河总是成为城市与南方各地间的交通障碍。最后尽管哥伦比亚特区早已是一个白领乘车人的城市，但特区只有极少的公交车辆通往郊区。

70年代以来，修筑了现代化的环城公路和高速公路，使城周围和市内交通通畅，又在波托马克河和阿纳卡斯蒂亚河上修建了一批桥梁。促进城市发展的一个重要因素是地铁系统的建成启用。地铁及铁路和公共汽车延线服务由华盛顿都会区交通局管理，属于该市现代化大流量运输系统。交通局亦为在马里兰州和弗吉尼亚州的邻近郊区服务。

行政和社会状况 **政府** 华盛顿作为美国首都，有一套完全不同于美国一般城市的政府机构。

①改变中的市政府形式。美国宪法授予国会独有的对政府所在地行使的立法权；国会直接控制该市，由总统指定三名专员管理行政。由专员组成的政府，没有关于选举权的具体规定，特区居民在1961年前没有任何投票权。宪法第23修正案始规定有资格的选民可参加总统选举，但仍无权选举地方官员，一切地方官员继续由上级任命。20世纪60年代中关于特区居民地方自治问题的争论日益明显。这和全国性的争取市权的斗争不无关系。1967年国会改组特区政府，废除专员制，设立市长和由9人组成的市议会，但所有人员仍由总统任命。1973年在尼克松总统领导下修改了1964年的地方自治法，允许每4年进行一次市长和市议会成员的普选，市议会也扩大到13人。市长得到更大的改组机构和任命官员的权力。市议会有权制定税率及设置收费种类、修改预算以及调整特区政府机构。而国会则保留对特区政府所有威胁到"联邦利益"的动议的否决权。这样一来，特区有了一个得到承认的市政府的形式，而国会在一些方面则仍然把它当作联邦政府的一个部门。城市的"地区检察官"就是美国哥伦比亚特区检察官，由总统任命。预算由市议会通过，市长批准，然后经国会复审颁行。此外，国会还保留对特区的任何问题有规定立法的权力，不论此问题是否属市议会权力范围。

②市政管理。都市职能由地方与联邦的各个委员会共同掌握。原来由美国哥伦比亚特区地区法院指定的学校董事会成员，1968年改由普选产生。公共设施都属由总统任命的公共事业委员会管理。私有地产的区域规划由市区布局委员会处理，委员包括市长、市议会主席、国会大厦设计师和国家公园管理局局长。供水由一位陆军工程师管理，官职为特区工程师，但用水分配由市长控制。国

家公园管理局监督管理城市的公园。治安和执法分别由4个执法机构负责,各司其管辖区。市长下设都市警察部队,负责执行市政府的法律和各种规章条例。国会大厦警务队负责大厦本身及其周围场地的安全,白宫警卫队保护白宫和总统,而国家公园警务队则负责保护公园和许多游乐场所的设施。

③司法体系。直到20世纪70年代初,特区的司法事务由2个联邦法院和3个地方法院分管,上诉案件则直接送往独立的上诉法院。1970年的法院改组计划减少了这一司法体系的混乱和无效性。

在新制度下,设立了一个初审法院、哥伦比亚特区高级法院和美国哥伦比亚特区上诉法院。在历史上华盛顿第一次有了与所有州相同的完整司法体系。

公共服务 华盛顿存在大量盘根错节的、看来无法解决的社会问题:如种族、贫困、犯罪、混乱、教育和其他领域中制度化了的不平等,并非该市特有。和其他城市一样,该市社会需求在扩大,而人力和财政资源却在减少。没有联邦政府的支持,特区政府对市民的服务很难取得大的成就。某些权威当局看中居民教育程度高、蓝领工人少的郊区,甚至比联邦政府更乐意对之提供帮助。

就业 华盛顿雇员的2/3住在哥伦比亚特区之外。他们代表着高度专业化、技术熟练的劳动力,教育程度和人均收入均高于全国平均水平。而大多数是黑人的华盛顿市居民中,失业率尤其是青年中的失业率高于全国平均水平,教育水平和人均收入远远低于周围的郊区。没有什么别的比劳动力的特征和居住地点对"两个"华盛顿的困难局面表现得更为清晰了。

住房 尽管华盛顿都会区(哥伦比亚特区尤甚)人口增长率在70年代有所下降,但住房的需求仍很高。这种需求源于家庭构成的高比率,尤其是在战后"婴儿潮"时期出生的年轻人中。新房主和现有住户之间争夺现有房源也很激烈。这不仅促进了租赁公寓向购买公寓套间方式的转变,而且也促使了住在原先由低收入房主占有的许多单亲家庭更新房屋。随着中产阶级向新近重建市区的迁移,特区的许多住宅区得到改善,但这更加恶化了主要是低收入的黑人家庭的搬迁问题,增加了都会区旧的内城区的压力。

联邦、州及地方一级的住房交易会已经使对少数民族种族歧视的形式不那么明目张胆,但却忽视建造房租低廉的住房。对这部分华盛顿居民来说后果是严重的,住房依然是一个重大的公共政策和地方问题。

教育 ①初级和中级学校教育。华盛顿的公立学校体制在1954年美国最高法院宣布公立学校的种族隔离违反宪法的裁决后迅速转型。然而,这项裁决并未减少偏见,反而增加了一些中产阶层白人家庭的担心,并使得他们从华盛顿中心城区迁至郊区。留在城里的一些白人也将子女送至私立学校。这些导致了公立教育体系严重的种族失衡。不过,新的综合学校提高了黑人学生的教育机会。尽管学校制度有很多问题,华盛顿的学校也取得了一些成功。杜克·埃林顿艺术学院于1974年创办,招收有艺术才华的高中生,但申请者需证明自己的艺术才能方能被接收。有几所高中开设有吸引力的学术课程,被证明取得了一定的成功。

②高等教育。都会区内有若干所高等学校可攻读大学本科和研究生课程。该地区历史最长的是乔治敦大学,1789年建校时原是一神学院;1889年,又开设美国天主教大学,使华盛顿成为天主教教育的一个中心。华盛顿大学1821年注册时名为哥伦比亚学院,美利坚大学是1893年注册的,后来都发展成为大型多学科大学。霍华德大学是1867年为黑人开设的,有多种研究生课程及专门性的课程,费用大部分由联邦拨款。联邦城市学院建于1969年,1977年改为哥伦比亚特区大学,是市立学校。加拉德特学院建于1857年,是联合大学的附属学校,招收聋人入学,接受私人和联邦的资助。校址在郊区的有马里兰大学、乔治·梅森学院和弗吉尼亚大学的北弗吉尼亚分校。此外还有许多联邦和私人办的研究所和其他学术团体,出版各种统计资料及学术资料。布鲁金斯学会是全国闻名的研究政治学和经济学的中心;联合管理的全国科学院、全国工程科学院、医学研究院和全国研究理事会等为公立和私人团体的成员提供研究和出版机会,这些团体的成员中有许多是美国最优秀的科学家。国立卫生研究院是医学和神经病学许多领域基础理论研究及应用研究的中心和资助机构。

文化生活 第二次世界大战结束之前,华盛顿事实上还不是美国的艺术和文学中心之一,最初要将该市建设成全国文化中心的计划远未能实现。其高等教育机构规模小、经费不足,难于维持;市内无重要的艺术收藏品;表演艺术的场所不是太小便是所在地点不便或根本没有;唯一真正的国家博物馆史密森学会被嘲为"国家堆垃圾的小间"。当地只有庄严的国会图书馆,藏有大量世界各种书籍、图志、报纸文件和手稿。然而自从第二次世界大战以来,华盛顿的文化和娱乐设施已大为发展,取得该市甚至是全美国最引以为荣的成就。

艺术 自1941年成立以来,国家美术馆在国际上即被公认为全世界最大的艺术收藏馆之一。加上科科伦艺术馆、菲利普斯陈列馆、弗里尔艺术陈列馆和国家肖像画陈列馆及国家美洲艺术博物馆,这座首都城市便在艺术界占有重要的地位。华盛顿的圆形舞台剧场自1950年建成后,便因那里出色的表演及率先发现新的剧作家而被公认为全国最重要的地区剧团之一。国家交响乐团得到全国的好评。肯尼迪表演艺术中心是1971年开幕的,有音乐厅、歌剧院和戏剧院等3个演出地点。该中心开幕前,除圆形舞台剧场和交响乐团之外,华盛顿的表演艺术只有从纽约市来的巡回演出或是百老汇上演前在这里的试演。林肯总统于1865年在福特剧院遇刺,此地经翻修后,给华盛顿居民提供一个在有历史意义的场所欣赏有文化价值表演的独一无二的机会。华盛顿在纪念性建筑物地区以外的建筑也有值得注意的。突出的是许多建于19世纪的精美府第,其中沿马萨诸塞大道和杜邦圆形广场周围的不少府第用作外国使馆。国会山和其他地区一排排脏乱的建筑物,过去有过比较辉煌的历史,后来逐渐破败,如今已全部作了相当的修缮。乔治敦一带有许多住宅在20世纪30年代初也得到类似的修复。这些住宅是美利坚建国初期美国联邦风格建筑的范例。敦巴顿橡树园中的园林式建筑极佳,其中有格局整齐的花园和一个鸟类禁猎区,还有一座中世纪艺术的博物馆和供研究用的图书馆。

国立收藏馆 史密森学会经过重新组织,更有效地展出其关于自然和历史资料的极为丰富的收藏品。自1951年以来,国家自然历史博物馆就一直是有关美国及其属地的人类学、生物学和地理学标本在全世界最大的永久性陈列馆。国家历史和技术博物馆展出了社会进步和技术成就的历史。在20世纪70年代中,史密森学会的规模与设备有极大增加。国家艺术馆增建的东馆设计用于展出愈来愈多20世纪的和国际展览会上的艺术收藏品,美国国内只有少数几个有如此丰富收藏品的城市。国家航空航天博物馆是为展出和研究美国在飞行事业上的成就而建的。赫斯霍恩博物馆和雕刻陈列馆藏有19、20世纪艺术品。1987年开辟了两个新博物馆:萨克勒陈列馆收藏亚洲和中东的艺术品,另一座博物馆是国家非洲艺术博物馆。上述博物馆与陈列馆都建在国会大厦和华盛顿纪念塔之间的国会前大草坪旁,这些史密森学会的附属设施每年吸引了数以百万计的游客。国家档案馆搜集有齐全的美国历史文献,补充了国会图书馆丰富的收藏,最重要的文献有《独立宣言》和美国宪法的原稿。

节日 每年早春举行的传统樱花节是华盛顿最古老的节日,由联邦、市民和商业人员合办。节日游行和为一选出的赛美王后加冕吸引了众多游客,但对华盛顿市民来说,在蓄潮湖和杰斐逊纪念堂周围欣赏盛开的樱花则更为重要。一年一度的美国民间艺术与工艺节亦甚受欢迎,每年夏季在国会前大草坪举行,为时一周。这个包括许多地区与种族亚文化群的艺术和手工艺品的露天展览已成为日益重要的文化活动。

娱乐 华盛顿许多精心装饰的公园和其他空地都是为了作为衬托,加深人们对联邦政府建筑物的印象而设计的,但后来逐渐也用作娱乐场所。朗方的原规划中,有17个地区留作建公园之用,其中有国会前大草坪、华盛顿纪念塔周围场地、国会山周围场地、白宫周围场地(包括现今的拉斐特广场)以及各条主要大路交叉点上的小块草地。这些保留地区加上其他一些地区使华盛顿有数百座花园和绿地,从1791年起,其保护、管理与发展由内政部下属的国家首都公园负责。1890年建成罗克里克公园,是世界最大的市内天然公园之一,有原生林地1 754英亩(710公顷)。罗克里克河谷宽达1英里,从锡尔弗斯普林郊区到波托马克河,横切城市西北部。公园广泛地开发作娱乐场所。公园内有国立动物园,占地176英亩,有风景如画、林木覆盖的小山和草地。公园内还有巴伦圆形剧场,夏季在绿树掩映中演奏音乐节目。园中处处都有天然小径、骑马道、野餐地和体育设施。波托马克河两岸地区在弗吉尼亚州一侧和特区一侧一直禁止任意开发。从乔治敦到波托马克河大瀑布之间是长15英里的、有历史意义的切萨皮克—俄亥俄运河，最初是G.华盛顿规划的工程，后经修浚治理，定为名胜古迹区。运河边的纤道如今可供散步和骑自行车运动，游客还可乘坐按旧时式样构造的骡拉运河小船参加定期定点的游览。在弗吉尼亚一侧的河岸是风景优美的华盛顿纪念园林大道，在大道上驱车，从特区的西北部边界以北到弗农山的波托马克河景色，可一览无遗。弗农山在亚历山德里亚之南，是华盛顿的故乡。在乔治敦和弗吉尼亚一侧岸边之间是罗斯福岛，此地本是一个种植园，现在是自然保护区。这个小岛是华盛顿居民远避城市喧哗的郊外漫步之处，风景十分幽静、美丽。

历史

早期 该市定为首都城市的意图大约是1783年6月在费城旧市政厅召开的国会会议上提出的。但当时独立战争刚结束不久，国库空虚，国家还没有信誉，为军队复员负着沉重的债务。当时还没有总统，尽管13个殖民地是自由的，他们保持着一个半独立的主权的联合，有着不同的利益。6月20日一群没有领到军饷的士兵闯入费城向国会递交了他们的陈情表。

构想、选址和设计 没有发生暴力，于是一批国会议员开始了一场建立联邦城市的运动，以便在那里与政府打交道而不必担惊受怕。其后6年中考虑过几个地点，但南北方的意见分歧使决定一直拖到1790年。

尽管确定首都地址在波托马克河畔很大程度上是个政治妥协，但准确地点的决定留待新当选总统G.华盛顿作出。这个选定的地点最初称作地区，仅方圆10英里（16千米），原来从北面的乔治敦到南面的亚历山德里亚都在此地区内，还有一个村庄名汉堡，在河边的沼泽地中，是传统称作华盛顿雾谷地区的一部分。

华盛顿选择该地的一个重要原因是其商业潜力。波托马克河可通航至乔治敦——重要的烟草市场。从那里修一条运河穿过坎伯兰山口可抵"西部边境"，打开可供拓居的辽阔地区。总统曾建立了一个私人的建设运河的公司，但在他作出决定之前很快便放弃了他的股权。早在费城时，华盛顿便商请朗方为此新城设计规划。朗方志愿参加了美国独立战争，无疑具有民主思想；他既是受过良好训练的工程师，又是一位艺术家，曾设计过纽约市总统就职典礼的场所，受到人们高度的敬佩。他显然意识到这项任务的重大历史意义，因此按照一个宏伟的规模考虑这项规划。国会大厦的奠基石是1793年9月由华盛顿安放的，同时开始了白宫的建造；白宫的设计师是爱尔兰人J.霍本。还在附近建造了一群规模不大的建筑物作为政府各部的办公地点。1800年10月，政府档案、全部办公室和官员都从费城搬迁至华盛顿，亚当斯总统住入白宫，国会第一次在新建成的国会大厦参议院一翼召开会议。

早期的城市 在蒸汽机和电报之前投入使用之前，国会和国内新闻界不时人言啧啧，因首都地处偏远和不便，建议迁都。

1814年，海军上将乔治·科伯恩爵士率英军进犯，下令焚毁国会大厦、白宫和海军军火库，首都临时撤离。虽然科伯恩上将上述行动对1812年战争未引起严重后果，但在许多美国人心中却起了巩固华盛顿作为国家首都的地位的作用。毁坏政府所在地的行动激起公愤，使一切主张迁都的重要活动一律停止，从此，华盛顿在事实上、在名义上都成为国都。到南北战争爆发之时，这个形象已牢固地树立起来。南北战争的进程深受联邦政府不惜一切牺牲保卫华盛顿免被附近南部邦联军队攻占的影响，该城在各个方面受到南部邦联军队的威胁。如果说南北战争是将松散的各州联盟改变成一个统一共和国的历史进程的最后阶段，那也可以说，正是在这个阶段，华盛顿作为美国首都得到了完全一致的认可。

现代城市的演变 最初华盛顿市和哥伦比亚特区在地理上和行政上都不是完全等同的。1847年，方圆10英里的地区因归还波托马克河以南的土地给弗吉尼亚州而减少约1/3。亚历山德里亚市恢复原来的独立建制，剩余的地区内还设置了阿灵顿县。1895年乔治敦并入华盛顿以前，该地区内有一些自治的机构。南北战争期间及以后的数年间，特区人口增加一倍以上，因骤然包括了4万解放了的黑奴。他们在城市中形成了一个种族不同的结构，对城市生活发生了重大影响。20世纪中，该市自然环境和人口增长速度有很大变化。这些变化产生的原因是：一方面特区与国会关系的固有地位需要在政治上作许多调整以适应其需要；同时又要不断改善特区的文化形象和具有历史纪念意义的形象。20世纪30年代数千工人迁至华盛顿修建最高法院和政府大楼，如联邦三角区的一些建筑。第二次世界大战期间，城市人口猛增至95万。国家机场和五角大楼1941年开放，后者能容纳4万军事和文职工作人员在此办公。战后中产阶级（不论是黑人还是白人）大批迁离该城。华盛顿的一些居民区被搬迁而代之以巨大的新的联邦行政大楼，在贫困区建起了公寓住宅。20世纪80年代，房地产热的兴起给一些日趋破败的地区注入了新的活力，特别是市区。此后，中产阶级开始向市区移居。

21世纪初，华盛顿继续同犯罪和贫穷作斗争。但它的问题同其他主要城市中心的问题一样，对于居民而言，城市的文化和经济利益超过了城市生活中的消极方面。华盛顿作为美国及其政府重要的象征，保持着与其他城市截然不同的特征。然而，它也变成了恐怖主义分子一个特殊的目标。2001年9月11日，五角大楼遭受恐怖袭击，然而其破坏性远不及纽约世贸中心。总体来说，这是吹向城市和国家精神的一股疾风，宣告了一场空前的安全和执法行动的来临。

Washington 华盛顿 美国佐治亚州东北部城市，威尔克斯县县城（1805）。创建于1780年。被认为是美国第一个以华盛顿的名字命名的城市。1804年设市。当地居民称呼这座城市为华盛顿-威尔克斯，以区别于美国首都华盛顿（哥伦比亚特区）。华盛顿历史博物馆收藏有南北战争时期的历史文物。主要产品有纺织品和木材，是农产品和乳制品的装运站。旅游业也十分重要。市区附近有克拉克希尔大坝、克拉克希尔湖和伊莱贾克拉克州立公园。人口4 295（2000）。

Washington 华盛顿 美国北卡罗来纳州东部城市，博福特县县城。临帕姆利科-塔河河口湾，在格林维尔之侧。建于1771年。1782年设市。南北战争中曾被北部联邦军占领。经济以市场业（销售烟草、花生、蔬菜和棉花）为主，也有轻型制造业和采矿（磷酸盐）业。旅游娱乐业也十分重要。有博福特县社区学院（1967）。市东南有古斯河州立公园和巴斯城。当地马特马斯基特湖和帕姆利科湾畔的斯旺阔特国家野生动物保护区均地处大西洋候鸟迁飞路线上。人口9 583（2000）。

Washington 华盛顿 美国宾夕法尼亚州西南部城市，华盛顿县县城（1781）。东北距匹兹堡45千米。1910年华盛顿、南华盛顿、北华盛顿合并，1924年设华盛顿市。现为周围农业、轻工业和采煤区的服务中心，生产钢制品和玻璃器皿。设有华盛顿和杰斐逊学院（1865）。有宾夕法尼亚电车博物馆。人口15 268（2000）。

Washington 华盛顿 又名布拉索斯河畔华盛顿。美国得克萨斯州东南部华盛顿县历史名城。临布拉索斯河。东南距休斯顿72千米。1821年建为渡口，但因得克萨斯共和国诞生于此，在早期的得克萨斯历史上占重要地位。在一所当时尚未竣工的木屋（已改建为独立大厅）内举行的会议上发表了得克萨斯独立宣言（1836-03-02），通过宪法（03-17）；D.G.伯纳特就任临时总统，S.休斯顿就任得克萨斯陆军总司令。1837年设建制。1842年曾为首都，但为时不长。1858年通铁路前一直是得克萨斯的重要城镇，此后就一落千丈。布拉索斯河畔华盛顿州立公园有独立厅的复制品。此外，还有得克萨斯共和国之星博物馆。

Washington, Booker T(aliaferro) 华盛顿（1856-04-05，美国弗吉尼亚富兰克林县～1915-11-14，阿拉斯加塔斯基吉） 美国教育学家、改革家，塔斯基吉学院首任院长及主要创办人，1895～1915年间是一位最有影响的美国黑人代言人。出身于一个奴隶家庭。黑奴解放后，全家迁到西弗吉尼亚州的莫尔登。因赤贫无力上学，9岁即做工。决心要受教育，就当一名看门工人，挣钱以偿学费，进入弗吉尼亚州汉普顿师范和农业学院求学（1872）。在华盛顿［哥伦比亚特区］韦兰神学院就读（1878～1879）之后，即进汉普顿师范和农业学院工作。1881年任塔斯基吉城新成立的黑人师范学校校长，学校当时只有两幢改建的小房，没有设备，基金很少。其后发展为塔斯基吉师范和工业学院，成为他一生工作的纪念碑。34年后他逝世时，该校已拥有100多幢设备良好的房屋，约1 500名学生，近200名教师，38个专业，约200万美元基金。华盛顿相信黑人最大的利益会通过工业教育、精明的农场经营和土地所有权、培养诸如

美国国会图书馆供图

耐心和勤俭等良好习惯以及高尚的礼貌道德而得到实现。他在亚特兰大(佐治亚州)博览会的演讲(1895-09-18)中有一句名言:“在一切纯社交性的事务中,我们可以像手指一样分开;但在一切对共同进步有决定意义的事情上,我们必须团结得像一只手一样。”这种观点被杜波依斯这样一些黑人知识分子称为“亚特兰大妥协”,认为只强调职业技能训练而无视发展高等教育甚至争取公民权利是可悲的。华盛顿曾获得哈佛大学(1896)及达特茅斯学院(1901)名誉学位。其自传《出身奴隶》曾译成多种语言。

Washington, Bushrod 华盛顿(1762-06-05,弗吉尼亚州威斯特摩兰县～1829-11-26,费城) 美国最高法院大法官(1798～1829)。G.华盛顿的侄子,1778 年毕业于弗吉尼亚州威廉斯堡的威廉和玛丽学院,是当地优秀大学生联谊会的首批会员之一。他曾在大陆陆军服役,一直到独立战争结束。随后他去费城在 J.威尔逊指导下学习法律,在弗吉尼亚州亚历山德里亚执行律师业务,并于 1790 年移居里士满。1787 年他到弗吉尼亚州众议院任职,1788 年参加了批准美国联邦宪法的弗吉尼亚州会议。1798 年 J.亚当斯总统任命他为美国最高法院大法官。1802 年马歇尔担任首席法官后,他一般都赞同马歇尔提出的重要意见。G.华盛顿和 M.华盛顿逝世后,他继承了他们的住宅、芒特弗农和一部分产业。他是 G.华盛顿遗著的管理人,并负责监督 J.马歇尔的《华盛顿传》5 卷集(1804～1807)的编辑出版准备工作。

Washington, Denzel 华盛顿(1954-12-28,美纽约芒特弗农～　　) 美国黑人演员,以动人和有力度的表演闻名。1977 年毕业于福德姆学院,获学士学位,后来开始职业演员生涯,加盟旧金山的美国音乐剧院。在加利福尼亚和纽约获得几场成功的舞台演出之后,开始在电影业崭露头角,饰演《复写本》(1981)中的一个角色。最早在电视剧《波城杏话》(1982～1988)中引起全国的注意。《哭喊自由》(1987)、《光荣战役》(1989 获奥斯卡奖)、《密西西比风情画》(1991)等作品均获得好评。在 S.李的《黑潮——麦尔坎 X》(1992)中饰演主角为他赢得奥斯卡最佳男配角提名。其他作品还包括:《绝对机密》(1993)、《费城》(1993)、《赤色风暴》(1995)、《各怀鬼胎》(1998)、《悍卫正义》(1999)。在《训练日》(2001)中扮演一个腐败和暴力的警探,获得奥斯卡最佳男演员奖,成为第二个获此荣誉的非洲裔美国演员(第一位是 S.普瓦蒂耶)。

Washington, Dinah 华盛顿(1924-08-29,美国亚拉巴马塔斯卡卢萨～1963-12-14,密歇根底特律) 原名 Ruth(Lee)Jones。人称“布鲁斯皇后”。美国黑人布鲁斯女歌唱家,以出色的嗓音控制和受圣经福音书影响的独特表达风格著称。幼年随家庭迁居芝加哥。在所属教会的唱诗班中唱歌和弹奏钢琴。1939 年起,在跟随萨莉·马丁的福音小组巡回演出的同时,又在芝加哥一些夜总会中演唱并弹奏钢琴。约 1942～1943 年采用岱娜·华盛顿这一艺名。1943～1946 年随莱昂内尔·汉普顿乐队演唱,1946 年开始其一帆风顺的独唱生涯。从 1949～1955 年,她的唱片始终排名“节奏与布鲁斯”最畅销唱片的前 10 名。甚至在她转入流行音乐市场(在那里她获得了最大的经济效益)后,由于其热情洋溢、轻盈流畅的演唱风格而保有了许多早期的歌迷。

Washington, George 华盛顿(1732-02-22,弗吉尼亚威斯特摩兰县～1799-12-14,美国弗吉尼亚弗农山庄) 美国将军、政治家和第一位总统,其父奥古斯丁·华盛顿曾去英国上

纽约大都会艺术博物馆供图

学,体验过航海生活,此后管理在弗吉尼亚日益扩大的庄园。其母玛丽·鲍尔与奥古斯丁结婚时,他是个鳏夫。祖先有些名望,曾有个祖先被称为“士绅”,后来亨利八世赐给这个家族以土地,其成员担任过各种不同的官职。但是随着英格兰清教徒革命,家族的财产败落,奥古斯丁的祖父约翰·华盛顿于 1657 年移民至弗吉尼亚。北安普敦郡苏尔格雷夫的祖屋作为华盛顿纪念馆保留至今。奥古斯丁以前各个家族成员的确切情况不详。奥古斯丁是精力充沛和雄心勃勃的人,他获得了大量土地,建立了磨坊,对开采铁矿很有兴趣,并把他的两个长子送至英格兰学习。他同他的第一个妻子简·巴特勒生有 4 个孩子;同第二个妻子生有 6 个。奥古斯丁于 1743 年 4 月 12 日去世。

青少年时期 对华盛顿幼年的情况所知不多,他的幼年大部分时间是在弗雷德里克斯堡对面的拉帕哈诺克河畔的费里农庄度过的。M.L.威姆斯的关于斧子和樱桃树的故事以及年幼的华盛顿对打架极为反感的逸事,是为填补这一明显的空白所作的努力,不足为信。他从 7 岁到 15 岁不规则地上过学,最初在本地教堂司事那里上学,后来在名叫威廉斯的老师那里上学。他的一些作业本至今仍保留着。他在实用数学——计量、几种测量的方法和对测量有用的三角——方面受到相当好的训练。他学习几何,可能还学习一点拉丁文,当然还读了几期《旁观者》和其他英国名著。他 14 岁时抄录的一套道德箴言,即《交友与交谈中的礼貌和得体行为之准则》的习字簿至今仍精心地保存着。不过他受到的最好的训练来自有实际经验的人们和户外工作,而不是书本。他精通烟草种植和牲畜饲养,在 10 来岁的时候就已经颇为熟悉测量技术,对他附近的土地进行测绘。

父亲死后,这个 11 岁的孩子由他同父异母的长兄劳伦斯监护,劳伦斯具有优秀的品质,给予他充满深情和无微不至的关怀。劳伦斯继承了小猎溪美丽的庄园,这座庄园是授予最初的移民约翰·华盛顿的,奥古斯丁自 1738 年以来花了大量的心血加以扩展。劳伦斯与安妮·费尔法克斯结婚,她是威廉·费尔法克斯上校的女儿,威廉·费尔法克斯上校是该地区首富之一费尔法克斯勋爵的堂弟兼代理人。劳伦斯也盖了一所房子,并把他占有的这 2 500 英亩(1 000 公顷)的土地命名为弗农山庄,以纪念他参加围攻卡塔赫纳之役时的领导人、海军上将弗农。乔治主要与劳伦斯一起住在那里(虽然有时也与另一个同父异母兄长奥斯丁一起住在弗雷德里克斯堡附近),从而进入了一个更为广阔和彬彬有礼的世界。安妮·费尔法克斯·华盛顿是位具有魅力、温文尔雅和富有文化修养的女人;劳伦斯从他的英国学校和海军服役中带来了丰富的学识和经验。受人尊敬的邻居和亲戚乔治·威廉·费尔法克斯在贝尔沃的大庄园相隔仅约 4 英里(6 千米),他和其他姻亲亚历山德里亚的卡莱尔一家,对乔治的意志和性格的形成都有影响。

这位青年最初将测量作为他的职业。一位中年的单身汉费尔法克斯勋爵在北弗吉尼亚和谢南多厄河谷占有 500 多万英亩(200 公顷)土地,他于 1746 年来到美洲,与他的堂弟乔治·威廉一起住在贝尔沃,照管他的财产。两年后,他向谢南多厄河谷派出一个小组,测量和标绘他的土地,让来自宾夕法尼亚的住在公地上的正规佃农住进去。由威廉王子县的官方测量员负责,华盛顿作为助手随同前往。这位 16 岁的小伙子有一本不连贯的旅行日记,它显示了他勘察的技能。他描写了在“一条满是虱子、跳蚤因而使重量加倍的熊毛毯”下睡觉的狼狈情况;与手持带发头皮作为战利品的印第安人战斗小组相遇;宾夕法尼亚德国移民是“一群像印第安人一样无知的人,他们从不讲英语,同他们谈话时,他们只讲荷兰语”;把烤野火鸡盛在“一块大木片”上,因为“我们没有盘子”。

第2年(1749),在费尔法克斯勋爵的帮助下,华盛顿获得了库尔佩珀县官方测量员的任命,在两年多的时间里一直很忙。他不仅在库尔佩珀县、并且还在弗雷德里克县和奥古斯塔县测量,旅程远远超过受涨潮影响的地区,深入西部荒原。这一经历使他机智灵敏,能吃苦耐劳,并锻炼了身心。同他的同父异母兄长劳伦斯对土地的投机结合起来,这一经历还使他对开发西部产生兴趣,贯穿他整个一生。他总是有意于对西部土地进行投机,对开拓西部的计划抱赞同的态度,对这时国王限制向西迁移大为不满。1752年费尔法克斯勋爵决定在谢南多厄河谷建造最后一座住宅,并在一座猎人的木屋住下来,把这座木屋按照他的家族在肯特郡的大宅邸的名字命名为"绿路园"。华盛顿有时在那里作客,受到款待,并可进入一个小图书馆,其中收藏着费尔法克斯从在牛津时起就开始积聚起来的书籍。

1751～1752年,他们让他管理弗农山庄,这一年成为他一生中的转折点。他的同父异母兄长劳伦斯得了肺病,于1751年带着他一起去巴巴多斯治病。在这唯一的一次超越美国当时边界的旅行中,华盛顿患了天花,回来时脸上带着不大明显的麻点。次年7月,劳伦斯去世,华盛顿成为他的遗嘱执行人,并且如果他的女儿萨拉去世无嗣,则成为他的财产的余产继承人。不到两个月,萨拉去世,20岁的华盛顿成为弗吉尼亚最佳庄园之一的主人。他始终认为务农的生涯是"最令人愉快的"。他写道:"这是光荣的,这是有趣的,按照较好的判断,这是有利可图的。"在所有农业地区中,他认为,弗农山庄是最好的。他明确地对一位英国记者说:"美国没有哪一个庄园坐落的位置比这个庄园更令人愉快。"在他的晚年,他感到最大的骄傲是,他被认为是这块土地上最初的农民。

他逐渐扩大庄园直至超过8 000英亩(3 000公顷)。他于1760年将房屋扩大,并于1784～1786年将房屋及其周围扩大景色作进一步改进。他力求与最新科学进展并驾齐驱。

此后20年,华盛顿的生活主要以在弗农山庄的工作和社交活动为背景。他必须管理好与庄园一起继承过来的18个奴隶和他以后买进的其他奴隶;到1760年,他必须为49个奴隶支付什一税——虽然他强烈地不同意这一制度,并希望以某种方式废除这一制度。他专心致志于农作物的轮种,土壤的合理施肥和牲畜的管理。

为了消遣,他喜欢骑马、猎狐和跳舞;喜欢看戏,凡能看到的戏他都爱看;喜欢猎鸭和钓鲟鱼。他还喜欢打台球和玩牌。不仅捐助赛马团体,而且骑着他自己的马参加比赛。从摔跤到赛小马驹等各种户外娱乐,他都擅长。一位18世纪50年代的朋友描写他"像印第安人一样身子笔挺,不穿鞋时的身高达6英尺2英寸";非常健壮,宽肩膀,骨格虽很大,而仅重175磅;手臂和腿都很长。浓眉下是一对敏锐的蓝灰色眼睛,他的鼻子大而直,他的嘴大而坚定地闭着。"他的动作和姿态优雅合度,他走路威严,他是个杰出的骑手。"他很快就成为社区知名人士,是新教圣公会的一位积极的成员,后来成为教区代表,并且早在1755年就表示希望成为弗吉尼亚市民院议员候选人。

革命前的军事和政治生涯 *早期军事生涯* 关于J.华盛顿作为反印第安战士所建立的功绩的传说,以及劳伦斯关于他服役期间情况的谈话,使华盛顿满怀从军壮志。劳伦斯去世后不久,副省督R.丁威迪于1752年11月任命华盛顿为弗吉尼亚南部地区的副官,年薪100英镑。第2年他成为北峡和东岸的副官。接着于1753年,丁威迪感到有必要警告法军停止对英王声称拥有的俄亥俄谷地进行侵犯,他派出一名使者,但未能到达目的地。之后他决定派华盛顿前往。华盛顿于1753年10月31日接到命令的当天出发前往法军哨所。他的小组包括一名当译员的荷兰人、一名当向导的侦察老手C.吉斯特和其他4人,其中两人是与印第安人做买卖的有经验的商人。从理论上说,英国和法国处在和平之中,但实际上战争已经迫近。丁威迪下的书是一份最后通牒:法军必须撤走,否则将被赶出。

旅程艰难危险而又徒劳无功。华盛顿一行于11月中旬离开今马里兰州的坎伯兰,尽管天气寒冷,荒野上障碍重重,他们毫不迟延地抵达伊利湖以南20英里(32千米)处的勒伯夫堡,即今宾夕法尼亚州的沃特福德。法军司令官虽有礼貌,但却固执。如华盛顿所报告的,他的军官们"告诉我,占领俄亥俄是他们一定要执行的计划,上帝作证,他们将这样做"。华盛顿急于把这一惊人的消息带回,便偕同吉斯特匆忙离去。他总算幸运地活着到了家。一个印第安人在离他们15步远的地方向他们射击,但没有击中;当他们乘木筏横渡阿勒格尼河时,华盛顿被猛地颠簸落入满是冰块的急流,幸而抓住一根木头,才幸免于难。那个晚上,他裹着湿衣服几乎冻僵。1754年1月16日他抵达威廉斯堡,匆匆写出关于这次旅程的报告。当时丁威迪正在详尽地阐述情况,以便使国王相信法国威胁的严重性,遂将报告付印,报告以3种不同的方式印出送往伦敦。

这位有胆有识的省督立即计划组成远征队,以便坚守俄亥俄地区。他任命J.弗赖为省属一个团的上校,任命华盛顿为中校,要他们立即招募新兵。俄亥俄公司的两家代理机构已修筑了一座碉堡(后为匹兹堡),这两家代理机构是劳伦斯等人为开发波托马克河上游和俄亥俄河而建立的。丁威迪准备狠狠地打这一仗,派华盛顿率领两连士兵增援这座碉堡。1754年4月,这位中校从亚历山德里亚出发,160名士兵紧随其后。他们行军至坎伯兰,获悉法军预料到英军的攻击,已经占领俄亥俄公司的碉堡,并把它改名为迪尤肯堡。幸而该地印第安人支持他们。这样,华盛顿小心谨慎地奋力前进,离法军阵地不到40英里(60千米),在大草地即今宾夕法尼亚州的康弗伦斯修筑自己的碉堡。以此为据点,他向一支由30名法军组成的先遣队发动突然袭击(1754-05-28),打死法军队长朱蒙维尔和其他9人,其余均成为俘虏。最后的法国印第安人战争爆发。

华盛顿随即擢升为上校,并得到增援,指挥一支数量相当可观的弗吉尼亚和北卡罗来纳军队,以印第安人为援军。但他的进攻很快招致法军倾全力向他扑来。他们于7月3日将他的350人赶进大草地堡(尼塞西蒂堡),以700人将该堡团团围住,经过整整一天的战斗,迫使他投降。修筑这座碉堡是一个很大的错误,它建在渗水的溪底之上,3面都是距它很近的、上面覆盖森林的高地,可以俯视它,而它又离华盛顿的援军过远。法军同意给这些被解除武装的殖民地居民带着军人的荣誉列队返回弗吉尼亚,但他们迫使华盛顿答应弗吉尼亚在一年之内不再在俄亥俄河畔修筑另一座碉堡,并签署一个文件,承认承担"暗杀"朱蒙维尔的责任,对于这个词后来华盛顿解释说他没有正确了解。他回到弗吉尼亚,悔恨而又骄傲,接受市民院的感谢,看到伦敦报纸上提及他的名字。他在给他兄弟的一封信中说,"我听到子弹嗖嗖飞过,请相信我,这声音真迷人。"这句话为H.沃波尔幽默地和乔治二世讽刺地加以评论。

1755年2月,E.布雷多克将军和他的部队抵达弗吉尼亚,这给华盛顿带来了新的机会和任务。布雷多克是作为执行三角战役计划的一部分抵达弗吉尼亚的,这项计划要求他向迪尤肯堡进军,要求总督W.谢利占领尼亚加拉和W.约翰逊爵士占领克朗波因特。华盛顿因为对殖民地军官受到侮辱性待遇和得到不足额的薪俸表示愤慨,特别是因为英国陆军部的不明智的命令:凡地方军官,不论其军衔如何,都得受持有英王委任状的任何军官的管束,于1754年10月辞去军职。但他仍热切地希望参加战争。他给朋友写信说:"我的嗜好是强烈地喜爱武器。"当布雷多克对他的才干表示欣赏、邀请他当他的私人副官参加远征队、并授以礼仪上的上校头衔时,他接受了。他的自恃、果断和练达的特点很快就明显地表现出来。

在会议桌上,他常与布雷多克发生争执,当承包商未能交付供应品时,布雷多克就辱骂殖民地居民怠惰和不诚实,而华盛顿则热情地为他们辩护。他发言的自由是布雷多克对他尊重的明证。布雷多克接受了华盛顿不明智的建议,将他的军队分成两部分,一半跟随行驶缓慢的货车和牛车,另一半快速向迪尤肯堡进发。6月华盛顿生病发烧,7月8日他参加前卫军,坐在一辆有顶篷的马车上,请求率领他的弗吉尼亚军队和印第安盟军向迪尤肯堡进军,7月9日军队遭到伏击并惨败,那时他正在布雷多克的身旁。

在这次失败中,华盛顿表现得既镇静又决断、既具有不可征服的勇气又泰然自若,这是他所以能够取得这么多胜利的奥秘。他病了,以致不得不用枕头来代替马鞍,布雷多克命令他的勤务兵对他进行特别的照顾,而他却无处不在。最初他跟随布雷多克身旁,这位将军勇敢地力求把部队重新组织起来,或向前推进,或向后撤,这是当时的情况所允许的最明智的做法。随后华盛顿拨转马头殿后,拦住弗吉尼亚军,把他们重新组织起来,保卫侧翼。主要由于他才使部队得以逃脱。他同布雷多克一样毫不在乎地暴露了自己,布雷多克在他的第5匹马上受了致命的伤;华盛顿骑的两匹马被打死,他的衣服被4颗子弹打穿,却没有受伤。他守候在布雷多克临终的床前,帮助把军队撤回。1755 年 8 月他被任命为整个弗吉尼亚军队的指挥官,作为对他的酬答,这时他年仅 23 岁。但是他以后的工作各方面都无显著成绩。在发现马里兰的一位上尉因持有皇家委任状就可不服从他时,他于 1756 年 2 月策马北上波士顿,将这一问题提交美洲英军总司令谢利总督处理。他带去了丁威迪的一封信,事情不难按照他的意见解决。回来后,他却陷入了一连串的烦恼之中。他必须守卫一条防守薄弱的、很不稳定的边界线,这条边界线长达 400 英里(650 千米),而只有约 700 名纪律松弛的殖民地士兵防守;必须对付不愿支持他的立法机构;必须着手处理士兵的酗酒和缺乏效率的问题;还须经常忍受野外的艰苦生活。1757 年他的健康状况恶化,这是不足为奇的,这一年的最后几个星期他患痢疾,医生命令他回弗农山庄家中休养。

1758 春,华盛顿恢复健康,重又肩负起上校的职责,指挥整个弗吉尼亚军队。作为由皮特组织的几路英军的大扫荡的一部分,J.福布斯将军领导了向迪尤肯堡的新进军。这次福布斯决定不走布雷多克的路线,而在宾夕法尼亚的雷斯敦以西开辟一条新道路。华盛顿不同意这条路线,但仍在这次行动中发挥了重要作用。晚秋,法军撤退,焚烧迪尤肯堡,福布斯在原处建立皮特堡。华盛顿这时恰好当选为市民院议员,遂以准将的荣誉军衔辞职。

虽然军官们对"失去这样一位杰出的指挥官、这样一位忠实的朋友、这样一位和蔼可亲的伙伴"表示遗憾,但他是带着一种挫折感离职的。他认为战争进行得过于迟缓。弗吉尼亚议会在表决有关金钱问题时非常吝啬;弗吉尼亚的新兵缺乏主动性,并且质量很差——他已经对几个逃兵处以绞刑,对其他逃兵重重鞭笞。弗吉尼亚付给他的薪饷较其他殖民地付给其军队的要少。他希望能像他的同父异母兄长劳伦斯那样获得正规军委任状,曾向北美英军总司令劳登勋爵申请兑现布雷多克对他作出的许诺,但却徒劳。由于热衷于军衔和荣誉,他在坚持他的要求和当这些要求遭到拒绝而抱怨时,表现出多少有些咄咄逼人。他回到弗农山庄时颇感幻想破灭。

婚姻与种植园生活 辞去军职后,他很快就同 D.卡斯蒂斯的遗孀玛莎·丹德里奇结婚(1759-01-06)。她比他大几个月,是两个活着的孩子和两个死去的孩子的母亲,在弗吉尼亚拥有一笔相当可观的财产。华盛顿是在前一年 3 月同她认识的,在与福布斯一起作战前向她求婚。虽然这桩婚姻并不富有浪漫色彩,但夫妻却情投意合,生活幸福。玛莎是一位出色的家庭主妇,一位和蔼可亲的伴侣,一位高贵的女主人。对这件婚事带给他的财产的一些估计是夸大了的,但这的确包括许多奴隶和约 1.5 万英亩(6 000 公顷)的土地,其中许多土地因靠近威廉斯堡而很值钱。对华盛顿来说,更重要的是两个继子女杰基和帕齐,两人在他结婚时分别为 6 岁和 4 岁。他对他们很是钟爱,对于杰基的任性十分担心,对帕齐恰好在独立前去世悲哀不已。杰基在战争期间去世,留下 4 个孩子。华盛顿抚养其中的两个——一男一女,他在给男孩的信中甚至署名"你的爸爸"。他自己没有子女,但他有一个真正的家。

从结婚时起,他就除了照管弗农山庄外,还要管理约克河畔白屋的卡斯蒂斯庄园。当他的土地扩大后,他把土地分成几个农场,每个农场都有一个监工管理,但他每天仍仔细地检查工作,而据一位来访者说,他常常脱下外衣,干起日常的活。他有一次写道:"中等的土地在有人照管下会比远处肥沃的土地更为有利。"直到独立战争前夕,他专注于负起一个大土地所有者的职责和享受其中的乐趣,只是每年有几个星期参加在威廉斯堡举行的市民院会议。1760 ～ 1774 年间,他兼任费尔法克斯县的治安法官,参加亚历山德里亚法庭的审讯工作。

没有什么比华盛顿作为弗吉尼亚最富裕、最大和最勤劳的种植园主之一更能表现其性格特征了。一星期 6 天他都起得很早,勤奋工作;星期日他不规则地上波希克教堂(1760 年共 16 次),招待朋友,写信,做买卖,以及有时猎狐。在这些年里,他吸鼻烟和抽烟斗;他一生都喜欢喝马德拉岛葡萄酒和混合饮料。虽然小麦和烟草是他的主要农作物,但他实施每 3 年或 5 年轮种的计划。他有他自己的水力磨坊、铁匠铺、砖窑和炭窑、木匠和泥瓦匠。他的渔场供应鲱鱼、鲈鱼、青鱼和其他鱼类,腌制后作为黑人的食物。箍桶匠、织工和他自己的鞋匠制造大桶;也自制棉、麻和毛织品以及各种用途的靴子。总之,他的庄园,按照他给监工们所下的"你们自己能制造的东西就不必购买"的命令,成了一个大部分能自给自足的社会。但他仍给英国寄去大量订单,订购农具、工具、油漆、上等纺织品、五金器具和农业书籍,从而尝到英国贸易限制的苦头。

他在饲养牲畜方面进行实验;至少繁殖出一头牛,希望证实有食用价值;饲养种马以供留种用。他还以桃园和苹果园自豪。他对奴隶的照顾堪称楷模。他周到地供他们衣食,雇一位医生全年为他们治病,拒不出售他们——"我的原则是反对这种人种交易"——并宽容地让他们改正错误。他们表示了对他的忠诚,几乎无人逃跑。

在弗吉尼亚东部地区的社交生活中,他同时起着突出的作用。市议会和市民院议员、一批有影响的弗吉尼亚人士都是他的朋友。他拜访韦斯托弗的伯德家族、斯特拉特福的李家族、雪利和萨拜因府的卡特家族和沃纳府的刘易斯家族;作为回访,弗农山庄常常高朋满座。他喜欢在弗农山庄的露台举行家宴和设午茶招待;他喜欢野餐、吃烤肉的户外宴会和海滨野宴;他终身喜欢跳舞,常常前往亚历山德里亚参加舞会。玩牌是一项长年的娱乐,他的账单上记载着打牌输掉的钱,最多的一次将近 10 英镑。遇到不好的天气,他的日记本上有时写道:"整日在家,玩牌。"台球是一项可以与玩牌相比的娱乐。不仅戏剧演出,而且音乐会、斗鸡、马戏、木偶戏和动物展览都得到他的资助。

他总是穿从伦敦买来的最好的衣服——外衣、丝带镶边的背心、帽子、有色的紧身丝裤等。弗吉尼亚的伦道夫家族、科宾家族、哈里森家族、泰勒家族、尼古拉斯家族和其他显赫的家族都有一种贵族的气质,而华盛顿则喜欢办事大方。据估计,在 1775 年前的 7 年里,弗农山庄共接待了2 000名宾客,其中大多数不是留下过夜,就是吃了晚餐才走。

革命前的政治状况 华盛顿心满意足的生活被因帝国事务激起的风暴所打断。英国内阁由于面临战后沉重的债务、高额的国内征税,以及需要继续负担在美洲的军事费用,于 1764 年决定从殖民地获得收入。直到这时,华盛顿虽被他的伙伴们认为是"一位具有非凡而高贵品质的年轻人"(J.L.佩顿上校语),但并没有表现出个人的伟大之处,也很少有对国事抱有兴趣的迹象。1763 年公告禁止向阿勒格尼山脉以外移民,这使他感到苦恼,因为他对俄亥俄公司、密西西比公司和其他开发西部的投机性商业经营感到兴趣。但他在市民院里仍保持沉默,完全是一个忠实的臣民。

但是,1765 年 5 月 P.亨利提出反对印花税法的提案时,他在场。此后不久,他作出了支持殖民地辉格党人反对英国托利党内阁的表示。1768 年他在弗农山庄对 G.梅森说,一旦他的国家向他发出召唤,他将扛上他的毛瑟枪。第 2 年春天,1769 年 4 月 4 日,他将费城禁止进口的决议寄给梅森,并附去一封信,宣告:有必要抗拒英国的"我们的尊贵的主人"的打击;由于对英国议会提出的有礼貌的抗议已经失败,他完全赞同诉诸商业战;作为最后的手段,谁也不应对使用武器保卫自由有任何顾虑。同年 5 月,由皇家委任的省督解散市民院,他参加了在罗利旅店举行的会议,会上拟定了禁止进口的决议,他在遵守这些决议方面较之他的大多数邻居更为坚决。这时及以后,他同大多数美国人一样,仍相信和平不需要破裂。

1770 年末,为猎取土地,他访问了皮特堡,G.克罗根提议建立的第 14 个殖民地万达利亚的计划已经成熟。华盛顿指示他的代理人将与万达利亚大片土地毗邻的 1 万英亩土地勘定地界和进行测量,有一个时候他并曾希望参与克罗根计划的某些部分。但 1773 年 12 月的波士顿茶党和大约在同一时间万达利亚计划泡影的破灭,使他视线转向东部和英美关系中出现的凶兆。1773 年成立了与各殖民地联络的弗吉尼亚通讯委员会,他不是其中成员,但当弗吉尼亚议员于 1774 年 5 月再次不规则地在罗利旅店开会号召举行大陆会议时,他在座并在决议上签了名。此外,他是同年夏末举行的第一届全省代表大会或革命议会的领导成员。他在会上发表了一篇讲话,其精辟雄辩大受赞赏。他宣告:"我将招募 1 000 名士兵,由我自己供养,并亲自率领他们前去解救波士顿。"

弗吉尼亚全省代表大会立即推选华盛顿为出席第一届大陆会议的 7 名代表之一。他这时以激进派而不是以温和派闻名,他在这时写的几封信中反对对英国国王继续请愿,断言这些请愿将不可避免遭到侮辱性的拒绝。他写道:"我们已经作过徒劳的尝试,难道在这之后,还要我们发出低低的哀鸣和哭泣着去求得解救吗?"当会议于 1774 年 9 月 5

日在费城召开时，他身穿全套军服就座，并参加各次会议，这些标志着他的全国性使命的开始。

他这一时期的信件表明，虽然他仍完全反对独立的主张，但他决不甘心"丧失宝贵的权利和特权，这些权利和特权是每一个自由之邦的幸福所不可或缺的，没有这些权利和特权，生命、自由和财产就完全没有保障"。他写道，如果内阁把事情推向极端，"在这个时候所流的血将比美洲历史上以往任何时候都多"。虽然他不是任何一个委员会的委员，但他是一个有作用的代表，各种军事事务要征求他的意见，他对禁止出口和禁止进口的协议所作的辩护得到重视。他设法使《萨福克决议》获得通过，这一决议预期武装反抗将成为最后的手段，它对国王硬下心来对付美洲起了很大的作用。

他于 11 月回到弗吉尼亚后，指挥志愿连队在当地受训，并任费尔法克斯县安全委员会主席。虽然省内不乏有经验的军官，并且韦斯托弗的 W.伯德上校已经接替华盛顿为弗吉尼亚军总司令，但他们仍一致拥护他，这是对他的声望和人格尊敬的表示；不言而喻，弗吉尼亚军仍希望他成为自己的将军。在 1775 年 3 月议会的一次会议上，他当选为出席第 2 届大陆会议的代表，再次启程前往费城。

革命领导 *殖民地军队领袖* 第一次战斗后，华盛顿立即被推选为全部殖民地军队的总司令，这次战斗决不是不可避免的，部分地是人为的结果。弗吉尼亚代表对他的任命表示不同意见。华盛顿自己推荐 A.刘易斯将军担任这一职务，而据 J.亚当斯说，E.彭德尔顿"无保留地、明确地反对这一任命"。这一任命主要是一项政治交易的成果，新英格兰把总指挥职务给了弗吉尼亚，作为对新英格兰军提供给养和支持的代价。这支军队是在英军和美洲民兵于 1775 年 4 月 19 日在列克星敦和康科德发生战斗后匆忙地召集起来的，集中在波士顿附近。当第 2 届大陆会议于 5 月 10 日在费城召开时，首要任务之一是为这支军队找到固定的领导人。6 月 15 日，会议一致投票提名并选举华盛顿担任，他的军事意见已在两个委员会上证明是非常宝贵的。除上述考虑外，他当选的原因是：弗吉尼亚作为最强大的殖民地之一与马萨诸塞站在一起；他的任命将会增加南方的热情；他在同布雷多克并肩作战中建立了持久的威望；他的仪表、意志和决心给全体代表以深刻的印象。他当选时会场上的情景，一方面是华盛顿谦逊地突然退到旁边的一间屋子里，一方面是 J.汉考克由于嫉妒产生的懊丧弄得面红耳赤，这情景将永远留给人们以历史的想象；同样地，1775 年 7 月 3 日，他调转马头，在一棵大榆树下，面对剑桥广场上列队接受检阅的军队，抽剑指挥这支围困波士顿的军队，这场面亦复如此。邦克山的消息到达他那里时，他刚从费城出发开始他一天的旅程。被告知民兵作战的情况后，他表示了胜利的信心。在接受总司令的任命时，他拒绝接受超过他的花销的任何薪俸，请求"在场的每一位先生"作证，他曾说过他不配担任这个职务。他很快就在组织没有受过训练的志愿兵、筹集粮草和武器弹药，以及获得大陆会议和各殖民地支持等方面，显示出他特有的果断和才能。

华盛顿指挥的第一个阶段包括从 1775 年 7 月起至英军于 1776 年 3 月撤出波士顿为止这一时期。在这 8 个月中，他加强军队纪律（这支军队最多时人数略超过 2 万人）；他惩处下级人员，按照 J.亚当斯的说法，他们争吵不休；他使围困坚固有力。他亲自策划沿尚普兰湖进入加拿大，将这一计划交 P.斯凯勒将军执行。他完全同意 B.阿诺德的建议，沿肯纳贝克河北进，占领魁北克。他给阿诺德1 100名士兵，指示他尽一切可能博得加拿大人的好感。他同样积极鼓励武装民船打击英国商船。他想方设法尽快增强军队力量，供应弹药和攻城炮，在 1776 年初从泰孔德罗加将重炮经过封冻的道路运送给他们。起初他的阵地很不稳固，因查尔斯河从他围困该城的包围圈中穿过；如果英国将军 W.豪爵士勇敢地将他的 20 个老兵团溯流而上，他很可能突入华盛顿军营，击退一翼，将其歼灭。但具备指挥才干的却是华盛顿。鉴于波士顿城南的多切斯特高地控制着市区和港口，而豪却不可理解地没有去占领它，华盛顿遂于 1776 年 3 月 4 日占领这一高地，将他从泰孔德罗加运来的炮架设在阵地上。英国海军司令宣告，如果不赶走美洲军，他无法守住。一场风暴摧毁了豪的袭击计划，他只好在 3 月 17 日撤离这座城市。他留下 200 门加农炮和价值难以估计的轻武器和军火库。华盛顿扑灭了在波士顿流行的天花，收集了战利品之后，麾师南下，肩负起保卫纽约的重任。

华盛顿赢得了第一回合的胜利，但在其后 5 年的战事中，美国人的事业曾一再濒临完全失败。毫无疑问，华盛顿的品质所产生的力量，他具有的使军队和人民保持信心并以自己的勇气感染他们的才能，他的不懈的努力和他的广博的知识，构成了美国人获得胜利的主要因素。他不是一个伟大的战术家：如杰斐逊后来所说，他常常"在战场上失败"。他有时犯严重的军事错误，最大的一次错误是 1776 年在长岛毫无根据地凭假设决定阵地，从而一旦失败，全军就有被俘虏的危险。起初他痛感经验缺乏，过去对法战争中在荒野地区的作战并没有教给他调动全军的谋略。他的主要错误之一是，易于将自己的判断服从于他周围将领们的判断。在每一个紧要的关头，无论在波士顿战役、纽约战役、费城战役中或在新泽西时，他都召开军事会议，差不多每一次都接受会议的决定。虽然他秉性勇敢，锐不可当，如在特伦顿、普林斯顿和日耳曼镇的作战那样，但他却一再按照他的同事们的意见，采取迂回和拖延的战术。但他的确在保持一支强大军队的存在和维护全国高昂的士气方面获得了成功；当有利时机来到时，他运筹帷幄，采取迅速的行动，结束战争。

华盛顿力量的一个组成部分是他作为一个纪律执行者的严肃性。军队轮番地减少和补充；大陆会议和各州主要出于政治考虑遴选军官；缺衣少食和薪饷不足的军队由于疾病和酝酿兵变，常常处于半衰竭的状态。可悲的是，从新英格兰、中部各州和南方这 3 大地区来的军队彼此互相妒忌。华盛顿在惩治懦怯、无能和不诚实的士兵方面是严厉的。他向波士顿夸耀他"重重地打击了这类军官"。逃兵和劫掠人的兵士被鞭笞，华盛顿有一次筑起了一座高 40 英尺（12 米）的绞刑架，上面写着："如果我的行动证明是正确的，我决心在这里绞死二三人，以儆效尤。"同时，这位总司令要求大陆会议改善士兵待遇的热切心情，使他赢得了许多部下的爱戴。他抱怨他们的口粮不足，有一次说，他们被迫"吃除干草以外的各色马料"。

华盛顿军事领导生涯中最黑暗的一章揭开了。1776 年 4 月他抵达纽约，将他的军队的一半约9 000人交给 I.帕特南指挥，驻扎在长岛布鲁克林高地危险的阵地上。英国军舰就在东河，可以切断他们的退路。5 月他参加在费城举行的大陆会议，会议开了两个星期，讨论独立的问题；虽然没有他的发言记录，但毫无疑问，他拥护与英国完全脱离关系。他回到纽约，比在豪指挥下的英军到达稍早，英军在斯塔腾岛建立大本营，直至其全部兵力将近 3 万人调齐。1776 年 8 月 22 日，豪调动约 2 万名士兵横渡至长岛格雷夫森德湾。4 天后，他派出舰队，由其兄弟 R.豪海军上将指挥，佯攻纽约市，而他则以压倒性的兵力沿着几乎没有设防的道路攻击美军侧翼，出奇制胜。爱国者被打败，共损失 5 000 人，其中 2 000 人被俘。整个阵地可能被攻克。而对华盛顿来说，幸而豪自己贻误了战机。当敌人犹豫不定时，华盛顿在浓雾笼罩下，成功地将残部渡过东河至曼哈顿，占据了一处设防的阵地。英军突然在下曼哈顿登陆，在一场战斗中把美军赶了回去，这场战斗中，康涅狄格和其他部队表现懦怯，很不光彩。在一系列战斗中，华盛顿被迫向北撤退，不止一次地面临被俘的危险，最后失去哈得孙河上的两座堡垒，其中一座有2 600名士兵把守，迫使他从怀特普莱恩斯撤退，渡河进入新泽西。他向特拉华河退却，军队逐渐失散，反英武装抵抗似已接近告终。

在这独立战争最黑暗的时刻，华盛顿对特伦顿和普林斯顿发动奇袭，使国家重又恢复希望和勇气。豪认为美军不久将全部土崩瓦解，遂回到纽约，将强大的部队留在特伦顿和伯灵顿。华盛顿在特拉华河西岸的军营里策划倾全力 6 000 人对这两个驻地同时发动进攻。但他负责进攻两翼的部下没有能够配合他，他于 1776 年 12 月 25 日晚率领约2 400人向特伦顿进军。他完全出其不意地袭击毫无准备的黑森雇佣兵，在混乱的巷战中，打死指挥官 J.拉尔，俘敌1 000人，缴获大量武器弹药。康华里将军不得不带着 8 000 名士兵急忙赶至特伦顿，其时华盛顿正在阿森平克溪后牢固地安营扎寨，在发生小规模战斗后，康华里决定等过一夜后"逮住这只老狐狸"。

但到晚上，风向转变，道路冻实，华盛顿得以偷偷地离开军营，故意让营火一直燃烧迷惑敌人，绕过康华里的后卫部队，拂晓时向驻扎在普林斯顿的英政 3 个团发动进攻。英军被迫逃窜，丧失 500 人，华盛顿缴获大批军火后，逃至新泽西的莫里斯敦一个坚固的阵地上。这些胜利激励了全体美国人民，使春天招募的新兵成群地来到军营，并使支持美国人民事业的外国同情者受到鼓舞。

至此，华盛顿已获得了重大的胜利。但当他面临普遍的漠不关心、军事阴谋和大陆会议的不友好时，胜利却落到别人的头上。1777年这一年，英军占领费城，J.伯戈因将军入侵的部队在萨拉托加向H.盖茨将军投降，接着是阴谋撤换华盛顿总司令的职务。豪的英军主力部队1.8万人于1777年7月23日从海上离开纽约，于8月25日在费城下面不远的马里兰登陆。华盛顿此时只有1.1万人，其中大部分是民兵，并且用拉斐特的话来说是，"装备很差而衣着更差"，但他不顾力量薄弱，于9月11日在威尔明顿以北约13英里(21千米)的布兰德温溪浅滩冒险布阵正式会战。当部分英军固守、美军投人战斗时，C.康华里将军率领其余部队秘密绕道17英里(27千米)，在美军的右侧和后方进行粉碎性袭击，结果华盛顿大败，所幸仍能有秩序地撤退。他曾一度希望坚守斯库尔基尔浅滩以吸引英军，但是英军不予理睬，于9月26日胜利进入费城。大陆会议迁至宾夕法尼亚内地。华盛顿想象袭击特伦顿那样袭击驻扎日耳曼镇的英军的企图失败后，不得不在福吉谷过冬。他的部队经过两次打击，居住条件又差，并且食不果腹，数千人"赤脚或衣不蔽体"，已经精疲力尽，无法继续战斗，一个月内即将解体。在这种情况下，没有什么比他不屈不挠的毅力更能证实华盛顿性格的真正力量和他大无畏的气概了，他以这种毅力在半饥饿的冬天、在士兵们正当的抱怨声中、在公众的严厉责难前、在无力帮助他的大陆会议的吹毛求疵干预下，仍使福吉谷阵地固若金汤。

华盛顿的敌人抓住他的这一最困难的时刻向他发泄私愤，这种敌对的情绪为北方反对南方的地方性嫉妒、少数敌对分子的野心，以及诬他对拉斐特等外国人表示偏爱的指控所助长。曾在法军中服役、后来成为美军监察长的爱尔兰投机分子T.康韦，罗致T.米夫林、C.李、B.拉什等人，阴谋取代华盛顿。盖茨将军看来不仅作为一方的工具参与这一阴谋，而且期待总司令一职将移交给他担任。大陆会议的一派支持这一活动，企图通过承认战事委员会使华盛顿不能有所作为，授予该委员会以军事行动的总指挥权。盖茨为该委员会主席，他的参谋长J.威尔金森为秘书，米夫林和T.皮克林为委员。华盛顿清楚地知道国会内的敌意，知道B.拉什和马萨诸塞的J.洛弗尔散布的诽谤，知道熟练的英国代理人在美国报纸上发表伪造文件的影响。他知道许多新英格兰人强烈的妒忌心，这种妒忌心甚至使J.亚当斯也写信给他的妻子说，他对伯戈因没有被华盛顿俘获感到欣慰。华盛顿这时被"奉若神明是够不妙的"。当惯于随口乱讲的威尔金森透露康韦的叛变行为后，华盛顿决定性地粉碎了这一阴谋，他于1771年11月9日给后者派去了一位军官，以证明他知道整个事件。

随着1778年春与法国结盟，战争面貌发生了根本改变。费城英军由于害怕法国舰队封锁特拉华河，而新泽西和宾夕法尼亚的民兵也围攻该城，遂匆忙撤至纽约市。华盛顿希望切断部分敌军，匆匆率领6个旅的军力昼夜兼程，于6月底将部队置于H.克林顿爵士(他接替豪)与泽西海岸之间。6月28日，蒙默思战役开始，这一判断正确的战略性计划和有力的攻击由于C.李的叛变而化为泡影。李突然命令后撤，从而破坏了这次进攻。华盛顿急忙挥军向前，愤怒斥责李，稳住了阵脚，但已失去了这一可贵的机会。英军向桑迪岬进发，华盛顿停驻新不伦瑞克。李被捕，由军事法庭审判，指控他犯有3条罪状；他本该被枪毙，但只被判决停止指挥一年。1778年7月由C.-H.德斯坦海军上将指挥的法国舰队抵达，完成了对英军的隔离，克林顿遂坚守纽约市及其周围地区。华盛顿将司令部设在哈得孙河畔的高地上，他的部队分散驻扎在纽约市四周和新泽西。

独立战争的最后一仗，康华里在约克敦的被俘获，主要归功于华盛顿的远见卓识。1781年初国内形势十分阴暗，大陆会议的软弱无力、群众的沮丧情绪和法国舰队缺少迅速而有力的支援，这些都阻碍华盛顿的行动。前来支援他的一支法国军队在罗尚博伯爵率领下于1780年抵达，华盛顿敦促海军上将德格拉斯或向南进攻康华里或向纽约进攻克林顿以为策应。1781年8月，这位海军上将送来确切的答复，他愿选择切萨比克作为战场，那里水域辽阔，海水又深。华盛顿在一个星期内，于1781年8月19日率领部队向南进军，留下W.希思将军带领4 000人据守西点。他急速将他的部队带过新泽西，在特拉华湾上船，于9月14日在弗吉尼亚的威廉斯堡登陆。康华里退至约克敦，挖壕防守，那里驻有7 000名英国正规军。他们的工事于月底前被华盛顿率领的联军包围得水泄不通，这支联军由5 500名大陆军士、3 500名弗吉尼亚民兵和5 000名法国正规军组成。10月19日，康华里投降。经过这次战役，战争实际上已结束，这次战役也许最好地单独展示了华盛顿的指挥才能。

1781～1782年冬，华盛顿在费城参加大陆会议，敦促它继续为自由而努力，并解决军队索取薪饷的问题。1782年4月他在哈得孙河畔的纽堡参与共同指挥时仍继续为此而努力。军中的一些流言蜚语反映在L.尼古拉上校的一封信中，信里向他提出一项计划，建议他凭借军队自立为国王。当他读到这封信时，大为惊骇，愤怒不已。他以猛烈的斥责粉碎了这一建议。他的士兵因领不到薪饷而不满，于1783年初在散发的《纽堡请愿书》中达到顶点。他颁发了一道命令，指责这一请愿书，并在3月15日的军官会议上宣读一篇演说，告诫军队必须服从大陆会议，并答应他将作出最大努力来改善他们的痛苦状况。在克林顿撤退的当天，1783年11月25日，他率美军进入纽约，12月4日，他在弗劳恩西斯旅店令人感动的情景中，与他最亲密的军官们告别。在南下的旅途中，12月23日，在因有W.M.萨克雷的描写而千古流传的庄严议式上，在安纳波利斯的马里兰州参议院的大厅里，他把委任状交还给大陆会议，接受了全国对他的感谢。他服役期间个人开支的账目，是由他亲手记录的，详细而准确，总数为2.47万英镑，交给财政部审计官结账，而薪俸则分文未取。12月24日拂晓，华盛顿告别安纳波利斯，夜幕降临前，回到了弗农山庄的家中。

其后4年，华盛顿在他的庄园里有足够的事情要做，他希望以上等农民终其一生，他在农业上花费的精力及思考和他在军事上花费的一样多。他扩大了弗农山庄的宅第；设计把土地翻新，围以低篱笆；试验种植桃花心木、扇状叶矮棕榈、胡椒和其他外国树木、英国草皮和谷类。独立战争期间，他的农庄管家是一位名叫L.华盛顿的远房亲戚，于1785退休后，由侄子G.A.华盛顿少校接替。他住在弗农山庄，直至1792年去世为止。战争期间，华盛顿损失惨重，这是由于土地荒废、出口停止和纸币贬值，所受损失不少于3万英镑。他随即成功地试着治理产业，从各庄园获得的年收入从1万英镑增至1.5万英镑。1784年他作了一次旅行，行程将近700英里(1 125千米)，视察他在西部拥有的未开垦的土地，这是国会的慷慨赠予。作为一个全国性人物，他必须接待军中的老朋友、来自其他各州和各国的访问者、外交家和印第安人的代表团等，他很少有时间单独同他的家人坐在一起进餐。

出任总统 ***革命后的政局*** 华盛顿抱着明显的悲观情绪注视着1783年后美国政局的混乱状况。他于1786年5月18日宣称，"美国必须有所作为，否则大厦必将倾倒，因为毫无疑问，它已经摇摇欲坠"。他一再写信给他的朋友们敦促朝着"一个不可分割的联邦"前进。起初他相信，《邦联条例》可能要修改，后来，特别是经过谢司起义的震动之后，他认为必须有一种更为激烈的改革，但怀疑在1786年底时机是否成熟。他对举行联邦代表大会的主张接受得颇为缓慢，这是令人费解的。虽然J.杰伊于1786年3月向他明确宣告，国家的瓦解似已迫在眉睫，代表大会的想法已经日趋具体化，但华盛顿仍不明确表明意见。虽然他长时间地犹豫，却热烈地支持关于联邦进口税的建议，警告各州，它们的政策无疑将决定"独立战争将最终被认为是一种祝福，抑或是一种诅咒"。他给国家领导人物写的许多信大有助于形成赞同组成一个较为完美的联邦的思想感情。由于在弗吉尼亚和马里兰之间就波托马克河航运问题达成谅解是必不可少的，这两个州的专员于1785年春在弗农山庄开会，由这粒种子萌发出联邦代表大会。华盛顿事先就同意召集各州代表于1787年5月在费城开会，"使联邦政府宪法足以满足成立联邦的迫切需要"。但他对是否出席会议仍犹豫不定，部分是因为他感到身体疲劳和虚弱，部分是因为对结果抱有怀疑。虽然他自始至终希望人们不要选他，但他还是被选为弗吉尼亚5位代表之一。

华盛顿于代表大会开幕前一天——5月13日抵达费城，一俟获得法定人数后，他即被一致推选为会议主席。他主持制宪会议4个月之久，只有一次在关于议员人数分配的次要问题上，他打破沉默。虽然在辩论中他极少发言，但在议事厅外谁也没有像他那样坚持采取坚决的手段。他写道："我的愿望是，会议将不采取姑息的权宜之计，而是彻底地细察宪法的不足之处，提供根本的改善方案。"他的品质所产生的影响对会议达成协议及后来使这一文件获得批准所起的作用较之任何其他个人都要大。虽然并不知道他对宪法的确切批评是什么，他并不认为它是完美无缺的。他对它的支持使它在弗吉尼亚获得通过，他把副本寄给P.亨利和弗吉尼亚的其他领导人，暗示如果不通过，则将出现无政府状态，宣称“要么是它，要么是分裂，我们必须作出抉择”，这句话在马萨诸塞广为传诵。他收到并亲自散发《联邦党人》文集。当宪法一旦获得通过后，他即写信给各州领导人，极力主张将坚定地支持宪法的人选进国会。有一段时间他真诚地相信，这一新的体制完成后，他将被允许再次隐退。但由他出任第一任总统却是众望所归。他获得了因在宪法批准问题上的斗争而产生的两党的尊敬，同时只有他才能使共和国在全欧洲获得威望。没有哪个州考虑其他人选。在1789年最初的日子里选出的选举人一致投票选举他，而他由于希望过平静安宁的生活、对自己能力的怀疑，以及担心他主张成立新政府的动机被曲解，迟迟不愿接受。

4月16日，在接到国会的正式通知后，他从弗农山庄出发，及时到达纽约，于4月30日宣誓就职。典礼是在华尔街举行的，离今沃德的华盛顿雕像不远处。他站在联邦大厦的阳台上，在大法官R.利文斯顿的主持下宣誓就职，广大群众爆发出一片欢呼声，他回到室内，向国会发表就职演说。

华盛顿政府 此后8年，华盛顿政府的行政工作以小心谨慎、井井有条和冷静的判断为其标志，这也始终是他自己的特点。他注意不介入党派分歧，他最初去北方各州旅行，后又去南方各州旅行，以此强调他的职务是全国的总统。他对这个新的国家所面临的各种问题作深入细致的调查研究，为他在向国会作的第一个咨文中提出一系列明智的建议打下基础。他选择第一届内阁的4个成员(即选择T.杰斐逊为国务卿，A.汉密尔顿为财政部长，H.诺克斯为陆军部长，E.伦道夫为司法部长)时，对两党一视同仁，但他特别倚重汉密尔顿，支持汉密尔顿关于承担各州债务的方案，同意他关于建立合众国银行的法案符合宪法的观点，以及在总的方面加强联邦政府权力的观点。

杰斐逊和汉密尔顿之间的冲突不可避免地发生了，华盛顿非常痛心，极力使他们保持和谐，坦率地给两人写信，拒绝接受他们的辞呈。

但当法国和英国于1793年宣战时，他再次持汉密尔顿的观点，认为美国应完全不顾与法国签订的联盟条约，执行严守中立的方针，同时他决定性地制止法国公使E.-C.热内的不正当活动。他有一个坚定的信念，即美国必须保持国家本身的特性、力量和尊严。他写道，他的目标是使国家“脱离与任何其他国家的政治联系，看到这些联系独立于任何国家之外，不受任何国家的影响。总之，我要的是美国的个性，要使欧洲列强确信，我们是为自己而行动，不是为别人而行动”。结果是，杰斐逊于1793年底辞职，两人友好地分手，华盛顿对杰斐逊的“正直和才能”表示赞扬。1794年汉密尔顿亲自率领联邦军队镇压“威士忌酒暴动”，同时派遣J.杰伊与英国签订通商条约，这些使华盛顿进一步倾向于站在联邦主义者一边。虽然美国人民的普遍呼声迫使他于1792年勉强同意接受第2个任期，而这一年的当选又是一致通过的，但在他任职的最后4年中，他忍受着来自个人和党派的强烈的怨恨。杰伊条约条款的发表，激起了剧烈的辩论，使怨恨达于顶点。华盛顿是在1795年8月签署这一条约的，众议院要求总统发表与条约有关的指示和通信，已在外交事务上同参议院发生冲突的华盛顿加以拒绝，面对辛辣尖刻的辩论，他坚定地维护了他的立场。

第一个任期之初，由于所受的教育和天性爱好的原因，华盛顿对生活的礼节十分小心在意，制订了一套事实上有如共和国宫庭的规则。他在纽约和费城租用了所能找到的最好的房屋，拒绝接受G.克林顿的款待。他认为，国家元首不应成为任何个人的客人。他不进行回访，也不同任何人握手，以合乎礼仪的鞠躬表示注意到人们的敬意。他乘着由4匹或6匹骏马拉的马车，带着穿着华贵制服的跟班和侍从。他穿着配有金扣的黑色天鹅绒衣服，带着黄色手套，涂着发粉，戴上一边插上一根鸵鸟羽毛的三角帽，佩有插在白色皮鞘里的剑，出席招待会。由于访问者泛滥成灾，他宣布，除每周举行一次向公众开放的接见会外，想要见他的人必须事先约定。每星期五下午，总统夫人举行非正式的招待会，总统在会上露面。虽然大陆会议各主席把他们的宴请部分地办成公众性的，但宴请大量宾客、分批地轮流邀请国会议员的华盛顿，却坚持他的款待是私人性的。他飨之以美酒，菜肴也十分精致，但参议员麦克莱等座上客却埋怨气氛过于“严肃”。诚然，他的简单的就职典礼触怒了许多反联邦主义的激进分子，他们不同意他的认为是合适的意见，指责总统像国王一样行事。而他的冷静而含蓄的态度却出于他禀性谦虚，而不是出于过分的自尊。

退休 华盛顿迫切希望过悠闲的生活，感到年迈体衰，同时因反对派的辱骂而退避，对要求他出任第3个任期的普遍压力不再屈服。他在1796年9月19日的《告别辞》中，将这一拒绝和对国家的具有远见卓识的建议掺合在一起，这篇告别辞大部分由汉密尔顿起草，经华盛顿修改，表达了他的思想。1797年3月他退居弗农山庄，在他生命的最后两年半时间里，专心于家庭生活，管理农庄和照顾他的奴隶。1798年他的隐居生活受到短时间的干扰，与法国作战的前景促成任命他担任一支临时军队的总司令，他对在高级军官委任状的问题上发生的政治争吵感到颇为烦恼；不过战争的阴云消失了。1799年12月12日，他骑在马上，遭遇数小时的严寒和风雪的袭击，回家时精疲力尽，第2天晚些时候突患扁桃体周围脓肿或急性喉炎。他4次大量放血，用“糖蜜、醋和黄油”制成的含漱剂漱喉，并在他的喉部敷上斑蝥发疱药(一种用干甲虫调制成的药)，但同时他的体力迅速衰竭。他以其特有的安详面对死亡，说：“我死起来真难，但我不怕死。”后来又说：“我觉得我就要去了。我感谢你们的照应；但我请求你们不要再替我操心了。让我安安静静地去吧。我活不了多久了。”在向他的秘书T.利尔嘱咐他的葬礼该如何办之后，他于12月14日晚10点与世长辞。他去世的消息使全国处于哀悼之中，全国的感情证实了H.李说的一句名言，这句话写在由J.马歇尔向众议院提交的决议中，这句话说，他是“战争中的第一人，和平中的第一人，他的同胞心中的第一人”。消息传到欧洲后，英国海峡舰队和拿破仑的军队向他致哀，那个时代的许多领袖一致认为他在历史上的英雄们中间身居显赫地位。

Washington, Kenny 华盛顿(1918-08-31，美国加利福尼亚洛杉矶～1971-06-24，洛杉矶)

Kenneth S. Washington的别名。美国西海岸大学棋盘式橄榄球第一批非洲裔美国明星球员之一，1946年重新加入全国橄榄球联盟的两名黑人选手之一。1937～1939年是洛杉矶加州大学队单边进攻阵式的攻方尾后卫。在加州大学队，与他同队的还有J.罗宾逊、W.斯特罗德和另外一名黑人替补选手，4名黑人运动员同时在一个球队这在当时还是绝无仅有的。1939年华盛顿的进攻技术表现出色，成为洛杉矶加州大学队第一个入选全美明星队的队员。由于种族问题，华盛顿所获得的奖励与其成就并不相符，而当他在重要的全美选拔赛中只得到第二名时，他也没有入选东西圣坛季后赛名单。每次冷落都在全美国的黑人媒体和美国西海岸主流媒体中引发愤怒，华盛顿在这两种媒体中备受推崇。但他却被全国橄榄球联盟所忽视，该组织自1933年以来一直没有非洲裔美国运动员。不过他却是美国西海岸两个不重要的职业联盟中的大明星，1940、1941和1945年效力于太平洋海岸职业橄榄球联盟的好莱坞黑熊队，1944年效力于美国橄榄球联盟的旧金山快船队。1946年，由于球队受到会失去对洛杉矶体育场租借权的威胁，洛杉矶公羊队与华盛顿签约(还有后来成为他室友的W.斯特罗德)，从而结束了全国橄榄球联盟长达12年的禁止黑人运动员参赛的规定。此时，华盛顿的膝盖已经多处有伤，在公羊队打了三个赛季，成绩平平，后于1948年退役。1956年入选全国橄榄球基金会名人堂，他的13号球衣是加州大学洛杉矶分校退役的第一件球衣。

Washington, Mount 华盛顿山 位于美国新罕布什尔州总统山脉，为怀特山脉最高峰(1 917米)。东南距康韦37千米。以气候条件恶劣而闻名，1934年在此有世界最大风速之一(372千米/小时)的记录。有小径、公路

从萨科河远眺华盛顿山

供图：Dick Smith

和齿轨铁路通往山顶。山顶建有华盛顿山天文台。该地区处于怀特山国家森林内。华盛顿山为安德罗斯科金、康涅狄格和萨科等河的分水岭。

Washington Cathedral　华盛顿大教堂　参阅 **Washington National Cathedral** 华盛顿国立大教堂。

Washington Conference　华盛顿会议 (1921～1922)　又称华盛顿海军会议，或限制海军军备国际会议。由美国在华盛顿(哥伦比亚特区)召开的这次会议，其目的是限制海军军备竞赛和制定保障太平洋地区安全的协定。会议起草和签署了若干主要和次要的条约。美、英、日、法 4 国于 1921 年 12 月 13 日签署的《四国公约》规定，只要其中两国“在太平洋地区的任何问题上”发生争执，全体签字国将进行协商。附件声明他们将互相尊重对方在各自所属太平洋岛屿和委任统治地上的权利。这项条约确立了最有可能在太平洋地区发生利益冲突的英、美、日三强间的协商框架。可是它的措辞过于含糊以致缺乏有效的约束力。但它的主要作用是废除了 1911 年的英日同盟。另一个附件确定了日本的“岛屿领地和疆土”。美、英、日、法、意于 1922 年 2 月 6 日签署的《五国关于限制海军军备条约》，旨在限定各签字国万吨以上主力舰和航空母舰的总吨数。其比例是，英、美各为 5，日本为 3，法、意各为 1.67。这项条约中止了第一次世界大战后建造军舰的军备竞赛，甚至扭转了整个趋势。按条约规定，美国需裁减 26 艘，英国 24 艘，日本 16 艘。这些应裁减的军舰有的已经建成，有的正在建造中。条约的另一条规定，美、英、日在太平洋防御区和海军基地问题上维持现状。这项条约直到 30 年代中期以前，始终维持着效力。30 年代中期，日本要求无论在吨位还是数量上要与美、英相等。当要求被其他签字国拒绝后，日本表达了终止条约的意向，该约终于在 1936 年底作废。上述 5 国还签署了另一项条约，对潜水艇的使用作了规定，并宣布使用毒气为非法。上述 5 国，加上荷兰、葡萄牙、比利时和中国签署了《九国公约》，确认中国的主权、独立及领土完整，一切国家与中国通商贸易均等。该项条约还规定，9 国成立一个国际委员会，研究中国的关税政策。

Washington Crossing State Park　华盛顿渡河村州立公园　美国特拉华河两岸的两座公园。分属宾夕法尼亚和新泽西州。东南距特伦顿 13 千米。是 1776 年 12 月 25 日风雪之夜华盛顿率军渡河偷袭英军的地方。宾夕法尼亚公园面积 193 公顷，新泽西公园面积 149 公顷。有纪念厅(美国大卫革命图书馆所在地)、大陆军瞭望站原址修建的鲍曼山观测塔、大陆军公墓所在地标志的纪念旗杆、渡河点、特伦顿之战纪念碑(高 47 米)和麦肯基渡口纪念馆(据说为华盛顿和一些士兵渡河后的隐蔽地)等历史名胜。

Washington, D.C.　华盛顿(哥伦比亚特区)　参阅 **Washington** 华盛顿。

Washington, D.C. International　华盛顿首都国际赛　在美国举行的吸引全世界名马参加的平道马赛。始于 1952 年，每年 11 月在首都华盛顿附近马里兰州劳雷尔草地赛马场举行。赛程 1.5 英里(约 2 400 米)。限 3 龄以上马匹参加。

Washington Island (Kiribati)　**华盛顿岛**　参阅 **Teraina Atoll** 特拉伊纳岛。

Washington Monument　华盛顿纪念碑　在美国首都华盛顿，为纪念美国首任总统华盛顿而建。呈方尖碑状，用花岗岩建造，外表为马里兰大理石贴面，由R.密尔斯设计，1885

华盛顿纪念碑
供图：Herbert Lanks—《黑星》杂志社/美国不列颠百科全书公司

年正式落成。底部 16.8 米见方，高 169.3 米，重约 9.1 万吨。坐落于大草坪向西的延长线上(大草坪之东为国会山)，林肯纪念堂前倒影池的东面，北面与白宫遥遥相望。内壁嵌有 190 块经过雕刻的石头，分别来自个人、本国 50 个州和其他国家。内部有铁楼梯(898 级踏步)通往塔顶，另有电梯可于 70 秒钟到达塔顶。

Washington National Cathedral　华盛顿国立大教堂　美国圣公会教堂，又名华盛顿大教堂，正式名称为圣彼得圣保罗主教座堂。位于华盛顿(哥伦比亚特区)内圣阿尔班山(全市的最高点)，建堂方案于 1893 年由美国国会通过，建堂工程开始于 1907 年。T.罗斯福总统为它奠基。经济困难时期工程放慢，1977～1980 年期间完全停顿，但终于 1990 年竣工。教堂的设计是 14 世纪英格兰哥特式，按传统方式建造，不用钢结构，参加工程的人员有艺术家、雕塑家和砖石工匠。石砌地面上的辐射供热设备是仅有的几种对现代化让步的设施之一。教堂的平面呈十字架形，长 160 米，可容纳约4 000人，在美国，这座教堂在规模上为全国第二，仅次于纽约市的神圣的圣约翰大教堂，该教堂尚未竣工。

Washington Post, The　《华盛顿邮报》　华盛顿特区出版的晨报，是美国首都的主要报纸，也是美国最大的报纸之一，相当于或仅次于《纽约时报》。1877 年创刊时是民主党的机关报，只有 4 页。在半个多世纪中不断面临经济问题，1889 年易主，篇幅扩大，声誉提高，但仍以极端保守而闻名。1905 年由 J.R.麦克莱恩收买，改为登载耸人听闻的消息和社会新闻。1916 年麦克莱恩之子接手，20 世纪 20 年代部分由于 N.麦克莱恩过分在报纸上反映他的密友哈定总统的政策而信誉降低，终致破产。1933 年为金融家尤金·迈耶收买。迈耶强调明智稳妥而独立的编辑方针和全面准确的报道，因而逐渐确立了报纸的声誉。该报以夹叙夹议的报道而闻名，并因赫伯特·L.布洛克(人称“赫布洛克”)的漫画而为社论栏增添光彩。1946 年迈耶将该报交给他的女婿 P.L.格雷厄姆经营。1954 年该报收买了《华盛顿先驱时报》，1961 年收买了《新闻周刊》。1963 年格雷厄姆自杀后，其妻 K.迈耶-格雷厄姆接手，她继续扩展格雷厄姆所取得的成绩，使《邮报》获得国内外声誉。她把主编 B.布雷德利从《新闻周刊》调到《邮报》。她还坚决支持编辑部揭露水门丑闻。

Washita River　沃希托河　Washita 又拼 Ouachita。美国河流。源出得克萨斯州西北部，东流进入俄克拉何马州中南部后，折向南流注入雷德河上的德克索马人工湖。全长 1 007千米，流域面积 20 767 平方千米。河上建有水坝。除春季和初夏雨季外，河床干涸。在戴维斯东南方向，沃希托河切入阿巴克尔山，形成深 107 米长 24 千米的峡谷。

Washo　瓦肖人　北美大盆地地区印第安民族，居住在内华达山脉以东的塔霍湖周围。与白种人接触前，他们最多大概有 1 500 人，而今天在原瓦肖人地区已不足 600 之数。瓦肖人在语言上同其他大盆地民族没有关系，瓦肖语属于霍卡语系。瓦肖人捕鱼、猎捕小型哺乳动物，采集松果、橡实及各种块根、浆果。他们以鹿皮或羚羊皮制成衣服，或搭成锥形帐篷。他们尤以精湛的编筐技术见称。基本的社会经济单位是家庭和同一所冬季住房内的亲属。春、夏、秋三季，各个家庭的居处要看采集食品的难易而有所不同；每当夏季，身强力壮的成员就移向东部谷地寻找块根、浆果及小猎物。货物及劳务的分配以各种方式进行：各个家庭分担；为获得名誉及良好关系而互相在节日赠礼或交换礼物；在生活的重要阶段，举行仪式赠送礼物。直到最近，萨满教还是瓦肖人生活中的重要组成部分。

Wāṣil ibn ʿAṭā'　瓦绥勒·伊本·阿塔（约700，阿拉比亚～748，阿拉比亚）　又称艾布·胡达海发。阿拉伯伊斯兰教教义学家，史称穆尔太齐赖派创建人。青年时前往伊拉克境内巴士拉，受业于有名的禁欲主义者哈桑·巴士里。当时穆斯林中间发生教义争论，这种争论与政治事件紧密相关，中心问题是：在第四代哈里发阿里死后夺取政权的伍麦叶王朝究竟是否合法。瓦绥勒所提出的一整套教义，使穆尔太齐赖派获得信仰核心。他和穆尔太齐赖派都参加阿拔斯人所领导的革命，终于推翻伍麦叶王朝。

Wasilowska, Marja（Polish writer）　**瓦西洛夫斯卡**　参阅 **Konopnicka, Maria 科诺普尼茨卡**。

Wāsiṭ　瓦西特　伊拉克在中世纪、尤其是在伍麦叶哈里发时期（661～750）的军事和商业重镇。702年伍麦叶王朝的伊拉克总督赫贾吉在底格里斯河畔巴士拉与库费之间建立瓦西特作为军营，并在附近建造一座宫殿和大清真寺，在周围地区促进灌溉和农耕。由于地处底格里斯河畔，又当通往伊拉克各地道路网的中心，瓦西特成为一个大造船业和商业中心。即使在哈里发都城从大马士革迁到巴格达之后，该城仍维持其战略重要地位。到15世纪，底格里斯河改道，瓦西特衰落湮灭，故17世纪初一位土耳其地理学家认为它位于沙漠之中。现代学者们对中世纪这座城市的确切位置意见不一。

wasp　黄蜂　又称胡蜂。膜翅目细腰亚目（Apocrita，前称针尾亚目[Aculeata]）内除蜜蜂类及蚊类之外的能螫刺的昆虫，以及广腰亚目（Symphyta）一些不能螫刺的昆虫：木黄蜂（又称树蜂，木胡蜂）、雪松树黄蜂（雪松木胡蜂，松蜂）及寄生树黄蜂。参阅 **wood wasp**。

正在用泥筑巢的泥匠黄蜂（*Sceliphron*）
供图：J. A. L. Cooke—牛津科学电影公司

黄蜂的口器为嚼吸式，触角具12或13节。通常有翅，胸腹之间以纤细的"腰"相连。雌体具可怕的螫刺。成虫主要以花蜜为食，但幼虫以母体提供的昆虫为食。已知有

纸黄蜂（*Polistes*）
供图：Anthony Bannister from Natural History Photographic Agency—美国不列颠百科全书公司

20 000多种，绝大部分为独栖，社会性的黄蜂仅限于胡蜂超科（Vespoidea）胡蜂科（Vespidae）的约1 000种，还包括大胡蜂及黄衣小胡蜂类。这些种类与蛛蜂科（Pompilidae，同属胡蜂超科）种类和其他黄蜂类的不同之处是休息时其翅纵向折叠。独栖性的黄蜂分布于肿腿蜂超科（Bethyloidea）、土蜂超科（Scolioidea）和泥蜂超科（Sphecoidea）以及蛛蜂科。大多数独栖性的种类建造单独的巢，巢内放入被持久麻痹的昆虫及蜘蛛。雌黄蜂在每个巢室内产一枚卵，幼虫孵出后即以巢内贮备的麻痹昆虫或蜘蛛为食，直至成熟。绝大多数独栖性黄蜂在地面营巢，于土壤中挖一隧道并产卵于其中。但泥蜂超科泥蜂科（Sphecidae）的种类（称为细腰蜂）具有与其他种类不同的习性，有的种营巢于多髓的树木茎中或以泥筑巢。蜘蛛蜂通常在朽木或岩缝中营巢，并将蜘蛛刺昏置入巢内。胡蜂科蜾蠃亚科（Eumeninae）的种类俗称陶工黄蜂或瓦工黄蜂，以泥筑成花瓶状或水罐状的巢，可附在小树枝或其他物体之上。胡蜂科的社会性黄蜂是最著名的黄蜂种类之一。大部分属于胡蜂亚科（Vespinae）及长脚蜂亚科（马蜂亚科，Polistinae）。其群体中有3个级型的个体：一至数只蜂王、少数几只雄蜂及不育的雌蜂——工蜂。蜂王是能育的雌体，于春季筑一小巢，产卵于其中，卵孵化成幼虫发育为工蜂，从而开始建立一个群体。工蜂咀嚼吞下干燥的植物材料（通常为木质），又将其回吐出，并与唾液混合，用以构成纸样的巢，巢越筑越大。其巢由一层至数层垂直排列的巢室组成，入口开向下方。巢见于土壤中的腔穴内、树干中，或挂于树叶、枝条或屋檐下。北半球温带地区最为人熟知的社会性黄蜂是长脚黄蜂属（马蜂属，*Polistes*）、大胡蜂属（*Vespa*）和小胡蜂属（*Vespula*）的种类；许多种体型大，富攻击性，并具可怕的螫刺。一些小胡蜂属的种类称为"黄衣胡蜂"，因为其腹部有黄黑相间的条纹。而大胡蜂属和小胡蜂属的另一些种称为"大黄蜂"，体色多为黑色，面、胸及腹部尖端有浅黄色斑点。

有4个重要的独栖黄蜂类群为寄生性，并不营巢。这些类群是肿腿蜂超科青蜂科（Chrysididae）的杜鹃黄蜂和土蜂超科臀沟土蜂科（Tiphiidae）的臀沟土蜂、土蜂科（Scoliidae）的土蜂及蚁蜂科（Mutillidae）的蚁蜂（绒蚁）。杜鹃黄蜂多呈鲜艳的绿色或蓝色，具金属光泽，将卵产于独栖的黄蜂和其他蜂类的巢中，幼虫从卵中孵出后以这些黄蜂或其他蜂类的幼虫为食或取食后者的亲体所准备的食物。蚁蜂俗名"绒蚁"，身上覆一层颜色对比鲜明的长而密的毛，通常为红黑相间；雌体无翅，外形似蚁。多数种类寄生于独栖性黄蜂或其他蜂类的幼虫或蛹身上。多数土蜂和臀沟土蜂寄生在土壤中生活的蛴螬（甲虫幼虫）身上。

wasp moth　黄蜂蛾　参阅 **clearwing moth 透翅蛾**。

Wassermann, August von　瓦色曼（1866-02-21，巴伐利亚班贝格[德国]～1925-03-16，德国柏林）　又译瓦塞尔曼。德国细菌学家。他发现的诊断梅毒用的普适血清试验使基础免疫学原理应用于临床诊断。这个"瓦氏反应"结合其他诊断方法目前仍用于确诊本病。他在柏林科赫传染病研究所工作时（1890～1913），与德国皮肤学家A.奈瑟于1906年共同研制了一个测定染有梅毒病原体，苍白螺旋体（*Spirochaeta pallida*，现称苍白密螺旋体[*Treponema pallidum*]）的人的体内抗体的试验。1913年瓦色曼任柏林-达勒姆的凯撒-威廉研究所所长直至逝世。他还设计过结核病的诊断试验并同德国细菌学家W.科勒共同撰写《致病微生物手册》（共6卷，1903～1909）。

Wassermann, Jakob　瓦塞尔曼（1873-03-10，巴伐利亚菲尔特[德国]～1934-01-01，奥地利阿尔特奥塞）　德国小说家，论者常以其道德热忱和煽情倾向和陀思妥耶夫斯基相

供图：Bavaria-Verlag

比。他的名声在20和30年代最为显赫。早年生活很不安定。他的第二部长篇小说《齐恩多夫的犹太人》（1897）获得成功。此书描写犹太人对救世主的渴望。他的《卡斯帕尔·豪泽尔》（1908）描写一个古怪男孩的真实故事，这男孩显然不熟悉这个普通世界，他的身份，以及后来的被杀或自杀一直是个谜。作者借此故事鞭笞资产阶级在对待任何不平常事物时的麻木不仁和缺乏想象。《克里斯蒂安·万沙菲》（1919）是他最受称道的长篇小说之一，叙述一个富豪之子在享受了上流生活、

爱情、游历和艺术所提供的一切之后，献身于服务人类的工作。他最能持久流传的作品也许是《毛里齐乌斯案件》(1928)，此书以司法公正为主题，像侦探故事那样有构思缜密的悬念。书中人物埃策尔·安德加斯特怀疑他的父亲(检察官)的判断有误，独自进行调查，终于证明被告的清白无辜。埃策尔成为第一次世界大战后德国青年否定过去的权威、寻找自己的真理的象征。还写有自传《我作为一个德国人和犹太人的生平》(1921)。

Wassukkani　瓦苏卡尼　米坦尼帝国(公元前约1500～前约1340)都城。可能位于美索不达米亚北部的哈布尔河源头附近。约公元前1355年，苏皮卢利乌马斯一世率领赫梯人劫掠此城，建立新的米坦尼属国。公元前1336年他死以后被亚述王国吞并。

Wast, Hugo　瓦斯特(1883-10-23，阿根廷科尔多瓦～1962-03-28，布宜诺斯艾利斯)　阿根廷小说家。可能是阿根廷最受欢迎的作家。曾任议员(1916～1920)、布宜诺斯艾利

美洲国家组织供图

斯国立图书馆馆长(1931～1954)、司法和公共教育部部长(1943～1944)。他编辑过报纸，在大学教过课。他的最有特色和最流行的小说，如使他一举成名的《桃花》(1911)和《石头的荒地》(1925)，均描写乡村人民对自然及灾害的斗争，以及他们个人忍受困苦的能力。《乌鸦的屋子》(1916)这类小说，是以历史为背景的冒险故事。有时，他也写现代城市的环境，如《混乱的城市，快乐的城市》(1919)。他的小说有多种文字译本，有些被改编为电影脚本。

waste disposal　废物处理　人类社会废物的收集、加工和重复利用或存放。"废物"一词包括固体废物(垃圾或废料)和污水(废水)。参阅 **materials salvage; refuse disposal system; sewage system**。

Wat Tyler's Rebellion(England, 1381)　**瓦特·泰勒起义**　参阅 **Peasants' Revolt** *农民起义*。

Watanabe Kazan　渡边华山(1793-10-20，日本江户[今东京]～1841-11-23，田原)　原名渡边定静。日本学者和画家。是小侯家臣之子，靠绘画谋生。曾从"南画"名家谷文晁为师。1832年，由于反对统治者德川幕府的排外政策，受长期软禁，以后自杀。他是具有独

渡边华山1821年画的肖像画
供图：A. Watanake, Tokyo

创性的画家，坚持写生，从而获得扎实技巧。他将西方的透视法协调地用于传统的东方技巧中。擅长肖像画，对模特儿性格具有深刻的洞察力，长期坚持写实主义。

Watanabe Osamu　渡边长武(1940-10-21，日本旭川～　)　日本自由式轻量级摔跤运动员。1962和1963年蝉联世界冠军；1964年获奥运会金牌。共参加300多场比赛，从未输过一个回合。1964年在东京奥运会取胜后退出体育界。他为日本赢得186次胜利，其中多数是靠迫使对方两肩着地取胜，对手从未赢得一分。

Watarai Shintō　度会神道　参阅 **Ise Shintō** *伊势神道*。

watch　表　装有某种驱动装置的便携式时计，可带在手腕上或装在口袋内。几乎可以肯定，在1500年后不久，德国纽伦堡一名锁匠P.亨莱因发明了用发条代替钟锤来驱动时钟，从而出现了第一批表。早期的表内所用的**擒纵机**(**escapement**)和老式时钟所用的相同，是立轴直擒纵机构。早期的表是在德国和法国布卢瓦市制造的。这些早期表的直径约为100～125毫米，厚75毫米，可以随身携带。

发条是一条扁弹簧钢带，通过弯曲或盘绕，使之处于受力状态。当表或其他发条驱动机构的发条上紧时，发条的弯度增大，从而储入能量。在表中，这种能量通过轮系和擒纵机传递给表的振动部件(称为摆轮)，摆轮的运动又控制擒纵机松开，从而控制发条发出冲击力的时间。指针摩擦传动的动力来自以适当速率转动的传动轮，该轮通常每小时转一圈。用摩擦传动便于安装指针。最初的发条驱动时计中，发条钩在一个心轴(小轴)的中心或"眼"中，发条的外端则与发条架连接。用一棘轮和棘爪使得上发条时心轴旋转而不干扰轮系的首轮或"大轮"。

早期表的主要缺点之一是发条产生的扭矩是变化的，也就是说，发条上满时产生的力要比发条快完全放松时大。1515～1540年间，捷克的布拉格人雅可布发明了一种均力圆锥轮，这个问题的解决才有了进展。均力圆锥轮是一个锥形的槽轮与一个内装发条的条盒结合使用。有了这种装置，发条就能旋转条盒；用一段羊肠线(后用链条代替)绕在条盒外面，线的另一端则盘绕在圆锥轮上，当发条上满时，羊肠线或链条在均力圆锥轮直径最小的地方拉动圆锥轮；而当发条慢慢走松时，羊肠线或链条遂在直径不断增大处拉动圆锥轮，扭转力矩逐渐增大。只要发条直径与均力圆锥轮直径的比例恰当，则虽然发条逐渐走松，而扭矩保持几乎不变。后来发明了旋转条盒，这是一种在上发条时保持表继续走的装置，现代表都用这种装置取代均力圆锥轮。经过仔细地确定条盒的心轴和条盒的直径与发条厚度之比，扭矩的变化量已减少到最低限度。

在1580年左右开始采用黄铜以前，表的各种机械装置全部用铁制成。约在1625年以后，表内某些部件用黄铜，比较精密的零件则用钢。

在最早的钟表里，用重锤式十字杠杆(原始平衡摆)或有厚轮缘的轮(称为摆轮)来控制机构的运行速度。由于它没有全系统的约束，不可能用数学方法来确定其振动周期。因此，其振动周期，也就是钟表的计时速率就取决于驱动力。这就说明了均力圆锥轮的重要性。用弹簧来控制摆轮的振动是钟表发展史上的重要一步。17世纪50年代后期R.胡克设计了一块有平衡弹簧的表，但是似乎还没有证据说明这种弹簧是螺旋形的，而后者是一种关键性的零件，后来得到广泛使用。C.惠更斯可能是设计(1674～1675)有螺旋形平衡弹簧即游丝的表的第一人。游丝是钢或其他合适的弹性材料制成的细丝，常常盘绕成螺旋形。游丝的内端固定在游丝内桩(小卡圈)上，游丝内桩以紧摩擦安在摆轮小轴上；游丝外端安在固定不动的外桩上。游丝作用于摆轮就像重锤作用于摆。如果摆轮向一边摆动，游丝就绕紧，能量就贮存在游丝内；如果游丝松开，则此能量使摆轮向另一侧摆动几乎相等的距离。

如果没有摩擦损失(即空气摩擦、发条材料的内摩擦和小轴的摩擦)，摆轮应向另一侧摆动完全相同的距离，并能继续无限期地左右摆动；但是，由于上述种种损失，实际上这种摆动会渐渐衰减。只是因为贮存在发条内的能量，通过轮系和擒纵机构传给摆轮，才使摆动能维持下去。

现代表的性能取决于摆轮振动周期的均匀程度，即摆轮运动的规律性。摆轮的形状是一个有厚轮缘的轮子，由与其结合的游丝提供恢复力矩(见附图)。摆轮拥有转动惯量，其大小取决于摆轮的质量和形状。游丝应能理想地提供与从平衡点或零位开始的位移成正比的恢复力矩。摆轮装在小轴上或者装在带枢轴的心轴上，如在优质表内，则都是在宝石上转动的。在摆轮小轴的两端各用一块宝石：一块是带孔的，作为轴承；另一块是平端宝石，顶住枢轴的圆头以确定轴的位置。枢轴的摩擦效应影响表在不同位置(如平放或直立)的性能。

摆轮和游丝可用来调整时间，只须改变游丝提供的恢复力矩或摆轮的转动惯量即可。在第一种情况(这是最普通的)下，用一对外桩环套在可移动的快慢针上，可按需要

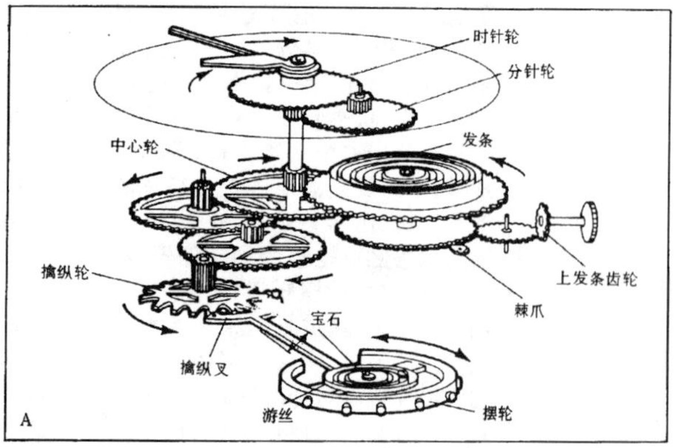

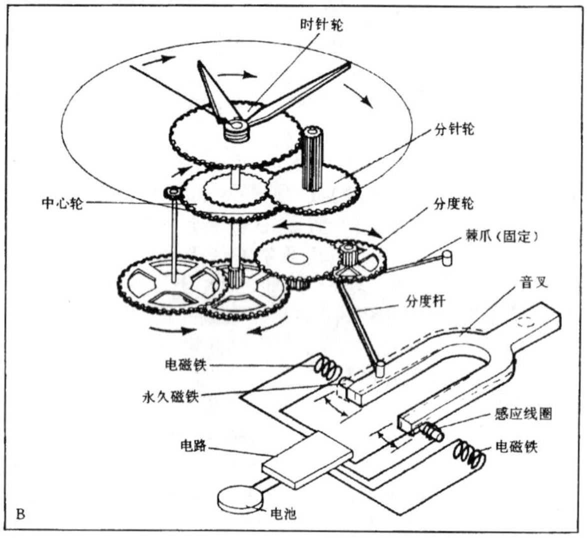

表的元件
A：机械表
B：电动表

伸长或缩短游丝的长度。

在第二种情况下，在摆轮轮缘上两对相对的两点之一上安上螺钉。螺钉在螺孔内是紧摩擦配合的，可以塞进去或取出来，用以调节摆轮的转动惯量。在"自由游丝式"的表中，没有快慢针，唯一调整快慢的东西是摆轮轮缘上的螺钉。

许多现代的机械表采用叉瓦式擒纵机（见附图），是1765年T.马奇发明的。这种装置使摆轮能自由旋转，只有在接收发条通过轮系传来的冲击力并松开锁销时，擒纵机才和摆轮结合。这种擒纵机在19世纪初就演进为现代式样的叉瓦式擒纵轮，但是直到20世纪初才被普遍采用。

在优质表中，叉瓦式擒纵轮是淬火钢制成的，其工作面均经研磨和抛光；采取的形状是为减少擒纵轮和擒纵叉之间运动的损失。叉瓦式擒纵机还有双圆盘安全作用的特点。护销与圆盘的交接处（位在圆盘的下方）比早先的单圆盘要低得多。因此，由摆动而产生的任何摩擦，对摆轮的影响较小，因而对表的计时准确性的危害也较小。现在表的最重要的擒纵机——叉瓦式擒纵机——都是宝石式的，用于中档表和高档表中。钢叉销和简化的叉辊式作用则用于廉价表中，称为销钉式表。

在现代表的轮系中，必须使条盒和擒纵轮之间的传动比接近1:4 000。轮系中包括四对齿轮，每对的传动比通常为6:1到10:1。由于考虑到空间的限制，故上发条齿轮的齿数必须少，通常是6至12个。这就带来不少特殊的齿轮传动问题，又由于齿距精度而更难解决。因此在中心距、形状或同心度方面的任何误差的影响，要比在较大的轮系中大得多。

在表中使用宝石的第一个专利是1704年取得的；用的是金刚石和蓝宝石。现在普遍使用的是刚玉（氧化铝）粉熔化后制成的人造宝石。钟表宝石都做得高度光洁；对于宝石轴承来说，外径均匀是非常重要的。因为它们要压入尺寸十分精确的孔中，而孔又比宝石本身还小，以便靠摩擦力来固定住。典型的摆轮宝石的孔径约0.1毫米。

第一个自动怀表的专利是1780年在伦敦取得的。1924年有一项英国发明取得了专利，这是一种自动手表，表内有一个摆动重物，在机心的中央枢轴上转动，通过减速轮和齿轮与条盒小轴相结合。更为现代化的自动表上装有能摆动360度的重物或转子，并在正反两个方向都能上发条。

电动表采用下述三种驱动系统：①电流计驱动，这种表有一个普通的游丝振动器，靠线圈和永久磁铁的磁相互作用而运动；②感应驱动，利用一块电磁铁来吸引含有软磁性材料的摆轮；③共振驱动（见附图），用一个电驱动的微型音叉（长约25毫米）提供原动力。①和②两种，都用机械传动，靠摆轮运动来带动，以产生适当的定时电驱动脉冲。摆轮摆动一次，齿轮前进一齿，从而带动指针轮系。第③种是1953年首次出现的，正确地说，应称之为电子表，因为这种表的振动频率比历来用摆轮的表要高，并且音叉是非常稳定的频率源，所以这种表本质上就更准确。这种较高的频率要求用晶体管代替机械连接。音叉的迅速和精密的运动将一个精密的细齿棘轮向前推进。在电子表中摩擦力是很小的，故只需要很少一点儿润滑油。如果电池过弱，不足以使音叉工作，表只会停走，不会受损。这三种电动表都采用高能量密度的微型电池作为能源。

20世纪后期电子元件不断地微型化，使有可能研制出全电子表，这种表内所需的晶体管、电阻、电容及其他元件全都装在一块或几块微型的集成电路块或芯片上。这种表的复杂电路使其具有多种计时功能，并可得出时间的数字读数来代替传统的时针、分针和秒针。

watch fob　表饰　系在表上并拖在表袋外的小缎带或链条。表饰还指挂在这种缎带或链条一端上的一些饰物。第一次世界大战之前，手表尚未发展，男用表大都为袋式怀表。1772年前后开始时兴在背心的每一表袋内装一支怀表（虽然有一支表是假的），表链上挂的是各式印章。19世纪初，精致珍宝饰物已不时兴，表饰通常只剩下一条表链。

water　水　化学元素氢和氧组成的一种物质，并以气态、液态和固态的形式存在（参阅 **ice; steam; water resource; precipitation**）。水是最丰富和必不可少的化合物之一，对生命是必需的，实际上参与了在动植物中发生的每个过程。虽然水分子（H_2O）结构上是简单的，但其物理和化学性质都格外复杂。室温下水是一种无色、无嗅和无味的液体。它的最重要性质之一是能溶解许多其他的物质。水作为溶剂的多用性对活生物体是必需的，生命来源于海洋世界的复杂溶液。活生物体利用水溶液（如血液和消化液）作为实行生物过程的介质。水分子由2个氢原子各靠单键与1个氧原子连接所组成。大多数氢原子具有单一质子组成的核。氢的两种同位素氘和氚，其原子核中还分别含有1个和2个中子。它们在水中的量很少。氧化氘（D_2O）称为重水，在化学研究中较重要，在一些核反应堆中还用作中子减速剂。虽然水的分子式 H_2O 看起来简单，但水表现出非常复杂的、未能完全了解的化学和物理性质。如水的熔点为0 °C、沸点为100 °C，远远高于对与水类似的化合物（硫化氢和氨等）作比较而预料到的。另一异常的性质是水的固态形式冰的密度比液态时小，这种反常现象的根源在于水分子的电子结构。一个氧原子在其外层（价电子层，总共可放8个电子）有6个电子。一个氧原子形成单键时，与另一原子的核共有自己的1个电子，并从另一原子接受1个共有的电子。当氧原子与2个氢原子键合时，其外电子层就被充满。水分子不是线性分子，而以特殊的形式弯曲，结果是分子的一部分带负电、另一部分带正电，因而它是极性强的分子。在水分子中氢原子被电子密度高的区域所吸引，并与那个区域能形成弱的键，称为氢键。这意味着一个水分子中的氢原子都被邻近水分子中氧原子的非键合电子对所吸引，结果水分子强烈地缔合。在冰的晶体中，缔合高度有序，且是疏松的结构。当冰融化时，这种有序的排列部分地被打破，而且水分子更加紧密地堆在一起。这使得液体的密度比固体大，这就是生成的冰浮在液态水上面的原因所在。然而即使在室温下，仍有足够强的缔合力阻止水分子完全分离。这种在液态的继续缔合是造成水沸点高的原因。人们认为液态水的结构是由不断地形成和再形成的水分子聚集体所组成。这种所谓的短程有序是造成水黏度高和表面张力高等其他异常特性的原因。水分子的极性在形成水溶液方面起了主要作用。如果将氯化钠等离子化合物放在水中，极性的水分子会降低带正电荷的钠离子和带负电荷的氯离子之间的静电引力，这有助于将离子拉开。然后成为水合离子，即离子被水分子所包围。结果其电荷有效地分散在较大的结构上，并制止钠离子和氯离子再化合。水在有限程度上离解为氢离子(H^+，使溶液呈酸性)和氢氧离子(OH^-，使溶液呈碱性)，因此水能有时作为酸，有时作为碱。

water, ground 参阅 **groundwater** 地下水。

water ballet 水上芭蕾 参阅 **synchronized swimming** 花样游泳。

water bear (invertebrate) **水熊虫** 参阅 **tardigrade** 缓步虫。

Water Bearer (constellation) 参阅 **Aquarius** 宝瓶座。

water beetle 水生甲虫 鞘翅目几百种水生昆虫的统称，包括沼梭科(Haliplidae，沼梭)，两栖甲科(Amphizoidae，两栖甲)，小甲科(Hygrobiidae)，豉甲科(Grinidae，豉甲)，小粒龙虱科(Noteridae，小粒龙虱、拟龙虱、突胸龙虱)，牙甲科(水龟虫科，Hydrophilidae，牙甲、水龟虫)，泥甲科(Dryopidae，泥甲、长趾水甲)，和龙虱科(Dytiscidae，龙虱)的许多种类。参阅 **predaceous diving beetle; water scavenger beetle; whirligig beetle**。

water bloom 水华 又作 marine bloom。又称海华。由于表层水丰富的营养盐类，加上适于光合作用的充足光照造成的水生微生物致密群团。这些微生物或它们分泌的毒性物质会使水体变色，耗尽水中的氧，毒害水生动物和水禽，刺激人类的皮肤及呼吸道。硅藻、甲藻等藻类在数小时便增殖一代，其中的任一种均可能在水华群体中占优势。此时，每升水体中微生物个体数由正常的 1 000 增至 6×10^7。海洋中，从中纬度至高纬度，尤其在亚极区，水华于每年早春发生。在这些地区，于冬季由于日照短、光强低，加上浮游动物的取食，浮游植物生长不旺盛。但此期间营养物质上涌使表层水内营养成分恢复，到了春季日照增加，促进光合作用，浮游植物便有了迅速生长的基础。在北半球，水华在 4 月份达到高峰。仲夏，表层水的营养物质被耗尽，浮游植物数量很少。第二次水华可能发生于 9 月，因为秋季的风暴破坏了水体层次，带来新的营养物质。然而由于光照减弱，光合作用有所降低。水华并不限于高纬度和中纬度海区，也不一定呈季节性。如美国境内的墨西哥湾沿岸出现的短裸甲藻(*Gymnodinium brevis*)水华，便是由于不寻常的大雨增加了工农业废水的径流而发生。若水华使水体呈现鲜红色，则这种现象称为赤潮(**red tide**)。红海即因红海束毛藻(*Trichodesmium erythraeum*)不时形成水华而得名。

water boatman 划蝽 异翅目划蝽科昆虫。300 余种。体扁平，船形；后足长，桨状，有缘毛。体长不足 13 毫米；全球分布，分布范围高自喜马拉雅山脉，低至死谷，淡水、咸淡水

划蝽
供图：E. S. Ross

中均可见。体轻于水，一般附着在池或河底植物上，靠身体周围和翅下储存的空气呼吸。气泡中的氧消耗后可从水中扩散而补充；二氧化碳先排入气泡中，再溶于水。游泳的动作急促，抽搐状。与多数异翅目昆虫不同之处为喙软，取食时用有缘毛的匙状前足铲取藻类或其他小生物。卵通常产于水生植物上，但尖划蝽(*Ramphocorixa acuminata*)的卵产在蝲蛄上。雄虫前足上有发音器，摩擦时发出唧唧声。有的地区的人把划蝽作为食品或鸟食。卵作为鱼子酱出售，或干燥后与成虫一起磨粉。

water buffalo (*Bubalus bubalis*) **印度水牛** 又作 indian buffalo。牛科反刍动物。从人类有历史记载以来，即在亚洲驯养。体大，粗壮，肩高 1.5～1.8 米，体长可达 2.4～2.8 米，体重约 1 000 千克。体色暗黑或深灰，覆以短毛。角大，向外上方生长，两角尖之间的距离可达 2 米。印度水牛有两个主要的类型。沼泽水牛是中国南部及东南亚产稻地区的主要挽畜，到不能劳作时常被宰杀以食用其肉，很少取用其奶。另一个类型为河水牛，饲养于印度、巴基斯坦、西南亚及埃及，主要培育以食其肉及作挽畜。印度水牛特别适宜于在潮湿的气候条件下及水田中劳作。

water chestnut 菱 桃金娘目菱科(Trapaceae)菱属(*Trapa*)几种一年生水生植物的通称。原产于欧洲、亚洲和非洲。坚果有角状突起，可食，亦称菱。欧菱(*T. natans*)沉水叶长，根状，革质；浮水叶呈松散莲座状，叶柄长 5～10 厘米；果实直径 2.5～5 厘米，常具 4 个刺状角。二刺菱(*T. bispinosa*)原产于印度，浮水叶长5～8 厘米；叶柄具毛，长10～15 厘米；果实直径约 2 厘米。乌菱(*T. bicornis*)栽培于东亚大部分地区。英语中 Chinese waterchestnut 则指莎草目(**Cyperales**)莎草科

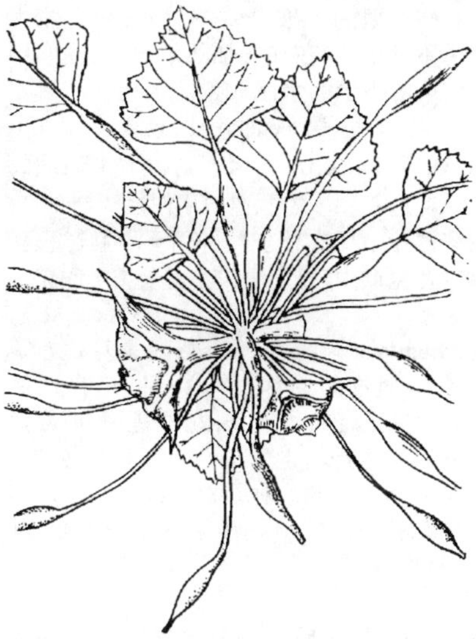

二刺菱(*T. bispinosa*)

的荸荠(*Eleocharis tuberosus*)。

water clock 水钟 参阅 **clepsydra** 漏壶。

water cock (*Gallicrex cinerea*) **董鸡** 鹤形目秧鸡科沼泽鸟类。分布自印度到日本和整个东南亚到菲律宾。雄鸟的体羽蓝黑色；腿红色；喙锥形，红色；有凸出的红色前额盾。雌鸟淡黄褐色，有点状和横斑。因在稻田营巢而令人讨厌。人们捕之以食其肉、卵。

water dragon (plant) **水龙草** 参阅 **lizard's tail** 蜥尾草。

water flea 水蚤 鳃足亚纲枝角目甲壳动物，约 450 种，分布全球。大多数栖于淡水中，少数海产。溞属(*Daphnia*)最常见，遍布欧洲和北美的池塘、河流中。水蚤体微小，长

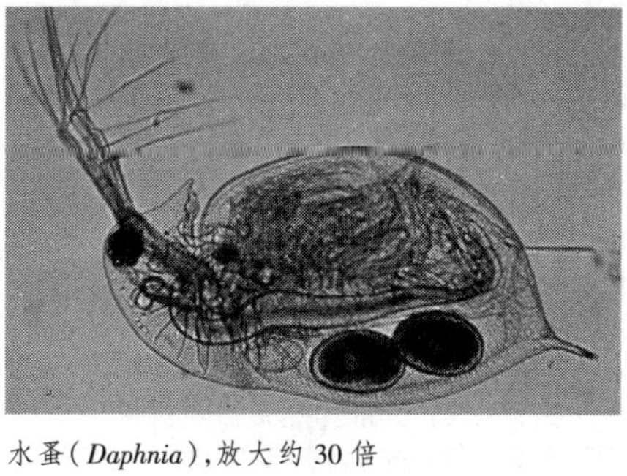

水蚤(*Daphnia*)，放大约 30 倍
供图：Eric V. Grave—Photo Researchers

约 0.5～3 毫米。头部露在背甲外，触角大，背甲分两瓣，包住躯干和腹部的全部或大部。但可长达 18 毫米的薄皮溞属(*Leptodora*)例外，其背甲退化为一个小的孵育囊。多数水蚤靠大触角有力的击水而游泳，触角连续击水，水蚤便以特有的一跳一沉的动作游进。除少数掠食性种类外，多以特化的胸肢从水中滤食微小的有机物颗粒。水蚤是鱼的食料，例如在北美五大湖，水蚤几乎为所有经济鱼类提供了基本食料。

water glass 水玻璃 又称硅酸钠或可溶性硅酸钠。呈结晶块状，从无色至白色或浅灰白色，状似玻璃，但能溶于水中形成糖浆状液

体。有些类型的水玻璃微溶于水；而有些类型几乎不溶于水；在加压加热情况下，在水中最易溶解。少量的水比大量的水更易溶解水玻璃。溶液呈强碱性。化学式 Na_2SiO_3、$Na_6Si_2O_7$ 和 $Na_2Si_3O_7$ 表示不同种类水玻璃的成分。在磨石和砂轮制造中用作黏结剂，在玻璃或瓷器业中用作结合剂并用于印刷过程和各种工业生产中，以前用作家庭蛋类防腐剂。

water hemlock　毒芹　伞形科毒芹属（*Cicuta*）有毒植物的通称。约 10 种，广布北温带。在欧洲，最为人熟知的种是欧洲毒芹（*C. virosa*），这是沼生多年生高大草本，剧毒。在北美最为人熟知的种是斑叶毒芹（*C. maculata*），又称毒牛芹、河狸毒芹，高约 2.5 米，叶分裂，花白色，簇生。

water hen　黑水鸡　又称普通水鸡的一种鸟类。参阅 **gallinule** 水鸡。

water hyacinth　水葫芦　又称水风信子。雨久花科凤眼莲属（*Eichhornia*）植物。约 5 种，水生，原产于热带美洲。一些种浮生于浅水，另一些固着于多泥的河岸湖边。两类均具

普通水葫芦（*E. crassipes*）
供图：W. H. Hodge

细长根状茎；根羽状；叶具柄，丛生；花多少不等，成穗状花序或簇生叶腋。普通水葫芦（粗柄凤眼莲，*E. crassipes*）分布最广，其海绵状叶柄膨大成囊；花紫色，花冠浅裂，具蓝色和黄色斑点；繁殖很快，常堵塞流速缓慢的水道。可种植于室外水池和鱼缸供观赏。

water lily　睡莲　睡莲科淡水植物的通称，有 8 属，原产于温带和热带。除仅见于亚洲的芡实属（*Euryale*）为一年生或短命多年生外皆多年生。多数种具圆形飘浮叶；叶表面具蜡质；柄长，内有气隙，由肥厚、肉质、匍匐于水下泥中的地下茎上生出。有的具沉水叶。花单生，色艳丽，伸出水面或贴着水面，着生于从地下茎生出的长柄上。花杯状，花瓣多数，螺旋排列。有些种的花仅于早晨或黄昏开放。多数种具多数雄蕊。果实通常坚果状或浆果状。有的果实在水下成熟，裂开或腐烂后种子飘走或沉没于水中。睡莲属（*Nymphaea*）约 35 种。北美白睡莲（香睡莲，*N. odorata*）及欧洲白睡莲（白睡莲，*N. alba*）于幼嫩时均具淡红色叶；花大，芳香。欧洲白睡莲的叶具深而窄的缺刻。埃及白睡莲（*N. lotus*）叶具齿；花白色，具长柄，伸出水面，夜间开放，次日中午即谢。睡莲属中其他种具粉红色、黄色、红色或蓝色花，很多是杂交种。埃及的蓝莲（蓝睡莲，*N. caerulea*）常出现于古埃及艺术作品中。萍蓬草属（*Nuphar*）约 25 种，遍布于北半球。如北美东部原产的圆叶

圣克鲁斯睡莲（*V. cruziana*）（上）及其叶片的背面（下）
供图：（上）Gottlieb Hampfler；（下）Elliot Levine—Shostal/美国不列颠百科全书公司

萍蓬草（普通黄睡莲，*N. advena*）具质薄、半透明的沉水叶，其飘浮叶革质。最大的睡莲科植物为产于热带南美洲的王莲属（*Victoria*）共 2 种：亚马孙王莲（皇家睡莲，*V. amazonica*，前称 *V. regia*）及巴拉那王莲（圣克鲁斯睡莲，*V. cruziana*）叶均为浅盘状，直径 60 ～ 180 厘米，叶脉粗壮，叶缘向上翻卷，故俗称水盆。王莲的花芳香，直径 18 ～ 46 厘米，花瓣数 50 以上，近黄昏开放，初为白色，渐变为粉红色，两天后凋谢；果实大，浆果状。睡莲为鱼和野生动物提供食物。但因生长迅速，有时会影响排水。常栽培于花园池塘中和温室。

water mass　水团　温度和盐度范围都特别狭窄并由这两个参数形成独特密度的海水体。水团存在于一定地区的海面，受气候影响的结果而形成。南极海底水是重要的水团，当海冰形成时在南极大陆架上形成密度高的残余冷盐水。盐度 34.62‰、温度 -1.9 °C、密度为 1.027 89 克/立方厘米，因而下沉，沿海底向西北流向南方各大洋。地中海水是水团的另一例，过度的蒸发、低雨量、高温度，不断产生大量高盐度（36.5‰）的暖水（11.9 °C）。它的密度为 1.027 78，使得它沉到地中海海底，溢流穿过直布罗陀海峡的海槛，然后下沉，在大西洋 1 000 米深处散开。由一个水团取的各种水样，画到温度-盐度图上，密集为独特的点群或拉长的带。

water measurer（insect）　参阅 **marsh treader** 丝黾。

water milfoil　水芪草　小二仙草科（蚁塔科）狐尾藻属（*Myriophyllum*）植物的俗称，约 45 种，广布的沉水植物，生活于淡水中，具轮生的羽状叶，花浮出水面，风媒传粉。鹦羽草

鹦羽草（*M. aquaticum*）
供图：A to Z Botanical Collection—美国不列颠百科全书公司

（水羽、水生狐尾藻，*M. aquaticum*）和轮叶狐尾藻（*M. verticillatum*）常栽培在池塘和鱼缸中。

water mold　水霉　又拼 water mould。卵菌纲水霉目（Saprolegniales）真菌的泛称。约 150 种。多生于淡水、半咸水和潮湿土壤中。大多数腐生，有的种可生于藻类、高等植物、

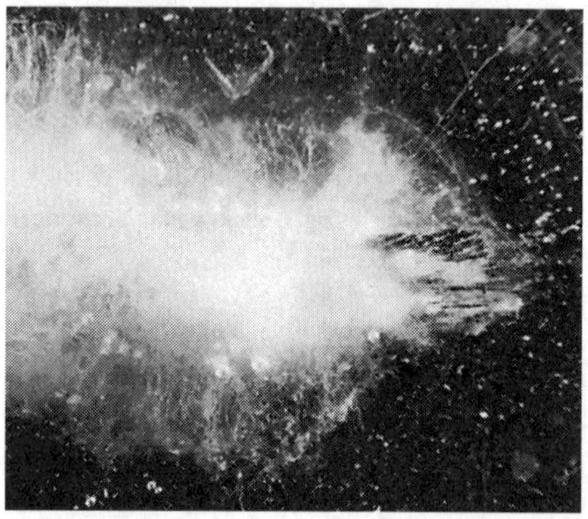

将鱼体覆盖的水霉属（*Saprolegnia*）真菌
供图：Runk/Schoenberger from Grant Heilman

原生动物、海洋无脊椎动物、鱼类等体上并造成病害。于腐败的有机物质周围有明显的菌丝体。无性繁殖通过两类的游动孢子进行。一类为梨形，具两根尾鞭式鞭毛；一类为肾形，具两根侧生鞭毛。游动孢子可作为种的分类依据。有性繁殖为产生配子，配子融合在藏卵器中进行。

water moss　水藓　又作 brook moss 或 fountain moss。又称溪藓或泉藓。真藓目水藓属（*Fontinalis*）植物。生活于温带淡水溪流和池塘。北美洲原产水藓约 25 种。茎枝长 30 ～ 100 厘米（稀达 200 厘米），通常附着在岩石或树根上。最常见种大水藓（*F. antipyretica*）分

枝细长，上覆有光泽的黄绿或深绿色拟叶体，长0.4～0.7厘米，呈三行排列。雌雄异株。

water net　水网藻　水网藻属(*Hydrodictyon*)多细胞绿藻。通常浮于静水池塘的表面。细胞排列成六角形或五角形，形成长达20厘米的自由漂浮网状物。细胞多核。以

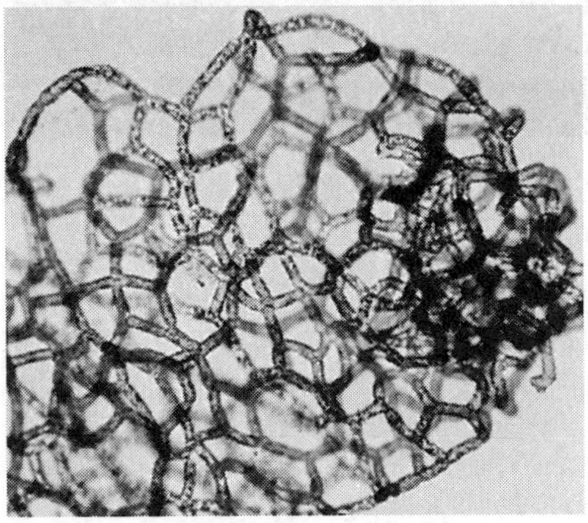

高倍放大的网状水网藻(*H. reticulatum*)
供图：Robert W. Hoshaw

同形配子融合行有性繁殖，以游动孢子行无性繁殖。每一细胞中有成百的游动孢子，排列成一个小的网状结构。成熟的水网藻网状物离解时，每个细胞释放出一个微形的网。水网藻繁殖很快，常给池塘、游乐用水池和灌溉渠道带来麻烦。

water ouzel(bird)　**水鸫**　参阅**dipper**河乌。

water parsnip　水芹菜　伞形科泽芹属(*Sium*)植物，尤指宽叶泽芹(*S. latifolium*)。为多年生芳香草本，广布北半球及非洲。生长在潮湿地区，有些种甚至半水生。叶深裂。

香甜泽芹(*S. suave*)
供图：Kitty Kohout from Root Resources

伞形花序，花白色。普通泽芹(*S. sisarum*)块根可食，故被人栽培。宽叶泽芹更为常见，对牲畜有毒。

water plantain　泽泻　泽泻属(*Alisma*)植物，淡水多年生草本，常见于湖泊、池塘和沟

欧洲泽泻(*A. plantago-aquatica*)
供图：A to Z Botanical Collection

渠。共3或4个种，广布北温带和澳大利亚。叶漂浮或伸出水面，有时呈带状或禾草状，通常基部心形或尖削，不分裂。花有3枚绿色萼片和3枚白色或带粉红色的花瓣。遍布泽泻(*A. triviale*)被认为是欧洲泽泻(水车前泽泻，*A. plantago-aquatica*)的新大陆变种，遍布北美洲；株高达约1米，叶卵形，微尖；花长约6毫米，沿多分枝的梗轮生。亚心叶泽泻(*A. subcordatum*)花更小，长约2毫米。

water polo　水球运动　两队(每队7人)用类似足球的浮球在游泳池内进行比赛的运动，双方力争把球掷入或运入对方球门。这项运动原称“水中足球”，它的确更像足球和篮球，但因在较早的一种形式中队员骑在绘成马状的浮筒上用棍击球，所以其英语名称看来像是“水中马球”。水球运动在19世纪70年代发源于英国，最早的规则于1877年在苏格兰制定。设置球门柱就是那个时候提出来的。

1890年在伦敦举行了第一届国际水球赛，虽然比赛按英国规则进行，苏格兰队还是取得了胜利。英国的规则后来成为国际规则的基础。19世纪80年代，水球运动传入美国。1900年巴黎奥运会首次列有水球项目，英国旗开得胜，后来在1908、1912和1920年奥运会上又屡屡夺魁。但是英国早期称霸世界的优势终于被匈牙利、意大利、荷兰和东欧国家所代替。第二次世界大战之前，水球的打法有两种：一种是水中足球式，使用重400～450克的充气球，强调传球技巧；另一种是身体接触式，多流行于美国，使用半充气球，要求动作猛烈，讲求长时间控制球。1937年后，只有前者获得承认。

水球运动遍及世界大部分地区，国际比赛到处举行。一支水球队包括7名上场队员和4名替补队员。每队戴蓝色或白色的帽(守门员戴红帽，帽上写着蓝色或白色的1号；其他队员为2～11号)。身上不得涂油脂。主裁判对每场比赛有最后的裁决权；其他工作人员有计时员、记录诸如抱持击打对方等各种犯规次数的记录员和两名监门员。国际业余游泳联合会(1908年成立)通过下属国际水球委员会管理水球运动。该委员会发布水球规则。水球是一项粗野和对体力要求很高的运动。池深至少1米，奥运会比赛时深达1.8米。池内两个球门相距30～20米，池宽20～8米。两门柱相距3米，横木高于水面至少0.9米。球网系于球门柱和横木上。女子比赛用池略小些，没有国际女子水球比赛。

water purification　水质净化　使水安全而适合人们使用的处理过程。由于城市和工业的发展及随之而来的污染，这种处理在20世纪日趋重要。1829年英国建立了第一家水处理工厂，用过滤法处理泰晤士河水。1854年伦敦发生流行性霍乱，寻根溯源发现是公共水井所致，因此，水质净化问题得到广泛的重视。1892年污水处理的价值也得到了有力的证明，这一年德国发生流行性霍乱，汉堡由于有过滤系统而避免了像邻市阿尔托纳那样的浩劫。不久，从西欧和美国到世界各大城市也由于发生流行性霍乱而建立起水过滤处理工厂。时至今日过滤法仍然是最广泛采用的净化方法。在慢滤法中，水通过一层深厚的细砂净化。由于大多数杂质是被顶层1～2英寸的细砂清除，因而顶层砂要不断更换和清洗。现代化工厂采用特殊清洗液清洗，可不必更换。在快滤法工厂中，用硫酸铝、氯化铁或硫酸铁等助凝剂来处理污水；在沉淀池中，上述助凝剂使微粒絮凝，将大多数悬浮物质带到池底。然后以相对快的速率穿过不断进行清洗的若干层粗砂层。受到严重污染的水可以在过滤前或过滤后用氯消毒。如果水中铁和锰的含量过高，可用曝气法将空气混入水中，因为只有在厌氧条件下，铁和锰在水中才能呈溶解状态。参阅**water softener；desalination**。

water rail(*Rallus aquaticus*)　**水秧鸡**　即普通秧鸡。鹤形目秧鸡科体瘦长的沼泽鸟类，原产于欧洲及亚洲大部分地区。体长约28厘米，喙中等长度。体侧具黑白条纹。水秧鸡一词又泛指包括普通秧鸡的一族内所有的种类。普通秧鸡的喙与秧鸡族(Rallini)的种类相比则相对较长，借此可资鉴别。参阅**rail**。

water rat　水鼠　栖息水中或水边的啮齿动物的统称。常指鼠科水鼠亚科(Hydromyinae)约8个属的澳大利亚和东方啮齿动物，也指**麝鼠**(**muskrat**)和水䶄(参阅**vole**)。澳大利亚-新几内亚的水鼠或称河狸鼠，属水鼠亚科水鼠属(*Hydromys*)，有3种，主要肉食性。栖息在溪流、沼泽、港湾和其他水域。体长20～35厘米，尾长，后足部分具蹼，被毛浓密似海豹，灰色、金褐至深棕色。白天在地洞、空心木头或其他覆盖物下休息，傍晚出来觅食蚌类、螺类、鱼、蟹、蛙类及蝌蚪，亦食鸟卵及植物。冬末或春天繁殖，通常每窝产4～5仔，幼仔不到一年就性成熟。蒙克顿氏水鼠(蒙克顿氏无耳水鼠，*Crossomys moncktoni*)更适应于其环境；外耳蜷曲如螺旋状；尾具特殊性，多毛，下面刚毛彼此接合可使尾部像舵一样控制在水中的游动。

water resource　水资源　地球上存在的不论属于哪种状态(即气态、液态或固态)的、对人类有潜在用途的天然水体。其中最便于利用的是海水、河水和湖水，其他可利用的包括

地下水和深层地下水以及冰川和永久雪原。人类对天然水体的使用,特别是对淡水资源的使用,近几个世纪以来已经稳定地增多。如果人口持续增长,供农业、工业和娱乐目的所用水的范围又不断扩大,用水增加的趋势就不大可能会改变。这一情况已经引起人们对可否获得足够的水供应以适应社会未来需求的关切。地表水资源在世界许多地区已经正在被利用到最大限度,例如在美国西南部。水量并不是唯一令人担心的问题。过量滥用已造成水质逐渐恶化。无机肥料(磷肥和氮肥)、杀虫剂和灭草剂渗入地表水和地下水中,已经不仅使之不适于人类的消费,而且还破坏了水生生物的生态系统。湖泊和河流也已因污水的不正当处理、未处理的工业废水(包括像多氯联苯即 PCB 之类毒剂)的排放以及从核电站和其他工业设备来的受热废水的逸出(这将造成热污染及其附带的问题)而受到了污染。为控制水资源的污染,正在做出努力。例如,美国政府为降低五大湖的磷输入量所采取的管理行动已有了适当的结果,该地区某些市政当局所执行的改进的污水纯化技术也已有了适当的结果。改进的污水纯化技术不仅有助于恢复水资源,而且通过有效的循环利用,也保存了水的供应。先进的污水处理装置已经有可能获得比大部分河水更纯净的饮用水。在澳大利亚、科威特和美国等这样一些国家已经进行了从稍咸的地表水中以及从海水中除去食盐及其他溶解的固体的工程。来自脱盐工厂的水是适宜于作一般家用和灌溉用的。为缓解水短缺所进行的其他措施有通过农业工程的手段控制流量和降低蒸发量。

water scavenger beetle　水龟虫　又称牙甲。鞘翅目水龟虫科(牙甲科,Hydrophilidae)昆虫,约 2 000 种。分布世界各地,尤其是温暖地区沼泽地的淡水池塘。体卵圆形,光滑,深褐或黑色;触角短,棍棒状,多毛。长几毫米到 4 厘米。游泳时两侧的中、后足一起划动。多数种类,如水龟虫(*Hydrophilus* 属和 *Tropisternus* 属)种类的成虫取食藻类和腐烂物;但少数为掠食性。卵产在似丝质能防水的卵鞘内,约 100 粒,卵鞘附在水生植物上,或漂浮水面或挂在雌体身上。幼虫肉食性,不但吃落入水中的昆虫,也吃同类。许多幼虫要到水面呼吸,但少数种类(如 *Berosus* 属)通过体壁和腹丝呼吸。水龟虫与多数水生昆虫不同,不是腹部末端而是头部悬在水面。为了在身体周围保留一层空气,其触角穿过水膜。准备潜水时收回触角,收集空气围在身体周围。

water scorpion　水蝎　又称蝎蝽。半翅目蝎蝽科(Nepidae)水栖昆虫。近 150 种。在某些方面与蝎相似:前足镰刀状,适于捕食,身体末端具两条细长鞭状的结构,有如"尾"部,实为两根呼吸管,可伸出水面进行呼吸。水蝎的叮咬亦可致痛,但对人的危害较蝎子的螫刺要轻。水蝎呈浅黑色,长约 25～50 毫米。不同的种形状稍有不同。例如蝎蝽属(*Nepa*)的种类呈长卵圆形,而其他属的种类往往更长,更像圆筒状。水蝎能将前足上下拍动,用中足和后足踢动,借此在水中游泳。后两对足亦可用以爬行。水蝎为世界性分布,主

水蝎(*Nepa*)
供图:S.C.Bisserot—Bruce Coleman Inc.

要生活于沟渠和多泥池塘底部的边缘,藏于浸透水的死叶或其他植物碎屑之下以伏击猎物。因不善游泳,很少在开阔的水面游来游去。卵产于水中碎片的缝隙中和水生植物的茎上。

water shield(*Brasenia schreberi*)　**莼菜**　莼菜科(Cabombaceae)莼菜属水生植物。生于北方的池塘及静水中,除欧洲外,世界各地均有分布。具飘浮叶,卵形,长5～10厘米。茎

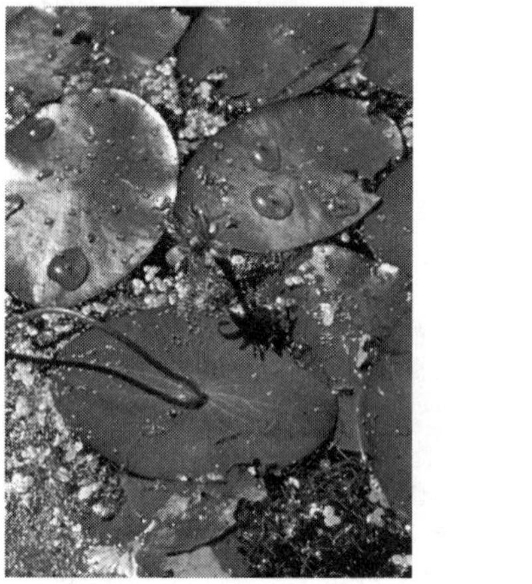

莼菜(*Brasenia schreberi*)
供图:Thase Daniel

长,覆以胶状物,从埋于泥中的根茎上生出,于叶的中央与叶相连;从主叶柄上生出几个不等长的叶柄;花小,直径 1.3～2 厘米,具 3～4 片狭窄的紫色花瓣;果小,棒状。英语中 water shield 一词又指同科水盾草属(*Cabomba*)植物水盾草(**fanwort**)。

water-silk(algae)　参阅 **spirogyra** 水绵。

water snake　水蛇　游蛇科游蛇属(*Natrix*)动物及类似的蛇类。65～80 种。除南美洲外,见于各大洲。有些权威将新大陆的种类归入若干属,其中最大的属为 *Nerodia*。大多数种类躯体粗壮,体表有黑斑,或背部有条纹,鳞片呈脊棱形。半水栖,无毒,以咬杀方法捕食鱼和两栖动物。美洲的水蛇常见于水中或水域附近,卵胎生,可产 30～75 条幼蛇。欧洲的水蛇对水的依赖性较小,卵生。该属所有种类的性情皆暴躁,自卫时,除头部膨胀,冲咬对手外,还从肛门腺中释放出一种难闻的分泌物。北美落基山以东有 11 种水蛇,代表种是北美游蛇(*N. sipedon*)分布很广,各亚种的俗称不一;体褐色而带斑纹或带状斑,约长90厘米;因外貌与有毒的水栖噬鱼蛇相似,故亦常称噬鱼蛇。普通欧洲水蛇,

普通欧洲水蛇(*N. natrix*)
供图:Stephen Dalton—the National Audubon Society Collection/美国不列颠百科全书公司

普通欧洲草蛇(*N. natrix*,有时作 *Tropidonotus natrix*)分布于欧洲西部(包括不列颠群岛)和北非至中亚一带;深绿色至黑色,通常背部有小黑斑点,身体两侧有短的线纹,头或颈两侧各有一白色、黄色或橘黄色斑点;有些个体的体长接近 1.8 米,但平均长度不到 1 米。欧洲至中亚一带的格花水蛇(*N. tesselata*)营水栖生活,以鱼为食。印度的龙骨背蛇(*N. piscator*)因背部鳞片有显著的棱嵴而得名。亚洲东部至日本一带的虎斑草蛇(虎斑游蛇,*N. tigrina*)大多数为深绿色或蓝色。

water softener　硬水软化器　从水中脱除钙和镁的装置。这样处理过的水在水管和水箱中就不会形成水垢,也不会和肥皂生成沉淀物或影响其他清洁剂的效用。是一个与给水系统直接连结的水箱,内装沸石或离子交换树脂(**ion-exchange resin**)。沸石或树脂中含有钠离子,能与溶于水中的钙离子或镁离子发生置换。当沸石或树脂用尽,即大多数可交换的钠被钙和镁置换时,用高浓度的普通盐水冲洗,即可使钠再生,因为盐可把钙、镁脱除,用钠取代它们。水软化设备对许多工业都是必需的,在许多国家还进入了家庭。

water strider　黾蝽　又作 pond skater 或 skimmer。又称水黾,撇水黾蝽。异翅目黾蝽科(Gerridae)昆虫,约 350 种。体细长,色深,多长5毫米以上,常成群在池面、河面滑行。

黾蝽(Gerridae)
供图:E.S.Ross

前足短,能捕捉落到水面的昆虫;在个体过多的情况下会互相捕杀。中、后足长,有时长达体长的两倍多,中足用以推进,后足用以掌舵。跗节覆以防水的细毛,使其能站立于水面。同一种的成体常有两个型:无翅型及有翅型。偶尔还出现第三个型(短翅型)。黾蝽属(*Gerris*)为世界性分布。除咸水黾蝽属

(*Halobates*)外均淡水生。咸水黾蝽属是唯一真正生活在咸水中的昆虫，曾见于离陆地许多英里远的热带、亚热带海面，取食漂浮的动物尸体的汁液。

water supply 给水 为满足具体需要而提供的用水。若水系供家庭、工业或农业用，水的质和量必须都能满足要求。给水可以由多种水源，如水井、河川、湖泊或水库取得。

water-supply system 供水系统 从多水地区向缺水地区运送淡水的设施。它包括收集、输送、净化和贮存用水，并将其分配给住宅、商贸机构、工厂和农田灌溉，以及满足公共用水的需求，如防火及冲洗街道等。

许多考古证据说明，古代人类都关心解决用水的供应问题。古代小型社区内建有足够使用的水井，而河流则给底格里斯河和幼发拉底河、尼罗河及印度河两岸的人类文明，提供充分的水量；然而，随着人口增长，必须将水井挖得更深，还必须从更远的源头引取淡水。古代的供水系统包括建于水源所在地的蓄水池、把水输送到使用地点的沟渠和高架水渠以及用水的分配系统。公元前2500年左右，已经出现颇为先进的供水系统，而在古代罗马城达到高峰状态。此项供水系统的杰出设施，为总长度达359英里（578千米）的11条高架水渠——其中的30英里由石砌拱顶结构支承——给城市每天输水约5千万加仑（18.9万立方米）。上述用水从巨大的蓄水池，经由精心布置的导管网络，分流至许多公共喷泉和浴场。

中世纪时由于人们严重地忽视了水的供应问题，就经常发生水中滋生的细菌所引起的流行病。17及18世纪时，伦敦及巴黎兴建了用铸铁管、高架水渠和抽水机组成的供水系统。19世纪时，绝大部分用水的污染程度变得如此严重，致使人们开始启用沙子滤水的设备；而到20世纪末，由于大家知道水能传布疾病，人们就在水中添加通常含有氯化合物的消毒剂。

现代供水系统的水源有水井、河川、湖泊和人造水库。当用水地点靠近水源时，则可建设直接的进水口。有时可在湖泊中离岸较远处修建进水口，以便汲取质地更好的水，并可避免进水口在冬季蒙受冰冻之害。建造水库时，一般选取山坡雨雪径流汇集点或横断河川的地方，修筑堤坝。堤坝可以调节水库的蓄水量和放水量，使供水保持恒定状态。

现代的高架水渠——包括露天水槽、封闭隧洞和大口径的水管——中的水，在某些情况下可依靠重力自己流动，但通常都要利用某种加压的输水方式。输送到集水地点的水，一般需施加某种化学处理，以改善水质，使之达到可以使用的程度。最重要者为水的净化过程，其目的在于消灭有害的细菌及去除各种病毒的活性。现代化的水处理工厂最常使用的化学制品为液态氯，通常在进行其他的水处理之前首先要使用它，并在把水送往用户之前，再使用它作最后的处理程序。某些水厂则把臭氧和紫外线作消毒剂之用。进行水的处理要使用其他各种工序，其中包括：水的长时期贮存、通风、杂质的凝结和沉淀、水的软化和过滤；上述工序按不同的组合方式加以运用，这主要取决于水的性质，但也与水的预计用途有关。通常水在水库或沉淀池中长时期贮存，可使水中微粒状杂质缓慢地沉淀，而让水渗过细沙或无烟煤粉粒层，加以过滤，则能除去水中的悬浮物质。不同的化学添加剂能使水中各种杂质凝结而沉淀。通风是把空气和水搅和，其主要目的在于减轻水的臭气和异味，办法是把水喷射到空气中，或者将空气气泡压入水中。水的软化旨在去除水中的钙和镁，此项工序可采取化学沉淀或离子交换的方法。

在世界上一些淡水不足或稀缺的地方，人们曾兴建工厂从事海水、废水和高度矿化地下水的脱盐工作。去除水中盐类的方法，有蒸馏、结晶和膜滤等手段。蒸馏是把含盐的水蒸发，然后让水汽冷凝而成为淡水；结晶是把含盐的水冷冻，产生由淡水结成的冰，再把冰融化；膜滤是利用薄膜过滤盐水，去除水中的盐离子。第一座规模较大的海水脱盐工厂是1949年在科威特兴建的。随着技术的发展，其他地方又建起了规模更大和效率更高的工厂。墨西哥蒂华纳附近有一座工厂，淡水的日产量达7 500 000加仑。

经过净化处理的淡水，或者直接被抽吸到通往用户的管道系统，或者被送往位于高处的贮水地点，如水塔等。为使用户能得到充沛的用水，供水系统必须在有水压的条件下运行。在某些情况下，高处贮水池中的水受重力作用而下降，已能产生足够的水压；如果压力不足，则可以添设水泵以增加水压。适当的水压为30～100磅/平方英寸（2～7千克/平方厘米）。有不少社区按照喷水灭火的目的而规定水压的要求，这样，有时就需要75磅/平方英寸以上的水压了。通往住宅和工厂的输水设备，有用铸铁、钢、混凝土和石棉水泥制造的各种水管。用户消耗的水量由水表加以记录，他们需缴纳水费，以补贴供水系统的运行及养护费用。

water table 地下水位 也称地下水面（groundwater table）。是一个假想的地下面，这个面接近于穿透完全饱和的透水岩石带之水井内的水面。该面介于地下水带与位于它上面的毛细作用带或通气带之间。地下水位随季节与年度而波动，因为它受气候变动和植被所利用的降水量的影响，也受水井抽水过度和人工回灌的影响。参阅 **aquifer**。

water treader 水蝽 异翅目水蝽科昆虫，约30种。形小，浅黄色或浅绿色，长约5毫米，体细长。捕食性。生活在浮生植物上或水面。新几内亚的 *Phrynovelia papua* 生活于森林地面植物的叶上。

Water Witch incident “水蛩”号事件（1855） 巴拉圭军队在伊塔皮鲁要塞附近向当时在国际水域中进行探测的美船“水蛩”号开火的事件。1853年，由美国政府组织，“水蛩”号在海军上尉T.J.佩奇指挥下对拉普拉塔河航道进行科学考察。1854年，佩奇卷入了巴拉圭总统C.A.洛佩斯与一家北美公司的争端之后，巴拉圭禁止外国军舰进入其水域。1855年在巴拉那河上发生的这次事件中，一名美国海员被杀，数人受伤，“水蛩”号的炮火也击毙一些巴拉圭军人。1859年，美国政府派遣一支海军舰队到巴拉圭，强迫巴拉圭解决“水蛩”号事件和以前的一些争端。解决方案包括：巴拉圭向美国政府正式道歉，付给被害海员家属1万美元的赔偿。

Waterberg Series 水山统 又称水山系（Waterberg System）。非洲南部重要的岩石单位。水山统的年代有疑问，可能是晚前寒武纪或早古生代（分别早于或晚于5.7亿年前）。水山统地层由几千英尺厚的褐色、红色、紫色砂岩和较少的页岩组成。像波痕、泥裂和流水层理一类沉积构造是几乎平坦的水山统地层的显著特征。直到目前，水山统中还没有发现有生物化石的证据。

waterbuck 非洲水羚 *水羚属*（**Kobus**）非洲产的大羚羊。

Waterbury 沃特伯里 美国康涅狄格州中西部纽黑文县城市。濒临诺格塔克河。1674年始建，1686年设镇，1853年设市。为全国最大黄铜器产地，亦有钟表和化工工业。设有马塔特克社区学院、邮政学院（1890）、州立沃特伯里工学院和康涅狄格大学分校。人口：市107 271；沃特伯里都会统计区228 984（2000）。

watercolour 水彩 用树胶（一般为阿拉伯树胶）调制，用笔和水施于画面（通常为纸）的颜料；此一名词也指以此种手段绘制的作品。

J.马林的水彩画《从1号河眺望下曼哈顿地区》
纽约大都会艺术博物馆供图

水彩颜料一般皆透明，但加调白粉后即不透明，称为不透明色或水粉色，也可加调酪蛋白，即牛奶的磷蛋白。就范围和种类而言，水彩画堪与任何其他绘画法相比。透明水彩色泽鲜艳明亮，可使画家淋漓挥毫，因而成为一种极有诱惑力的手段。

watercress（*Nasturtium officinale*） **水田芥** 又作cress。又称野芥菜，即药用豆瓣菜。十字花科多年生植物，原产欧亚大陆，已在北美各地归化。生长于凉爽的溪流中，沉

水田芥（*Nasturtium officinale*）

供图：Grant Heilman—美国不列颠百科全书公司

水、浮在水上或平铺在泥地表面。常用大桶栽培采其嫩梢做沙拉。叶纤细，淡绿色，有胡椒味，富含维生素C；花白色，花瓣4枚；角果小，豆荚状；种子成两行。水田芥扦插易生根。

waterfall **瀑布** 流动的河水突然地、近于垂直地跌落的地区。瀑布表明河流的重大中断。在大多数情况下，河流倾向于通过侵蚀和沉积的作用过程而消除其流动中的不规则性。经过一定时间，河流长长的剖面（它的梯度图像）总是具有平滑曲线的形状，向源头最陡，向河口最缓。瀑布中断了这一曲线，它们的存在，是侵蚀作用进展的一个量度。瀑布也叫做跌水（falls），或有时叫做瀑流（cataract），当涉及到很大的水量时，后一名称最通用。高度较小又不太陡的瀑布叫做梯流（cascade），这个术语常常用于河流的一系列小的跌水。较缓的河段中，由于河道梯度局部增加而相应出现急流和白浪，这样的河段称湍流（rapids）。

世界上最高的瀑布是委内瑞拉的安赫尔瀑布（高807米）。可确证的世界最大的瀑布是老挝湄公河上的南孔瀑布，通过此瀑布的水量估计为11 600立方米/秒，虽然它的高度只有70米。产生瀑布要有几个条件。对于瀑布的存在来说最普通的原因之一，就是岩石类型的差异。河流穿过很多岩石界线，如果河流从较坚硬抗蚀的岩层流向较软弱的岩层，那么，很可能松软岩层会更快地被侵蚀，并且在不同岩石类型的结合部位，河流坡度会变得更陡。当河流切割并深掘不同岩层之间的结合部时，这种情况就可能发生。形成美国和加拿大之间国界一部分的尼亚加拉瀑布的河床上部是块状白云岩盖层，覆盖在一系列较软的页岩和砂岩之上。与瀑布相关的事件是河床里坚硬岩石滩梁的存在。在尼罗河上，河流充分切穿其河床，以至坚硬的结晶基底岩石暴露出来的那些地方，就造成一系列巨大的瀑布。其他瀑布的产生，较少是由于岩石建造的特性，较多是由于当地的构造与形态。例如，隆升的高原玄武岩可以产生抗侵蚀的台地，在台地的边缘，河流就产生瀑布，如北爱尔兰的安特里姆玄武岩所出现的情况。在更大的范围上来说，非洲南半部的地貌，周围有着陡崖坡的高原，就在大多数地区性大河上造成瀑布与湍流。这包括刚果河上的利文斯敦瀑布和奥兰治河上的奥赫拉比斯瀑布。一般说来，在山地区域，坡度越陡，则瀑布之出现就越多。侵蚀作用与地质情况不是造成瀑布的唯一因素。沿着断层的构造运动，可能把坚硬岩层和松软岩层推到一起，从而促进了瀑布的形成。海平面的下降，促使下切作用增长和裂点的溯源后退（或者标志着河流侵蚀基准面变化的梯度急变）。依赖于海平面的变化、河流的流动，以及地质情况（在其他因素之中），在裂点处可以发育瀑布和湍流。在河谷为冰川所深切，而支河谷高悬在陡峭的主河谷侧壁上的地方，由冰川也就造成了很多瀑布。在加利福尼亚州为冰川深切的约塞米蒂河谷里，约塞米蒂上瀑布从这样的悬谷下跌436米。

在河流的时段内，瀑布是一种暂时性的特征，它最终会消失。侵蚀作用的速度取决于特定瀑布的高度、流量、有关岩石之类型与构造，以及其他因素。在一些情况下，瀑布的位置由于悬崖或陡坎的溯源侵蚀而向上游迁移；而在另一些情况下，侵蚀作用又倾向于向下深切，并斜切包含有瀑布的河流之整个河段。随着时间的推移，由于这些因素的任何一个或两个在起作用，河流不可避免的趋势是消灭任何可能形成的瀑布。河流的能量最终将建造起一个相对平滑的、凹面向上的纵向剖面。甚至当作为河流侵蚀工具的拖曳状岩石碎块不存在的情况下，可用于瀑布基底侵蚀的能量也是很大的。与任何大小的瀑布相关、也与流量和高度相关的特征性特点之一，就是跌水潭的存在，它是在跌水的下方，由河槽中掘蚀出的盆地。在某些情况下，跌水潭的深度可能近似等于造成瀑布的陡崖之高度。跌水潭最终造成陡崖坡面的坍塌和瀑布的后退。在一些地方，瀑布的后退是明显的特征。例如，在尼亚加拉，瀑布从它开始泻流的陡崖面已后退了11千米。今天，尼亚加拉的大部分水力已用作发电，但是，据估计，按照正常的流动，瀑布后退率当为大约每年1米。

Waterford **沃特福德郡** 爱尔兰语作Port Láirge。爱尔兰芒斯特省一郡。面积1 838平方千米。南临大西洋，北部边界省有舒尔河流经沃特福德市。布莱克沃特河和布赖德河下游流经郡内。高地主要是海拔180～240米的山岭，在库姆拉山以东有一片低地，海岸大部分是峭壁，也有特拉莫尔、邓加文和阿德莫尔等海湾。郡议会设在邓加文（市区），沃特福德是郡自治市。原是斯堪的纳维亚人奠定的基础，是重要的海港和贸易中心，12世纪时是盎格鲁-诺曼人的桥头堡。18世纪时曾有过繁荣的时期。全郡2/3的土地是农田和牧场，山坡和庄园里有茂盛的树林。常青草覆盖着农田区的7/10，干草约1/10，农作物种植面积占农牧区总面积的1/5强，其中以燕麦为主要粮食作物。有综合性农业，乳制品占有重要地位，也外销牛。沃特福德的沿海贸易、农产品加工工业和传统的玻璃制造业都很重要。人口（不包括郡自治市）51 622（1986）。

Waterford **沃特福德** 爱尔兰语作Port Láirge。爱尔兰东南部主要城镇，沃特福德郡的郡级自治市、海港。位于舒尔河南岸，距沃特福德港6千米。城内天主教大教堂于1796年建成。其他主要的建筑有多明我隐修院和雷金纳德塔的遗迹。1205年获得第一次特许证。1374～1885年在议会中有两个席位。后减为一个，1898年成为郡级自治市。现为水果和肉类出口中心，集装箱运输业很著名。主要工业是食品加工、啤酒酿造、造纸和玻璃制造，所产水晶制品举世闻名（参阅**Water- ford glass**）。现代化工业区内有化工、制药和轻工业工厂。该港是南海岸仅次于科克港的重要港口和重要渔港，盛产鲑鱼。沃特福德海港是舒尔河、诺尔河和巴罗河三河的河口湾。吃水6.7米的轮船沿舒尔河上行可抵达该市。市内有区级工学院。人口44 594（2002）。

Waterford **沃特福德** 美国康涅狄格州东南部新伦敦县城镇。位于新伦敦之西，濒临长岛湾。约建于1653年。1801年设镇。1950年后建立几个工业区，包括工业三角地。该镇建有米尔斯通波因特核电站（为新英格兰大电网的一部分）和E.奥尼尔纪念剧院基金会。每年举行全国剧作家会议。面积85平方千米。人口19 152（2000）。

Waterford glass **沃特福德玻璃器皿** 爱尔兰沃特福德1729年起生产的原壁深刻花玻璃制品。其特点是壁厚，以深刻的几何图案装饰，抛光明亮。沃特福德早期生产的玻璃器皿带有烟色和蓝灰色，被认为是其一大缺点，1830年以后转产透明的晶质玻璃制品。但是深色的玻璃制品却受到现代收藏家的珍视。有代表性的沃特福德产品包括饰有菱形刻花或扇形分枝的洛可可式吊灯、壁灯、装在墙上的烛台、碗和花瓶等。沃特福德玻璃制品在风格上经历过两次变动。1770年以后，英国开始生产薄壁的图案比较拘谨的新古典主义或亚当式制品，虽然沃特福德玻璃工人仍继续采用洛可可式样和刻花工艺，但终于逐渐转向了亚当式制品。1851年由于英国对玻璃征税过重，该厂关闭。1951年，爱尔兰玻璃瓶公司在该市新建了一座玻璃厂，表示要恢复传统的沃特福德玻璃制品。

waterfowl **水禽** 美国对各种鸭、雁和天鹅的统称，有时更包括与上述鸟类无亲缘关系的水栖鸟类，如䴙䴘、鹈鹕和潜鸟等。在英国，水禽一词仅指驯养的用以观赏的天鹅、雁类、鸭类，野生的上述鸟类则称为野禽（wild-fowl），尤其是在用猎枪狩猎的情况下。参阅**duck；goose；swan**。

Watergate Scandal **水门丑闻**（1972～1975） 指美国共和党在职总统尼克松的政

府在1972年总统竞选运动中的非法活动暴露后的政治丑闻。水门是华盛顿的一座写字楼、公寓和饭店综合大厦。1972年6月17日有5个人因闯入大厦内的民主党全国委员会总部被捕。被捕后数日内，这5人连同前白宫助理小亨特和争取总统连任委员会总顾问利迪即被指控犯有盗窃罪和窃听罪。1973年1月美国哥伦比亚特区地方法院首席法官赛里卡主持审讯7名被告。从被捕到受审的几个月内，尼克松总统及其助手否认政府中有任何人与此案有牵连，而新闻界，特别是《华盛顿邮报》则坚持作出相反的报道。在7名被告中有5人认罪，另外2人由陪审团定罪。1973年3月23日宣判时赛里卡法官宣读了被告之一麦科德的一封信，信中指控白宫掩盖它与闯入水门的关系。麦科德还说白宫曾对7名被告施加压力，要他们认罪并保持缄默。在白宫显然有牵连的情况下，尼克松总统于1973年4月17日宣布他已开始一轮新的调查。4月30日尼克松公开声明他对卷入此案的白宫工作人员的行动负有责任。他接受了顾问霍尔德曼、埃利希曼和迪安以及司法部长克兰丁斯特的辞职，但他一口咬定他对政治谍报活动以及掩盖错误的企图毫不知情。同一天理查森接替克兰丁斯特任司法部长。他选择哈佛大学法学教授考克斯为水门事件的特别检查官。但到5月调查中心转向参议院，该院总统竞选活动特别委员会(1973年2月成立，由代表北卡罗来纳的民主党参议员小欧文领导)开始举行由电视转播的公众听证会。欧文委员会获得证词，确定白宫和竞选委员会成员应负责任。然而只有迪安一个人证明尼克松总统直接卷入掩盖活动。1973年7月16日前白宫工作人员巴特菲尔德揭露，在总统办公室的谈话都秘密地录在磁带上。考克斯和欧文委员会立即(7月23日)发出传票命令交出录音带。尼克松以行政特权和国家安全为由拒绝交出。当10月赛里卡法官命令尼克松交出录音带和美国上诉法院表示支持这一命令时，尼克松提出可以提供有关录音带的文字提要，但以不再索取总统文件作为条件。考克斯拒不接受这个建议。10月20日总统命令司法部长理查森解除其特别检查官的职务。理查森和副部长拉克尔肖斯宁愿辞职也不执行这个命令。最后考克斯的职务由顺从的司法部副部长博克解除。群众抗议的怒涛迫使尼克松于12月8日交出了录音带。但赛里卡要的是9盘，而他只交了7盘。白宫声称另外两盘根本就不存在。1974年5月20日赛里卡法官命令尼克松向特别检查官贾瓦斯基提交另外的录音带。7月24日最高法院一致裁决尼克松必须交出录音带的文字本。7月27～30日众议院司法委员会通过3条弹劾案。8月5日总统提交3盘录音带的文字本，这些文字本清楚表明总统与掩盖活动有关，因此尼克松在国会里失去了最后的支持者。他于8月8日宣布辞职，次日上午11时35分离开白宫。1974年9月8日继任总统福特给予尼克松以无条件的赦免，不受进一步惩处。

Waterhouse, Alfred　沃特豪斯（1830-07-19，利物浦～1905-08-22，英国伯克郡亚登顿）英国建筑师。其作品多为维多利亚盛期中世纪折衷主义风格，以学校建筑和公共建筑的群体设计闻名。师从曼彻斯特建筑师R.莱恩，1859年即已在公共建筑设计方面获得一定成就，同年以仿哥特式的方案在曼彻斯特市法院大厦的设计竞赛中获胜。1868年又在曼彻斯特市政厅设计竞赛中获胜。同年开始重建剑桥大学的冈维尔与凯厄斯学院，他还曾设计剑桥大学的彭布罗克学院(1871)、牛津大学的巴利奥尔学院(1867～1869)以及现为曼彻斯特新维多利亚大学的欧文学院(1870～1898)、伦敦圣保罗学校(1881)等。他的很多作品，如伦敦自然历史博物馆(1873～1881)等，都是用黏土砖和陶块砌筑的，并运用装饰性的铁件和外露的金属构件。他还设计过几座教堂和乡村别墅。

Waterhouse, Benjamin　沃特豪斯（1754-03-04，美国罗德岛纽波特～1846-10-02，马萨诸塞剑桥）　美国医师、科学家，推广牛痘接种的先驱。1799年读了E.詹纳的著作后，就终身在美国推行种痘，首先给自己5岁的孩子接种。他先后求学于伦敦、爱丁堡和莱顿，成了当时最有教养的北美医生。他是哈佛医学院最早的教师之一。

Waterhouse, George Marsden　沃特豪斯（1824-04-06，英格兰康沃尔郡彭赞斯～1906-08-06，德文郡托基）　商人、政治家，南澳大利亚总理(1861～1863)和新西兰总理(1872～1873)，是唯一曾担任过两个殖民地总理的人。早年随父(基督教循道宗牧师)从英格兰移居塔斯马尼亚。1843～1853年在南澳大利亚经商致富。历任南澳大利亚立法议会议员(1851)、第一届立法议会议员(1857)，1860年再次当选。1861～1863年任南澳大利亚总理，致力于发展经济、促进贸易、改革宪政。后去新西兰购置大片地产，任新西兰立法议会议员(1870)。1872年出任总理。次年感到严格的循道宗教义与财政部长J.沃格尔的财政政策不相容，遂辞职。1889年返回英格兰。

Waterhouse, Keith (Spencer)　沃特豪斯（1929-02-06，英格兰约克郡利兹亨斯勒特～2009-09-04，伦敦）　英国剧作家、小说家和电影剧本作家。以其从忧郁的人类困境中创造出喜剧和讽刺效果的能力而著称。15岁辍学，做过各种零工，后来先后在约克郡和伦敦任新闻记者。大部分生涯里一直担任《每日镜报》和《笨拙周刊》等的专栏作家。第一部小说为《有一块福地》(1957)。随后又发表了畅销书《说谎的比利》(1959)，书中的主人公是个青年，他以怪诞的白日梦来安慰自己，这部小说后被搬上舞台和银幕。他还同霍尔合写过剧本《庆祝》(1961上演)、《一切都光明美好》(1962)、《哟！好一朵雏菊花》(1968)和《谁是谁》(1971)等。其他小说有《说谎的比利在月球上》(1975)和《办公室生涯》(1978)等。他还写过一些电视系列剧剧本。

Waterhouse-Friderichsen syndrome　沃特豪斯-弗里德里克森二氏综合征　即急性暴发性脑膜炎双球菌败血症。起病急，病情重，以发热、虚脱、有时出现昏迷，皮肤和黏膜出血及严重的双侧肾上腺皮质出血为特征。这种病最常见于5岁以下的儿童。可能仅持续数小时；死亡的直接原因为肾上腺卒中。治疗必须及时，可给予大剂量抗生素以控制败血症，同时应用肾上腺皮质激素，特别是糖皮质激素。虽然脑脊髓膜炎最常见的病原体是脑膜炎双球菌，但其他一些病原体，如链球菌及肺炎球菌等亦可致病。20世纪初，英国医生R.沃特豪斯与丹麦医生C.弗里德里克森曾分别描述了这一综合征，该病遂以他们的姓氏命名。

waterleaf　水迹叶　又称幌菊。田基麻科田梗草属(*Hydrophyllum*)植物，约8种。草本。原产北美的潮湿林地。叶上有浅绿色斑纹，形似纸上水印图案，故名。弗吉尼亚水迹叶(弗吉尼亚田梗草，*H. virginianum*)高达75厘米，叶5～7浅裂。柔软幼株的地上部分可食，称为肖尼沙拉菜或约翰卷心菜。大叶水迹叶(大叶田梗草，*H. macrophyllum*)似弗吉尼亚田梗草，但较粗糙，被毛，高约60厘米。宽叶水迹叶(加拿大田梗草，*H. canadense*)高达60厘米，叶似槭。有些种花小，白色或紫色，雄蕊伸出于花被外，叶和花均美观，故培植在野花花园中。

Waterloo　滑铁卢　加拿大安大略省东南部城市。属滑铁卢自治区。19世纪初设移民点，以"滑铁卢战役"(1815)命名。现为圭尔夫-剑桥-基奇纳大都会区的组成部分。市内有几家国家保险公司。工业生产种类繁多。设有滑铁卢大学(1957)和W.劳里尔大学(1911)。1857年设村；1876年设镇；1948年设市。人口71 181(1991)。

Waterloo　滑铁卢　美国艾奥瓦州东北部城市，布莱克霍克县县城(1855)。在锡达河畔。西邻锡达福尔斯。1845年始有人定居。1868年设建制。为铁路分段站和地区贸易中心。工业以肉类加工、制作拖拉机和农具为主。每年9月在此举行全国奶牛会议。有霍克伊理工学院。北艾奥瓦大学和沃特堡学院均在附近。1868年设市。人口：城市68 747；滑铁卢-锡达福尔斯都会统计区128 012(2000)。

Waterloo, Battle of　滑铁卢战役（1815-06-18）　拿破仑遭到彻底失败的最后一次战役。从此，法国与欧洲其他国家之间连续23年的战事宣告结束。这次战役在拿破仑的"百日复辟"期间发生，地点在滑铁卢村以南3英里，北距布鲁塞尔9英里。一方是拿破仑的军队7.2万人，另一方是威灵顿公爵的联盟军6.8万人(包括英、荷、比、德的部队)和G. L. von布吕歇尔指挥的主力部队、普鲁士军约4.5万人。6月16日，拿破仑的元帅M.内伊和E. de格鲁希击败了普军并将惠灵顿阻止在卡特勒布拉，但均未将他们分别歼灭。格鲁希率领相当于拿破仑总兵力1/3的军队，却未能紧追布吕歇尔。18日反被布吕歇尔后卫部队困住，而布吕歇尔的主力得以逃脱，与惠灵顿会师，扭转了滑铁卢的战局。拿破仑把开始进攻威灵顿的时间从上午推迟到中午，目的在于让土地干燥，但由此铸成大错。

普鲁士军队恰好获得奔赴滑铁卢驰援威灵顿所需的时间。在下午6时以前，由于步兵和骑兵没有协同作战，法军的4次主攻都未达到重创联盟军和突破阵线的目的。这时，普鲁士军队陆续抵达滑铁卢，对拿破仑的东翼形成压力。为了阻止普军进入法军后方，拿破仑不得不从对威灵顿的主要战斗中调出G.穆通麾下的一个军、洛博伯爵的军以及帝国近卫军的几个营。最后，下午6时，内伊使用其步兵、骑兵和炮兵协同进攻，夺占联盟军战线中部的农庄圣海牙。然后，法军炮兵开始轰击联盟军中部的几个掩体。决一雌雄的时刻来临了。威灵顿受到重大损失，在法军的强攻下已经不堪一击。内伊要求增援步兵，但是遭到拿破仑的拒绝。直至下午7时以后，拿破仑才抽出帝国近卫军的几个营去增援内伊。这时，威灵顿已经重整旗鼓，又得

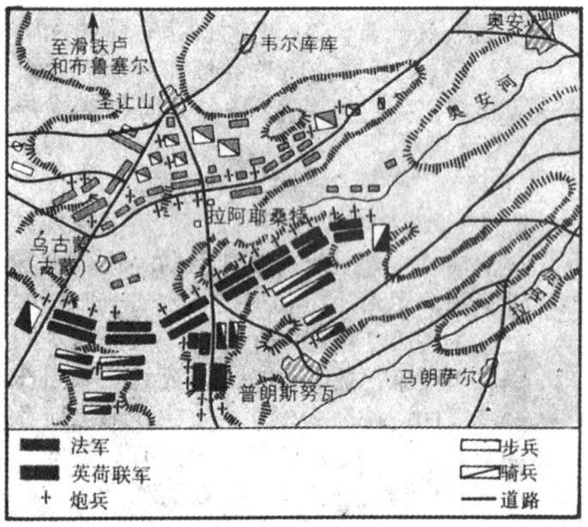

1815年6月18日上午11时双方兵力部署

到H.E.K.von蔡滕指挥的普鲁士军队的支援。在对联盟军展开最后攻击时，内伊指挥近卫军的一部分，以及其他一些部队。联盟军以炮兵火力摧毁拥挤在一起的近卫军步兵。下午8时，近卫军被击退。联盟军遂即开始全面向前推进，普军在东边又再次发动进攻。结果法军大乱，惊慌逃窜。拿破仑军伤亡2.5万人，被俘9 000人。威灵顿军伤亡1.5万人，布吕歇尔军伤亡约8 000人。4天后，拿破仑被迫第2次逊位。

Waterloo Station　滑铁卢车站　英国伦敦兰贝斯区的火车站。为英国最大的车站之一。该站的部分功能是作为连接不列颠岛与欧洲大陆的英法海底隧道(欧洲隧道)的终点站。该站位于南岸，即伦敦眼及伦敦水族馆的正东和威斯敏斯特桥的东北。初建于1848年，1853年重建，在随后的几十年又不断扩建。“新的”滑铁卢车站1922年正式开通。该站的地下通道在第二次世界大战期间曾作为防空洞，整个建筑损坏严重。20世纪90年代初，车站增建了一个国际终点站，1994年开通驶往法国的高速铁路。

watermark　水印　造纸过程中，纸尚未干时通过改变纸的厚度所产生的图案，对着光源清晰可见。在13世纪末以前意大利已有了水印。常见的半透明水印用带有金属丝图案的压胶辊制成；另一种较少见的阴影水印因抄网纸模上凹陷处的纸纤维密度较大，对光时便显现出阴影。商业上水印用作造纸厂或纸张等级的标记，也可用作防伪标记。

watermelon(*Citrullus lanatus*, formerly *C. vulgaris*)　**西瓜**　葫芦科植物，瓠果多汁。原产于热带非洲，除南极洲外各大陆均有栽培。西瓜藤匍匐生长，有分枝的卷须，叶深裂。

西瓜(*Citrullus lanatus*)
供图：Grant Heilman—美国不列颠百科全书公司

花单生于叶腋，淡黄色，单性，雌雄同株。果肉甜而多汁，有红、白、黄诸色。西瓜的大小、形状、果肉颜色和果皮厚度因品种而异，重量从1千克至20千克以上，每个植株产瓜2～15个。西瓜种植据信已有4 000多年之久，梵文中已有西瓜一词，古埃及艺术作品中已有西瓜的影像。西瓜含维生素A和维生素C。通常生食，西瓜皮有时腌食。

waterpower　水力　用水流推动水轮或类似装置而产生的动力。可能在公元前1世纪时就发明了水轮，它在整个中世纪得到了广泛的应用。直到近代，它仍用于磨谷物、向炉内鼓风以及为其他用途提供动力。更紧凑的水轮机是水流经一系列的固定桨叶和转动桨叶，它是由法国实验家B.富尔内隆在1827年发明的。他的第一台水轮机的功率约为6马力。到1832年，他制造了一台50马力水轮机。根据他的设计，后又作了各种改进，著名的有J.汤姆森(约1851)和J.B.弗朗西斯(1855)研制的水轮机，用的是向心径流。虽然水轮机最初用于直接驱动灌溉机械，但现在几乎专用于发电。参阅**hydroelectric power**。

Waters, Ethel　沃特斯(1896或1900-10-31，美国宾夕法尼亚切斯特～1977-09-01，加利福尼亚查茨沃思)　美国布鲁斯和爵士乐歌唱家、戏剧女演员。其名声是和经她演唱而出名的歌曲联系在一起的，尤以《底拿》、《热浪》和《暴风雨天气》最脍炙人口。在自传《上帝的眼睛看着小歌雀》(1951)中述及早年一贫如洗的生活时写道：“我曾偷食度日。”还描述12岁在隐修院学校上学时就结了婚。13岁在费城一家旅馆里当客房侍女，同年第一次在当地一家夜总会公开演唱。17岁已在巴尔的摩作职业性演唱，周薪9美元。并且成为第一个在舞台上演唱W.C.汉迪的古典作品《圣路易斯布鲁斯》的女性。职业上进展神速，不久移居纽约市。1927年首次登上百老汇舞台，演出全部由黑人扮演的小型歌舞剧《阿非利加》，但是直至3年后主演小型歌舞剧《黑鸟》时，才完全确立了自己的地位。1933年在I.伯林的《万众欢呼之时》中演唱《热浪》一曲，获得显著成功，这支歌后来与她

沃特斯在影片《尖尾船》(1949)中的剧照
二十世纪福斯影片公司供图

名字不可分割地联系在一起。1940年以在《空中楼阁》一剧中的微妙细腻的表演迎来了由歌唱演员向戏剧演员过渡的阶段。1943年去好莱坞参加该剧影片的摄制。5年后重返好莱坞，1949年在一部关于种族问题的影片《尖尾船》中演出。另一次令人瞩目的露面是在C.麦卡勒斯创作的《参加婚礼的人》中的表演(1950，舞台；1953，电影)。

Waters, Muddy　沃特斯(1915-04-04，美国密西西比罗林福克～1983-04-30，伊利诺伊威斯蒙特)　美国布鲁斯吉他演奏员和歌手。现代“节奏与布鲁斯”风格的主要创始人。童

供图：Willard Alexander, Inc.

年自学口琴，稍后开始学吉他，逐渐形成自己的积极活跃而不太抒情的风格。1941年开始录音。1943年迁居芝加哥，那里已有众多的出色布鲁斯音乐家。他组织了一个小组，开始在南区的俱乐部及酒吧间里演奏，偶尔亦为当地的录音室录制唱片。由于采用了电吉他和加用钢琴与鼓群来演奏强烈的舞蹈节奏，他与乡村布鲁斯风格分道扬镳。他保留了时而悲哀、时而自负、时而又赤裸地耽于色情中的悲叹与喊叫的歌唱风格和歌词。结果，这种具有独特的芝加哥形式的音乐被认为是都市布鲁斯。后来的摇滚音乐和爵士灵歌形式很大部分是从这种由沃特斯首创的音乐中衍生出来的。

waters, territorial (international law) 参阅 **territorial waters** 领海。

watershed 集水区 参阅 **drainage basin** 流域。

waterskiing 水橇运动 又称滑水运动。用时速超过 24 千米的汽艇牵引运动员在水面上踏橇滑行的一项水上运动。滑行时运动员握住系在汽艇尾部的绳索末端把手,身体稍向后仰。

水橇用木、铝、玻璃钢或其他材料制成。普通水橇一般长约 1.7 米,宽 15 厘米。运动员体重越大,所用的水橇也越大。水橇底部靠近尾端处有一个起稳定作用的尾鳍。橡胶制成的脚套把脚套得很紧,同时又有伸缩性,防止摔倒时受伤。

花样滑水所用的水橇短而无尾鳍,便于运动员在特技表演时充分自如地转身。花样滑水比赛要求运动员在平静的水面和在艇后的尾浪上作双橇或单橇特技动作。选手们可在裁判员面前两次用 20 秒钟完成尽量多的滑行和转身动作。

另一种滑水比赛是跳台比赛,由汽艇把运动员拖到一个长 7.3 米、高 1.8 米的斜台面上,裁判员对运动员飞跃距离和姿式判分。为了跳得远些,运动员急速切向汽艇的尾流,向外侧甩开后调整方向冲过跳台。如用 1.8 米高的跳台,当艇速达到每小时 56 千米时,运动员能跳出 48.7 米的距离。

在美国佛罗里达州的塞普里斯花园内,滑水员用单橇在障碍滑水中绕过浮标
佛罗里达塞普里斯花园供图

障碍滑水比赛在一条设有一定数量浮标的水路上进行,运动员须沿浮标标出的路线回转滑行,并逐渐加速,达到每小时 55 千米。许多运动员使用前面大后面小的单橇参加这项比赛。这种单橇尾端有一个比较大的金属尾鳍和两个脚套。另外一些运动员使用装有较大金属尾鳍的双橇便于急转身。障碍滑水要求准确地掌握时间,具有急转身的能力和横过汽艇尾流的技巧。

在光脚滑水中,运动员在水面掠过时,不使用水橇。有些运动员踩在直径约 1 米的圆盘或比普通的滑水橇短得多的鞋橇上滑行。带风筝的滑水运动在 20 世纪 60 年代成为一种为人们所喜爱的娱乐与比赛的两用活动。滑水员脚穿单橇或双橇,把身体系在面积大但重量小的风筝上。如风速适宜,滑水员离水面起飞,跟随拖船,在空中滑翔,有时可达离水面 30 米的高度。当船减速时,滑水员和风筝即缓慢地回到水面。

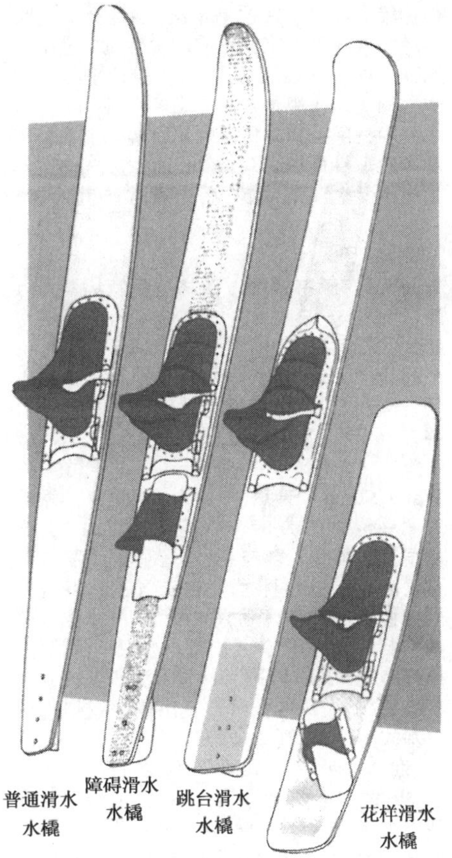

4 种滑水运动用水橇

滑水运动源自滑水板,这是一种用汽艇牵引供人乘立的宽板。滑水板在美国、法国和瑞士最为流行,滑水运动也首先在这些国家得到普及。被认为是滑水运动之"父"的 R.萨缪尔森于 1922 年在美国明尼苏达州丕平湖首次进行滑水运动。纽约州长岛的 F.沃勒于 1925 年获得第一个滑水板设计的专利。1939 年美国滑水协会成立,在佛罗里达州温特黑文市设立了总部,主办并推广娱乐性和竞赛性滑水。协会负责对运动纪录和成绩给予证明,授予奖品,保存比赛纪录和统计数字。1946 年世界水橇运动联合会成立。它是全世界滑水比赛的国际管理机构。申请世界纪录须由世界水橇运动联合会批准。

waterspout 水龙卷 又称海龙卷。在水面上发生的龙卷(**tornado**)。

Watertown 沃特敦 美国康涅狄格州中西部利奇菲尔德县城镇。濒临诺格塔克河。东南邻沃特伯里。1701 年创建,1780 年设镇。早期有锯木厂、磨坊和针厂,20 世纪 70 年代末出产多种工业品。有塔夫特学校(1890)、州立马塔特克森林及州立黑石公园各一部分。面积 76 平方千米。人口约21 661(2000)。

Watertown 沃特敦 美国马萨诸塞州东部米德尔塞克斯县城市。位于波士顿之西,濒临查尔斯河。为马萨诸塞湾最早的 4 个移民点之一。1630 年设建制,是第一个内地农业城镇。地处水源和渔产丰富的地区。17 世纪 30 年代建磨坊,17 世纪 60 年代建漂洗坊。1634 年 8 月首次选出市政管理委员会,城镇因此有"镇议会的摇篮"之称。独立战争期间马萨诸塞临时议会和总法院在此开会办公。经济多样化,生产电子设备和医疗器械。设有珀金斯盲人学校(1912)。人口约 32 986(2000)。

Watertown 沃特敦 美国纽约州北部城市,杰斐逊县县城(1805)。邻近布莱克河瀑布(34 米),西距安大略湖 16 千米。最初于 1801 年组建为乡,有伐木、造纸及钾碱业,1816 年设村。1869 年设市。该地林木资源耗尽后,利用丰富的水力建立其他工业,生产纸张、机动车气压刹车装置,镀锌压模铸件、空气清新剂、电动机、医药设备和灌溉装置;并为周围奶牛牧场的贸易和批发中心。绍森岛游览区、圣劳斯海运航道工程的旅游业及附近德拉姆营军事区均对该市经济发展有一定促进作用。设有杰斐逊社区学院和杰斐逊县历史博物馆。市西南萨基茨港在 1812 年战争中颇有盛名。人口26 705(2000)。

Watertown 沃特敦 美国南达科他州东北部城市,科丁顿县县城。位于大苏河畔,坎佩斯卡和佩利坎两湖之间。原为居民点,名坎佩斯卡。1874年因蝗虫成灾,颗粒无收,居民纷纷离去。1878 年威诺纳和圣彼得(今芝加哥和西北运输公司)铁路延长后,建立此城。1885 年建市。经济主要有农业(牲畜和谷物)、旅游(钓鱼)和一些轻工业。建有南达科他州第一任州长 A.C.梅利特的故居纪念馆。人口约20 237(2000)。

沃特敦市的 A.C.梅利特故居纪念馆
供图:Milt and Joan Mann from CameraMann

Waterville 沃特维尔 美国缅因州中南部肯纳贝克县城市。濒临肯纳贝克河。东北距班戈87千米,东北距州首府奥古斯塔34千

沃特维尔市的科尔比学院
供图:Maine Department of Economic Development

米。1754 年始有人定居。1802 年设镇，1888 年设市。现以生产纺织品和纸制品为主。设有科尔比学院（1813）和托马斯学院（1894）。人口约15 605（2000）。

waterwheel 水轮 利用在轮周装设的一圈叶片以开发流水或落水能量的机械装置。流水施力于叶片使轮转动，并通过轮轴带动机器转动。水轮可能是最早代替人力和畜力的机械能源，并首先开发用于提水、浆衣和碾谷。

水轮和传动装置（通常包括齿轮装置）的组合系统从中世纪起就常称为水轮机。水轮机有 3 种不同类型：最简单和可能最早的是立式轮，其上的叶片受河流的水力作用；其次是卧式轮，通过直接与轮连接的立轴驱动磨石；第三种是齿轮传动的轮机，由具水平轴的立式水轮驱动。后者比前两者需要更多的知识和设计技巧，但其潜力也大得多。立式水轮还可按水冲击轮的位置分为下冲式水轮、胸冲式水轮和上冲式水轮。这些水轮普遍利用水流的能量，但是 11 世纪还出现了潮汐轮机。

每种水轮都各有其特殊的优点和缺点。对这些水轮在中世纪以前的发展情况，知道得较少，但是在结构的复杂性和利用的可能性范围内，它们的某些特性可以提供其问世的先后顺序。

简单的立式水轮不需要附加结构，但是它所受的力和输出功率取决于水流特性和水轮直径。因为动力方向不改变，所以这种水轮最适用于提水，例如可以利用连续运转的一串水缸将水提升到高处。

卧式水轮机（有时称挪威轮机或希腊水轮机）也不需要辅助结构，它适用于研磨，因为上面的磨石固定在立轴上。但是，水磨只能用于水流适合研磨的地方。

齿轮传动的立式水轮机更为通用。若为下冲水轮，则结构相对简单，因为无论是河、潮汐或人工修建的进水槽，水轮上的叶片都能完全浸入水流中。装配工人可以选择其齿轮速比以使输出功率同水流率相匹配，并可将水轮安装在桥拱内或设置在固定于河中心的驳船上。维特鲁威描述了第一个齿轮传动的立式水轮，对这种水轮有可靠的资料可查。这种轮机也具有较重要的意义，因为它是第一个应用齿轮传动而不是利用肌肉动力的机器。不同于胸冲式水轮或上冲式水轮，这种轮机装配的下冲式水轮无须利用下落水体的重量。

齿轮传动的胸冲式和上冲式水轮机需要较多的辅助结构，但是它能最普遍地开发可用的水力资源。一个主要的建造问题是确定轮机的位置，使下落的水同所期望的轮的直径相协调。可以利用从上游下来的长进水槽或坝。

人们对维特鲁威时期和 12 世纪之间齿轮传动水磨的发展情况，知道得很少。一个突出的设备是位于法国阿尔勒附近巴尔伯加尔的磨谷机，它有 16 个阶流式布置的上冲式水轮，每个直径 2 米，配备木制齿轮装置。估计这台磨机可满足80 000居民的需要。

虽然对多样化水流环境有高度适应性的齿轮传动水磨用在罗马帝国，但是历史证明其最引人注目的工业影响却发生在中世纪的西欧。13 世纪以后，上冲式水轮似乎比下冲式水轮更为通用。

中世纪由齿轮传动的轮机实际上是利用动力的一般机械。马或牛作动力的轮机，其功率小于上冲式水轮，后者通常产生 2 ～ 5 马力的功率。

Watford 沃特福德 英格兰赫特福德郡行政、历史郡一城镇和区。濒临科恩河、盖德河和大联合运河。位于伦敦西北缘。主要是伦敦的居住区，也是购物和教育中心。工业主要是印刷业，也有酿酒业和化工业。面积 21 平方千米。人口约81 700（1998）。

Watie, Stand 沃蒂（1806-12-12，美国佐治亚罗马～ 1871-09-09） 又名德加塔加。美国切罗基印第安人酋长，曾签署迫使切罗基人从佐治亚迁出的条约，后在美国南北战争期间担任南部邦联军准将。12 岁入教会学校学习英语，后协助其兄出版本族报纸《切罗基凤凰》。1835 年与其他 3 个切罗基族首领一起签署《新埃科塔条约》，交出佐治亚州的切罗基族土地，强制该族西迁至印第安人准州（今俄克拉何马）。1839 年的签约日，与他一道签约的 3 名首领被杀，他逃脱了死亡并保住了首领的地位。1861 年创建并指挥一个切罗基民团，后该团并入南部邦联军，他被授上校军衔，后晋级准将。他竭力破坏站在邦联一边的印第安人的土地和财产。他忠于南方，直到 1865 年 6 月方才投降。南北战争后作为切罗基南方部族代表去华盛顿。余年经商并经营种植园，搜集切罗基族的故事和传说。

Watkins, Vernon Phillips 沃特金斯（1906-06-27，威尔士格拉摩根斯泰格～ 1967-10-08，格拉摩根斯旺西附近） 威尔士英语诗人，他从威尔士题材和传说中汲取诗歌素材。沃特金斯在剑桥大学读书时就沉浸在法语与德语的研究中，因此对这两个国家的诗歌有深刻的了解。大学毕业后，他成为一名银行办事员并开始写诗。他的作品有《马里·尔怀德歌谣》（1941）、《灯与面纱》（1945）、《骑独角兽的女士》（1948）、《丧钟》（1954）、《柏树与刺槐》（1959）和《姻亲关系》（1962）。《诗选》出版于1967 年。

Watkins Glen 沃特金斯格伦 美国纽约州中部村庄，斯凯勒县县城（1854）。位于芬格湖区中心，塞尼卡湖南端，埃尔迈拉以北 32 千米处。1791 年始有居民，1842 年建村。村中心的一道壮观峡谷现已辟为州立沃特金斯格伦公园，一条溪流循谷而下，落差达 183 米，形成许多湍滩、水潭及瀑布。咸水井采盐为重要行业。该村为塞尼卡湖区一旅游站，亦是周围农场、果园区的贸易中心。沃特金斯格伦汽车大奖赛 1981 年前为每年的盛会。人口2 149（2000）。

Watling Island（The Bahamas） **华特林岛** 参阅 **San Salvador Island** 圣萨尔瓦多岛。

Watling Street 华特灵大道 英国一条罗马道路。道路从伦敦向西北，经圣奥尔本斯至罗克斯特。为罗马时期和罗马时期以后英国的道路干线之一。华特灵本为当地盎格鲁-撒克逊人对罗马城维鲁拉米翁（即今圣奥尔本斯）的称呼。9 世纪后，泛指整个这条罗马时期道路。中世纪后，出于好古，将此名用于其他主要道路成风。

Watling's Island（The Bahamas） **华特林岛** 参阅 **San Salvador Island** 圣萨尔瓦多岛。

Watson, James Dewey 沃森（1928-04-06，芝加哥～　　） 美国遗传学家和生物物理学家。他在脱氧核糖核酸（DNA）分子结构的发现方面曾起关键作用；DNA是遗传的基

哈佛大学供图

础。为此，他同 F. 克里克和 M. 威尔金斯共获 1962 年诺贝尔生理学或医学奖。沃森 15 岁时入芝加哥大学，1947 年毕业。根据他在印第安纳大学（1950 年在该校获博士学位）的病毒学研究以及微生物学家 O. 艾弗里当年的实验，沃森相信只有了解核酸分子之后才能理解基因。他得知剑桥大学卡文迪什实验室的科学家们正在利用 X 线照射蛋白质结晶所得的图像来研究蛋白质的分子结构。在哥本哈根大学工作中他决心要研究 DNA，随后到卡文迪什实验室（1951 ～ 1953）作研究工作。在那里他学到了 X 射线衍射技术并和克里克共同研究 DNA 结构问题。1952 年他测出烟草花叶病毒蛋白质外壳的结构，但在 DNA 方面无大进展。1953 年春他突然认识到，DNA 的主要成分——4 种有机碱——必然要结成固定的碱基对。这个发现是个关键因素，这使他和克里克能勾画出一个 DNA 的分子模型——一个双螺旋，很像一个缠在一起的双栏转梯。DNA 双螺旋有两条由糖和磷酸组成的互相盘绕的长链，其间有扁平的碱基对形成转梯的阶。沃森和克里克的模型还表明 DNA 分子可以复制自己，这样人们就知道基因及染色体怎样复制自己。沃森和克里克在 1953 年 4 月和 5 月的英国杂志《自然》上发表了他们的划时代发现。沃森随后至哈佛大学教书（1955 ～ 1976），成为生物学教授（1961 ～ 1976）。他研究核酸在蛋白质合成中的作用。1965 年他出版了《基因的分子生物学》一书，这是阅读最广泛的现代生物学教科书之一。后来他又写了《双螺旋》（1968），这是他个人对 DNA 的发现的一个记述，内中还描述了有关人士在其中起的作用，这本书曾引起一些争议。1968 年起沃森担任纽约州长岛的科尔德斯普林定量生物学实验室的领

导，他使这个实验室变成分子生物学研究的一个世界中心。这时他集中精力研究癌症。1981年出版了他和J.图兹合著的《DNA的故事》一书。1988至1992年他又在美国国立卫生研究所协助指导美国的一个大规模研究项目的规划工作——对人类染色体上的全部基因进行定位和解码。但是最后他因在私营生物技术公司有投资而引起的利益冲突，终于辞职。

Watson, John B. **沃森**（1878-01-09，美国南卡罗来纳格林维尔～1958-09-25，美国纽约州纽约） 又译华生。美国心理学家，建立并大力宣传行为主义。他认为，行为主义只对环境事件（或称刺激）与行为（即人类反应）之间的关系进行客观的实验研究。沃森的行为主义成为美国二三十年代占优势的心理学派，对当代的心理学，仍然有着普遍性的影响。沃森于1903年在芝加哥大学获心理学哲学博士学位。1908年他在约翰斯·霍普金斯大学任心理学教授后，随即建立实验室进行比较心理学即动物心理学的研究。约在此时，沃森明确地发表了他的第一个关于行为主义者心理学的声明。在他的划时代文献《行为主义者心目中的心理学》中，他宣称心理学是研究人类行为的科学，人类行为和动物行为一样应置于严格的实验条件下进行研究。他的第一部主要著作《行为：比较心理学导论》于1914年问世。在书中他极力主张用动物进行心理学的研究，他把本能描述为一系列由于遗传而活化了的反射。1916年他主张条件反应是理想的实验工具。1918年沃森勇敢地去探索一个在当时还较未被研究的领域——婴儿的研究。在他的一个卓越实验中，他曾使一个11个月婴儿建立起对大白家鼠和其他带毛物件的条件性恐惧。而在另一实验中，他又证明恐惧也可通过条件作用来消除。沃森观点的确切表述见于他的另一部重要著作《行为主义者看来的心理学》（1919），他在书中力求把比较心理学原理和方法推广到人类研究上，并极力主张在研究中使用条件方法。他的职业心理学家的生涯突然中止。1920年由于和他的第一个妻子离婚引起了耸人听闻的宣传，他离开了约翰斯·霍普金斯大学。1921年沃森参加广告业。他为一般读者撰写的《行为主义》（1925）一书，曾吸引了许多人从事心理学专业。1928年沃森又出版《婴幼儿的心理教育》，1930年修订再版《行为主义》，此后他便专心从事商业活动，至1946年退休。

Watson, John Christian **沃森**（1867-04-09，智利瓦尔帕莱索～1941-11-18，澳大利亚新南威尔士悉尼） 政治家、澳大利亚首任工党总理（1904）。在新西兰受教育，移居悉尼后当排字工人。参加工人运动，当选为悉尼职工理事会主席和澳大利亚工人联合会主席（1893）。1894～1901年为新南威尔士议会下院议员，后进入联邦政坛，成为工党领袖。虽然工党在议会两院均未获得多数，但他于1904年组成了澳大利亚联邦第一个工党政府，同年辞职，执政仅4个月，但继续与自由党领袖A.迪金联合。1910年退出政界，成为包括他在悉尼帮助创建的《劳工》日报社在内的几家公司的董事。

Watson, Thomas Augustus **沃森**（1854-01-18，美国马萨诸塞塞勒姆～1934-12-13，佛罗里达帕萨格利尔基） 美国电话的先驱和造船家。原是贝尔电话公司的最初组织者之一，后来转向造船界，为政府建造了许多船舰。14岁离开学校，开始在波士顿的一家电气工场工作。在那里与A.G.贝尔结交，并一起进行电话实验。1877年贝尔电话公司成立后，他分享到一份企业股权，同时也是研究和技术开发部的领导人。1881年离开贝尔，和F.O.韦林顿合伙制造机器和船舶。1896年接到第一个政府合同，建造两艘驱逐舰。此后，直到1904年沃森退休的8年期间，马萨诸塞州昆西的沃森造船厂与别的厂合并成为福里内河船舶和轮机公司，一直在建造灯船、巡洋舰、战列舰、斯库纳纵帆船等船只。

Watson, Thomas J., Sr. **沃森（老）**（1874-02-17，美国纽约坎贝尔～1956-06-19，纽约市） 美国实业家，他将国际商业机器公司建成为世界上最大的电动打字机与数据处理设备的制造商。1895年人俄亥俄州代顿全国收款机公司任推销员。受总经理帕特森的栽培，不到10年即被提升为营业部主管。1913年沃森离开该公司，1914年任计算-报表-记录机公司总经理，1924年该公司改称为国际商业机器公司。沃森是卓越的售货员和企业组织者，他的业务班子有高度的事业心，训练精良，报酬优厚。他经常做鼓动工作，并采取一些措施，使国际商业机器公司在市场上占统治地位。1952年他将公司总经理的职位交给儿子小托马斯，自己仍任董事长。4年后他去世时公司雇员有6万人，在全国有200所办事处。工厂及装配厂遍布全世界。

Watson, William **沃森**（1559-04-23?～1603-12-09，英格兰汉普郡温切斯特） 英格兰天主教司铎，因参与反对英格兰国王詹姆斯一世的"次要阴谋"而被处死。16岁去法国。1586年4月在法国受神职，同年6月回英格兰。此后16年间因非法传教屡次入狱。詹姆斯一世即位后，他策划在格林尼治捉住国王，使其同意信仰天主教的自由。事泄被捕，以叛逆罪处死。此事通称"次要阴谋"，以区别于同日的另一次阴谋（"主要阴谋"）。

Watson, Sir William **沃森**（1858-08-02，英格兰约克郡沃夫河谷的伯利～1935-08-11，萨塞克斯迪奇灵） 英国抒情诗和政治诗作家，特别擅长即兴诗。以追悼华兹华斯、丁尼生的诗篇和庆祝爱德华七世加冕的颂歌闻名。他的政治立场鲜明，在一些问题上攻击政府。第一部诗集《王子的探求》于1880年问世，此后又写了大量作品。1917年受封为爵士。他的作品受到丁尼生和阿诺德作品的影响。后来所写诗歌于1936年出版。

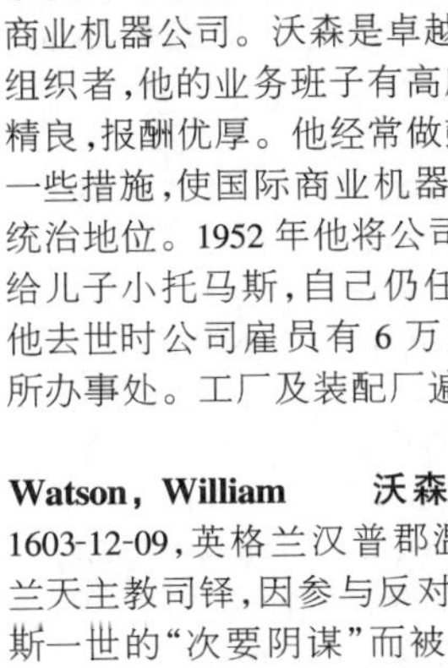

伦敦国立肖像画陈列馆供图

Watson Lake **沃森莱克** 加拿大育空地区南部社区。地处育空地区与不列颠哥伦比亚省交界处的小湖畔。19世纪为贸易站，现为本地区南部交通和货物集散中心。有公路连接怀特霍斯和加拿大南部城市。为勘探人员、狩猎者和渔民的活动基地。拥有本地区规模最大的伐木和木材加工业。社区东有奇特的"路标林"。1942年，阿拉斯加公路的筑路工人在此树立标牌，写上自己家乡的名称和距此路程，以寄托思乡之情，此举后被游人效法。人口912（1991）。

Watson-Watt, Sir Robert Alexander **沃森-瓦特**（1892-04-13，苏格兰福弗尔郡［安格斯］布里金～1973-12-05，因弗内斯郡因弗内斯） 苏格兰物理学家，因在英国发展雷达获得声誉。曾就读于圣安德鲁斯大学，后在邓迪大学学院任教。1915～1952年先后担任了几个公职：先是从事探索雷暴雨气象工作，1935年在主管国家物理实验室无线电方面的工作期间，他开始从事飞机无线电定位工作，年末已经能对相距110千米的飞机定位，办法是向飞机发射无线电波束，再接收由飞机反射的无线电波，并通过所耗费的时间计算距离。这一成果使他设计出世界上第一个实用雷达系统，成为1940年英国抗击德国的空袭中的决定性因素。1942年受封为爵士。他的其他贡献有：用于研究大气现象的阴极射线探向器；对电磁辐射的研究；用于飞行安全的一些发明。

Watson-Wentworth, Charles **沃森-温特沃思** 参阅 **Rockingham, Charles Watson-Wentworth, 2nd Marquess of** 罗金厄姆侯爵（第二）。

Watsuji Tetsurō **和辻哲郎**（1889-03-01～1960-12-26） 日本道德哲学家和思想史家，力图把东方道德精神同西方伦理思想结合起来的现代日本思想家的杰出代表。曾在东京大学攻读哲学，后任京都大学（1931～1934）和东京大学（1934～1949）伦理学教授。早期著作中最著名的是《尼采研究》（1913）和《克尔恺郭尔》（1915），这些著作为数十年之后存在主义在日本的传播铺平了道路。后转而研究日本古代文化的精神和日本佛教，著有论述日本文化各个不同方面的书籍和文章。他又扩大自己的研究领域，进而探讨早期的印度佛教及其后来的发展情况。但是，他的主要著作是属于伦理学范畴的，有《伦理学——人的哲学》（1934）、3卷本的《伦理学》（1937～1949）和2卷本的《日本伦理思想史》（1952）。他试图运用西方的范畴创立一种有系统的日本伦理学。他认为西方伦理学过分强调个

东京国际教育情报学社供图

人，与此相反，他强调人既是一个个人，又是一个与自己的社会关系很深的社会动物。他采用一些佛学的逻辑辩证因素以说明个人如何被吸收到社会中去，并征引日本艺术和文化各个方面的成果作为实例以解释人同社会互相依存的关系。他使自己的人生观适应于个人和社会的各种相互关系，从最简单的到全面统合的关系——从家庭到国家。他的著作只有一个英译本，即鲍纳斯所译的《风土之哲学研究》(1961；再版时改名为《风土与文化》,1988)。

watt　瓦特　国际单位制(SI)中的功率单位，等于1秒钟完成1焦耳的功，或1/746马力。1瓦特的等效值为载流1安培的导体两端的电势差为1伏特时所消耗的功率。以英国工程师和发明家J.瓦特的姓氏命名。大多数电器用瓦特来标定功率。

Watt, James　瓦特(1736-01-19，苏格兰伦弗鲁郡格里诺克～1819-08-25，英格兰沃里克伯明翰附近希思菲尔德宅邸)　苏格兰发明家，高效率瓦特蒸汽机的发明者，对工业革命

伦敦国立肖像画陈列馆供图

起了重大作用。曾就读语法学校，学习拉丁文、希腊文和数学，但他在父亲的工厂里用自己的工具、工作台和锻炉制造模型，成为他受教育的重要组成部分，并因此熟悉了航海仪器。17岁时立志成为一名数学仪器制造家，1757年在大学里开设一家商店并制造数学仪器，结识了许多科学家，并与提出潜热概念的J.布莱克交往。1764年他在修理一台纽科门型蒸汽机时，对蒸汽被浪费感触很深，经过苦思冥想，1765年5月突然找到解决的办法，即加装一个冷凝器——这是他第一项、也是最重要的一项发明。他认为损失潜热是纽科门蒸汽机的最大缺陷，因此必须在汽缸外连接一个冷凝器。1768年由布莱克提供贷款，并在J.罗巴克的合作下制造出一台小型试验性蒸汽机，翌年获得"降低火力发动机的蒸汽和燃料消耗的新方法"的专利。此后，瓦特因忙于其他工作，中断对蒸汽机作进一步的研究。

当议会通过法案延长瓦特的专利权后，瓦特于1775年开始与分享专利权的M.博尔顿进行长达25年的合作，在博尔顿的财力支持下，蒸汽机的研制工作进展迅速，1776年安装了两台蒸汽机，一台用来给煤矿排水，一台为高炉鼓风。1781年博尔顿预见到蒸汽机的需求量很大，建议瓦特设计一种用旋转运动代替原来往复运动的蒸汽机。1781年瓦特发明行星式齿轮，使发动机每运行一周，旋转轴转动两圈。1782年他的发明才能达到顶峰，发明双作用蒸汽机，使活塞两个方向的运动都产生动力。1784年他发明了平行运动连杆机构，解决了双作用蒸汽机的结构问题，他说："这是我所发明的最富有独创性、最简单的机构之一。"1788年他又发明自动控制蒸汽机速度的离心调速器，1790年在博尔顿的建议下，他发明了压力表，瓦特蒸汽机终告完成。当时造纸厂、面粉厂、纺织厂、铁厂、酒厂以及运河和自来水厂都需要使用瓦特蒸汽机，其需求量大增。瓦特由此致富。他还从事其他学术活动，1785年他和博尔顿被选为伦敦皇家学会会员。瓦特的成就在他生前得到充分承认，1806被授予格拉斯哥大学法学博士，1814年被选为法国科学院外籍院士。

Watt, Joachim von　瓦特　参阅**Vadianus, Joachim 瓦狄亚努斯**。

watt-hour meter　瓦时计　俗名电度表。测量并记录一段时间内通过电路的电功率的装置。虽然瓦时计有好几种不同的类型，但它们的基本部件都包括一个小的电动机和一个计数器。流经电路的电流有一定部分用于驱动电动机。电动机旋转的速度与电路中的电流成比例，因而电动机转子每转一圈都对应于流经电路的一定的电流量，计数器与转子相连，根据转子的转数把电路运载的功率累加起来并予以显示。计数器的刻度一般为千瓦小时。水银式瓦时计和换向器式瓦时计测量直流电路的功率；感应式瓦时计测量交流电路的功率，即通常在户外见到的一种。各类专用瓦时计中有总功率表，用以记录几个电路的功率；高精度便携式瓦时计用于测试已安装好的瓦时计。

Watteau, (Jean-) Antoine　华托(1684-10-10，法国瓦朗谢讷～1721-07-18，马恩河畔诺让)　法国18世纪画家。其绘画反映出当时的法国正从浮华的巴罗克时代进入洛可可时期，笔下的人物不再是神、圣人或武士，而是些平庸的朝臣、求婚者或丑角，作品多与戏剧题材有关。出身于一个烧瓦工的家庭，幼时喜爱小说、绘画和音乐，后到当地一个画家的工作室当学徒。18岁时去巴黎学画，先到一画店作工，同时画了无数写生稿，成为日后创作的灵感源泉。后成为剧院舞台布景画家C.吉洛的学生和助手，这对其后来创作中的戏剧题材影响很大。1708年到著名装饰画家克劳德·奥德朗的画室当助手，研究鲁本斯的艺术。1709年入皇家绘画院学习，并参加"罗马奖金"的竞争，但没有成功，于是弃学回家作画。1710年受画商P.西鲁瓦之邀回到巴黎，并与西鲁瓦的女婿热尔桑结成挚友。在1710～1712年间，他完成了油画《发舟西苔岛》，同一题材的油画他前后共画了三幅，这是第一幅。西苔岛(基西拉岛或爱情岛)取材于法国和意大利一个古老的神话，讲的是旅途之艰难。但在华托的笔下，西苔岛被描绘成一个可望而不可及的地方。第二幅完成于1717年，这是三幅中最美的一幅，也是其爱情题材的代表作。这时其健康日渐恶化，两年之后到伦敦求医，这期间画了《意大利喜剧演员》一画。1720年回到法国，仅用8天时间便画成了著名的巨幅油画《热尔桑画店》。这是为其朋友画商热尔桑作的招牌画。晚期作品中，为集市剧院作的招牌画《丑角纪勒》是其描绘戏剧角色的代表作。华托一生还画了大量的素描。其作品突破了路易十四时期古典主义的束缚，画风富于抒情性，具有现实主义倾向，画中人物多带有沉思忧郁之感。主要作品有：《夏》(1712～1715，华盛顿国家美术馆藏)、《菲内特》(1716，罗浮宫藏)、《纪勒和他的家庭》(1716～1718，伦敦华莱士收藏馆藏)、《发舟西苔岛》(1717，罗浮宫藏)、《音乐

华托绘《发舟西苔岛》(1717)
中国大百科全书出版社供图

会》(1717～1718,伦敦华莱士陈列馆藏)、《意大利喜剧演员》(1720,华盛顿国家美术馆藏)、《法国喜剧演员》(1720?,纽约大都会艺术博物馆藏)、《热尔桑画店》(1720～1721,柏林国立博物馆藏)、《丑角纪勒》(1720～1721,罗浮宫藏)等。

wattle and daub　泥笆墙　在直立木柱间编织横枝条后涂以黏土或泥所构成的墙。这是已知最早的能蔽风雨的构造方法之一。在英国铁器时代遗址中有用这种方法建造的圆形建筑。其木柱是插入土中的。这种方法用在木构架建筑中作为填充墙时,则木柱的上下端都有横木。上面横木上钻孔,下面横木上开槽,以便插入木柱,然后在木柱之间编织树枝,再在其上涂泥,常用于欧洲中世纪的半露木骨架构造中。近代,在石膏板出现以前,常用作内墙的板条抹灰墙就是从泥笆墙发展而来的。

wattle-eye　眼瘤鹟　又作puffback flycatcher。又称绒背鹟。鹟科(**Muscicapidae**)眼瘤鹟亚科(Platysteirinae)的多种非洲鸣禽,体小而短胖;或归入鹟亚科(Muscicapinae)内。多

眼瘤鹟(*Dyaphorophyia jamesoni*)
绘图:Murrell Butler

数种类的眼附近有颜色鲜明的肉垂:眼瘤鹟属(*Platysteira*)种类雌、雄性的肉垂都在眼上方;*Dyaphorophyia* 属雄鸟在眼的上、下方都有肉垂,有时雌鸟亦然。然而喷背鹟属(*Batis*)无肉垂。眼瘤鹟类的典型羽色为黑、白两色,胸部常有一带斑;雌鸟另有淡红褐色色彩。所有种类尾部均有长羽毛,在激动时竖起。在森林和庭园中捕食昆虫,拍动翅膀和吧嗒嘴发出声音。例如横贯赤道分布的绯红眼镜眼瘤鹟(*P. cyanea*),中非西部的栗色眼瘤鹟(*D. castanea*)以及非洲东部和南部的著名园林鸟中好望角喷背鹟(*B. capensis*)。

wattlebird　垂耳鸟　垂耳鸦科(**Callaeidae**)数种鸟的通称,产于新西兰。垂蜜鸟属(*Anthochaera*)的吸蜜鸟(**honeyeater**)亦特称垂耳鸟。

wattled crow　参阅 **kokako** 垂耳鸦。

Wattrelos　瓦特勒洛斯　法国北部北加来海峡大区北部省城镇。位于比利时边界。为鲁贝东北郊区,有纺织、化学和冶金工业。1864年这里发掘出来的尼禄金像说明罗马人曾经占领过这一地区。人口42 753(1999)。

Watts　沃茨　美国加利福尼亚州洛杉矶市西南区。因1965年8月11～16日发生种族暴乱而闻名。因为长期受歧视,数以千计的黑人焚烧商店并抢劫该区,造成34人死亡,千余人受伤。沃茨原名马德城,1926年并入洛杉矶。人口32 145(1990)。

Watts, George Frederick　瓦茨(1817-02-23,伦敦～1904-07-01,英格兰萨里康普顿)　英格兰画家和雕刻家,擅长大型寓意主题画。他认为,艺术应宣扬普遍的真理,但是他的作品题材充满晦涩的象征意义,常表达含混不清的、现在看来似极肤浅的抽象概念。1835～1837年间,偶尔参加皇家学院的展览,展出作品有《受伤的苍鹰》(1837)等。在为国会大厦设计装饰画的竞赛中,他两次获头等奖,用此笔奖金于1843～1847年访问佛罗伦萨、罗马和那不勒斯。其作品带有意大利的影响,而最明显的是提香艺术的影响。后期最有名的作品是《期待》(1886,伦敦塔特美术馆),含有诙谐意味。他还以敏锐的观察力完成了同时代许多名人的肖像画,其中突出的是曼宁大主教的肖像(1882,伦敦国立肖像画陈列馆)。

Watts, Isaac　瓦茨(1674-07-17,英格兰汉普郡南安普敦～1748-11-25,伦敦斯托克纽因顿)　英国非国教派牧师、被公认为英国赞美诗之父。曾在伦敦非国教学校学习。1699年任伦敦马可街独立教堂(即公理会)副牧师,1702年任正牧师。任职期间写了一些著名赞美诗。1712年因健康不佳去赫特福德郡T.阿布尼爵士家,原打算暂住一周,后终身寓居该地。他的第一集赞美诗和圣歌集写于1706年,1707年又写了《赞美诗和属灵歌曲》,其中包括《奇妙十架歌》和《喜悦之乡歌》,以及其他在整个新教世界的著名歌曲。其最有名的赞美诗是《千古保障歌》和《耶稣普治歌》,这些都包括在著名的《仿新约文字改写的大卫诗篇》(1719)一书中。晚年致力于著作,多年写成《逻辑学,或正确运用理性去探究真理》(1725)一书,几个世纪一直作为标准教本使用。

Watts-Dunton, (Walter) Theodore　瓦茨-邓顿(1832-10-12,英格兰亨廷登郡圣艾夫斯～1914-06-06,伦敦)　英国批评家和文人,诗人A.C.斯温伯恩的朋友和自荐的保护人。早年攻读法律并曾一度在伦敦开业,但他真正的志趣在文学,最后成为一个重要的文学批评家。他经常为《考察家报》和《雅典娜神殿》写稿,并为《不列颠百科全书》第9版(1885)撰写有关诗歌的条目。经过坚持不懈的努力,他与当时的名作家,如D.G.罗塞蒂和斯温伯恩建立了友谊,这些友谊是他声望的真正基础。体弱多病的斯温伯恩,1879年完全病倒,但在瓦茨-邓顿的精心照料下,又恢复了健康。在此后的30年中,瓦茨-邓顿为斯温伯恩制定的严格生活规律和对他的热情鼓励,使后者得以创作出大量作品。瓦茨-邓顿出版有2部小说《阿尔温》(1898)和《韦斯普利·托尔斯》(1916),以及诗集《爱的来临》(1897)。他的回忆录《熟悉的老面孔》(1916)是他的一生和时代的宝贵记录。

Watusi(people)　**瓦图西人**　参阅**Tutsi** 图西人。

Wau　瓦乌　巴布亚新几内亚东部城镇。位处山区,在埃迪和布洛洛两河汇流处。有公路通莱城,也有航班通莫尔兹比港。第二次世界大战中曾是战场,战后重建,但规模不如战前。现经济以咖啡和木材生产为主,经莱城出口。金矿开采业(始于1921年)也很重要。附近有麦克亚当国家公园。人口约2 374(1980)。

Wau (The Sudan)　参阅 **Wāw** 瓦乌。

Wauchope　沃霍普　澳大利亚新南威尔士州北部沿岸城镇。位于黑斯廷斯河畔,距河口19千米,麦夸里港西面。为附近综合性农业区(产菜牛、猪、乳品、蜂蜜)服务点。当地森林为木材加工、制箱、造船等工厂提供木材。附近地区开采砷、锡、锰、铜和金矿。有铁路通悉尼和布里斯班。人口3 645(1981)。

Waucoban Series　沃科巴统　寒武系最下面的统(寒武纪开始于约5亿～7亿年前,延续约0.65亿年)。因加利福尼亚州沃科巴泉的露头命名。相当于沃科巴统地层的年代叫"沃科巴世"。以特殊的动物组合为特征,尤其以三叶虫的小油栉虫属(*Olenellus*)为典型。到目前为止,还没有一个明确的、能够全世界通用的、把寒武系底界划出的定义。

Waugh, Alec　沃(1898-07-08,伦敦汉普斯特德～1981-09-03,美国佛罗里达坦珀)　英国通俗小说家和游记作者。别名 Alexander Raban Waugh。作家E.沃之兄。曾在舍伯恩的学校和桑德赫斯特的皇家军事学院求学。17岁时写成小说《青春隐现》(1917),描写寄宿中学的生活,出版后引起很大轰动。第一次世界大战期间在法国战场作战并当过战俘。战后在出版社任审稿人,1926年赴塔希提岛。他对热带国家的热爱在他很多小说中都可看到迹象。《阳光下的岛屿》(1956)一书探讨了一西印度海岛上黑人与白人间存在的感情和政治问题。《尖塔上的顽固者》(1965)根据英国在中东的反情报活动写成。《我的兄弟伊夫林及其他人的传略》(1967)在很大程度上是自传性作品。晚年写有《家里的间谍》(1970)、《致命的礼品》(1973)和《值得纪念的一年》(1975)。

Waugh, Evelyn (Arthur St. John)　沃(1903-10-28,伦敦～1966-04-10,英格兰萨默塞特汤顿附近的库姆弗洛里)　英国作家,被许多人认为是当时最优秀的讽刺小说家。曾在萨塞克斯兰辛学院和牛津大学赫特福德学院求学。曾短暂学过艺术和担任过学校教师,后

热衷于独自旅行考察和写小说，很快便因讥讽的妙语和出众的技巧而远近闻名。第二次世界大战期间先后服役于英国皇家海军和皇家骑兵禁卫军。1944年参加英国驻南斯拉夫

供图：Camera Press

游击队代表团工作。战后在英国西部地区过着退休生活。1939年以前沃的作品可以说为讽刺性的。其中最值得提及的是《衰落与瓦解》(1928)、《邪恶的肉体》(1930)、《黑色恶作剧》(1932)、《一抔土》(1934)和《独家新闻》(1938)。后来用这种风格所写的作品有《爱人》(1948)，讽刺了加利福尼亚的殡葬业。战争期间的作品有《旧地重游》(1945)和《海伦娜》(1950)。沃所著的三部曲《武装的人》(1952)、《军官与绅士》(1955)和《无条件投降》(1961)，剖析了第二次世界大战的性质，特别是它和善与恶之间的永恒斗争以及它和文明与野蛮的一时斗争的关系。

Waukegan 沃基根 美国伊利诺伊州东北部城市，莱克县县城(1841)。在密歇根湖陡岸上。约1825年始有白人定居。1849年设村，1859年设市。曾为该州内圣劳伦斯水道上第一个港口。现为密尔沃基-芝加哥城市工业联合体的一部分。城北有伊利诺伊州立湖滩公园。人口87 901(2000)。

Waukesha 沃基肖 美国威斯康星州东南部城市，沃基肖县县城(1846)。东邻密尔沃基，濒临福克斯河。1834年开始有人定居。1852年设村，1896年设市。美国南北战争前为废奴运动的中心，曾出版反对奴隶制的《美国自由民》杂志。1870～1910年为休养地，以矿泉(据说能治病)而闻名。此后，直至20世纪中期，泥浴十分受欢迎。经济多样化，主要有翻砂、食品加工、印刷以及医疗设备、电气设备和发动机的制造。有卡罗尔学院(1846)和威斯康星-沃基肖大学(1966)。人口：市64 825；密尔沃基-沃基肖主要都会统计区1 500 741(2000)。

Wausau 沃索 美国威斯康星州中北部城市，马拉松县县城(1850)，濒临威斯康星河。位于格林贝西北偏西150千米处。1839年开始有人定居，为锯木小镇，1872年建市。为农业(乳制品)和销售中心。威斯康星河流域开发公司总部设此。生产木制品、纸制品、电动机、建筑设备和塑料。1912年建中北工学院。附近有州立里布山公园。为度假基地。人口：城市38 426；都会统计区125 384(2000)。

wave 水波 水面上通常具有前进运动的脊峰或隆起，这种运动不同于那种依次构成的相邻质点的振荡运动。这些起伏和振荡可以是混乱的和随机的，也可以是有规律的：相邻的波峰之间有可辨认的波长，并具有固定的振荡频率。在后一种情况下，水波可以是前进的，其中波峰和波谷仿佛以一种稳定的速度在与其本身呈直角的方向上行进。另一方面，水波也可以是一种驻波，其中无任何前进。在这种情况下，在某些地方——节点——根本没有任何上升和下降，而在别处，则水面以固定的频率升高到波峰，然后下降到波谷。

有两种控制和维持水波运动的物理机制。对大多数水波来说，重力是使水面质点的位移加速返回平均水面高度的恢复力。返回到静止位置的水质点所获得的动能使其越过静止位置继续向下(或上)运动，结果形成振荡的波动。在波长很短的水面扰动——即涟波——情况下，恢复力为表面张力，其中水面起着像绷紧的薄膜那样的作用。如波长小于几毫米则表面张力支配着运动，这种水波为表面张力波。重力是支配力的表面重力波具有大于约10厘米的波长。如波长介于这两者之间，则两种恢复机制都是重要的。

水波传播的数学理论显示：对波幅小于其波长的水波来说，波的侧面图可呈正弦波形，而且在波长与波的周期之间有着固定的关系，这也控制着水波传播的速度。较长的水波比较短的水波行进得快些——一种被称为扩散的现象。如果水深不及波长的1/20，则这种水波被称为长重力波，其波长与其周期呈正比关系。水越深，水波的行进越快。对表面张力波来说，较短的波行进得比较长的波快些。

水波的能量与波幅——即水面高于或低于其静止位置的最大位移——的平方呈正比。数学分析表明：必须把波谷和波峰的速度(称相速度)与水波能量(或与水波有关的信息)传递的速度和方向(称群速度)区别开。对非扩散的长波来说，这两种速度相等；而对深水中的表面重力波来说，群速度只是相速度的一半。因此，当池面某一点突然受到扰动后，在池面上向外扩散的一系列水波中，波前行进的速度只是波峰速度的一半，波峰看起来仿佛是穿过波包并在波前处消失。对表面张力波来说，群速度为相速度的一倍半。

波幅比波长大的水波不可能这么容易用数学理论加以描述，它们的形状是扭曲了的正弦波形。其波谷往往会展平，其波峰则向一点突出——一种被称为椭圆余弦波的形状。在较深的水中，水波的极限高度为波长的1/7。当水波接近这一高度时，其尖峰即破碎形成"白帽"。在浅水中，波幅长的水波发生扭曲，因为波峰比波谷走得快，形成一种具有陡起缓落的侧面图形。当这种水波移动进入沙滩上更浅的水中时，就变得越陡，直到发生破碎。

海面上的波是受风的作用产生的。在产生过程中，受干扰的海面是不规律的，含有许多不同频率的不同振荡运动。海洋学家用波谱来描述能量在不同频率上的分配情况。与波谱形状有关系的可能是风速和风向以及风暴的持续时间和风暴已经吹过的"吹程"(即风浪区的迎风距离)，所以这些信息可用于风浪预测。在风暴过去之后，风浪就消散了，周期较长(约8～20秒)的风浪，传播的距离也长，周期较短的风浪则因内部摩擦而被阻息。

wave-cut platform 浪蚀台 又称磨蚀台(abrasion platform)。指坡度平缓的从陡崖根部高潮线延伸到低潮水位以下的岩礁，是海浪磨蚀的结果。海滩保护海岸不受磨蚀，因

美国俄勒冈州沿岸的浪蚀台
供图：Alan Pitcairn—Grant Heilman

而，阻止了浪蚀台的形成。当海浪在海边陡崖根部侵蚀出一条凹槽时，浪蚀台就加宽了，这凹槽使上面倒悬的岩石跌落。当海边陡崖遭到冲击时，软弱岩层很快就被侵蚀掉，留下比较坚固的岩石突现出来。这些不规则的突出部分，具有海蚀拱门、垛堆、洞穴等各种形式。浪蚀台取决于岩石的结构和类型。坚固的块状岩石，如花岗岩之类抗磨蚀，可以缓和甚至阻止浪蚀台的形成。在少数情况下，悬崖向下直接插入到深水里，这通常是近代断裂作用或火山活动的结果。潜入深水的悬崖只稍微受到海浪侵蚀作用，因此浪蚀台的发育过程受到制止。随着海平面的变化，浪蚀台可以被淹没，也可以被抬高，而结束形成过程。抬高的浪蚀台叫做海蚀阶地。这种阶地可以用来计算地质历史上海岸的升高或海面的下降，特别是在海面间歇性地停滞而沿海岸产生一系列阶地的地区更可使用此法。

wave cyclone 波动性气旋 参阅 **extra-tropical cyclone** 温带气旋。

wave front 波阵面 表示波的相应诸点一齐振动的一个虚拟面。当有共同振源的全同的波传过均匀介质时，相应的峰与谷在任何瞬时都同相；通过所有同相点描绘的任何曲

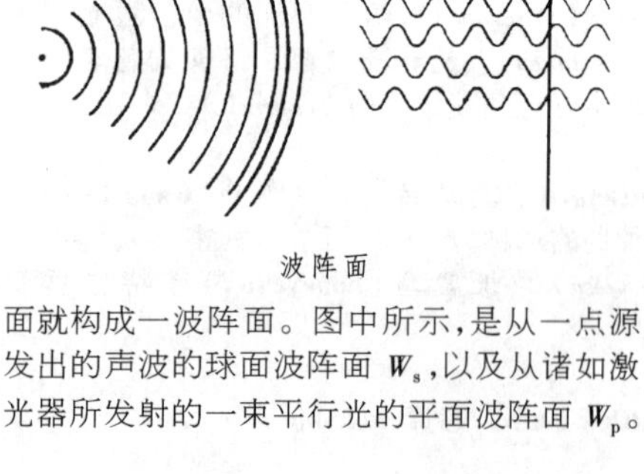

波阵面

面就构成一波阵面。图中所示，是从一点源发出的声波的球面波阵面 W_s，以及从诸如激光器所发射的一束平行光的平面波阵面 W_p。

纵波和横波的波阵面,可以是任何构形的曲面,取决于波源、介质和遇到的种种障碍。参阅 **Huygens' principle**。

wave function 波函数 量子力学中,从数学上描述粒子波动性的变量。粒子的波函数在时空中某给定点的值与粒子在该时间于该位置出现的概率相关。一般用希腊字母 Ψ 表示波函数,与声波类比可以认为它表示的是粒子波(或德布洛意波)的振幅,尽管这样的振幅并没有物理意义;但波函数的平方 Ψ^2 却具有物理意义:由特定的波函数 Ψ 所描述的粒子在给定位置与时间出现的概率与 Ψ^2 的值成正比。

wave mechanics 波动力学 即量子力学,特指最初由 E.薛定谔 1926 年所创立的那种量子力学。参阅 **Schrödinger equation**。

wave motion 波动 扰动——相对于静止或平衡状态的偏移——有规律和条理地从一处到另一处的传播。最熟悉的是水的表面波,但是声和光也像波的扰动那样传播,而所有亚原子粒子的运动都表现出像波那样的性质。因此,对各种波的研究就成为一切自然科学和技术中极为重要的课题。

最简单的一些波动类型是弹性介质(如空气、晶体物质或张紧的弦)的波动。例如,若金属块体表面受到强击,则表面材料的变形压缩邻近表面的金属,从而将扰动传到下层。表面放松回到其初始构形,压缩继续传播进入金属块体内,传播速率取决于金属材料的刚度。这是压缩波的一个实例。局部扰动在弹性介质中的平稳传播对许多形式的波动都是一样的。

在多数被人关注的系统中,两个或更多个小振幅扰动可以互相叠加而不受到破坏。与此相反,复杂的扰动可分解为几个简单的分量。例如,在无线电发射中,高频信号可叠加在低频载波上,并可在以后接收时完整地滤出。

在一些最简单的波中,扰动周期性地振动,有固定的频率和波长。这些正弦振动构成研究几乎所有形式线性波动的基础。例如,对于声音,单独一个正弦波可产生一个纯音,而不同乐器演奏同一个音符所发出的各具特色的音色则是由许多不同频率的正弦波混合出来的结果。在电子学中,调谐回路里电流有节奏的固有振荡可用来产生正弦射电波。

虽然一切线性波的数学性质相同,但是它们可以表现不同的物理现象。一类重要的波——电磁波——描绘电磁场的振动。它们包括辐射热、光、射电、微波、紫外线和 X 射线。电磁波可由运动电荷和变化电流产生,它们可在真空中传播;因而与声波不同,电磁波不是任何介质中的扰动。电磁波与声波之间的另一差别是:电磁波是横波,即扰动方向与波传播方向相互垂直;声波是纵波,即扰动方向与波传播方向相互平行。

波在介质中的传播取决于介质的性质。例如,不同频率的波可以不同速率在介质中传播,这就是所谓频散效应。对于日光,频散可导致颜色的分解,这就是三棱镜能产生光谱的机理。在地球物理学中,地震波的频散传播可提供地球内部构造的信息。

所有波都具备的两个重要特性是衍射和干涉现象。当一波的扰动传到屏幕或其他障碍物的小孔时,就能从小孔向所能及的各个方向传播。因此,沿直线常规传播的光线穿过小孔时能弯转而变向,这就是所谓衍射现象。

当两波结合且扰动交叠在一起时,就出现干涉现象。如果两波同步到达某点,则产生增强效应,该点扰动加大;如果两波不同步到达某点,则它们的相反运动相互抵消,该点扰动减小或消失。因此最后出现一个由许多大小扰动构成的独特的干涉图案。

非线性波是数学研究中难于处理的问题,它们在许多应用领域可能是非常重要的。非线性波通常显示出更复杂的结构和性状;例如浅水河道中的水波可形成好似驼峰的孤立波,这种波以固定的整体波形在水中传播。非线性波大量存在于各种各样的神经网络和星系旋臂系统中。

wave number 波数 原子、分子和原子核的光谱学中的频率单位,等于真实频率除以光速,因此,它等于单位距离内波的数目。波的频率(以希腊字母 ν 表示)等于光速 c 除以波长 λ,即 $\nu = c/\lambda$。在光谱的可见光范围内,一个典型谱线的波长为 5.8×10^{-5} 厘米,从上述公式,得到与该波长相当的频率 ν 为 5.17×10^{14} 赫。因为这个频率以及类似的其他频率的数值都十分巨大,于是将此数值除以光速以减小其值就很简便,即 ν/c,代入前式,则为 $1/\lambda$。波长以米计时,$1/\lambda$ 表示在波列中每 1 米长度内所含有的波数;如以厘米计,则 $1/\lambda$ 表示每 1 厘米的长度内的波数。这个数即为谱线的波数。通常以米的倒数(1/米或米$^{-1}$)或厘米的倒数(1/厘米或厘米$^{-1}$)作单位。

wave particle duality 波粒二象性 光和电子之类物理实体既有似波性又有似粒子性。1905 年 A.爱因斯坦以实验证据为基础,首次说明曾被看作是电磁波形式的光,也必须被认为是一种粒子状客体,或把它看作是离散的定域能包。1924 年法国物理学家 L.德布罗意提出电子和物质的离散小单元,在被想象为只是物质粒子时,也具有波长和频率之类的波的特征。1927 年电子的波性经实验证实。1928 年提出并协原理,弄清了同一现象的波性和粒子性之间的并协关系(参阅 **complementarity principle**)。

wave velocity 波速 单位时间内周期运动沿任一方向所穿越的距离。虽然,通常说的波速指的是速率,但准确地说,波速应包含速率和方向。波速等于其波长与频率的乘积而与波的强度无关。如果一个质点在刚体内振动,则同时发射相同频率的横波和纵波,并且,由于纵波偶因波长较长而移动得更快一些。这样,由纵波(P 波)和横波(S 波)组成的地震波,就以两种速度穿过地球。至于像声波那样的纵波,在介质中传播的速度取决于介质的密度和弹性。声波在空气中的速度约为 0.33 千米/秒,在水中的速度为 1.5 千米/秒,在钢中的速度约为 5 千米/秒。所有的声波在空气中以同样的速度传播,与它们的频率无关。在真空中光速也与其频率无关;然而在透明介质中,它取决于材料中的色散效应,从蓝光到红光,光速的变化略大于 1%。

waveguide 波导 任何一种将电磁波(例如无线电波、红外线和可见光)封闭在里面并按指定方向传输的器件。波导的形状各式各样,典型的例子包括空心金属管、同轴电缆和光学纤维。空心的矩形或圆形截面金属管是最简单、最常用的波导。它们在无线电发射机或接收机与天线之间。金属圆管型适用于雷达,两截波导必须能相互转动。无论是圆形或矩形波导,无线电波都被封闭在管内,使穿出管外的射频耗损最小。同轴电缆的中央是圆柱形导体心,周围由绝缘材料的护套包着,再外层缠有编织的金属细导线。它适用于极高和极低的频率。这种电缆常作海底电话通信和闭路电视(即有线电视)用的传输线。同轴电缆最适合长距离传输,因为中心导体有最外层的导电材料作为屏蔽,所以不受外面电噪声(即干扰)的影响。自 20 世纪 70 年代晚期,光学纤维已广泛地应用在较长距离电话线路里,这类波导传输的信息是由半导体激光器产生的红外或可见光信号。一根光学纤维一般中央有绞合的细玻璃丝心子,外面用玻璃包围着。心子的折射率比包围的玻璃高得多,所以沿着纤维长度传播的光被局限在心子上。光学纤维比同轴电缆具有不少优点。它载送信息的速度更高,占的空间较小(其直径仅为人发几分之一),而且不易受电气干扰。此外,如未经批准,实际上不可能和它们连接。由于这些因素,计算机网络中大批计算机之间用许多束光学纤维相互连接,可为共享和交换数据或资源(例如电子的资金转移)提供最佳的高速通信。

wavelength 波长 波的相邻两对应点之间的距离。"对应点"是指处于相同相位的点,即完成了一个整周期运动的两点。通常,在横波(波传播方向与振动方向垂直)中波长是以波峰与波峰或波谷与波谷之间的距离来量度的;在纵波(波传播方向与振动方向一致)中是以密波与密波或疏波与疏波之间的距离来量度的。波长通常以希腊字母 λ 表示;波长等于以波的频率 f 除介质中波列的速率 v 来表示,即 $\lambda = v/f$。

Wavell (of Eritrea and of Winchester), Archibald Percival Wavell, 1st Earl 韦维尔(厄立特里亚和温切斯特的)(1883-05-05,英格兰埃塞克斯科尔切斯特～1950-05-24,伦敦) 英国陆军元帅。曾参加第一次世界大战。1939 年任中东的英军总司令。第二次世界大战初期在北非(1940-12 ～ 1941-02)和东非(1941-01-05)击溃人数上大占优势的意大利军队,创一生中最辉煌战绩。但在 1941 年 4～5 月,他未能制止德军征服希腊和克里特岛;1941年7月,在北非又未能打败隆美尔

伦敦帝国战争博物馆供图

指挥的德军，因而被调职。他在任东南亚英军总司令时，马来亚、新加坡和缅甸相继被日军攻陷。因此，他于 1943 年 6 月再次被撤换。但晋升为陆军元帅，封子爵，任英国驻印度总督至 1947 年。同年晋封伯爵。

wavellite　银星石　常见的磷酸盐矿物，为含水的磷酸铝[$Al_3(PO_4)_2(OH)_3 \cdot 5H_2O$]。常呈球状块体，半透明，浅绿色，产于含铝变质岩的裂隙中，或褐铁矿和磷酸盐岩矿床中以及热液矿脉中。产地有捷克共和国的兹比罗赫，法国的蒙特布拉，英格兰德文郡的巴恩斯特珀尔(首次发现地)，玻利维亚的亚亚瓜，美国佛罗里达州的邓内伦。详细物理性质，参阅 **phosphate mineral**（表）。

wavemeter　波长计　测定一列电磁波中相邻的两个同相位波阵面之间距离的仪器。这种测量常常是通过测定波的频率而实现的间接测量。虽然电磁波的波长在不同的传播介质中有差异，但是在标定波长计时，常规的作法都是假设电磁波是在自由空间内以 299 792 458米/秒的速度传播的，于是可以按照方程

$$\lambda = c/f$$

确定波长，式中 λ 为波长，等于电磁波传播速度 c 除以振动频率 f(单位为赫)。

50 千赫至1 000兆赫之间的频率一般可以通过对感容电路进行调谐来测定。标定出电感(L)和电容(C)的值就可以用公式 $f = 1/(2\pi\sqrt{LC})$确定频率。

要测量更高的频率，波长计可以用同轴线或空腔共振器作为调谐元件。一种最简单的波长计就是勒谢尔导线波长计。这是一种包含一个滑动短路的电路，在短路电路上找出两个能使信号吸收达到最大的点，就能直接测出两点之间距离，它就等于1/2波长。

Waveney　韦弗尼　英格兰萨福克行政、历史郡一区。东濒北海，西北临韦弗尼河。面积 371 平方千米。内地是富饶的农田。沿河有贝克尔斯和邦吉小型工业社区。河口附近的洛斯托夫特是主要人口集中地和服务中心。韦弗河口附近海水侵蚀严重，在许多原小港中，只有洛斯托夫特存在于现代，成为主要渔港和精制冷冻食品产地。人口约108 200(1998)。

Waveney, River　韦弗尼河　英格兰河流，全长 80 千米，为东英吉利亚诺福克郡和萨福克郡的界河。流向东北，两岸是农业区，沿岸无重要城镇，在大雅茅斯注入北海。下游是布罗兹水道网的一部分。

Waverley　韦弗利　英格兰萨里行政、历史郡西南部一区。面积 345 平方千米。该区森林茂盛的丘陵和石楠丛生地区被划为最佳自然风景区。本区大部分属韦河流域。北部有中世纪集镇法纳姆(以一诺曼城堡为中心)和戈德尔明(原为撒克逊城镇，曾以制革和制衣闻名)。南部有黑斯尔米尔城，是音乐世家多尔梅什家族的故乡。人口115 400(1998)。

WAVES　志愿紧急服役妇女队　英语 Women Accepted for Volunteer Emergency Service 首字母的缩拼词。军事单位，1942 年 7 月 30 日建立，当时是美国海军的妇女队。第二次世界大战期间约有 10 万名志愿紧急服役妇女在军队的不同岗位服役，既有当文书的，也有给受培训的男驾驶员当辅导员的。最初，志愿紧急服役妇女队并不驻扎在海外。有数千名志愿紧急服役妇女还参加过朝鲜战争。1978 年以前这支队伍一直单独组建。美国海军对待妇女的政策在某些方面相当进步。与陆军妇女队不同，志愿紧急服役妇女队不是一支后备队，而是被授予了与男子预备役士兵相同的地位。但是，美国海军因为把非洲裔美国妇女排除在外而受到批评，直到战争快要结束时总统 F.罗斯福下令军队实行种族合并。志愿紧急服役妇女队的第一位指挥官是 M.麦卡菲，她当兵之前是威尔斯利学院的院长。另一位有名的志愿紧急服役妇女队成员是 G.霍珀，后来她的军衔是海军少将。妇女队中的许多人从事的是管理和办公室工作，但对很多人来说，这场战争给她们提供了通常只能是男子工作的岗位。海军还主动招募大学毕业且精通数学、物理和工程学专业的妇女。这些妇女承担了复杂和精确的操作，如计算弹道抛物线。战后，妇女队的去留问题一直未定。1948 年，由于《妇女武装部队合并法案》获得通过，志愿紧急服役妇女队成为美国海军的正规编制，1978 年武装部队单独组建的妇女单位与从前的清一色男兵单位合并。

Wāw　瓦乌　又拼 Wau，苏丹西南部城镇。位于加扎勒河支流朱尔河西岸。海拔 433 米。是农产品(棉花、烟叶、花生、谷物、水果和蔬菜)的贸易中心。工业产品有加工食品、木材和木制品。为一内河航运的中心，有公路和铁路与乌韦勒连接，还有国内机场。设有水稻实验研究中心和职业训练所。1965 年发生反政府骚乱。警察和军队采取镇压行动，一些人被打死。瓦乌很大一部分被毁。1972 年开始大规模重建计划，恢复和平状态。人口约116 000(1980)。

wax　蜡　从动物、植物、矿物中或通过合成所得一类塑性物质。蜡共有某些特征的物理性质。许多种蜡在较高温度熔化(约 35 ～ 100 °C)，并形成硬膜，这种膜能抛光得很有光泽，适于制各种抛光剂。蜡的有些性质与脂肪相似，如蜡和脂肪都溶于相同的溶剂，并且两者在纸上都留下油脂的斑点。虽然在物理性质上有这些相似性，但从动物和植物中得到的蜡在化学性质上不同于从石油或烃类得到的蜡或合成的蜡。它们是由脂肪酸与除丙三醇以外的某些醇类反应所产生的酯，这些醇类或是一类称为甾醇的醇(如胆甾醇)或是在直链中含有 12 或更大偶数的碳原子的醇(如十六烷醇)。在动物和植物蜡中发现的脂肪酸几乎都是饱和的，从十二酸至三十八酸($C_{37}H_{75}COOH$)。在各种蜡中已确定从C_{12}至C_{36}的饱和醇。已分离出几种三羟基醇(含2个羟基)，但任一种蜡中它们都没有占较大的比例。在蜡中还发现含量小的几种未确定的支链脂肪酸和醇。有几种环状甾醇(如胆甾醇及其相似物)构成羊毛蜡的主要部分。只有少数树蜡以工业数量生产。巴西棕榈蜡很硬，用于某些光泽度高的抛光剂，可能是最重要的树蜡，从巴西出产的一种棕榈树叶的表面得到。一种相似的蜡是小烛树蜡，工业上是从得克萨斯和墨西哥野生的植物小烛树表面得到的。甘蔗蜡存在于甘蔗叶和杆的表面，可从加工甘蔗汁的残渣中得到；它的性质和用途都与巴西棕榈蜡相似，但它通常颜色较暗，而且含有较多的杂质。很少量的其他表皮蜡存在于亚麻籽、黄豆、玉米和芝麻等植物的油中。它们在室温下放置时会从油中沉降下来，是油的不需要的组分，可用冷却和过滤的方法除去。表皮蜡使苹果具有美丽的光泽。分布最广、最重要的动物蜡是蜂蜡，它比上述的蜡软，在抛光剂中用处不大。但可利用其滑动和润滑的性质以及防水的性质。羊毛蜡是覆盖在羊毛上脂肪的主要成分，在净化粗羊毛时可作为副产品得到。其纯净的形式称羊毛脂，由于它易被人的皮肤吸收，所以用作药品或化妆品的载体。鲸脑油和鲸蜡都从抹香鲸中得到，常温下为液体，主要用作润滑剂。工业上所用约 90% 的蜡从石油中的润滑油原料脱蜡回收。石油蜡通常分为三种基本类型：*石蜡*(**paraffin wax**)、微晶蜡和矿脂蜡。石蜡广泛用于蜡烛、蜡笔和工业抛光剂，也用作电气设备的绝缘组分和木材及其他材料的防水组分。微晶蜡主要用于打包的覆盖纸。矿脂蜡用于制造药用的软膏和化妆品。合成蜡由一种有机化合物乙二醇产生，工业上由乙烯气体生产乙二醇。通常将合成蜡与石油蜡混合生产各种各样的产品。

wax gourd（*Benincasa hispida*）　**冬瓜**　又作 Chinese watermelon。葫芦科蔓生肉质藤本植物。原产亚洲热带，果可食。温暖地区均有栽培。花单生，黄色，花径 8 ～ 10 厘米。叶多毛，广卵形，基生叶心形。果为甜瓜或黄

冬瓜（*Benincasa hispida*）

供图：Shunji Watari—美国不列颠百科全书公司

瓜状,长达40厘米,多毛,绿色,被白色蜡质。种子扁平,白色,长约1厘米。

wax sculpture 蜡塑 用造型或模制手段以蜂蜡预先制成完整构形,作为翻铸金属作品的模子,或作为继续进行加工的初步设计。蜂蜡可以熔解成为透明的流质,还可以和各种颜料调和,而且外表光泽悦人。也可以用泥土、油或脂肪来改变蜂蜡的素质与浓度。在古埃及殡葬仪式中把蜡制神像安放在墓

S.珀西约1780年制作的蜡塑肖像《厄斯金夫人》

芝加哥美术学院供图

穴里。在古希腊,蜡像主要是充当孩子们的玩偶,也为宗教礼仪塑造神的蜡像。在罗马,蜡像与蜡模始终具有重要地位:贵族之家保存着蜡制的祖先面模(拓制或摹拟的肖像),其面模在节日里陈列出来,也参与出殡。整个中世纪都给教堂制作还愿的蜡像、用蜡制面模来纪念帝王及伟人。文艺复兴时期,蜡塑起了非常重要的作用,出自艺人之手的青铜徽章,都是用脱蜡法借助于蜡模翻铸的。像米开朗琪罗这样杰出的雕刻家,在为雕像制作小构形时也用蜡模。16世纪,蜡塑肖像徽章普遍流行。A.阿邦迪奥是致力于这方面的艺人,卓著盛誉。17世纪,在西班牙与意大利,彩色蜡塑浮雕风行一时。西西里人加埃塔诺·朱利奥·尊博是致力于彩色蜡塑浮雕最为杰出的雕刻家。他曾与法国外科医生德司诺斯合作,制成用于解剖的蜡塑模型。18世纪,蜡塑肖像徽章再度兴起,I.戈塞特是英国首屈一指的蜡塑肖像徽章艺人。18世纪末叶,J.弗拉克斯曼完成了许多蜡塑肖像及浮雕像。蜡塑展览活动盛行于18世纪,并历久不衰。18世纪初叶在德国曾经举办过一个有机械装置的蜡塑作品展览会。伦敦图索德夫人蜡像陈列馆是最著名的蜡塑展览所。

waxbill 蜡嘴鸟 旧大陆数种热带鸟的俗称,喙圆锥形,呈显眼的红色,色似封蜡,故名。一般指雀形目梅花雀科鸟类,狭义一点指该科梅花雀族(Estrildini)鸟类,尤指梅花雀属(*Estrilda*)的28种鸟,其中包括数种人们喜爱的笼鸟。为食籽鸟,以种子为食,密集成群活动,营巢于高草中。多数种类褐或淡灰色,稍带红、黄或黑色;大多有细横斑。普通

淡紫蜡嘴鸟(*E. coerulescens*)

供图:John Markham

蜡嘴鸟(横斑梅花雀,*E. astrild*)体长10厘米,上面褐色,下面粉红,习见于非洲(该属多数种的发源地),已引入巴西。淡紫蜡嘴鸟(天蓝梅花雀,*E. coerulescens*)的喙和尾酒红色。另有一些蜡嘴鸟俗称蓝饰雀。

Waxman, Meyer 瓦克斯曼(1887,俄国斯卢茨克～1969,美国佛罗里达迈阿密滩) 犹太文学史家、犹太教教士、教育家和学者。曾在米尔和斯卢茨克的哈西德派神学院受训,1905年移居美国后,继续在纽约大学、哥伦比亚大学及犹太教神学院深造。1913年任神职。1917年创办米兹拉奇师范学院,后隶属于纽约市的耶希瓦学院(今耶希瓦大学)。1925年在伊利诺伊州斯科基的希伯来神学院任希伯来文学和哲学教授。1955年退休后回纽约。主要著作有《犹太文学史》(4卷,1930～1941;第2版5卷,1938～1960),概述和评价了从《圣经》时代末期至20世纪中叶犹太文学的各个领域。他的宗教著作有《犹太教手册》(1947)和《犹太教-宗教与伦理学》(1958),至今仍为犹太教的标准著作。他还用英语、希伯来语和依地语写有关于犹太思想史和文学史的文章数百篇。

waxplant 蜡质植物 又作wax plant。几种并无亲缘关系但某些器官均具蜡质的植物的俗称。萝摩科球兰属(*Hoya*)的几个种,尤其是肉质球兰(球兰,*H. carnosa*)及美丽球兰(*H. bella*)被称为蜡草或蜡藤,是非常受人喜爱的温室植物或窗饰植物。两个种均生长缓慢;缠绕茎;叶革质;花簇鲜艳,花小,星状,硬挺,蜡质,花期长。肉质球兰有几个栽培变种,花白色至玫瑰-粉红色。其中一个变种——印度教绳藤,叶形扭曲,可为奶油黄、黄和粉红杂色斑叶。美丽球兰又称小蜡草;枝叶集缩;叶小;花白,中心紫色。蜡叶秋海棠(参阅*秋海棠*[**begonia**])植于花坛或盆栽,叶蜡质。蜡叶女贞又称白蜡树,在温暖地区栽作风景树。蜡树(*Rhus succedanea*)即野漆,原产日本,已人工栽培;蜡质核果含油,可用作工业用油;茎内所含汁液可制天然漆。蜡藤又称好望角常春藤,即大舌千里光(*Senecio macroglossus*),叶厚,多肉,蜡质;在温暖地区用作地被植物,又用作室内吊篮植物,尤其是其斑叶类型。墨西哥玫瑰即淡黄拟石莲花(*Echeveria gilve*),又称蜡玫瑰,为肉质植物,叶蜡质,成簇;栽作观叶花卉。桃金娘科的杰拉尔顿蜡树(*Chamelaucium uncinatum*),原产澳大利亚,为欧石南样灌木,花蜡质,白、粉红或紫丁香色。花烛属(**Anthurium**)及黑蔓藤属(*Stephanotis*)植物有时亦称为蜡花。

waxwing 蜡翅鸟 雀形目太平鸟科3种鸣禽的俗称。体型优美,次级飞羽末端呈闪亮的红色,如珠状,故名。体灰褐色,有末端渐尖的羽冠。普通蜡翅鸟(十二黄、太平鸟、波希米亚蜡翅鸟,*Bombycilla garrulus*)长20厘米,翅除有红色斑纹外,还有黄、白色翅斑;在欧亚大陆和美洲的北部森林中繁殖,每隔数年在冬季南下大量繁殖。雪松蜡翅鸟(雪松太

雪松蜡翅鸟(*B. cedrorum*)

供图:Karl H. Maslowski

平鸟,*B. cedrorum*)体型较小,体色不如前者艳丽,生活在加拿大和美国北部。冬季,蜡翅鸟可成群进入城市公园觅食浆果。

wayang 哇扬戏 爪哇语,意即"影子",爪哇古典玩偶剧。10世纪前发展形成,该戏剧形式起源于印度南部的皮制玩偶。皮影玩偶戏艺术大概是随着印度教而传入爪哇。哇扬戏人物的原型,是精制彩色穿孔皮影玩偶。神话时代创作的玩偶剧把印度史诗《罗摩衍那》和《摩诃婆罗多》的一些插曲改编为剧本。这些非常宗教仪式化的、从午夜演到黎明的表演可以从帘幕的任何一侧观看,但大部分行家却爱观看影子似的人物。在开场介绍人物时,代表善良势力的人物都站在右边,代表邪恶势力的人物则站在左边。哇扬戏通常都是在生日和周年纪念日这样的重大日子里观看。虽然在中国和整个东南亚也有哇扬戏,但它们没有爪哇哇扬戏的神话兼宗教涵义。玩偶戏演员R.特施纳在20世纪初把哇扬戏的艺术性和质朴性同他在维也纳玩偶剧《镜中身影》里的德国式卓绝演技融合起来,从而影响了欧洲的玩偶戏艺术。

Waycross 韦克罗斯 美国佐治亚州东南部城市,韦尔县县城(1872)。韦克罗斯市位于海岸平原上。19世纪20年代开始有白人定居。1874年设市。该市创建初期是公共马车和开拓者小路的交通要冲,后发展起锯木业,生产松节油和农产品的城市。现今韦克罗斯市经济以烟草和轻工业为基础。市南有州立韦克罗斯森林以及奥克弗诺基沼泽公园和奥克弗诺基国家野生生物保护区。人口15 333(2000)。

Wayland THE SMITH **韦兰铁匠** Wayland又拼Weland。在斯堪的纳维亚、日耳曼和盎

格鲁-撒克逊传说中，一个有高超技术的铁匠。根据有些传说，他又是小精灵们的主子。13世纪冰岛“诗体埃达”中的一首诗《沃伦达克维达》和13世纪中叶的冰岛散文体《狄德里克斯萨迦》都叙述了他的故事。从6世纪到9世纪的盎格鲁-撒克逊诗《沃尔德雷》和《迪奥》以及《贝奥武甫》，还有阿尔弗烈德大王在他9世纪翻译的波伊提乌的著作的一段注释中也都提到了他。韦兰被瑞典国王尼杜德所俘，被弄成残废，无法潜逃，被迫在国王的铁工场做工。为了报复，他杀死了尼杜德的两个幼子，用他们的头盖骨做成大酒杯送给他们的父亲，并且在他们的姐妹伯德维尔德拿来一只金戒指要求修理时，奸污了她，然后施魔法从空中逃走。英国的传说将韦兰与伯克郡白马山附近的一处石头墓室相联系，说这个墓室是韦兰铁工场。根据当地传说，有一个看不见的铁匠常去该室，给旅客的马钉掌。规定旅客将一枚硬币放在石头上，当工作进行时，应即离去。如果他试图看一看，或面朝工场，魔力即消失。类似的故事在德国、丹麦和比利时也有记载。相传瑞典锡塞贝克的一些大的墓碑和日德兰半岛上韦勒比的一处遗址是埋葬韦兰的地方。

Wayne　韦恩　美国新泽西州北部帕塞伊克县一个镇。位于帕特森西面。1695年始有居民定居。休尼斯-戴伊大楼1780年曾为G.华盛顿的指挥部。1847年设镇，以A.韦恩少将之名命名。主要为住宅区，亦有些轻型制造业（特别是医药品和机械）。建有新泽西州威廉·帕特森大学（1855）。人口约54 069（2000）。

Wayne, Anthony　韦恩（1745-01-01，宾夕法尼亚佩奥利附近［美国］～1796-12-15，美国宾夕法尼亚普雷斯克岛）　美国独立战争中的杰出将领，曾在1794年8月20日俄亥俄

美国国会图书馆供图

州鹿砦战役中击溃西北印第安人联盟。宾夕法尼亚制革厂和大地产主。1776年1月任大陆军上校。是春季命增援从加拿大败归的美军，继而指挥纽约的泰孔德罗加堡。次年晋升准将，在布兰迪万河、佩奥利和日耳曼敦战役中表现突出。1778年在蒙茅斯战役中进击英军。夺取纽约州斯托尼波因特英军要塞（1779-07-16）是他生平最辉煌的战绩。1781年曾率所部1 000人参加约克敦围城战役，后奉调赴南方加入大陆军作战，击败亲英印第安部落，收复佐治亚州。1790年当选佐治亚众议员，但2年后被宣布选举舞弊，席位空缺。1792年被G.华盛顿总统任命为陆军总司令；当时美军装备很差，在向中西部进军途中屡为印第安人部落联盟所败。在鹿砦战役中，韦恩所率久征惯战的1 000人部队在莫米河畔迈阿密堡将2 000名印第安士兵彻底击溃。1795年8月韦恩与印第安人签订《格林维尔条约》，将印第安人的俄亥俄大部及印第安纳、伊利诺伊、密歇根大片土地割让美国。

Wayne, James M.　韦恩（约1790，美国佐治亚萨凡纳～1867-07-05，华盛顿［哥伦比亚特区］）　美国最高法院大法官（1835～1867）。1810年取得律师资格，在萨凡纳市开业。1812年战争后被选入州议会。后来担任了萨凡纳市市长和民事法院法官。1822年被任命为高等法院法官，1828年被选入美国国会，连任3届。他是杰克逊总统执政的有力支持者，1835年由杰克逊任命他为最高法院大法官。虽然他是南部地区的人，但他对联邦保持忠诚并在南北战争期间坚守他的岗位。他的一些最有名的判决意见涉及海事法以及从外国获得的土地问题。

Wayne, John　韦恩（1907-05-26，美国艾奥瓦温特塞特～1979-06-11，加利福尼亚洛杉矶）　原名Marion Michael Morrison。美国电影演员，他把身强力壮和沉默寡言的牛仔和

韦恩在影片《布拉沃河》（1959）中的剧照
卡尔弗图片公司供图

士兵的形象表演得栩栩如生。韦恩曾是南加利福尼亚大学橄榄球队队员，于暑假期间在福斯影片公司工作，当道具员，与导演约翰·福特结成至交。1928年开始在福特的影片中扮演小角色。1930年在导演拉乌尔·沃尔什的《大追捕》中第一次扮演主角，此后8年，主演了80多部低成本影片。1939年福特挑选他在《驿站马车》（又译《关山飞渡》）中扮演逃犯林果，使他成为一名名副其实的影星。他从此确立了在美国影坛的地位，他的声望与年俱增。韦恩主演了福特的许多影片，包括《阿帕切人要塞》（1948）、《她系着一条黄丝带》（1949）、《里奥格兰德》（1950）、《搜寻者》（1956）、《骑兵》（1959）和《击毙利伯蒂·瓦伦斯的人》（1962）。他在霍华德·霍克斯的西部片《红河》（1948）和《布拉沃河》（1959）中所饰角色，属他的最佳表演之列。他的战争片包括《硫黄岛的沙滩》（1949）和福特的《鹰翼》（1957）。韦恩在如下影片中扮演的角色也很有名：福特的《漫长的归程》（1940）和《沉默的人》（1952），以及霍克斯的《哈塔里！》（1962）。韦恩晚年继续演出西部片，如《卡蒂·埃尔德的儿子们》（1965）和霍克斯的《黄金国》（又译《镀金的人》，1967）。他在《真正的勇敢》（1969）中扮演酗酒的独眼警察局长鲁斯特·科格本，使他获得奥斯卡最佳男演员奖。韦恩的电影生涯长达40年，共演出250多部影片。他是电影史上票房价值最高的演员之一。死后授予他国会自由勋章。

Waynesboro　韦恩斯伯勒　美国弗吉尼亚州中北部城市。位于奥古斯塔县境内，但行政上保持独立。濒临绍斯河，邻近斯凯兰公路与蓝岭公园大道会合处。1797年设镇。1948年建市。经济以制造业（电子设备、纺织、金属制品、塑料产品）和旅游业为主；附近有谢南多亚国家公园、乔治·华盛顿国家森林、谢仑多湖游乐区、大山洞等。市内有菲什伯恩军事学校（1879）。人口20 388（2003）。

Waynflete, William of　韦恩弗莱特（约1395，英格兰林肯郡全圣韦恩弗利特～1486-08-11，汉普郡毕晓普斯沃尔瑟姆）　Waynflete又拼Wainfleet。原名威廉·帕廷（William Patyn）。英国大法官和温切斯特主教，曾创立牛津大学马格达伦学院。早年事迹不详，但是在1429年出任温切斯特学院院长之前，显然已有学者的声誉。1440年任伊顿公学董事，1443年任该校校长。韦恩弗莱特为国王亨利六世的一大宠臣，国王使他得以在1447年被任命为温切斯特主教，他供此职直至1486年去世。1448年他在牛津大学创立圣马利亚·马格达伦纪念堂，1458年又设法使该纪念堂转成一个学院。这个新的学院在英国研究文艺复兴方面处于主导地位。韦恩弗莱特为了得到补充该院经费的收入，曾停办几所隐修院，这为下个世纪中的沃尔西枢机开了先例。韦恩弗莱特1456～1460年任英国大法官。1460年约克党人获胜后即辞去此职。但他在玫瑰战争的变幻风云中并未受到损害，晚年工作始终与爱德华四世及其继承者理查三世保持着良好关系。

wayno（folk dance）　参阅**huayño**胡威诺。

Waziba（people）　**瓦齐巴人**　参阅**Haya**哈亚人。

wazīr（title）　参阅**vizier**维齐。

Wazīrābād　沃济拉巴德　巴基斯坦旁遮普省北部城镇。位于杰纳布河以东。为重要铁路交叉点。工业有造船、刀具与箱子制造，也是木材、布匹、谷物和糖的市场。人口62 725（1981）。

Wazīristān　瓦济里斯坦　巴基斯坦西北边疆省一地理区。是被一部分苏莱曼山脉所占据的一块荒凉的山地，北以库拉姆河为界，南以古马勒河为界，西与阿富汗接壤。流向印度河的本地区的河流是通往内地的主要渠道。该地区的普什图族居民分为两大支：①达尔维什族，即瓦齐尔族，是北部的主要部

族;②马赫苏德族,是南部的主要部族。从1892年开始,瓦济里斯坦地区逐渐被置于英国的行政管理之下;自19世纪末直到巴基斯坦于1947年独立之前,它是英国对这些部族采取好几次大规模军事行动的战场。

WCC 参阅**World Council of Churches**世界基督教协进会。

Weah, George **韦赫**(1966-10-01,利比里亚蒙罗维亚~) 全名George Oppong Weah。利比里亚足球运动员,1995年史无前例地当选为世界足球先生、欧洲足球先生和非洲足球先生。1989年第一次当选非洲足球先生。他不但具有足球天赋,还展现出代表其祖国的行动主义才华,通过努力帮助结束了国内的长期内战。在蒙罗维亚遍地灰土的街道上学会了踢球,先后效力于多个球队。在带领青年幸存者队(一支没有教练的球队)打入甲级队之后,韦赫与顶级的喀麦隆的雅温得托内尔俱乐部签了为期三年的半职业性的合同,在他的第一个赛季该俱乐部赢得俱乐部联合会冠军。此后不久,这名大有前途的22岁前锋与法国甲级联赛的摩纳哥队签约。在他加盟摩纳哥队的5个赛季(1987~1992)里总共踢进57个球,该队赢得1991年的法国杯。出色的带球和射门技术使他深受观众喜爱,顽强的职业道德和技术能力使他得到一份与巴黎圣日耳曼队的合同。在其表现最佳的一个赛季里,他曾带领巴黎圣日耳曼队夺得法国杯、联赛冠军以及1995年欧洲冠军杯联赛的半决赛。随后转会到意大利甲级联赛的AC米兰队,帮助该俱乐部赢得1996和1999年的联赛冠军。2000年1月转会到伦敦的切尔西队,为该队夺得足球联合会杯冠军作出了重要贡献。在其足球生涯的最后时期,他在法国曾一度效力于曼彻斯特市队和马赛队。韦赫的进球和比赛场次要多于欧洲任何其他非洲裔职业选手。尽管韦赫在纽约市为家人建了一处新家,但他仍然与利比里亚保持着紧密的联系,在当地被称作"乔治国王",并且相当受人喜爱。尽管利比里亚在20世纪90年代受到贫穷和内战的折磨,但靠韦赫的支持还是能够维持孤星队(人),他在该队既当队员又当教练,并且尽可能地给予资金援助。2002年退出足坛。2003年C.泰勒总统下台之后,他又以联合国亲善大使的身份重返利比里亚。

weak nuclear force **弱核力** 自然界的一种基本力,是若干类放射性和亚原子粒子之间某些相互作用的起因。弱核力对所有已知的费米子(即具有内禀角动量或自旋为1/2的基本粒子)起作用。粒子通过弱核力,借交换玻色子(具有整数自旋的粒子)而相互作用。这些玻色子称为W粒子(**W particle**)和Z粒子(**Z particle**),它们质量较大,约为质子的100倍。由于其重,所以在涉及放射性的低能量下,弱核力表现微弱。在放射性衰变中,弱核力的强度约为电磁力的十万分之一。然而,现在已知弱核力的固有强度与电磁力相同,人们认为这两个表现不同的力是单一"电弱"力的不同表现形式。大多数亚原子粒子是不稳定的,并通过弱核力衰变,而电磁力或强力却不能使其衰变。粒子通过弱核力衰变的寿命从小至10^{-13}秒至896秒(自由中子的平均寿命)不等。束缚在原子核内的中子是稳定的,像存在于常见的元素中的中子一样,但它们也能通过弱衰变引起一种称为β衰变的放射性。在这种情况下,核的寿命从千分之一秒到几百万年不等。虽然低能弱相互作用是微弱的,但它们常出现在温度和物质密度都很高的太阳和其他恒星的中心。它们引起质子之间的起始反应,导致氢转变成氦并释放出能量。

weakfish **狗鱵** 又作sea trout(海鳟)。鲈形目石首鱼科狗鱵属(*Cynoscion*)鱼类的统称,约6种,栖于北美沿岸海区。王狗鱵(*Cynoscion regalis*)是海水游钓鱼,但长度一般小于60厘米,偶有较大个体。因其口部娇嫩,易为鱼钩撕破,故英文名意为脆口鱼。沿中大西洋美国各州也进行商业性捕捞,是石首鱼科中经济意义最大者。斑海鳟(云斑狗鱵,*C. nebulosus*)见于佛罗里达之大西洋与墨西哥湾沿岸,体型较前者稍小。形状和外观同鲑形目的真鳟类相似,但鲈形目与鲑形目两个目无亲缘关系。

Weald, The **威尔德** 英格兰东南部宽近64千米、地势抬升的古森林地带,将伦敦盆地与英吉利海峡沿岸隔开。白垩的唐斯山丘(北唐斯和南唐斯)呈马蹄形环绕该地带。许多地方树木已伐光,但仍是英格兰树木最繁茂的地方。

Wealden **威尔登** 英格兰东萨塞克斯行政郡一区。属萨塞克斯历史郡。区名源自森林地带威尔德。面积837平方千米。北与肯特郡为邻,南濒英吉利海峡沿岸。西北部的阿什当森林是自然林地和石南丛生地区。东南角的赫斯特蒙苏有护城河围绕的城堡,现为皇家天文台所在地(原设在格林尼治)。人口约140 021(2001)。

wealth and income, distribution of **财富和收入的分配** 用来描述一国的财富和收入是如何在全国人口中分配的,或描述全世界的财富和收入是如何在各国间分配的模式。根据若干可靠度不一的资料,可运用不同的统计方法以识别并研究这些分配模式。财富是财产和金融债权的累积总值。如果各项财产的价格可以决定,财富便可换算成货币价值;但财产并不太可能用以出售时,则换算会有困难。收入是一特定时期中所得报酬流量的净总和。有些国家是依据已故人们遗留财产的法定估价来搜集有关财富的统计资料,但这并不一定能正确反映在世的人们所拥有的财富。在许多国家,用以衡量收入的年度赋税单却或多或少可提供可靠的资料。收入定义的不同——例如,收入是否应包括转移性支付,而不包括生产活动的报酬或不包括可以改变个人财富价值的资本损益——就使分析比较难以进行。为了区分国民财富和收入的各种模式,必须订出分类的基础。按生产要素的所有权为基础,财富和收入可按其所含之生产要素份额来分类。要素是:劳力、土地、资本,有时还包括经营权。由这些要素产生的收入分别称为工资、地租、利息和利润。个人分配的统计——通常是按税单资料建立的——可按每人平均值对财富和收入进行分类。人均国民生产总值(GNP)可粗略衡量不同国家间每人每年收入之大小。现代化工业部门已具相当规模的国家要比不发达国家拥有高得多的人均国民生产总值。例如,20世纪80年代末期,世界银行估算发达国家的人均国民生产总值为17 000美元,而不发达国家却不足400美元。在一国之中,收入的差异也相当大。在美国,农业区与工业区,女性与男性,还有白人与有色人种之间,均有很大的差异。多数美国人主要靠薪金赚得中等收入,但各行业的薪金差异相当大。有相当大部分的高收入是得自于投资;而且收入越高,则投资所得所占的比重越高。由于大多数财富需长时期的累积,因此要想继续保持非常富有的情形,必须有能力使其庞大的财富维持不衰,并将其传给后代子孙。薪金收入受到各种继承条件的影响。能找到高薪的工作及地位高的职业,主要都是教育和机遇的产物。通常子女希望达到父母所拥有的地位,因此也可能大致赚到类似的收入。对财富和收入的分配所作的统计研究,可以对各种经济、社会和政治问题提供若干启示。

weapon **武器** 在战斗中用来消灭、杀伤或击败敌人的工具。武器可以是手持的击打武器,如棍棒、钉头锤或剑。也可以是靠肌肉力量(如标枪、投石器和弓箭)的投射武器,靠机械力量(如弩和弹弓)的投射武器,或靠化学能(如火箭、导弹和炮、步枪及手枪)的投射武器。武器也可以区分为常规武器和非常规武器。前者是用动能(如子弹)或化学能(如炸弹和手榴弹)来起破坏作用的。后者包括像原子弹和热核炸弹那样的核武器,以及化学战和生物战武器。所有上述武器都是进攻性武器,筑垒、装甲和头盔等防护措施也视为武器。武器可以由许多种运载工具来携带和投送,这些运载工具通常称之为武器平台。它们包括像战列舰、潜艇和航空母舰等作战舰艇那样的军舰;像战斗机、轰炸机和直升机那样的飞机;以及像马车和坦克那样的陆上车辆。

weapon of mass destruction(WMD) **大规模杀伤性武器** 有能力造成大规模死亡和破坏的武器,这种武器存在于敌对势力手中被认为是一种严重威胁。现代大规模杀伤性武器是指核武器、生物或化学武器——通常被统称为核生化(NBC)武器。大规模杀伤性武器这个术语至少从1937年起就开始流行了,那时它被用于描述大规模编队的轰炸机。随着对日本广岛空投原子弹,常规炸弹的可怕力量在核武器爆炸造成的破坏景象面前黯然失色。冷战期间,美国、苏联和其他主要大国囤积了大量的核武器库存。同一时期,两个超级大国都积聚了成库的化学和生物武器。化学武器由使其受害者窒息、血液中毒、皮肤长水泡或神经系统分裂的液体和气体组成。生物武器包括自然毒素或传染物质,比如细菌、病毒和真菌；在人群居住区域上空喷洒或引爆它们，可能导致致命的疾病，如炭疽热、肺鼠疫或天花的大规模爆发。

weapons system　武器系统　用于控制及运用某种武器的综合性系统，通常为电子计算机化的管理系统。洲际弹道导弹和远程轰炸机，以及反弹道导弹是战略武器系统中的武器。射程较短的导弹如防空导弹或战场武器，以及空-空或空-面攻击型导弹组成战术武器系统。

Wear(England)　威尔　参阅**Tyne and Wear** 泰恩-威尔。

wear　磨损　一固体表面受到另一固体的机械作用而发生的材料损耗。发生磨损的主要形式是两受载滑动表面之间的相互机械作用所引起的材料逐渐损耗。磨损是一种普遍现象，很少有两个固体相互摩擦或即使是相互接触而没有可测量出的物质转移或材料损失。例如，硬币由于连续与织物和手指接触而逐渐磨损；铅笔在纸上滑写而磨损；铁轨因火车轮连续在上面滚动而逐渐磨损。只有活的物质(例如骨关节)在某种意义上说，可免于因磨损而引起的永久性伤害，因为它们具有再生长和痊愈的性能。

磨损有四种基本类型：黏着磨损、磨料磨损、腐蚀磨损和表面疲劳磨损。

最常见的类型是黏着磨损，它是由两种固体材料界面上产生的强黏着力引起的。当不同的固体表面压在一起时，在许多小区域或接合点形成了密切接触。在滑动中这些接合点继续形成或者分离。如果原有界面上有一个接合点不分离，则形成一个磨损微粒。这些磨损微粒最终还要剥落。不希望发生黏着磨损的理由有二：首先，这种材料损失最终会导致机器性能恶化；其次，紧配合的滑动件所形成的大磨损颗粒可导致机构在它使用寿命的早期就卡死。无润滑的金属表面发生黏着磨损的程度，比有效地润滑的金属表面高许多倍。

磨料磨损是由于一个坚硬而粗糙的表面滑过一个较软表面时在后者上面形成沟槽而造成；也可因松散的磨料颗粒在两种软质滑动表面之间滚动或有颗粒嵌入两相对表面之一而引起。液流或气流所挟带的磨料碎片，如果在高速下撞击一个表面，也会磨损该表面。因为当磨料比被磨的表面硬而粗糙时才会发生磨料磨损，所以，取消这种硬而粗糙的成分或者将该表面保护得更坚硬，便可防止磨损。

气体或液体对滑动过程中暴露的表面有化学侵袭时，则产生腐蚀磨损。表面腐蚀后，腐蚀产物(例如铜锈)倾向于停留在表面上，从而减缓进一步的腐蚀。但是，如果发生连续的滑动，则滑动作用可除去能防止进一步腐蚀的表面沉积物，从而加速进一步的腐蚀。腐蚀磨损后的表面，一般具有略微光滑的外观。

表面疲劳磨损是由于在滚动的同时所产生的强大交变应力而引起，例如金属轮子在轨道上的滚动或滚珠轴承在机器中的滚动。这种应力可使运动部件或静止部件产生表层下的裂纹。当这种裂纹增长时，就会有大的颗粒由表面剥落而形成凹痕。表面疲劳磨损是影响轴承或齿轮等滚动零件的最常见磨损形式。对于滑动表面，黏着磨损通常进行很迅速，以致来不及发生表面疲劳磨损。

虽然磨损过程一般被认为是有害的，并且在大多数实际情况下的确如此，但是它也有一些实际用途。例如，许多对制品进行表面加工的方法依靠磨料磨损，例如锉平、喷砂、抛光和研磨等。许多书写工具，主要是铅笔、蜡笔和粉笔靠的是它们的黏着磨损作用。啮齿动物切牙的磨损也是一种用途。这种牙齿的外曲面有坚硬的釉层，而内表面只有较软的牙质。因此，磨料磨损和黏着磨损在较软的一侧进行较快，使牙齿得以保持锐利的切缘。

Wear River　威尔河　英格兰河流。源出达勒姆郡威尔黑德附近，在森德兰注入北海。河畔的达勒姆城有城堡和大教堂高踞河岸。沿河有一些煤矿。

Wear Valley　威尔河谷　英格兰东北部达勒姆行政、历史郡一区。面积505平方千米。大部在奔宁山区，为地势西高东低的高地。威尔河自西向东流经东缘平原。威尔河谷上游称作威尔德尔，四周被峻峭障壁所围。平原农业区是人口密集地区。作为铅、铁石、石灰石生产区，尤其是英国的煤开采区，威尔河谷历来就处于重要地位。大萧条时期，煤矿工人大批失业。煤产量现仍逐年下降。现在多数居民在毕晓普奥克兰、克鲁克(区首府)和威灵顿等地从事轻工业生产。威尔德尔为宿营者、徒步旅行者和捕鲑鱼者们喜爱的地方。高地有粗放牧业，低地生产奶牛、谷物、马铃薯和饲料。人口约63 000(1998)。

weasel　鼬　鼬科几个属小型食肉动物的统称。体细长；头小而扁平；颈长而柔韧；四肢短，每足5趾，趾上具尖锐弯曲的爪；毛短而密；尾细长，末端尖细。不同种的大小和尾

长尾鼬(*M. longicauda*)
供图：John H. Gerard—美国不列颠百科全书公司

的相对长度不同。鼬属(*Mustela*)约有10种，分布在南北美和欧亚大陆；浅红褐色，腹部白色或浅黄色；在寒冷地区，冬季皮毛变为白色，这种白色皮毛，尤其是扫雪(**stoat**；*M. erminea*)的毛皮，在皮毛贸易中称为"白鼬皮"。科拉貂(亦称黄鼬)、中国水貂、红紫貂、鞑靼紫貂(西伯利亚鼬[*M. sibirica*]和其他亚洲鼬属种)也是产珍贵毛皮的鼬。中国用其尾毛制笔。银鼠(伶鼬，*M. nivalis*)的一个北美类型(有时视为另一个种 *M. rixosa*)是现存最小的鼬，体长10～15厘米，尾长2～4厘米，体重30～70克。长尾鼬(*M. longicauda*，亦称 *M. frenata*)和非洲鼬(*M. africana*)体长25～30厘米，尾长10～20厘米，体重85～350克。鼬性活跃，胆大，嗜血。贪食，掠食性。鼬在夜间单独捕食，主要食啮齿动物、鱼、蛙和鸟卵，有利于控制啮齿动物的繁殖。追赶猎物时可深入洞穴和裂缝，进入稠密的草丛，能上树或下水。妊娠期35～337天(妊娠期较长，原因是受精卵延迟植入子宫壁)，一年生育1～2次，每窝3～13仔，因种的不同而异。银鼠在地上或空心树干的洞中用干叶筑巢，并在此育幼。巴塔哥尼亚鼬(白额鼬，*Lyncodon patagonicus*)分布于阿根廷和智利南美大草原；体长约30～35厘米，尾长6～9厘米；浅灰色，腹部深褐色，有一条白色条纹横过前额通向颈的两侧。北非的斑纹鼬(利比亚斑纹鼬，*Poecilictis libyca*)常见于农业地区。体色黑白相间，布满斑点，体长约23～29厘米，尾长13～18厘米，尾和脸部及背上有条纹；一窝1～3仔；对其食性尚乏研究，可能为肉食性。非洲的条纹鼬(好望角鼬、白颈鼬，*Poecilogale albinucha*)分布于刚果以南的非洲地区；习性与鼬属种类相似，体长25～35厘米，尾长15～23厘米；全身有浅黄和黑色条纹，腹部黑色，尾白色。

weather　天气　一定地方短时期内的大气状态。它包括诸如温度、湿度、降水(形态与数量)、气压、风、云量等大气现象。天气与气候的区别在于后者是在一定地区长期间(通常30年)盛行的天气的综合状况。

天气发生于大气的最低层对流层内，即从地表面向上，在极地至6～8千米高度以内，在赤道至约17千米高度以内。尽管天气主要发生在对流层内，但更高处的大气现象如急流和高空波等对海平面气压型(即所谓的高压和低压)有重要影响，从而影响地面层的天气状况。地理特征，大多数著名的大山和大面积水体(海洋与湖泊)对天气也有影响。例如，新近的研究揭示，洋面温度异常是远处和以后季节气温异常的潜在起因。海洋和大气相互作用影响天气的著名现象之一，即科学家称为厄尔尼诺-南方涛动的现象(ENSO)。据信，这一现象不仅导致赤道太平洋地区的天气异常(例如1982～1983年澳大利亚的异常严重的干旱和南美洲西部的暴雨)，而且导致中纬度地区周期性地发生天气异常(例如1982～1983年西欧出现最高的夏温纪录和在美国中部出现异常大的春雨)。ENSO通过改变极锋急流(**jet stream**)的位置与强度来影响中纬度天气状况。

一般说来，世界不同地区的天气变化是大不相同的。变化最显著的是西风带所在的中纬度地带，那里高低压中心不断移动的过程产生一种经常变化的天气型式。热带地区则相反，逐日和逐月的天气变化都很小。

天气对人类的居住型式、食物生产，以及个人舒适都有很大影响。极端的温度和湿度使人很不舒服并会导致疾病传播；暴雨会造成洪水泛滥，使人被迫迁移和中止经济活动；雷暴、冰雹、龙卷风和冰丸暴会损伤以至摧毁作物、房屋、道路和车辆。风暴甚至会伤害

人、畜。在海上和邻近海岸地区，热带风暴（不同地区称飓风、台风、畏来风）带来的特大降雨、洪水、风和波动作用会对船舶、建筑物、树木、农作物、道路、铁路等造成极大的损害，并可造成空运和交通中断。大雪和冰冻会阻碍交通和增加事故次数，而长期缺雨又会造成干旱，在风刮过干涸的耕地时会形成强沙暴，就像20世纪30年代在美国平原诸州所发生的尘暴那样。

天气多变促使人们长期企求预测和预报未来天气状况。在历史早期，恶劣天气都被当作冒犯了神灵。19世纪中叶以来，发展起科学的天气预报，运用精密测得的气压、气温、空气湿度、风向和风速来预报天气变化。雷达的发展使气象学家得以跟踪气旋与反气旋（低压与高压），以及伴生的锋和风暴。到20世纪后半叶，先进的雷达和计算机的运用更可在世界范围跟踪天气型式。这些进展提高了地方天气预报的准确度，并使大范围天气预报和长期天气预报得以实现。尽管中纬度地区天气变化频繁使得长期预报不够准确。在热带地区则不然，天气现象和可察觉的变化多随季节循环（季风和干旱天气）而有规律地出现，其变化以热带气旋为主，日常天气变化小。

weather bureau　气象局　许多国家为了观测和报告天气，并对国家安全、福利和经济有影响的天气与洪水发布预报和警报而建立的机构。各国的国家气象局通过对公众的天气服务，以及对航空、航天、农业、航海及其他对天气敏感部门的专业服务，几乎对每一个公民的生活都有很大影响。例如，美国首都华盛顿附近的国家气象中心，是国家气象局的重要机构，负责制作大量概要的指导材料和长期预报，供地方和区域性的气象服务部门使用。该中心还被世界气象组织指定为世界气象中心的分析预报部门。世界气象中心作为世界天气监视网（**World Weather Watch**）的组成部分，负责全球天气的监视。在其他许多国家也有类似的组织机构。

weather forecasting　天气预报　运用物理学的原理，辅以各种统计技术和经验，对未来的天气作出报告。天气预报除报告大气本身的各种现象外，还包括因受大气的影响在地表上发生的各种变化——如积雪、覆冰量、风暴波浪和洪水等。自从有了测量大气温度、气压和湿度的仪器后，科学的天气预报才能发展。17世纪发明了温度表和气压表，并改进了湿度表，才使测量大气的这3个基本要素成为可能；同时又将上述测量同测量局地天气的其他方面，如风速和降水等结合起来。但起初因观测点太少，观测技术的差别太大，不可能绘制出精确的天气图，而天气图的绘制取决于广大地区内的大量观测站迅速地交换资料，这在19世纪30年代后期发明电报以前是不可能的。此后陆上的天气台站网迅速增加，但海上天气台站的建立落后了几十年。19世纪后期国家和国际气象组织相继建立，使天气记录标准化，并负责管理主要为远洋航行建立的早期天气预报工作。近年来观测仪器和技术——最著名的是使用无线电气象观测气球、雷达、地球轨道卫星以及装有特殊传感器的高空飞机——的进步，使天气预报发生了革命性的变化。另一个重大的突破是利用电子数字计算机进行的数值天气预报（NWP）模式，NWP模式由非线性的运动、质量、热量和湿度等守恒定律的数学表达式——偏微分方程组成，使天气预报员能在三维栅格网络上模拟解答式中的各种关系，并预先将它们结合为一个整体。栅格网络相当于测定未来天气的地区，它可代表一个特定的区域，如北美洲的西部地区，也可代表整个地球。大气模式经高速超级计算机综合处理，即可预报压力场和温度的异常变化，并可在较小的程度上预报约5～7天后的降水。超过12小时的天气预报事实上都是根据这些高度复杂的数学模型作出的。短期天气通常采用称为“临近预报”（nowcasting）的方法来预报，卫星和雷达观测到的局部大气状况，经计算机处理，然后作出有限地区内的详细天气预报。

weather map　天气图　表示特定时刻特定地区内天气要素分布的图。远在1835年以前利用邮政收集各地同一时刻的天气报告，绘制成最早的天气图。在19世纪中叶，勒威耶首次利用电报收集了同时刻观测的气象报告，制成了供天气预报用的图。由国家气象中心发布的最常见的天气图上标明海平面等压线的分布、锋的位置和恶劣天气的区域（例如飓风和其他风暴）。在天气图上按标准规格填绘符号，用以表示各地的风向、风速、气温、露点、气压和几小时前的气压变化、云量和云的类型、天气类型、能见度、雨量和降水形式等。美国国家气象局每隔3小时发布一张天气图。这些天气图同6 000～12 000米高空气流图和卫星云图配合使用，是天气预报的有效工具。

weather modification　人工影响天气　通过人类的活动有目的地或在无意中改变大气的状态，并足以影响局部或地区范围内的天气。日常天气是影响环境以及人类的安康和活动的重要因素。农业、畜牧业、运输、保健和安全无不受到天气的深刻影响，因此，认为人类最古老的同环境有关的利益之一是有目的地驾驭天气就不足为奇了。采用技术上并不复杂的措施，如通过暂时覆盖以改善夜间植物的小气候；用大叶片的风扇使贴近地面的冷空气同几米以上的暖空气混合；通过喷水，当液滴冻结时向空气释放潜热，从而限制温度下降等是取得某种成功的控制天气的几种方法。1946年后采用一种称为“播云”的方法来增加降水，从飞机上或地面向云中撒播凝结核（通常为碘化银颗粒），有时也可从飞机上投下二氧化碳颗粒，使云冷却而凝结。这两种方法都是为了促进雨的自然形成过程，但在第二次世界大战后人工降雨的早期，这些方法更为复杂，而且没有想象的那样有效。世界各地广泛报道可适度增加降水，但有几次增加降雨的实验结果反而使降雨减少，这说明在雨的形成中还有一些未知因素。从云的催化工作中所取得知识证明在其他的应用方面很有价值，例子之一是用碘化银颗粒抑制或减轻雹灾，用火箭或炮弹在形成冰雹所必需的过冷却水滴占优势的积雨云的中部散布碘化银颗粒，通过增加冰雹的数量来减小其体积，从而减小其破坏性。在冰点以下的液态云层中投放碘化银，可用于驱散飞机场上空的雾。工业化和大城市的急剧增加已使局部气候产生相当大的变化，并且可能在将来发生更为广泛的影响。城市使其上空的大气变暖，影响空气流动，并向空气中排放污染物，结果产生上曳气流和大量的凝结核，可能增加降雨和冬雾。此外，燃烧矿物燃料（如石油、天然气和煤），每年向大气排放数十亿吨二氧化碳，将来可能使地球的平均温度升高，产生温室效应（**greenhouse effect**）。据认为大气中二氧化碳的潜在危害，因亚马孙平原和其他地区砍伐森林，减少进行光合作用的生物总量而加剧。

weather satellite　气象卫星　监测气象条件的人造地球卫星（参阅 **Earth satellite**。）

weatherboard　风雨板　参阅 **clapboard** 楔形板。

weatherfish　气象鱼　鳅（**loach**）类中的某些鱼的俗称。

Weatherford　韦瑟福德　美国得克萨斯州中北部帕克县城市。东距沃斯堡50千米。1858年设建制。经济以农业为基础，也有油田设备和电子设备工业。韦瑟福德学院建于1869年，为西南大学分校。有得克萨斯铁路博物馆。人口19 000（2000）。

weathering　风化　岩石在地表或接近地表的天然位置或原始位置上，通过由风、水和气候所引起或改变的物理作用过程、化学作用过程以及生物作用过程而发生的崩解与蚀变。在风化作用过程中，在最靠近岩石露头处，发生崩解物质或蚀变物质之移位现象，但是岩石块体仍然留在原地。风化不同于侵蚀之处在于后者通常包括崩解的岩石或土壤被从剥蚀的地点搬运走。但是，侵蚀更广泛的应用则包括风化作用，将风化作用作为随着风力作用与流水、海洋及冰川作用过程而发生的所有地貌单元总的剥蚀作用的组成部分。风化存在于地表或近地表处，也将它与变质作用过程中岩石的物理蚀变和化学蚀变区别开，变质作用通常发生在地壳深处相当高的温度条件下。风化包括物理的、化学的和生物的作用过程，它们或者分别作用，或者更经常地是共同作用，造成岩石物质的破碎与分解。物理风化通过机械作用过程导致岩石崩解，所以，它决定于力的运用。崩解作用包括岩石破碎成组成它的矿物或颗粒，而不涉及任何造岩矿物的分解。物理风化之主要来源是岩石的热胀冷缩、由于上覆物质之侵蚀而使岩石承受压力之减小、岩石中孔隙和裂缝之间水的交替性冰冻与融化、岩石中晶体的生长以及岩石里植物和生命物质的生长。岩石蚀变通常包括化学风化，在化学风化中，岩石的矿物组成部分发生改变、再组织或再分配。岩石的矿物经受着由循环水引起的溶解作用、碳化作用、水化作用及氧化作用。对于矿物分解的这些影响又附加到活着的生物与植物因为吸取营养物质而使岩石蚀变上。若干因素控制着风化的类型和岩石风化的速率。岩石的矿物成分将会决定蚀变或崩解的速率。岩石的结构将会影响到风化最可能出现的类型。细粒岩石通常对于化学蚀变较为敏感,而对物理崩解不太敏感。岩石中节理、断裂和缝隙的模式可以为水的渗透提供通道。这样一来,破碎的和断裂的岩石块体比起单岩构造来,更加可能遭到风化。气候也通过影响冰冻-融化旋回与化学反应的可能性而控制风化的类型与速率。化学风化在潮湿的热带气候里更可能出现并产生较大影响。由冰冻-融化旋回而产生的岩石崩解在亚北极气候下更可能发生,并且还更加有效。

weaver　织布鸟　又作 weaverbird。又称织工鸟、织巢鸟。旧大陆多种形似雀类的小型鸟类或几种近缘鸟类的俗称,以能用草茎或其他植物纤维筑巢而著名。最著名的巢是有顶的巢,某些非洲种类能织成复杂的悬挂巢室。许多织布鸟集群而居。真织布鸟属于雀形目文鸟科(织布鸟科,Ploceidae)文鸟属(织布鸟属,*Ploceus*),约 57 种,常分为几个类群,如面具织布鸟、金色织布鸟。本属种类形小,以昆虫为食,集群生殖。在生殖季节,雄体的羽毛上具鲜艳的黄色斑纹,可与多个雌体交配,会筑一个形似倒挂烧瓶状的巢,入口开在下方,可略似管状。雄体筑完巢后,头朝下挂

乡村织布鸟(*P. cucullatus*)

供图:K. B. Newman from the Natural History Photographic Agency—美国不列颠百科全书公司

在巢上,发出鸣声,并拍动翅膀。乡村织布鸟(黑头群栖织布鸟,*P*.[前归入 *Textor*] *cucullatus*)是非洲常见的种类。黄胸织布鸟(菲律宾织布鸟,*P. philippinus*)在巴基斯坦到苏门答腊一带数量甚多。群居织布鸟(厦鸟,*Philetairus socius*)分布于非洲西南部,会筑公用的大巢,巢高达 3 米,通常筑于巨大的金合欢树上,内部可有 100 多个分开的巢室,巢的开口位于底部。卡辛氏织布鸟(*Malimbus cassini*)见于非洲中部低地雨林,会将棕榈树叶撕成长条,筑成一个悬挂的巢,巢上有一个很宽的入口,向下伸展 2 英尺多。红喙织布鸟(红喙奎利亚雀,*Quelea quelea*)分布于非洲的稀树草原,有时会为害农业;有报告说数以百万计的红喙织布鸟在数平方英里范围内的树上筑巢。主教鸟(寡妇鸟属[*Euplectes*])会织一个入口在侧面的巢,通常分布于潮湿的草原地区(参阅 **bishop**)。维达鸟属(*Vidua*)的种类为群居寄生性,会将卵产于其他种的织布鸟的巢内,其幼雏由寄主抚育。文鸟科文鸟亚科(Passerinae)的种类称为*群居织布鸟*(**social weaver**);文鸟科牛文鸟亚科(Bubalornithinae)的种类称为*牛织布鸟*(**buffalo weaver**)。关于梅花雀科的头兜织布鸟,参阅 **mannikin**。

Weaver, James B(aird)　韦弗(1833-06-12,美国俄亥俄戴顿～1912-02-06,艾奥瓦得梅因)　美国政治家,奉行农业激进主义;1880 和1892年分别作为绿背纸币党和平民党候选

美国国会图书馆供图

人竞选美国总统,未获成功。1856 年进入律师界,在艾奥瓦州当律师。先加入民主党,后转自由土壤党,最后又参加共和党。南北战争期间表现突出,从士兵升至准将名誉军衔。战后,因要求改良、主张禁酒、批评铁路、呼吁放松银根,而与艾奥瓦州的共和党首领发生矛盾,结果被剥夺竞选国会议员和州长的权利。后参加绿背纸币党,进美国众议院(1879～1881,1885～1889)。1880 年竞选总统未成。19 世纪 80 年代在建立平民党时起主要作用,1892 年为该党总统候选人。晚年任艾奥瓦市市长。

Weaver, John　韦弗(1673-07-21,英格兰什罗普郡什鲁斯伯里～1760-09-24,什鲁斯伯里)　舞蹈演员兼芭蕾舞教师。以英国哑剧之父而知名。其父是一位舞蹈教员。1700 年韦弗到了伦敦并成为一名扮演喜剧角色的专家。他将意大利喜剧艺术中的丑角人物如哈乐根和斯卡拉穆恰运用到英国第一部芭蕾舞滑稽哑剧《酒馆骗子》(1702)中。他的《马尔斯与维纳斯的爱情》(1717)是第一部正式发表的适宜于舞剧的歌剧剧本。他的最佳演出以情节和表演取胜,而不是当时流行的那种专业炫技。因此他成了诺维尔和安哥里奥尼一位重要的老前辈。后者是富有创造性的舞蹈动作的设计者。韦弗所写的有关舞蹈方面的著作具有重要的意义。他的《舞蹈术》(1706)是弗伊耶《舞蹈术》的第一部英译本。继《舞蹈中的速度和节奏》(1706)和《舞蹈史》(1712)两书之后,还写有《解剖式和机械式的舞蹈课》(1721),后者要比布拉西斯试图研究人类解剖学和舞蹈技巧的关系早一个世纪。

Weaver, River　威弗河　英格兰河流。源出萨洛普郡和柴郡的边界,向北汇入默西河河口湾(注入爱尔兰海)。全长 72 千米。上游流域是乳牛饲养区,与默西河汇合处附近是工业区。

Weaver, Robert C(lifton)　韦弗(1907-12-29,美国华盛顿[哥伦比亚特区]～　　)　美国著名经济学家,美国第一个黑人部长。奴隶的曾孙。1934 年获哈佛大学经济学博士学位。毕业后任内政部种族问题第一个黑人顾问,此后 10 年,在美国政府机构中转任多种职位。第二次世界大战后于芝加哥任市府种族关系委员会执行理事,在大学任教,著有《黑人劳工,一个全国性的问题》(1946)及《黑人聚居地》(1948)。1949～1955 年指导 J. H. 惠特尼基金会的研究生规划,继为纽约州房地租专员(州政府成员)。他积极参加民权运动,曾任全国有色人种促进协会主席。1960 年受肯尼迪总统任命为联邦住房建筑及住房财政局局长。1966 年被约翰逊总统委任为新设的住房和城市发展部部长。1969 年离开政府,就任纽约市立大学伯纳德·巴鲁克学院院长。另有著作《城市复合体》(1964)及《城市美国的困厄》(1965)。

weaver-finch　织布雀　雀形目梅花雀科旧大陆多种鸣禽的总称,包括*草雀*(**grass finch**)、*侏形雀*(**mannikin**)、*蜡嘴鸟*(**waxbill**)。107 种,多数为小型甚至微型的食籽鸟,喙短,圆锥形。成群栖于温暖地区的开阔地和林地边缘。有几种是受人喜爱的笼鸟。

weaving　织造　在手织机或动力织机上用两组纱线(通常互相垂直)交织成织物。纵长方向的纱线叫经纱,横向的叫纬纱。织物的 3 种基本组织是平纹、斜纹和缎纹,花式组织有起绒组织、提花组织、小提花组织和纱罗等。纱线交织的方式决定组织的种类,纱线支数和经纬纱密度决定织物的松紧度。织物也可因经纬纱比例不同而变化,某些效应可由改变纱线或纱线的组合获得。在平纹组织中,每根纬纱依次在经纱的上方和下方通过,各相邻纬列通过经纱的上、下次序刚好相反。平纹织物有密织薄纱、细平布和塔夫绸等。凸条织物如罗缎是低支经纱或低支纬纱织成的。斜纹组织产生倾斜条纹或凸条效应,斜纹条走向可自右上方到左下方,或自左上到右下。人字形组织的斜纹有两个走向。斜纹织物包括粗斜棉布、轧别丁和法兰绒等。经缎组织织物正面显露的经纱比纬纱多而呈现光泽,露在正面的经纱称为浮经。纬缎的情况相反,纬纱露出形成浮纬。纱线捻度和浮纹的大小使织物产生变化。缎纹织物有鞋面花缎、绉缎和各种纬缎。起绒织物表面有稠密的绒毛,织法是用附加经纱织在金属丝上形成线圈,在金属丝抽出时将线圈割断;也可由调节织造张力使织物表面产生线圈,通常不割断;或用附加纬纱产生浮纬,在织成后割断。起绒织物有立绒、长毛绒、毛圈织物和各种仿毛皮织物。提花织物用专门的织机生产,有复杂的织制花纹。这类织物有花缎、织锦缎、凸花厚缎等。小提花织物具有小型几何图形的循环花纹,如菱形凹凸组织。纱罗组织通常是具有花边状外观的薄型稀疏织物,用专门的织机织制,使相邻的经纱拧在一

起，然后纬纱从经纱间穿过。纱罗织物有薄纱罗、薄窗帘布和蚊帐网眼纱等。

Webb, Beatrice 参阅 **Webb, Sidney and Beatrice** 韦布夫妇。

Webb, Clement Charles Julian **韦布**（1865-06-25，伦敦～1954-10-05，白金汉郡皮奇科特） 英国学者和哲学家，从社会角度研究宗教。1889～1922年在牛津大学马格达伦学院研究和讲授哲学。自1920至1930年任牛津大学奥里尔学院奥里尔讲座基督教义哲学教授。曾评注中世纪哲学家索尔兹伯里的约翰的政治论文和教育学论文。他的《宗教群体理论与个人》（1916）批判了社会学家涂尔干和莱维-布吕尔的理论，反对他们仅把宗教看作一种社会现象。他在《上帝和位格》（1918）和《上帝的位格和人生》（1920）两书中论述上帝与人类的社会、政治、科学与宗教生活之间的关系。

Webb, Mary (Gladys) **韦布（夫人）**（1881-03-25，英国，什罗普郡里金山下莱顿～1927-10-08，萨塞克斯圣伦纳兹） 母家姓梅雷迪思。英国女小说家，以小说《珍贵的毒药》

供图：Mansell Collection

（1924）著称。曾在绍斯波特一学校求学。1912年与教师H.韦布结婚，除最后6年在伦敦度过外，大部分时间住在什罗普郡，她的小说也都以该地为背景。其他作品有《金箭》（1916）、《入土》（1917）、《多默森林中的房子》（1920）等及未完成的历史小说《他所信赖的盔甲》（1929）。《诗51首》在她逝世后于1946年出版。G.M.科尔斯所著她的传记《光明之花》出版于1978年。

Webb, Philip Speakman **韦布**（1831-01-12，牛津～1915-04-17，英国萨塞克斯沃思） 英国建筑师、设计师、住宅建筑革新运动的创始人，尤以乡村住宅设计著称。早年在牛津G.E.斯特里特的设计事务所学习建筑，与W.莫里斯成莫逆之交。1861年他们联合创立了著名的莫里斯-马歇尔-福克纳建筑公司。1877年又创立古建筑保护协会。首次所作的设计就是莫里斯的住宅，著名的"红屋"（1859），建于肯特郡贝克斯利希思，该设计朴质无华，然构思新巧。他主张运用材料的对比使建筑的外表美观雅致，同时适应地形和地方传统，并满足使用者的需要。例如他在室内用暗色墙面，又施以白色装饰纹样。有些地方用清水砖墙或露出通气孔格栅的方式使作品显得活泼而有生气。他的高度创新的设计，虽然受到本地的中世纪建筑风格的影响，但在大胆坦率地运用各种材料和暴露结构方面，具有20世纪的功能主义的特征。大部分作品是乡村住宅，如威尔特郡的克劳兹住宅（1886年建成，1889年焚毁）、萨塞克斯郡的斯坦登住宅（1891）等，但也为伦敦市设计过一些宅邸。他在设计方面是一位多面手，曾为莫里斯的事务所作过一些金属、玻璃、木料、刺绣等家庭装饰品设计。尤以玻璃餐具、彩色玻璃画、首饰以及斯图亚特式家具驰名。

Webb, Sidney and Beatrice **韦布夫妇**（西德尼1859-07-13，伦敦～1947-10-13，英国汉普郡利普胡克；比阿特丽斯1858-01-22，格洛斯特郡格洛斯特～1943-04-30，利普胡克） 又

布朗兄弟公司供图

译韦伯。夫妇均为英国社会主义经济学家，早期费边社社员，社会和经济改革的先驱，杰出的历史学家。对于英国的社会思想和制度影响很深。比阿特丽斯原姓波特。自幼多病，靠博览群书和求教于其父的朋友受到教育，其中哲学家斯宾塞对她的思想影响最大。在兰开夏居住时，曾结识一些工人阶级合作运动的成员。后在伦敦作社会工作，对慈善组织无力处理贫穷的根本问题提出批评。她的表兄弟、船主和社会改革家C.布思撰写《伦敦人民的生活和劳动》这部不朽著作时，她曾协助其进行研究工作，了解到很多下层阶级生活的实情。1891年她出版了《英国的合作运动》一书。不久，她便认识到，为解决贫穷问题，必须深入了解工人阶级为自身所创立的有关组织如工会等。在搜集有关早期经济状况的资料时，于1890年结识了西德尼。西德尼出生在伦敦一个下层中产阶级家庭，经过夜校学习进入行政机关。1884年取得律师资格。他一度是青年新闻记者萧伯纳的密友。萧伯纳相信西德尼丰富的实践知识正是费边社鼓吹社会主义理论所必需的，于1885年劝他加入费边社。1887年他为该社撰写第一部宣传小册子《社会主义者的论据》，第一次简明阐述了费边社的信念，即让公众了解工业社会的各种事实，是改革这个社会的最基本的第一步。1889年发表公开演讲（收入《费边论文集》），使费边社大为出名。1892年西德尼与比阿特丽斯结婚，他们研究工作的第一批成果是两部巨著：《工联主义史》（1894）和《产业民主》（1897）。两书论述的英国社会生活是许多英国经济学家和社会史学家未涉及的。以后的著作扩展到历史和社会研究、教育和政治改革以及新闻事业等方面。他们关于17～20世纪英国地方政府历史的著作，是一项庞大的研究工作，其出版历时25年，使韦布夫妇成为第一流的历史研究者。他们还写了其他许多书。但他们在建立和发展各种机构方面的建树，要超过学术方面的成就。1892～1910年，西德尼在伦敦郡议会工作。而他最著名的工作是建立国立中学体系和小学生奖学金制度。他还致力于在伦敦建立技术和其他成人教育。韦布夫妇曾共同参与创办伦敦经济学院，西德尼还参与改组伦敦大学及制订教育法案（1902）。比阿特丽斯1905～1909年担任制订济贫法的皇家委员会委员，她提出的著名"少数报告"，比"贝弗里奇报告"早35年主张实行普遍的社会保险制度。1914年末，夫妇二人加入工党。西德尼曾任该党执行委员会委员，起草该党第一份重要政策声明《劳工与社会新秩序》（1918）。1919年作为专家代表矿工联合会参加调查煤矿情况的桑基委员会。1922年大选中以极大的多数票当选议员。入阁两届工党政府：1924年任商务大臣，1929年任殖民地事务大臣。受封帕斯菲尔德男爵后进入上院。1932年，夫妇二人由于对工党前途彻底失望，赴苏联旅行，著有《苏维埃共产主义：一种新文明？》（1935），似乎已放弃了他们关于社会和政治以渐进方式演变的信仰。

Webb, William Henry **韦布**（1816-06-19，美国纽约市～1899-10-30，纽约市） 美国造船技师，当时最有才华和成就的造船家之一。韦布于1836年开始造船，到1869年他造的船舶吨位超过了其他美国造船师。他的设计多样化并富有创新精神，建造过定期班船、快速帆船、明轮船、帆船、汽船、木船和装甲舰。他还给俄国、意大利和法国造过军舰。因为用铁代替用木造船，韦布于1869年关闭他的造船厂，但直到1872年因病退休仍关心造船事业。1889年他在纽约州格伦科夫创立并资助韦布造船学院。

Webber, Andrew Lloyd (English composer) 参阅 **Lloyd Webber, Andrew** 劳埃德-韦伯。

weber **韦伯** 国际单位制中的磁通量单位。其定义为穿过1匝导线的磁通量在1秒钟内匀速降低到零时能在导线内产生1伏的电动势。以19世纪德国物理学家W.E.韦伯的姓氏命名。1韦伯等于10^8麦克斯韦。麦克斯韦用于厘米-克-秒单位制中。

Weber, Carl Maria von **韦伯**（1786-11-18，荷尔斯泰因奥伊廷［今在德国］～1826-06-05，英国伦敦） 全名Carlmaria Friedrich Ernst, Freiherr (baron) von Weber。古典主义到浪漫主义音乐过渡时期中的德国作曲家和歌剧指挥家，尤以歌剧《魔弹射手》（1821）、《欧丽安特》（1823）和《奥伯龙》（1826）著称。《魔弹射手》一鸣惊人并广为流行，是当时德国歌剧中的佼佼者，开创了德国浪漫主义歌剧的先河。韦伯出身于音乐和戏剧家庭，父为乐师，组织

供图：Deutsche Staatsbibliothek, Musikabteilung, Berlin

一个小型巡回演出剧团；母为歌手；叔伯姑姨和兄弟都与音乐和戏剧有一定的关系，韦伯自幼多病；初露音乐才华时，雄心勃勃的父亲就让他在家庭剧团所到之城镇拜师学艺，期望他能成为莫扎特式的神童。在这些教师中有海顿之弟 M.海顿。在其指导下韦伯创作并出版了他的《赋格 6 首》（作品第 1 号，1798）。接着他又创作最早的两部歌剧《森林少女》（1800，弗赖贝格）和《施莫尔和邻居》（1803，奥格斯堡），均告失败。后师从福格勒神父深造，并通过他的关系而于 1804 年被任命为布雷斯劳音乐总监。作为一个年轻的总监，试图改革而又缺乏经验，困难重重，最后不得不辞职。幸而符腾堡的欧根公爵予以扶掖，委以音乐总监之职；他为公爵的私人管弦乐队写了两首交响曲。他的下一个职务是在符腾堡腓特烈一世宫廷担任文书。由于生活不检点，债台高筑，在短期监禁后被驱逐出境。这一时期（1807～1810）的主要成果有浪漫主义歌剧《西尔瓦娜》（1810，法兰克福）、歌曲和钢琴曲。韦伯随其父逃往曼海姆，用他自己的话来说，他在那里"获得了第 2 次生命"。他结识了许多有影响的艺术家，在这个圈子里他作为一个才华横溢的钢琴家和吉他演奏家而出类拔萃。他关于浪漫主义运动的理论也同样引人注目。迁至达姆施塔特后又与福格勒重逢，并结识德国歌剧作曲家梅耶贝尔。这一时期主要作有《C 大调第 1 钢琴大协奏曲》（作品第 11 号）和欢乐的独幕歌剧《阿布·哈桑》（1811，慕尼黑）。在达姆施塔特觅职未成，大失所望，遂继续旅行至慕尼黑；因与单簧管大师 H.贝尔曼友好而为他创作了 6 首单簧管作品，并与他一起巡回演出。单簧管和圆号始终是这位对新的音响和新的乐器结合十分敏感的作曲家所喜爱的乐器，这种敏感的听觉将会使他成为音乐史中最伟大的配器大师之一。韦伯也是音乐史中杰出钢琴大师之一。1809～1818 年间韦伯还写了相当数量的评论、诗歌和一些鞭辟入里的音乐批判文章。他所有的作品，音乐和评论，都进一步阐明了浪漫主义作为一种艺术的诸多理想，其中强调感情重于形式，心灵先于理性。1813 年受命担任布拉格歌剧院指挥后，韦伯终于得以将自己的理论付诸实践。他所选择的作品表明他关注浪漫主义的理想，而对于演员的选择则说明他重视的是演出的协调，而不是要求演员个个是大师。此外他每次演出都要发表一些介绍性的文章，这是为了保证听众可以认真地有所准备。但是不久又出现阻力：他的改革措施遭到反对，使他不得不在 1816 年辞职。不过，这时他已是声誉卓著，因而可能于 1817 年在德累斯顿德国歌剧院觅得院长之职。同年与他以前的一名歌手 C.勃兰特结婚。

德累斯顿是一个比德国大多数城市都要落后的城市，而且它还有一个对立的意大利歌剧院正盛极一时；因而韦伯作为德国民族歌剧的倡导者面临着甚至更大的困难。他婚后生活十分美满，精神饱满地投入工作，对歌剧演出的各个方面指挥若定；没有一个细节能逃过他的注意：凡剧目、新成员招聘、角色分配、布景、灯光、演出以及乐队和歌手，无不亲自监督，并要求每个演员充分理解歌剧的唱词和剧情。这些工作使他几乎无暇再创作歌剧，而他的结核病急转直下的发展更使情况恶化。但是在此期间他还是写了几首作品，包括 4 首钢琴奏鸣曲中的最后一首、许多歌曲和一些钢琴小品，例如著名的《邀舞》（1819），还有钢琴和管弦乐队的《音乐会曲》（作品第 79 号，1821）。《魔弹射手》也是在德累斯顿动笔的，1821 年在柏林上演，一炮打响。歌剧故事取自民间传说；它第一次表现出德国人家喻户晓的东西：朴素的乡村生活以及它那粗俗的幽默和伤感的情愫；周围的森林以及它那笑脸下面隐藏的超自然的恐怖。最重要的是剧中人，从欢乐的猎人和村姑到单纯而勇猛的英雄和统治他们的王子，都是一面面镜子，每个德国人都能从中找到自己的影子。在《魔弹射手》中韦伯不仅使德国歌剧摆脱了法国和意大利的影响，而且以其新颖的配器和所选的包含强烈超自然因素的题材为一种 19 世纪的主要歌剧形式奠定了基础。此剧使他成为民族英雄。他的下一部歌剧《欧丽安特》是一部更加雄心勃勃的作品，成就也更大；它是瓦格纳歌剧的先声，犹如他的钢琴音乐之于肖邦和李斯特的音乐；但此剧因台本拙劣而蒙受损失。当伦敦科文特加登剧院委约他写一部新歌剧时，韦伯便开始学习英语，并以通信方式而与台本作家普朗什合作。他的动机是多挣点钱，以便在他死后维持家庭生活；他自知死期已不遥远。就其形式而言，《奥伯龙》并不合他的口味，但是他在其中倾注了他的某些最精致的音乐，并旅行到伦敦参加其 1826 年的首演。演出一举成功，韦伯受到热情的款待；但是他的健康迅速恶化，在启程返回德国前不久，他被发现死在房间里。

Weber, Ernst 韦伯（1901-09-06，维也纳～ ）奥地利出生的美国工程师，发展微波通信设备的先驱。在奥地利求学后，1924～1930 年在维也纳和柏林任研究工程师，后来访美定居。1930～1931 年起，在纽约布鲁克林工业学院任客座教授，逐步升任电气工程研究课题和研究生学科的负责人（1942～1945）。随后任微波研究所所长（1945～1957）及该所学术研究副主席（1957～1963）。1958～1969 年任工业学院院长，1969 年起为名誉院长。他还是美国全国科学院国家研究委员会工程部主任（1970～1974）。第二次世界大战开始时应邀参加政府主持的科学研究和发展办公室，选定刚开拓但十分重要的微波技术领域进行研究。和同事研制了一种精密控制微波的装置，在雷达的实地测试中证明很有用；此外还制造了微波测量设备。

Weber, Ernst Heinrich 韦伯（1795-06-24，德国维滕贝格～1878-01-26，莱比锡） 德国解剖学家、生理学家。其有关触觉的研究引出了一个对心理学及感觉生理学都十分重要的概念——刚可觉察的差异（辨别阈）。他曾主持过许多有关内部器官的研究工作，但主要以对重力、温度及压力的感觉反应的研究著名。在《论触觉》（1834）一书中，他确定了感觉阈的存在：任何刺激强度的增加必须超过辨别阈才能被感觉到。辨别阈是一个比率，而非绝对值。这样，要使负重 100 磅和 10 磅的人感觉到所负重量已经增加，则给前者所添的重量要大于给后者所添的重量。在视觉、听觉等方面也观察到类似的现象。韦伯还发现，对所有的感觉都有一最大刺激阈，超过此阈的刺激并不能再引起感觉的进一步变化。韦伯的许多发现详细收录在《触觉与普通感觉》（1846）一书中，此书被美国心理学家 E.B.铁钦纳认为是"实验心理学的基础。"G.T.费希纳后将韦伯的经验式观察用数学表达出来，他称这些公式为韦伯氏定律。

Weber, Joe; and Fields, Lew 韦伯和菲尔兹（韦伯1867-08-11，纽约市～1942-05-10，好莱坞；菲尔兹 1867-01-01，纽约市～1941-07-20，美国加利福尼亚贝弗利希尔斯） 全名

韦伯（左）和菲尔兹
卡尔弗图片公司供图

分别为约瑟夫·韦伯和刘易斯·莫里斯·菲尔兹。美国演员。两人组织了一个在 20 世纪初颇受欢迎的喜剧团，以演粗鲁的滑稽短剧而闻名，演员们操荷兰土语，台词带有辛辣的讽刺。他们都是侨居美国的波兰移民后代。9 岁在纽约市鲍厄里大街首次联合表演。以后的 8 年里，合演的喜剧达到尽善尽美。1885 年自建剧团，20 年后接管百老汇音乐厅，从此人们喜欢把该音乐厅称为韦伯和菲尔兹剧院。他俩的音乐喜剧：《快速旋转》、《怪僻的老头》、《闹哄哄》、《嗳哟》和《乱七八糟》都是由歌曲、舞蹈、滑稽短剧以及流行戏

里的低级歌舞表演所组成，其内容与剧名同样活泼。菲尔兹于 1904 年脱离跟韦伯的合伙关系，在纽约市开办菲尔兹剧院。于是，两人都成为戏剧演出人，并各自登台表演。1912 年在韦伯先前一直经管的百老汇音乐厅中，他们再度短期合演《哄骗》。1918 年又在费城合演《重归》。韦伯独自演出到 1927 年；菲尔兹则演到 1930 年。菲尔兹的女儿多萝西(1905 ～ 1974)和儿子赫伯特(1897 ～ 1958)都是抒情歌曲和歌剧剧本作者。

Weber, Lois　韦伯(1881-06-13，美国宾夕法尼亚阿勒格尼[今属匹茨堡]～ 1939-11-13，加利福尼亚洛杉矶)　全名 Florence Lois Weber。美国女演员、制作人和导演，因在电影业初期拍摄有关社会问题的批判性影片而为人们所铭记。早年即显示出音乐才能。16 岁时曾作为一场音乐会的钢琴师短期巡演，并与英国教会军一起演唱，后来前往纽约市。曾与齿形舞台公司一起巡演，并在一个巡回演出公司参演《女孩们为何离家出走》(1904)。几个月后嫁给了 W.P.斯莫利，她与斯莫利在一个专业剧团和一个保留剧目轮演剧团演出了 5 年。1910 年两人开始在刚刚出现的电影业寻求发展。韦伯和丈夫在几个小型制作公司，制作出几十部短片和故事片。她写电影脚本和字幕，担任演员和导演，设计道具和服装，剪辑甚至还冲洗胶片。这对夫妇还尝试制作有声电影，把演员对话录在同步唱盘上。1915 年他们加入了环球影片公司，1917 年韦伯建立了洛伊斯·韦伯制作公司，其影片通过环球影片公司发行。除了与德米尔影片公司有过短期联系外，她在好莱坞的发展一直是在环球影片公司。韦伯是电影业里一个精力充沛、力求完美、技术全面的电影制作人，由她编剧、制作和导演的电影包括《伪君子》(1914)、《丑闻》(1915)、《人民诉讼约翰·多伊》(1916)、《冒犯上帝的人》(1917)、《禁令》(1920)、《男人要什么?》(1921)以及《她生命的一个篇章》(1923)。韦伯 1922 年离婚，1926 年再婚后又开始工作。此后她导演了《婚姻条款》(1926)、《寻欢作乐者》(1927)、《百老汇天使》(1927)、《托普西与伊娃》(1927)。她的最后一部电影是《白热》(1934)。

Weber, Max　韦伯(1864-04-21，普鲁士爱尔福特[德国]～ 1920-06-14，德国慕尼黑)　德国社会学家、政治经济学家。在20世纪，很

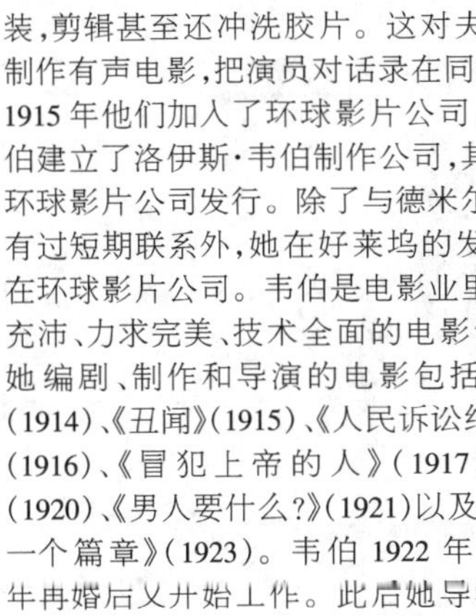

供图：Leif Geiges

少学者能像韦伯那样对社会科学具有如此巨大的影响。他的关于新教教义与资本主义的著名论文，曾经影响了历史思潮和宗教社会学。他在方法论方面强调学术上的客观性，他对人类行为动机的分析，对社会学的理论研究，影响都是深远的。在政治学方面，他区别神授的合性法、传统的合法性以及法定-理性的合法性，从而丰富了它的内容。韦伯生于德国爱尔福特，出身于一个经营麻纺织工业的家庭。父亲是“民族自由党”成员、普鲁士下院议员、帝国议会议员。韦伯的母亲自幼是一个正统的加尔文宗信徒，与其父感情不和。老韦伯要求妻子和孩子们在家庭中对他绝对服从。1881 ～ 1884 年间，韦伯在海德堡大学学习，并在施特拉斯堡服兵役，之后，入柏林大学完成学业。他早年攻读法律和经济史，20 多岁时担任一名律师的助手和大学助教，直到 1893 年。1895 年，他在弗赖堡大学担任政治经济学教授。翌年，执教于海德堡大学。著有关于古罗马土地史和中世纪贸易行会之发展等论文，以后又为德国最重要的学会——社会政策联盟，写出了德国东部土地问题综合分析等论文，并参加左翼自由基督教社会联盟的活动。1895 年在弗赖堡演说，把 5 年来研究易北河以东德国土地问题的成果变成对统治阶级容克贵族的尖锐指控，讽刺他们已是历史渣滓。他也批评当时的自由党，指责自由主义已是一个衰颓的运动，提出了“开明帝国主义”的概念。1897 年韦伯在父亲死后受到很大刺激，1898 年春，发现神经衰退，因之，5 年之间病发住院，病愈旅行，疗效不大。1903 年健康状况稍好，恢复了研究工作。韦伯的重要成就都是在病重到逝世这十几年中作出的。《基督教新教伦理和资本主义精神》是最有名而最引起争论的一部著作，书中根据统计数字，说明德国资本主义兴业兴趣和成功率与基督教新教背景的相互关系。他进而指出，这种关系的根源在于加尔文得救预定论以及清教派神学中的某些论点所引发的某些心理状态，这些论点是加尔文和他的追随者运用严谨的论理学提出来的。他并不否认批评者所提出的关于高度发达的资本主义企业在加尔文以前早已存在的说法，并且他本人也很了解。社会上也存在着发展资本主义所必备的其他物质的和心理的先决条件。但是他指出，在加尔文主义出现以前，资本主义兴业精神一向受到教会中流行观念的积极或消极的敌视，因而不能充分发展。过去的宗教信念从未使人们设想，财富的积累是神的永恒的恩典。清教徒参与了建立现代经济生活的庞大机构，它必然要主宰每一个人的生活和价值观念。德国社会学会是 1910 年在韦伯的帮助下建立的。他运用社会学的研究方法去分析经济史和文化史，常常把互相对应的社会抽象概念并列起来，就如苦行主义与神秘主义之并列那样，他称之为“意识型”。他还对印度和中国宗教文化进行分析，并与西方宗教进行对比。后来又发表了《经济与社会》一书。韦伯因肺病死于慕尼黑。由于他的多数文章登载于只有专家才能阅读的学术刊物上，他的影响在他死后才更加显示出来。他的长处是作为一个思想家，提出了一种方法论和探讨宗教社会学、政党和小群体行为社会学以及历史哲学的许多论文。他的著作持续具有影响力，达半个世纪之久。

Weber, Max　韦伯(1881-04-18，俄国比亚韦斯托克～ 1961-10-04，美国纽约格雷特内克)　俄国出生的美国油画家、版画家、雕刻家，他早期的抽象主义作品对野兽派、立体派等欧

美国不列颠百科全书公司供图

洲前卫艺术运动传入美国曾起过促进作用。1891 年从俄国迁居纽约，1898 ～ 1900 年在布鲁克林的普拉特学院学习。1905 ～ 1908 年在巴黎朱利昂学院从马蒂斯学画。其作品在 A.施蒂格利茨的“291”画廊展出过。1909 ～ 1917 年间画了很多有名的画，主要作品有受野兽派启发的《天竺葵》(1911)和立体派风格

韦伯绘《中国饭馆》(1915)

纽约惠特尼美国艺术博物馆供图

的《中国饭馆》(1915)。最后 20 年的作品大都采用犹太教特别是哈西德派主题。曾在纽约市艺术学生联合会教过书，他的学生中有 M.罗思科。著作有《美术论文集》(1916)和《早期的艺术家们》(1926)。

Weber, Wilhelm Eduard　韦伯(1804-10-24，德国维藤贝格～ 1891-06-23，格丁根)　德国物理学家。与 C.F.高斯一起研究地磁，并于 1833 年发明电磁电报机。磁通量单位韦伯就是以他的姓氏命名的，早前曾以库仑为单位。他先后在哈雷和格丁根大学就读，并于 1831 年在格丁根大学任物理学教授。从 1843 ～ 1849 年，他任德国莱比锡大学教授，后回到格丁根，任那里天文台台长。他在电学发展中起过重要作用，特别是由于他的工作而导致电学绝对单位制的建立。高斯把含有质量、长度和时间基本单位的各磁学单位成功地加以逻辑安排，而韦伯于 1846 年也就电学单位作了同样的整理。有时他还与他的兄弟、生理学家 E.H.韦伯和 E.F.韦伯合作从事一些研究工作。晚年他在格丁根研究电动力学和

物质的电学结构，他获得过英国、法国和德国许多荣誉，其中有枢密顾问官的头衔和皇家学会科普利奖章。他的许多出色的论文收在由他自己和高斯编辑的6卷《磁学会观测成果集》(1837～1843)书中。

Weber-Fechner law(psychology)　**韦伯-费希纳二氏定律**　参阅**Weber's law**韦伯氏定律。

Weberian apparatus　**韦伯氏器**　骨鳔总目鱼类(鲤、脂鲤、米诺鱼、吸口鱼、泥鳅、鲶鱼等等)所特有的一系列小骨块。共包括4对由紧接颅骨后的脊椎骨派生而来的小骨，介于鳔与内耳之间。用于助听，把外界声波产生的压力变化由鳔传给耳。

Webern, Anton (Friedrich Ernst) von　**韦伯恩**(1883-12-03，维也纳～1945-09-15，奥地利萨尔茨堡附近米特西尔)　奥地利作曲家，属维也纳12音体系乐派(参阅**atonality**)；以所作管弦乐帕萨卡里亚、室内乐和各种歌曲(利德)最为著称。

供图：Moldenhauer Archives, Spokane, Wash.

生平与作品　父为采矿工程师。因其父工作需要全家曾迁往两个省会格拉茨和克拉根福，后又返回维也纳。母为业余钢琴家，韦伯恩最初的音乐教育即受之于母。在克拉根福时师从E.科茂尔学习基本音乐理论和钢琴。还学拉大提琴并参加地方管弦乐队。最早的作品是两首大提琴与钢琴曲和几首歌曲，作于克拉根福时期。1902年毕业于人文学科中学后，曾在拜罗伊特音乐节聆听瓦格纳歌剧，留下深刻影响。同年秋天，入维也纳大学攻读音乐学和作曲；1906年以《论荷兰作曲家伊萨克的〈君士坦丁二世合唱曲〉》为题的毕业论文获哲学博士学位。在这以前，韦伯恩已于1904年秋成为勋伯格的私人学生。这组师生关系显示出决定性的影响。师生二人，连同他的朋友、年轻作曲家A.贝尔格共同探索了音乐表现的新视角，有所突破而建立了"无调性"这一革命性概念，认为乐曲中无需一个起支配作用的调性中心。不过，从一开始韦伯恩就创造了他独辟蹊径的风格。勋伯格对韦伯恩的音乐发展的指导于1908年告一段落。这时韦伯恩已经写了许多作品，包括管弦乐队的田园曲《夏风》、几首弦乐四重奏、为R.戴默尔诗歌所谱歌曲、管弦乐《帕萨卡里亚》(作品1)和合唱卡农《飞向光明之船》(作品2)。这些作品仍还坚守调性原则，但是，随着S.格奥尔格的歌曲(1908～1909)韦伯恩便进入了音乐的新天地，不再以固定的调性中心为根据了。

1908～1913年间他在维也纳、伊施尔、因斯布鲁克、特普利茨、但泽和斯德丁等地任教练和指挥等职。这些聘约都历时短暂，因为他讨厌剧院的例行公事，渴望自由的创作。这一时期的作品表现出他越来越倾向于将最饱满的艺术激情压缩在最简练的形式中。作品5～11就标志着这一特点。《大提琴奏鸣曲》(1914)是他的"警句风格"时期后第一次试行回到更加扩展的形式。作品12～19(作于1914～1926)是声乐曲。第一次世界大战期间的1915年韦伯恩应征入伍，但1916年底即因视力不济而复员。在布拉格参加1917～1918年最后一个剧院演出季以后，他在维也纳附近的默德灵定居，开始教私人学生，并担任勋伯格创办的"私人音乐演出协会"(1918～1922)的监督。1924年勋伯格构想出12音作曲法后，韦伯恩在其钢琴《儿童小曲》中首先采纳这一体系，并在此后所有作品中(作品17～31)都运用其序列技巧。这一时期的器乐作品(作品20、21、22、24、27、28、30)都受到严密的曲式准则的支配。在声乐领域中，则他的全部后期作品(作品23、25、26、29、31)都是在画家兼诗人H.容的歌词启发下写成的。总是声称自己与传统有联系的韦伯恩是德国利德歌曲体裁的杰出倡导者。他也是一位技艺高超的改编者，他为古典乐曲所作配器中有一首根据巴赫《音乐的奉献》而作的《利切卡塔》是知名之作。私人音乐演出协会解散后，他指挥过几个合唱团和工人交响音乐会。作为客座指挥，他偶尔也与奥地利广播管弦乐队一起演出，还曾应邀在瑞士、德国、西班牙和英国指挥。虽然是一位出色的教师，他却从未获得维也纳大学或音乐学院的任命。在国内得到的公开表彰仅限于两次维也纳音乐奖(1924、1932)。韦伯恩从来不积极参与政治活动，却成了右翼国家主义潮流的牺牲品。1933年希特勒当权后不久，勋伯格就离开欧洲。纳粹将"新维也纳学派"的音乐贴上"文化布尔什维克"和"颓废艺术"的标签，一律加以禁演。随着1935年贝尔格的去世，韦伯恩在艺术上完全与世隔绝。1938年纳粹吞并奥地利后他陷入极度贫困。第二次世界大战期间，生性孤独的他变得完全无声无息。1945年2月他的独子死于猛烈轰炸。当苏联军队迫近维也纳时作曲家偕妻逃往萨尔茨堡附近的米特西尔，在那里被美国占领军的一名士兵误杀。

评价　韦伯恩具有天赋的诗意特性，他的音乐反映出他的异常的敏感性。他崇拜大自然，无论是高山峻岭千岩万壑的宏观世界，还是奇花异卉的微观世界，都会影响他的创作思想。他坚定地提倡一种新的美学标准，锲而不舍地寻求自己的道路，结果营造出完全是他独特的音乐句法。韦伯恩的表现主义是警句式或点描式的，其特色是对词汇和润色的超凡的敏感。他的许多作品反映具体的个人经历，从这层意义来说甚至可称为"标题音乐"，例如作品第6号的《乐管弦曲6首》，据作曲家本人介绍，它们描绘的内容和他母亲的去世有关。他的风格的新特征(断断续续的旋律与和声、大音程的跳进、不协和音与音品的独特运用、稀薄的织体和极其简练的形式)，起初曾使那些听惯了浪漫主义晚期旖丽音乐的人感到不知所措；但是，从20世纪50年代开始他的音乐被年轻一代作曲家认定为新时代的"奠基石"和典范，公认的大师如斯特拉文斯基也加入了唱赞歌的行列。

Weber's law　**韦伯氏定律**　又作Weber-Fechner law。又称韦伯-费希纳二氏定律。历史上有过重要性的生理学定律：能被机体感觉到的刺激强度变化与原刺激强度之比是一个常数。1834年德国生理学家E.H.韦伯在研究举重物问题时首先提出该定律。后来，他的学生G.T.费希纳把它应用于感觉测量。费希纳进而创立心理物理学，以研究将外界能量转换给中枢神经系统的生理学方法。对于费希纳来讲，由于本定律指出了精神世界和物质世界的关系，这也就意味着，只存在精神世界。但对于其他人来说，这却意味着有可能建立一个科学的定量的心理学。韦伯、费希纳两人的工作一直很有用，特别是对视、听功能的研究，并对态度量表和其他测验，以及对理论进展均产生影响。但本定律不适用于极端强度的刺激。

Weber's Line　**韦伯氏线**　在东洋区和澳大拉西亚区之间的假设的动物区系界线，代表两个动物区系相互混合的中线。韦伯氏线最初于1902年提出，用以替代华莱士氏线

韦伯氏线

(**Wallace's Line**)，后又经许多研究者加以修改。它从印度洋经帝汶东面的帝汶海，向北通过摩鹿加海(在西里伯斯和摩鹿加群岛之间)，在摩鹿加北面进入菲律宾海。

webspinner　**足丝蚁**　又作embiid。又称纺足虫。纺足目昆虫，约150种，主要分布于热带。体脆弱，黄或褐色，咀嚼口器，取食死植物性物质，长4～7毫米。多数雄虫有两对窄翅，飞行力弱；雌虫均无翅。足短粗，能向

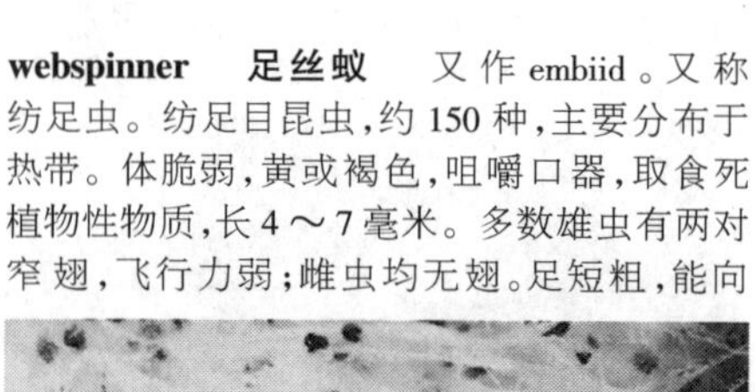

雌性足丝蚁(*Aposthonia*)
供图：E.S.Ross

前及向后迅跑。数百只成群生活在石下或苔藓和地衣中间的穴室或穴道内，穴室内衬有丝膜。幼虫和成虫前足的膨大部内有丝腺。受惊时躲入穴道内或装死。卵大，圆筒形，雌虫护卵，常覆以咀嚼过的食物粒。

Webster 韦伯斯特 美国马萨诸塞州中南部伍斯特县城镇。濒临弗伦奇河，北距伍斯特29千米。镇东南附近有舍巴纳甘加马湖（现通称韦伯斯特湖），为旅游区中心。湖名全称长达45个字母，Chargoggagoggmauchauggagoggchaubunagungamaugg，据说为尼普蒙克印第安语，意为"你在你侧打鱼，我在我侧打鱼，无人在湖中间打鱼"。城镇约1713年始有人定居，1832年设建制，以美国政治家和演说家D.韦伯斯特的名字命名。早期纺织厂建于1811年，城镇以此闻名。1840年通铁路促进工业进一步发展。经济多样化。保险业和纺织业雇佣大量的劳动力。尼科尔斯学院（1815）设于附近的达德利。面积39平方千米。人口16 415（2000）。

Webster, Daniel 韦伯斯特（1782-01-18，美国新罕布什尔索尔兹伯里～1852-10-24，马萨诸塞马什菲尔德） 美国演说家、政治家，曾在美国最高法院担任律师，表现突出；担任过美国众议员（1813～1817、1823～1827）、参议员（1827～1841、1845～1850）和美国国务卿（1841～1843、1850～1852）。以热情的民族主义者和杰克逊土地改革时期实业界利益的辩护士著称。出生于边陲小镇，父为革命战争的老战士。15岁入达特茅斯学院学习，擅长演说。毕业后在中学教书。为研究法律，前往波士顿某名律师所进修。后在家乡执律师业。1807年移居朴次茅斯，成为当地著名律师。他与和英、法通商而致富的船主、商人关系密切。后者反对联邦政府限制甚至中止海外贸易以报复英、法偶尔夺取美国商船的做法。作为代言人，韦伯斯特指责杰斐逊政府的封锁政策违反宪法并反对对英宣战。1812年以亲英的保守联邦党人身份进入美国众议院，1814和1816年再次当选。在国会中，他反对几乎所有的战争法案，包括征兵法案在内。1816年举家迁居波士顿。1823～1827年再次当选美国众议员。他成为全国收费最高的律师之一。他在最高法院一系列重要案件中的辩词影响了首席法官J.马歇尔的观点，从而发展了宪法。在达特茅斯学院理事会诉伍德沃德案（1819）中，他坚持国家承认企业的章程，国家无权损害契约。在麦卡洛克诉马里兰州案（1819）中，他认为州无权向联邦机构（美国银行的分支）征税，从而阐明了征税权是"破坏权"的原则。在吉本斯诉奥格登案（1824）中，他主张州不得侵害联邦管理州际贸易的权力。他的辩护，产生了扩大联邦政府权力的效果，鼓励了法人企业；他似乎忘了不久前为反对1812年战争而为州权辩护的行动。不过，在关税问题上他倒是一位严格的宪法解释者。1816和1824年他反对保护性关税，因为它有损于新英格兰占主导地位的商业利益。后来，因纺织业发展，马萨诸塞从制造业获得了巨大的利益，于是1827年成为参议员的韦伯斯特投票赞成了《1828年关税法》。此后，他成为一名重要的贸易保护主义者。1830年南卡罗来纳参议员R.Y.海恩提出副总统J.C.卡尔霍恩假设的理论，即州有权

纽约大都会艺术博物馆供图

拒绝有害的和违宪的联邦法律，甚至还可脱离联邦。韦伯斯特在第二次反驳中雄辩地捍卫了联邦政府的权力，反对自称的州权；呼吁建立"自由和现实的、永远的、不可分离的联邦"，这篇演说使他成为享誉北方的民族主义者的英雄。1832～1833年，当南卡罗来纳在卡尔霍恩领导下把拒绝理论付诸实施时，他支持A.杰克逊总统抵制这种行动。此后，他曾主动提出与杰克逊结成政治联盟，想由此成为杰克逊总统的继任人。但两人在许多问题上存在分歧，特别是关于美国银行问题。杰克逊攻击银行是一个危险的、不民主的垄断力量，而韦伯斯特却是银行的法律顾问，在参议院中为银行辩护。他和肯塔基的H.克莱逐渐成为辉格党（反对杰克逊和民主党人的集团）领袖。1836年辉格党提名他为3名总统候选人之一，但竞选没有成功。W.H.哈里森当选总统后于1841年任命他为国务卿。哈里森死后，J.泰勒担任副总统。克莱诱使其他阁员辞职以抗议泰勒反对银行、反对保护性关税的立场，而韦伯斯特却留在内阁里。为解决与英国间的缅因边界争执和其他纠纷，他谈判并签署了《韦伯斯特-阿什伯顿条约》（1842）。他希望与泰勒结盟，没有成功，于1843年离开国务院。波士顿和纽约的企业界为支持他重返参议院，为他设立了基金。为此，民主党人攻击他是"制造业津贴的代理"。在国会中，他和辉格党人一道指责J.K.波尔克总统策划了对墨西哥的战争，要求尽快结束战争。他的一些同伴支持"威尔莫特但书"（在夺自墨西哥的全部领土上禁止奴隶制），而他反对夺取任何领土。战后，地区危机中他保持沉默。1850年，他支持克莱的妥协建议，即在获自墨西哥的领土上组建不禁止奴隶制的准州。他的这一立场受到实业界的欢迎，但使辉格党人大为恼火。作为M.菲尔莫尔总统的国务卿（1850～1852），他施加全部影响，企图在1850年妥协案中增加遣返逃亡奴隶的条款，旨在把南北双方的保守分子纠合起来建立一个"联盟党"，使他能在1852年当选为总统。但是，总统梦又化为泡影。此后，他退隐马萨诸塞经营农场。

Webster, Jean 韦伯斯特（1876-07-24，美国纽约弗雷多尼亚～1916-06-11，纽约州纽约） 原名Alice Jane Chandler Webster。美国作家，因其畅销书《长腿爸爸》而为人们所铭记，该书还成功改编成舞台剧和电影。曾在纽约宾厄姆顿的简·格雷女子学校学习。1901年毕业于纽约波基普西的瓦瑟学院，与诗人A.克拉普西为同窗密友。韦伯斯特是马克·吐温的曾侄女，早年即对写作感兴趣。上大学期间开始写短篇小说，后收录在她的第一部书《当帕蒂上大学时》（1903）。后来又写出《小麦公主》（1905）和《小杰里》（1907），这两部书均受到她的意大利之行的启发；《四个神秘的池塘》（1908）匿名出版；还有《彼得的困扰》（1909）、《公正的帕蒂》（1911）和《长腿爸爸》（1912）。《长腿爸爸》最早在《妇女家庭杂志》上连续登载，正式出版后成为畅销书。1914年出版了《亲爱的敌人》，该书是《长腿爸爸》的续集，同样也是一部畅销书。

Webster, John 韦伯斯特（约1580～约1625） 英国剧作家，所作《白魔》和《马尔菲公爵夫人》被公认是除莎士比亚外，17世纪英国最重要的悲剧。生平不详。可能最初做过演员，后成为剧作家。也可能死于1634年。两部主要剧作是《阿皮乌斯和弗吉尼亚》（约1608）和《魔鬼讼案》（约1620，1623出版）。此外还同一些著名剧作家（主要是T.德克）合作写过一些剧本。他的作品现存有8个剧本及一些诗和散文。由F.L.卢卡斯编辑的4卷本《约翰·韦伯斯特作品全集》于1927年出版。《白魔》和《麦克白》是情节悲剧；《马尔菲公爵夫人》像《李尔王》一样，是一部苦难悲剧。

Webster, Marie 韦伯斯特（1859-07-19，美国印第安纳沃巴什～1956-08-29，新泽西普林斯顿） 婚前名Marie Daugherty。美国被褥设计师和历史学家，为第一本专门描写美国被褥图书的作者。曾在印第安纳州沃巴什的学校受教育。由于眼疾未能上大学，只能跟私人教师学习拉丁语和希腊语并阅读大量书籍。1884年嫁给G.韦伯斯特，婚后定居在印第安纳州马里恩。《妇女之家》杂志1911年1月1日刊发表了50多岁的家庭妇女韦伯斯特设计的四花嵌花被褥图案。她设计的被褥非常有特点，并且很受欢迎，在以后的3年时间里又有10个设计图案发表。这些作品经常以蜡笔染色和基本色彩为特色，注重装饰艺术中的两个当代潮流：殖民地时期式样的重新流行和手工艺运动。在1915年畅销书《被褥》中，韦伯斯特写道："从前的被褥设计缝制者的作品具有很高水平的艺术品味。"韦伯斯特曾身着美国早期风格的绿色丝绸服装给学生上被褥课。她的实用百衲公司（1921～1942）销售设计式样、针线和由她设计的成品被褥。在印第安纳州马里恩的家现在成为1979年H.卡特创办的被褥设计缝制者名人堂的总部。韦伯斯特1991年入选该名人堂。

Webster, Noah 韦伯斯特（1758-10-16，美国康涅狄格西哈特福德～1843-05-28，康涅狄格纽黑文） 美国词典学家，以其《美国拼音课本》（1783）和两卷本《美国英语词典》（1828；

1840,第2版)而著称。韦伯斯特致力于使美国英语有其典雅性和生命力。韦氏的拼音课本和词典都反映出他的主张:拼写法、语法和惯用法应完全根据活的口语,摈弃人

纽约大都会艺术博物馆供图

为的规定。他作为教师、语法学家、报刊编辑、政论家、演说家、议会活动家也做出许多有益贡献。

韦伯斯特于1758年生于康涅狄格殖民地的西哈特福德镇。1774年进入耶鲁大学,其间因参加美国独立战争曾短期辍学,1778年毕业。他曾教过小学,任过职员,学过法律,1781年执律师业务。

1781年在纽约州戈申任教时,他对儿童教材中忽略美国文化极为不满,立志终身致力于教育事业。第一步计划出版1套《英语语法原理》,该书第一部分是《美国拼音课本》(1783),亦即著名的《蓝脊拼音课本》,多年来一直畅销不衰,发行量达1亿册以上,为韦氏提供大量收入,是其一生的主要生活来源。

1784及1785年相继编出《语法》和《读本》,完成其《语法原理》一书。这本语法依据韦伯斯特的原则(在其后的词典中宣称)而编写:"语法根据语言而形成,并非语言根据语法而形成。"虽然他自己也不能总坚持这项原则,有时要根据类推、论证以及真、伪词源学来处理,但他的不一贯性并不大于其同时代的英国学者。他把美国英语看作"联邦英语",经常将美国自由民良好的语言惯用法与矫揉造作的伦敦英语对立起来。他的《读本》坚持选用推动美国民主思想的、有道德和政治导向的作品。

美国直到1790年还没有版权法。各州法律互有差异,使通俗书刊作者若不尽力捍卫自己,他的版权就被任意侵犯。韦伯斯特致函各州立法当局反映他的意见,广泛游说、吁请统一版权法。他靠教学、讲演、上音乐课以保障生活自给。1787年韦氏在纽约市创办了《美国杂志》(未几即停刊)。这个刊物将文学评论、教育论文、政论、农业问题讨论及一些其他主题结合起来。1789年韦伯斯特结婚后,在哈特福德做律师。到1793年他在纽约创办支持联邦主义的日报《美国密涅瓦》,同时创办三日刊《先驱》,以重印选自日报的文章。1803年他售出这两个刊物。

韦氏撰文论述许多主题:政治("论美国政策",1785;该文有时被认为是对美国宪法最早的论述)、经济、医学、物理学以及语言。他在旅行时注意活的语言,但要根据他所听到的和他所使用的语言之间的对应程度大小而有所取舍。韦氏早期致力于拼写法改革的热忱在其后的著作中有所减弱,但大致说来他还是推动今日英国和美国拼写法之区别的主要人物。虽然他自己也因收入其词典的俚语和行话而受到指责,但他对一般禁忌词的处理上却是煞费苦心的。他经常评论S.约翰逊《词典》(1755)的一些粗俗词和引语,晚年出版了1种修订本《圣经》,用委婉词语取代了钦定本中直言不讳的叙述。

1798年韦伯斯特移居纽黑文,在该地当选为市议员,积极参与地方政务,毕其余生。他为康涅狄格州文理学会的创办人,马萨诸塞州议会议员,并参与建立阿默斯特学会和阿默斯特学院。

1806年韦伯斯特出版了《简明英语词典》。它虽是为其后所编词典做准备,但不仅比约翰逊词典多收5 000个词,而且多所创新,首次将i和j、u和v作为词条分别排列,1807年开始编纂《美国英语大词典》,涉猎语言达20余种,1824～1825年遍访英、法,搜集在美国无法找到的资料。不过,他力图找到似乎有道理的语源的做法,却得不到当时语言学实际考察成果的支持。

《美国英语大词典》第一版共两卷,于1828年出版,当时韦氏已70岁高龄,美国发售2 500部,英国售出3 000部,未及1年即告售罄。该书曾遭受"美国风"之诮,并被指责其拼写法有违常规,倾向于美国而不坚持英语国的惯用法和拼写法,夹杂有非文学语词,特别是艺术及科技语词。这部词典所收词条多达7万个,其中有3万至4万条的注释发前人之所未发。尽管韦氏一再贬责约翰逊,但在其定义和引用例句中却明显地受益于约翰逊的文学词汇。《美国英语大词典》相对而言无利可赚,1841年再版亏蚀,版权转让给乔治和查理·梅里亚姆公司所有。

韦伯斯特于1843年去世,葬于耶鲁大学附近的墓地。他年轻时好争辩,捍卫其文学事业并驳斥其批评者。晚年在宗教和政治上趋于保守。韦氏是英语词典编纂家中以人望、社会活动和著作而并称的最后一人。

Webster-Ashburton Treaty 《韦伯斯特-阿什伯顿条约》(1842) 美国和英国之间为确定美国东北部边界和两国在取缔奴隶贸易中进行合作而订立的条约。条约确定了缅因和新不伦瑞克间的今日边界,给美国在圣约翰河上的航行权,规定引渡非政治性案犯并建立联合海军禁止非洲海岸的奴隶贸易。参加谈判的一方为D.韦伯斯特(当时的美国国务卿),另一方为第一阿什伯顿男爵A.巴林。

Webster City 韦伯斯特城 美国艾奥瓦州中部城市,汉密尔顿县县城。在布恩河畔。1850年始建,1874年设建制。为铁路交叉点和贸易中心。生产洗衣机、冷冻食品、农业设备和金属铸件。设有艾奥瓦中部社区学院。人口7 894(1990)。

Wechsler, David 韦克斯勒(1896-01-12,罗马～1981-05-02,美国纽约市) 美国心理学家,曾设计许多种用于成人和儿童的智力测验。就学于哥伦比亚大学,1925年获博士学位,后与纽约贝尔维尤精神病院建立长期联系,1932～1967年担任该院首席心理学家。1939年,他创制了第一个智力测验——韦克斯勒-贝尔维尤智力量表,供临床使用,适用于成人。他不同意存在有某种可作为测验基准的理想智力年龄的概念。他定义正常智力为一个年龄组中所有成员的平均测试分数;此平均值可在一个量表中用100表示,并以此作为标准智力水平。韦克斯勒-贝尔维尤测验在美国很快成为使用最广泛的成人智力测验,1942年他对量表作了第一次修订。韦克斯勒儿童智力量表(WISC)发表于1949年,修订于1974年。1955年他又创制另一种成人智力量表——韦克斯勒成人智力量表(WAIS),其结构与早先的量表相同,但针对不同人群背景作了标准化,包括10%非白色人种,以反映出总的人口构成。早期测验的标准化是按全部白色人种进行的。韦克斯勒成人智力量表修订于1981年他逝世前不久。他的最后一种智力量表韦克斯勒学龄前和小学智力量表,是原儿童量表为适合极幼儿童之用而作的修改,发表于1967年。

Weddell, James 威德尔(1787-08-24,奥属尼德兰的奥斯坦德～1834-09-09,伦敦) 英国探险家和猎海豹者,创造进入南极洲航行的纪录,威德尔海即以他的名字命名。曾指挥双桅帆船"珍妮"号进行过三次南极航行。第一次航行的成功(1819～1821)使他得以购买船只的股份。第二次航行中(1821～1822),考察了南美南端以东的南乔治亚岛和南设得兰群岛。1822年2月考察并定名了南奥克尼群岛。在第三次航行中(1822～1824),测量了上述两群岛,然后向南航行,寻找新陆地,借助冰块异常敞开的条件到达南纬74°15′的海域,比库克船长到达的最南记录超过3度。该海域后来即以他的名字命名。他留下的探险记录为《朝向南极的旅行》(1825)。

Weddell Sea 威德尔海 大西洋最南端的属海。中心点地理坐标大致为南纬73°,西经45°。西邻南极洲西部的南极半岛,东接南极洲东部的科茨地,最南是广阔的菲尔希纳冰棚和龙尼冰架,面积约280万平方千米。海域经常被厚冰覆盖,在初夏时节,中西部的海冰向北延伸,几达南纬60°。英国探险家和猎海豹者詹姆斯·威德尔于1823年2月20日乘"珍妮"号帆船,从南奥克尼群岛出发,向东南方向航行,最远到达南纬74°15′,西经34°17′。1900年以发现者威德尔的名字命名该海域。1956～1958年"国际地球物理年"期间,在其南部、东南部海岸建立了一系列科学观测基地。通常狭窄的南极大陆架沿南极半岛展宽至240千米以上,至威德尔海南缘约达480千米。大陆架与大陆坡交界处,海深约500米,这一深度的形成可能是巨大的冰负荷加于南极地壳的结果。海域属极地气候。动物有企鹅、威德尔海豹、海燕等。全世界的大洋底部冷水有一半以上源出南极海域,其中大部分即产生于威德尔海。表层海流以顺时针

方向运动，沿科茨地西南流，再沿南极半岛北流，最后与西风漂流汇合。

Weddell seal（species *Leptonychotes weddelli*）
韦德尔氏海豹 海豹科非迁徙性动物。无耳海豹的一种。分布在南极周围、南极洲沿岸和附近海域。体圆肥，长3米，重400千克。

韦德尔氏海豹（*Leptonychotes weddelli*）
供图：George Holton—Photo Researchers

雌大于雄。幼时灰色，成年后背面深灰色，腹面色较浅，有灰白色大斑。独居或群居，以鱼、头足类和其他海洋动物为食。善潜水，可潜入水中73分钟，下潜深度达600米。在冰下过冬，通过用犬牙和切牙啃开的冰孔呼吸。

Weddigen, Otto **韦迪根**（1882-09-15，德国威斯特伐利亚黑尔福德～1915-03-18，苏格兰马里湾外海面上） 德国潜艇指挥官。曾在第

美国不列颠百科全书公司供图

一次世界大战第二个月内用不到1小时时间连续击沉3艘英国铁甲巡洋舰，使他成为最著名的潜艇英雄之一。1914年10月15日，他的U-9号又在苏格兰近海击沉“鹰隼”号。后任新的U-29号潜艇的指挥官。该潜艇在苏格兰马里湾外海面被英舰“无畏”号撞沉，艇上人员无一生还。

Wedekind, Frank **魏德金德**（1864-07-24，汉诺威汉诺威［德国］～1918-03-09，德国慕尼黑） 德国演员和剧作家。第一次世界大战前夕他在德国艺术界成为一种强大的影响力量。作为现代荒诞派戏剧的直接的鼻祖，魏德金德在其戏剧中使用了插曲式场面、断续式对话、歪曲式漫画手法，成为从他那个时代的现实主义到下一代人的表现主义之间的过渡时期。

父亲是德裔美国人，母亲是瑞士人，1872～1884年住在瑞士，后移居慕尼黑直到去世。先后当过广告经理、马戏团秘书、讽刺周刊《痴儿》的编辑、小酒店演员，以及他自己剧作的演出人。他个性中令人兴奋的品质已

供图：Bavaria-Verlag

为其同时代人所证实。

在他的戏剧中，其特有的主题是性的自然力量同世俗间的对抗。1891年他的悲剧《青春觉醒》出版，引起人们的非议。该剧于1905年由马克斯·赖恩哈特成功地搬上舞台，由一系列短的场景组成，有的场景富于诗意和柔情，有的则粗犷和坦率，描写3个青年人的情窦初开。在《卢卢》组剧《地神》（1895）和《潘多拉的盒子》（1904）里，他把性的主题扩大到下层社会，写了缺乏道德意识的妇女卢卢被毁于性的自由，及其与伪善的资产阶级伦理道德所发生的悲剧性冲突。在这两部悲剧的启发下，阿尔本·贝尔格创作了歌剧《卢卢》。

魏德金德的其他剧本有《宫廷歌手》（1899）、《凯依特侯爵》（1900）、《如此生活》（1901）、《希达拉》（1904）和《弗朗采斯卡》（1912）等。他还创作诗歌、小说，写歌词和散文。他的日记在他去世后结集出版，名为《一部好色的生活日记》（1986）。

Wedel-Jarlsberg,（Johan Caspar）Herman, Count（Landgreve） **韦德尔-亚尔斯贝格**（1779-09-02，法国蒙彼利埃～1840-08-27，挪威克里斯蒂安尼亚） 挪威爱国者、政治家，挪-瑞联盟（1814～1905）成立后任第一任挪威执政官。19世纪初叶，丹麦-挪威王国在拿破仑战争影响下趋于瓦解，英国海军封锁切断挪威来自丹麦的供应线时，他在一个特别委员会供职，在3年间成功地供应了国家所需的食品。这是他最光辉的业绩。这个经验使他深信，与瑞典结盟，挪威的利益能得到更好的保障。丹麦根据《基尔条约》（1814-01）将挪威让与瑞典时，韦德尔为“联盟党”的魁首，赞同挪威以某种方式隶属于瑞典人；但多数派的“独立党”则主张无视《基尔条约》，争取挪威完全独立。韦德尔派于1814年4月10日参加多数派在艾兹沃尔德举行的立宪会议。韦德尔被选入起草宪法的“十五人委员会”。1814年夏季挪威对瑞典的武装抵抗失败，遂达成和议，瑞、挪两国结成由一个国王统治的联盟。该联盟一直维持至1905年。联盟结成后，韦德尔出任挪威政府财务大臣，经常维护挪威人民在两国共管下的利益。1836年成为联盟第一位由挪威人担任的挪威执政官。

Wedemeyer, Albert Coady **魏德迈**（1897-07-09，美国内布拉斯加奥马哈～1989-12-17，弗吉尼亚贝尔沃堡） 美国军事将领，1941年“胜利计划”的主要制定者，这是一个建议美国参与第二次世界大战的全面性战争计划。1919年毕业于美国西点军事学院，后被派往中国天津学习中文。1934～1936年在堪萨斯州莱文沃斯堡指挥与参谋学校学习期间成绩优秀，因而被选派往柏林的德国战争学院就读（1936～1938）。他曾写了一篇关于德国军事思想和机构的报告。1941年在参谋作战部的作战计划部门工作，1942年升为准将，第二次世界大战期间担任美国参谋总长，为G. C.马歇尔将军的党羽。他起草了“德国第一”战略，为地中海战区制定了许多同盟军战略，并协助策划了盟军成功登陆法国诺曼底的行动（1944-06-06）。1943年在担任海军上将蒙巴顿（英国在东南亚战区的司令）的副指挥后，被任命为蒋介石的参谋长，以及在中国的美军指挥官（1944～1946）。他在1947年在中韩情况报告中警告说，除非美国给予国民党更大的援助，否则共产党即将在中国取得胜利。但这篇报告被认为过于敏感，被压制了两年后才公布。1951年退休后3年，魏德迈晋升为终身将军。1958年撰写自传《魏德迈报告》。

wedge **劈** 一称楔。在简单机械中指一种逐渐斜削至薄缘的工具，通常用金属或木头做成，用于劈开、升举或紧固（如将锤头装在把上）。它和杠杆、轮轴、滑轮、螺旋一样，被认为是五种简单机械之一。在史前时代，劈就被用于劈开木头和石头；木制的劈用水浸湿，使其膨胀，用来劈开石头。从机械作用来看，螺旋可看作绕在圆柱上的劈。

Wedgwood, Josiah **韦奇伍德**（1730-07-12受洗，英格兰斯塔福德郡伯斯勒姆～1795-01-03，斯塔福德郡埃特鲁里亚） 英国有巨大影响的陶器设计者和制造商，具有对陶器制造的卓越研究、对原料的深入探讨、对劳动力的合理安排及对商业组织的远见卓识。约西亚·韦奇伍德生长在陶工世家，是陶工托马斯·韦奇伍德的幼子。1739年父亲死后，他在家庭工场里做工，成为异常灵巧的成形工。1744年跟大哥托马斯学艺。

在约1749年大哥托马斯拒绝与他合伙之后，韦奇伍德曾与哈里森短期合伙（1752～1753），随即于1754年与当时最出名的陶工托马斯·威尔登合伙经营，从此韦奇伍德成为当时制陶技艺大师。此后不久，开始写一本他所谓的《实验记》，这是一份关于斯塔福德郡制陶技术方面的宝贵资料。后来在他成功发明一种至今仍受欢迎的改良绿釉之后，终止了与威尔登的合伙关系而在伯斯莱姆开始自主经营，先在艾维·豪斯工厂实验成功了米黄色陶器。由于这种陶器在1765年受到夏洛特王后的赞助，遂命名为王后陶器。由于表面精致光洁而装饰简朴，耐久性好，式样适用，这种陶器成为当时标准的日用陶器，且拥有广阔的世界市场。1762年韦奇伍德在利物浦结识了商人托马斯·本特利；1768年，两人合伙制造基本上是一些未上釉的各色陶器装饰品，式样和装饰属于流行的新古典主义风格。其中主要的是黑炻器和碧玉炻器。黑炻器上加上红釉绘画，可以作为希腊红彩花瓶

的仿制品。碧玉炻器则是一种质地致密，采用含有硫酸钡的坯料经高温烧成具有细粒玻化坯体的器皿。为制造装饰品，韦奇伍德建立了埃特鲁里亚工厂，大约 1771 ～ 1773 年期间，他将实用陶器的生产也转移到那里。在这个工厂，聘用著名的雕刻家约翰·弗拉克斯曼，将其所作各种蜡雕像和浮雕花样翻制到碧玉炻器上。韦奇伍德在多方面的成就不胜枚举，他的制品备受欧洲新兴资产阶级的青睐。许多瓷器和彩陶工厂因不敌他的竞争而损失惨重。幸存的一些工厂转产米黄色陶器(在欧洲大陆称为精陶或英国彩陶)，而减少了锡釉陶器的生产。甚至法国塞夫尔和德国迈森等大工厂的生意也受到影响。韦奇伍德的米黄色陶器的盛行可以从 1774 年为俄国女皇叶卡捷琳娜二世制作的一套 952 件的庞大餐具得到证实。1775 年，继碧玉炻器问世之后，又通过添加不同着色氧化物的方法创制了红瓷、甘蔗色、黄褐色、巧克力色、橄榄色等炻器。韦奇伍德研究发明的高温计(用于测量高温的装置，对于测量烧成时的炉温有重要价值)，使他获得成为皇家学会会员的荣誉。在与韦奇伍德为友或与之合作的许多出色的科学家中，E.达尔文曾鼓励他投资于蒸汽机，因而埃特鲁里亚工厂于 1782 年最先装设了蒸汽机。韦奇伍德之女苏珊娜为 C.达尔文之母。

Wedgwood ware　韦奇伍德陶瓷器　英国的一种炻器，包括米黄色陶器，黑炻器和碧玉炻器，产于英国斯塔福德郡伯斯勒姆的乔赛亚·韦奇伍德(1730～1795)的工厂。韦奇伍

英国斯塔福德郡生产的韦奇伍德碧玉炻器花瓶，约 1785 年
伦敦维多利亚和艾伯特博物馆供图

德陶瓷在投产的第一个 10 年，即 18 世纪 60 年代，当即打入世界市场，并持续至今不衰。韦奇伍德使业已经过前人改进的米黄色陶器臻于完善；他的这种陶器尽管是大量生产，但仍然质量高、重量轻、坚固耐用，而且造型和装饰雅致，常具有当时流行的新古典主义风格。它满足了中产阶级对财力可及的优质餐具的渴望，而且风行达两个世纪，成为人们普遍爱好的米黄色日用陶瓷。

1768 年韦奇伍德厂发展了一种黑色不上釉的质地精细的炻器，叫做黑炻器，从而满足了 18 世纪中叶古董收藏家的爱好。这种炻器坚硬得能与钢碰击时产生火花；烧成后，表面无光泽，但能够抛光及琢磨成多面体，是仿制古董和文艺复兴时期制品的理想材料。产品有黑炻器图章，饰板，胸像，珠宝饰物以及花瓶等。有时还用特殊的釉彩绘画(称作彩烧)以模仿希腊的红彩花瓶。为了适应对新古典主义的爱好，韦奇伍德于 1775 年创制了碧玉炻器。这是一种白色、无光、未上釉的炻器，像素瓷，与黑炻器一样也可作为装饰品，此外，它还能以多种颜色着色，从淡雅的蓝色彩(如著名的淡蓝色)到浓郁的色彩。白色的装饰物都是另外在不同的模子中制作的，然后将这些装饰物贴附在胎体上，从而使装饰物的白色与胎体的颜色形成强烈的反差，以模仿古代的凯米奥硬石和玻璃浮雕(硬石和玻璃的白色表层被切去若干部分，留下白色的浮雕图案与下层的颜色形成明显对比)。韦奇伍德曾雇用当时的一些能工巧匠，仿制了难以数计的古代作品，包括罗马的波特兰花瓶等。其他的欧洲工厂也纷纷仿制碧玉炻器，著名的有塞夫尔工厂。至今，在生产其他韦奇伍德制品的同时，韦奇伍德陶瓷厂仍在生产以古老的和现代的纹样装饰的黑炻器和碧玉炻器。

Wednesday　星期三　一星期(**week**)的第四天。

weed　杂草杂树　生长于人类不需要它们的场所的植物。自从人类首次试图栽种植物以来，就不得不同杂草杂树侵入他们选种庄稼的土地的现象作斗争。后来，人们发现某些他们不需要的植物其实具有他们原先没想到的种种好处，便不再把这些植物视为杂草杂树，并着手栽培它们。另一些栽培植物移植到新的气候条件下也会到处蔓延生长，变成野生的杂草杂树。因此，杂草杂树的范畴在不断变化，该词只是一个相对的概念。

人们根据杂草杂树本身的特点、使用者的条件，以及所用方法与环境之间的关系等因素而采用不同的方法去控制或消灭杂草杂树。出于经济方面的原因，用于高尔夫球场和公园的方法不能用于牧场和森林。路边的杂草杂树会有碍观瞻，并有引起火灾或影响交通的危险，可用喷洒化学药品的方法来消灭，但这方法不适用于庄稼地。庭院内可用覆盖材料覆盖地面以控制杂草，但这个方法在大农场行不通。不管怎样，杂草杂树的控制已变成极为专门化的活动，需要数以千计训练有素的人员从事。综合大学和农业学院讲授控制杂草杂树的课程，工业也提供必要的技术，政府和私人企业雇用的人员每天都在从事控制杂草杂树的工作。要维持当前的粮食和纤维作物产量，离不开对杂草杂树的控制。

杂草杂树与栽培植物争水、阳光和养料。牧场上的杂草可能不对牲畜的口味，甚至有毒；它们可能伤害牲畜，如看麦娘属(*Alopecurus*)杂草被马食后会损伤口腔黏膜；杂草会降低动物产品的价值，如混在羊毛内的苍耳属(*Xanthium*)植物的果实；可能会加重照管牲畜的工作量，如马等在长满柏油草属(*Madia*)杂草的牧场放牧后马身粘上黏糊糊的黑东西。许多杂草杂树是植物病原体的宿主，例如刺莴苣(*Lactuca scariola*)及苦苣菜属(*Sonchus*)杂草是霜霉病的宿主；野生的芸苔属(*Brassica*)植物是甘蓝足肿病病原体的宿主；卷顶病病毒在滨藜属(*Atriplex*)杂草及猪毛菜上过冬，并由叶蝉带到糖用甜菜上。许多杂草杂树是害虫的藏身之所。

现代的控制杂草杂树方法可分为物理的、化学的和生物学的几类。

物理控制方法　古代人类的物理控制杂草方法始于首次从粮食地里拔草，并试图排除所有其他植物的竞争，让庄稼地里只生长一种植物，这便是单一作物农业的兴起。从此，这种农业方式在农业中占了统治地位，但它违反自然规律。全世界的农民都不顾生态学原理，均以单一作物农业的方式种植粮食、纤维及牧草作物，因为经验证明：大为改良的现代作物物种在单一作物农业条件下产量最高。从手薅开始，人类发明了简单的除草工具，如小锄、刀、锄等。从古埃及文化到文艺复兴，这些简单的方法用了几千年。在 17 世纪的英格兰，人们最早作出努力，在除草这种艰苦的劳动中实现机械化。从此以后，人们不断改进用以除草的农具，改进用以尽可能抑制杂草生长的耕作方法。成行种植的主要好处就是便于控制杂草。任何将耕作减到最低程度的除草方法往往能保存土壤的结构及保持肥力。

物理控制方法除耕地外，还有放火焚烧、放牧、在某些庄稼(尤其是棉花、薄荷)地里放养鸭鹅以及通以强电流等。

轮作，使用窒杀作物，选用无杂草的种子，覆盖地面，清洗农业机械以防止传播杂草种子等，均属物理方法。

化学控制方法　指用化学方法控制杂草杂树(参阅**除草剂**[**herbicide**])。这种方法由来已久，最早使用的是海盐、工业副产品及石油。19 世纪晚期，在法国发现用于粮食作物田间的选择性地控制阔叶杂草的方法，这种方法很快传遍欧洲。人们也在美洲试用过这种方法，但告失败，原因是要除草的面积太大，而且在干燥的气候条件下这种方法无效。所用除莠剂为铜、铁的硫酸和硝酸盐；事实证明，硫酸效果尤佳，这些农药均喷洒施用。不久，亚砷酸钠作为喷雾剂或土壤消毒剂普遍使用。在几千英里长的铁路沿线和热带的甘蔗园和橡胶园中，这种危险的化学药品大量使用，经常引起动物中毒，偶尔也使人类中毒，20 世纪头 30 年内，人们采用柴油为通用的除莠剂，二硝基甲酚钠为选择性植物杀灭剂。

二硝基甲酚钠是第一个重要的有机化学除莠剂，1896 年在法国研制成功。20 世纪 40 年代晚期，在第二次世界大战期间研究结果的基础上，许多新的除莠剂研究成功，开始了奇迹除莠剂的时代。20 年内，100 多种新的除莠剂合成、发展并投入使用。在经济效果上，化学控制杂草法胜过植物病害控制和虫害控制法。1945 年标志着化学控制杂草方法

中一个新纪元的开始。那时采用的是2,4-D、2,4,5-三氯苯氧基乙酸(2,4,5-T)及苯氨基甲酸异丙酯(IPC),2,4-D及2,4,5-T为叶面喷雾剂,选择性地杀灭阔叶杂草,而IPC施于土壤,选择性地杀灭禾本科杂草。这些新型有机除莠剂在杂草控制方面引起一场革命。这些除莠剂毒性大,每英亩施用量低至0.4～0.8千克,即能生效。这与每英亩需要1吨的二硫化碳、硼砂、三氧化二砷和每英亩用量约达42千克的氯酸钠适成对比。

除莠剂可分为两大类:选择性除莠剂和非选择性除莠剂,每类又可再分为叶面施用及土壤施用除莠剂,而大田作物用的除莠剂可分为播种前、播种后出苗前及出苗后施用的3种。化学控制与物理控制相比,一大优点是使用方便,在粮田、牧场、森林及其他能使用飞机的地方尤其如此。每年800万英亩土地实行飞机喷药,其中许多地区很难采用其他方法,在成行种植庄稼的耕地上用现代设备施用除莠剂十分方便。喷雾器、土壤搀合设备和颗粒状除莠剂撒布器等都使除莠剂的使用更方便、更可靠。已有一种机器,能同时修成苗床,播下种子,喷洒杀虫剂,掺合肥料及出苗前除莠剂,这些都在一次作业中完成。这在现代化农场中十分普及。

杀虫剂因残效长,在土壤及食物链中存留很久,影响人类生态环境,已带来许多问题。

生物学控制方法 人类有意识地用生物学方法控制杂草杂树,还是20世纪的新发展。早在1902年,就有一个报告描述了这样一件事:马缨丹这种半藤本小灌木,引种入夏威夷后在成千上万英亩的牧场上蔓延滋长,成为野生的杂树,影响放牧,于是人们把多种昆虫从墨西哥引入夏威夷,以控制马缨丹。在大量引进的昆虫的攻击下,马缨丹的数量在慢慢地减少。

澳大利亚人1925年从阿根廷引入仙人掌蛾(*Cactoblastis cactorum*),到1933年才使约2 400万公顷仙人掌丛生的土地变成可耕地和牧场。

在生物学控制杂草杂树方面,下一个最成功的实例发生于加利福尼亚,1945年这儿生长的金丝桃(当地称为克拉马斯树)被3种昆虫所清除。几年之内继续放散昆虫,到1950年俄勒冈、华盛顿和爱达荷等州亦采取这样的措施。报告表明,约100万公顷牧场已获开垦。金叶甲属(*Chrysolina*)的两个种和长吉丁虫属(*Agrilus*)的一个种在这里定居下来,金丝桃的生长也可以说得到满意的控制。杂草-昆虫关系正在研究,已有了更多成功的事例。

用病原微生物控制杂草杂树的尝试还未取得显著的成就。在澳大利亚,人们发现一种真菌——泽兰尾孢霉(*Cercospora eupatorii*)——偶然寄生在杂草具腺泽兰(*Eupatorium adenophorum*)植株上。这启发人们:用病原微生物控制杂草杂树是可能的。在这个实例中,可能最先损害杂草的还是昆虫,就如*Cactoblastis*属昆虫消灭仙人掌时一样:其幼虫钻进仙人掌内,随后真菌和细菌造成组织破坏。

偶然传入的树木病害,如栗疫病、荷兰榆树病、白松疱锈病及梨枝干枯病提醒人们,利用引入的病原微生物控制杂树是可能的。事实或许会证明,以昆虫为传染性疾病的携带者的方法是有价值的。菟丝子、列当、独脚金及槲寄生等寄生植物可望用以消灭杂草杂树,另一方面,如果这些寄生植物损害了作物,则昆虫和微生物会证明有控制它们的效力。

一些脊椎动物一直用来控制某些特定的杂草杂树。在许多国家,人们曾用山羊和绵羊来控制牧场上灌丛状的杂树。在中东和非洲的部分地区,山羊和绵羊几乎把当地干旱的牧场和荒地弄得寸草不生,但在以上实例中,山羊造成的破坏大大超过它们在控制杂草杂树方面带来的好处。

在加利福尼亚的棉田和俄勒冈的薄荷种植园,人们一直用鹅控制杂草。某些鱼,如刚果罗非鱼、以色列鲤和草鱼,可用以控制水生植物,已知佛罗里达海牛会吃去许多水生植物,水生螺类(*Marisa cornuarietis*)以莲子草、眼子草及凤眼莲为食。

虽然从时间-生态学效应的观点出发,控制杂草杂树的生物学方法更合人意,但这方法也有很大局限性。在澳大利亚仙人掌泛滥成灾这类情况下(即杂草杂树引入无其天敌的某地区),要控制它们,生物学方法是十分理想的。也有这样一些地方,生物控制是对付杂草杂树成灾的唯一希望,例如,人们在对付覆盖了几百万英亩低值土地的有毒的盐生草属(*Halogeton*)杂草时,在美国中部和西北部控制侵扰了千百万英亩森林、公园、农业用地的加拿大蓟时,都使用了生物学方法。另一方面,用生物学方法控制长在庄稼中的许多普通一年生杂草,却又是办不到的,因为这些杂草数量极大,变种亦多,要引入适当的以杂草为食的生物又不致造成损害,是不可能的。

生物学控制方法有许多缺点,用昆虫控制杂草的方法几乎仅仅对多年生杂草有效,一年生杂草的生活周期为一年,在冬季植株死亡,仅留下种子,这时几乎没有昆虫能找到越冬的场所。生物学控制的对象主要限于未耕种地区的杂草。杂草种类极多,土壤中杂草种子数量极大,许多杂草种子在土壤中能存活几十年。这些都妨碍生物学控制在一年生作物中取得成功。事实证明,在这些情况下价廉而有效的除莠剂非常实用。

从别处引入生物种类是一种冒险,因为就是这些生物在新的生活环境中也可能变成祸害。人们曾把基库尤草(一种狼尾草)引入加利福尼亚,以防止小山坡及路面的水土流失,但基库尤草迅速蔓延到果园、草皮和庄稼地,变成为害甚烈的杂草。

生物学控制杂草杂树的方法往往仅表现出周期性的效果。杂草受到昆虫侵袭后,数量先降至极低水平,接着昆虫因食物短缺而陆续死亡。杂草很快恢复生机或从种子重建其种群,以杂草为食的昆虫随即繁荣兴旺,杂草数量又减少,如此互为消长,循环往复。

Weed, Thurlow 威德(1797-11-15,美国纽约开罗～1882-11-22,纽约州纽约) 美国新闻工作者、政治家,纽约州辉格党建党人之一。曾习印刷工艺,在纽约州北部几家报社工作过,是反共济党领导人之一(1828)。1830年创办反共济运动报纸《奥尔巴尼晚报》,但很快认识到,仅是反对共济会不足以成为全国性政党,遂改变初衷,与积极建设辉格党宗旨相配合,使该报成为辉格党主要党报。辉格党解体后加入共和党。后坚定支持林肯总统。1861年奉国务卿西沃德派遣以特使身份赴英格兰,为美国进行宣传。林肯去世(1865)、激进派共和党人兴起后,威德在党内的影响下降。1863年卖掉他的报纸,并退出政界。

Weehawken 威霍肯 美国新泽西州东北部赫德森县的镇区。南邻泽西市,隔赫德森河与纽约市相望。为工业港口、煤场和铁路中心,也是林肯隧道的西端。约1647年由荷兰人拓居。1859年设镇区。镇区名为印第安语,起源说法不一,一说为"玉米之乡",一说为"岩石"或"鸥鸟"。当地海伍德庄园为纽约银行家J.G.金所拥有;1804年A.汉密尔顿与A.伯尔在此决斗并受致命伤。决斗地立有汉密尔顿的半身铜像。环绕汉密尔顿纪念碑的半圆形围墙是J.G.金为防止在此客居的小说家W.欧文从他喜欢小睡的岬角上跌下去而修建的。人口13 501(2000)。

week 星期 为期7天的周期,是没有天文依据的人为划分的时间单位。这个词的来源同古犹太人和《圣经》上创世的记载有关,据《圣经》记载,上帝为创造世界工作了6天,第7天休息。不过有证据表明,犹太人可能是从美索不达米亚引进星期这一概念的,而苏美尔人和巴比伦人把年划分为星期,每星期7天,并规定其中一天为休息日。巴比伦人用太阳、月球和他们所知的5大行星为星期各日命名。此法后被罗马人采用。罗马人在民事活动中曾一度用过8天的周期。公元321年君士坦丁大帝在罗马历中引进了7天的星期制度并把太阳日(日曜日 Sunday)定为星期的第一日,其次为月球日(月曜日 Moon's-day),火星日(火曜日 Mars's-day),水星日(水曜日 Mercury's-day),木星日(木曜日 Jupiter's-day),金星日(金曜日 Venus'-day)和土星日(土曜日 Saturn's-day)。君士坦丁大帝改信了基督教,他规定太阳日(即现今的星期日)是休息和作礼拜的日子。在英语和有关的几种语系中,用太阳、月球和土星命名的日子还保持着原来的拉丁名,其他的名称则来自条顿族神话中诸神的盎格鲁-撒克逊名字。英语Tuesday(星期二)来自Tiu或Tiw,盎格鲁-撒克逊语为Tyr。Tyr是挪威神话中的战神,是至高无上的大神Odin或Woden的儿子;Wednesday(星期三)是以战神的名字命名的。类似的Thursday(星期四)来自Thor's-day,Thor是雷神的名字,Friday(星期五)来自Frigg's-day,Frigg是Odin的妻子,在挪威神话中代表爱情和美丽。

Weeki Wachee Spring 威基沃奇泉 位于美国佛罗里达州中西部赫南多县,南距圣彼得斯堡90千米。泉深75米,泉水清澈,日流量6.36亿升。为该州主要名胜之一。水下呼吸技术出现后，利用泉洞建成水中芭蕾舞表演室，观众从建在水面5米以下的剧场透过玻璃窗观看演出，1947年首次演出。泉水形成河流注入墨西哥湾。

Weelkes, Thomas 威尔克斯（约1570～1623-11-30，英国伦敦） 英国管风琴家、作曲家，英国牧歌最重要的作曲家之一。早年情况不详。他可能就是1583～1584年在温切斯特学院任唱诗班成员的托马斯·威克斯，因他1598～1601年左右在该院任管风琴师。可能是1601年末被任命为奇切斯特大教堂管风琴师。任期内主要创作圣乐。其最佳作品分别收入1600年问世的两本牧歌集中。1602年获牛津大学音乐学士学位。其牧歌有近百首传世。这些牧歌被认为是综合了L.马伦齐奥的雅致、T.莫利的调性稳定感和W.伯德对语言的敏感性。他以音乐的描绘、生动的节奏以及高度发展的曲式和结构构思著称。他也为维金纳琴、维奥尔琴和管风琴创作乐曲。写有41首赞美歌，其中25首是完整的或尚可复原的；他的"完全"赞美歌（即没有独唱歌词的）表现出他部署大量声部的才能。较严肃的作品有牧歌《啊！注意，你将差遣我》和雄伟的赞美歌《哦，主啊，复活吧》。他的牧歌收入E.H.费洛斯编辑的《英国牧歌流派》第9～13卷（1913～1924）。

Weems, Mason Locke 威姆斯（1759-10-11，马里兰安妮阿伦德尔县[美国]～1825-05-23，南卡罗来纳博福特） 美国牧师、流动书商，乔治·华盛顿砍樱桃树的故事的编造者。该故事收入他的《乔治·华盛顿的生平与逸事》第5版（1806）中。1784年被授予英国圣公会神职，在马里兰州任牧师直到1792年。1794年起成为出版商M.凯里的代理人，在全国推销书籍。还写过一部F.马里恩将军的传记（1809）。该书像华盛顿的传记一样，以其真伪莫辨的逸事和可读性而不是其真实性闻名。

weever 龙䲢 鲈形目龙䲢科4种小型海产鱼的统称，经常埋于沙中。体长，口大，向上斜，眼近头顶。两侧鳃盖各具一尖刺，和第一背鳍鳍棘一样，与毒腺相连，可造成伤痛。3个种分布于旧大陆，一种分布于新大陆，在智利沿岸。知名的种类有欧洲和地中海产的大龙䲢（*Trachinus draco*）和小龙䲢（*T. vipera*）。

weevil 象甲 又作snout beetle（象鼻虫）。鞘翅目象甲科昆虫，约4万种。象甲科不仅是鞘翅目最大的科，也是动物界最大的科。多数种类的触角长，膝状，喙突出，有专门的沟以容纳触角，喙的末端为口器。有的无翅，有的善飞行。多数种类长不到6毫米，但最大的超过80毫米。多数种类为单色并有斑纹，少数种类，如巴西的钻石甲属（*Entimus*），色鲜艳。多数种类专吃植物。幼虫多数无足而只取食植物的一部分——花头、种子、肉质果实、茎或根。食性专一，以一种植物或近缘植物为食。成虫的取食范围较广。喙不但用于穿刺取食，还为产卵钻孔，喙的进化可能是象甲繁衍的因素。本科包括若干重要害虫，如谷象（*Sitophilus granarius*）和米象（*S. oryzae*）。

Wefers, Bernard J., Sr. 韦弗斯（老）（1873-02-19，美国马萨诸塞劳伦斯～1957-04-18，纽约州纽约市） 美国短跑运动员。1896～1921年一直保持200米和220码赛跑世界纪录（有5名运动员平了这两项纪录）。他是纽约体育俱乐部的选手，1904～1947年兼任该俱乐部教练。1896～1897年保持美国大学校际业余体育协会100码冠军称号。冲刺时一臂举起一臂往后甩并用肩撞线的动作，据认为是经过他改进而达到完善的。

weft（weaving） 参阅 **filling** 纬纱。

Wegener, Alfred Lothar 韦格纳（1880-11-01，德国柏林～1930-11，格陵兰） 德国气象学家和地球物理学家，最早正式提出了关于大陆漂移假说的完整陈述。他是个孤儿院长的儿子，1905年在柏林大学获得天文学博士学位。同时他对古气候学已经有了兴趣，并在1906～1908年参加了赴格陵兰的考察队去研究北极的大气环流。韦格纳又在1912～1913，1929和1930年，三次赴格陵兰考察。1924～1930年，他在马尔堡和汉堡讲授气象学，并任格拉茨大学气象学和地球物理学教授。他于1930年在第三次赴格陵兰考察中殉难。像他之前的其他某些科学家一样，韦格纳对南美洲东部海岸线和非洲西部海岸线的相似性有深刻印象，并推测那两块大陆曾经一度是连在一起的。韦格纳在1910年前后开始有一种着迷似的想法：所有今天的这些大陆在晚古生代时（约2.5亿年前）曾形成为一个单一的大块，即超级大陆，后来这个大陆才破裂开来。他称这个古代大陆为盘古大陆（Pangaea）。别的科学家们也提出过存在这样的一个大陆的看法，但他们解释现代世界的这些大陆的隔离是由于那个超级大陆的很大几部分的沉降（即下沉）而形成大西洋和印度洋的结果。相反，韦格纳提出：盘古大陆的组成部分在漫长的地质时代的几个纪里曾缓缓相互移动开了几千英里。他用于这个运动的术语是"大陆变位"（die Verschiebung der Kontinente），这就产生了大陆漂移这个术语。韦格纳于1912年首先在讲课中提出并且于1915年在他的最重要的著作《大陆和大洋的起源》（Die Entstehung der Kontinente und Ozeane）中充分地发表了他的理论。他查阅科学文献，搜集可能支持他的理论的地质方面和古生物方面的证据，因而他能够指出在隔离很远的大陆上出现的许多关系密切的化石生物和相似的地层，特别是在南北美洲和非洲发现的那些。韦格纳的大陆漂移论在其后的10年内赢得了一些拥护者，但是他对大陆运动的推动力的假定却似乎并不可取。到1930年，他的学说已经被多数地质学者所舍弃，在随后几十年间一直湮没无闻，只是在20世纪60年代内，作为板块构造学说（theory of plate tectonics, the）的一部分，才又恢复了活力。

Wegener's granulomatosis 韦格内氏肉芽肿病 以小血管发炎、坏死为特征的疾病。不常见，一般发生在中年，几乎可使所有器官受累，但最常见于呼吸道、肾脏及脾脏的血管。其病变与**结节性多动脉炎**（**polyarteritis nodosa**）十分相似。病因还不清楚，但与过敏有关。疾病的初期表现有流鼻涕、流鼻血及慢性鼻窦炎的症状，以后，血管的炎症逐渐扩延。死亡大约发生在患病数月之后，大多死于肾损害。有证据表明，如果人们使用细胞毒药物和肾上腺皮质激素，能够使存活期延长。

Wehlau, Treaty of 《威拉乌条约》（1657-09-19） Wehlau又拼Welawa。波兰国王卡齐米日与普鲁士公爵兼勃兰登堡选侯腓特烈·威廉达成的协议，波兰放弃对普鲁士公国的宗主权，使腓特烈成为公国的最高统治者。普鲁士公国原系波兰的采邑。但是腓特烈·威廉公爵力图取得完全的主权，因而参加波瑞王位继承战争（1600～1660），企图从中渔利。腓特烈·威廉公爵起初站在瑞典一边，但见达不到自己的目的，便与波兰国王卡齐米日缔结了《威拉乌条约》。依据该条约，威廉出兵6 000名支援波兰抗击瑞典，卡齐米日承认威廉及其后嗣拥有统治普鲁士公国的权利。

Wehling, Ulrich 韦林（1952-07-08，东德～ ） 德国滑雪运动员，是奥运会历史上唯一的三次北欧两项滑雪比赛冠军，也是第一个在冬季奥运会同一非花样滑冰项目中连续三次获得金牌的男运动员。除了奥运会冠军头衔之外，还获得过1974年的北欧两项世界锦标赛冠军。1972年参加日本札幌奥运会时年仅19岁，轻松战胜包括卫冕冠军西德的F.凯勒在内的各路高手，获得冠军。在1976年的奥地利因斯布鲁克举办的冬奥会上，再次以明显优势赢得金牌。除奥运会成绩外，他还是15公里赛速度最快的竞争者，因此在跳台滑雪比赛期间他的优势无法撼动也是必然的。在1980年美国纽约普拉西德湖举办的奥运会上，他取得同样胜利，击败了包括同胞U.多曹尔在内的其他运动员。在第三次获得奥运会冠军称号之后退出竞争性体育运动。

Wei 魏 中国西周分封的诸侯国，战国七雄之一。姬姓。在今山西芮城北。公元前661年被晋献公攻灭，将地封与周文王第15子毕公高的后代毕万。公元前453年，魏桓子与赵襄子、韩康子三分晋国。公元前403年魏文侯与赵列侯、韩景侯被周威烈王正式列为诸侯。魏建都安邑（今山西夏县西北）。魏文侯任李悝为相，吴起为将，积极进行变法改革，成为战国七雄之一。曾攻取秦的河西，攻灭中山国（今河北正定东北），南击败楚，夺得大梁（今河南开封）等地。魏惠王迁都大梁，国力进一步强大，公元前344年开始称王。公元前341年齐魏马陵（今河南范县）之战，魏全军覆没，大将庞涓自杀，从此国势衰落。公元前225年为秦所灭。

Wei DYNASTY（China） **魏** 参阅 **Northern Wei dynasty 北魏**。

Wei Changhui 韦昌辉(1823～1856-11) 中国清末太平天国主将。原名韦志正，或作韦正。广西桂平金田村人。出身地主。1848年捐献家产参加洪秀全创立的拜上帝会。1851年1月金田起义，后任后护又副军师，领右军主将，12月封北王，协助杨秀清处理军政大事。太平天国定都天京(今江苏南京)后，杨秀清居功自傲，图谋篡夺领导权。1856年8月韦昌辉奉洪秀全密令从江西带兵回京，9月入城杀杨秀清及家属、部众2万余人。石达开责备其滥杀无辜，他又欲加害，石被迫逃出京城，他竟杀害其全家，激起太平军将士公愤。11月被洪秀全下令处死。

Wei-ch'i(board game) 参阅 **Go 围棋(碁)**。

Wei Chung-hsien (Chinese courtier) 参阅 **Wei Zhongxian 魏忠贤**。

Wei He 渭河 又作Wei River。中国黄河的最大支流。发源于甘肃省渭源县鸟鼠山，东至潼关汇入黄河。全长818千米，流域面积6.25万平方千米。南有东西走向的秦岭

渭河风光

中国大百科全书出版社供图

横亘，北有六盘山和岐山、爷台山、黄龙山等一系列中、低山为屏障。渭河流域可分为东西二部：西为黄土丘陵沟壑区，东为关中平原区。渭河接纳的支流有葫芦河、泾河、北洛河。渭河流域降水集中在夏季，又多暴雨，水土流失严重，年径流量84亿立方米，年输沙量5.5亿吨，是黄河洪水和泥沙的主要来源之一。关中平原是中国水利事业发展最早的地区。公元前246年秦开郑国渠，引泾水注入洛河，全长125千米，灌溉面积280万亩。汉武帝又开白公渠引泾水入渭。在此以前沿秦岭北麓还有从长安(今西安)引渭入黄的漕渠，既是水运航道，又有灌溉之利。后经历代扩建，使渭河中下游渠道纵横，有泾惠渠、渭惠渠、洛惠渠等灌溉工程，是历史上著名的产粮区。

Wei He 卫河 中国海河水系南运河的上游。发源于山西太行山，流经河南新乡、安阳，沿途接纳淇河、安阳河等，至河北馆陶与漳河汇合称漳卫河。再流经山东临清入南运河，至天津入海河。全长约380千米，流域面积1.47万平方千米。年均径流量约24.6亿

卫河上的滑县大桥

中国大百科全书出版社供图

立方米。1952年建成人民胜利渠引黄济卫。

Wei Jianxing 尉健行(1931-01-02，中国浙江新昌～) 中国共产党第十五届中央政治局常务委员，中共中央纪律检查委员会书记(1992～2002)。1947年在上海光华大学附中学习。1949年3月在上海加入中国共产党并参加工作。同年入大连工学院机械系机械制造专业学习。1952年毕业后，在东北工业部有色金属管理局抚顺俄语训练班学习。1953年赴苏联乌拉尔卡明斯克铝加工厂学习企业管理。1955年回国后至1966年，历任国营东北轻合金加工厂生产计划科副科长、科长，一〇三车间主任，厂长办公室主任、厂生产总指挥、厂党委常委。在“文化大革命”中受到冲击，下放车间劳动。1970年后，任国营东北轻合金加工厂生产部部长、厂革命委员会副主任、厂党委常委、厂党委副书记、厂长、厂党委书记。1980年在中共中央党校一部中青年干部培训班学习。1981年后，任中共黑龙江省哈尔滨市委副书记、哈尔滨市市长。1982年在中共第十二次全国代表大会上当选为中央候补委员。1983年任中华全国总工会副主席、书记处书记、党组副书记。1984年任中共中央组织部副部长。1985年任中央组织部部长。同年9月在中国共产党全国代表大会上增选为中央委员。1987年任监察部部长、党组书记。1987和1992年分别在中共第十三、十四次全国代表大会上当选为中央委员。在中共十四届一中全会上当选为中央政治局委员，并担任中央书记处书记，在中央纪律检查委员会第一次全体会议上当选为中纪委常委、书记。1993年10月任全国总工会主席。1995年4月兼任中共北京市委书记。1997年9月在中共第十五次全国代表大会上当选为中央委员，在中共十五届一中全会上当选为中央政治局常务委员、中央书记处书记，在中央纪律检查委员会第一次全体会议上当选为中纪委常委、书记。

Wei Liangfu 魏良辅 又拼 Wei Liang-fu。中国明代戏曲音乐家。字尚泉，豫章(今江西南昌)人。流寓太仓(今属江苏)。初习北曲，后改南曲。16世纪中叶与北曲家张野塘、笛师谢林泉、老曲师过云适等吸取北曲特点，采撷海盐、弋阳腔之所长，革新昆山腔，创清唱的“新声”即“水磨调”。“水磨调”讲究“转喉押调”、“字正腔圆”，唱出“曲情理趣”；并采用笛管、弦索、鼓板伴奏。清柔婉转的昆曲“新声”用于戏曲舞台之后，促进了戏曲演唱艺术的发展。有论唱法的专著《南词引正》(一名《曲律》)。

Wei Yuan 魏源(1794～1857) 中国晚清思想家、史学家。原名远达，字默深，一字墨生，又字汉士。湖南邵阳(今邵阳市)人。道光进士。曾任内阁中书，后任东台知县、高邮知州。属“经世致用”的经今文学派。早年助江苏布政使贺长龄辑《皇朝经世文编》，又助江苏巡抚陶澍规划漕运、水利和盐法。鸦片战争中入两江总督裕谦幕，参加浙东抗英战争，因痛愤清廷昏庸和投降派误国，辞归。1842年《南京条约》签订时著成《圣武记》，历述道光以前清朝的盛大武功，以激励朝野和鼓舞民心。又受林则徐嘱托据所辑《四洲志》扩编为《海国图志》，全面介绍世界各国史地民俗，主张“师夷长技以制夷”，即学习西方兵工技术和练兵规要，练军经武以抵御外国侵略；警告在面对“英吉利蚕食东南”时，不可忽

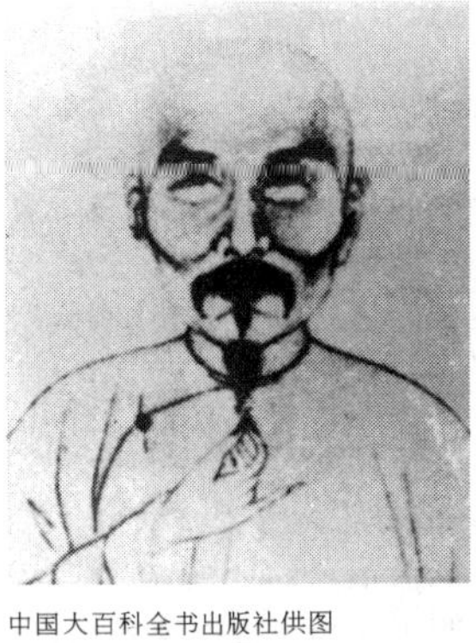

中国大百科全书出版社供图

略“鄂罗斯兼并西北”。鼓吹变古革新，认为“今胜于古”，其历史进化观点与要求变革的思想是中国近代改良思想的前驱。著有《老子本义》、《诗古微》、《书古微》、《春秋繁露注》、《元史新编》。1976年中华书局整理出版《魏源集》。

Wei Zheng 魏徵(580～643) 又拼 Wei Cheng。中国唐代初年名相、著名政治家。字玄成。先世为钜鹿下曲阳(今河北晋阳西)人，后居相州内黄(今河南内黄西)。少时孤贫。隋末农民起义爆发，为避世乱，出家为道士。617年李密(**Li Mi**)召典书记，后随同降

唐。621年太子李建成征为洗马。626年"玄武门之变",太子被杀。唐太宗即位后,重其才能,擢升谏议大夫。629年以秘书监参预朝政,校定秘府图书,主编《群书治要》。636

中国大百科全书出版社供图

年因主编梁、陈、北齐、北周、隋五代史功进阶左光禄大夫、封郑国公。太宗常请他到卧室咨询朝政得失,魏以君如舟,民如水,水能载舟,也能覆舟的比喻劝太宗以隋亡为鉴,轻徭薄赋,任贤纳谏。太宗有不利于励精图治行事无不犯颜直谏。前后谏陈二百余事都切实中肯,多被采纳,对"贞观之治"起了重要作用。魏徵卒后,太宗亲自为其撰写碑文,亲书刻石。

Wei Zhongxian 魏忠贤(1568~1627) 又拼 Wei Chung-hsien。中国明代宦官。河间肃宁(今属河北)人。万历时入宫,易名李进忠。1620年熹宗即位,任司礼秉笔太监,后兼掌东厂。勾结熹宗乳母客氏专断朝政。1625年兴大狱,酷刑囚杀东林党人杨涟、左光斗等朝臣及名将熊廷弼。自称九千岁,自内阁、六部至地方督抚遍植私党,专擅威福。党徒有"五虎"、"五彪"、"十狗"、"十孩儿"、"四十孙"等大小爪牙。思宗即位后对其党定为"逆案",罢职安置安徽凤阳。旋命逮治,在途中畏罪自杀。

Weichsel Glacial Stage 魏克塞尔冰期 又称维斯图拉冰期(Vistula Glacial Stage)。西欧更新世晚期重要的年代和地层划分单元(更新世开始于约160万年前,终止于约1万年前)。位于埃姆间冰期之后,代表了更新世大陆冰盖最后一次大扩展。可与欧洲阿尔卑斯区的玉木冰期对比,与北美的威斯康星冰期大致相当。至少可分为两个阶段,间隔以一个气候比较温和的小间冰期。斯堪的纳维亚大陆冰盖在魏克塞尔冰期晚期时的扩展,大约开始于2.5万年前。分布在北欧广大地区的大部分魏克塞尔冰期的堆积,属于该冰期晚期的产物之一部。较早的冰川扩展时期的产物,都已被冰期晚期堆积物或地貌所湮没或埋藏。小间冰期的堆积见于瑞典和芬兰的部分地区,年龄老于4万年。该冰期的开始被定为大约7万年前。该冰期的地层资料以北欧的荷兰、丹麦地区研究得最好。已经应用放射性年代测定技术和孢粉分析为该地区的魏克塞尔冰期事件制定了很好的详尽年表。

Weiden 魏登 德国东南部巴伐利亚州城市。濒临纳布河,在上普法尔茨林山入口处,捷克边界西。1268年建制,为颇具特色的中世纪设防城镇。有三角墙的房屋、宏伟的市政厅(1539~1547)和一座有巴罗克塔的15世纪教堂。有作曲家马克斯·雷格尔(1873~1916)的故居(现为博物馆)。为巴伐利亚州上普法尔茨地区的经济和交通中心。工业制品有玻璃、瓷器和纺织品等。人口约42 234(1991)。

Weidenreich, Franz 魏登瑞(1873-06-07,德国埃登科本~1948-07-11,纽约市) 德国解剖学家和体质人类学家。由于对史前人类遗骸的复制以及对北京人(当时称为北京中国猿人)和其他古人类化石的研究颇有贡献,成为研究人类进化的著名学者。1899年在斯特拉斯堡大学获医学博士学位,1904年任该校解剖学教授;1919年起任海德堡大学解剖学教授;1928~1933年任法兰克福大学人类学教授。因犹太血统缘故,于1934年离德,前往芝加哥大学及北京协和医学院任教。此后,对北京人的颚骨、齿式、颅骨以及其他部分进行了一系列的研究。其后又研究了爪哇人,并提出两足直立行走、大脑体积增大和面部缩小乃是早期人类变为现代人类的有关标志。著有《类人猿、巨人与人类》(1946)和《人类学论文集》(1949)。1941年加盟美国国家自然历史博物馆,主攻人类进化。逝世于任内。

Weidman, Charles (Edward, Jr.) 魏德曼(小)(1901-07-22,美国内布拉斯加林肯~1975-07-15,纽约市) 美国现代舞的主要革新家。他以在讽刺喜剧作品中发展并应用抽

小魏德曼与D.汉弗莱的舞姿,1933年
卡尔弗图片公司供图

象而有节奏的哑剧驰名于世。在观看圣丹尼斯和T.肖恩表演之后,他才对舞蹈感兴趣。在家乡跟E.弗兰普顿学习后,参加并成为丹尼斯肖恩舞蹈团的主要演员之一。他擅于饰演性格角色,如在肖恩的《美国舞蹈》中的掷骰子的人。20世纪20年代末他离开丹尼斯肖恩舞蹈团,并同D.汉弗莱建立汉弗莱-魏德曼舞蹈学校和舞团,直到1945年。在他们合作期间,他对汉弗莱的纯动作舞蹈,如著名的三部曲《新舞》(1936),曾协助设计并参与表演;但他主要的兴趣还是性格舞蹈和哑剧。他的第一部重要作品《快乐的伪君子》(1931)是根据M.比尔博姆的同名短篇小说改编的。另外,他将伏尔泰的《老实人》(1933)改编为舞剧,这是美国最早一部大型现代舞作品。在后期的作品中,他圆满地将舞蹈和哑剧结合起来。他也是最早扩大舞蹈题材的先驱者之一,即把现代舞蹈从对个人的关心扩大到对整个社会的观察。他的大部分成功作品虽然都是有标题的,可是《作品第51号》(1938)和《活动哑剧》(1934)却没有主题。他的活动及其对舞蹈的贡献是多样化的、大量的。1945年后,他建立了自己的学校。1948年又创办了戏剧舞蹈团,并根据J.瑟伯的原著为舞团编排了《当代寓言》——通常认为这是他的杰作。50年代末,他在美国西海岸任教,然后到纽约与艺术家M.桑塔罗合作,组织"两种艺术表现剧院"专演实验性的戏剧作品。晚年既创作新的舞蹈,也重新上演他过去许多最流行的作品。

Weierstrass, Karl (Theodor Wilhelm) 维尔斯特拉斯(1815-10-31,巴伐利亚[德国]奥斯滕费尔德~1897-02-19,柏林) 德国数学家,现代函数论的创立人之一。19岁时,他

供图:Bildarchiv Preussischer Kulturbesitz BPK, Berlin

的父亲送他去波恩大学学法律和财政,以冀将来谋求官职,但没有学成。1839年入明斯特学院,在该院受数学教授C.古德尔曼对椭圆函数论特别感兴趣的影响,培养了他对函数论的兴趣,重点研究了函数展开成幂级数的问题。1841年获得教师证书后做了14年的中学数学教师。这期间他和数学界没有接触,由于薪水很低,通信也有困难,但仍然不断地从事分析的研究。他设想了并大部分实现了分析算术化的计划,即把分析建立在实数系的严密发展的基础之上。他对数学的严密性非常关注,1861年他举出一个函数在任何点连续却没有导数的例子。这个看来是可微的函数的特异性质,使依赖直觉的分析学派感到惊奇。引导他研究函数论的动力是他希望完成挪威的N.阿贝尔和德国的C.G.J.雅可比所开始的工作,主要是阿贝尔的代数函数的独立积分的个数是有限的定理和雅可比的多变量多周期函数的发现。1854年他关于阿贝尔函数的论文在《克列尔杂志》发表,使他从默默无闻一跃而起,引人重视。柯尼斯堡大学授予他名誉博士学位,1856年他在柏林皇家工业学校觅得职位。他在学术杂志上发表的论文很少,其研究工作都体现在他

的讲义里，讲义收集在《文集》(8卷，1894～1927)中。他被称为现代分析之父，他给出了级数收敛性的检验法，对于周期函数、实变函数、椭圆函数、阿贝尔函数、收敛无穷乘积以及变分法的理论都作出了贡献。他还推进了双线性型和二次型理论。通过他的学生(其中有柯瓦列夫斯卡娅)，人们感觉到他的巨大影响，他的许多学生都成了有创造性的数学家。

Weifang 潍坊 又拼Wei-fang。中国山东省辖地级市。位于省境中部偏东，胶济铁路线上。地处鲁中丘陵与胶莱平原过渡地区，为交通要道。白浪河、潍河由南向北流贯。新石器时代就有人类在此定居，春秋战国(公元前770～前221)属齐，秦属胶东郡，汉属北海郡(国)。北齐为下密县治所。隋开皇十六年(596)置潍州。大业三年(607)改下密县为北海县。宋置北海军，后复升潍州。明洪武元年(1368)废北海县入潍州，洪武九年降为县。1948年以潍县城关和坊子镇之间毗邻地段设立潍坊特别市，“潍坊”自此得名。1949年改称潍坊市，1983年撤潍坊地区，设地级市。辖潍城、寒亭、坊子、奎文4区，及临朐、昌乐2县，并代管青州、诸城、寿光、安丘、高密、昌邑6县级市。面积15 770平方千米，其中市区面积1 601平方千米。潍坊自古手工业发达，有“二百支红炉、一千砸铜匠、二千绣花女、七百台织布机”和“南苏州、北潍坊”之说。所产嵌银漆器、刺绣、地毯以及木版年画等驰名中外。现已发展成为轻纺工业为主的综合性工业城市，拥有纺织、烤烟、面粉、榨油和煤炭、钢铁、水泥、电子、机械、化工等工业部门。所产柴油机占全国重要地位。潍坊碱厂年产碱60万吨，为中国新兴的大型碱厂之一。农业发达，建有寿光蔬菜、诸城肉鸡、安丘蜜桃、青州食用菌、昌乐西瓜等生产基地。潍坊地处山东半岛交通咽喉地位，胶济铁路、206、309国道过境。1984年起每年举办国际风筝会，4月1日定为风筝节。潍坊风筝博物馆为世界最大风筝博物馆，并有风筝学校。市内十笏园是秀丽的古典园林。人口：全市8 500 000(2005)；市区1 420 000(2004)。

潍坊市一角
中国大百科全书出版社供图

Weigela 锦带花属 又拼Weigelia。忍冬科的一属。含12种直立灌木，原产于东亚。株高达4米，叶狭窄的椭圆形。花簇生，管状，长约3.5厘米，春及夏季开放，白色至红色。蒴果狭而长，成熟时裂开。有些种广泛栽培观赏。

一种锦带花属(Weigela)植物
供图：Valerie Finnis

weight 重量 由像地球或月球这样的大质量物体对另一物体的吸引而产生的重力。重量是万有引力定律(任何两个具有质量的物体，按与质量乘积成正比、与距离平方成反比的万有引力互相吸引)的后果。显然，在同一地点，物体质量越大，重量就越大；距地球越远的物体，重量则越小。位于地球两极的物体的重量，比位于赤道的重量略大，因为地球的极半径略短于赤道半径。尽管物体质量保持不变，重量还是随所在地的不同而异。月球的质量和半径都比地球小，因而同样物体在月球上的重量仅及地球上的1/6。由于宇宙间存在物质，空间中的每点都有万有引力场，其数值等于在该点的重力加速度。换句话说，重量是物体的质量和引力场的乘积，或和物体所在点的重力加速度的乘积。重量的单位是力的单位而不是质量的单位(参阅**force**)。

weight lifting 举重 举起杠铃的一项运动，用于体育比赛或身体锻炼。许多史前部落测定男子成年的传统办法是举起一块特殊的石头。在希腊和苏格兰的古堡里有这种“成丁石”，有的上面刻着首次举起该石的人的名字。举重和有时进行的投石比赛今日仍存在于德国、瑞士、门的内哥罗高地和西班牙的巴斯克地区。在许多这类比赛中，用在规定时间内连续举重次数的多少来宣布谁是优胜者。希腊神话中的阿特拉斯是最著名的神话般的举重者。区别于举重，但也使用重量的其他活动，参阅**Weight training；body building；power lifting**。

历史 现代举重比赛起源于18～19世纪。那时的大力士有德国的E.桑多和A.萨克森、俄国的G.哈肯施米特和法国的L.阿波隆。1891年在伦敦举行了国际比赛。1896年重新举办的奥运会中包括举重项目，1900和1904年奥运会亦然。此后暂停举办，直到1920年才恢复。那年，在国际奥委会提议下，成立了国际举重联合会，使比赛经常化并对国际比赛进行监督。1928年取消早年运动会上的单、双手挺举，仅保存双手抓举、挺举和推举。推举已于1972年废除。第二次世界大战前，以法国、德国和埃及选手领先。自战后一直到1953年，美国选手称霸举坛，而后是苏联和保加利亚选手垄断了世界纪录和世界冠军。20世纪90年代在举重比赛中领先的国家是土耳其、希腊和中国。世界举重锦标赛在1922～1923年和1937年以后举行，战争年代则停止。欧洲举重锦标赛从1924年起一直举办到1936年。2000年奥运会增加了女子举重比赛项目。关于奥运会冠军和纪录，参阅**Olympic Games**。

器材 现代举重比赛用的器材是杠铃。它是一根钢棒，两端挂上铸铁或钢质铃片，用旋转套管加以固定。各组铃片的重量分别为：25，20，15，10，5，2.5和1.25公斤。

举重 1928～1968年，三种国际性举重是：抓举、挺举和推举，在所有各种举重开始之前，杠铃放在地面上。抓举是以一次有爆发力的连续性动作将杠铃举过头顶，举重选手可在举起杠铃，恢复到直立姿势之前移动双脚或蹲在杠铃下面。挺举动作分两部分，在举重选手将杠铃举到肩部后，然后挺直双臂举过头顶，腿部动作不加限制。做这两种动作时，选手必须保持双脚在一条线上，身体直立，臂腿伸直，杠铃被控制在头顶上方两秒钟，或等待裁判员示意方可放回杠铃。推举也分两部分动作，如同挺举那样，选手将杠铃举到齐肩部，允许选手有同样的腿部动作。然后运动员须站直，直到裁判员示意举重结束。运动员不借助腿，只用手臂和肩部力量将杠铃连续稳稳地推过头顶。举重在4米见方的木台上进行。如果选手在举重时迈出木台，则此举判为无效。

重量级别 男子比赛分为8个体重级别(上限)：56公斤；62公斤；69公斤；77公斤；85公斤；94公斤；105公斤；105公斤以上。女子比赛分为7个体重级别(上限)：48公斤；53公斤；58公斤；63公斤；69公斤；75公斤；75公斤以上。

weight throw 抛重 把重物抛远或抛高的运动。男子以抛物来较量力气和技巧的活动有悠久的历史。抛掷马车轮轴是爱尔兰古代泰尔体恩竞技会上的主要项目。1904和1920年，56磅重物抛远比赛列为奥运会比赛项目。到20世纪后半叶，抛重不再是国际比赛项目，国际业余田径联合会也不再登记抛重世界纪录；但是此项运动在美国东北部仍很流行。35 磅抛重赛现为美国业余体育联盟和美国大学校际业余体育协会每年主办的室内锦标赛的标准项目。美国业余体育联盟原把 56 磅抛重赛列为室外田径锦标赛项目，1959 年废止。抛掷的物体重 35 磅或 56 磅，球形，用铅铸成，也可用铅芯铜壳；圆铁或圆钢三角柄，用有眼螺栓或转环固定在球上。抛重动作必须在直径 2.1 米的圆圈内完成。大多数运动员使用与掷链球相似的技术。抛远的最佳成绩，35 磅曾达到 21.35 米以上；56 磅曾达到 12.2 米以上。

weight training　负重训练　运用杠铃、哑铃等重物进行身体训练的一种方法。与举重、强力举重不同，它不是比赛项目，而只是一种训练方法，既用于身体康复又用于一般身体训练。田径、游泳、橄榄球、足球以及其他基本力量训练占重要地位的项目都广泛运用这种方法。另用于提高身体全面素质并发展肌肉以增强体质或参加健美比赛。用于患病、负伤或长期卧床后恢复阶段的负重训练，通称循序渐进抗阻力训练，一般要在医生的指导下进行。

weightlessness　失重　在作自由降落（free-fall）的体系中，由于引力效应被轨道飞行所产生的惯性力（如离心力）抵消而出现的一种状态。常用“零重力”一词来描述这种状态。除作航天飞行外，只有在沿弹射轨道（即抛物线轨道）飞行的飞机中才能短暂地体会到真正的失重。航天员就会遇到失重问题。从苏联和美国早期载人航天飞行中得知，为时较短的这种飞行会使心跳和呼吸减慢，体重和骨中的含钙量逐渐减少。但返回地面后又会复原。从后来为时更长的美国天空实验室和苏联“礼炮”号轨道站所进行的广泛生物医学研究中确认，为了保证航天员的健康，有必要用合适的设备对肌体进行定期的训练。而且大约训练40天就能使人体适应零重力环境。在这种环境中，体液在体内会重新分布，下肢存留较少，大部分移到上身；身高增长；体重通常（并非总是这样）随肌肉组织的丧失而减少；腿部动静脉变得脆弱，出现贫血，血球计数明显降低。重返地面时会感到平衡感丧失和全身乏力。但这些效应较快消失，只需约一周的时间就可完全复原。令人担心的倒是骨钙的丧失，因为丧失的量随航天时间的增长而增加，而且无停止的迹象。这对未来的长期航天飞行可能是一个无法补救的威胁，因此须加人造重力。设计能旋转的航天器并用离心力模拟重力可能是一种显易可行的方法。除研究长期失重状态对肌体张力、血液循环和前庭功能的影响外，科学家还探讨过失重状态对细胞代谢、昼夜节律、蜘蛛结网、植根生长以及植株定向等的影响。关于重力和失重对物理过程、化学过程和冶金操作的影响，也曾有过一些实验。合金和化学试剂的混合并不像在地面上会出现分层现象，再如可能将气体与金属混合，形成具有特殊性能的泡沫金属，又如可制成大而完善的晶体，都为零重力工艺学的发展提供了可能性。

weights and measures　度量衡　将被测量的对象与已知的同类量进行比较所用的一些标准量。参阅 **measurement**。

Weihai　威海　又拼 Wei-hai。中国山东省辖地级市，重要港口。位于省东部，山东半岛东部。北、东、南三面为黄海环绕，与辽东半岛的大连市相犄角，扼渤海门户，又屏蔽烟

威海市鸟瞰
中国大百科全书出版社供图

台，为海防重镇。辖环翠区，并代管乳山、文登、荣成 3 县级市。面积 5 436 平方千米，市区面积 731 平方千米。古代原是渔村。汉（公元前 206 ～公元 220）名石落村。元（1279 ～1368）称清泉夼。明洪武三十一年（1398）置“威海卫”御倭寇。1888～1895年是清朝北洋水师基地之一。光绪二十一年（1895）被日本占领。1898 年英国强迫租借。1930 年中国收回，改为特别行政区。1945 年设威海卫市，1951 年改称威海市。隶属烟台市。1987 年烟台的荣成、文登、乳山划入，升为地级市。威海湾三面环山，一面临海，刘公岛横陈港外，形势险要。港内海面宽阔，水深浪静，终年不冻，可泊巨轮，是中国北方优良海港之一。与大连、秦皇岛、烟台、青岛、上海等港都有客货轮相通，公路有烟威、青威、初张等高等级公路，还有双岛海湾大桥、江家寨立交桥等大型桥梁。工业以机械制造、船舶修理、化工、纺织、皮革、橡胶等为主。地毯、木钟、绣花为名产。又是中国的甲级渔港，盛产小黄鱼、带鱼、鲐鱼、对虾。为苹果、花生、小麦的重要产区。市内多温泉，建有威海国家森林公园。刘公岛是景色秀丽的避暑胜地。有清北洋水师提督衙门署，今更名丁公祠，以纪念清末海军名将丁汝昌。人口：全市2 490 000（2005）；市区570 000（2004）。

Weil, André　韦伊（1906-05-06，法国巴黎～1998-08-06，美国新泽西普林斯顿）　法国数学家，对于代数域论作出了根本性的贡献。曾在巴黎的高等师范学校和在罗马大学、格丁根大学研读过数学。他的教学生涯甚至更具有国际性：1930 ～ 1932 年在印度阿里格尔穆斯林大学任数学教授；1933 ～ 1940 年在法国斯特拉斯堡大学，1945 ～1947 年在巴西圣保罗大学，1947 ～ 1958 年在美国芝加哥大学任教；1958 年到普林斯顿高级研究院工作。他的数学研究主要集中于数论、代数几何与群论。已出版的著作中有《代数几何学基础》（1946）。他直至 1956 年退休一直是布尔巴基学派的领导成员。

Weil, Simone　韦伊（1909-02-03，法国巴黎～ 1943-08-24，英格兰肯特阿什福德）　法国女神秘主义者、社会哲学家、第二次世界大战期间法国抵抗运动的积极参加者。死后发表的作品对法、英两国的社会思想影响深远。智力早熟，幼年便表现出社会意识。5 岁时因第一次世界大战前线的法国士兵没糖吃而拒绝吃糖。除了哲学、古典语文学和科学，不时根据需要实行新的学习计划。1931 ～1938 年间曾在几所女子中学教授哲学。她因过多的社会活动而很难与校方合作。为了解重工业劳动中的心理效应，1934 ～1935 年她在一个汽车工厂中任职，观察到机器对工人同事们在精神上产生的麻木影响。1936 年，她在西班牙萨拉戈萨附近参加一支无政府主义队伍，从事训练参加西班牙内战的士兵。此后不久她就得到第一次神秘主义的体验。她后来渐渐把自己对社会的关怀看成是“代用的神性”。第二次世界大战期间，德国占领巴黎后，她迁往法国南方在一家农场当女佣，1942 年，陪父母去美国，后来她又去英国参加法国抵抗运动的工作，为了表示对德国占领下的法国同胞的支持，她拒绝食用超过被占领法国的官方定量的食物。结果营养不良和过量的工作搞垮了她的身体，住院期间又发现患有肺结核。去疗养院数月后她就去世了。她

美国不列颠百科全书公司供图

的著作于死后被汇集出版，约 20 卷。最重要的有宗教散文和格言集《引力与恩典》（1947），阐述个人和国家义务的《寻根的需要》（1949），心灵的自传《等待上帝》（1950），关

于战争、工厂工作、语言及其他题目的政治和哲学随笔集《压迫与自由》(1955)，还有 3 卷《笔记》。尽管她双亲是犹太人，但她最终接受的是一种与天主教关系密切的神秘主义的神学。她是个道德上的理想主义者，渴望社会正义。她在作品中考察了自己的宗教生活并分析个人与国家及上帝的关系，揭示了现代工业社会的精神缺陷与极权主义的可憎。

Weill, Kurt **韦尔**(1900-03-02，德国德绍～1950-04-03，美国纽约州纽约)　全名 Kurt Julian Weill。德国出生的美国作曲家，与作家 B.布莱希特合作，创立了一种犀利的革命性

供图：Universal Edition A.G., Vienna

社会讽刺歌剧体裁。韦尔曾随 A.宾学习，又在柏林国立高等音乐学校师从 E.洪佩尔丁克。在德绍和吕登沙伊德(1919～1920)任歌剧指导和指挥而获得一些经验。后定居柏林，随 F.布索尼学习(1921～1924)，开始写作器乐作品。早期音乐具有表现主义、实验性和抽象的特点。最早两部歌剧《主人公》(独幕剧，台本系 G.凯泽所作，1926)和《皇宫》(1927)奠定了他作为德国最有前途的青年歌剧作曲家之一的地位，与 E.克热内克和 P.兴德米特平分秋色。韦尔与布莱希特首次合作是歌唱剧(他称之为"歌曲剧")《马哈哥尼》。该剧尖锐讽刺一个虚构的美国(也是德国)城市的生活方式，于 1927 年在巴登-巴登音乐节引起轩然大波。接着韦尔再度与布莱希特合作，写了《三分钱歌剧》(1928)，它移植 J.盖依的《乞丐歌剧》，将 18 世纪的小偷、拦路强盗、囚犯和他们的情妇换成 20 世纪 20 年代柏林下层社会中的典型人物。这部作品既确立了时事歌剧的风格，又奠定了作曲家和台本作者的声誉。韦尔为它所谱的音乐时而粗粝刺耳，时而辛辣尖刻，时而呈爵士乐风味，时而又是郁郁寡欢。后来《马哈哥尼》又经过精心制作而发展成一部足本的歌剧《马哈哥尼城的兴亡》，于 1930 年在莱比锡首演。这部歌剧的音乐巧妙地将美国流行音乐、雷格泰姆和爵士音乐结合起来，被公认为韦尔的一大杰作。韦尔之妻、女演员 L.伦尼亚(1926 年结婚)于 1927 年首次登台演唱《马哈哥尼》获极大成功，继而又在《三分钱歌剧》中再创辉煌。这两部作品引起极大争议，学生歌剧《唯唯诺诺的人》(1930，与布莱希特合作)和康塔塔《林德白格的飞行》(1928，与布莱希特和兴德米特合作)亦然。歌剧《信赖》(1932，台本由 C.内尔撰写)上演后，韦尔的政治信念和音乐观点以及他的犹太出身使他成为纳粹当局的"不受欢迎的人"，于是他离开柏林前往巴黎，后又去伦敦。他的音乐在德国禁演，直至第二次世界大战后方开禁。韦尔与妻子于 1933 年仳离，但又于 1937 年在纽约复婚，他即在该市重新开始作曲生涯，为 P.格林的《约翰尼·约翰逊》(1936)和 F.魏菲尔的《永恒之路》(1937)谱写音乐。1938 年《纽约人的假日》问世(台本出自 M.安德森的手笔)，接着是《黑暗中的女士》(1941，台本与歌词分别为 M.哈特和 I.格什温所作)、《摸一摸维纳斯》(1943，与 S.J.佩雷尔曼和 O.纳施合作)、E.赖斯《街景》的音乐改编本(1947)以及《在星球中消失》(1949，与 M.安德森合作)。他的美国民间歌剧《在山谷里》(1948)频频演出。两首歌曲——取自《三分钱歌剧》的《麦克这把刀》和取自《纽约人的假日》的《九月之歌》至今盛演不衰。所作小提琴协奏曲和两部交响曲因其创新特色和作曲技巧而备受赞誉，在作曲家谢世后重新恢复演出。

Weil's disease **魏尔氏病**　参阅 **leptospirosis** 钩端螺旋体病。

Weimar **魏玛**　德国东部图林根州城市。在爱尔福特东面，濒临伊尔姆河。975 年初见记载，1254 年设镇，1348 年设市。1247～1372 年由魏玛-奥尔拉明德伯爵统治。以后归韦廷的萨克森家族，1547 年成为萨克森-魏玛公国首府。1918～1919 年革命后，德意志共和国的国民议会于 1919 年 2 月 6 日在此集会，制订了新宪法。1920～1948 年是图林根

魏玛市的贝尔维德雷城堡

供图：W. Krammisch—Bruce Coleman Inc.

区首府。现为铁路枢纽。生产机械、精密仪器、卡车配件、珠宝、医药品和食品。金属加工业也十分重要。第二次世界大战期间遭受破坏，但大部分古迹已经修复。18 世纪后期和 19 世纪初期是德国的文化中心。市内许多重要建筑物都与歌德和席勒有关，他们曾长期在这里居住，并卒于此。这一时期的纪念建筑物有：德国国家剧院门前的歌德-席勒铜像(1875)、歌德-席勒墓、歌德-席勒档案馆(1896 开幕)、歌德故居和消夏别墅、席勒旧居。其他名人的遗迹有：李斯特旧居、李斯特纪念馆、李斯特音乐学院、尼采档案馆。第二次世界大战后修复的名胜有：维图姆斯宫(1767)、魏玛城堡(1790～1803)、贝尔维德雷城堡(1724～1732)、泰富特城堡以及圣彼得和圣保罗教堂(教堂中有克拉纳赫父子所绘圣坛背后的图画)。1953 年东德政府建立德国古典文学作家研究和纪念中心，其总部设在该市。城内还有德国莎士比亚学会总部、建筑学院和国家天文台。市西北埃特尔山是 1937 年纳粹分子建立的臭名昭著的大集中营的所在地。现建有布痕瓦尔德国家纪念馆。当时约有 4.3 万人在这里遇难。特别令人发指的是以活人做医学试验。人口 64 409 (2003)。

Weimar Republic **魏玛共和国**　1919～1933 年的德国(**Germany**)政府，因 1919 年 2 月 6 日至 8 月 11 日在魏玛召开制宪会议，故名。

Weimaraner **魏玛狗**　19世纪初魏玛宫廷的日耳曼贵族培育的一个猎狗品种，初用来猎大型猎物，后训练为猎鸟狗及寻猎物狗。体形优美，耳悬垂，眼为蓝、灰或琥珀色。被

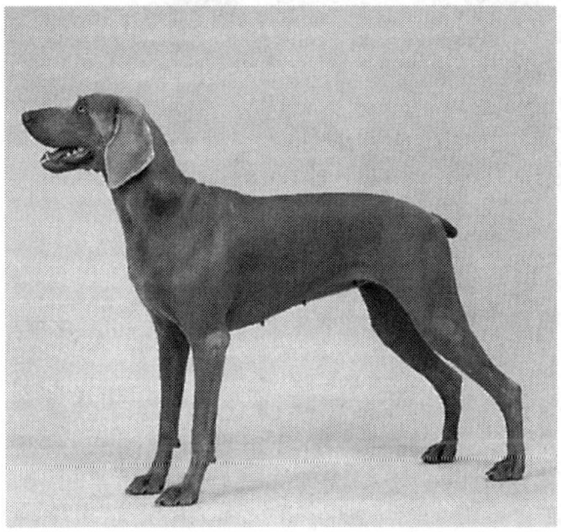

魏玛狗

供图：John L. Ashbey

毛短而光滑，呈鼠灰色或银灰色。体高 58～69 厘米，体重 25～39 千克。特征为站立姿势机警、匀称，是活跃的猎犬、良好的伴侣狗或看门狗。

Weinberg, Steven **温伯格**(1933-05-03，纽约市～　)　美国核物理学家。1979 年与 S.L.格拉肖(**Glashow, Sheldon lee**)和 A.萨拉姆(**Salam, Abdus**)共获诺贝尔物理学奖。他们的研究系统地解释了电磁相互作用和弱相互作用(参阅 **fundamental interaction**)的已知事实，从而使人们有可能预言基本粒子相互碰撞新的实验结果。1982 到 1983 年的一系列重要实验，找到他们的"电弱"理论所预言的存在 W^+、W^- 和 Z^0 等矢量玻色子的有力证据。温伯格与格拉肖是纽约市布朗克斯理科高中(1950)和康奈尔大学(1954)的同班同学。温伯格曾离开康奈尔大学到哥本哈根北欧理论原子物理研究所学习一年。随后于 1957 年在普林斯顿大学获得博士学位。他在哥伦比亚大学和劳伦斯伯克利实验室从事研究，然后于 1960 年到伯克利加利福尼亚大学任教。在该校工作的最后两年(1968～1969)中，温伯格有一部分时间是到麻省理工学院当访问教授，1969 年正式在该校任教。1973 年转入哈佛大学，1983 年转到奥斯汀得克萨斯大学。

Weinberger, Jaromir **维因贝尔格**(1896-01-08，布拉格～1967-08-08，美国佛罗里达圣彼得斯堡)　捷克作曲家。主要以歌剧《风笛手施万达》著称。曾就读于布拉格音乐学院，又在

莱比锡师从雷格尔,后在斯洛伐克国家剧院工作。1939年定居美国。《风笛手施万达》一剧于1927年首演于布拉格,使他一举成名,该剧选曲《波尔卡与赋格》遂成为音乐会流行曲目。除歌剧外,作品尚有管弦乐和室内乐。

Weingartner,(Paul) Felix　韦恩加特纳(1863-06-02,奥地利帝国达尔马提亚扎拉[今在克罗地亚扎达尔]～1942-05-07,瑞士温特图尔)　奥地利交响乐和歌剧指挥家、作

供图:Osterreichische Nationalbibliothek, Vienna

曲家。以指挥贝多芬和瓦格纳作品最为著名。最初在格拉茨学习作曲,后入莱比锡音乐学院。1883年在魏玛师从李斯特,1884年其歌剧《沙恭达罗》在此上演。1891年被任命为柏林皇家歌剧院宫廷指挥,负责交响音乐会直至1897年。1898年移居慕尼黑,指挥凯姆音乐会,直到1905年。1907年接替马勒任维也纳宫廷歌剧院指挥。1908～1927年任维也纳爱乐乐团指挥。1934年末至1936年任维也纳国家歌剧院指挥。1937年入瑞士籍。自1898年起,在伦敦指挥伦敦乐团、伦敦交响乐团和苏格兰管弦乐团。1906年与纽约爱乐乐团合作巡回演出。1912～1913年在波士顿指挥歌剧。写有歌剧、戏剧配乐、合唱音乐、交响曲、协奏曲、室内乐及歌曲等。其论述指挥的小册子《论指挥》(1895)很著名。所作回忆录于1923年出版。

Weinheber,Josef　魏因黑贝尔(1892-03-09,维也纳～1945-04-09,维也纳)　奥地利诗人,以精通诗技著称。父母早亡,曾在孤儿院中度过6年不幸的岁月。他的早期作品《两

供图:Bavaria-Verlag

岸》(1923)和《孤儿院》(1924)等没有取得多大成功,但《高贵与灭亡》(1932)使他获得了声誉。《姗姗来迟的王冠》(1936)表达了对他晚成的感想,在该书中,他使用了关于夜晚和黑暗势力等主要比喻。魏因黑贝尔写作范围很广:从维也纳民歌到哲理诗、十四行组诗、短歌和哀歌。他自己的风格是综合发展的,借用了古典的和现代的形式。他把诗的语言视为对于"人民"的,而不是对于个人的精神实质的体现,他这种看法使他成为纳粹的宠儿。其他重要作品有《维也纳这个词》(1935)、《人们啊,要当心》(1937)、《室内乐》(1939)、《神鬼之间》(1938)等。俄国人逼近维也纳时,他自杀身亡。第二次世界大战后,他的书一度被奥地利政府查禁。但是,他的全集共5卷终于在1953～1956年间陆续出版。

Weinheim　魏因海姆　德国西南部巴登-符腾堡州城市。位于曼海姆东北,奥登林山西麓的山路上。公元500年时是法兰克人村落。755年首见记载,1250年设建制。主要名胜有古老的市政厅(1554)和贝尔海姆城堡(1725)等。在山路上生产一种著名的葡萄酒,还生产皮革、机器、塑料、橡胶制品等。人口约42 130(1990)。

Weininger,Otto　魏宁格(1880-04-03,维也纳～1903-10-04,维也纳)　奥地利哲学家。他的唯一著作《性别和性格》(1903)是一部反犹宣传家的原始资料。他是一个富裕犹太手艺人之子,在维也纳大学取得哲学博士学位时转变为基督教徒(1902)。第二年发表他的半科学、半哲学的研究,提出如下论题:一切生物是由不同比例的阳性元素和阴性元素结合起来的。阳性元素是积极的、多产的和道德的,而阴性元素则是消极的、非生产性的和非道德性的。在"论犹太教"一章里,他斥责犹太教同基督教不同,是阴性的、非道德性的。《性别与性格》发表后不久,他即自杀,时年23岁。D.亚伯拉罕森于1946年出版的《一个天才的思想和死亡》是对魏宁格所作的心理学分析研究。

Weipa　韦帕　澳大利亚昆士兰州北部土著居民区和矿业城镇。位于约克角半岛西北岸。1802年探险家M.弗林德斯即已注意到沿海岸160千米红色陡崖。直到1902年始被鉴定为铝土矿,可能为世界储量最大的铝土矿之一(30亿吨)。1956年建镇,为矿工住宅区。露天矿现年产1 050万吨。约一半运至昆士兰州格拉德斯通的冶炼厂,部分向日本、欧洲和北美洲出口。人口2 433(1981)。

weir　量水堰　任何装在明渠上测流量用的控制堰或潜堰,水流量可以根据堰顶长度、堰上水流深度、堰的几何形状和其他因素用公式计算出来。量水堰的种类很多,尖顶堰和梯形堰比较常见。但在某些情况下,也要用宽顶堰、三角堰和收缩堰。用以测量水流量的溢洪道、控制堰和堤也都算是不同类型的宽顶量水堰。

Weirton　韦尔顿　美国西弗吉尼亚州北部位于布鲁克和汉考克县城市。濒临俄亥俄河。建于独立战争时期,有较长的炼铁历史。1910年E.T.韦尔在此创办韦尔顿钢铁公司。1947年与四周居民区合并为韦尔顿市以前,该镇一直是美国最大的无建制"公司城"之一。现除钢铁业外,还有采煤、制罐、化工、制水泥砖、制瓶等工业。附近有州立汤姆林森·朗公园和沃特福德公园赛马场。人口:城市20 411;斯托本维尔-韦尔顿都会统计区132 008(2000)。

Weiser,Johann Conrad　韦塞(1696-11-02,符腾堡黑伦贝格附近～1760-07-13,宾夕法尼亚沃默尔斯多夫)　北美洲殖民地印第安事务官员、音乐家、福音传道士和官员,1716年随父移居纽约。他一度在易洛魁部族中生活。此后结婚,自建农场,并为移民当翻译。1729年举家转徙宾夕法尼亚。他种地并协助殖民地印第安事务官工作。其后20年间他安排了多次的协议并帮助易洛魁部族与殖民地政府结盟,保持部落联盟与英格兰间的联系。1748年他谈判签署的《洛格斯敦条约》使宾夕法尼亚的印第安贸易延伸到密西西比河。他研究音乐,用德文写赞歌,帮助出版德文报纸,后一度成为旅行布道者,活跃在宾夕法尼亚和新泽西。竞选州议员失败后,任兰卡斯特县治安官和巡警、贝克县首席法官。1753年任宾夕法尼亚贸易委员会青年教育委员。法国印第安人战争中任上校,远征边境地区。战后任雷丁城建设专员之一。

Weishizong　唯识宗　参阅 **Yogācāra** *瑜伽行派*。

Weismann,August(Friedrich Leopold)　魏斯曼(1834-01-07,美因河畔法兰克福～1914-11-05,德国布赖斯高地区弗赖堡)　德国生物学家,遗传科学的奠基人之一,以反对获得

贝特曼档案馆供图

性遗传和提出"种质"学说(DNA学说的先驱)著名。

幼时即表现出对博物学的浓厚兴趣,常到附近乡间旅行,收集昆虫和植物。1852～1856年在格丁根大学学医,以后短期担任过多种职业:在罗斯托克任药师助理,在巴登军队中任军医,在奥地利任斯特凡大公的私人医师。1860年他到巴黎进行短期的学术访问,次年到吉森进行学术访问(他后来描述此行是他一生中最重要的访问之一)。1860年他首次访问布赖斯高地区弗赖堡,美丽的城市给他留下迷人的印象,他希望能到此生活。后果然如愿以偿。1863年他到弗赖堡大学医学系讲授动物学和比较解剖学。不久成立动物学研究所和博物馆,由他担任领导。他留在弗赖堡到1912年退休。1867年他与1859年在访问热那亚时认识的M.D.格鲁伯结

婚,生四女一子。初到弗赖堡的头些年,他忙于动物学研究,他最主要的兴趣在昆虫变态和水螅属的性细胞。在1864年,他受到视力问题之苦,看显微镜常感困难,并感眼痛。他休息了一段时间,其中一部分时间在意大利度假。1874年他又能写作,并得以观察淡水和海水中的微小物体,从中得到很大的乐趣。但到1984年他不得不停止显微镜工作,最后甚至不得不雇人为他读书。在以后的年月他主要从事理论探讨。

他早年观察水螅时就孕育出一个想法:动物的生殖细胞包含某些"对物种必不可少的物质,必须小心保存并代代相传的物质"。种质学说就这样诞生,他将此理论写入一本书中,该书的德文版于1886年出版,英文版于1893出版。种质学说的要点是:所有生物都含有一种特别的遗传物质。到今天此学说的总概念依然令人信服,但种质一词已为染色体,基因,DNA等所取代。但魏斯曼缺乏今天存在的几乎所有实验遗传学资料;他用涉及范围广泛的推断来填补其理论的细节,有时这些推断使人觉得神秘。那时G.孟德尔有关豌豆遗传的著作尚埋没不为人知,但魏斯曼已注意到,因为来自双亲的遗传物质会在受精卵中混合,如果不是在某个阶段存在一种减少机制,遗传物质的数量就会不断增加。他预见到一定存在着一种核分裂,此时每个子核从原来的两个核中只接受一半祖传的种质。其他研究者进行的细胞学工作证明他的预言是正确的,也使魏斯曼和其他人能提出这样的看法:种质存在于卵细胞核内今天称为染色体的物质中。魏斯曼坚决支持达尔文,他写道《物种起源》在19世纪50年代的"年轻学者心中激起了愉悦和热情"。但他与达尔文不同,坚决反对获得性遗传的观点。他用一个设计得似乎有点天真的实验来检验这个观点:他将小鼠的尾巴切断。他将一代又一代的小鼠的尾巴切断,连续观察五代,共901只小鼠。不消说,初生的所有小鼠均有正常的尾巴,于是魏斯曼证明毁伤是不遗传的。在他生命的较晚阶段魏斯曼被认为是世界上杰出的生物学家之一,他关于遗传和进化的演讲名声很大。他是一个狂热的爱国者,支持俾斯麦统一德国;在第一次世界大战期间声明放弃英国授予他的荣誉和奖品。他喜爱音乐,80岁时仍能演奏巴赫的作品。

Weiss, Johannes **魏斯**(1863-12-13,石勒苏益格-荷尔斯泰因基尔[今在德国]~1914-08-24,德国海德堡) 德国神学家。曾在格丁根、马尔堡及海德堡等大学执教。1892年发表《耶稣宣告上帝之国》,提出他的末世论观点,即:耶稣基督的这些论述反映当时流行的关于上帝之国迅速降临的迫切希望。他还提出形式评注法,主张从考证经文段落的结构形式入手分析《圣经》。

Weiss, Paul Alfred **魏斯**(1898-03-21,奥地利维也纳~1989-09-08,美国纽约州怀特普莱恩斯) 奥地利出生的美国生物学家,在神经系统发育机理、神经再生及神经修复等方面作过开拓性的研究。第二次世界大战期间,他与同事们研制和试验了保存人体组织供以后外科植用的第一个有实用价值的系统。他曾在维也纳大学求学。1922～1929年任维也纳科学院生物研究所副所长期间,对细胞运动、组织聚合和器官形成进行了分析研究,这些研究有助于理解创伤愈合的机理。1931～1933年在美国耶鲁大学实验室工作。1933～1954年间在芝加哥大学。他对组织聚合与发育的研究工作在第二次世界大战期间中断,因当时他为美国政府工作,探索改进手术修复神经的方法。他研究出一种不需缝合的拼接断裂神经的技术,受到美国陆军部和海军部的嘉奖。1939年入美国籍。1954～1964年任纽约市洛克斐勒研究所发育生物学实验室教授,继续其形态学研究,并与实验室同事们证明了来自不同器官的细胞被任意混合及重新聚合后有将自己重新组合成微型原供体器官的能力。1964～1966年任得克萨斯大学生物医学科学研究生院教授及院长,两年后纽约洛克斐勒大学授予他荣誉教授头衔。著作甚多,包括几百篇科学论文及《发育原理》(1939,一本实验胚胎学教科书)。1980年获国家科学奖。

Weiss, Peter (Ulrich) **魏斯**(1916-11-08,德国波茨坦附近诺瓦维斯～1982-05-10,瑞典斯德哥尔摩) 德国戏剧家和小说家。他的剧本《马拉被杀记》辛辣地讽刺了一个疯狂的世界,《调查》集中描写纳粹的大屠杀,两剧在20世纪60年代期间在欧洲和美国都取得广泛的成功。他是个非正统的马克思主义者,是犹太纺织商之子,1934年为逃脱希特勒的迫害,随家流亡国外,曾在英国、瑞士和捷克居住,1939年定居瑞典。他在改行写小说和剧本以前,曾作画并拍过电影。《马拉被杀记》描写在一个疯狂和理智难解难分的环境中,个人主义和革命的理想之间的相互冲突,1964年首演于柏林。1965年由P.布鲁克将该剧搬上纽约舞台,1967年又由他拍成电影。《调查》(1965)重现了对奥斯威辛大屠杀的刽子手所进行的法兰克福审讯。其他作品包括3本半自传体小说《马车夫的身影》(1960)、《与父母告别》(1961)以及《逃亡》(1962)。1963年《逃亡》获文学奖。

Weiss, Pierre-Ernest **外斯**(1865-03-25,法国米卢兹～1940-10-24,里昂) 法国物理学家,致力于磁学研究并确定了磁矩的单位外斯磁子。1887年以全班第一名的成绩毕业于苏黎世工业学院,并取得机械工程师头衔。次年,又被录取进巴黎高等师范学校。1895年任雷恩大学讲师,1899年任里昂大学讲师。1902年任苏黎世工业学院教授,曾与A.爱因斯坦共事。在这里,他建立了一个大型磁 学研究实验室,吸引了许多知名物理学家来工作。在第一次世界大战期间,他被派到法国发明局,参与设计确定敌人炮兵位置的科顿-外斯声学方法。1919年,他在斯特拉斯堡大学创立了一所物理学研究所,后成为磁学研究的一个指导中心。1926年,他当选为巴黎科学院院士。外斯的主要工作是在铁磁学方面。通过假设一个作用于单个原子磁矩的分子磁场,他成功地对铁磁性作出了数学描述,包括对所谓居里点的磁热现象作出解释。他的理论还成功地预言铁磁物质在居里点比热的不连续性并提出铁磁物质中存在着自发磁化现象。后来,人们发现这种自发磁化发生在一些非常微小的区域中,这种区域被称为外斯畴。他的主要著作为《磁学》(1926)。

Weissenborn, Friederike Caroline (German actress-manager) **魏森伯恩** 参阅**Neuber, Caroline** 诺伊贝尔。

Weissenfels **魏森费尔斯** 德国东部萨克森-安哈尔特州城市。在萨勒河右岸,哈雷的南面。原为建在旧斯拉夫人定居点上的日耳曼人市镇。1185年设市,属萨克森的韦廷家族。1656～1746年为萨克森-魏森费尔斯公爵的驻地。1815年归属普鲁士。现保存有巴罗克式城堡(1660～1693)。市博物馆以收藏历代鞋靴著称。该市现为铁路枢纽和德国制鞋业中心,也生产金属制品和纸张,有一家酿酒厂。人口约38 881(1989)。

Weissmuller, Johnny **韦斯摩勒**(1904-06-02,罗马尼亚蒂米什瓦拉附近弗里多夫～1984-01-20,墨西哥阿卡普尔科) 20世纪20年代杰出的美国自由泳运动员,曾获5枚奥运会金牌和创造67项世界纪录。任电影演员后更为著名。1932～1948年间在12部泰山影片中扮主角。1924年奥运会上连获100米、400米自由泳和800米接力赛三枚金牌。1928年奥运会上又获100米自由泳和800米接力赛两枚金牌。

weisuo **卫所** 又拼wei-so,英语作guard post。中国明代的地方武备建制。1393年定制。按军事要冲设置,一府设所,数府设卫。所分千户所、百户所。百户所设总旗二(每总旗辖50人,小旗10人),卫兵员约5 600人,千户所1 120人,百户所112人。军士有军籍,为世袭。大部分屯田,小部分驻防。卫主官称指挥使,所称千户、百户。上级官署是各省都指挥使司(简称都司),由中央的五军都督府管辖。明成祖时卫所兵额达270余万人。明中叶卫所制败坏,改以募兵代替。

Weisweiler, Adam **韦斯韦勒**(约1750,特里尔新维德?～约1810,巴黎?) 路易十六时期著名的家具工匠之一。曾从D.伦琴学艺。1777年被批准在巴黎作外籍工匠。1778年获大匠资格,自设工场,为王室和贵族制作家具。他运用优质木板条,髹漆,甚至抛光的钢材来增强饰面的效果。最为突出的是他的伊特鲁里亚式家具,腿脚常呈弯曲形,有时在角上饰有女性立像,横楣上饰以卷草、山羊和天使等形象,有如建筑的处理手法。他间或也采用瓷板作装饰。

Weisz, Erik (conjurer) **魏斯** 参阅**Houdini, Harry** 乌丹尼。

Weiwendi Cao Pi **魏文帝曹丕**(187～226-05) 中国三国时期魏国君主、文学家。字子桓。沛国谯(今安徽亳州)人。曹操次子。220年操死后嗣位魏王。同年废汉献帝建立魏

中国大百科全书出版社供图

国,都洛阳。在位7年,死后追谥魏文帝。丕采纳陈群之议建立“九品中正制”,吸收人才。将选官权由吏部执掌,以强化中央集权,后成为魏晋南北朝选拔官员的制度。擅长诗文,《燕歌行》为中国七言诗体中最早的优秀作品;《典论·论文》是文学评论专著,对后世文学批评史颇具影响。后人辑有《魏文帝集》。

Weiwudi Cao Cao　魏武帝曹操(155～220) 中国东汉末权臣,军事家、政治家和文学家。字孟德。沛国谯(今安徽亳州)人。早年为洛阳北部校尉、顿丘令,参与镇压黄巾起义迁济南相,并起兵讨伐董卓,逐步扩充军力。

中国大百科全书出版社供图

192年据兖州,收编青州黄巾军为“青州兵”。196年至洛阳朝见汉献帝,任司隶校尉、录尚书事。迁都于许(今河南许昌),从此他“奉天子以令不臣”,用献帝名号削平大部割据势力。200年“官渡之战”大败袁绍后,逐渐统一中国北部。208年任丞相,同年乘荆州牧刘表病卒,率大军南征。为孙权与刘备联军击败于赤壁。后为巩固后方,统一关陇,取汉中占巴蜀,击败马超,招降张鲁,并利用孙权与刘备矛盾消灭关羽,解除襄樊的威胁。213年封魏公,建魏国。216年进爵魏王。不久病死。子曹丕代汉称帝,追谥曹操为魏武帝。操好读书,有谋略。在北方实行屯田,兴修水利,整顿吏治,用人唯才,不计门第,加强中央集权,使其统治地区社会经济有所发展。又精娴兵法,著有《孙子略解》、《兵书接要》。擅长诗歌。作品多慷慨悲凉,与子曹丕、曹植合称三曹。其《魏武帝集》已佚,明人有辑本。

Weixiaowendi Yuan Hong　魏孝文帝元宏 (467-08～499-04)　中国北魏第6代皇帝。原名拓跋宏。鲜卑族。5岁即位,由其祖母冯太后临朝执政,对朝政进行改革。如整顿吏治,实施三长制、均田制、颁行俸禄、调整租调等。490年亲政,太和十七年(493)从平城(今山西大同市)迁都洛阳,推行汉化政策,认为鲜卑族必须汉化才能巩固政权,统一南北。改革内容为:①禁用鲜卑语,改变风俗服制;②改鲜卑复姓为汉姓,如改拓跋为元,奖励鲜卑与汉族通婚;③改定郊祀宗庙礼仪;④仿南朝官制厘定典章制度;⑤参照《汉律》改定律令。孝文帝的改革促进了各族人民的融合和经济文化的发展。

Weizman, Ezer　魏茨曼(1924-06-15,巴勒斯坦特拉维夫[今以色列特拉维夫-雅法]～2005-04-24,以色列凯撒里亚)　以色列军人和政治人物,第7任以色列总统(1993～2000)。魏茨曼是以色列第一任总统哈伊姆·魏茨曼的侄子,第二次世界大战期间曾在英国皇家空军当飞行员。后来成为创办以色列空军(以色列国防军的一支)的军官之一。1958年被任命为以色列空军总司令并开始对空军进行改造和实行现代化,尤其是空军的战略战术。其认真的训练和周密的准备为以色列空军在1967年6月的“六日战争”中对埃及成功实施空中打击奠定了基础。1966年被任命为作战部长,这是以色列国防军级别仅次于最高职务的官职,通常有机会接任参谋总长一职。当1969年得知总理G.梅厄否决了他的参谋总长任命时,魏茨曼辞去作战部长职务。同年加入加哈尔党,该党派为利库德的前身,当选议会议员,并被提名为该党的候选人,竞争全国联合政府的交通部长职务。加哈尔党不久退出该政府,魏茨曼一度因与M.贝京政见不合退出政界。1977年重返政界,组织了极为成功的利库德选举运动,使贝京成为总理并结束了工党30年的统治。1977年任国防部长,次年力推埃以和谈,并最终促成《戴维营协议》的签订。1980年辞去内阁职务,在以后的4年中弃政从商。1984年建立亚哈德党。次年被任命为阿拉伯事务协调员,但于1992年辞去议会职务。1993年当选总统,这基本上是一个礼仪性职务,1998年连任。2000年传其有受贿行为,他以健康原因辞职。

Weizmann, Chaim (Azriel)　魏茨曼(1874-11-27,俄罗斯帝国波兰莫托利～1952-11-09,以色列雷霍沃特)　以色列第一任总统(1949～1952)、世界犹太复国主义组织领导人。出身俄国西部贫穷的工人家庭。1891年去德国和瑞士半工半读学习化学,1900年获得瑞士弗里堡大学博士学位。1904年到曼彻斯特大学任职,遂在英国定居。第一次世界大战中为英国军火工业作出贡献。当时(1916)英国急需丙酮,他发明从玉米中提炼这种溶剂的方法,成为举世闻名的化学家。这一成就极大地有助于他当时正与英国政府进行的关于犹太复国问题的谈判,促使英政府发表贝尔福

供图:Zionist Archives and Library, New York City

宣言,主张在巴勒斯坦建立犹太人的国家。1920年任世界犹太复国主义组织主席,周游世界宣传犹太复国主义的理想,并为运动筹集资金。可是他的谨慎的主张引起极端分子的反对,指责他过分顺从英国。在多数反对下,于1931年离开领导岗位,重新从事科学研究。他1937年支持英国皇家调查委员会的报告书,把巴勒斯坦分为犹太人地区和阿拉伯人地区。第二次世界大战中,由于他的坚决要求,终于在英军中建立了犹太旅。1948年初他代表犹太人去美国与杜鲁门总统谈判,促使华盛顿很快承认于5月14日宣告成立的以色列,并提供1亿美元贷款。翌年2月当选为总统。1952年去世,被国葬在他自己的庄园,送葬行列达25万人之多。著有《尝试与错误:哈伊姆·魏茨曼自传》。

Weland THE SMITH(Germanic legend)　参阅 **Wayland the Smith** 韦兰铁匠。

Welawa, Treaty of (1657)　参阅 **Wehlau, Treaty of**《威拉乌条约》。

Welch　韦尔奇　美国西弗吉尼亚州南部城市,麦克道尔县县城(1891)。1885年被拓居,以早期拓居者韦尔奇之名命名。早先主要出产皮货和人参。1891年诺福克和西部铁路建成后,周围煤矿得到开发。1894年设市。现为产煤区的服务业中心。附近有州立潘瑟森林。人口2 683(2000)。

Welch, Adam Cleghorn　韦尔奇(1864-05-14,牙买加戈申～1943-02-19,苏格兰邓巴顿海伦斯堡)　苏格兰圣经学家。他曾在1929年苏格兰自由长老会和苏格兰长老会谋求统一的谈判过程中发挥重要作用。自1913年起任爱丁堡新学院《旧约》评注和希伯来语教授。韦尔奇就以色列人的宗教发展史提出不同于德国《圣经》学者韦尔豪森派的新理论。虽然完全同意韦尔奇的看法的人并不多,但是他在《圣经》考证方面的贡献已得到公认。

Welch, Denton　韦尔奇(1915-03-27,上海～1948-12-30,英格兰肯特巴勒格林附近的米德尔奥查德)　英国画家和小说家,主要以两部描写青年人的富于想象的小说《首航》(1943)和《欢乐在青春》(1944)为世人所知。曾在德比郡的雷普顿学校求学。访问中国归来后又在戈尔德史密斯艺术学校习画。1935年在校

时骑自行车出事受重伤而终身残疾，但仍坚持绘画，作品常在莱斯特的画廊展出，并开始写作生涯。除上述两部小说和一部短篇小说集《勇敢和残酷》（1946）外，其他作品均发表于逝世之后：《穿过云层的声音》（1950）被许多人认为是他的最佳小说；《日记》（1952）是他不顾自己恶劣的健康而广泛旅行的游记；《我离开了爷爷家》（1958）仅为一草稿。

Welch, William Henry　韦尔奇（1850-04-08，美国康涅狄格诺福克～1934-04-30，巴尔的摩）　美国病理学家。在他的领导下，约翰斯·霍普金斯大学开始居于国家医疗中心的领导地位，在把现代医疗技术和教育引进美国方面也起了主要作用。1876～1878年为布雷斯劳大学的医学研究生，在J. 科恩海姆的实验室工作，目睹了R. 科赫的证明炭疽杆菌有传染性的历史性演示。后回美国任纽约市贝尔维尤医院医学院病理学和解剖学教授（1879）。5年后在新创办的约翰斯·霍普金斯大学建立了美国第一个真正的大学病理系。在霍普金斯大学把著名的内科医生W. 奥斯勒和外科医生W. 霍尔斯特德聘来任教。1893～1898年任医学院的第一任教务长时，制定了学校严格的教学计划，要求学生严格学习基础学科，并积极参加临床实践和实验室工作，从而革新了美国的医学。他的学生中有W. 里德、J. 卡罗尔及S. 弗莱克斯纳。他最著名的成就是1891～1892年和弗莱克斯纳用实验证明白喉毒素产生的病理效应，1892年发现白色细球菌及其与创伤性热的关系，又发现了气性坏疽的病原体韦氏梭状芽胞杆菌。

Weld, Sir Frederick Aloysius　韦尔德（1823-05-09，英国多塞特奇德克～1891-07-20，多塞特布里德波特）　新西兰政治家，总理（1864～1865），实行"自主"政策，即由该殖民地完全负责处理一切毛利族事务，而不需要英王的帮助。英格兰地主家庭出身。瑞士弗里堡大学毕业。1843年移居新西兰，开养羊场。1851年发表小册子《有志在新西兰养羊者须知》。后进入政界，1853年当选众议员。1860年任土著居民事务部长。总督G. 格雷为避免英国进一步卷入，特别是军事干预毛利族事务，1864年请他组阁。次年，英军撤走，并通过《土著居民土地法》，没收了大片毛利族土地。1865年辞职，1867年返回英格兰。1868年与毛利族的冲突再起，他奉命重返新西兰，任西澳大利亚总督（1869～1875），任期内进行重大的政府和教育改革，修筑了第1条铁路，发展了电报、轮船等设施。1875年任塔斯马尼亚总督。1880年封爵士，任海峡殖民地总督。1887年出使婆罗洲。在访问马来诸邦后不久死去。

Weld, Theodore Dwight　韦尔德（1803-11-23，美国康涅狄格汉普顿～1895-02-03，马萨诸塞海德公园）　美国南北战争前的反奴隶制斗士。他在俄亥俄州辛辛那提市莱恩神学院求学时即已参加反奴隶制的辩论，并曾率领一批学生退学，转入奥柏林学院。1834年离校，入美国反奴隶制协会工作，积极扩充并训练新会员，其中有著名废奴主义者J.G. 伯尼、H.B. 斯托和H.W. 比彻。他写过许多小册子（多匿名），如《废奴圣经》（1837）、《现在的奴隶制》（1839）等。1841～1843年赴华盛顿主持反奴隶制咨询社的工作，为国会中在奴隶制问题上同辉格党决裂并争取废除禁止讨论有关奴隶问题的法律的议员们提供服务，显示了华盛顿争取废奴院外集团的作用。余生在新泽西和马萨诸塞从事教学工作。传记有B.P. 托马斯著：《T.D. 韦尔德，为自由而战的斗士》（1950）。

welded tuff　熔结凝灰岩　火山喷出物经压实组成的岩石（参阅 **tuff**）。

welding　焊接　用于连接金属零件（经常通过加热）的技术。这种技术是在将铁加工成有用形状的尝试中发现的。在公元第一个1 000年中发明了焊接刀刃，其中最著名的是叙利亚大马士革的阿拉伯人武器制造者所制造的。这时已经知道生产坚硬钢材的铁渗碳法，但是制得的钢很脆。焊接技术——包括在相当软而有韧性的铁上叠加高碳材料夹层，然后再用锤锻打——可生产出高强度而有韧性的刀刃。

现代炼铁技术的改进（特别是铸铁的采用）使焊接的应用仅限于铁匠和宝石匠们。其他连接技术，例如螺栓或铆钉固定等技术已广泛用于各种新产品，从桥梁和火车机车到厨房用具等。

现代的熔焊方法是适应在大块钢板之间形成连续焊缝的需要而产生的。铆接已显示出一些缺点，特别是用于锅炉之类的密闭容器。气焊、电弧焊和电阻焊均出现于19世纪末。第一次真正尝试大规模采用焊接法，是在第一次世界大战期间。到了1916年，氧乙炔法已甚为发展，当时采用的焊接技术现在仍在使用。从那时以后，主要的改进是在设备和安全方面。利用熔化焊条的电弧焊也是在这段时期中采用的，但是起初使用的裸金属线焊条所生成的焊缝较脆，找到的解决办法是将焊条包以石棉和缠绕的铝线。1907年采用的现代焊条，由带有复杂的矿物和金属涂层的裸金属线所构成。电弧焊到了第二次世界大战才普遍使用，当时急需建造船舶、发电站、运输工具和金属结构的快速方法，因而促进了电弧焊的发展。

电阻焊是1877年由E. 汤姆孙发明的，在发明电弧焊以前，它在钢板的点焊和缝焊方面使用了很久。用于制造链条和连接钢条和钢杆的对接焊，是20世纪20年代发展出来的。40年代采用了用不熔化钨电极进行熔焊的钨极惰性气体保护焊。1948年新型的气体保护焊，采用了焊接时熔化的金属线焊条。近年来已经发展出了电子束焊、激光焊和某些固相焊接法，例如扩散焊、摩擦焊和超声焊等。

焊接基本原理　焊接可以定义为：把金属加热到适当程度，加压或不加压，用或不用填充材料，而使金属结合在一起。

熔焊时，热源要提供足够的热量，以形成并保持一个适当大小的金属熔穴。热源可为电或火焰。电阻焊属熔焊，因为形成了一些熔化金属。

固相焊是被联结的金属不熔化，也不加填充金属。经常要施加压力，一般还要提供一些热量。在超声焊和摩擦焊中发生摩擦热，扩散焊中通常采用炉子加热。

焊接所用的电弧是高电流和低电压的放电，一般在10～2 000安和10～50伏范围内。电弧柱很复杂，但是广义地说，它包括一个发射电子的阴极、一个传导电流的等离子体和一个阳极区，该区由于电子的轰击而变得比阴极热。因此，电极如果是可熔化的，则作为阳极，而如果是不熔化的，则作为阴极。通常使用直流（dc）电弧，但是也可使用交流（ac）电弧。

所有焊接过程中的总能量输入均超过生成焊缝所需的热量，因为所产生的热量不能全部有效地利用。热量利用率为60%～90%，视方法而异；有些特殊方法偏离此数甚远。热量通过基体金属的传导和向周围环境的辐射而损失。

大多数金属被加热时，与大气或其他邻接的金属发生反应。这些反应可能对焊缝的性能极为有害。例如，大多数金属熔化时急剧氧化。氧化物层可妨碍金属的正常焊接。熔化金属液滴外面涂上氧化物后被包在焊缝中，使焊缝变脆。有些为了取得特殊性能而加入的贵重金属，与空气接触后反应如此迅速，以致沉积的金属与原有金属的组成不相同。这些问题导致后来采用焊剂和惰性气体。

在熔焊中，焊剂起保护作用，它促进金属的可控反应，而防止在熔化材料上形成氧化物膜。焊剂在焊接过程中可起促进作用，或不起作用而只在熔接时保护表面。

惰性气体的保护作用与焊剂类似。在金属焊条气体保护电弧焊和钨极气体保护电弧焊中，惰性气体——通常是氩——从焊炬周围的环形缝隙中以连续气流的方式流出，置换掉电弧周围的空气。惰性气体不与金属发生化学反应，而只是单纯地保护它不与空气中的氧相接触。

焊接的冶金过程，对焊缝性能影响很大。电弧焊说明了焊接的整个基本特点。在焊弧通路形成3个区域：①焊接金属或熔化区，②热影响区，③无影响区。焊接金属是焊接过程中焊缝的已熔化部分。热影响区是邻接焊接金属的区域，那里的材料虽未熔化，但因受焊接热的影响，已在微观结构或机械性能方面起了变化。无影响区中的是未被加热到足以改变性能的材料。

焊接金属的组成及其凝固（固化）条件，严重影响焊缝是否符合使用要求的性能。在电弧焊中，焊接金属包括填充金属加上已熔化的基体金属。电弧通过后，焊接金属发生急剧冷却。单道焊缝，从熔穴边缘到焊缝中心，具有柱状晶粒铸态组织。在多道焊缝中，这种铸态组织可得到改善，视焊接的金属种类而定。

邻接焊缝的基体金属或热影响区，要经受热循环，其组织变化与指定点的高峰温度、暴露时间和冷却速率等直接有关。基体金属可分为三类：①材料不受焊接热的影响；②因组织变化而使材料变硬；③因沉积过程而使材料硬化。

焊接会使工件产生应力。这些应力因焊接金属的收缩和热影响区的先膨胀后收缩而产生。未加热的金属对上述变化加以抑制，并且当收缩占主导地位时焊接金属不能自由收缩，于是在焊缝中产生了应力。这一般称为残余应力，对于要求严格的用途，必须对整个成品进行热处理，以消除残余应力。残余应力在所有的焊接结构中都不可避免，但是如果不加以控制，则会发生焊件弯曲或扭曲。实行控制则要依靠焊接技术、夹具和定位器、操作过程和最终热处理。

焊接方法种类繁多，择其最重要的讨论如下。

锻焊 为最原始的熔接技术，可追溯至最早使用铁器的时代。此法最初用于连接小型铁件以制成较大的有用器具。首先将待焊接的零件加工成形，然后在锻炉中加热到焊接温度，再经锻压或锤打使之连成一体。例如，大马士革刀剑是将熟铁棒锤薄后自身重叠起来，再经锤打锻焊而成。这种过程重复的次数越多，所制得刀剑的韧性越好。中世纪，大炮是由一些铁箍焊制成；弓弩所发射的钢尖弩矢是经锻焊制成。锻焊主要作为铁匠的工艺而流传下来，现仍在链条制造中有一定的用途。

电弧焊 现在的焊接中，用量最大的是金属焊条气体保护电弧焊（图1）。此法中，

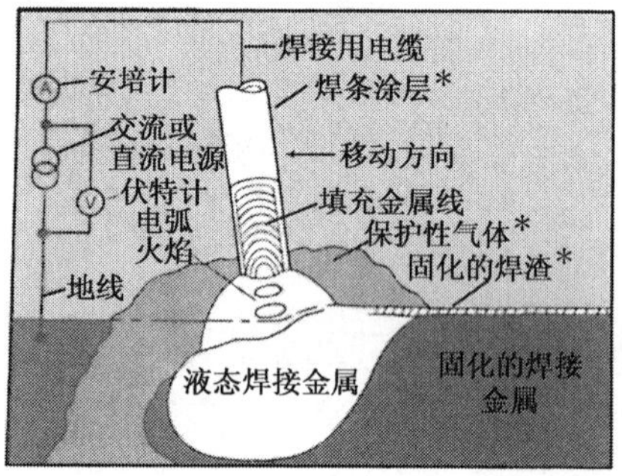

图1 圆形焊条电弧焊；有些电弧焊方法不包括的部分标有星号

在金属焊条与工件之间触发一个电弧。熔化金属的珠状液滴由焊条传送到焊缝。因为电弧焊可使用交、直流电源，所以有些焊接装置可适应两种电源，以扩大用途。使用焊条钳或带绝缘柄的夹具将焊接用电流输送到焊条。返回电源的归路由工件的夹钳构成。

在气体保护电弧焊中，用惰性气体氩或氦等将电弧与空气隔开，此方法因能以较高的效率沉积较多材料并且易于实现自动化而日益重要。钨极气体保护电弧焊主要用于焊接高合金板材。可采用直流或交流电源，可以向电弧中加入热的或冷的填充金属。熔化电极二氧化碳气体保护电弧焊广泛用于钢件焊接。这类电弧焊采用两种方法，分别称为喷射弧法和短路弧法。金属的传递非常迅速，并且气体保护可以保证焊接沉积物有韧性。

埋弧焊与上述方法相似，只是用颗粒状矿物材料作为焊剂，以代替气体保护，此焊剂包围在焊条四周，因此看不见电弧。

等离子弧焊是一种电弧焊，而以高温等离子体弧作为热源。它与钨极气体保护电弧焊有些相似，其主要优点是能量比较集中，电弧的稳定性较好，且操作人员更容易操纵。较好的电弧稳定性意味着对焊接接头位置的调准程度和电弧长度的变化不敏感。在大多数等离子体焊接设备中，必须先触发一个副电弧，以产生电离的气流并触发主电弧。此副电弧可用高频电或直接接触来触发。因有很大能量被强迫通过一个喷嘴（图2），所以用水冷却。此法易于实现机械化，并可达到很高的生产率。

热化学法 气焊是这类方法之一。它曾在重要程度上与金属焊条电弧焊并驾齐驱，但是现在已局限于制造钢板的专门领域内，而且被艺术家们使用的机会不亚于在工业中使用的机会。气焊是用在氧中燃烧乙炔供热，产生可控高温火焰来熔接金属。金属以冷的填充金属丝的形式加入焊缝。一般要使用中性或还原性火焰，以防止基体金属氧化。

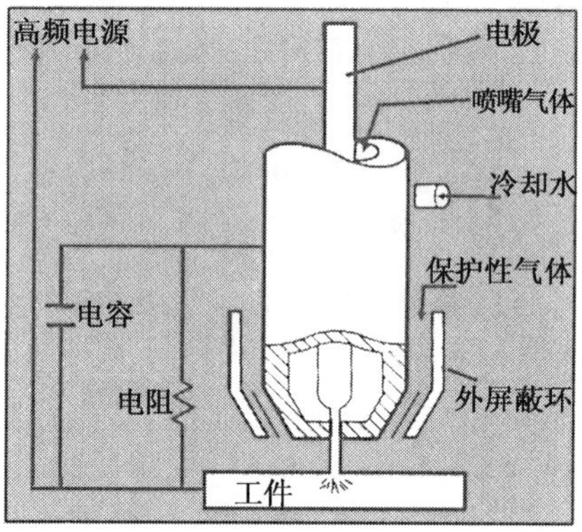

图2 等离子弧焊电路

依靠熟练的技艺，可焊出良好的焊缝，但是焊接速度很慢。焊剂可帮助防止焊缝受氧化物污染。

另一种热化学法是铝热（铝热剂）焊。它已成功地用于黑色金属和有色金属焊接，但更常用于前者。点燃细铝粉和氧化铁粉的混合物，以产生约2 800°C的过热液态金属来进行熔接。不论填充量多大，其反应可在30秒到2分钟之间完成。此法适用于焊接面积大而截面小的工件，例如矩形和圆形工件。使用一个模盘来容纳生成的液态金属。

电阻焊 点焊、缝焊和凸焊都属于电阻焊，焊接所需的高热量来自接触面处的电阻。焊接时间很短（一般为0.2秒），使用低电压和高电流电源，同时通过两个（一边一个）电极向接缝施加压力。点焊在搭接的两块金属板上每隔一定的距离进行。焊缝的强度取决于焊接点的数目和大小。缝焊是一个连续过程，将脉冲电流连续地输入接头，以焊出一系列重叠的焊接点或者一条连续的焊缝。此法用于焊接点焊所不能满足需要的容器或结构。凸焊的过程是将欲在电阻焊机中焊接的工件之一先压出一个凸起部分，此部分在焊接循环中将会熔化。此法可以同时焊接许多预定的焊接点。所有这些电阻焊方法都能达到很高的生产率，并可实行连续的质量控制。最现代化的电阻焊装置带有全反馈控制系统，可自动校正任何不符合规格的焊缝。

闪光焊是一种电阻焊，此法中将待焊接的两工件分别用夹钳夹住，使它们的端部缓慢地靠在一起，然后将它们分开以产生电弧或闪光。使电弧或闪光持续到接点的整个面积被加热为止；然后将两工件用力压在一起，其压力保持到焊缝生成并冷却为止。

低、高频电阻焊用于制造管材。在金属板边缘对接挤压成形后即形成纵向接缝。焊接热依靠通过工件的电流大小和管材通过轧辊的速率来控制。此法的焊接速度可达每分钟60米。

电子束焊 在电子束焊中，用高速高密度电子束流轰击工件。这些电子的能量在轰击中转换为热量。所用设备中包括一台聚焦装置，工件通常置于真空室内，以使电子不间断地通过。加热是如此强烈，以致电子束几乎立刻使接点的金属挥发而打通一个洞。使用很高的电压（高达150千伏）时，可焊出极窄的深熔焊缝。工件可用自动横移装置来准确地定位；例如，13毫米厚的材料的焊缝，只须1毫米宽即可。标准的焊接速度是每分钟125～250厘米。

冷压焊 指不经加热，仅靠压力使金属件焊接的方法。待焊接表面必须预处理好，压力必须使接头发生35%～90%的变形，视材料种类而定。此技术主要用于搭接钢板和对接线材。可用冲床、辊压机或气动工具来施加压力。焊成铝材焊缝需要1 400 000～2 800 000千帕的压强；几乎所有其他金属都需要更高的压强。

摩擦焊 使两个工件接触并加载，一个工件迅速旋转，界面处材料因摩擦热而成塑性状态，焊件停止转动后，增加载荷则接口凝固。由于塑性变形而得到高强度的接口，从这个意义来看，摩擦焊可认为是压焊的一个变种。此法是自行调节的，因为当接口处的温度升高时，其摩擦系数则降低，并不会发生过热。摩擦焊机的外形几乎同车床一样。速率、力和时间是主要变量。在汽车工业中，用此法进行后桥外壳的生产已经实现自动化。

激光焊 把激光源发出的光能聚焦于被焊件而使之熔接。对于大多数焊接用途，激光的使用受到功率不足的限制，因此迄今它在焊接领域内的应用有限。另一困难在于它可焊接的速度和厚度，主要不是靠功率，而是靠金属的热导率和防止表面金属蒸发来控制。但是，此法专门用于焊接0.5毫米以下的很薄的材料，却很成功。此法可用于焊接微型电路。

扩散焊 这种焊接方法依赖高温下在焊件上施加压力并保持一段时间所产生的效应。大体上，必须施加小于引起工件5%变形的压力，以使此法可应用于精加工后的机械零件。此法广泛用于航空、航天工业，以焊接其他方法不能焊接的材料和形状——例如多翅片管和蜂窝结构。钢件可在1 000°C以上、数分钟内完成扩散焊。

超声焊 将两个要焊接的焊件夹在铁砧与声极或振动探极之间，工件界面因超声振动而增温，使之熔接。其主要变量是夹持力、输入功率和焊接时间。细金属线可在0.005秒内焊接完毕，1.3毫米厚的材料则可在1秒内焊完。点焊和连续缝焊的质量很可靠。广泛用于集成电路中引线的焊接，以及晶体管的封装焊和铝罐头的焊接。

爆炸焊 利用爆炸力使两块板材高速撞

击而结合成一整体。下面的板放在坚硬的表面,例如重型钢板上。上面的板仔细地放得与下面的板约成5°的角,再在下板顶上放一片炸药。炸药由两板的铰合处起爆,由于焊件界面材料发生急剧的塑性变形而在数微秒内完成焊接。由于两板之间金属的射流作用,接口完成的焊缝呈波纹状。

金属的焊接性　碳钢和低合金钢是在焊接结构中使用最广的材料。普通碳钢的含碳量对其焊接性有很大影响,若含碳量高于0.3%,焊接时就要采取适当预防措施以保证焊缝质量。低合金钢一般指合金元素总量低于6%的合金钢。市售钢有许多等级,其相对焊接性各异。

铝及其合金均可焊接。但是铝表面坚韧的氧化膜阻碍金属很好地流动,因此,气焊使用适当的熔剂。当采用钨极气体保护焊而使氧化物可在电弧作用下消除时,使用交流电进行熔焊的效率较高。

铜及其合金均可焊接,但铜的导热率高,焊接难度大。对于难熔金属如锆、铌、钼、钽和钨等,通常采用钨极气体保护焊。在焊接上,镍为良好相容性材料,可自身焊接,故广泛用于不同金属与钢、不锈钢和铜合金的焊接中。

Welensky, Sir Roy　韦伦斯基(1907-01-20,南罗得西亚索尔兹伯里[今津巴布韦哈拉雷]～1991-12-05,英国多塞特布兰德福德福鲁姆)　罗得西亚工会工作者和政治家,曾帮助建立罗得西亚和尼亚萨兰联邦,任副部长(1953～1956)和总理(1956～1963)。最初作职业拳击运动员出名,1925～1927年间一直保持南、北罗得西亚重量级拳击冠军称号。他是一名火车司机,在铁路工人工会中极为活跃,被选入工会全国理事会,后任工会主席(1953～1963)。1938年选入北罗得西亚立法会议,1946年成为行政会议成员。1953年与南罗得西亚总理戈弗雷·哈金斯爵士一起将两个罗得西亚和尼亚萨兰合并为一个联邦。他们新建的联邦竭力于“种族伙伴关系”。哈金斯1956年辞去总理职,由韦伦斯基继任。由于民族主义情绪高涨,联邦于1963年解体。韦伦斯基希望在渐进过程中组成一个多种族社会,就力求把其政治影响扩展到南罗得西亚,但在1964年10月选举中,他领导的政党惨败。

Welf DYNASTY　韦尔夫王朝　英语作Guelf或Guelph。日耳曼贵族王朝,中世纪霍亨斯陶芬王族在意大利及中欧的主要竞争者。它后来包括汉诺威韦尔夫家族。随着乔治一世即英国王位,汉诺威韦尔夫家族成为英国的统治者。韦尔夫家族的起源不明。一个明确的祖先是9世纪初在巴伐利亚据有领地的韦尔夫伯爵,他的后裔康拉德(约876年卒)和韦尔夫一世(876年之前卒)成为勃艮第及士瓦本的韦尔夫家族的祖先。康拉德之子鲁道夫(911或912年卒)于888年成为勃艮第国王,世代相传至1032年。1047年韦尔夫三世(韦尔夫一世的第6代)受封为克恩滕公爵,死后在德意志的领地转入其侄韦尔夫四世(1101年卒)之手。1070年,韦尔夫四世成为巴伐利亚公爵韦尔夫一世。1156年狮子亨利成为巴伐利亚公爵,直到1180年他垮台为止。通过婚姻的久远继承,巴伐利亚和萨克森的韦尔夫王朝成为霍亨斯陶芬王朝最强大的敌手。德意志国王、神圣罗马帝国皇帝奥托四世是狮子亨利之子。奥托下台,韦尔夫的王位由此终止;1235年,皇帝腓特烈二世以不伦瑞克-吕内堡公国封给奥托四世之孙童子奥托(1252年卒)。其后,汉诺威韦尔夫家族先后取得神圣罗马帝国选侯(1692)、大不列颠国王(1714)及汉诺威国王(1814)的职位。俄国皇帝伊凡六世的父亲出身于不伦瑞克-沃尔芬比特尔的韦尔夫一系。不列颠王室中的韦尔夫家系终止于维多利亚。她的叔父恩斯特·奥古斯特的后裔在1866年七周战争中失去汉诺威。后恩斯特·奥古斯特之子与德皇威廉二世之女结婚,得以统治不伦瑞克,直至第一次世界大战后被迫退位。

welfare economics　福利经济学　经济学的一个分支,着重于评价经济政策在社会福利方面的效用。到20世纪它已确立为经济学说中一门具有明确含义的分支。早期学者认为,社会福利只是某种经济制度中全体社会成员能在物质、精神方面达到满足的总和。后来理论家开始怀疑是否可能测量出甚至是一个人的满足程度,并认为不可能对两个或更多人的福利进行精确的比较。简言之,那种长期存在的设想即认为穷人要比富人从任何既定的收入增加量中取得更多的附加的福利,已不能令人坚信不疑。就社会政策而言,这意味着将取自富人的资源,再分配给穷人,这种措施(如实行累进税)不能说成是增加社会中个人福利的总和。因此,在判断经济政策方面有了一个新颖而较确切的标准:只有在一人得利而他人无损的条件下,才能断定一种经济状况优于另一种经济状况。另一标准是:尽管有些消费者受损,但整个社会中得利者能补偿受损者之亏损而仍能较前富裕,则此种经济状况优于过去的经济状况。

Welfare Island (New York City)　**韦尔费尔岛**　参阅 **Roosevelt Island** 罗斯福岛。

welfare service　福利事业　参阅 **social service** 社会福利事业。

welfare state　福利国家　政治体制概念,指国家在保护和提高其公民的经济福利和社会福利方面发挥关键作用。福利国家的概念基于下述各原则:机会均等,财富公平分配,和政府对于那些未能获得过优裕生活所必需的最低限度的食物和其他必需品的人负责。这个概念可以包括各种各样的经济和社会组织。福利国家的一个基本特点是推行社会保险。这是大多数先进的工业国家所普遍采用的一种福利(例如:英国的“国家保险”和美国的“老年、遗属、残疾及健康保险”)。这种保险的基金通常来自义务捐赠,旨在对个人或家庭进行应急的救济。但普遍承认,实际的补助金额往往大大低于福利救济计划制订人预计的水平。

福利国家的概念,通常也包括对于基础教育、保健服务和住房等方面的社会福利措施(在某些情况下低价或免费提供)。在上述几方面,西欧各国实施的福利国家计划,其范围要比美国为广,在许多情况下表现为广泛的健康保险项目和政府补助的高等教育助学金。反贫困计划和个人纳税制也可视为福利国家的两种制度。个人纳税只要采用累进税,以使收入分配更为公平合理,而不是单纯为了增加国家岁入,也可纳入福利国家的范畴;同样地,如果把这种税收用来补足那些靠义务捐赠所不能完全满足的社会保险金或其他补助金,也应看做福利国家的一项措施。社会主义各国的福利国家计划还包括就业和对消费品价格的管理。

福利国家这个术语的现代涵义是与1948年英国所采取的范围广泛的社会保险综合措施密切有关的,这些措施是根据1942年W.H.贝弗里奇(**Beveridge of Tuggal, William Henry Beveridge, 1st Baron**)的报告《社会保险与联合服务》制订的。20世纪,那种早期的消极的自由放任主义国家的概念逐渐废弃,几乎所有国家都设法制订有关福利国家的某些社会保险措施。因此,美国有罗斯福总统的“新政”和杜鲁门总统的“公平施政”,还有以后历届总统根据福利国家原则制订的大部分国内计划。福利国家的更完善形式是国家为个人提供的资助几乎贯穿其生活的各个时期——“自摇篮至坟墓”。荷兰政府及斯堪的纳维亚各国的社会民主党政府就是这方面的范例。许多发展中国家也以建立某种形式的福利国家为其目标。

福利国家政府面临的主要问题是:决定国家提供服务的期望水平;保证捐赠和个人得益制度足以应付某些个人或家庭的急需,并应同时对生产工作给予充分的鼓励;保证国家专营和官僚机构的高效率工作;公平提供资源以资助除给直接受益者的捐赠之外的各项福利事业。

Welhaven, Johan Sebastian Cammermeyer　韦尔哈文(1807-12-22,挪威卑尔根～1873-10-21,克里斯蒂安尼亚)　挪威诗人、评论家。他抨击过许多同时代人的粗野和极端民族主义,尤其反对主张挪威文化完全独立的民族主义诗人H.韦格朗;他们之间的争执在挪威文学史上是最为著名的。作品主要有《挪威的黎明》(1834)和《诗之精神》。

Welkom　韦尔科姆　南非奥兰治自由邦省城市。在约翰内斯堡西南。1947年建于金矿区中部,是全省第二大城。1961年获城市区地位,1968年设市。城市以一环绕公园(面积4.5公顷)的马蹄形商业和办公区为中心布局规整有序。除开采金和铀矿外,还有屠宰、炼钢、锯木和各种制造业。韦尔科姆有一所工学院、一所科学技术研究所和一机场。人口约54 488(1985)。

well-field system　井田制　又作ching-t'ien。相传中国殷周时代的土地制度。因将土地划作“井”字形,故名。井田制相传起于夏商,而盛行于西周(约公元前11世纪～前771)。最早见于《春秋》、《孟子》、《周礼》、《礼记》及汉书等。《春秋□梁传・宣公十五年》云:"古者三百步为里,名曰井田。"《孟子・滕文公上》:"方田而井,井九百亩,其中为公田。八家皆私百亩,同养公田。"即土地为公家所有,由国家按"井"字形的区划分配给人耕作。一区为公田,八区为私田。劳动者必须先耕种公田,然后才种分给自己的私田。公田上全部收获交给王室、诸侯或卿大夫。这是一种代役租,即劳动地租。西周以后随着土地逐步为贵族私有,地租成为主要的剥削形式,井田制也就日趋瓦解。至于井田制的具体分配、耕作及在不同地区推行的贡、助、彻等纳税方式,则自汉到清代意见分歧,迄无定论。近代也有人怀疑井田制的存在,但大多数学者仍认为古代曾存在井田制。

well logging　测井　矿场勘探技术,用以分析钻孔所穿透的地层。采用电测仪器记录地下地层的自然电性变化。地层孔隙度、流体含量或地层岩性的变化都可用电阻率或电导率的变化来表示。钻井记录记载钻井时泵压、钻具运转、钻井速度等参数的变化。岩心测井是从钻孔中取出岩心并对其进行物理和化学测试。在钻主要井孔之前必须分析地层的情况,可采用钻孔摄影测井法。把相机下放到待研究的层位,拍摄黑白或彩色相片,或将电视影像传送到地面监控装置,然后在地面录像。放射性测井法是测定和记录地下地层的自然或感应放射性。由于地层含有铀、钍或钾等放射性矿物质,其 γ 射线的变化反映出岩石的性质。根据井壁取样,地质学家可以用肉眼直接对井壁的岩心进行现场观察。钻屑测井法是从钻井流体中收集岩屑进行分析;此法与其他测井法共同使用,能提供有价值的资料。

well-made play　佳构剧　法文作pièce bien faite。一种按照一定严格技巧原则进行结构的戏剧样式,它主宰了几乎整个 19 世纪的欧美舞台。佳构剧的技巧公式约于 1825 年由法国剧作家斯克里布发展起来。它要求有高度复杂的、造作的情节,逐渐形成的悬念,一切问题都得到解决的高潮场面,和一个大团圆的结局。传统的浪漫化冲突是这类剧本的主要题材(例如,一位漂亮的姑娘必须在一个富有但无节操的求婚者与一个贫穷但忠实的年轻人之间进行选择等诸如此类的问题)。由人物间的误会、弄错身份、秘密消息(贫穷的年轻人其实出身高贵!)、文件遗失或被盗以及诸如此类的设计来制造悬念。斯克里布雇助手帮助他写作,共编写数百部剧本,在全欧洲被翻译、改编和模仿。在英国,佳构剧由科林斯等大师采用,并简练地归结为如下公式:"使得他们笑,使得他们哭,使得他们等待。"H. A. 琼斯和 A. 平内罗曾成功地运用了这种技巧。平内罗 1893 年写的《谭格瑞的第 2 个夫人》,从实践上提高了佳构剧的艺术水平。

well-tempered tuning (music)　参阅 **equal temperament 平均律**。

Welland　韦兰　加拿大安大略省东南部城市,属尼亚加拉自治区。位于韦兰河畔。为尼亚加拉水果产区的贸易中心。附近丰富的天然气和电力给城市工业提供动力,发展多种工业。1917 年设市。人口48 402(2001)。

Welland, River　韦兰河　英格兰中部地区东部河流。源出莱斯特郡,向东流,在北海沃什湾的西南角入海。全长 110 千米。河口到斯坦福一段已运河化。左岸支流艾伊河上兴建了水坝,为东南 6.4 千米的新镇科比准备了一个水库。

Welland Canal　韦兰运河　加拿大安大略省南部水道,它使南方的伊利湖和北方的安大略湖之间能通航大船,并成为圣劳伦斯航路的重要纽带。由于连接伊利湖和安大略湖

安大略省的韦兰运河
供图:George Hunter

的天然河流尼亚加拉河有瀑布和急流,无法通行,所以需要有一条运河。现在的韦兰运河从伊利湖上的科尔伯恩港到安大略湖上的韦勒港,长 44.4 千米,最浅处深 9 米。两湖之间水位差 327 英尺,用 8 道船闸来调节,可通行230英尺长的船。通过该运河的时间一般不足 8 小时。第一条运河于 1829 年通航,从达尔豪西港通到鲁滨逊港。1833 年向南延长到科尔伯恩港,1871 ～ 1887 年加宽。1912 年开始修建新运河,1932 年通航。1972 年完成运河南段的疏浚。

Weller, Thomas H(uckle)　韦勒(1915-06-15,美国密执安安阿伯～2008-08-23,马萨诸塞尼德姆)　美国医师、病毒学家。与 J. 恩德斯和 F. 罗宾斯在组织培养基中培养脊髓灰质炎病毒成功,使这种病毒得以在试管中进行研究,为生产脊髓灰质炎疫苗提供了手段,从而共获 1954 年诺贝尔生理学或医学奖。1949 ～ 1955 年他们 3 人用人胚皮肤及肌肉组织的实验室悬液,完成了繁殖脊髓灰质炎病毒的研究。他还和美国医师 F. 尼瓦一道首次完成了在实验室繁殖风疹病毒及从人细胞培养基中分离鸡痘病毒的研究。韦勒早年求学于哈佛大学和密执安大学,毕业后在哈佛医学院任教。第二次世界大战期间在军医部队任职。战后任波士顿儿童医学中心恩斯德传染病研究室主任助理。获诺贝尔奖时正在哈佛大学热带病研究所任教授。1966 ～ 1981 年兼哈佛大学公共卫生学院传染病预防中心主任。

Welles, Gideon　韦尔斯(1802-07-01,美国康涅狄格格拉斯顿伯里～1878-02-11,康涅狄格哈特福德)　美国 A. 林肯、A. 约翰逊总统时期的海军部长。出身富有家庭,曾习法律,1826 年与人合办并主编报纸《哈特福德时代》。1826 ～ 1835 年为康涅狄格州议员。作为杰克逊民主党人,推动通过康涅狄格州公司法成为各州的榜样。后当选州公共账目监督(1835、1842、1843),哈特福德邮政局长(1836 ～ 1841),海军食品和服装采购局长(1846 ～ 1849)。1854 年退出民主党,而参加共和党。1856 年在新英格兰创办第一份共和党报纸《哈特福德晚报》。1861 年林肯任命他为海军部长,他很快把原来的少数舰只建成庞大而有战斗力的海军,显示出卓越的行政能力和机敏的战略思想。他指挥舰队封锁和孤立南方联盟军。1869 年离开政府。晚年为杂志写文章,1874 年出版《林肯与西沃德》一书。《韦尔斯日记》于 1911 年出版,历史学家称赞他对南北战争期间的人物和事件有深刻的洞察力。

Welles, (George) Orson　韦尔斯(1915-05-06,美国威斯康星基诺沙～1985-10-10,洛杉矶)　美国电影演员、导演、制片人和剧作家,他自编、自导、自演的影片《公民凯恩》(1941)结合了创新的叙事手法和摄影技巧、戏剧性的布光和推动剧情创造气氛的音乐,成为电影史上最有影响的影片之一。韦尔斯 8 岁丧母,13 岁丧父。求学期间独好戏剧。1931 年秋在都柏林盖特剧院初次登台。1932 年回到美国后随凯瑟琳・科内尔剧团巡回演出,扮演过《罗密欧与朱丽叶》中的茂丘西欧、《康迪塔》中的马奇班克斯和《温波街上的巴雷特家》中的奥克塔伏斯・巴雷特。1934 年扮演哈姆雷特。1934 年 12 月,他初次在纽约登台,扮演《罗密欧与朱丽叶》中的泰保尔特。1936 年,他导演黑人人民剧院的《麦克佩斯》,演员全部是黑人。1937年,他组成信使剧团,穿现代服装献

韦尔斯主演《公民凯恩》(1941)的剧照
供图:RKO Pictures, Inc.

演了莎士比亚的戏剧《凯撒大帝》,传为美谈。他从 1934 年开始,在广播电台主持"时间进行曲"新闻节目。1938 年,信使剧团上演由 H. G. 威尔斯的小说《星际战争》改编的广播剧,模拟新闻广播形式宣布火星人入侵新泽西,在千千万万听众中引起一场虚惊。1940 年应雷电华影片公司之聘前往好莱坞,执导并主演《公民凯恩》(1941)和根据 B. 塔金顿的小说改编的《安倍生大族》(1942)。他 1948 年在好莱坞执导并主演《上海小姐》和《麦克佩斯》。此后在欧洲和好莱坞执导并主

演《奥赛罗》(1952)、《阿卡汀先生》(1955)、《罪恶的接触》(1958)、《审判》(1962)和《午夜钟声》(1966)等。1975 年他一手编写、执导并主演《F 是伪造》。他还在《简·爱》(1944)、《第三人》(1949)、《第二十二条军规》(1970)等影片中扮演角色,并主演过《奥赛罗》(1951,伦敦)和《李尔王》(1956,纽约)等舞台剧。

Wellesley 韦尔斯利 美国马萨诸塞州东部诺福克县城镇。位于波士顿西面。1763 年创建,1881 年设建制。19 世纪末期发展起工业。城市特点及其发展主要受韦尔斯利学院(1871)的影响。现主要为住宅区。与波士顿通伍斯特大道。设有巴布森学院(1919)、马萨诸塞湾社区学院和其他几所私立寄宿学院。面积 26 平方千米。人口26 613(2000)。

Wellesley, Arthur 韦尔斯利 参阅 Wellington, Arthur, Wellesley 1st duke of 威灵顿公爵(第一)。

Wellesley (of Norragh), Richard Colley Wellesley, Marquess 韦尔斯利侯爵(1760-06-20,爱尔兰米斯郡丹甘~1842-09-26,伦敦) Wellesley 又拼 Wesley。又称莫宁顿伯

伦敦国立肖像画陈列馆供图

爵(第二)。英国政治家。任马德拉斯邦督和孟加拉总督(均为 1797 ~ 1805)时大大扩大了英国在印度的殖民帝国;任爱尔兰总督(1821 ~ 1828,1833 ~ 1834)时努力使严重分裂该国的新教和天主教和解。首相小威廉·皮特的信徒。曾在爱尔兰下院、爱尔兰上院和英国下院任议员,直至 1797 年。1793 年起为英国枢密顾问官和印度督察委员会委员。在印度任总督时,他用武力与外交手腕加强并扩大英国的权力。他从一些邦吞并大量领土。又同其他邦缔结一系列"军费补助联盟",各方均承认英国的支配地位。1797 年封男爵;1799 年成为爱尔兰贵族,封侯爵。1805 年被召回英国。1809 年去西班牙,为进行半岛战争作外交准备。同年晚些时候任外交大臣。1812 年辞职。后两度任爱尔兰总督。1835 年辉格党当权后,未再派他去爱尔兰。

Wellesley Islands 韦尔斯利群岛 澳大利亚昆士兰州西北部卡奔塔里亚湾内岛群。岛上多岩石或多沙,遍布灌木丛,外缘有红树林。分为两个岛群。最大岛屿莫宁顿岛 250 平方英里(648 平方千米)位于最北部,有飞机场。南部诸岛中本廷克岛最大(59 平方英里)。

Wellesz, Egon (Joseph) 韦莱斯(1885-10-21,奥地利维也纳~1974-11-09,英国牛津郡牛津) 奥地利作曲家、音乐学家。被誉为拜占廷音乐的权威,音乐学师从 G. 阿德勒,作曲师从勋伯格。原执教于维也纳大学(1930 ~ 1938),后定居英格兰(1939),成为牛津大学一位有影响的教师。其学术性研究为他奠定了在音乐学历史中的重要地位。虽受勋伯格 12 音技巧影响,却仍保持调性作为作品的塑造力,写有歌剧、芭蕾舞剧、9 部交响曲、室内乐和罗马天主教教会音乐。

Wellfleet 韦尔弗利特 美国马萨诸塞州巴恩斯特布尔县城镇。位于科特角北端附近,在普罗温斯敦东南偏南 19 千米处。约 1724 年始有人定居;1763 年设建制;19 世纪成为出名渔港,1830 ~ 1870 年实际垄断了新英格兰地区的牡蛎业。该镇现仍有渔业,但主要依靠夏季大规模的旅游业。附近有韦尔弗利特湾野生动物禁猎区。南韦尔弗利特村有美国第一座横越大西洋的无线电台(1901)遗迹。人口2 749(2000)。

Wellhausen, Julius 韦尔豪森(1844-05-17,汉诺威哈默尔恩[德国]~1918-01-07,德国格丁根) 德国圣经学者。以对"五经"的结构和成书时代的分析而闻名。就学于格丁根大学并一度在该校执教。1872 年任格赖夫斯瓦尔德大学《旧约》教授,10 年后因为在学术问题上与上级发生冲突而辞职。其后先后执教于几个大学,1892 年重返格丁根大学任职终生。他在若干种主要著作中提出:"五经"即《旧约》前五卷并非摩西所著,而是汇集口传材料而成,这些口传材料是逐渐从游牧民族宗教教义中产生,其发展顺序是从先知书到律法书,而不是如《旧约》所示从律法书到先知书。他对《新约》的研究,特别是他所提出《马可福音》较之假定中的 Q 来源更可能是《马太福音》和《路加福音》的依据的说法,不如他的《旧约》研究那样普遍为人所接受。

Wellingborough 韦灵伯勒 英格兰北安普敦行政、历史郡一区。中世纪时韦灵伯勒是一集市城镇。1738 年大火后,重建于现今山丘上的城北。韦灵伯勒学校建于 1595 年,是由一个被抑制的中世纪公会提供财源的。现有制革、磨粉、酿酒及其他各种轻工业。面积 163 平方千米。人口约72 530(2001)。

Wellington 惠灵顿 澳大利亚新南威尔士州中东部城镇。在麦夸里河和贝尔河汇合处。为附近牛、羊、水果、蔬菜和蘑菇产区的服务中心。有锯木、面粉、乳品加工等工厂,生产农业机械和推土机。附近有麦夸里河的巴仑东水坝和惠灵顿石灰岩山洞。人口9 197(1991)。

Wellington 惠灵顿 英格兰萨默塞特行政、历史郡汤顿迪恩区一城镇(堂区)。在汤顿西南偏西。第一位惠灵顿公爵、滑铁卢之战(1815)获胜者 A. 韦尔斯利的爵号即由此镇而来。镇附近的布莱克当丘陵上建有他的纪念碑。山脚下有惠灵顿学校,建于1841年。人口12 300(1998)。

Wellington 惠灵顿 新西兰北岛最南头的地方行政区,面积1 379平方千米,包括国家首都惠灵顿、下哈特、上哈特及波里鲁阿 4 城市。宽阔的哈特河谷地,曾是奶牛场及园艺业所在地,自 20 世纪 50 年代以来成了惠灵顿城市的大部分扩展地,但行政区的北部还有不少空旷的农地,惠灵顿城区的一些居民也在塔斯曼海的卡皮蒂岛沿岸开辟了海滨住宅。人口427 542(2001)。

Wellington 惠灵顿 新西兰首都、港口和主要商业中心。在北岛最南部。临尼科尔森港湾(世界最优良港湾之一)。市中心附近有维多利亚峰(196米)。1839年由新西兰公司

惠灵顿市的港湾

供图:New Zealand National Publicity

建第一个居民点。1840 年以第一任惠灵顿公爵的名字命名,以纪念他对该公司的帮助。1865年中央政府由奥克兰迁此。为全国交通运输中心,铁路、公路可通北岛各地,轮渡通南岛的皮克顿。惠灵顿国际机场也是国内航空网中心。港口经营国内外运输业。进口石油产品、汽车、矿石等;出口肉类、木材制品、乳品、羊毛和水果。经济以服务业为基础,主要有金融、商业服务和政府行政管理。还是地区卫生保健和教育中心。旅游业也十分重要。有电影业。尽管制造业在 20 世纪 80 年代已经萎缩,但该地区仍有印刷业和化学药品、塑料、机械制造业。为政府各部所在地。名胜有国家美术馆、议会大厦、中央图书馆、惠灵顿维多利亚大学、圣公会大教堂和 1876 年建的旧政府大厦(世界最大的木结构建筑之一)等。国家芭蕾舞和交响乐团最早在这里成立。人口:城市 159 845(1996);城市区 427 545(2001)。

Wellington, Arthur Wellesley, 1st Duke of 威灵顿公爵(第一)(1769-05-01,爱尔兰都柏林~1852-09-14,英格兰肯特沃尔默堡) 别名"铁公爵"。拿破仑战争期间的英军统帅,后任英国首相(1828 ~ 1830)。曾经两次红极一时,中间有一段时间声名狼藉。由于在滑铁卢击败拿破仑,他成为世界征服者的征服者。滑铁卢战役后,他参加一个采取镇压政策的政府,抵制宪政改革所受的压力。但是,他无论在战场上或国会中都不曾因狂

伦敦国家美术陈列馆供图

妄自大而不知急流勇退。为了祖国的利益，他支持自己并不赞成的一些政策。到老年时，他被敬奉为盖世无双的公仆——“大公”。死后世间刮起翻案风。他被贬为胆小如鼠的将军，一度又说他是19世纪英国最坏的首相。现在普遍称赞他的军事天才以及作为一个诚实和无私的政治家不为巨大威望所累的高贵品德。

早年生活 亚瑟·韦斯利(1798年起称韦尔斯利)是莫宁顿伯爵(第一)的第5子。家人见他过分内向、在伊顿公学就读没有什么好处，便把他送往法国的一所军事学院学习。用他寡母的话来说，他“只能去当炮灰，干不了别的事”。他18岁从军，给爱尔兰总督当副官。后袭他家代表特里姆的席位，1790～1797年任爱尔兰议员。24岁时，虽然欠债，他还是向凯瑟琳(吉蒂)·帕克纳姆求婚，但遭拒绝。亚瑟放弃了一掷千金的赌博，集中精力从事自己的事业。他花钱在第33步兵团买了个中校军衔，1794～1795年在法兰德斯服役，从长官们的失误中汲取经验。由于未能求得文职，1796年自愿被派往印度。

在印度，他采取一种养生之道，即节制饮食和乐天知命。由于长兄理查前来当总督，他得以发挥自己的才能。他指挥一个师进攻迈索尔的提普·苏丹，后任迈索尔总督(1799)和对马拉塔人作战的总司令。因为接连获胜，特别是阿瑟耶大捷(1803)，由他亲自谈判订立了和约。他日后在欧洲各战场上所显示出来的一切取胜的特质都是在印度培养出来的，包括能决断，有常识，注意细节；爱护士兵，注意给养；与老百姓保持良好关系。后来拿破仑把他全盘否定，说他只是一个“印度将军”，那是够愚蠢的。1805年，韦尔斯利受封爵士后返回英格兰。

韦尔斯利的新差事是令人失望的：他率驻黑斯廷斯的一个旅远征汉诺威，以失败而告终。但是，他觉得哪里有需要他去尽的义务他就必须去。一个义务是在1806年同他那位春花凋谢的吉蒂结婚；另一个义务是进入议会，以便驳斥激进派对他哥哥在印度的政绩的攻击。他以托利党人身份在爱尔兰呆了两年，任首席秘书。在为期很短的对哥本哈根的军事远征(1807)中，幸运得很，他打败了丹麦一小股军队。1808年葡萄牙人起来反对拿破仑时，韦尔斯利奉命前去支援。

在拿破仑战争中的胜利 韦尔斯利不打算“战争还未开始就输掉一半”——这是拿破仑的霸权对欧洲大陆各国军队的通常效果。他希望以“坚如磐石的军队”，阻挡住法军的攻击。他所统率的英国步兵“浅红队列”在维梅鲁确实击败了A.朱诺将军的纵队(8月21日)，但是来了两名英国高级军官，因为他们愿意签订不得人心的《辛特拉条约》，就下令不准乘胜追击，这样一来，朱诺的军队便得以平安回国。由于群情激昂，韦尔斯利和他的几个同僚被送上军事法庭。虽然宣判无罪，韦尔斯利还是返回爱尔兰任首席秘书。但是，在英军从西班牙撤退之后，他认为仍能守住葡萄牙，1809年要求政府让他带兵重新开战，这是对欧洲极为重要的一个决定。他在里斯本登陆，奇袭N.-J.de D.苏尔特元帅，攻占波尔图，把法军赶回西班牙。英西联军虽然在塔拉韦拉获胜(7月27至28日)，但向马德里进攻却失败了。尽管由于发动攻势得个贵族头衔，但这位威灵顿子爵却带领在人数上大大处于劣势的部队退回葡萄牙基地，而在撤退途中于1810年9月27日在布萨科击败A.马塞纳元帅。他曾秘密构筑横跨里斯本半岛的著名的“托里什韦德拉什防线”。马塞纳撤出葡萄牙(1811年春)和在丰特斯-德奥尼奥罗的败北(5月3至5日)雄辩地说明威灵顿的防守焦土政策是正确的，使得部下对他的信赖更加坚定。他的士兵管他叫“大鼻子”，他的军官管他叫“花花公子”。给他起这样的绰号是因为他身材细长，达5英尺9英寸；他喜爱穿剪裁合体的便服；他的棕色头发是波浪式的；眼睛又亮又蓝。

他那逐渐壮大起来的队伍，直到1812年才有足够力量攻占西班牙要塞罗德里戈城和巴达霍斯。7月22日在萨拉曼卡击败“4万名法军仅用40分钟”之后，他进入马德里(8月12日)。由于围攻布尔戈斯未果，他的军队再次撤回葡萄牙，1813年5月从这里出发，最后一次向西班牙进军。他率兵急速横跨半岛之后，在维多利亚把法军逼入绝境，击溃敌军，并缴获他们的全部辎重(6月21日)。对于胜利者来说，这种耀眼的战利品实在太多了，他们竟然容许法军逃进比利牛斯山，当时威灵顿公开斥责他那喝得醉醺醺的部队“像粪土一样不值钱”。维多利亚大捷鼓舞了欧洲反拿破仑联盟，苏尔特在比利牛斯山初战告捷也未能阻止威灵顿攻占圣塞瓦斯蒂安和潘普洛纳。在旱季来临时，威灵顿侵入法国，跨过一道道河上防线，直至1814年4月10日攻入图卢兹，才结束了半岛战争。(4天前拿破仑已经退位。)当时他已经是侯爵和陆军元帅，这回又受封公爵，由国家赐给50万英磅，后又赐给他汉普郡的斯特拉特费尔德-萨耶，以保持他的地位。

当拿破仑流放厄尔巴岛时，威灵顿被任命为驻复辟的波旁王朝路易十八宫廷的大使。1815年2月他代替外交大臣卡斯尔雷子爵出席维也纳会议，但代表们还未能结束调停争端的工作，拿破仑便已从海岛逃走，3月1日登陆法国，开始他的百日统治。威灵顿以及普鲁士陆军元帅布吕歇尔6月18日在滑铁卢的胜利使“公爵”成为欧洲最著名的——即使不是最喜气洋洋的——英雄。“我向上帝祈祷，希望我今后不再打仗。”他为阵亡将士一边流泪一边说：“老打仗是一件很坏的事情。”他的希望实现了。作为驻法占领军总司令，他反对签订惩罚性的和约，组织贷款以解救法国的财政，并提出在3年后撤出占领军。由于这几项政策，他赢得和会的感激，1818年带着6个外国授予的司令杖(陆军元帅的标志)回国。

在内阁中的作用 威灵顿在国外的经历使他永远无法成为一个党派政治家。他虽然加入利物浦伯爵的托利党内阁担任军械总监，但不因此就反对此后的辉格党政府。他说：“派别斗争极大损害国家的利益。”当曼彻斯特举行要求议会改革的示威而发生彼得卢大屠杀，以及出现企图谋杀内阁成员的加图街大阴谋时，滑铁卢战役后的公众不满情绪已经沸腾，这时，威灵顿更加贴近了维护法律和秩序的党。1822年颇孚众望的G.坎宁继卡斯尔雷子爵任外交大臣。尽管坎宁反对和会的体系，威灵顿却亲自驳回乔治四世对坎宁的个人反对意见，而相信时至今日，和会的体系已经稳如磐石，不可动摇。当坎宁收回英国对欧洲的一切承诺时，威灵顿唯有痛苦自责。1822年召开维罗纳会议时，他极力平息欧洲各盟国之间的争端未果，1826年在俄国又未完成外交使命，这两次失败更增加了他的苦恼。威灵顿是一个直言不讳的人，他不适合于执行坎宁的狡猾政策，但是在国外人们却认为他为人诚实，受到尊敬。

1825年，威灵顿转向爱尔兰问题，归纳为这样一个左右为难但必须着手解决的基本矛盾：只有允许天主教徒参加议会的要求，即所谓的天主教解放，才能结束政治性的暴力行动；但必须保持新教作为国教的优越地位。他私下研究一种解决方案，认为罗马教皇必须与英国君主订立协约，最低限度要保证不准天主教神职人员滋事，以此作为他们“解放”的先决条件。但是，当坎宁这位不合格的解放者于1827年4月出任首相的时候，威灵顿感觉到新教的优越地位已经岌岌可危了。他和R.皮尔带领一大批人退出政府。他还辞去统率军队的职务。这一行动被解释为对国王选择他的对手当首相表示不满。在否定这种议论时，威灵顿脱口而出说：他只是一个军人，如果认为自己适合当首相，那简直“比发疯还要糟”。同年8月坎宁去世后，他重掌军务。不到5个月，坎宁的继任者戈德里奇子爵即挂冠而去；1828年1月9日，英王召见威灵顿公爵。

首相时代 这位公爵的目标是通过重新统一托利党来缔造一个强大的和力量均衡的政府。他并非情愿地再次辞去总司令一职，邀请以W.赫斯基森为首的坎宁派出山，而抛开了托利党极端分子，因为他们同自己的温和政策水火不相容。对于右翼如此敬而远之，左翼又开始发生了矛盾。反对派要求大规模的改革，而赫斯基森集团则表示同情。公爵明智地作出让步，首先是教会问题，他亲自修订宣告非国教徒有罪的《宗教考查法》和《社团法》；其次是《谷物法》(禁止输入外国低价粮食)问题，他实行了比他本人和农业利益所希望的更开明的改革。但是不久以后，他在议会改革问题上与赫斯基森派发生正面冲突；5月，该派总辞职。紧接着出现了另一场危机：在爱尔兰克莱尔郡的补缺选举期间，继赫斯基森的大臣职的W.维齐-菲茨杰拉德

极力保持他在议会中的席位，却被爱尔兰的天主教领袖 D. 奥康内尔击败。维齐-菲茨杰拉德本是一位赫赫有名的亲天主教人士，他的落选给公爵敲了一下警钟：只要不给予“解放”，任何托利党人休想在南爱尔兰获胜。大有发生内战的可能性。1828 年 8 月，威灵顿遂承担起他戎马一生棘手的政治职责，劝说乔治四世、现为下院领袖的皮尔、以及大多托利党人同意天主教徒解放，这些人过去一直认为此项改革无异于革出教门。经过半年艰难的秘室商谈，最终取得国王的首肯。皮尔的立场也同样令人棘手。他是个公开声明的新教徒，因而坚持一种想法：只有让他当后座议员，才能支持“解放”。但是，威灵顿的耐性和皮尔的豪爽终于占了上风，皮尔同意继续领导下院。托利党的一些极端分子来了个“一百八十度大转弯”，公然违抗威灵顿的最后命令，但是该党大多数人则表示服从。因此，在 1829 年 4 月，尽管托利党已经分裂，天主教解放还是成为了法律，这是公爵在政治上最伟大的胜利，此外出一场闹剧：他与口出不逊的托利党极端分子温奇尔西伯爵来了一场决斗。

有时，人们批评威灵顿没有定见。现在看起来，他只不过是秘而不宣，不愿过早地公开他的想法。他要进行某种形式的“解放”的愿望可能在 1825 年左右已经十分明显了。

人们对于进一步实行改革的要求，已经受到威灵顿本人的成就的鼓舞，由于 1829～1830 年度的农村饥馑而如火如荼；辉格党领袖格雷伯爵（第二）即 C. 格雷则趁机掀起国会改革的新浪潮，其方案是允许伯明翰那样的工业都市在议会中有代表，以代替贵族和士绅私人操纵的选区。当 1830 年乔治四世去世而由威廉四世继位后举行大选时，就有了对威灵顿在贫困和失业问题上的听天由命态度表示不满的机会。同年的法国资产阶级革命（七月革命）大大鼓舞了英国的改革派。虽然威灵顿的内阁继续存在，但已经软弱无力，而赫斯基森的突然死亡又破坏了暂时性的和解计划。威灵顿认为议会改革不是一种灵丹妙药，而是立宪制度的自戕。他在议会召开的两个星期以前给一位朋友写信斥责改革是破坏性的，并表示他反对改革的决心决不改变。11 月 2 日他发表一篇坚决反对任何改革的宣言，使得议会大吃一惊。改革派同报仇心切的托利党极端分子纠合一起，15 日将他击败。次日，皮尔迫使他辞职。

作为一名军人，威灵顿曾经表现出神奇的才能，能猜出“山的另一边”存在什么东西。然而，由于缺乏政治想象力，他认为改革的“山的另一边”是革命——“采取正当法律手续的革命”。由于这种错误看法，他理所当然地被称为反动派。

晚年　这位公爵虽然在野，但继续反对格雷要使上院通过改革法案的企图。威灵顿的窗户两次被激进的暴徒捣毁，他的铁百叶窗有助于塑造一位“铁公爵”的形象。重大的斗争在 1832 年 5 月的危机时达到最高潮，眼看要产生法国七月革命那样的结局。国王拒绝册封足够的新贵族以战胜敌对的上院议员，格雷辞职了，威灵顿拼凑一个可供替代的政府班子没有成功。面对混乱不堪的局面，威灵顿依然反对改革，然后为了国家利益而撤退，劝说他的追随者在 6 月改革法案成为法律之前与他一同不出席议会。然而，在“滑铁卢日”，他受到愤怒民众的袭击。“选择一个奇特的日子”，他只讲了这么一句话。

公爵的弃权拯救了上议院，在他领导上院托利党期间，他继续控制他们不与下议院发生灾难性的冲突。只要有可能，他就支持国王的政府。1834 年，威廉四世以政变方式解散辉格党，召请公爵组阁；但是 65 岁的公爵回答说：应该任皮尔为首相。对一个政坛人物来说，此种让贤的举动是最罕见的，因而受到人们交口称赞。他在皮尔内阁中担任外交大臣（1834～1835）和不管部大臣（1841～1846）。他还担任牛津大学名誉校长、伦敦塔总管、汉普郡治安长官和领港协会主持会员之一（后为会长）。另外，维多利亚女王尊之若父。他犯了一个错误，就是在余生的 10 年中一直担任军队的总司令，因为他已不再实施后来迫切需要的各项改革。但是，当宪章派即将起事的时候，由于他的冷静处理，防止了任何骚乱行动。他在 1848 年显示的旧本领又重演了一番。由于他再一次命令上院议员“向后转”（这回是就《谷物法》问题），他得以使皮尔将此法废除。1846 年后，威灵顿退出公职生活，但仍向各派提供咨询意见。海德公园街角的阿普斯利府是他的城内公馆，人称“伦敦 1 号”。作为五港同盟的总监，他在自己喜爱的住所沃尔默城堡，于 1852 年 9 月 14 日因中风去世。死后举行盛大国葬，这是英国最后一次显示各种纹章的葬礼。他下葬在圣保罗大教堂内。

私生活　公爵一再使用“国王和人民的忠实仆人”以及诸如此类的词句来形容他本人，这些词句恰如其分地表达出他主要受到尊敬的一心奉公精神。在服装和通信方面的许多有趣的个人特点，再加上对答如流的机敏天才，使得他不但是个英雄，而且是个“名角”。他对一个敲诈勒索者的著名回答是：“你公开发表好啦！”他的婚姻不太美满，吉蒂既过分疑虑又极端崇拜他，她于 1831 年 4 月 24 日去世。他有两个儿子，大儿子编辑了他的最后“消息”，二儿子的几个孩子他很钟爱，正如他对所有的儿童一样。他与 H. 阿巴思诺特（查理之妻）、A. 乔吉娜、伯德特-库茨以及其他一些女人的热烈友情，表明他如果同一个聪明的女子结合是可以幸福美满的。不过，在他部下的军人大家庭的同志爱中，他可能是一位最最幸福者。有些近代历史学家反对“铁公爵”的谥号，理由很充分，因为他既不冷酷，又非铁石心肠。然而，他本人倒是往往以严格维护纪律自夸。在他喜欢讲的一句格言“我只是个堂堂男子汉”中，表现出他那打动人心的坦率真诚和毫不浮夸的纯朴天性。

Wellington Harbour（New Zealand）　**惠灵顿港**　参阅 **Port Nicholson** *尼科尔森港*。

Wellman, William（Augustus）　**韦尔曼**（1896-02-29，美国马萨诸塞布鲁克莱恩～1975-12-09，洛杉矶）　美国电影导演。在他执导的 80 多部影片，其中包括纪录性现实主义的好莱坞经典影片。中学时辍学做职业曲棍球手。1917 年志愿赴法担任救护工作，不久参加法国空军，在战斗飞行中被击落。他回美后在波士顿开始从事商业。和老范朋克一道出演无声影片《纽约人勃克罗》（1919）。从 20 年代以后为好莱坞几家制片公司导演影片，有时也担任制片。他的经典性的空战影片《翅膀》（1929）反映出他毕生对飞行的兴趣，并为纪录性现实主义影片树立了楷模。该片获得该年度第一次颁发的奥斯卡最佳影片奖。他的影片还有《公敌》（1931）、《一个明星的诞生》（1937）、《美好姿态》（1939）、《黄牛惨案》（1942）、《美国大兵的故事》（1945）、《至高无上》（1954）等。他在拍摄关于他在第一次世界大战时所在的飞行队的《拉斐叶飞行队》（1958）后引退。

Wells　**韦尔斯**　英格兰萨默塞特行政、历史郡门迪普区城市。位于门迪普丘陵脚下。909 年成为主教区中心。12 世纪开始建大教堂。1201年获建市特许状。是英国典型的以

韦尔斯市大教堂的西面

供图：A. F. Kersting

教堂为中心的城市，受现代工业和现代化影响较小。现仍是一个不大的服务中心，市场和商店在辉煌的大教堂附近，未免相形见绌。经常有旅游者参观大教堂。人口9 763（1991）。

Wells, Carolyn　**韦尔斯**（1862-06-18，美国新泽西罗韦～1942-03-26，纽约州纽约）　多产的美国作家，主要写作推理小说、儿童读物和幽默诗。靠早年养成的如饥似渴的阅读习惯补充她的正规教育。完成学业之后，曾在拉韦图书馆协会当图书管理员若干年。对纵横字谜的热爱导致她写出第一本书《在狮身人面像标志旁》（1896），是一部字谜游戏集。后来又先后写出《短诗集》（1899）、《贝蒂的故事》（1899，为女孩写的系列小说的第一部）以及《无聊田园诗》（1900，一本成人诗集）。从 1900 年起，开始全身心地创作文学作品，在以后的 40 年间写了大量作品，大约 170 本书分属不同体裁：儿童故事、推理和侦探小说、诗歌选集以及幽默和荒谬逗乐的作品。其作品包括《帕蒂·费尔菲尔德》（1901，为女孩写的第二个系列小说的第一部）、《打油诗集》（1902，她最知名的作品之一）、《赛车鲁拜集》（1906）、《马乔里的假日》（1907，另一系列小说的首部）、《一连串证据》（1912）、《马克斯韦尔神秘故事》（1913）等。自传《我的余生》出版于 1937 年。韦尔斯尤以幽默见长，经常写打油诗和随心所欲的短文，投稿给一些不知名的杂志。

Wells, Charles Jeremiah 韦尔斯(1800?,伦敦～1879-02-17,法国马赛) 英国作家。其著作《约瑟和他的兄弟们》(1823),是一首仿伊丽莎白时代剧作家风格的诗剧,受到罗塞

供图:London Borough of Camden, Collections at Keats House, Hampstead, London

蒂和斯温伯恩的称赞后,在拉斐尔前派作家及其信徒中极受欢迎。韦尔斯青年时代参加济慈的文学团体。因厌倦和身体欠佳而放弃律师生涯并于1840年离开英国前往法国,在布列塔尼教授英语,最后定居马赛。

Wells, David Ames 韦尔斯(1828-06-17,美国马萨诸塞斯普林菲尔德～1898-11-05,康涅狄格诺威奇) 美国有名望的科学和经济学著作家。威廉斯学院毕业(1847),后在劳伦斯理学院的阿加西兹指导下研读。1864年发表关于国家债务的《我们的负担和力量》一文,大大激发了美国有能力偿还内战期间巨大债务的自信心。因此,1865年被任命国家税收委员会主席。在任期间,主要负责建立了美国统计局并为美国进行科学征税奠定了基础。内战以后他反对人民党,极力拥护保守货币政策。他终身为自由贸易和自由放任政策辩护,强调近代技术的高速度发展,认为经济危机通常是由于生产能力过剩造成的。主要经济著作有:《税务专员的报告》(1866～1869)、《现代经济变化》(1889)和遗著《税收的理论与实践》(1900)。

Wells, Emmeline Blanche Woodward 韦尔斯(1828-02-29,美国马萨诸塞彼得舍姆～1921-04-25,犹他盐湖城) 婚前名Emmeline Blanche Woodward。美国宗教领导人和女权主义者,她利用在摩门教出版物《妇女倡导者》的编辑职权,大力争取妇女选举权。1842年她随守寡的母亲皈依摩门教。1844年她与第一任丈夫一起搬到伊利诺伊州诺伍的摩门教徒居住地。1845年被丈夫抛弃,那年晚些时候在B.扬履行的一个仪式上,她成为该摩门教团体主教N.K.惠特尼的妻子之一。她随同这个重要的摩门教团体西行来到"德瑟雷特"(今犹他州),1852年,即主教惠特尼去世两年之后,她嫁给了摩门教高官D.H.韦尔斯,成为他的第7个妻子。干了10年家务后,她活跃于有影响的救济社,1873年开始给该社的双月刊《妇女倡导者》撰稿,1877年成为该刊物的主编。1874年当选为全国妇女选举权协会副主席。1878年被提名犹他州盐湖城的财务主管,但因地方法律而禁止参选。19世纪80年代中期,当美国国会威胁要撤销1870年由地方立法机构通过的犹他州妇女选举法时,韦尔斯把《妇女倡导者》刊物变成捍卫妇女的有力手段。她花了数月时间在华盛顿哥伦比亚特区游说(1885～1886)。但是她的努力未能成功,1887年妇女选举权被撤销。1889年1月她带头创办犹他州妇女选举权协会,并通过该组织发起运动,于1896年成功恢复犹他州妇女的选举权。1896年出版她的诗集《沉思与记忆》。她还是流行的摩门教圣歌《我们的山间家园如此美好》的词作者。她继续编辑《妇女倡导者》,直到1914年该刊物被《救济协会杂志》所取代。

Wells, H(erbert) G(eorge) 威尔斯(1866-09-21,英国肯特布罗姆利～1946-08-13,伦敦) 英国小说家、记者、社会学家和历史学家,以科幻小说《时间机器》、《星际战争》和喜

供图:© Karsh—Woodfin Camp and Associates

剧小说《托诺-邦盖》、《波里先生的历史》著称。家仆出身的小商店主的儿子。由于家境清贫,14岁便开始当布店学徒,17岁在米德赫斯特文法学校当看门人。18岁时获奖学金人在伦敦南肯辛顿的理科师范学院(后来的皇家学院)学习生物学,T.H.赫胥黎是他在该校的老师之一。1888年毕业于伦敦大学,成为一名自然学科教师。最早出版的著作是《生物学教本》(1893)。1895年出版的《时间机器》使他一举成名。随后又发表一系列科幻小说,包括最著名的《星际战争》(1898)。在这些作品里,他预言了科学创造发明提供的机会,并提出关于其危险性的警告。威尔斯第二个时期的作品从预言未来转向改造现实。这时期的著名作品中有《基普斯》(1905)、《托诺-邦盖》(1909)、《波里先生的历史》(1901)和《勃列特林先生看穿了它》(1916)。

1903年他由于发表《机械和科学发展对人类生活和思想可能产生的作用》,被邀参加费边社。他同费边社成员的交往,同萧伯纳和韦伯夫妇争夺领导权的斗争,他关于性自由的主张对费边社知识分子的震动,以及他对富裕阶层知识分子的不满等,在《安·维罗尼卡》(1909)、《新马奇厄维里》(1911)两部小说中均有所描述。第一次世界大战爆发时,威尔斯正和女小说家雷蓓卡·韦斯特相爱,这时期他写了幽默的讽刺小说《布里特林先生》和《恩惠》。战后威尔斯看到各国政治家未能实现正义的和平,曾寄希望于国际联盟,并企图用作品唤起人们重视世界秩序不稳定的危险。1920年发表100万字的《世界史纲》。他还同其他人合作撰写了《生命的科学》(1929～1930)和《人类的劳动、财富和幸福》(1932)。30年代,威尔斯投身政治,曾分别会晤罗斯福与斯大林,企图寻求解决国家资本主义和私人资本主义严重分裂的办法。威尔斯生前被认为是对未来的预言家和社会改革家。现代评论家则认为他主要是有创造性的艺术家,认为他后期的作品对未来持勉强的乐观主义,实际上同他根本的悲观世界观是直接矛盾的。威尔斯给英国小说带来新的活力,也使人们认识到20世纪技术世界的危险与希望——他在这两方面的成就都是不可低估的。

Wells, Henry 韦尔斯(1805-12-12,美国佛蒙特塞特福德～1878-12-10,苏格兰格拉斯哥) 美国捷运业先驱,美国运通公司和韦尔斯-法戈公司创办人之一。作过纽约州奥尔巴尼的哈恩登捷运公司代理人,然后创办利文斯顿-韦尔斯-波默罗伊捷运公司,取得丰富经验。1850年他领导合并几条线路成为美国运通公司,主管业务18年。为了给日益发

旧金山市韦尔斯-法戈银行供图

达的西部服务,1852年与法戈组织韦尔斯-法戈公司。1868年在纽约州奥罗拉建立韦尔斯女子学校(后为韦尔斯女子学院)并向为口吃者设立的学校捐款。

Wells, Horace 韦尔斯(1815-01-21,美国佛蒙特哈特福德～1848-01-24,纽约州纽约) 美国牙科医生,应用外科麻醉的创始人。在哈特福德行医期间,从一次笑气巡回表演中

供图:Boyer—H. Roger-Viollet

注意到一氧化氮(笑气)有止痛作用,于是就用它来施行无痛的牙科手术。1845年1月获准在马萨诸塞州综合医院表演这种麻醉方法,但因笑气对该患者毫未生效,结果使他受

人讥笑。当他的前同事W. 莫顿于1846年10月用乙醚麻醉成功后,他就开始用一氧化氮、乙醚、氯仿及其他化学药品进行广泛的自身实验,以比较各药的麻醉性能。由于经常吸入这些化学药品的蒸气,人格上发生了极大的变化,终因在纽约市向过路人抛洒酸类物品而遭监禁。就在巴黎医学会公开宣布他是麻醉气体的发现者的同时,他却在一间牢房里自尽身亡。

Wells-Barnett, Ida Bell　韦尔斯-巴尼特 (1862-07-16,美国密西西比霍利斯普林斯～1931-03-25,伊利诺伊芝加哥)　母家姓Wells。美国黑人记者,19世纪90年代曾在美国领导

芝加哥历史学会供图

一项反对私刑的运动。出身于奴隶之家,原系密西西比与田纳西州乡间教师;19世纪80年代末期转而从事新闻事业。以笔名艾奥拉为黑人经营的报纸写文章,论述黑人儿童教育等问题。1892年成为《孟斐斯自由言论报》的共有者;同年稍后,她在社论中谴责3个朋友遭受私刑之后,报社遂被当地白人群众袭击与破坏。韦尔斯大无畏地开始在美国南方调查对黑人施加私刑的情况。她认为私刑并非源自对白人妇女的保卫,而是源自白人对黑人参加经济竞争的畏惧。后来她遍游美、英两国,发表讲演,建立反对私刑协会与黑人妇女俱乐部。1893年她在芝加哥建成一所黑人妇女俱乐部,1895年与《芝加哥管理者报》编辑兼律师巴尼特结婚。1910年她又创建芝加哥黑人联谊会,该会帮助由南方新来的移民。她又是一位女权倡导者,创建了可能是历史上第一个黑人妇女参政团体,名为芝加哥第一参政俱乐部。她在《红色的记录》(1895)中,发表了关于私刑的首批记事中的一篇;其自传《为正义而战》在1970年她去世后多年才出版。

Wells Fargo　韦尔斯法戈公司　美国金融服务公司,在很多州设有银行,特别是西部。最早公司由H.韦尔斯(1805～1878)和W.G.法戈(1818～1881)创办,在此之前,他们创建了美国运通公司。受加利福尼亚淘金热的推动,他们与其他投资者组建了韦尔斯-法戈公司来管理银行和捷运业务。在加利福尼亚,公司还从事金粉、金条、硬币和其他货物从西部到东部海岸(经由巴拿马地峡)的买卖和载运。1855年之后的10年间,公司还扩展业务,从事从密苏里和中西部到洛矶山脉和遥远西部的陆路分段运输。1866年的一次大合并将西部几乎所有的驿站马车线路都冠以韦尔斯法戈之名。但在1869年第一条横贯大陆的铁路建成后,驿站马车业务逐渐衰落。1905年加利福尼亚的韦尔斯法戈银行业务从它的捷运业务中分离出来,并和内华达国家银行(1875)组成韦尔斯法戈—内华达国家银行。1923年,这家银行同联邦信托公司(1893)组成韦尔斯法戈银行暨联邦信托公司,1954年名称简化为韦尔斯法戈银行。1960年又经历了一次兼并,这次是同巨大的美国信托公司(1854)组建了韦尔斯法戈银行暨美国信托公司。1968年成立了控股公司韦尔斯法戈公司,拥有韦尔斯法戈银行的全部股权。20世纪末,韦尔斯法戈银行(控股公司,总部设在旧金山)在加利福尼亚州有300多家分行,同时在全世界也有子公司、分支机构和分行。1986年,韦尔斯法戈公司以约10亿美元收购了克罗克国民公司。在接下来的10年中,与第一州际银行公司(1996)和诺威斯特公司(1998)合并。现在的韦尔斯法戈公司为美国最大的银行之一,提供的服务包括银行业务、抵押贷款、保险业务和金融服务。

其他公司也可以经授权使用韦尔斯法戈的名字。其捷运公司最终于1918年消失,它的国内业务被美国铁路捷运公司(1929年重组为铁路捷运代理有限公司,1975年破产)接管。其国外的捷运业务继续独立运营直至1924年,此时美国运通公司获得韦尔斯法戈公司的多数股权,并吸收其公司剩余的捷运业务。尽管在美国运通公司控制之下,韦尔斯法戈仍然发展安全服务业务。这些公司,连同经授权使用韦尔斯法戈之名的公司,1967年被卖给了贝克工贸有限公司。仅幸存有韦尔斯法戈防卫服务公司,包括护卫服务和警戒服务。1997年同卢米斯护卫公司合并组建了卢米斯 - 法戈公司,为塞库瑞达斯保安公司的一部分。

Wellsburg　韦尔斯堡　美国西弗吉尼亚州北部城市,布鲁克县县城(1797)。濒临俄亥俄河。南邻惠灵。1772年始建,1791年设建制为查尔斯镇,1816年用现名,以纪念其开拓者A. 韦尔斯。1887年设市。沿河有船坞和货仓。1813年建全州第一家玻璃制造厂。1829年筑起两道防洪堤。经济以工业为主,有造纸、玻璃和水泥等制造业,郊区有煤矿。人口2 891(2000)。

Wels　韦尔斯　奥地利中北部上奥地利州城市。位于林茨西南的东阿尔卑斯山山麓,濒特劳恩河。史前便有人居住。原为罗马帝国诺里库姆省会奥维拉瓦。中世纪为重要集镇。名胜古迹有市区广场上的莱德勒尔塔(1376)、市政厅(1748年重修)、哥特式教堂以及马克西米连一世皇帝1519年在此逝世的皇家城堡。为铁路枢纽和重要牲畜和谷物市场。每年举行一次博览会。生产农业机械、纺织品、食品、药物和建筑材料。人口56 515(2001)。

wels　欧鲇 (*Silurus glanis*)　又作waller。鲇科的大型贪食鱼类,原产于中欧到西亚的大河、湖泊及其他淡水水体,是最大的鲶鱼之一,也是最大的欧洲淡水鱼之一,长达约4.5

欧鲇(*Silurus glanis*)
绘图:Gilbert Emerson

米,重达300千克。体长,无鳞,体呈浅绿至浅黑色,腹部色淡,鳍色深。头大而扁,臀鳍长,背鳍小,均靠近头部。还有口须6条,上颌的2条尤长。夜间活动,捕食鱼、蛙、水鸟,偶亦以小型哺乳动物为食,是重要的食用鱼和优秀的游钓鱼。

Welsbach, Carl Auer, Freiherr von　韦耳斯拔 (1858-09-01,维也纳～1929-08-04,奥地利特赖巴赫)　又名C.奥尔。奥地利化学家和工程师。发明煤气灯罩,因而极大地提高煤气灯的发光效率。1885年他发现并从一种稀土金属混合物中离析出元素钕和镨,这种混合物以前被认为是一种元素。他对稀土元素一直很感兴趣。他发现把浸透硝酸钍和硝酸铈的混合物的织物做成煤气灯罩,用煤气火焰加热就发出很亮的光。1885年获得专利,韦耳斯拔煤气灯罩极大地改善了煤气灯的照明。以后,它虽然大部分被白炽灯代替,但仍在煤油和其他提灯上使用。1898年他首先把金属灯丝用于白炽灯,虽然他用的是金属锇,因太稀少不能普遍使用,但这为使用钨丝和现代照明灯泡铺平了道路。他也研制了铈和其他稀土的混合物,即铈合金。将它和铁化合成奥厄发火合金,这是从古以来为了形成火花首次对火石和钢所作的改进,用于卷烟的打火机和照明煤气喷嘴的撞针。

Welser FAMILY　韦尔瑟家族　德意志商人家族,15～17世纪最为著名。15世纪时,巴托洛毛斯·韦尔瑟与卢卡斯·韦尔瑟两兄弟与地中海东部及其他地区进行广泛的贸易活动,远达安特卫普、伦敦、里斯本等地,由是声名显著。卢卡斯之子安东尼(1518卒)继承祖业,取道V. 达·伽马所发现的海上航路,与东方进行贸易,是德意志航海贸易的先驱人物之一。韦尔瑟家族聚积了大量财富。安东尼之子巴托洛毛斯(1488～1561)曾以巨资借贷查理五世,并得到皇家的回报。巴托洛毛斯死后,由其三子两侄继续经营,1614年公司破产。安东尼之孙马尔库斯(1558～1614)以学识和文章称世,著述甚多,最重要者为《博伊人史略》,写有关巴伐利亚人早期的历史。

Welsh corgi　威尔士短腿狗　两个使役狗品种的统称。外观相似,但祖先不同。两个品种因杂交而趋于相似。卡迪根威尔士短腿狗因卡迪根郡而得名;其历史可追溯到约公元前1200年凯尔特人带到威尔士的狗品种。最早的类型称为布罗南特狗,与猎獾狗的祖先有关。潘布罗克威尔士短腿狗因潘布罗克郡而得名,来自佛兰芒织布工于公元1100年左右带到威尔士的狗品种,与凯斯狗,波美拉尼亚狗,萨莫耶德狗有共同的祖先。两个品种同为体小腿短,头似狐狸,耳直立。卡迪根威尔士短腿狗尾长,耳末端圆。潘布罗克威

卡迪根威尔士短腿狗

供图:Sally Anne Thompson—美国不列颠百科全书公司

尔士短腿狗尾短,耳朵尖。两个品种均能吃苦耐劳,能干,用作农场狗,伴侣狗,善于守卫。体高25～30厘米,体重7～11千克。卡迪根威尔士短腿狗的被毛中等长度,红棕色、杂色、黑色带褐棕或白色斑点,也有蓝灰色带黑色斑点的。潘布罗克威尔士短腿狗的毛质更细,浅红色、浅灰褐色,或黑色与棕黄色相间。两个类型均可有白色斑点。

Welsh language 威尔士语 威尔士语作Cymraeg。属于凯尔特语族布里索尼语支,通行于威尔士。现代威尔士语如英语一样,很少使用词尾屈折形式,而威尔士语的母语即布里索尼语支的不列颠语,却曾是像拉丁语一样的屈折语,用词尾标示诸如名词的格和动词时态等语法范畴。口语有几种地方方言,自威尔士王亨利·都铎(亨利七世)1485年践英国王位后,威尔士语大体上已趋消亡。现在仅操威尔士语的人已属绝无仅有。

Welsh law 威尔士法 指威尔士本地的法律。虽然从13世纪以后,它就逐渐被英国法律所取代,但它一直保存在当时的法律书籍中,这些书籍是组成中世纪威尔士散文的重要文献。威尔士法律的传统名称叫赛弗雷思·海韦尔,或称为豪厄尔的法律。尽管现在还没有发现他那时候留下来的手稿,但可以肯定,以其名字命名这些法律的威尔士国王豪厄尔(好人)(**Howel Dda**)是从事威尔士法律的某种整编工作的负责人。在威尔士最早的一份原稿是在公元1200年用拉丁文写成的,还有10多份是13世纪或14世纪初期的原稿。尽管威尔士的法律书籍也用于教学,但它都是由开业律师编纂成的。其中有少数几册似乎是用各种各样的资料随意拼凑起来的,但大多数的意图是想对法律作出完整的说明。这些"完整的"原稿分为3类,通常称之为洛沃思本、布利吉赖德本和赛夫纳思本。最早的原稿是洛沃思本,但赛夫纳思本却是威尔士发展的最初阶段的反映,此书应归功于格威内德最著名的律师家族成员——摩根诺及其子赛夫纳思。布利吉赖德本与赛夫纳思本相类似,都显示出受到教会的强烈影响。现已证明它译自一部拉丁文的法律汇编,可以和12世纪初期英格兰的所谓亨利西法相媲美。任何中世纪威尔士的法律书籍都包括几层不同的内容,其中有些条款在写的时候就已过时,有些条款属于传统资料仍然保留在现行法律中,还有些条款或多或少作了若干新的改革。例如,在洛沃思本中有关法庭的开庭部分的大部分条款(在这些条款中狩猎官员占有突出的地位,因为在英雄时代他们与那些实际上保卫王室利益的行政官员相比显得十分重要)在13世纪就已过时。而在土地法中则有详尽叙述追索土地的法律程序,这可以表明一向不按法律程序占有土地的风尚已为确定土地所有权的诉讼所取代,它和英格兰关于新占土地的法令规定相类似。最后在威尔士法的洛沃思本的最末一部分,对牲畜侵入他人土地的追偿以及对联合耕种契约的法律规定均作了十分具体的叙述。因为到了13世纪,这些规定的重要性已大大地增加了。

Welsh literary renaissance 威尔士文学复兴 18世纪中叶以威尔士和英格兰为中心的文学活动,它试图激起对威尔士语言和威尔士古典吟唱诗形式的兴趣。该运动的核心人物是刘易斯、理查德和威廉·莫里斯等威尔士学者,他们保存了古代文本并鼓励当代诗人运用威尔士古代吟唱诗人的严谨韵律,如西威德和奥德尔。其他学者还收集和抄写了吟唱诗人的手稿,为后来的学术研究打下基础。诗人G.欧文领导了一个新古典诗派,他的诗就是模仿中世纪吟唱诗人写成的。伦敦的威尔士同乡还建立了威尔士语学会作为威尔士文学研究中心,并与其他同类学术团体联合起来,鼓励恢复地方上的赛诗会。结果,在19世纪初期恢复了全国性赛诗年会。至19世纪,威尔士的艺术几乎完全由英格兰控制,复兴浪潮逐渐平息。以第一次学术研究为基础,以新建成的威尔士大学为中心的第二次复兴出现于19世纪末。

Welsh literature 威尔士文学 威尔士语作品的总称,包括从6世纪延续至今的丰富多彩和不间断的历史。威尔士文学可分为2大时期,即早期(包括中古时期)和现代。早期显然为专业吟唱诗人时代。13世纪末之前,吟唱诗人受独立的威尔士王公的庇护,此后受效忠于英格兰国王的威尔士贵族庇护。他们保留了他们复杂的诗律体系(辛哈内德)及其基本主题、颂文,但又不可避免地包括了一些新的主题,主要为爱情主题。欧洲文艺复兴、新教改革和反改革迎来了现代时期。两种宗教信仰的许多早期改革家均受文艺复兴精神的感染,渴望使威尔士语在欧洲各语言中占有其应有的地位。宗教和学术促成了威尔士文学在18世纪的复兴。威尔士人创造了反映浪漫主义运动的一个几乎全新的文学。但同时存在一个以刘易斯、理查德和威廉·莫里斯3兄弟为中心的古典主义运动,人称威尔士文学复兴。他们深爱威尔士的一切,鼓励搜集一切有文学价值的素材,包括见于手稿和在他们的同胞中口头流传的。当代威尔士文学可以说始于19世纪末期威尔士大学的建立。随着普及教育的开展而出现的改革运动的领袖是威尔士语教授和诗人J.莫里斯-琼斯。在现代威尔士文学中,各种散文体裁受到与诗歌几乎同样的重视,而戏剧则首次获得繁荣。

Welsh Nationalist Party 威尔士民族主义党 参阅 **Plaid Cymru** 威尔士党。

Welsh pony 威尔士小型马 一个身躯矮小的马品种,普遍用作儿童或成人的坐骑。在威尔士山区育成。原充煤矿役马。后引入纯血马及阿拉伯马血统而育成骑乘马。体高

威尔士小型马

供图:Sally Anne Thompson—美国不列颠百科全书公司

约12手宽(122厘米),体重225千克。多为黑色。外形优美有神,性温良、聪明、耐劳。1884年引入美国,1906年成立美国威尔士小型马协会。哈克尼小型马即用威尔士小型马母马与哈克尼马公马杂交育成。

Welsh terrier 威尔士㹴狗 一个原产于威尔士的狗品种。一直用于猎取狐狸、水獭和獾。体小,与艾尔谷㹴狗相似。善狩猎,好活动。被毛硬而卷曲,黑色和褐棕相间。体高约38厘米,体重约9千克。两眼距离较远,头形较扁,给人一种"聪明"的印象。

Welshpool 威尔士浦 威尔士语作Y Trallwng。威尔士波伊斯郡城镇。属蒙哥马利历史郡。在塞文河谷。1263年获得贸易权。因位于英格兰边界,中世纪时居民多同情英格兰人,一向以英语为主要语言。有很大的牲畜市场,也是威尔士中部广大农村地区的服务中心。12世纪建造的波伊斯堡,已在19世纪翻修一新并交与国家托管委员会保管。人口5 725(1991)。

Welt, Die 《世界报》 德国最有影响的报纸之一,在波恩作为西德首都时期在那里出版的唯一一份全国性报纸。1946年由英国占领当局在汉堡创办,是一周二刊四版的小报。发行量迅速增长,1947年达50万份(包括埃森版),1949年达100万份。1950年英国终止对该报的控制,该报由汉堡出版商A.斯普林格购下。该报一开始就倾向保守,在斯普林格领导下更趋保守。但在技术上却大力革新。到1955年该报已成为有三个印刷厂(在汉堡、柏林和埃森)的第一份德国报纸。1975年总部迁至波恩。

Welti, (Friedrich) Emil 韦尔蒂(1825-04-23,瑞士楚尔察赫～1899-02-24,伯尔尼) 瑞士政治家,主张实行联邦中央集权。原为阿尔高州最高长官(1858、1862、1866),1857年任联邦议会议员,随后任议长(1860、1866)。1866年12月选入联邦参议院,先后担任6届联邦主席(1869、1872、1876、1880、1884、1891),并历任陆军部长、邮电部长、司法部长和铁道部长。他极力主张修改宪法并开始执行改组军

队的计划(1874～1875)。

Weltschmerz 悲世 英语作world grief。浪漫主义时期在诗人中间流行的一种忧郁和悲观的情绪，其产生的原因是由于这些诗人不愿意或不能适应当时世界的现实，他们认为这种现实有损于他们对于主观的权利和个人的自由。这种现象被认为是浪漫主义的典型特征。该词是让·保尔在他的悲观主义小说《塞利纳》(1827)中创造的，用来描绘拜伦的不满情绪(特别表现于《曼弗雷德》和《恰尔德·哈罗尔德游记》中)。“悲世”的特点是对世界抱有一种虚无主义的厌恶和怀疑主义的无动于衷的观点。在法国，它被称为“世纪病”。“世纪病”在夏多布里昂、维尼和缪塞的作品中都有所表现；在俄国，它的代表是普希金和莱蒙托夫；在波兰，它的代表是斯沃瓦茨基；在美国，其代表是霍桑。

Welty, Eudora 韦尔蒂(1909-04-13，美国密西西比杰克逊～2001-07-23，密西西比杰克逊) 美国短篇和长篇小说家。她的作品大都十分精确地描写一个密西西比小城镇居民的生活，该镇与其出生地及德尔塔地区相似。曾在哥伦布市的密西西比州立女子学院、威斯康星大学和哥伦比亚大学广告学院求学。在其小说获得评论界的赞誉之前为杰克逊广播电台和报纸写稿。短篇小说集《绿色的帷幕》(1941；1979年增订)出版后，读者逐渐增多。她的长篇小说有《德尔塔婚礼》(1946)、《沉思的心》(1954)、《英尼斯福伦的新娘》(1955)、《失败的战争》(1970)、《乐天者的女儿》(1972)，后者获普利策奖。还出版有短篇小说集《大网》(1943)和《金苹果》(1949)、论文集《故事的核心》(1978)等。《尤多拉·韦尔蒂故事集》出版于1980年。她的主要主题是人际关系的复杂性。自传《一个作家的开端》于1984年出版。

Welwitschiaceae 千岁兰科 又译百岁兰科、百岁叶科。买麻藤目的一科。产于非洲西南部的沙漠。仅一属——千岁兰属(百岁兰属、百岁叶属，*Welwitschia*)，一种——千岁

千岁兰(*W. mirabilis*)
供图：Sima Eliovson

兰(百岁兰、百岁叶，*W. mirabilis* 或 *W. bainesii*)。主根深，形状似巨大的萝卜，直径为0.6～1.2米，露出地面约0.3米。茎圆锥形，基部生有一对扁宽的带状叶，顶端常残损，残余部分约长3米，终生(100年或更长)宿存。孢子叶球序轮状，鲜红色，着生于叶顶。孢子叶球基部有鳞片状苞片。小孢子叶球中央有一个不完全发育的胚珠，这颇似被子植物的两性花。

Welwyn Garden City 韦林花园城 英格兰赫特福德行政、历史郡韦林哈特菲尔德区的新城镇。南邻伦敦。1920年建立，计划中建成既有工业又有舒适居住条件城镇，铁路干线两侧有许多轻工业工厂，但许多居民在37千米以外的伦敦工作。第二次世界大战后发展迅速。人口：韦林花园城42 087；韦林城市区55 964(1991)。

Welwyn Hatfield 韦林哈特菲尔德 英格兰东南部赫特福德行政、历史郡一区。面积128平方千米。位于大伦敦大都会区正北面。为泰晤士河流域起伏开阔的农村地区，南部属大伦敦绿化带。绿化带的经济以奶牛饲养和商品蔬菜栽培为主。首府韦林花园城有无线电、电子设备、制药、塑料和食品加工等轻工业；哈特菲尔德有飞机制造厂。两城均属20世纪40年代末期为减缓战后伦敦市的住房短缺状况而规划并建立的新城镇。韦林花园城为花园城运动倡导者E. 霍华德1920年所建，有许多城乡结合试验。人口约97 553(2001)。

Weme River (Benin) 参阅 **Ouémé River** 韦梅河。

Wen Ch'ang (Chinese god) **文昌** 参阅 **Wendi** 文帝。

Wen-cheng 文正 参阅 **Zeng Guofan** 曾国藩。

Wen Cheng-ming 参阅 **Wen Zhengming** 文徵明。

Wen-chou (China) 参阅 **Wenzhou** 温州。

Wen Fei-ch'ing 温飞卿 参阅 **Wen Ting-yun** 温庭筠。

Wen-hsiang (Chinese official) 参阅 **Wenxiang** 文祥。

Wen Jiabao 温家宝(1942-09，中国天津～) 中国共产党第十六届中央政治局常务委员，国务院总理。中学时期就读于天津南开中学。1960～1968年在北京地质学院就读，获

中国大百科全书出版社供图

硕士学位。1965年加入中国共产党。1968～1982年，先后任甘肃省地质局地质力学队技术员、副队长，1979年任甘肃省地质局副处长，1981年任省地质局副局长。1982年任地质矿产部政策法规研究室主任，1983年任地质矿产部副部长、党组副书记兼政治部主任。1985～1992年，任中共中央办公厅副主任、主任。1987年任中共中央直属机关工委书记。历任中共第十三届中央委员、中央书记处候补书记，第十四届中央委员、中央政治局候补委员、中央书记处书记。1997年任中共第十五届中央委员、中央政治局委员、中央书记处书记。1998年3月任国务院副总理、党组成员，中央金融工作委员会书记。2002年11月任中共第十六届中央委员、中央政治局常委。2003年3月出任国务院总理。

Wen Pi 文璧 参阅 **Wen Zhengming** 文徵明。

Wen Tingyun 温庭筠(812?～866) 又拼Wen T'ing-yün。中国唐代诗人、词人。字飞卿。太原祁(今山西祁县)人。文思敏捷，才华过人。生活不检，又喜讥讽嘲弄权贵，以此

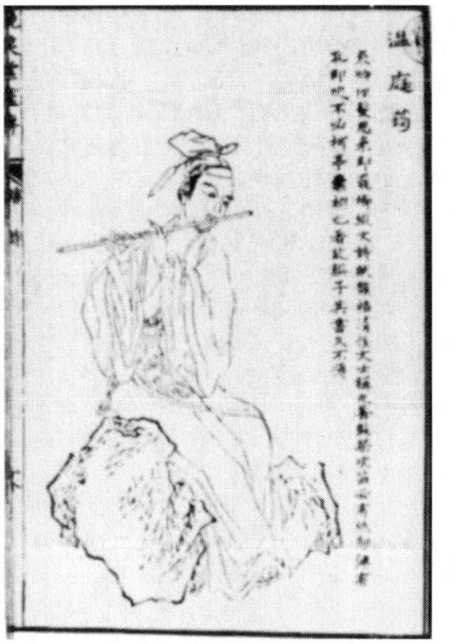

中国大百科全书出版社供图

仕途不得意。做过县尉、国子助教等小官，一生穷困潦倒。诗多写怀才不遇的身世之感，《过陈琳墓》、《达摩支曲》最为著名，用词精练，属对工巧，风格浓郁瑰丽，自成一家。与李商隐齐名，并称温李。有《温飞卿诗集》。他是文人词的奠基人，为“花间派”先导。词虽写妇女题材，但反映的社会生活比较广阔。构思深邃绵密，抒情真挚深沉，语言精丽自然，形成独特的风格。五代后蜀赵崇祚编《花间集》收温词66首。王国维辑有《金荃词》，收70首。

Wen Tong 文同(1018～1079) 又拼Wen T'ung。中国北宋画家。字与可，号笑笑居士，人称石室先生，梓州(今四川盐亭)人。1049年登进士第，历任陵州、洋州知州。后出知湖州，未赴任而卒，人称文湖州。《宋史》有传。苏轼称赞他的诗、词、画、草书为四绝。能画

文同绘《墨竹图》
中国大百科全书出版社供图

山水、花鸟，尤长于墨竹。经常借画竹来表达自己的思想感情与人品学养。在洋州为官时，深入竹乡筼筜谷观察体会，运用墨色的深浅浓淡来描绘竹的各种情状。故米芾《画史》中说：他“画竹以墨深为面，淡为背，自与可始也。”他更能做到“胸有成竹”、“振笔直遂，以追其所见，如兔起鹘落”。他把墨竹艺术发展成为一种独立的画种，在当时与后代都产生很大影响。表弟苏轼曾从他学画竹，诗画往还，互有影响，后世或并称“文、苏”。南宋与金元两代，墨竹一派也都以他为师，奉他为正宗。元代画竹名家李衎看到他的作品，惊赞“不异杲日升空，爝火俱熄”，另一墨竹名家吴镇，叙列文同画派的25位画家，编成《文湖州竹派》一书。他的作品尚存数幅，台北故宫博物院藏其《墨竹图》，为传世珍品；草书今已不传。诗文有《丹渊集》传世。

Wen Yiduo　闻一多(1899-11-24，中国湖北浠水～1946-07-15，云南)　又拼 Wen I-to。中国作家。原名家骅，字友三，又名亦多、一多。1912年入清华学校，1919年五四运动爆发，担任学生会工作。1922年毕业赴美留学。先

中国大百科全书出版社供图

在芝加哥美术学院、后入科罗拉多大学和纽约艺术学院学习美术，进修文学，并在创造社的刊物上发表新诗评论。他的处女作新诗集《红烛》出版于1923年，表现了对祖国强烈的爱，也象征祖国的新生。1925年回国后任北京艺术专科学校教务长之职，并成为徐志摩主编的《晨报》副刊《诗镌》的主要撰稿人。1927年到南京中央大学任外文系主任。1928年出版诗集《死水》，收集了他自1925年以来的诗作28首。诗里涌动着诗人的爱国热忱，真挚的沉思，被朱自清誉为“爱国新诗人”。闻一多的诗作讲究格律，结构严谨，精练含蓄，意味深长，对当时新诗人影响甚大。1928年参加新月社，与徐志摩等人创办《新月》杂志，继续倡导新格律诗。1928～1932年先后任武汉大学、青岛大学文学院院长兼中文系主任。1932年8月定居北平，任清华大学中国文学系教授。抗日战争期间，执教于西南联大。他广泛地研究了中国的文化遗产，并结合教学发表《诗经新义》、《乐府诗笺》、《楚辞校补》、《唐诗杂论》等专著。写过痛斥当局的文章《关于儒道·土匪》、《可怕的冷静》等。1944年加入中国民主同盟，任民盟中央执行委员、云南总支部宣传委员兼《民主周刊》社社长。1946年7月11日民盟领导人李公朴被国民党特务暗杀，7月15日闻一多在云南大学举行的追悼会上怒斥国民党反动派，发表最后的演讲，当晚即遭特务刺杀。闻一多的主要著作收集在《闻一多全集》(4卷，1948)中。

文徵明绘《惠山茶会图》
中国大百科全书出版社供图

Wen Zhengming　文徵明(1470～1559)　又拼 Wen Cheng-ming。中国明代书画家。名璧，字徵明，以字行，号衡山居士，长洲(今江苏苏州)人。幼承家学，又师事沈周等名师，更与祝允明(1460～1526)、唐寅、徐祯卿等切磋文艺。他多次应举未中，54岁时始任职翰林院待诏。4年后谢病归里，潜心书画30余年。生活态度与创作态度极为笃厚严肃，不为权贵、宗藩、外国与商贾作画，而对贫交则常有赠送。他的书法力追王右军，规模宋元，尤以楷书、行书名重当代，与祝允明齐名，为明代大家。楷书从《黄庭》、《乐毅》中来，法度谨严；行书如《赤壁赋》、《滕王阁序》雅健有力。绘画长于山水，继承沈周，兼有赵孟頫、倪瓒、黄公望之体。青绿、水墨、工笔、写意兼擅，构图严谨，笔意秀雅，极有书卷气。多写苏州山水、园林景物与文人生活。88岁时创作的《真赏斋图》乃其暮年代表作。平生多工细之作，晚年画师李唐与吴镇，翩翩入室，虽老笔纵横仍不失严谨秀雅本色，为世所重。善写花卉兰竹。从学者甚众，其子孙与学生成为著名画家者就有30余人。以他为领袖的“吴门派”山水影响一直到清代中叶。后人将他与沈周、唐寅、仇英合称“明四家”。亦能诗，学白居易、苏轼，清婉有致，有别于“明七子”。其书画题跋源源本本，征引有据，多有助于考史。

Wenatchee　韦纳奇　美国华盛顿州中部城市，奇兰县县城(1899)。位于喀斯喀特山麓，在韦纳奇和哥伦比亚两河汇流处下方。1888年创建，1892年设村，1901年设市。哥伦比亚河灌溉工程建成后发展为水果(苹果)产区的包装和转运中心。有木材加工和制铝业。

韦纳奇市的苹果收获季节
供图：Josef Scaylea—Shostal/美国不列颠百科全书公司

该市为韦纳奇国家森林管理处和喀斯喀特东部休养区基地所在地。设有中北华盛顿博物馆、韦纳奇瓦利学院和华盛顿州立大学园艺实验站。每年4～5月举办华盛顿州苹果花节。人口27 856(2000)。

Wenceslas　瓦茨拉夫　又拼 Wenceslaus。统治者之名，按国别分列于后，并各以●为标记。

与此字相等的外语：

捷克语	Václav
德语	Wenzel
匈牙利语	Vencel
波兰语	Wacław

波希米亚

● **Wenceslas I 瓦茨拉夫一世**(约907,布拉格附近的斯托霍夫～929-09-28,波希尼亚旧波列斯拉夫) 又称圣瓦茨拉夫。波希米亚公爵,殉道者,捷克斯洛伐克主保圣人。由祖母圣卢德米拉培养成为基督徒。未成年时由其母德拉霍米拉摄政。924～925年亲政后,热心传播基督教,鼓励日耳曼传教士在波希米亚传教。929年德意志国王捕鸟者亨利一世入侵,他开城投降。某些贵族唆使他的兄弟波列斯拉夫将他暗杀。遗体葬布拉格圣维特教堂。该地成为中世纪著名的朝圣地。

● **Wenceslas I 瓦茨拉夫一世**(1205～1253-09-23) 波希米亚国王。他将奥地利隶属于自己的王朝,并雇用德意志移民和工匠,从而使波希米亚文明富强。1230年继承父鄂图卡一世的王位。1241年阻止了蒙古人侵入波希米亚,但未能保卫摩拉维亚免受蒙古人的劫掠。他一心想得到奥地利。1246年奥地利的公爵腓特烈二世死后,他使儿子弗拉迪斯拉斯与腓特烈二世的侄女联姻。但是不久其子夭折,奥地利又失去。瓦茨拉夫在1248～1249年平定波希米亚的叛乱后,终于使其子鄂图卡二世成为奥地利公爵(1251)。在他统治下,波希米亚繁荣昌盛,文学与建筑艺术得到很大的发展。

● **Wenceslas II 瓦茨拉夫二世**(1271-09-17～1305-06-21) 波希米亚国王(1278年起)和波兰国王(1300年起),还把影响扩及匈牙利。1278年父鄂图卡二世去世,他7岁继承王位,由表兄勃兰登堡奥托四世摄政,直至1283年。亲政后,发现国家实际由母亲的情夫(后为丈夫)野心家扎维什统治。他在1289年逮捕扎维什,翌年将其处决。从此,他努力开发自然资源,增加王国的财富。在兼并上西里西亚和克拉科夫以后,1300年成为波兰国王。1301年使其儿子登上匈牙利王位。

● **Wenceslas III 瓦茨拉夫三世**(1289-10-06～1306-08-04,波希米亚摩拉维亚奥洛莫乌茨) 波希米亚普舍美斯王朝末代国王,1301～1304年为匈牙利国王。瓦茨拉夫二世之子,1305年继承波希米亚王位。为人聪明,有教养,但放荡不羁。正在兴兵夺取波兰王位时遭暗杀。死后,统治波希米亚近400年的普舍美斯王朝遂断绝男嗣。

● **Wenceslas IV 文策斯劳斯四世** 参阅**Wenceslas**(Germany/Holy Roman Empire)*文策斯劳斯(德意志/神圣罗马帝国)*。

德意志/神圣罗马帝国

● **Wenceslas 文策斯劳斯**(1361-02-26,纽伦堡～1419-08-16,布拉格) 德意志国王,作为波希米亚国王,称文策斯劳斯四世。他的懦弱统治为多事之秋,战争频仍,诸侯争权,他无法控制,领地实际上陷入无政府动乱状态,直至他被叛乱的贵族完全剥夺了权力。神圣罗马帝国皇帝查理四世之子,1363年加冕为波希米亚国王,1376年成为罗马人的国王。1378年其父死后亲政,在位期间懦弱无能,使德意志陷于混乱状态几达10年之久。1389年埃格尔(现为赫布)议会订立全面和约,解决了绝大多数的争端。由于国王长期

供图:Bild-Archiv, Osterreichische Nationalbibliothek, Vienna

居住布拉格,并且拒不理睬帝国邦君们希望任命帝国摄政王的请求。1400年10月各邦君会议宣布废黜文策斯劳斯,另选巴拉丁领地选侯鲁佩特三世为罗马人的国王。文策斯劳斯在波希米亚的统治情况更坏。1394年爆发由他堂兄弟摩拉维亚侯爵约布斯特领导的权贵叛乱,将国王囚禁于奥地利。后虽复位,但被迫于1396年任命约布斯特为帝国摄政王,并将政府委托给主要由贵族组成的皇家会议。1402年,为其弟西吉斯蒙德所废,再次被囚禁,几年后复位,代价是把真正的权力交给皇家会议。文策斯劳斯曾支持以胡斯为中心的波希米亚宗教改革家,但未作任何努力阻止胡斯作为持异端者被处死刑。

Wenceslas, SAINT 瓦茨拉夫(圣) 参阅**Wenceslas**(Bohemia)*瓦茨拉夫(波希米亚)*项下的**Wenceslas I**(Prince)*瓦茨拉夫一世*。

Wend 文德人 一组斯拉夫部落的统称。公元5世纪时,这些部落定居于现代德意志东部,其范围东起奥得河,西达易北河和萨勒河。文德人占居法兰克人及其他日耳曼民族统治区东部边陲地带。自6世纪起,法兰克人不时与文德人发生战争,而到9世纪初查理曼大帝在位期间就开始进行制服文德人的战役,并强迫他们改宗基督教。德意志人吞并文德人领土,是在929年亨利一世在位期间开始的,但在983年文德人举行叛变时,德意志人对易北河以东地区失去控制。文德农民在经常抗击斯拉夫霸主和德意志霸主的过程中,也排斥了基督教。1125年,德意志人在皇帝洛泰尔二世率领下,向东扩张,再度侵入易北河—奥得河地区。1147年,天主教会同意由狮子王亨利(Henry the Lion)率领一支德意志十字军攻打文德人。这次十字军征伐,造成文德人大量伤亡;结果,在以后几个世纪里,德意志人在易北河—奥得河地区的殖民活动,几乎没有遇到文德人的反抗。德意志移民在原先文德人地区定居下来,他们的城镇都成为德意志北部重要的商业中心。文德人则成为农奴,逐渐为德意志人所同化。文德人尚有少数生活在其传统居住地区*卢萨蒂亚*(**Lusatia**),称索布人,是现今德意志东部的少数民族。

Wendat 温达特人 又称Wyandot(怀恩多特人),是北美印第安人中的*休伦人*(**Huron**)4个族群同几个独立的小居民团体的联盟;这4个族群是石族、熊族、绳族及鹿族,而小居民团体是为免遭易洛魁联盟的侵凌而在不同时期与上述4族群结盟的。1615年,温达特人第一次遇到白人时,正占据着称为休伦尼亚的地方,即相当于今之安大略省的西姆科湖及乔治湾一带。有些温达特人村庄由树皮覆盖的大型住房组成,每所住房可容几个家庭共同居住;设置栅栏,以期防护。村庄均坐落于农田附近,便于耕作。他们的主食是玉米,辅以鱼类和少量猎物。温达特人因受白人带来的疾病的传染而势力大为削弱,又不能像易洛魁联盟那样得到许多火器和弹药,乃于1648～1650年间,为易洛魁联盟所灭。邻族*蒂奥农塔蒂人*(**Tionontati**)同一些休伦难民联合起来成为一体,称为怀恩多特人。

Wendel, Heinrich 文德尔(1915-03-09,德国不来梅～1980-05,德国杜塞尔多夫) 德国舞台美术设计家,1953～1964年先后在伍珀塔尔剧团和杜塞尔多夫的德国莱茵河上歌剧团工作时,率先在戏剧演出中采用新技巧。1945年被任命为符腾堡州立剧院的舞台美术设计主任。他是一位多才多艺的设计家,曾涉足戏剧、芭蕾舞剧和歌剧。1965年演出蒙特威尔地《教皇的加冕》和1971年演出齐默尔曼《士兵们》时,在其舞台美术设计中采用了照相和投影的新手法。在伍珀塔尔工作期间,他对德国歌剧和芭蕾舞剧的舞台美术设计的影响达到了高峰;多次参加国外艺术节的演出,使他闻名世界。后期,他为《摩西和阿伦》、《约伯》及《威尼斯之死》所作的舞台美术设计受到人们极大的赞赏。

Wenden(Latvia) **文登** 参阅**Cēsis***采西斯*。

Wenders, Wim 文德斯(1945-08-14,德国杜塞尔多夫～) 德国电影导演,为20世纪70年代德国新电影艺术的主要成员之一,其他成员还有R.W.法斯宾德和W.赫佐戈。20世纪60年代后期曾在慕尼黑电影学院学习电影,同时还是一位影片批评家。在为该学院导演了8部短片之后,制作了首部故事片《守门员面对罚点球的焦虑》(1971)。1976年他撰写、导演和制作了《在时间过程中》。《美国朋友》(1977),以P.海史密斯的《里普利的游戏》为基础,探讨了夫妻分居的概念。1978年前往好莱坞导演《哈米特》,这是美国侦探小说作家D.哈米特的故事。他与执行制作人F.F.科波拉之间的不愉快使得若干年之后仅发行了一部被删节的版本。文德斯的国际声誉来自他的下一部故事片《巴黎,得克萨斯》(1984),该片在法国嘎纳电影节获得金棕榈奖。1987年他在嘎纳以电影《欲望的翅膀》荣获最佳导演奖,影片中许多天使在现代的柏林漫步。他后来拍摄的《欲望的翅膀》续集,从艺术角度上来说极不成功。他的电影以丰富的视觉影像著称,这主要归功于他的老搭档、电影摄像师R.米勒的才华。晚期作品有《里斯本故事》(1995)、《结束暴力》(1997)等。

Wendi 文帝 又称文昌帝君，中国道教崇奉的功名禄位神。文昌，原为星宫名，也称文星、文曲星。相传星的明暗可判定文治盛衰和文士祸福。中国道教尊为天神，有多种化身。传说文昌神姓张名亚子，仕晋，战殁，人为立庙，后称梓潼帝君。元仁宗延祐三年(1316)封梓潼神为“辅文开化文昌司禄宏仁帝君”，称文昌帝君，在梓潼县(今属四川)立庙祭祀。道教有《文昌帝君阴骘文》。

Wendish languages 文德诸语言 参阅 **Sorbian languages** 索布诸语言。

wenfang sibao 文房四宝 英文作 the four treasures of the study。中国传统书房必备的笔、墨、纸、砚四种文具；广义还包括书画的辅助用具(如颜料、印泥、笔具、笔洗、镇尺、毛毡、印章等相关产品)。文房一词起源于南北朝时期，意指官府掌管文书之处。唐以后文房专指文人书房。宋代文房始有宣纸(出自宣州府，今安徽泾县)、徽墨(出自徽州府，今安徽歙县)、湖笔(出自湖州府，今浙江吴兴善琏)和端砚(出自端州府，今广东肇庆)。北宋雍熙三年(986)，苏易简撰《文房四谱》(又称《文房四宝谱》)，对这四种文具的品类进行论述，自此文房四宝蜚声文坛。文房四宝的制作历史悠久。最早出现的墨、砚、毛笔可追溯到新石器时代的仰韶文化时期。

Weng Wenhao 翁文灏(1889-07-26，中国浙江鄞县[今宁波]～1971-01-17，北京) 中华民国时期国民政府官员、地质学家、地理学家。中国地质学的奠基人之一，中国近代地理学的创始人之一。谱名存璋，字咏霓、永年、悫士。上海震旦学院毕业，1908年留学比利时，1912年获博士学位。1913年回国后，曾任农商部地质研究所教授、北京地质调查所所长等，兼任北京大学和清华大学教授。1935年后，历任国民政府经济部部长兼资源委员会主任委员，行政院院长，总统府秘书长等。1949年后定居香港、法国。1951年初回国，历任全国政协商会议第二、三、四届委员。参与创建中国地质学会、中国地理学会，多次担任会长、理事长。最先提出和确立东亚重要的构造运动——燕山运动，绘制中国第一幅地震分布图，创办中国第一个地震台，与丁文江、曾世英合编中国第一部现代地图集《中国分省新图》。著有《中国矿产志略》(1919)、《中国山脉考》(1925)、《中国东部中生代造山运动》(1929)、《锥指集》(1930)等。

Wenhui Bao 《文汇报》 英语作 The Standard。中国以报道文教、科技动态为特色的全国性日报。社址在上海。1938年1月25日在上海创刊。1939年5月18日被占领上海的日军强迫停刊。1945年8月18日复刊。1946年全面内战爆发，《文汇报》支持人民群众反对内战、争取民主的运动，1947年5月24日被国民党封闭。1949年6月21日复刊，成为知识分子喜爱的报纸。经常发表对文艺问题、社会问题、思想理论问题持不同观点的文章，进行争鸣、探讨。以副刊见长。还出版大型文艺性杂志《文汇月刊》。《文汇报》除在上海印刷外，北京、广州、成都等地都有航空版。

文汇报社
中国大百科全书出版社供图

Wenlock Series 文洛克统 志留系4个主要分层中(按自下而上的顺序)的第二个，代表那些在文洛克世(4.28亿年前至4.21亿年前)期间在全球范围内沉积的所有岩石。此名来自位于文洛克山的典型地区，为一条显著的陡崖，自英格兰什罗普郡的马奇·文洛克镇向西南延伸约29千米。此山脊由含化石的石灰岩(文洛克石灰岩)构成，最大厚度为29米，但明显伏在山脊下面的是粉砂岩和泥岩，厚达292米。根据国际协议，文洛克统的底界是用休莱河北岸上的一个全球层型剖面和点(GSSP)划定的，在什罗普郡猿谷的休莱教堂附近。此界点同比尔德瓦斯层的底界重合，并与笔石 *Cyrograptus centrifugus* 的最早出现极为一致。文洛克统的底界也以 *Pterospathodus amorphognathoides* 这一种牙形石化石的消失为标志。文洛克石灰岩是世界志留系各种地层中研究得最有成效的一种，并以其种类繁多的保存完好的化石著称，其中有腕足类动物、珊瑚、三叶虫、蛤类、苔藓类动物及海百合等。同样丰富的文洛克化石组合也出现在瑞典的哥德兰岛上及北美洲的五大湖地区。文洛克统的上覆层是拉德洛统；文洛克统本身又分为两个世界范围的阶，即舍因伍德阶与荷马阶。

wenrenhua 文人画 又拼 wen-jen-hua，英语作 literati painting。中国绘画史上的画种。是中国封建社会中文人士大夫用以自娱遣兴，抒怀见志，展现内心世界之作，有别于民间画和宫院体画的绘画。从宋代苏轼至明代董其昌，形成一个完整的理论体系。苏轼强调写意，重视诗意，赞扬“天工与清新”，提出诗书画与作者品格思想融合一致的见解。后董其昌专从山水画发展的角度出发，系统提出：文人画自王维始；其后董源、巨然、李成、范宽为嫡子，李公麟、米芾皆从董巨来。元四家黄公望、王蒙、倪瓒、吴镇皆其正传。明代文徵明、沈周则尤远承衣钵。他又倡南、北宗之说。一般认为：文人画当萌芽于东晋、南朝之戴逵、顾恺之、宗炳、王微，创始于唐代之王维、张璪，奠基于五代、两宋，大备于元、明、清三朝。取材多在山水、松、竹、梅、兰；表现形式主要采取水墨写意，重视笔墨情趣和诗书画的紧密结合。在画图中强调神韵，追求意境，重视寄托，借以表现自己的思想品格，寓寄关怀家国兴亡与生民忧乐之情。即以人物画为题材者思想风格亦别成家数，有异于一般画工。其审美情趣，艺术风格之改变，当以明代后期徐渭为分界线。大抵徐渭以前，特重虚静灵和，萧散淡逸；自明代徐渭以后，经龚贤、髡残、朱耷、石涛、扬州八怪等便转为泼辣放纵，沉郁激切。文人画是元代以后绘画的主流，在中国画史上占有非常重要的地位，在世界画坛上也放射出奇异的光彩。近代艺术大师吴昌硕、任颐、齐白石、黄宾虹等对于这个优良传统无不倍加重视，从中取精用宏。

任颐绘《幽鸟鸣春》
中国大百科全书出版社供图

Wenrohronon 温罗罗农人 操易洛魁语的印第安人，其名字原义为“浮沫地的人民”，大概源于今纽约州丘巴之油泉，他们曾住在那里。这种油泉之油曾是各种轻弱病痛的有效药物，受到高度重视。温罗罗农人同其他易洛魁部落一样，是半定居农民，以种植玉米及渔、猎为生。各社区都由一名首领和长老议事会进行管理。1639年以前，温罗罗农人与中立人结盟，受到保护，免遭易洛魁人掠夺。后来联盟解体，中立人撤回其支持。这一行动和一次疫病流行(大约是天花)，导致约600名温罗罗农人的老人、妇女和儿童逃往休伦人那里避难。休伦人欢迎这些幸存者，但在他们到达之前，许多人死于饥饿、冻馁疲惫和疾病。剩余的约1 500名温罗罗农人合并到中立人部落中，最后他们同中立人一起全部为易洛魁人消灭。

Wensleydale　文斯利代尔　英格兰北约克郡行政郡里士满区尤尔河上游的谷地。在奔宁高地内。属约克历史郡。为乳酪产区和旅游胜地。河流流经石灰岩露头区，形成许多瀑布和峡谷，其中以艾斯加斯瀑布和哈德劳瀑布最为著名。该河谷位于约克郡宽谷国家公园内。下游的主要经济活动为乳品业和乳酪制造业。

Went, F.A.F.C.　文特(1863-06-18，荷兰阿姆斯特丹～1935-07-24，瓦瑟纳尔)　全名作Friedrich August Ferdinand Christian Went。荷兰植物学家，开创了植物激素的研究，并使荷兰的植物学研究得到了巨大改进。曾就读于阿姆斯特丹大学(哲学博士，1886)，他在该校时所写的关于植物液泡的论文曾引起很大注意(他认为植物液泡仅能来自已存在的前一液泡)。他曾担任爪哇甘蔗实验室主任，进行过甘蔗病害的研究，成功地控制了由病毒引起的甘蔗低糖病，从而挽救了爪哇岛的甘蔗种植业。后回荷兰担任乌得勒支大学植物学教授至1934年退休。他在该校证明植物体内存在激素用以调节生理活动(如生长)，研究了激素在植物对外界刺激应答过程中(如趋光性)的作用。其子继承其事业，他们父子的工作使乌得勒支大学成为欧洲第一流的植物研究中心。

wentletrap　梯螺　又作staircase shell或ladder shell。腹足纲前鳃亚纲梯螺科海产螺类。壳似角楼，形成高而呈锥状的螺旋，具很深的肋纹。多数种类白色，一般短于5厘米，能

角梯螺(*Epitonium angulatum*)
供图：John H. Gerard

排出一种粉红或淡紫的物质。见于所有海洋，生活在海葵附近，吸食其养料。普通梯螺(*Epitonium clathrus*)产于欧洲；钱梯螺(*E. indianorum*)是阿拉斯加到墨西哥的常见种。

Wentworth, Cecile de　温特沃思(?，美国纽约州纽约～1933-08-28，法国尼斯)　原名Cecile Smith。美国画家，在欧洲因所绘画的重要人物肖像画而知名。曾就读于女隐修会学校。1886年前往巴黎，师从A.卡巴奈和É.德太耶学画。后与J.W.温特沃思结婚，1889年首次在巴黎举办画展。她在那里继续办画展有30年时间。温特沃思成为著名的肖像画画家，在几年之内请她作画的名人包括总统T.罗斯福、总统W.H.塔夫脱、英格兰的亚利山德拉皇后和J.J.珀欣将军。她为教皇利奥十三世作的画像在1900年巴黎世博会上获得铜奖，促使教皇授予她圣墓勋章大爵士头衔，并任命她为天主教的女侯爵。(此肖像画后来悬挂在梵蒂冈博物馆。)1901年受封荣誉勋位。她的作品是卢森堡博物馆收藏的为数很少的几位女画家作品之一。纽约大都会博物馆、华盛顿哥伦比亚特区的科科伦美术馆以及其他一些重要的博物馆也都收藏有她的作品。

Wentworth, Thomas　温特沃思　参阅 **Cleveland, Thomas Wentworth, Earl of 克利夫兰伯爵; Strafford, Thomas Wentworth, 1st Earl of 斯特拉福德伯爵(第一)**。

Wentworth, W.C.　温特沃斯(1790，新南威尔士州诺福克岛[澳大利亚]～1872-03-20，英国多塞特温伯恩)　19世纪上半叶澳大利亚政界主要人物，终身为实现自治而努力，终于在1855年赢得《新南威尔士宪法》。1813年以翻过新南威尔士海岸附近的蓝山，发现广阔的新牧场而闻名。1819年出版了一本关于新南威尔士历史和政治情况的书，广泛宣传殖民机会和自由选举权。1824年创办《澳大利亚人报》。1835年任澳大利亚爱国协会主席，鼓吹建立代议制政府。1837年以后支持大地主等关于选民应受财产资格限制的主张。1853年最早建议在澳大利亚成立联邦政府。1861年为上议院议长。他还在1850年参加创立国家初等义务教育和在悉尼开设澳大利亚的第一所大学(1850)。1862年退休后回到英国。

Wenxiang　文祥(1818-10-16～1876-05-27)　又拼Wen-hsiang。中国清末大臣，洋务派代表人物之一。瓜尔佳氏，字博川，号文山。满洲正红旗人。道光进士。1859年任军机大臣。1860年英法联军攻陷北京，随恭亲王奕䜣留京和谈。1861年兼总理各国事务衙门大臣。支持慈禧太后发动宫廷政变。政变后历任左都御史，工部、兵部尚书，内务府大臣，户部、吏部尚书，体仁阁大学士等要职。是总理各国事务衙门核心人物，提倡学习西方。他是第一个被派出使西方国家的大使，引进不少外国科学技术，促进了现代工业、交通的发展。曾支持左宗棠进军新疆，加强塞防。

Wenxin Diaolong　《文心雕龙》　参阅 **Liu Xie 刘勰**。

Wenxuan　《文选》　英语作Selected Literary Works。中国现存最早的诗文总集。南朝梁武帝长子昭明太子萧统(501～531)编。全书30卷，选录先秦至梁作家130人的作品

昭明太子萧统
中国大百科全书出版社供图

513篇。按文体分为38类，其中收诗、赋两类最多，约占全书之半。选录标准为"事出于沉思，义归乎翰藻"。书中选了《古诗十九首》和当时不被人重视的陶渊明等人的作品，对艳体诗和空虚的咏物诗则摒而不录。本书大体上包罗先秦以来的重要诗文，反映各种文体的发展轮廓，是后人研究古代文学史的重要资料，因而受到历代学者重视，出现许多注释和研究著作，形成"选学"。现存最早注本是唐李善《文选注》。另一种唐人注本是《五臣注文选》。

Wenyuan Yinghua　《文苑英华》　英语作Best Literary Works。中国宋代编纂的大型诗文总集。1 000卷。太平兴国七年(982)李昉、徐铉等奉敕编。辑集南朝梁至唐代诗文19 102篇，作者2 200人，唐代占绝大部分。分类体例与《文选》大体相同。收录的诗文为后来的《古诗纪》、《全唐诗》、《全唐文》等总集所取材。曾两次刊刻。今存宋刊本残卷和明万历刻本。1966年中华书局影印宋刊配明刊本，并附印《辨证》和《辨证拾遗》。

Wenzel, Hanni　文策尔(1956-12-14，西德施陶伯门～　)　列支敦士登高山滑雪运动员，为该国第　个赢得奥运会奖牌的运动员，在1976年奥地利因斯布鲁克举办的冬季奥运会上获得铜牌。在1980年美国纽约普拉西德湖举办的奥运会上，她又赢得2块金牌和1块银牌，平了R.米特迈尔的女子最成功的奥运会高山滑雪成绩的纪录。出生在联邦德国，1岁那年搬到列支敦士登。1974年在高山滑雪项目上首次崭露头角，赢得世界障碍滑雪赛冠军。障碍滑雪一直是她的强项，她在1976年奥运会该项目上获得铜牌。1980年是她作为滑雪运动员收获最大的一年。在那一年的奥运会上她控制了障碍滑雪比赛，刷新了两个滑行道的最快速度并获得金牌。她还赢得大回转项目的金牌和一块意想不到的滑降项目银牌(通常这是她最弱的比赛项目)。那一年她还拿到世界杯全能冠军。她在1980年获得的成功对她和她的祖国具有更加特别的意义，因为她的哥哥安德烈亚斯也获得了男子大回转银牌和男子世界杯全能冠军。由于一份商业合同，文策尔被取消参加1984年奥运会的资格。1984年赛季之后她宣布退役。在她13年的运动生涯结束之时，她共赢得32个世界杯项目和2个世界杯

全能项目的冠军(1978 和 1980 年)。

Wenzhou 温州 又拼 Wen-chou。中国浙江省辖地级市,简称"瓯"。东海重要港口城市。位于省境东南部,瓯江下游南岸,温州湾口。东汉永和三年(138)置永宁县,东晋太宁元年(323)为永嘉郡治。隋开皇九年(589)改永嘉县,唐上元二年(675)置温州,因地处温峤岭南,气候温和得名。宋、元时设市舶司。明、清为温州府。1912 年废府留县,称永嘉。1949 年析永嘉城区置温州市。辖鹿城、龙湾、瓯海 3 区及永嘉、洞头、平阳、泰顺、文成、苍南 6 县,并代管瑞安和乐清 2 县级市。全市陆地面积11 784平方千米,其中市区面积1 088平方千米。地处浙南山地东部,东临东海,地势西高东低,有括苍、雁荡、洞宫等山。瓯江、飞云江、鳌江东流入海。沿海多岛屿。是浙江省唯一能生长榕树、荔枝、龙眼等热带林木的地区。温州向为浙江东南地区木材、茶叶、

温州江心屿

中国大百科全书出版社供图

麻、柑橘、生猪的集散地,清光绪二年(1876)辟为对外通商口岸。龙湾出口工业区为对外窗口。沿海各县乡镇企业和家庭工业发达。工业有食品、陶瓷、机械、化工、造船、塑料、纺织、造纸、制鞋、服装等,是中国重点陶瓷产区之一。皮箱、草席、纸伞是传统的三大手工业品。黄杨木雕、青田石雕、翻簧竹雕、彩石镶嵌、瓯塑、瓯绣等工艺美术品驰名中外。农业主产水稻、小麦、甘蔗、油菜籽、油茶籽、油桐籽等。瓯橘和瓯江凤尾鱼是著名特产。温州是浙南海陆交通枢纽。5 000 吨海轮候潮可达温州港码头,万吨浅水轮可泊杨府山港区。与上海、宁波、香港等地有定期客轮往来。有金温铁路和 104、330 国道贯穿境内,金丽温高速公路已建成通车。温州机场已开通北京、沈阳、成都、昆明、广州、深圳等地的航班。市区有温州大学、温州医学院等高等院校。名胜古迹有雁荡山、楠溪江两个国家重点风景名胜区和乌岩岭、南麂列岛国家级自然保护区,还有江心公园、景山公园、瑶溪、玉苍山、玉海楼等旅游景点。人口:全市7 460 000(2005);市区1 350 000(2004)。

Werbőczi, István 韦尔伯齐(约1458～1542,匈牙利布达) 匈牙利政治家和法学家。所编纂的匈牙利法典成为国家法律达 400 多年之久。小贵族出身。受国王弗拉迪斯拉斯二世之命,整理匈牙利王国的习惯法和成文法,结果制定著名的《约法三章》(1514)。这部《约法》宣布大小贵族一律平等,削弱王权以

钱币上的韦尔伯齐像

布达佩斯匈牙利国家博物馆供图

扩大贵族的权利,并使农民进一步奴隶化。他于 1525 年当选为帝国总督,但不久即被迫辞职。1541年建议把布达城割让给土耳其。他在土耳其人统治下升为大法官。但不久即被布达的帕夏毒死。

werewolf 狼人 据欧洲民间传说,指晚上变成狼,吞食动物、人或尸体,白天又变回人形的人。有些狼人能任意变化形体;有的是遗传,有的是被狼人咬过,才变成狼人的,他

L. 钱尼(小)在影片《狼人》(1941)中饰演狼人的剧照

供图:Universal Pictures

们在满月的作用下,不由自主地变化形状。如果他是在呈狼形时受了伤,在他呈人形时伤口也会显现出来,而被人们识破。世界各地都有人相信狼人的存在。一个人相信自己是狼,这种精神病态称作变狼狂(**lycanthropy**)。在不常见到狼的国家,这种怪物也可能以别种危险动物的形状出现,如熊、虎或鬣狗。法国民间传说中不仅有狼人之说,而且在 16 世纪时深为有关狼人的报道所困扰,产生许多轰动一时的狼人被判罪及被处以极刑的案件。在 20 世纪恐怖影片中,狼人传说的主题普遍性仅次于吸血鬼传说。据说狼人死后会变为吸血鬼。

Werfel, Franz 魏菲尔(1890-09-10,布拉格～1945-08-26,好莱坞) 德国作家。作为一个表现主义诗人、剧作家和小说家,他获得很高声誉。在纳粹统治下的一段经历使他拥护人类兄弟情谊、英雄主义和宗教信仰。魏菲尔是手套制造商之子,曾离家去汉堡一家海运公司工作。第一次世界大战期间,曾在意大利和加利西亚前线作战,后来成为军国主义反对者,因在咖啡馆朗诵宣扬和平主义的诗而被捕。戏剧家生涯开始于 1916 年,改写欧里庇得斯的《特洛伊女人》,该剧在柏林上演,获得成功。1924 年转向小说创作,《威尔地,歌剧的故事》是其第一部小说。《穆萨·达赫的四十天》(1933)获得了国际声誉,写亚美尼亚村民如何抵御野蛮的土耳其人。魏菲尔作为犹太人为躲避势力日渐扩大的纳粹主义,卜居法国南部。1940 年法国崩溃,他决定逃往美国,在旅途中,他在法国的朝圣城市卢尔德(圣贝尔娜黛特曾在该市看见圣母现身的幻象)发誓,如能抵达美国,一定要写有关圣贝尔娜黛特的小说。他后来实践了自己的誓言,写了《贝尔娜黛特之歌》(1942)。

Wergeland, Henrik Arnold 韦格朗(1808-06-17,挪威克里斯蒂安桑～1845-07-12,克里斯蒂安尼亚) 挪威伟大的民族诗人,挪威独立的象征,他的人道主义活动、革命思想及对自由的热爱使他成为一位传奇式人物。为人熟知的作品有:《创世、人类和弥赛亚》(1830)、《诗,第一组》(1829)、《西班牙人》(1833)、《犹太人》(1842)和《为了工人阶级》等。在他的叙事诗中,《胡于苏姆的花卉画》(1840)及《英国领航员》(1844)常被称为他的最佳作品。韦格朗是一位无畏的斗士。挪威宪法中有排斥犹太人的条款,他坚决主张删去。他为此而进行的斗争是他实际政治活动的一个典型例子。但是他在生前未能看到他在这方面所取得的成果。

wergild 赔偿金 在古日耳曼法律中,指犯罪人付给受害人的赔偿金额,如受害人死亡则付给其家属。在某种情况下有一部分赔偿金则上交国王或上交领主,因为他们分别损失了一个臣民或奴仆。这种赔偿金最初是非正式的,到后来则由法律加以规定。在某些地区,对一个人的赔偿金要看这个人在社会中的地位来决定。例如在英国,对封建领主的赔偿金比之对普通人的就可以多好几倍。对妇女的赔偿金一般等于或往往高出对同一阶层的男子的赔偿金。在一些地区,对妇女的赔偿金甚至多至对男子的赔偿金的两倍。教士们也有他们自己的赔偿金额率,虽然有时要看他所出生的阶层而定。在法兰克人中,对罗马人的赔偿金可能只有对法兰克人的一半,主要是因为罗马人死时不像法兰克人那样须给其血亲集团付款。特别在盎格鲁-撒克逊人和早期法兰克人中,其他的罚金也

是和赔偿金有关的。一种名叫布特(bot)的罚金,不仅包括对各种损失的补偿,而且也包括对以地产为生计的人为修理房屋及用具所花的维修费。另一种名叫维特(wite)的罚金,则是罪犯向国王呈交的作为赎罪的罚金。如果所犯的罪是故意的,那么维特和赔偿金都必须交付,否则只付赔偿金即可。在10世纪和11世纪期间,特别在欧洲大陆,国王没有足以收取法律上规定他所应得的赔偿金份额的权力时,罚金就日渐通过协议或司法裁决来确定。然而,逐渐地某些犯罪变得不能用赔偿金来抵偿了,特别是重罪案件中的罪犯,就由地方当局加以惩罚,一般是施加死刑或断肢。

Werner, Abraham Gottlob　维尔纳(1750-09-25,萨克森维劳～1817-06-30,弗赖贝格)　德国地质学家,他创立了水成派学说(认为所有岩石都是在水中沉积而成的)。他反对认为花岗岩和很多其他岩石都是火成来源的。他反对认为地质演化是个均一而连续的过程的

供图:Archiv fur Kunst und Geschichte, Berlin

均变说。作为一个古老的铁矿业家庭的成员,维尔纳与他父亲一起在维劳和洛尔成道夫的铁矿工作了5年。1775年任弗赖堡采矿学校的督学和教师。在他任职的40年期间,这个学校从一个地方性院校提高到世界著名的科学知识中心的地位。他是个充满热情的教师和极有吸引力的人,他的天赋才华召来了文明世界各处的学生,其中许多人在他的鼓舞下成了欧洲第一流的地质学家。他教学的突出特点是,着重讲授关于岩石、矿物以及地层顺序的地球构造学。在J.G. 勒曼和G.C. 菲克塞尔的著作的影响下,他论证了地球岩石是按一定顺序沉积的。他不曾到外地旅行过,认为世界各处都同在萨克森看到的岩层顺序一样。他认为地球过去曾一度全部被海水覆盖,随着时间的进展,各种矿物都从水中沉淀成清楚的层,形成了各种岩石和矿物,这就是水成论学说。这个学说没有考虑到熔融的地核,他提出火山是由地下煤层自燃引起的近代现象。他断言玄武岩和类似的岩石都是古代海洋的堆积物,而其他地质学者却认识到这些是火成的。这个问题构成了地质学上的最大争论之一。他只写过26篇科学著作,大多数是写给杂志的短篇稿件。1812年维尔纳当选为法国科学院的外籍院士,但过了很久他才从一本杂志上得知这件荣誉。尽管他没有写出大量的地质论著,但他的学生们却忠实地接受了他的学说,并广为传播;虽其中有许多人最终抛弃了水成论,但当维尔纳在世时,他们却不愿公开否定这一学说。

Werner, Alfred　韦尔纳(1866-12-12,法国米卢斯～1919-11-15,苏黎世)　瑞士化学家,因研究配位化合物结构获1913年诺贝尔化学奖。1890年与A.R.汉奇合作研究肟(一

供图:H. Roger-Viollet

种有机氮化物)获得苏黎世大学博士学位。他对肟分子三维结构的探索是对立体化学的宝贵贡献。后来在巴黎与M. 贝特洛共事。1891年回苏黎世后,从1893年起终生担任教职,被誉为优秀教师。1891年发表的配位理论,可把无机化合物简明分类,并扩大了同分异构概念。他和他的学生制备了许多新的化合物,并将它们纳入新的体系中。韦尔纳理论虽已稍作修正,但仍是现代无机化学的基础,并为化学键的现代概念开辟了道路。

wernerite　钙钠柱石　似长石矿物*方柱石*(**scapolite**)。

Wernicke, Carl　韦尼克(1848-05-15,普鲁士[波兰]塔尔诺维茨～1905-06-15,德国图林根林山)　德国神经病学家。神经病与大脑特殊区域关系的阐述人,以对失语的描述(1874)而著名。韦尼克曾经在布雷斯劳大学学医,在布雷斯劳、柏林、维也纳实习后在柏林行医。1885年开始在布雷斯劳任教。在那里,他度过了自己的全部学术生涯。在1874年出版的一本小书中,韦尼克试图将各种失语与大脑中不同区域的精神活动损伤联系起来,他精确地将感觉性失语定位于颞叶,并论证了大脑优势半球的存在。他在《神经病学课本》(1881)一书中试图将所有神经病在大脑中定位。书中还首次描述了某些神经疾病,包括因维生素 B_1 缺乏而引起的韦尼克脑病。

Wernigerode　韦尔尼格罗德　德国中部萨克森-安哈尔特州城市。在霍尔特默河与齐利尔巴赫河汇流处。1121年首见记载,1229年设市,1267年加入汉萨同盟。1429年成为施托尔贝格伯爵驻地,后又成为施托尔贝格-韦尔尼格罗德伯爵驻地。老城堡(1213年首见记载)中辟有封建时代博物馆。包括市政厅(1494～1498)在内的许多古老木结构建筑物至今犹存。为公路、铁路枢纽和旅游度假胜地。生产电机、机床、巧克力、玻璃、纸张、皮革制品、砖、木制品等。也开采铁矿、黄铁矿

韦尔尼格罗德市的中世纪市政厅

供图:W. Krammisch—Bruce Coleman Inc./美国不列颠百科全书公司

和石灰石。人口约34 642(2003)。

Werribee　韦里比　澳大利亚维多利亚州南部城镇和郡。位于墨尔本西南29千米,濒临韦里比河。1964年设郡。墨尔本大都市污水处理试验场、州立农业研究场、韦里比水利实验站等三大设施建于此。地处乳品、畜牧和园艺业区中心,有世界上最大的养鸡场之一。墨尔本大学兽医中心也设此。附近有一公园,一个风景秀丽的峡谷和一个动物园。人口:郡40 555(1981)。

Wertheimer, Max　韦尔特海梅尔(1880-04-15,布拉格～1943-10-12,美国纽约新罗谢尔)又译韦特海默。捷克出生的心理学家,与K. 科夫卡、W. 克勒同为*格式塔心理学*(**Gestalt psychology**)的创始人。少年时代喜欢演奏小提琴、谱写交响乐曲和室内乐曲,似乎注定要成为一名音乐家。1900年他开始在布拉格查理大学学习法律,但很快就为法律哲学所吸引,以后又对审判室作证心理学发生兴趣。翌年离布拉格至柏林腓特烈·威廉大学,从对音乐心理学作出贡献的C. 施通普夫学习心理学。1904年获维尔茨堡大学哲学博士学位,作为博士学位论文的一部分,他制作了一种供客观研究作证用的测谎器并设计一种语词联想法。此后他在布拉格、柏林及维也纳等地进行研究,逐渐对感知复杂的和不明结构的知觉过程发生特别的兴趣。他发现低能儿在能够掌握问题的总体结构时,也能解决问题。他开始建立一些观念,这些观念后来成为格式塔心理学的基本内容。1910年在一次乘火车旅行时,他对运动知觉现象大感兴趣,便在法兰克福停留以购买玩具动景器,以试验他的想法。他注意到:在暗室通过小孔看两个闪光时,如果两个闪光在很短的时间内先后发生时,就会被看成是一个光点在运动。这种固定对象上的运动的知觉称为Φ现象,是格式塔心理学的基础。他同两个助手W.克勒及K.科夫卡一起研究Φ现象。他们确信,绝大多数心理学家研究人类行为时所采用的片断的方法是不恰当的,由此他们

创建了格式塔学派。在建立格式塔心理学的早期工作时,他还在法兰克福大学任职,以后去柏林腓特烈·威廉大学任讲师(1916～1929)。1921年,他与人合作创办了《心理学研究》杂志(后成为格式塔运动的喉舌)。1929年,他回法兰克福大学任心理学教授,指导社会心理学和实验心理学的研究。他确信以传统的逻辑理论和联想学说为重点的现存教育体系阻碍着大多数儿童的创造性思维。他指出,像组合和重组这类解决问题的方法是把问题作为整体结构来看待的,这些方法过去在逻辑学没有得到承认,但却是人的思维的重要方法。与这种论点相关联的是他的组织"精细性"概念;当事物作为整体被掌握时,思维过程所使用的能量最少。对他来说,真实的情况是决定于经验的全部结构,而不是个别的感觉或知觉。虽然他的许多研究以知觉为对象,但格式塔学派很快就扩展到心理学的其他领域,不过它总是强调动态分析和整体结构中各要素间的联系,以整体优于其各部分总和的概念作为基本态度。1933年他反对希特勒上台并逃往美国,在纽约新社会研究院任教授直至逝世。他在晚年热心于心理学和社会伦理学问题。在遗著《创造性思维》(1945)一书中他论述了他的许多观念。

Wertmüller, Lina 韦特米勒(1928-08-14,意大利罗马～) 原名Arcangela Felice Assunta Wertmüller Von Elgg Spanol Von Brau-eich-Job。意大利电影导演和电影剧本作家,以她的集中反映两性间无休止的争斗和当代政治与社会问题的喜剧而著称。韦特米勒1951年毕业于罗马戏剧学院,之后做过各种工作,包括当过木偶戏演员、舞台演员、舞台监督和撰稿人。在1962年成为导演F.费利尼的助手之后,她于1963年写成并导演了她的第一部影片《蜥蜴》。大约在这个时候,她开始成为演员G.詹尼尼的朋友,在她以后的大部分影片中,詹尼尼都担任主角。

韦特米勒以她的第五部影片Mimi metallurgico ferito nell'onore(1972)获得国际声誉,这部影片的片名被不同地译为:《米米的诱惑》(The Seduction of Mimi)和《金属制造工米米光荣负伤》(Mimi the Metalworker, Wounded in Honour)。这是一部揭露两性间的虚伪和关于风俗改变的讽刺剧。她接着拍摄的影片是《爱情与无政府状态》(1973),描写一位无政府主义者困惑于是去执行他的暗杀墨索里尼的秘密计划呢,还是同一位在罗马的妓院里掩护他的妓女相爱。韦特米勒的两部最佳的影片是《一扫而光》(1974)和《七个美人》(1976)。前者是一部妙趣横生的喜剧,描写一个贫穷的水手和一个傲慢而富有的妇人被放逐至荒无人烟的孤岛之后,他是怎样支配她的;后者描写意大利的一个花花公子为在第二次世界大战中求得生存而不惜违背一切道德价值和被拘留在纳粹死亡营中的情况。韦特米勒此后的影片受到批评,卖座率也令人失望,但由于她早先取得的成就,其声望仍一直不减。

Wesak 卫舍迦节 又拼Vesak。上座部佛教最重要的节日。纪念佛陀的诞生、成道与逝世,时间在阴历卫舍迦月的满月日即公历4、5月间。东南亚许多国家以此日为法定假日,届时行法事并布施放生。

Wesel 韦塞尔 德国西北部北莱茵-威斯特伐利亚州城镇。位于鲁尔区西北,濒临莱茵河、利珀河和利珀-塞坦运河。1241年建制。1350年左右加入汉萨同盟。长期以来一直是重要的贸易和航运基地。也是莱茵河下游边境地区传统的区首府和文化中心。第二次世界大战中毁于空袭,但中世纪建筑仍然可见。战后进行了现代化重建,最著名的是市娱乐宫(1958),还有大型港口设施和工厂(主要生产金属品)以及商行等。人口约57 986(1989)。

Weser-Ems 威悉-埃姆斯 德国西北部下萨克森州西部的行政区。北濒北海,西邻荷兰。面积14 952平方千米。相等于原德意志汉诺威和奥尔登堡二邦国各一部分,也是历史上更大的萨克森地区的一部分。名称源自流经该区的两条主要河系。埃姆斯河和多特蒙德-埃姆斯运河与西部区界平行,威悉河是不来梅以北的东部界河,全区大部分位于北德平原,只除了南部城市奥斯纳布吕克不在内。低地上有许多通航运河,最重要是南部的中部运河和北部的屈斯滕运河。北德平原分为两部分:北海沿岸的东弗里斯兰和南部大面积的沙质高地、石南丛生的荒地和高沼地。沿海沼泽经人工排水后有天然沙丘和人工堤坝防止海水和河水侵袭,成为草原牧场,生产乳品和肉类。大面积沙滩和沙丘是夏季旅游的优良场所。工业城市和港口威廉港位于靠近威悉河口湾的北海小湾亚德湾。埃姆登的海港是多特蒙德-埃姆斯运河的终点,为鲁尔工业区服务。南部的沙质高地有一些小河和沼泽低地。除奥尔登堡是食品加工业和多种轻工业的中心外,南部地区极少工业,城镇也很小。从林登向东至威悉河有一条含油气丰富的地带。居民多为西萨克森人后裔,操低地德语。北部沿海的沼泽地和腹地是弗里西亚文化的故乡,但弗里西亚语已很少用。2/3的居民信奉基督教新教。高等教育集中在奥斯纳布吕克和奥尔登堡。人口约2 136 735(1989)。

Weser River 威悉河 德国西部主要河流,是高度工业化地区的主动脉。由两条源流富尔达河和威拉河在明登(Münden)附近汇流形成。全长440千米。流经德国北部,注入北海。该河的主要支流有阿勒尔、莱苏姆、盖斯特、迪默尔、奥奇坦和洪特诸河。在明登(Minden)附近,中部运河由渡槽越过威悉河,将西面鲁尔区内的河流及莱茵河和东面的柏林地区的河流相连接。明登至不来梅的135千米河段,河道经过疏直,并建有水坝8座,可通航1 200吨船舶。屈斯滕运河将威悉河下游与多特蒙德-埃姆斯运河相连。不来梅港有运河沟通易北河下游。19世纪以来,威悉河河水污染严重,著名的威悉河鲑鱼已经绝迹。沿河重要城镇有不来梅港、不来梅、明登和卡塞尔。

Wesley, Arthur 韦斯利 参阅Wellington, Arthur Wellesley, 1st Duke of 威灵顿公爵(第一)。

Wesley, Charles 卫斯理(1707-12-18,英格兰林肯郡埃普沃思～1788-03-29,伦敦) 英国神职人员、诗人、赞美诗作家。他同其兄约翰·卫斯理一道在英格兰圣公会内部掀起循道运动。他于1716年入伦敦威斯敏斯特学校。1726年被选送牛津基督堂学院,把希腊文和拉丁文古典作品译成英语韵文。1728～1729年冬天,他经历了灵性觉醒,与另外两位学生共同组成圣社。1735年,他为了协助其兄约翰到北美洲佐治亚殖民地工作而受神职。他在佐治亚工作几个月后返回英格兰。和他的兄长一样,他也在摩拉维亚人的帮助下找到了灵性平安。他成为循道运动的循循善诱的布道家,并能创作赞美诗,把它当做重要的传福音手段。他在布里斯托尔积极工作,后来退出循道派团体的领导层。他比较更为接近圣公会,不赞成其兄擅自按立神职人员,但是,他为循道宗所进行的广传福音工作和他的赞美诗写作,却留下了不朽的记忆。他发表过4 500多首赞美诗,作曲家韩德尔为其中一部分谱曲。卫斯理最著名的赞美诗中有《神圣纯爱歌》(神圣纯爱,超乎万爱)、《新生王歌》(听啊! 天使高声唱)、《大启乐园歌》(基督我主今复生)、《基督精兵歌》(奋起! 基督精兵)、《你当欢欣歌》(欢庆基督为王)和《灵友歌》(耶稣,我灵好友朋)。

Wesley, John 卫斯理(1703-06-17,英格兰林肯郡埃普沃思～1791-03-02,伦敦) 基督教安立甘宗牧师、布道家,英格兰圣公会内部循道运动的开创人(与其弟查理一道)。1724

伦敦国立肖像画陈列馆供图

年毕业于牛津大学基督堂学院;1725年由牛津主教立为会吏,翌年当选为林肯学院院士;1728年受按立为牧师。他于1729年重返牛津,与其弟查理以及柯卡姆和摩根结成学习小组,他们强调在学习和灵修中循规蹈矩,被人讥为"循道者"。他从弟弟手中接过领导权,使小组成员增加。该小组即循道社(又称圣社)经常举行圣餐,每周两天禁食。从1730年起,他们开展社会活动,到牛津监狱教犯人识字,为他们偿债和寻找职业。他们还到济贫院和穷人中间,分发食物、衣服、药品和书籍,并开办学校。卫斯理兄弟于1735年脱离圣社,该社解体。卫斯理1735年丧父后,他在牛津的一位友人伯顿和北美洲佐治亚殖民地总督奥格尔索普劝他以福音广传会干事的身份前往北美洲向印第安人传教。在其弟的陪同下,他在佐治亚结识了一批摩拉维亚移民。他老老实实地为教友服务,但他过于严谨的高教会作风却使教友反感。他曾同萨凡纳首席行政官的侄女索菲娅有过一段天真无邪的亲密关系,不料索菲娅嫁了另一个人,卫斯理不明智地不许她参加圣餐,引起非议。1737年12月他逃出佐治亚,返回英格兰。卫斯理在伦敦遇到摩拉维亚人博勒,经过此人劝说,他确信自己所需要的乃是信心,同时他阅读了路德对《加拉太书》的评注,路德的评注强调《圣经》所传的人因信靠恩称义的教义。此后卫斯理一心宣传人因信得救的福音。但是,圣公会却因他的狂热而向他关门。于是他到一些宗教团体中活动,按照摩拉维亚宗教团体的形式,组成"小组"(band)。他这样在原有宗教团体中活动了一年,然后转向一向不参加教会的人们。卫斯理把经过他劝化而信教的人们组成团体,伦敦的一个这样的团体要求他做领导人。不久,伦敦、布里斯托尔等地这种团体纷纷涌现。为了发展新团体,他到许多地方巡回布道。受按立的神职人员大多不赞成他的做法,卫斯理只好争取热心的平信徒参加工作。他们也巡回布道,管理各地的循道会。卫斯理的许多布道员到了美洲殖民地,但是在美国独立之后大多返回英格兰。圣公会伦敦主教拒绝为到美洲工作的卫斯理派布道人员行按手礼,于是卫斯理在1784年亲自按立神职人员。同年,他声明他的教会独立活动,不受圣公会任何控制。卫斯理晚年在英国成为一个受尊敬的人物。

Wesley, Richard Colley **韦斯利** 参阅 **Wellesley(of Norragh), Richard Colley Wellesley, Marquess** 韦尔斯利侯爵。

Wesleyan Church **卫斯理会** 美国基督教会,1968年由美国卫斯理循道会和天路圣洁会合并而成。教义上属圣洁派,强调完全成圣,人得救后还要有新的宗教经历以达到无罪的生活。信徒戒烟酒、不产销烟酒,不参加秘密组织。中心机构设在印第安纳州马里恩市。

Wessel, Horst **韦塞尔**(1907-09-09,德国比勒费尔德～1930-02-23,柏林) 德国纳粹运动的殉道者,《霍尔斯特·韦塞尔之歌》是歌颂他的作品,此歌被纳粹德国用做国歌。出身学生,是个市井无赖,1926年加入纳粹党,成为冲锋队队员。1930年,在柏林贫民窟他的住室里,政敌(可能是共产党人)在一次争吵中把他打死。由戈培尔领导的纳粹宣传家们把他吹捧为烈士。

Wessel, Johan Herman **韦塞尔**(1742-10-06,挪威韦斯特比附近约斯鲁普～1785-12-29,哥本哈根) 挪威出生的丹麦作家和极富风趣的才子,以讽刺短诗、轻松诗作及一本新古典主义悲剧仿作闻名。从1761年进哥本哈根大学至去世,始终债台高筑,生活放荡不羁。他是哥本哈根挪威学生有影响的文学联谊俱乐部"挪威人协会"创始人之一。他为协会1775年开始出版的诗文选集撰写讽刺短诗、歌谣和即兴之作。他的讽刺对象是新古典主义和浪漫主义的极端现象。他唯一的重要长篇作品《没有袜子的爱情》(1772)是一出五幕"悲剧",描写一名学徒的袜子在结婚那天被窃的故事。全剧用亚历山大诗体写成,并严格遵循古典主义戏剧的三一律,结尾时所有剧中人于同日同地死去。其他作品有歌曲和滑稽故事诗等。

Wessel Islands **韦塞尔群岛** 从澳大利亚北部地方东北部内皮尔半岛向东北延伸120千米进入阿拉弗拉海的一列小岛。最大岛屿马钦巴岛上有铝钒土矿藏。全群岛处在阿纳姆地土著居民保留地境内,群岛许多洞穴中有土著人的绘画。

Wesselényi Conspiracy **韦谢莱尼阴谋集团**(约1664～1671) 韦谢莱尼组织的匈牙利人小组,计划推翻哈布斯堡王朝,没有成功。结果导致在匈牙利建立一个专制与镇压人民的政权。1664年哈布斯堡王朝的皇帝利奥波德一世(1658～1705在位)把匈牙利的大部领土割让给奥斯曼帝国,遭到许多原来拥护哈布斯堡王朝的匈牙利显贵的反对,其中包括行政长官韦谢莱尼、克罗地亚总督兹里尼、匈牙利大法官纳道什迪,以及拉科齐。他们企图使匈牙利摆脱哈布斯堡王朝的统治,秘密向法国和土耳其求援。1670年兹里尼得到土耳其的支持,准备向施蒂里亚进军。拉科齐也集中队伍,逮捕驻在托考伊的帝国司令官斯塔勒姆贝格。但是,有一个土耳其人翻译官在维也纳向哈布斯堡王朝告密。奥匈帝国的军队救出斯塔勒姆贝格,一举平定叛乱。经奥地利法庭裁决,兹里尼、纳道什迪和另外两名造反者以大逆罪处死。韦谢莱尼在未受审前亡故,拉科齐被罚款。哈布斯堡王朝在匈牙利各地设立专案人员,逮捕约2 000名贵族,指控他们参与阴谋,没收他们的财产。此外还规定,由于匈牙利人阴谋造反,取消他们过去享有的一切特权,迫使他们成为奥匈帝国皇帝的顺民。

Wessex **韦塞克斯** 盎格鲁-撒克逊英格兰诸王国之一,其君主后来成为全英格兰的国王。其领土核心,相当于现汉普郡、多塞特郡、威尔特郡、萨默塞特郡和埃文郡南部的地方。有时曾扩展到泰晤士河以北,向西最终扩展到德文郡和康沃尔郡。韦塞克斯系古代英语"西撒克逊"之略称。它由两块移民地发展起来:根据盎格鲁-撒克逊编年史,一块是由塞迪克及其子(或孙)西恩里克于494或495年在汉普郡登陆后所建;另一块仅从考古证据得知位于泰晤士河上游,可能是东北移民所建,571年落入不列颠人之手。根据为数不多的记载,塞迪克和西恩里克于530年征服了怀特岛。西恩里克还曾在索尔兹伯里和威尔特郡的巴布里城堡征战。577年,其继承人塞瓦林(560～592在位,比德称其为第二位统治不列颠的国王)在代尔汉姆获胜,占领了巴斯、赛伦塞斯特和格洛斯特。568年,他打败了肯特的艾特尔伯赫特,把版图扩展到泰晤士河以北。传到西内吉尔斯(611～643在位)时,韦塞克斯先后受到诺森伯里亚和麦西亚的威胁。西内吉尔斯及其子克威切尔姆把赫威赛人居住的地区(格洛斯特郡、伍斯特郡和沃里克郡西南部)丧失给麦西亚的彭达。西内吉尔斯由其子森沃尔赫(643～672在位)继承王位。据比德的《英格兰人教会史》称,森沃尔赫死后,韦塞克斯曾短时期被一些小国王瓜分。然而在这一时期,韦塞克斯诸王却不断战胜不列颠人,逐步向西推进。埃格伯特在位期间(802～839),占领德文郡和康沃尔郡。825年打败麦西亚的贝奥恩伍尔夫,把萨里、萨塞克斯和肯特永远纳入韦塞克斯版图。韦塞克斯的国王们最后得以取得支配地位,是由于他们成功地抵抗了丹麦人。丹麦人的"大军"于865年入侵后,摧毁了其他各盎格鲁-撒克逊王国,但在韦塞克斯被艾特尔雷德一世(865～871在位)和阿尔弗烈德(871～899在位)所阻。阿尔弗烈德于886年收复伦敦,被所有未被丹麦人征服的英格兰人拥戴为大王。在927年阿尔弗烈德之孙艾特尔斯坦完全收复丹麦人所占领的地区之后,韦塞克斯的国王遂成为全英格兰的国王。

West, THE **美国西部** 美国西部地区。大部分位于大平原以西。按联邦政府的定义,包括阿拉斯加、亚利桑那、加利福尼亚、夏威夷、爱达荷、蒙大拿、内华达、新墨西哥、俄勒冈、犹他、华盛顿和怀俄明12州。实际上除东海岸外,历史上泛指美国其他新开拓的疆域。密西西比河以西广阔的平原、山脉和沙漠地区在民间传说中占有突出的地位,是牛仔、印第安人、篷车、歹徒、土匪和探险者出没之地。早期与其他地区之间并无准确的界限。而最西端的阿拉斯加和夏威夷两州一般不列入西部地区。尽管西部是美国开拓的最后土地,其历史却早于东部诸州。1540年西班牙人到达大峡谷,1541年到堪萨斯,1542年抵圣弗朗西斯科(旧金山)。1610年创建圣菲城。然而大批移民却在几百年后才涌入。1803年部分地区划入美国。1804～1806年刘易斯和克拉克开辟了俄勒冈小道后,为向西北太平洋海岸移民打通了渠道。1847年摩门教徒从中西部移居犹他州,建盐湖城,并且在落基山以西定居。1848年加利福尼亚发现金矿,引发向西海岸大举移民。1850年加利福尼亚加入联邦。多年来,大平原在美国人眼里只不过是一片大荒漠。南北战争后,其落后状况迅速改变。1862年通过《宅地法》,1869年第一条横贯大陆的铁路竣工,1873年引入有刺铁丝网;并且改进了旱地耕作法,兴修水利,将印第安人限制在保留地内。大荒漠人口大增。20世纪西部迅速发展,昔日的空旷地区,已有多种经济部门,如加利福尼亚州南部的电影业,内华达州的赌博业,华盛顿州的航天航空工业,俄勒冈州的自然环境保护,亚利桑那州的退休人员居民区等。

West, Benjamin **韦斯特**(1738-10-10,美国宾夕法尼亚斯普林菲尔德附近～1820-03-11,英国伦敦) 美国出生的历史、宗教和神话题材的画家,对英国历史画的发展有深刻

国立美洲艺术博物馆供图

影响。乔治三世(1772～1801)的历史画师,皇家学院(1768)创始人之一,1792年继约舒亚·雷诺兹爵士任院长。20岁时就是纽约市有成就的肖像画家。1760年到意大利,正值新古典主义在那里飞速发展时期。他走访了意大利的大部分主要美术城市,1763年到伦敦,不久便与约舒亚·雷诺兹爵士熟识,并赢得广大群众的欢迎。他的最有名的也是当时最有争议的作品之一《沃尔夫将军之死》(约1771),对现实主义作了值得注意的让步。在这幅古典作品中,他不用古代衣饰而用现代服装描绘当代历史事件。后来虽然他从未回过美国;但通过W.奥尔斯顿、G.斯图尔特、C.W.皮尔、J.S.科普利等人的介绍,他的作品对美国19世纪初期的美术发展产生了重大影响。

韦斯特绘《阿格丽品娜带着格马尼库斯的骨灰在布伦迪西乌姆登陆》(1768)
耶鲁大学美术陈列馆供图

West, Dorothy **韦斯特**(1907-06-02,美国马萨诸塞波士顿～1998-08-16,波士顿) 美国作家,她在许多部书中探讨了中产阶级非洲裔美国人的抱负与苦恼,是哈勒姆文艺复兴时期在纽约市哈勒姆区成长的知名的黑人作家之一。7岁时就开始写作,14岁时她的短篇小说开始在《波士顿邮报》发表。1926年短篇小说《打字机》在《机遇》月刊举办的一项全国赛事中获奖,此后不久搬迁至纽约并得到一群哈勒姆文人的资助。她在这些人当中是最年轻的一位,外号"孩子",其周围的人包括L.休斯、Z.N.赫斯顿、C.麦凯、W.瑟曼和C.卡伦。《打字机》被收入《1926年最佳短篇小说集》。因支持结束种族隔离,苏联的共产主义吸引了非洲裔美国作家和知识分子,1932年韦斯特一行前往苏联拍摄一部关于美国种族关系的电影。尽管电影最后没有拍成,但她和休斯在那里逗留了一年时间才返回纽约。为鼓励年轻作家,如R.赖特和R.埃里森,以及尝试重新激发起被经济大萧条扼杀的哈勒姆文艺复兴精神,她于1934年创办了文学杂志《挑战》,1937年又创办了短命的后续杂志《新挑战》。后来成为一名社会福利调查员,并为公共事业振兴署联邦作家计划工作,开始为《纽约每日新闻》撰写短篇小说。1947年搬到马萨诸塞州的马撒葡萄园,她的家人在那里有一个农舍。韦斯特的第一部长篇小说《活得潇洒》发表于1948年,并开始为《葡萄园报》撰写文章和故事,并构思小说《婚礼》。20世纪90年代初J.K.奥纳西斯(她以前在报纸上看过韦斯特的作品并在纽约的《双日》杂志当过编辑)鼓励她完成该书,但没等到书出版便去世了。韦斯特把《婚礼》(1995)一书献给奥纳西斯,这是她的第二部长篇小说;1998年O.温弗里将该书改编成电视连续短剧。1995年出版短文故事集《贫富之间》。

West, Jessamyn **韦斯特**(1902-07-18,美国印第安纳詹宁斯县～1984-02-23,加利福尼亚纳帕) 全名Mary Jessamyn West。美国作家,擅长写作长短篇小说,尤其是对母女关系的描写。《和蔼劝说》(1945)大概是她的最好作品,收集了反映她的贵格会教徒身份的故事。成长过程深受母亲的贵格会教义和习惯的影响,1923年毕业于贵格会的惠蒂尔学院(加利福尼亚州)。曾在加州的乡村学校执教(1924～1928,后来重新在英国的牛津大学上暑期班(1929),之后进入加州大学伯克利分校。在完成博士论文之前,韦斯特患病并被诊断为肺病晚期。为此她心情沮丧,在旧金山疗养院住院两年,后被送回家等死;但在母亲的照料下,奇迹般地得以康复。在恢复期,母亲给她讲自己小时候在印第安纳农场的故事以及最早来到这里奋斗的祖先们。韦斯特受到母亲的故事的激励开始写短篇小说和短文。韦斯特描写两个贵格会人物的短篇故事开始登载在《大西洋月刊》、《哈珀杂志》以及《妇女家庭日报》中,1945年收在她的第一本书《和蔼劝说》中。该书因精巧的写作手法和温情质朴的故事而受到评论界好评。她受邀以这些故事为基础写作电影剧本,后来在《看见梦想》(1957)一书中详细叙述了她的好莱坞经历。第一部长篇小说《女巫挖掘者》(1951)也是以印第安纳南部为背景,带有一些哥特派的细节描述。后期作品包括《爱情并非如你所想》(1959,非小说)、《时间问题》(1966,小说)、《捉迷藏》(1973,学术论文集)、《神秘面孔》(1974,诗歌)、《那个女人说行:与生死相遇》(1976,自传)和《短篇故事集》(1986)等。

West, Mae **韦斯特**(1892或1893-08-17,美国纽约布鲁克林～1980-11-22,加利福尼亚洛杉矶) 美国舞台和电影女演员,性感的象征,其肆无忌惮的淫荡,雍容华贵的风度,因过度享乐而厌烦了的俏皮话,成为她的标志。通常扮演为追求欢娱生活而玩世不恭和不顾贞操的女人。韦斯特约于1901年在布鲁克林的一家剧院首次露面。1907年成为与F.华莱士搭档至全国各地作歌舞杂耍巡回演出的演员。1911年在有小型歌舞的时事讽刺剧《百老汇式的和你好,巴黎》中作为歌手和杂技舞蹈演员在百老汇首次演出,此后继续演出歌舞杂耍。1926年开始编写剧本,在百老汇公演,并在她自己的剧本中扮演主角。其中的第一部是《性》(1926),她扮演一名妓女,引起轰动,但她因此而受到8天的监禁,从此成了全国知名人物。她在《钻石李尔》(1928)和《坚贞的罪人》(1931)中的表演也很成功。韦斯特的第一部好莱坞影片《夜复一夜》(1932),表现了轻率的态度,这成为她以后影片的特点。根据《钻石李尔》改编的影片《她冤枉了他》(1933),以其使人感到乐趣的才能,用诱发色情的暗示,如说"请随便什么时候来看

韦斯特在影片《我的小山雀》(1940)中的剧照
供图:Universal Pictures

我”而令人难忘。接着她编写了并与人共同主演了《我不是天使》(1933)、《90年代的美女》(1934)和《克朗戴克·安妮》(1936),这些影片使她的声望达到顶点。在拍摄了另两部影片后,她与 W.C. 菲尔兹共同主演了西部喜剧片《我的小山雀》(1940),这部影片的脚本也是他们两人合写的。第二次世界大战期间,盟军为表示对她的纤腰盈掬的身材的爱慕,把他们的充气救生衣叫做“梅·韦斯特衣”。40 和 50 年代她有时在舞台演出,常被一群身强力壮的小伙子们包围。1959 年她的自传《与美德无关》出版,这一书名是她对《夜复一夜》中的一个角色所作的“美德,多么美丽的钻石呀!”的评语作出的反驳。60 年代她重又恢复拍片。

West, Morris L(anglo)　韦斯特(1916-04-26,澳大利亚维多利亚墨尔本～1999-10-10,悉尼)　澳大利亚小说家。以《吹毛求疵的人》(1959)和《渔人鞋》(1963)这类畅销书而闻名。韦斯特曾就学于墨尔本大学，并从 1933 年起在新南威尔士和塔斯马尼亚以公教弟兄会成员的身份教现代语言和数学，1939 年，在参加最终宣誓前脱离该会，随后参加了军队。1943 年退伍，此后曾短期在墨尔本《先驱报》的无线电通讯网工作。他后来成了澳大利亚广播电台的合伙人，但是 10 年后，因体力不支，卖掉了自己的股份，在悉尼附近定居，专门从事写作。1955 年，他永久定居于意大利的索伦托。虽然韦斯特以前写过几本小说，但他的第一本获得普遍成功的作品是《太阳之子》(1957),这是一本报道那不勒斯贫民区的孩子的非小说性质的作品。随后他陆续发表了一些小说,如:《吹毛求疵的人》、《沉默的女儿》(1961)、《渔人鞋》、《大使》(1965)、《巴别塔》(1968)、《红狼的夏天》(1971)、《航海者》(1976)、《反复无常的人》(1979)和《上帝的丑角》(1981)。韦斯特喜欢写国际题材的作品。他的最著名的作品是一些将宗教和阴谋揉合在一起的被称之为“宗教惊险小说”的书。

West, Nathanael　韦斯特(1903-10-17,美国纽约州纽约～1940-12-22,加利福尼亚埃尔森特罗附近)　美国作家,以 20 世纪 30 年代的讽刺小说闻名。父母为犹太中产阶级移民,他在纽约市上中学,1924 年毕业于布朗大学。在旅居巴黎的 15 个月期间,完成第一部小说《巴尔索·斯内尔的梦境》,该书描写特洛伊木马里一群形形色色的奇特人物。1931 年初版时,只印了 500 册。返回纽约后任一家旅馆经理,为 D. 哈米特、J.T. 法雷尔和 E. 考德威尔等未成名作家提供免费或便宜的房间。第二部小说是《“寂寞芳心”小姐》(1933),写一个失恋的专栏作家。韦斯特在《整整的一百万》(1934)中写一个主人公在做公认正当的事时却越发变坏,有力地嘲笑了 H. 阿尔杰宣传的美国人的成功梦。晚年成为好莱坞电影编剧人。《蝗虫猖獗之时》(1939)被许多人认为是描写好莱坞最成功的小说。韦斯特和妻子在一次车祸中受重伤致死。他的作品在第二次世界大战后才引起人们注意。1946 年,《“寂寞芳心”小姐》的译本在法国出版。1957 年出版的《韦斯特作品全集》在美国重新唤起对他的作品的兴趣。

West, Dame Rebecca　韦斯特(1892-12-21,伦敦～1983-03-15,伦敦)　原名塞西莉·伊莎贝尔·安德鲁斯,母家姓费尔菲尔德。爱尔兰女记者、小说家和评论家。可能以她所写

供图:© Fay Godwin's Photo Files

的纽伦堡战犯审判(1945～1946)的报道最为著名。曾在爱丁堡求学,后去伦敦习演剧。1911 年开始参与新闻工作,经常为左翼报刊写文章并以一名争取妇女选举权的战士初具名声。1916 年发表了一部 H. 詹姆斯的评传。所著小说有《法官》(1922)、《哈丽特·休姆》(1929)、《能思考的芦苇》(1936)、《泉水溢流》(1957)和《小鸟坠落》(1966)。但这些小说远不如她关于社会和文化题材所写的文章受人注意。1937 年她访问南斯拉夫,归来后写了《黑羔羊与灰猎鹰》(共 2 册,1942),书中阐述了巴尔干地区的政治、文化和历史。1946 年为《纽约人》杂志写了关于对威廉·乔伊斯(“好好爵士”)叛国案的审讯报道。后以《叛逆的意义》为题出版(1949;1965 年修订版),她不仅研究了此叛徒在现代社会中扮演的角色,而且提出了知识分子科学家所起的作用。后来她又写了一本类似的集子《叛逆的新意义》(1964)。韦斯特关于纽伦堡审判的优秀报道汇集为《炸药列车》(1955)。1959 年被授予女爵士称号。她的作品选《丽贝卡·韦斯特庆祝集》于 1977 年出版。她对 20 世纪初的个人回忆《1900》于 1982 年出版。批评家与作家 A. 韦斯特是她与英国作家 H.G. 威尔斯所生的儿子。

West, Thomas　韦斯特　参阅 **De La Warr, Thomas West, 12th Baron** 德拉沃尔。

West Africa　西非　非洲西部地区。北起撒哈拉沙漠,南达几内亚湾,东抵喀麦隆西部边界,东北至乍得湖,大西洋沿岸的西非国家从北到南包括毛里塔尼亚、塞内加尔、冈比亚、几内亚比绍、几内亚、塞拉利昂、利比里亚、科特迪瓦、加纳、多哥、贝宁和尼日利亚。内陆国家有布基纳法索以及马里和尼日尔两国撒哈拉沙漠以南地区。1973 年成立西非国家经济共同体,上述国家都是成员国,佛得角在 1977 年加入。为便于历史分析,本书也把马里和尼日尔全部领土以及乍得都看做是西非的一部分。参阅 **Western Africa**。

West Allis　西艾利斯　美国威斯康星州东南部密尔沃基县城市,密尔沃基市西郊。1880 年成为芝加哥—西北铁路的小站时,始有人定居。1887 年建村。1902 年一重型机械公司在村边建工厂。1906 年设市。每年在此举行威斯康星州交易会。人口约61 254(2000)。

West Australian Current　西澳大利亚洋流　南印度洋中较冷的表层洋流,是印度洋南部逆时针方向运动的洋流的一部分。当作为西风漂流一部分的南印度洋洋流接近澳大利亚西岸时,便转向北平行海岸作为西澳大利亚洋流流动。该洋流受西风的强烈影响,冬季减弱,夏季增强,流速达每秒 20～35 厘米。部分海水流向西北补入印度洋南赤道洋流;其余流向东北进入帝汶海。

West Bank　西岸　阿拉伯语作 Aḍ-Ḍaffah Al-Gharbīyah,希伯来语作 Ha-Gadah Ha-Ma'-Aravit。巴勒斯坦约旦河以西地区,以色列人称为犹太和撒马利亚(东耶路撒冷除外),系巴勒斯坦阿拉伯人和以色列人长期斗争的中心地带。面积5 900平方千米。1920～1947 年为英国委任统治地,1949～1988 年约旦哈希姆王国主张该地区应为约旦一部分,但 1967 年被以色列侵占。1949 年 4 月 3 日的约旦、以色列停战协议规定该地区属阿拉伯人占领区,但没有明确约旦对该区的主权,协议区界大致与 1947 年联合国巴勒斯坦分治计划规定的阿拉伯占区相同,仅连接以色列地中海岸和耶路撒冷两地的突出地带除外。1948 年 5 月英国占领军撤出,以色列国宣告成立。阿拉伯国家不顾 1947 年分治计划,出兵进攻以色列。从此,以色列和阿拉伯国家间战事频繁。以色列通过战争扩张的领土超过了分治计划中的规定。1949 年停战协议的停火线划定了西岸的以色列边界,将耶路撒冷分为以色列(西)和约旦(东)两国分管。1950 年 4 月 24 日西岸为约旦正式兼并。1967 年以色列发动六日战争强行侵占。当时该区人口占约旦总人口的 47%,国内生产总值约 30%。以色列占领后,即在全区实行军事管制(东耶路撒冷除外)。20 世纪 70 年代末至 80 年代初,休战状态消失。以色列又开始扩张,建立大批定居点作为前哨地带,没收阿拉伯人的土地、商店和房产,增订法令以进一步限制巴勒斯坦的阿拉伯人的公民权和经济权益。1979～1983 年期间,以色列定居点和居民数量成倍增长,并且宣称有权处理西岸未耕地及私有土地。人们怀疑这是以色列企图吞并蚕食的先兆。西岸问题涉及历史、宗教、法律、种族、语言和政治诸多方面的因素,难以解决。1978 年《戴维营协议》后的外交活动,以及力图把西岸引向“自治”的有关谈判则仍继续进行。这种谈判在约旦、以色列、埃及(由于《戴维营协议》而卷入)、西岸阿拉伯人和巴勒斯坦解放组织(简称“巴解”)中的任何两方都不可能进行,而五方全体会谈实际上也无法进行。以色列拒绝与巴解谈判,约旦国王侯赛因于 1988 年 7 月 31 日宣布放弃对西岸的行政管理责任,巴解宣布成立对西岸、东耶路撒冷和加沙地带拥有主权的新巴勒斯坦国。埃及和美国的提议被以色列视为不利于以色列的利益,而西岸阿拉伯人更缺乏统一的步调。所以,问题未能得到讨论。西岸区大部分为南北走向的石灰岩丘陵,通

常称耶路撒冷以北为撒马利亚丘陵，以南为犹太丘陵。平均海拔 700 ～ 900 米。地势向东倾斜，至约旦河和死海大裂谷时接近海平面。境内不是完全属约旦河流域，西部较高地区有西流注入地中海的源流。西北部的年降雨量 685 毫米，西南、东南一带不足 100 毫米。农牧产品包括谷物、橄榄、水果、蔬菜和羊。在约旦统治时期该地区工业落后，1966 年全区雇用 30 人以上的工厂不足 12 家。以色列虽未妨碍工业发展，但投资甚少。1967 年以来，区内的交通状况大为改善。这些改善虽大多出自军事原因，但也有利于农业供应和市场服务。主要城市有杰宁、纳布卢斯、拉姆安拉、伯利恒、希布伦和杰里科（埃里哈）。西岸有几所小规模的大学（建于 70 年代），主要招收巴勒斯坦学生。1948 和 1967 年的两次战争后，该区许多巴勒斯坦人被迫外流。人口2 184 000(2000)。

West Bengal　西孟加拉　印度东北部一邦。北与不丹及锡金邦接壤，东邻孟加拉共和国和阿萨姆邦，南濒孟加拉湾，西南接奥里萨邦，西连尼泊尔和比哈尔邦。它与孟加拉国的边界长2 170千米；与中国只隔不丹和尼泊尔两国。首府加尔各答是印度最大城市之一。西孟加拉与西方及印度其余部分接触早且在文化交流方面富有成果，是影响该邦历史的最重要的因素之一。另一因素则是 1947 年被分割为信奉伊斯兰教的东巴基斯坦（后为孟加拉国）和信奉印度教的孟加拉邦两部。分割后造成新邦的边界不确定，非穆斯林的难民不断从东巴基斯坦流入。1950 年，富庶的库奇比哈尔邦和西孟加拉合并，1954 年，前法国在印领土金德讷格尔归入西孟加拉。1956 年印度以语言为界将各邦改组后，西孟加拉从比哈尔邦获得8 200平方千米的土地。新获得的土地将本来相隔的南北两部分连结了起来。西孟加拉邦形状奇特；宽度大小不等，宽处达 320 千米，窄处还不到 16 千米。从地形上看，西孟加拉大致可分为两个自然区域：南部的恒河平原和北部的喜马拉雅山及喜马拉雅山前地区。恒河三角洲大部分在孟加拉国境内，西孟加拉境内的恒河平原在恒河三角洲的最西部。恒河平原有许多沼泽和浅水湖，冲积土层深厚，如适当排水会形成肥沃的农田。恒河平原是该邦最大、人口最稠密的地区。此地海拔由东向西缓慢升高。喜马拉雅山前地区（名杜阿尔斯或德赖）由低地组成。从杜阿尔斯处，喜马拉雅山岭沿该邦北部边界陡然隆起。干城章嘉峰和邻近的锡金境内高峰构成西孟加拉北部的风光。晴朗无云的时候可以看到远处的埃佛勒斯峰（珠穆朗玛峰）。平原地区属热带季气候，高湿，温度稍高。山前地区的年降雨量为3 810～5 330毫米，平原地区为1 140～1 900毫米。一年分为 3 个季节：3 月至 6 月初为干热季节，6 月中至 9 月为湿热季节，10 月至 2 月为凉季。在温热季节，携带大量雨水的季风从西南方向吹来。西孟加拉住有约 40 个被认可的部落，比较著名的有桑塔尔、奥里雅、蒙达、列普恰和不丹等族，不到总人口的 1/10。居民主要操孟加拉语，使用印地语、乌尔都语、尼泊尔语和英语的人较少。但是行政管理和商业活动中通用英语。将近 4/5 的居民是印度教徒，其余为穆斯林及人数不多的基督教徒、佛教徒、耆那教徒和锡克教徒。3/4 的居民住在农村，其余的 1/4 居住在城市地区。约有 1/6 的居民住在大加尔各答。人口超过 10 万的城市约有 12 座（包括加尔各答）。和大工业联合中心一起发展起来的有 4 个大都市区。劳动人口中一半以上从事农业，或为农民，或为农业工人。平原以种植水稻为主，也种黄麻、豆类、油料作物、玉米、小麦、大麦、甘蔗、蔬菜和一些热带水果。茶叶产量占全印度总产量的大部分。西孟加拉邦矿产量在印度矿产总值中占很大比重，开采煤（靠近比哈尔边界有大量煤藏）、白云石、石灰石和陶土。有炼钢厂、一家汽车制造厂，及许多化工、机器制造和轻型机械等工业。该邦的公路、铁路、水路运输系统好过一般水平。北方的巴格多格拉和南方的加尔各答有频繁航班联系。加尔各答的国际机场可起降来自世界各地的喷气客机。加尔各答港经营印度的部分贸易。该地区一直鼓励文学、艺术、音乐和戏剧的发展，已产生一位获诺贝尔奖的诗人泰戈尔。戏剧很受欢迎，无论是业余演出还是职业性演出，内容都相当深奥。亚特拉斯（一种传统的露天演出）和喀维（即乡村诗人间的即席诗歌对唱），在农村地区很受欢迎。传统音乐取祈祷曲和农耕曲的形式。格塔格达（基于民间传说的宗教吟唱）是又一种传统的农村娱乐形式。电影提供又一种受欢迎的娱乐活动，孟加拉生产的电影获得过国内和国际奖。西孟加拉有几所大学，授文学、理学、工程学及其他技术领域的学位；还有多所技术学院。在加尔各答，印度科学普及协会、包斯研究所和加尔各答大学各科学实验室为科学知识做出了显著的贡献。孟加拉亚洲学会是 19 世纪最著名的东方历史研究机构，会址就在西孟加拉。泰戈尔在寂乡创办的国际大学是研究印度学和国际文化关系的世界著名中心。面积88 752平方千米。人口68 077 965 (1991)。

West Bengal Duārs　西孟加拉杜阿尔斯　印度东北部西孟加拉邦最东北部的自然区。北与锡金邦和不丹交界，东与阿萨姆邦交界，西与尼泊尔交界，南为西孟加拉邦其他地区。1863 年由不丹割让给英国。为喜马拉雅山山麓与孟加拉北部平原之间的森林地带。北部有大片砾石，沿山麓有众多河川南流，有时与西部的蒂斯达河一起泛滥成灾。该区森林茂密，大吉岭山麓已开辟为茶树区。其他重要农产品还有稻米、黄麻、玉米、马铃薯、蔬菜和水果。工业生产食品、饮料、乳制品、皮鞋、运输工具、精米、植物油和面粉。重要市镇有西里古里、大吉岭和杰尔拜古里，它们之间通公路和铁路。西里古里有机场。

West Berlin　西柏林　德国城市柏林（**Berlin**）的西半部。在 1990 年德国统一前，被当做德意志联邦共和国（西德）的一个城市和州，尽管从宪法上说它并不是西德的一部分。

West Bridgewater　西布里奇沃特　马萨诸塞州东部普利茅斯县的城镇。位于波士顿南约 40 千米处。一位名叫麻萨索伊特的万帕诺亚格印第安部落酋长及全体万帕诺亚格人首领，受达克斯伯里种植园 56 位领主委托将这片土地立契转让给 6 个人，换回的是刀、斧、锄、大衣和棉花。1656 年由开拓新殖民地者在此定居。19 世纪沿河建起几家磨坊。经济长期以来依赖农业，现在主要靠零售业和轻型制造业。1822 年，在行政上和布里奇沃特分开治理。面积 41 平方千米。人口6 634(2000)。

West Bridgford　西布里奇福德　英格兰诺丁汉历史、行政郡拉什克立夫区的一个城镇，位于诺丁汉市的西北部，现在主要成为该市的近郊住宅区。西布里奇福德堂区教堂建于 14 世纪。镇内有一些现代轻工业。特伦特桥板球场（英格兰最著名板球场之一）和诺丁汉郡会堂都坐落在城镇范围之内。人口 33 843(1991)。

West Bromwich　西布罗米奇　英格兰西密德兰都会郡桑威尔都会区一地方，属斯塔福德历史郡。位于伯明翰西北约 8 千米。虽历史悠久，但具有现代化工业城镇风貌。当地和周围地区长期采煤。以各种金属加工业，特别是以生产弹簧著名。也有电气工业和化学工厂。历史建筑包括一座围以壕沟的 13 世纪领主宅第（现为餐馆）和 16 世纪的橡木屋（现为博物馆）。1872 年重建万圣教堂（原为圣克莱门特教堂）。该地还以其阿尔拜恩足球队而闻名。人口146 386(1991)。

West Caroline Trench (Pacific Ocean)　**西加罗林海沟**　参阅**Yap Trench**雅浦海沟。

West Chester　西切斯特　美国宾夕法尼亚州东南部自治镇，切斯特县县城(1786)。东距费城 43 千米。18 世纪初始有人定居。1799 年设建制。现为贸易中心，有轻型制造业。1871 年建州立西切斯特大学。人口17 861(2000)。

West Coast　西海岸　新西兰南岛中西部行政区。西濒塔斯曼海，北邻纳尔逊湾区，东接坎特布里区、奥伦吉区及奥塔戈区北部沿海地区，南至奥塔戈中部克卢萨。境内南阿尔卑斯山的高耸峰峦和崎岖山地，构成该区封闭地貌与多种景观。科克山海拔3 754米，为新西兰最高峰。发源于南阿尔卑斯山的法兰士·约瑟夫和福克斯冰川及塔拉马考，霍基蒂卡、旺阿努伊、哈斯特诸河流，流往布伦纳湖和卡尼里湖，贯穿狭窄的沿海平原。毛利人为该区最早居民。1864 年，格林斯通河沿岸发现金矿后，欧洲人遂到此定居。1865 年，该区扩展后将西坎特布里采金地划归其中，行政总部设在霍基蒂卡。1865 ～ 1867 年间，从衰落的奥塔戈和维多利亚采金地迁入大量人口。19 世纪 70 年代至 80 年代间，采矿业，特别是采煤业在格雷茅斯和布伦纳发展起来。地下开采的煤种类很多，有烟煤、无烟煤、褐煤等。锯木业和乳制品业亦为重要行业。木材资源多为山毛榉和柏木陆均松。境内有韦斯特兰、科克山和阿斯派灵山 3 个国家公园。主要城市有韦斯特波特、里夫顿、格雷茅斯、库马拉、霍基蒂卡和罗斯。有一条沿海公路由韦斯特波特经格雷茅斯、霍基蒂卡至哈斯特河谷。从纳尔逊和布莱尼姆亦可走陆路到达格雷茅斯。面积22 893平方千米。人口32 900(1998)。

West Coast jazz (music)　**西海岸爵士乐**　参阅 **cool jazz** 冷静爵士乐。

West Covina　西科维纳　美国加利福尼亚州洛杉矶县城市。位于圣加夫列尔谷地东端、洛杉矶市中心以东32千米处。1905年成为定居点后即以农业为主，四周广栽橘树和胡桃树。第二次世界大战后，随洛杉矶都会区城市化而迅速发展起来。市内住户差不多全是现代化的一户一座小型房屋。在职人员大都去洛杉矶、波莫纳及附近其他工商业中心上班。城市人口主要为西班牙人和亚洲人。城北有安杰拉国家森林公园。1923年设市。人口105 080(2000)。

West Derbyshire (England)　**西德比**　参阅 **Derbyshire Dales** 德比郡戴尔斯。

West Des Moines　西得梅因　美国艾奥瓦州中部波克县得梅因的市区和郊区。原为铁路枢纽站，原名瓦利章克申，1938年改现名。轻工业有水泥和翻砂产品。1893年建市。人口46 403(2000)。

West Devon　**西德文**　英格兰西南部德文行政、历史郡一区。位于普利茅斯北面，包括达特穆尔高地的大部分，西与康沃尔郡相隔泰马河谷。达特穆尔高地海拔305～610米，为光秃的花岗岩山地，占该区约一半面积，放牧耐艰苦的绵羊。北部和西部较低的高原有畜牧业和谷物及饲料作物种植业。泰马河下游，普利茅斯附近生产早熟蔬菜、水果，畜养猪和家禽。西德文是史前人类、盎格鲁-撒克逊人和诺曼人的居住区中心，并曾开采锡，后又开采铜和铅。这些时期的遗迹有石冢、石板桥和尚存的中世纪农舍。小型集市中心塔维斯托克和奥克汉普顿同为该区首府。塔维斯托克以东11千米处有达特穆尔监狱，是英国对重罪犯的主要改造中心。面积1 160平方千米。人口约47 500(1998)。

West Dorset　西多塞特　英格兰南部多塞特行政郡一区。濒英吉利海峡的莱姆湾。几乎全部在国家划定的风景优美区内，其城乡景致在19世纪小说家T.哈代的笔下得到生动的描绘。南部和东部两条东西南山岭在中部会合形成马蹄形高地。高地中间的谷地及山岭的西、北两侧有集约农业，其余是草地和石楠丛生带。山区有乳牛饲养业和谷物种植业，低地经营综合性农业生产。莱姆里吉斯19世纪时为富贵人的休养地，也是重要的中世纪港口。布里德波特久以生产绳索、麻线和渔网而闻名。T.哈代出生于多切斯特附近。多切斯特是多塞特郡和西多塞特区首府。面积1 083平方千米。人口91 100(1998)。

西多塞特区的莱姆里吉斯

供图：Paul Grundy/罗伯特·哈丁图片图书馆

West Dunbartonshire　西邓巴顿郡　苏格兰中西部政务会辖区，沿克莱德河下游北岸，位于格拉斯哥的西北部。向北延伸至洛蒙德湖(苏格兰最大的湖泊)。包括位于政务会辖区中心的基尔帕特里克丘陵所包围的盆地。西邓巴顿郡完全位于邓巴顿历史郡内。该区大多数人口居住在南部和西部的3个大城镇——亚历山大、邓巴顿和克莱德班克。北部和南部主要为乡村，在高地饲养绵羊，在低地生产乳制品，种植蔬菜，饲养猪和家禽。基尔帕特里克丘陵是格拉斯哥都会区的排水区。克莱德班克是最大的城镇，制造海上石油钻探设备及其有关装置，还有制药业和金融服务业。邓巴顿有造船业，现在主要依靠服务业和威士忌的调配及蒸馏。洛蒙德湖附近的亚历山大有旅游业和多样化的轻工业。邓巴顿是行政中心。面积55平方千米。人口94 980(1999)。

West End　伦敦西区　大体上指伦敦的威斯敏斯特区、肯辛顿区和切尔西区一带。由于该地许多地方和零售区都属于伦敦大都会最繁华的地区，伦敦西区被认为是伦敦的高级住宅区。多个世纪以来，该地区一直以皇宫、公共林地、政府办公楼、豪宅和商业区而闻名，与伦敦东区形成对照，那里有更多的工业，居民大多为蓝领。伦敦西区的住宅区包括梅费尔、詹姆斯街、贝尔格莱维亚、奈茨布里奇等，以及肯辛顿宫周边的一些地方。

West Falkland　西福克兰岛　南大西洋福克兰群岛(**Falkland Islands**)两大岛屿之一。长130千米，宽70千米，面积4 532平方千米。海岸线曲折。最高点亚当山海拔700米。人口208(2001)。

West Flanders　西佛兰德　佛兰芒语作West-Vlaanderen。比利时最西端一省。面积3 145平方千米。划分成弗尔讷、奥斯坦德、布吕赫、蒂尔特、鲁瑟拉勒、科特赖克、伊普尔和迪克斯迈德8个区。从地理上可划分成沿海佛兰德和内地平原。前者包括沿海地区和围海低地。该省是比利时首要的农业省。沿海种植蔬菜。内地平原的沙土和黏土冲积层种植小麦、燕麦、制造麦芽糖的大麦、甜菜、马铃薯、烟草、亚麻(在莱厄河谷)和喂奶牛的饲料。围海低地向内地延伸10～16千米，布满了排水沟渠，土地肥沃，种植青草、燕麦和饲料作物。用以饲养大量牲畜(马、牛、猪)。在沿海地区有一连串海滨旅游胜地，旅游业成为主要的收入来源。捕鱼业在奥斯坦德、纽波特和泽布吕赫也占有一定的重要位置。围海低地上人口稀少，只有少数小商业城镇，如弗尔讷。省会布吕赫是全省最大城市，有多种工业。纺织工业部分集中在东南部的莱厄河谷。有数条铁路线，还有根特-布吕赫运河和众多的小运河。靠近德潘讷的西胡克自然保护区(1957)保护着沙丘、河口湾和沿海的植物。人口约1 127 091(1999)。

West Florida Controversy　西佛罗里达之争　美国历史用词，关于阿巴拉契科拉河与密西西比河间墨西哥湾地区归属的争议。西班牙声称该区为1492年发现的新大陆的一部分，但于1695年为法国所占领，成为路易斯安那的一部分。1763年《巴黎条约》将西佛罗里达地区划归英国，1783年《巴黎条约》又将该区退归西班牙。美国则宣布其为1803年路易斯安那购地的一部分。1810年，巴吞鲁日地区美国居民起事脱离西班牙控制，剩余地区不久亦并入密西西比准州。1819年《泛大陆(亚当斯-奥尼斯)条约》规定，西班牙放弃对西佛罗里达地区的全部要求。两年后正式归属美国。

West Frisian Islands　西弗里西亚群岛　荷兰岛屿。北海弗里西亚群岛(**Frisian Islands**)一部分。位于欧洲西北海岸外。

West Germany　西德　1949～1990年由现在德国2/3的西部领土组成。第二次世界大战结束时，美国、英国和法国占领了德国部分领土，1949年将其统一起来成立西德。1990年，西德和东德统一后，西德的宪法及其正式国名(德意志联邦共和国)被原东德所接受并沿用。参阅 **Germany**。

West Glamorgan　西格拉摩根　南威尔士一郡。1974年设置。首府斯旺西(**Swansea**)。面积817平方千米，下设4个行政区。在地理上可划为3个地区：斯旺西湾沿岸的城市综合区、南威尔士煤田西部的丘陵和河谷地区以及高尔半岛。除高尔半岛外，大部分为砂岩高地，尼思与塔韦两河流经，河谷宽广。18世纪，尼思河和塔韦河下游开始冶炼铜和铅，后又改为制造马口铁和炼钢。西部煤田发展采煤业。第一次世界大战后，南威尔士其他地区的采煤业都趋于衰落，而该郡北部和西部的无烟煤采掘在1945年前仍继续生产。后采煤业衰落，里索尔文、庞特道埃和埃斯特勒甘莱斯诸镇从事新的行业，重振原矿区的经济。斯旺西城市联合体指西从达费德郡的拉内利、东到马格姆，并延伸至各河谷，环绕斯旺西湾的广大地区。它经历了1914年前的有色金属工业衰落和两次世界大战之间的停滞以后，又已发展起来。斯旺西购物区已经重建，改为新的地区购物中心。在斯旺西市周围已建起新的住宅区和工业区。兰达西炼油厂有输油管道通到塔尔伯特港的钢铁厂。高尔半岛地势平坦，周围镶着美妙入画的陡峭海岸，除了向斯旺西市区供应蔬菜和鲜奶以外，还发展成为职工住宅区和疗养胜地。人口约357 800(1991)。

West Greenland Current　西格陵兰洋流　沿格陵兰西岸向北流的冷洋流。参阅**Greenland Current**。

West Hartford　西哈特福德　美国康涅狄格州中部哈特福德县城镇。1679年创建，原为农业社区，1854年设镇，成为哈特福德市郊豪华住宅区。现工业限于东南角一小块地方。词典编纂家N.韦伯斯特诞生于此。设有美国聋人学校(1817)、哈特福德大学(1957)、圣约瑟夫学院(1932)和康涅狄格大学分校。面积57平方千米。人口63 589(2000)。

West Haven　西黑文　美国康涅狄格州西南部纽黑文县城市。位于纽黑文湾畔，隔韦伯斯特河与纽黑文相对。17世纪40年代开始拓居，1921年设镇，1961年设市。早期有渔业、锻铁、谷物加工和造船业。现工业多样化。建有纽黑文大学(1920)。人口52 360(2000)。

West Highland white terrier　西部高原白㹴狗　由㹴狗培育的品种。可能在苏格兰原阿盖尔郡区波尔塔洛克由马尔科姆家族用多年的时间育成，该家族的养狗历史可能追溯到英格兰国王詹姆士一世的时代。本品种一般体粗壮，性活泼。腿短，体高25.5～28厘米，体重6～8.5千克。被毛为纯白色，底层毛柔软，上层毛直而硬。据认为本品种与其他苏格兰的㹴狗品种(丹迪·丁蒙㹴狗，苏格兰㹴狗，凯恩㹴狗)有共同的祖先。

West India Company(Dutch)　**西印度公司**　参阅**Dutch West India Company** 荷兰西印度公司。

West Indian cedar(tree)　**西印度椿**　参阅**cigar-box cedar** 烟盒香椿。

West Indian cherry　(plant)　**西印度樱桃**　参阅**Barbados cherry** 巴巴多斯樱桃。

West Indies　西印度群岛　西班牙语作Indias Occidentales，法语作Indes Occidentales，荷兰语作Westindië。长达3 200千米以上的新月形岛群，将西部和南部的墨西哥湾及加勒比海与东部和北部的大西洋分开。自北美大陆的佛罗里达半岛由北向东南延伸1 930千米，再折向南延伸800千米，然后向西沿南美大陆委内瑞拉的北海岸延伸。陆地总面积近236 000平方千米。人口约36 738 000(2000)。

西印度群岛分为3个主要地理区：大安的列斯群岛，由古巴、牙买加、伊斯帕尼奥拉(海地和多米尼加共和国)及波多黎各等岛屿组成；小安的列斯群岛，包括维尔京群岛、安圭拉、圣基茨和尼维斯、安提瓜和巴布达、蒙塞拉特、瓜德罗普、多米尼加、马提尼克、圣卢西亚、圣文森特和格林纳丁斯、巴巴多斯及格林纳达；北美大陆架的一些孤立岛群，巴哈马群岛(包括特克斯和凯科斯群岛)，南美大陆架岛群(包括特立尼达和多巴哥、阿鲁巴、库拉索和博奈尔)。百慕大在自然地理上虽不属于西印度群岛，但与西印度群岛有着共同的历史和文化背景，故常被列入西印度群岛。

土地　西印度群岛由两条主要山脉构成，一条由西至东，构成大安的列斯群岛，另一条由北至南，构成小安的列斯群岛。这些山脉大部分已被大西洋和加勒比海淹没，惟有较高的山峰从水面升起。除内陆山峰外，每个大安的列斯岛周围都有沿海平原。

西印度群岛的加勒比海气候属热带海洋性气候，大部分地区昼间最高温度12～4月为28～30 °C，5～11月为30～32 °C。夜间温度约比昼间低6 °C。大多数岛屿有雨季和旱季，年降雨量在800～2 000毫米之间，最高可达5 000毫米以上。信风夹带大量水气在海拔较高岛屿的迎风面形成大雨。8～10月常有飓风。全年相对湿度较高。

西印度群岛大部地区从前为森林所覆盖，但甘蔗种植园主为利用木柴做制糖燃料，将许多地区的森林砍伐殆尽，导致土壤贫瘠、水土流失。原始森林也因刀耕火种式的农业而遭到破坏。有些国家已认识到森林的重要性，通过立法防止滥伐森林。现存的森林种类有沿海岸生长的沼泽红树林、背风岛和其他久旱地区的半落叶树林、生长在潮湿低地的热带雨林、潮湿高地的山地林以及无掩蔽山顶的高山矮曲林地。

加勒比海地区的大批植物均为本地植物，在大安的列斯群岛的高处有中纬地区和近北极区常见的植物。陆地动物同邻近的南美大陆一样种类贫乏，仅有许多啮齿动物，如似兔子的刺豚鼠，以及多种蝙蝠和蜥蜴。鸟类包括数种鹦鹉、蜂鸟、鹦及红鹳。海洋生物在沿海一带十分丰富，包括乌龟、甲壳类动物、凯门鳄、海豚、红啮鱼、狐鲣和飞鱼。海洋生物基本上未被开发成食品。加勒比海地区出口的主要矿产包括牙买加的铝土和特立尼达的石油。

人民　西印度群岛的人口分属不同的种族，大部分是早期以奴隶劳动为基础的种植园社会的后裔。人口中大部分为白人、黑人或穆拉托人(黑、白混血)。黑人大多为非洲奴隶的后裔，白人则为西班牙、法国、英国或荷兰殖民者的后裔。由各种欧洲语言的皮钦语变体演变而来的混合语已成为当地许多人的通用语言。法语混合语和英语混合语是这两种语言同非洲和西印度诸语言混合的产物。与此相反，主要讲西班牙语的社会——古巴、波多黎各和多米尼加共和国，则讲纯正的西班牙语。帕皮亚门托语是西班牙语、荷兰语、葡萄牙语和英语的混合语，在阿鲁巴和荷属安的列斯广泛使用。本地区，尤其在特立尼达和多巴哥有大批亚洲-印度人，占居民总数的40%。华人为较小的少数民族，白人在古巴和波多黎各高达70%左右。在讲西班牙语和法语的岛屿，天主教是主要宗教，在英语地区及荷兰属地，以新教为主。

虽然西印度群岛各国的世系、语言不尽相同，但因具有类似的种植园殖民地经历，文化并无太大差异，各国都以其生机勃勃的文化风貌为荣。在每年一度的狂欢节上，各种舞蹈、集会和庆典活动热闹非凡。

西印度群岛居民约70%居住在古巴、多米尼加共和国和海地，其余则散布在20多个不同的政治实体。各地区人口(1990)从3 300 000(波多黎各)到7 000(安圭拉)不等。1/3人口不满15岁，平均年龄约24岁。

20世纪后期，该地区与其他发展中地区相比人口增长适中。在发展中国家，该地区的出生率历来很低，50年代后加速下降。人口外流在本地区比在其他地区更为明显，对人口净增长率有重大影响。整个20世纪人口一直大量外移，60、70年代移民的比率更高，损失了一半以上的人口自然增长。50年代以后，主要由于婴儿死亡率降低，人口死亡率亦逐步下降，至20世纪后期，就发展中国家而言人口死亡率相对较低。有3/5以上人口住在城市区，这一比率仍在迅速增加。许多岛上，因人口大量移居城市，乡村居民已大为减少。

经济　除古巴实行中央计划经济外，西印度群岛其他各国主要实行自由经营的市场经济体制。该地区经济特点是依赖少数几种商品出口，通常都是农产品，因而极易受到国外经济波动的影响。80年代，除古巴外本地区国民生产总值的增长高于人口增长。但这种情况在各国并不平衡，80年代末，海地的人均国民生产总值不足400美元，而美属维尔京群岛则高达10 000美元。为刺激本地区经济，特别是制造业的生产，美国于1984年开始实施加勒比海流域开发计划，使许多种产品能够免税进入美国市场。

农业是西印度群岛经济的传统基础，但农业产量与农业人口日益减少。大多数国家的粮食生产无法自给自足，谷物，尤其是小麦，是主要的进口粮食。糖、香蕉、柑橘、可可和香料是主要出口产品，也是许多国家的主要外汇来源。为减少对国外市场的依赖，许多国家正试行多样化农业生产。

制造业在西印度群岛的总体经济活动中比重极小。在牙买加、巴巴多斯、特立尼达和多巴哥、波多黎各以及荷属安的列斯等国，采矿业已得到长足发展。

在未独立的国家中，外国补助和汇款是主要收入来源。在英属背风群岛之一的蒙塞拉特岛，英国为当地政府的预算筹措了大部分资金，并提供了大量其他外援。

旅游业已成为某些岛屿的支柱行业和外汇主要来源。但旅游业往往使当地生活费用大幅度上升，而又不能创造大量的就业机会。当世界经济不景气时，旅游业也很快会受到影响。

古巴是加勒比海诸岛中最大的岛屿，一直努力打破西印度群岛普遍依赖一、两种经济作物的传统经济模式。古巴过去一直以制糖业为主，目前正致力于经济的多元化发展，通过增加资本货物的进口为新兴工业打下基础。

为克服经营规模小和对少数几种出口产品的依赖所产生的问题，加勒比海诸国已组成几个经济联盟，包括建立区域性自由贸易区的中美洲共同市场，以促进英语国家合作为目的的加勒比海共同体和共同市场，以及非洲-加勒比海-太平洋国家集团，该集团的成员国作为1975年《洛美公约》签署国，享受欧洲经济共同体的优惠关税待遇。

国外市场的脆弱和不稳定，使许多西印度群岛国家的国际贸易出现逆差。

政府与社会状况　西印度群岛独立国家

所采取的政体各不相同，古巴为社会主义制度，多米尼加和多米尼加共和国为共和制，而牙买加和圣卢西亚则为君主立宪制。这些国家多数在20世纪60年代初期独立。在一些尚未独立的国家中，有些同美国维持着自由联盟的关系，有些在荷兰王国的统治下实行内部自治，还有一些为英国的属地和法国的海外省。

大多数地区的政党都可公开发表反对意见，古巴和海地除外。议会制国家普遍实行两党政治。

西印度群岛的独立国家趋向于不结盟，或与西方国家结盟。英国、法国和美国都对其属地的防务负责；除从前没有属地的美国外，英、法两国还与前属地保持着密切的关系，提供军事训练、武器装备，有时还负责防务。两国还在若干具有战略意义的岛屿上设有军事基地。

同其他发展中国家相比，该地区的生活水平都还不错，尤其是那些接受中央政府大量补贴的未独立国家。在比较发达的国家，预期寿命在70岁以上，而在不太发达的国家预期寿命约在60岁左右。婴儿死亡率在各国有很大差别，某些国家为10‰～15‰，海地则高达100‰。社会保障计划的范围广泛，尤其是在未独立的国家，因而有助于人民健康状况的改善。医疗服务机构仍不能满足需要，部分原因是人口大量流失，医务人员普遍短缺。主要存在的健康问题都与饮用水的供应和改善以及污水的处理有关。循环系统疾病和癌症是主要的死亡原因，肠胃炎、流行性感冒、肺炎、疟疾、结核病和各种儿童病也是危害健康的主要问题。在欠发达国家，妇女和儿童普遍患有营养不良疾病。居住条件通常都不符合标准，整个地区长期以来一直存在住房短缺现象。

教育制度一般都很健全，大多数国家的识字率超过80%。建有一些大学和学院，其中包括西印度群岛大学，该校在本地区一半以上国家设有分校。

报业与广播媒介在古巴、多米尼加共和国、海地、牙买加、特立尼达和多巴哥最为发达，但或多或少受到政治的干预。各国政府控制的程度有很大差异。

文化生活 加勒比海地区人民的文化融入了非洲、美洲印第安和欧洲的特色，某些国家还受到亚洲的影响。现在驰名世界的雷盖音乐（强节奏黑人音乐）即源于发生在牙买加的逃亡黑奴团体的拉斯塔法里宗教活动。西印度群岛的作家和哲学家对现代文学也做出了很大贡献。

历史 1492年哥伦布首次在美洲登陆时，加勒比海地区居住着3个不同群体的印第安人：阿拉瓦克人、加勒比人和西沃内人。阿拉瓦克人又称泰诺人，人数最多，居住在大安的列斯群岛、巴哈马群岛和背风群岛一带，以务农为生，也从事航海业。有证据表明他们与美洲大陆和非洲之间有贸易往来。加勒比人同样务农、航海，但不同的是以好战著称。西沃内人以捕鱼为业，后被逐离沿海地区，改以狩猎和采集为生。1493年哥伦布在伊斯帕尼奥拉岛建立起西印度群岛的第一个永久性欧洲人殖民地。16世纪初西班牙人将殖民地扩展到大安的列斯群岛的其他岛屿上。西班牙人的主要目的在于挖掘金矿和其他贵重金属，但他们发现阿拉瓦克人承受不住这种强迫的无休止的艰苦劳动。这些土著人遂基本上被灭绝。

由于岛上金矿逐渐枯竭，加勒比海各属地主要起到停靠港和贸易港口的作用。西班牙人曾企图控制加勒比海地区，在伊斯帕尼奥拉、古巴和波多黎各构筑要塞，阻止其他国家同这些岛屿进行贸易。

英法两国分为两个阶段渗入西班牙的加勒比帝国：第一阶段是利用私掠船船员于1536～1609年武装袭击西班牙属地；第二阶段是在尚无西班牙人定居的小安的列斯群岛建立殖民地。1630～1640年，荷兰人宣称库拉索岛、阿鲁巴岛、博奈尔岛、圣尤斯特歇斯岛、圣马丁岛和萨巴岛为该国所有。同期，英国人亦宣称巴巴多斯岛、尼维斯岛、安提瓜岛和蒙塞拉特岛为英国领土；法国则宣称马提尼克岛和瓜德罗普岛为其属地。各国都设法阻止其殖民地同任何其他国家进行贸易往来；1697～1814年，英法两国曾因加勒比海属地问题发生多起冲突。

制糖后来成为各岛的主要经济活动，生产技术和奴工（大多来自西非）均由荷兰商人提供。非洲奴隶的境遇极为恶劣。他们唯一的希望就是逃到内地，与其他奴隶共同结成逃亡黑奴社团。由逃亡黑奴组成的许多团体是非洲文化在加勒比海地区得以保存的一个重要因素，而且它们经济上能够自给自足，在甘蔗种植园这是无法办到的。其他岛屿的经济仍以出口食糖为主。这种受外界影响的脆弱经济模式就是在这个时期建立起来的，并在该地区一直延续至今。

西印度群岛的奴隶经过多次反抗，终于在图森-路维杜尔的领导下革命成功。图森-路维杜尔主张废除奴隶制，他在法国大革命期间（1789～1799）控制了圣多曼格殖民地。他的继承者德萨利讷和克里斯托夫，在拿破仑企图在圣多曼格恢复奴隶制度后领导该岛脱离法国独立，并以印第安语海地为他们的共和国的名称，以象征脱离法国。

西印度群岛其他地区的奴隶制度也因内部和外部的各种因素而加速崩溃。英国废奴主义者认为：英国贩奴只能使竞争对手法国得益，因为法国将奴隶转卖到法国殖民地。对奴隶制度和贩奴贸易持人道主义观点的势力占了上风，制糖成本的提高也使种植园主遭到更多非难。丹麦终于在1803年率先废除贩奴贸易，随后英国在1807年、法国在1817年、荷兰在1815年、西班牙在1820年、瑞典在1824年也纷纷禁止贩奴。奴隶制本身最后也于1833年在英国各殖民地被废除，法国和荷兰殖民地也分别在1848年和1863年废除奴隶制，西班牙殖民地波多黎各和古巴分别在1873年和1880年废除奴隶制。

奴隶解放之后，种植园制度发生了重大变化。种植园主获得补偿金后往往将资金撤出西印度群岛，并未用于经济的现代化。大多数种植园都无法生存，只有几个种植园联合起来给一家中心工厂提供制糖原料，制糖业才得以生存。因此，19世纪后半叶开始出现种植甘蔗的大庄园。有些岛上实行农业多样化，由小自耕农种植粮食作物以及可可、豆蔻和香蕉等经济作物。旅游业以及石油和铝土业的发展使多元化经营的趋势持续到20世纪。但经济上的困难因30年代世界经济大萧条而更加恶化，许多殖民地变得更加依赖其宗主国或接受其直接统治。

美国在美西战争（1898）期间占领了古巴和波多黎各，开始插手西印度群岛事务，到20世纪初涉及的范围愈广。美国首先买下丹麦的维尔京群岛（1917），之后又占领海地（1915～1935）和多米尼加共和国（1916～1922）。加勒比海地区的美军基地在第二次世界大战期间保护了西方的利益，并提供了许多投资机会，这也导致了当地人民的经济依赖性和反美情绪。

第二次世界大战后，西印度群岛因各地受到经济条件的限制，民族主义运动受阻，争取完全独立的步伐也相对缓慢。海地于1804年独立，古巴于1898年美西战争后独立，多米尼加共和国于1844年独立；第二次世界大战后独立的国家包括牙买加、特立尼达和多巴哥（1962）、巴巴多斯（1966）、巴哈马（1973）、格林纳达（1974）、多米尼加（1978）、圣卢西亚和圣文森特、格林纳丁斯（1979）、安提瓜（1980）以及圣基茨-尼维斯（1983）。

West-Indische Compagnie 参阅 **Dutch West India Company** 荷兰西印度公司。

West Irian (Indonesia) **西伊里安** 参阅 **Irian Jaya** 伊里安查亚。

West Java (Indonesia) 参阅 **Jawa Barat** 西爪哇。

West Lafayette 西拉斐特 美国印第安纳州中西部蒂珀卡努县城市。濒临沃巴什河，

西拉斐特市珀杜大学的教务楼

供图：Indiana Department of Commerce

与拉斐特隔河相望。建于 1845 年。1924 年设市。现主要为居民区，设有珀杜大学(1869)。附近有州立蒂珀卡努战场纪念地和乌亚塔农堡(建于 1719 年，为印第安纳州最早的白人定居点)旧址等历史名胜。人口：市 25 907；拉斐特-西拉斐特都会统计区 28 778 (2000)。

West Lancashire　西兰开夏　英格兰西北部兰开夏行政、历史郡一区。面积 347 平方千米。位于利物浦北面。大部是沿海低地平原。该区集约生产蔬菜和水果，供应邻近的都市区。区首府奥姆斯柯克是西南部的农业中心。其街市据说已有 700 年的历史。人口约111 200(1998)。

West Lindsey　西林赛　英格兰中东部林肯行政、历史郡一区。面积1 154平方千米。位于林肯市北面。包括两处肥沃的低洼谷地和其间狭长的林肯山。历史上的集市堂区盖恩斯伯勒是区首府和唯一有几千人的城镇和区西部的河港，第二次世界大战后轻工业有一定扩展，有针织品和农具制造业。其东面 32 千米处的马基特雷森镇以其跑马场闻名。河谷生产小麦、大麦和甜菜，并广泛饲养牛羊。人口约77 200(1998)。

West Lothian　西洛锡安　苏格兰东南部政务会辖区和历史郡。位于福斯湾南岸，东与爱丁堡接界。政务会辖区和历史郡所辖区域稍有不同。历史郡濒临福斯湾，从博内斯延伸至克拉蒙特以西的阿蒙德河口，西南横跨埃文河和阿蒙德河之间的一块低地。政务会辖区包括历史郡的绝大部分区域，但不包括博内斯周围地区(位于福尔柯克政务会辖区)和南昆斯费里周围福斯湾沿岸地区(位于爱丁堡市政务会辖区)。此外，还并入了中洛锡安历史郡的部分地区。从洞穴墓和墓冢的形式看可有力地证明在史前年代已有人类定居在这一地区。在东部福斯湾和西部克莱德河之间有一座安东尼墙，是古罗马人于公元 2 世纪时所建，其东端即在西洛锡安的布里奇内斯。中世纪西洛锡安在洛锡安历史区的最东端。16 世纪获得独立郡的地位，直至 20 世纪称为林利斯戈郡。区内有许多精美的建筑古迹。中世纪时，坐落在林利斯戈的林利斯戈宫殿是最受喜爱的苏格兰皇家住所，是苏格兰的詹姆斯五世和玛丽女王的诞生地。另一个给人留下深刻印象的皇家城堡坐落在布莱克内斯的村庄里。建在林利斯戈的迈克尔教堂是苏格兰最佳的堂区教堂之一，正如在达尔梅尼的 12 世纪罗马式堂区教堂一样。福斯湾畔的南昆斯费里仍然是河口湾到湾北岸法夫郡的重要渡口的南面起点。18 世纪末和 19 世纪的工业革命刺激了西洛锡安西南部的煤矿和铁矿石的开采业，以及一些重工业。到 20 世纪末，采煤业和重工业实际上已经消失。新兴工业(如电子器件制造业和服务业)很大程度上取代了区内的重工业。位于西洛锡安政务会辖区中心的新城镇利文斯顿有几个高科技公司。最好的农田在北部和西部的低地，重要的作物有小麦、大麦、草料和土豆，但制酪业也日益重要。南部的高地有养羊业。利文斯顿、林利斯戈和巴斯盖特是行政中心。面积：政务会辖区 475 平方千米。人口：政务会辖区154 680(1999)。

West Malaysia　西马来西亚　马来西亚 13 州联邦的一翼。位于马来半岛的南半部，与东马来西亚隔南海相望。过去是马来亚联邦(1948～1963)。其人口占马来西亚人口绝大部分，首都吉隆坡位于西马来西亚。人口约 14 131 723(1991)。

West Memphis　西孟菲斯　美国阿肯色州东部克里滕登县城市。隔密西西比河与孟菲斯(田纳西州)相望。有桥连接。1910 年初建时为伐木营地，1929 年设市。现为木材和棉花业中心及液化肥料、粮食、煤、钢管和钢结构制品转运站。有多种工业部门。人口 27 666(2000)。

West Midlands　西米德兰兹　英国都会郡，由 7 个都会自治市组成：包括英国第二大城市伯明翰、考文垂市以及达德利、桑威尔、索利哈尔、沃尔索尔、伍尔弗汉普顿。该都会郡合并了 3 个历史郡的一些区域。在西北部，伍尔弗汉普顿、沃尔索尔自治市，以及达德利、桑威尔、伯明翰自治市的部分区域属于斯塔福德历史郡。在西南部、达德利、桑威尔和伯明翰自治市的部分区域在伍斯特历史郡内。在中部和东部，伯明翰的部分区域(包括城市历史中心)以及索利哈尔和考文垂自治市的全部区域都属于沃里克历史郡。1974～1986 年，西米德兰兹是一个行政都会郡。1986 年失去行政权，由选区自汉市变成自治行政单位(单一政区)。现在西米德兰兹是一个没有行政权的地理郡和礼仪郡。

西米德兰兹位于主要为低地的地区，地质构成为砂石、黏土和主要存在于伯明翰周围台地之下的煤层。斯陶尔河，埃文河和泰姆河从这个台地基本上向南流去。该地气候变化介于西部较为温暖潮湿和东部较为干燥寒冷之间。由于距海较远，气候变化较大。例如伯明翰就是英国年温度变化幅度最大的地区之一，夏季温度相对较高，冬季较低。

撒克逊殖民者进入河谷地带定居之前，早期在偏僻而茂密的林区，人烟稀少。伯明翰原为里河一渡口附近的撒克逊人小规模定居点，在很长一段时间内，一直仅为一个小镇。拥有古堡的达德利统治着偏僻和人口稀少的地区，这一地区现称为黑乡(因景色灰暗而得名)。考文垂是 14 世纪末叶该区唯一重要的城市，当时是英国第四大城市(排名在伦敦、约克和布里斯托之后)，人口7 000。

本地区丰富的煤层及铁矿石和石灰石矿藏几乎使其不可避免地成为重要的制铁中心。早在 16 世纪伯明翰就开始有小规模的金属制造业。到 18 世纪时，达德利、沃尔索尔和伍尔弗汉普顿等产煤城镇在制铁业上已十分重要。对比之下，伯明翰则成为小物品如钮扣、枪械和珠宝等需要技巧的制造业中心。到 19 世纪时，各市镇都有其著名的特产，诸如达德利的链条、伍尔弗汉普顿的锁与钥匙以及西布罗米奇的弹簧和秤。本地区兴建了许多运河，比当地的几条小河景色更为优美，并且促进了商业的发展。

该地区的许多传统冶金与制造业一直继续存在至 20 世纪，而且与许多古老的工业区相比，该地区更能经受经济衰退的打击。电机工程及机动车、飞机和化学纤维的制造已成为地区内最重要的工业。19 世纪伯明翰的市长张伯伦颇有名气，他的市民行动主义风气一直衍传下来。西米德兰兹的核心城市，尤其是考文垂，在遭受第二次世界大战惨重的空袭破坏之后，业已重新设计建造。许多移民工人的住宅情况是公众关心的问题。该地区为英国公路网和铁路网的枢纽，这对于在伯明翰和考文垂之间选择 1976 年开幕的全国展览大会会址起了很大作用。西米德兰兹拥有多所大学、学院和文化机构；但该地区仍以制造业闻名，从索利哈尔生产的罗佛轿车等豪华产品，到布恩维尔的凯德堡模范工人社区生产的巧克力和可可等食品都有。面积 898 平方千米。人口约2 628 200(1998)。

West New Guinea (Indonesia)　**西新几内亚**　参阅 **Irian Jaya** *伊里安查亚*。

West New York　西纽约　美国新泽西州东北部哈德孙县城镇。位于哈德孙河畔，邻近威霍肯。1790 年由荷兰人定居，1898 年前为加滕伯格或北贝尔根的辖地。1898 年脱离北贝尔根，单独建镇。南距泽西城 8 千米，在纽约市曼哈顿岛正西方；为纽约港的一部分，有船坞、谷物起重机供远洋轮装卸。它是一个工业区，生产刺绣制品、服装、烟斗和皮革制品。人口45 768(2000)。

West Nile virus　西尼罗病毒　属于黄病毒科(Flaviviridae)的病毒，与引起黄热病和登革热的病毒有关，与引起脑炎的病毒关系更为密切。主要感染鸟类，对许多品种的鸟类(如乌鸦等鸦类)有高度的致命危险。当蚊子叮咬受感染的鸟，然后再把病毒传给人类时，也会对人体健康造成威胁。多数人感染都不明显或者不严重，引起类似流行感冒的疾病，通常几天后就会痊愈。然而，在受感染者中的少数人中，尤其是年龄在 50 岁以上的人，病毒会在血流中繁殖并进入大脑，造成脑炎。症状包括头痛、发热、颈部僵硬、迷失方向感以及肌肉无力，也可能导致死亡。认识并研究西尼罗病毒已有数十年，但从历史上看，该病毒主要局限在非洲、中东，以及俄罗斯、印度和印度尼西亚的部分地区，在那里偶尔会引起通常是小规模的类似登革热病的流行，或者造成零星的脑炎病例。然而近年来，这种病毒通过候鸟更广泛地进入到欧洲。1999 年传到了美国，还扩大到加拿大和加勒比海国家。该病没有特效疗法。严重的话，必须进行特别护理，要跟踪观察病人的呼吸功能，处理好体液和电解质的平衡，并防止二次感染。

West Norfolk (England)　**西诺福克**　参阅 **King's Lynn and West Norfolk** *金斯林-西诺福克*。

West Nusa Tenggara (Indonesia)　参阅 **Nusa Tenggara Barat** *西努沙登加拉*。

West Orange 西奥兰治 美国新泽西州东北部埃塞克斯县城镇。位于纽瓦克西北。1862年从奥兰治划分出来。1900年设镇。因是A.爱迪生故乡而闻名。设有国立爱迪生纪念馆，包括爱迪生实验室(1887)。卢埃林公园内有爱迪生的23间住宅。奥兰治山地高196米处的鹰岩保留地，在独立战争期间G.华盛顿曾用做瞭望所。该镇建有凯斯勒改造院。轻型制造业有电器设备及电池。人口44 943(2000)。

West Oxfordshire 西牛津 英格兰中南部牛津行政、历史郡西部一区。东和南界泰晤士河，西北接科茨沃尔德丘陵，其余地区大部为谷地。经济以综合性农业和轻工业为主，制造精密仪器和家具。久有基础的特色工业有西北部奇平诺顿的花呢生产、中部查尔伯里和伍德斯托克的手套以及南部现区首府威特尼的毯子(1669年就开始生产)。丘吉尔出生在伍德斯托克南1.6千米的布兰希姆府邸，葬于附近布莱登村的教堂墓地。面积715平方千米。人口约97 400(1998)。

West Palm Beach 西棕榈滩 美国佛罗里达州东南部城市，棕榈滩县县城(1909)。隔沃思湖与棕榈滩相望。1894年通铁路后发展起来，后成为旅游中心和该地区商业金融中心。经营多种工业和商业性渔业。有帕姆比奇大学(1926)和帕姆比奇大西洋学院(1968)。北侧棕榈滩港为该州最繁忙港口之一。市西有非洲动物保护区。人口：市82 103；西棕榈滩-博卡拉顿-德尔雷比奇都会统计区1 131 184(2000)。

West Plains 西普莱恩斯 美国密苏里州中南部城市、豪厄尔县县城(1858)。位于欧扎克山区，邻近阿肯色州边界。始建于1858年。1912年建市。早期为周围农牧业区的贸易中心。生产木炭、轴杆、家具、电子设备、鞋和卡车车身等。因附近有诺福克湖和马克·吐温国家森林，旅游业在20世纪70年代也有发展。设有西南密苏里州立大学宿舍中心和中南地区职业技术学校。人口11 348(2005)。

West Point 西点 美国密西西比州东部城市克莱县县城(1874)，与哥伦布市和斯塔克维尔市一起组成金三角工业综合体。西点是在号称"南部各州谷仓"的土地上发展起来的。该地由两个印第安人于1844年卖给J.罗伯逊。1858年设建制。该市现在为周围农业区(菜牛、奶牛、棉花、大豆、鲇鱼)服务，并有纺织、金属制品、橡胶制品和肉类包装等工业。玛丽·霍姆斯学院1892年创立于该地。人口12 145(2000)。

West Point Academy 西点军校 参阅 **United States Military Academy** 美国陆军军官学校。

West River(China) 参阅**Xi Jiang**西江。

West Scotia Basin 西斯科舍海盆 南大西洋斯科舍海的海槽。位于南美火地岛东南约800千米处。平均深度约3 000米，长约1 130千米，宽480千米。北为斯科舍海岭，南面是南设得兰群岛。西斯科舍海盆和东斯科舍海盆之间为一低缓海岭隔开，这一海岭延伸于南乔治亚岛与南奥克尼群岛之间。海盆底的一部分为粉末状冰川泥沙，其他大部分被硅藻和有孔虫残骸形成的软泥覆盖，其中发现有玻璃状微小锰结核。海盆中有南极环极洋流自西而东流过。

West Seneca 西塞尼卡 美国纽约州西部伊利县城镇。西北紧邻布法罗，濒临伊利湖。1842年建居民点，1851年建镇。专门经营苗圃、温室作物种植业和蔬菜种植业。面积55平方千米。人口45 920(2000)。

West Siberian Plain 西西伯利亚平原 世界最大的平原之一。在俄罗斯中部，西起乌拉尔山麓，东至叶尼塞河谷，北临卡拉海，南抵图尔盖高原、哈萨克褶皱地区和阿尔泰山地，面积300万平方千米。主要河流有鄂毕河、额尔齐斯河及叶尼塞河。该地区由古老地壳和6 500万年以上的水平沉积层构成，冰河时期的沉积层向南延伸远至鄂毕河与额尔齐斯河汇合处，在个别地方形成低丘和山岭，但其他广大地区极为平坦且无排水渠道，植被大部为针叶林。低地有大型油田和天然气矿床。

West Somerset 西萨默塞特 英格兰西南部萨默塞特郡一区。位于布里斯托尔湾东南岸，面积727平方千米。地处多林木丘陵和高沼地带，仅东端一小部分为低洼的塞奇高沼盆地。区西的2/3区域在埃克斯穆尔国家公园境内，19世纪英国小说家R.D.布莱克默的小说《洛纳·杜恩》中对此公园有所描绘。沿海地带有旅游区。最大城镇迈恩黑德原为鲱鱼港，现是旅游胜地。附近邓斯特镇呈中世纪景观，有一个16世纪纱线市场，表明此地原为织物中心。波洛克镇在人口稀少的西端，有一所骑术学校。区首府威利顿在地势较平坦的东部。人口约32 500(1998)。

西萨默塞特区埃克斯穆尔国家公园内欧南石植被的山丘

供图：A.F.Kersting

West Spitsbergen 西斯匹次卑尔根岛 挪威语作Vestspitsbergen。北冰洋中斯匹次卑尔根群岛中最大的岛屿，挪威的一部分。斯匹次卑尔根群岛面积61 230平方千米，是斯瓦尔巴群岛的主岛群。西斯匹次卑尔根岛面积39 044平方千米，约450千米长，40～225千米宽。多山，大部分地区被冰川覆盖。岛上最高点是东北部的牛顿峰，海拔1 717米。著名的山峰还有霍恩松廷峰，海拔1 431米；德里加尔斯基峰，海拔1 423米。多山的西海岸处还有许多海拔在900米以上的高峰。许多峡湾深深插入西斯匹次卑尔根岛；朗伊尔城濒临西海岸最大的伊斯峡湾，是岛上主要居民点。岛上仅有的几个居民点大多在西海岸，从事采矿。挪威人和俄国人都来开采富煤矿，因此，岛上的俄国人相当多。旅行船只停靠在朗伊尔，旅游者可在岛上徒步旅行。国家公园和自然保护区是岛上比较新的特色。

West Springfield 西斯普林菲尔德 美国马萨诸塞州西南部汉普登县城镇(镇区)。位于韦斯特菲尔德河和康涅狄格河沿岸。约1660年始有移民定居;1774年设建制。该镇的公有地曾是三支革命军的营地;在谢斯起义期间(1786～1787),是起义农民的操练之处。有以服务业为基础的经济,轻工业电子器件和化学药品。斯陶罗顿村是复原的新英格兰区早期的村庄,是举行一年一度东部各州展览会(工、农业产品)的场地。面积47平方千米。人口27 899(2000)。

West Sumatra (Indonesia) 参阅 **Sumatera Barat** 西苏门答腊。

West Sussex 西萨塞克斯 英格兰南部行政郡。濒临英吉利海峡。西萨塞克斯位于萨塞克斯历史郡内,不包括盖德维克机场附近的一小块区域(属萨里历史郡)。下设7个区:埃德、阿伦、奇切斯特、霍舍姆、中萨塞克斯、克劳利自治市、沃辛自治市。郡首府是奇切斯特。南部丘陵横贯东西,北坡陡峭,南坡平缓,面向英吉利海峡。奇彻斯特以南是肥沃的沿岸平原。旧石器时代曾有人类在此居住。19世纪初海滨旅游区的发展是西萨塞克斯沿海地区发展的主要因素。利特尔汉普顿和博格诺里吉斯是重要的旅游地,沃辛为退休人员的居住城镇。娱乐性帆船航海活动在西部沿海很普遍。许多远离海岸地区仍保持着乡村的特点,有弯曲的小路、林地和小村落。20世纪,郊区的发展延伸至西萨塞克斯东北部地区。盖德维克机场刺激了克劳利及其周边经济的发展。有许多居民在伦敦上班,乘火车来往。面积1 990平方千米。人口约751 800(1998)。

West Syrian rite 西叙利亚礼仪 参阅**Antiochene rite** 安提阿式礼仪。

West Texas Basin 西得克萨斯盆地 参阅 **Permian Basin** 二叠纪盆地。

West University Place 西大学地 美国得克萨斯州东南部哈里斯县城市,为住宅区。西邻贝莱尔,南接绍斯赛德普莱斯,但整个城市为休斯敦市所包围。1910年田纳西州州长B.W.胡珀根据一份旧的西班牙授地证书获得了该地,7年之后才开始开发。1925年设市。至20世纪70年代实际上所有5平方千米地面已全被占用。该市因靠近赖斯大学(1891年创建)而得名。人口14 211(2000)。

West Vancouver 西温哥华 加拿大不列颠哥伦比亚省西南部温哥华市郊区的区属自治镇,位于巴拉德湾入口处北侧。该地几乎全部是与北温哥华相邻的住宅区,以狮门桥与温哥华相通。一侧为高达1 500米的山脉,另一侧为乔治亚海峡。该市为设施良好的大众游乐区。在温哥华岛和该郊区之间有渡船。1912年设市。人口40 882(1996)。

West Virginia 西弗吉尼亚 西弗吉尼亚从各方面证实它的"山峦州"别名是正确的。该州平均海拔457米,是美国密西西比河以东诸州中最高的一州。这是与纵横全境的山脊和将该州四面围住的诸条河流在经济和社会生活上密切相关的一个地区。弗吉尼亚西北部的移民按照西弗吉尼亚的格言"山地人永远是自由人"所提示的传统行事,于1861年拒不参加弗吉尼亚州召开的脱离联邦会议,决意留在联邦政府内,成立一个新的州。

西弗吉尼亚于1863年被接纳加入联邦,成为美国第35州。它是一个较小的州,面积只有62 761平方千米。北与宾夕法尼亚州交界,东与马里兰州和弗吉尼亚州接壤,西南与肯塔基州相邻,西北与俄亥俄州毗连。州府查尔斯顿。与国家标准和美国平均水平相比,西弗吉尼亚在个人收入和整个的经济发展方面是一个穷州。数十年来,在55个县大部分地区地下埋藏的丰富煤层使西弗吉尼亚成为北美洲地区烟煤的主要产地。崎岖嶙峋的地形把西弗吉尼亚州人封闭在狭小山谷里的小社区内,成为妨碍外界与之交往的实际上的和象征性的障碍。1940～1970年,以及20世纪80年代,该州两次大批人口离开当地,前往能提供较多就业机会的地方。但70年代却标志着向外迁居的一个转折点,成为趋向稳定的开端。80年代期间,煤田和重工业的人口流失,由于城市专业人员和锅柄地区东部的退休人员大批涌入而部分地得到补偿。西弗吉尼亚州人已下定决心把他们的家乡建设得更加现代化。

自然地理和人文地理

土地 地形 西弗吉尼亚的最高点为1 482米,位于东部的斯普鲁斯峰。最低处为

西弗吉尼亚州莫农加希拉国家森林多利索斯荒野地区的阿勒格尼高原

供图:B. Thomas——H. Armstrong Roberts, Inc.

75 米，位于坐落在谢南多厄河和波托马克河汇合处陡峭岬角上的哈珀斯费里。土地崎岖不平，有丘陵和高山，没有广阔的平原。该州有两个似锅柄状的凸出地带，一在北部，插入宾夕法尼亚州和俄亥俄州之间；一在东部，插入马里兰州和弗吉尼亚州之间，故西弗吉尼亚的另一个别名叫“锅柄州”。

整个西弗吉尼亚是阿巴拉契亚山系的一部分。一般分为两个主要的自然地理区：地质较古老的阿勒格尼高原和较新的阿巴拉契亚地区或大谷地。这两个自然区之间隔有阿勒格尼前山，注入大西洋的河流与流入墨西哥湾的河流也在此分流。阿勒格尼高原占该州西部2/3的面积，与俄亥俄河流域相等。该地区被河流切割成错综复杂的曲折的山丘与河谷。有的地方，原来的高原表层与其余山脉的顶层相一致。靠近宾夕法尼亚州边境的阿勒格尼高原东北部，因有州内最高的山脉而有时被称为阿勒格尼山脉。其中 40 多座山高达4 000英尺以上，使这一地区的降雨量充沛，成为该州最潮湿的地区以及该州许多河流的发源地。该州东端和东锅柄地区构成第二地理区。这一地质区包括波托马克河流域的大部分，以及山脉的东北-西南向褶皱排列而闻名，这是从加拿大起至亚拉巴马州中部为止的山系的一部分。蓝岭山脉的北端在这一锅柄地区的最东端形成一个小区。

水系和土壤 阿勒格尼前山以东的河流特点是形成短而交叉成格子状的水系，向东北方向流动，最后注入波托马克河。西部通过较长的水系把水从斜面排出，一般向西北方向流动，最后注入俄亥俄河。一个很小地区的河流注入弗吉尼亚向东流的詹姆斯河系。

流经西弗吉尼亚崎岖不平的地表的河水，在较大河流的漫滩上形成一些最肥沃的和平坦的冲积土壤。东部风化的石灰岩土壤适宜开辟牧场和果园。西弗吉尼亚大部分地区酸性的、沙岩衍生的土壤有助于多种农作物的经营。俄亥俄河沿岸的一些黏土土壤是陶瓷工业的基础。

气候 该州四季分明，各季时间大致相等。除了下锅柄地区受海洋性气候的影响以外，该州主要为潮湿的大陆性气候。受纬度与高度的影响，各地区全年平均温度不等，南部约为 13 °C，北部约为 11 °C，大部分山区约为 9 °C。1 月是全年最冷的月份，该州各地平均温度为 1 °C；7 月最热，平均温度为 23 °C。作物生长期为 120 ～ 180 天，平均为 160 天。全年平均降水量在山区为 60 英寸（1 520 毫米）以上，在东部锅柄地区为 35 英寸。降雪量约占总降水量的 8%，季度平均降雪量在西南部不到 20 英寸，在北部山区达到 64 英寸以上。

动植物 该州的森林覆盖面积为 75%。易于取得的原始森林已于 20 世纪初砍伐，而补植的森林，除农业和城市地区以外，业已成林。高原森林多为硬木林，包括红栎、白栎、黄白杨、糖槭、红槭、山核桃木、山毛榉、鹅掌楸、黑樱树和黄桦树。火炬松、短叶松、白松、云杉和铁杉形成的针叶树林覆盖着山坡、深峡和其他分散地区。东部主要是橡树林和松林。其他品种，如美国梧桐、洋槐、栗树、榆树和山茱萸，都很普遍。

兔、松鼠、灰狐、负鼠、北美臭鼬、浣熊和土拨鼠在西弗吉尼亚很普遍。殖民者当初发现的许多较大的白尾鹿在边缘地区和保护区数量正在增加。在偏僻的高地发现有黑熊。山间溪流有鳟鱼、巴司鱼、狗鱼和北美大梭鱼，而较大河流由于水质的改善，鲈鱼、蓝鳃、鲇鱼和其他鱼种的数量日益增加。

住区模式 广阔平坦的山脊顶部和谷底一般都被辟为农业用地和居住地。大田模式通常依据地形成直线状。乡村住宅沿公路或在其他运输系统附近形成带状分布。由于农业的衰落和采矿业实行机械化生产，许多乡村居民前往城市寻找工作。

西弗吉尼亚州有许多人口在 2 万人以上的城市。其中亨廷顿、惠灵、帕克斯堡和韦尔顿位于俄亥俄河畔，水路和铁路运输便利，有扩大的余地，发展前景良好。大部分城市的开发和工业的发展都沿着其他河流展开，例如卡诺瓦河和莫农加希拉河流域。较大城市由于工业集中、政治地位重要和拥有学院和大学因而在该州居主导地位。乡村地区的县政府对其服务的地区具有相当大的影响力。

人民 西弗吉尼亚州境内的第一个移民定居点是由德国人在波托马克河畔的谢泼兹敦建立起来的。由于德国移民的定居点过于分散，该地区一直无法形成住区模式。据 1790 年人口调查，当地共有居民55 873人，其中约15 000人具有德国血统。19 世纪初，弗吉尼亚州政府的许多法令都是用德语和英语两种文字发表的。英格兰人后裔控制着格林布赖河、纽河、卡诺瓦河和莫农加希拉河流域的殖民地，苏格兰-爱尔兰混合血统的后裔则向较难进入的地区移民。该州早期发展中也有非洲裔美国人，但由于地形崎岖无法发展大面积农业，西弗吉尼亚州的奴隶人数因而有限。仅杰斐逊和卡诺瓦两县有奴隶2 000多人，1/3的县的奴隶人数还不到全县人口的 1%。南北战争之后，铁路、采矿业和工业的发展吸引了许多南方的黑人以及欧洲南部大量的劳工前来。在锅柄状地区北部的工业区和以采煤业为主的城镇，这些新移民所带来的不同文化的影响是显而易见的。

18 世纪 30 年代建立了贵格会和长老会教派，随后于 1743 年浸礼会进入锅柄地区东部的伯克利县。1778 年，伯克利县和杰斐逊县建立了卫理公会教区。西弗吉尼亚的主要教派是卫理公会、浸礼会和长老会。天主教教徒和路德教教徒在西弗吉尼亚的早期很普遍，但主要限于德国移民定居点。这些教派，特别是天主教，随着爱尔兰、意大利、波兰和匈牙利劳工的移入而得到发展。人口 1 808 344（2000）。

经济 西弗吉尼亚在美国诸州中一直处于穷州的地位。在 50 和 60 年代，一些重要的因素促使当地居民大量外迁。1950 年以后，矿井的机械化和煤的使用量下降造成对劳工的需求减少。崎岖不平的土地和规模有限的农场阻碍着农业的机械化，那些有着平坦而广阔的土地的州在竞争中获利。在玻璃和陶瓷工业方面，国外的竞争也使该州减少了经济上发展的机会，一些工业忽视进行改进或未能创造发展的余地，越来越陈旧的设备使之丧失了竞争力。

在 70 年代，煤重新成为一项主要的能源，以及政府为改善该州社会和经济状况所作的不断努力，扭转了居民外流的现象。化学品、钢铁和玻璃工业实现了现代化，在俄亥俄河和卡诺瓦河流域还建立起新的高科技产业。这些因素使得州内居民从较贫穷的农业区和矿区迁移至城市地区，以获得较好的工作和接受教育的机会。

在 80 年代，煤炭工业有许多就业机会丧失，采矿的周期性造成了该州一些贫困地区。制造业和化学品加工业的就业人数也减少了。由于没有工作，大批年轻人外流，而年老者仍留在当地。针对这一动向，该州开始注重发展多样化经济，包括服务性行业在内。根据 1985 年的《西弗吉尼亚经济发展法案》成立的州长社区和工业开发局在 3 个方面采取了成功的措施：加强该州的工业基础，对那些在州内经营因而享有较优越的条件的公司在市场业务上进行指导，以及营造一种鼓励企业家精神和使小企业获得发展的环境。

资源 西弗吉尼亚有各种丰富的自然资源。最重要的矿物是烟煤。天然气在该州中西部占有最重要的地位。石油在该州北部2/3的煤气生产地区开采。煤和储量丰富的岩盐和盐水对化学工业一直起着支持的作用。沙和黏土的广泛分布为玻璃和砖瓦生产的基础，石灰石在东部地区随处可见。

自然资源的开发影响了工业布局，对某些地区的经济起着重大的作用。俄亥俄河、卡诺瓦河和莫农加希拉河流域的一些工业城市都依靠当地的煤、石灰石、黏土、盐、玻璃沙、石油和天然气，以及极易获得的水资源。

农业和林业 西弗吉尼亚有许多成片高质量的硬木林。只要利用得当，这一再生资源被认为可以防止洪水泛滥、山坡侵蚀和空气污染。它对该州的旅游业、数以千计的伐木工人和木制品制造业都具有重大意义。

该州崎岖的地形限制了农业的发展。自 50 年代以来，收获的土地面积减少了，大部分农作物单位面积的产值也降低了。但西弗吉尼亚的苹果、桃和烟草产量在北方1/3的州中仍位居前列。

工业 自 70 年代后期以来，非金属采矿业一直不景气，仅大矿主获利。由于州的援助和工会的让步，钢铁工业和其他重工业的严重减产有所缓解。火力发电厂发展了，但由于大量消耗能源的重工业让位于小型制造业和服务性行业，发展速度较慢。由于重新强调旅游业，促进了相关行业的繁荣。

运输 较大城市和州的周界线交通运输设施齐全。西弗吉尼亚崎岖的地形使早期交通运输受到限制，造成隔离状态和经济发展缓慢。迄今为止这仍是一个难以克服的障碍，但已取得显著进步。穿越该州纵横交错的州际公路改善了州内的交通状况，并促进了经济的发展，阿巴拉契亚公路走廊通道有助于与其他联邦和州的公路形成公路网。西部高原的主要河系提供了 450 英里（725 千米）可航行水道。位于俄亥俄河与盖恩多特河汇合处的亨廷顿，是该州最大港口城市。航空管制法令的取消导致定期航班的全面削减。一些大航空公司在查尔斯顿和亨廷顿起降，并辅之以往返于两地之间的短程航班。3家铁路公司提供了东西走向的3 500英里长的运输线。

行政与社会状况 *政府* 西弗吉尼亚州现行宪法可追溯至1872年，但已修改多次。辅助州长工作的有经选举产生的州务卿、审计员、司库、检察长和农业专员，此外还有一位由州教育委员会任命的督学。州议会由参众两院组成。17个参议员选区中的每个选区选出两名参议员；他们的4年任期特意作了安排，每两年必有一位参议员要进行重选。众议院有议员100名，每位众议员的任期为两年，由40个选区按人口比例选出。州议会每年开会60天，但州长有权召开特别会议。最高上诉法院是最高司法机构，由选举产生的5名法官组成，任期12年。负担很重的31个巡回法院负责审理重大案件。治安法院是县一级法院，自治市法院在编入市的地区设立。

公安部是州一级的执法机关，下设刑事鉴定局、机动车辆检查局和事故预防局。县的执法工作由一位县治安官、几位副治安官和一位与县、自治市警察一道工作的检察官处理。根据州宪法，每个县由选举产生的3位专员治理，任期6年。其他选举产生的县官员包括县治安官、检察官、估税员、教育委员会委员和收税官。一些城市采取市长-政务会的政府形式，另一些是政务会-经理的形式。除了城市经理以外，所有官员都由选举产生。

教育 公立学校系统由州教育委员会给予指导，以县为单位制定计划，并接受当地县委员会的监督。由州管理的高等教育系统包括摩根敦的西弗吉尼亚大学和亨廷顿的马歇尔大学。此外，还有几所州立学院、社区学院、技术专科学院和一些私立和教会学院。职业、技术和成人教育部是教育的重要补充，设有农业、家政、实用护理等课程，培养从事技术、工业和经销工作的技能。设在格林班克的国家射电天文台是一个独特的教育研究设施。作为接收和研究来自宇宙空间的无线电波的国家中心，它对一切使用者开放，并不断扩大。

保健与福利 州卫生部负责搜集有关各种疾病和保健事宜的统计资料，监督涉及公共卫生和医疗设备的一切事项。县和自治市的保健委员会在地方一级上进行协助。州政府监督诸如儿童福利、商品和食品券发放等方面的公共援助项目，以及有关老年人、盲人、被收养儿童、残疾人和一般救济事项。该州建有数所精神病医院，并为有智力缺陷的儿童和成年人设立了许多治疗计划。

文化生活 西弗吉尼亚早期的隔离状态形成了当地自力更生的传统，并代代相传，基本上没有受到外界影响。先辈们的乐器、通俗的叙事诗歌和手工艺品迄今仍普遍流传。许多定期集市、工艺中心和收藏家们保证了这一昔日文化的永久性。乡村地区迄今仍坚持德西马琴的制造和演奏、老式的小提琴比赛、通俗的叙事诗歌的演唱、用杂色布片缝缀成被子、用藤编制家具、早期绘画艺术，以及伊丽莎白时代说话的腔调和其他留存的传统。

除了民间工艺品以外，亨廷顿美术馆和查尔斯顿黎明博物馆均有一流的文化设施。在各地举办的美术展览会上，大多数作品展示了该州美丽的自然风景和城市风光，而这些作品常常显示出高水平的艺术风格。大学和学院同时也是文化中心，孕育出视觉艺术、戏剧、舞蹈和音乐方面的作品。

围绕着西弗吉尼亚的文化遗产、各种各样的历史古迹和自然风光，生机勃勃的旅游业和娱乐业很快发展起来。数十年几乎荒无人烟的城镇哈珀斯费里，现已成为全国历史名胜。适宜开展滑雪运动的山坡在冬季吸引了大批游客。河川陡峭下降的地方可以举办急流水上活动和水上节日。全州共有33座州立公园，包括州立派普斯特姆公园。园内建有一座圆形剧场、一家乡村杂货店和一个工艺品中心，这些都是宣传该州传统和促进旅游业的典型设施。白硫磺泉镇是世界著名的疗养胜地。

历史

约14 000年以前，印第安猎人因追逐猛犸进入了俄亥俄河和卡诺瓦河流域。公元前9000年左右，以狩猎小猎物、捕鱼和采集为生的文化形态的太古人占领了该地区。他们的继承人阿登纳人或土墩建造者（约公元前500～公元100年）建造了许多迄今在芒兹维尔和查尔斯顿地区仍能见到的土木工事，阿登纳人为堡垒古人所同化。堡垒古人统治着该地区直至1650年左右被易洛魁联盟所灭。当欧洲人在18世纪抵达这里时，除分散各地的村庄以外，这块后来成为西弗吉尼亚州的地区仍保留着印第安人的猎场和战场。

殖民地时期和弗吉尼亚领地 1609年弗吉尼亚的第二个特许状规定可向该殖民地西部边境移民。1660年以后，探险和贸易活动再次受到总督W.伯克利的支持。1670年抵达蓝岭，1671年另一支探险队在弗吉尼亚西部发现了第一条向西流的河流——纽河。探险队顺河而下，抵达后来成为弗吉尼亚与西弗吉尼亚边界的彼得瀑布，宣称纽河及其支流流经的所有土地均属于英国。随后向外阿勒格尼边境的殖民由于下列因素而受阻：山脉障碍、印第安人的抵抗、英国人和法国人对俄亥河流域的争夺、有争议的地名以及宣布严禁占用的1763年皇家公告。

尽管有这些障碍，移民人口仍有所增加，对山脉以东的政府的不满情绪在当地滋长。1769年提出成立的万达利亚殖民地和1776年建立的西希尔韦尼亚的“第14州”运动，表明在外阿勒格尼地区单独成立政府的早期意图。该地区拓荒者的不满情绪在文化、社会、经济和政治领域日益高涨。来自许多地区的边境居民与贵族式的东部殖民者迥然不同。此外，这一地区地形的差异使奴隶制在经济上失去价值，同时文化传统也使之不受欢迎。代表选举制和税制则显然对弗吉尼亚东部有利。

南北战争和州的地位 美国南北战争的爆发激起西部地区在政治上分离的新愿望。在1861年4月举行的弗吉尼亚脱离联邦的会议上，大多数西部代表反对脱离。接着在惠灵举行的会议上（1861年5月），由于西部代表占支配地位，会议宣布脱离法令是推翻联邦政府的非法企图。第2次惠灵会议（6月），宣布里奇蒙政府无效，恢复弗吉尼亚原政府，并规定重新选举州政府官员。重新复职的州长皮尔庞特获得了联邦的承认，保持了对该地区的民事管辖，直至国会于1863年6月20日同意接纳西弗吉尼亚加入联邦。准许加入的一个条件是逐步解放该地区的奴隶。1885年决定州府永久设在查尔斯顿。

南北战争在州内交战不多，但战争本身却部分由于1859年一小队人在强烈反对奴隶制的J.布朗率领下在哈珀斯费里占领了联邦军火库而突然发生。布朗为联邦军队俘获，随后受审，在查尔斯城处以绞刑。他的英勇行为加剧了全国拥护和反对奴隶制的两派之间的紧张局势。北方废奴主义者视他为烈士。南北战争期间有近3.2万名士兵加入了联邦军队，约9 000人为南部邦联效劳，虽然有一些权威坚持认为后者的数字被低估了。

现代时期 由于铁路的发展，西弗吉尼亚的工业于19世纪70年代应运而生。它的自然资源，诸如木材、煤、盐、石油和煤气等，为美国现代工业体系的建立做出了重大贡献。1912～1921年间在矿区爆发的劳工骚乱曾两次迫使出动国民警卫队和四次出动美国军队进行干预，以平息暴力行动。1933年和1935年的国家法令授予组建工会的权利，这在一定程度上为该州带来了和平。在第二次世界大战、朝鲜战争和越南战争中西弗吉尼亚州的服役人数比例是美国最高的州之一。该州在1976年和1980年由于选举纽约市人J.D.洛克菲勒第四为州长而受到全国在政治上的赏识。1984年他当选为美国参议员。没有一个全国性政党长期在该州占有支配地位，但民主党人在人数上有超过共和党人的趋势，其所拥有的登记选民通常为共和党的两倍以上。

West-Vlaanderen (Belgium) 参阅 **West Flanders** 西佛兰德。

West Wiltshire 西威尔特 英格兰南部威尔特行政、历史郡一区。地处布里斯托尔东南24千米。该区为海拔185米以上的白垩高地。南部为索尔兹伯里平原的东缘，北部

西威尔特韦斯特伯里镇白垩悬崖上雕刻的巨幅马形图案

供图：National Monuments Record

是低洼的埃文河谷地，西北界科茨沃尔德丘陵。埃文河谷的农业和轻工业城镇（堂区）有区首府特罗布里奇、梅尔克舍姆和埃文河畔

布拉德福德。这些城镇在中世纪时已成为织物和羊毛业中心。农牧产品有谷物、牛、羊和猪。工业生产地毯、织物、手套和橡胶制品。韦斯特伯里镇埃文河谷上方白垩悬崖上雕刻有一幅巨大的马的图形,来源不详。面积517平方千米。人口约108 600(1998)。

West Wind Drift　西风飘流　参阅**Antarctic Circumpolar Current 南极洲环流**。

West Wyalong　西怀厄朗　澳大利亚新南威尔士州中南部城镇。位于肥沃的里弗赖纳地区。1895年为采金居民点,1900年设镇,1921年金矿关闭后,成为附近小麦、牲畜产区、综合性农业区和林业区的服务中心,也是毗邻城镇的商业中心。有磨面、锯木、砖瓦、熟石膏等工厂,及一个桉油蒸馏厂。有铁路和航空线通悉尼。人口3 419(1996)。

West Yorkshire　西约克郡　英格兰北部都会郡,由卡尔德达尔、柯尔克利斯、布拉德福德、利兹和韦克菲尔德5个都会自治市组成,面积2 025平方千米。1974～1986年西约克郡是一个行政单位。1986年该都会郡失去行政权,由选区自治市变成单一政区。现西约克郡是一个无行政权的地理郡和礼仪郡。该地包括艾尔河谷和卡尔德河谷发展起来的集合城市,并越出约克郡煤田北缘进入沃夫河谷。18和19世纪,丰富的水能和基于当地煤矿的热电能刺激了当地工业的发展。西部山区传统的纺织城镇,如哈德斯菲尔德、哈利法克斯和布拉德福德,不再是主要的纺织品产地。该郡一些地方的采矿业也停止了。现在工程业、造纸业、包装业及轻型制造是最重要的经济活动。20世纪末该郡东部地区的采煤业急剧衰落,只在庞蒂弗拉克特镇附近保留了一个矿山。韦克菲尔德是唯一的保留有纺织业的城镇。在韦克菲尔德和利兹,机械工业和食品加工业都十分重要。约克郡最大的城市利兹是主要的商业和文化中心,也生产电子器件、化学药品和家具,有印刷、出版、金融业,还有两所大学。人口约2 113 300(1998)。

Westbury　韦斯特伯里　英格兰南部威尔特行政、历史郡西威尔特区一城镇(堂区)。1442～1443年首称自治市,但自治市地位于1886年丧失。附近白垩山崖刻有一巨大的韦斯特伯里白马像,其起源不详,1873年改造过。该镇为铁路枢纽,工业生产布匹、手套和皮革制品。人口11 863(1991)。

Westchester　韦斯特切斯特　美国纽约州一县。位于哈得孙河东岸。面积1 134平方千米。南邻纽约市布朗克斯区,濒长岛湾。当地居民原为操阿尔冈昆语的瓦平吉印第安人。17世纪40年代被荷兰人和新英格兰的殖民者占据。1644年以后,成为纽约省的一部分,1683年设为县。独立战争期间当地战事频繁,包括怀特普莱恩斯战役(1776)。南部地区狭窄,地势起伏,主要是住宅区。扬克斯、新罗歇尔和怀特普莱恩斯(县城)等城市有一些工业。20世纪50年代后,一些大跨国公司在中部和北部建立总部。北部较宽,有林木茂密的花岗岩山脊。人口稀少,农场主要生产苹果和梨。苗圃和温室栽培与乳品生产对经济也较重要。境内河湖众多,多为纽约供水系统的组成部分。哈得孙河沿岸的丘陵地区是W.欧文的故乡。该县北部有一些轻工业。设有州立纽约大学珀切斯美术学院、佩斯大学普莱曾特维尔分校和怀特普莱恩斯分校。也有一些小的私立学院。人口923 459(2000)。

Westcott, Brooke Foss　韦斯科特(1825-01-12,英国沃里克郡伯明翰附近～1901-07-27,达勒姆奥克兰城堡)　基督教圣公会达勒姆主教、圣经学者。与霍特合作出版的考订版希腊文《新约》颇有影响。1848年毕业于剑桥大学三一学院,次年当选为该学院院士。1852年到哈罗公学任职,17年间学术声誉蜚然。1870年任剑桥大学钦定讲座神学教授,1890年任达勒姆主教后仍兼此职。韦斯科特-霍特本《新约》经过两人近30年的努力在1881年出版,同年出版的英文修订版《圣经》以该书为主要蓝本。韦斯科特还曾评注使徒约翰所撰福音书及书信。1855年所著《新约正典史》多年来是圣经研究作品的典范。

Westcott, Edward Noyes　韦斯科特(1846-09-27,美国纽约锡拉丘兹～1898-03-31,锡拉丘兹)　美国小说家和银行家。他死后问世的小说《大卫·哈勒姆:美国生活中的一个故事》(1898)出版后极受欢迎。曾在锡拉丘兹上学。16岁时成为当地一家银行的低级职员。以后30年间,他悉心从事银行事业。1895年夏天,他因患肺结核在阿迪朗达克山中疗养时开始写作《大卫·哈勒姆》。旅居意大利时继续写作,1896年末回美后写就。1897年被接受出版前,该书曾被6家出版商拒绝。韦斯科特死于1898年3月,《大卫·哈勒姆》于其死后6个月才问世,并成为畅销书。在以后40年中,该书销售了100万册以上。《大卫·哈勒姆》讲的是纽约州北部一位精明而脾气粗暴的小城市银行家,他极富幽默感,擅长和人讨价还价然后成交,并具有强烈的美国人的宽容特性。小说于1900年改编成戏剧上演,使美国喜剧演员W.H.克兰大展所长,哈勒姆成为他演的最成功的角色之一。克兰和后来的W.罗杰斯分别在根据故事改编成的影片中饰演这个角色。

Westdeutsche Landesbank Girozentrale　西德意志地方票据交换银行　又译西德意志储蓄中心地方银行。为德国主要的商业和投资银行。1969年由威斯特伐利亚地方票据交换银行(1832)和莱茵地方票据交换银行(1854)合并组成,改用现名。总行设在杜塞尔多夫。上述二银行合并的主旨是为了要同德国三大商业银行——德意志银行、德累斯顿银行和商业银行——进行更有成效的竞争。现在,西德意志地方票据交换银行是北莱茵-威斯特伐利亚州的中央银行。它经营业务有:商业银行业务、公司贷款、贸易融资、抵押贷款、向州市放款、租赁、存款、金融市场、外贸业务;还充当该地区250家储蓄所的票据交换所。

Westend (U.S. Virgin Islands)　**韦斯滕德**　参阅**Frederiksted 弗雷德里克斯塔德**。

Westerbork　韦斯特博克　第二次世界大战中小型的犹太人转运营,位于荷兰东北农业区韦斯特博克镇附近。1939年由荷兰政府建立,收容来自纳粹德国的犹太难民。德国占领荷兰后,于1940年7月接管该营,作为犹太人在东运至集中营或灭绝营以前服劳役的转运营。1944年8月安妮·弗兰克和她全家被捕后曾在此短期监禁。

Westerly　韦斯特利　美国罗得岛州西南部华盛顿县城镇。濒临波卡塔克河。由韦斯特利、布拉德福德、怀特罗克等几个村庄及波特希尔村的一部分和威卡波格、阿冯代尔、米斯夸米克特、沃奇希尔4个疗养地组成。1648年始有欧洲移民定居。1669年建镇。19世纪以前是造船业中心。现生产纺织品、钓(鱼)线、电池、印刷机和工业水泵。沃奇希尔有美国海岸警卫队的灯塔。人口约22 334(1994)。

Westermann, Diedrich (Hermann)　韦斯特曼(1875-06-24,德国巴登～1956-05-31,德国巴登)　德国学者,非洲语言和文化专家,对其老师C.迈恩霍夫的研究成绩多所发扬、增益,曾专门致力于研究塞内加尔河到尼罗河上游大片复杂语言区域的语言。先在西非多哥传教,后任柏林东方语言讲习班教授。1911年发表《苏丹诸语言》,先提出假说,对前此划为"尼格罗混合语"的一组语言,假定其发生学上的同一性,然后构拟出其母语"原始苏丹语"。此书与迈恩霍夫关于班图语的著作相辅相成。韦斯特曼将8种苏丹语言(埃维语、特维语、加语、约鲁巴语、埃菲克语、库纳马语、努巴语和丁卡语)的词汇和结构曾进行比较。另一主要贡献是编写《非洲民族学》(1940)第二部分"语言和教育"之部,将非洲语言划分为3个主要语群:科依桑诸语言、尼格罗诸语言(包括苏丹语、班图语和尼罗诸语言)和闪-含语系诸语言。其方法主要是揭示诸语言之对应关系而不作论断,与迈恩霍夫之分类法微异。关于非洲文化问题,韦斯特曼曾发表《非洲的今天和明天》(1937)及《非洲史》(1952)等著作。

Westermarck, Edward (Alexander)　韦斯特马克(1862-11-20,赫尔辛基～1939-09-03,芬兰拉平拉赫蒂)　芬兰社会学家、哲学家和人类学家。他否定人类早期有过群婚制,论证婚姻的最初形式是一夫一妻制,原始婚姻是由于需要核心家庭而产生的,而核心家庭是社会的基本的和普遍的单位。韦斯特马克历任赫尔辛基大学社会学讲师(1890～1906)、道德哲学教授(1908～1918)和奥布学院哲学教授(1918～1930)。他大力把亚当·斯密、斯宾塞和其他英国哲学家的思想介绍给芬兰。同时在伦敦大学执教(1907～1930)。韦斯特马克的主要兴趣是婚姻史、道德观念和不同风习之比较研究、摩洛哥文化等方面。第一

芬兰驻英大使馆供图

部著作是《人类婚姻史》(1891),阐述对原始婚姻和社会的各种看法。《道德观念的起源和发展》(2卷;1906～1908)是他最重要的著作,书中提出伦理相对说,主张道德判断的最终基础不是理智而是表示好恶的情感。他认为伦理学是社会学和心理学相结合的一种学科,并不存在普遍的道德真理和道德判断的客观有效性。他赞成有一种伦理学来检验人们的伦理意识,但不要给行为订立什么清规戒律。另著有《摩洛哥的宗教仪式与信仰》(2卷;1926)和《伦理相对论》(1932)。

western　西部小说或电影　一种独特的长篇和短篇小说、电影,以及电视和广播剧体裁,通常以19世纪50年代至19世纪末期的美国西部为背景。西部小说的时间和地点总是千篇一律——神话般的西部,它那伟大的美和前途一定要由纯朴的人民来保卫,以免恶人破坏,这种责任感还激发了他们的自尊。作品的主角是传统的美国英雄——一个人单枪匹马与荒野作斗争。所谓荒野通常指未开化的边区村落,但不论它叫墓碑、玉马或卡森城都无关紧要,反正都是只有一条大街的城镇,在这里,英雄将最终与恶人一决雌雄。南北战争前不久,随着美国西部的开发,开始出现冒险故事,西部小说即源出于其中。记录西部的平原居民、侦察员、野牛猎人,以及设陷阱捕兽者生活的作品,在东部极为流行。被称为“廉价小说之父”的N.邦特莱因是首先利用这种有利时势的作家之一,他写了许多西部故事。O.威斯特病愈后初访西部就完成了第一部备受评论界赞赏的西部小说《弗吉尼亚人》(1902)。这类作品中的杰作是出自实际当过牛仔的文人之手;其中最受人喜爱的一部是《布兰斯福德在阿卡迪亚》(1914);1917年再版时改名为《雷恩博兰奇的布兰斯福德》,作者E.M.罗兹曾当过牛仔和政府雇佣的侦察员。A.亚当斯把自己经历过的许多事件写进他的《一个牛仔的日记》(1903)之中。Z.格雷是最著名、最多产的西部小说作家之一,曾是一位俄亥俄的牙医,1912年因写《紫艾灌丛中的骑士》而出名,他共著书80余部。西部短篇小说也是美国人所喜爱的文学体裁之一。曾当过牛仔的A.H.刘易斯(约1858～1914)写过一系列由“老牧人”述说的流行故事。S.克莱恩创作了西部小说中的滑稽名著《新娘来到耶洛斯凯》(1898)。C.里克特(1890～1968)写了许多旧时西南部的故事和小说,其他西部小说杰作有W.范·蒂尔伯格·克拉克所著《牛轭事件》(1940),还有A.B.格思里(小)的《广阔的天》(1947)和《西去之路》(1949)。《火车大劫案》(1903)是西部电影的鼻祖,它给后来的许多电影树立了榜样。在无声片时代,有3位演员被誉为西部明星,备受欢迎。他们是:G.M.安德森、W.S.哈特和T.米克斯。尽管20世纪20～40年代大多数西部电影均为低预算片子,很少偏离标准情节,但也有少数“巨著西部片”由重要明星主演,有较多的预算并使用现代摄制方法。60年代末和70年代,低预算的意大利和西班牙摄制的西部电影和它们的日语翻译片获得了一些商业上的成功。80年代,西部影片几乎已停止生产。它们部分为太空史诗所取代。

Western Africa　西非　非洲大陆西部地区,包括的国家有贝宁、布基纳法索(旧称上沃尔特)、喀麦隆、佛得角、乍得、科特迪瓦旧称(象牙海岸)、赤道几内亚、冈比亚、加纳、几内亚、几内亚比绍、利比里亚、马里、毛里塔尼亚、尼日尔、尼日利亚、塞内加尔、塞拉利昂和多哥。不包括西撒哈拉(旧称西属撒哈拉),虽然它常被列入这一地区,但其文化传统却接近北非;也不包括英属圣赫勒拿岛,因为它同非洲大陆几乎没有什么直接的经济和文化联系。

上述19个西非国家的总面积约7 825 000平方千米。全境可分为几个幅员辽阔的自然地理区。西非的北部是广袤的半干旱地区,称为西苏丹,西起大西洋,东至乍得湖地区,绵亘约4 000千米。这里大部分是高度适中的高原地区,北邻撒哈拉沙漠,南接几内亚海岸森林。降雨量在干旱的北部不到250毫米,南部约1 250毫米。西苏丹的植被有北部萨赫勒过渡地带的灌木丛和南部乔木同丛莽混合生长的稀树草原。西苏丹以南是几内亚海岸的赤道森林带,在大西洋沿岸生长茂盛并向内陆延伸约160～240千米。

撒哈拉沙漠大部分地区及其南部的植被过渡地带(萨赫勒和西苏丹)的河水流经雨水足以保持地面河水不致干涸的地方,通过尼日尔河水系向南流,或向内陆流入东部的乍得湖流域。水源较充足的大西洋沿岸地区主要包括(自西向东):塞内加尔河流经的毛里塔尼亚-塞内加尔盆地、福塔贾隆高原和几内亚高原、沃尔特河及尼日尔河沿海平原以及东端尼日利亚的乔斯高原和喀麦隆高原。

在文化上,这个地区的各民族主要分属三大语系。北部和人烟稀少的撒哈拉沙漠地区以讲闪米特-含米特语系的阿拉伯人和柏柏尔人为主。南部狭长地带,包括塞内加尔河流域、尼日尔河流域和尼日利亚南部2/3地区,讲尼日尔-刚果诸语言。尼日尔河中游和乍得湖周围地区主要使用与东部诸民族所讲语言同源的尼罗-撒哈拉诸语言。这些民族又分成许多小的种族和部族,非常复杂,但根据他们所讲的语言经常也很容易地将他们区分开。

人类最早在撒哈拉沙漠地区居住的遗迹至今保存完好,石器和岩画是10万年至5万年前旧石器时代古人类进行狩猎和采集的佐证。他们的后代是1万年前新石器时代的放牧者(当时撒哈拉的气候远比现在更适于人类生活)。由于大多数民族没有文字,他们留下的记载很少;直至公元1000年,阿拉伯历史学家和学者开始记述西非地区已建立起中央集权制的国家,有农业和漫长的贸易路线。11～16世纪,位于稀树草原、苏丹和撒哈拉沙漠南部地区的这些王国,主要有马里王国、桑海王国和豪萨-巴克瓦诸邦,经历了发展、合并、分裂和衰落的过程。这一时期结束时,同欧洲国家的贸易往来开始在几内亚海岸的边缘地区和其他地方发展起来,并随着北非阿拉伯国家的衰落,逐渐取代了穿越撒哈拉沙漠的商旅队路线。

在15和16世纪,欧洲列强对该地区的主要兴趣是金矿,但在17世纪贩奴成为这些国家来此的主要目的,并在18世纪达到高潮。19世纪后半叶,欧洲殖民主义猖獗,到第一次世界大战时,非洲国家大多沦为法、英、德、葡和其他欧洲国家的殖民地。利比里亚是当时唯一的独立国家。在两次世界大战之间的一段时期,经济虽获得长足发展,但实际上却是靠对自然资源的滥用并有使当地国民经济结构不合理的趋势。由于第二次世界大战后世界舆论的压力、两次世界大战之间西非许多国家民族主义运动的兴起,以及当地政治集团的出现,使欧洲列强放弃了它们在这一地区的殖民地。加纳于1957年成为西非英属殖民地中第一个独立的国家。之后,尼日利亚(1960)、塞拉利昂(1961)和冈比亚(1965)也相继独立。这一地区的法属殖民地大多于1960年获得独立,达荷美(今贝宁)、上沃尔特(今布基纳法索)、喀麦隆、乍得、象牙海岸(今科特迪瓦)、马里、毛里塔尼亚、尼日尔、塞内加尔和多哥等国纷纷成立。葡萄牙人一直保留着他们在非洲的属地,直到游击战争将他们驱逐出境。几内亚比绍于1974年、佛得角于1975年也先后获得独立。西属赤道几内亚于1968年获得独立。

独立后的最初25年中,经济上的发展几乎没有取得什么成就,由于政治不稳定、官僚政府的无能和腐败、宗族制度、自然灾害,以及众多国家依赖单一农产品或单一矿产品出口,当地为发展经济所作的许多努力常付诸东流。但有些国家,特别是前法属殖民地,也取得了成功;科特迪瓦和喀麦隆的政治稳定,发展战略务实,集中发展以出口为导向的热带农业,以此作为赚取外汇的基础。布基纳法索、乍得、马里和尼日尔等萨赫勒地区国家也许是最不幸的,这些半干旱国家生产粮食的资源非常有限,并动辄发生旱灾,土地也极易沙化。人口约206 123 000(1994)。

Western Air Lines, Inc.　西方航空公司　前美国航空公司。1925年成立,原名西方航空捷运公司;1928年改组,名为西方航空捷运有限公司;1941年采用此名。1987年该公司被**德尔塔航空公司(Delta Air lines, Inc.)**收购。总公司设在洛杉矶。公司曾专为美国联邦政府运送邮件,不到一个月,即1926年5月23日就创办了美国第一条定期和持久保持的运载旅客的航线。这条航线从犹他州盐湖城起中经内华达州拉斯韦加斯到洛杉矶。1928年公司在洛杉矶和奥克兰(加州)之间开辟了定期航线,不久又在沿线设立了一连串的气象站,这是任何航线所没有的创举。后经合并,1930年该公司成为跨大陆及西方航空公司(TWA)的一部分。但是政府施加压力,加上1934年失去了运送邮件的合同,许多已合并的航空公司重又分开。西方航空公司再次全部独立。40年代和50年代,该公司航线扩展。1967年与太平洋北方航空公司合并,随后就增辟了更多的航线。到德尔塔航空公司收购时,已经拥有至西海岸、落基山、中西部以北、阿拉斯加、夏威夷以及迈阿密等地的航线。

Western Australia 西澳大利亚 澳大利亚西部的州,远离大陆东部地区主要文化中心。北濒帝汶海,西北及西临印度洋,南临南极海,东界北部地方和南澳大利亚州。州面积2 525 500平方千米,占大陆总面积的1/3。西澳大利亚几乎全部是干燥的低高原,与人口稠密的大陆东海岸带之间有沙漠分隔。常流河不多,没有大型湖泊。除西南角及北部边远地带外,各地降雨皆不足。12月至3月间,有时有特大的飓风向东南吹,袭击布鲁姆到昂斯洛之间的海岸,降下滂沱大雨,引起洪汜。西澳大利亚植被分3个区:北部地区富于马来区系(古热带区系)植物种,而沙漠地区和西南地区则本地植物具有强烈的表现。由于长期孤立,未受到生物界或人类的干扰,当地植被演化出许多特殊种。这里有大约7 000种植物,最奇特的是食肉类植物吃昆虫的猪笼草、袋鼠爪、羽毛花和圣诞树。主要林地在西南地区,砂质海岸平原有一种称为"贾勒"的桉树,最西南头则生长着另一种桉树称为"卡里"。还有另外两种桉树:"图阿托"只生长在沿海平原,而"弯道"则在贾勒林中到处可见。西澳大利亚人口不到澳大利亚总人口的1/10,州内土著民约有38 000人。大约2/3的人口出生在澳大利亚。

西澳大利亚的农业专门化强,以商品化为特征。羊毛大部分产自美丽奴羊,是该州乡村中最广泛的产业。该州也是澳大利亚的粮仓之一,小麦是主要作物。乳制品业在西南头盛产木材之乡居重要地位,包括珀斯以南的沿海区,该地灌溉和排水工程大大提高了生产力。约有2/3的原始林带被划作州有林,以供长期生产木材。在持续生产原则的指导下,经营这些森林提供该州木材产量的大部分,其余部分来自私人林场。有一家锯木厂,以贾勒和卡里桉树木材为材料,这两种木材皆以坚固和耐久而出名。金矿发现于19世纪末。20世纪50年代以来在西北方的皮尔巴拉地区开采铁矿,其他开采的矿产有锡、钛铁矿、独居石、金红石及锆石等。珀斯附近的丘陵有一座大型铝土矿在开采。黑德兰港至卡拉塔西北方海岸外大陆架有石油和天然气在开采。阿盖尔的一座金刚石矿是世界最大的金刚石矿。制造业主要限于珀斯市区,除了原产品的加工制造业外,有一座大型炼油厂和轧钢厂是联合企业的工业综合体的核心。奥尔巴尼城是唯一的天然良港。因为人口稀疏,西澳大利亚的教育工作实行按地址驾驶汽车去流动讲课或设函授班,对边远的西北部则有巡回教师。西澳大利亚大学(1911年创建)设有艺术、法律、教育、经济和商业、科学、工程、农业、建筑、牙科及医学等科系。还有几座技术学校及师范学院。珀斯是州的首府,每年一度举行消夏节,表演戏剧、音乐、芭蕾舞、电影和视觉艺术。这里有剧院、音乐厅和电影院。西澳大利亚艺术管弦乐团获得州政府及澳大利亚广播委员会支援。大学的威格莫尔音乐图书馆广泛收藏着土著居民的音乐资料。珀斯艺廊拥有当代土著艺术品及澳大利亚树皮画。

土著居民在澳大利亚约有40 000年之久,直到欧洲人到来之前,他们的狩猎与采集生活方式大部分未受过干扰。早在17世纪初,荷兰航海家接触到澳大利亚西海岸,但这里的海岸线不稳定,变化莫测,荷兰人认为这里的土地没有开发潜力。以后的英国和法国航海家们似乎也得出同样的结论,只在1826年新南威尔士总督宣布对该地区拥有主权。J.斯特林船长于1829～1830年带来首批定居者,建立澳大利亚第一个非流放犯的殖民区。在原先的4 000名定居者中,到了1832年仅有1 500人留下来。到19世纪60年代,畜牧业建立起来,羊毛成为殖民区稳定的出口物资,但本州的发展比较迟缓。1886年发现了金矿,导致该地区经济革新,并推动了自治运动。1901年西澳大利亚成为当时新组建的澳大利亚联邦的一个州。人口约1 755 500(1996)。

Western Bancorporation 西方银行公司 参阅 **First Interstate Bancorp** 第一州际银行公司。

Western Bohemia 西波希米亚 参阅 **Západočeský** 西捷克州。

Western Cape 西开普 南非共和国一省份。位于非洲大陆极南端。省会开普敦也是该国立法机构所在地。1994年前为原好望角省的一部分。海岸线分别濒临大西洋和印度洋,形成西开普省的西面和南面边界。北接北开普省,东邻东开普省。西开普省位于非洲南部内陆大高原南面。高原的南边形成一个岩石的急斜面,大致沿着省的北部边界延伸。省的北部有半干旱的卡鲁盆地,中有东西走向的山脉(包括大斯瓦特山),南面一直到朗格山。大卡鲁的南面和西面的狭窄沿海地带地势各异,沙质的开普浅滩向西北延伸,岩石重叠的好望角则向西南延伸。流过该省的河流有多灵、贝格、布雷、古梯斯等河及其他小河。沿海地区属海洋性气候并有相应的植被。北部其余陆地大多属地中海气候,再北面则变为半干旱型。全省多数地区年平均降雨量少于380毫米,西北部地区则不足125毫米。内陆日最高气温,冬季通常为20 °C,夏季则达32 °C。20世纪后期,该省人口约58%为混血种,24%为白人,17%为黑人。几乎所有人都是城市人口,大多数集中在开普敦市。阿非利堪斯语和英语均为官方语言,黑人中9/10说班图语。虽然该省经济多样化,但却以农业为主,传统雇用许多黑人。20世纪末,南非的许多羊毛、小麦、苜蓿和水果(苹果、梨、杏和桃)都出自该省,所有的酒亦如此。北部内地是养羊区。鸵鸟毛曾经是重要产品,但是它的价值现已被苜蓿籽、干草、水果、烟草和羊毛所超过。该地区出口贸易稳定,出口商品有新鲜水果、葡萄酒、白兰地和罐头食品等。南岸莫塞尔贝东部的木材是宝贵的产品。从厄加勒斯浅滩至北面的纳米比亚,富饶的大西洋鱼域是重要的鱼粉肥料和制罐头行业的后盾。省内制造业有纺织、服装、制鞋、汽车、轮胎、化肥、杀虫剂和药品等,还有海上工程和船舶修理。省内矿产资源不多。在开普敦、斯泰伦博斯和贝尔维尔均设有大学。开普敦有许许多多图书馆和博物馆,包括南非博物馆。开普表演艺术委员会除在全省上演戏剧和芭蕾舞剧外还主办各种旅游公司。全省面积129 386平方千米。人口约3 721 000(1995)。

Western Dvina River 西德维纳河 拉脱维亚语作 Daugava(道加瓦河)。拉脱维亚和白俄罗斯北部的大河。长1 020千米。源自瓦尔代丘陵。先向南流,然后向西南流经俄罗斯和白俄罗斯,后折向西北流经拉脱维亚,注入波罗的海的里加湾。左支流有苗扎、卡斯普利亚、乌拉、季斯纳等河,右支流有托罗帕、德里萨、艾维耶克斯泰、奥格列等河。流域内大部地区海拔100～200米,多为波状起伏的平原,有许多沼泽地和林区。流域面积8.8万平方千米,全流域有5 000多个湖泊,大部分是小湖,其中较大的有:拉脱维亚境内的列日纳湖和卢巴纳湖,上游的日日特萨湖,中游(白俄罗斯和拉脱维亚接壤地带)的奥斯维亚湖和德里斯维亚特湖,南端的卢科姆利湖。气候湿润;夏季稍热,冬季暖和。同东欧平原的其他河流一样,河水大量由雪水补给;有春汛,大雨过后亦泛滥,汛期水位可上涨6～11米以上。年平均流量约22立方千米。结冰期,上游始于11月末或12月初,中、下游稍晚;解冻期,河口附近在3月底,上游为4月中旬。

西德维纳河早已是重要的通航水路,其上游与第聂伯河、伏尔加河、沃尔霍夫河联系便捷,曾是波罗的海至拜占廷和阿拉伯东部贸易通道的组成部分。19世纪初,通过其支流乌拉河开凿一条运河,与别列津纳河相通,从而与第聂伯河系相沟通,但这条运河除了浮运木材外,其他用处不多。另一支流德里萨河与谢别日湖相连,并有运河与加维亚河相连。1701年根据彼得大帝的命令首次深入调查西德维纳河,1790～1791年曾出版维捷布斯克至里加一段的详细地图集。由于西德维纳河的险滩多,加上20世纪期间河道上筑了一些堤坝,只有局部河段可通航,主要运送木材、建筑材料和粮食。海轮从河口可上溯15千米抵达里加。在凯古姆斯、普拉维纳斯和里加建有水电站。

Western Electric Company Inc. 西方电气公司 美国电信器材制造商,在其存在历史中大都受美国电话电报公司(AT&T)控制。1983年它脱离美国电话电报公司,不再作为其单独的子公司,但仍继续使用西方电气的商标。它的工厂被美国电话电报技术公司所接管。过去,它制造产品范围广泛,有电话机、电线和电缆、电子装置和电路、电力设备、传输系统、通信卫星等等；它又是承包国防订货的主要厂家，承包的产品有：雷达、航空航天导航和通信系统、导弹系统和核子武器等等。该公司原为一家电器商店，1869 年在美国俄亥俄州克利夫兰创立，名为格雷-巴顿公司。同年，创始人 E. 格雷和 E. N. 巴顿将商号迁至芝加哥。到 1872 年商号改组成为西方电气制造公司时，它开始走上制造一系列新发明的产品的成功道路，其中有世界上第一批商业用打字机和白炽灯。当 1878 ～ 1879 年西联电报公司和贝尔电话公司正在为争夺新生电话工业的控制权而出入法庭时，西方电气制造公司是西联电报公司的主要同盟者和供应商。贝尔电话公司在这场专利争夺战中获得胜利后，于 1881 年购入了西方电气制造公司的控制股权。1882 年，西方电气制造公司改组为西方电气公司并成为当时开始称为美国电话电报公司的贝尔电话公司的一部分。

Western European Union（WEU） **西欧联盟** 10国（比利时、法国、德国、希腊、意大利、卢森堡、荷兰、葡萄牙、西班牙和英国）联盟，协调欧洲安全和防务问题的论坛。它促成建立北大西洋公约组织（NATO），并与该组织合作。20 世纪 90 年代，西欧联盟成为欧盟主要的防务机构，尽管在 2001 年它放弃了这一职责。西欧联盟肇始于 1948 年《布鲁塞尔条约》，该《条约》是比利时、法国、卢森堡、荷兰和英国之间达成的一项协议，以提供集体防御和促进经济、社会和文化事务合作。北大西洋公约组织和欧洲委员会成立于 1949 年，均由这一基础发展而来。1954 年《布鲁塞尔条约》得到加强和修改，吸收西德和意大利参加，结束对西德的占领，西德参加北约，西欧联盟于 1955 年 5 月 6 日成立。1960 年社会事务和文化事务委员会的工作移交给欧洲委员会。1984 年联盟重又恢复活动，确立一项新的议程：承认美国武器对保卫欧洲的重要意义，以及决心加强区域性军事合作。1988 年葡萄牙和西班牙加入联盟，1992 年希腊亦加入。西欧联盟有 6 个联系国（捷克、匈牙利、冰岛、挪威、波兰和土耳其），5 个观察员国（奥地利、丹麦、芬兰、爱尔兰和瑞士）和 7 个联系伙伴国（保加利亚、爱沙尼亚、拉脱维亚、立陶宛、罗马尼亚、斯洛伐克和斯洛文尼亚）。

西欧联盟由会员国外交部长和国防部长组成的理事会管理。该理事会负责制定政策，以及举行会议（一年两次，在部长级别上，并常常更多地在大使级别上举行），讨论共同关心的问题。内部设有 3 个机构。西欧联盟议会由会员国出席欧洲委员会议会的代表组成，下设若干常设委员会。西欧联盟总部设在布鲁塞尔。

Western Indian bronze **西印度铜像** 6～12 世纪或其后盛行于印度的一种金属雕刻，主要在古吉拉特邦和拉贾斯坦邦。铜像大部分是耆那教神像，如救世主渡津者像。还有供祭祀用的东西，如香炉和灯台。神像大都是作为私人奉祀的小尊铜像，用脱蜡法铸成，眼睛和饰物常用银或金嵌成，明显具有笈多时代的风格。耆那教的主旨强调渡津者（**Tirthankara**）超脱凡世。其主要的神像或是挺立姿势，两臂下垂，称为忘身；或是盘腿而坐，做沉思态，称为禅定。但由于造型设计过分细致，渐渐显得没有生气，所以后期的铜像变得有些单调呆滞。

公元 9 世纪的西印度铜像勒舍婆那陀，出自马哈拉施特拉邦肯代什西部的恰哈尔迪

供图：P. Chandra

Western Indian painting **西印度绘画** 又称耆那教绘画。一种保守的印度细密画，大部分是 12 ～ 16 世纪耆那教经典的插图。该画派的特色是颜色单纯明亮，但人物形象刻板，缺乏印度早期壁画的自然主义风格。早期作品画在棕榈树叶上。人物多为正面，头为侧面，尖的鼻子与埃洛拉（8 世纪中期）的壁画相同，非常接近中世纪雕刻，其传统特色是在侧面像中把眼睛一直画到面部的轮廓以外。现存的大部分耆那教画稿，归功于耆那教团体维持着的图书馆妥善保存。

15 世纪中叶的西印度绘画——手抄卷《迦罗迦师故事》中的插图画

供图：P. Chandra

Western Intercollegiate Conference（football） **西部大学校际联合会** 参阅**Big Ten Conference 十大学联合会**。

Western Isles **西部群岛** 苏格兰政务会辖区，位于苏格兰西北岸外的大西洋中，由外赫布里底群岛的一些岛屿组成。刘易斯是罗斯-克罗默蒂历史区罗斯历史郡的一部分。该政务会辖区的其他部分均属因弗内斯历史郡。佃农制是该地传统经济的支柱，现在仍在维持。典型的小农场有几块田地、几只绵羊、一头母牛，种植着足够多的农作物补充日常食物，能够带来少许收入。岛屿内广阔的沼泽地有泥煤供佃农们屋内取暖用。岛屿还以出产高质量的哈里斯毛料而闻名，这是佃农们在家中用手摇纺织机所织的一种传统的织物。捕鱼业和旅游业也十分重要。斯托诺韦是主要的城镇，也是商业和行政中心。面积2 890平方千米。人口27 560（1999）。

Western Jin **西晋** 参阅**Jin** DYNASTY **晋**。

Western Learning（Korean thought） 参阅 **Sŏhak 西学**。

Western Panjabi language **西旁遮普语** 参阅 **Lahnda language 拉亨达语**。

Western Port **西港** 澳大利亚维多利亚州南岸圆形海湾。位于墨尔本东南，外连巴斯海峡，直径约20英里（32千米）。湾口有菲利普岛(40 平方英里),其西侧水道宽 5 英里,东侧水道宽 1 英里,有桥梁与大陆相连。湾内弗伦奇岛占很大海域。20 世纪 60 年代吉普斯兰地区沿岸近海发现大量石油及天然气,使西港发展成为一重工业区。曾有一度威尔逊角半岛至菲利普港湾之间的维多利亚沿岸均称西港。

Western Reserve 西部保留地 美国历史上指沿伊利湖南岸约 150 万公顷的地区(在今俄亥俄州东北部)。美国建国后,大多数前殖民地将根据皇家特许状和授地证得到的西部无居民地区让与联邦政府,唯有康涅狄格州保留了这一片地区,用来补偿州民在战争中遭受的严重损失。该州移民川流不息地进入保留地。后康涅狄格州与美国于 1800 年同意将西部保留地并入俄亥俄准州。这一并入意味着新英格兰向西部扩展。

Western Sahara 西撒哈拉 1976年以前称西属撒哈拉。前西班牙海外省,位于非洲西北部大西洋沿岸沙漠地区,面积区组成:南面为里奥德奥罗(意即"黄金河"),位于布兰科

西撒哈拉达赫拉的西班牙外籍军团总部
供图:Art Resource—美国不列颠百科全书公司

角与博267 000平方千米。由两个地理哈多尔角之间,占整个西撒哈拉面积的2/3;北面的萨吉亚阿姆拉则占西撒哈拉面积的1/3。西撒哈拉的西面及西北面濒临大西洋,北邻摩洛哥,东北与阿尔及利亚有几千米边界线,东、南与毛里塔尼亚毗邻。

西撒哈拉的史前史鲜为人知,只能从在萨吉亚阿姆拉和南部一些孤立地点所发现的岩石雕画推断,当时有一些游猎和畜牧的族群先后居住在这里。在某些较肥沃的地点,也可能居住过一些务农的族群。在公元前 4 世纪,西撒哈拉与欧洲之间已有横越地中海的贸易往返;在这个时期,腓尼基人一度沿非洲西海岸航行。可能是为了寻找更直接的贸易路线,却徒劳无功。罗马人与撒哈拉的民族之间也鲜有接触。在中世纪,撒哈拉的这部分地区由桑哈贾柏柏尔人所占领,但后来他们被操阿拉伯语的穆斯林贝都因人征服。

1346 年,葡萄牙人发现了西撒哈拉的一个海湾,可能是塞内加尔河口湾,但他们却把它误认作位置较南的里奥德奥罗湾。在 19 世纪中叶苏格兰和西班牙商人来到以前,欧洲人对西撒哈拉沿岸地带的勘探不多。1884 年,西班牙泛非主义者与殖民地开拓者协会的博内利到达里奥德奥罗湾,并与沿海的部落签订协定。随后,西班牙政府声称沿海地带为其保护地。但西班牙进一步深入西撒哈拉的意图却受阻于法国与谢赫玛阿艾因阿因(Shaykh Maʻ al-ʻAynayn)所率领的游击队。法国声称拥有毛里塔尼亚的主权,而谢赫玛阿艾因阿因则在 1904 年于西撒哈拉的内地绿洲建立了塞马拉城。1916 年,西班牙的班斯上校占领了红宝石角,并于 1920 年占领了圭拉;塞马拉及其余内陆地区则在 1934 年被西班牙占领。

1957 年,刚于年前获得独立的摩洛哥对西撒哈拉的主权提出要求,但西班牙的部队击退摩洛哥对该地区的军事入侵。1958 年,西班牙正式把里奥德奥罗和萨吉亚阿姆拉合并为西属撒哈拉,定为西班牙一省。但到 1960 年,刚独立的毛里塔尼亚亦对该地区的主权提出要求,于是局势日益复杂。1963 年,西属撒哈拉北部的布克拉发现了巨大的磷酸盐矿,更使它成为一个具有潜在经济价值、每个国家都想据为己有的地区。1972 年布克拉的矿藏开始开采。

与此同时,一支由西属撒哈拉土著游牧居民撒哈拉威斯人所组成的游击队也从 70 年代早期开始组成,并致力于追求西属撒哈拉的独立自主。他们的反抗活动导致了西班牙政府在 1975 年宣布撤出该地区的计划。同年,国际法庭裁定,摩洛哥与毛里塔尼亚对西属撒哈拉的主权要求在法理上过于薄弱,且基本上也不符该地区的自决原则。

从 1975 年 11 月开始,西撒哈拉由西班牙、摩洛哥及毛里塔尼亚共管。当西班牙在 1976 年 2 月退出以后,摩洛哥及毛里塔尼亚把该地区划分为两部分,摩洛哥取得了北部 2/3的土地,也就是说获得了磷酸盐矿。自此以后,摩洛哥军队与撒哈拉威斯人游击队之间的战斗时有发生。这支游击队称为"波利萨里奥阵线"("里奥德奥罗与萨吉亚阿姆拉群众解放阵线"的简称),它为阿尔及利亚所支持,基地亦设在该国。1976 年,波利萨里奥阵线宣布成立一个它自己称之为"撒哈拉阿拉伯民主共和国"的流亡政府(约有 70 国承认了这个政府),并不时袭击摩洛哥及毛里塔尼亚设在西撒哈拉的前哨。

1979 年毛里塔尼亚退出战斗,并与波利萨里奥阵线达成和平协议,但摩洛哥却迅速吞并毛里塔尼亚在西撒哈拉的领土;并在由布克拉矿区、旧殖民地省会阿尤恩及塞马拉城三点所构成的重要三角形地区设防抵御游击队,但波利萨里奥阵线并没有停止他们的袭击行动。1988 年,联合国提出一项和平建议,主张土著撒哈拉威斯人举行公民投票,由他们选择是要波利萨里奥阵线领导下的独立的西撒哈拉,还是让该地区正式成为摩洛哥的一部分。摩洛哥和波利萨里奥阵线双方均接受这项和平建议,并于 1990 年 3 月达成停火协议,由此有效地终止了双方在漫长战争中的敌对活动。此后便开始筹备举行公民投票。但当阿尔及利亚削减了对波利萨里奥阵线的军事和财政支援后,波利萨里奥阵线的形势变弱。摩洛哥于是向西撒哈拉迁驻大量移民。到 2001 年,有几万名西撒哈拉人,包括波利萨里奥士兵,仍然生活在在阿尔及利亚的临时难民营中。

西撒哈拉实际上全是沙漠,人口极为稀少。塞马拉的清真寺和古老土人区是西撒哈拉仅见的主要穆斯林遗迹。主要城镇为阿尤恩。经济依靠饲养骆驼、山羊及绵羊,农业微不足道。鱼干出口至加那利群岛。阿格拉沙等地产钾碱和铁砂,阿尤恩东南方的布克拉磷酸盐储藏丰富。然而因为缺水,磷酸盐的提取却问题重重,需要传送带将磷酸盐从矿区运到阿尤恩西南 29 千米的码头。境内地形极其平坦,可供汽车行驶的道路遍布全境,却没有正式的公路。阿尤恩和达赫拉(以前称雪雷罗镇)之间,阿尤恩和拉斯帕尔马斯(位于加那利群岛)、努瓦克肖特(在毛里塔尼亚)及卡萨布兰卡之间都有定期班机来往。人口约245 000(2000)。

Western Scheldt 西斯凯尔特 荷兰语作 Westerschelde。荷兰西南部河口湾。自比利时的斯凯尔特河向西流经三角洲群岛注入北海,湾长约 50 千米。16 世纪起为重要的运输通道。沿湾筑有防波堤,各港口之间有轮渡往来。

Western Schism 西派教会大分裂 又作 Great Schism 或 Great Western Schism。天主教会史名词,指 1378 ~ 1417 年期间两位甚至三位教皇争立的局面。教廷于驻在阿维尼翁,约 70 年后迁回罗马,不久巴里大主教当选为教皇,称乌尔班六世。一部分枢机主教退到阿纳尼,另选枢机主教罗伯特为教皇,称克雷芒七世,在阿维尼翁即位,宣布乌尔班六世的当选无效。两教皇各自的拥护者基本上按国籍民族划分,于是两教皇对立局面加深当时的政治角逐。最后两派枢机主教同意召开比萨会议以结束分裂,这次会议于 1409 年召开,选出第三位教皇亚历山大五世,亚历山大五世不久又由约翰二十三世继位。约翰二十三世迫于神圣罗马帝国皇帝西吉斯蒙德的压力,于 1414 年召开康斯坦茨会议。这次会议废黜约翰二十三世,批准罗马的教皇格列高

利十二世辞位，否认阿维尼翁的教皇本尼狄克十三世的资格。这样，一切障碍皆已扫除，新教皇马丁五世遂于 1417 年 11 月当选，分裂局面宣告结束。

Western Slovakia 参阅 **Západní Slovensko** 西斯洛伐克州。

Western Union Corporation 西部联合公司 又译西方联合公司。以前是美国经营电报业务的最大的公司。该公司为架设一电报线路而创建于 1851 年；5 年后，由于购得其他数条独立的电报线路而改组为西部联合电报公司。到 1861 年底，它已建成第一条横跨大陆的电报线。1879 年它曾短期涉足电话领域，但随即放弃此尝试；随后便集中经营电报业。该公司发展迅速，合并其他公司计 500 余家。由于电报日渐被其他电讯方式所代替，该公司便扩大其经营范围，包括自动电传业务、出租私用线路、汇兑业务、电报等。20 世纪 70 年代后，高速数据传递和现代传真机的应用替代了该公司某些最重要的业务，突出的是电报、电传打字电报交换（TWX）和用户电传电报（Telex）。面对迅速变化中的技术，西部联合电报公司为经营货币汇兑及有关业务而于 1988 年改组为西部联合公司。1991 年该公司售出其部分财产而改名为纽瓦利公司（New Valley Corp.）。该公司 1993 年进入破产程序，随后不久又售出其最后的一项主要财产。

Western Wall 西墙 希伯来语作 ha-Kotel ha-Maʿaravi。又称哭墙。耶路撒冷旧城内的一座墙壁，是犹太教徒祈祷和朝拜的圣地。耶路撒冷第二圣殿于公元 70 年为罗马人所毁，此墙为仅存遗迹。传说、史料和考古发现都证实，这一座墙就是约公元前 2 世纪所建的哭墙，但其顶部则是后世所增建。该墙现为伊斯兰教岩顶圆顶寺和艾格撒清真寺围墙的一段。犹太人和阿拉伯人曾为占有或得以拜谒此墙而长期争执。今日所见的西墙高约 20 米，长约 50 米，墙基深入地下。以色列国在 1967 年 6 月战争中占领耶路撒冷旧城，于是这一遗址重新为犹太人所控制。

耶路撒冷市旧城内的西墙

供图：Marvin E. Newman for UJA

western yellow blight（plant disease） **西部黄疫病** 参阅 **curly top** 卷顶病。

western yew（*Taxus brevifolia*） **西部紫杉** 又作 Pacific yew，California yew，Oregon yew 或 American yew。又称西方红豆杉、太平洋紫杉（太平洋红豆杉）、加利福尼亚紫杉（加利福尼亚红豆杉）、俄勒冈紫杉（俄勒冈红豆杉）、美洲紫杉（美洲红豆杉），即短叶紫杉、短叶红豆杉。紫杉科（红豆杉科）常绿材用乔木。是唯一一种原产北美的有商业重要性的紫杉（**yew**）。分布范围从阿拉斯加到加利福尼亚。通常高 5～15 米，也有达 25 米者。

Western Yugur language 西部裕固语 中国裕固族语言之一。属阿尔泰语系突厥语族东匈语支。主要分布在中国甘肃省肃南裕固族自治县的大河、皇城、明花等地区。使用人口约5 000。语言保存了较多上古突厥语的特点。西部裕固语（明花）语音特点是：有 28 个辅音音位（包括：双唇、舌尖中、舌根、小舌塞音，分清和清送气 2 套；卷舌、舌叶塞擦音，也分清和清送气 2 套；唇齿、舌尖前、卷舌、舌根擦音，分清浊，有舌叶和喉门清擦音；有双唇、舌尖中、舌根鼻音、边音、颤音、舌面半元音各 1 个）8 个单元音，6 个带擦元音和 16 个复元音（其中有 3 个仅出现在汉语借词里）。有元音和谐现象，性质属舌位和唇状和谐。有重音，一般落在多音节词的最后一个音节上。有丰富的语音变化现象。词类有名词、形容词、数词、量词、代词、动词、副词、后置词、助词、感叹词、摹拟词 11 类，有丰富的形态变化。名词有数（单数、复数）人称、格（主格、领格、向格、宾格、为格、从格）等语法范畴；数词从 11 到 19、21 到 29 结构特殊，保留着突厥、回鹘文献语言的计数法；动词有态（主动态、被动-反身态、使动态、交互-共同态）、式（陈述式、条件式、祈使式）、时、体（迅速体、坚决体、将近体、能动体、完成体、接近体）等语法范畴。句子主语在前，谓语在句末，宾语和状语在主语之后谓语之前，修饰语都在中心词前。词汇里有一定数量的古词语，有大量的汉语借词和少量的阿拉伯语、波斯语借词，有些汉语借词有中古汉语的语音特点。参阅 **Eastern Yugar language**。

Westernization Movement 洋务运动 中国清政府于 19 世纪 60 年代初到 90 年代中期，引进西方科学技术，兴办工业，改革军事、外交、文化教育和某些政府机构等多方面的活动。咸丰六年至十年（1856～1860），清政府面临太平天国和英法联军的双重威胁，开始实行"自强新政"，以对外国侵略者妥协，争取外国军事援助的策略，对太平军和捻军加强镇压。主张办"洋务"的贵族和官僚，被称为"洋务派"。主要人物有奕䜣、曾国藩、李鸿章、左宗棠等。清政府创办的近代军用企业规模最大的有：①江南机器制造总局。1865 年由李鸿章在上海建成，主要制造军火和轮船。②金陵机器制造总局。1865 年李鸿章在南京建成，主要为"剿捻"制造枪支弹药。③福州船政局。1866 年左宗棠在福州马尾创办，专造兵、商各轮船。④天津机器制造局。1866 年三口通商大臣崇厚创办，主要制造华北地区用来"剿捻"的军事装备。清政府在军事上大力建设海军，向英德等国订购舰只，先后建立起南洋水师、福建水师和北洋水师，并编练新式陆军；在经济上则着重于民用工业企业的创办和经营，以期与洋商竞争。同时还派遣人员出国留学，培养新式人才。19 世纪 80 年代，随着洋务事业的开展和西方近代科学文化的传入，中国出现了早期改良主义的社会思潮。然而，随着清政府在中日战斗中的战败（1894）和《马关条约》的签订（1895），洋务运动终告失败。

Westernizer 西方派 俄国19世纪40～50年代知识分子中的一个派别。强调俄国同西方有共同的历史命运。与相信俄罗斯的传统和命运是独一无二的斯拉夫派对立。

Westerschelde（estuary，The Netherlands） 参阅 **Western Scheldt** 西斯凯尔特。

Westerwald 韦斯特瓦尔德 德国西部山区。位于科布伦茨东北面，波恩的东南面，莱茵河右岸。在兰河（南）和锡格河（北）之间。有铁矿和黏土矿等。

Westerwald stoneware 韦斯特瓦尔德炻器 一种盐釉炻器，产于德国韦斯特瓦尔德地区赫尔、格伦佐和格伦茨豪森等小镇。从 15 世纪至今，这个地区的产品（如水壶、大啤酒杯以及类似制品）都是采用模子成型，用印模打上标记，也有时是刻饰的。虽然一些早期和晚期的制品是白色的，但蓝灰色是最流行的颜色，并采用对比强烈的黑色、棕紫色，以及最常见的深蓝色装饰。

Westfalen（historical region, Germany）　**威斯特法伦**　参阅**Westphalia** 威斯特伐利亚。

Westfield　韦斯特菲尔德　美国马萨诸塞州西南部汉普登县城市。位于斯普林菲尔德之西，濒临韦斯特菲尔德河。1660 年创建。原为斯普林菲尔德一部分。1669 年另设镇。1920 年设市。19 世纪经济由农业转为轻工业。在汽车代替马以前制作皮鞭，现生产纸张和电子设备。教育业、卫生保健业和旅游业也为城市带来了经济收入。州立韦斯特菲尔德学院 1839 年建立时为一所州立师范学校。人口约40 072(2000)。

Westinghouse, George　威斯汀豪斯（1846-10-06，美国纽约森特勒尔布里奇～1914-03-12，纽约市）　美国发明家和实业家。美国用交流电传输电力的主要倡导者。南北战争期间曾在陆军和海军中服役。1865 年因设计旋转式蒸汽机获得第一个专利，但经证明是不

威斯汀豪斯电气公司供图

实用的，稍后他用相同原理研制成水量计。同年他发明了能使出轨货车复轨的装置。他对铁路很感兴趣，因此第一个重要发明就是空气制动器，并于 1869 年获得专利（他一生共获 100 多项专利）。同年他组织了威斯汀豪斯空气制动器公司。空气制动器在增加自动化装置后，更受到广泛欢迎。1893 年的《铁道安全设备法》中规定所有美国列车都必须装有空气制动器。当他的自动空气制动器传到欧洲后，他看到空气制动器标准化的优点是使不同线路上的列车设备能够互换，并且新设计的设备可以用在以前的车型上。因而他是第一批采用现代标准化做法的人。后来威斯汀豪斯把注意力转向铁道信号设备方面，他把自己的发明与买来的专利相结合，研制成一种完整的电气和压缩空气信号系统。1883 年他开始把他在空气制动器方面的专业知识应用到安全输送天然气方面，两年内他获得 38 项关于管道输送设备的专利。

美国在 19 世纪 80 年代发展的是直流电网，而当时欧洲已经发展了几处交流电网。最成功的一个交流电网是 1881 年在伦敦由法国的 L.戈拉尔和英国的 J.吉布斯设计的。4 年后威斯汀豪斯进口了一套戈拉尔-吉布斯变压器和西门子交流发电机，在匹茨堡建立了电网。在 3 个美国电气工程师的帮助下他改进并完善了变压器，研制出恒压交流发电机。1886 年他组成威斯汀豪斯电气公司，3 年后改名为威斯汀豪斯电气和制造公司。他购买了 N.特斯拉的交流电动机专利，并请特斯拉来改进电动机以适用于他的电网。当交流电网可供电时，受到拥护直流电的人们的诽谤，甚至说使用交流电威胁人类生命，为了支持他们的说法，他们在纽约州采用一台标准威斯汀豪斯交流发电机作为执行死刑的工具。这种伎俩没能扼杀交流电的应用，1893 年威斯汀豪斯公司仍为芝加哥的世界哥伦比亚展览会提供了照明电。另外，威斯汀豪斯获得以交流发电机开发尼亚加拉河大瀑布的权利。他的营业一直兴旺，直到 1907 年因资金危机他失去对公司的控制权，1911 年他和他的公司断绝一切联系。以后他的健康迅速恶化。

Westinghouse Electric Corporation　威斯汀豪斯电气公司　美国电气设备的主要制造商，也是核动力反应堆的主要生产者。总部在宾夕法尼亚州匹兹堡。1886 年空气制动器及其他装置的发明人 G.威斯汀豪斯为制造和销售交流电设备而创建该公司。当时在美国，人们使用直流电，怕使用交流电对健康与安全会有很大的威胁，于是极力反对。在消除这种强有力的反对以后，公司兴旺起来，并发展到电气生产和用途的各个方面。1907 年公司为避免资金周转不灵被迫改组，威斯汀豪斯被免去董事长之职。1945 年公司改现名。作为向公用电业提供设备的主要供应商，该公司制造发电、输电、配电及控制电力的全部机械和产品。然而，它在家用电器销售方面经常落后于通用电器公司，1975 年基本上已停止在市场上与之竞争。在第二次世界大战后数十年间，该公司成为商用核反应堆的主要制造商，还为美国海军潜艇生产反应堆。1996 年以前，雷达及其他用于军用飞机、潜艇和军火的电子系统的订货合同，在该公司的销售额中占有很大的比例。该公司在美国各地都拥有并经营电视台和广播电台。1995 年它还收购了一家重要的电视企业 CBS 公司。

Westlake, John　韦斯特莱克（1828-02-04，英国康沃尔洛斯特威西尔～1913-04-14，伦敦）　英国律师和社会改革家。他在解决生活在不同的法律制度下人们之间发生的法律问题方面（国际私法或冲突法）有很大影响。

伦敦国立肖像画陈列馆供图

他曾受衡平法和财产转让事务方面的律师训练，1854 年协助建立伦敦工人学院，并是 1873 年国际法学会的创始人之一。他是议会中的自由党议员（1885～1886），而且是剑桥大学的休厄尔国际法教授（1888～1908）。在他所致力的社会改革中包括妇女的选举权。他还积极进行恢复芬兰宪法的工作（1899～1900）。他的《国际私法论文集》（1858）是这个领域里英国实践的开拓性著作，对后来许多司法决定有深刻的影响。其他著作有《国际法》（第一部分，《和平》，1904；第二部分，《战争》，1907）。他的《论文选集》于 1914 年出版。

Westland National Park　韦斯特兰国家公园　新西兰南岛中西部公园。建于1960年。与库克峰国家公园相邻。面积1 175平方千米。西起塔斯曼海，东至南阿尔卑斯山西北部陡峭的山坡，最高峰为南阿尔卑斯山的塔斯曼山，海拔3 497米。境内降水量较大，形成许多河流，河流切割出许多河谷。源出该公园流入塔斯曼海的三条主要河流是怀霍河、库克河和卡朗阿鲁阿河。公园允许射猎鹿和岩羚羊。钓鱼、滑雪、爬山也给旅游者增添乐趣。

Westman Islands（Iceland）　参阅 **Vestmanna Islands** 韦斯特曼纳群岛。

Westmeath　韦斯特米斯　爱尔兰语作 An Iarmhí。爱尔兰伦斯特省一郡。面积1 763平方千米。西缘是里湖下游和香农河。地势起伏不平，有冰碛覆盖。在马林加以西有石灰岩山岗，香农一带多沼泽，南部有许多冰碛蛇形丘。郡议会和主要行政机构设在马林加，阿斯隆是一城市区。全郡大部分为牧场。农庄平均占地 32 公顷，只有不到1/10的土地种庄稼，主要为小麦、燕麦和马铃薯。主要工业城镇为阿斯隆和马林加。由都柏林通往戈尔韦和斯莱戈的铁路在马林加交会，到戈尔韦去的公路干线在阿斯隆越过香农河。人口61 880(1991)。

Westminster, City of　威斯敏斯特城　伦敦内城市。位于伦敦西区中央，濒临泰晤士河北岸。建于 1965 年，由前威斯敏斯特、帕丁顿和圣玛丽勒本三市合并而成。西侧为肯辛顿-切尔西皇家自治市，东侧为伦敦市。威斯敏斯特城是英格兰一些最华美的、历史上最重要的建筑物所在地。城内有议会大厦、威斯敏斯特教堂和威斯敏斯特公学，以及怀特霍尔路、白金汉宫、国家美术馆、塔特陈列馆、国立肖像美术馆、威斯敏斯特主教座堂、许多著名医院、帝国理工学院、皇家艾伯特大厅和贵族板球场。城内还有圣詹姆斯公园、格林公园、海德公园、肯辛顿花园之一部、里真茨公园和动物园。威斯敏斯特原为排水不畅的泰晤士河沼泽中的一座岛。785 年在此建起修士居住区。忏悔者爱德华（1042～1066 在位）在此建造新教堂，后来称为威斯敏斯特教堂。他还在此修建一座宫殿。在该宫殿周围地区的圣史蒂芬教堂从 1547 年起被用作下议院举行会议之地。1834 年一场大火烧毁了几乎整个宫殿，因而建造了现在的议会大厦

(1840～1867)。邻近的威斯敏斯特大厅在1882年斯特兰德法庭建成前曾是英格兰主要的法庭。再往北不远便是特拉法加广场,它位于古老的查灵克罗斯街;还有怀特霍尔路,这是由好几条街道组成的,有些主要的政府建筑在此,其中包括海军部、财政部、国防部和唐宁街(10号为英国首相官邸)。新的政府建筑,包括新苏格兰场,沿维多利亚街朝着维多利亚火车站方向分布。在维多利亚火车站和海德公园间有贝尔格拉夫地。格洛斯维诺地在皮卡迪利广场之北的伦敦上流社会区。波特兰地、卡文迪什地和里真茨公园的克朗地更靠北。该自治市其他主要建筑包括威斯敏斯特(罗马天主教)主教座堂(1895～1903)、英国广播公司总部、图索德夫人蜡像陈列馆、伦敦天文馆、皇家歌剧院和伦敦中央清真寺。还有圣乔治、圣玛丽、米德尔塞克斯和威斯敏斯特等医院。公园和空旷地约占全市面积的1/4。面积21平方千米。人口约181 286(2001)。

Westminster, Statute of 《威斯敏斯特条例》 (1931) 联合王国议会规定不列颠和各自治领平等的条例。当时的自治领有加拿大、澳大利亚、新西兰、南非、爱尔兰和纽芬兰。条例贯彻实施1926年和1930年两次英帝国会议的决议。1926年的会议特别宣告:各自治领都必须被看做"英帝国内地位平等的自治共同体,它们虽同样效忠于国王,并作为英联邦成员国家而自由联合,但地位平等,在内政和外交事务的任何方面彼此均不存在从属关系"。条例承认各自治领有管理本国内政外交、成立自己的外交使团并在国际联盟中派遣自己的代表(纽芬兰除外)的权利。条例又称:联合王国议会或任何自治领议会今后通过的法律,非经该自治领要求或同意,不得适用上述任何一个自治领而构成它的法律的一部分。这一条例留下许多困难的法律和宪法问题没有解决,例如:王国政府的职权问题,一个或一个以上自治共同体在其他共同体发生战争时是否可能保持中立等等。但是由于各自治领互相忍让和经常磋商,条例条文的实施相当成功。

Westminster, Statutes of 威斯敏斯特条例 (1275,1285,1290) 中世纪英格兰历史上3个重要法令,由爱德华一世在威斯敏斯特召集的"议会"发布,故名。每个条例都包括多方面的条文,修正或阐明民法和刑法中极不一致的地方。第一个条例(1275)用古法语写成。议会的下院代表都是应爱德华之召而参加的。其他两个条例则是由只有大贵族和枢密顾问官出席的议会所颁布。第二个条例(1285)旨在限制土地转让和维护限定继承权。第三个条例(1290)禁止转租小块采邑,以维护贵族的收益。

Westminster Abbey 威斯敏斯特教堂 英国伦敦教堂;最初为本笃会隐修院,1560年英格兰女王伊丽莎白一世重建而成为威斯敏斯特(今伦敦市的一个区)圣彼得大教堂。相传东撒克逊人第一代信奉基督教的国王塞伯特曾在泰晤士河一小岛上建教堂,该岛当时

伦敦市的威斯敏斯特教堂
供图:A. F. Kersting

名索尼岛,后来就叫做西隐修院(west minster),还说圣彼得曾显灵行神迹为该教堂祝圣。可以肯定,约公元785年该岛上已有一些修士居住,约960年,坎特伯雷大主教邓斯坦扩大隐修院,予以改建。英格兰国王爱德华(1042～1066在位)在原址建新教堂,1065年举行落成祝圣典礼。新堂宏伟,平面设计十字形,有中钟塔一座,西钟塔两座。1245年,英格兰国王亨利三世将爱德华的教堂除中殿外全部拆除,按当时流行的哥特尖顶式改建成现在的大隐修院教堂。教堂的设计和平面布置受当时法兰西大教堂设计影响甚大,它的第一位设计师是亨利(兰斯的),这或许是其原因。参与威斯敏斯特教堂设计的其他知名设计师有亨利(格洛斯特的)和罗伯特(贝弗利的)。把中殿改建成诺曼式的工程于1376年在设计师叶维尔的主持下开始,断断续续一直到都铎时代。但是,亨利三世时代的早期英格兰哥特式设计风格仍占主导地位,使教堂看上去像是一次建成。附属结构亨利七世小堂(约1503开工)采用哥特垂直式,取代了原来的圣母小堂,其展扇式拱顶极为精美。牧师座位雕刻别具一格,其上悬挂巴思骑士团旗帜。两座西钟塔是最后加上去的,相传为18世纪初设计师雷恩所设计,实际上是由霍克斯穆尔和詹姆斯所建,落成于1745年。教堂内部的唱诗班席建于1848年,高大的祭台和供坛背壁是1867年建筑师斯科特改建的。斯科特和皮尔逊还修复了北耳堂的正面(1880～1890)。英国历代君主,自威廉一世以降,都是在威斯敏斯特教堂加冕的,例外的只有从未加冕的爱德华五世和爱德华八世。不少国王、女王或王后葬在11世纪国王爱德华纪念堂或亨利七世小堂附近。葬在威斯敏斯特教堂的最后一位国王是乔治二世(1760卒),其后各代君主葬在温莎。威斯敏斯特教堂还有英国著名人士的坟墓和纪念碑。南耳堂的一部分是著名的"诗人角落";北耳堂有许多英国政治家的纪念碑。"无名战士墓"(遗骸于1920年从佛兰德迁来)位于中殿中心而靠近西门。

Westminster Assembly 威斯敏斯特会议 (1643～1652) 英格兰的长期议会为了在圣公会进行改革而召开的会议。这次会议制订《威斯敏斯特教义问答》(大、小两种)、《威斯敏斯特信纲》和《礼拜规定》。1660年英国政府重新规定圣公会必须实行主教制,长老制受到镇压,但是威斯敏斯特会议所制订的这些文献仍普遍为世界各地长老会所采用。

Westminster Catechism 《威斯敏斯特教义问答》 英语民族基督教长老宗教会以及一部分公理宗和浸礼宗教会所使用的教义手册,分大、小两种。两种教义问答在英格兰内战期间的1643～1649年经常开会的威斯敏斯特会议拟订,1647年交付英格兰议会审议,1648年获得议会通过。1660年王政复辟,恢复主教制,这两种教义问答遂在英格兰丧失国定文件的地位。苏格兰长老会大会于1648年7月决定采用这两部文献,苏格兰议会于1649年1月通过。《大教义问答》供教牧人员使用,繁复难以背诵,因而不如主要供对儿童传授教义使用的《小教义问答》流行。

Westminster Confession 《威斯敏斯特信纲》 英语民族基督教长老宗的信仰纲要。由英格兰内战期间长期议会于1643～1649年召开的威斯敏斯特会议制订,信纲于

1646年定稿,付议会审议,稍经修改后于1648年6月通过。1660年英国王政复辟,主教制教会行政重新确立,这份信纲遂在英格兰丧失国定文件地位。1647年被苏格兰长老会采纳,后来亦被美国和英格兰的长老会稍加修改而采用,采用这份信纲的还有一部分公理会和浸礼会。全文共分33章,说理细密,文体庄严,在教义问题上根据当时正统求大同而存小异。

Westminster Palace　威斯敏斯特宫　参阅 **Parliament, Houses of** 议会大厦。

Westminster School　威斯敏斯特学校　正式名称为圣彼得学院(Saint Peter's College)。设在伦敦威斯敏斯特教堂附近的一所专收男生的公立学校(私人捐款资助)。起源不详,可能在教堂建成时就作为教堂的一所学校开办。1540年亨利八世将它改为世俗学校。1560年,伊丽莎白一世重建该校,并全面改组。1868年《公学法案》公布后,学校获得自治地位。

Westmore FAMILY　威斯特摩家族　将化装术引进电影业而闻名的美国好莱坞一化装师家族。乔治·威斯特摩(1879～1931)生于英国,曾在许多城市做理发师,1917年定居洛杉矶,在塞立格制片厂建立有史以来第一个电影制片厂化装部。几个月后他到三角制片厂去指导明星化装。他的6个儿子蒙塔古·乔治(1902～1940)、珀西瓦尔·哈利(1904～1970)、欧内斯特·亨利(1904～1968)、沃尔特·詹姆斯(1906～1973)、汉密尔顿·阿道夫(1918～1973)和弗兰克(1923～1985)先后成为美国几家重要制片厂的化装部主任或副主任。第三代威斯特摩家族中也有人成为化装方面的杰出人物。他们之中不仅有人从事舞台化装,而且有人致力于为面部烧伤、疾病或意外事故的受害者作整容治疗。

Westmorland　威斯特摩兰　英格兰西北部的历史郡。连同北面和西面相邻的坎伯兰郡于1974年重新划分行政区时成为新的坎布里亚郡的一部分。人口稀少,主要的经济活动为牧羊。有许多铜器时代的古迹诸如石冢和坟冢以及几条古罗马人所建的大道。其后的占领者盎格鲁人、丹麦人和挪威人在本地区几乎没有留下什么遗迹。威斯特摩兰郡在12世纪时以独特的行政形式出现。它在英国历史上没有起过大作用,尽管传说1745年詹姆斯反叛党人向北撤退时曾在这里有过在英国领土上的最后一次战斗。该郡首府肯德尔镇为羊毛交易和加工的中心。该地区有相当数量的教堂和乡村宅邸,在阿普尔比、布拉夫和布鲁厄姆都有诺曼人的城堡。

Westmorland, Ralph Neville, 1st Earl of　威斯特摩兰伯爵(第一)(约1364～1425-10-21,英格兰达勒姆拉比城堡)　即内维尔男爵(第四)。英格兰贵族。虽被理查二世封为伯爵,却支持亨利四世篡位,并为建立兰开斯特王朝尽了很大力量。第三代内维尔男爵约翰的长子,1380年远征法国时被封为骑士。1388年承袭其父的男爵爵位。1397年被封为威斯特摩兰伯爵。由于没有进一步得到宠信,1399年与姻兄弟兰开斯特的亨利(后来为亨利四世)合谋废黜了理查二世。1399年9月成为英格兰宫廷典礼官,并获殊荣得到约克郡的里士满为封地。1403年参加平定北方珀西家族的叛乱。1405年在约克附近截击叛军,大大削弱约克郡的力量。他多年充任苏格兰西部边境地区地方长官。在亨利五世去法国期间,委他负责保卫北部边境。他没有参加1415年的阿让库尔战役和后来远征法国的行动,但是,是贝德福德公爵约翰领导下的摄政会议的成员。

Weston, Edward　韦斯顿(1850-05-09,英格兰斯塔福德郡伍尔弗汉普顿附近～1936-08-20,美国新泽西蒙特克莱)　英国出生的美国电机工程师和企业家,创办了韦斯顿电气仪

新泽西州纽瓦克市施龙伯格公司韦斯顿仪器部供图

表公司。1870年到纽约市任化学师。在电镀公司工作期间,他断定用发电机作电镀的电源将比用电池效率高,随后发明并制造成功一台电镀用发电机。由于在制造弧光灯和白炽灯的竞争中失利,1886年他转向设计、制造电气计量仪表,于1888年组成著名的韦斯顿电气仪表公司,以其高质量的电器产品享誉世界。1923年加入美国国籍。

Weston, Edward　韦斯顿(1886-03-24,美国伊利诺伊海兰帕克～1958-01-01,加利福尼亚卡梅尔)　20世纪美国最有影响的摄影家之一,以阐述了一套统治美国摄影术达数十年之久的美学理论而著名。他从儿童时代起就热衷于摄影,后来在加利福尼亚开了一家照相馆,从事摄影创作。他的早期作品属于画意派风格,用暗房加工的方法删除细节,模仿印象派的绘画。1915年,他参观了一个现代艺术展览,使他放弃了画意派那种雾气蒙蒙的效果,而强调抽象的形式和清晰的纹理,并着手建立构成他新风格基础的美学观点和技术。他的目标是现实主义。他用大型照相机和小光孔以获得尽可能大的景深和清晰的影纹。从不用放大机,而喜欢用接触印相法来得到清晰的细节和丰富的色调。他总是把整张底片全部印出来,不愿在暗室里对影像作特技处理。通过熟练的组合及对色调、光线和影纹巧妙的运用,拍出清晰的、表现自然景色美的写实主义的作品。1922年,他在纽

1945年在加利福尼亚州卡梅尔湾洛博角拍摄的韦斯顿

供图:Imogen Cunningham

约遇见了摄影家施蒂格利茨和斯特兰德。1923年,他移居墨西哥,在那里,艺术家里维拉、西凯罗斯和奥罗斯科推崇他为20世纪艺术大师。1927年,他回到加利福尼亚,拍摄了贝壳、辣椒和从中间剖开的卷心菜的巨幅特写照片,表现出雕塑般的效果和丰富的纹理。两年后,他第一次拍摄了加利福尼亚州洛博斯角的岩石和树木,刊登在《爱德华·韦斯顿的艺术》(1932)上。同年,加入 *f*.64摄影组(**Group *f*.64**),其个人摄影展成为美国摄影史上的转折点。1936年,他拍摄了一系列裸体照片和加利福尼亚州奥希阿诺的沙丘照片,常被认为是他最好的作品。第二年,他受聘成为古根海姆博物馆实验馆员的第一位摄影家,并用两年的时间从事创作。后来,这些照片印在《加利福尼亚和西部》(1940)里。患震颤性麻痹症后,1948年到洛博斯角拍摄了他的最后一批照片,印在《洛博斯角摄影集》(1950)里。在他生命的最后10年,他监督把他的最好底片都印成了照片。

Weston-super-Mare　滨海韦斯顿　英格兰萨默塞特历史郡北萨默赛特单一政区一城镇。濒临布里斯托尔海峡。有优良的海滩和海滨散步游览地。19世纪成为游览胜地。人口69 372(1991)。

Westphalia　威斯特伐利亚　德语作Westfalen。德国西北部历史地区,相当于现在的北莱茵-威斯特伐利亚州全部及下萨克森与黑森两州部分地区(加上前利珀邦)。古代萨克森人分为3部分:威斯特伐利亚人、安格里人和伊斯特伐利亚人。威斯特伐利亚人约于700年定居在埃姆斯河与洪特河地区,并向南拓展,远至科隆。775年顽强抵抗查理大帝的入侵。到12世纪,威斯特伐利亚人与安格里人之间的差异消失,威悉河以西的萨克森统称为威斯特伐利亚。1180年,科隆大主教获得威斯特伐利亚作为公国,但公国实际上只限于科隆以北地区。各种各样的政治实体在此区域纷纷出现,诸如明斯特、帕德博恩、奥斯纳布吕克和明登诸主教区,瓦尔德

克、绍姆堡、利珀、拉文斯堡和马尔克诸伯爵领地,以及多特蒙德帝国直辖市,埃森隐修院辖地等等。1512年,设置神圣罗马帝国管辖的下莱茵-威斯特伐利亚区。自17世纪早期起,勃兰登堡-普鲁士的霍亨索伦家族统治者获得威斯特伐利亚部分领土,1803年他们又得到帕德博恩以及明斯特的大部分。同时黑森-达姆施塔特取得威斯特伐利亚的科隆那部分,奥斯纳布吕克并入汉诺威,明斯特的剩余部分并入奥尔登堡。1807年,拿破仑将传统上的威斯特伐利亚的大部分划给贝格大公国。拿破仑为其弟热罗姆所建的威斯特伐利亚王国则由威悉河与易北河之间的普鲁士及汉诺威领地以及黑森选侯区的大部分组成,其首府为卡塞尔。1814～1815年维也纳会议将旧威斯特伐利亚的大部分地区划归普鲁士,首府明斯特。19世纪末至20世纪初,鲁尔河流域人口稠密,成为世界上工业最发达的地区。第二次世界大战后,威斯特伐利亚省与利珀于1946年并入**北莱茵-威斯特伐利亚(North Rhine-Westphalia)**州。旧威斯特伐利亚(自1866年起大部属于普鲁士)的北部并入下萨克森州;而瓦尔德克(自1929年起属普鲁士黑森省)则成为新建的黑森州之一部。

Westphalia, Peace of 《威斯特伐利亚和约》 1648年欧洲协议的总称。它结束了西班牙荷兰八十年战争和德国三十年战争的局面。1644年在威斯特伐利亚的明斯特和奥斯纳布吕克两城开始和谈。1648年1月30日签订了西荷条约。1648年10月24日的条约包括神圣罗马皇帝费迪南德三世、德国其他诸侯、法国和瑞典。英国、波兰、俄国和土耳其是未派代表出席这两次会议的仅有的欧洲强国。

神圣罗马帝国皇帝的首席代表为马克西米利安·冯·特劳特曼斯多夫伯爵,和约的缔结很大程度上是由于他的睿智。法国代表名义上由隆格维尔公爵奥尔良的亨利率领,但真正起作用的是萨布莱侯爵和阿奥伯爵。瑞典派乌克森谢纳和约翰·阿德勒·萨尔维乌斯为代表。教皇的使节是法比奥·基吉,即后来的罗马教皇亚历山大七世。勃兰登堡由约翰·冯·赛恩·维特根施泰因伯爵代表,在帝国新教诸邦中发挥了最重要的作用。1645年6月1月,法国、瑞典提出和平建议。宗教问题的解决在1646年2月和1648年3月之间完成。在讨论期间,战争仍在继续进行。

决议载明,法国、瑞典、勃兰登堡、萨克森、梅克伦堡-什未林、黑森-卡塞尔、巴伐利亚和下巴拉丁领地等或获得了领土,或对领土主权的要求得到确认。下巴拉丁领地成为德国一个新的选侯的领土。除了这些领土变更外,宣布对所有被剥夺了财产的人普遍地无条件地予以大赦。

比重新划分领土更重要的是教会问题的解决。由于确认了1555年的《奥格斯堡和约》并把和约的条款扩大到新教(加尔文宗),帝国的三大教派——天主教、信义宗和加尔文宗——获得了信仰自由。困难的宗教地产所有权问题通过妥协获得解决。重要条款规定,君主若改变其宗教,他的土地就应被没收。这就为新教的进一步传播,设置了一个障碍。

条约所作的宪法的变更具有深远的影响。帝国各邦的领土主权得到承认。它们被授权可以互相,也可以与外国列强订立条约,只要皇帝和帝国不遭受侵害。由于这一变化和其他一些变化,帝国诸侯在他们的领地内拥有至高无上的权力。皇帝和帝国议会昔日的权力至此成为幻影。不仅中央的权力几乎全部被大约300个诸侯的权力所代替,而且帝国的权力也以其他方式大大削弱。它损失了约4万平方英里的领土,而且得到的是一块毗邻法国的无法防御的边境。瑞典和法国作为和平的保证国,获得了干涉帝国内部事务的权利。瑞典作为帝国议会之一员,还得到在议会中的发言权。这样,德国就多年成为欧洲外交和战争的主要舞台,从而延缓了民族统一的正常发展。但是,如果说《威斯特伐利亚和约》宣布帝国旧秩序的瓦解,它也推进了其成员,尤其是奥地利、巴伐利亚和勃兰登堡的新权力的增长。这个条约被认为是德国宪法的基本原则,并构成1806年帝国解散前所订的一切条约的基础。

Westport 韦斯特波特 新西兰南岛西北部自治市和港口。濒临布勒河河口。1873年设市。1859年在此地区发现煤和金。金矿曾开采约半个世纪;19世纪70年代采煤业已十分发达,现为全国主要烟煤产区。输出有烟煤、乳品和水泥。有酿酒、煤气、针织品、锯材、鱼罐头、通用机械、铁路检修等工厂。人口约4 640(1998)。

Westport 韦斯特波特 美国康涅狄格州西南部费尔菲尔德县城镇。位于索格塔克河口,濒临长岛湾。约1648年被拓居。1835年设镇。范围包括索格塔克旧港和格林斯法姆斯。保存有许多18世纪房屋。以作为艺术家、作家聚集之所而闻名。为各艺术函授学校校本部所在地,但主要为住宅区,有轻型制造业。面积52平方千米。人口约25 749(2000)。

Westward Movement 西进运动 首批殖民者在大西洋沿岸定居后不久,在北美大陆美国本土范围内进行的移民活动。来到新大陆的首批英国人原来定居大西洋沿岸,但到17世纪30年代,马萨诸塞湾的殖民者迁入了康涅狄格河谷。法国人和印第安人的抵抗减缓了西进的速度,但到18世纪50年代,北美的殖民者已占据大部分新英格兰地区。在南部,因后到而未能占取沿海低洼良田的定居者西移至皮德蒙特。到1700年,弗吉尼亚的边界已推进至瀑布线(该线上游注入大西洋的各河流无法通航)。某些拓荒者越过瀑布线进入蓝岭山脉,但涌入弗吉尼亚及其他南部大西洋沿岸殖民地偏僻地区的多数人则南进而并未西进。1730～1750年间,来自宾夕法尼亚的德意志人和苏格兰-爱尔兰人沿谢南多厄河谷南下,移居到弗吉尼亚西部和南、北卡罗来纳。法国印第安人战争爆发时,美国的边疆已扩展至阿巴拉契亚山脉。到1810年,俄亥俄、田纳西和肯塔基已由荒野变成遍布农场和城镇的地区。到1830年,过去人烟稀少的旧西北地区和旧西南地区已有相当数量的居民,从而使伊利诺伊、印第安纳、密苏里、亚拉巴马和密西西比能以州的地位加入联邦。在19世纪30和40年代,拓荒者源源不断西移。多数人定居于密歇根、阿肯色、威斯康星和艾奥瓦等地。另有相当数量的拓荒者全家长途跋涉直至太平洋沿岸,把俄勒冈小道延伸到太平洋沿岸西北地区。1849年,追求发迹者纷纷涌入加利福尼亚淘金。然而摩门派教徒却结束了长途漫游,定居在犹他州。从淘金热到南北战争之间,越来越多的美国人移居密西西比河流域、得克萨斯、西南地区各准州以及堪萨斯和内布拉斯加两个新州。战争期间,俄勒冈、科罗拉多、内华达、爱达荷和蒙大拿由于发现金银而吸引了探矿者,后又引来了定居者。到1870年,仅有部分大平原地区可称为无人定居地。19世纪80年代后期移民进入该地区和拓荒者强行涌入俄克拉何马的印第安人领地,构成了西进运动的最后阶段。至19世纪90年代初,大陆本土48州内已无边疆地区。

Wet, Christiaan Rudolf de 韦特(1854-10-07,奥兰治自由邦史密斯菲尔德区[今在南非]～1922-02-03,南非联邦德韦茨多普区) 南非布尔军人和政治家,阿非利堪民族主义者心目中最伟大的英雄之一。在南非战争(1899～1902)中任奥兰治自由邦军队总司令而闻名于世,并为1914年阿非利堪人叛乱的领袖。青年时代参加巴苏陀战争(19世纪60年代)和德兰士瓦布尔人争取独立的战争(1880～1881)。在和平时期,他虽无意从政,却先后任德兰士瓦议会和奥兰治自由邦议员。南非战争开始时,他领导民兵,由于智勇双全,很快就被任命为奥兰治自由邦军队总司令。随着英军占领了他的国家的许多地区,他转而采取打了就跑的游击战术。他的赫赫战功和奇迹般的逃脱成为传奇。他十分不愿意投降,当了一天的奥兰治自由邦代理总统,签订了《弗里尼欣和约》(1902-05)。1907～1910年任奥兰治自由邦农业部长,曾参加制订南非联邦宪法的会议(1908～1909)。总理路易斯·博塔与J.B.M.赫尔佐格分裂后,他帮助赫尔佐格建立国民党(1914)。他反对博塔吞并德属西南非洲的决定,裂痕随第一次世界大战的爆发而扩大。他力谋组织叛乱,1914年12月被捕,以叛国罪判刑6年。但他服刑1年后被释放,获准在其农场安度余年。

wet collodion process 湿柯羅琔照相法 又称柯羅琔照相法。1851年英国阿切尔发明的一种早期照相技术。他在柯羅琔溶液中加入一种可溶性的碘化物,将这种溶液涂在一块玻璃板上,然后在暗室中将玻璃板浸在硝酸银溶液中以生成碘化银。把湿玻璃板装在照相机内进行曝光后,用焦棓酸溶液显影,再用高浓度的硫代硫酸钠溶液(后来用氰化钾溶液)定影。显影与定影须在曝光后立即进行,因为柯羅琔涂层干燥后就不透水,药液无法渗入。

wet gas 富气 又称湿气。在储油层中可以气态或气-液共存状态存在的天然的烃类混合物。含有相当数量的比乙烷重的化合物(如丙烷、丁烷),这些化合物在采出地面后,能被冷凝。常用一定体积的气体含多少体积或重量的可冷凝物来表征富气,这种数值是按15 ℃和750毫米汞柱条件下的体积计算的,通常表示为每1 000立方英尺多少加仑或每立方米多少克。每1 000立方英尺的天然气中,可冷凝物含量超过0.3加仑者,称为富气。可冷凝物被回收,丙烷作为液化石油气出售,更重的烃类用于生产汽油。参阅 **dry gas**。

Wetar Island 韦塔岛 印度尼西亚马鲁古省班达海中的岛屿。位于韦塔海峡北面,蒂汶岛东北56千米。岛东西长130千米,宽45千米,面积3 600平方千米。为珊瑚礁和深海所环绕。内地荒无人烟的崎岖群山覆盖着热带雨林,最高点1 412米。气候炎热而潮湿,雨量充沛。人口稀少,主要以农业为生,生产西米。海洋渔业也重要。出口玳瑁壳。居民大部分是巴布亚人,多信奉伊斯兰教,也有一些基督教徒。有公路连接南海岸的马萨蓬和伊瓦基、东海岸的阿尔瓦拉,以及北海岸的利奥帕、拉利基、韦西里。

Wetaskiwin 韦塔斯基温 加拿大艾伯塔省中部城市。位于埃德蒙顿南面71千米处。1891年铁路通车后发展为谷物装运中心。1947年附近发现勒杜克油田。早期即开始利用天然气。有煤矿。设有雷诺兹早期农机博物馆。1900年设村,1902年设镇,1906年设市。人口10 634(1991)。

Wethered, Joyce 韦瑟德(1901-11-17,英格兰萨里布鲁克～1997-11-18,伦敦) 婚后名希思科特-艾默里夫人(Lady Heathcoat-Amory)。英国女子高尔夫球运动员,英国女子公开赛冠军(1922、1924、1925、1929);连续5年(1920～1924)获英格兰乡土锦标赛冠军。1932年参加首届柯蒂斯杯英美对抗赛。1935年代表伦敦某商店以职业运动员身份在美国比赛,并且击败了扎哈里亚斯。1937年,韦瑟德嫁给约翰·希思科特-艾默里爵士。夫妇二人在德文郡蒂弗顿附近住宅内建有一座花园,后成为英国的主要植物园之一。

Wethersfield 韦瑟斯菲尔德 美国康涅狄格州中部哈特福德县城镇。北邻哈特福德,濒临康涅狄格河起航点。1634年创建。1822年设建制。初为繁荣的河港,19世纪中叶以前经济以农业为主,造砖、制革、锯木等工业也很兴旺。现主要为住宅区,有轻工业。多殖民时期的建筑,其中包括全国历史名胜约瑟夫·韦伯宫(1752年建,1781年5月G.华盛顿与法国将军罗尚博伯爵举行约克敦会议的会址)。面积32平方千米。人口约26 271(2000)。

wetland 湿地 陆上的生态系统,特征是排水差,因而在大部或全部时间内有缓慢流动的水或滞流水渗入土壤中。通常根据土壤和植物区分为**酸沼**(**bog**,酸性沼泽)、**草本沼泽**(**marsh**)和**森林沼泽**(**swamp**)。

Wetmore, (Frank) Alexander 韦特莫尔(1886-06-18,美国威斯康星北弗里敦～1978-12-07,马里兰州) 美国鸟类学家,以研究美洲的鸟类闻名。任美国农业部生物学调查局雇员时,即特别爱好鸟类的解剖学、骨学及分类学,鸟化石,以及鸟类的移徙等。多次率鸟类考察队出行,去过西班牙、南美洲的许多地方、巴拿马及几乎美国各州。1923年为美国生物学调查局及檀香山B.P.毕晓普博物馆率领裸鼻雀考察队至中太平洋。许多著作是他于1925年后任史密森学会助理秘书兼美国国立博物馆馆长时所写。1945年任学会秘书,1953年辞职,改任研究员。他曾获多种重要奖章和奖金,其中包括美国鸟类学家联合会的布鲁斯特奖章(1959)。1965年写成多卷本《巴拿马共和国的鸟类》的第1卷,第2卷于1968年问世,第3卷于1972年出版,至他去世时第4卷尚未完成。

Wettach, Charles Adrien(clown) **韦塔克** 参阅 **Grock 格洛克**。

Wettin DYNASTY **韦廷王朝** 欧洲主要王朝,其世系可上溯至10世纪初。其远祖以积极向东扩展疆土至斯拉夫人境内著称;11世纪80年代末,其后裔拥有韦廷伯爵封邑和更东面的边森侯爵领地。迈森的韦廷家族于1264年成为图林根地伯,1423年成为萨克森选侯。1485年,韦廷家族分为埃内斯特及阿尔伯特两支,但就其整个家族来说,在第一次世界大战结束前,一直支配着萨克森的历史,支配着图林根诸萨克森公爵领地(萨克森-魏玛、萨克森-科堡、萨克森-爱森纳赫、萨克森-阿尔滕堡、萨克森-哥达、萨克森-迈宁根、萨克森-希尔德布格豪森、萨克森-托尔费尔德以及其他短暂存在的公国)的历史。阿尔伯特一支产生过两个波兰国王(1697～1763)和几个萨克森国王(1806～1918)。萨克森-科堡的埃内斯特一支,于19～20世纪间产生了利奥波德一世等几个比利时国王、佩德罗五世至曼努埃尔二世等葡萄牙国王、斐迪南一世至西美昂二世等保加利亚国王、国王爱德华七世至女王伊丽莎白二世等英国君主。参阅 **Windsor, House of; Saxon duchies**。

wetting agent 润湿剂 能降低液体表面张力(液体分子彼此附着的趋势)以增强其扩展性和渗透性的化学品。参阅 **detergent; surface-active agent**。

Wettstein, Johann Rudolf 韦特施泰因(1594,瑞士巴塞尔～1666-04,巴塞尔) 瑞士巴塞尔市市长(1645当选)。三十年战争结束后,他曾代表瑞士邦联出席威斯特伐利亚会议(1647～1648),促使欧洲正式承认瑞士的独立,并使哈布斯堡王朝放弃对瑞士政府的一切权利要求。在任市长期间,曾残酷地镇压1653年地方农民起义。

Wetzstein, Johann Gottfried 韦茨施泰因(1815-02-19,萨克森厄尔斯尼茨～1905-01-18,柏林) 东方学家。他提出(1873)"从字面上"解释《雅歌》。他认为,尽管《雅歌》收在《旧约》之内,它无非是情歌集,毫无宗教意义或象征意义。先是,哲学家、神学家赫尔德曾提出类似的想法,但是,韦茨施泰因对叙利亚婚礼所作的观察(他曾任普鲁士驻大马士革领事,1848～1862)使这种学说获得了证据。韦茨施泰因的说法流行一时,后来,20世纪初有人提出丰产神话礼仪说,一方面取代了它,另一方面也吸收了它。

WEU 参阅 **Western European Union 西欧联盟**。

Wewak 韦瓦克 巴布亚新几内亚海岸城镇,东塞皮克省省会。地近塞皮克河口。周围地区有几个咖啡和椰子种植园。澳大利亚海运航线口岸。设有国际机场,与西64千米的马普里克通公路,并继而通帕圭。人口23 224(1990)。

Wexford 韦克斯福德 爱尔兰语作Loch Garman。爱尔兰东南端伦斯特省一郡。面积2 351平方千米。东和南临爱尔兰海。大部地区是山地与海洋之间的低地,最宽约32千米,间有一些火成岩山丘。许多低地覆盖着冰川沉积物,包括爱尔兰最后一次冰期形成的冰碛物。沿海有宽阔、弯曲的海湾。1169年盎格鲁-诺曼的冒险家在此登陆。1798年5月在此爆发民众起义。1964年当地将考尔特山山坡上俯瞰巴罗河的一块地产捐献给国家,用于建造美国前总统约翰·肯尼迪纪念馆。不到2/5的人口居住在城镇和乡村。郡议会设在郡首府韦克斯福德,设一郡长。韦克斯福德城为自治市,恩尼斯科西和新罗斯(New Ross)是城市区。经济以农业为主,大多数农庄规模中等(28～32公顷)。半数以上的土地用作牧场,大约2/5的农田种植谷物,其中一半是小麦。经济上大宗物产是牲畜,从都柏林或沃特福德出口,还有一些乳品业。主要工业城镇是韦克斯福德、恩尼斯科西和新罗斯。罗斯莱尔是海滨胜地,有宽阔平缓沙滩。罗斯莱尔港与威尔士菲什加德有轮船往来,有铁路通往韦克斯福德城、都柏林和沃特福德。人口约102 045(1991)。

Wexford 韦克斯福德 爱尔兰语作Loch Garman。爱尔兰韦克斯福德郡海港和郡首府。濒临斯拉尼河。城内留有古城墙和一座塔楼的遗迹,现已改为俗用的新教教堂就在圣塞普尔克隐修院遗址附近,据说是1169年爱尔兰与英格兰入侵者签订和约的地点。由斯拉尼河口形成的韦克斯福德湾面积很大,但有沙洲使吃水12英尺以上的轮船不能入内。1906年在罗斯莱尔修建人工港,有铁路与韦克斯福德相连,供来自菲什加德和威尔士的客轮停靠。主要出口家畜和农产品。工业主要是农产品加工和轻型机械制造。也是捕捞鲑鱼及其他海产的基地、旅游中心和天主教费恩斯主教管区所在地。人口9 537(1991)。

Weyburn 韦本 加拿大萨斯喀彻温省东南部城市。濒苏里斯河。19世纪90年代开始有人定居。现为综合经营的农区与大量谷物集散中心。位处加拿大最富饶的油田之一。制造电缆、塑料、钢制品、玻璃纤维和碳化饮料。市机场附近有工业联合企业。有省立精神病院、韦本学院、东南地区社区学院和西部基督教学院。1913 年设市。人口9 673(1991)。

Weyden, Rogier van der 韦登(1399 或 1400,法国图尔奈～ 1464-06-18,布鲁塞尔) 法语作 Rogier de la Pasture(帕斯蒂尔)。15 世纪北欧艺术家中除凡·爱克外影响最深广的

韦登绘《圣路加为童贞女作画》(约 1435)
波士顿美术博物馆供图

佛兰德斯画家。他作为布鲁塞尔的城市画家在1436 ～1464 年占有重要地位。其父是一刃具厂主。他的童年是在富裕的市民阶层中度过的。1427 年他到 R.康平的作坊当学徒,1432 年开始成为独立的画家。早期风格明显受康平的影响,具有浓郁的和注重细节刻画的写实主义特征。另外,凡·爱克雅致精确的风格也在他的作品中留下痕迹。1435 年定居布鲁塞尔,进入艺术的成熟期。他为市政厅画了大型的历史壁画(现已不存),同时在 1435 ～ 1440 年为卢万射箭公会的礼拜堂完成了著名的油画《耶稣下十字架》,画中他把背景减化为一种淡薄的、圣地般的环境,以达到与多样性的感情协调一致。40年代以后,他的艺术带上一种中世纪的哥特式气氛,如《最后的审判》(法国博讷)。50 年代到意大利旅行,受到各界很高的评价,他为梅迪契家族画的《圣母子》现在还收藏在佛罗伦萨乌菲齐博物馆。他将佛兰德斯的油画技术带到意大利,同时也在意大利学到很多绘画知识。从意大利归来,他的画带有一些意大利艺术的宏伟气魄。逝世后,他的艺术成就影响了整整一代佛兰德斯画家,并影响了 15 世纪后半叶法国、德国、西班牙的绘画。

Weyerhaeuser, Frederick 韦尔豪泽(1834-11-21,黑森下绍尔海姆～ 1914-04-04,美国加利福尼亚帕萨迪纳) 德国出生的美国木材资本家。18 岁离开德国,在伊利诺伊州罗克艾兰一家锯木厂当工人。1857 年金融大恐慌时这家锯木厂破产,他伙同亲戚将其买下。由合伙人管理工厂,韦尔豪泽自己从威斯康星到明尼苏达四处奔走,采购出产木材的林地。他还开始购买许多伐木厂与木工厂的股权,常常是控制股权。1872 年当选为密西西比河木业公司总经理,该公司是经营整个密西西比河流域木材加工的大联合企业。1891 年他移居明尼苏达州圣保罗,后以每英亩 6 美元的价格购买了铁路巨头 J.J.希尔的西北太平洋海岸区约 90 万英亩的林地,因而在华盛顿州塔科马建立了韦尔豪泽木材公司。在其一生中,公司以每英亩 8.80 美元的平均价格购买了美国西北部近 200 万英亩土地。此外,韦尔豪泽辛迪加在美国其他地区的林区与锯木厂握有大量股权或参加了合股。韦尔豪泽是 16 家木材公司的总经理,又是其他许多公司的大股东。1959 年改名的韦尔豪泽公司仍然是世界木材销售业的首领。

Weygand, Maxime 魏刚(1867-01-21,布鲁塞尔～ 1965-01-28,巴黎) 法国陆军军官。第一次世界大战时任 F.福煦元帅的参谋长,第二次世界大战时作为在法国的盟军总指挥劝说法国政府投降(1940-06-12)。1886 年入圣西尔学院,1888 年以优异成绩毕业。后在索米尔骑兵学校进修和任教。1914 年受到福煦器重,任他为参谋长。在两次世界大战之间,为同布尔什维克作战的波兰陆军充当顾问(1920),在叙利亚任高级专员(1923 ～ 1924),任法国最高军事委员会副主席和陆军总监(1931 ～ 1935)。1935 年 1 月 21 日,以 68 岁退休。1940 年 5 月 20 日,法国已遭德国军队蹂躏时,他应召担负指挥军队的重任。他劝政府投降。1941 年 12 月引退。盟军在北非登陆(1942)后,他设法飞往阿尔及尔,但被德国人捕获,囚禁在奥地利城堡施洛斯伊特尔堡。1945 年 5 月 5 日被美军解放,用飞机送往巴黎。戴高乐将军下令将他逮捕。3 年后"恢复名誉"。戴高乐后来在《回忆录》中说:"1940 年 5 月 20 日魏刚接管最高指挥权时,要想赢得法兰西战役,毫无疑问,已经为时过晚。"

Weyl, Hermann 外尔(1885-11-09,德国汉堡附近的埃尔姆斯霍恩～ 1955-12-08,瑞士苏黎世) 德裔美国数学家,对数学有多种贡献,他把纯粹数学和理论物理学联系了起来,特别是对量子力学和相对论有巨大贡献。在格丁根大学求学时(1908 毕业)受到 D.希尔伯特的影响。1913 年成为苏黎世工业大学数学教授,与爱因斯坦共事。他的突出特点是具有把过去不相关的学科统一起来的才能。在《黎曼曲面概念》(1913)中,他把函数论和几何学联系起来,创立了数学的一个新分支,从而展现了分析学、几何学和拓扑学的高瞻远瞩的现代观点。他在讲授相对论的基础上写成的《空间、时间、物质》(1918)一书表明他对哲学有强烈的兴趣,体现了他在相对论方面的大部分发现。他创立了第一个统一场论,把麦克斯韦的电磁场和引力场表现为时-空的几何性质。这些研究对微分几何的影响,最明显地表现在他对意大利数学家列维-齐维塔的向量平移概念的处理上。他使这个概念摆脱了对黎曼度量的依赖,从而为 O.维布伦等人对射影微分几何学的迅速发展铺平了道路。1923 ～ 1938 年,他利用矩阵表示推导出连续群的一般理论。他发现在原子能级上大多数量子现象的规则性用群论来理解最为简单,这一发现(发表在《群论和量子力学》中)有助于现代量子论的创立。1930 年被任命为格丁根大学数学教授。纳粹政府把他的许多同事解职,他也在 1933 年离开德国,在普林斯顿高级研究院任职。1939 年入美国籍。1955 年退休后仍是该研究院的荣誉教授,来往于普林斯顿和苏黎世之间。他对实数按模 1 的一致分布的发现是解析数论的基本定理,导致后来解析数论的进一步发展。

Weyler y Nicolau, Valeriano, MARQUÉS(marquess) DE TENERIFE **维莱-尼古拉乌**(1838-09-17,马霍卡岛帕尔马～ 1930-10-20,马德里) 西班牙将军,1898 年美西战争爆发前不久任古巴总督,其严厉的反暴乱措施,曾被美国新闻界用来煽起反对西班牙统治古巴的情绪。早年从军,1868 ～ 1872 年参加对古巴叛军作战。后回国参加对卡洛斯党人作战。1878 ～ 1883 年任驻加那利群岛总督。1883 年任驻巴利阿里群岛总督。1888 年任驻菲律宾总督时参与镇压当地人民的起义。8 年后被派往古巴平息暴乱。他严厉而强硬的政策引起美国舆论的强烈反对,使他于1897年10 月被召回。后曾担任各种政府职务。1921 ～ 1923 年任陆军总司令。1926 年曾参加企图推翻里维拉政府的未遂政变。

Weymouth 韦茅斯 美国马萨诸塞州东部诺福克县城镇。位于波士顿东南,濒临欣厄姆湾。范围包括南韦茅斯、北韦茅斯和东韦茅斯 3 个村庄。1622 年创建,为本州第 2 个最早的社区。1635 年设建制。经济原以农业和渔业为主。1771 年始有炼铁业。1853 年发展制鞋业。现主要为住宅区,也生产化肥、漆器和电子元件。南韦茅斯村设有美国海军航空站。人口53 988(2000)。

Weymouth, Thomas Thynne, 3rd Viscount 韦茅斯子爵(第三) 参阅 **Bath, Thomas Thynne, 1st marquess of 巴思侯爵(第一)**。

Weymouth and Portland 韦茅斯-波特兰 英格兰多塞特行政、历史郡一区。濒临英吉利海峡。当地曾发现青铜器时代的兵器和罗马时代的殉葬器。1252 年获第一个特许状,成为自治市和自由港,向所有商人开放,很快就开始与法国的巴约讷和阿基坦通商。韦茅斯曾派遣 6 条船来抵抗西班牙的无敌舰队,至少有一条敌舰被带入港口。17 世纪和 18 世纪初与北美有贸易往来。1750 年港口衰落成一渔村,但由于英国国王乔治三世(1760 ～ 1820 在位)时常来访,遂享有海滨胜地美名。19 世纪,随着与海峡群岛的贸易扩大而再度兴旺。韦茅斯南为半岛型的波特兰岛(**Portland, Isle of**)。面积 42 平方千米。人口约 63 000(1998)。

Weyprecht, Karl 韦普雷希特(1838-09-08,黑森-达姆施塔特埃尔巴赫附近的巴特柯尼希～ 1881-03-29,德国埃尔巴赫附近的米歇尔施塔特) 德国的北极探险家。曾发现俄罗

斯以北的一个群岛法兰士约瑟夫地。他倡导一项关于极地科学调查的国际合作计划并取得成功。在奥地利政府资助下,以尤利乌斯·派耶为助手,参加过两次北极探险队,试图寻找从大西洋经过欧亚大陆北部去太平洋北部的水路——东北航路。在第二次探险中(1872～1874),船只陷入极地浮冰中,漂流了一年多。1873年8月30日看到了法兰士约瑟夫地,次年考察了该岛。他丢下船只,用滑橇和小船旅行了96天后到达新地岛,这是一组位于法兰士约瑟夫地以南的群岛。回到奥地利后,他提议对此有兴趣的政府建立一个或几个科学观测站,使工作能按照预先的计划同时进行。后来成立的国际极地委员会组织了第一次国际极地年(1882～1883),有11个国家在北极地区建立了12个观测站,在南极洲建立了两个观测站。此次活动之后,又组织了第二次国际极地年(1932～1933)和国际地球物理年(1957～1958)。对法兰士约瑟夫地探险的最好记录一般认为是派耶写的《北极圈内的新土地》(2卷,1876)。韦普雷希特出版的著作有《极地冰的变形》(1879)。

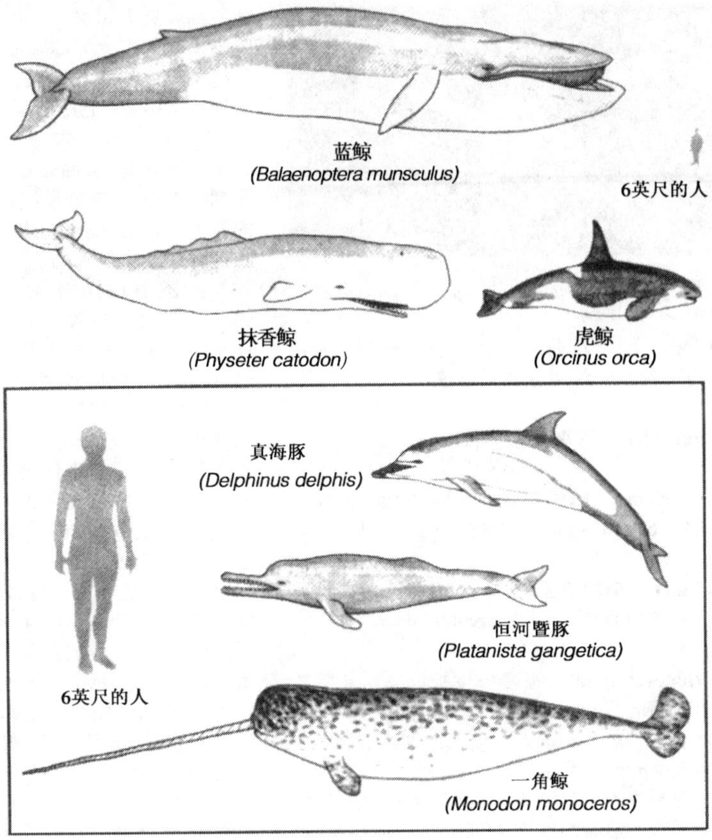

代表性鲸类的体形图

W.H.,Mr.　W.H.先生　莎士比亚十四行诗集的第一版(1609)所题献的对象,只知其姓名的首写字母。献词如下:

祝愿本十四行诗集的
　唯一促成者 W.H.先生
享受一切幸福,并希望
　我们永生的诗人
　　所许诺的
　　　不朽
　　得以实现
　对他满怀好意的
　并甘担风险予以出版的
　　　　T.T.

他的身份之谜曾使历代传记作家和批评家备尝可望而不可即之苦。他们一般认为,W.H.或是那位"俊美的青年",莎士比亚的十四行诗中有许多就是写给他的,或是莎士比亚的朋友或保护人,他把莎士比亚的诗稿交给印刷商托马斯·索普因而赢得一方或双方的感激。在提出讨论的名字中有:南安普敦伯爵(第三)亨利·赖奥斯利和彭布罗克伯爵(第三)威廉·赫伯特,据认为莎士比亚与两人都有联系,尽管并不密切。也有人提出是威廉·哈特克利夫,1587～1588年他在格雷律师学院举行的庆祝活动期间曾是"骚乱大王",或是威廉·霍尔(印刷商)和威廉·哈维爵士,这两人都很可能曾把诗稿交给索普。再者,献词表述含糊不清又增加一些问题,因为议论中的这个人显然既是索普所"祝愿"长生不老的人又是莎士比亚所"许诺"的人。

Whaddon, George Villiers, Baron, Viscount Villiers　沃登男爵　参阅 **Buckingham, George Villiers, 1st Duke of 白金汉公爵(第一)**。

whale　鲸　多种仅栖于水中的哺乳动物的通称,与鼠海豚、海豚一同构成鲸目(参阅 **cetacean**)。英语中 whale 一词有时与 cetacean 一词可以换用,但whale一词更常指体型较大的种类,有别于体型较小的鼠海豚和海豚,有时还不包括独角鲸。鲸分为3个亚目:①原鲸亚目(Archaeoceti),为已绝灭的齿鲸。②须鲸亚目(Mysticeti),具鲸须,包括灰鲸、露脊鲸、鳁鲸、座头鲸、蓝鲸。③齿鲸亚目(Odontoceti),具同型齿,包括抹香鲸、瓶鼻鲸、喙鲸、逆戟鲸、白鲸、巨头鲸等(亦包括海豚、鼠海豚、独角鲸)。须鲸口内无牙,有鲸须,鲸须由角质板组成,密集排列成流苏状,自口顶下垂。须鲸食浮游生物、磷虾之类的小型甲壳动物以及其他微小的海洋动物。须鲸张嘴游泳或吞入海水从而摄食,其咽喉相对较小,鲸须的边缘用作滤器,可将水滤去而将食物截留。而齿鲸具同型齿,能用以切割食物,咽部亦较大,足以吞下乌贼、鱿鱼和各种鱼类。有些鲸的体型大于最大的恐龙,如蓝鲸(*Balaenoptera musculus*)体长可达33.6米以上,重达136 000千克(150吨)。鲸类的外形虽甚似鱼类,但它们其实是温血动物,其骨骼、脉管、消化、呼吸、感觉及生殖各系统与其他哺乳动物基本相同。它们必须浮出水面,通过位于头顶的呼吸孔进行呼吸。若被冲上岸,则变得软弱无能。没有水的支持便不能移动,肺部亦会被体重压坏。鲸类可见于各大洋和与之相连的海域,以及港湾和江河。在富于浮游生物及其他海生动物的南极洋中鲸类数量尤多。有些鲸类具社会性,成群活动。鲸类能发出两种基本的水下声响:①低音调的信号声,如吠声、哨声、啸叫声、呜咽声等,人耳能听到,用作社会通讯手段。②强度大的喀嚓声,较为短促,人的裸耳通常不能听到,用以导航或确认食物的所在。

鲸类能提供许多有商业价值的产品,捕鲸(**whaling**)业即据此而产生。鲸肉数百年来为中国人及日本人所食用,在世界其他地方成为特产食物。鲸油(**whale oil**)、鲸骨和龙涎香(**ambergris**)也用于许多工业中。20世纪后期,为保护鲸类,国际捕鲸委员会试图限制捕鲸的规模、种类、地点和季节。1985年,国际捕鲸委员会试图暂时停止捕鲸,但只收到一定的效果。

whale-headed stork　鲸头鹳　参阅 **shoebill 靴嘴鹳**。

whale oil　鲸油　又作train oil,从鲸(主要是鲸的脂肪)提取的油。16～19世纪,鲸油一直是制造肥皂的重要原料和重要的点灯油。至20世纪,大部鲸油用来制造人造黄油和食用脂肪。鲸油以前也用于油漆、清漆和印刷油墨工业。鲸油经硫处理后,成为可承受高压的润滑油。硬化鲸油可以做成纺织浆纱剂和蜡的组成成分。鲸油经皂化后可得到制皂用的脂肪酸以及制造化妆品和洗涤剂所需的脂肪醇。

鲸油的生产通常在大型工作船上进行。切碎的鲸脂肪和鲸骨须在高压下蒸煮。把鲸肝用碱煮后再用溶剂萃取便可得到鲸鱼肝油。鲸脂产油率为50%～80%(重量),鲸骨为10%～70%,而鲸肉则为2%～8%。参阅 **sperm oil; spermaceti**。

whale shark (species *Rhincodon typus*)　**鲸鲨**　鲸鲨科巨大而无害的鲨鱼,广布全世界,但主要在热带海洋。是现生存鱼类的最大者,可长达约9米,据传有可达其2倍大者。体灰色或褐色,下侧色淡,具明显黄或白色小斑点及狭窄的垂直线纹。尽管体型大,

鲸鲨(*Rhincodon typus*)
供图:Jeffrey L. Rotman

但牙细小,以浮游生物及小鱼为食。一般在水面缓慢游动,可被船只碰撞。

whalebird 鲸鸟 参阅prion锯鹱。

whalebone 鲸须 又作baleen plate(须板)。须鲸(**baleen whale**)口中的一列角质薄片。

whaler 捕鲸者鲨 青鲨或某些真鲨科真鲨属鱼的通称。参阅 **carcharhinid**。

Whales, Bay of 鲸湾 南极洲罗斯陆缘冰上一凹进部分。1842 年为英国探险家罗斯所发现。1908 年同国人沙克尔顿到此考察。为南极探险最重要中心之一。由于冰棚推进不均而形成的天然海湾,夏季为南极大陆最南端不冰冻港湾。曾有数处重要考察基地,如挪威探险家阿蒙森和美国探险家伯德的基地。1911 年时海湾宽逾 16 千米,后逐渐变窄。20 世纪 50 年代初,推近的冰层相撞,击破冰棚,几乎使鲸湾冲刷掉,并冲走了小亚美利加 4 号站。1987 年,一座 159 千米长的冰山崩离罗斯冰棚,使鲸湾完全消失。

whaling 捕鲸 猎取鲸类以充当食物和提取油脂的行为。在世界某些地区,捕鲸活动可追溯到史前时代。现代猎鲸使世界各地鲸的数目减少,以致于必须制定新的捕鲸规则和花费更多的财力来大大缩减捕鲸业的规模。

有证据表明,早在公元 100 年,古代的爱斯基摩人和北美印第安人即常捕鲸以取得大量肉食、燃料和制造工具的材料。在欧洲,中世纪晚期即于比斯开湾周围开始有系统的捕鲸活动。早在 16 世纪,巴斯克捕鲸者即追踪鲸群,冒着风浪行驶很长距离到纽芬兰及冰岛沿岸。有的学者还提出,这样的横渡大西洋的航行早在 1372 年就已开始。在 17 世纪内,荷兰人及英格兰人均组成庞大的捕鲸船队。估计一年约有 300 艘荷兰捕鲸船出海,船员达18 000人。在 18 世纪初,因为荷兰近海域内鲸类的数量大为减少,这些捕鲸队被迫驶往较远的海域,到格陵兰和戴维斯海峡捕鲸。18 世纪,来自英国在北美洲各殖民地的捕鲸船开始出现在大西洋上,船上有一种新发明的设备,这使捕鲸船能承担的任务大大增加。这便是在船上安装了一种砖炉——提炼炉,有了它,捕鲸者在海上就能把宝贵的鲸脂提炼成油,并把鲸油贮存在桶里,不必把捕到的鲸拖回岸上再加工。捕鲸船有了这样的加工能力,通常便能在海上停留 4 年之久,然后才带着满船货物回来。19 世纪,捕鲸的范围扩展到太平洋,并向北到北极地区。美国的捕鲸船在世界捕鲸业中居支配地位。19 世纪中叶,美国船队有捕鲸船 700 多艘,大部分从新英格兰(尤其是新贝德福德和楠塔基特)启航。19 世纪末,捕鲸业随着石油工业的兴起而衰落,石油工业占有了照明剂和润滑剂的市场。在 20 世纪,人们发现了鲸产品的新用途,于是捕鲸业便又稍得振兴,然而鲸的种群却面临绝灭的危险。

在现代捕鲸业出现之前,几乎普遍使用的捕鲸方法是在敞篷船上使用捕鲸钴。当 17 世纪欧洲人第一次看到爱斯基摩人捕鲸时,他们发现爱斯基摩人用的是皮艇、带有倒刺的捕鲸标枪(叉头有枢纽,叉头刺入鲸肉后倒刺即扬起)以及皮绳(上面拴着吹胀的海豹皮作为浮子,用以牵住潜入水中的鲸,以待其体力耗尽)。欧洲人和北美人所用的捕鲸方法十分相似。6 名捕鲸者离开大船,乘小艇追逐鲸,小艇通常长 8.5 米,装备有具倒钩的捕鲸钴和长索。鲸一旦被钴刺中,便带着绳索逃遁,直到筋疲力尽浮出水面,这时人们用捕鲸枪(一种更长的捕鲸钴)将它杀死,用绳索拖到大船边,用有刃的长枪割取油脂,并把尸体抛弃。现代捕鲸业肇始于 19 世纪中叶,当时挪威人 S.福伊恩发明了一种捕鲸炮,用来发射内充炸药的标枪。多少世纪以来,捕鲸者只能捕捉那些游速较慢的鲸,如驼背鲸、抹香鲸、弓头鲸及灰鲸等,因为投得不远的捕鲸钴只能够得到这些鲸类。福伊恩氏捕鲸炮能将捕鲸钴射出一个更大的距离。当游速较慢的鲸类数量大为减少时,捕鲸者有了炮便能追捕游速较快、以前种群数未受影响的鲸,如蓝鲸、鳕鲸和鳍鲸等。后来又使用了动力船,与捕鲸炮相得益彰,这些方法使用至今几乎没有什么变化。现代捕鲸业使用直升机、水下声呐及大功率的捕鲸炮,因此能捕捉大量的鲸。长约 60 米的捕鲸艇航速可达 18 节,可将重 54 千克的装炸药的捕鲸标枪射出 23 米之远。

加工船包括庞大的操作部门,完全自给自足,船上有加工设备、实验室和医院。比最大的史前动物恐龙还大的蓝鲸,在约 45 分钟内便可被剥取油脂、肢解、切碎,加压蒸煮,制成鲸油和鲸肉产品。来自鲸体的油脂可分为两类:鲸油及鲸脑油。鲸油及鲸脑油分别取自不同的鲸种。鲸油取自须鲸,可食,一度主要用以制人造奶油及烹调用油。大鳁鲸是鲸油的主要来源。鲸脑油取自抹香鲸,不能食用,用制工业用油。高度提纯的鲸脑油称为鲸蜡,为白色蜡状固体,用以制造某些高级蜡烛。从前肥皂、化妆品及香水亦可用鲸产品为原料。鲸肉经加工后可供人类食用,尤其在日本。碎肉可饲动物,骨粉可用作肥料。

因为现代捕鲸业捕杀的鲸数量巨大,所以在 20 世纪已受国际法规的约束,使鲸的种族得以保存。国际捕鲸委员会(IWC)裁定自 1986 年开始暂停商业捕鲸,但少数国家(如日本、冰岛及挪威等)有少数用于科学的捕鲸配额,以维持已缩减的捕鲸业存在,为"研究"而捕杀的鲸的肉可销售以取得利益。1992 年 6 月冰岛退出国际捕鲸委员会,挪威恢复小规模商业捕鲸。1994 年国际捕鲸委员会禁止在非洲南部、澳大利亚和南美洲进行捕鲸活动。

Whampoa Military Academy 黄埔军校 又作 Huangpu Military Academy。1924 年中国第一次国共合作时期,由孙中山亲自创办的陆军军官学校。因校址在广州市郊黄埔长洲

黄埔军校校址
中国大百科全书出版社供图

岛上,通称黄埔军校。1926 年改称中央军事政治学校。在创办过程中得到苏联和中国共产党的帮助。苏联派来顾问,资助经费和提供全部武器。中国共产党派周恩来、熊雄、恽代英、聂荣臻、萧楚女等到校任教,并选派共产党员、共青团员和革命青年入校学习。孙中山自任军校总理,蒋介石任校长,廖仲恺为党代表,周恩来任政治部主任。第一期学生近 490 人于 1924 年 6 月入学,学习 6 个月。主要学习苏联红军建军经验,实行军事政治并重、理论实践结合的方针。既学军事理论技术,又学革命理论。从第二期起分设步兵、炮兵、工兵、辎重和宪兵科,后又增设政治、骑兵、交通和无线电科。学校创办的 3 年间有毕业生近5 000人,在北伐战争中发挥重要作用。有些人后来成为中国工农红军的创建者。蒋介石利用在军校的地位培植私人势力,在教官、学生中网罗党羽,逐步形成他的核心力量——黄埔系。

Wharfe, River 沃夫河 英格兰东部河流。源出北约克郡,流向东南,在约克以南汇入乌斯河。全长 97 千米。部分河段构成西约克和北约克两郡的分界线。

Wharfedale 沃夫河谷 英格兰沃夫河上游河谷,属约克郡宽谷国家公园。位于北约克郡和西约克郡北部的奔宁高地。以风景优美著称,是重要的旅游地。格拉辛顿原为集市中心,现为旅游胜地,是上沃夫河谷的主要村落,19 世纪曾在此开采铅。下游有奥古斯丁博尔顿隐修院(1155)。

Wharton, Edith 华顿(夫人)(1862-01-24,美国纽约州纽约～1937-08-11,法国圣布里斯苏-福雷) 母家姓 Jones。美国女作家,以描写她所处的上层社会的故事和小说而闻名。在家里和欧洲接受私人教育。1885 年与波士顿银行家 E.华顿结婚,几年后恢复于少女时代已开始的写作生涯。她把 H.詹姆斯作为她在文学创作上的主要榜样。她的作品表现了詹姆斯对形式和伦理问题的关注。早期所写最佳故事收集在《大倾向》(1899)中。小说《决断之谷》于 1902 年出版。1905 年小说《欢乐之家》受到评论界和读者的欢迎,奠定了她

耶鲁大学供图

作为第一流作家的地位。此后20年间写有下列小说:《暗礁》(1912)、《乡村习俗》(1913)、《夏天》(1917)和获得普利策奖的《天真的时代》(1920)等。她最著名的作品是长篇故事《伊坦·弗洛美》(1911,1936年由O.戴维斯改编为剧本),描写新英格兰艰苦的农村生活。此外,还写了许多短篇小说和诗歌,几本游记和一本《小说创作》手册(1925)。她的小说《黎明的寂静》是1927年的畅销书。晚年的力作是小说《夹在中间的哈德孙河》(1929)和续篇《诸神降临》(1932),将欧洲文化与她了解的美国一些地区的文化加以比较。这一时期的最佳作品是她死后出版的《海盗》(1938)。她的自传《回顾》于1934年问世。1907年后住在法国,只偶尔回过美国。

Wharton(of Wharton), Philip Wharton,4th Baron 沃顿(沃顿的)(1613-04-18~1696-02-04) 英格兰内战时期到1688～1689年革命期间的著名贵族改革派。1625年继承祖父男爵爵位,此后在牛津大学埃克塞特学院学习。他是虔诚的清教徒。1640年5月在短期议会中鼓吹改革。在长期议会中,他支持J.皮姆的改革计划,并促使国王的顾问斯特拉福德伯爵倒台。1642年他被任命为兰开夏和白金汉郡军事长官。他支持建立新模范军,但反对1648年对议会的清洗和处死查理一世。他拒绝在共和政体中任职和参加克伦威尔的上议院。他虽然接受1660年王政复辟,但反对约克公爵詹姆斯继承王位。詹姆斯即王位(詹姆斯二世)后他前往大陆。因为在光荣革命中支持奥兰治的威廉(威廉三世),于1689年被任命为枢密顾问官。作为改革派,他主张任命大臣和枢密顾问官,新封贵族均须经过议会批准。

Wharton(of Wharton), Thomas, 1st Marquess 沃顿(沃顿的)(1648-08,英格兰～1715-04-12,伦敦) 英格兰贵族,1688年革命后的辉格党要人。第4代沃顿男爵菲利普·沃顿之子。1673年起成为下议院议员,直到1696年继承其父的头衔为止。他强烈支持禁止罗马天主教约克公爵詹姆斯继位的议案(1679～1680)。他与奥兰治的威廉秘密联络,是威廉1688年11月登陆英格兰后最早在埃克塞特追随威廉的英国贵族之一。沃顿还是民谣《利利布蕾落》的作者,这首民谣深受辉格党人的喜爱。据说,民谣"使詹姆斯离开了3个王国"。作为在1688年革命中贡献的回报,威廉三世任命沃顿为国库审计(1689～1702)。在这些年中,他充任了国王与下议院之间的主要联系渠道,他还是辉格党在下院的主要选举负责人。1702年女王安妮继位,因不喜欢沃顿的品格而解除了他的职务。尽管如此,1706年沃顿成为伯爵。1714年安妮死后,他策划将汉诺威选侯推上英格兰王座,成为乔治一世。1715年新登位国王封他为侯爵。沃顿的私生活放荡不羁,他甚至被称为"政府中的大浪子",但他坚定不移地坚持1688年革命的原则。

Whately, Richard 惠特利(1787-02-01,伦敦～1863-10-08,都柏林) 都柏林圣公会大主教,教育家、逻辑学家、社会改革家。1825年任牛津大学圣阿尔班学院院长,4年后任牛津大学政治经济学教授。1826年所发表的《逻辑学》尔后若干年一直是标准教材。1828年所发表的《修辞学》多次再版。1831年任都柏林大主教,出资在圣三一学院设立政治经济学讲座。他重视社会问题,反对向澳大利亚发配囚徒。1835～1836年任皇家爱尔兰贫民问题委员会主席,鼓吹改进耕作技术以代替开办济贫院的办法。

whatnot 珍品架 由两根或四根立柱支撑的多层敞露格架。19世纪收集和陈列小摆设的癖好十分时兴,促进了这种家具在英美两国的生产。有的在底部装有抽屉,有的顶端一层装有三条边和一块装饰性的木板。早期(18世纪末)式样轻巧优美,但随着时间的推移,装饰得有些过分,布满浮雕细工,并几乎无例外地装有螺旋形支架。另一种改变的样式是最低的一层分为几个格子,以供放置乐谱、杂志等。为充填屋角,还生产出三角形珍品架。

英国19世纪的黄檀木珍品架
伦敦维多利亚和艾伯特博物馆供图

wheat 小麦 禾本科(即早熟禾科)小麦属(*Triticum*)禾谷类作物,是最古老及最重要的谷类作物之一。种子供食用,亦称小麦。早在公元前7000年,幼发拉底河流域就种植这类禾草。叶窄长,茎多中空,花穗顶生,每穗着生小花20～100朵。每2～6朵集生成一小穗,通常只有二三朵花能育并结籽。现已知的小麦品种数以千计。最重要的有普通小麦(*T. vulgare*),供制做面包;硬粒小麦(*T. durum*),适于制作意大利面食,如意大利式细面条及通心粉;还有紧粒小麦(*T. compactum*),即棍状小麦,属软小麦型,适于做糕点、薄脆饼干、小甜饼、家用面粉等。小麦适应多种气候和土壤条件,但最适于降雨量300～910毫米的温带地区。分布可以北极圈至赤道,从低于海平面至3 000米的高海拔地区。在雨量低于300毫米和高达1 780毫米的地区也能生长。冬小麦和春小麦是两种主要类型,根据冬季严寒程度决定种何种类型。冬小麦于秋天播种,春小麦通常在春天播种,但在冬季不冷的地区亦可于秋天播种。小麦麦粒浸泡后可煮粥、汤或做布丁。但大多数用于制造食品的小麦需要更多的加工。先将小麦洗净,加水使之容易破碎,然后碾磨,并通过一系列滚筒。较小的颗粒被筛出后,较粗的颗粒移到其他滚筒进行进一步磨碎。白面粉出粉率约为72%。出粉率越高则面粉越黑。用全部籽粒磨成的粉称全麦面粉,因含胚芽油容易腐臭而不能久存。不含胚芽油的白面粉可以存放较长的时间。小麦粉绝大部分用来制做面包。生长于干燥气候条件下的小麦通常是硬粒型,含11%～15%的蛋白质,面筋(弹性蛋白质)强,最宜做面包。气候湿润地区的小麦一般较软,含蛋白质8%～10%,面筋弱,所生产的面粉适宜做糕饼、薄脆饼干、小甜饼、烤焙花式点心和家用面粉等。硬粒小麦粉质胚乳制成的粗小麦粉适于制意大利式面食。小麦约留10%作种子,此外大部分直接食用,小量用于工业生产淀粉、浆糊、麦芽、葡萄糖、面筋、酒精等产品。劣质小麦、过剩小麦及面粉加工的副产品用作饲料。小麦粉是人类膳食的主要能源,其组成成分因气候和土壤条件的不同而异。平均含

小麦(*Triticum*)
供图:Grant Heilman

水分12%、碳水化合物70%、蛋白质12%、脂肪2%、矿物质1.8%、粗纤维2.2%。1磅小麦含1 500卡热量(100克小麦含热量约330卡)。此外,还含有维生素B_1、核黄素、烟酸和少量维生素A。麦麸和胚芽中,这些维生素含量最为丰富。加工过程会使这些成分减少。世界上用以种植小麦的耕地多于种植其他粮食作物的耕地。20世纪后期,全世界播种量约每年2.3亿公顷,年产量6亿吨。产小麦最多的国家是中国,估计年产近1亿吨。其他主要生产国为美国、俄罗斯、印度、乌克兰、法国、加拿大、哈萨克斯坦和土耳其。

Wheat Belt　小麦带　澳大利亚西澳大利亚州主要产粮区。位于该州西南部,面积16万平方千米。西部年降水量500毫米,向东递减为250毫米。除小麦外还生产燕麦、大麦、羊毛。1905年黄金开采业衰落,小麦带发展起来。由于使用化肥(过磷酸钙),引进牲畜良种,政府贷款,铁路支线建设,实施两次大战后的退役军人安置计划,经济发展迅速。

Wheat Belt　小麦带　以小麦为主要作物的北美大平原的一部分。自加拿大艾伯塔省中部至美国得克萨斯州中部,北南轴线长2 400千米。分为冬小麦区和春小麦区。南部(包括美国堪萨斯、俄克拉何马、得克萨斯、内布拉斯加、科罗拉多州部分地区)产冬小麦;北部(包括美国蒙大拿、北达科他、南达科他、明尼苏达州之一部和加拿大艾伯塔、萨斯喀彻温、马尼托巴省之一部)产春小麦。

wheatear　白鹏　鹟科白鹏属(*Oenanthe*)鸟类,19种。似鹡鸰,羽衣杂色,体长约15厘米,尾相对较短,常有"T"形斑纹。尾常摇动(身体亦摆动)。多呈黑白色或黑灰色,有几

普通白鹏(*O. oenanthe*)
供图:Eric Hosking

种带黄色;后背白色。欧亚大陆和非洲开阔地的留鸟,常栖于干燥多石地带,善飞行。普通白鹏(*O. oenanthe*)也在阿拉斯加、冰岛、格陵兰和加拿大东北部繁殖。

wheatgrass　麦草　早熟禾科冰草属(*Agropyron*)几种小麦状禾草的俗称。广泛分布于北温带。多年生,高30～100厘米,多有(分枝麦草、穗状花序冰草,*A. spicatum*)和西方麦草(史密斯氏冰草,*A. smithii*)。冠毛麦匍匐根状茎。最重要的饲草种有蓝丛麦草草

冠毛麦草(*A. cristatum*)
供图:Dorothea Woodruff

(冠毛冰草、麦草,*A. cristatum*)、沙漠麦草(沙漠冰草,*A. desertorum*)和细麦草(糙茎冰草,*A. trachycaulum*)是优良的饲草,在美国西部也常种以固定土壤。

Wheatley, John　惠特利(1869-05-24,爱尔兰沃特福德郡邦马洪～1930-05-12,苏格兰格拉斯哥附近谢特尔斯顿)　英国工党政治家,工人阶级的战士。曾在苏格兰拉纳克郡的乡村学校受教育。后在煤矿做工,直至1891年。1912年选入格拉斯哥市议会。曾任苏格兰国民住房委员会主席。1922年选入下议院。1924年的《住房法》是他在工党政府中任卫生大臣时努力的结果。该法规定15年期间为工人阶级建造250万套住房。1924年以后日益左倾,到去世时已与社会主义者的革命观点完全一致。

Wheatley, Phillis　惠特利(约1753,西非洲塞内加尔～1784-12-05,美国马萨诸塞波士顿)　美国第一个知名黑人女诗人。1761年被从波士顿一艘运奴船卖到商人J.惠特利家为仆。惠特利夫妇很快发现了她的才赋并给予她奴隶通常没有的特权,让她学习读书、写字。14岁开始写诗,发表的第一篇作品是《乔治·惠特菲尔德挽诗》(1770),受到多方注意。1773年由亨廷顿女伯爵赞助,《宗教和道德诗歌集》在英国出版,从此惠特利闻名欧美。1776年一首献给G.华盛顿的诗,使她进一步受到赞扬。19世纪30年代,废奴主义者重印她的诗,以证明黑人具有凡人皆有的潜在能力。

Wheaton　惠顿　美国伊利诺伊州东北部城市,杜佩奇县县城(1867),为芝加哥西郊。1837年创建。1859年设村。1890年设市。1849年通加利纳-芝加哥联合铁路后发展成为住宅区。是宗教活动中心。人称"新教的中西部梵蒂冈"。设有惠顿学院(1860)。是全国福音协会总部所在地。附近有博物馆、公园和战争纪念馆。人口55 416(2000)。

Wheaton, Henry　惠顿(1795-11-27,美国罗得岛普罗维登斯～1848-03-11,马萨诸塞多切斯特)　美国海商法学家、外交家以及国际法范本的作者。1802年从罗得岛学院(现在为布朗大学)毕业后,1806～1812年间在普罗维登斯开业当律师。1812年移居纽约市,担任《全国法律顾问》的编辑。两年之后,被任命为美国陆军的师法律顾问。1815年出版《海上捕获法和捕获物问题汇集》一书。他担

罗得岛历史学会供图

任过海事法院法官(1815～1819),1816年被任命为位于华盛顿(哥伦比亚特区)的美国最高法院的判决报告员,在那里他以作注解的渊博学识而著称。他的外交生涯从1827年被委派到丹麦开始,在那里担任代办直到1835年。1835～1846年先后担任驻普鲁士的代办和公使。惠顿的《国际法原理》(1836)被译成很多种语言,成为一个范本。《欧洲各国法律发展史》(1841)一书被扩充并译成英语,称《欧美国际法史》(1845)。他的《北方人的历史》(1831)一书引起欧洲人对斯堪的纳维亚历史的兴趣。

Wheatstone, Sir Charles　惠斯通(1802-02-06,英国格洛斯特郡格洛斯特～1875-10-19,巴黎)　英国物理学家,发明精确测量电阻的惠斯通电桥,为各实验室所广泛应用。1834

伦敦国立肖像画陈列馆供图

年任伦敦国王学院的实验哲学教授,同年,在实验中他用旋转镜测量导体中电流的速度。根据他的提议,这种旋转镜后来被用于测量光速。3年后,他同英国W.F.库克一道取得了早期有线电报的专利。1843年在英国数学家S.克里斯蒂的建议下,他研制成功惠斯通电桥并推广其应用。他还发明了六角小型手风琴,以及观察立体图像的体视镜,现仍用于

观察 X 射线和航空照相。他首先在发电机中采用电磁铁，他用不同的字母对代替文电里成对字母的办法而且发明了普莱费尔密码。1868 年被封为爵士。

wheel 轮 能在轴上转动的实心、部分实心或带辐条的硬质圆形结构。约公元前3500年，在苏美尔人的象形文字中就显示出装有轮子的雪橇。轮用于运输方面，起始于用圆木滚子搬运重石，但已知最古老的轮是木质圆盘，由横向撑条将三块刻切好的厚板夹紧而成。直至大约公元前2000年时，辐轮才用在小亚细亚的战车上。后来的改进有：

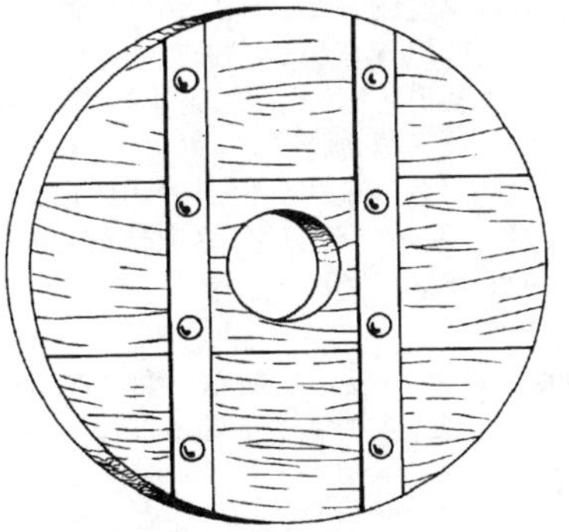

用铁条加固厚木板方法制作的木轮图示

①把铁圈形状的轮箍经加热膨胀后套在轮辋上；冷却后铁圈收缩，将各轮件紧箍在一起。②铁轮毂在油脂润滑的轴上转动。陶轮（制陶器的转盘）的使用和发展也是从公元前3500 年的美索不达米亚地区开始的。将水从低水位提升到高水位浇灌用的早期水轮，由许多装在轮缘上的水斗组成，水轮被流水或脚踏驱动绕一根水平轴转动。低位置的水斗浸入水中，在水流中充满水，当它们转到其最高位置时，将水倒入送水槽。中世纪使用的三种能源（畜力、水力和风力）均利用了轮。驱动石磨碾磨谷物的一种方法，就是在连接石磨的立轴上装上一根水平长杆，而后由马或其他牲畜拉动。水轮和风车也用来驱动石磨。由于轮能实现可控的转动，它在机械设计中十分重要。

wheel and axle 轮轴 用于增大力的基本机械部件。它最早的形式多半是用于起重或从井中提升水桶。其工作原理如图 A 所示，由装于同一轴上的大小齿轮来说明。施加在大齿轮半径 R 上使轴转动的力 F，可能足以克服小齿轮半径 r 上的较大的力 W。力的增大（机械利益）等于这两个力之比（$W:F$），也等于这两个齿轮半径之比（$R:r$）。用于起重时，轮轴上装有一大一小的两个鼓轮，鼓轮上绕有绳索以代替齿轮。被提升的重物系在小鼓轮的绳上，操作者拉曳大鼓轮上的绳。这种结构的机械利益是大鼓轮的半径与小鼓轮的半径之比。机械利益的增大可用如图 B 所示的，一个具有两种半径 r_1 和 r_2 的小鼓轮和一个滑轮组 P 获得。起重时，绳索缠绕于鼓轮 D 上，并从鼓轮 d 上绕开，对这种系统来说，量度力的增大程度是它的速比，即操作者以 F 力拉曳绳索的速度与提升重物的速度之比。此比值等于两倍大鼓轮的半径除以两小鼓轮（d和D）的半径之差。实际的机械

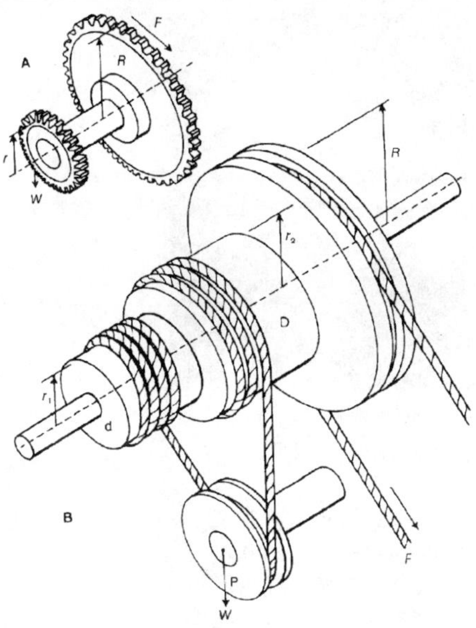

轮轴装置：
A 大齿轮和小齿轮；B 滑轮组和绳索

利益 W/F 小于该速比，还与摩擦有关。若该装置中的鼓轮 D 和 d 的半径接近相等，则可以获得很大的机械利益。参阅 **block and tackle**。

wheel animalcule（aquatic animal） 参阅**rotifer 轮虫**。

wheel lock 转轮点火机 滑膛枪等武器内点燃火药的机构。1515 年左右发明。其工作原理与现代香烟打火机相同，借助铁轮转动时其粗糙边缘与电石或黄铁矿石的摩擦产生火花。

wheel of life（Buddhism） **生命之轮** 参阅 **bhava-cakra 有轮**。

wheel window（Gothic architecture） **车轮窗** 参阅 **rose window 圆花窗**。

Wheeler, John Archibald 惠勒（1911-07-09，美国佛罗里达杰克逊维尔～2008-04-13，新泽西海茨敦） 美国物理学家，第一位从事原子弹理论研究的美国人，曾提出一种建立统一场论的新途径。少年时通过阅读科学文章和其他读物，对科学产生了浓厚兴趣。在美国巴尔的摩市立学院和约翰斯·霍普金斯大学就读，1933 年获约翰斯·霍普金斯大学博士学位。以后在哥本哈根大学 N. 玻尔指导下从事研究工作，与玻尔一起写过一篇题为《核裂变过程》的富有创造性的论文，选定铀 235 用于制造原子弹。惠勒先在北卡罗来纳大学讲授物理学，1938 年转入普林斯顿大学执教，1966～1976 年为该校的约瑟夫·亨利教授。1976 年被任命为奥斯汀得克萨斯大学物理学教授，1979 年在那里主持阿什贝尔·史密斯物理学讲座，并于 1981 年成为布卢姆伯格物理学教授。1949～1951 年他在新墨西哥州洛斯阿拉莫斯帮助研制氢弹，1951～1953 年在普林斯顿担任设计热核武器的马特荷恩工程的领导人。由于他在核裂变和钚生产技术方面所做的工作，1968 年获美国原子能委员会费米奖。以后，转向研究统一场论、时-空连续统和引力。著有《引力理论和引力坍缩》（1965）、《爱因斯坦的想象力》（1968）、《引力》（与人合著，1973）、《时间边界》（1979）和《量子理论和测量》（与人合著，1983）等。1982 年获 N. 玻尔国际金质奖章。

Wheeler, Joseph 惠勒（1836-09-10，美国佐治亚奥古斯塔附近～1906-01-25，纽约布鲁克林） 美国南北战争期间南部邦联的骑兵将领。1859 年从西点军校毕业后不久即为南部邦联政府服务。1862 年的夏洛战役中，他统帅一个旅，后不久即返回骑兵部队，其声誉仅次于 J. 斯图尔特将军。佩里维尔战役后，惠勒晋升为准将，1863 年又升为少将。参加过奇克莫加河、查塔努加和亚特兰大诸战役后，他奉命率骑兵骚扰向海岸挺进的 W. T. 谢尔曼将军的军队。他在南北战争末期升为中将，指挥在北卡罗来纳的骑兵，后来投降。1898 年美西战争期间，他在瓜西马斯和圣胡安的战斗中指挥骑兵。惠勒著有《圣地亚哥战役》（1898）。

Wheeler, Sir (Robert Eric) Mortimer 惠勒（1890-09-10，格拉斯哥～1976-07-22，伦敦附近莱瑟黑德） 英国考古学家，以在英国及印度的考古发现及其科学的考古方法著称。1919～1920 年领导埃塞克斯郡古罗马遗存发掘工作。1920 年获伦敦大学哲学博士学位。1921～1927 年领导威尔士的发掘工作，1930～1933 年领导赫特福德郡的考古工作。1934～1937 年领导多西特郡的发掘工作时，在梅登堡发现一处公元前 2000 年以前的新石器时代的人聚居遗址。惠勒在第二次世界大战期间服役之后，1944～1947 年任印度考古局长，其工作成果对印度河流域文明的研究做出了重要贡献。1948～1955 年任伦敦大学考古研究所的罗马诸行省考古学教授。1952 年受封为爵士，1967 年为荣誉勋爵。他是英国文物委员会主席、不列颠博物馆受托人、文物学会主席、皇家学会会员。著述甚丰，有《地下考古》（1954）及自传《继续发掘》（1955）等。

Wheeler, William A(lmon) 惠勒（1819-06-30，美国纽约马隆～1887-06-04，马隆） 美国副总统（1877～1881），为共和党人，在 1876 年有争议的总统选举中与总统 R. B. 海斯一道根据**选举委员会**（**Electoral Commission**）的决定而就职。原为律师，19 世纪40～

美国国会图书馆供图

50年代在纽约州政府中任职。1861～1863年为美国众议员。1875年重返国会，进入调查路易斯安那有争议的选举的委员会并制订规定该州政府控制权由两个政党分享的“惠勒妥协案”。副总统任期终了后，退出公共生活。

Wheeler, William Morton　惠勒（1865-03-19，密尔沃基～1937-04-19，美国马萨诸塞剑桥）　美国昆虫学家，公认的研究蚂蚁及其他社会昆虫的世界第一流权威之一。所著《蚂蚁：结构、发育和行为》（1910）和《昆虫的社会生活》（1923），长期以来是这一专题的标准参考书。在奥斯汀得克萨斯大学任动物学教授时（1899～1903）开始研究蚂蚁，任纽约市美国自然博物馆无脊椎动物学馆馆长（1903～1908）后极大地扩大研究范围，涉及蚂蚁的分类学、形态学、分布以及生态学、习性和社会关系。他发现蚂蚁的社会行为在昆虫中最复杂，致使他把蚂蚁群落同人类文明作出行为比较。他的依据是观察采集的蚂蚁时得到的第一手资料，采集的蚂蚁来自全世界各地，包括摩洛哥、加拉帕戈斯群岛和加那利群岛。1930年他对脉翅目蚁蛉科昆虫幼虫的生物学作了重要研究。1903～1937年在哈佛大学时对经济昆虫学（应用昆虫学）也有重大贡献。

Wheeler-Howard Act　《惠勒-霍华德法》（1934）　参阅**Indian Reorganization Act**《印第安人重新组织法》。

Wheeler Peak　惠勒峰　美国新墨西哥州最高点（4 011米）。位于圣菲东北偏北113千米，陶斯县境内。在桑格雷-德克里斯托山脉和卡森国家森林界内。

Wheeling　惠灵　美国西弗吉尼亚州北部城市，俄亥俄县县城（1797）。濒临俄亥俄河。1769年始建，1806年设镇，1836年设市。曾经先后两次被定为州首府（1863～1870和1875～1885）。大惠灵地区包括俄亥俄州的马歇尔以及贝尔蒙特两县。有钢铁厂，生产煤、天然气，制造钢板、镀锡铁皮、玻璃、烟草、陶器、纺织品等。设有惠灵学院（1954）、西弗吉尼亚北方社区学院（1972）、贝萨尼学院（1840）以及州立西自由学院（1837）。人口：城市31 419；惠灵都会统计区153 172（2000）。

Wheelock, Eleazar　惠洛克（1711-04-22，康涅狄格温德姆[美国]～1779-04-24，美国新罕布什尔汉诺威）　美国教育家，达特茅斯学院创建人及第一任院长。1733年毕业于耶鲁，又学神学，1735年在康涅狄格州莱巴嫩成为公理会牧师，在整个大觉醒时期一直是位受欢迎的传道士。他创建的一所教育印第安人和白人的免费学校因缺乏资金而关闭时，新罕布什尔州长向他提供了一块93平方千米的土地。他和其他移民与约30个学生一道于1770年建立汉诺威镇区，他在那里建立的学院被命名为达特茅斯学院，以纪念第二代达特茅斯伯爵。惠洛克在生命的最后9年，包括动荡的独立战争时期，都为学院工作，监督建筑、传道、授课和集资。

达特茅斯学院供图

Wheelock, Lucy　惠洛克（1857-02-01，美国佛蒙特剑桥～1946-10-02，马萨诸塞波士顿）　美国教育家，美国幼儿园运动发展年代的重要人物。1878年考入波士顿的幼儿园培训学校，1879年毕业，成为波士顿昌西霍尔的一名幼儿园教师。在幼儿园教育进入波士顿公立学校体系之后，惠洛克于1888年在昌西霍尔的教师中开设了为期一年的训练课程。该训练课程取得极大成功，1893年又延长到两年。1896年离开昌西霍尔学校，成立了一所独立的惠洛克幼儿园培训学校。1899年开始培养低年级教师，1926年开始培训护士学校教师。1929年幼儿园课程又延长至三年。学生学习基本的福禄培尔教育法，幼儿园教学工作还增加了一些创新内容。在幼儿园运动中惠洛克处在以S. 布洛为首的正统福禄培尔教育法拥护者和以P.S. 西尔为首的渐进派革新者之间的斡旋地位。1905～1909年她一直担任研究幼儿园教学法分歧的十九人委员会主席。1913年她把委员会的报告编辑成书，取名《幼儿园》。从1899年起任职于全国母亲代表大会（后改为全国父母和教师代表大会）教育委员会，从1908年起任主席。还活跃于波士顿的社区工作，在不同的贫困居住区建立了免费幼儿园，并为街坊文教馆和其他组织的工作捐款。其发表的著作包括《红字故事》（1884）、《瑞士的儿童故事》（1887），均译自J. 施皮里的作品；《与母亲对话》（1920，与E. 科尔森合著）；还编辑了《美国幼儿园创始人》（1923）、《幼儿园孩子的时间》（1924，5卷本）以及《新英格兰的幼儿园》（1935）等书。1929年惠洛克被派往国联的教育委员会。1939年以惠洛克学校董事长身份退休。该校当时共有325名学生，23名教职员，1939年改成股份制，1941年成为惠洛克学院。

北蛾螺（*Buccinum undatum*）
供图：Ingmar Holmasen

Wheldon, Sir Huw Pyrs　惠尔登（1916-05-07，威尔士弗林特郡普雷斯塔廷[今在克卢伊德]～1986-03-14，英格兰伦敦）　英国电视节目制作人、总经理，1965～1975年监督英国广播公司（BBC）电视节目。惠尔登出身于一个讲威尔士语的家庭，曾在威尔士的修道士学校接受教育。1938年获伦敦经济学院学位。第二次世界大战期间在英国军队服役后，于1946～1948年任威尔士艺术理事会理事。1952年进入英国广播公司广告部，不久转入节目部，以其儿童节目和艺术杂志节目《班长》引起注意。1962年任英国广播公司专题节目部主任，1963年任音乐部主任，1965年任节目总监制，1968年任英国广播公司总经理。在他的管理下，英国广播公司以其小型系列片赢得了国际观众，这些系列片有《文明》、《美国》、《福赛特传奇》和《人类的上升》。1975年他以总经理的身份退休，但仍很活跃，于1977年任小型系列片《皇家传统》的评论员。1976年被封为爵士。

whelk　蛾螺　腹足纲前鳃亚纲蛾螺科的海产螺类。有一些种常不准确地称为凤螺。壳坚硬，较长，壳口宽广。以长吻取食其他软体动物，也吃陷入渔具内的鱼和甲壳类。分布于全世界。多数为冷水种，而且比热带种大，色较单调。北大西洋的北蛾螺（波状蛾螺，*Buccinum undatum*）为常见种，壳坚实，色浅，长约8厘米，在北大西洋数量甚多。关于打闪蛾螺，参阅**conch**；岩蛾螺，参阅**murex**。

Whewell, William　休厄尔（1794-05-24，英国兰开夏兰开斯特～1866-03-06，剑桥郡剑桥）　英国哲学家和历史学家。以伦理学著作和归纳法理论著作而闻名。大半生在剑桥三一大学学院度过。先后在该校读书、任教，

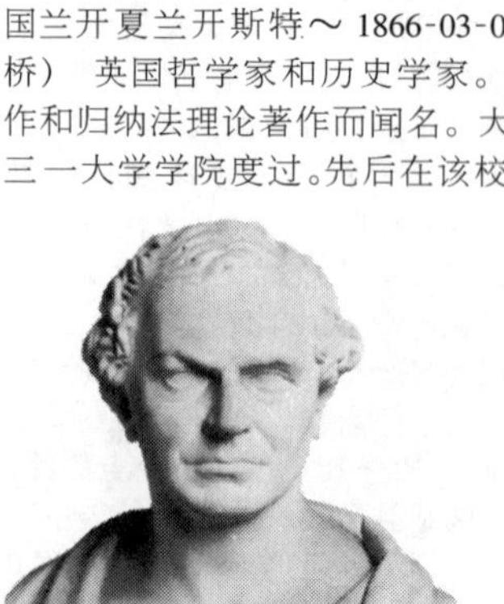

伦敦国立肖像画陈列馆供图

曾任矿物学教授(1828～1832)、道德哲学教授(1838～1855)和院长(1841～1866)。曾一度任剑桥大学副校长(1842)。对物理科学各学科从力学和动力学直到潮汐现象都感兴趣，这些成为他早期著作的课题。还曾研究历史和科学哲学。1850年后，又撰写关于道德神学的著作，并对康德的著作进行认真分析。他最著名的著作是《从远古到现代的归纳科学史》(3卷，1837)和《以归纳科学史为依据的归纳科学的哲学》(1840)，后一书后来扩充为三部独立著作：《科学思想史》(2卷，1858)、《新编新工具》(1858)和《论发现的哲学》(1860)，其中《新编新工具》涉及培根的一部研究归纳推理的著作《新工具》(1620)。尽管他的有关归纳法理论的著作较之穆勒的同类著作稍有逊色，但他使归纳推理法重新成为对哲学家和科学家同样重要的课题。他特别强调必须把科学进展看成是一个历史过程，并断言，只有归纳的推理在整个历史中的应用得到认真分析时，才能够恰当地应用它。他的道德哲学著作有《伦理学要义》(1845)和《系统伦理学讲演录》(1846)。

whey　乳清　牛奶凝结时与凝乳同时产生的含水成分。含有牛奶中的水溶性成分，主要是5%的乳糖水溶液及少量矿物质与乳清蛋白。制干酪时除去凝乳可获得乳清，然后用离心法除去脂肪，经浓缩或干燥，可用作食品。液状、浓缩或干粉乳清均可作饲料。

Whidbey Island　惠德比岛　在美国华盛顿州西北部的皮吉特海峡。是艾兰县的一部分。长约65千米，为美国大陆最大近海岛屿之一。主要城镇有奥克港、库珀维尔和兰利。1935年建成连接菲达尔戈岛的桥梁。现为游乐区，也通轮渡。人口58 211(2000)。

Whiddy Island　惠迪岛　爱尔兰科克郡班特里湾中的岛屿，在湾头班特里镇以西3千米处。从东北至西南长约5.5千米，宽1.6千米左右。岛上古迹有一座古堡、基尔莫教堂和3座19世纪英国海军站的棱堡。1968年一家国际石油公司在岛的西岸建原油终点站，可接纳30万吨油轮停靠。人口34(1991)。

Whig and Tory　辉格党和托利党　英格兰两个对立的政党或派别的成员。1679年，在为废立约克公爵詹姆斯问题展开激烈斗争的时候，两派互相对骂，开始使用这两个名称。辉格为苏格兰盖尔语，原意盗马贼，这时指主张废黜詹姆斯的新教长老会信徒。托利为爱尔兰语，原意天主教不法之徒，这时指拥护詹姆斯继承王位的人(尽管他信仰天主教)。1688年革命大大缓和了两党之间的原则分歧，因为这次革命是两党合作的成果。此后，大多数托利党人接受了辉格党人某些关于以有限制的君主立宪代替神权专制的学说。在安妮女王时期，托利党代表抵制宗教宽容和外国干预一派，以乡绅为主。托利党成为安立甘宗和地主阶级的同义语，辉格党代表贵族、拥有土地的家族和富裕中产阶级的金融利益集团。安妮死(1714)后，辉格党提名乔治一世接替王位。此后半个世纪，一直由在思想和传统上与辉格党联系在一起的贵族集团当权，托利党人的顽固分子作为詹姆斯党人已名声扫地，只有约100名乡绅自称是托利党人，仍在下院保持席位。乔治三世在位时期(1760～1820)辉格和托利这两个词的意思起了变化。此时，辉格党已不存在，只有一些贵族集团和家族势力在议会发挥影响。托利党也已不存在，只是某些家族和社会集团仍然带有托利党人的思想感情和传统。乔治三世遴选的大臣中，两方面的人都有。只是到了1784年以后，深刻的政治争论引起舆论鼎沸(如在对待美国独立战争问题上的争论)，才又开始真正意义上的政党分野。小皮特领导的新托利党代表乡绅、商贾和官僚的利益。与之对立的新辉格党，由福克斯领导，代表非国教派、工业主和主张议会改革的人士。法国大革命和英法战争使两党的分化进一步复杂起来。辉格党中的许多温和派背叛福克斯，投奔到皮特一边。1815年以后经历了一段政党混乱时期，结果出现了皮尔和迪斯累里的保守主义与罗素和格莱斯顿的自由主义，并打出保守党和自由党的招牌。虽然托利一词仍指保守党，但辉格一词已无政治意义。

Whig Party　辉格党　美国历史上，活跃于1834～1854年间的一个大政党。1834年正式成立，是反对所谓"国王安德鲁"·杰克逊独裁暴政的松散的党派联盟。"辉格"一名源出反对皇室特权的英国政党。杰克逊在1828和1832年的竞选中击败了国民共和党。但是，由于他反对第二美国银行，又反对南卡罗来纳州的否认原则，H.克莱遂把财政保守派、南方州权派和仍然信奉国民共和党的保护性关税和联邦资助内部改善纲领的人结成联盟。19世纪30年代中期*反共济运动*(**Anti-Masonic Movement**)消亡后，该运动成员也并入辉格党。辉格党从未制定过明确的纲领。1836年，他们提名D.韦伯斯特、H.L.怀特和W.H.哈里森3人为总统候选人。1840年，他们放弃地方性方针，只提名哈里森为总统候选人，从而在白宫和国会都取得胜利，成为全国性的主要政党，实施克莱的共和党纲领。哈里森就职的当月去世后，继任的J.泰勒总统否决了辉格党重建美国银行的重要立法。19世纪40年代末，随着"良心"派(反对奴隶制)和"棉花"派(赞成奴隶制)的出现，辉格党联盟开始瓦解。1848年辉格党提名的总统候选人Z.泰勒在竞选中获胜。但是1850年的妥协案使"良心"派最终脱离了该党。1852年因南北双方在奴隶制问题的对立使辉格党无法在"对宪法和联邦忠贞不渝"的基础上提出全国性竞选纲领。到1854年，大多数北方辉格党人已加入新成立的共和党。19世纪50年代后半期，剩下的辉格党人在一无所知党找到归宿，并在1860年国家分裂时支持立宪联邦党。

whimsey glass　奇趣玻璃品　又称玻璃杂件。一种没有实用价值的玻璃品，是玻璃工人凭一时的兴趣制作的。最早的这种制品有15世纪德国玻璃工人吹制的靴子和帽子。19世纪，这种玻璃品风行一时，在许多国际贸易展览会上用作纪念品，以招徕顾客。

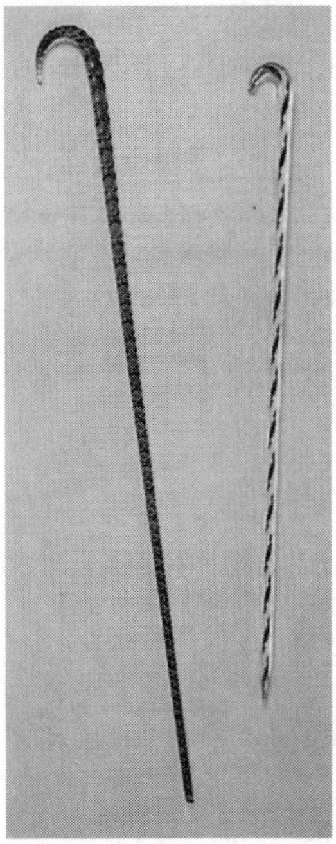

英国沃灵顿的奇趣玻璃拐杖：(左)约1840年奥福德莱恩玻璃厂生产；(右)约1857年科克赫奇玻璃厂生产

沃灵顿市立博物馆和美术陈列馆供图

whinchat(*Saxicola rubetra*)　草原石䳭　欧亚产的一种鸫。栖息于沼泽草地。属雀形目鸫科䳭鸫类群。体长13厘米。体上面有褐色条纹，下面淡黄色，眉、翅和尾上有白色块斑。习性似鹟。鸣声短促，似金属声。

草原石䳭(*Saxicola rubetra*)

供图：E. Breeze-Jones from Bruce Coleman Inc.

Whinnery, John Roy　惠涅利(1916-07-26，美国科罗拉多里德～　)　美国电气工程师。以其微波理论的研究和激光方面的实验而闻名。1937～1946年一直在通用电气公司从事研究工作，1948年获伯克利加利福尼亚大学哲学博士学位，并留校讲授电气工程学，1959～1963年任工程学院院长。1963～1969年任国家航空和航天局(NASA)的科学顾问。他还为休斯飞机公司(1952～1953)和贝尔电话公司(1963～1964)做过研究工作。

1970年参加原子能委员会的热核研究常务委员会工作。1980年任伯克利加利福尼亚大学的专职教授。第二次世界大战期间,惠涅利从事微波电路理论的研究,发展了微波雷达应用技术。1946～1952年进行天线实验并对研制模拟计算机作出了贡献。他还研究过量子电子学、光学电子学和激光通信。1964年他提出一种气体透镜对光进行聚焦。著有《现代无线电中的场与波》(1944,与S.拉莫合著)、《电子系统、电路和器件引论》(1966,与D.O.佩德森和J.J.斯特鲁德合著)。

whip scorpion　有鞭蝎　又称鞭尾蝎。蜘蛛纲有鞭蝎目(Uropygi 或 Thelyphonida)无脊椎动物,75种。似蝎,但体型较大的种类有一鞭状尾(为触觉器,无螯针)。须肢(第二对

巨鞭肛蝎(*Mastigoproctus giganteus*)

供图:Bucky Reeves—the National Audubon Society Collection/Photo Researchers

附肢)钳状,有刺;第1步足长,为感觉器。有鞭蝎会分泌一种有刺激性的薄雾。美国南部和墨西哥的巨鞭肛蝎(喷醋鞭蝎,*Mastigoproctus giganteus*)是最大的有鞭蝎,体长65毫米,分泌物的气味像醋。有鞭蝎从印度、日本到新几内亚都很常见。新大陆有两属。

whip-tailed ray　鞭尾魟　魟科某些刺魟的统称。参阅 **stingray**。

whipbird　鞭鹟　又作 coachwhipbird(鸣鞭鸟)。澳大利亚的鹟科鞭鹟属(*Psophodes*)鸟类,共两种。其名得自东方鞭鹟(橄榄绿鞭鹟,*P. olivaceus*)的雄鸟发出的叫声,即长的哨声和洪亮的爆裂声,雌鸟立即应以"choo"

橄榄绿鞭鹟(*P. olivaceus*)

绘图:H. Douglas Pratt

声。体长25厘米,尾宽而凸,体深绿色,颊白色。另一种与此相似,罕见。

whiplash　鞭打损伤　因颈部突然猛烈屈曲或伸展(状如鞭打动作)而引起的颈椎及其周围软组织的损伤。尤指见于汽车车祸者。损伤可为扭伤、骨折或脱位;损伤的部位、范围和程度变化很大,有时伴脑震荡。其特征为颈部疼痛、肌肉痉挛和活动受限。治疗方法包括用支持物保护颈、背部,有时在头部或下肢置放重物牵引,以牵张受伤的肌肉并解除对神经的压迫。

whippet　小灵狗　一个赛狗品种,似灵猩。19世纪中叶在英格兰育成,用以在表演场内追逐兔子。由㹴狗与英格兰灵猩育成;后引入意大利灵猩血统使之具有皮毛油光发亮的

小灵狗

供图:Sally Anne Thompson—美国不列颠百科全书公司

外形。体高46～56厘米,体重5～11千克。被毛短而有光,常为灰色、棕黄或白色。每小时可跑56千米,在英国以"穷人的赛马"而著称。也可用于狩猎小兽。性温顺。

Whipple, George H(oyt)　惠普尔(1878-08-28,美国新罕布什尔阿什兰～1976-02-01,纽约罗切斯特)　美国病理学家。发现对慢性失血狗喂以生肝可以纠正贫血,这一成果直

供图:Ullstein Bilderdienst, West Berlin

接导致迈诺特及墨菲以肝治疗恶性贫血的成功。因此三人共获1934年诺贝尔生理学或医学奖。1908年他开始研究胆色素,因而对血红蛋白在体内的合成发生兴趣。1920年证明用肝作饲料可大大促进狗的血红蛋白的再生。1923～1925年进行了人工贫血实验,证实了铁是红细胞形成中最有效的无机成分。惠普尔先后在约翰斯·霍普金斯大学、旧金山加利福尼亚大学和罗切斯特大学任教。

Whipple, Squire　惠普尔(1804-09-16,美国马萨诸塞哈德威克～1888-03-15,纽约奥尔巴尼)　美国土木工程师、发明家和理论家,为桥梁建筑提供了最早的具有科学依据的法则。1830年在纽约州斯克内克塔迪的协和学院毕业后,为几项铁路和运河工程进行测量并制造测量仪器。1840年发明了衡量运河船舶重量的船闸。在以后的几年里他研究桥梁,设计了两种铁木结构的新桁架。1853年,他在纽约州西特洛伊(今沃特弗利特)附近建成44米跨度的铁路铁桥。次年出版《桥梁建筑工程》一书,这是用理论方法计算应力以代替当时普遍使用的凭经验估计的首次重要尝试。1869年他充实了本书内容,以《实用桥梁工程学基础》的书名再次出版,促进了熟铁和铸铁的合理使用,并在数十年内为铁路工程界广泛应用。

whippoorwill(*Caprimulgus vociferus*)　**三声夜鹰**　夜鹰类(**Caprimulgiform**)的北美洲夜行性鸟,与欧洲的近缘种普通夜鹰近似。由其强有力的不慌不忙的鸣声(第一及第三音节重)而得名,可不停地反复连叫400次。生活在靠近开阔地的林中。日间在森林覆被睡眠或顺着树枝的长轴方向栖息,黄昏和拂晓追捕昆虫。长约24厘米,羽衣淡褐色带有斑驳;雄鸟颈部和尾角白色;雌鸟尾单色,颈淡黄色。在加拿大西南部到整个美国东部,以及美国西南部到墨西哥繁殖,越冬地南至哥斯达黎加。在其分布范围的中部常与卡罗琳夜鹰和弱夜鹰相混淆。

whiptail(lizard)　**鞭尾蜥**　参阅 **racerunner** 赛跑蜥。

whipworm　鞭虫　袋形动物门线虫纲鞭虫属(*Trichuris*)蠕虫,因身体鞭状而得名,尤指毛首鞭虫(*T. trichiura*)。毛首鞭虫寄生在人和哺乳类的大肠内。人(尤其是儿童)吃了污染的泥土而受染。鞭虫分泌一种液体到寄主组织内,将组织溶解并取食之。

Whirlaway　疾旋风(1938年出生)　美国良种赛马。1941年在美国三王冠赛中获胜。共参加过60场比赛,胜32场,只有4次未获奖金。是第一匹赢得彩金50万美元的马,还曾创造肯塔基大赛纪录。1943年因腿伤退入种马场。

whirligig beetle　豉甲　鞘翅目豉甲科昆虫,遍布全球,约700种。常群集浮于水面,回旋打转。捕食落在水面的昆虫和其他动物。体卵圆形,扁平,蓝黑色,有金属光泽。前足细长,中足和后足短而扁。翅发达,受攻击时潜游水下。复眼分上下两对,可分别在水面及水下同时观察水上及水下的环境。卵圆柱形,产在沉水植物上,排列成平行的行列。幼虫狭长,只有3对足,但腹节上有带缘毛的气管鳃,外观似蜈蚣。捕食时,以腹部末端的钩固着身体。化蛹期幼虫浮现于水面,背朝下用钩挂在岸边植物上,以污物和唾液

作一蛹茧。成虫受惊时排出一种气味难闻的乳状液，可能有保护作用。*Dineutes americanus* 排出的液体气味如苹果。

whirlpool　旋涡　旋转的海流，张潮与落潮相互作用产生的大尺度涡。中心下曳的与之相似的洋流叫做涡旋，当海岸和海底地形有相当深的窄通道时就会出现。河流里的涡旋运动略有不同。在湍流的一定阶段，就形成中心上曳的旋转流，叫做水涌，在水面上容易见到。著名的海洋旋涡包括南意大利卡拉布里亚沿岸的加罗法洛（可能是古代传奇中的查雷布迪斯）旋涡和西西里与意大利半岛之间海峡中的墨西拿旋涡。挪威沿岸罗弗敦群岛附近的大旋涡、赫布里底和奥克尼群岛附近的旋涡也很著名。在连接日本的濑户内海和太平洋的鸣门海峡中有一个很独特的涡旋。

whirlwind　旋风　又称旋流。围绕一条近于垂直的轴旋转的流动空气。其强度比*龙卷*（**tornado**）小。例如沙尘暴或尘卷风。

whisk fern　帚蕨　松叶蕨部松叶蕨属（*Psilotum*）植物的俗名。帚蕨具有输导水分和养料的组织，但无真正的叶和根，以气生茎行光合作用，以水平生长于地下的形状似根

裸露松叶蕨（*P. nudum*）
供图：Walter Dawn

的根状茎吸收水分和矿物质。其生活史有两个世代。孢子体（无性世代）形较大，产生孢子，孢子生成极小、无色的配子体（有性世代），配子体生于树干上或于地下发育。卵及精子产生于配子体表面的特殊构造。配子结合后又开始孢子体世代。松叶蕨属包含两个热带种，植株形似扫帚，茎木质，绿色，“叶”鳞片状；其中裸露松叶蕨（*P. nudum*）向北分布到佛罗里达州，栽作温室植物。

whiskey　威士忌酒　又作 whisky。任何由各种谷物的糖化醪发酵后经蒸馏制得的液体，包括苏格兰、爱尔兰、加拿大威士忌酒和美国各种威士忌酒。常在木制特别是白橡木制贮酒槽中进行陈酿。其英文名，苏格兰人和加拿大人拼写少一“e”，而爱尔兰人和美国人拼写则有一“e”。最早的关于威士忌酒制造的直接叙述，见于始自 1494 年的苏格兰档案中。

各国所产威士忌酒，由于不同的生产方法、谷物的种类和特点以及用水的特点，而各有特色。

纯威士忌酒是未经混合的，或是仅与同一时期和同一蒸馏器蒸馏出来的威士忌酒混合而成的。调配威士忌酒包括不同时期由不同的蒸馏器蒸馏出来的相似产品的混合物（苏格兰），和由中性威士忌酒（无明显香味特点）与纯威士忌混合制得的威士忌酒（美国和加拿大）。调配酒中也可包含少量的其他芳香物，例如雪利酒（sherry）和果汁等。政府可能要求某些威士忌酒在他们的监督下陈酿一定时间。

苏格兰威士忌酒的酒体稍微淡薄，带有明显的烟熏麦芽香味。它们先由发芽的大麦制得，然后在泥炭火上加热，泥炭所产生含油、辛辣的烟赋予它们麦芽香味。苏格兰高地、苏格兰低地，甘贝尔敦和艾莱地区所产威士忌酒的差异，部分是由于麦芽接受的热量不同而引起的。将加香的麦芽与水混合，生成糖化醪。然后进行发酵，生成发酵醪。发酵醪进行蒸馏，生成按体积计含酒精 70%（即 140 美制标准酒精度）的威士忌酒。将此产品逐次用水稀释到按体积计含酒精 43%。

爱尔兰威士忌酒很像苏格兰威士忌酒，但是没有烟熏的特性。它们是用与制苏格兰威士忌酒相似的方法制成的，但是麦芽炒焙时不经受烟熏。爱尔兰威士忌酒经过 3 次蒸馏，并且有时与中性的谷类威士忌酒相混合，以制成酒体较淡薄的产品。

加拿大的威士忌酒工业，始于 19 世纪初期。加拿大威士忌酒的酒体和香味淡薄，经常是高度加香的谷类威士忌酒与中性的谷类威士忌酒二者的混合物。它们由玉米、黑麦、小麦和按照制造者的独特方案制得的大麦芽混合组成的糖化醪制得。加拿大威士忌酒通常陈酿 6 年，然后在装瓶前用水稀释到酒精含量按体积计约为 45%。

在美国，威士忌酒生产始于 18 世纪初期。目前，较大的蒸馏中心建在肯塔基、宾夕法尼亚和印第安纳等州。美国产品由麦芽和其他谷物（通常是玉米或黑麦）制成。先制得发酵醪，再将它蒸馏，以制得酒精含量按体积计为 80% 的威士忌酒。将这种含有大量香味物质（由最初原料衍生的）的蒸馏液用水稀释到约含酒精 50%～52%，然后在未使用过的、内壁烧焦的白橡木桶中进行陈酿。纯威士忌酒可贮存在政府保税仓库中。

波旁威士忌酒具有玉米（用玉米为原料）香味的特点。它原先产于肯塔基州的波旁县。波旁这个名称最后变成类似的玉米醪威士忌酒的统称。主要用于生产波旁威士忌酒的酸性糖化醪，是用酵母发酵的。这种酵母包含一部分先前发酵过的酵母；其他威士忌酒则是仅用鲜酵母的糖化醪制得的。

在美国，是以在糖化醪中占优势的谷物名称来命名纯威士忌酒的，而在这种糖化醪中至少有 51% 是所谓纯威士忌酒所需要的。如果使用了含有 51% 大麦芽的糖化醪，则该产品称为纯麦芽威士忌酒；如果使用黑麦芽，则称为纯黑麦威士忌酒。纯波旁糖化醪含有至少 51% 玉米；纯玉米威士忌酒糖化醪至少含有 80% 玉米。不同蒸馏时期或不同蒸馏器蒸出的类似的纯威士忌酒的混合物，称为调配威士忌酒，而不是纯威士忌酒。

威士忌酒以不混合的形式和混合成鸡尾酒、潘趣酒和掺姜汁啤酒或苏打水的威士忌酒等形式饮用。美国是最大的威士忌酒生产国和消费国。

Whiskey Rebellion　威士忌酒反抗（1794）美国历史词语，宾夕法尼亚州西部农户拒纳酒税（财政部长 A.汉密尔顿提出，1791 年国会通过）的反抗。此次反抗为新生的美国政府提供了第一次使用军事手段在州界内树立联邦权威的机会。1794 年 7 月，约 500 名武装人员袭击并焚毁税务稽查官吏住宅，8 月，G.华盛顿总统发布公告，命令反抗者息事还乡，旋派联邦军 1.3 万人进入闹事地区，抵抗运动不攻自溃，数人受审，2 人以叛国论罪，后为总统赦免。反对派杰斐逊共和党人对滥用政府权力极为震惊，深恐此举将导致建立专制政权。但在联邦党人看来，全国政府击败第一次反抗是极重要的成就。

Whiskey Ring　威士忌酒集团　美国历史用词，威士忌酿造商的偷税团体（1875 年解散）。这个活跃于圣路易（密苏里）、密尔沃基（威斯康星）和芝加哥（伊利诺伊）的集团贿赂税务官员，侵吞酒税。后经财政部调查，有 110 人证明有罪。据说这笔非法窃取的税金是要用于共和党为 U.S.格兰特总统的重新当选而进行的全国竞选活动，因而群众大哗。格兰特总统虽未涉嫌，他的私人秘书 O.E.巴布科克则被控参与密谋，但格兰特证明他无辜后，亦宣告无罪。

whisky（carriage）　参阅 **one-horse shay 单马两轮轻便车**。

whisper　耳语音　发音时声带保持不动，防止产生发正常语音时那样的振动。耳语音中的清音如普通清音一样，但发耳语浊音时（例如元音），则要强使空气通过开得很窄的声门，而声带保持不动并紧靠一起。参阅 **voice；vocal fry**。

whist　惠斯特　纸牌游戏。包括惠斯特桥牌、竞叫桥牌和定约桥牌在内的一类纸牌游戏的统称。这三种桥牌都是从最初的惠斯特牌相继发展而成的。惠斯特纸牌游戏的主要特点是：通常 4 人分成两组，互相对抗；将一副 52 张的纸牌发出，每人 13 张；每人每次出一张牌，以赢墩为目的；开局前，可把一种花色定为将牌，将牌中的任何一张牌都可击败其他花色的任何一张牌。惠斯特游戏中的将牌花色为最后发出的一张牌的花色。

一般人都承认，这种纸牌戏起源于英国。惠斯特或惠斯克这个名称于 17 世纪初首次在英国出现，起初惠斯特是民间的一种娱乐形式，但到了 18 世纪初，这种牌戏开始在伦敦一些咖啡馆里被绅士们用来消遣。1742 年出版了一本由埃德蒙·霍伊尔撰写的专门介绍惠斯特牌戏的书，名为《惠斯特牌戏简论》，十分畅销。于是这种牌戏在追求时髦的英国社会中风靡一时，并且很快就传播到欧洲与

美洲，在其后150年中一直是纸牌游戏之王，直至被后来居上的惠斯特桥牌所取代。

惠斯特牌的打法如下：同组的两名牌手对面而坐，与另外一组的两人对阵。把牌一张一张地发出，将最后一张牌定为将牌花色。当发牌人要把此牌作为第一墩打出时，应将这张将牌拿在手中。发牌人左边的牌手首攻。所出的牌面朝上放在桌上。然后各牌手按顺时针方向依次出牌。如果打不出相同花色的牌，可垫牌或将吃（有将时）。每出4张牌——即每人出一张牌——为一墩，牌大者得墩，赢墩者获出牌权，依此继续下去直到打完所有的牌，赢墩多的一方以6墩为基数，每超过一墩得一分。

从战略上说，只要可能，就要用最小的牌吃掉对方的大牌，以便取得赢墩的最佳结果。要设法测出别人未打出来的牌，并与同伴配合多赢墩。在赢墩时，不仅要用大牌和将牌，而且当一个花色的大牌已经打完时要利用小牌取胜。

制订一个最佳战略是困难的，因为每一名牌手只知道自己手中的牌。只能通过信号交换信息，即根据约定，按一定的出牌顺序来传达信息。然而在惠斯特以及后来发展起来的各种牌戏中，最好的战略无非是首先打出自己手中最长和最强的花色。这一战略的广泛运用，促使R.F.福斯特于1889年制订出一种十分有用的方法，名叫11法则。这些法则的基本点即首先打出自己最长花色的第4张大牌，用11减去该张牌的数值就能知道首攻人手中以外大牌的张数，即所谓的长四攻牌。

由于过分注重人为的传递信息，使得惠斯特程序化，并失去其魅力。到19世纪末期，牌手们乐意采用新的惠斯特桥牌游戏。这种牌戏于1893～1894年传到纽约和伦敦，并很快地取代惠斯特而成为一种时髦的游戏。到1897年几乎所有玩惠斯特的好手都转而玩惠斯特桥牌。

惠斯特桥牌对惠斯特进行了几项改良，使其成为更高一级的智力游戏。与惠斯特不同，惠斯特桥牌的将牌是由发牌人叫出，或根据发牌人的意图由他的同伴叫出的。也可以要求不用将牌（无将）来打一手牌。发牌人的同伴始终是明手，他在首攻后将手中的牌明摊在桌上，由发牌人来出牌。其记分办法比惠斯特更为复杂。惠斯特桥牌中明手摊牌，给其他3名牌手提供推理和判断的基础——这是惠斯特牌中所没有的——从而要求牌手们费更多脑筋进行思考。新的游戏最初只叫做桥牌，后来重新改称惠斯特桥牌以区别于竞叫桥牌，竞叫桥牌始于20世纪初叶，到了20世纪20年代它就完全取代了惠斯特桥牌而风靡一时。参阅 **bridge**。

在大英联邦和北美洲的一部分地方还有人玩惠斯特。但是同定约桥牌相比，实在微不足道。惠斯特的变种有：单人惠斯特、波士顿惠斯特和文特（vint）。

whistle　哨子　短的笛子，下面一头是封闭的，并且有一个哨管把演奏者的气息从上面一头的吹孔引到哨壁切口的边缘上，引起封闭在内的空气振动。无指孔，只能发一个音。

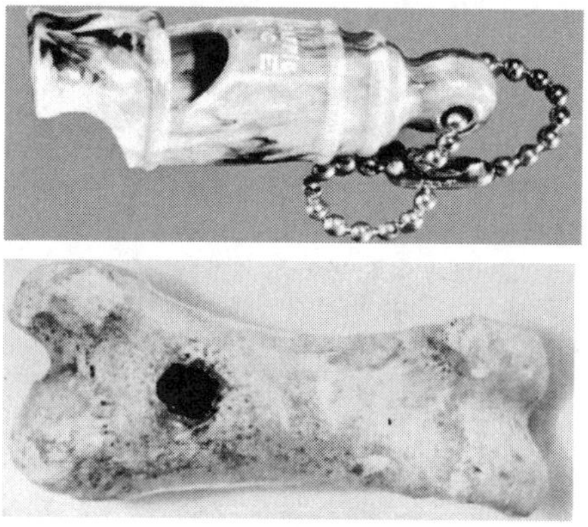

（上）现代交通哨；（下）约公元前1万年的骨哨
供图：（上）Sports, Inc.；（下）Pitt-Rivers Museum, Oxford

在原始社会中它是用鸟骨刺制作的，许多学者认为它是已知最古老的笛类，主要用于发信号，在许多原始社会中也用于音乐。如果把一个小球封闭在里面吹，它干扰空气的振动，从而发出颤音。

whistle flute　参阅 **fipple flute** 塞笛。

Whistlecraft, William and Robert　惠斯勒克拉夫特　参阅 **Frere, John Hookham** 弗里尔。

whistler（bird）　**哨鹟**　参阅 **thickhead** 厚头啸鹟。

whistler（duck）　**啸鸭**　参阅 **goldeneye** 金眼鸭。

whistler　啸声　又称呼啸大气，是偶尔从灵敏声频放大器发出频率由高到低的滑音，起初持续半秒钟，在相同时间间隔内重复出现，并随时间而逐渐变长变弱。在大气中这种声音的起因是闪电放电，特别是与频率300～30 000赫兹有关的电磁辐射。这些电磁波不能直接听到，但用声频放大器可以把它们转换成同频率范围的可闻声波。它们在地球高层大气的电离部分（在磁赤道上空高达19 000～26 000千米）从这一半球传播到另一半球。在快速高频波的引导下，这些信号沿磁力线移动，直至它们在另一个半球相应地磁纬度上被反射。高频分量先于低音到达声频放大器，是造成啸声的原因。波的频散和吸收引起的重复反射，使啸声随后变得更弱更长。研究这些频散效应，可以用来确定19 000～26 000千米高度上的电子密度，以及高层大气电子密度的日、年和长期变化。

Whistler, James（Abbott）McNeill　惠斯勒（1834-07-14，美国马萨诸塞洛厄尔～1903-07-17，英国伦敦）　美国出生的油画家、铜版画家和石版画家。长期侨居英国。作品风格独特，线条与色调和谐，富于装饰性与东方趣味。在1885年“十点钟”演讲中，他提出“为艺术而艺术”，对欧美画家影响甚大。少年时曾入美国西点军校学习，但不久即退伍从事艺术。1855年到巴黎学习绘画，师法G.库尔贝、H.方丹-拉图尔等现实主义画家。其艺术中的现实主义痕迹在一些早期作品如《自画像》（约1857～1858）、《钢琴边》及12幅描绘自然的铜版画中，可以明显地见到。后不断来往于英国与巴黎之间，1863年定居伦敦，在那里创作了大量以泰晤士河为主题的油画和铜版画。1863年其《白衣少女》（1862）在巴黎展出，获得极大成功。这时他对日本绘画发生兴趣，从中汲取营养，使其许多作品带有东方情调，如《金色的屏风》（1864）、《灰与绿的交响曲：大海》（1866～1867）、《巴特西古桥》（1872～1875）等。其60年代和70年代所创作的许多作品都冠以音乐的标题，如《交响曲》、《谐奏曲》等，理论依据则是“为艺术而艺术”。自70年代起开始主要从事肖像画的创作，吸收D.委拉斯开兹和凡·戴克等古代大师的艺术因素，追求简练的形式与柔和的调子。著名的作品有《艺术家的母亲》（1871～1872）、《西斯莱·亚历山大小姐像》（1873）等。此外，惠斯勒还从事装饰艺术与书籍设计等工作。70年代末去意大利威尼斯，在那里创作了许多油画、水彩画和铜版画，回英国后其铜版画《威尼斯风景》（50多

惠斯勒绘《莱姆豪斯贫民区》（约1887）
费城艺术博物馆供图

惠斯勒绘《书房中的画家》(约 1867 ～ 1868)
芝加哥美术学院供图

幅)在伦敦展出,立即获得声誉。晚年主要从事铜版画和石版画的创作,也画了一些城市风景和海景的小幅油画。其石版画大多是黑白的,只有三四幅是套色的。1896 年其夫人病逝,遂不再创作,只进行一些艺术交往和教学活动。

whistling duck 哨鸭 又作 tree duck(树鸭)。树鸭属(*Dendrocygna*)8 种长腿长颈能发出咝咝叫声和飞行时发出呼呼振翅声的鸭类。属于雁形目鸭科(**Anatidae**)树鸭族。结

双色树鸭(*Dendrocygna bicolor*)
绘图:H. Douglas Pratt

群生活,但富进攻性。雌雄羽色和行为几乎一致,某些种常互相整理羽毛。飞行时缓慢拍动翅膀,脚向后伸。有时栖于树上或桩上,善于直立行走。有些种类在树洞里营巢,但更常营巢于地面。雄性协助营巢和育雏,有些种类雌雄均孵卵。草黄树鸭(双色树鸭,*Dendrocygna bicolor*)是树鸭族的典型种,在南美、北美、印度和非洲都有孤立的种群,但无地理变异,这种分布方式甚不寻常。草黄树鸭大小如绿头鸭,体锈褐色,腰白色,两胁有奶油色条纹。

Whiston, William 惠斯顿(1667-12-09,英格兰莱斯特郡诺顿～ 1752-08-22,拉特兰林登) 圣公会牧师、数学家,他力图调和宗教与科学,并在英格兰振兴阿里乌派异端观点。

伦敦国立肖像画陈列馆供图

1693 年受按立为牧师,1694 ～ 1698 年任诺里奇主教穆尔的随身牧师。1696 年著《关于地球的新理论》,指出《圣经》中有关创世、洪水灭世和末世大火等故事,可以看作是史实而从科学上予以说明。1698 ～ 1701 年任洛斯托夫牧教区牧师,然后返回母校剑桥大学任数学家牛顿的助手,1703 年继牛顿任教授。经过研究早期基督教著作,他信仰阿里乌主义,否认基督为神,因此于 1710 年被免职。他遂成立团体,鼓吹恢复原始基督教义。1747 年脱离圣公会,加入普救浸礼派。

Whitaker, Sir Frederick 惠特克(1812-04-23,英国牛津郡班普顿～ 1891-12-04,新西兰奥克兰) 律师、政治家和商人,两度担任新西兰总理(1863 ～ 1864,1882 ～ 1883),主张英国在太平洋实行兼并政策和没收毛利人土地作为居留地。学习法律后,前往悉尼当律师。1814 年去奥克兰,成为总督指定的议会上院非正式议员。1845 ～ 1846 年在民兵中服役。1853 年在奥克兰任省的律师和省执行委员会委员,这是他担任政府职务的开始,后来担任的职务包括长期任议会上院议员(1853 ～ 1864,1879 ～ 1891)和奥克兰主管(1865 ～ 1867)。1854 ～ 1891 年间,在历届政府中担任检察总长达 20 多年,出任总理时,仍两次兼任此职。他大搞土地投机生意,他的第一届政府的政策是,不惜一切代价对毛利人进行镇压,没收其土地,从英国获得 350 万英镑贷款援助,开发这些土地。在第 2 届总理任期内,他坚决主张英国在太平洋进行殖民地扩张,这种立场是与他在斐济和新西兰的商业利益相一致的。作为一个有能力的而不得民心的领袖,他表示出某种自由主义政治倾向,提倡男子普选制、比例代表制和选举上院。1884 年封为爵士。晚年仍执律师业。

Whitbread Book Award 惠特布雷德图书奖 因上一年度出版的图书而授予居住在英国和爱尔兰的作家的一系列文学奖的统称。1971 年设立,由英国公司惠特布雷德公司赞助,每年颁奖一次,由英国书商协会管理。该奖分为五类(小说、第一部小说、诗歌、传记和儿童读物)。此外,从这些获奖者当中还要挑选出一个惠特布雷德年度最佳图书获奖者。该图书奖总额为 5 万英镑。获得大奖的作家包括 T.休斯和 S.希尼。惠特布雷德年度最佳图书奖的获得者包括小说家 W.特雷弗和 I.默多克。

Whitby 惠特比 英格兰北约克行政郡斯卡伯勒自治市一城镇,属约克历史郡。濒临北海,地处埃斯克河口港湾东侧。据称是第一位英语诗人的凯德蒙于 680 年在此逝世。中世纪时惠特比就因渔港而繁荣昌盛,12 世纪末获特许状。鲱鱼是其经济基础,有一段时期又是重要的捕鲸港。当地出生的许多优秀水手以 J.库克船长最为著名;他的举世闻名的环球航行(1769～1775)所乘的木船便在此

从旧城眺望惠特比镇的港口
供图:A. F. Kersting

制造。当地矿产有明矾和铁矿。20世纪50年代起附近开采甲烷气和钾碱。为广袤农业区的服务中心。以港口和四周高沼地风光吸引了许多游人。人口:城镇地区13 640(1991)。

Whitby, Synod of 惠特比会议 盎格鲁-撒克逊族诺森布里亚王国在公元 663 ～ 664 年间举行的宗教会议,目的在于在凯尔特礼仪和罗马礼仪之间决定取舍。诺森布里亚原是由凯尔特传教士劝化信奉基督教的,但到了公元 662 年已出现罗马派。国王奥斯威决定采用罗马礼仪。此后,英格兰其他各地纷纷接受罗马礼仪,使英格兰教会同欧洲大陆教会紧密相联。

Whitcher, Frances Miriam Berry 惠彻(1811-11-01,美国纽约怀次博罗～ 1852-01-04,怀次博罗) 婚前名 Frances Miriam Berry。美国作家,其受欢迎的讽刺性描述奚落了小镇的自负与偏执。早年即展现出写作(通常是讽刺诗和幽默短文)和画漫画的才能,但她的才华在童年并没有得到赏识。第一部出版的短篇小说《寡妇斯普里金斯》发表在一家报纸上,属时髦的伤情小说故事运用了 S.史密斯、T.C.哈利伯顿及其他人推广的方言和乡村幽默。1846 年连载了她的散漫芜杂的长篇大论,题名为《寡妇贝多的席间闲谈》,署名弗兰克。1847 ～ 1849 年戈代的妇女图书公司出版了相同的系列丛书,题为《姑妈马格维尔的经历》。1847 年嫁给了牧师 B.W.惠彻。她仍继续写寡妇贝多和姑妈马格维尔的短文,在字里行间讽刺乡村女性社会的虚伪、偏见和小恶习。现实生活中那些自认为是她作品中原型的镇上的人们时常被激怒。她是美

国写此类受欢迎的幽默文章的第一人。她发表的许多文章都有自己的素描作配图。还写过一些赞美诗和宗教诗。1852 年去世时，她留下一部未完成的小说。选集《寡妇贝多》(1856)在她去世后出版。

White, Alma Bridwell　怀特(1862-06-16，美国肯塔基路易斯县金尼科尼克～1946-06-26，新泽西扎勒法思)　婚前名 Mollie Alma Bridwell。美国宗教领袖，为福音派循道宗五旬节派联合教会的创办人和极有影响力的人物，该教会在 20 世纪初与主流循道公会分裂。在一个执拗的贫困家庭长大。曾在米勒斯堡(肯塔基州)女子学院读书，1882 年移居到蒙大拿班奈克，在当地教过一段时间书。1887 年嫁给神学院学生 K. 怀特。她在多个很小的偏僻的牧师团带头唱圣歌和做祷告，偶尔还布道。她身材高挑，相貌平平，讲话口气带有权威性，产生了很好的效果。她不久即可使教堂会众感动得流泪或欢呼雀跃。1893 年 3 月一次个人净化的深刻经历促使怀特组织了一系列奋兴会，在会上她试图恢复最早期循道公会的热诚和虔诚。其强烈的感情主义，以及对循道公会统治阶层过分讲究的膳宿直言不讳的批评，招致一些保守的教士向她和她的丈夫发泄愤怒，她的丈夫被调到一个极不适合他的牧师团。她最终劝说他一起退职。这对夫妇有一段时间在科罗拉多、蒙大拿和怀俄明等州一起旅游和宣讲福音。1901 年 12 月怀特在科罗拉多州丹佛建立了福音派循道宗五旬节派联合教会。1902 年 3 月被授以这个新教派长老职务，同年出版《比乌拉回顾》，讲述导致她建立教会的生命历程。之后不久，她建立了五旬节派联合使者会，1904 年更名为火柱。1907 年教会总部搬迁到新泽西州的扎勒法思，这里有一块教徒捐赠的土地，教派发展迅速。1904～1905 年怀特首次前往英国宣讲福音，一生总共去了 29 次。该教派人员身着与救世军相似的服装。1917 年教会更名为火柱，反映出怀特强烈反对五旬节教派越来越原始和缺少纪律的表现形式。1918 年就任火柱的资深主教，成为基督教会的首位女主教。除去主持奋兴会之外，该教会后来还经营两个电台(在丹佛和新泽西)、建了 7 所学校，包括阿尔马·怀特学院(1921 年建)，并承担了一个大型宗教出版计划。所著作品有《新约教会》(1911～1912，2 卷)、《重建以色列，世界的希望》(1917)、《我的一生》(1919～1930，5 卷)、《预言中的 3K 党》(1925)、《赞美诗集》(1931)和《精神之剑》(1937)等。到 1936 年火柱教会拥有的财产价值估计在 400 万美元，会员超过 4 000 名，分布在 46 个礼拜会。1946 年怀特去世——丈夫已于 1909 年离开教会——其子 R. B. 怀特接任资深主教一职，5 个月后去世。

White, Andrew Dickson　怀特(1832-11-07，美国纽约荷马～1918-11-04，纽约伊萨卡)　美国教育家、外交家，康奈尔大学创建人及第一任校长。1853 年毕业于耶鲁，去欧洲学习 3 年，并任美国驻俄国圣彼得堡公使馆随员(1854～1855)。回美后在坐落于安阿伯市的密歇根大学任历史及英国文学教授。1865

康奈尔大学档案馆供图

年，伊萨卡市康奈尔大学获办学许可证，怀特为纽约州建立一所州立大学的梦想成为现实；按照他的理想，这一大学在宗教、男女同校、种族以及不受宗教教条阻碍教授自然科学等方面实行开明原则。他作为康奈尔大学的第一任校长，将自己的精力及大部分资财奉献出来，以确保它的成功和未来的发展。怀特曾在政府的许多委员会供职，并曾任美国驻德公使(1879～1881)、驻俄公使(1892～1894)、驻德大使(1897～1902)及海牙和平会议美国代表团团长(1899)。最杰出的著作为《基督教世界中科学与神学作战史》(1896)及《人类和非理性作战中的七位大政治家》(1910)。

White, Byron R.　怀特(1917-06-08，美国科罗拉多科林斯堡～2002-04-15，丹佛)　美国最高法院大法官(1962～1993)。1940 年开始学习法律以前，担任科罗拉多大学足球队的四分卫而赢得了全国的声誉。在牛津大学以罗得斯奖学金学生的身份学习了一年以后，怀特进入耶鲁大学法律学院。1960 年他为他的老友约翰·肯尼迪当选总统积极进行活动。1961 年被任命为司法部副部长，受总统的弟弟罗伯特·肯尼迪领导。1962 年肯尼迪总统任命他为最高法院大法官。尽管他的政治立场是自由主义的，但他在最高法院所起的作用一般被认为是稳健的，或者说是比较保守的。

White, E. B.　怀特(1899-07-11，美国纽约芒特弗农～1985-10-01，缅因北布鲁克林)　全名 Elwyn Brooks White。美国随笔作家和文学文体家。1921 年从康奈尔大学毕业后，当采访记者和自由撰稿人。1927 年成为《纽约人》杂志撰稿人和特约编辑。1929 年与《纽约人》首任小说编辑 K. S. 安杰尔结婚，并在该刊度过一生的其余岁月。1938～1943 年为《哈珀斯》月刊写专栏。1935 年出版与 W. 斯特伦克合著的《文体原理》，该书后来成为英语写作的标准文体手册。1941 年与妻子合编《美国幽默拾零》。他写的 3 本儿童读物《斯图亚特·利特尔》(1945)、《夏洛特的网》(1952)和《天鹅的号角》(1970)被列为名著。另外著有《我的罗盘上的方位》(1962)。1976 年出版由 D. L. 古思编辑的《怀特书信集》，1977 年出版随笔集。《E. B. 怀特诗歌与小品文集》出版于 1981 年。1978 年获普利策特别奖。

White, Edward Douglass　怀特(1845-11-03，美国路易斯安那蒂博多～1921-05-19，华盛顿[哥伦比亚特区])　美国第 9 任最高法院首席大法官(1911～1921)。对美国法律学的主要贡献是他在 1911 年作出的关于"合理原则"的决定，此后联邦法院一直将这个原则适用于反托拉斯案件。在新奥尔良一个法律事务所受训练后，曾以民主党人身份参与路易斯安那州的政治活动，于 1874 年当选为州参议员，1878 年被任命为州最高法院法官。1890 年被选入美国参议院，1894 年被克利夫兰总统任命为美国最高法院大法官。在担任最高法院大法官期间，他阐明了关于把美国

美国国家档案馆供图

于 1898 年获得领地"并入联邦"的概念。怀特在"唐斯诉比德韦尔"一案(美国《联邦报告》第 182 卷，第 244 页[1901])中发表一项并行的意见，他争辩说，通过条约或法令"并入联邦"就是确认新的美国领地上的居民享有宪法保障。这个模糊的标准于 1905 年获得最高法院大多数票通过，并被引用来否定夏威夷和从西班牙手中获得的领土的宪法保护权，因为那些地方被认为没有"并入联邦"。1910 年，怀特被塔夫脱总统提升为最高法院首席大法官，于次年初就职。在"新泽西州美孚石油公司诉美国"案和"美国诉美洲烟草公司"案(两案均在 1911 年，前者见美国《联邦报告》第 221 卷，第 1 页；后者见美国《联邦报告》第 221 卷，第 106 页)中，他发表这样一种意见：一个垄断性企业给贸易造成的障碍必须是"不合理的"才能按照《谢尔曼法案》认定是非法的。他没有给"不合理的"障碍下定义，加上《谢尔曼法案》又是简短而不精确，使得后来很难作出反托拉斯的判决。在第一次世界大战期间，怀特写了两个重要的裁决，支持联邦政府拥有采取紧急措施的权力。其中一个是"威尔逊诉纽"案(美国《联邦报告》第 243 卷，第 332 页[1917])的裁决，支持 1916 年的《亚当森法案》，该法给铁路工人规定了最低限额的工资和最高限额的工时。另一个是在选征兵役法案件(阿维尔诉美国；1917)中，支持了征兵制。

White, Edward H., II　怀特(1930-11-14，美国得克萨斯圣安东尼奥～1967-01-27，佛罗里达肯尼迪角)　美国第一个在太空行走的航天员，"阿波罗"1 号 3 名乘员之一，该乘员组是美国航天计划的首批遇难者，死于一次飞行模拟(另外两人是 V. I. 格里索姆和 R. B. 查菲)。1952 年毕业于西点军校，任美国空军少尉。他参加飞行训练并在驻德国的战斗机中队服役。1959 年获密歇根大学航空工程学位，并毕业于爱德华兹空军基地空军试飞员学校。1962 年被选为第二批航天员。他与

J.A.麦克迪维特参加了1965年6月3日发射的“双子座”4号的4天轨道飞行，在第3圈轨道上，怀特从航天器中出来，在太空漂浮约20分钟，第一次利用推进装置在太空活动。

White, Ellen Gould Harmon 怀特（1827-11-26，美国缅因戈勒姆～1915-07-16，加利福尼亚圣海伦娜） 婚前名Ellen Gould Harmon。美国宗教领袖，为第七日基督复临派教会的创立者之一，她的预言及其他方面的指导对其教派的早期发展都至关重要。9岁时严重受伤，容貌被毁并且一度无法上学。1839年在缅因州威斯布鲁克神学院和波特兰女子学院短期学习之后便中断了教育。第二年在一次循道宗的野营布道会上她有了一次宗教经历，于1842年受洗。此后不久她随家人一起成为基督复临派先知W.米勒的追随者。她并没有因后来米勒的预言明显失败而感到沮丧，依然坚持基督复临派的观点。1844年12月经历了她后来所称的大约2 000次幻觉中的第一次。她开始巡回帮助沮丧的米勒追随者，把从她的幻觉中得到的未来消息和鼓舞人心的预言带给他们。1846年嫁给了牧师J.S.怀特。二人一起在新英格兰各地游历，逐渐把范围向外扩大，传播基督复临派的信念。她出版《浅谈基督徒的经历和埃伦·怀特的观点》（1851），后又出版续集。1855年怀特夫妇搬到密歇根州巴特尔克里克之后，该城成为基督复临派活动的中心。各地的基督复临派团体的代表于1860年来此聚会，正式决定采用第七日基督复临派教会的名称。3年后该教会通过了正式的教派体系。在基督复临派正统派的整个组织和建立工作中，怀特的远见是一种指导力量。她听到的源出圣经的解释很快即被接受。揭露出来的许多教会纲领发表在她的《教会评述》中，该书从1855年版的16页最终增加到9卷。她的关于健康的观点，特别是反对喝咖啡、喝茶、吃肉和吸毒，被收入第七日基督复临派教会习俗。1866年怀特帮助成立了位于巴特尔克里克的西部康复研究院；该院后来作为巴特尔克里克疗养院在减肥和健康食品方面的工作成绩显著，成为许多其他疗养院学习的榜样。1874年怀特帮助建立了巴特尔克里克学院，这是一个基督复临派的机构，她的丈夫被任命为校长。在其影响下，在美国南北战争之前基督复临派运动积极倡导废奴运动，在19世纪60和70年代期间，怀特是一个著名的禁酒拥护者。1880年她和丈夫出版了一本介绍两人生平的书。第二年丈夫去世后，怀特在加州希尔兹堡居住了4年。1885～1888年在欧洲各地游历和讲学，1891～1900年在澳大利亚传教，在当地建了一所学校，后来发展成埃文代尔学院。返回美国后，怀特发起一场运动，把基督复临派的各个机构搬出巴特尔克里克。巴特尔克里克学院搬到了密歇根州的贝林斯普林斯，称以马内利传教学院（从1960年起称安德鲁斯大学），1903年教会总部和报社搬到马里兰州的塔克马帕克。此后在加利福尼亚州的圣海伦娜定居。

White, Gilbert 怀特（1720-07-18，英格兰汉普郡塞尔伯恩～1793-06-26，塞尔伯恩） 英国博物学家、牧师、《塞尔伯恩博物志及古迹》（1789）一书的作者。此书被誉为英国第一部有关博物学的经典著作。他曾就读于牛津奥里尔学院（1740～1743），并终生保留在该学院的职位，但他在塞尔伯恩度过一生的大部分时光。1751年他受神职后不久，即开始书写日志，记述在自己花园里的观察所得。这份资料后来以《植物区系和植物园日志》为名于1765年发表。后又发表了内容更为详尽、始自1768年的《博物学家日志》。《博物学》一书辑录了他致友人的110封有关博物学的通信。此书赢得了许多著名博物学家的赞扬。书中除诸如燕子的迁徙等重要发现外，还以简洁生动、观察敏锐著称。

White, Helen Magill 怀特（1853-11-28，美国罗得岛普罗维登斯～1944-10-28，缅因基特里波因特） 母家姓Magill。美国女教育家，第一位女哲学博士。耶鲁大学在美国首次授予男生哲学博士学位16年后，她获这一学位。1873年在宾夕法尼亚州斯沃斯莫尔学院获文学士学位。1877年在波士顿大学获希腊文哲学博士学位，著有论希腊戏剧的论文。其后4年在英国剑桥大学研究古典文学。返美后，担任一所私立学校校长。1883年被任命为马萨诸塞州西布里奇特一所女子学院霍华德学院的院长。1887～1888年参与普林斯顿大学附设女生部的筹建工作。1890年与康奈尔大学前校长A.D.怀特（1832～1918）结婚。其后A.D.怀特出任美国驻俄公使（1892～1894）及驻德大使（1897～1902），她随同前往，其学术生涯遂告终结。

White, John 怀特（？～约1593，爱尔兰戈尔韦郡凯尔莫尔县） 英国画家、探险家、制图家、罗厄诺克总督。1577年5月乘“援助”号去美洲探险，驶往格陵兰和巴芬岛，同年9月返回英格兰。他作了一些反映途中所见的土地和人民的速写。1585年4月又随探险队出发，同年7月到达罗厄诺克岛。他以该岛的土地、人民、动植物为题材作了许多油画和速写。1586年回英格兰。1587年5月率领100多个移民前去美洲，到罗厄诺克岛建立殖民地。同年8月25日离岛，11月回到英格兰。由于临近西班牙战争，他没有立刻得到殖民地所需要的援助。直到1590年他带着一个救援队回到岛上时，所有的移民，包括他的女儿和外孙女V.戴尔（**Dare, Virginia**）都不见了踪迹。怀特退休后住在爱尔兰的家中。并于1593年2月写出了他最后一次到弗吉尼亚旅行的报告。

White, Leslie A(lvin) 怀特（1900-01-19，美国科罗拉多萨利达～1975-03-31，加里福尼亚隆派恩） 美国人类学家，以文化进化理论和他称之为“文化学”的科学研究著称。怀特曾在美国海军服役，后在哥伦比亚大学就读，获得文学学士和文学硕士学位。他的哲学博士学位是在芝加哥大学获得的。早年曾在美国西南部凯莱森普韦布洛印第安人中间进行实地考察。1930～1970年间任教于密歇根大学。晚年主要在圣巴巴拉加利福尼亚大学人类学系任教。重要著作是《文化的进化》（1959）和《文化的概念》（1973；与B.迪林厄姆合著）。怀特对19世纪学者H.斯宾塞、L.H.摩根及E.泰勒所奠定的文化进化的学说服膺甚深，即使当这一学说受到非难时，他也坚持这一理论。他认为，文化进化过程为技术发展所推动，尤其是在按人口平均能源利用方面的技术发展，更有巨大作用。怀特的观点受到反进化学说的F.博厄斯及其门徒的抨击，当时博厄斯学派正主宰着文化人类学界。怀特自认对人类学的最大贡献是他提出的文化学这一概念，曾在收入《文化的科学》（1949）中的多篇论文中详予阐述。怀特所说的文化学，即是把斯宾塞曾用于社会研究的那种结构-功能的有机体类比方法应用于文化的探讨。这种方法在哲学上是唯物主义的和非简化论的。

White, Minor 怀特（1908-07-09，美国明尼苏达明尼阿波利斯～1976-06-24，马萨诸塞剑桥） 美国摄影家和编辑，由于对扩大摄影表达范围的努力，成为20世纪中期最有影响的创造性摄影家。小时就开始照相，到1937年才认真从事于摄影。早年在工程进度管理署（WPA）任摄影师，该署许多摄影师主要致力于提供记录性照片，而怀特则更喜欢采用有独创性的处理方法。1945年他向美国摄影家韦斯顿和施蒂格利茨学习后，形成了自己的明确风格。他从韦斯顿那里学到了现实主义的真谛和照片的色调美，从施蒂格利茨那里学到了“连续性照片”（作为一个整体来表现的成组照片）和“双重意义照片”（作为形象比喻的照片）的表现潜力。在其照片和著作中，怀特都成了连续性照片和双重意义照片的最重要的拥护者。1946年移居旧金山，和摄影家亚当斯一起亲密工作。深受亚当斯的分区曝光法的影响（一种决定拍摄的景物将怎样表现在照片上的方法）。第二年，他接替亚当斯任加利福尼亚美术学校摄影系主任。1952年创办摄影杂志《光圈》，1953～1957任《影像》杂志的编辑。怀特是个细致的摄影家，其作品严格忠于大自然的色调和结构。然而，他又是20世纪中叶主要的抽象摄影家之一，常赋予其作品以神秘感。1965年任麻省理工学院摄影创作系教授。

White, Patrick (Victor Martindale) 怀特（1912-05-28，英国伦敦～1990-09-30，澳大利亚新南威尔士墨尔本） 20世纪中叶澳大利亚的一群作家中最有影响的作家，1973年获诺贝尔文学奖。怀特生于伦敦，当时他的双亲正在那儿访问，他在澳大利亚居住12年后，回到英国上学。随后在澳大利亚他父亲的养羊场工作一个时期后，返回剑桥大学国王学院学习现代语言。他在第二次世界大战期间在皇家空军服役之前，已经发表过几部早期作品，并且旅行过许多地方，还同剧院打过一些交道。1945年后，他回到澳大利亚，但也断断续续地在英国和美国居住。怀特的第一部小说《幸福谷》（1939）以新南威尔士为背景，显示出劳伦斯和哈代的影响。怀特后来所写小说的素材显然是澳大利亚的，但是他处理素材的眼界很广阔，不局限于任何一个国家或一个时期。怀特认为澳大利亚正处在一个变化多端的成长和自我认定的过程中，他的小说是要探索在这个过程中有没有野蛮状态存在。他在《人类之树》(1955)、《沃斯》(1957)、《乘车的人》(1961)、《坚实的曼达拉》(1966)及《两次出生事件》(1979)中所反映的澳大利亚是一种个人的、批判性的和富有诗意想象的产物。他的风格充满神话、象征和譬喻。他最为关心的是人的孤立感及对其含义的探索。怀特写过一些剧本，包括《萨沙帕里拉的季节》(1962年首演，1965年以"四幕剧"形式出版)、《秃山顶上的夜晚》(1964年首演)和《信号司机》(1982)。他还写过一些短篇小说、自传体的《玻璃上的裂纹》(1981)、一个电影脚本及一本诗集。

White，Pearl Fay　怀特(1889-03-04，美国密苏里格林里奇～1938-08-04，法国巴黎)旧译白珍珠。美国早期最受欢迎的电影女演员之一，因主演连台本影片《宝莲历险记》而国际闻名。她18岁离开故乡参加巡回剧团，1910年进入电影界，为纽约鲍尔斯影片公司拍片，以后13年间主演100多部喜剧片、系列片和西部片，最初以主演《隔壁的姑娘》和《她的裁缝账单》一类滑稽喜剧短片而闻名。1914年为法国百代兄弟影片公司美国分公司主演20集系列片《宝莲历险记》，大获成功，一跃而为国际影坛明星，声誉一度超过玛丽·璧克馥这样的大明星。20年代故事片兴起，系列片不再受欢迎，怀特未能适应新的体裁而落伍。1923年以后住在巴黎。曾两次结婚，1907年嫁给演员V.萨瑟兰，1919年再嫁演员W.麦卡琴。

White，Stanford　怀特(1853-11-09，美国纽约～1906-06-25，纽约)　美国建筑师，美国著名的麦金、米德和怀特建筑事务所最富于想象力的成员。早年受建筑师H.H.理查森

怀特1891年设计的纽约市麦迪逊广场花园(已拆除)
纽约市博物馆供图

的精心培养。1880年和C.F.麦金、W.R.米德合组事务所，不久成为美国最受欢迎及设计作品最多的事务所之一。1881年，他在纽波特设计了一栋特别精致的木构住宅，名"卡西诺"。直到1887年，这个事务所主要都是设计这类木构建筑，当时被称为木板式建筑。此后，该事务所脱离了正在芝加哥及其他地方兴起的各种更为创新的风格，而引导美国的建筑潮流向新古典主义风格发展。怀特擅长于设计比例优美、具有意大利文艺复兴风格精致装饰的建筑物。他在纽约市的重要作品有麦迪逊广场花园(1891)、华盛顿纪念拱门(1891)、纽约先驱报大厦(1892)和麦迪逊广场长老会教堂(1906)等。他多才多艺，还设计过首饰、家具、火车车厢、书刊封面和墓碑等。

White，T(erence) H(anbury)　怀特(1906-05-29，印度孟买～1964-01-17，希腊比雷埃夫斯)　英国小说家、社会历史学家和讽刺作家，以把15世纪作家T.马洛礼爵士的《亚瑟王之死》改写成总题为《过去和将来的国王》的4部小说而著名。曾在切尔滕纳姆学院和剑桥大学求学，在斯托学校任教(1930～1936)时写有自传性著作《我把一切献给英国》(1936)，初次赢得评论界的赞誉。此后全力从事写作并研究亚瑟王的传奇故事等深奥问题，从而为其以后的作品准备了素材。《过去和将来的国王》1960年被改编成一出极其成功的音乐剧《卡米洛特》，1967年又根据该剧改编为同名电影。其他作品有研究猎鹰驯练术的《苍鹰》(1951)及2部社会史著作《诽谤的时代》(1950)和《恶意中伤者》(1951)。

White，Theodore H(arold)　怀特(1915-05-06，美国马萨诸塞波士顿～1986-05-15，纽约州纽约)　美国记者、历史学家和小说家。因写有两篇关于1960和1964年总统选举的著作而闻名。1938年自哈佛大学毕业后，成为《时代》周刊的首批驻外记者之一，1939～1945年驻在远东。他还担任过海外新闻社和《报道者》驻欧洲记者(1948～1953)。《总统的产生——1960》(1961)和《总统的产生——1964》(1965)显示作者有能力把握美国政坛纷纭复杂的现象，通过对事件的巧妙罗列突出主题，而对政界人物不是当做符号，而是当做人来加分析，使这类历史记述达到了艺术的高度。《总统的产生——1960》获得1962年普利策非小说作品奖。怀特以后又对1968及1972两届总统竞选活动进行了分析。

White，Walter (Francis)　怀特(1893-07-01，美国佐治亚亚特兰大～1955-03-21，纽约州纽约)　美国杰出的黑人代言人，其影响达近1/4世纪之久。25岁时参加全国有色人种促

美国国会图书馆供图

进协会(NAACP)，任助理执行干事；总干事J.W.约翰逊去职后，怀特继任总干事(1931～1955)。为了废除盛行于美国南部的私刑，他领导一个运动要求联邦政府制定反私刑法。虽未获得通过，但他的调查、揭露和充满热情的宣传，使舆论明显地转变。到晚年时，私刑已极少。1930年怀特几乎单枪匹马成功地影响参议院以41对39票之比否决胡佛总统任命北卡罗莱纳州法官J.J.帕克担任最高法院法官的提案。第二次世界大战爆发时，他协助同事，工人领袖A.P.伦道夫，共同促使美国政府成立美国公正就业实施委员会(1941-06)禁止在政府和军工部门中实行种族歧视。著有：《燧石火花》(1924)、《绳索与柴捆：一个私刑法官的传记》，揭露美国南部的私刑；另外有自传《一个名叫怀特的人》，于1948年出版。

White，William　怀特(1748-04-04，宾夕法尼亚费城[美国]～1836-07-17，费城)　美国基督教圣公会第一位在英国受按立的主教。曾在费城学院(后改称宾夕法尼亚大学)求

费城宾夕法尼亚美术学院供图

学，1772年在英格兰受按立为牧师。在美国独立战争时期，费城教会保皇派教区长返回英格兰，怀特继任，在职终生。战后曾兼任大陆议会牧师。主张继承英格兰圣公会的教义传统，但反对与它和英国王室保持组织联系。安立甘宗信徒组成美国圣公会后，怀特于1787年奉召返回英国受按立为主教，是为受此职的第一名美国神职人员，1795年连任，在职终生。

White，William Allen　怀特(1868-02-10，美国堪萨斯恩波里亚～1944-01-29，恩波里亚)美国新闻工作者，人称"恩波里亚哲人"，他的宽容、乐观、自由派共和主义和乡土气息使他成为有思想的小镇美国人的典型代表。他的社论写作使其小城镇的《恩波里亚报》享誉全球，并至少强烈影响了一次美国总统选举。

美国国会图书馆供图

早年在堪萨斯大学读书,1890 年辍学,进入新闻界。1892 ～ 1895 年为《堪萨斯城明星报》写社论。后来买下《恩波里亚日报及周报》。他的社论《堪萨斯怎么啦?》(1896-08-15)充满激情地攻击平民党政策,经共和党全国主席翻印散发,据说帮助了 W.麦金利当选总统。1912 年怀特脱离共和党主流派支持 T.罗斯福的"公麋党"(进步党)。他的社论《致一位焦虑的朋友》(1922-07-27)因维护言论自由获得1923年普利策奖。1924 年竞选堪萨斯州长未成。他写过小说、威尔逊传和柯立芝传及他的自传。他的儿子 W.L.怀特也是一位著名记者。

White, William Hale 怀特 参阅 **Rutherford, Mark** 拉瑟福德。

White Australia Policy 白澳政策 澳大利亚联邦反亚洲移民的政策,至 20 世纪中期依然是澳政府的基本政策。早在 19 世纪 60 年代各殖民地均通过了限制移民立法,起初专门针对华人移民,后来,特别是 1894 ～ 1895 年日本战胜中国后,也针对大量增加的日本移民,以及东印度人和南太平洋岛民(卡纳卡人)。害怕日本的军事侵略、亚洲廉价劳动力对生活水准造成的威胁,以及白人种族主义是形成白澳政策的主要因素。1901 年澳大利亚政府发布的《限制入境移民法案》(**Immigration Restriction Act**)规定:凡入境者必须通过欧洲语言考试。这实际上等于禁止所有非欧洲移民入境。后来又有补充规定,即到 1906 年要把卡纳卡人全部驱逐出境。1919 年巴黎和会上,澳代表团挫败日本企图将种族平等条款写入《国联盟约》的倡议,白澳政策更加受到支持。20 世纪 50 年代后,在自由党和工党几届政府执政时期,这一政策方才放松。

white birch 白桦 桦木科桦木属(*Betula*)几种观赏和材用树的通称。原产于北半球的凉爽地区,有白色剥落的树皮。白桦一词又指纸皮桦(**paper birch**)。白桦中的一种——

欧洲白桦(*B. pendula*)
供图:Arthur Griffin—Photo Researchers/美国不列颠百科全书公司

毛桦(*B. pubescens*)高约 18 米,原产欧亚。白桦叶卵形,下面被毛。该树木材质软,黄白色或红白色,商业上有重要性,用于建筑及制造车船、家具及匙形桨叶、雪鞋等。欧洲白桦(*B. pendula*,有时误称 *B. alba*)或称银桦或普通桦,即垂枝桦;枝条细长,下垂;叶小而尖锐,长约 6 厘米。树高达 15 米。裂叶桦、紫叶桦和弯枝桦为欧洲白桦受欢迎的观赏变种。日本白桦(日本宽叶桦,*B. platyphylla japonica*)高 18 米,产于亚洲东部,叶阔,长约 7 厘米;木质坚硬,黄白色,可制家具和各种木制器具。

white blood cell 参阅 **leukocyte** 白细胞。

white butterfly 白粉蝶 鳞翅目粉蝶科昆虫。粉蝶科共1 000多种,除白粉蝶外,还包括硫磺蝶(黄粉蝶)和橙尖粉蝶两类,世界性分布。白粉蝶成虫翅展37～63毫米,翅白

甘蓝粉蝶(*Pieris brassicae*)
供图:Chr. Lederer—Bavaria-Verlag

色,翅缘有黑色斑纹,许多种表现颜色和花纹的雌雄二态性及季节二态性。幼虫体细长,色青绿,多被绒毛。许多种类的幼虫为害作物。蛹以尾端棘及丝带挂附小树枝上。北美最常见的白粉蝶是欧洲菜粉蝶(芜菁菜粉蝶,*Pieris rapae*),约 1860 年引进北美,其幼虫是十字花科蔬菜的主要害虫。

White Canon (religious order) **白衣修士** 参阅 **Premonstratensian** 普雷蒙特雷会会士。

white cedar 白柏 任何美洲的崖柏(**arborvitae**)、某些种类的假柏(**false cypress**)、麦克纳布氏柏、北美翠柏(**incense cedar**)和加利福尼亚刺柏木材的商业用名。在英语中,某些非针叶树,例如楝树和紫葳科、卫矛科、肉豆蔻科、橄榄科、龙脑香科某些品种也俗称 white cedar。

white cloud (species *Tanichthys albonubes*) **白云鱼** 又称白云山鱼(white cloud mountain fish)或唐鱼。鲤科的小型观赏鱼,常饲于小型水族箱中。原产于中国广东省白云山。体细长,长4厘米左右,淡绿褐色,腹部银白,

雄性白云鱼(*Tanichthys albonubes*)
绘图:Karen Allan

鳍上有红斑。体侧从头至尾有一闪光的条纹,幼鱼期条纹呈闪蓝色,成体则呈金黄色。性温和,生活力强,在饲养条件下易繁殖。

white-collar crime 白领犯罪 社会地位或经济地位较高的人在从事正常职业活动中所犯的罪行。这种犯罪一般可以分为两类:①采取非法手段为自己骗取钱财和主要为促进自己的公司或其他组织达到其目的而采取的非法活动,最常见的可归入此类的犯罪是盗用公款、挪用资金、盗窃证券、受贿和接受回扣、知情人交易、计算机犯罪和某种欺诈行为。②各类公司和其他组织的种种非法活动,如控制贸易(即垄断和操纵价格)、欺骗宣传、不公平的劳动待遇、工作场所有害身体健康和人身安全、违反所得税法和各种手段篡改财务账目。人们认为,大多数工业国家的白领犯罪比非法侵占、盗窃、监守自盗、伪造票证和抢劫造成的经济损失加起来还要大得多。

white corpuscle (biology) 参阅 **leukocyte** 白细胞。

white dwarf star 白矮星 一类光度暗弱并处于演化末期的中、低质量恒星。之所以称为白矮星是因为开始发现的几颗都呈白色。它们的特征是:光度低,质量与太阳属同一量级,半径则与地球相当。白矮星属于致密天体,平均密度接近水的 100 万倍。和其他大多数恒星不同的是,白矮星不是靠正常气体压力,而是靠内部电子气体的简并压力顶住自引力的。简并压力是指由于天体的收缩(参阅 **degenerate gas**),组成气体中的电子所施加的巨大阻力。用所谓费米-狄拉克统计学和狭义相对论研究白矮星平衡结构,可获得"质量-半径关系",由此可得:质量一定的白矮星有唯一同它对应的半径;质量愈大,半径愈小。此外还可预言,白矮星有一质量极限,超过这一极限将不存在稳定的白矮星。这个被称为钱德拉塞卡极限的质量上限的量级为 1.4 个太阳质量。上述两预言都同白矮星的实测结果非常符合。典型白矮星的核心区是由碳氧混合物构成的。在核心的外围是一个氦的薄包层,在大多数情况下还有一更薄的氢层。天文观测只能看到恒星的最外层。白矮星是从初始质量为三四个太阳质量(可能还更大)的恒星演化而来的。在核心区的氢燃烧和氦燃烧(中间隔着第一红巨星阶段)熄灭以后,恒星再次变成红巨星。在快接近第二红巨星阶段的末尾,恒星由于一次灾难性事件(爆发)丧失了向外膨胀的包层,剩下一个密实、高温和发光的核心,外面包着一炽热的球形光壳。这就是到了行星状星云的阶段。在演化的整个过程中(典型时间为几十亿年),恒星由于红巨星阶段的星风和抛射包层失掉了原有大部分质量。剩下 0.5 ～ 1 个太阳质量的行星状星云的核心将最后冷却下来并变成一颗白矮星。白矮星因已耗尽它们的核燃料而再也没有核能源了。它们密实的结构也抵住了进一步的引力坍缩。因此,辐射入星际空间的能量便由构成核心的非简并离子的剩余热能提供。这种能量缓慢地穿

过不透明的恒星包层向外扩散,白矮星也随之缓慢地冷却下来。当这种能量枯竭时(这一过程需几十亿年),白矮星就停止辐射并到达演化的终点,成为一个冷而无活力的恒星残骸。这种残骸有时被称为黑矮星。由于白矮星的固有光度低,因而在距地球数百秒差距(1 秒差距 = 3.26 光年)范围内才能看到。它们有时发现于双星系中,例如,全天最亮的恒星天狼星(**Sirius**)的伴星就是一颗白矮星。在新星和其他突变变星的爆发中,白矮星也极关重要。

white-eye 绣眼鸟 雀形目旧大陆的科绣眼鸟科动物,80 ～ 85 种。各种之间十分相像,因此将约 60 种都归在绣眼鸟属(*Zosterops*)一属内。主要生活于非洲到南亚、澳大利亚和新西兰的温暖地区。尾、翅均短,体

绣眼鸟(*Zosterops*)
供图:Bruce Coleman Ltd.

长约 11 厘米。喙纤巧而尖,舌尖刷状。羽衣单色,浅褐灰、浅褐或黄绿色(雌雄相似)。主要斑纹是由细小柔软的羽毛构成的眼圈,通常为白色。完全树栖生活,取食昆虫、花蜜和甜软的果实。绣眼鸟有几种,包括澳大利亚人称作"疫病鸟"(blightbird)的种,会损坏栽培的无花果和葡萄。绣眼鸟性活跃,除照管它们的杯状巢时外,高度群集。

White Father 白衣神父 天主教非洲传信会(Society of Missionaries of Africa[W.F.])的会士。该会于 1868 年由阿尔及尔大主教法国人拉维日里创立于北非。该会最初活动地区是阿尔及利亚北部地区。1878 年该会传教士克服艰苦条件、疾病和迫害,在非洲东部大湖区建第一批传教点,1895 年进入西非。1869 年拉维日里成立非洲圣母女传信会(会士俗称白衣修女),协助该会活动。

white-flowered gourd 白花葫芦 参阅 **bottle gourd** 葫芦。

white-footed mouse 白足鼠 又作 deer mouse(鹿鼠)。啮齿目仓鼠科鹿鼠属(*Peromyscus*)约 60 种小型动物的统称,栖息在阿拉斯加到南美洲各种生境。数量很多,时常超过所在地区的其他哺乳动物。眼大,尾长,耳大,体长 8 ～ 17 厘米。被毛软,毛色由近白色、褐色到灰黑色,腹部和脚常为白色。夜行性,白天躲在洞穴或树上用植物材料筑成的窝巢中。既食植物性食物,亦食动物性食物。白足鼠可终年繁殖,妊娠期21～27天,

白足鼠(*Peromyscus*)
供图:Ken Brate—Photo Researchers/美国不列颠百科全书公司

每窝约 4 仔。因白足鼠干净,易照料,又多育,所以时常用作实验动物。

white fox 白狐 参阅 **Arctic fox** 北极狐。

white - fronted goose (species *Anser albifrons*) **白额雁** 又作 specklebelly goose(斑腹雁)或 laughing goose(笑雁)。雁形目鸭科雁族(Anserini)鸟类。体小,体色深,额白,喙黄,腹部具不规则的黑斑。繁殖于北极。有 4 ～ 5 个亚种,是灰雁(参阅 **goose**)中最广布的种。向南迁徙可远到墨西哥、地中海、印度和日本。欧洲白额雁(*Anser a. albifrons*)越冬于西欧、不列颠群岛和中亚。最大的类型为蔗草雁(*A. a. gambelli*),仅越冬于加利福尼亚州的萨克拉门托河谷。

White Horse, Vale of (district and region, England) 参阅 **Vale of White Horse** 怀特霍斯谷。

White House 白宫 1818～1902年正式名称为总统府。美国总统的正式官邸,在首都华盛顿市宾夕法尼亚大街 1600 号。白宫及其园林区占地 7.2 公顷。主楼是从 J.亚当斯起历任美国总统的住宅,也是美国联邦政府在首都最古老的建筑物。1792 年由 J.霍本设计。有 3 层楼,100 多个房间,用灰白色的砂岩营造。1792 年 10 月 13 日奠基,1800 年亚当斯总统夫妇成为新完成的大厦的首批居住者。由于大厦的灰白色砂岩与邻近建筑物的红砖形成鲜明的对比,早在1809年就已经

白宫北门廊
供图:Jake McGuire/Washington Stock Photo,Inc.

被称为"白宫"。1902 年,T.罗斯福总统采用"白宫"作为这一建筑物的正式名称。白宫在 1814 年英国人入侵时被焚毁,但是由霍本监工进行重建和扩建。1817 年 J.门罗总统进去居住。在重建期间,霍本于 19 世纪 20 年代在主楼两侧增加东西露台,又加修半圆形南门廊和带廊柱北门廊。此后除了内部重新装饰以及逐步安装现代化设备外,在19世纪中,该建筑物变化很小。在罗斯福总统任职期间,将主楼中原为总统办公室的二楼房间改成他一家的生活区,又修建了西侧厅,为总统及其日益增多的职员提供更多的办公场地。1942 年营造东侧厅,更加大了办公的空间。东西两侧厅通过东西露台与主楼相连。1948 年,在 H.杜鲁门任总统期间,发现主楼状况很坏,必须大修,在此后 4 年间,对整个内部均认真重建,但原来的外墙依旧未变。20 世纪 60 年代,肯尼迪夫人使白宫发生最近一次巨大的变化,她收藏具有历史价值和艺术价值的名品,用以装饰白宫的房间。白宫建筑综合体共有 130 多个房间。主楼仍然包括总统一家的生活区和各种接待室,全都是 18 和 19 世纪风格的装饰。主楼一部分向有导游的观光客开放。北门廊是进入主楼的公共入口,南门廊则专供总统一家使用。西露台包括一个游泳池和健身房,东露台则包括一个电影院。西侧厅包括总统办公室(椭圆形办公厅)、顾问室和记者室,东侧厅则包括其他的办公室。多年以来,白宫已经成为美国的一个重要圣地,每年约有 150 万游览者参观其对外开放的部分。此建筑物为国家首都公园系统所属单位之一,1988 年被正式认定为博物馆。

White Island 怀特岛 在新西兰北岛东部普伦蒂湾中。该岛系一活火山。总陆地面积 400 公顷。岛上多温泉、间歇喷泉和喷气孔。最后一次火山喷发在 1914 年。无人定居。游人可从怀特岛西南方 84 千米的陶朗阿租船前往。

white lead 铅白 用于室外油漆的几种含铅(**lead**)无机化合物的白色颜料的总称。

White Lotus Rebellion 白莲教起义 (1796 ～ 1804) 中国清代川楚等 5 省的反清农民大起义。最初参加者多为白莲教教徒。白莲教起源于南宋(1127 ～ 1279),初称白莲社或白莲会,是混合佛教、明教、弥勒教等内容的秘密宗教组织,教义崇尚光明。元末白莲教被农民利用作为组织斗争工具。清代白莲教流传更广,教派名目繁杂。乾隆中叶后白莲教和捻党、天地会成为民间反清结社。尤以川、陕、楚一带白莲教组织最为活跃。1796 年 2 月白莲教首先在湖北发难,不久蔓延到四川、河南、陕西、甘肃 5 省地区,形成白莲教历史上规模最大的一次农民起义,坚持斗争达 9 年之久,参加群众达数十万。白莲教起义军占据和攻破州县达 204 个,歼灭了大量清军,清廷耗费军费 2 亿两。清政府调集全国兵力,组织民团配合,坚壁清野,才将起义平定。这次起义使清王朝元气大伤,此后清王朝的统治逐渐走向衰落。

white maple 白槭 参阅 **silver maple** 银槭。

white mica 白色云母 硅酸盐矿物白云母(**muscovite**)或钠云母(**paragonite**)的细粒变种。

White Monk 白衣修士 参阅Cistercian西多会士。

white moss 白藓 参阅cushion moss垫藓。

White Mountains 怀特山 阿巴拉契亚山脉的一部分。在美国新罕布什尔州中北部和缅因州西部。长140千米。主要山峰(1 500～1 800米)以历届总统命名,有"总统峰群"之

新罕布什尔州戈尔罕附近的怀特山
供图:Eric Carle—Shostal/美国不列颠百科全书公司

称。最高峰华盛顿山(Washington, Mount, 1 917米)也是美国东北部最高点。多冰蚀谷。山区大部处在怀特山国家森林境内。有1 600多千米天然小道和众多的野营地,为理想的避暑区。冬季提供滑雪场地和运动设施。

White Nile River 白尼罗河 苏丹马拉卡尔和喀土穆之间尼罗河的一段。在马拉卡尔上方,由杰贝勒河(山地尼罗河)和索巴特河汇合而成,流程800千米。在喀土穆与青尼罗河汇合,形成尼罗河干流。总长(包括其主要支流杰贝勒河)2 084千米。在洪水季节(6～9月),该河在喀土穆提供尼罗河主要流量的30%弱,因为青尼罗河的洪水力量挡住了白尼罗河的水,使之形成湖泊。在低水位时(4～5月),白尼罗河的流量不受阻挡,供水量达总量的80%以上。全年通航汽轮。

white noise 白噪音 在音乐中指同时听到的全部声波频率范围内的音响效果,类似于包含光谱中全部频率的白光。钹和小鼓的声音就带有白噪音的特点。电子合成的白噪音经过滤波能够产生出在传统乐器上不能获得的频率组合,白噪音本身也可作为一种音乐因素使用。白噪音属非周期性的声音(即它的波形是不匀称的)。它的各组成频率具有随机的振幅和随机的时间间隔。

white oak 白栎 北美产的壳斗科栎属(*Quercus*)白栎组(或亚属,*Leucobalanus*)观赏及材用灌木和乔木。叶平滑,无刚毛,有时边缘具腺体。槲果,种子带甜味。一季成熟。刺果栎(**bur oak**)和栗栎(**chestnut oak**)均属本组。白栎一词狭义上指 *Quercus alba*,该种又称板栎,是美国东部重要的材用树之一。高18～45米,树皮鳞片状,淡灰色,具浅裂缝。叶亮绿色,有光泽,长约23厘米,基部渐狭,分裂几达中脉,成7或9个裂片;秋天变成紫红色。亚利桑那栎(亚利桑那白栎,*Q. arizonica*)高约18米,见于美国西南部海拔1 500～3 000米大峡谷的斜坡上。叶狭,长约8厘米,生活期一年。甘贝尔氏栎(*Q. gambelii*)为灌木,高可达4.5米。加利福尼亚白栎(*Q. lobata*)又称山谷栎,是观赏或遮荫树,高达30米。枝条下垂,形态优美;叶深绿色,多裂。槲果形特殊,长约5厘米。树皮灰色至淡棕色,裂成不规则的方形小块。俄勒冈白栎(*Q. garryana*)有时为灌木,但常高24米多,枝条广展,为太平洋海岸区域的重要材用树。白栎组还有其他一些材用树:毛枝栗栎(青卡平栎、米信贝格氏栎、黄栗栎,*Q. muehlenbergii*)散见于其分布区;沼泽柱材栎(琴叶栎,*Q. lyrata*)的槲果几乎为一深的壳斗所包被,故又俗称深壳栎;柱材栎(星毛栎,*Q. stellata*)叶有方形的中央裂片;矮栗栎(矮青卡平栎、拟冬青叶栎,*Q. prinoides*)为灌木,可形成

板栎(*Quercus alba*)的叶和槲果
供图:John H. Gerard

密的灌丛,是干燥多岩石的山岭的覆盖植物。白栎组的许多种具有槲果,落下后即萌发,在生根之前就被冻死。灰松鼠将白栎的槲果搬运至他处并掩埋,从而将其种子散布,故白栎繁殖率的下降常与松鼠种群减少有关。木材业中将本组种类所产木材均称为白栎。

White Plains 怀特普莱恩斯 美国纽约州城市,韦斯特切斯特县县城(1778)。濒临布朗克斯河和哈钦森河。1735年建社区,是韦斯特切斯特铁矿开采中心和几条道路的交叉点。1776年7月9日纽约地方议会在此举行会议,通过《独立宣言》并宣布建立纽约州。1776年10月28日,G.华盛顿在当地击败英军,该战场现辟为国家纪念地。1844年与纽约通铁路后发展成为城市中心和住宅、零售贸易中心。1866年设村。1916年设市。生产多种轻工业品。教育机构有纽约聋人学校和佩斯大学分校。附近有纽约州立大学分校。人口53 077(2000)。

white pottery 白陶 中国古代陶器。在新石器时代的大汶口文化中已出现高岭土制作的白陶,多光素无纹,胎质较粗。商代(公元前16～前11世纪)出现少量带花纹(夔纹、蝉纹、饕餮纹、云雷纹等)的白陶,先后在河南安阳、郑州出土。经化验含铁只有1.72%,说明当时已能选洗纯净的黏土,为后来瓷器的发明打下基础。

White River 怀特河 源出美国阿肯色州西北部的波士顿山脉。东北流进入密苏里州南部,折向东南复入阿肯色州,在阿肯色河和密西西比河汇流处附近注入阿肯色河。全长1 102千米,流域面积73 000平方千米。河口至阿肯色州巴特斯维尔480千米河段可通航。主要支流有布法罗河、卡什河、小雷德河和北福克河。河上有水坝拦蓄的水库。

White River 怀特河 源出美国内布拉斯加州西北部。向东北流进入南达科他州。在张伯伦附近汇入密苏里河。全长523千米。流域面积26 400平方千米。当地有锰矿和漂白土矿藏。

White Rock 怀特罗克 加拿大不列颠哥伦比亚省西南部城市。位于温哥华西南,在乔治亚海峡入口处塞米亚穆湾北岸。为华盛顿州布莱恩西北太平洋岸的一个输入港,温哥华都会区一部分。1905年规划城址,不久即成为假日游览地区。1921年修建的和平门和国际公园为美加边境西端的标志。市内有一大型退休人员社区。人口16 314(1991)。

White Russia 白俄罗斯 欧洲东部旧地区名。大致与今白俄罗斯(**Belarus**)范围相同。

White Russian language 参阅 **Belorussian language** 白俄罗斯语。

White Sands National Monument 白沙国家保护区 在美国新墨西哥州中南部,图拉罗萨盆地内。1933年设立。为一片浩瀚耀眼的白石膏沙,流沙经常形成3至14米高的沙丘。西南角有卢塞罗湖。植物稀少,动物皮毛色浅。西面为圣安德烈斯国家野生动物保护区。西南有白沙导弹发射场。东有霍洛曼空军基地。

white sanicle (plant) **白变豆菜** 参阅 **white snakeroot** 白蛇根。

White Sea 白海 俄语作Beloye(或Beloje)More。北冰洋伸入俄罗斯西北部海岸几乎被陆地围住的海域。它与更北面的巴伦支海之间由狭长的"咽喉"海峡相连。卡宁诺斯角与圣诺斯角之间的连接线就是白海与巴伦支海的分界线。白海面积约9万平方千米,平均深度60米,最大深度在坎达拉克沙湾东北部,为340米。由于坎达拉克沙、奥涅加、杜

味拿和梅津诸大型海湾的存在，白海形状很不规则。最大的岛有：奥涅加湾入口处的索洛韦茨基岛、“咽喉”海峡入口处的莫尔若韦岛和杜味拿湾的穆季尤加岛。西北海岸陡峭，东南海岸低平。注入白海的河流有：北杜味拿河、梅津河、奥涅加河、维格河、尼瓦河、温巴河、瓦尔祖加河和波诺伊河。白海位于大陆架上，现为古老的波罗的海地盾坡面上的陆地尽头的凹陷区。海底支离破碎，情况各异。西北部有坎达拉克沙凹陷地，侧面楞角分明，显然乃断层所致。南部隆起为索洛韦茨基群岛。奥涅加湾有许多小暗礁。“咽喉”海峡、沃隆卡湾和梅津河口，水下常有入（白）海水流所造成的沙脊。有一座130英尺深处的海底山脊将白海的主凹陷区与巴伦支海隔开，阻碍两大水体间的深水对流。白海有700余种多细胞无脊椎动物、约60种鱼类和5种海生哺乳动物。但渔业相对不发达，最有食用价值的是一种格陵兰海豹和鲱鱼。白海地区的经济价值在于它邻近的土地肥沃、森林密茂并且河网稠密，可将较边远地区与大海相连。白海是连接经济活跃的俄罗斯西北部地区与俄罗斯远东港口及国外的重要通道。白海还通过白海—波罗的海运河与俄罗斯欧洲部分的水运系统相连接。白海—波罗的海运河流入奥涅加湖，在此又与伏尔加—波罗的海航道相接，这有利于波罗的海、黑海、里海和亚速海的航运。主要海港是：阿尔汉格尔斯克、白海城、奥涅加、梅津、凯姆、坎达拉克沙和温巴。借助于破冰船，全年可通航。

White Sea - Baltic Canal 白海—波罗的海运河 俄语作 Belomorsko-Baltiysky Kanal。俄罗斯西北部河流、湖泊和运河组成的水道系统。它连接白海与奥涅加湖，经奥涅加湖与伏尔加—波罗的海航道（**Volga-Baltic Waterway**）相通。白海—波罗的海运河全长227千米，内有37千米人工水道。运河主要利用劳役于1930～1933年建成。运河自奥涅加湖北端波韦涅茨向北流至维戈泽罗湖，其间建有7座船闸；再从维戈泽罗湖改修维格河为运河，另筑12座船闸，通向白海。奥涅加湖将白海—波罗的海运河与伏尔加—波罗的海航道相连，通过后者船舶可航至波罗的海与伏尔加河。该运河系统能通行海轮，可使圣彼得堡与阿尔汉格尔斯克之间的海程缩短4 000千米，因之具有战略意义和商业重要性。主要船运物资为木材，大多用于沿岸造纸厂和木材加工企业。

white shark (species *Carcharodon carcharias*) **白鲨** 又作 great white shark（大白鲨）。鲭鲨科（Isuridae）大型进攻性鲨鱼，被认为较其他鲨类对人更有危害性。分布于各大洋热带及温带区。又称白死鲨、食人鲨。食量大，食物包括鱼类、海龟、海鸟、海狮、海船上所弃杂物等。体硕重，尾呈新月形，牙大且有锯齿缘，呈三角形体型。最大者可达约11米。一般体灰色、淡蓝色或淡褐色，腹部呈淡白色，背腹体色界限分明，体型大者色较淡。

白鲨（*Carcharodon carcharias*）
供图：© Jeffrey L. Rotman

white snakeroot (*Eupatorium rugosum*) **白蛇根** 又作 white sanicle（白变豆菜），boneset（泽兰）或 thoroughwort（皱叶泽兰）。一种北美有毒草本菊科植物，高可达1.5米；头状花序小，白色，集生成平顶的花序簇；叶长18厘米，对生。牲畜食后会出现震颤病（表现为衰弱、便秘，乃至死亡），人饮病牛的奶后会出现乳毒病（表现为衰弱、呕吐及便秘）。就如泽兰属（*Eupatorium*）这个大属其他种类一样，本种在某些地区称为泽兰。

White Springs 怀特斯普林斯 美国佛罗里达州北部哈密尔顿县旅游城镇，在萨旺尼河北岸，东距杰克逊维尔105千米。1826年始有白人定居。1900年前后，因风闻当地泉水有医疗作用，城镇兴起。现设有萨旺尼河流域管理总部。附近开采磷酸盐矿。S.福斯特纪念公园内有福斯特生平陈列馆，园中61米高塔上有一97钟的大钟琴，每日演奏该作曲家作品。每年举办S.福斯特纪念周（1月）和佛罗里达民间节（5月）。镇东有奥西奥拉国家森林。人口819（2000）。

White Sulphur Springs 怀特萨尔弗斯普林斯 美国西弗吉尼亚州东南部格林布赖尔县疗养城市。依阿勒格尼山（海拔573米）。西邻刘易斯堡。约1750年始建，18世纪70年代发展为疗养胜地。1839年设建制。以硫磺温泉著称。格兰德中央大旅社是自A.杰克逊到W.威尔逊历届美国总统的避暑府邸。附近有布卢本德和舍伍德湖游览区、格林布赖尔州立森林保护区及杰斐逊国家森林保护区。人口2 315（2000）。

white supremacy 白人至上 坚持认为浅肤色或“白色”人种天生优于其他种族群体的信念和观点。在当代用法中，“白人至上主义者”一词被用于形容一些拥护极端民族主义、种族主义或法西斯主义信条的团体。白人至上主义者的团体经常凭借恐怖手段达到目的。从19世纪到20世纪中叶，白人至上的信念基本上被欧美的政治领袖和社会学家看成是理所当然的。为了给白人至上提供科学依据曾作过多次尝试，各个机构和著名科学家纷纷发表研究成果，坚持认为白人具有生物学上的优越性。这些观点在20世纪初得到了新的智力测试科学的证实，该科学自称可展示种族之间在智力方面的主要差异。在这些测试中，北欧人的得分总是高于非洲人。在美国，特别是在南部，在奴隶制时期和之后的合法的种族隔离期间，白人至上享有广泛的政治支持，就像当代的欧洲殖民统治一样。该信念尤其与三K党一类的暴力团体有关，在美国取得了一些成功（特别是在20世纪20年代），尽管许多非暴力人士和团体也强烈支持白人至上主义的观点。但是，到50年代中期，公开的种族主义信念在西方世界大部分地区已不再受欢迎，这是废除种族隔离和非殖民地化促成的发展。由于在一些美国人当中对美国民权运动、民权立法——特别是《民权法案》（1964）和《选举权法案》（1965）——以及使许多种族歧视法律无效的最高法院裁决存在敌视态度，白人至上在20世纪50年代末和60年代在美国一度复兴。最终在“白人力量”运动中显示自身，该运动的兴起是为应对60和70年代的“黑人力量”信念。白人至上主义者以及许多社会保守分子由于美国政府采取了一系列措施（如鼓励雇用少数民族成员及妇女等的赞助性行动、学校校车接送制度，以及在住房市场反对种族隔离的规定等）而备感烦恼。他们的憎恨使得各种积极宣扬白人至上的团体和运动得到发展，包括传统的三K党、各种新纳粹组织，以及宗教上的基督教徒本体组织。到了20世纪后半叶，基督教徒本体运动——该运动声称西北欧人是圣经中的雅各部落的直系后裔，而哈米吉多顿（将在不远的将来发生）将产生一场白人对非白人大决战——是美国白人至上主义者占主导地位的宗教观点。尽管如此，美国和世界各地的白人至上主义者最终还是未能捍卫各项确保白人统治的法律。最后2个由白人至上主义者通过立法统治的政权包括罗得西亚（该国在其白人少数民族最终于1980年交出权力之后，改名为津巴布韦）和南非（该国的种族隔离制度在20世纪90年代被撤销）。尽管在西方世界及非洲，种族隔离和种族歧视的法律已经消失，但白人至上作为平民主义者的信念依然存在。在70和80年代期间，美国白人至上主义者逐渐统一的言辞和图像说明影响到了欧洲，那里的移民，特别是来自亚洲、非洲和加勒比地区前殖民地国家的移民，形成了不断壮大的非白人人口。在有些国家，白人至上主义者的观点在反对移民的党派纲领中有所表达，如法国的国民阵线和德国的共和党。到目前为止最成功的党派，奥地利自由党在1999年的立法选举中赢得1/4以上的选票，次年作为奥地利人民党的一个同盟伙伴进入政府。但总体说来，白人至上主义团体不断地被局限在政治的边缘。

white-tailed deer (*Odocoileus virginianus*) **白尾鹿** 又称弗吉尼亚鹿（Virginia deer）、弗吉尼亚空齿鹿。偶蹄目鹿科常见的林地鹿类。分布在加拿大南部到南美洲一带。尾下侧有白毛，受惊或奔跑时，尾高竖若信号旗。重要的狩猎动物。独栖或成小群；冬季则许多个体聚集，踏掉一个区域的雪，这样的地方叫作“鹿场”。北方的个体体型较大，肩高106厘米，体重180千克。成年鹿夏季皮毛为鲜艳的浅褐红色，冬季皮毛为较暗淡的浅灰褐色；腹部白色。雄体的角向前弯曲，有很多不分叉的尖。繁盛于开阔的林地（但不在成熟的森林）、伐木迹地和城市边缘小林地，也常到果园和耕地觅食。食物包括多数植物的叶、细枝、果实和坚果，以及地衣和其他真菌。以前在分布范围内数量很多，但现

白尾鹿(*Odocoileus virginianus*)
供图:Karl H. Maslowski

在(尤其在美国)因滥猎而大为减少,到20世纪中期,由于北美洲采取了狩猎管理措施而数量逐渐恢复。有许多亚种,以佛罗里达的低岛鹿最小,肩高不足76厘米,体重不及23千克,以前几乎绝迹,现因采取了保护措施,种群已渐恢复。

white-toothed shrew(genus *Crocidura*) **麝鼩鼠** 164种大小似鼠的非洲和欧亚大陆食虫动物的统称。牙白色,体呈圆柱状,腿短,嘴长而灵活。眼小,耳大。尾有细毛,长短种间不等,有些有长触须。非洲撒哈拉的苏丹麝鼩(*C. olivieri*)是最大的麝鼩之一,重37～78克,体长11～15厘米,尾长8～10厘米。皮岛麝鼩(*C. levicula*)是最小型种之一,重约4克,体长6厘米,尾长3～4厘米。毛短而柔软,从灰到黑褐色和黑色。栖于温带和热带森林、河岸森林、沼泽、温带草原、热带稀树草原和半干旱区域。昼夜均活动,主要为陆栖,有些热带种擅爬树。栖于其他动物废弃的洞中、岩石裂缝及树洞中。主要食物为昆虫、其他节肢动物和蚯蚓。用嘴和鼻子捕食。一窝产1～10只幼仔,妊娠期1个月。106种几乎遍布整个非洲大陆。53种分布于从小亚细亚东至东南亚。台湾岛、菲律宾群岛和苏拉威西岛也有分布。山栖白齿鼩(*C. monticola*)栖于马来半岛,也见于婆罗洲、爪哇和巴厘岛,向东穿过小巽他群岛到阿鲁岛。小麝鼩(*C. suaveolens*)分布于欧亚大陆和大西洋、地中海和太平洋某些岛屿。白腹麝鼩分布于欧洲和小亚细亚,中麝鼩见于欧洲、非洲西北部和大西洋及地中海岛屿。有两种仅见于地中海岛屿。麝鼩属(*Crocidura*)属于鼩鼱目(Soricomorpha)鼩鼱科(Soricidae)麝鼩亚科(Crocidurinae)。该属可能起源于非洲大陆。

White Volta River **白沃尔特河** 西非沃尔特河的源头河。发源于布基纳法索瓦加杜古北面山间低地。南流640千米注入加纳境内的沃尔特湖。沿途有无数河湾,因有"沃尔特"(葡萄牙语,意为"曲折")之名。落差较小(约每千米40厘米),流域降雨量也较少。沿河主要城镇有加纳的达博亚和亚佩伊。

white-water racing(canoeing) **白浪划艇竞赛** 参阅 **wild-water racing** 激流划艇竞赛。

white whale **白鲸** 海豚形小鲸的俗称。白鲸(**beluga**)亦常称为 white whale。梅尔维尔的小说《白鲸》中的白鲸,实为抹香鲸(**sperm whale**)。

Whitefield, George **怀特菲尔德**(1714-12-27,英国格洛斯特郡格洛斯特～1770-09-30,马萨诸塞纽伯里波特[美国]) 基督教圣公会传教士。在牛津大学与卫斯理兄弟结为挚友,1738年应邀与他们一起到美洲佐治亚殖民地传教。其后他有时在从佐治亚到马萨诸塞各殖民地一带传教,有时在英格兰、苏格兰、威尔士和爱尔兰等地巡回布道。他在北美殖民地宗教"大觉醒运动"和早期循道宗事业中发挥重要作用。

whitefish **白鲑** 鲑科(Salmonidae)几种银白色食用鱼的统称。某些分类系统中将其归入白鲑科(Coregonidae),产于欧、亚、美洲的北部冷水湖泊,常栖于深水中。形似鳟鱼,具脂鳍,但鳞较大,牙较弱,口较小。以昆虫幼虫及其他小动物为食。于秋季产卵。白鲑属(*Coregonus*)种类俗称湖白鲑,体形高,最大且名贵的是鲱形白鲑(*C. clupeaformis*),产于北美五大湖区,又称苏必利尔湖白鲑、白鱼;平均体重约2千克。加拿大白鲑或称湖鲱(*C. artedi* 或 *Leucichthys artedi*)形似鲱鱼,为食用鱼和游钓鱼,成大群生活,重达1千克。另一些种类称为小白鲑或查布鱼(**chub**)。柱白鲑属(*Prosopium*)的种类俗称圆白鲑,是本科最好的游钓鱼类。落基山白鲑(威廉森氏柱白鲑,*P. williamsoni*)重约1千克,常见于产鳟的溪流中。北鲑(*Stenodus leucichthys*)肉质多油,在北美最西北部供食用。

Whitefish Bay **怀特菲什湾** 在苏必利尔湖东南部,湖心为加拿大安大略省和美国密歇根州之边界。长48千米,宽24～55千米。有塔瓜梅农河注入,经圣玛丽斯河与休伦湖沟通。部分密歇根州岸区划入海厄瓦萨国家森林。该湾以盛产银鱼和旅游业闻名。

whitefly **粉虱** 同翅目粉虱科吸汁昆虫。若虫形似介壳虫,扁卵圆形,常被有棉花状物质。成虫2～3毫米长,被有白色不透明的粉末,形似小蛾。翅在体内发育,最后一次脱

粉虱
供图:Anthony Bannister—美国不列颠百科全书公司

皮时翻出。粉虱在温暖地区数量很多,见于室内植物上及温室内。柑橘粉虱(*Dialeurodes citri*)是大害虫,吸橘树、枣树汁液,分泌蜜露,使烟霉菌在上面生长,从而毁坏果实,喷洒油性杀虫剂或对硫磷可防治。柑橘黑粉虱(沃格拉姆氏刺粉虱,*Aleurocanthus woglumi*)完全适应墨西哥和西印度群岛的生活条件,分泌的蜜露上生长烟霉菌,使橘树的光合能力减退。温室粉虱(*Trialeurodes vaporariorum*)是本科中数量最大、危害最烈的一种,能使植物活力减退,引起萎缩、变黄和死亡。为控制粉虱应喷洒既能杀灭成虫又能杀灭若虫的杀虫剂。

Whitefriars Theatre **白衣修士剧院** 伦敦的私人剧院。坐落于泰晤士河北岸白衣修士隐修院的小院内。1606年德雷顿和伍德福特将其餐厅改成私人剧院,可能是30年前黑衣修士隐修院被改成剧院一事启发了他们。这两家早期私人剧院都有屋顶,并使用人工照明。白衣修士剧院的票价比公共剧院高,但每人都有座位。伦敦的私人剧院常是儿童剧团的演出场所,白衣修士剧院也不例外。1629年该剧院被索尔兹伯里宫廷剧院所代替。

Whitehall **怀特霍尔** 伦敦威斯敏斯特市一条街道。在特拉法尔加广场和议会广场之间。有许多短街、广场和政府建筑通过旁街与之邻接。沿街有战争死难者纪念碑、唐宁街(首相官邸)、新苏格兰场、骑兵卫队检阅场和宴会厅(1619～1622,I.琼斯设计)。

Whitehall Palace **怀特豪尔宫** 原英国王宫,位于伦敦威斯敏斯特市泰晤士河和现圣詹姆斯公园之间。最初约克郡大主教在此建造了一座府邸(1245),后为沃尔西枢机主教使用,曾加以扩建。再后经亨利八世重建,聘小H.霍尔拜因作装饰,作为他的主要住所。建筑师I.琼斯曾在此为詹姆斯一世设计新宫,但仅完成宴会厅(1622),却在几次火灾中幸免。其他建筑毁于一次大火。

Whitehaven **怀特黑文** 英格兰坎布里亚行政郡科普兰区的爱尔兰海港口。属坎伯兰历史郡。一度垄断爱尔兰海煤炭贸易并参与繁盛的美洲烟草贸易。以煤炭为基础的行业衰落后,发展起化工业和轻工业。城南有英国最早的核电站(1956)。人口约26 542(1991)。

Whitehead, Alfred North **怀特海**(1861-02-15,英格兰肯特萨尼特岛拉姆斯盖特～1947-12-30,美国马萨诸塞剑桥) 英国数学家和哲学家。与罗素合著的《数学原理》(1910～1913)标志着人类逻辑思维的空前进步,被称为永久性的伟大学术著作之一。创立了庞大的形而上学体系。其深刻的教育思想得到广泛承认。1880年进剑桥三一学院专修数学。1898年发表第一部著作《泛代数》。他是罗素的老师和朋友。同意罗素的主要论点,即全部纯数学都可以从改造过的形式逻辑导出。《数学原理》所用的符号或是来自G.皮亚诺,或是由怀特海所发明。留给罗素处理的有若干哲学问题——主要是逻辑类型论的设计,而罗素则写了此书的绝大部分。1910年移居伦敦。1914年任帝国科学技术学院应用数学教授。这期间他观察研究了当时的教育。他认为教育的目的不在于向学生填塞知识,而

是鼓励和指导他们独立发展。在物理哲学方面,1919年发表《自然知识原理》;1920年发表《自然的概念》。1922年出版《相对性原理》,企图代替爱因斯坦的一般理论。其科学

美国不列颠百科全书公司供图

哲学由于30年代语义学运用于科学概念的发展而被忽视。1924年被美国哈佛大学聘为哲学教授。1925年出版《科学与现代世界》,批评"科学唯物主义"。1927年应爱丁堡大学邀请,讲演"有机体哲学",题为"过程与实在",提出一种思辨假说,即宇宙全部由运动的物质构成。1929年《过程与实在》出版,成为西方形而上学最庞大的著作之一。《观念的历险》(1933)是其最后一部哲学著作,它透彻、全面地探讨了暴力以及人、上帝和宇宙的观念在西方文明形成过程中所起的作用。1931年被选入英国科学院,1945年接受荣誉勋章。怀特海把卓越的直觉天才、理智的能力和善良同坚定和学识结合起来。其教育和哲学著作已译成许多种文字。其形而上学理论在美国曾被热烈地讨论,却未引起英国思想界的注意。

Whitehead,(John) Henry (Constantine) 怀特黑德(1904-11-11,印度马德拉斯～1960-05-08,美国新泽西普林斯顿) 英国数学家。对同伦(**homotopy**)论(关于拓扑空间中一类特殊映射的理论)的发展有重大影响。作为联邦研究员(1929～1932)在美国数学家O.维布伦指导下,在普林斯顿大学学习。他们在合著的《微分几何学基础》(1932)中,最先给出了微分流形的精确定义,此书现已被认为是经典著作。1933年在牛津巴利奥尔学院任教。第二次世界大战期间在政府的几个部门任职,后成为牛津大学韦恩弗利特纯数学教授。他对微分几何的研究工作最后写成论文《论通过一点的测地线覆盖一个完备空间》(1935),对这一数学领域有开拓性的贡献。他对几何学保持经常的兴趣,后来把注意力集中到拓扑学方面,对组合同伦和斯蒂菲尔流形有重要贡献,在牛津创立一个拓扑学派。

Whitehead, Robert 怀特黑德(1823-01-03,英格兰兰开夏博尔顿勒穆尔斯～1905-11-14,伯克郡贝克特) 发明现代鱼雷的英国工程师。1856年在阜姆(今克罗地亚里耶卡)组建船舶机械制造厂,成功地设计并且制造了供奥地利军舰用的发动机,并开始研制鱼雷,于1866年完成。1872年该厂开始生产鱼雷及其附件。1876年怀特黑德用伺服马达改进鱼雷推进装置,使鱼雷在水中的航线更为精确,还逐渐提高速度,在1 000码距离内达到29节。1896年他又用陀螺仪来控制鱼雷的航向。

Whitehorse 怀特霍斯 加拿大育空地区城市和首府。临育空河。加拿大皇家骑警队育空总部所在地和阿拉斯加公路上的重要运输中心。飞机可达北美各大城市。长期为捕鱼和猎兽者的装备基地。建于克朗代克淘金热时期(1897～1898)。市内有麦克布赖德博物馆(收藏拓荒时代文物),多古老的木制建筑。第二次世界大战中成为修建阿拉斯加公路(连接许多机场)和原油管道的基地。1950年组建为市,1971年都市区扩展至河谷地带,面积达420平方千米。20世纪50年代,由于联邦公路修建计划与财政资助,采矿业得以推进,但20世纪80年代衰落。经济主要依靠政府资金和旅游业,人口因游客的季节性涌入而增加。人口17 925(1991)。

Whitelocke, Bulstrode 怀特洛克(1605-08-06,伦敦～1675-07-28,英格兰伯克郡亨格福德附近奇尔顿帕克) 英国共和派律师,O.克伦威尔共和政体时期有影响的人物。英国高等法院法官詹姆斯·怀特洛克爵士之子。1626年成为律师。1640年选入长期议会。在弹劾和褫夺查理一世的首席大臣斯特拉福德伯爵中起了首要作用。1642年内战爆发后站在议会一边反对保王派。1648年任掌玺官。次年选入国务会议。1653～1654年任驻瑞典大使,谈判英瑞友好条约。尽管因抵制克伦威尔关于改革大法官法院的建议而于1655年被逐出政府,但1657年他又主持一个委员会要求克伦威尔称王。他以稳健著称,查理二世复辟后未遭杀害。

Whiteman, Paul 怀特曼(1890-03-28,美国科罗拉多丹佛～1967-12-29,宾夕法尼亚多伊尔斯敦) 美国管乐队领队。因在20世纪20～30年代推广一种音乐风格而被称为"爵士乐之王",这种风格把爵士乐介绍给主流的观众。原是小提琴手。1917～1918年指挥40件乐器的美国海军乐队,其后在加利福尼亚组织一支旅馆管弦乐队,1920年率领该乐队去纽约演出,聘用当时最好的白人爵士乐演奏师;在他的改编曲中很少有即兴演奏的余地,并大大简化了爵士乐的节奏。20年代作为流行歌曲的合作作曲者很获成功。他委托格什温谱写《蓝色狂想曲》,并于1924年在纽约市的艾奥利安音乐厅指挥该乐曲的首演,由作曲家本人担任钢琴独奏。该曲成为他的主题曲。他设立了怀特曼奖,以奖励具有"交响乐式的爵士乐"风格的作品。电影《爵士乐之王》(1930)中有他的乐队出现,此后又有3部类似影片上映。怀特曼是30年代几家国家电台节目的主持人。著有3本书:与M.M.麦克布赖德合著的《爵士乐》(1926)、与L.利伯合著的《怎样当管乐队领队》(1941)和《大众唱片》(1948)。还录制了大量唱片。40年代末,声誉下降,但50年代又担任电视系列节目的主持人,直到去世前还偶然指挥管乐队。

whitethroat (*Sylvia communis*) **白喉林莺** 典型的旧大陆莺,雀形目莺科鸟类。在欧亚大陆西部和西北非繁殖,而在非洲和印度越冬。体长14厘米,翅有红褐色块斑,尾有较长

白喉林莺(*Sylvia communis*)
供图:Frank Blackburn—the Natural History Photographic Agency

的白边。雄鸟头顶灰色,喉白色。从黎明到黄昏,在林地边缘和灌木树篱中鸣叫。

whitework 白色刺绣 白布上的白线刺绣。导源于印度和中国,中世纪以来在西方流行,用于服饰、台布和各种教堂用亚麻织物。15世纪时特别流行在内衣上绣白色刺绣。它有时称为方网眼花边,是将具有细网眼的布条固定在轻质钢丝架上,用手工刺绣加工而成,用作滚边和嵌条。白色刺绣分两类:一类是透孔型的,在布上挖出空洞再将洞口锁牢;一类是网眼型的,用通常刺绣方法绣成。艾尔郡白色刺绣是常见的透孔型刺绣,用锁钮扣孔的方法形成几何形或有规则的花样,从18世纪后期起在英国和欧洲大陆用于衣着材料。

Whitfield, Mal 惠特菲尔德(1924-10-11,美国得克萨斯贝城～) 美国中距离赛跑运动员。在1950～1954年880码和1953年1 000米赛跑中保持世界纪录;作为美国队成员,1952～1956年在4×440码和1952年4×880码接力赛中保持世界纪录。代表俄亥俄州立大学和州立洛杉矶学院参加比赛。先后在1948年伦敦奥运会和1952年赫尔辛基奥运会上获800米金牌;1948年奥运会上获4×400米接力金牌。他是空军上士,1956年退役后,在美国新闻署工作。曾在几个新独立的非洲国家任田径教练。

Whitgift, John 惠特吉夫特(约1530,英格兰林肯郡格里姆斯比～1604-02-29,伦敦) 坎特伯雷大主教,他在女王伊丽莎白一世在位末期巩固圣公会并使之蒙继位国王詹姆斯一世承认方面贡献甚大。他于1560年受按立为牧师。1567年任剑桥大学钦定座神学教授,同年任女王伊丽莎白一世侍从牧师。1571年任圣公会大会下院议长。1583年任坎特伯雷大主教,一反前任大主教格林达尔谋求与清教徒和解的方针,派人追查隐蔽的长老会教士和化名马普莱特撰写清教主义小

坎特伯雷大主教供图

册子的人。惠特吉夫特曾在克罗伊登开办学校和医院。

Whithorn 惠特霍恩 苏格兰西南部邓弗里斯-盖洛韦行政区的敕准自治市。属威格敦历史郡。位于卢斯湾和威格敦湾之间的半岛上。英国最古老的基督教中心之一。约397年建立。有隐修院(1130)。宗教改革前常有人前往朝圣。苏格兰女王玛丽于1567年来此作最后一次的王室朝圣。人口952(1991)。

Whiting 怀廷 美国印第安纳州西北部莱克县城市。临密歇根湖,在芝加哥东南卡柳梅特(工业)区内。1889年,无法在芝加哥找到厂址的标准石油公司在此建造了号称世界最大的全套设备炼油厂,城市随之兴起。多年来一直为该石油帝国的都城。1895年设市。1930年后人口下降。现为一高度工业化的城市,石油炼制和化工是重点项目。市内有天主教会的卡柳梅特学院。人口5 155(1990)。

whiting (species *Gadus*, or *Merlangius*, *merlangus*) **牙鳕** 鳕科常见的食用海鱼,产于欧洲水域,尤以北海为多。肉食性,以无脊椎动物和小鱼为食。具3个背鳍,2个臀鳍。颏须小或无。体长最大约70厘米。银白色,胸鳍根部附近有一明显黑斑。石首鱼科一些种类(鼓鱼或石首鱼)在英语中亦称 whiting,其中包括北方的岩栖无鳔石首鱼(王鱼,*Menticirrhus saxatilis*)。

Whitlam, Gough 惠特拉姆(1916-07-11,澳大利亚维多利亚基尤～) 澳大利亚政治家和律师,曾任该国总理(1972～1975),因政绩不佳被总督免职。惠特拉姆毕业于悉尼大学,1938年取得文学士学位,1946年取得法学士学位,1947年成为律师。1952～1978年任议员,1960～1967年为澳大利亚工党副领袖。1967年成为工党领袖。1972年担任澳大利亚总理后,取消了征兵制,放宽了对亚洲和非洲移民的入境限制,并许诺在外交方面采取更为独立于美国的政策。不过他的政府因行政失误和通货膨胀与失业加剧而困难重重,到1975年夏已失去为通过政府开支预算所需的议会支持。当惠特拉姆坚持拒绝举行新的选举以解决议会僵局时,英国任命的总督于1975年11月11日将其免职,任命了一个由反对党领导的看守政府。这是200年来英国王室第一次行使其罢免由选举产生的总理的权利。在随后的大选中,反对党自由党-国家乡村党联盟赢得了议会中创记录的绝大多数席位。惠特拉姆旋即辞去党的领袖职务。惠特拉姆于1978年退出在国家议会中的席位,从政治上引退,在堪培拉国立澳大利亚大学担任讲师,讲授政治学和国际关系。1983年被任命为澳大利亚驻联合国教科文组织大使。在其出版的众多著作中有:《改革之路:政府中的工党》(1975)、《工党论文集》(1980)及《联邦制的代价》(1983)。

Whitley Council 惠特利协议会 又称联合工业协议会(Joint Industrial Council)。在英国,由工人和管理人员代表组成,旨在促进建立更好的劳资关系。该组织是根据调查委员会主席(1916～1919)J. H. 惠特利的提议建立的,并以他的名字命名。最初是作为抵消工人罢工风潮的一种手段,后来发展成为工资谈判机构。惠特利协议会的原则也曾用于非工业生产领域。到1919年英国全体非工业部门文职人员成立了全国性惠特利协议会。

Whitlock, Elizabeth 惠特洛克(1761-04-02,英国沃灵顿～1836-02-27) 原名伊丽莎白·肯布尔。在英国和美国享有盛名的英国女演员。肯布尔戏剧家庭的第5个孩子,1783年就与其姐西登斯一起首次在特鲁里街剧院登台,扮演波希霞。她同剧院老板兼经理惠特洛克结婚,并同去美国,进行了一次成功的巡回演出。1807年回到伦敦特鲁里街剧院,受到热烈欢迎,但以后很少登台演出。

whitlow grass 瘭疽草 十字花科绮春属(*Erophila*)及葶苈属(*Draba*)植物的俗称,从前认为能治瘭疽,故名。或认为这些植物均应归入葶苈属。绮春属有10个欧洲种;葶苈属300种,广布于新大陆北温带、北极及山区。普通瘭疽草(春绮春,*E. verna*)是低矮的一年生植物;叶窄,莲座状簇生;花白色,成簇着生在无叶的花茎顶端;果矛状,有长柄;原产欧洲,已在北美北方归化,生于山区、沙地及岩壁上;有许多变种。黄瘭疽草(长生草样葶苈,*D. aizoides*)与前种相似,但花黄色。扭转瘭疽草(灰白瘭疽草、灰白毛葶苈,*D. incana*)及株型较小的挪威葶苈(*D. norvegica*)花茎有叶,花白色,花瓣内凹。上述诸种都是春季开花。

Whitman 惠特曼 美国马萨诸塞州东部普利茅斯县的镇。位于布罗克顿正东。约在1670年有人定居,建立南阿宾顿(或称利特尔康福特)镇,1875年并入阿宾顿和东布里奇沃特部分地区。1886年改现名以纪念杰出的公民惠特曼。当地工厂把邻近森林中的白栎树锯成方材,用于建造美国驱逐领舰《宪法号》(雅号为《老克伦威尔铁甲军》),于1797年下水,爱国者和手工艺人里维尔是居民霍巴特上校的艺徒,霍巴特是最早铸造火炮和教堂大钟的美国人之一。该镇现主要为住宅区,有混合型经济。面积18平方千米。人口13 882(2000)。

Whitman, Marcus 惠特曼(1802-09-04,美国纽约拉什维尔～1847-11-29,俄勒冈准州怀拉普[今在华盛顿州]) 美国医学家、公理会传教士、美国西北部沿太平洋地区的拓荒者。原在加拿大与纽约州行医,1835年自愿参加美国国外传教委员会工作。与另一传教士派克共同奉派前往由英美共管的俄勒冈地区,探讨开展传教活动的可能性。惠特曼在今沃拉沃拉以西10千米的怀拉普地方卡尤斯族印第安人中间建立传教点。教会帮助印第安人耕农灌溉、加工食品、修学校传授知识。为了当地土著居民的开化,他骑马赴波士顿教会总部和华盛顿,来回近1万千米,提意见请求支持。但基于天时不合、地利无益、人和未至,他的努力始终未见善果。再加上罗马天主教会的干扰,惠特曼感到卡尤斯族日益对他冷淡,决心迁离。此时麻疹流行,白人和印第安人儿童都未得免,惠特曼一视同仁地予以治疗,但白人儿童痊愈,印第安儿童多因毫无免疫力而死。印第安人怀疑惠特曼企图以巫术消灭印第安人,以便白人占领土地。1847年11月印第安人发动袭击,杀死包括惠特曼全家在内的14名白人,劫持53名妇女儿童。惠特曼的被杀,使美国注意到开拓西部的困难,促使俄勒冈领地法得以在1848年通过。此事也是延续到1850年的卡尤斯战争的导因。

Whitman, Sarah Helen Power 惠特曼(1803-01-19,美国罗得岛普罗维登斯～1878-06-27,普罗维登斯) 婚前名Sarah Helen Power。美国诗人和散文家,以写文学评论著称,与埃德加·爱伦·坡关系密切。年少时即喜读小说和诗歌,尤其是拜伦的诗。1828年嫁给波士顿作家和编辑J. W. 惠特曼。她的第一部诗集发表在《波士顿旁观者》上,笔名海伦。在波士顿结识了一些文人并接触到上帝一位论和先验论的知识精髓。对形而上学的思想和催眠术尤感兴趣。其诗作刊登在S. J. 黑尔的《女士杂志》及其他刊物上,并且以笔名埃格利开始发表论述各种问题的评论短文。1833年丈夫去世后,返回普罗维登斯。她继续写作和发表散文、诗歌,成为罗得岛的重要文人。1848年在纽约的《家庭周刊》上献给埃德加·爱伦·坡一首开玩笑的(并且是匿名的)情诗。坡了解到这些赞美之词出自何人后,写了一首诗《致海伦》作为答复。后来就发生了炙热浪漫的文人求爱,11月两人订婚。由于坡还有一些犹豫不定,同时惠特曼的母亲也进行干预,一个月后婚约解除。1851年在《纽约论坛报》上惠特曼发表了一系列论述唯灵论的文章,1853年出版了一部题为《生命时间》的诗作,以及其他几首诗。她对唯灵论深信不疑,甚至还举行降神会,并相信自己具有与神灵交流的能力。1860年她出版了《埃德加·坡及其评论家》,对R. W. 格里斯沃尔德和其他评论家的谩骂攻击予以学术性的答复。她还投身于妇女参政事业,曾任罗得岛选举权协会副主席。

Whitman, Walt 惠特曼(1819-05-31,美国纽约长岛韦斯特西尔斯～1892-03-26,新泽西

卡姆登） 美国诗人、记者和散文作家，其诗集《草叶集》是美国文学史的一个里程碑。出身于一木匠家庭。只受过5年初级教育，后学习印刷术。在布鲁克林和纽约市当过排

美国国会图书馆供图

字工人，在长岛当过乡村教师，后成为记者。23岁时成为纽约一家日报编辑，1846年成为《布鲁克林之鹰日报》的编辑。约于1850～1855年在纽约经营房地产。与此同时，他悉心观察纽约市和长岛的生活，看戏听音乐，并博览群书。

1855年自费出版《草叶集》，未标明出版社和作者名。虽然面世后赞誉者不多，却深得R.W.爱默生赞扬。惠特曼通过诗歌敦促美国公民要心胸开阔，争取成为政治上自由解放，身心同时发达的新民族。1856年出版《草叶集》第二版，对第一版进行修改，并增添一首新诗《日落诗》(即《一路摆过布鲁克林渡口》)。诗集中还收有他隐名写的评论。他形容自己是真正的"美国吟游诗人"，自称是个"粗人"。他宣扬肉体与性爱的美妙，声称他的诗歌风格新颖，充满活力，是一代诗人的先驱。《草叶集》第三版于1860年由波士顿一家公司出版，收有记录诗人生活中一场危机的组诗《菖蒲》，包括描述消耗诗人精力的强烈感情的《预感》，表现阴郁情绪的《海说的话》(即《永不休止地摆动着的摇篮里》)，也有富有早期诗歌风格的《民主之歌》、《亚当的子孙》等。1861年南北战争爆发后，其弟在腓特烈堡负伤，曾于1862年前往看望。后曾临时在华盛顿的军需部供职，利用业余时间访问伤病员。1865年先后发表《桴鼓集》及其续集。他不再像内战开始时那样满腔热情、慷慨激昂地歌颂年轻人参军入伍，而是写他认识战争真实情况后的困扰不安。《续集》中收有哀悼A.林肯总统的出色挽歌《最近紫丁香在庭院里开放的时候》。他对林肯之死极为震惊，同时对战争的野蛮极为憎恶。1867年发表的《草叶集》第四版有很大变动，除收入《桴鼓集》的诗外，还收有8首新诗，并删去几首旧作。1871年出版的杂文集《民主远景》表明南北战争对惠特曼的世界观有很大影响。在其中的《民主》一篇里，他认为美国正在成为一个毫无生气、庸俗、追求物质享受的社会。他认为社会需要精神上的提高，主张培养刚强的友谊和同志感，使腐朽的政府获得再生，使精神低落的人民重新振奋。他坚信只有文学艺术才能创造民主的社会。19世纪60年代后期，惠特曼的作品开始受到更多重视；1868年英国文人W.M.罗塞蒂编选出版了他的诗集的英国版，受到史文朋、叶芝等诗人与评论家的赞扬。同年发表《通向印度之路》，歌颂太平洋联合铁路和太平洋中央铁路在犹他州会合、苏伊士运河通航及铺设横贯大西洋的电缆。这首诗超越美国及健康长寿问题，开始涉及死亡及来世问题。1873年惠特曼因中风半身不遂。1876年纪念独立宣言一百周年时出版了他作品的两卷集，大受欢迎，使惠特曼十分振奋，病体逐渐恢复。1881年《草叶集》改由费城的里斯·韦尔什出版。至此，《草叶集》的内容形式基本固定。1888年重又半身不遂，同年发表《十一月的枝桠》，收有62首新诗及前言《回顾曾经走过的道路》。同年还出版了《诗歌散文全集》及《草叶集》第八版。第九版，即"作者认可版"于他去世的1892年出版。晚年在诗歌中越来越多地探索死亡问题，并日益赞叹乡村的优美和城市的繁杂。在《哥伦布的祈祷》中，他流露出死亡即将来临时的感情，但在《海上平静的日子》等诗歌里，他仍然生气盎然，充满活力。

惠特曼用日常生活的语言，从新的角度描写人的肉体、灵魂和宇宙之间的关系，把诗歌从当时的习俗中解放出来。他的诗歌超越传统的史诗，避免一般的美学形式，通过描写美国社会，使诗人及读者了解自身以及美国生活的本质。他去世时，在欧洲受到比在国内更高的推崇。其实，他最初不是作为诗人而是作为美国民主的象征而赢得赞誉。19世纪末叶，惠特曼的诗歌深受英国读者的欢迎，特别是诗人对普通人的深厚感情，受到各个时代的重视，因为他令人信服地证明"美国最重要的发展"在于精神方面的勇敢和顽强。他以文学或诗歌形式毫不掩饰地表现了"自己的个性"。他的作品也具有一定的普遍性。因此，惠特曼被认为是美国最伟大的诗人之一。

Whitney, Adeline Dutton Train　惠特尼(1824-09-15，美国马萨诸塞波士顿～1906-03-21，马萨诸塞米尔顿) 婚前名Adeline Dutton Train。美国作家，所写作品主要针对年轻人，反映出其家庭是美德之本的理念。惠特尼出身于一个殷实的商人家庭。1843年嫁给比她大20多岁的商人S.D.惠特尼。19世纪50年代后期开始发表作品。她的诗和文章定期登载在马萨诸塞州当地的报纸上，1859年出版第一部书《成人的鹅妈妈》，这是一部幽默和道德说教的诗集。少年读物《希夸塞特男孩》(1862)和《费丝·加特尼的少女时代》(1863)为她赢得了一批拥护她长达40年之久的忠实读者。在此期间惠特尼的基本主题一直没有改变：温暖舒适的家庭生活所带来的好处。其作品包括《盖沃思》(1865)和4部系列小说《莱斯莉·戈德思韦特生命中的夏天》(1866)、《姑娘们》(1870)、《真实的人们》(1871)以及《其他女孩》(1873)。此外还写了《见解与洞察力》(1876)和《猜单双游戏》(1880)等。她从不参与公共事务，也不赞成妇女参政运动。

Whitney, Anne　惠特尼(1821-09-02，美国马萨诸塞沃特敦～1915-01-23，马萨诸塞波士顿) 美国雕塑家，其真人等身和半身雕像经常引起废奴主义者和女权主义者的关注。19世纪50年代开始写诗和尝试雕刻。到1855年她已经可以制作半身像，1859年出版《诗集》，同年开始认真研究雕刻。1860年在纽约市举办的全国设计学院展上她送展了一个儿童半身像，1864和1865年她在波士顿和纽约两地展出了一件戈蒂瓦夫人等身雕塑和一个题为非洲的大型作品，通过一个英勇的女性人物探讨奴隶制的废除。在波士顿曾一度师从W.里默并于1867年前往罗马，在那里居住了4年。她的《罗马》(1869)是受到贫苦的罗马农民的激发而创作，先后在伦敦、波士顿和费城展出。返回美国之后，她展出了法国革命期间海地革命运动领导人图森-路维杜尔的雕像。在罗马，惠特尼结识了雕塑家H.霍斯默和E.刘易斯。她被委任制作S.亚当斯的雕像(这是马萨诸塞州捐献给美国国会大厦雕像馆的一部分)，这促使她1875年返回欧洲，在巴黎学习。1876年在波士顿建立工作室。在30多年的时间里，为一些著名的女权主义者(如A.F.帕尔默、L.斯道、M.A.利弗莫尔、F.威拉德和H.马蒂诺)和废奴主义者(如H.B.斯托和W.L.加里森)制作了半身像。她的其他作品有波士顿联邦林荫大道的L.埃里克松雕像(1887)和哈佛广场的C.萨姆纳雕像。1893年她在芝加哥的世界哥伦布博览会上展出了雕像《罗马》的更大的版本。

Whitney, Charlotte Anita　惠特尼(1867-07-07，美国加利福尼亚旧金山～1955-02-04，旧金山) 美国主张妇女参政者和政治激进分子，是美国共产党成立及其早期活动中的重要人物。律师之女，也是最高法院大法官S.J.菲尔德和金融家C.W.菲尔德的侄女。1889年毕业于韦尔斯利学院。1893年到纽约市科利奇街坊文教馆的一次参观活动使她转向社会工作，不久返回加利福尼亚在奥克兰的贫民区工作。1901～1906年是阿拉梅达县联合慈善团体理事会的秘书。她发起一个争取妇女选举权的运动，要求修改加利福尼亚州宪法，后来又加入俄勒冈、内华达和康涅狄格州的类似运动。同时，她还参与了世界国际工人组织的言论自由斗争。1914年参加社会党，5年后成立了共产主义工党(后称共产党)。1919年11月，在战后"红色恐怖"高潮期间，她在加利福尼亚城市联合会(她自该组织成立起就任主席)的奥克兰中心作了一次演讲之后被逮捕。惠特尼在一个事项上被判有罪，入狱1～14年。由于身体欠佳，她仅服刑11天，但她提出的无罪上诉却拖了近8年，直到1927年6月才得到州长的赦免。1924年作为共产党候选人竞选加利福尼亚州财务主管，获得10万张选票。1935年因散发激进宣传材料、未经许可擅自演讲、虚假证明共产党的选举申请书而被判有罪。1936年被任命为共产党的全国主席，1950年竞选美国参议院的加州代表席位未能成功。

Whitney, Eli　惠特尼(1765-12-08，马萨诸塞韦斯特伯勒～1825-01-08，美国康涅狄格纽黑文) 美国发明家、机械工程师、制造商，因发明轧棉机而著名，但最重要的还是他提

耶鲁大学美术陈列馆供图

出了大量生产互换零件的概念。他出身于农民家庭，1792 年毕业于耶鲁学院，到佐治亚州工作。他发现南部各州盛产绿籽短纤维棉，但籽和棉不易分离，难以利用，迫切需要一种分离设备。他制造出一种轧棉机，其构造极简单而十分有效。这种机器共有 4 个部件：①向机内供棉的棉斗；②装有大量短钩的滚筒，旋转时短钩把棉籽上的棉纤维钩下；③固定的胸架，可滤掉棉籽而放过挂在短钩上的棉纤维；④装在胸架后面的鬃毛滚筒，其旋转方向与钩筒相反，能擦掉钩上的棉纤维，并靠离心力将棉纤维抛出。这种轧棉机虽然取得专利，但因极易仿造，发明者并未获利，惠特尼改向其他方面发展。1797 年因美国有对法国开战的危险，政府急需步枪 4 万支，而当时的制造工艺陈旧，每支枪由一个工人承制全部零件并自己装配，因而生产缓慢，零件不能互换，无法满足要求。惠特尼冲破了这种传统工艺，先大量生产可以互换的零件，再装配成步枪，使得生产过程大大加速。但因交货期延迟而受到怀疑和攻击。后来，惠特尼当着 T. 杰斐逊总统和其他高级官员的面，实地表演从一大堆散装零件中装配步枪，才得到普遍的承认。这种先生产互换零件而后装配的方法，开辟了美国工业大量生产的新时代。惠特尼发明的轧棉机使南方植棉业迅速发展，成为繁荣的农业区；北方靠大量生产的优势，成为发达的工业区。在美国工农业发展的初期，惠特尼的发明起了决定性的作用。

Whitney, Gertrude Vanderbilt　惠特尼（1875-01-09，纽约～1942-04-18，纽约）　母家姓 Vanderbilt。美国雕刻家和艺术保护者，惠特尼美国艺术博物馆（在纽约市）的创立者。海军准将 C. 范德比尔特的曾孙女，出身于富有且具重要社会地位的家庭，父亲 C. 范德比尔特是一位金融家和艺术保护者。她于 21 岁时与金融家和运动员 H. P. 惠特尼（1872～1930）结婚。她自幼对绘画感兴趣，婚后不久在纽约市和巴黎投师系统学习雕刻。1907 年她在格林尼治村设置一个工作室，次年以雕刻《潘神》首次获奖。后来的著名创作有：为泛美大厦雕刻的《阿兹台克喷泉》（1912）和《提坦纪念碑》（1914～1931），二者皆在哥伦比亚特区华盛顿；《胜利门》（1918～1920）、《华盛顿高地战争纪念碑》（1921）和《彼得·斯特伊弗桑特纪念像》（1936～1939），均在纽约市；《圣纳泽尔纪念像》（1924）在法国圣纳泽尔；《哥伦布纪念碑》（1928～1933）在西班牙帕洛斯。她的所有作品都纯朴、直率，具有浓厚的传统风格。1929 年她认为美国的现代主义艺术家应该得到更广泛的承认，因而提出把她所收藏的约 500 件美国艺术家的作品全部捐献给大都会艺术博物馆，但遭到大都会艺术博物馆守旧的馆长的拒绝。于是，惠特尼便于次年筹划建立她自己的机构——惠特尼美国艺术博物馆。该馆于 1930 年创建，1931 年 11 月于格林尼治村开馆（1954 年迁至西 54 街，1966 年又迁至西 75 街和麦迪逊大街）。她还资助纽约市美国自然历史博物馆的惠特尼厅。

Whitney, John Hay　惠特尼（1904-08-17，美国缅因埃尔斯沃思～1982-02-08，纽约曼哈西特）　美国千万富翁和运动员，同时又是金融家、报刊发行人、慈善家和良种马饲养师。1924 年加入格林特里马球队，一直是一位活跃骑手，直到 1940 年该队解散。后来他在许多良种马饲养和比赛组织中担任领导角色。惠特尼投资于戏剧事业和最早摄制彩色影片的公司。1935 年参与成立塞尔兹尼克国际电影公司。由于他的努力，该公司在《乱世佳人》小说出版之前就获得它的拍摄权。1931 年纽约市现代艺术博物馆开馆，他就是它的财产受托人，后来他自己又开办了美国最好的美术馆。第二次世界大战爆发后，他与纳尔逊·洛克菲勒等人一道建立一个后来成为美洲事务协调人美国办事处的机构。1942 年参加美国空军在英国和地中海服役，后来在法国南部被纳粹分子捕获。他逃脱出来后，于 1945 年被授予军功章。同年任国务院公众与文化关系科和国际新闻署特别顾问。1956～1961 年任美国驻英国大使。第二次世界大战结束后，惠特尼在传播事业方面做生意，从许多报纸、电视台、无线电台和刊物获得股权。1958 年收买《纽约先驱论坛报》股权，1961～1966 年任该报社长兼总编辑。作为慈善家，他 1946 年设立惠特尼基金，每年捐款一百万美元。1970 年他给母校耶鲁大学捐资1 500万美元。

Whitney, Josiah Dwight　惠特尼（1819-11-23，美国马萨诸塞北安普敦～1896-08-19，新罕布什尔苏纳皮湖）　美国地质学家，以其对加利福尼亚州区域地质的研究成果而知名。1849～1854 年是独立开业的矿业顾问专家，1854 年任艾奥瓦州化学师和艾奥瓦大学矿物学教授。1860～1874 年为加利福尼亚州地质调查所成员，1865 年兼任哈佛大学教师，1868 年他开办哈佛矿业学院。1875～1896 年在哈佛大学任斯特吉斯-胡珀教席的地质学教授。在他领导的考察（1864）中发现了美国本土的最高峰，为向他致敬，命名为惠特尼峰（4 418 米）。著有《美国的金属资源》（1854）、《加利福尼亚州内华达山脉的含金砾石》（1880）和《晚近地质时期的气候变化》（1882）。

Whitney, Mary Watson　惠特尼（1847-09-11，美国马萨诸塞沃尔瑟姆～1921-01-20，沃尔瑟姆）　美国天文学家，建成美国最佳天文研究项目之一的瓦萨学院的天文研究项目。1863 年从公立高中毕业，1865 年凭免修资格进入纽约州的瓦萨学院，随即受到天文学家 M. 米切尔的影响。1869～1870 年，应邀参加了 B. 皮尔斯在哈佛开办的四元数课程以及他的天体力学私人课程。1872 年，瓦萨学院授予她硕士学位。1888 年，接替米切尔担任该学院天文台的天文学教授和主任。惠特尼证明了自己是一位受欢迎的好老师。她决心要证明妇女在科学领域能够与男性一样出色地工作，并为此在瓦萨学院创立了一项雄心勃勃的研究计划，集中进行双星、变星、小行星和彗星研究及感光片精确测量。经过这种训练，她的学生得以在全国各地的天文台获得专业职位。1899 年，成为美国天文学会的创始会员。1910 年因健康原因退休。

Whitney, Mount　惠特尼山　美国本土48州的最高点。海拔4 418米。属内华达山脉，在加利福尼亚州东部。1873 年 A. H. 约翰逊等首先攀登山巅。峰顶为缓坡平台，尚未因冲蚀出现沟壑。山坡上有雪崩槽道和花岗岩块。无冰川。西有克恩河峡谷，东有欧文斯河谷。

Whitney, Phyllis Ayame　惠特尼（1903-09-09，日本横滨～2008-02-08，美国弗吉尼亚费伯）　美国作家。父亲在日本经商，她在亚洲长大。父亲去世后，15 岁时随母亲搬回美国。1928 年她把自己的第一部短篇小说售出，在以后几年里投稿给一些杂志和教会出版物。1942～1946 年在芝加哥《太阳报》少儿版任编辑，1947～1948 年在《费城咨询者》任编辑，1945 年在伊利诺伊州西北大学、1947～1958 年在纽约大学，教授少儿小说写作课。是多产和长期受欢迎的作家，她既写儿童读物也写成人作品，作品经常再版。为青少年创作的作品主要是与成长和探险有关的描述。1941 年出版第一部小说《安的家》，后期作品包括《威洛·希尔》（1947）、《琳达回家》（1950）以及《石面人的秘密》（1977）。《鬼池探秘》（1960）和《隐形手探秘》（1963）两部小说曾获美国推理小说作家协会的埃德加·爱伦·坡奖。她的成人作品在很大程度上将爱情与离奇的情节结合起来。在为成年读者写的大约 30 部书中包括《祖母绿》（1983）、《兰花之梦》（1985）和《黑天鹅》（1992）。她的《小说写作指南》出版于 1982 年。1975 年当选美国推理小说协会主席，1988 年获终身成就大师奖。1990 年获颁阿加莎奖和丽塔奖。

Whitney, William C(ollins)　惠特尼（1841-07-05，美国马萨诸塞康韦～1904-02-02，纽约市）　美国海军部长，在南北战争后重建海军中起过重要作用。1865 年在纽约市当律师，并积极参与当地民主党的活动。他反对坦曼尼协会，他和 S. J. 蒂尔登一道打倒了腐败的政界大亨 W. M. 特威德。1875～1882 年任纽约市政当局法律顾问。1884 年他促成民主党对 G. 克利夫兰的总统提名。克利夫兰就职后任命他为海军部长（1885～1889）。美国海军在南北战争后不被重视。在他领导下，用于海军的拨款增加一倍多。他实施庞大的舰艇建造工程，建成了“缅因”号主力舰和其他舰只。克利夫兰失败后，他回到纽约，主持城市公共运输公司，创建高速交通系统，并继续积极参加民主党的活动。

Whitney, William Dwight 惠特尼(1827-02-09,马萨诸塞北安普敦～1894-06-07,康涅狄格纽黑文) 美国语言学家,当时最杰出的梵语学者之一,尤以其经典著作《梵语语法》(1879)著名。主编6卷本《世纪辞典:英语百科辞典》(1889～1891),该辞典是美国最好的综合性百科辞典。担任耶鲁大学梵文教授(1854～1894)和比较语言学教授(1869～1894)期间,进行广泛的研究并出版许多著作,其中包括《吠陀》的校订和翻译。还为伯特林克和罗特所编《梵语大辞典》撰稿。担任韦氏辞典1864年版主编时,写有《语言的生命和发展》(1875;1977再版)、《英语语法纲要》(1877)和《论马克斯·缪勒与语言科学》(1892)。M.希尔维斯廷所编《惠特尼选集》出版于1971年。

Whitney, Willis Rodney 惠特尼(1868-08-22,美国纽约詹姆斯敦～1958-01-09,纽约斯克内克塔迪) 美国化学家,通用电气公司研究实验室的创建人,领导该室电气工艺方面的开创性工作,并在制订美国工业实验室科研标准中取得成就。惠特尼曾在设于剑桥的麻省理工学院就读,1896年获莱比锡大学哲学博士学位。参加通用电气公司后,在纽约州斯克内克塔迪建立了研究实验室(1900)并任该室主任(1900～1928),后来任主管研究工作的副董事长(1928～1941)。1902年发现用敷金属的炭丝制作白炽灯可使亮度比原来的灯丝增加25%,他所指导的研究还导致了现代电灯泡的发展和电子管的改进。他发展了腐蚀的电化学理论,在腐蚀反应的分析中得到广泛应用。

Whitney Museum of American Art 惠特尼美国艺术博物馆 位于纽约市,主要收藏20世纪的美国艺术品,包括绘画、雕刻和版画。1930年由雕刻家G.V.惠特尼创立。该馆所藏A.考尔德和E.霍珀的作品甚丰,可称世界之最。

Whitstable 惠特斯特布尔 英格兰东南部肯特行政、历史郡坎特伯雷市一城镇。濒临泰晤士河口湾。从罗马时代起就以产牡蛎闻名。现已发展成为海滨胜地和住宅城镇。人口28 907(1991)。

Whitsunday(Christian festival) **白色主日** 参阅 **Pentecost 圣灵降临节**。

Whitsunday Island 惠森迪岛 坎伯兰群岛的最大岛屿。距澳大利亚昆士兰州东北岸10千米。位于珊瑚海。属大陆岛。面积98平方千米。在珊瑚构造大堡礁和惠森迪水道之间。岛上森林茂盛,曾有伐木业。现为国家公园和游览地。可从大陆乘游艇至该岛。于1770年圣灵降临节(Whitsunday)为英国航海家J.库克海军上校发现,故名。

Whittaker, Charles E(vans) 惠特克(1901-02-22,美国堪萨斯特洛伊附近～1973-11-26,密苏里堪萨斯城) 美国最高法院大法官(1957～1962)。1923年获得律师资格。1930年加入堪萨斯城的一个法律事务所,在其中专门从事公司法方面的业务。1954年被任命为密苏里西部的联邦法官,1956年被任命为第8巡回区的美国上诉法院法官。次年被任命为美国最高法院大法官。他在最高法院任职5年,没有写过重大的判决意见。人们记起他是因为他在一些判决中曾投了决定性的一票,这些判决有很多在他任职期间或在他刚刚退职之后即被撤销。1962年辞职后重操律师业。

Whittaker, Sir Edmund Taylor 惠特克(1873-10-24,英国兰开夏郡绍斯波特～1956-03-24,爱丁堡) 英国数学家。对在数学物理中特别重要的**特殊函数**(**special functions**)的研究有开拓性的贡献。1896年是剑桥大学三一学院的研究员。1905年被选为英国皇家学会会员,次年任都柏林大学天文学教授和爱尔兰的皇家天文学家。1912年起直到1946年退休,任爱丁堡大学数学教授。不仅在数学上,而且在科学史方面也很出色。对数学的大量贡献是在数学物理和动力学问题上,对微分方程和函数的研究也有巨大影响。他的《现代分析教程》(1902,第2版1915)推进了复变函数及其展开和特殊函数以及与之相关的微分方程的研究。1902年发现**拉普拉斯方程**(**Laplace's equation**)的一般解法,次年创造了合流超几何函数,对这种函数已经发现有许多用途,并有大量论文。1910年写了《从笛卡儿时代到19世纪末的以太和电学学说史》,1953年又扩写了20世纪的头25年,表现出他的数学思想中的哲学深度。他在相对论带来物理学革命的前夕,出版了《论质点和刚体的解析动力学,附三体问题引论》(1904),是对经典动力学的划时代的总结。在相对论的弯曲空间对电磁现象的影响方面,也做了开创性的研究。

Whittelsey, Abigail Goodrich 惠特尔西(1788-11-29,美国康涅狄格里奇菲尔德～1858-07-16,康涅狄格科尔切斯特) 婚前名Abigail Goodrich。美国编辑,她在杂志中的工作主要是提供有关母亲角色的信息和教诲。神职人员之女,是S.G.古德里奇(后以笔名彼得·帕利闻名,写过几十部儿童读物)的姐姐。在当地学校接受过一些正规教育。1808年嫁给了S.惠特尔西,1824～1828年二人居住在纽约州卡南代瓜,她在那里担任安大略女子神学院的女总管,丈夫任院长。1828年他们移居到纽约州的尤蒂卡,在那里建起了自己的女子神学院。惠特尔西活跃于尤蒂卡的母亲联合会,并被选为该组织的新刊物《母亲杂志》的编辑,1833年1月首次出版。该杂志的目的是宣传母亲的责任和潜在能力,很快就获得了成功。1834年该刊物随惠特尔西转到纽约市,她继续编辑该杂志到1849年(1847～1848年曾一度离任)。该杂志的发行量在1837年达到1万份。1842年丈夫去世后,惠特尔西得到了表兄D.米德教士的帮助。1848年在一位新的所有人把《母亲杂志》与它的竞争刊物《母亲周刊》和《家庭来客》合并之后不久,她便辞职了。1850年创办《惠特尔西夫人的母亲杂志》,在儿子的帮助下该杂志发行了两年。

Whitten Brown, Sir Arthur(aviator) 参阅 **Brown, Sir Arthur Whitten 布朗**。

Whittier 惠蒂尔 美国加利福尼亚州南部洛杉矶县城市。位于蓬特丘陵脚下。1887年创建。1898年设市。原为农业和柑橘种植中心。后并入洛杉矶都会区。设有惠蒂尔学院(1901,R.尼克松总统的母校)和里奥洪多学院(1960)。人口约83 680(2000)。

Whittier, John Greenleaf 惠蒂埃(1807-12-17,美国马萨诸塞黑弗里尔附近～1892-09-07,马萨诸塞汉普顿福尔斯) 美国作家和废奴主义者。他的性格和影响部分表现在他的

供图:Donald P. Wright

传记的标题和副题,如:《贵格会斗士》、《自由诗人》、《人之友》。后半生与朗费罗一道在英美两国享有家喻户晓的声誉。祖辈是清教徒和基督教公谊宗教徒。仅在乡村学校受过有限的正规教育及在黑弗里尔学校读过两个学期。早年热爱彭斯、拜伦和司各特的作品,后来也喜欢斯宾塞、莎士比亚、弥尔顿和马韦尔;华兹华斯、柯尔律治和兰姆则一直是他最喜爱的诗人与作家。他最崇拜的是弥尔顿,追求仿效其自由使徒和正当生活鼓励者的角色。在废奴主义者W.L.加里森鼓励下热情地大量写作。后来听从父亲劝告把写诗作为职业不切实际,遂转向报界。在波士顿和黑弗里尔编辑报纸,1830年成为在康涅狄格州哈特福德的新英格兰辉格党最重要刊物——《新英格兰每周评论》——主编。还写诗、特写和关于新英格兰的故事,并出版第1本诗集《新英格兰的传说》(1831)。1832年辞职回黑弗里尔。此时恋爱又因宗教信仰分歧而破裂,从此终身不娶,不久就奉行加里森的废奴主义。他激昂的小册子《正义和权术》使他成为废奴运动的杰出人物并在长达10年之间也许是该运动最有影响的作家。1843年与加里森断绝关系,但仍支持反对奴隶制的候选人和各项改革。同时他在文学方面更加活跃。1843年在洛威尔新创办的杂志《先锋》上,刊登了他与作家霍桑和坡的作品;他还出版了《家乡民谣》。嗣后20年又出版8本诗集,其中有:《劳工之歌》(1850)、《莫德·马勒》(1854)、《赤脚男孩》(1855)和《巴尔巴拉·弗里彻》(1863)。他的大部分散文和一部小说《玛格丽特·史密斯日记片段》(1849)在这个时期出版。他还写有许多短文和评论。1866年他的最著名诗篇《大雪

封门》出版后，接着陆续出了其他几部成功之作：《海滩上的帐篷》(1867)、《群山之中》(1868)和《宾夕法尼亚初期移民》(1872)。惠蒂尔一生大部分时间清贫，《大雪封门》出版才获得1万美元，但死时留下13.4万美元的遗产分别赠予亲戚、朋友和慈善事业。他是有名的"波士顿星期六俱乐部"的成员。他的70岁和80岁生日成为文学界的大事。

Whittington, Dick　惠廷顿(？～1423-03，伦敦)　英格兰商人，伦敦市长，传说和传统童话剧中的著名人物。格洛斯特郡一骑士之子。他在伦敦开布店，向亨利·博林布鲁克

不列颠博物馆供图

(后来的亨利四世)等显要人物供应丝绒和锦缎。后来参与市政，1397～1399、1406～1407和1419～1420年曾3度任伦敦市长。到1400年已成巨富，并在商界享有盛誉。他曾借给亨利四世和亨利五世大批金钱，死后将其巨大的财产赠送慈善和公益事业。在民间传说中，他原为贫穷的孤儿，在伦敦富商的厨房里当帮工，他冒险把自己唯一的财产一只猫放到主人的商船上出售。后来由于厨师的虐待，他逃跑了。可是，刚刚跑到城外，就听到一阵预言似的钟声，好像在说："回去吧，大伦敦市长惠廷顿！"他回去以后，发现他的猫已被一个摩尔人国王高价买去，因为这位统治者的领地正闹鼠灾。惠廷顿与主人的女儿结婚，继承了生意。最早提及这一传说的记载见于1605年。

Whittle, Sir Frank　惠特尔(1907-06-01，英国沃里克郡考文垂～　)　英国发明家和飞行员，制造了英国第一台喷气推进装置。技工之子。以童子军加入英国皇家空军，很快在皇家空军学院取得驾驶员资格，1928年

供图：Camera Press

被编入战斗机中队。曾任飞行教官。1931～1932年在费利克斯托海军飞机试验机构任试飞员，后来在皇家空军工程学校和剑桥大学进修。1930年他研制的燃气涡轮机取得专利。1936年合作创办喷气发动机公司。1937年起列入皇家空军特殊任务人员名单，为喷气发动机公司进行飞机喷气推进用的燃气涡轮机的研制工作。他发明的喷气发动机(早在1937年就作好试验准备的第一台样机)安装在一架特制的E28/39型格洛斯特机身上，于1941年5月15日首飞，到1944年供皇家空军使用。30年代英国政府对研制工作支持甚少，使惠特尔发动机的研制工作推迟到战争爆发。1946年任供给部技术顾问，1948年以空军准将军衔从皇家空军退役，同年封爵。英国政府为其颁发10万英镑免税奖金，以补偿早期忽视其研制工作的过失。1977年任美国海军军官学校研究教授。1953年出版了《喷气机：开拓者的故事》。

Whittredge, (Thomas) Worthington　惠特里奇(1820-05-22，美国俄亥俄斯普林菲尔德～1910-02-25，纽约萨米特)　美国浪漫主义的*哈得孙河画派*(**Hudson River school**)风景画家。在T.科尔和A.B.杜兰德作品的影响下开始绘风景画。1865年他沿落基山脉旅

惠特里奇绘《鲑鱼池》
纽约大都会艺术博物馆供图

行，创作了壮观的巨幅油画《横渡普拉特河》(1870)。其代表作有富于诗意的描绘森林深处的作品《鲑鱼池》、《野营大会》等。他不单纯为风景而画风景，而是选择喜爱之地，使作品饶有个人特色。

Whitworth, Sir Joseph, BARONET　惠特沃思(1803-12-21，英国柴郡斯托克波特～1887-01-22，蒙特卡洛)　英国机械工程师和有国际声誉的机床制造家。曾在曼彻斯特几个机械制造厂当机械工，1825年到伦敦。在莫兹利公司工作时，为了制造精确平面，他发明了刮削技术。1833年回到曼彻斯特，自己开办机床制造厂。1840～1850年，他制造了一台独创的量具测准机，并附有一套有精密尺寸的标准规。他对普通螺钉也不忽略，1841年伍利奇兵工厂采用了他的标准螺纹。到1851年，他生产的机床已成为国际闻名的精密优质产品。他曾展出他的螺纹车床、刨床、钻床、插床、牛头刨床等，还有精度达百万分之一的量具测准机。1866年他的工厂已有雇员700人，机床600台。他在军械方面也起了先

伦敦科学博物馆供图

驱作用，发明了浇铸韧钢以代替易断裂的硬钢。他资助欧文斯学院设立工程学讲座和实验室。1868年又设置惠特沃思奖学金，每年拨款3 000镑。1869年受封为从男爵。

Whitworth, Kathy　惠特沃思(1939-09-27，美国得克萨斯莫纳汉斯～　)　全名Kathrynne Ann Whitworth。美国运动员，最优秀的女子职业高尔夫选手之一。在新墨西哥的贾尔长大，15岁开始打高尔夫球。1957年高中毕业后，在得克萨斯州敖德萨专科学校上了一个学期。1958年成为职业选手，4年后在女子职业高尔夫协会锦标赛上获得首次胜利。作为一个出色的轻击者，她还以强有力的发球著称，1963～1973年一直是冠军。1963年赢得8场锦标赛。1965～1968和1970～1973年期间，她是女子职业高尔夫协会赚钱最多的选手。她7次得到女子职业高尔夫协会最佳球员称号(1966～1969，1971～1973)，并获选美联社1965和1966年评出的最佳女运动员称号。1969年超过M.赖特成为女子职业高尔夫协会赚钱最多的选手，1981年成为首位一生赚钱超过百万美元的高尔夫女选手。在女子职业高尔夫协会巡回赛中(1965～1967，1969～1972)因平均进球数7次获得瓦雷杯，赢得除美国高尔夫公开赛之外的全部重大比赛。她在美国巡回赛总共赢得88场比赛，是男子和女子记录中最高的。1967、1968和1971年曾任女子职业高尔夫协会主席；在任期间她采取措施增强女子巡回赛的商业吸引力并因此增加了运动员的收入。1975年入选女子职业高尔夫协会名人堂，1984年入选国际女子体育运动名人堂。

WHO　参阅**World Health Organization***世界卫生组织*。

Whole Booke of Psalmes, The　《全译本海湾圣诗》　参阅**Bay Psalm Book***《海湾圣诗》*。

whole-tone scale　全音音阶　音乐术语，指相邻两音为全音的音阶，与半音音阶(相邻两音间隔均为半音)及自然音阶(相邻两音间隔为全音及半音的混合)不同。在西方艺术音乐中，它的应用与19世纪末功能和声的衰落有密切联系。由于它不受与半音(尤其在自然音阶中)有关的传统和声的限制，某些作曲

家，如德彪西等，很喜欢用这种音阶。这些作曲家力求在音乐中表现相对静止的印象或情绪，而不要大力度的过程或事件。

wholesale price index　批发价格指数　衡量制造厂商和批发商售价变动的指标。批发价格指数是用来在一选择阶段或货物达到零售阶段以前衡量商品价格变化的标准；其价格可以是制造商售给批发商的价格或批发商售给零售商或其他经销商的价格或其综合。最早的批发价格指数在英国于1886年产生。其后美国议会在1893年也公布了批发价格指数。价格指数中包括的商品数目及其特征因国家不同而异。英美多至上千种，大多数国家只有100或200种。批发价格指数原作为表示一般价格水平动向的指标而提出，后来为此目的其他类似指数如消费价格指数等也被提出。但就业务和分析目的而言，批发价格指数及其各种分指数仍十分重要。编制指数的价格数据通常来自商号，有时来自贸易新闻及贸易协会，甚至政府的采购人。商品在总量中的比重须加权处理，其根据是相对的销售数量。来自生产统计的数据，在可以获得时亦可作加权之用。

wholesaling　批发　对零买顾客以外的任何人销售商品都叫批发。批发时，商品可以卖给零售商、批发商或用以从事营业（而不是个人消费）的企业。批发通常（但并非必然）是大量销售，而且其价格几乎总是明显地低于平均零售价格。自19世纪实行大规模生产和大规模销售后，批发便特别有用。如没有批发组织，大制造商就不得不以高价同众多的零售商或顾客进行交易，而零售商或顾客也不得不极不方便地同许多制造商做买卖。批发商有三种主要类型：①商业批发商；②制造商的销售分支机构；③商品代理人和经纪人。其中，最重要的是商业批发商。他们从制造商那里买进大量商品，进行加工和储存，并将商品转售给零售商和其他人。制造商的销售分支机构是制造商直接向零售商销售而建立起来的商号。它们都是经常更换产品的大公司所建立的，这对公司迅速而准确地获得销售情报和改进意见特别有价值。商品代理人和经纪人常代表几家制造商向众多的零售商销售非相互竞争的商品。商品代理人和经纪人与商业批发商及制造商的销售分支机构不同，他们并不添加标记于其所经营的商品之上，只是将其所代理的制造商的商品陈列销售。

whooping cough　百日咳　又作pertussis。具有高度传染性的急性呼吸道传染病。多见于儿童，遍布全球。典型表现为发作性咳嗽，继之以深长的吸气（吼声），发作终了时排出清亮的黏痰，并常伴有呕吐。1578年首次出现对此病的充分描述，但在这以前，本病肯定早已存在。1906年，比利时细菌学家J.博尔德及法国细菌学家奥克塔夫-让古在巴斯德研究所分离到本病的致病菌，最初称为博尔德-让古氏杆菌，后称百日咳嗜血杆菌，最后定名百日咳博尔德氏杆菌。潜伏期一周，以后出现卡他症状，类似普通感冒，伴有短促的干咳，夜间较重（卡他期）。1～2周后，进入具特征性的发作期，持续时间不定，通常为4～6周。严重的并发症包括支气管肺炎、窒息发作，偶致惊厥及脑损害。6岁以下的儿童可接种百日咳菌苗，以产生自动免疫；最好联合使用破伤风及白喉类毒素，亦常与脊髓灰质炎疫苗混合接种。通常于婴儿期的头3个月内首次接种，18个月时应给予一次百日咳菌苗的加强剂量，此后就不再普遍接种，因为较大儿童的接种反应比较严重。给年长儿童接种在任何情况下均被认为是多余的，因为年长儿童，尤其那些在婴儿期曾进行预防接种者即使发病，病情也较轻。治疗包括多次少量地哺喂，以补充因呕吐而丢失的营养；给予镇静药以保证休息和睡眠；有时需使用吸引器吸出黏稠的痰液，使呼吸通畅。抗生素对百日咳杆菌几乎无效，但可用于治疗继发感染。

whooping crane（*Grus americana*）　**高鸣鹤**　即美洲鹤。鹤科鸟类。最高的美洲鸟，也是世界稀禽之一。正式列为濒危种。美国内政部渔猎和野生动物局正在繁殖笼养高鸣鹤，

高鸣鹤（*Grus americana*）
供图：H. William Belknap

试图增加其数量（21世纪初仅余近300只野生高鸣鹤）。体高约150厘米，翅展约210厘米。体羽白色，翅尖黑色。腿黑色。裸露的面部和头顶红色。其高声鸣叫在两英里外都能听到。据信，若干时间以来高鸣鹤之类鸟类的数量之所以下降，主要原因是生态条件的改变，人类的捕猎及垦荒只是部分原因。高鸣鹤又好集群，因此易受不利环境条件的影响，幼雏死亡率高，因此种群恢复极慢。

Whorf, Benjamin Lee　沃夫（1897-04-24，美国马萨诸塞温思罗普～1941-07-26，康涅狄格韦瑟斯菲尔德）　美国语言学家，是一位享有盛名的学者，曾提出关于语言同思维和认识的关系的假说，其研究领域包括希伯来语和希伯来思想、墨西哥和马雅诸语言及诸方言、以及霍皮语等。在耶鲁大学受萨丕尔影响，得出文化和语言具有等价关系的概念，其后以"沃夫假说"或"萨丕尔-沃夫假说"而著称。沃夫认为语言结构决定操该语言者的思维方式，从而不同的语言结构导致操各该语言者以不同方式观察世界。这个假说前曾于18世纪由德国学者J.赫尔德和W.洪堡最先提出，第二次世界大战以前被美国的萨丕尔所采纳，到20世纪40年代又由沃夫所发扬。沃夫对此假说所作的系统论述及其所列例证极为引人关注。他根据对美洲印第安诸语言的研究与实际考察，举例说明一个民族观察时间及其准确程度的方式可能受所操语言动词时态类型的影响。沃夫结论认为，各种思想概念之表达是某一特殊语法的一部分，并因语法不同而表达各异；或此种表达方式至少要受语法之制约。沃夫的这一理论与其相反的论点即文化决定语言之说一直争论未休。参阅 **ethnolinguistics**。

whortleberry　参阅 **bilberry** 欧洲越橘。

Who's Who　名人录　记录在某一方面有成就或者因官职或社会地位而知名的、在世的人物传记词典。大多由本人提供资料数据。除最主要的传记资料外，条目中还包括直系家属姓名、本人在教育、商业、军事上的主要经历、私寓和公务地址。头一本名人录是1849年伦敦出版的一本只按头衔分类，列举姓名而无小传的手册。1899年改为传记词典形式，内容主要收英国人士。以后逐年出增订版。《美国名人录》1899年首次在芝加哥出版，每两年彻底修订增补一次。自1974年后开始列入一些其他国家的知名人士和驻联合国代表，并增出《国际名人录》。近年来还有世界各国的《名人录》以及某一专业领域（如科学界、银行界、政界等）的名人录出版。

Whyalla　怀阿拉　澳大利亚南澳大利亚州东南部港口城市。在艾尔半岛东岸。建于1901年。1961年设市。现出口铁矿砂和钢。市内有高炉冶炼、钢铁、重型机械等工厂。地处干旱地区，于1944年完成墨累河引水工程，引水管道长359千米。1966年完成复线管道工程。人口29 962（1981）。

Whydah（Benin）　参阅 **Ouidah** 维达。

whydah　维达鸟　又拼whidah，wydah；又称widowbird（寡妇鸟）。数种具深色长尾的非洲鸟的统称。其尾令人想到葬礼面纱。属于雀形目织布鸟科（Ploceidae）的维达鸟亚科（Viduinae）和织布鸟亚科（Ploceinae）。因常见于贝宁的维达镇，故名。维达鸟亚科维达鸟属（*Vidua*）的种类可能有8或9种，包括某些学者划归 *Steganura* 属、*Hypochera* 属或 *Tetraenura* 属的种类。维达鸟为巢寄生性鸟类，将卵产于特定的织布雀的巢内由其孵育。雄鸟主要呈黑色，4根中尾羽极长。体长约10～13厘米。常见种类是针尾维达鸟（*Vidua macroura*）、箭尾维达鸟（*V. regia*）和宽尾天堂维达鸟（*V. orientalis*，可能是天堂维达鸟[*V. paradisaea*]的一个亚种）。织布鸟亚科的雄维达鸟与维达鸟亚科相似。如黑维达鸟（*Coliuspasser ardens*）在东非称红领维达鸟。杰克逊氏维达鸟（*C. jacksoni*，有时划为 *Drepanoplectes* 属）的雄鸟在交配季节为自己清除一块舞蹈场地，在中间留一束高大的青草，供雌鸟来访，行为与园林鸟相似。织布鸟亚科的维达

鸟是非寄生性的。因为其行为似主教鸟(**bishop**),有些人把它们包括在寡妇鸟属(*Euplectes*)内。

Whymper, Edward　怀伯尔(1840-04-27,伦敦～1911-09-16,法国沙莫尼)　英国登山运动员、艺术家。曾参加阿尔卑斯山探险活动,是第一个登上4 478米高的马特峰的人。1860年被派往瑞士为一本介绍阿尔卑斯山的书画素描,此后成为登山运动员。1861年登上西阿尔卑斯山脉的佩尔武山。1864年登上莱塞克雷斯山。1865年7月第八次试攀马特峰,从瑞士一侧登顶成功。在下山过程中,有一人滑落,将另外3人拖下悬崖,共4人死亡,怀伯尔与2名向导因绳索折断而幸免于难。1867和1872年到格陵兰,本想横越那里的冰盖,因代价过高而未成。1880年两次登上厄瓜多尔的钦博拉索山,并在经常爆发的世界上最高的活火山科托帕希峰(5 897米)停留一夜。

供图:BBC Hulton Picture Library

Wiak Island(Indonesia)　**韦亚克岛**　参阅 **Biak Island** 比亚克岛。

Wiart, Henri(-Victor), Comte Carton de　维亚尔　参阅 **Carton de Wiart, Henri(-Victor), Comte** 卡尔东·德维亚尔伯爵。

Wibert OF RAVENNA (pope)　**威伯特(拉文纳的)**　参阅 **Clement(Ⅲ)** 克雷芒(三世)。

Wicca　巫术崇拜　现代西方盛行的运动,其追随者表演巫术和自然崇拜,并认为巫术崇拜是一种基于北欧和西欧前基督教传统的宗教。该运动在20世纪50年代风行英格兰,随后吸引了欧洲和美国的追随者。现代巫术崇拜通常被认为始自退休的英国公务员G.B.加德纳(1884～1964)。加德纳大部分时间在亚洲工作,逐渐熟悉了各种神秘的信仰和巫术般的习俗。他还广泛阅读西方秘籍,包括英国术士A.克劳利的著作。第二次世界大战爆发前不久回到英国,加德纳加入了英国的秘密社团并开始了一个新的以崇敬自然、练习巫术、崇拜女神和许多其他相关神鬛的运动。1951年英国古老的巫术法律废止之后,加德纳出版《今日巫术》(1954)一书,并创办了他的第一个女巫团,形成了现在所称的巫术崇拜。该运动在20世纪60年代末很快传到美国。女巫团的理想成员是10～15人,新人加入要有入会仪式,有时与一个女巫团组织结盟。女巫团成员精通巫术并熟悉礼仪后,他们就通过了入门仪式的两道关,对于那些想成为祭司的人还有第三关。绝大部分信仰者信仰女神,尊敬自然,持多神信仰和泛神论的观点。到20世纪80年代在西欧和北美估计有5万名巫术崇拜人员。当地还出现了一些新的巫术崇拜组织,称作新异教徒运动。进入21世纪,信奉巫术崇拜和新异教徒运动的人员在英语国家和北欧、西欧都可以找到。

Wichita　威奇托人　北美印第安民族,操卡多语,在其早期历史阶段,生活于今堪萨斯州阿肯色河附近。16世纪中期,他们曾与西班牙人相遇,成为大平原印第安人中接触基督教最早的一个部落。威奇托人和卡多人一样,也以农业为生,种植玉米、南瓜、烟草,也猎捕野牛。他们居住在圆锥形集体住房内,住房用木柱、茅草顶构成,颇似大草堆;出猎时住兽皮圆锥帐篷。他们比其他大多数平原印第安人都喜欢文身,有“文身民族”之称。他们常举行一种仪式舞蹈,颇似东南诸部落的嫩玉米节。1780年约有3 200人;1867年被安置在俄克拉何马州一居留地;20世纪末,仅剩约500人。

俄克拉何马州的威奇托人圆锥形集体住房
美国史密森学会供图

Wichita　威奇托　美国堪萨斯州中南部城市,塞奇威克县县城。位于阿肯色河畔。1864年始建为商站。后发展为牲畜贸易中心和农业区。1871年设市。现主要经济活动有飞机制造、石油炼制、谷物加工和贮藏、牲畜贸易等。设有公谊大学(1898)、贝里恩基督教学院(1930)、堪萨斯纽曼学院和威奇托州立大学(1895)。附近有麦康奈尔空军基地。市西的大陆中部飞机场是国际飞农组织总部。重建的考镇是19世纪70年代威奇托镇的复制品。人口:市344 284;威奇托都会统计区545 220(2000)。

Wichita Falls　威奇托福尔斯　美国得克萨斯州北部城市,威奇托县县城(1882)。位于雷德河谷,东南距沃斯堡185千米。1876年建。1882年铁路抵达后成为牲畜贸易中心。1889年设建制。20世纪当地发现油田和天然气,发展了石油工业。以周围灌溉地区为基础的农业仍为经济重要组成部分。制造业产品有玻璃纤维、服装和电子元件等。设有州立中西部大学。人口:市104 197;威奇托福尔斯都会统计区140 518(2000)。

Wichita orogeny　维奇托造山运动　美国俄克拉何马州西部和得克萨斯州北部的维奇托-阿巴卡尔山系南部发生块状断层的时期。这次隆起的时间定在从晚石炭世(以前叫宾夕法尼亚纪,从3.2亿年前至2.86亿年前)开始。科罗拉多州东部和新墨西哥州北部的阿皮沙帕岭大隆起是与维奇托造山运动年代相近的,可能就是后者的一部分。

Wick　威克　苏格兰高地行政区渔港和敕准自治市(1589)。属凯斯内斯历史郡。早期为斯堪的纳维亚人在北海的拓居地,后发展成为渔港和渔业中心。现有轻工制造业。当地凯斯内斯吹制玻璃器皿厂,每年吸引数千人前往参观。威克机场与南部大城市有航班来往。人口7 681(1991)。

wick　灯心　通过毛细作用吸引灯油或烛蜡进行燃烧的线、细绳或纤维束。大约公元前1000年,古人就在盛橄榄油或坚果油的浅碟内用植物纤维做的灯心来照明。约公元前500～前400年,这种灯心已经普及到一般家庭。参阅 **lamp**。

wickerwork　柳条编制品　用柳条或柳条代用品编成粗细不同的辫子制成的家具。埃及人在公元前3000年即制造这种家具。柳条椅虽不耐用,但却是一种最便宜也是最舒适的椅子。关于它的早期历史只能从插图和文学作品中大致地作出推断,从伊丽莎白时代和詹姆斯一世时代起有许多这方面的记载。今天仍在制造的式样简单、没有扶手、椅座呈圆形的柳条椅,可能是一种传统的款式。

3世纪早期的罗马石浮雕像中的坐在柳条编制的椅子中梳妆的女子
供图:Rheinisches Landesmuseum, Trier, Ger

19世纪,随着对安乐椅的需求日益增长,以及与东方国家的交往日益密切,柳条椅的式样发展得更加复杂和别致。一种特别的式样是开往热带地区的定期班轮上使用的椅子。它装有脚凳、扶手和座垫,后来这种椅子进入家庭。柳条编制品主要是椅子,但也包括床、摇篮和花园桌等。

Wickford 威克福德 美国罗得岛州华盛顿县北金斯敦(**North Kingstown**)的行政中心和名胜村。濒临纳拉甘西特湾的一个小海湾。当地有许多修复的殖民时代和19世纪建筑,还有一所艺术学校和一个艺术家中心。罗得岛最大的小型游艇船坞设在该地。

Wickham, William of 参阅 **Wykeham, William of** 威克姆。

Wicklow 威克洛 爱尔兰伦斯特省一郡。面积2 025平方千米。东临爱尔兰海。境内有伦斯特山系部分山区(主要是威克洛山脉)和肥沃的低地。海岸多岩石峭壁和优良沙

威克洛郡格伦达洛河谷的上湖
供图:G.F.Allen—Bruce Coleman Inc.

滩。山区多河谷,主要有格伦克里河谷、达格尔河谷、达恩湖河谷、格伦迈克纳斯河谷、格伦达桑河谷和格伦达洛河谷。在西部,利菲河上游流域有波拉法卡水库,水库向都柏林供水。威克洛人曾参加1798年的韦克斯福德起义。全郡半数以上居民住在城市和村镇里。布雷在1851年通铁路后开始兴旺,现在是海滨胜地和都柏林的住宅区,也是工业中心。格雷斯通斯和德尔加尼也是游览胜地和住宅区。威克洛城是沿海集市城镇,也有一些工业。阿克洛有航运、制陶和发达的集市商业。威克洛城设有郡议会。阿克洛、布雷和威克洛都是城市区。山区农庄一般很小,只有少量土地种植燕麦和马铃薯。山地放牧绵羊。在低洼地区,一般经营综合性农业,农庄平均面积28公顷,农作物有小麦、大麦和燕麦,饲养菜牛和乳牛,菜牛供出口或供应都柏林市场。20世纪40年代以来阿沃卡一直开采黄铁矿和低品位铜矿,产量不稳定。在阿克洛附近有一座大化肥厂。利菲河畔的波拉法卡建有大型水电站。人口102 000(1996)。

Wicklow 威克洛 爱尔兰语作Cill Mhantáin。爱尔兰威克洛郡海港和首府。位于都柏林东南偏南。城内保留有13世纪方济各会隐修院和一座古堡的遗址。现为海滨度假胜地,有一些轻工业。人口5 178(1981)。

Wicklow Mountains 威克洛山脉 爱尔兰威克洛郡的山脉,为伦斯特山系的一部分。山区由一庞大背斜构成,中央是裸露的花岗岩,还有板岩和砂岩。其大、小舒格洛夫山是由火成岩侵入构成。主要山峰海拔均超过2 000英尺,是光滑浑圆的花岗岩山丘。最高峰勒格纳基利亚海拔3 039英尺(926米),覆盖着坚硬的云母片岩。山脉中有许多优美的山谷。

Wicksell, (Johan Gustaf) Knut 魏克赛尔 (1851-12-20,瑞典斯德哥尔摩～1926-05-03,瑞典斯德哥尔摩) 瑞典经济学家,以其开拓性的货币理论研究闻名于世。1900～1916年间任隆德大学教授。在《利息与价格》(1898)一书中,他对价格运动提出了重视对预期利润与利率之间的关系来分析总的供求的见解,因而成为现代货币理论的先驱者。他的立论与凯因斯在《货币论》(1930)中提出的理论相同而时间较早。魏克赛尔在《价值、资本和地租》(1893)中最先提出了边际生产力论。

Wicksteed, Philip Henry 威克斯第德(1844-10-25,英国西约克郡利兹～1927-03-18,英国伯克郡柴尔德里) 英国经济学家、古典学者、文学评论家、神学家。1888年发表《经济科学初阶》,1910年发表《政治经济学常识》。受杰文斯和奥地利经济学家的影响,扩大了经济选择理论和稀有资源分配中边际原则的范围。著作以1894年《论分配法则的协调》一文最为有名。文中应用欧勒定理,提出总产品是全部按边际生产率原则分配的。曾任一位论派牧师,在文学、古典学、神学和哲学方面均有造诣,去世时在上述领域的声望超过经济学家。

wickup(plant) 参阅 **fireweed** 火草。

wicky(plant) 参阅 **lambkill** 狭叶山月桂。

Wicliffe, John (English theologian) 参阅 **Wycliffe, John** 威克里夫。

Widal, (Georges-) Fernand-Isidore 肥达 (1862-03-09,阿尔及利亚代利斯～1929-01-14,巴黎) 又译维达尔。法国医师、细菌学家。1896年将细菌的凝集现象应用于伤寒的诊断(肥达氏反应)。1906年发现氯化钠在体内潴留是肾性及心性水肿的一个症状,因而建议在治疗这两种疾病时禁食食盐。曾证明,溶血性黄疸患者的红细胞脆性增加。1907年同法国医师G.阿扬一起描述了一种后天获得性溶血性贫血——阿扬-肥达氏综合征。第一次世界大战期间,他制成一种预

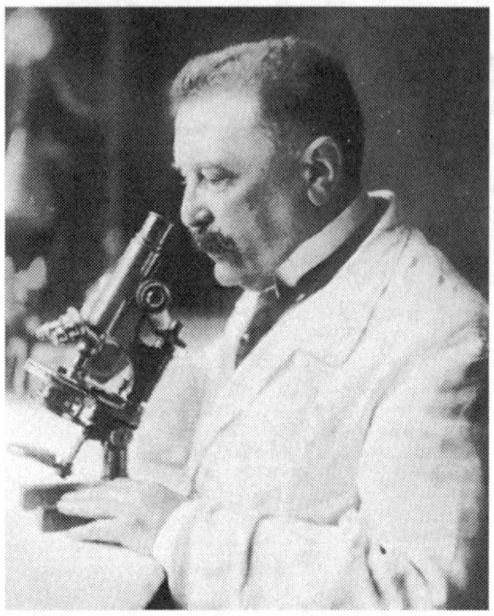

巴黎国家医药科学院图书馆供图

防伤寒及副伤寒的疫苗,显著减少了协约国士兵中伤寒病的蔓延。

Widener, George D. 威德纳(1889-03-11,费城～1971-12-08,美国宾夕法尼亚切斯纳特希尔) 美国金融家、良种马饲育家、马主和骑手。1916年在宾夕法尼亚州额尔德海姆农场和肯塔基州列克星顿附近老肯尼农场育马。所饲养的最闻名赛马之一杰珀,在1962年的特拉弗斯有奖赛和贝尔蒙特大奖赛中获胜。任纽约市骑手俱乐部和纽约赛马协会名誉主席,直至82岁去世为止。

Widener, Peter A.B. 威德纳(1834-11-13,美国宾夕法尼亚费城～1915-11-06,宾夕法尼亚埃尔金斯帕克) 美国公共交通运输业巨头、慈善家、美国最大的艺术品收藏家之一。为纪念在"泰坦尼克"号海难中罹难的孙子,将H.E.威德纳图书馆捐献给哈佛大学。家境清寒,开始为屠夫,后发展建立起业务兴旺的肉店联号。同时他在费城也进行政治活动,1873年升任该市司库。他充分利用政治接触,和W.L.埃尔金斯得以控制费城的有轨电车,将其合并成一个系统并实现现代化。他们还对纽约、芝加哥有轨电车及全国的公用事业进行投资。全盛时期,他们管理的企业价值15亿美元。威德纳参加组建了美国钢铁公司和美国烟草公司。他拥有的财富估计值3 500万美元,捐赠给各类慈善事业的资金达1 100万美元以上。在遗嘱中,他献出了珍藏的艺术品。

widgeon(duck) 参阅 **wigeon** 赤颈鸭。

Widin(Bulgaria) 参阅 **Vidin** 维丁。

Widmann, Joseph Viktor 维德曼(1842-02-20,奥地利帝国摩拉维亚嫩诺维茨[今在捷克共和国布尔诺]～1911-11-06,瑞士伯尔尼) 瑞士作家、编辑和评论家,写过诗歌、剧本和游记。1880～1910年在伯尔尼日报《联邦报》任文学编辑时,在瑞士文学界颇有声望,提携过许多有才华的作家。他本人的作品虽然没有很大的独创性,但仍不失为一位深有造诣的作家。对于各种经典形式,如短叙事诗《佛陀》(1869)、田园诗《摩斯与齐波拉》(1874)和抑扬格诗剧《俄诺涅》(1880)等他都

伯尔尼瑞士国家图书馆供图

运用得得心应手。他的游记,如《漫步阿尔卑斯山中》(1885),是这类作品中最出色的。他的剧本有令人愉快而幽默的讽喻剧《金龟子的喜剧》(1897)和《圣徒和动物》(1905),后者是他最深刻的诗作。

Widnes　威德尼斯　英格兰兰开夏历史郡霍尔顿单一政区一城镇。濒临默西河北岸,在利物浦大都会行政区边缘。现为英国化学工业的主要中心,以柴郡盐田和兰开夏煤田为工业原料。人口57 162(1991)。

Widor, Charles-Marie(-Jean-Albert)　维多尔(1844-02-21,法国里昂～1937-03-12,巴黎)　法国管风琴家、作曲家、教师。在布鲁塞尔学习管风琴与作曲,1860年返回里昂,继其父担任圣弗朗索瓦教堂管风琴师。1870年被聘为巴黎圣苏尔皮斯教堂管风琴师。1890年起在巴黎音乐学院任管风琴教授,1896年任作曲教授。作为作曲家,他最受人欢迎的是10部管风琴交响曲,他还作有两部歌剧、大量芭蕾音乐和多种多样的其他声乐和管弦乐作品。

widowbird　寡妇鸟　参阅　**whydah** 维达鸟。

Widsith　《威德西思》　现代英语意为《远方游客》。保存于《埃克塞特诗集》中的古英语诗,大概源出于7世纪。它是日耳曼英雄时代的一位吟游诗人理想化的自我描写,他到处遨游,在许多酒宴厅受到欢迎,他在那里为王国的达官显贵们助兴。因该吟游诗人声称访问过的英雄人物从4世纪至6世纪都有,此诗显然为虚构的故事。但此诗巧妙地概括了日耳曼英雄传说中的重要人物,出色地记述了吟游诗人在早期日耳曼社会中的作用。

Wied, Gustav (Johannes)　维德(1858-03-06,丹麦纳克斯考附近的霍尔默加德～1914-10-24,罗斯基勒)　丹麦剧作家、诗人、小说家和理性讽刺作家,以一组他自称为纵欲剧而闻名。他的几部作品,如戏剧《2 × 2 = 5》(1906)、两本短篇小说集《人们的儿女》(1894)及《一个波希米亚人》(1894),在国外享有盛名。他的小说及辛辣幽默的小品在丹麦至今受人们欢迎。

Wied-Neuwied, Maximilian, Prince zu　维德-新维德亲王(马克西米连)(1782-09-23,普鲁士新维德[今在德国]～1867-02-03,新维德)　德国贵族博物学家、人种学家、探险家,他在19世纪30年代在美洲西部旅途上所作的观察提供了关于当年平原印第安人情况的宝贵资料。马克西米连是新维德这个小邦的亲王,并在普鲁士军队服役。他于1815～1817年在巴西进行探险,又于1832～1834年在北美洲探险。在北美洲的这次探险中,他带着瑞士画家K.博德默尔随行,以便把他们遇见的景色和人民画下来。他们两位从马萨诸塞州的波士顿沿俄亥俄河向西旅行到圣路易斯,从那里他们乘轮船溯密苏里河而上,穿过现在分属于密苏里州、内布拉斯加州、南达科他州、北达科他州以及蒙大拿州的地区。他们这次旅行所到达的最西地点是麦肯齐堡,这是蒙大拿州中部一贸易站。马克西米连对他同曼丹人、希达察人以及密苏里河流域的其他印第安部落的接触作了大量的笔记,同时,博德默尔则对他们遇见的景色和印第安人画了几百幅绝妙的水彩画和素描。马克西米连的笔记和博德默尔的图画共同构成了对随后由于疾病、战争以及白人对他们的土地的侵占而几乎灭绝了的多个印第安人部落的语言、服装、文化以及风俗习惯的难以估价的记录。马克西米连在他的两卷本《1832～1834年穿越北美旅行记》(1838～1841年出版)中详细记述了他的观察,到20世纪晚期才有人对他的野外记录和日记译成英文并作了详细注释,以便出版。

Wieland, Christoph Martin　维兰德(1733-09-05,帝国直辖市比伯拉赫附近[今在德国]～1813-01-20,萨克森-魏玛公国魏玛)　德国洛可可时期的诗人和文学家。所写作品包括他所处时代的主要倾向,从理性主义和启蒙运动直到古典主义和早期浪漫主义。他是一个虔信派牧师的儿子。从18世纪50年代起的早期作品都是伪装神圣和极为虔诚的。在18世纪60年代期间,他发现了他自己本性中的另一面,即更加色情的方面,便趋向更世俗的、理性主义的哲学。尽管维兰德这一时期的作品中有的包括色情诗,他开始在肉欲和理性主义之间找到了平衡,这标志着他的作品趋于成熟。《阿迦同的故事》(2卷,1766～1767)描写这一发展的过程,被认为是第一部"教育小说"。1762～1766年,发表了22部莎士比亚剧本的最早德文译本,对狂飙突进时期的剧作家们颇有影响,并成为他们的楷模。维兰德是爱尔福特大学的哲学教授(1769～1772),后被指定为魏玛亲王的教师。1773年创办《德意志信使》,这一杂志作为权威性的文学刊物达37年。晚年他自认为古典主义者,大部分时间里致力于翻译希腊和罗马作品。他的寓意史诗《奥伯龙》(1780)预示了许多浪漫主义的特点。这一预兆是颇有讽刺意味的:维兰德对浪漫派的主张持强烈的批判态度,而这个运动的大多数作家却非常瞧不起他的作品。

Wieland, Heinrich Otto　维兰德(1877-06-04,德国普福尔茨海姆～1957-08-05,慕尼黑)　德国化学家。由于对胆汁酸的研究而获得1927年诺贝尔化学奖。在慕尼黑大学任教期间,对结构有机化学作出许多贡献。1911年发现有机化合物中不同形式的氮都能加以检

供图:Historia-Photo

定和区别。次年开始研究肝脏产生的胆汁酸,发现所分离出来的3种胆汁酸结构相似且在结构上与胆固醇相关。以后又证明,活组织中的氧化作用是脱氢而非加氧过程。这理论对生理学、生物化学及医学都具有巨大意义。

Wielkopolskie　大波兰　波兰语作 Województwo Wielkopolskie。波兰中西部省份,1999年波兰行政改革建立的16个省份之一。西北邻西滨海省,东北连滨海省和库亚瓦滨海省,东邻罗兹省,南接奥波莱和下西里西亚省,西邻鲁布斯卡省。主要包括原波兹南省、皮瓦省、莱什诺省、科宁省和卡利什省。是波兰面积第二大省。省会为波兹南。该省主要是平原。松林占全省面积的1/4。气候相对温和,是波兰最干燥的省份之一,东部年平均降水量为450毫米,西部为550毫米。该省3/5的人口居住在城市地区。最大的城市是波兹南,其次是卡利什、科宁、皮瓦和格涅兹诺。该省北部城市化水平较低,而中部和南部是波兰经济最发达的地区之一。虽然土质一般,降水较少,但该省仍然是生产牛奶、谷物、甜菜和生猪的大省。波兹南是省工业中心,主要工业包括机械制造、烟草加工、药品生产、化工、食品加工和汽车制造业。波兹南也是重要的展销会举办地。科宁附近出产褐煤。道路和铁路网发达,将波兹南与波兰其他主要城市连接起来。该省有众多历史建筑,最重要的是波兹南大教堂。教堂建于968年,是波兰第一座大教堂。格涅兹诺教堂是波兰早期国王加冕的地方。省主要文化中心是波兹南。每五年举行一次维尼亚夫斯基小提琴赛。最受欢迎的博物馆包括位于波兹南的国家博物馆、考古博物馆、乐器博物馆和位于格涅诺兹的波兰国家起源博物馆。16、17世纪,该地区经济迅速发展,农业和贸易发达,波兹南成为波兰最大的贸易中心之一,格涅兹诺和卡利什也有重大发展。但与瑞典的战争阻碍了地区经济发展,波兰在第一次和第二次被瓜分(1772和1793)之后,该地区划归普鲁士。在维也纳会议上(1814～1815),波兹南大公国建立,仍然归普鲁士统治,但该地区的东南部被纳入了波兰王国。18、19世纪,工业和农业发展。很多德国人移民到该地区,希望该地区重新归属普鲁士,从而导致1918～1919年大波兰起义,波兰人战胜了德

国人。根据《凡尔赛条约》，该省大部分地区重新归属波兰，数十万德国人被迫离开。1939年，纳粹和苏联入侵波兰，大波兰省被并入德国。第二次世界大战后，该省同波兰其他地区一样成为苏联的势力范围。1956年，在波兹南发生了反对共产党统治的大规模工人罢工，爆发暴动，后遭到军队镇压，数十人死亡。面积29 826平方千米。人口3 351 915（2002）。

Wielopolski, Aleksander, Hrabia, MARGRABIA GONZAGA MYSZKOWSKI **维洛波尔斯基**（1803-03-13，俄罗斯帝国波兰平丘夫附近森杰约维采～1877-12-30，德国德累斯顿） 波兰政治家。曾采取重大的内政改革计划，顺从俄国统治以取得最大限度的民族自治。出身于破落贵族家庭。年轻时在华沙学习法律，到德国学习哲学。回波兰后，在1831年反俄起义时期，波兰起义政府派他去伦敦寻求英国帮助，遭到英国拒绝。起义失败后悄然退出

华沙国家博物馆供图

政界。1846年发表一本小册子，主张波兰必须放弃独立的梦想，老实地顺从俄国的统治。俄国人喜欢他的态度，让他参加政府，在政府中他为波兰取得较多的自治权。1861年爆发广泛的骚动时，俄国人指定他领导波兰政府。他着手肃清政府中的俄国官吏，改革教育制度，解放犹太少数民族，颁布法律以减轻农民对地主的沉重负担；同时他无情地镇压革命者，强迫所有持异见者参加俄军。他的这一强迫命令激起的另一次起义，最后遭俄军扑灭。他于1863年7月引退，后移居萨克森。

Wieman, Carl E. **维曼**（1951-03-26，美国俄勒冈科瓦利斯～ ） 美国物理学家。由于在新的物质超冷状态，即玻色-爱因斯坦凝聚态（BEC）研究中的出色工作，与E.A.康奈尔和W.克特勒共获2001年诺贝尔物理学奖。1973年获得麻省理工学院硕士学位，1984年获得斯坦福大学博士学位，先后在密歇根大学和科罗拉多大学从事教学和研究工作。20世纪80年代末，维曼开始了关于玻色-爱因斯坦凝聚态方面的研究工作。玻色-爱因斯坦凝聚态是由A.爱因斯坦和印度物理学家S.N.玻色共同预言的一种新的物质状态——原子在低温下运动速度变慢，原子之间的相互作用导致它们步调一致地行动。维曼在1995年用激光和磁场来捕获并冷却了大约2 000个铷原子，从而制备出玻色-爱因斯坦凝聚态。

Wien（Austria） 参阅 **Vienna** 维也纳。

Wien, Wilhelm（Carl Werner Otto Fritz Franz） **维恩**（1864-01-13，东普鲁士加夫肯［在今俄罗斯］～1928-08-30，慕尼黑） 德国物理学家。因发现理想黑体辐射位移律，获

供图：Historia-Photo

1911年诺贝尔物理学奖。维恩定律的精确度对较长波长会降低，经普朗克进一步探索，最后得出辐射的量子论。黑体发出的辐射，虽然分布在很宽的波长范围里，但是有一个中间波长的辐射达到最大。1893年，维恩提出黑体辐射定律，说明这个最大波长与黑体的热力学温度成反比。1899年任吉森大学物理学教授，1920年任慕尼黑大学物理学教授。对阴极射线（电子束）、X射线和极隧射线的研究也作出贡献。其自传以《一个物理学家的生活和工作摘记》为名出版（1930）。

wiener **维也纳香肠** 参阅 **frankfurter** 法兰克福香肠。

Wiener, Norbert **维纳**（1894-11-26，美国密苏里哥伦比亚～1964-03-18，斯德哥尔摩） 美国数学家，建立了控制论科学。他主张改进和加强数学与工程、医学和物理等科学之

美国国会图书馆供图

间的相互作用，社会就会获得深远的利益。由于对20世纪的数学作出了重大贡献而享有国际声誉。他是位神童，3岁即能读书、写字，14岁大学毕业，18岁在哈佛大学以数理逻辑的论文取得博士学位。此后他先去英国剑桥大学师事哲学家、数学家B.罗素，再去德国格丁根大学就学于当时最伟大、最多才多艺的数学家之一的D.希尔伯特。1919年到麻省理工学院数学系工作，直至退休。20年代，他在现今称为随机过程的领域（特别是布朗运动理论）和广义调和分析领域中做了高度独创的具有基本意义的工作，同时对数学分析的其他问题也有深入研究。1933年获美国数学会5年颁发一次的博彻尔奖，同年，再次获得被邀请主持该会的学术讨论讲座的荣誉，他的讲演就是1934年出版的《复域中的傅里叶分析》（与R.E.A.C.佩利合作）。

第二次世界大战期间，他研究炮火控制，并写出《平稳时间序列的外推、内插和平滑》（1949），这使他与苏联数学家A.N.柯尔莫哥洛夫一起成为平稳时间序列预测理论的建立者。1948年，他的名著《控制论：或关于在动物或机器中控制或通信的科学》出版。此书极为通俗。控制论研究动物（包括人类）、自动机器和有机体的控制和通信的共同因素，现已用于控制理论、自动机理论、计算机程序和决策过程。战后他继续对范围广泛的主题提出新的观念，其中包括数学预测理论和量子理论。在后一领域中，他为N.玻尔同爱因斯坦争论不已的一个难题提供了一种可能的解答。他把布朗运动的理论描述应用于量子现象，揭示了量子理论如何能在概率的基础上同科学的其他分支相一致。

Wiener Neustadt **维也纳新城** 奥地利东北部下奥地利州城市。在维也纳南面、菲沙河畔。1194年由利奥波德五世建立。1277年设市，当时有造币厂。15世纪腓特烈三世在此建皇宫，市况极为繁荣。17世纪衰落。现保存有13世纪古堡的三座塔楼，其中一个辟为博物馆。其他名胜古迹有13世纪大教堂、前耶稣会学院（现改为市博物馆）、皇帝马克西米连一世（1459～1519）出生和埋葬的古城堡以及带有多明我会教堂的新隐修院。1752～1919年，古城堡曾由特雷西亚军事学院占用。设有工学院、职业学院和残疾人学校。主要工业包括金属加工、鞋类制造和纺织业。人口66 168（2001）。

Wieniawski, Henryk **维尼亚夫斯基**（1835-07-10，俄罗斯帝国波兰卢布林［今在波兰］～1880-03-31，莫斯科） 波兰小提琴家、作曲家。19世纪最著名小提琴家之一。幼为神童，8岁进入巴黎音乐学院，毕业时年仅11岁即获小提琴一等奖，可谓史无前例。13岁成为音乐会演奏家，并开始与其弟、钢琴家约瑟夫联袂在欧洲巡回演出。因在世界各地广泛举行音乐会而获得国际声誉。1860年受命担任俄国沙皇独奏小提琴师；1862～1869年执教于圣彼得堡音乐学院。1872～1874年赴美国与钢琴家鲁宾斯坦一起巡回演出；其后又一度在布鲁塞尔音乐学院任教。作为小提琴家维尼亚夫斯基以其丰润温煦的音色、热情洋溢的气质、出神入化的技巧而深受赞赏。所作小提琴曲属浪漫派风格，旨在表现他本人的精湛技巧。作有小提琴协奏曲2首，1首升F小调（作品第14号）和1首D小调（作品第22号），后者十分流行。其他作品尚有《俄罗斯狂欢节》（作品第11号）、《传奇》（作品第17号）、《诙谐曲-塔兰台拉舞曲》（作品第16号）以及练习曲、马祖卡舞曲和波洛内兹舞曲等。

Wierzyński, Kazimierz 维耶任斯基(1894-08-27,奥匈帝国德罗戈贝茨奇[今乌克兰德罗戈贝奇]～1969-02-13,英国伦敦) 波兰诗人。第一次世界大战末波兰恢复独立后迁居华沙,并成为波兰"斯卡曼德尔"诗社的台柱之一。他的成名诗是《春天和酒》(1919),随后又发表了《屋顶上的麻雀》(1921)、《大熊》(1923),所作诗篇都洋溢着少年无忧无虑的乐观情绪。他对体育运动饶有兴趣,1927年出版一本诗集《奥林匹克的桂冠》,获1928年阿姆斯特丹奥林匹克运动会金质奖章。第二次世界大战爆发后,他离开波兰赴巴黎,1940年迁往里约热内卢,后抵纽约。战后主要居住在伦敦,常因思乡而愁苦,并出版了两部感伤的诗集《悲剧性的自由》(1936)和《十字架与剑》(1946)。

Wiesbaden 威斯巴登 德国南部黑森州城市、首府。地处莱茵河右岸、陶努斯山南麓,美因河畔法兰克福西面、美因茨的北面。古罗马时代以一处矿泉闻名。1241年为帝国自由城市。1946年为州首府。作为矿泉疗养地,在18、19世纪尤为著名,著名人物如歌德、勃拉姆斯和陀思妥耶夫斯基以及王室成员常莅临此地。威斯巴登的27眼含盐温泉和温和的气候、宛如公园的城市环境以及其他各种优越条件使它成为著名的疗养胜地和会议中心。每年5月在这里举行国际音乐、芭蕾和戏剧节。城市历史虽悠久,现存的古建筑仅有维多利亚时代的,如新市政厅(1887)、凯撒-腓特烈浴室(1913)、希腊小教堂(1855)和城堡(1840)等。有多种医疗机构如专门的风湿症诊所和新的德国诊断诊所等。现为铁路枢纽,有铸铁厂、金属和水泥制造厂、印刷厂、出版公司、电影制片厂,也是酿酒业中心,以出产赛克特酒(德国香槟)著称。人口约271 995(2003)。

Wieschaus, Eric F. 维绍斯(1947-06-08,美国印第安纳南本德～) 美国发育遗传学家。与遗传学家**刘易斯(Lewis, Edward B.)**及**尼斯莱茵-福尔哈德(Nüsslein-Volhard, Christiane)**一起因发现早期胚胎发育的基因控制而获得1995年诺贝尔生理学或医学奖。维绍斯与尼斯莱因-福尔哈德合作,在刘易斯利用果蝇作基因实验研究的开拓性工作的基础上取得了新进展。维绍斯先后毕业于圣母大学(1969年获学士学位)和耶鲁大学(1974年获博士学位),并在瑞士的苏黎世大学从事博士后工作。他与尼斯莱因-福尔哈德的合作始于德国海德堡的欧洲分子生物学实验室(1978～1981)。1981年他任职普林斯顿大学,成为助理教授,以后成为副教授(1983)和正教授(1987)。在海德堡,维绍斯与尼斯莱因-福尔哈德一起观察了4万个果蝇科的变异,发现在2万个果蝇基因中,约5 000个对早期发育有重要作用,其中约140个是最基本的。他们的研究成果发表在1980年的英语科学杂志《自然》上。其成果指出了一种被广泛认可的模式,即在发育中的胚胎上有三种控制下属系统的基因:阻断基因给出机体发育的一般蓝图;成对基因进一步将一般区段下分为机体各部分;极性基因则影响机体各部分的特殊结构。他们的工作有助于科学家们更好地理解其他动物包括人类的先天变异。

Wiesel, Elie 韦瑟尔(1928-09-30,罗马尼亚锡盖特～) Eliezer Wiesel的别名。罗马尼亚出生的美国小说家,他的作品提供了关于第二次世界大战中消灭欧洲犹太人的严肃而又激昂的证词。1986年被授予诺贝尔和平奖。早年是在锡盖特镇小小的犹太哈西德派教徒聚居区的祈祷和静悟封闭生活中度过的;战争对他很少影响。然而在1944年,全镇所有的犹太人,包括韦瑟尔和他的全家,均被纳粹驱赶到奥斯威辛集中营。他的母亲和妹妹在营中被杀害。他随后被送至布痕瓦尔德集中营从事奴隶式劳动,他的父亲又在该地被害。战后他在法国定居,就读于巴黎大学(1948～1951),同时为法国和以色列报纸撰稿。1956年去美国,并于1963年入美国籍。从1972年起,任纽约市立学院教授,1976年后任波士顿学院人文学科教授。在其旅居法国当记者期间,小说家F.莫里亚克曾敦促他作为见证人将其集中营中的亲身经历写出来。于是他写了第一本意第绪文著作《而全世界至今仍保持沉默》(1956)。1958年出版了它的节写本,名为《夜》。该书是一部半自传性的故事,叙述一个男孩对奥斯威辛集中营的内心感受。有些批评家认为它以文学形式最有力地表现了这场大屠杀。其他作品有《墙外那个镇子》(1962),是一部剖析人性冷漠无情的小说;《耶路撒冷的一个乞丐》(1968)提出了人为什么要杀人的哲学问题;《哈西德教派的欢庆》(1972)是犹太哈西德教派教徒故事的汇集,受到批评界的赞誉;《一个遇害犹太诗人的遗言》(1980)。其全部作品在一定意义上反映了他作为这场大屠杀的幸存者的经历,以及他对这场大屠杀为什么会发生和它暴露了人类天性中的哪些方面这一使他痛苦的问题的探索。他成为一个讲述犹太人及其他人在这场大屠杀中所受苦难的著名讲演家。他之所以能获得1986年诺贝尔和平奖,主要在于他能把个人的关注化为全人类对一切暴力、仇恨和压迫的谴责。

Wiesel, Torsten Nils 维厄瑟尔(1924-06-03,瑞典乌普萨拉～) 瑞典神经生物学家。1981年与**休伯尔(Hubel, David Hunter)**和**斯佩里(Sperry, Roger Wolcott)**共获诺贝尔生理学或医学奖。三人均研究大脑功能,维厄瑟尔和休伯尔还共同研究了大脑枕叶视皮质的结构和功能。他于1954年获斯德哥尔摩卡罗林斯卡学院医学学位,并留校任生理学讲师。一年后到美国马里兰州巴尔的摩的约翰斯·霍普金斯大学医学院与休伯尔合作研究,1959年两人同到哈佛大学任职。1974年任罗伯特·温思罗普讲座神经生物学教授。他一直保留瑞典国籍。

Wiesengrund, Theodor (German philosopher) **魏森格伦德** 参阅 **Adorno, Theodor Wiesengrund 阿多诺**。

Wiesenthal, Simon 维森塔尔(1908-12-31,奥匈帝国布恰切～2005-09-20,奥地利维也纳) 维也纳犹太人咨询中心创办人。他长期以来一直搜寻纳粹分子,在与以色列、西德和其他政府合作下追捕到约1 000名罪犯,包括阿道夫·艾希曼。1932年获布拉格工科大学建筑工程学士学位,其后定居波兰的利沃夫,1939年利沃夫为苏联占领,他被迫关闭自己的"资产阶级"的建筑公司,通过贿赂苏联秘密警官免于流放西伯利亚。1941年德国人侵苏联之后,他被关进集中营。他和妻子两个家族中有89名成员惨遭杀害。但1945年解放之后,他们夫妻却得到团圆。1947年,他与30名志愿人员在奥地利的林茨开办"犹太人命运及其迫害者咨询中心",其宗旨在于资助犹太难民并为战犯的审讯工作提供证据。1954年,他以自由职业者的身份侦缉前纳粹分子,1959年在阿根廷捉获阿道夫·艾希曼。在这次成功的鼓舞下,他于1961年又在维也纳开设了犹太人咨询中心,此后几年内追捕到约1 000名纳粹战犯。1967年,主要由他查明前纳粹死亡营头目弗里茨·施坦格尔的下落。他的著述甚丰,有《毛特豪森集中营》(1946)、《我捕捉艾希曼》(1961)、《有效时期的法律》(1964)、《维森塔尔回忆录》(1967)、《希望之舟》(1972)等。

Wieser, Friedrich von 维赛尔(1851-07-10,维也纳～1926-07-23,奥地利圣吉尔根) 奥地利经济学家,与C.门格尔、E. von柏姆-巴维克同为奥地利学派的主要代表。1868～1872年就学于维也纳大学,后在政府任职。如同柏姆-巴维克一样,他也曾先后师从德国经济历史学派三大学者K.克尼斯、W.G.罗雪尔和B.希尔德布兰德学习。但对他影响巨大的是门格尔。1884年任教于布拉格大学,1903年继门格尔之后为维也纳大学教授。主要著作为《自然价值论》(1889)和《社会经济的理论》(1914)。在前一书中,依据门格尔主观价值论观点阐述了奥地利学派的成本理论,提出机会成本概念。在后一书中,以边际效用原则为起点,分析经济关系中日益细致的各种系统。

wig 假发 用真发或人造发制成的头套。可作戏装或个人装饰品、乔装用品或职位的标志。关于假发的记载很早就有了:如古埃及人将头发剃去,戴上假发以保护头部不受日晒。16世纪假发再度普遍作为装饰品或用来掩饰自然缺陷。1624年路易十三开始戴佩鲁基假发后,这种男子假发,从古埃及以来第一次广泛流行。1665年法国建立假发业并成立假发制作者行会。17世纪,假发成为阶级的标志,发展到最高峰,它遮盖背、肩,并下垂至胸前。在这世纪内,妇女也戴假发,但不如男子多。有些行业规定特种假发作为特制服饰的一部分,这种规矩现在只在少数法律界中保留使用。法国大革命和美国革命把各种社会地位标志荡涤殆尽,男子假发便不多见。到20世纪,廉价的合成头发出现后,一种自然式的女装假发流传甚广。在东方,假发除在中国和日本的戏装中使用外,很少应用。

Wigan 威根 英格兰大曼彻斯特都会郡西北部一城镇和都会自治市。濒临道格拉斯河。传统工业是采煤和棉纺。16世纪即开始采煤,纺织工业当时早已发展起来。运河和铁路的修建加速了工业化进程。现纺织业已衰落,最后的煤矿也于1993年关闭。但这里已有了一些新工业(食品加工、电机、机械等),经济结构实现多样化。面积:都会自治市199平方千米。人口约:城镇85 819(1991);都会自治市310 500(1998)。

wigeon 赤颈鸭 又拼widgeon。鸭科4种钻水鸭的俗称,是受欢迎的猎禽及一种美味。美洲赤颈鸭(秃头鸭,*Anas americana*)繁殖于北美洲西北部,在美国、墨西哥、中美洲、加勒比海沿海地区以及一些内陆水域越冬;雄体有白冠、绿色眼纹,背部褐色。欧洲赤颈鸭(*Anas*[或 *Mareca*] *penelope*)分布于整个古北区,偶见于新北区;雄体头淡红色,前额奶油色,背部灰色。美洲赤颈鸭常像雁那样吃嫩草,喜食大叶藻,会从潜水鸭(如帆布背潜鸭)处偷食。南美的黑白斑胸鸭(*A. sibilatrix*)的雄体帮助雌体育雏,这是鸭类中罕见的特性。非洲的好望角赤颈鸭(绿翅灰斑鸭,*A. capensis*)夜间觅食。

Wiggin, Kate Douglas 威金(1856-09-28,美国宾夕法尼亚费拉德尔菲亚～1923-08-24,英格兰米德尔塞克斯郡哈罗) 母家姓Smith。美国女作家、美国幼儿园教育运动领导人。1878年任美国西海岸首家免费幼儿园旧金山白银街幼儿园主任,1880年创办加利福尼亚幼儿师范学校。她通过教学和写作向美国的幼儿园支持者传播了F.福禄培尔的教育思想。威金是多产作家,作品有儿童文学、游记和教科书,包括《鸟儿的圣诞颂歌》(1887)、《森尼布鲁克农场的丽贝卡》(1903)、《幼儿教育原理与实践》(1896,与H.A.史密斯合著)、《儿童世界》(3卷,1895～1896)。她的自传《我的回忆之园》于1923年她死后出版。

Wigglesworth, Michael 威格尔斯沃思(1631-10-18,英格兰约克郡?～1705-06-10,马萨诸塞莫尔登[美国]) 牧师、医生和解说清教派教义的韵文作家。1638年随家人移居美洲,在纽黑文定居。1651年从哈佛大学毕业后,在该校任教。1653～1654年在马萨诸塞殖民地查尔斯敦传教。从1656年起直到逝世均在莫尔登任牧师。除牧师工作外,还行医、写诗。诗作有《简论永生》、《虚空的虚空》和《上帝同新英格兰的论争》(1871出版)。前两首诗附在用民谣体写成的长诗《世界末日:诗记伟大的最后审判》(1662)里。长诗在一年内销售1 800册,这在当时是个大数目。威格尔斯沃思一度是早期新英格兰传诵最广的诗人,后来声誉随同清教徒势力一同衰落。

Wigglesworth, Sir Vincent (Brian) 威格尔斯沃思(1899-04-17,英格兰兰开夏柯克姆～1994-02-11,剑桥郡剑桥) 英国昆虫学家,以其昆虫生理学研究而闻名。他研究了活昆虫体及其组织器官,揭示了昆虫个体内部以及昆虫与环境间相互作用的动态复杂性。所著《昆虫生理学》(1934)常被认为是昆虫学这一分支的奠基作品。第一次世界大战期间在法国服兵役,以后在剑桥大学及伦敦的圣汤姆斯医院受教育。曾在伦敦卫生和热带医学学院讲授医学昆虫学,又先后在伦敦大学及剑桥大学任昆虫学高级讲师。1943年任剑桥农业研究委员会昆虫生理学部主任。1964年被封为爵士。他的最重要发现是与变态有关的一些现象,尤其是对外形和生长的控制。曾研究了南美吸血昆虫长红猎蝽(*Rhodnius prolixis*),他发现此昆虫脑中的神经分泌细胞产生一种关键性的生长激素,这是第一次用实验证明这些细胞的功能。又发现昆虫幼虫发育达到一定阶段之前,体内还有另一种抑制发育的激素,此种激素由咽侧体分泌,他称这种激素为保幼激素。他发现选择性地控制实验昆虫的激素水平便能根本扭曲其发育进程。他最后建立了昆虫变态的相干理论:昆虫的遗传成分通过激素起选择性作用,这又决定昆虫的形态学和发育特征。除这些发现外,他还研究了各种昆虫体内酶的性质,以及昆虫卵孵化的机理。

Wight, Isle of 怀特岛 英格兰岛郡。位于英国南部海岸以外英吉利海峡中,与汉普郡隔一名为索伦特的深海峡。怀特岛呈菱形,东西长36千米,南北宽22千米,面积381平方千米。1974年重划行政区前,该岛为汉普郡一部分,此后成为单独的郡。郡下设麦地那和南怀特两个区。怀特岛的地质和地貌多样。山脉的主脊是一条东起卡尔弗峭壁西至尼德尔斯的白垩山脊,为不列颠群岛中最厚的白垩地层。尼德尔斯是该岛最西端海中的三块大白垩石,高出水面约30米。岛北部的白垩层急剧下降到长满橡树的厚土层之下,白垩层向南下降较为平缓,在岛的最南端,出现另一次下降,南部沿海地区几乎全部为陡壁。东亚尔河、麦地那河和西亚尔河向北流入索伦特海峡。麦地那河几乎将该岛一分为二,西亚尔河几乎将怀特岛西部隔开。岛上有很早以前人类居住的遗迹,但青铜器时代似乎是史前居民最多的时期。另外还有罗马人的遗迹,公元43年韦斯巴芗(**Vespasian**)为征服者们兼并了这座岛屿。661年被韦塞克斯吞并,后归属苏塞克斯国王。998年成为丹麦海盗的大本营。1377年法国人劫掠并毁坏纽波特城(位于岛中心),使该城在以后两年中无人居住。英国内战时期,查理一世于1647～1648年被监禁在该岛的卡里斯布鲁克城堡。考斯附近的奥斯本宫是维多利亚女王的一处宅邸。怀特岛气候温和,是不列颠群岛中阳光最为充足的地区之一。麦地那河口三角洲端部的纽波特现为主要城镇,河口的考斯是重要的港口和世界闻名的游艇中心。该岛有多处度假胜地,著名的有:弗雷什沃特、雅茅斯、赖德、桑当-尚克林和文特诺。旅游业为主要经济支柱之一。造船业和飞机制造业亦居重要地位。岛南部种植水果和蔬菜。纽波特郊区帕克赫斯特有英国防范最严的重要监狱。人口约127 000(1998)。

怀特岛的文特诺海滩

供图:Erika Craddock from TSW—CLICK/Chicago

Wightman, Hazel Hotchkiss 怀特曼(1886-12-20,美国加利福尼亚希尔兹堡～1974-12-05,马萨诸塞波士顿附近牛顿) 美国女子网球运动员。1909～1911年共获女子单打、女子双打和混合双打等45项美国冠军。1912年结婚。1919年又获单打冠军。1915、1924和1928年再获双打冠军。1923年向美国草地网球协会捐献银杯(怀特曼杯),作为英美女子网球比赛奖杯,这项比赛每年举行。在第一次怀特曼杯赛中由她率领的美国队以7:0获胜。1948年前一直任美国女子网球队队长。

Wightman Cup 怀特曼杯 1923～1989年期间一年一度的英美女子网球赛冠军奖杯。比赛包括5场单打,2场双打。奖杯由怀特曼(**Wightman, Hazel Hotchkiss**)于1923年捐赠。有关优胜者,参阅 **Sporting Rocord**:Tennis。

Wigman, Mary 维格曼(1886-11-13,德国汉诺威～1973-09-18,西柏林) 德国舞蹈家,

维格曼的舞姿

中国大百科全书出版社供图

在中欧发展起来的表现主义现代舞的先锋。她是É.雅克-达尔克罗兹和R.拉班的学生，后来系统地提出自己的动作(经常是没有音乐或只靠打击乐器伴奏的舞蹈动作)理论。虽然作为一个舞蹈演员她早在1914年已首次登台，但是她作为一位革新的舞蹈演员和编导的辉煌生涯却在第一次世界大战之后才开始。她对整个中欧的舞蹈的影响改变了舞蹈史的进程。她的学生数以千计，其中包括H.克罗伊茨伯格、Y.格奥尔吉、M.瓦尔曼和H.霍尔姆(后二者对美国现代舞的发展产生重要影响)。1930年她和她的舞蹈团在美国巡回演出。1931年在霍尔姆的指导下在纽约市建立维格曼学校，1936年改名为H.霍尔姆学校。维格曼最著名的作品有《七个生命之舞》(1918)、《托顿马尔》(1930)以及C.格鲁克的整部歌剧《奥菲欧和尤丽狄西》(1947)，还有其他歌剧、组舞和独舞。

Wigmore, John Henry　威格莫尔(1863-03-04，美国加利福尼亚旧金山～1943-04-20，伊利诺伊芝加哥)　美国法学家和教师。他的10卷本《英美普通法审判中的证据制度论》(1904～1905)，通常称为《威格莫尔证据论》，普遍被看成是世界法律巨著之一。他毕业于哈佛大学(文学士，1883；法学士，1887)，先后在东京庆应大学(1889～1892)和芝加哥的西北大学法律学院(从1893年起，1901～1929年任院长)执教。第一次世界大战期间，他曾担任总参谋部的上校级法律顾问和伊利诺伊州统一州法律的委员(1908～1924，1933～1943)。

Wigmore, Roger Mortimer, 8th Baron of　威格莫尔男爵(第八)　参阅 **March, Roger Mortimer, 1st Earl of** 马奇伯爵(第一)。

Wigner, Eugene Paul　维格纳(1902-11-17，匈牙利布达佩斯～1995-01-01，美国新泽西普林斯顿)　匈牙利出生的美国物理学家。因为对核物理学作出许多贡献，其中包括制

供图：Ulli Steltzer

定宇称守恒定律，与西德的J.H.D.延森和美国的梅耶夫人共获1963年诺贝尔物理学奖。曾学习化学工程，1925年在柏林工学院获博士学位。曾在柏林工学院和格丁根大学任讲师，后往美国。1936～1938年在威斯康星大学任物理学教授，1938年开始在普林斯顿大学任数学物理教授直到1971年退休。1937年入美国籍。在欧洲时就发展了把群论应用于量子力学的原理，引申出标志亚原子粒子特性的空间和时间对称的概念。1936年提出中子吸收理论，后来在建造核反应堆时证明是有用的。他与L.齐拉特和E.特勒在1939年共同说服爱因斯坦向罗斯福总统写了历史性的信，推动了美国的原子弹工程。第二次世界大战时，在芝加哥大学冶金实验室工作，帮助E.费米建造第一座原子反应堆。维格纳也研究量子力学、化学反应率理论和核结构。著作有《群论及其在原子光谱的量子力学上的应用》(1931)和《对称与反射》(1967)。

Wigston, Oadby and(Leicestershire, Eng.)　**威格斯顿**　参阅 **Oadby and Wigston** 奥德比-威格斯顿。

Wigtownshire　威格敦郡　又称威格。苏格兰西南端历史郡。南临爱尔兰海，西临北海峡。位于加洛韦历史区西部，在邓韦里斯-加洛韦政务会辖区内。铁器时代留下的山顶要塞和湖上古屋随处可见。中世纪早期，威格敦成为加洛韦的中心，当时苏格兰-斯堪的纳维亚诸王统治加洛韦，疆域包括苏格兰西南大部地区。12世纪20年代，加洛韦的统治者弗格斯重新设立了该地圣公会主教职位(这一职位最初设立于8世纪)，还在惠特霍恩建了一座小隐修院作为这个主教教区的教堂。弗格斯后裔的土地最终由于婚姻关系传给了巴利奥尔家族，后又传给道格拉斯家族，约1372年，这个家族买下了威格敦伯爵领地。在道格拉斯家族统治下，这个长期以来有权自己建立法律的地区于1426年开始实行苏格兰的法律。1455年道格拉斯家族衰亡后，肯尼迪家族获得了威格敦的支配权。该地现仍有很多15世纪70年代至17世纪初遗留下来的城堡。产业革命在很大程度上并未波及该郡，这里还保留着一种纯粹的田园式生活。20世纪，旅游业逐渐在该地发展起来。

Wigtown　威格敦　英国苏格兰西南部邓弗里斯-加洛韦行政区的一区。1975年重划行政区时设置，由前威格敦郡和柯库布里郡西部地区组成，面积1 713平方千米，位于苏格兰的西南角。西部有锤头形的林斯半岛。连接林斯半岛与大陆的地峡南北两侧分别为凹入大陆的卢斯湾和赖恩湖。威格敦中部为向南突出的半岛，半岛东边为卢斯湾。该区东部为丘陵。气候温和湿润，适合畜牧业而不适合农业。东北部高沼地以养羊为主。低地产肉牛。唯一重要的经济作物为早熟马铃薯。干酪生产为地区的主要工业，有大量的艾尔奶牛为数家乳制品厂提供原料。还饲养很多猪，部分咸肉用于当地消费。区首府为斯特兰拉尔。人口约29 680(1995)。

wigwam　棚屋　美洲印第安人住宅。为美国东北部操阿尔冈昆语的游牧部落所特有。将若干高挑的幼树插入地下，使上部弯曲，捆扎树干顶端而筑成。在这一基本框架上覆盖搭接的大片蒲席或缝连的树皮，再同树干缚牢在一起，或成圆锥形，或成圆顶形。

Wihtred　威特雷德(?～725-04-23)　肯特国王，690年在混乱时期结束后即位。8世纪的历史学家比德说，当时东撒克逊国王斯沃弗雷德和他共同掌权。但到了694年，他似乎已成为唯一的国王。31年后去世，他将王国授予他的儿子艾特尔伯赫特、伊德伯赫特和阿尔里克。在位第5年(可能695年)时，曾颁布法典，历代相传，保存至今。

wiki　维基　由用户维护的万维网站点。1995年建，当时的美国计算机程序员W.坎宁安为站点信息构建而创造了一种新的多人协作技术。他借用夏威夷语意为“快”的词语，称这个新软件为WikiWikiWeb，这个词语由于押头韵并且其缩写同样为www，所以容易记忆。建立维基的灵感一部分来自苹果计算机公司的超卡HyperCard程序。该程序允许用户通过大量链接，从而在各种卡片中建立虚拟的信息“卡片堆栈”。在该程序的启发下，V.布什产生了一个新的理念，并于1945年在《大西洋月刊》发表文章进行了阐述，并设想了一种能让访问者发表评论并在文章和记录在缩微胶片上的书籍之间创造链接的存储器。超卡程序的堆栈贯彻了他的理念，但该程序依赖访问者同时撰写和建立链接。布什还设想该存储器的用户可以共享一种功能，他称作“轨迹”，即每个访问者在文字世界中的访问纪录。坎宁安的维基软件通过允许访问者互相评论和修改他人的文字而对布什的理念进行了更大扩展。最著名的维基软件或许就是维基百科，这是一种通过公开源代码软件开发模式而建立的在线百科全书。某个人将自己写的文章放在百科全书上，然后该文章可由其他读者进行修改，而不是仅由一个编辑来修改。维基百科是非营利性质的。尽管这种系统还远远达不到十分安全的程度，但已经表明一种反传统网络文化开始形成。除了百科全书，维基软件还可以使各种工程的协作关系变得更便利。已经编写了维基模式的手册，人们也已经适应用维基软件在个人电脑上作为个人信息的管理器。

Wikipedia　维基百科　采用开放式资源管理模式的免费网络百科全书。英文版的维基百科始于2001年，到2006年3月已拥有100多万个条目，并以每月数百万字的速度在扩充。维基百科的很多内容都是传统百科全书所没有涉及的流行文化题材，目前已有多种语言的版本。

1998年，证券交易商J.韦尔斯在加利福尼亚州的圣迭戈市创办了一家伯米斯(Bomis)网络公司。2000年3月，韦尔斯创建了免费在线百科全书网络新百科全书(Nupedia)，L.桑格任总编辑。Nupedia的结构就像现在的百科全书一样，由一组专家编纂并经过长时间的审核才得以完成。到2001年1月，只有约20个条目得以完成。于是桑格倡导以一种开放式资源的百科全书形式来补充Nupedia。2001年1月15日，维基百科以Nupedia.com的形式进行发布，但随后专家组对此提出异议，于是数日后，维基百科又以独立站点的方式重新发布。在第一年里，维基百科扩充到18种语言，约20 000个条目。在2004年，Nupedia被中止，它的条目被转移到维基百科上。

从某些方面来讲，维基百科的开放式资源编写模式是所谓的 web2.0 模式的缩影。维基百科群体是建立在几个标准原则上的，如保持中立，以及让投稿人坚信其正在参与一个真诚和深思熟虑的活动。读者可以更正错误，共同对条目进行讨论，而韦尔斯仍是最后的审定者。另外三个原则是不使用有版权的材料、不作创新研究以及无需遵循其他的规则。读者也是作者和编辑，这个最有吸引力的核心原则也产生了潜在的问题，即有些使用者会故意发布不良信息。维基百科依赖使用者自我监控，有信誉的用户还会获得管理员赋予的权限，可以对网页上错误信息进行改正。对维基百科社区自我监督能力的信任也产生了一些问题：由于只能知道信息发布人的计算机 IP 地址或者互联网协议和地址（很多是用户每次上线时随机产生的），所以一些恶意信息的发布者无法被确定。维基百科的管理人员现在有权阻止一些特定的 IP 地址。有关政治问题的题材成为维基百科中立原则的最大考验。一些观察家对维基百科缺少对其文章的准确性和质量负责的编辑和作者产生争论。尽管有这些争论，也许在某种程度上就是由于这些争论，维基百科已经成为协作性网络社会能做什么和不能做什么的一个典范。

Wilamowitz-Moellendorff，(Emmo Friedrich Richard) Ulrich von　维拉莫维茨-默伦多夫（1848-12-22，普鲁士马科维茨～1931-09-25，德国柏林）　德国古典学者和教师。他的研究工作推进了在韵律学、铭文学、纸莎草纸文献学、地形学和校勘学等具有重大历史意义的科学方面的学识。曾就学于波恩大学和柏林大学，参加过 1870 年的普法战争并游历过意大利和希腊。曾连续在柏林大学、格赖夫斯瓦尔德大学和格丁根（又译哥廷根）大学任教，后于 1897 年接受柏林大学希腊学教授之职。著述甚丰，其中有关于希腊悲剧作家、荷马和《伊利亚特》、赫西奥德、品达罗斯、柏拉图和亚里士多德等的研究专著，并对各家作品的版本进行校订。他的《希腊语读本》（1902）是一部标准教科书。1902 年他任《希腊铭文》杂志的主编，还主编过《语文学研究》丛刊（1880～1925），最后著作是《希腊人的宗教信仰》（1931～1932）。

Wilberforce，Samuel　威尔伯福斯（1805-09-07，英格兰伦敦～1873-07-19，萨里郡莱瑟黑德附近）　英国基督教圣公会教士、教育家。他是政治家、反对蓄奴的慈善家威廉·威尔伯福斯之子。1829 年受按立为牧师。1845 年，牛津运动领袖 J.H.纽曼改信天主教，牛津运动处在紧要关头，威尔伯福斯任牛津主教。他并不完全赞成牛津运动的宗旨，但发挥影响使之免于崩溃。他经常抨击自由派主教和抵制圣公会的人士及圣经学者，1860 年在与生物学家 T.赫胥黎的辩论中攻击达尔文的进化论，一般认为他败于赫胥黎。1869 年任温切斯特主教。1870 年倡导修订钦定版《圣经》，使其语言跟上时代。新版《新约》于 1881 年出版，《旧约》于 1885 年出版，《外典》于 1895 年出版。

伦敦国立肖像画陈列馆供图

Wilberforce，William　威尔伯福斯（1759-08-24，英格兰约克郡赫尔～1833-07-29，伦敦）　英国政治家和慈善家，1787 年起在废除奴隶贸易以及后来在废除英国海外属地的奴隶制本身的斗争中起过显著作用。在剑桥大学求学时，成为未来的首相小威廉·皮特的密友。1780 年与皮特一同进入下院，不久，他开始支持议会改革和天主教徒的政治解放，以拥护激进主义闻名，但后来他因此受窘，特别是在法国大革命时期他被选为法国荣誉公民（1792-09）的时候。1815 年起他支持《谷物法》（对进口谷物征收关税）和镇压工人阶级宣传鼓动的各种措施。1784～1785 年改宗福音派基督教义。1787 年参加建立"改革生活方式"的团体，称为公告协会（取缔淫秽出版物），并参加建立反奴隶制协会。他是*克拉珀姆派*（**Clapham Sect**）公认的领袖。他在下院要求通过反对奴隶制的立法。1807 年 3 月 25 日通过在英属西印度群岛废除奴隶贸易的立法是他获得的第一个成就。1823 年协助组织在英国各自治领逐步废除奴隶制的团体，亦通称为反奴隶制协会并任副会长。1825 年退休。他追求的废奴法在他死后一个月通过。

伦敦国立肖像画陈列馆供图

Wilbrord，SAINT　参阅 **Willibrord，Saint** *威尔布罗尔德，圣*。

Wilbur，Richard (Purdy)　威尔伯（1921-03-01，美国纽约州纽约～　　）　赞同新形式主义运动的美国诗人。曾在马萨诸塞州阿默斯特学院和哈佛大学就读，在后者攻读文学。第二次世界大战时在欧洲作战，1947 年获哈佛大学硕士学位。《美好的变化及其他诗》（1947）和《礼仪及其他诗》（1950）的发表，确立了他作为重要青年作家的地位。这些早期诗作遵循传统的诗韵和其他手段，技巧细腻、规范。此后涉足翻译，1955 年翻译出版了莫里哀的剧作《愤世嫉俗》，随后又译有莫里哀的《达尔杜弗》（1963）、《太太学堂》（1971）、《女学者》（1978）和拉辛的《安德洛玛克》（1982）。1957 年他的《世事：诗歌》（1956）获得普利策奖。人们热烈赞扬这部诗集，认为它虽然技巧不如他以前的诗完美，但却更富有个人特色。威尔伯按照 T.S.艾略特开创的诗的传统进行写作，用讽刺和智慧造成他的诗歌中的紧张气氛。他还为 L.伯恩斯坦备受称赞的音乐喜剧《老实人》（1957）撰写歌词，并写有儿童读物《吵闹的老鼠》（1963）和《反对者》（1973）及一部评论集（1976）。1987～1988 年为美国桂冠诗人。

Wilbye，John　威尔比（1574-03-07受洗，英格兰诺福克郡迪斯～1638-09，埃塞克斯郡科尔切斯特）　英国作曲家，当时最杰出的牧歌作曲家之一。其父为富裕农场主与地主。他的音乐才华很早就得到当地乡绅的注意，1595 年前后成为凯特森爵士的常驻乐师。他以仅有的 66 首牧歌赢得了声誉。这些牧歌，除两首外全部发表于 1598 与 1609 年出版的歌集中，1913～1924 年又刊登于 E.H.费洛斯编辑的《英国牧歌学派》第 6 和第 7 卷中。其成就在于所作"严肃"牧歌中的庄严音乐，这种风格在当时的英国还未大量运用。他在为音乐选词上远比其他大多数创作牧歌的同行更注意文学的完美性。还为许多英译意大利诗词谱曲。在他的作品中，不用突然的对比和情绪变化而宁要一个主要的曲调，这就给予他的牧歌以当时英国作曲家很少做到的艺术统一性。他是一位节奏大师，对韵律有极敏锐的听觉，他的音乐充满了字句重音与音乐节拍以对位方式出现的乐句。在《再见！可爱的阿玛里利斯》和《快来吧！可爱的夜晚》中对模进、反复的迭歌和主题的发展进行试验。著名的《福罗拉给了我最美的花》和《可爱的采蜜的蜂》等作品发挥了他在声乐配置方面的技艺。

Wilcox，Ella Wheeler　威尔科克斯（1850-11-05，美国威斯康星州罗克县约翰斯敦中心～1919-10-30，康涅狄格短滩）　婚前名 Ella Wheeler。美国诗人、记者，以所写的稍带一些

美国不列颠百科全书公司供图

情色含义的诗句而为人们铭记，尽管相当含蓄，但仍与她那个时代不相符合。早年即喜爱阅读文学作品，特别是E.D.E.N.索思沃思、M.J.霍姆斯和韦达等人的作品。14岁即出版首部作品，有些章节在此之前曾投稿给《纽约水星报》。不久她的诗就开始在《威弗利杂志》和《莱斯利周刊》上发表。除有一年在威斯康星大学教书(1867～1868)之外，她一直全身心地投入写作。第一本书《水滴》是节欲诗集，出版于1872年。后来在1873和1876年又出版了宗教道德诗集《贝壳》和情感叙事诗《莫林》。第二本书是爱情诗集，曾被一位芝加哥出版商以该书不道德为由退稿，1883年另一位出版商将该书取名《情感诗集》出版时，之前遭退稿的经历却帮助了该书获得成功。两年6万册的销量牢固树立了她的声誉。1884年嫁给了商人R.M.威尔科克斯。在成为文人圈子的核心人物的同时继续大量写诗。后将这些诗结集出版，题为《男人、女人与情感》(1893)、《消遣诗集》(1888)、《伤感诗集》(1906)、《宝石》(1912)和《世界之音》(1918)。她还写了许多小说，包括《双重生活》(1890)、《甜蜜的危险》(1892)、《世界女人》(1904)；两部自传《一班文人的故事》(1905)和《世界和我》(1918)；并为多家报纸和杂志写过散文和诗歌。1916年丈夫去世之后，她开始对宗教产生兴趣，寻求接触到丈夫的灵魂。根据丈夫的旨意(据她说)，1918年她在法国为协约国军队的兵营进行巡回演讲和诗歌朗诵。

Wild, Jonathan　怀尔德(约1682，英格兰斯塔福德郡伍尔弗汉普顿～1725-05-24，伦敦)　18世纪初英国伦敦的犯罪分子头目，操纵和指挥小偷、强盗和诈骗犯，窝藏赃物。最后控制了大批匪徒和罪犯，进行销赃活动。犯罪分子若无视或拒绝服从他的组织，就往往被告发。据说，有120人由于他的证词和他向警察当局的告密被送上绞刑架。他当了约15年的霸主，最后因一起小案的起诉被捕，被告有罪，绞死于泰伯恩。

wild ass　参阅**ass野驴**。

wild boar　野猪类　又作wild pig。偶蹄目猪科动物猪(*Sus scrofa*)所有野生种类的统称，是家猪的远祖。参阅**boar**。

Wild Bunch　野帮　一群牛仔不法分子。19世纪80和90年代在怀俄明、科罗拉多、犹他以及周围各州和地区活跃一时。他们的主要藏身之所是：大墙洞，在怀俄明州北中部的一个几乎不能进入的草木丛生的峡谷和石岗；布朗洞，现为布朗公园，为格林河的一个隐秘的河谷，在怀俄明州、科罗拉多州和犹他州的交界处附近；盗窟，一个几乎进不去的崎岖山谷地区，在犹他州东中部；以及威尔逊W.S.牧场，在新墨西哥州的阿尔马附近。每个据点都有一些小屋和畜栏；偷来的马和牛可以在大墙洞和布朗洞放牧。根据西部的地方传说(是否真实无法确定)，1896年8月18日这个地区的各匪帮有200多名不法分子在布朗洞开会，**大老粗卡西迪(Cassidy, Butch)**在会上提议组织一个火车劫盗辛迪加，后来以"野帮"的名称闻名一时。卡西迪和柯里小子争夺领导权，结果和蔼可亲的、更善偷窃的卡西迪获胜。然而，不法分子们始终没有组成一个统一的、组织严密的匪帮。他们两个人一伙，或者三、五成群地个别活动，抢劫银行、火车和发放薪饷的出纳员，偷窃马或牛。除卡西迪和柯里小子外，野帮中的其他著名人物有：E.莱(**Lay, Elzy**)、哈利·朗宝(即**森丹斯小子[Sundance Kid]**)、本·("大个子得克萨斯人")基尔帕特里克、G.S.("扁鼻子")柯里、W.卡弗和O.C.("卡米拉")亨克斯。在19世纪90年代末和20世纪初，军人、平克顿侦探事务所的侦探和执法人员逮捕或击毙野帮的大部分成员。少数人(包括大老粗卡西迪和森丹斯小子在内)在南美继续其非法勾当。

wild carrot(plant)　**野胡萝卜**　参阅**Queen Anne's lace 饰带花**。

wild cucumber(*Echinocystis lobata*)　**野黄瓜**　又作balsam apple。又称香膏刺瓜，即裂叶刺瓜。葫芦科攀缘植物，原产北美东部，叶有3～7个尖裂片；卷须卷绕如线圈状，分叉。

野黄瓜(*Echinocystis lobata*)
供图：Jeanne White from the National Audubon Society Collection/Photo Researchers—美国不列颠百科全书公司

花6瓣，白色；果肉质，卵形，有刺，内含种子4粒。常栽培并使之覆盖棚架和篱笆。

wild duck　野鸭　绿头鸭(**mallard**)在北半球的俗名。

wild flower　野花　又拼wildflower。非人工栽培的显花植物。所有栽培的园艺花卉品种的来源。一般生长于当地，亦可从其他地区引入。例如，夏威夷群岛特有的花，几乎均原产于其他热带、亚热带地区，大部分是有意引进后迅速分布于岛上肥沃的低地，并取代了当地原有的颜色较单调的种，只有陡峭的山腰还保持其原始植物区系。在美国和欧洲的低地花卉大部分是当地种，小部分为迁入种。人力造成的地方植物区系的剧变始于史前时期，每当古人生火后火苗不慎逸出，大火焚尽本地植被，即为同一地区或其他地区的种类入侵开辟了道路。突出的例子是欧洲北部的森林被烧毁后，锐尖毛茛(*Ranunculus acris*)便大量繁育孳生。在北欧低地，这种艳丽而高度易变的种，从石器时代便改变得比原始类型更加适应人类活动所创造的生境。在美国北部和加拿大，有两种毛茛类型都是19世纪初才引入北美东部并逐渐遍及全大陆的，其中一种到20世纪才遍布于华盛顿州。杂草与野花的区别决定于分类的目的，杂草指从人类的角度看生非其地，也就是该地所不需要的植物。向日葵在北美大平原的耕地或牧场上生长便是杂草，但在未开垦的谷地就是野花，在某些地方又可作为作物或庭园花卉而被栽培。显花植物约25万种，其中数千种是野花。出现于一个大陆的野花极少也在另一大陆出现。同一大陆的某些具体部分可具有完全不同的植物区系，因为野花和其他植物一样，受多种因素(尤其是湿度和温度)的影响。同一山脉的相对两侧，湿度可能相差很大；温度随海拔高度与纬度而变化，相应地植物区系也有所不同。在一个长距离内从北向南，野花及其他植物的种类随纬度而改变，甚至在萨斯喀彻温到得克萨斯之间的平坦地区也是如此。许多热带、亚热带种类，其向北分布受霜冻限制。野花和其他植物的分布情况大体可分为：热带与亚热带的，回归线无风带(约南、北纬30°一带)的，南、北温带的，北极和南极的，南向绵亘的山脉各高峰之巅的。在美国和加拿大，在国家的、州或省的、地区的公园和遗址内保留了一些荒野及野花区，但总的说，一度非常广阔的生长野花的地区未能很好保留下来。这样的地区极易受人类文明的破坏，因为它容易耕作，又可改成牧场或居住区。

wild ginger　细辛　又称野姜。马兜铃科细辛属(*Asarum*)植物的通称。多年生草本，约75种，广布于北温带地区。本属一些种的叶子和地下茎碰破时放出香气，干燥的根状茎可代生姜。加拿大细辛(加拿大野姜，蛇伤草，*A. canadense*)高15～30厘米，生于北美东部林荫下；生2片被短绒毛的心脏形叶；花单生于近地面处两叶柄所成的夹角中，有3个淡红褐色的裂片；可在野生植物园多荫处

加拿大细辛(*A. canadense*)
供图：W.H.Hodge

用作地被。欧洲细辛(欧洲野姜，*A. europaeum*)匍匐茎上有毛，花钟状，棕色，原产于欧洲和亚洲；过去用于配制多种药物，特别是泻药，还用作鼻烟。

wild lavender 参阅 **chaste tree** 穗花牡荆。

wild mango（*Irvingia gabonensis*） **野杧果** 又作 dika（狄卡果）。黏木科（Ixonanthaceae）热带乔木，原产非洲。果多少与杧果相似，黄色，可食。种子富含脂肪，产地常用其脂肪来做面包和代黄油。木材十分坚硬，是当地的建筑材料。

wild oat **野燕麦** 早熟禾科燕麦属（*Avena*）几种一年生丛生禾草，原产欧亚。有时用作干草，幼嫩植株可为牧草。最常见种是 *A. fatua*，为澳大利亚、北美和非洲南部温带

野燕麦（*A. fatua*）
供图：Grant Heilman—美国不列颠百科全书公司

地区田野和路边常见的杂草，成小丛，高约 0.9～1.2 米，成熟小穗钟形，具拳曲的硬毛状芒。

wild pig **野猪** 又作 wild boar。偶蹄目猪科动物猪（*Sus scrofa*）野生种类的统称，家猪的祖先。参阅 **boar**。

wild pink（orchid） 参阅 **dragon's-mouth** 龙口泽兰。

wild pumpkin **野南瓜** 参阅 **calabazilla** 臭瓜。

wild radish（species *Raphanus raphanistrum*） **野萝卜** 又作 jointed charlock。十字花科一年生广布的杂草。原产欧亚，已在北美归化，或认为是栽培种萝卜（*R. sativus*）的祖先。直根粗壮。叶丛莲座状，叶缘有不规则缺刻。花茎高 60 厘米，多刺毛。花四瓣，黄色、丁香色、白色或者紫罗兰色。在头状花序之下结果，角果狭卵形，在种子之间的部位凹陷，种子4～10 粒。

wild rice（*Zizania aquatica*） **菰** 又作 Indian rice，water rice 或 water oats。又称茭白。早熟禾科一种茎叶粗大的一年生禾草。英文名中虽有 rice 一词，但与稻（*Oryza sativa*）无亲缘关系。菰生长于北美中北部沼泽浅水区或溪岸湖畔。在北美向来为印第安人的重要食物，现常视为美味。自然生长的菰以前为许多中西部的印第安人提供主食。现在明尼苏达及加利福尼亚的人造水田中种植着菰的栽培品种，用机械化方式大规模种植及收割。野生的及栽培的菰也为水鸟和其他鸟类提供

菰（*Zizania aquatica*）
供图：W. H. Hodge

食物和遮蔽场所。菰株高达1～3米，顶生一大而开展的圆锥花序，成熟种粒细长，深褐或紫黑色，长 1～2 厘米。多年生茭白（*Z. caducifolia* 或 *Z. latifolia*）在亚洲东部栽植作为蔬菜，与菰近缘。

wild rye **野黑麦** 又作 lyme grass（欧滨草）。早熟禾科披碱草属（*Elymus*）约 50 种多年生饲草的统称。原产北半球温暖和凉爽地带。巨野黑麦（灰色披碱草，*Elymus cinereus*）、弗吉尼亚野黑麦（弗吉尼亚披碱草，*E. virginicus*）和加拿大野黑麦（加拿大披碱草，*E. canadensis*）是分布最广的北美种。沙丘草（沙

加拿大野黑麦（*Elymus canadensis*）
供图：Alfred C. Tegethoff

生披碱草，*E. arenarius*）原产欧亚，高0.6～2.5 米，具匍匐根茎，穗状花序顶生而紧密，似黑麦。野黑麦在海岸沙丘上可用作固沙植物。

wild-water racing **激流划艇竞赛** 又称白浪划艇竞赛（white-water racing）。在激流上进行的划艇或皮艇竞速航行。探险家、猎人和渔民必须具有乘小艇或木筏驶过湍急河流的技能，从而发展成为这种比赛项目；又是欧洲和美国流行的娱乐活动。国际比赛始于 1950 年。根据航行难度将河流分 6 级，有的较易通过，有的要冒生命危险。选手戴安全帽，着救生衣，拉开距离始航，在 3～8 公里赛程中所用时间最少者胜。不同级别比赛使用的划艇或皮艇结构相似，整个舱面都覆盖着，只留一个容纳划艇人的洞。划艇人腰上围着塑料裙来挡水。

Wild West show **西大荒演出** 由绰号野牛比尔的印第安人 W.F.科迪创始于 1883 年的盛大戏剧演出。1887 年他在纽约市麦迪逊广场公园举行演出，当场献艺者有 100 名印第安人，其中有射箭手、花式骑手、套捕能手、射击手等，使用的兽类有野牛、麋、熊、驼鹿、鹿等，表演历时 4 小时，内容有印第安人的战舞和袭击长途马车等。他们后来去英格兰和欧洲大陆演出，红极一时，英国女王维多利亚曾三次观看。

wildcat **野猫** 无人饲养的家猫及任何猫科小型野生动物的统称，特指欧洲野猫（欧林猫，*Felis silvestris*）。欧林猫栖息于从苏格兰经欧洲大陆到亚洲西部一带的森林地区。与

欧洲野猫（欧林猫，*Felis silvestris*）
供图：Philip Wayre—美国不列颠百科全书公司

家猫相似，但腿较长，头较大较平，尾粗圆，较短，末端为圆形。毛浅黄灰色，花纹似斑猫，纹带色深。尾有黑色环纹。体长 50～80 厘米，尾长 25～35 厘米，肩高 35～40 厘米，体重 3～10 千克。性凶猛难驯，独栖，夜行性。捕食鸟类和小兽，也偷窃家禽和小羊。在欧洲大陆一年生育一次（在春季），而在苏格兰一年 2～3 次，一窝 3～6 仔；妊娠期 68 天。可与家猫杂交。有人认为，由于杂交，苏格兰野猫（欧林猫的一个亚种）的血统将不复存在。在北美洲，猞猁和短尾猫（**bobcat**）有时也称为野猫，非洲的利比亚猫（**Caffre cat**）有时称为非洲野猫或埃及野猫。

wildcat bank **野猫银行** 美国1816～1863 年州银行业不受管制时期根据各州法律领照成立的不健全的银行。它们拿不可靠的担保发行几乎一文不值的货币，且都设在人迹罕至之处以阻止人们拿银行券去兑现。1863 年

《国民银行法》通过后才宣告州银行券流通的结束。野猫银行一词后来也引用于任何“不稳定”的银行。

Wilde, Oscar (Fingal O'Flahertie Wills) 王尔德(1854-10-16,爱尔兰都柏林～1900-11-30,法国巴黎) 爱尔兰才子、诗人、戏剧家。他的声誉源自其喜剧杰作《少奶奶的扇子》

威廉·安德鲁斯纪念图书馆供图

(1892)和《认真的重要》(1895)。是19世纪末英国唯美主义运动的代言人,该运动主张“为艺术而艺术”;他还是涉及同性恋的一些民事和刑事诉讼案的目标并最终遭到监禁(1895～1897)。生于爱尔兰都柏林一位著名的耳科和眼科医生家庭。其母是一位革命诗人,是研究凯尔特族神话和民间传说的权威。王尔德在都柏林三一学院毕业后于1874～1878年在牛津大学马格达伦学院深造。在这4年间,他的长诗《拉凡纳》于1878年获令人羡慕的纽迪盖特奖。他深受英国作家J.罗斯金和W.佩特的美学思想的影响。19世纪80年代初期,在伦敦社交界和艺术界以才智和浮华闻名,曾经是《笨拙》杂志漫画讽刺挖苦的对象。1881年发表《诗集》,反映了A.斯温伯恩、D.G.罗塞蒂和济慈对他的影响。1882年前往美国和加拿大讲学,宣传他的美学主张,回国后担任杂志评论员和编辑。1888年出版《快乐王子》,显示出他运用童话形式写浪漫主义寓言的才能。在生前最后10年里,他创作并发表了他的几乎全部重要作品。他唯一的小说《道林·格雷的肖像》(1891)既有哥特式小说超自然力量的因素,又模仿法国颓废派小说对隐私罪恶的描写。它和同年出版的论文集《意图》都进一步阐述了王尔德对艺术的美学观点。但王尔德的最大成就是他的社会喜剧。他的几部获得成功的社会喜剧是:《少奶奶的扇子》(1892)、《无足轻重的女人》(1893)、《理想丈夫》(1892)和《认真的重要》(1895)。他运用似是而非、机智诙谐的语言为19世纪英国戏剧创造了一种新的喜剧形式。用法文写成的《莎乐美》(1893)描写违反自然的爱情,曾遭到禁演。1895年王尔德被控和青年A.道格拉斯搞同性恋,被判入狱服劳役两年。在狱中写了《从深处》(1905年发表时作了大量删节)的长信,抱怨道格拉斯对他的引诱。1897年5月出狱后即去法国,写了长诗《雷丁监狱之歌》(1898),揭露英国监狱中非人道的待遇。1900年在巴黎因耳朵感染引起的急性脑炎而病逝,临死前被接纳为天主教徒。

wildebeest (antelope) 参阅 **gnu** 角马。

Wildenvey, Herman 维尔登韦伊(1886-07-20,挪威,艾卡尔～1959-09-27,拉尔维克) 挪威诗人。他的有如明媚阳光的写单纯感官快乐的诗歌在挪威诗歌的沉郁历史中显得异乎寻常。第一辑诗集《篝火》(1907)发展了写诗的技巧,使诗的轻快感与其情绪相称。这一点也表现在他的诗集如《爱抚》(1916)、《秋天的里拉琴》(1931)及其他作品里。他能使文字产生出新的效果,甚至能赋予某些陈词滥调以新的生命。

Wilder, Billy 怀尔德(1906-06-22,奥地利苏哈[今在波兰]～2002-03-27,美国加利福尼亚) 原名Samuel Wilder。奥地利出生的美国电影编剧、导演和制片人,以他的对有争议的题材作出幽默处理和对美国生活中的伪善提出尖锐控诉的影片著称。曾在维也纳大学就读。后在维也纳和柏林当记者。其第一部电影剧本是与人合写的半纪录性影片《星期天的人们》(1929),同时任这部影片的两导演之一。此后4年为德国和法国写电影剧本,后赴好莱坞。1933年希特勒上台,他的犹太背景使他不得不移居国外。他的导演的声望由《双重保险》(1944)一片奠定,该片由C.布拉克特任制片人,这时他们两人已合作写了一些电影剧本。1945年在德国负责美军心理作战处的工作。之后,先与布拉克特合作至1950年,后从1957年起与I.A.L.戴蒙德合作,所写电影剧本由他自任导演,并常常兼任制片人。他的一系列影片表现了被认为是不适宜搬上银幕的题材,例如酗酒(《失去的周末》,1945)、战俘营(《战地军魂》,1953)和卖淫(《爱玛姑娘》,1963)。他的影片《红楼金粉》(又译《日落大道》,1950)和《公寓春光》(1960)等,思考现代生活的空虚。后来的影片《向前进!》(1972)、《费多拉》(1978)和《老兄老兄》(1981)等,探讨了同一主题。怀尔德最成功的影片是喜剧片,包括《萨布里纳》(1954)、《7年的骚痒》(1955)、《午后之恋》(1957)、《有人喜欢亲热》(1959)和《一二三》(1961)。1986年美国电影学会授予他终身成就奖。在1988年各项奥斯卡奖中,他被授予欧文·索尔伯格奖。

Wilder, Douglas 怀尔德(1931-01-17,美国弗吉尼亚里士满～) 全名Lawrence Douglas Wilder。美国政治人物,第一位民选的非洲裔美国州长。1951年获得弗吉尼亚联合大学化学学士学位,1959年获得霍华德大学法律学位。在弗吉尼亚州里士满发展其法律和政治事业,当过全国都市联合会里士满分会的会长。1969年成为美国重建时期(1865～1877)之后第一个当选弗吉尼亚州参议员的非洲裔美国人。作为一个民主党人士,他以观点温和著称,1985年当选副州长,是弗吉尼亚第一位任此职的非洲裔美国人。1989年得到民主党提名竞选州长,以50.2%的得票率险胜共和党候选人。他曾宣布参加1992年竞选美国总统的民主党候选人,但在初选开始之前退出。由于宪法不允许州长竞选连任,1994年离职。2004年当选里士满市长。

Wilder, Gene 怀尔德(1935-06-11,美国威斯康星密尔沃基～) 原名Jerome Silberman。美国喜剧演员,以饰演易激动的神经质角色而给人留下深刻印象。在密尔沃基长大,曾是著名的表演教师H.戈特利布的学生。1955年毕业于艾奥瓦大学,获得戏剧学位。1961年加入纽约市的演员电影制片厂,师从L.斯特拉斯伯格;同年,在百老汇戏剧《根》中首次演出。在以后几年中,他在百老汇和外百老汇的几个戏剧中都饰演过角色,因在《勇敢母亲和她的孩子们》(1963)和《飞越布谷鸟巢的人》(1963)等剧中的表演而受到观众好评。第一次登上银幕是在W.贝蒂的《邦尼和克莱德》(1967)中饰演一个小角色。当集演员、导演和作家于一身的M.布鲁克斯(怀尔德在百老汇时与他相识)在电影《制片人》(1968)中选用怀尔德而不用脾气暴躁的Z.莫斯泰尔时,他的事业转折点终于到来。尽管该片在当时并没有引起轰动,但还是为他赢得了奥斯卡最佳男配角提名,此后该片逐渐被人们所认识,成为一部经典喜剧。后来他又在两部电影中饰演角色,拥有了一批影迷:《开始没有我参加的革命》(1970,在该片中他展示出不俗的击剑技术)及《奎科萨·福琼在布朗克斯有个表弟》(1970,在该片中他饰演一个容易生气的都柏林粪肥销售员)。他还在《威利·旺卡和巧克力工厂》(1971)饰演主角。20世纪70年代初,他因在布鲁克斯导演的两部滑稽电影《燃烧的马鞍》和《年轻的弗兰肯斯坦》(均为1974)中的表现而成为大牌明星,后一部电影被评论家称为有史以来最优秀的喜剧之一。在布鲁克斯导演的电影里获得成功后,他开始撰写和导演自己的喜剧。但大多数批评家认为他的喜剧只不过是纯粹模仿布鲁克斯的风格。他曾在两部成功的喜剧《银色条纹》(1976)和《精神失常的人》(1980)中与喜剧演员R.普赖尔合作。在电影《阴谋诡计》(1982)、《红衣女人》(1984)和《闹鬼的蜜月》(1986)中他曾与妻子、女喜剧演员G.拉德纳联袂演出。1989年拉德纳患卵巢癌去世后,怀尔德成立了吉尔达俱乐部,专门为癌症患者提供帮助。

Wilder, Laura Ingalls 怀尔德(1867-02-07,美国威斯康星丕平湖～1957-01-10,密苏里曼斯菲尔德) 美国儿童小说作家。小说依据她本人在美国中西部度过的青年时代写成。曾编辑《密苏里乡村人》达12年之久。后在她女儿的敦促下,才开始创作。所写故事的主题是19世纪中叶男性拓荒者的不安与女性拓荒者的耐心,赞美他们独特的美国风格和自立精神。著有《大森林中的小屋》(1932)、《村童》(1933)、《草原上的小屋》(1935)、《普拉姆河畔》(1937)、《银湖岸边》(1939)、《漫长的冬天》(1940)、《草原上的小城》(1941)和《这些幸福的黄金岁月》(1943)。在20世纪70和80年代受人欢迎的电视连续剧《草原上的小屋》系根据她的故事改编。

Wilder, Thornton (Niven)　怀尔德(1897-04-17,美国威斯康星麦迪逊～1975-12-07,康涅狄格哈姆登)　美国作家,他富于创新精神的小说和剧本反映了他对人性中普遍真理的

布朗兄弟公司供图

观点。1920年从耶鲁大学毕业后,在罗马攻读考古学。1930～1937年在芝加哥大学教戏剧和古典文学,第一部小说《神秘教义》(1926)虽以20世纪的罗马为背景,实质上是一部幻想小说,写异教诸神的死亡。最受欢迎的小说《圣路易斯雷伊桥》(1927,普利策奖)是对18世纪秘鲁因塌桥死亡的5个人的生平的调查,曾改编为电影和电视。《安德罗斯的女人》(1930)是对古罗马喜剧作家泰伦提乌斯的《安德罗斯女子》的译释。因被人指责为"希腊"作家而不是美国作家,怀尔德在《天堂是我的目的地》中描写了一位当代背景下的堂吉诃德式善良英雄。后来出版的小说有《三月的第十五天》(1948)、《第八天》(1967)和《狄奥菲鲁斯·诺思》(1973)。怀尔德的剧本以演员直接向观众讲话和取消道具、布景的手法使观众更有逼真感。《小城风光》(1938)中的舞台监督和滑稽剧《媒人》(1954)中的角色都对观众讲话。《小城风光》获普利策奖,怀尔德也因此成为唯一一位获得普利普小说和戏剧两个奖项的作家。1958年《媒人》被拍成电影;1964年改编为非常成功的音乐剧《喂,多利!》,后也被拍成电影。其他剧本有《千钧一发》(1942,普利策奖),故意采用时代错误并在不同的地质和历史时期用同一角色,用以说明人类经历无论时间或地点均大体相似。

Wilderness, Battle of the　莽原战役(1864-05-05～07)　美国南北战争中,联邦军精心制订的攻取南部邦联首府里士满的全部计划中的第一阶段。1864年5月初,U.S.格兰特将军率领联邦军10万人在弗吉尼亚州弗雷德里克斯堡附近渡过拉帕汉诺克河,5月5日与R.E.李将军统率的6.2万南部邦联军相遇。战斗发生在称为"莽原"的密林中。在这里,骑兵和炮兵几乎毫无用武之地。大批伤员在燃烧的灌木火焰中丧命。经过两天激烈战斗,格兰特移军投入里士满附近的斯波特瑟尔韦尼亚县城战役。

Wildfowl Trust, The　野禽托拉斯　世界上最大的水禽聚集中心,1946年P.斯科特爵士在英格兰格洛斯特郡瘦桥附近沿塞文河的169公顷土地上建立。近1/4的面积用网围起,用以饲养圈养的野禽及繁殖种群;该动物保护园的其余部分是许多野鸭及雁的传统越冬地点。除接纳雁、野鸭、天鹅等真正的野禽外,该动物保护园还饲养着已知6种红鹳中4种的繁殖种群,又专门建有一座饲养异国鸭类及小型鸟类的鸟亭。该动物保护园聚集了约200个种鸟类的近3 000个个体。其繁殖鸟类的成绩十分显著。在繁殖夏威夷雁方面的成绩最为出色,这种鸟类于20世纪50年代已几乎绝灭。其财政支持来自补助金及门票收入。

Wildgans, Anton　维尔德甘斯(1881-04-17,奥地利维也纳～1932-05-03,维也纳附近默德灵)　奥地利剧作家和诗人,他的神秘剧因充满德国表现主义典型的象征性信息而闻名。法官之子,做过律师,不久即改行写作。早期作品很畅销,其中有诗集《春秋》(1909),这些诗使人回想起H.von霍夫曼斯塔尔后期的浪漫主义作品中理想主义和现实的题材。他的戏剧如三部曲《贫困》(1914)、《爱》(1916)和《最后审判日》(1918),开始写一个现实主义的世界,随着剧情的发展,变得越来越难懂,越来越多地涉及感觉,其高潮是对于真理的神秘和象征性含义的领悟。1921～1922年和1930～1931年间领导过著名的维也纳城堡剧院。还曾将意大利和法国诗人的作品译成德文。他的诗集出版于1929年。

wildland fire　燎原大火　森林、草原、灌木丛或田地发生的燎原野火。野火的发生与气候条件的变化有关:干旱、热度和风都能使木材或其他燃料发干,很容易引起火灾。一旦起火,这些因素又会使火势加剧。地形也会影响燎原大火,火焰上坡蔓延快,下坡蔓延慢。干草、枯叶和树枝都被认为是快速燃料;它们着火容易,火焰蔓延快,经常产生足够的热量引燃诸如树桩、大树枝和森林地面落叶之类的难燃燃料。绿色燃料即正成长的植物被认为是不可燃烧的,但是猛火可以烤干其叶子和针叶而引起迅速燃烧。绿色燃料特别危险:像松树、雪松、冷杉、云杉之类的长青树含有可燃油,当森林中灼热的气流把它们烤到一定程度时,能立即引起火苗。熄灭野火的工具种类繁多,有城镇消防部门的标准设备及手提式消防泵、水箱车和掘土设备。公共和私人森林主拥有一支受过专门训练的野火消防队。1919年在加利福尼亚州第一次使用扑灭野火的飞机。

wildlife conservation　野生生物资源保护　管理野生动植物使之作为一种自然资源而继续存在下去的实践。这意味着人们应从美学、运动、经济和伦理等方面来利用风景、猎物、矿物、动物、植物、土壤和水,使当代人及子孙后代均可继续经营农牧业及利用自然资源。本概念适用的植物和动物(如哺乳类、鸟类、鱼类、爬行类、两栖类、节肢动物[如龙虾]、软体动物[如牡蛎])的范围越来越广,某些有重要美学及经济意义的动物往往占突出的地位。但随着社会准则的扩大,科学兴趣的增加,动植物间越来越微妙而重要的关系被人报道,物种的数量也在增多。各国的动物类型不同,社会、经济条件亦异,因此动物资源保护问题也不相同(如人们是为商业还是娱乐的目的而开发这些资源,动物是否能自由逾越国界等)。在许多国家,无论是私有或公有土地上的狩猎均主要为一种运动,因此野生动物资源保护的一个突出因素便是执照的颁发及对猎人的管理。鸟类、海生哺乳动物和鱼类的问题需要国际协议和立法,因为鸟类会越过国境而迁徙,可能被猎人射落,而海兽和鱼类生活在无国界标志的海域,会被各国渔民捕获以供销售。小型毛皮兽应由本国立法加以保护,而海豹由国际协议保护。海水鱼主要捕获以供销售,有国际协议保护;而淡水鱼主要为钓鱼爱好者钓获以为娱乐(大湖区等大型内陆水域除外),由本国颁发执照和管理。在对野生生物资源保护的认识方面,道德的考虑占了中心的地位。但道德考虑很晚才出现,因为人类在许多世代以来必须同自然作斗争。虽然原始人比现代人与野生生物之间有着更重要的利害关系,但他们并无保护其猎物的观念。恐鸟和猛犸象绝灭后,人们没有从中得出教训,但旅鸽绝灭后却不然。20世纪早期的自然资源保护主义先驱认识了人的巨大的破坏作用,强调指出他们那一代人负有道德责任为后代保存自然资源。现代生态学家认识到,自然是一系列复杂的生物群落,人是其中一个与其他部分相互依存的部分。自然资源保护主义者的代言人A.利奥波德主张,金章程应适应于土地及其动物和人。

问题　现代人发现自己对宇宙万物的命运负有责任,并以近百年的保护传统和具体法规为指导。过去2 000年来,世界上有100多种哺乳动物绝种,其中约2/3是19世纪中期以来,尤其是20世纪初绝灭的。此外,还有许多哺乳动物已极为罕见或受到绝种的威胁。动物群落耗竭的主要因素是现代人类社会,他们过度捕猎可直接耗竭资源,更为灾难性的是,他们侵入或破坏了自然生境,将火器交到没用过的人手中,或将更有进攻性的外来哺乳动物引入某些地区的原始动物群落(如澳大利亚及各岛屿)而间接耗竭资源。过去2 000年内,除西印度群岛外,很少有物种因进化衰老、疾病或气候变化等自然原因而绝种。对野生生物保护感兴趣的人认识到,除保护具体动物以免被人射杀或受其他直接摧残外,还有更多的事要做。动物保护必须从保护生境(动物取食、生息和繁殖的场所)开始。这自然涉及保护动物种群以外的许多事物,包括植被和土壤的保护。现代的生态科学着重研究生物与自然群落的关系和相互依赖,研究保护使大量各种生物得以继续存在的条件的可能性。但是,世界各地人口猛增、人类的经济需要(包括工农业)膨胀和随之而来的采用新的耕作方式、排干沼泽、降低地下水位、污染江湖、破坏森林、滥用杀虫剂和除草剂等,都侵害了残存的自然生境。在世界许多地方,森林和其他自然植被遭到严重破坏。许多野生动物被人杀戮以取其肉、油、皮、羽或供娱乐,对这些动物的态度在世界上许多国家中正发生相当大的变化。两个世纪以来,英国即实行猎物保护,其目的是人为地创造松鸡、山鹑、雉、绿头鸭等的大种群,同时减小黄鼠狼、白鼬、水獭、野猫、獾之类食肉动

物和鸮等猛禽的种群。这种改变自然平衡的做法带来许多其他后果,特别在农业和林业方面。野兔和林鸽数量大增,引致广泛的损失。在英国某些地方,人们种了树木,为野禽造了人工湖,改变了自然景观,以创造更大的种群供狩猎用。可狩猎的日期有严格规定。射击有一套规矩,偷猎要受重罚,结果狩猎物种的数量大增,其他野生生物资源的命运各异。保护全部野生生物资源的现代观点,迅速取代了只保护猎物的观点。

技术 野生生物资源保护的技术与森林、土壤、水和风景区的保护相互配合,包括禁令、管制、恢复、补助、禁猎区、公有制等。最早的禁止和监督方式是控制狩猎、捕鱼和设陷阱诱捕。虽然许多早期的法规产生了误导作用,仅着眼于增加猎物的种群,但是另一些早期的管理对保护野生生物资源起了重要作用,特别是限制在繁殖季节捕猎以保护动物。限制每个猎人、渔民和设陷阱捕兽者的捕猎数量也是一种重要的保护手段。在北美和西欧,限制狩猎、捕鱼和设陷阱诱捕成功地调节了猎物的数量,但这点在农村人口贫困、营养不良的国家没取得成功。迁徙水禽资源利用的管理仅在北美获得成功,因为在这些国家较易制订国际条约。在保护野生生物资源的现代法律手段中最重要的是保护面临绝种危险的物种的法律。例如,美国《濒危物种保护法》规定,捕猎、用陷阱诱捕或采集面临绝种危险的动植物是违禁的。该法也严格限制联邦经费用于可能对濒危物种产生不利影响的项目,并禁止进口濒危动植物或以它们为原料制作的产品。用法律手段来强制控制污染也同样是重要的,其结果改善了空气和水的质量,增加了野生生物生存的机遇。要改善被污染物损坏的生境往往是一个漫长的过程,可是在很多情况下,打官司和执法不严阻碍了执行反污染法。用人工的方法来补偿资源的耗竭,包括生物群体的引进计划和恢复动植物的生境。建立狩猎场和鱼类孵化场,以提供放养鱼和大众化野味,是野生生物管理长期形成的手段。这种计划的最新发展是收集个人狩猎物,引入面临绝种危险物种的野生群体。饲养捕猎物,然后释放它们,对拯救濒于绝灭的北美高鸣鹤取得了成功。为抢救加利福尼亚神鹰(另一种北美几乎绝灭的鸟),也已开始实施一项同样的计划。这些成果不仅取决于捕获的濒危物种能否饲养成功,还取决于它们被释放后适应野生生活的能力。恢复遭到损坏的动植物生境是一项需要付出巨大努力的事业。恢复生境往往花费很高,但是美国的许多国家野生动物保护区已经证实,沼泽地的恢复能产生奇迹般的效果。最早的补助金至少在中世纪的英格兰已出现,即给杀死捕食动物或毁坏庄稼的物种的人以奖金。有些留传至今的奖金使生态学家们深感遗憾,但是政治家们则认为是非正式的农村救济金。在美国,联邦补贴用以鼓励城市建设污水净化工程,鼓励农民按土地休耕补贴制计划离开土地。禁猎区亦称保留地,从19世纪中叶以来在野生生物资源保护中占突出地位。在美洲和非洲大型国家公园给大型捕食动物和生活于草原的大型狩猎动物提供了保护和迫切需要的空间,使需在繁殖季节筑巢的鸟类避免人类的侵扰;在美国,又至少使迁徙的水禽部分避免了枪击。美国的禁猎区是国家所有,可使野生动物的食物来源得到保障,使资源恢复到一定程度。这在私有的土地上是不可能的。加拿大和美国的森林为国家所有,也有助于保存野生动物的各种物种。

Wildman, Sir John 怀尔德曼(约1621至1623～1693-06-04) 英国宣传鼓动家,平均派分子,一生沉浮,经历3代英格兰国王和两位护国公。出身寒微。剑桥大学毕业。1647年10月参加起草《军队的意见》和第一个《人民协约》,表达了军队中民主共和派或称平均派反对与查理一世妥协的政治纲领,他也因此成名。1647年在军队大会上所进行的辩论中,他反对H.艾尔顿和O.克伦威尔,而为这个纲领辩护。此后在《帕特尼计划》中猛烈攻击艾尔顿和克伦威尔,鼓吹废除君主制和贵族院,并因此下狱(1648-01-08)。获释后又参加起草第二个《人民协约》。1654年选入第一次护国议会,但是他的当选遭到否决。因此,他开始与不满现状的陆军军官共同策划反克伦威尔的起事。1655年2～7月再次坐牢。此后,他企图在西班牙的援助下组织平均派和保王派起事,刺杀克伦威尔。查理二世复辟后,在邮局任要职,因涉嫌以邮局为中心策划阴谋,1661年11月再次入狱6年之久。经白金汉公爵之助获释后,1683年又因涉嫌参与麦酒店密谋案(**Rye House Plot**)被投入监狱。他虽然未积极参加蒙默思的叛乱(1685),但后来逃往荷兰。1688年写小册子《新教徒陈情书》。他随奥兰治的威廉(威廉三世)回英国后,成为1689年协商议会的议员。1689年4月任邮政总长,1691年2月又因受到怀疑而被撤职。但1692年受封爵士。

Wilfrid, Saint 威尔夫里德,圣(634,英格兰诺森伯里亚～709或710-04-24,英格兰麦西亚昂德尔隐修院) 英格兰基督教教士。648年入林迪斯芳隐修院,652年到罗马。在里昂度过3年后,于657或658年返回诺森伯里亚,掌管约克郡里彭隐修院。663或664年任司铎,在664年惠特比会议上担任高卢主教阿吉尔贝尔特的代言人,鼓吹废除克尔特教会的礼仪而采用罗马教会礼仪。669年任诺森伯里亚大主教。在赫克瑟姆创办隐修院,把本笃会会规引入英格兰。通过他的传教,677年弗里西亚人信奉基督教。同年,坎特伯雷大主教狄奥多尔把诺森伯里亚大主教辖区划出一部分,威尔夫里德前往罗马申诉。教皇阿加托和679年罗马会议发出谕令,要求威尔夫里德返任,同意分区,但应由威尔夫里德与当地会议共同决定各主教人选。诺森伯里亚国王埃克弗里思拒不执行教皇谕令,监禁威尔夫里德。威尔夫里德避往苏塞克斯,劝化当地人信奉基督教。继埃克弗里思为王的奥尔德弗里思于686或687年召回威尔夫里德。但威尔夫里德坚持必须完全恢复自己的权力,不愿妥协,11年间不返职,暂时署理麦西亚(7世纪盎格鲁-撒克逊王国)主教职,705年任赫克瑟姆主教,继续兼管麦西亚隐修院。他反对世俗政权蔑视教皇权威和控制地方教会。

Wilhelmina 威廉明娜(1709-07-03,柏林～1758-10-14,上法兰克尼亚拜罗伊特) 普鲁士腓特烈大帝之姊,拜罗伊特侯爵夫人(1735起)。童年与其弟共度时艰,一生深得大帝信赖。1731年与拜罗伊特储君腓特烈结婚。1735年腓特烈袭位为侯爵。夫妇俩开始致力于把拜罗伊特建设成为一个小凡尔赛。他们重修宫邸及歌剧院等建筑物,还创办了埃朗根大学。侯爵夫人使拜罗伊特成为德意志文化中心之一,拥有一批智慧之士和艺术家。七年战争爆发后,她的兴趣由附庸风雅一变而为纵横捭阖,成为腓特烈大帝在南德意志的耳目,直至去世。

Wilhelmina 威廉明娜(1880-08-31,荷兰海牙～1962-11-28,阿帕多恩附近的海特洛) 荷兰女王(1890～1948)。第二次世界大战期间,她从伦敦通过无线电广播使自己成为荷兰人对德国占领进行抵抗的象征。国王威廉三世与他的第二个妻子埃玛之女,1890年11月23日其父死后成为女王,由母亲摄政。1898年9月6日在阿姆斯特丹正式登基。1901年2月7日与亨利公爵结婚,1909年4月30日生朱丽安娜公主。第一次世界大战期间极力保持荷兰的中立。1940年5月10日德军入侵荷兰,她向全国发表宣言"火红的抗议",数日后率王室和内阁去英格兰。在整个战争期间,她通过广播号召全国人民保持旺盛的斗志,直至全国解放为止。1945年德军撤出,她回祖国受到热烈的欢迎。1948年9月4日由于健康原因,让位给朱丽安娜,退隐阿珀尔多伦附近的海特洛宫。著有回忆录《寂寞但不孤独》(1959),书中显示出支配其一生的深沉宗教感情。

Wilhelmina Gebergte 威廉明娜山脉 苏里南中部山脉。为南美洲前寒武纪花岗岩的圭亚那地盾的一部分。东西走向,绵亘113千米。北部山势平缓下降,分成巴克赫伊斯(西)和埃马凯滕(东)两段小山岭。南接艾勒茨·德汉和凯泽两山脉形成的广阔高原。最高点朱丽安娜峰(1 280米)。地势从沿海低地缓缓上升成为草原、山地,生长2 000多种树木,两侧地区覆盖有茂密的热带雨林。

Wilhelmj, August (Emil Daniel Ferdinand Viktor) 威廉米(1845-09-21,德国乌辛根～1908-01-22,伦敦) 德国小提琴家,最著名的作品是巴赫D大调管弦乐组曲中的咏叹调改编曲《G弦上的咏叹调》。9岁在威斯巴登举行首次音乐会。1861～1863年在莱比锡音乐学院跟F.大卫学习小提琴。1864年在法兰克福跟J.拉夫学琴。1865年开始其演奏生涯,几次到世界各地巡回演出。1876年瓦格纳的《指环》在拜罗伊特首演时他担任首席小提琴。1885年应土耳其苏丹之请为后宫贵妇们演奏。1894年受聘为市政厅学校音乐教授。晚年对小提琴制造很感兴趣。

Wilhelmshaven 威廉港 德国西北部下萨克森州港口城市。濒临北海亚德湾,在东弗里斯兰海岸边。1853年由威廉一世建立,1937年与吕斯特林根合并。作为德国主要海军基地,在第二次世界大战中遭受严重破坏，其余军港设施亦于1945年拆毁。现为油港，与科隆有输油管相通。工业生产机械、船只、化学用品、纺织、染料和巧克力等。市内有马克斯·普朗克海洋生物研究所，鸟学研究站，师范学院，地质、劳工、政治和经济等研究所。该市也是重要的旅游和疗养地（泥浴）。人口约84 586（2003）。

Wilhelmus Rubruquis 参阅 **Willem van Ruysbroeck** 威廉（赖斯布鲁克的）。

Wikes, Charles 威尔克斯（1798-04-03，纽约市～1877-02-08，华盛顿［哥伦比亚特区］）美国海军军官，曾考察南极州（考察地区以他的名字命名）。1818年进入海军。1826年任上尉，1830年负责仪器和海图仓库（后发展为海军观测与水文局）。1838～1842年率测量队进入南极海。途中考察太平洋岛屿及美国西海岸，再次越过太平洋，并于1842年6月抵纽约，环绕地球一周。1843年晋升海军中校。1844～1861年准备考察报告，亲自撰写了19卷中的7卷。美国南北战争期间（1861～

美国国会图书馆供图

1865）指挥“圣哈辛托”号舰，曾拦截英国“特伦特”号邮轮（1861-11-08），逮捕两名前往欧洲的南部邦联特派员。A.林肯总统为避免与英国破裂而拒绝为此事件承担责任。1862年晋升海军准将，于统领美舰（为保护美国贸易）驻守西印度群岛期间屡屡招致外国政府抗议（责其行径侵犯中立）。1864年以抗命及行为失检罪受军法审判并被停职。1866年7月25日退休，晋级海军少将。著有《美国西部，包括加利福尼亚和俄勒冈》（1849）、《环球航行》（1849）、《风向的理论》（1856）。

Wilkes, John 威尔克斯（1725-10-17，伦敦～1797-12-26，伦敦） 直言不讳的18世纪英国新闻工作者和受欢迎的伦敦政治家，因屡屡受到议会的排挤打击而被认为是政治迫害的牺牲品和争取自由的先锋。对他的广泛支持成为英国激进主义的开端。1754年参加议员竞选失败。1757年通过贿选进入议会。1762年通过所办的报纸《北不列颠人》著文反对比特内阁。1763年4月23日印发著名的《北不列颠人》45号，猛烈攻击国王演说中的内阁声明，认为它是虚伪的。内阁在国王支持下立即对他起诉，发出通用逮捕状将他逮捕，囚禁于伦敦塔。一周后，大法官以侵

不列颠博物馆供图

犯议会特权为由，下令将他开释；他与其他被捕者控告国务大臣及其下属。由于这个案件，英国始规定损害赔偿，并确定通用逮捕状为非法。对他的第二次打击来自旧友国务大臣桑威奇勋爵。1763年11月议会开会时，桑威奇向上院宣读了威尔克斯和T.波特几年前合写的文章《论妇女》，上院确认这些文章是诽谤性的，是对议会特权的侵害；同时，下院宣布《北不列颠人》45号属于煽动性诽谤。他遂逃往巴黎。1764年1月被下院免去席位，2月法庭以上述罪名对他缺席审判，并定他犯诽谤罪。1768年他不顾一切回到伦敦竞选，以维护公众自由的名义代表反对派；虽在伦敦失败，但被米德尔塞克斯郡选入议会。1769年2月3日政府指使议会再次免去他的席位。2月16日又由米德尔塞克斯郡选为议员；3月16日不顾下院反对，对他又重选一次；4月13日下院宣布被他击败的对手当选为议员。1769年初，他的朋友和同情者组成“保卫权利法案协会”，支持他进行斗争。1769年任伦敦市政官，1771年任市行政司法长官，1774年当选为伦敦市长。他出于策略，支持保卫权利法案者通过的激进方案，要求缩短议员任期；扩大普选范围；消灭贵族对选区的控制。1771年利用市的司法特权阻止逮捕报道议会辩论的记者。1790年退出政界。他的真正成就在于他扩大了英国的新闻出版自由。

Wilkes-Barre 威尔克斯-巴里 美国宾夕法尼亚州东北部城市，卢泽恩县县城（1786）。位于怀俄明谷地，东北距斯克兰顿29千米，濒临萨斯奎汉纳河。是一个拥有约30座城市的大都会区的中心。1769年始有永久性居民点。随19世纪初叶煤炭工业的兴起，开始有明显发展。1806年设自治镇，1871年设市。20世纪30年代后采煤业衰落，经济向多样化发展。现生产玻璃、锅炉、玩具、钢制品、飞机零件和电子设备（如半导体）。设有威尔克斯学院等4所高等院校。人口：市约43 123；斯克兰顿-威尔克斯-巴里-黑泽尔顿都会统计区约624 776（2000）。

Wilkes Land 威尔克斯地 南极洲印度洋边缘玛丽皇后地与乔治五世海岸之间的地区（东经100～142°20′）。全部为单调的冰盖所覆盖。平均海拔1 800～2 900米。1838～1842年为美国海军中校C.威尔克斯发现，并以其名字命名。直到20世纪40年代末才被考察。属于这个地区的有被澳大利亚称为其领土的克拉里、班扎雷、萨布里纳、巴德和诺克斯及被法国称为其领土的阿黛利。澳大利亚、法国和美国在威尔克斯地的海岸均建有研究站。

Wilkie, Sir David 威尔基（1785-11-18，苏格兰法夫卡尔茨～1841-06-01，直布罗陀附近海上） 英国风俗画家、肖像画家、版画家，以奇闻异事风格著称。先在爱丁堡学习，1805年到伦敦入皇家学院美术学校。第一幅重要作品《皮特莱赛集市》（1804）是一幅荷兰风格的风俗画。他以此风格从画20余年，把英国的风俗画提高到与历史画相等的水平。他的这种风格在1825～1828年间发生了重大变化。当时他因为健康原因出国去意大利、德国、瑞士和西班牙。特别在西班牙画家委拉斯开兹和牟利罗的影响下，他形成一种更加开朗、大胆的风格，并加强了色彩的使用。1840年为求得宗教画的真实背景，他访问了圣地巴勒斯坦，归国途中死于海上。

Wilkins, Sir George Hubert 威尔金斯（1888-10-31，澳大利亚南澳大利亚州东布赖恩山～1958-12-01，美国马萨诸塞弗雷明汉）澳大利亚出生的英国探险家。在极地研究中

供图：BBC Hulton Picture Library

促进了飞机的使用，并首先利用潜水艇进行极地研究。早期曾作为一个飞行家伴随探险家和人种学家V.斯蒂芬森去加拿大北极地区（1913～1916），担任过去格雷厄姆地的英国南极探险队的副指挥（1920～1921），还作为博物学家参加过沙克尔顿的最后一次南极探险（1921～1922）。1926年开始一系列试验飞行，以试探对阿拉斯加的巴罗角以北、当时还不了解的北极区进行空中考察是否可行。1928年4月16日同他的副驾驶员飞越了从巴罗角到挪威以北的斯瓦巴德（斯匹茨卑根）群岛的尚未被人了解的海域，在20.5小时内完成了3 400千米的航程，因而被封为爵士。1928年12月在南极洲地区，从迪塞普申岛向南横越格雷厄姆地，飞行了966千米，发现了几个新岛屿。1931年乘美国潜水艇“虹鱼”号在北冰洋下航行到北纬82°15′处。

曾任L.埃尔斯沃斯的美国南极探险队的总管(1933～1939),后任美国军方地理顾问。

Wilkins, Mac **威尔金斯**(1950-11-15,美国俄勒冈尤金～) 美国铁饼运动员。1969～1973年在俄勒冈大学学习期间参加铁饼、链球、铅球和标枪各项投掷运动。1973年获业余体育联盟铁饼冠军;1976年5月创铁饼世界纪录,一星期后又连续三次刷新纪录,终于达到70.86米的成绩,成为第一个突破70米的铁饼运动员。1976年在蒙特利尔奥运会上获金牌。

Wilkins, Mary Eleanor (writer) **威尔金斯** 参阅 **Freeman, Mary Eleanor Wilkins 弗里曼**。

Wilkins, Maurice (Hugh Frederick) **威尔金斯**(1916-12-15,新西兰庞加罗阿～2004-10-06,英国伦敦) 新西兰出生的英国生物物理学家。他所作的脱氧核糖核酸(DNA)的X射线衍射的研究对于证实J.沃森和F.克里克所确定的DNA分子结构起了决定作用。他们三人因此共获1962年诺贝尔生理学或医学奖。其父是医生,他本人曾就学于英格兰伯明翰的爱德华国王学校和剑桥的圣约翰学院。在伯明翰大学研究固体发光两年后,他在第二次世界大战中的两年时间,到伯克利加利福尼亚大学参与曼哈顿计划,从事用质谱法分离用于原子弹的同位素。返回英国后在苏格兰的圣安德鲁斯大学任教。1946年参加伦敦国王学院医学研究委员会的生物物理研究室工作,1955年成为副主任。1970～1980年任研究室主任。他在那里开始了一系列研究工作,终于使他完成了对DNA的X射线衍射研究并成为国王学院的荣誉教授。1960年获美国公共卫生协会的艾伯特·拉斯克奖。他出版过细胞生物化学研究用的光显微术的重要文献。他对科学进步的关注还反映在曾于1969年任英国科学的社会责任学会主席以及自1981年起任罗素反化学武器委员会成员。

Wilkins, Roy **威尔金斯**(1901-08-30,美国密苏里圣路易斯～1981-09-08,纽约市) 美国民权领袖,曾任全国有色人种促进协会执行主席(1955～1977),常被称为美国民权运动的资深政治家。1923年明尼苏达大学毕业后,任《堪萨斯城呼声报》的责任编辑。1931年参加全国有色人种促进协会,1934～1949年主编该会机关刊物《危机》月刊,同时领导协进会进行全国性的反对种族歧视活动。1949～1950年任全国民权运动紧急动员大会主席,该会由100多个地方性和全国性团体组成。在种族骚乱和大规模抗议的时期,他就任全国有色人种促进协会高级领导职务。他主张通过法律上的纠正达到平等的权利。1963年8月他参与组织有历史意义的为争取民权向华盛顿进军的示威游行并发表了演说。他坚持非暴力原则,抵制包括黑人分离主义在内的各种形式的种族主义,然而激进团体的压力,迫使协进会进行多样化活动,既包括非暴力的直接行动,也包括将合法声援扩大到其他更富于战斗性的团体的活动。1968年威尔金斯担任美国代表团团长出席国际人权大会。他享有多种荣誉,包括美国自由勋章(1968)和约瑟夫人权奖(1975)。

Wilkinson, Sir Geoffrey **威尔金森**(1921-07-14,英格兰约克郡托德莫登～1996-09-26,伦敦) 英国化学家。由于对有机金属化学的研究而与E.O.菲舍尔共获1973年诺贝尔化学奖。他在伦敦大学帝国理工学院学习后,1943～1946年在加拿大参加原子能计划工作,后在伯克利加利福尼亚大学(1946～1950)、麻省理工学院(1950～1951)和哈佛大学(1951～1955)任教。1956年回到伦敦大学。他对金属与氢键合的研究,特别是发现chlorotris(即铑的氯化三苯基膦络合物)作为烯烃的均相加氢催化剂(通称威尔金森催化剂),在无机和有机化学中有广泛意义,并已证明有重要工业价值。1976年被封为爵士。

Wilkinson, James **威尔金森**(1757,美国马里兰卡尔弗特县～1825-12-28,墨西哥城) 美国军人、冒险家、双重间谍,他在A.伯尔事件中所扮演的角色,迄今在史家中仍有争议。

供图:Filson Club, Louisville, Ky.

独立战争期间(1775～1783),威尔金森是H.盖茨将军的助手(1777～1778)。1784年定居于肯塔基,积极从事该州的独立活动。1787年,宣誓效忠西班牙,开始阴谋策划将肯塔基置于路易斯安那当局影响之下。到1800年时,获得西班牙一份年金,被正式称为"第13号情报员"。但同时他又作反对西班牙人的工作。1791年10月,担任美国陆军中校,美国购买路易斯安那后,威尔金森担任33度线以北地区的行政长官。由于具有行政长官及陆军军官的双重身份,企图实现其占领西班牙所属墨西哥诸省的野心,若有可能并成立一个独立政府。1806年,威尔金森同A.伯尔议妥,派遣Z.M.派克寻找一条捷径,以便进而征服西南部。但他却将伯尔的计划向T.杰斐逊总统泄露以邀功,又和西班牙人达成协议将得克萨斯边疆区定为中立地区,并将新奥尔良置于军法管制之下,还将伯尔予以拘捕。后来伯尔在弗吉尼亚里士满(以叛国罪)受审,结果被宣告无罪释放。威尔金森本身因此受到怀疑,以致受到多次军事法庭侦察和国会调查。不过他却成功地隐瞒了其双重身份,1812年重新指挥新奥尔良部队,1813年晋级少将。同年末,威尔金森进军蒙特利尔,遭受惨败,使其军事生涯以可耻下场告终。后死于墨西哥城。

Wilkinson, Jemima **威尔金森**(1752-11-29,罗得岛坎伯兰[今在美国]～1819-07-01,美国纽约[今彭延附近]) 从1776年10月起又名Publick Universal Friend(世界教友帕布利克)。美国宗教领袖,她建立了一个非正统的基督教教派世界教友,该教派的许多追随者称其为救世主。在一个贵格会教徒家庭长大,很小就表现出对宗教的浓厚兴趣。在G.怀特菲尔德最后的新英格兰复兴之旅结束后的一段时间里,她参加了一个新教义派浸礼会教友团的宗教聚会,导致1776年8月被开除出公谊会(贵格会)教友宗教聚会。经过一场大病她获得了一个在幻觉中传达给她的坚定信仰,即她已死去并被送回尘世给这个"迷失和有罪的、传播流言蜚语的、即将死亡的世界"布道。她起名"世界教友帕布利克",从此再也不理其他人。威尔金森开始在新英格兰南部各地游历和布道,很快就吸引了一批追随者。她的追随者包括一些具有影响力的人物,其中有一位是罗得岛州南金斯顿的法官W.波特,他释放了他的奴隶,放弃了他的政治生涯,在豪宅旁加盖了一间大屋供她使用。宗教聚会场所由她的追随者(统称世界教友)建在罗得岛州的东格林尼治以及康涅狄格州的新米尔福德。到1782年她布道的范围已经扩大到费城,1784年她在费城出版了《世界教友致相同宗教社团成员的忠告》,该书基本上是在宗教聚会上使用的圣经引语汇编。尽管威尔金森对她的使命的确切性质和她与神性的联系还比较模糊,但她的许多追随者已公开称她为救世主,这引起正统教会对世界教友及其领袖的极大仇视。1788年该教派部分成员开始在塞尼卡湖附近定居。1790年威尔金森来到"教友定居地"。1794年她向西搬迁数英里,来到克鲁克德湖(现称丘卡湖)附近,在该地她与一群虔诚的追随者建起了耶路撒冷小镇。之后几年教友定居地发生土地所有权的纠纷,居住地之外在怀有敌意的旁观者当中流传着许多有关独裁统治、严厉惩罚、不正当性行为以及其他一些怪事的传闻。该教派在她死后几年内解体。

Wilkinson, John **威尔金森**(1728,英格兰坎伯兰克利夫顿～1808-07-14,斯塔福德郡布拉德利) 英国工业家,有"斯塔福德郡的铁器大师"之称,他找到铁的许多新用途,并发

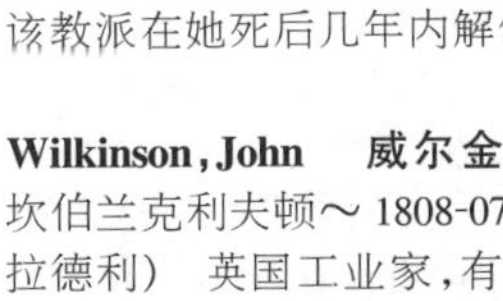

伦敦科学博物馆供图

明了一种钻孔机,对瓦特蒸汽机的成功起重要作用。他在20岁时迁到斯塔福德郡,建造了比尔斯顿的第一座炼铁炉。1775年在威尔士境内贝尔沙姆地方其父的工厂里他制造出能以罕见的精度钻发动机汽缸和大炮炮身的

新机器。他在布罗斯利他的工厂里用瓦特和J.莫尔顿所造的第一台蒸汽机驱动一个大空气泵，大规模制造熟铁件。他的工厂供应了A.达比（第三）需要的许多铸件，使达比于1779年在布罗斯利完成具有重要历史意义的横跨塞文河的铁桥。他的另一个创新（1787）是铁壳驳船，这在当时颇为轰动，用来运输为政府制造的重武器。他教导法国人怎样从整块铸件钻造炮身，并为巴黎供水工程铸造了全部水管、泵体和铁制品。他死后葬在为自己设计的铸铁棺里。

will 遗嘱 又作testament。指财产所有人处理其死后财产的合法方式。也指用于表示立遗嘱人处理财产的书面文件。还有一种口头的遗嘱，称为“口述遗嘱”，但只在某些司法管辖区有效。另外，如果该口述遗嘱被认为是一种临终遗赠的话，那往往也得到确认。只要遗嘱符合法律手续就是有效的，这些手续通常（但并不总是）要求遗嘱有人见证。由律师起草遗嘱的好处在于他了解法律的要求。例如，一项亲笔遗嘱常常是没有见证人的，它是完全由遗嘱签字人手写的文件，它可能被认为依法必须执行它的安排，除非发现有任何可能使它无效的事实。除其他情况外，遗嘱在下列情况下无效：立遗嘱人有精神上的缺陷，不能处理其财产；遗嘱为继承规定了不合理的或苛刻的条件；立遗嘱人对于遗赠的财产没有确切无疑的所有权。企业的几个合伙人往往订立“共同遗嘱”，以处理一个合伙人去世时企业财产的转让问题。参阅**probate**。

Willading, Johann Friedrich 维拉丁（1641～1718-12-05） 瑞士政治家，1707年对将纳沙泰尔公国让渡给普鲁士霍亨索伦王室起了重要作用。伯尔尼贵族家庭后裔，1694年成为伯尔尼反法政党领袖，数年来帮助逃亡的法国胡格诺派教徒获得避难所。1694～1707年在纳沙泰尔继承问题上指导伯尔尼的政策，反对孔蒂亲王代表法国的利益要求获得该公司，成功地将普鲁士国王腓特烈一世的要求付诸实施。他经常肩负外交使命，并定期地代表他所在的州出席瑞士联邦议会。一生的最后10年任伯尔尼首席行政官。

Willaert, Adriaan 魏拉尔特（约1490，佛兰德斯布鲁日？～1562-12-08，威尼斯） 佛兰德斯作曲家。他对意大利牧歌的发展具有重要贡献，将威尼斯建成16世纪最有影响的音乐中心之一。师承作曲家J.穆通。1527年任威尼斯圣马可教堂音乐总监，在那里创立了一个吸引着全欧洲音乐家的乐派。他的学生有德·罗雷、扎利诺及A.加布里埃利。作为宗教音乐作曲家，主要以其经文歌闻名。可能是由于圣马可教堂的两个相对的唱诗班厢席的启发，他发展了一种复调风格，由两个四声部唱诗班交替演唱，偶尔亦在一个八声部段落中结合在一起。这一手法导致16世纪后半叶威尼斯音乐典型的复合唱队写作。魏拉尔特也是最早创作纯器乐作品（如管风琴以及器乐合奏的坎佐纳、利车卡尔和幻想曲）的作曲家。

供图：Bayerische Staatsbibliothek, Munich

Willamette River 威拉米特河 美国俄勒冈州西部河流。由科斯特河和米德尔河在尤金东南汇合而成，向北流经183英里（295千米），在波特兰附近注入哥伦比亚河。尤金以下可通轮船，流域在喀斯喀特山脉与海岸山脉之间，形成宽30英里谷地，为全州人口最密集地带。各支流上建有许多水坝，以调节水流，控制洪水，便利航行并提供水力发电。当地作物生长期有8个月，年降雨量40英寸（1 000毫米），土壤多种多样，种植百余种作物。主要农产品有水果、蔬菜和乳品。周围有威拉米特、胡德山和休斯劳等国家森林，木材资源丰富。

俄勒冈州维尔逊维尔附近的威拉米特河谷地，远景为胡德山

供图：Oregon State Highway Department

Willard, Emma 威拉德（1787-02-23，美国康涅狄格柏林～1870-04-15，纽约州特洛伊） 母家姓Hart。美国女教育家。她从事妇女教育工作，促进了女子中学、女子学院及男女合校大学的建立。1807年任佛蒙特州米德尔伯里女子学校校长；1814年开办了自己的寄宿学校。1819年首先向纽约州议会提出“改进妇女教育方案”，呼吁州政府援助建立女校，要求男女教育权利平等。此方案遭议会否决，但得到州长D.W.克林顿的赞赏。克林顿邀请她将自己的学校迁往纽约州沃特福德。1821年她的学校迁至特洛伊市，被命名为特洛伊女子学校（今名埃玛·威拉德学校）。1854年和教育家H.巴纳德共同代表美国出席伦敦的世界教育会议。她著有数种教科书和一部诗集。她的教科书曾被广泛采用。

埃玛·威拉德学校供图

Willard, Frances (Elizabeth Caroline) 威拉德（1839-09-28，美国纽约州彻奇维尔～1898-02-18，纽约市） 美国女教育家、改革家，世界基督教妇女禁酒联盟（1883）创办人。她是全国禁酒党领袖。1859年从伊利诺伊州埃文斯顿市西北女子学院毕业后任教。1871年任新成立的埃文斯顿女子学院院长，1873年该院并入西北大学后，任女生部主任。1874年她辞去此职，任新建立的全美基督教妇女禁酒联盟（WCTU）通讯秘书。从1879年一直到她去世，任这一全国性组织的主席。她也是世界基督教妇女禁酒联盟第一任主席。除禁酒外，她还提倡妇女选举权及推行工业界妇女安全法。

美国基督教妇女禁酒联盟供图

Willard, Jess 威拉德（1881-12-29，美国堪萨斯波塔沃托米县～1968-12-15，洛杉矶） 美国职业拳击运动员。1915年4月5日在哈瓦那以26个回合击倒J.约翰逊，获世界最重量级拳击冠军；1919年7月4日在俄亥俄州托莱多经3个回合被J.登普西击倒，丧失冠军称号。原为堪萨斯州种小麦的农民。进入职业拳击运动时年龄已较大，当时正是所谓“白人之希望”的年代，黑人冠军约翰逊处于种族仇恨的焦点，拳击比赛主办人正物色能打败约翰逊的白人。威拉德身高6英尺6¼英寸，是最重量级冠军中身材最高者。1911～1923年共参加36场比赛，胜24场，其中有20场直接击倒对手取胜。

Willard, Simon　威拉德（1753-04-03，美国马萨诸塞格拉夫顿～1848-08-30，马萨诸塞罗克斯伯里）　美国钟表制造家，发明班卓钟。他的家族于1765～1850年在马萨诸塞州设计、生产铜制时钟。1780年左右他从格拉夫顿移居到波士顿附近的罗克斯伯里从事钟表制作，1839年退休。他专为富有的顾客（其中包括T.杰斐逊）制造各式时钟，特别是装在教堂、大厅、游廊等处的时钟。据说他专门生产准确、简单的机件，而钟的外壳则由别人制造。1802年2月8日威拉德获得一种用发条驱动的摆钟的专利，它的外壳上部呈圆形，用以安装钟盘，中间延伸部分向内弯曲，底座为长方形。由于这种钟的外形像班卓琴而被称作班卓钟，这个名称他本人并未用过。他的专利项目还包括一种由时钟机件控制的烤肉炉（1784）和一种闹钟（1819）。他兄弟4人，在制造钟表方面均有建树。他的企业由他的儿子小西蒙（1795～1881）继续经营了数年。

Willcocks, Sir William　威尔科克斯（1852-09-27，印度～1932-07-28，开罗）　英国土木工程师，他倡议和设计了第一座阿斯旺水坝，并在南非和土耳其建设大型灌溉工程。1872年进入印度公共工程部，1883年到埃及公共工程部工作。在担任埃及水库工程主任期间，完成了对阿斯旺水坝的研究和设计，该工程于1902年完工。1897年辞职离开埃及，4年后到南非设计灌溉系统，他的计划部分得到实现。后来他在土耳其政府里主持灌溉工作，1911年提出将河水引到古代的迦勒底，即现在伊拉克南部地区的计划。结果，在古代巴比伦遗址附近的幼发拉底河上建立了欣迪耶水库，使350万英亩土地得到灌溉。

Wille, Ulrich　维勒（1848-04-05，汉堡～1925-01-31，瑞士迈伦）　瑞士军事领袖、第一次世界大战时期瑞士陆军总司令。对联邦军队进行了重大改革。曾在柏林研究普鲁士的军队组织，并尝试以普鲁士方式改革瑞士的军队，改变了新兵的训练过程。1881年任中校，开始改革骑兵，1892年发表新骑兵操典。1895年辞去新担任的陆军司令和总教官的职务。1900年东山再起。第一次世界大战爆发后，他晋升将军，任瑞士陆军总司令，防守边界。他以严格的军事职责与纪律的观念取代瑞士军队的旧传统，博得人们赞许。

Willem van Ruysbroeck　威廉（赖斯布鲁克的）（约1215～约1295）　拉丁语作Wilhelmus Rubruquis，英语作William of Rubrouck。法兰西方济各会修士，他所写的《蒙古辖境见闻记》公认为中世纪同类基督教旅行著作中最佳者。他与英格兰科学家和哲学家培根同时代，培根在《伟大的复兴》的地理部分中常常引用他的见闻记。威廉或许生于法兰西圣奥梅尔附近吕布吕克村。1253年，驻在巴勒斯坦阿卡的法王路易九世派他非正式地访问蒙古帝国。他和随员于1253年5月7日自君士坦丁堡出发，先到克里米亚的苏达克，准备牛和车辆以通过草原前往伏尔加河地区蒙古钦察汗国统治者拔都驻地。他们跋涉5个星期到达该地，拔都命他们再旅行约5 000英里前往蒙古中部哈拉和林的蒙古大汗宫。他们于1253年9月16日骑马出发，经过里海和咸海以北地区、塔拉斯河、卡拉库木和蒙古大平原，到达距哈拉和林10天路程以南的大汗驻地。威廉一行受到礼遇，与大汗同住到1254年7月10日左右。他们归程取更靠北的一条路，1255年8月15日到达的黎波里，得知路易九世早已于1254年返回法国。威廉把在蒙古的经历写成报告呈路易九世。他叙事真实，不以讹传讹，观察敏锐认真。关于他后来的生涯无史料可查，仅知他在1295年马可·波罗自东方返回时依然健在。

Willem Lodewijk（Dutch statesman）　参阅**William Louis** *威廉·路易*。

Willem Pretorius Game Reserve　威廉·比勒陀利乌斯禁猎区　南非奥兰治自由邦省的野生动物保护区。与阿勒芒斯克拉尔水坝毗邻。建于1956年。面积120平方千米，在奥兰治自由邦省的高斐勒得高地上，包括多灵贝赫丘陵地带和水坝上游。该禁猎区以其黑角马著称。还有白犀牛、长颈鹿、斑马、红狷羚、黑斑羚和其他羚羊，以及各种鸟类。建有许多娱乐设施。

willemite　硅锌矿　白色或绿黄色的硅酸盐矿物，是硅酸锌（Zn_2SiO_4），呈晶体、颗粒或纤维状，与其他锌矿石矿物一起产出于许多矿床中。在美国新泽西州萨塞克斯县的许

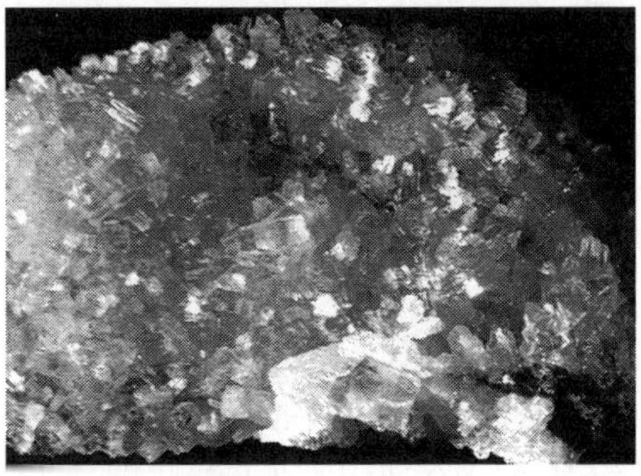

芝加哥菲尔德自然史博物馆供图

多地方产于结晶灰岩中，成为重要的锌矿石。其他产地有比利时、阿尔及利亚、纳米比亚和格陵兰。其亮绿色荧光被用在早期的电视显像管中。

Willems, Jan Frans　威廉斯（1793-03-11，奥地利属荷兰布拉班特～1846-06-24，根特）佛兰芒语诗人、剧作家、散文家，当时最重要的荷兰语语文学家。1815年被任命为安特卫普市助理档案保管员，1821年任档案登记员。在这几年中，他还写剧本、诗歌和仿修辞学家文体的散文，并开始从事语言学研究。他的《论佛兰芒语法和文学》（共2卷，1819，1820～1840）是荷兰文化史的里程碑。他出版了一部用现代佛兰芒语翻译的13世纪的《列那狐的故事》（1834），他在书中所写的绪论具有划时代意义，后来又出了一个学术版本（1836），使他享有国际声誉。1835年他移居根特，在当地无论是作为学者，还是作为佛兰芒民族的和浪漫主义的文艺复兴领导人，均十分活跃。在他所参加过的一些活动中，较有名的是他创办了期刊《比利时博物馆》（1837～1846），这是一个关于中世纪佛兰德的资料性刊物。

Willems, Paul　威廉斯（1912-04-04，比利时埃德海姆～1997-11-29，祖瑟尔）　比利时小说家和剧作家，他随意的写作方法和对语言、双关语、比喻及映像的着迷掩饰了现代悲剧的感受性。他以一种别具一格的而且经常是愤怒讽刺的文风，表达出战后比利时的认知危机。他是比利时作家M.热韦尔之子，在靠近安特卫普的家族庄园里长大，周围有河流并靠海，这里的生活影响到他日后的写作。作为一名与母亲一样仇法的佛兰芒语作家，他以写长篇小说开始作家生涯。《这里一切都是真实的》（1941）描写情绪化的魔幻现实主义者；《颤动的草》（1942）以私人日志的形式叙述，是一部论及人间天堂主题的诗体短文；《天鹅记事》（1949）讲述一个发现天堂的传说。20世纪40年代后期，转向戏剧创作。第一个剧本《尼什先生的美酒》写于1949年，并于1954年在一份文学刊物上发表。最成功的剧本是《屋内下雨》（1962）。《雪的重量》（1963）至今仍然是他最晦涩、最刻薄的剧本。威廉斯的成熟期始于他最受好评的剧本《航行城市》（1967），这是描写安特卫普的诗体戏剧，开始了回忆往事的主题。散文《淹没的土地》（1990）和剧本《人生苦短》（1989）均用笔名发表。其剧本被翻译成多种语言，曾在许多国家上演。其他作品还包括2部短篇小说集、1部广播剧、1部电视剧和2部散文集。

Willemstad　威廉斯塔德　加勒比海*荷属安的列斯*（**Netherlands Antilles**）群岛的首府和库拉索岛的主要城镇。该镇镇区被通往斯霍泰加特港的水道圣安娜湾分隔成两部分，其间由1888年建的浮桥相连，该浮桥于1974年改建成一座固定桥。威廉斯塔德镇内留有许多荷兰式的三角形房屋，以及昔日的奴隶市场，并建有和库拉索博物馆。人口约50 000（1970）。

willet（*Catoptrophorus semipalmatus*）　**半蹼白翅鹬**　美洲产的大型长嘴的滨鸟，属鸻形目鹬科，包括沙锥、翻石鹬和杓鹬。鸣声很

半蹼白翅鹬（*Catoptrophorus semipalmatus*）
供图：Alice B. Kessler

大。体长约40厘米，灰色，翼色黑白分明。翅膀折叠时形似体型较大的黄腿鹬。其数量曾一度下降，繁殖地(池塘周围)受保护后，方得恢复。繁殖地自加拿大西南部到科罗拉多，向南到墨西哥，从新斯科舍到佛罗里达和西印度群岛。冬季见于加利福尼亚和卡罗来纳到秘鲁和法属圭亚那一带。

William 威廉 统治者之名，按国别排列于后，并各以●为标记。

与此字相等之外语：

荷兰语	Willem
法语	Guillaume
德语	Wilhelm
意大利语	Guglielmo

阿 基 坦

● **William IX 威廉九世**(1071-10-22～1127-02-10，法国普瓦捷) 中世纪游吟诗人，普瓦捷伯爵，阿基坦和加斯科涅公爵(1086～1127)。威廉八世之子，著名的阿基坦的埃莱亚诺的祖父。一生多半从事征战，包括率领十字军征战圣地(1101～1102)的一次不成功的战争。但其名声主要在于他是第一个用普罗旺斯语写作的诗人，作品流传至今。

● **William X 威廉十世**(1099，法国图卢兹～1137-04-09，西班牙圣地亚哥德孔波斯特拉) 法国阿基坦和加斯科涅公爵(1127～1137)，威廉九世之子。1131年，他承认敌对教皇阿纳克莱并予以支持(迄1134)。1136年劫掠诺曼底。次年前往加利西亚的圣地亚哥德孔波斯特拉朝圣，死于该地。其女阿基坦的埃莉诺继承他的全部领地；起初同法兰西的路易七世结婚，使阿基坦同卡佩王族结合起来；后来通过与诺曼底公爵亨利(未来的英格兰亨利二世)的联姻，使阿基坦同金雀花王朝联合起来。

英格兰、大不列颠、联合王国

● **William I 威廉一世**(约1028，诺曼底法莱斯～1087-09-09，鲁昂) 绰号征服者威廉或诺曼底的威廉。诺曼底公爵(威廉二世，1035起)和英格兰国王(1066起)。中世纪最

11世纪巴约挂毯中的威廉一世像(中)

供图：Phaidon Press

伟大的军人和君主之一。他使自己成为法国最有势力的封建主，然后又通过征服英格兰而改变了该国的历史进程。诺曼底公爵罗贝尔一世之子，庶出。1035年继承其父爵位，并得到诺曼底权贵和法国国王亨利一世的承认。因被人视为私生子，从少年继位时起就不得不克服种种巨大障碍，在无法和混乱的情况下求生。他的3位监护人死于非命，导师被谋杀。有赖母亲的保护度过了最危险的时期。早期的这些困难锻炼了他的坚强意志和对法纪废弛局面的厌恶。1042年满15岁时受封为骑士，开始在他的公爵领地亲政。1046～1055年间弥平了大多由其亲属发动的一系列贵族叛乱。1047年与亨利一世一起粉碎了诺曼底叛乱分子的联盟。这一时期他在作战和治理方面已趋成熟，在个人生活方面也符合当时的道德标准，并能关注教会利益。他虽未受过教育，但其聪明机智连竞争对手也不得不佩服。1047年后，他开始参与公爵领地以外的事务。为了支持他的领主亨利一世，巩固南部边境，并向曼恩扩张，他与安茹伯爵杰弗里·马泰尔进行了一系列战斗。1052年亨利与杰弗里握手言和，诺曼底东部又发生了严重叛乱，使威廉再次陷入十分危险的处境。他与其表兄英格兰国王忏悔者爱德华进行谈判。诺曼底与盎格鲁撒克逊英格兰通过联姻，从1002年即结成联盟。爱德华当年流亡大陆时，威廉曾支持其返回英格兰。当时爱德华已36岁，威廉方才14岁。由于爱德华无嗣，威廉除希望得到某种回报外，显然抱有成为爱德华的继承人的野心。爱德华也可能曾以此为外交资本，于1051年作出过传位给威廉的许诺。1049年威廉与佛兰德伯爵博杜安五世谈判，向其女儿玛蒂尔达求婚。尽管教皇斥为乱伦(威廉与玛蒂尔达有亲戚关系)，但由于双方急于结盟，遂于1053年底(或1052)结婚。生有4子：罗贝尔(后为诺曼底公爵)、理查(早逝)、红脸威廉(威廉在英格兰的继位者)和亨利(红脸威廉的继位者)。女儿中的阿德拉，后为英格兰国王斯蒂芬之母。

1054～1060年威廉同亨利一世与马泰尔的联盟进行斗争，1063年征服曼恩。1066年1月5日爱德华去世，英格兰权贵接受韦塞克斯伯爵哈罗德为国王，威廉乃决定对英格兰开战。8月，他在迪沃河口集结一支舰队和一支陆军。9月27日引兵渡海，驶向英格兰东南海岸。翌晨登陆，未战而陷培文西和黑斯廷斯，建立起4 000～7 000骑、步兵的桥头堡。10月13日，哈罗德出乎威廉的意料，率兵杀出森林。但向黑斯廷斯推进为时已晚，只好采取守势。次晨威廉出战，以弓箭手和骑兵攻击英军方阵，但他的军队被赶出战场。他集结溃兵重新投入战斗，终于打败敌军。黄昏时哈罗德战死，英军投降。威廉乘胜直捣伦敦。1066年圣诞节，他在威斯敏斯特大教堂加冕为英格兰国王。此时，威廉已是一位经验丰富的统治者。在诺曼底，他以自己的亲信取代不忠的贵族和官吏，限制私人财产，确定臣属的封建义务。在他统治下，教会也兴旺起来。1067年初他离开英格兰。但因国内发生骚乱，12月又不得不返回。1067年开始的英格兰起义，1069年达到最高潮，但1071年终于被镇压下去。为了确保边疆安定，他于1072年入侵苏格兰，1081年入侵威尔士，并沿苏格兰和威尔士边境建立起特别的"边民"郡。

他一生的最后15年多半住在诺曼底。他让大多数英格兰-诺曼贵族随他在诺曼底，而把英格兰朝政交给各主教，特别是他的老友兰弗朗克掌管。他任命兰弗朗克为坎特伯雷大主教。他只是在绝对必要时才返回英格兰：1075年处理赫里福德伯爵和诺福德伯爵叛乱的善后事宜；1082年逮捕并监禁他的异母兄弟巴约主教和肯特伯爵奥多；1082年春，他封儿子亨利为骑士，8月在索尔兹伯里接受英格兰全体重要地主的效忠宣誓。1085年率大军返英以对付丹麦国王克努特二世的入侵威胁。威廉还下令对英格兰的经济和土地所有状况进行调查，其结果编入两卷《末日审判书》。诺曼底边境也是威廉所关注的问题。1066年后，威廉在大陆的邻邦日益强大并更加采取敌对态度。法国国王腓力一世与安茹的富尔克、佛兰德的罗贝尔与丹麦国王克努特二世均结成联盟。此外，他的长子罗贝尔·柯索斯因未获得封地于1077年离开诺曼底，与他的敌人一起谋反。1081年，威廉与富尔克和解。封罗贝尔为曼恩伯爵。1077年，韦克桑东部，即芒特郡完全落入腓力一世之手。1087年威廉要求腓力归还肖蒙、芒特和蓬图瓦兹3城。7月以突然袭击方式攻入芒特，但该城被焚，他也受伤，此后再未康复。他被送到鲁昂郊外，5周后死去。

● **William II 威廉二世**(约1056～1100-08-02，英格兰汉普郡林德赫斯特附近) 英格兰国王(1087～1100)。绰号红脸威廉。征服者威廉一世的第3子。他避免了英格兰与诺曼

不列颠图书馆供图

底的政治联系的解体，但由于其残暴的统治，博得腐败暴君的恶名。按照封建惯例，威廉一世将诺曼底公爵领地传给长子罗贝尔二世，而将他所征服的英格兰王国赐予红脸威廉。然而，英格兰的许多诺曼贵族要求英格兰和诺曼底由一个人治理。红脸威廉即位不久，他们就阴谋推翻他而拥立罗贝尔，于1088年以威廉一世的异母弟巴约主教和肯特伯爵奥多为首在英格兰东部发动叛乱。红脸威廉提出减税和建立有效政府的保证，使英格兰人立即都拥护他。贵族叛乱被镇压下去，但是他并未履行自己的诺言。因此，1095年又发生了由诺森伯兰伯爵R.德·莫布雷领导的第二次贵族叛乱。这一次，威廉惩罚叛乱头

目极其残酷，从此以后再也没有任何贵族敢于向他的权力挑战。与此同时，他在苏格兰、威尔士，特别是诺曼底采取军事行动。1091年强迫苏格兰国王马尔科姆三世承认他为领主。马尔科姆于1093年11月反叛，但红脸威廉的军队不久即在诺森伯兰的阿尼克附近将他杀死。从此以后，苏格兰国王向红脸威廉称臣。1097年又征服了威尔士。但是，红脸威廉的主要兴趣在于从无能的罗贝尔那里收回诺曼底。他在诺曼底进行7年的战争（1089～1096）。1096年罗贝尔参加十字军出发后，把他的王国抵押给红脸威廉，威廉迅速将曼恩纳入他的版图。所以1096～1100年他也是事实上的诺曼底公爵（称威廉三世）。1100年，红脸威廉在汉普郡纽福里斯特打猎时，被背后射来的一箭射死。据说凶手是贵族蒂雷尔，可能是受国王之弟亨利所指使。亨利立即登上王位，称亨利一世。

● **William III　威廉三世**（1650-11-14［旧历11-04］，尼德兰海牙～1702-03-19［03-08］，英格兰伦敦）　绰号奥兰治的威廉，又称奥兰治亲王威廉·亨利。尼德兰联省共和国执政

伦敦国立肖像画陈列馆供图

（1672～1702），称威廉三世；大不列颠国王（1689～1702），与女王玛丽二世共治（直至她1694年卒）。他曾指挥欧洲大陆反对法王路易十四，并在大不列颠保证了新教和议会的胜利。

早年生活　奥兰治亲王威廉二世和英格兰查理一世之女玛丽的儿子。威廉二世任尼德兰五联省执政，临终前不久引起控制荷兰省和阿姆斯特丹市的共和寡头政府的一个有势力的少数派的仇恨。他去世以后，这一派决定不让奥兰治王室当政，《隐退法案》（1654）明文规定奥兰治亲王及其子孙不得担任国家公职。尽管如此，威廉三世的教育从最初起就是培训一位统治者。当时的人们一致认为他是一个非常活泼可爱的男孩。但是母亲与祖母的经常争吵却扰乱了他的童年，可能促使他养成沉默寡言的习惯，而由于日后生活的困难，这种习惯日益加强。1660年，他的舅父查理二世王政复辟、继承英国王位之后，废除了《隐退法案》。不久以后，他的母亲去世，他由祖母和叔父勃兰登堡选侯腓特烈·威廉监护。1666年初，他被指定由总议会（联省代表大会）监护。在荷兰省的本西翁纳利执政J.de维特的手下，他掌握了公共事务的专门知识。他那前途不可限量的天赋以及遗传下来的献身群众的热诚使人不可能否定他应该步步高升。但是，1667年的《永久法令》规定：原先由奥兰治亲王同时兼任的执政和总司令二职，今后永远不得由同一个人担任。

执政　1671年，情况已经很清楚：法国的路易十四和英格兰的查理二世正在计划联合进攻联省，需要任命威廉为军队统帅已经刻不容缓。1672年2月，他受命此职，但在最初，权力非常有限。3月和4月，查理和路易相继宣战。6月，法国军队跨过莱茵河和蹂躏尼德兰的3个省，他们进军用了几个星期，横行也达数周之久。荷兰海军尚能抵挡英国海军，但是陆军过去被忽视，缺乏训练和装备。最后一着是用海水淹没圩田（即比海面低的地区），威廉只好带着为数很少的毫无作战经验的士兵保卫"水线"。国内群情骚然。人们愤怒要求提升亲王为执政。少数持异议者遭到否决，新历7月8日总议会宣布他为执政，后来又经被占领省份的省议会批准。他的最初行动之一，就是拒绝接受英法两国国王提出的苛酷的和约条款。这一行动事先得到总议会的赞同。但是，国内的动乱并没有结束。8月20日，维特和他的弟弟因被错误地怀疑卖国投敌，在海牙遭一群狂怒的暴徒杀害。威廉与这一罪行毫无牵连，他听到消息后勃然大怒。但是，由于杀害者人数众多，或者由于整个的革命形势，他未能将暴徒们依法惩处。在短短的几个星期中，全国平静下来，并且几乎单独抗战达一年之久。1672年秋，威廉赢得神圣罗马帝国皇帝利奥波德一世和勃兰登堡选侯的支援。1673年西班牙参加这一联盟。但是，他们的帮助并没有立即落实。与此同时，威廉稳步重建自己的军队，1673年9月收复了主要城堡纳尔登，然后迅速进军科隆地区，与神圣罗马帝国皇帝的兵力会师，于11月12日攻占波恩。法军见有被包抄的危险，匆匆撤离联省共和国。1674年初，查理二世和路易的小同盟国被迫缔和。路易的荷兰冒险失败了，并且惹得半个欧洲都反对他，但是他在德意志和西属尼德兰依然控制许多地方，因此战争继续进行，并向欧洲大陆边远的地区扩展。在此后的4年间，威廉主要关心的是指挥在佛兰德的荷兰军队，不过荷兰的内政以及再三探索一个可以接受的和平方案也占用了他很多时间。1678和1679年，通过一系列的条约终于缔和。

英格兰国王　1677年11月，威廉同表妹玛丽结婚。玛丽的父亲是约克公爵詹姆斯，即后来的英王詹姆斯二世。威廉本人在英国王位继承权中位居第四，这次与假定女继承人结婚提高了他在英国的重要地位。不过，查理二世在位期间，他在英国事务中所扮演的角色只是一个焦急不安的旁观者，而不是一个参与者。17世纪80年代，路易发动多次小规模的侵略，使得欧洲始终鸡犬不宁，威廉百般努力建立一个反对路易的新同盟，但是，主要由于荷兰一小撮有势力的亲法派进行活动以及英国保持暧昧的态度，这些努力一再受挫。最后，英王詹姆斯二世（天主教徒）因为实行专横暴虐和强迫信奉天主教的政策而大大激怒他的臣民。1687年，许多英国臣民请求威廉进行干预。1688年詹姆斯得一子，天主教徒有了继承王位的可能性，这件事终于使事态达到了紧要关头。旧历7月10日由詹姆斯反对党推选的代表发出邀请函，11月5日（新历11月15日），威廉率军在德文郡托尔湾的布里克瑟姆登陆，长驱直入伦敦，几乎未遇抵抗。詹姆斯逃往法国。1689年1月召开所谓协商议会，宣布詹姆斯逊位，并将空出的宝座献给威廉和玛丽，附有一篇《权利宣言》。2月正式宣告立他们二人为王，4月21日加冕。同月，又把苏格兰的王冠给他们戴上。

格伦科惨案　在英格兰几乎不流血完成一次革命，而在苏格兰和爱尔兰却发生了武装抵抗。苏格兰的武装抵抗于1689年就已解体，但是整个威廉在位时期，这个地区始终处于扰攘不安的状态。1692年格伦科的A.麦克唐纳和他的几个氏族同胞由于迟迟不宣誓效忠威廉而被蓄意杀害。威廉下令调查，但是直至1695年苏格兰国会要求进行公开调查之前，他没有采取进一步的行动。此后，他对犯罪分子宽大处理，仅免去J.达尔林普尔爵士的秘书职务，最后把惨案的责任扣到这位秘书的身上。1689年詹姆斯得法国支持在爱尔兰登陆，正式爆发战争。但是，由于伦敦德里和恩尼斯基林两市自卫成功，威廉本人又在1690年7月1日的博因河战役中取得胜利，这就保证了对爱尔兰的再征服，并使威廉摆脱羁绊，把他的注意力转向欧洲大陆。在这里，经过一系列对神圣罗马帝国的小规模的进攻之后，路易十四已于1688年侵入巴拉丁领地。荷兰人与神圣罗马帝国皇帝缔结了《维也纳条约》（1689年5月），并对路易宣战。在此后的18个月中，威廉以异乎寻常的巧妙外交手腕把英格兰及勃兰登堡、汉诺威、萨克森、巴伐利亚、萨沃伊和西班牙拉入同盟，而使英格兰在同盟中起关键性作用。从1691年起，威廉把大部分时间用于在欧洲大陆作战，时而大胜，时而小捷。到1696年，许多因素使得交战双方都急于求和，1697年签订了《赖斯韦克条约》。不过，西班牙国王查理二世没有子女，究竟应由谁来继他的位的问题依然悬而未决，而这一问题对于欧洲的均势是至关重要的。威廉有充分的理由害怕和约只不过是个休战协定。英国议会则恰恰相反，确信和平是持久的，坚决主张裁减兵员，并且断然转向外交工作。威廉希望避免一次新的战争，便与路易参加两个西班牙分割条约（1698～1699）。他的措施引起与议会的严重摩擦。但是，当西班牙国王于1700年11月1日去世的时候，路易却不顾达成的协定，立他的孙子为西班牙国王，不久即表明他并没有放弃扩大法国版图的计划。英国人的无动于衷虽然是一种阻碍，威廉却下定决心重新结成大同盟，使他统治的两个国家做好准备，以应付迫在眉睫的冲突。1701年9月，流亡的詹姆斯二世亡故，路易十四宣布他的儿子为英格兰国王，这违背《赖斯韦克条约》中他所同意的一项条款，从而激起英国人开战的热情。威廉在世之日没有看见这次战争的宣战。他的健康长时期不断恶化，1702年去世。他那稳定欧

洲局势的计划，因签定《乌得勒支条约》(1713)而大部分实现。他30年间坚定不移追求的最后目标，就是建立没有任何一个强权能够欺压其余国家的国际秩序。

● **William Ⅳ 威廉四世**（1765-08-21，伦敦～1837-06-20，伦敦附近温莎城堡） 又称(1789～1830)威廉·亨利亲王、克拉伦斯公爵，绰号水手国王。大不列颠与爱尔兰国王兼

伦敦国立肖像画陈列馆供图

汉诺威国王(1830-06-26即位)。他反对议会改革，但被迫接受了1832年的《改革法》，将"腐败选区"的代表权转给了工业地区，并削弱了国王和地主贵族对政府的控制权。英王乔治三世的第3子。13岁参加皇家海军，美国独立战争时期曾参加作战，与未来的海军英雄H.纳尔逊成为密友。1790年离开海军，因许多恋爱事件触怒了他的父亲。1794～1807年间与爱尔兰女喜剧演员多萝西娅·乔丹生了10个私生子。1818年7月11日与萨克森-迈宁根的阿德莱德公主结婚，生两个女儿，皆夭折。继其兄乔治四世为国王后，虽并不比前王圣明，但不那么自私，而且比较注意朝政。1832年5月，首相C.格雷请求国王至少加封50名新贵族，以便战胜上院中反对议会改革的多数派。起初威廉没有批准，但在威灵顿未能组成托利党内阁之后，格雷的辉格党重新上台，从国王那里得到书面保证，要加封足够的贵族以便通过改革法案。结果，这一法案在上院中得到通过。

佛兰德

● **William 威廉** 参阅**William Clito**威廉(克利东)。

德意志帝国

● **Willian Ⅰ 威廉一世**（1797-03-22，柏林～1888-03-09，柏林） 德意志皇帝(1871年起)和普鲁士国王(1861年起)。这位君主以自知之明和自我克制精神与坚强的政治家良好合作，使他的君主国和霍亨索伦王室上升到统治欧洲的地位。普鲁士未来国王腓特烈·威廉三世之次子。1814年投身反对拿破仑的德意志解放战争。此后致力于普鲁士军队及军事工作。1840年，其兄长腓特烈·威廉四世登位，因无子女，他成为假定继承人。1848年3月柏林爆发革命，威廉主张武力镇压，获"霰弹亲王"之称。在短期出亡英格兰后，1848年6月回普鲁士，1849年指挥军队镇压巴登起义。1849年被任命为莱茵兰省总督。1858

柏林国家博物馆供图

年10月任普鲁士摄政王。1861年1月2日继承普鲁士王位。他因宣布开明的"新纪元"而得人心，但他任命的内阁包括显著的保守派和温和的开明派。他无力解决1859年意大利独立战争给普鲁士造成的一系列问题，但在内政方面却使保守主义再度得势。他坚持推行3年为期的征兵制，当开明派下院予以否决时，他准备退位，但为新任宰相俾斯麦所劝阻。1866年普鲁士在反奥的七周战争中获胜，他认识到，对于普鲁士来说，俾斯麦比他更为重要。在普法战争问题上，他比俾斯麦慎重得多。他虽然对俾斯麦和开明派为反对天主教进行的"文化斗争"感到苦恼，但当1877年俾斯麦最后一次请求解职时，他回答说："永不。"1871年1月18日威廉在被占领的法国凡尔赛称德意志皇帝。1878年发生两起暗杀他的事件(05-11；06-02)，他身受重伤。此事引起公众愤慨乃使俾斯麦的反社会主义法案得以通过。

● **William Ⅱ 威廉二世**（1859-01-27，德国柏林附近波茨坦～1941-06-04，荷兰多伦） 1888～1918年第一次世界大战结束为德意志皇帝、普鲁士国王，以其往往采取军国主度

柏林国家博物馆供图

并在义态政策上摇摆不定著称。他是腓特烈王储(后称腓特烈三世)和英女王维多利亚长女的长子。先天左臂萎缩畸形。1881年与奥古斯塔·维多利亚公主结婚，生6子1女。1888年登上皇位。1890年3月威廉迫使俾斯麦辞去宰相职位。但是当他在朝廷内受到反对后便放弃了帮助劳动阶层的计划。他并允许俾斯麦的继承者决定不重订1887年的德俄《再保险条约》，致使俄国于1891年与法国联盟。1897年威廉任命F.von比洛为外交部长，1900年又把他提升为宰相，欲使比洛说服帝国议会接受皇帝和上等阶层选择的政策。这几乎无助于实现德国迅速工业化所要求的政治变革。他反而让比洛以激奋的对外政策转移注意力。尽管这位皇帝时常愤怒地否认德国在向英国的海上霸权挑战，其实这正是他1897年任命的海军部长A.von提尔皮茨海军上将的目标。1905年，德皇出访丹吉尔，宣布德国支持摩洛哥独立，从而向法国在摩洛哥的地位挑战。1908年威廉访英回国不久，接见《每日电讯报》记者时，扬言大多数德国人都反对英国人，以致引起全国骇异。第一次世界大战的起因是为了挽救奥匈帝国的崩溃，威廉原来支持奥地利人采取不妥协的态度。当战争逼近时，威廉感到惶恐，但已止不住动员措施。在战争期间，威廉虽名为最高司令，但不想制止德军将领们实际掌握战争的命运，只是助长了那些将领们和许多政客的狂妄战争野心。1918年秋，他意识到德国已经战败，仍不以为失去王位是不可避免的。他拒不退位，终于在11月9日被迫逃往荷兰避难。他悄然过着乡绅的生活，直到1941年死去。威廉曾被描述为第一次世界大战的罪魁祸首。近代历史学家越来越认为他是个帮凶，并非煽动者。1890年后，德国的中上阶层都希望在世界事务中有更大发言权，势必与其他强国发生对抗，威廉成了一个推波助澜的人物。

德意志/神圣罗马帝国

● **William 威廉**（1228～1256-01-28，荷兰霍赫沃德附近） 又称荷兰的威廉。1247年10月3日起为德意志国王。系被德意志的亲教皇派选为对立的国王以反对康拉德四世，尔后得到普遍承认。作为威廉二世，于1234年继其父为荷兰伯爵。1247年2月亨利·拉斯佩去世，他当选为德意志国王。1248年11月1日在亚琛加冕。1252年康拉德离开德国前往意大利就任西西里国王后，威廉才为诸侯们承认。威廉在荷兰伯爵任内促进了哈勒姆、代尔夫特、米德尔堡及阿尔克马尔等城市的发展，使之成为贸易中心。他试图获得对弗里西亚人的统治权，但在战争中被杀。

黑森-卡塞尔

● **William Ⅳ 威廉四世**（1532-06-24，黑森-卡塞尔卡塞尔～1592-08-25，卡塞尔） 绰号智者威廉，1567年后的黑森-卡塞尔地伯。因其在政治经济学和自然科学方面的成就而被

供图：Staatliche Kunstsammlungen，Kassel，West Germany

称为“智者”。高尚的菲利普伯爵之子，1552年参加诸侯叛乱，解放了被神圣罗马帝国皇帝查理五世监禁5年的菲利普。1567年菲利普去世，黑森领地分给4个儿子，威廉在其领地内谋求路德宗与加尔文宗的妥协。他是一位杰出的组织者和有经验的经济专家。威廉热心科学研究，或许因其在天文方面的研究而享名。曾制作许多天文仪器并测算许多星球的位置。

卢 森 堡

● **William IV　威廉四世**（1852-04-22，德国拿骚比布里希～1912-02-25，卢森堡附近施洛斯贝格）　卢森堡大公（1905～1912）。拿骚的阿道夫大公的长子。他即位不久即患重病，1908年由其妻玛丽亚·安娜摄政。由于无子，他使卢森堡议会同意准许女系后嗣继承。

尼德兰：执政

● **William I　威廉一世**（1533-04-24，拿骚迪伦堡～1584-07-10，荷兰代尔夫特）　别名沉默者威廉。尼德兰联合省第一位世袭执政（1572～1584），反对西班牙统治与天主教

供图：Foundation Johon Maurits van Nassau，the Hague

的英雄。拿骚-迪伦堡伯爵威廉的长子，在路德教的环境中长大。当时尼德兰为几省联合，由哈布斯堡王朝皇帝查理五世（亦为西班牙国王）的摄政统治。查理一直坚持把威廉培养成天主教徒。后来威廉为皇帝所宠幸，多次奉命出使。在出使法国时，法王亨利二世讲述了把基督教新教徒赶出尼德兰的计划，威廉听到以后大为震惊，但是缄口不提反对的意见，从而获得“沉默者”的绰号。当荷兰人举行反西班牙的武装起义时，威廉站到斗争队伍的最前列。他为宗教的自由或政治的自由而战。最初威廉被西班牙军击败，一度被迫到德意志避难。但是他并不绝望。他虽然没有完成解放整个尼德兰的任务，然而北部诸省于1579年宣布独立，并选举威廉为世袭执政。不过好景不长，腓力二世即西班牙王位后，悬赏除掉这个“叛徒”。1584年威廉遭一名狂热的天主教徒枪击，受重伤而亡。他的儿子继续他的事业。他的曾孙奥伦治公爵威廉成为英格兰国王。称威廉三世。

● **William II　威廉二世**（1626-05-27，海牙～1650-11-06，尼德兰阿尔达尔）　奥兰治亲王，拿骚伯爵，1647年起任尼德兰6省执政和陆海军总司令。在荷兰共和国关键性的权力斗争中是一中心人物。1641年与英格兰国王查理一世长女玛丽·斯图亚特结婚。父死后继承奥兰治亲王称号。争取荷兰独立的八十年战争结束后他与法国联系，意图挑起战火，夺取西属尼德兰的一部分，同时支持其姻

阿姆斯特丹国家博物馆供图

兄查理二世恢复英国王位。荷兰省议会见他野心勃勃，1650年6月就解散了一部分军队。同年7月，他下令拘禁6名荷兰省议会主要成员，并向阿姆斯特丹进军，结果以失败告终。后因患天花死去。

● **William IV　威廉四世**（1711-09-01，尼德兰吕伐登～1751-10-22，海牙）　奥兰治和拿骚亲王，尼德兰联省共和国世袭执政。拿骚-迪茨家族的约翰·威廉·弗里索的遗腹子。1734年与英王乔治二世的长女安妮结婚。在奥地利皇位继承战争期间，1747年4月法国军队侵入荷兰领土。泽兰、荷兰、乌得勒支和上艾塞尔爆发了一场自发的群众运动，要求他就任这些省的执政，并统率陆海军。他是担任尼德兰全部7省执政的第一个人，他所掌握的权力超过所有前辈。然而作为领袖却庸碌无能，1748年就签订了和约。他曾试图根除一些最大的弊端，但直至他去世，国家的迫切问题都没有得到解决。

● **William V　威廉五世**（1748-03-08，海牙～1806-04-09，德国不伦瑞克）　奥兰治和拿骚亲王，荷兰共和国世袭执政（1751～1795）。1751年其父威廉四世死时，他只有3岁，

阿姆斯特丹国家博物馆供图

由其母汉诺威的安妮摄政，直至1759年她去世。此后由各省议会代行政务。1767年与普鲁士的威廉明娜公主（以后的威廉二世之姊）结婚。他在政治上和军事上表现庸碌无能，采取亲英政策，不得人心。他无力防止英荷战争（1780～1784），却强烈反对渴望改革的爱国者党。当战争结束后，他离开海牙（1785），只是在普鲁士军队驱逐了爱国者党人之后他才返回海牙（1787）。威廉十分保守，以致一切改革均无法进行。1795年法国入侵时，他移居英格兰，此后被解除执政职务。1802年前往拿骚。

尼德兰：国王

● **William I　威廉一世**（1772-08-24，海牙～1843-12-12，柏林）　尼德兰国王和卢森堡大公（1815～1840）。他在法国统治（1795～1813）之后鼓励复兴工商业，但由于他的专制方式引起比利时叛乱（1830）。奥兰治亲王威廉五世之子，1791年与其叔父普鲁士国王威廉二世之女威廉明娜结婚。由于法国入侵荷兰共和国，他于1795年移居英伦。1802年通过与法国皇帝拿破仑一世的谈判，获得德意志富尔达主教区的封地和其他一些小领地。1806年站在普鲁士一方反对拿破仑。1809年一度参加奥地利军对拿破仑作战。1813年荷兰反法起事后，他成为荷兰共和国首脑，1815年成为包括比利时、列日和卢

阿姆斯特丹国家博物馆供图

森堡大公国的尼德兰联合王国国王。他推行经济复兴计划，1822年设立银行，1824年成立尼德兰贸易协会。比利时天主教教会因威廉实行国家在教会事务中享有最高权力地位的政策而对他产生隔阂。他命令根特、卢万和列日的大学由国家管理，并要求神学院学生去卢万“哲学学院”学习。1830年8月布鲁塞尔发生叛乱。1831年1月欧洲列强举行会议，决定允许比利时成为独立国家。但他坚决反对比利时分离，并为镇压叛乱建立一支庞大的常备军，准备再战。在荷兰人民日益不满的情况下于1840年10月退位，后在柏林度过余生。

● **William II　威廉二世**（1792-12-06，海牙～1849-03-17，尼德兰蒂尔堡）　尼德兰国王和卢森堡大公（1840～1849）。在其统治时

阿姆斯特丹国家博物馆供图

期重建了国家财政的稳定，而尼德兰通过1848年的宪法变为一个更加开明的君主国。1795年随家庭流亡英格兰。1811～1812年任威灵顿公爵的副官，在英国军队中服役。1815年在滑铁卢战役中指挥尼德兰部队。1816年同俄国安娜·巴夫洛夫娜女大公结婚。1830年被派往布鲁塞尔镇压革命。1840年10月成为尼德兰国王。他虽然缺乏治国才能，但由于任用范哈尔为财政大臣，在1847年使70年来一向赤字的国家收支转亏为盈。威廉对天主教教徒与分离主义者（持异议的加尔文教徒）采取宽容态度。他担心1848年欧洲革命运动的风暴席卷尼德兰，遂授权自由党政治家约翰·托尔贝克起草一部新宪法。这部宪法确立了直接选举的原则，保障了基本的公民自由。威廉数月后死去。

● **William III　威廉三世**（1817-02-19，布鲁塞尔～1890-11-23，尼德兰阿珀尔多伦）　尼德兰保守的国王和卢森堡大公（1849～1890）。国王威廉二世的长子，1839年与符腾堡

供图：Iconographisch Bureau，the Hague

的威廉一世国王之女索菲亚结婚。1849年即王位。他反对1848年宪法，但仍任用宪法制定者托尔贝克领导代议制新政府。1853年，威廉采取反天主教立场，托尔贝克辞职。1862～1868年间，他得以通过内阁实行统治。1867年企图将卢森堡卖给法国，但普鲁士出面干涉，没有成交。同时，他把林堡的一部分并入尼德兰。卢森堡危机后，他在议会中的影响显著削弱。1877年王后死去，另与瓦尔德克-皮尔蒙特的埃玛结婚（1879）。1890年生病期间由埃玛摄政。他死后，由埃玛所生之女威廉明娜继承王位。

诺 曼 底

● **William I　威廉一世**（？～942-12-17，皮卡第［法国］）　又称长剑威廉。诺曼底公爵第二（927～942）。罗洛之子。他不断扩展自己的领土，或用征服手段，或向法王勒索新领地才表示臣服。939年，在反叛国王路易四世的战争中，他与大于格结盟。后在教皇的斡旋下，战争结束，路易重新授予威廉的诺曼底爵位（940）。然而，他继续实现他的领土野心，尤其是向北发展。在被诱引参加索姆河上某小岛上的一次会议时，佛兰德伯爵阿努尔夫一世下令将他杀害。

● **William II　威廉二世**　参阅 **William I**（England，Great Britain，the United Kingdom）*威廉一世*（英格兰、大不列颠、联合王国）。

● **William（III）　威廉（三世）**　参阅 **William II**（England，Great Britain，the United Kingdom）*威廉二世*（英格兰、大不列颠、联合王国）。

● **William（III or IV）　威廉（三世或四世）**　参阅 **William the Aetheling** *威廉（王子）*；**William Clito** *威廉（克利东）*。

苏 格 兰

● **William I　威廉一世**（1143～1214-12-04，苏格兰斯特灵郡斯特灵）　苏格兰国王（1165～1214）。绰号狮王威廉。在位期间有15年称臣于英格兰，但最终使其王国获得独立。诺森伯兰伯爵苏格兰人亨利的次子，1152年继承其父的爵位。1157年被迫把他的领地交给英格兰国王亨利二世。1165年继承其兄马尔科姆四世的王位。1173年参加亨利的几个儿子发动的叛乱，企图夺回诺森伯兰。1174年在诺森伯兰的阿尼克附近被俘，在同意承认英格兰国王为领主和英格兰教会对苏格兰教会的至高权力之后获释。1189年亨利二世死后，他向英格兰新王理查一世支付了一大笔金钱，才解除了其封建臣属地位。苏格兰教会也不再服从英格兰，而只服从罗马。他为了巩固自己在苏格兰全境的权力，建立了一个规模不大但却颇有成效的中央集权行政机构。他在苏格兰批准建立许多自治市。1178年创建阿布罗斯隐修院。

● **William II　威廉二世**　参阅 **William III**（England，Great Britain，United Kingdom）*威廉三世*（英格兰、大不列颠、联合王国）。

西 西 里

● **William I　威廉一世**（1120～1166-05-07，西西里王国巴勒莫［意大利］）　西西里的诺曼人国王，一个能干的统治者，曾多次粉碎治下贵族的密谋。他的敌人称他为“坏人威廉”。他乐于赞助科学和文艺，对宗教采取宽容态度。在经常出入他的宫廷的人中，有许多是穆斯林。由于3个兄长死去，他于1148年成为王储，1151年加冕。他大力推行其父所采取的加强王室对各城镇和贵族们的权威的政策。1155年击败入侵意大利南部的拜占廷军队。1156年与教皇阿德里安四世达成《贝内文托协议》，教皇承认他对所有处于诺曼人控制下的领土的权力。1158～1160年丢失非洲领地削弱了他的威望，但他迅速平定了国内的多处骚乱。

● **William II　威廉二世**（1154～1189-11-18，西西里王国巴勒莫［意大利］）　西西里的末代诺曼人国王。1166年继位，由母后摄政。1171年亲政。因对各城镇和贵族们采取宽容和公正的政策，故以“好人威廉”著称。母后摄政结束后，威廉二世起初继续奉行父王与教皇以及拜占廷皇帝友好的政策。但在1172年，因拜占廷皇帝曼努埃尔一世阻挠女儿玛丽亚与威廉结婚，威廉立即与拜占廷人反目。1176年与其父的夙敌德意志国王腓特烈一世停战。1177年他与英格兰国王亨利二世的女儿结婚。1185年对拜占廷发动一场大

供图：Alinari—Art Resource/美国不列颠百科全书公司

规模的进攻。他的军队越过马其顿，占领了塞萨洛尼基（今萨洛尼卡）。但是，当他的舰队已经快要到达君士坦丁堡的时候，他的陆军却因遭到伏击而惨败。他在筹划参加第3次十字军时去世。

William Clito　威廉（克利东）（约1101～1128-07-28，佛兰德阿尔斯特［今在比利时］）　佛兰德伯爵，名义上的诺曼底公爵（威廉三世或四世）。罗贝尔二世居尔托斯公爵之子。1106年其父被英格兰人囚禁，法国国王路易六世支持他取得该公国。但英王亨利一世却宣布自己的儿子威廉王子为诺曼底的继承人，1119年在布雷米尔彻底击败路易六世和他。1120年威廉王子因覆舟溺死。这时他仍继续在诺曼底骚扰，但于1128年去世。

William de Hauteville　威廉（欧特维尔的）（？，诺曼底欧特维尔拉吉夏［法国］～1046）　诺曼底人，欧特维尔12弟兄的最年长者，军事冒险家。他率领其家族从诺曼底前往意大利南部，予以征服，迅速成为阿普利亚伯爵（1042）。当诺曼-拜占廷人围攻穆斯林占领的叙拉古时，他杀死该城的埃米尔。后来成为意大利南部最强大的首领。

William de la Mare　威廉（马雷的）（？，英格兰～约1290）　英格兰基督教新柏拉图-奥古斯丁派哲学家和神学家。他是方济各会会士，1275年前后获巴黎大学神学学士学位。著《教父名言集评注》，从奥古斯丁派立场出发，认为人的认识过程就是人运用上帝在创造时所赋予的固有能力。人生来就希望与上帝联合，人的灵魂深处具有使人得以认识永恒观念的光照，这种愿望和光照是人的心理的要素。返回英格兰后，著《纠正托马斯弟兄》（1278），批评托马斯·阿奎那的著作。托马斯把亚里士多德的思想引进神学，在奥古斯丁时期以来统治西方思想界的新柏拉图派中激起强烈反应。威廉指出托马斯在亚里士多德哲学影响下提出与正统教义原则相抵触的观念。威廉所著《圣经经文辨证》和《论解经学中希伯来文和希腊文词汇》，为学术界列为中世纪此类著作中内容较为渊博者。

William Longsword　威廉（长剑）　参阅 **William**（Normandy）*威廉（诺曼底）*项下的 **William I** *威廉一世*。

William OF AUVERGNE **威廉(奥弗涅的)** (1180后,阿基坦欧里亚克～1249,巴黎) 又称巴黎的威廉。法兰西哲学家、神学家。1223年在巴黎大学获神学硕士学位,1225年任该校教授,1228年任巴黎主教。自1223～1240年撰写他的主要神学和哲学著作《神的学问》,共分7卷。从1210年教会当局谴责亚里士多德的《物理学》和《形而上学》两书以来,在威廉的倡导下,教会一直在设法排斥与基督教教义不相容的亚里士多德哲学定理。同时,他又努力从亚里士多德思想吸取与基督教教义一致的成分,糅合在基督教教义里,主要是在人的自由意志、上帝的意旨和灵魂的个体性等问题上。威廉尖锐批判希腊哲学学说;反对伊斯兰教哲学家阿维森纳的宿命论,认为上帝出于自愿创造世界。威廉认为灵魂是个体的、不灭的智能活动"形式"或要素;但是人的感性生活需要另一种激励"形式"。威廉是西方学者中首先结合古典希腊哲学和阿拉伯哲学研究基督教教义的人。

William OF AUXERRE **威廉(欧塞尔的)** (约1150,欧塞尔主教区欧塞尔～1231-11-03,罗马) 法国哲学家、神学家。长期在巴黎大学工作。1231年受教皇格列高利九世委派参加三人委员会,负责审查大学课程中的亚里士多德著作。原来,1210年一批保守派教会人物曾谴责亚里士多德的《物理学》和《形而上学》,认为这两部著作腐蚀基督教教义。威廉则认为,没有理由不用理性分析基督教教义。威廉的主要著作是《教父名言集四卷论文集》,通称《黄金论文集》,讨论三位一体、创世、人、基督、道德、圣体圣事、末日审判等神学问题。威廉批评柏拉图关于巨匠造物主即宇宙智慧的理论,同时对于通过知识区分上帝与受造物的理论提出自己的看法,强调以哲学为工具研究基督教神学。另著有《礼拜仪式论文集》,成为后世的典范。

William OF CHAMPEAUX **威廉(尚波的)** (约1070,法国尚波～1121,马恩河畔沙隆) 拉丁语作Guglielmus de Campellis。法国主教、逻辑学家、神学家和哲学家。他在有关一般概念(即可以应用于一个以上的特定事物的词)性质的经院论争中占重要地位。在巴黎从论辩家曼尼哥尔德(洛唐巴克的)学习,又在贡比涅师从神学家安塞姆(拉昂的)和哲学家洛色林后,就在巴黎圣母院附属学校教书,神学家阿伯拉尔是他在该校的学生。1100年左右,任该校校长和巴黎副主教,1108年辞职,可能在一般概念的学说上他和阿伯拉尔发生了激烈的争论。他留下的著作都是神学方面的,他的逻辑学方面的著作均已失传。

William OF CONCHES **威廉(孔什的)** (约1100,法国孔什～1154) 法国经院哲学家、沙特尔学派的一个领导成员。他是哲学家贝尔纳的学生,曾在沙特尔和巴黎教书,并且是金雀花王朝杰弗里的儿子亨利(后为英王亨利二世)的家庭教师。作为唯实论者,他的思想倾向于泛神论。曾用原子论解释自然界,认为空气、水、火、土四种元素由同质的单个原子组成。为柏拉图的《蒂迈乌斯》篇和波伊提乌的《哲学的安慰》写解说。他有两部颇有创见的作品:《世界哲学》和《哲学之实务》。人们还认为他是中世纪最早的伦理学著作——《伦理哲学提要》——的作者。

William OF HIRSAU **威廉(希尔绍的)** (?,巴伐利亚～1091-07-04,士瓦本公国符腾堡) 基督教本笃会隐修院院长、隐修制度改革家。1069年任希尔绍隐修院院长。1075年到罗马,后经教皇格列高利七世同意希尔绍隐修院脱离当地教区管辖。威廉在德意志境内努力推行格列高利七世所倡导的改革。他拥护教皇,严厉抨击仅仅在政治上和经济上有利时才支持教廷的各德意志主教。在教皇鼓励下,威廉在希尔绍隐修院执行克吕尼修会的院规与制度,制定日课。1077年招收在俗信徒修士,担负笨重劳役。他们不属于神职人员,必须遵守的院规比较宽松,在仪礼中居于次要的地位。这套办法普遍为克吕尼修会所采纳,最后成为全欧洲本笃会隐修院的共同准则。

William OF HOLLAND **威廉(荷兰的)** 参阅 **William**(Germany/Holy Roman Empire)威廉(德意志/神圣罗马帝国)项下的 **William** 威廉。

William OF MOERBEKE **威廉(穆尔贝克的)** (约1215,布拉班特穆尔贝克～约1286,希腊科林斯) 佛兰芒大主教和古典学者。他将亚里士多德的作品和其他早期希腊哲学家和注释家的作品译成拉丁文,从而成为将古典希腊文化介绍到中世纪拉丁西方的重要传播者。曾进入根特的多明我会隐修院,后又在巴黎和科隆进行研究。在科隆时大概曾与哲学家兼科学家大阿尔伯图斯共事。1260年左右曾在第比斯和尼西亚的隐修院任职。其后,他被任命为教皇克莱芒四世(1265～1268)的侍从司铎和告解司铎,并在以后的5位教皇在位期间均任过此职务,直到1278年。他主张希腊教会和拉丁教会重新合为一体,在1274年以教皇格列高利十世的顾问身份参加里昂会议。1278年4月9日他被教皇尼古拉三世任命为科林斯大主教,从此住在该地终生。1260年他将亚里士多德的《论天》和《气象学》直译为拉丁文。此后的20年间他又部分选择了亚里士多德的《形而上学》、《政治学》、《修辞学》、《动物志》等书和有关动物心理学和生理学的论文。最后则在1278年翻译《诗学》。对于已有的亚里士多德其他著作的拉丁文译本,他按照自己对希腊文原本的理解加以校订。对亚里士多德著作最早的比较重要的注释他也作过翻译,其中有亚历山大(阿弗洛狄西亚的,2世纪)为《形而上学》和《论感觉》所作的注释,阿摩尼奥斯·赫尔米埃(5世纪)为《解释篇》所作的注释,以及底米斯提乌斯(4世纪)和菲洛波努斯(6世纪)为《论灵魂》所作的注释。这些注释的翻译大部分在1268年完成。他还翻译了一些重要的早期新柏拉图主义作家的著作,如5世纪哲学家普罗克洛斯的《神学大纲》及其为柏拉图的《蒂迈乌斯》篇所作的注释。

William OF NEWBURGH **威廉(纽堡的)** (1136,英格兰约克郡布里德灵顿～约1198,纽堡小隐修院) 英格兰编年史家。他关于11和12世纪英格兰的历史著作最有价值,为后世所称道。早年入纽堡奥古斯丁会的小隐修院学习神学和历史。一生均在该处,从过往旅行者和附近的寺院获得写作资料。1196～1198年撰写《英格兰大事记》,包括1066～1198年间的历史。他主要靠博采以前经典作家的史学著作的内容,编纂此书。只有1154～1173这一时期的历史出自他之手。虽然由于依靠口头传说和传奇故事,以致有不少讹误,但其所收英格兰国内史料和所作评论和分析极有价值。

Wiliam OF NORMANDY **威廉(诺曼底的)** 参阅 **William**(England, Great Britain, United Kingdom)威廉(英格兰、大不列颠、联合王国)项下的 **William I** 威廉一世。

William OF OCKHAM,(theologian) 参阅 **Ockham, William of** 奥康姆。

William OF ORANGE **威廉(奥兰治的)** 参阅 **William**(England, Great Britain, United Kingdom)威廉(英格兰、大不列颠、联合王国)项下的 **William III** 威廉三世。

William OF PARIS **威廉(巴黎的)** 参阅 **William of Auvergne** 威廉(奥弗涅的)。

William OF RUBROUCK 参阅 **Willem van Ruysbroeck** 威廉(赖斯布鲁克的)。

William OF SAINT-AMOUR **威廉(圣阿穆尔的)** (约1200,阿尔勒王国圣阿穆尔～1272-09,圣阿穆尔) 法兰西基督教哲学家、神学家。在巴黎大学学习教会法和神学,1250年左右主持神学各家理论的讲授,注释亚里士多德的《论先分解法和后分解法》。威廉蔑视各托钵修会,带头抨击巴黎大学内它们的代表人物和神学学者。在威廉的敦促下,教皇英诺森四世于1255年颁发谕令,规定巴黎大学教师中托钵修会成员以一人为限。同年英诺森四世又限制托钵修会成员主持圣体圣事的权利。不久新教皇亚历山大四世取消这些限制,并且命令巴黎大学重新录用多明我会修士。威廉抵制这些决定,并且对托钵修会的合法性提出质疑。1255年著《假基督及其臣宰》一书,指出多明我会的出现表明假基督主宰世界的大灾难时期即将到来。1256年教皇亚历山大四世宣布停止威廉的教学和传教职务。1256年威廉与巴黎大学部分教师联合发表《论当前的危险》,激烈抨击各托钵修会。次年他又发表著作为前书辩护,结果被逐出法兰西。1266年威廉返回法兰西,隐退到故里圣阿穆尔,继续与原来的同事们通信,那些人日后重新展开这方面的论争。

William OF SAINT CARILEF **威廉(圣卡里利夫的)** (?～1096-01-02,英格兰温莎) 英格兰达勒姆主教(1081～1096),英格兰国王威廉一世的顾问。他早年先后任圣卡里利夫

(后改名圣加来)和圣樊尚隐修院院长。1088年威廉二世登位,任命威廉主教为首席大臣,威廉一世的异母兄弟贝叶的奥多之所以发动叛乱,其原因之一即在此。威廉主教站在奥多一方。奥多失败后,威廉主教被撤职并逐出城堡,避居诺曼底。3年后,威廉主教重得国王宠幸,复职并收回财产。在1095年3月的罗金厄姆会议上,他支持国王反对坎特伯雷大主教安塞姆。

William OF SAINT-THIERRY **威廉(圣蒂埃里的)**(约1085,下洛林列日~约1148-09-08) 法兰西基督教修士、神学家和奥秘修行家。1113年入兰斯一隐修院,1119年任当地圣蒂埃里隐修院院长。著《论爱的性质与尊严》和《论默念上帝》。从1128～1135年,威廉撰写论文和圣经注释,试图融合东西两派教会的神学和奥秘修行论。1135年他人阿登西多会锡尼隐修院,1144年著《信心宝鉴》和《信心之谜》,进一步探讨灵修生活与信心问题。同年撰写《致蒙迪欧的弟兄们》,此书通称《黄金书信》,论虔修生活。

William OF SALICETO **威廉(萨利切托的)** 参阅 **Saliceto, William of** *萨利切托*。

William OF SENS **威廉(桑斯的)**(?～1180-08-11,法国) 法国石匠,在英格兰建造了第一座早期哥特风格建筑,是教堂建筑者中最早的留名者之一。当时的目击者杰维斯修道士的记载叙述了坎特伯雷大教堂唱诗班席被焚毁(1174)以及后来由威廉修复的过程。威廉当时已是法国桑斯首屈一指的建筑工匠,被称为"最精巧的手艺人"。1175年他被召到坎特伯雷,在残存的唱诗班席基础上向东进行扩建。威廉可能规划了整个唱诗班席以及其他结构的改进,包括仿效巴黎圣母院的飞扶垛,但更重要的还是内部设计,采用了六肋拱顶、高拱廊以及用色泽对比鲜明的石料做成的柱子。他在这座教堂中所做的革新,被认为是向哥特式盛期迈进了一步。在修建唱诗班席东部的拱顶时,他失足从脚手架上摔伤致残,被迫放弃工作,回到法国后去世。桑斯大教堂(1130始建)在设计上与坎特伯雷大教堂相似,特别是唱诗班席的构造,因此,人们认为威廉也参与了设计。桑斯大教堂是哥特式成为一种有条理的风格后的最初几座建筑之一。

William OF TYRE **威廉(提尔的)**(约1130,叙利亚～1186-09-29,罗马[意大利]) 法裔叙利亚政治家、教士和历史学家,在耶路撒冷拉丁王国的经历促使他撰写一部中世纪巴勒斯坦历史。父母可能为移住"法兰克"叙利亚的法国人。他曾在法国和意大利求学,精通拉丁语、希腊语和阿拉伯语。1160年回巴勒斯坦。1167年任提尔的领班神父,几次出使君士坦丁堡和罗马。3年后任耶路撒冷王子的导师。1174年任王国大臣,1175年任提尔大主教。1183年携两部手稿退隐罗马。第一部是《阿拉伯东方史》,第二部《耶路撒冷拉丁诸王史》是关于614～1184年拉丁东方史的著作。

William OF WYKEHAM **威廉(威克姆的)** 参阅 **Wykeham, William of** *威克姆*。

William RUFUS **威廉(红脸)** 参阅 **William** (England, Great Britain, United Kingdom) *威廉*(英格兰、大不列颠、联合王国)项下的 **William II** *威廉二世*。

William THE AETHELING **威廉(王子)**(1103～1120-11-25,法国巴夫勒尔附近海上) 盎格鲁-诺曼王子,英格兰国王亨利一世的独生子。继承他被囚禁的叔父罗贝尔二世为诺曼底公爵(威廉三世或四世)。亨利一世在诺曼底和法国作战获胜后,强迫诺曼底贵族们臣服于他的儿子威廉王子(1115);1119年,教皇加里斯都二世承认对罗贝尔公爵的监禁和威廉的继承均属合法,他的爵位才得到承认。1120年11月25日夜,他乘"白船"前往英格兰时,在离开巴夫勒尔港后沉没,仅一人生还。死者中有许多是王室成员和贵族。此次沉船事件的深远影响是:亨利一世无人继承,使法国国王路易六世提出的候选人W.克利托有权取得诺曼底的统治权,并在亨利死后引起一个时期的无政府状态。

William THE CONQUEROR **威廉(征服者)** 参阅 **William** (England, Great Britain, United Kingdom) *威廉*(英格兰、大不列颠、联合王国)项下的 **William I** *威廉一世*。

William THE LION **威廉(狮王)** 参阅 **William** (Scotland) *威廉*(苏格兰)项下的 **William I** *威廉一世*。

William THE MARSHAL **威廉(元帅)** 参阅 **Pembroke (and Striguil), William Marshal, 1st earl of** *彭布罗克伯爵(第一)*。

William THE SILENT **威廉(沉默者)** 参阅 **William** (Netherlands: stadholders) *威廉*(尼德兰:执政)项下的 **William I** *威廉一世*。

William THE WISE **威廉(智者)** 参阅 **William** (Hesse-Kassel) *威廉*(黑森-卡塞尔)项下的 **William IV** *威廉四世*。

William, Fort 威廉堡 以英格兰国王威廉三世之名命名的加尔各答要塞。1690年英国东印度公司与莫卧儿王朝作战之后,把在孟加拉的主要商站从胡格利迁至加尔各答。1696～1702年间经孟加拉纳瓦布允许在加尔各答建造首座堡垒。1756年这座堡垒被孟加拉的纳瓦布西拉吉-乌德-多拉占据。1757年英国收复加尔各答后将其拆毁,在南边另筑一座新堡。此堡1773年建成,至今犹存。截至1834年英驻加尔各答总督均冠以"孟加拉威廉堡"的称谓。

William and Mary, College of 威廉与玛丽学院 美国弗吉尼亚州威廉斯堡的一所州立男女合校文科大学。是美国第二所历史最悠久的高等学府(位居哈佛学院之后)。1693年英国国王威廉三世和女王玛丽二世共执王权,向该校颁发办学许可证,其目的是为殖民地培养教士和公务员。1776年一个学术性荣誉团体联谊会ΦBK在该校成立。《独立宣言》的7名签字人包括它的起草人T.杰斐逊、大法官J.马歇尔和总统J.门罗均系该校毕业生,后来的总统J.泰勒、将军W.斯科特和J.伦道夫亦系该校校友。G.华盛顿于1788～1799年为该校首任美国人校长。美国独立战争后,在启蒙运动和法国大革命影响下,威廉与玛丽学院实行课程改革,取消两位神学教授职位,强调法律、经济、数学和现代语言,特别是法语的学习。杰斐逊在这一世俗化过程中发挥了作用。威廉与玛丽学院首先采用选修制(允许学生选择自己的课程)。该学院现设一文理学院和商业管理、教育、法律及海洋科学等学院。

William and Mary style 威廉-玛丽风格 英国威廉三世与玛丽二世共同执政时期(1689～1702)的装饰艺术风格。这一时期的家具基本轮廓虽然十分简单,但都有精致的

北美殖民地时期的威廉-玛丽风格家具:(左)1700～1725年马萨诸塞生产的槭木高背椅;(中)1700～1710年可能是马萨诸塞生产的胡桃木高脚五斗橱;(右)1700～1725年新英格兰生产的胡桃木、松木折叠桌

供图:The Henry Francis du Pont Winterthur Museum, Delaware

装饰图案,有象牙、细木或金工镶嵌,多为海草或蜘蛛网一类阿拉伯式图案。高脚柜与矮脚柜是这一时期的重要产品;蛇形横档与螺旋形弯头是它的典型特征。家具以胡桃木代替了栎木。大批外国木料如洋槐和橄榄木,通过东西方贸易的新渠道输入,用于面饰和镶嵌。东方漆器-日本漆器仍然流行。威廉-玛丽的典型风格还体现在扇形贝壳、C字和S字形卷涡纹样以及富有古典传统风格的叶板。

William Henry, PRINCE OF ORANGE **威廉·亨利(奥兰治亲王)** 参阅 **William** (England, Great Britain, United Kingdom) *威廉*(英格兰、大不列颠、联合王国)项下的 **William III** *威廉三世*。

William Louis 威廉·路易(1560-03-13,黑森迪伦堡[德国]～1620-07-13,尼德兰吕伐登) 荷兰语作 Willem Lodewijk。拿骚伯爵,弗里斯兰省、格罗宁根省和德伦特省执政。

同其堂兄弟奥伦治亲王拿骚的莫里斯制定尼德兰联合省(或荷兰共和国)1588～1609年反对西班牙的军事战略。他同莫里斯和奥尔登巴内费尔特组成三人执政,共同统治荷兰共和国(1588～1618)。拿骚伯爵约翰的长子,从幼年培养为加尔文教徒,曾在海德堡大学学习。1579年击败倒向亲西班牙部队的伦嫩堡伯爵时显示其军事才能,1584年任弗里斯兰省执政和司令。莫里斯对荷兰共和国获得军事控制后,他成为莫里斯的主要军事顾问,按照罗马军事科学的原则改组军队,领导共和国军队获得一系列胜利(1590～1597),1597年将西班牙最后一支军队逐出共和国。1594年任格罗宁根省和德伦特省执政。后试图解放西班牙控制的尼德兰南部,但战果平平。莫里斯反对与西属尼德兰缔结十二年停战协定(1609～1621),威廉却积极争取其实现。当戈马尔派(极端加尔文教派)与阿明尼乌派(反对完全宿命论的基督教新教派)之间因宿命论发生宗教纠纷时,他劝说莫里斯支持戈马尔派(1617)。然而,当阿明尼乌派的奥尔登巴内费尔特被判死刑时,他要求莫里斯免其一死,但未成功(1619)。

William of Wales, Prince 威廉王子(1982-07-21,英格兰伦敦伯丁敦～) 全称William Arthur Philip Louis Windsor。威尔士王子查尔斯和王妃戴安娜的长子,英国王位的第二继承人。曾在伦敦韦瑟比学校接受早期教育,后在伯克郡的拉德格罗夫学校(1990～1995)和伊顿公学(1995～2000)上学。曾花一年时间在不同国家旅游,其中包括智利,并从事一些志愿工作,后考上苏格兰的圣安德鲁斯大学,在该校学习艺术及地理。儿时曾随母亲一起参与慈善活动。威廉是英国王室最受人欢迎的人物之一,他的母亲1997年去世时,他因在公开场合表现出的镇定和风度而深受人们爱戴。他还非常热爱体育运动。

William Rockhill Nelson Gallery of Art and Mary Atkins Museum of Fine Arts 威廉·罗克希尔·纳尔逊画廊和玛丽·阿特金斯美术馆 参阅 **Nelson-Atkins Museum of Fine Arts** 纳尔逊-阿特金斯美术馆。

William Tell (legendary hero) **威廉·退尔** 参阅 **Tell, William** 退尔。

Williams, Allen Lane 威廉斯 参阅 **Lane, Sir Allen** 莱恩。

Williams, Bert 威廉斯(约1876,巴哈马联邦新普罗维登斯～1922-03-04,纽约市) 美国喜剧演员,天才地扮演了当时歌舞杂耍剧中的典型角色——智力迟钝、笨手笨脚的黑人。幼年时随全家迁居加利福尼亚州。1895年开始跟G.W.沃克合作,组成当时最成功的喜剧团之一。不满一年便在纽约市公演。1903年其合作发展到演出整部音乐喜剧。《在达荷美》这出全由黑人角色扮演的喜剧在百老汇获得极大成功。翌年,又在伦敦白金汉宫作御前表演。以后著名的戏有:《阿比西尼亚》(1906)、《班达纳陆地》(1908)以及《科尔的洛德先生》(1909)。1909年沃克逝世,威廉斯成为齐格飞剧院的固定喜剧演员,1910～1919年主演《活报剧》。在现实生活中,他为人谦逊、好学,生活有节制又极其勤快。还很擅长写含蓄的台词。在他的许多创作中,喜剧《小人物》也许是最有代表性的。查特斯写的传记《小人物》于1970年问世。

Williams, Betty 威廉斯(1943-05-22,北爱尔兰贝尔法斯特～) 北爱尔兰鼓吹和平的女活动家。1976年和M.科里根一起创立和平人民团,同获1976年诺贝尔和平奖。原为职员,除操持家务外,未参加公众活动。1976年8月因目睹暴乱事件受感动而参加活动。当时一爱尔兰共和军恐怖分子驾车逃跑,因遭英国军人枪击,该车失去控制,连撞数人,3名儿童受伤死亡。她立即在基督教新教居民区散发呼吁书,号召结束教派间暴力冲突。这一行动使她和被害儿童的亲属科里根女士很快结合到一起。她们共同创立和平人民团,为北爱尔兰冲突中的受害者提供服务。1978年,威廉斯和科里根辞去和平人民团领导职务;1980年前后两人意见不合而疏远。1982年威廉斯结婚并移居美国佛罗里达州。

Williams, Daniel Hale 威廉斯(1858-01-18,美国宾夕法尼亚霍利迪斯堡～1931-08-04,密歇根艾德威尔德) 美国医生。芝加哥福佑医院的创立者,被认为是第一个成功地进行心脏手术的人。1883年毕业于芝加哥医学院。1884～1892年在南区诊疗所当外科医生。1884～1893年又在新教孤儿收容所做内科医生。鉴于黑人在医务界缺少就业机会,1891年他创立全国第一所不分种族的医院——福佑医院,为黑人实习医生提供训练的场所,也是美国第一所黑人护士学校。1892～1893和1898～1912年他在福佑医院做外科医生,并于1894～1898年在华盛顿的弗里德曼医院任外科主任,还在华盛顿创立了另一所黑人护士学校。就在福佑医院里,1893年的7月10日,威廉斯大胆地进行了心脏外科手术。尽管当时的医学界不赞成用手术治疗心脏创伤,但他在没有输血、没有现代麻醉和抗生素的条件下打开了病人的胸腔。手术时他检查了心脏,缝合心包的一个伤口,最后关闭胸腔。术后病人至少活了20年。他的手术程序被引用为心包修复的第一份记录。但有些史料引证圣路易斯的H.C.多尔顿1891年就完成了同样的手术。在1903～1909和1912～1931年,威廉斯服务于芝加哥的库克县医院和圣卢克医院。1899年起任田纳西州纳什维尔梅哈里医学院的临床外科教授,1889～1891年还是伊利诺伊州卫生委员会委员。在医学杂志上他发表了几篇有关外科的论著。1913年成为美国外科医师学会唯一的黑人创始人。

Williams, (George) Emlyn 威廉斯(1905-11-26,威尔士弗林特郡莫斯廷～1987-09-25,伦敦) 威尔士演员,剧作家。其剧本给人印象深刻,且往往令人毛骨悚然。20世纪30和40年代写过一些非常成功的剧本,其中包括由他自己扮演主要角色的戏剧。最著名的是《夜幕一定降临》(1935演出),他在该剧中扮演婴儿面杀人者丹尼,后改编成电影。其他剧本有:《一起谋杀案已准备就绪》(1930)、《玉米青青》(1938,1945改编为电影)、《德鲁伊德的安息》(1944)。他在许多电影中扮演过角色,并以在公共场所朗读狄更斯、托马斯和萨基的作品而著称。他著有两本自传:《乔治》(1961)与《埃姆林》(1973)。

Williams, Eric (Eustace) 威廉斯(1911-09-25,特立尼达西班牙港～1981-03-29,西班牙港附近圣安妮) 特立尼达和多巴哥首任总理(1962～1981)。他创建人民民族运动党并领导国家走向独立。曾在西班牙港的皇后皇家学院和牛津大学求学,先后于1932和1938年获牛津大学文学硕士和哲学博士。1939年去美国,在哈佛大学社会政治科学系工作,同加勒比委员会渐渐发生联系。1955年回特立尼达组织人民民族运动党。该党于1961年12月在特立尼达和多巴哥全国选举中获大胜。威廉斯出任这一殖民地的总理。1962年8月独立后继续任总理。他实行所谓的"经验社会主义",强调社会服务、改进教育和吸引外资发展经济,取得成效,特立尼达和多巴哥成为英联邦中最为富有的加勒比国家。他连任总理至去世。著有《加勒比的黑人》(1942)、《资本主义和奴隶制》(1944)、《特立尼达和多巴哥人民史》(1962)、《英国历史学家和西印度群岛》(1964)、《心灵的饥饿:一个总理的教育》(1969)和《从哥伦布到卡斯特罗:加勒比的历史,1492～1969》(1970)。

Williams, Esther 威廉斯(1923-08-08,美国加利福尼亚英格尔伍德～) 全名Esther Jane Williams。美国游泳冠军,后来成为20世纪40和50年代最受欢迎和赚钱最多的好莱坞影星之一。十多岁时就成为游泳冠军,1939年创造了百米蛙泳纪录并先后在西雅图、华盛顿和迈阿密赢得全国冠军。她曾参加1940年的美国奥林匹克代表队,但原定在芬兰赫尔辛基举办的奥运会因第二次世界大战爆发而取消。后来一度当过模特,1940年转为职业游泳运动员,与J.韦斯穆勒一起在B.罗斯的旧金山水上运动表演中成为主角。在水上运动表演时,她被一名好莱坞的星探发现,与米高梅电影制片公司签署演出合同。米高梅公司把威廉斯吹捧为"好莱坞的美人鱼"和"冲浪王后",按照从前奥运会花样滑冰运动员转为好莱坞影星的轰动人物S.赫尼的模式,设计威廉斯的事业。与在米高梅公司工作的许多漂亮的年轻女演员一样,威廉斯在收视率很高的《安迪·哈迪》电视连续剧中被介绍给电影观众,1942年出演《安迪·哈迪的双重生活》。1944年主演《出水芙蓉》,这是专门为威廉斯创作的一系列游泳音乐剧的第一部。这些多泡沫的、色彩鲜艳的华丽演出用一系列精心设计的游泳、跳水以及划水表演和水上芭蕾代替通常的音乐剧舞曲,由威廉斯和一群泳装美女表演。她的电影——如《碧水良缘》(1946)、《海神之女》(1949)、《百万美元美人鱼》(1952)以及《下水危险》(1953;与F.拉马斯一起主演,1969年二人结婚)——以一些肤浅老套的故事情节为特点,但仍然逗乐，票房收益也不错。威廉斯自认为是一名游泳运动员而不是演员，几次尝试饰演朴实无华的戏剧角色都不成功。20世纪60年代退出电影界，但她的名字仍然出现在各种与游泳有关的产品上，包括一系列游泳池。她是花样游泳运动的坚定支持者，她的几部电影有助于此项运动的普及。

Williams, Sir Frederic (Calland)　威廉斯（1911-06-26，英格兰柴郡斯托克波特～1977-08-11，曼彻斯特）　英国电气工程师，发明威廉斯管存储器。它是一种阴极射线管存储系统，它的发明预示计算机时代的开始。他曾在曼彻斯特大学和牛津马格达伦学院学习。1939年参加曼彻斯特大学鲍德西研究站工作，在那里他研制成第一台实用的雷达友机识别装置，这是采用复杂代码和调变雷达频率的各种现代装置的先驱。在40年代初期他改进了第一台用于战斗机的全自动雷达。1946年他发明威廉斯管，同年在曼彻斯特大学任电工学教授。威廉斯管虽然已被磁心存储器代替，但是全世界各国的第一代数字计算机都曾用它。不久威廉斯任曼彻斯特大学电气工程学教授，在该校对他的存储系统做了进一步的研究，并把它应用于早期计算机上。1976年被封为爵士。

Williams, George Kofi Awoonor　威廉斯　参阅 **Awoonor, Kofi** 阿伍诺。

Williams, George Washington　威廉斯（1849-10-16，美国宾夕法尼亚贝德福德斯普林斯～1891-08-02，英国布莱克浦）　美国历史学家、牧师、政治家、律师、演讲者和士兵。第一个以客观和科学研究的态度撰写美国黑人历史的人。劳工之子，14岁时在南北战争中参加联邦军队作战。1868年离开军队后，进入牛顿神学院接受牧师的训练，1874年被任命为牧师。其后数年，历任几个教堂的本堂牧师，编辑和出版了几本不久就停办的杂志。1879～1881年任俄亥俄州众议院议员。此时他有志于研究历史，在作了详细的研究后撰写《1619～1880年美国黑人种族史》，于1882年出版。先前，虽已有一些黑人历史学家就此题材写了一些著作，但威廉斯的这一著作却第一次作出比较客观的叙述，力求历史的准确性，而不是一部黑人护教学或进行宣传的著作。他的第二部著作是《南北战争中的黑人军队史》(1888)。他为写这一著作所进行的研究工作包括搜集参加过南北战争的黑人老兵的口述和对报纸材料进行去伪存真、去芜存精的工作。这两种方法成为后来搜集美国历史材料的基本方法。19世纪80年代，威廉斯从事写作，充当律师，并发表演讲。1889年他对由比利时国王利奥波德发起成立的刚果自由邦雇用美国黑人的前景发生兴趣，但在1890年的刚果之行中，他所看到的利奥波德对刚果人民的野蛮剥削行径使他大为震惊，遂将其短暂的余生用于揭露正在那里发生的种种暴行。

Williams, Hank　威廉斯（1923-09-17，美国亚拉巴马乔治亚娜～1953-01-01，西弗吉尼亚奥克希尔）　美国歌手与吉他演奏家。"西部与乡村"音乐的领头人物之一，在流行音乐行业中亦大受欢迎。8岁开始弹吉他，13岁在电台首演，14岁组成自己的第一个管乐队。1947年为M-G-M公司录制的一系列唱片使他获得了全国性，甚至国际性的声誉。1949年所录制的"相思布鲁斯"获特大成功。同年加入纳什维尔的"大奥普里"演出。死于心脏病发作。

Williams, Jody　威廉斯（1950-10-09，美国佛蒙特帕特尼～　　）　美国社会活动家，她帮助建立了国际禁雷运动组织并指导在世界范围内开展禁止生产、转让和埋放杀伤性地雷以及排雷的活动。1997年她和该组织共获诺贝尔和平奖。1984年威廉斯在马里兰州巴尔的摩的约翰斯·霍普金斯大学获国际问题研究硕士学位。作为尼加拉瓜-洪都拉斯教育计划协调人和萨尔瓦多医疗援助的副主任，她影响美国的中美洲外交政策达10年之久。到1991年，兴趣使她与美国越战老战士基金会有了接触。该基金会与以德国人为基础的国际医疗组于1992年创建了国际禁雷运动组织，威廉斯被任命为运动的协调人。5年来，在她领导下该组织已与50多个国家的约1 000个非政府组织结成联盟。同一期间，威廉斯就地雷的危险性广泛地发表演说，宣传在约68个国家里仍有未爆的地雷1.1亿枚，每年造成2.6万人的伤亡，主要是平民。1997年9月，89个国家在挪威奥斯陆接受一个禁止杀伤性地雷的全面性条约是她任期中最重要的事件之一。约于20世纪末生效的该条约呼吁禁止发展、销售和使用地雷，呼吁销毁未爆的地雷和现有的储备。威廉斯与S.罗伯茨合著的《枪炮沉寂之后：持久的地雷隐患》(1995)试图谴责在国际战争中使用杀伤性地雷，因地雷具有不分青红皂白的、持久的破坏能力。该书认为，由于购买和埋放地雷的费用低廉而侦查和拆除引信的费用极高，所以在战争结束后地雷仍因其任意地造成伤亡并使土地无法利用而继续对平民构成威胁。

Williams, John Henry　威廉斯（1887-06-21，威尔士～1980-12-24，美国马萨诸塞绍斯布里奇）　美国经济学家、银行家、政府顾问、国际贸易专家。受教于布朗大学和哈佛大学，1919年获哈佛博士学位。1921～1957年任哈佛大学经济学教授，后为名誉教授。1937～1947年任哈佛公共行政研究生院主任10年。1957～1963年在弗莱彻法律外交学院任教。1933～1956年任纽约联邦储备银行经济顾问，1936～1947年任副总裁。第二次世界大战期间及以后皆为政府高级经济顾问。著有《在不自由兑换纸币制度下的阿根廷国际贸易》(1920)，成功地检验了古典学派的国际汇兑理论。第二次世界大战期间和战后，他积极参加战后货币政策安排的辩论，被认为是强调美元在国际货币制度中支柱作用的"关键通货"原则的创始人。

Williams, Mary Lou　威廉斯（1910-05-08，美国佐治亚亚特兰大～1981-05-28，北卡罗来纳达勒姆）　婚前名Mary Elfrieda Scruggs。美国爵士乐钢琴家、作曲家，曾为20世纪40和50年代的许多伟大的爵士乐艺术家作曲并同台演出。很小的时候就随母亲学习钢琴。自1929年起，为许多乐团编曲，包括A.柯克及D.埃林顿的摇摆乐团。其夫是萨克斯管演奏家和领队J.威廉斯。《黄道组曲》曾于1946年被纽约爱乐交响乐团演奏。身为一名具备布鲁斯和早期爵士乐深厚底子的钢琴家，她综合了咆哮乐及后期自由爵士的新手法，与不同的音乐家，如D.吉莱斯皮、C.泰勒等，搭档演出。A.艾利曾以她的《玛丽·路易丝的弥撒》编舞。她创办了玛丽唱片公司，这是由女性建立的第一个此类公司。1975年在马萨诸塞大学任教，1977年在杜克大学任教。

Williams, Ralph Vaughan　参阅 **Vaughan Williams, Ralph** 沃恩·威廉斯。

Williams, Roger　威廉斯（1603?，伦敦～1683-01-27或03-15，罗得岛普罗维登斯）　新英格兰殖民地的英裔居民、罗得岛殖民地的创建人、宗教自由的先驱。裁缝之子，法理学家爱德华·柯克爵士的门徒，曾在剑桥大学学习。1630年放弃牧师职位，去新英格兰追求不从国教派的宗教理想。1631年抵达波士顿，因不愿同圣公会内的清教派联合，次年移居主张脱离圣公会的普利茅斯殖民地。1633年因坚持主张国王特许状无效，只有直接向印第安人购买的土地才合法，而与普利茅斯发生争执，又回到塞勒姆。1634年，塞勒姆教会邀请他当牧师，但民政当局以他持有危险观点将他逐出马萨诸塞湾。他于1636年1月出发前往纳拉甘西特湾，同年春季在从印第安人购买的土地上建立了普罗维登斯城和罗得岛殖民地。普罗维登斯成为再洗礼派、公谊会信徒和其他非正统派别的避难所。他一度是再洗礼派，1639年自称探索派，但仍保持加尔文宗的神学观点。1643年为谋求罗得岛特许状前往英格兰，1651～1654年再度前往，特许状得到批准。此行结识了诗人J.弥尔顿。他是罗得岛获得特许状后的首任总督，在去世前经常担任罗得岛以及邻近殖民地和纳拉甘西特印第安人之间的调解人，靠务农和经商为生。他是一位激烈的论辩家和多产作家。

Williams, Rowan　威廉斯（1950-06-14，威尔士斯旺西～　　）　全名Rowan Douglas Williams。坎特伯雷第104任大主教（自2002年起），著名的神学家、威尔士教会大主教，是当代在英格兰教会之外挑选的第一任坎特伯雷大主教。出身于一个讲威尔士语的家庭。从迪弗诺中学毕业之后，进入剑桥基督学院学习，获得神学学士和硕士学位；1975年获得牛津沃德海姆学院神学哲学博士学位。在米菲尔德的耶稣复活学院执教之后，担任了一系列学术和教会职务，最终在牛津大学任神学教授（1986～1992）。1992年成为蒙茅斯主教，2000年被任命为威尔士大主教。2002年被提名为坎特伯雷大主教。在同性恋及其他问题上持开明观点，因而引起很大争议，尽管得到了像图图牧师这样的教会人士的坚决支持。威廉斯反对2001年在阿富汗进行的打击塔利班政权的战争，严厉批评2003年发动的伊拉克战争（第二次海湾战争）。刚一上任就面对诸多挑战，其中涉及不同宗教团体之间关系和内部纪律等问题。他采取各种措施以改善基督徒与穆斯林之间的关系，努力与天主教会保持良好关系，在位初期就在罗马拜会了教皇约翰·保罗二世。尽管受到教皇的热情欢迎，但威廉斯在作为主教给同性恋者授圣职礼问题上被天主教会告诫。在英格兰教会的内部授同性恋者以圣职依然是存在争议的问题，甚至可导致英国圣公会宗教教派的分裂。2003年威廉斯任命一个特别委员会处理此问题。该委员会还探讨了威廉斯如何能够更加有效地对教会的宗教教派行使他的道德权威。从1990年起任英国学院的研究员，出版有文集、布道集和诗集。著有《论基督教神学》（2000）、《阿里乌：异端邪说与传统》（2002）和《写在尘埃中：9·11事件之后》（2002）。

Williams, Ted　威廉斯（1918-08-30，美国加利福尼亚圣迭戈～2002-07-05）　美国职业棒球运动员，左手击球的外场手。1939～1960年为波士顿红袜队队员，全经历击球率为0.344。两次获三王冠称号，即在平均击球率、本垒打、击球创造跑垒得分机会这三方面都占领先地位。在第二次世界大战和朝鲜战争中，先后5年任飞行员，但全经历本垒打总数仍达521。1941年击球率达到0.406。1966年入选美国棒球名人堂。

Williams, Tennessee　威廉斯（1911-03-26，美国密西西比哥伦布～1983-02-25，纽约市）　美国剧作家。他的剧本反映出人类受挫折的世界，其中性和暴力构成浪漫的假斯文的气

供图：New Directions

氛。在密苏里大学和华盛顿大学学习时即对写剧本发生兴趣，甚至当经济萧条时期在鞋厂工作时也仍坚持写作。有几个小剧团演出了他的作品，使他受到鼓舞，到艾奥瓦大学研究戏剧写作，1938年取得学士学位。1939年他的独幕剧集《美国的布鲁斯》赢得"同仁剧团"奖，使他得到广泛承认。《玻璃动物园》（1944）在芝加哥短期上演后获得成功，曾转到纽约百老汇演出一年以上。威廉斯的第2个成功之作是《欲望号街车》（1947，获普利策奖），写当年另一位南部美人B.杜波伊斯在精神和道德上的堕落。1953年写的《皇家大道》上演成绩不佳。接着的两部成功作品是《热铁皮屋顶上的猫》（1955），写一个富有的南部种植园主家庭中尔虞我诈的关系，获普利策奖，并成功地拍成电影。《鬣鳞蜥的夜晚》（1961）写一位被解职的牧师如何变成不称职的导游者。其他重要剧作还有《去夏突至》（1958）和《可爱的青春小鸟》（1959）等。还有些小说写了性病一类的怪诞故事。60年代因耽溺于安眠药和酒精，健康受损，1969年后才有所好转。另外他出版过两部小说：《斯通夫人的罗马之春》（1950）和《莫伊斯与理性世界》（1975）。还写过一些散文、诗歌、电影剧本、短篇小说和一部自传《回忆录》（1975）。他的作品4次获剧评界奖，并在世界范围广泛被翻译和演出。

Williams, Venus and Serena　威廉姆斯姐妹（维纳斯1980-06-17，美国加利福尼亚林伍德～　；莎莲娜1981-09-26，美国密歇根萨吉诺～　）　美国网球选手，姐妹俩的大力击球风格对女子网球产生突破性影响，成为该体育项目最高水平的运动员。1999～2003年二人共获10个大满贯单打冠军、6个双打冠军、3个奥林匹克冠军。她们的父亲很早就发现了两个女儿的天分，于是把她们带进这项运动。1994年维纳斯进入职业网坛，莎莲娜于次年跟进。这对姐妹的男子击球风格及出色的体育竞技精神，很快就引起人们注意。1997年维纳斯成为进入美国网球公开赛女子决赛的第一名非种子选手，但输给了M.辛吉斯。1999年莎莲娜赢得美国网球公开赛冠军，维纳斯则于2000和2001年在温布尔登和美国网球公开赛中称后。2002年莎莲娜一连拿下法国网球公开赛、美国网球公开赛和温布尔登网球公开赛3个冠军奖杯，3次决赛的对手都是维纳斯。尽管她们在球场上多次厮杀，但这对姐妹是关系非常友好的竞争对手，经常在双打比赛中搭档。

Williams, William　威廉斯（1717，威尔士卡马森郡兰韦尔阿里布林凯文科德～1791-01-11，潘蒂凯尔恩）　威尔士基督教循道宗奋兴运动领袖、赞美诗作家。1743年虽仍自居为圣公会人员，但已开始到各地宣传循道宗教义，写作赞美诗及其他宗教诗文。1748年前后结婚，其后居住在兰达弗里附近潘蒂凯尔恩地方，号称潘蒂凯尔恩的威廉斯。威廉斯被称为威尔士第一位浪漫主义诗人，著有赞美诗800多首，自1744～1787年先后以小册子形式出版。另有一首叙事诗以强烈的感情介绍循道宗所宣传的宗教生活经验。

Williams, William Carlos　威廉斯（1883-09-17，美国新泽西拉瑟福德～1963-03-04，拉瑟福德）　美国诗人。擅长以明晰细致的比喻

新泽西州立图书馆供图

把平凡的题材写得有声有色。1906年获得宾夕法尼亚大学医学博士学位，曾在纽约任实习医生及在莱比锡读儿科研究生。1910年回到家乡，从此毕生写诗和行医。诗集《献给欣赏者！》（1917）具有他自己的独特风格。他的常被选入诗集的富有特色的诗有《无忧无虑的威廉》、《通往传染病院的道路旁》和《红色手推车》。他在30年代萧条时期写的诗对现实的抨击多于赞美。《无产者肖像》和《游艇》显露出他通过描述而不是解释表达其观点的技巧。威廉斯在《佩特森》（5卷，1946～1958）中表现了他的城市概念，其复杂也表现出人的复杂性。威廉斯是一个多产作家。他的《美国人的性格》（1925）通过论历史人物的文章分析了美国人的性格和教养。小说有描写一个家庭的三部曲：《白骡》（1937）、《钱财之中》（1940）和《立业》（1952）。著名短篇故事有《琼·贝克》、《铁石面孔》和《农民们的女儿》。剧本有《爱情的梦》（1948）。威廉斯的《自传》于1951年问世。他的《来自布吕格尔的图画和其他诗歌》（1962）在他死后获普利策奖。

Williams College　威廉斯学院　美国马萨诸塞州威廉斯敦的一所私立男女合校高等学府。建于1793年。同许多新英格兰的学院一样，它由公理会创建，但现已不是教会学校。该校设大学本科文科课程及美术、应用艺术和社会科学方面的研究生课程。还开设特别速成和优等生荣誉课程，并为学生提供独立学习和国外学习的机会。该校一直同州立北亚当斯学院和本宁顿学院有学生交叉注册协议。

Williamsburg　威廉斯堡　美国弗吉尼亚州东南部城市，詹姆斯县县城，但行政上独立。位于詹姆斯河与约克河之间受潮汐影响的半岛上，在纽波特纽斯西北43千米处。1633年

威廉斯堡市重修的殖民地议会大厦
供图：Arthur Griffin—美国不列颠百科全书公司

始有人定居。1699年曾为州首府。后发展成为殖民地的政治、社会、文化中心。1722年建市。该市的一部分已划为殖民地国家历史公园。经济主要依赖为东部州立医院（1773）、威廉与玛丽学院（1693，仅次于哈佛大学的美国最古老大学）提供服务以及旅游业。人口11 605（2003）。

Williamson　威廉森　美国西弗吉尼亚州西南部城市，明戈县县城（1896）。位于被称为"10亿美金煤田"的中心，靠近肯塔基州。1892年始建并设镇，1905年设市。19世纪90年代诺福克和西部铁路通此使当地丰富的烟

煤资源得到开发，促进了城镇的发展。还建有铁路以及木材加工厂和机器设备厂。当地商会设于由煤块建成的煤屋内。市内有西弗吉尼亚南部社区学院（1971）。人口3 414（2000）。

Williamson, Alexander William　威廉森（1824-05-01，伦敦～1904-05-06，英国萨里欣德黑德）　又译威廉逊。英国化学家。在醇和醚的研究基础上阐明了有机分子结构。1849～1887年在伦敦大学学院任职。1850年发现醇和醚在分子结构上有关联，即醚中氧原子与两个烃基相连，醇中氧原子与一个烃基和一个氢原子相连。在进一步的研究中，他搞懂了可逆反应，也是第一次解释了动态平衡，即正反两向反应速率相等、各反应物浓度均无变化。1854年威廉逊介绍用醇制取醚的过程，并揭示酸作催化剂的原因，第一次清楚解释了催化作用。他也是混合醚（含两个不同烃基的醚）威廉逊合成法的发明者。

Williamson, Henry　威廉森（1895-12-01，英格兰贝德福德郡～1977-08-13，伯克郡）　英国小说家，以处理自然主题敏感但不感伤著称。曾在第一次世界大战中服役，退伍后在伦敦任记者。但因不喜欢城市生活而移居英格兰西部乡村。他以《梦的丝缕》（1936）为书名发表了他从1921～1928年所写的四部曲后，开始为人注意。但真正奠定他声望的却是《水獭塔卡》（1927），该书1928年获霍索恩登奖。其非人类主角不像其他许多“动物”故事那样以感伤情调损害作品。后来他又写过另一部雄心勃勃的系列小说，总题为《古代阳光纪事》（1951～1969）。

Williamson, Sonny Boy　威廉森（1914-03-30，美国田纳西杰克逊～1948-06-01，芝加哥）　美国黑人布鲁斯歌唱家，第一个有影响的口琴演奏家。靠自学成才，在自己的乐器上作了一些技术改革。20世纪20年代后期与曼多林演奏家Y.拉歇尔和吉他演奏家J.埃斯蒂斯在田纳西和阿肯色两州旅行，在酒吧间、大街上以及人们的聚会上演唱。直到1934年才在芝加哥定居。但仍继续在中西部游历。1937年开始录音，使用小乐队，由一把吉他、低音大提琴、有时加一架钢琴组成。独特地交替运用声乐乐句和口琴乐句，并且喜欢“跳跃”的速度。其风格的每一方面，包括轻微的口吃，都被人模仿。在芝加哥布鲁斯俱乐部表演时，他就预示了第二次世界大战后的电子布鲁斯音乐。1943年曾与M.沃特斯一起演出。正当盛名之际，他在从布鲁斯酒吧间回家的途中被抢劫和杀害。

Williamson, William Crawford　威廉森（1816-11-24，英格兰约克郡斯卡伯勒～1895-06-23，伦敦）　英国博物学家，现代古植物学奠基人之一。1832年随一位药剂师学徒时，利用业余时间学习博物学并写了几篇出色的关于化石的论文。1835年任曼彻斯特博物学会博物馆管理员。4～5年后，离开博物馆到伦敦大学学院学医，然后又回到曼彻斯特开业。1845年写了关于地中海东部海底淤

曼彻斯特大学图书馆供图

泥中发现的微生物的论文，从而开始了对深海沉积物的研究。1840～1850年间，采用一种新技术研究海洋原生动物（有孔虫），并证明一种群体原生动物——团藻属（*Volvox*）有类似植物的特征。6年后被任命为曼彻斯特欧文斯学院的博物学、解剖学和生理学教授。1880年起任该校植物学教授直至1892年。作为古植物学的奠基人，他证明含有次生木质（当时被认为是显花植物具有的特征）的某些化石实际是隐花植物。他在以《煤层中植物化石组织的观察》（1872～1894）为名的研究报告集（共19篇）的第一篇中发表了这一有争议的论点。

Williamsport　威廉斯波特　美国宾夕法尼亚州中北部城市，莱科明县县城（1796）。南距哈里斯堡121千米，濒临萨斯奎汉纳河。1795年建立。1806年设自治镇，1866年设市。

威廉斯波特市莱科明学院的克拉克教堂

供图：P. Vannucci—Shostal/美国不列颠百科全书公司

19世纪60年代成为木材业中心。现经济多样化。生产金属制品和皮革制品、家具、纺织品等。设有莱科明学院（1812）、宾夕法尼亚理工学院（1920），该校是宾夕法尼亚州立大学的一部分。该市还是国际少年棒球联合会总部所在地，每年8月举行少年棒球联合会世界锦标赛。人口：市30 706；都会统计区120 044（2000）。

Williamstown　威廉斯敦　美国马萨诸塞州西北部伯克希尔县城镇。濒临胡锡克河。1749年创建，1765年设镇。以有威廉斯学院（1790）而闻名，校友中有诗人W.C.布赖恩特和J.A.加菲尔德。斯特林-弗朗西斯·克拉克美术学院收藏有法国印象派作品以及古银器和雕塑。城镇生活以威廉斯学院为中心，也有少量轻工业和旅游业。有威廉斯敦夏季剧场和伯克希尔丘陵游览区。面积122平方千米。人口8 424（2000）。

Willibrord, Saint　威尔布罗尔德，圣（658?，英格兰诺森伯里亚约克附近？～739-11-07，奥斯特拉西亚埃希特纳赫）　Willibrord又拼Wilbrord。盎格鲁-撒克逊基督教传教士。688年任司铎，690年与另外11名传教士向弗里西亚人传教。695年任管辖弗里西亚教徒的大主教，驻在尼德兰的乌得勒支。698年创办埃希特纳赫隐修院，作为第二个传教基地。把自己辖区扩展到弗里斯兰，然后向丹麦传教。信奉基督教的法兰克国王丕平二世死后，不信教的弗里西亚人国王拉德波德迫害基督教徒，驱逐威尔布罗尔德。719年，拉德波德死，威尔布罗尔德复职。他培养土著神职人员，从而使法兰克人各王国处于英格兰文化影响之下。经过后世传教士继续努力，这种影响在查理曼朝中发挥决定性的作用。

Willimantic　威利曼蒂克　美国康涅狄格州中东部城市，温德姆县温德姆镇区的主要居民区。在威利曼蒂克和纳乔格河汇合处。约建于1686年，1833年设自治镇，1893年设市。有东康涅狄格州立学院（1889），为州立师范学校。有“线城”之称，为美国纱线公司创办地（1854）。人口15 823（2000）。

Willingboro　威灵伯勒　1959～1963年称莱维敦。美国新泽西州伯灵顿县一镇区。位于兰科克斯河畔。英国基督教公谊会信徒约于1677年移民于此。1688年设镇区。利特尔雷德校舍（1866），现为历史博物馆，展有手工艺品。人口33 008（2000）。

Willis, Bailey　威利斯（1857-05-31，美国纽约州哈德孙河畔的艾德维尔德～1949-02-19，加利福尼亚帕罗阿尔托）　美国地质学家。因对阿巴拉契亚山脉的构造和地貌的分析而知名。1884～1916年为美国地质调查所成员，1916年任斯坦福大学地质学教授，1922年以荣誉教授衔退休。维利斯的研究包括南北美洲和非洲的剥蚀作用（侵蚀作用之一种）的年代、褶皱和变形的模拟实验、北美的古地理制图以及地壳分异作用的理论等。著有《阿巴拉契亚构造的机制》、《活动的非洲》、《非洲高原和大裂谷》、《智利的地震条件》、《霍利兰的地震》和《北美地质图》。

Willis, Henry　威利斯（1821-04-27，伦敦～1901-02-11，伦敦）　英国管风琴制造家，一位一丝不苟的能工巧匠和设计师，所制造的精美乐器虽不如18世纪德国古典管风琴，但完全适于演奏英国当时的乐曲。学徒时就显示出特殊的发明才能。还善于弹奏管风琴，大半生在教堂任管风琴手，因此能从演奏者的角度理解这一乐器。他为1851年英国大博览会水晶宫制造的大管风琴及其他一些早期乐器使他名扬四海。此后制造和修复约1 000架教堂和音乐厅用的管风琴，包括一些国外制造的。他的作品可称为“管弦乐式管风

琴”,因为其中用了一些专为模仿管弦乐器而设计的音管,而且完全适用于当时英国流行的管弦乐曲的管风琴改编曲。这种风琴虽然富有浪漫主义的表现力,但音响很平衡,具有丰富的传统管风琴声部。他的簧栓特别有名。其子孙继承了他的事业,并在音响和机械方面作出了显著的改进。

Willis, Thomas 威利斯(1621-01-27,英格兰威尔特郡大贝德温～1675-11-11,伦敦) 17世纪英国第一流医师、英国医学化学学派的领袖。试图以化学相互作用的最新理论来解释人体的各种活动;以对神经系统及多种

供图:Archiv fur Kunst und Geschichte, Berlin

疾病的详尽研究而闻名。1660～1675年任牛津大学自然哲学教授,1666年在伦敦开诊所,他的诊所后来成为当时最受欢迎、也是最赚钱的诊所。1664年威利斯著《脑的解剖学,兼述神经及其功能》,对神经系统作了当时最完整、最精确的描述。书中首次描述了颅底部许多动脉形成的六角形环(威利斯氏环)。描述了第11对颅神经(副神经)。1671年第一个描述重症肌无力,产褥热也是他首次描述和命名的。

Williston 威利斯顿 美国北达科他州西北部城市,威廉斯县县城。濒临密苏里河。19世纪70年代始有人定居。1887年大北铁路通车后兴盛起来。1894年设村,1904年设市。1951年威利斯顿盆地发现油田,石油开采与精炼业的发展,使经济获得新的动力。但饲养家畜与种植谷物依然很重要。加里森水坝的蓄水减少了干旱的威胁。北达科他大学威利斯顿中心于1957年建立。市西有尤宁堡贸易站国家历史纪念地。人口12 512(2000)。

Williston Basin 威利斯顿盆地 沿美国北达科他州西部、蒙大拿州东部和加拿大萨斯喀彻温省南部的落基山脉东缘一带的大型沉积盆地。其特征是有占面积大约28.5万平方千米的巨厚沉积层系。这个盆地是在奥陶纪中期(4.78亿至4.58亿年前)由大陆平缓下弯形成的,是个重要的石油产地。石油采自盆地深部的石灰岩层,天然气则采自最上部砂层。石油在盆地中的聚集,主要原因在于落基山脉形成期间发生岩层的褶皱和断裂作用所造成的构造圈闭。

Willkie, Wendell L(ewis) 威尔基(1892-02-18,美国印第安纳埃尔伍德～1944-10-08,纽约市) 1940年美国共和党总统候选人,大选中为F.D.罗斯福总统击败。后献身于鼓吹“天下一家”的国际合作思想。1916年毕业于印第安纳大学,获法学学位。第一次世界

美国国家档案馆供图

大战期间在美军服役。1929年到纽约市联邦与南方公司法律部工作,精明干练,4年后即升任总经理。1933年后,因领导私营公用事业与联邦政府田纳西河流域管理局进行竞争而闻名全国。20世纪30年代初期为民主党员,后因反对政府约束工商企业的不明智措施而转为共和党员。他对罗斯福新政的有说服力的批评使他成为1940年共和党提名时爆出冷门的总统候选人。千百个“选威尔基当总统”基层俱乐部在全国各地自发兴起。尽管起步迟,组织有限,且遭到党的大部分领导人员反对,他在第六次投票时终于获得提名。他在竞选中强调鼓励扩大企业和投资以提供更多的就职机会,同时保留最好的新政改革措施,并支持对同盟国的援助。然而对方利用威尔基的华尔街背景及危急的世界局势,结果他只在10个州获胜(82选举人票对罗斯福的449);但他得到逾2 200万张选票(共和党人从未得到过的最多票数)。他继续强调在两党制度中需要“忠实的在野党”;他先后访问英国(1941)、中东、苏联和中国(1942)。1942年成为20世纪福克斯影片公司总裁。威尔基的著作《天下一家》(1943)呼吁战后合作,并且影响许多共和党人摆脱了孤立主义。对罗斯福战争政策的支持使威尔基在1944年的总统提名时遇到强烈反对。在威斯康星州预选中受挫之后,威尔基即退出角逐。

Willmar 威尔马 美国明尼苏达州中部偏西南城市,坎迪约希县县城。在小克罗湖湖区的富特和威尔马湖畔。1869年建为铁路修筑营地,后成为铁路路段站和谷物、牲畜转运站,发展火鸡加工、服装和农机制造等行业。设有威尔马区专业技术学院。附近有州立精神病院。1874年设村。1901年设市。人口18 351(2000)。

Willoughby(of Parham), Francis Willoughby, 5th Baron 威洛比(帕勒姆的)(约1613,英格兰～1666-07,巴巴多斯和圣基茨岛之间的海上) 巴巴多斯总督。1651年在当时名义上属西班牙的苏里南建立了由加勒比地区和其他南美殖民地来的移民的定居点。在英国内战中先支持议会,1648年加入保王党一方。1650年被查理二世任命为驻巴巴多斯总督。在该地承认议会统治权后于1652年离开。王政复辟后,他和L.海德被授予对苏里南的共同所有权。

willow 柳 杨柳科柳属(*Salix*)植物。灌木或乔木,大多原产于北温带。主要用于观赏、蔽荫、保持水土,亦可材用。叶通常互生,狭窄。柔荑花序,雌雄异株。种子具长绒毛。某些种含水杨甙(镇痛药水杨酸的原料)。黑柳(*S. nigra*)、爆竹柳(脆柳,*S. fragilis*)及白柳(*S. alba*)是最高大的3种柳树,可高达20余米。黑柳原产北美,另外两种原产欧亚大陆,但已在各地归化。3个种均常见于低地。智利柳(*S. chilensis*)广布于从墨西哥至智利一带,株高18米。其变种霍奇米尔科柳(*S.

巴比伦柳(*Salix babylonica*)(上)及其叶(下)

供图:(上)A to Z Botanical Collection—美国不列颠百科全书公司;(下)Kenneth and Brenda Formanek

chilensis fastigiata)树干圆柱状,在墨西哥城附近的霍奇米尔科特别常见。青刚柳(*S. viminalis*)呈灌木状,其枝条在欧洲用于编篮筐。绵毛柳(*S. lanata*)原产欧亚大陆北部,高1米余,叶芽白色,上有绵毛。有几种柳和杂种柳枝条下垂,称垂柳,特别是原产东亚的巴比伦柳(*S. babylonica*)及其变种。亚洲北部的旱

柳(*S. matsudana*)叶背白色,叶缘有尖齿;其变种龙爪柳(*S. matsudana tortuosa*)因枝条扭曲而得名,或称为开塞钻柳。飞絮柳指几种灌木状柳树的雄株,柔荑花序多絮毛,在叶萌发前出现,被认为是报春使者。退色柳(*S. discolor*)原产北美,矮于高达 7.5 米的欧亚种。生长在沟河岸边的灌木状柳树种类很多,如红皮柳(紫柳,*S. purpurea*)及绢毛柳(*S. sericea*);也有少数种类分布范围延伸到冻土带,为小木本植物,如北极柳(*S. arctica*)及冰川柳(*S. glacialis*)。

willow oak　柳栎　山毛榉科栎属(*Quercus*)红栎组的几种北美观赏和材用树种,叶似柳树故名。尤指柳栎(*Quercus phellos*),原产于大西洋和墨西哥湾海岸平原及密西西比河流域排水不良的地区。高约 18 米,下部枝条低垂,侧枝细长,短枝状小枝似针栎。树冠对称,近圆锥形,幼树树皮平滑,灰黑色,后变粗糙、起皱如脊状。根系浅。叶淡绿色,披针形,秋天变黄。生长迅速。在美国南部广泛种作观赏树及行道树。水栎(黑栎,*Q. nigra*)、月桂叶栎(*Q. laurifolia*)、覆瓦栎(*Q. imbricaria*)和**活栎(live oak)**也称柳栎,在美国南部种作观赏植物。水栎亦称负鼠栎、斑点栎,是美国东南部海岸平原一个低地种,高约 25 米;叶有光泽,蓝绿色,形状和大小多样,常为匙形或长圆形,叶尖微裂,秋天变黄,宿存至冬天;槲果小,竖立在一个有鳞片或被毛的浅壳斗上。月桂叶栎亦称达林顿氏栎、金刚石叶栎或水栎,高达 18 米,见于大西洋和墨西哥湾海岸平原的砂质土壤上;槲果大,卵形,深褐色或黑色,一年成熟。覆瓦栎叶较长较宽,其木材用于建筑。

Willow Palisade　柳条边　又拼 Liutiaobian, Liu-t'iao Pien。又名盛京边墙、柳城、条子边。中国清代视满族兴起的东北为"龙兴之地"的禁区,因在封禁地区修浚边壕,沿壕植柳而得名。顺治康熙年间先后修建柳条边于辽河流域和今吉林部分地区。禁止民人越过边墙打猎、放牧和采人参。辽河流域的柳条边,南起今辽宁凤城南,至山海关北接长城,周长 850 千米,名为"老边",也称"盛京边墙"。又自威远堡东北走向至今吉林市北法特,长 345 千米,名为"新边"。老边自威远堡至山海关的西段,归盛京将军管辖;自威远堡至凤城南的东段,归盛京兵部管辖并受盛京将军兼统。新边则归宁古塔将军(后改吉林将军)管辖。在交通要道处初设边门 21,后减为 20。每边门驻官兵数十人,稽察行人。清廷设置柳条边的目的是保持满族传统习俗并垄断东北特产等经济利益,康熙中叶以后,出关偷采人参、垦荒种田的人渐多,清廷禁令形同虚设。鸦片战争后废弃。

Willow pattern　柳树图案　1779 年 T. 特纳仿照中国陶瓷绘画在英国什罗普郡考格利地区发展的风景图案。图案中有垂柳、塔屋、古桥上的行人以及双燕。常用的着色法是在白底上绘蓝色,此外还有别的着色法。较早期的风景画和中国的风格十分相似。在柳树图案中描绘的一对情人变成燕子

英国斯塔福德郡约 1800 年生产的柳树图案米色陶器茶壶

伦敦维多利亚和艾伯特博物馆供图

的传说是英国人的加工,并非中国式。蓝色的柳树图案瓷常易与中国景德镇生产的青花瓷相混淆。

Wills, Bob　威尔斯(1905-03-06,美国得克萨斯科斯附近～1975-05-13,得克萨斯沃思堡)　全名 James Robert Wills。美国乐队领队、小提琴手、歌手和词作家,20 世纪 30 和 40 年代他的得克萨斯花花公子乐队使西部摇摆爵士乐流行开来。从父亲和其他亲戚那里学会演奏曼陀林和小提琴,20 年代后期开始在得克萨斯州乡村弦乐队演出。1933 年组成传统的弦乐队花花公子乐队(后称得克萨斯花花公子乐队),增加了鼓乐、电吉他和小号,在此之前乡村音乐并不包括这些乐器。由于召集了一批优秀演奏家(6～22 人不等),威尔斯成了西部摇摆爵士乐之王。乐队主要成员包括声乐家 T. 邓肯、吉他手 L. 麦考利夫以及乐曲改编者 E. 香布林。演出期间威尔斯高兴地叫出正在演奏的乐手的名字,受到此种情绪感染时,会发出他的习惯声音"啊哈"。在得克萨斯和俄克拉何马州立稳脚跟后,1943 年他把乐队带到加利福尼亚州,在当地同样受到欢迎,直到 50 年代电视的出现使得舞厅人数锐减。1964 年第二次心脏病发作之后,威尔斯停止了得克萨斯花花公子乐队的演出,但继续单独表演直到 1973 年。其最著名的歌曲是《新圣安东尼奥玫瑰》(1940)和《凋谢的爱情》(1950)。他把大量精力倾注到他改编的音乐版本当中,对乡村音乐和摇滚乐都留下了不可磨灭的痕迹,对表演者 M. 哈格德、W. 纳尔逊和 W. 詹宁斯的反叛音乐也产生了影响。1968 年入选乡村音乐名人堂。

Wills, Helen (Newington)　威尔斯(1905-10-06,美国加利福尼亚伯克利～1998-01-01,加利福尼亚卡梅尔)　全名海伦·纽因顿·威尔斯·穆迪·罗克。美国女子网球运动员。1923 年首次夺得美国单打冠军,1924、1925、1927～1929 和 1931 年连获此项冠军。她打球时态度严肃,绰号"板脸小姐"。她的过顶扣球和发球特别有力,足以弥补速度上的欠缺。1927～1932 年参加多次单打比赛,常胜不败,8 次获温布尔登冠军(1927～1930、1932～1933、1935、1938)。1923～1939 年,还荣获 4 次法国锦标赛单打冠军,12 次美国锦标赛、温布尔登赛和法国锦标赛双打冠军。在 10 次怀特曼杯比赛中,她参加 20 场单打比赛,胜 18 场。1924 年在巴黎奥运会上获女子网球单打和双打金牌。

Wills, Maury　威尔斯(1932-10-02,华盛顿[哥伦比亚特区]～　　)　美国职业棒球运动员、经理。曾创偷垒纪录。1950 年与全国棒球联盟布鲁克林道奇队(后迁到洛杉矶)签订合同,任该队下属的各小联盟 队二垒手;1959 年提拔到母队,任游击手;1967 年调到匹兹堡海盗队。全国联盟扩大组织后,于 1969 年被吸收到蒙特利尔博览会队,同年调回道奇队。1972 年退出比赛。在 6 个赛季中(1960～1965),威尔斯的偷垒次数居联盟之首,1962 年达 104 的空前纪录。70 年代期间,退出比赛后在墨西哥联盟担任经理,历时 4 个赛季;为 5 个大联盟俱乐部春训担任偷垒教练;还做了一些体育讲解工作。1980～1981 年任美国联盟西雅图航海者队经理。

Willstätter, Richard　威尔施泰特(1872-08-13,巴登卡尔斯鲁厄～1942-08-03,瑞士洛迦诺)　德国化学家。因研究叶绿素及其他植物色素结构而获 1915 年诺贝尔化学奖。1894 年,因研究可卡因的结构而得到慕尼黑大学的博士学位。在慕尼黑他作为 A. von 拜耳的助手,继续从事生物碱结构的研究并合成了几种生物碱。1905 年在苏黎世获得教授职称并开始有关叶绿素的工作。他阐明了叶绿素的结构并指出血红素在结构上与叶绿素中卟啉化合物结构类似。他是柏林大学化学教授和柏林威廉皇家研究所所长(1912～1916),这一阶段他在研究中揭示了很多花果色素的结构。他的工作被第一次世界大战打断,根据 F. 哈伯的指示他转向研制防毒面具。1916 年,他在慕尼黑接替拜耳。20 年代研究酶反应机理,为确定酶是化学物质而不是生物有机体做了很多工作。他关于酶在本质上不是蛋白质的观点,在 1930 年被证明不对以前曾广为流传。作为一个犹太人,1924 年他辞去在慕尼黑的职务以抗议反犹压迫,他继续在慕尼黑、1939 年后在瑞士进行秘密研究。

willy-willy　畏来风　澳大利亚西部规模大、移动的**热带气旋(tropical cyclone)**。

Wilmette　威尔梅特　美国伊利诺伊州库克县村庄,芝加哥北郊住宅村。濒临密歇根湖。1869 年创建。1872 年设建制。村内的巴哈教派灵会会堂是北美巴哈教派的中心。设有马林克罗特学院(1918)。人口27 651(2000)。

Wilmington　威尔明顿　美国特拉华州最大城市,纽卡斯尔县县城。在克里斯蒂娜河、布兰迪万河与特拉华河汇流处。为全州工业、金融、商业中心和重要港口。1638 年由瑞典人拓居,为特拉华流域最早的永久性居民点。早年为一小农业村庄。1730 年后发展成兴旺的商业城镇。至独立战争时为本州内最大的城镇。与其他港口(特别是东北方的费城)的交通方便。附近河流水力丰富,周围农田肥沃,促进了该城的发展。18 世纪 90 年代,该地面粉厂在美国规模最大。1802 年法国移民 E.I. 杜邦建起火药厂,是现代杜邦大工业集团的前身,其试验室即设在威尔明顿。1832 年设市。1837 年费城、威尔明顿和巴尔的摩铁路(后称宾州中央铁路)通车推动了工

业的发展。现生产化工品、汽车、革制品、纺织品、钢铁制品、硫化纤维和工业及民用水龙带,以及食品。服务业也日益变得重要。许多大公司的总部都设在该城。有克里斯蒂娜堡纪念碑(坐落在最早的拓居地上)、旧斯韦德斯教堂(1698)、旧市政厅(1798,现为特拉华历史学会总部)等历史建筑以及两个博物

威尔明顿市哈格利博物馆的主要展馆
供图:Milt and Joan Mann from CameraMann

馆和一个美术馆。设有布兰迪万学院和戈尔迪比科姆学院 (1886)。人口: 市72 664; 威尔明顿-纽华克主要都会统计区586 216; 费城-威尔明顿-大西洋城联合都会统计区6 188 463(2000)。

Wilmington 威尔明顿 美国北卡罗来纳州东南部城市和主要港口,新汉诺威县县城。濒临菲尔角河。18 世纪 30 年代由新利物浦和新迦太基组建,1740 年设建制,1866 年设市。抵制印花税条例的第一次武装反抗 1775 年 11 月发生于该地。当年英国企图用分割的办法征服这块殖民地,但由于莫尔河桥战

威尔明顿市的著名风景区格林菲尔德加登斯
供图:Frank J. Miller

役(1776-02)而受挫。战场位于市西 18 英里(32 千米)处,现为国家军人公园。南北战争期间曾是偷越封锁线的中心,也是最后一个关闭的南部同盟港口。经济以运输业、旅游业和多种制造业(制造核能、航天设备、化学药品和光纤)为主。电影业和电视业也十分重要。市内设有北卡罗来纳大学分校、威尔明顿学院、菲尔角工学院。第二次世界大战时美国的“北卡罗来纳”号战舰现作为纪念船停泊于菲尔角河上。人口:市75 838;都会统计区233 450(2000)。

Wilmington, Spencer Compton, earl of, Viscount Pevensey **威尔明顿伯爵**(1673? ~ 1743-07-02) 即 S.康普顿。又称佩文西子爵。英国政治家。英王乔治二世的宠臣,名义上的英国首相(1742-02 ~ 1743-07)。第 3 代北安普顿伯爵詹姆斯·斯潘塞的第 3 子。1698 年任下院议员。1715 年任下院议长。1716 年人枢密院。1730 年封威尔明顿伯爵。1742 年让他当首相仅仅因为他年迈,各方可以接受,而实权却掌握在纽卡斯尔公爵和 J.卡特里特手中。他为人平庸,头脑迟钝,是讽刺作家和漫画家经常嘲讽的对象。终生未婚。

Wilmot, Frank Leslie Thompson 威尔莫特 参阅 **Maurice, Furnley** 莫里斯。

Wilmot, Henry, Baron Wilmot of Adderbury, 2nd Viscount Wilmot of Athlone **威尔莫特** 参阅 **Rochester, Henry Wilmot, 1st earl of** 罗彻斯特伯爵(第一)。

Wilmot, John 威尔莫特 参阅 **Rochester, John Wilmot, 2nd earl of** 罗彻斯特伯爵(第二)。

Wilmot Proviso 《威尔莫特但书》 美国历史上,19 世纪 40 年代美国国会关于禁止把奴隶制扩大到各准州的重要提案。它最重要的结果是导致共和党的成立。墨西哥战争结束后不久,J.K.波尔克总统要求国会拨款 200 万美元进行和谈,以解决与墨西哥的边界问题。民主党议员 D.威尔莫特于 1846 年 8 月对此提出禁止新准州蓄奴的修正案,即《威尔莫特但书》。它在地区冲突日益增强的气氛中引起了一场全国性的激烈辩论,但国会两院始终未予通过。由此在奴隶制问题上达成妥协的民主党人和辉格党人在 1854 年建立了共和党。

Wilms' tumour 威尔姆氏瘤 参阅 **nephroblastoma** 肾母细胞瘤。

Wilno (Lithuania) **维尔诺** 参阅 **Vilnius** 维尔纽斯。

Wilno dispute 维尔诺争端 参阅 **Vilnius dispute** 维尔纽斯争端。

Wilson 威尔逊 美国北卡罗来纳州中东部城市,威尔逊县县城(1855)。1849 年设建制。为上等烟草的主要市场,也有轻型制造业。市内设有大西洋基督教学院(1902)和威尔逊县工学院。人口44 405(2000)。

Wilson, Alexander 威尔逊(1766-07-06,苏格兰伦弗鲁佩斯利~ 1813-08-23,费城) 苏格兰出生的鸟类学家和诗人,著有《美洲鸟类学》(9 卷,1808 ~ 1814),论述北美鸟类。这一开创性巨著确立他作为美国鸟类学奠基人及杰出博物学家的地位。早年于苏格兰当过

供图:BBC Hulton Picture Library

纺织工人和小贩,同时写诗。最著名的作品是诙谐的民谣《瓦蒂和梅格》,匿名发表后到处传诵,该作品曾被误认为 R.彭斯的作品,可能与此有关。威尔逊无钱出版个人的诗作。1792 年因支援纺织工人斗争撰写讽刺诗而被罚款、监禁并遭政治迫害。由于穷困,1794 年移居美国任教。在博物学家 W.巴特拉姆的影响下,1804 年决定撰文论述北美鸟类。业余学习了艺术和鸟类学后,成为《李氏百科全书》的助理编辑。1808 年出版《美洲鸟类学》第 1 卷。晚年大部时间用于预售其昂贵著作及采集标本编写尚未完成的其他各卷。在旅行中,他遇到了当时正在经商的美国博物学家 J.J.奥杜邦。威尔逊的成就激励奥杜邦继续为鸟类绘图并发表其研究成果。

Wilson, Sir Angus (Frank Johnstone) 威尔逊(1913-08-11,英格兰东萨塞克斯贝克斯希尔~ 1991-05-31,英格兰萨福克贝里圣埃德蒙兹) 英国作家。他的有时严肃有时充满讽刺的小说,描写了当代英国社会生活和知识分子生活中的种种冲突。威尔逊出身于一个中产阶级上层的家庭,他是家中 6 个儿子中最小的,他们主要住在伦敦的小旅馆和小公寓内,过着虽寒酸却仍在摆阔的日子。这个处于社会边缘的不稳定的世界,在他的许多短篇小说中均有所反映,他还在自传体小说《野花园》(1963)中对此进行了描述。他曾在伦敦威斯敏斯特学校和牛津大学默顿学院学习,后来在不列颠博物馆阅览室中任编目员。他 15 岁时丧母,和父亲发展成亲密的伙伴关系,并在 1939 年他父亲逝世后留下了一片感情上的空白。第二次世界大战期间,当他在外交部工作时,他的精神崩溃使他断定自己对世界的看法是孩子般的天真幼稚,因此必须成熟为一个成年人,不管这会多么痛苦。他的长篇小说和短篇小说里主要人物中的几个人也面临着这个问题。战后,他回到不列颠博物馆,担任阅览室副主任,1955 年离职致力于写作。他曾任东英吉利亚大学的英国文学教授(1966 ~ 1978),以后保有名誉教授头衔。《死之舞:故事 25 则》(1969)是一本早期短篇作品集。他的第一部长篇小说《毒芹和死后》(1952)被一些评论认为是他的最佳作品。在此之前,他已因短篇集《生活用具》(1949)和《如此可爱的渡渡鸟》(1950)而受到读者的注意。《盎格鲁-撒克逊态度》(1956)

和《动物园里的老人》(1961)对英国生活中主要是知识界或有产阶级的形形色色人物作了深刻的描绘。《艾略特夫人的中年》(1958)是一本人物的心理描绘。后期的小说有《晚访》(1965)、《像是用了魔术》(1973)、《把世界放在火上》(1980)。《狄更斯世界》(1970)和《吉卜林的奇异旅程》(1977)是两部著名传记作品。1980年威尔逊被封为爵士。

Wilson, Augusta Jane Evans 威尔逊(1835-05-08,美国佐治亚温顿[今属哥伦布]～1909-05-09,亚拉巴马莫比尔) 婚前名 Augusta Jane Evans。美国作家,其感伤和说教式的小说受到读者普遍欢迎。她几乎没有接受过正规教育,但从小就热爱读书。15岁时开始尝试写短篇小说,1855年匿名发表。1859年出版《比尤拉》,这是有关宗教怀疑的故事,虽然多少有些卖弄文笔,但还是获得了成功。美国南北战争期间,她是南部邦联政府狂热的支持者,对她来说南方的正义事业就是道德准则,为此投入大量时间和精力从事护理和救济工作。《祭坛》(1864)在弗吉尼亚州里士满出版,成为美国南部有力的道德读本,甚至根据走私书重印的美国北方版也销量甚好。据说一名联邦军的将军曾下令他的士兵不要阅读该书,并把手头得到的书全部烧毁。《圣埃尔莫》(1866)是一部成功之作,书中具有拜伦风格的主人公得到一个贞洁少女的挽救,又回归正义事业上来。该书后来改编成剧本,1914年拍成无声电影。1868年嫁给了比她年长27岁的L.M.威尔逊。在管理他的庄园以及后来为了他的健康而陪他四处周游的同时,威尔逊完成了《瓦实提》(1869)、《英菲利斯》(1875)和《至高无上的提比略》(1887)三部作品。1891年丈夫去世后,她与亲戚一起住在莫比尔,并完成《斑点鸟》(1902)和《德沃塔》(1907)两部作品。

Wilson, C(harles) T(homson) R(ees) 威尔逊(1869-02-14,苏格兰中洛锡安格伦科斯～1959-11-15,皮布尔斯郡卡洛普斯) 苏格兰物理学家。因发明威尔逊云室,与美国的A.

诺贝尔基金会(斯德哥尔摩)供图

H.康普顿共获1927年诺贝尔物理学奖。该云室广泛应用于放射性、X射线、宇宙线和其他核现象的研究。他在1895年以气象学家的身份开始研究云。为了复现某些云对山顶的影响,设计了一种在封闭的容器里膨胀湿空气的方法。让冷却的空气膨胀,使之过饱和,于是湿气就在尘粒上凝结。他注意到无尘空气能继续保持过饱和,直到过饱和度达到一定的临界点后,才形成云。从而相信无尘时云是在空气中的离子上形成的。他得悉X射线发现后,认为由这样的辐射形成的离子,可能引起云的更强烈的形成。经实验,发现辐射在云室里留下一串凝聚水滴的径迹。到1912年,完善化的云室是核物理学研究中不可缺少的设备,最后导致**气泡室**(**bubble chamber**)的出现(由D.A.格拉泽在1952年完成)。从1916年起参加研究闪电,1925年被任为剑桥大学杰克逊自然史教授。运用他对雷雨的研究,为英国的战时阻塞气球创造了一种防雷击的方法,1956年发表了一种关于雷电的理论。

Wilson, Colin (Henry) 威尔逊(1931-06-26,英国莱斯特郡莱斯特～) 英国小说家,也有关于哲学、社会学、音乐、文学以及神秘学的著作。16岁离开学校后,当过实验室助手、公务员、劳工、洗碟子工人和工厂工人。1949～1950年在皇家空军服役。1950～1951年在巴黎和斯特拉斯堡居住并在咖啡馆工作,其间创作了他的第一部作品《局外人》(1956),以才气横溢受到赞扬,成为畅销书。他的《宗教与叛逆》发表于1957年,但被认为平庸浅薄,无独到之处。直到1960年,他发表了第一部小说《黑暗中的仪式》,那种否定他的批评才算结束。1961年他的第二部小说《浮沉在索霍区》问世,他才完全挽回失去的声誉。威尔逊的许多作品涉及犯罪心理、神秘学、人类的性欲或他本人独特的存在主义哲学形式。他是一位十分多产的作家,80年代初时已写有50多本书。

Wilson, (John) Dover 威尔逊(1881-07-13,英格兰伦敦～1969-01-15,苏格兰中洛锡安巴勒诺) 英国研究莎士比亚的学者和教育家。曾就读于剑桥大学,1924～1935年任伦敦国王学院教育学教授,1935～1945年为爱丁堡大学钦定英国文学教授。1921年起担任莎士比亚戏剧新剑桥版主编,还是莎士比亚出生地的托管人及苏格兰国立图书馆的理事。他对莎士比亚的研究作出了重要的但有争议的贡献,对原剧中模糊不清之处作了大胆的阐释,并对剧本作了独出心裁、令人兴奋的解释。最著名的作品有《哈姆雷特剧中所表现的》(1959),对该剧发表了独到的见解;《法尔斯塔夫的命运》(1943)描述法尔斯塔夫作为一种恶势力最终被国王所摒弃的情景。其他作品包括《莎士比亚时代英格兰的生活:伊丽莎白时代散文选集》(1911)、《真正的莎士比亚:一部冒险者传记》(1932)、《莎士比亚的欢快喜剧》(1962)及《莎士比亚十四行诗》(1963)。

Wilson, Edmund 威尔逊(1895-05-08,美国新泽西雷德班克～1972-06-12,纽约州托尔克特维尔) 美国批评家、散文家,公认为当时批评界的泰斗。毕业于普林斯顿大学,先在纽约当报纸记者,后任杂志《名利场》主编(1920～1921)和《新共和》(1926～1931)的副主编。其第一部评论作品《阿克瑟尔的城堡》(1931)是对各国象征派诗人的一次总评。在此期间,威尔逊曾与作家玛丽·麦卡锡结婚。他的第二部重要著作《去芬兰车站》是关于为俄国革命奠定了思想基础的思想家的史论性研究。这两部著作很大一部分最初发表在

美国不列颠百科全书公司供图

《新共和》上。他为该刊撰稿直至1940年后期。发表的文章一部分收在《在两个民主国家旅行》(1936),其中有关于苏联和美国的对话、小品文和一篇短篇小说,其余收在评论探究多重意义作家的《三重思想家》(1938)、论艺术与神经官能症的《创口和弓》(1941)和讨论一些如J.斯坦贝克和J.M.凯恩的新一代美国小说家的《幕后设计人》(1941)中。1944～1948年间,威尔逊定期为《纽约人》写书评,直至他逝世之年,他的一些重要文章也在该杂志上发表,包括选自他的日记,在杂志上连载的《州北:纽约州北部的记录与回忆》(1972)。

第二次世界大战之后,威尔逊写了《死海古籍》(1955),为此他学习了希伯来语。其他著作有《红色、黑色、金色和橄榄色:四种文明的研究:祖尼、海地、苏俄和以色列》(1956)、《向易洛魁族印第安人致歉》(1960)、剖析美国内战文学的《爱国者戈尔》(1962)、《啊,加拿大:一个美国人论加拿大文化的笔记》(1965)。在此期间,他发表在杂志上的文章集成五卷出版:《贝德克尔死后的欧洲》(1947)、《经典作品与商业广告》(1950)、《光明的海岸》(1952)、《美国地震》(1958)、《我的牙齿间的嚼子》(1965)。

威尔逊在另一些著作中显露出他特有的奇思怪想。这类著作如:《我的心声:六十回想录》(1956)、《冷战和所得税》(1963)、《现代语言协会的成果》(1968)。这最后一部著作长篇大论地抨击该协会编订的美国作家的文集,认为这些文集使作品的内容淹没在学究气十足的议论之中。他创作的剧本一部分收在《剧本五种》(1954)和《巴勒摩公爵及其他剧本,附致迈克·尼科尔斯的公开信》(1969)中。他的诗作见《黑夜集》(1942)和《夜思录》(1961)。一本早期诗集《再见了,诗人们》出版于1929年。他的一本短篇小说集《赫卡特县的回忆》(1946)在小说最初发表时碰上了审查的麻烦。

威尔逊在其好友F.S.菲茨杰拉德死后将其文稿和笔记编订出版,名《精神崩溃》(1945)。还编订了菲茨杰拉德死时尚未完成的小说《最后一位巨头》(1941)。威尔逊本人只写了一部长篇小说:《我想起了黛茜》(1929)。他死后,L.伊德尔为他编了一本《二

十年代:摘自这一时期的笔记和日记》,于1975年出版。他的遗孀爱莲娜编了一本《论文学与政治的书信集》(1977)。他与小说家纳巴科夫的往来书信出版于1979年。

威尔逊一生既关注文学问题,又关心社会问题。他写史论、诗歌、长短篇小说,又是位编辑。他写作的题目和涉及的方面极为广泛,议论起每一问题来总是视野宽阔,目光如炬。其所以能如此是因为他学识渊博,常识丰富。他用来表达他的观点的文字风格晓畅精确。他评论E.海明威、J.D.帕索斯、W.菲茨杰拉德和W.福克纳的著作使广大读者对他们的早期作品发生兴趣,并引导批评界逐渐接受他们。

Wilson, Edmund Beecher 威尔逊(1856-10-19,美国伊利诺伊杰尼瓦～1939-03-03,纽约州纽约) 美国生物学家。以其胚胎学和细胞学研究著名。1891年在哥伦比亚大学任

哥伦比亚大学供图

职,把该校动物学系的国际声誉提高到一个顶峰。他最初从事胚胎学方面的实验,进而对细胞水平进行研究。他研究细胞谱系,探索由各个前体细胞发育成不同组织的途径,成为杰出先驱。此后,他对细胞内部结构发生兴趣,所著《细胞发育与遗传》(1896)一书深刻地影响了生物学界的思想动向。他所关心的第二个问题是性别的确定。从1905年起,他发表一系列关于染色体与性别确定的关系的文章,这是他在细胞学研究方面的最高成就,也代表他学术成就的顶峰。孟德尔在遗传方面的早期研究在1900年被重新发现之后,他看出这个发现的重要性,并认识到染色体的作用远不只是确定性别:他预料到染色体的功能是整个遗传的重要成分。他的想法对后来遗传学研究的发展产生了强烈影响。

Wilson, Edward O(sborne) 威尔逊(1929-06-10,美国阿拉斯加伯明翰～) 美国生物学家,被公认为世界上研究蚂蚁的第一流的权威,也是社会生物学的杰出倡导者(社会生物学研究所有动物,包括人类的社会行为的遗传基础)。1949年获亚拉巴马大学理学士学位,1950年获理学硕士学位。他研究生涯的早期大部分时间在亚拉巴马大学研究蚁类。1955年获哈佛大学医学博士学位,同年对毛蚁属(*Lasius*)进行了详尽的分类研究。他与W.L.布朗合作,提出"特征移位"概念,该概念指一个生物学过程:当两个近缘种的种群相互接触后便出现迅速的进化分化,以使相互间的竞争和杂交的机会减到最少。1956年到哈佛大学任职后又有一系列重要的发现,如蚁类主要通过传送一种称为外激素的化学物质来进行通讯。在修订南太平洋地区蚁类分类系统的过程中系统阐述了分类群循环的概念,物种形成和物种散布与生物种群扩展时遇到的变化多端的生境有联系。1971年发表其论述蚁类和其他社会昆虫的权威性著作《昆虫社会》,该书详细描述许多物种的社会行为模式及其生态学和种群动力学。他在其第2本重要著作《社会生物学,新的综合体》(1975)中提出有关社会行为的生物学基础的理论;书中有一章论述作为动物社会基础的本质上是生物学的原理也适用于人类的社会行为。这激怒了某些科学家和团体,他们认为这种观点在政治上是挑衅性的。实际上,威尔逊断言少至10%的人类行为是由遗传决定的,其余的则可归因于环境。他在1979年获普利策奖的《论人类的本质》(1978)中试图用社会生物学解释人类的进攻性行为,性行为,和行为准则。他1990年出版的《蚁类》一书将当代对蚁类的知识作了历史性的总结。威尔逊最著名的理论之一是:即使利他行为这样的特征也可能以遗传为基础并通过自然选择进化。传统的理论认为,自然选择仅有利于那些增加个体生殖机会的物质性状或行为性状。利他行为指个体牺牲自己借以保存其直系亲属的行为,此种行为似乎与自然选择不一致。但威尔逊断言许多利他行为是与自然选择一致的,因为牺牲的目的是拯救与牺牲者关系非常接近的个体,这些个体携带的基因有许多与牺牲者相同。因此威尔逊的理论认为拯救基因,而非拯救个体,就成为进化策略的中心。1964～1976年威尔逊曾任哈佛大学动物学教授,以后任小F.B.贝尔德讲座科学教授。从1972年起又任比较动物学博物馆昆虫学部主任。1990年与美国生物学家P.埃利希共获瑞典的克拉福德奖。

Wilson, Flip 威尔森(1933-12-08,美国新泽西泽西城～1998-11-25,加利福尼亚马利布) Clerow Wilson的别名。美国喜剧演员,他的喜剧杂耍表演《弗利普·威尔森秀》是由非洲裔美国人主持的早期栏目之一。该节目从1970年开始到1974年停播,曾在尼尔森收视率中排名第二,1971年两次获得艾美奖。出身于一个贫困的家庭。早年多在少年犯管教所和寄养家庭度过。1950年谎报年龄(当时他16岁)加入美国空军,不久因在战友当中会讲故事和笑话而得其绰号。1954年退伍之后,曾在旧金山的一家酒店里当侍者,第一次表演喜剧是在该酒店两场夜总会表演的间隔时间。1959年,一名来自佛罗里达州迈阿密的商人每周花费50美元来赞助他,给了威尔森改进滑稽保留节目的机会,20世纪60年代他成为位于纽约市哈勒姆的阿波罗剧院的常客。1965年J.卡森邀请威尔森在《今夜秀》栏目中表演,使得他在银幕上成名。此后继续在其他电视栏目(如罗恩和马丁的《大家笑》)上演出。60年代晚期主持一个成功的电视专题栏目之后,威尔森随即创办自己的节目《弗利普·威尔森秀》。节目的独到之处在于利用了一个圆形舞台制作棚和最少的道具,突出了表演者的才艺。他形成了一种试图诚实地对待社会问题和观念的喜剧风格,尽管他由于过分依赖种族的刻板模式而招致一些批评。所饰演的最成功角色是G.琼斯,一个直言不讳的黑人女工。琼斯使得一些俏皮话尽人皆知,如"心静自然凉"、"所见即所得"和"不得已为之"。喜剧杂耍表演终止之后,威尔森回归私人生活,偶尔出现在电影或电视屏幕上。后来拍摄的电视连续剧上演时间都不长。他还制作过许多喜剧唱盘,其中最著名的是《魔鬼让我买衣服》(1970),为此他还获得了格莱美奖。

Wilson, Godfrey 威尔逊(1908～1944-05-19) 英国人类学家。曾对南非社会变革进行分析研究。1938年威尔逊担任北罗得西亚(今赞比亚)罗兹-利文斯通学会第一任会长,该学会是在南非殖民地设置的第一所地方性人类学研究机构。威尔逊与其妻莫尼卡·威尔逊共同工作,考察英属坦噶尼喀、尼亚萨兰以及北罗得西亚等殖民地的社会环境因急剧的经济、政治及文化变化而引起的种种现象,合著的《社会变化分析》(1945)一书即以其考察结果为基础。威尔逊曾在伦敦经济政治学院师事B.马林诺夫斯基,攻读人类学。他在罗兹-利文斯通学会工作至1942年,以后参加南非医疗队工作。他的著作受原始部落工业化的效应这类问题的影响很大。

Wilson, Harold 威尔逊(1916-03-11,英格兰约克郡哈德斯菲尔德～1995-05-24,伦敦) 英国工党政治家,联合王国首相(1964～1970,1974～1976)。其父为工业化学家。牛津

供图:Central Press—Pictorial Parade/美国不列颠百科全书公司

大学毕业。1938～1939年在牛津大学学院任研究员时曾与W.贝弗里奇爵士合作,起草了具有时代意义的主张实行社会保险和其他福利措施的《贝弗里奇报告》(1942)。1943～1944年任燃料与动力部经济统计司司长时,曾提出一份关于采矿业的研究报告。所著《煤炭问题新对策》(1945)一书成为工党的矿藏国有化计划的基础。1945年选入下议院。1947年任贸易大臣。1951年4月因抗议实行国民保健服务收费为朝鲜战争筹措军费而辞职。1963年当选为工党领袖,次年组成工党政府。1965年企图阻止英国殖民地罗得西亚的白人少数人政府非法宣布独立,未能成功。尽管他口头上支持美国的越南战争,但力避英国直接卷入。1965年他的政府废除死刑,开办开放大学进行继续教育。他使工党在1966年大选中获胜,但到60年代末声望下

降,部分原因是他对英镑贬值(1967-11-18)前的经济状况负有直接责任。1970年6月保守党在大选中获胜,威尔逊辞职。1974年保守党在大选中,虽赢得多数票,但未能组成联合政府,威尔逊应邀于3月组成政府。同年10月在第二次大选中他赢得微弱多数,另组新政府。1975年,他的党在英国是否成为欧洲经济共同体成员问题上,以及在通货膨胀和收入政策问题上严重分裂。6月举行的公民投票虽结束了党内长期存在的争论,但英国的经济困难继续发展。内阁面临英镑危机和预算困境而束手无策,他乃于1976年3月16日宣布辞职。4月,女王授予他嘉德骑士勋位。1983年受封为终身贵族。著作有《工党政府,1964～1970》(1971)、《英国的统治方式》(1976)和《1974～1976年的工党政府》(1979)。

Wilson, Henry　威尔逊(1812-02-16,美国新罕布什尔法明顿～1875-11-22,华盛顿[哥伦比亚特区])　美国参议员、副总统(1873～1875)、废奴事业的全国领袖。原名杰里迈亚·

美国国会图书馆供图

琼斯·科尔巴思。10岁时为农场契约徒工,21岁满期获得自由,改用现名。后于马萨诸塞州内蒂克经营小规模制鞋业。自从去首都华盛顿亲闻关于奴隶制的辩论,目睹拍卖奴隶的场景之后,决心献身奴隶解放事业。不久作为政治演说家受到广泛注意。1840年代表辉格党选入马萨诸塞州议会,连续任职近12年。因不满辉格党对奴隶制问题的游移立场,1848年参与组建自由土壤党。1854年参加排外主义的秘密组织一无所知党,数年后加入共和党。后选入美国参议院(1855～1873),于南北战争期间(1861～1865)任军事委员会主席,反对A.约翰逊总统对战败的南方实行和解政策。U.S.格兰特总统连任时,他当选为副总统。在职期间死于中风。著有3卷论述战时和重建时期国会成就的著作,以3卷集《美洲奴隶力量兴衰史》(1872～1877)最为著名。

Wilson, Sir Henry Hughes, Baronet　威尔逊(1864-05-05,爱尔兰朗福德郡埃奇沃思敦附近～1922-06-22,英格兰伦敦)　英国陆军元帅,英帝国总参谋长,第一次世界大战最后一年劳合·乔治首相的主要军事顾问。1910～1914年任陆军部作战部长时,曾力排众议,决定英国应在法国请求的基础上支持法国对德作战。19世纪80年代初从军。1907～1910年任坎伯利参谋学院院长。第一次世界大战爆发时,英国政府采取他的在

伦敦国立肖像画陈列馆供图

法国与法军并肩作战,在比利时进攻入侵德军的政策。但英国能够顺利动员常备军于1914年8月迅速开往法国,主要应归功于威尔逊的战前筹划。不久,他本人也前往法国担任副参谋长。1917年9月,他接管东线司令部。1918年2月18日起任帝国总参谋长,曾协助首相顺利通过任命福煦担任西线协约国军队最高司令官。1919年晋升陆军元帅并被封为准男爵。由于他不同意政府战后对爱尔兰的政策,劳合·乔治不再让他担任参谋长的职务。他因此离开军队,以保守党人身份进入下院(均在1922-02)。因他主张英爱合并,引起爱尔兰民族主义者的仇恨,在住宅门前的石阶上被两名爱尔兰共和军成员刺杀。

Wilson (of Libya and of Stowlangtoft), Henry Maitland Wilson, 1st Baron　威尔逊(1881-09-05,英格兰伦敦～1964-12-31,英格兰白金汉郡艾尔斯伯里奇尔顿)　英国陆军元帅,

供图:Camera Press

中东的英军总司令(1943-02～12)和地中海盟军最高统帅(1943-12～1944-11)。因身材高大,人称"大象"。1939年被派往埃及指挥英国军队。1940年冬与A.P.韦维尔将军、R.N.奥康纳将军一起,在昔兰尼加击溃意大利的陆军。1941年3月远征希腊失利,同年夏季他率领英联邦和自由法国的部队,从维希法军手中夺得叙利亚。1943年9月8日意大利停战后,他夺取意大利控制下的佐泽卡尼索斯群岛,但是由于缺乏足够的援军,不久又丧失给德国人。他在继艾森豪威尔将军任地中海最高统帅后,在英美部队之间保持着极好的关系。1945～1947年任英国驻华盛顿联合参谋使团团长。

Wilson, J. Tuzo　威尔逊(1908-10-24,加拿大安大略渥太华～1993-04-15,安大略多伦多)　全名John Tuzo Wilson。曾译威耳孙。加拿大地质学家和地球物理学家,曾确定全球断裂的格局和大陆构造。他在板块构造方面的研究对于大陆漂移、海底扩展和地球内部对流等理论有重要意义。是移民到加拿大的一个苏格兰工程师之子。1930年成为加拿大所有大学中第一个地球物理方面的学士(多伦多大学三一学院文学士)。然后从事研究于剑桥大学圣约翰学院(1932,文学士),普林斯顿大学(1936,哲学博士),剑桥大学(1940,文学硕士;1958,理学博士)。曾在加拿大地质调查所工作(1936～1939)。第二次世界大战期间在加拿大皇家工程部队服务,晋升至上校。战后,1946年在多伦多大学任地球物理学教授,1974年成为安大略科学中心主任。1983～1986年,他是约克大学的名誉校长。主要著作有:《一个中国月亮》(1959)、《国际地球物理年:新月球年代》(1961)、《地球科学的革命》(1967)和《大陆漂移与大陆固定》(1977)。20世纪60年代初,在认为各个大陆是固定不动的主张盛行之时,他是复活大陆漂移理论的首要的世界性发言人。他的文章《断层的新分类及其对大陆漂移的意义》中引入了转换断层的概念。有鉴于以往的大陆漂移理论把板块设想为或者是运动挨近到一起(会聚板块),或者是运动分开(发散板块),威尔逊提出了第3种运动,这就是板块相互之间滑动。该理论后来成为板块构造学的基础之一。板块构造学在70年代使地球物理学发生了变革。南极一座山脉即以他的姓氏命名。

Wilson, Jack (American Indian religious leader) **威尔逊**　参阅**Wovoka** 沃伏卡。

Wilson, Jackie　威尔逊(1934-06-09,美国密歇根底特律～1984-01-21,新泽西芒特霍利)　Jack Wilson的别名。美国歌手,最早支持把20世纪50年代的嘟喔普、摇滚和布鲁斯音乐风格融入到60年代的灵乐中。他是60年代最具特色的粗犷有力的灵乐演唱者之一。很少有歌手能与他的音域和舞台表现相比。他是真正的有独创性的歌手,在50年代他的演唱风格的创新对美国流行乐、摇滚乐和灵乐的演变产生的重要性丝毫不亚于J.布朗、N.K.科尔和S.库克等人,尽管他的唱片商业影响不如这些人。威尔逊拥有一种粗犷有力的多八度男高音,十多岁时就开始职业演唱,1953年顶替C.麦克法特成为B.沃德带领的声乐组多米诺骨牌的领唱,1957年成为独唱演员。威尔逊必须考虑到例行的种族隔离形式,非洲裔美国男性艺术家由于种族隔离很难获得主流派音乐的成功。在所谓的"种族音乐"和居主导地位的白人流行乐前40名之间的商业和风格障碍,迫使威尔逊这样的歌唱家苦苦思索他们选唱歌曲的内容,因为他们既要充分表现自己的才华,又不想触及带有种族目的的底线。这就是词作家和底特律同乡B.戈迪(小)在他与R.戴维斯1957年为威尔逊写第一首独唱歌词时接受的挑战。两年后戈迪组建默顿唱片公司,他的目标是获得交叉成功,也就是说,把黑人演员从节奏与布鲁斯排行榜带到流行音乐排行榜。戈迪与人合写了威尔逊最成功的几首单曲,包括《孤独的泪滴》(1958)、《被爱》(1958)和《这是为什么(我如此爱你)》(1959),其中第一首单曲成

为节奏与布鲁斯排行榜白金唱片，在流行乐排行榜上位居第七。自从威尔逊开始独唱生涯，他就经常到处演出，获得完美艺人称号。1963年他的一曲《宝贝艰苦锻炼》名列流行乐前五名，1967年另一首著名歌曲《更高，更高》，达到流行音乐排行榜第六名。与其他在斯泰克斯和默顿唱片公司的明星不同，威尔逊并不是总能得到最好的录音乐师为其伴奏，或提供高质量的改编曲；但是，公司芝加哥总部的制作人C.戴维斯为《更高，更高》聘请了默顿唱片公司节奏部，使该曲充满时髦的当代强节奏。可是，尽管有戴维斯富于想象的贡献，威尔逊后来的唱片未能在商业上取得成功，主要由于不伦瑞克唱片公司没有给予必要的商业宣传以确保在电台播放。威尔逊采用巡回演唱的方式来重新唤起公众对他的事业的兴趣。1975年9月，正当他打算以一张刚完成的专辑《除了你没有别人》准备东山再起时，在一次现场直播的演出中突发心脏病，在几乎8年的时间里一直处于半昏迷状态，直到1984年去世。1987年入选摇滚乐名人堂。

Wilson, James 威尔逊（1742-09-14，苏格兰法夫～1798-08-21，美国北卡罗来纳伊登顿）美洲殖民地律师、政治理论家、《独立宣言》的签署人、1787年制宪会议代表。1765年由苏

供图：Independence National Historical Park Collection，Philadelphia

格兰徙居北美，在费城学院教授希腊文和修辞学，后从政治家、第一次大陆会议代表J.迪金森攻习法律。1774年出版著名论文《英国议会立法权力的性质与范围探讨》，主张英帝国应授予殖民地以自治领地位。1774年为坎伯兰县通讯委员会委员及第二次大陆会议代表。1779年出任法国总律师，在与美洲殖民地的纠纷案中代表法国出庭。1783、1785～1786年为联邦国会议员，曾对邦联条例提出修正案使国会能征收普通税。1787年制宪会议期间参与美国宪法的起草工作，随即致力于使之在宾夕法尼亚州得到批准。1790年指导起草宾夕法尼亚州新宪法，并发表一系列在美国法学发展史上具有里程碑意义的演说。1789～1798年任联邦最高法院法官，对"奇泽姆诉佐治亚州案"所作的判决最为著名。1796～1797年冬，由于经营土地投机买卖不慎而破产，使健康和事业都受到不可挽回的沉重打击。

Wilson, John Anthony Burgess 威尔逊 参阅 **Burgess, Anthony 伯吉斯**。

Wilson, Kenneth Geddes 威尔逊（1936-06-08，美国马萨诸塞沃尔瑟姆～ ）曾译威耳孙，美国物理学家。1982年获得诺贝尔物理学奖；由于他发展了一种一般方法，用以改进称为连续或二次相变的物质转化理论。威尔逊的成果主要是提出了一种数学策略，用以处理有关相邻原子或分子的相互效应，以及能对大得可用实验观察的材料样品产生影响的原子或分子的效应。威尔逊1956年毕业于哈佛大学。1961年在加利福尼亚理工学院取得博士学位。在该院，威尔逊是在M.盖耳曼（1969年诺贝尔物理学奖获得者）和F.洛的指导下完成论文的。他在欧洲核研究组织工作了一年之后，于1963年在康奈尔大学被任命为副教授；1971～1988年为物理学教授。1988年以后执教于俄亥俄州立大学。

Wilson, Mount 威尔逊山 美国圣加夫列尔山脉一山峰。海拔1 740米。在加利福尼亚州南部的安吉利斯国家森林境内。位于帕萨迪纳东北侧。有盘山公路通往山顶。山上建有天文台。

Wilson, Richard 威尔逊（1714-08-01，威尔士蒙哥马利郡佩内戈伊斯～1782-05-15，卡那封郡兰贝里斯） 英国最早的重要风景画家之一，其作品兼有古典式的明朗与景色优美引人入胜的图画效果。1729年在伦敦同T.赖特一起研究肖像画；约在1735年之后，独立从事肖像画。1746年起，对风景画的兴趣日趋浓厚，1750年末到意大利后不久，风景画几乎成为他唯一的画题。他不仅按N.普桑、S.罗萨和克劳德·洛兰的风格绘大幅风景，而且还作了无数罗马场所和建筑物的素描，以便回英国后，用以创作意大利式风景画。大约于1757年回到伦敦，成为一个有影

威尔逊绘《斯诺登山》（约1770）
利物浦沃尔克美术陈列馆供图

响的教师。1760年之后，他参与了艺术家协会及皇家学院的展出。1768年成为创建皇家学院的奠基人之一，并从1776年起任该院图书馆长。虽还继续创作意大利式的风景画，但已转向描绘自己的国家，特别是威尔士和伦敦周围的乡间风光。在其作品中，意大利的古典建筑风格消失了，虽然还留存着意大利式的整齐、明朗，但占支配地位的已是他对蓝天碧空、近景远致、五光十色的风景所作的确切而宁静的记录，如其名作《斯诺登山》。

Wilson, Robert Woodrow 威尔逊（1936-01-10，美国得克萨斯休斯敦～ ）曾译威耳孙。美国射电天文学家。由于作出一项支持大爆炸宇宙学的新发现，与A.彭齐亚斯共获1978年诺贝尔物理学奖。曾在休斯顿的赖斯大学和帕萨迪纳的加利福尼亚理工学院就读，1962年获博士学位。威尔逊进入新泽西州贝尔电话实验室以后，即与彭齐亚斯合作，监视来自环绕银河系的一个气环的射电辐射。他们探测到一种异乎寻常的均匀地充满宇宙的微波背景辐射。这种辐射相当于3K温度，与认为宇宙在几十亿年以前起源于一次原始大爆炸的理论的预言相一致。1976年威尔逊被任命为贝尔实验室射电物理学研究室主任。他在许多科学期刊上发表过大量关于背景温度测量和星际分子的毫米波测量等课题的科学论文。1979年，当选美国全国科学院院士。

Wilson, Woodrow 威尔逊（1856-12-28，美国弗吉尼亚斯汤顿～1924-02-03，华盛顿[哥伦比亚特区]） 第28任美国总统，以其高尚和坚定的理想主义而为人铭记的美国政治

纽约历史学会供图

家。他领导国家参加第一次世界大战并在巴黎和会上积极倡建国际联盟。长老会牧师之子，童年在佐治亚和南卡罗来纳度过，深为南北战争的破坏和重建时期的苦难所震撼。1875年入今普林斯顿大学，1886年获约翰斯·霍普金斯大学博士学位。1888年在康涅狄格州卫斯理大学任教授，两年后回普林斯顿大学教授法学和政治经济学，1902年任该校校长。1910年由民主党提名，竞选新泽西州州长获胜。州长的政绩使他在全国崭露头角。1912年由民主党提名为总统候选人。竞选中他提出明确而积极的内政纲领，当选为总统。他精力充沛，促使国会通过一系列新的法律，如降低关税，征收联邦所得税以弥补财源不足；实施《联邦储备法》（1913-12），建立联邦储备委员会，控制货币流通量；设立联邦贸易委员会（1914），以联邦权力保证企业自由竞争；通过《克莱顿反托拉斯法》；禁止在劳资纠纷中使用"禁制令"，从而加强了工会的地位并承认罢工和抵制的权利。上述措施建立起一个新的社会和经济环境。外交政策方面，在原则上他反对大国欺凌小国，尊重弱国的权益。他准备逐步给菲律宾自治，取消美国商船免费通过巴拿马运河的权利，使美国对动荡的加勒比海地区保持警惕。1915年通过签署条约对海地实行保护，次年又派海军陆战队去支持军政府。墨西哥革命导致的内战使威尔逊政府陷入无尽的麻烦之中，他始

则采取"戒备观望"的政策，反对正式的干涉；又利用船员受辱事件占领韦拉克鲁斯(1914-04)；在P.比利亚袭击边境(1916-03)后派J.J.潘兴将军进行惩罚性远征。第一次世界大战爆发后，他原想维护中立国的权利，并致力于调停战争，但是德国潜艇横行海上，美国人生命财产屡遭损失，两国关系日益紧张。1916年春他向德国提出最后通牒式的照会，以最强硬态度迫使德国放弃了潜艇战略。这一外交胜利既推迟了美国参战的时间，也有助他竞选连任的成功。1917年初德国突然恢复无限制的潜艇战以及所谓的齐默尔曼电报(建议缔结德国-日本-墨西哥联盟，谅解墨西哥收回得克萨斯、新墨西哥和亚利桑那的失地)，激怒了美国公众。威尔逊遂于4月2日要求国会对德宣战。美国备战不足，威尔逊有重大的责任；但一旦进入战争，他却表现出卓越的领导品质。1918年1月他提出"公正和持久和平"的14点和平纲领。德国战败后，这个纲领成为协约国和德国谈判的基础。正当他的主张发挥作用的时候，他的党(民主党)在国会选举中受挫，至关重要的参议院外交常设委员会被反对他的共和党人控制。威尔逊亲自前往巴黎出席和会，为实现他的纲领而奋斗。他的主张包括3个相互制约的概念：解放人民，对友对敌同样公正，建立国际联盟保障和平。尽管他受到英国、法国、意大利的热情接待，但他不得不面对各国强烈的民族主义情绪。在和会上，他使国联的原则成为条约不可分的部分。但他建立国联主张的胜利又为他被迫向领土和赔偿要求作出的让步所损害。《凡尔赛和约》签署(1919-06-28)的次日，他就启程回国。共和党占优势的国会对他带回的和约持保留态度。他旅行全国发表演说，为维护和约与国际联盟吁请公众的支持。他在发表34场演说后，9月25日因身体不适，被迫从科罗拉多返回，抵达华盛顿时已因脑血栓左侧瘫痪。当时无人能领导这场争取批准和约的斗争，谋求妥协又无结果，于是威尔逊提出一项牵强的计划，即举行"一次伟大而庄严的全民公决"。在参议院两党联席会议上寻求达成协议的努力又遇到共和党拒不妥协的抵抗。1920年3月19日，参议院就批准决议举行最后表决，仍对和约第10条(集体防御)有强烈保留而引起威尔逊的谴责。他再一次要求追随者否决这项决议，只有23人照办。坚持倡建国际联盟的美国却没有加入这一组织。健康状况不佳使他不能参加1920年的总统竞选。民主党的失败使他冀望举行全民公决，以解决他和共和党参议员H.C.洛奇(反对国联的带头人)间的争论也化为泡影。1920年12月授予他诺贝尔和平奖，稍稍缓解了他理想破灭的痛苦。他最后一次提交国会的国情咨文没有再提及最关切的国联问题。此后，他对国际事务保持沉默直至任期届满(1921-03-04)。

Wilson's Creek, Battle of　威尔逊克里克战役(1861-08-10)　美国南北战争中，南军的一次胜仗。联邦的N.莱昂将军率领5 400人，南方联盟的B.麦卡洛克和S.普赖斯将军率领1万余人，在密苏里州斯普林菲尔德西南10英里处交战。联邦军一方面袭击南方联盟军后部，一方面用主力作正面攻击。激战几小时，双方伤亡惨重。莱昂阵亡后，联邦军退往斯普林菲尔德。

Wilson's disease　威尔逊氏病　又称肝豆状核变性。与铜代谢有关的遗传性疾病。特征为大脑基底神经节进行性变性、角膜边缘出现棕色环及肝组织逐渐纤维化。本病通常在20～30岁时首次发病，伴有震颤、共济失调及人格改变。本病病因是由于循环血液中缺少一种铜结合蛋白——血浆铜蓝蛋白，导致体内游离铜过多，这些铜沉积在组织中，引起特有的症状。治疗中常给予高蛋白、低铜饮食，同时使用青霉胺等螯合物，以把铜从组织中清除到尿中。

Wilson's Promontory　威尔逊角　澳大利亚大陆最南端。位于维多利亚州墨尔本东南110英里处。为花岗岩半岛。长22英里，最宽处14英里。半岛伸入巴斯海峡，很像一个岛屿，只有海滩沙脊与大陆相连。沿岸风景秀丽，内陆为山地，最高点拉特罗布山海拔2 475英尺。1905年，整个海角设为国家公园。海滩、生长着蕨类植物的沟谷及700多种植物和各种动物吸引游客。

wilt　萎蔫　植物疾病的一个常见症状，因叶、茎丧失水分所致。受侵部失去紧张度而下垂。多种真菌、细菌及病毒引起的特异性萎蔫病很易与根腐病、颈腐病、茎溃疡、虫伤、旱涝、土壤板结等非感染性病害相混淆。轮枝霉(*Verticillium*)萎蔫病是凉爽气候中破坏力极大的真菌疾病。可侵害几百种乔木、灌木、藤本植物、花卉、室内植物、蔬菜、果树、大田作物及杂草。病原体为土壤习居菌黄萎轮枝霉(*V. albo-atrum*，大丽花轮枝孢[*V. dahliae*])。通过根部或伤口感染。在炎热的天气，受染植株一个或多个分支上的叶片变为暗绿至黄色，萎蔫而凋萎，通常从基部向上发展。罹病的一年生植物及幼树常矮小，最后常死亡。在多年生植物则枝条于数周至数年内陆续死亡，亦可在外观上恢复。将萎蔫树枝的边材(紧挨树皮下)纵切即可显出深色条斑。种植无病及抗病或免疫植物，与高度抗病或免疫的植物进行周期为5年或5年以上的轮作，消灭病株及易感的杂草，适当施肥和灌水促使植株茁壮，去除萎蔫树枝(操作前要消毒工具)，种植或耕作时避免根或茎受伤，都有助于防治此病。含病原体的土壤可用熏蒸或热处理。栎萎蔫病由山毛榉长喙霉(*Ceratocystis fagacearum*)引致，是美国东半部的严重植物病害。所有栎属植物、中国栗、欧洲栗、美洲栗、鞣皮栎、灌木青克木对之均易感。染病植株的叶片变淡绿或暗绿色，呈水浸状，向上卷曲，常由边缘向内变黄或青铜色；上部树枝受侵最早。白栎及刺果栎几年内缓慢顶死；叶片萎蔫，变浅褐色，卷缩而紧靠茎部。疾病通过在地下自然发生的根接、食树汁和真菌的昆虫、可能还通过松鼠传播。迅速去除病树、在健树和新感染树之间土壤施用威百亩(N-甲基二硫代氨基甲酸钠)、从芽苞开裂至仲夏避免伤害或修剪树木、用树木涂伤剂及时涂刷伤口，都有助于防治此病。细菌性萎蔫病由棒状杆菌属、欧文氏菌属、假单胞菌属及黄单胞菌属的许多种引致。患株从幼嫩叶开始出现生长受阻、萎蔫和凋萎；茎皱缩凋萎，水分输导组织变色。切开并挤压患茎则常见明显的细菌溢。迅速扩展的、深绿色的、水浸状的区域或条纹可首先在叶上出现。在排水良好的清洁或经消毒的土壤中种植抗病品种，防治杂草和昆虫，施行轮栽等都可防治此病。斑萎病系植物病毒所致，由几种蓟马幼虫传播。受染植株生长受阻，变为丛生，叶、花及果上出现褐色、淡紫色、淡绿色、红色、黄色或白色环斑(常呈轮纹状)和斑点，叶柄及茎上出现长条斑；叶片变形，有时出现斑驳，可变为黄色或青铜色；植株顶端萎蔫及凋萎；果粗糙变形。防治方法包括种植抗病品种和无病原种，消除蓟马，迅速消毁受侵植株和收获后的作物残部，彻底消除杂草。参阅 **Fusarium wilt; Panama disease; Dutch elm disease**。

Wilton　威尔顿　英格兰威尔特行政、历史郡索尔兹伯里区一教区(城镇)。以生产地毯闻名世界。威尔顿皇家地毯厂建于1655年。地毯生产成为该镇的主要工业。也生产毛毡和农业机械。该镇自古是绵羊贸易中心。人口3 717(1991)。

Wiltshire　威尔特郡　英格兰南部一行政、地理、历史郡。位于布里斯托尔海峡、英吉利海峡和泰晤士河之间分水岭地区。首府特罗布里奇。行政郡、地理郡和历史郡涵括的区域稍有不同。行政郡下设4个区：索尔兹伯里(南)、西威尔特、肯尼特(东)和北威尔特。地理郡包括整个行政郡再加上斯温顿。历史郡的区域几乎与地理郡等同，但还包括格洛斯特行政郡科茨沃尔德区舍斯顿北部一小块地方。该郡大部为白垩高地。中部有索尔兹伯里平原。肯尼特河以北是莫尔伯勒丘陵地，西部边界有科茨沃尔兹石灰岩丘陵之一部，这两处丘陵与皮尤西谷地已部分划为自然风景区。郡内有许多史前遗迹，新石器时期的长型墓和青铜器时代的圆型墓很多，举行仪式用的巨大土堤杜林顿墙建于公元前3千纪末期。历史上威尔特郡在国家事务中起着相对次要的作用。当地几乎没有古罗马居民点遗迹。中世纪西多会修士的绵羊饲养可能是最重要的活动。索尔兹伯里长期以来是该郡的基督教会中心，以13世纪的大教堂闻名。除索尔兹伯里和工业城镇斯温登以外，农业在该郡占最重要的地位。索尔兹伯里平原的大部分被国防部用于军事目的。该郡许多地方有砂、砾、白垩、石灰岩和黏土开采业。面积：行政郡3 250平方千米；地理郡3 481平方千米。人口：行政郡425 800；地理郡605 500(1998)。

Wimbledon　温布尔登　伦敦外围自治市默顿的一地区，约在伦敦市西南13千米处。每年一届的全英草地网球锦标赛，即著名的温布尔登锦标赛，就在这里举行。该地区有温布尔登体育馆、温布尔登剧院和温布尔登公用绿地。温布尔登网球锦标赛每年6月底7

温布尔登市草地网球比赛场地鸟瞰
供图：Aerofilms Ltd.

月初举行，这一赛事是网球“大满贯”的一个组成部分。第一届温布尔登锦标赛于1877年在全英格兰槌球、草地网球俱乐部的一块槌球草地上举行。英国哈罗公学的一名墙网球选手S.W.戈尔在比赛中获胜。1884年在温布尔登首次举行了女子锦标赛。同年，全国男子双打赛从牛津移至温布尔登举行。1913年开始举行混合双打和女子双打比赛。1920年法国的S.朗格朗成为第一个一年内三次赢得温布尔登锦标赛的女子选手；1938年美国的J.D.巴奇成为第一个一年内获得三次温布尔登冠军的男子选手。1980年B.博格创造了连续五年蝉联单打冠军的纪录（自从1922年对规则作了修改，要求每届锦标赛的卫冕运动员必须参加每一阶段的比赛以来，还没有其他人取得过这样好的成绩）。温布尔登锦标赛原由业余运动员参加。1968年向职业运动员开放。当年澳大利亚的R.G.拉弗和美国的B.J.M.金赢得了单打冠军。目前锦标赛除设男、女单打，男、女双打和混双外，还有男、女少年项目。温布尔登草地网球博物馆记录了这项体育的历史。

Wimborne 温伯恩 英格兰南部多塞特郡一区。面积355平方千米。位于郡的东北角。地处低洼平原，西北连接克兰伯恩蔡斯白垩岭的南坡。肥沃的坡地有奶牛饲养和谷物种植业。东南部沙质土和黏土地区土壤贫瘠，为草地、石南丛生的荒地和林区。区首府温伯恩明斯特是古镇，位于水果和蔬菜产地，当地还生产水田芹。人口约71 600（1983）。

Wimborne Minster 温伯恩明斯特 英格兰多塞特行政、历史郡东多塞特区一教区（城镇）。濒临艾伦河。718年建有女隐修院。现在隐修院内的大教堂始建于1120年。小教堂和神学院建于1496年，后来重建为文法学校。种植蔬菜、水果，有苗圃。人口15 274（1991）。

Wimmera 威默拉 澳大利亚维多利亚州中西部一地区。位于威默拉河流域，范围北起墨累河，南抵东部高原，面积23 800平方千米。地势大部分平坦，年降雨量380～635毫米。出产谷物和牲畜。

wimple 温帕尔头巾 妇女戴用的头巾，它可以包住颈项、面颊和颏部。中世纪时欧洲

R.van der 韦登绘《青年女子肖像》（1435）中戴温帕尔头巾的女子
供图：Staatliche Museen Preussischer Kulturbesitz Gemaldegalerie Berlin

妇女曾广泛戴用。直到最近，修道会的妇女还用作头巾。

Winam Gulf 维南湾 前称卡维龙多湾。维多利亚湖东北角的浅湖湾。位于肯尼亚西南部。维南湾长35英里，宽15英里，通过3英里宽水道与主湖相连。它的东北岸有基苏木港。

Winchcombe 温什科姆 英格兰格洛斯特行政、历史郡蒂克斯伯里区一村庄。濒临伊斯伯恩河，近科茨沃尔兹。8世纪建本笃会隐修院后始有人定居。附近有西多会隐修院和石器时代的重要古墓贝拉斯纳普。人口4 243（1991）。

Winchell, Walter 温切尔（1897-04-07，纽约市～1972-02-20，洛杉矶） 美国记者和广播员。他的报纸专栏和无线电广播结合着新闻与闲话，赢得了广大读者和听众，20世纪30、40和50年代在美国有很大影响。他在纽约长大，13岁时即离校，同E.坎托和G.杰塞尔一起参加轻歌舞剧演出，然后同歌唱演员R.格林合作演出。他机智好问，迅速熟悉了和他在一起的基思-阿尔比轻歌舞剧巡回演出团里每个演员的个人情况和家庭背景，以及他们之间的闲话，并开始把它们写成文字，中间夹着牵强附会的双关俏皮话，清楚地打印出来，张贴在剧院的布告板上。《轻歌舞剧新闻》的发行人读到其中一篇文章后，就派温切尔为该刊西部记者。1927年成了该刊的专职人员，从此开始了他的闲话记者生涯。1924年在《纽约写真晚报》开辟了一个娱乐性行业专栏“在百老汇”，主管这个专栏达5年之久。后来进《纽约每日镜报》，该报1963年以前一直刊登他由辛迪加广为发行的专栏文章。1932年开始主持每周一次的广播节目，直到50年代初期。他那种往往固执己见的新闻报道既为他赢得赞赏者，也招来了诽谤者。但他的报道，如同他在写作和广播讲话中使用的百老汇习语一样，引起了千千万万人的兴趣。他被一些权威人士称为全国创造名言警句最多者之一。1940年他率先透露了罗斯福总统决定竞选第三次连任的消息。到了50年代，他变得极端保守，支持参议员J.麦卡锡，赞成把越来越多的广播电视演员、作家和技术人员以涉嫌为共产党人或共产党同情者之名列入黑名单。

Winchelsea 温奇尔西 英格兰东萨塞克斯行政郡罗瑟区一地方。属萨塞克斯历史郡。历史上很重要的英吉利海峡的港口，为中世纪城镇规划的典范。旧城于1287年毁于海潮，新城建于爱德华一世（1272～1307在位）时期，街区呈网格状，圣托马斯·贝克特教堂位于中央。3个城门现仍存在。从12世纪起就是**五港同盟**（**Cinque Ports**）之一。16世纪时航道淤塞，现仅存一个小村落。

Winchelsey, Robert 温切尔西（？～1313，英格兰肯特奥特福德） 坎特伯雷大主教。1288年为牛津大学校长，1293年当选为坎特伯雷大主教。因发表教皇卜尼法斯八世禁止教士向世俗统治者纳税的训令（1296）而与英格兰国王爱德华一世发生冲突。爱德华一世宣布全部英格兰教士为非法，以此进行报复。温切尔西继续对抗。1306年教皇克雷芒五世听从爱德华一世的请求，将他放逐。爱德华二世即位后被召回。

Winchester 温切斯特 英格兰汉普行政、历史郡中部一城市（区）。位于伊钦河谷地。面积659平方千米。以英格兰最长的大教堂（169米）闻名。古代遗迹很少，但其处于罗马道路系统中心的位置表明其早期很重要。7世纪，西撒克逊主教管区从多切斯特迁此，在撒克逊主教和阿尔弗烈德大王统治下成为学术中心。曾是丹麦国王克努特政府（1016～1035）所在地。在诺曼人征服（1066）后，该地仍很繁荣。是英国羊毛和布匹最早的贸易中心之一。近代发展缓慢，但仍是重要的农业市场中心。为历史悠久的郡首府。制造业很少。居住环境有吸引力，移居这里的人日益增多。诺曼人的城堡仅大厅尚存。国王门和西门为中世纪城墙仅存的两个入口。圣十字医院（1136）是保存至今的中世纪救济院的杰

温切斯特大教堂的西立面
供图：Howard Moore/ Woodmansterne

出代表。有许多教育机构，最著名的是温切斯特学院（1382）。区内有陆军和海军设施。伊钦河谷的鳟鱼捕捞业很著名。人口：市36 121（1991）；区110 000（1998）。

Winchester 温切斯特 美国弗吉尼亚州北部城市，为弗雷德里克县县城，但行政上独立。位于谢南多厄谷地北端，东南距华盛顿（哥伦比亚特区）113千米。1744年始建。1779年设镇，1874年建市。地处苹果产区，是加工中心。谢南多厄苹果开花节是一年一度的节日（4～5月）。生产橡胶制品、塑料制品、输送机、马口铁罐头和纺织品。设有谢南多厄学院和音乐学院（1875）。人口24 434（2003）。

Winchester, Hugh Le Despenser, earl of 温切斯特伯爵 参阅 **Despenser, Hugh Le and Hugh Le** 德斯彭瑟父子。

Winchester, Oliver Fisher 温切斯特（1810-11-30，波士顿～1880-12-11，美国康涅狄格纽黑文） 美国军火制造商，研制了温切斯特步枪；并通过收买和改进别人的发明，使温切斯特连发枪公司取得巨大成功。他早年经营服装制造业致富。1857年在纽黑文购买了一家连发枪公司，即后来的温切斯特连发枪公司。他聘请B.T.亨利为工厂经理兼总设计师，为他设计了杆动式亨利连发步枪，1860年取得专利。这种枪在南北战争期间曾广泛使用，以后发展为各种型号的温切斯特式步枪，包括著名的、为美国西部移民最爱使用的73型步枪。他先后收买美国连发步枪公司、斯潘塞连发步枪公司的专利权，还从B.B.霍奇基斯收买了栓动式连发枪的专利权，扩大了产品范围。温切斯特热心慈善事业，对耶鲁大学的捐助尤其慷慨。

Winchester College 温切斯特公学 英格兰最早的公学之一，位于汉普郡温切斯特。学校的正式名称温切斯特圣玛丽学院，始用于1382年主教威克姆（**Wykeham, William of**）建校之时。他意在对少年入他的牛津大学新学院即牛津温切斯特圣玛丽学院进行预备教育。作为独立自主团体建立起来的学校组织，成为亨利六世创建伊顿公学的模式，并广泛地成为其他英国公学的模式。

Winchester school 温切斯特画派 10世纪和11世纪初期英国彩绘手抄本的绘画风格，主要在温切斯特、坎特伯雷和南方一些隐修院流行。特点是线条粗犷，轮廓分明，修饰豪华，很多书页边框有爵床叶饰。这一时期盎格鲁-撒克逊艺术的杰作是圣艾特尔沃尔德的祝福书（10世纪，藏不列颠博物馆），书页设计以繁密的边框为主，具有一种浅浮雕的装饰效果。色彩丰富，有紫色、绿色、金色和蓝色。

基督受洗，圣艾特尔沃尔德的《祝福》插图，温切斯特画派，约963～984年
不列颠图书馆供图

Winckelmann, Johann (Joachim) 温克尔曼（1717-12-09，普鲁士施滕达尔～1768-06-08，的里雅斯特） 德国考古学家、艺术史家，其著述大有助于古典艺术（尤其是古希腊艺术）之普及，同时，无论对西方的绘画和雕塑，还是对文学乃至哲学，都有重大影响。他的名作，一是《希腊绘画雕塑沉思录》，一是《古代艺术史》。前者是一篇论文，人们常爱引用的那句品评希腊雕塑的名言“典以朴，澹而雄”便出自那里。后者虽已陈旧，但毕竟曾为艺术史的研究打下了基础，提供了科学方法，仍属重要作品。温克尔曼生于一补鞋匠家庭。早年学希腊语，读荷马诗，受希腊文化影响颇深。他接触希腊艺术，还是自1748年做冯·比瑙伯爵的图书馆馆长时起。这期间写成《希腊绘画雕塑沉思录》（1755）。该文称：“欲成伟人巨子，唯有师法希腊。”此文问世不久，便有数种译本。后来的艺术、教育皆奉古希腊为楷模，这篇文章起了宣言书的作用。他后来接受天主教的信仰，曾到罗马担任梵蒂冈图书馆馆长、文物总管，还做了枢机主教阿尔巴尼的秘书。阿尔巴尼收藏古艺术品甚丰，温克尔曼由此得以接触罗马城的艺术珍藏，培养自己的艺术评鉴才能，并为来访的欧洲贵族担任艺术咨询。他的著作流传甚广，很为当时的知识界所推崇。稍晚的歌德这样称颂他：“温克尔曼与哥伦布相同：他未曾发现新世界，但他预示了新时代的来临。读其文章未觉其新颖，而读者适成为有新颖见识之人！”他的《古代艺术史》（1764）首次阐明了古代艺术的发生、成长及衰亡的过程，以诸如气候、自由、技艺等文化及技术因素解释一个民族的艺术成就，或试图为理想之美提出界说。这部著作率先对古代艺术作了分期。他最为人称道的还是对单个艺术品的评论，观察直接而细致，文笔酣畅自然。无论是把艺术史作为一个单独学科来研究，还是将考古学当作一门人文学科来对待，温克尔曼都可说是后有来者，前无古人。不幸他被一个偶然结交的人谋杀了。

纽约大都会艺术博物馆供图

Winckler, Hugo 温克勒（1863-07-04，萨克森格雷芬海尼兴［德国］～1913-04-19，柏林） 德国考古学家、历史学家，曾在土耳其博阿兹柯伊进行考古发掘，发现赫梯帝国都城哈图沙，出土数千块楔形文字泥板，根据这些资料，赫梯历史的很大部分得以重新勾画出来。温克勒最初潜心于中东地区古代语言和文字。在1904年任柏林大学东方语言教授之前，曾撰写大量有关亚述楔形文字和《旧约全书》的论文。另著有巴比伦及亚述史（1891），还将汉穆拉比法典及阿马纳文书译为德文。1906年在德国东方学会的赞助下，温克勒开始在博阿兹柯伊进行发掘，成果巨大。在一些坍塌的贮藏室里，他发现数千块坚硬的泥板，所镌文字无人认识，其后才知是赫梯语。一部分是阿卡德语，其中有一份和平条约是楔形文字本，条约系由埃及法老拉美西斯二世与赫梯国王哈图西利斯缔订的，温克勒将此条约译出。发掘进展到1912年，发现一城市遗址，其神庙、宫殿、防御设施及城门表明这应是一座大都城。根据这些发现，温克勒对公元前14及前13世纪的赫梯帝国的历史，能够绘出其初步轮廓。关于其考古发掘工作的记述，见于《博阿兹柯伊发掘记》（1907）及《博阿兹柯伊考古忆语》（1913）两书中。

wind 风 在气候学中，相对于地球表面的空气运动。风在决定、支配气候和天气中有重要作用。风的形成是因为在水平或垂直方向存在气压差(梯度),因此风的分布同气压分布密切相关。在地表附近,风一般绕气压相对低和相对高的地区吹——分别为气旋和反气旋,在北半球气流按反时针方向绕低压区旋转,在南半球气流按顺时针方向绕低压区旋转;类似地,风系沿着相反的方向绕高压中心旋转。在对流层的中、上层,气压系统依次由高压脊和低压槽组成,与地表附近封闭的、略呈圆形的气压系统不同。各气压系统作波状运动并相互作用,形成组合系列的脊和槽。最大的波型称为驻波,包括3或4个脊和相当数量的槽,位于北半球中纬度的广大地带;南半球的西风带受驻波扰动的影响甚微。同长驻波相联系的是短波(波长数百千米),称为行波,行波生成与之相联系的近地表气旋和反气旋的上部,并决定其运动和发展。在高纬度近地面通常为东风;在低纬度、热带和赤道,热带辐合区(亦称热赤道)以北的西北信风,和热带辐合区以南的东南信风均吹向随太阳作季节性南、北位移的热带辐合区,气流上升,在热带辐合区两侧产生积雨云和大雨。热带辐合区内有一条狭窄近于平静的地带,称为赤道无风带。邻近对流层上部的气流流向极地,然后回到两半球的副热带下沉,从副热带再次流向赤道,这就是信风。两半球低纬度的这种巨大的大气环流圈称为哈得来环流圈。在中纬度向反方向旋转的风系称为费雷尔环流圈,地面空气流向极地,上层对流层的空气流向哈得来环流圈。全球性三维空间的风型称为大环流,它决定气压按纬度分布的基本状况,因此也就决定气候。较小范围内的风称为地方性风,它同特定的地理位置有关,并反映对流层特性的影响。最常见的地方性风有海面和陆上微风,山、谷微风,暑热南风(亦称奇努克风、圣安娜风)以及下吹风等。地方性风受局部天气的影响,又对局部气候产生明显的影响。昼间地面吸收太阳的热改变气流方向,下沉气流保持高空风的角动量,因此风速和阵风一般达到最大;夜间阵风消失,风力一般较小。

wind-bell 风铃 又称风钟(wind chime)。由风推动而发声的一个铃或一组共振部件。风铃有3种基本形式:①一组由金属、玻璃、陶瓷、竹子、贝壳或木材制成的部件,风吹时便丁当作响;②一组钟,由位于中央的钟舌敲响,钟舌上附有一捕风的平板;③一个铃,铃舌附在一个捕风的平板上。虽然许多文化早在史前时代就有风铃,但在东亚和南亚,从巴厘至西藏和日本,它得到了最丰富多彩的发展。在那些地方,风铃往往有精美的装饰,铸造或雕刻而成,悬在神圣建筑物的檐下。佛教徒特别喜欢使用风铃,他们成百地、甚至成千地把它们大量地悬在寺庙、神殿和宝塔的檐下,每当微风习习,便引起范围广大的铃声。在亚洲,以及古代的地中海地区,风铃为招引善神之物。在中国和日本,除用于神圣的建筑物外,风铃也成为私人住宅的装饰艺术品。在19和20世纪,西方各国更加普遍地利用风铃,流传很广。

wind-blown moss 一面风藓 又作fork moss(叉藓)。真藓目曲尾藓属(*Dicranum*)植物的俗称,达几百种,主要分布北半球。北美原产20余种。在土壤、木材或岩石上形成垫状。帚状曲尾藓(*D. scoparium*)最常见,也叫帚藓(丛生成帚状或刷状);茎直立分叉,高5～12厘米;拟叶体具黄色或黄绿色光泽,孢蒴具长喙,通常朝一个方向生长。一面风藓有时用作窗台花卉。

Wind Cave National Park 温德岩洞国家公园 美国南达科他州西南部的国家公园。1903年建立。面积114平方千米。园内有一系列石灰岩洞和一大片未受人类活动影响的布莱克丘陵草原。岩洞已探明通道长约130千米。国家公园内的岩洞有两大特点:一是随洞外空气压力不同,洞内有风吹入或吹出,洞名(意为风洞)由此而来;二是由方解石沉积形成的形状独特的美丽岩石。岩洞大门由人工修筑,唯一天然入口是岩石间的小洞。温德岩洞国家公园野生动物保护区内有羚羊、鹿、野牛和许多鸟类。植被除草原外,还有落叶树和针叶树、仙人掌和野花等。

wind chill 参阅 **windchill** 风寒。

wind instrument 管乐器 指利用气流作为主要振动媒质而发声的乐器,构成西洋管弦乐队中的第2组。在西方国家中,管乐器按照惯例分为木管(单簧管、双簧管、长笛和萨克斯管)和铜管(小号、长号、圆号和大号)两种,但这一分类法并不始终一致(萨克斯管为铜制,而长笛可用银或金制),并且没有考虑到发声法。

按照霍恩博斯特尔和萨克斯1914年所作分类(这一分类现已为乐器学家广泛接受),管乐器又称气鸣乐器,可分为不包含振动气流的自由振动气鸣乐器和含有气流的管乐器本身;前者如牛吼器、带状簧片琴、乐队中的乐鞭、口琴、手风琴及管风琴的簧管音栓。管乐器本身又可分为边缘乐器(如长笛和管风琴的开式哨管音栓)、喇叭(即唇振动乐器)和簧管乐器(单簧或双簧)。

自由振动气鸣乐器包括几种最古老的乐器。牛吼器的历史可上溯到2.5万年以前,在多数文化中都认为它与超自然现象有关。牛吼器由一薄的木片、骨片或象牙片系在一根长绳上制成,使它绕演奏者头部转动,带动圆盘在其轴上旋转而发声。口琴也属于自由振动气鸣乐器,装有一系列自由振动的簧片。现代口琴、键盘口琴和东方古乐器如中国笙、日本笙(shō)、东南亚的坎笙(khǣn)均属此类。这些亚洲乐器由一葫芦(或木制风箱)上装一簇长竹管而成,每一竹管中有一簧片。

最常见的边缘乐器为笛。西方管弦乐队中所用长笛系从管身一侧横吹,而许多民间笛子和非西方类型的笛则从顶端直吹(笛子由面部向前伸出),例如中东的纳伊笛(nāy)和斯威士人的乌姆特辛果笛(umtshingo)。一排直吹笛并在一起构成排箫,诸笛或捆缚成束,或编扎成排(一排或两排),亦可由一大块陶土制成。排箫流行于拉丁美洲、亚洲和太平洋诸岛屿。塞笛又称管笛,管内有一塞子,使空气集中为一条细小气流冲向坚硬的边缘。有些塞笛像欧洲的竖笛一样,其吹嘴呈鸟喙形。拉丁美洲和东欧通用双管和三管塞笛,其中一管通常不设指孔,只是用作低音管,而旋律则由其他笛管(一根或两根)奏出。小鹅笛和壶笛状如球体而非管形,可有指孔和吹嘴。

喇叭是管乐器中品种最繁多的乐器,复杂的如管弦乐队中的小号、圆号、大号和长号,简单的如亚洲和太平洋地区的凤螺号和非洲的象牙号和兽角号。上述乐器都是因气流通过演奏者振动的双唇而发声,因此某些乐器学家称此类乐器为唇簧类。瑞士的阿尔卑斯号角、西藏佛教的长号筒和南美的犬吠号等长形喇叭历来都用于远距离发信号。

单簧管族的乐器都有一个单片振击簧,通常用刮净的干燥竹片制成。管弦乐队中的单簧管、萨克斯管和巴塞特管均属此族。欧洲、北非洲和西非洲、南美洲都有民间单簧管。双簧乐器通称肖姆管和双簧管。西方双簧乐器有文艺复兴时期的风笛、克朗号、拉凯特管以及现代的双簧管、英国管和大管。民间肖姆管可见于世界各国,如中东的祖尔纳(*zūrnā*)、印度的沙纳伊(shahnāī)、中国的唢呐和泰国的哔奈(pī-nai)。哔奈与众不同之处在于它的由干燥棕榈叶制成的四簧片。

Wind River 温德河 美国怀俄明州中西部河流。由温德河岭北麓几条支流汇成。向东南流经杜波依斯,在里弗顿与波波阿吉河汇合,全长177千米。合流后经博伊森水库和温德河峡谷,至瑟莫波利斯形成比格霍恩河。里弗顿西北56千米处由温德河水坝拦成的博伊森水库是里弗顿电力灌溉工程的一部分。

Wind River Range 温德河岭 美国怀俄明州中西部落基山脉的中段。西北—东南走向,长160千米,为大陆分水岭的一部分。温德河岭的较高山峰有沃伦山(4 182米)、弗里

怀俄明州温德河岭的格林河源头

供图:David Muench—美国不列颠百科全书公司

蒙特峰(4 185米)和怀俄明州最高峰甘尼特峰(4 207米)。北面有托格沃蒂山口(2 945米),南端为具有历史意义的南山口(2 360米),俄勒冈小道即经此山口。布里杰国家森林、肖肖尼国家森林部分地区和温德河印第安人保留地都在山岭范围内。温德河及其各支流由山脉东南流入比格霍恩河。西麓为格林河发

源地。

wind rose 风玫瑰图 又称风图。某一地点一定时期风的统计资料图解；过去在使用磁罗盘以前也是航海图上的一种标志，用以表示风的8种主要方向。气象工作者使用的现代风玫瑰图，给出观测期内从各个方向吹来的风的次数占观测总次数的百分比，有时表示观测到的各个方向风的强度和无风或微风占观测次数的百分比。这种风玫瑰图通常有8条射线，其长度与风的频率成正比，而风的强度以线的粗细或附加的风羽来表示。无风或近似无风的频率则用数字标在中心。最早在航海图上使用风玫瑰图的是13世纪意大利和西班牙海员。8个方位用主要风的首字母来标记；东方位有时用十字形表示，北方位用百合花饰表示。航海上使用磁罗盘以后，风玫瑰图便和磁罗盘结合起来，当作刻度盘使用。

wind scorpion 风蝎 参阅 **sunspider** 日蛛。

wind shear 风切变 在垂直风向的方向上风速随距离的变化率。风速发生突变的非常狭窄的地带称为切变线。风切变不仅在近地表面可以观测到，在急流里也可以观测到。在急流里，它可能与晴空湍流有关。风的垂直切变与动量、热量和水汽的垂直通量有密切关系。

wind tunnel 风洞 产生可控气流的设备，用来研究飞机和其他物体的模型在空气中运动时的效应或气流的阻力。只要气流能被适当地控制，受试验的静止模型是模拟一架飞机在空气中飞行，还是模拟一座固定建筑物经受风压，则无关紧要。

在20世纪早期的直流式风洞中，空气缓慢地流过风洞的大口径段，在喷管状的试验段被加速，然后在大口径的扩散段又减慢，再流入大气中。在这种开路风洞中，空气的压强、温度和湿度难以控制，后来就被回流式风洞（如图）所代替。后者，通过试验段的气流被保持在圆形或方形回路段内，气流经过风

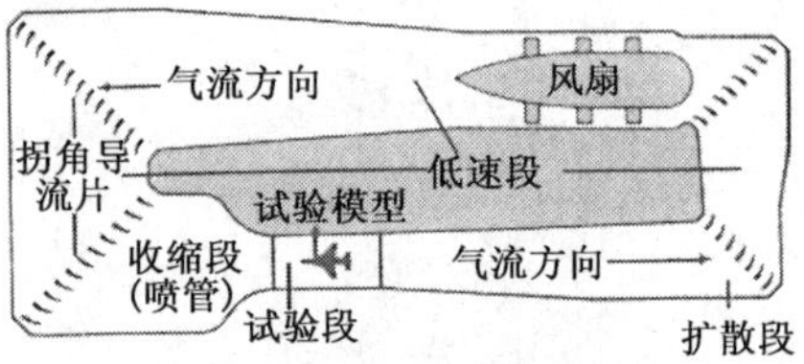

回流式风洞的一般布局

扇，依靠旋转叶片的作用经过拐角导流片又回流到试验段。改变风扇的转速或调节风扇叶片的角度可以控制气流的速度。在高速风洞中，低速段内装有水冷系统，使循环的空气得以冷却。风洞可分为低速或高速；高速又可细分为亚声速（0.8倍声速）、跨声速（声速附近）、超声速（至6倍声速）、高超声速（6～12倍声速）和特高超声速（12倍以上声速）等类型。为了模拟每小时1.6万千米或更高速度下飞行时的温度，试验气流必须加热到远高于普通结构材料的熔点之上。因此，这样的风洞只能按脉冲原理，在千分之几秒的极短时间内工作。风洞可用于各种研究，从飞机机体的常规试验，到边界层（邻近物体表面的一低速流动层）的基础研究。对试验模型上各点空气压强和其他特性的测量，可得到有关风力总载荷分布的数据。除飞机和航天器外，利用风洞进行的空气动力研究对解决汽车、船舶、列车、桥梁以及建筑物结构等设计问题也是很有用的。

Windau（Latvia） **温道** 参阅 **Ventspils** 文茨皮尔斯。

Windaus, Adolf 温道斯（1876-12-25，德国柏林～1959-06-09，西德格丁根） 德国有机化学家。因研究维生素D等有重要生物学作用的物质而获1928年诺贝尔化学奖。他从医学研究转入化学研究，在德国弗赖堡大学取得博士学位（1899）后，在该校及奥地利的因斯布鲁克大学任职，后任格丁根大学化学研究所所长（1915～1944）。1901年开始的胆固醇（胆甾醇）结构测定工作，进行了大约30年，这是他从事的复杂醇（名为固醇）研究的部分工作。在试验紫外线能否使胆固醇转化为维生素D时，发现了这种维生素的化学前体是7-脱氢胆固醇。他的研究工作还有助于性激素化学的建立，促进了治疗心脏疾病的药物的研究。

windchill 风寒 又作 wind chill。又称风寒因子（windchill factor）。与温度和风速相关，在裸露皮肤上的空气冷却率的度量。风寒可用多种公式来表达，其一是：

$$K=(10.45+10\sqrt{v}-v)(33-t),$$

这里K为1小时内1平方米皮肤所失的热量（千卡），v为风速（米/秒），t为气温（摄氏度），通常假定正常裸露皮肤温度为33 °C。湿度不计。出汗和下坡滑雪等急速运动会增加冷却率，晴天日照则使之减小。由于风寒已能较准确地表示皮肤对温度的感觉，所以未将其他许多重要因素如湿度、阳光等考虑在内。可以推导风寒等效温度T_e，即在标准风速的气温，作为给定温度和风速的同一热量丧失。例如，1.79米/秒是人在散步时感到轻松愉快的风速，是标准风速。当风速为1.79～20米/秒，$T_e=33-(K/22.04)$。对气温为0 °C，如风速为5米/秒，感觉好像-9 °C；如风速为10米/秒，感觉好像-15 °C；如风速为15米/秒，感觉好像-18 °C；如风速为20米/秒，感觉好像-20 °C。对于更高的风速，就不会产生有意义的风寒了。

Windermere 温德米尔 英格兰最大湖泊。位于坎布里亚行政郡湖区东南部。湖长17千米，宽1.6千米。面积16平方千米。地处两个盆地之中，盆地间为湖东岸鲍内斯镇对面的一系列岛屿。湖水由利文河排出。为湖区国家公园一部分，夏季有游艇娱乐活动，是著名旅游中心。温德米尔镇就在鲍内斯附近。人口：城镇6 847（1991）。

温德米尔湖风光

供图：Julie Fryer/Bruce Coleman Ltd.

windflower 风花 参阅 **anemone** 银莲花。

Windham 温德姆 美国康涅狄格州中东部温德姆县城镇。有威利曼蒂克和纳乔格两河流经，并在威利曼蒂克东南汇成谢塔凯特河。1686年始有白人定居，1692年设镇。现包括威利曼蒂克工业市和南、北温德姆两工业村。面积70平方千米。人口22 857（2000）。

Windhoek 温得和克 纳米比亚首都。地处该国中部，在奥兰治河以北约650千米和南非开普敦以北1 225千米处，海拔1 654米。地处干旱地区，但周围丘陵环绕，可减弱干风

温得和克的赫里斯特斯教堂

供图：R. Eith—Keystone

侵袭。欧洲殖民占领开始之前，此地名为埃甘斯，意为“热水”，指当地的温泉。科依科依族和赫雷罗族最早定居此地。1890年，现城市所在地被德国政府宣称归己。1915年南非军队占领温得和克，宣布该地属南非所有，当时称西南非。1990年纳米比亚独立，温得和克遂由地区首府转变为国家首都。温得和克是纳米比亚主要商业中心，有公路和铁路通往鲸湾港和南非。温得和克位于卡拉库尔羊（波斯羊）放牧区中心，有许多皮货商在此加工和转运皮毛。牛羊肉加工也是重要工业。市内有行政机关大楼、医院、国家博物馆和中学，其中包括规模很大的非洲奥古斯丁高等中学。建有国际机场，航班通约翰内斯堡和开普敦。人口约169 000（1997）。

Windischgrätz, Alfred, Fürst zu　温迪施格雷茨(1787-05-11,奥属尼德兰布鲁塞尔[今在比利时]～1862-03-21,奥地利维也纳)　奥地利陆军元帅,在1848年革命时期为哈布斯堡帝国反动派首领。贵族家庭出身。1804年在哈布斯堡帝国陆军中任枪骑兵军官。在抗击拿破仑的战争中任团长,战绩辉煌。1833年晋升副元帅,充当师长。1840年任波希米亚军区司令。温迪施格雷茨是一个臭名昭著的反动分子,人民对他畏之如虎,也恨之入骨。1848年3月革命爆发后,他在维也纳一度握有军政大权。同年6月,他以炮轰相威胁,平息了布拉格的革命,10月成为陆军元帅,恣意镇压维也纳的革命。他劝告斐迪南皇帝退位,拥弗兰茨·约瑟夫登基(1848-12),维护"君权神授"的传统特权。1849年1月占领布达佩斯,把匈牙利的起义人民赶到蒂萨河外。但作为最高指挥官,他的才能极为平庸。1849年4月温迪施格雷茨被召还。此后退隐波希米亚。

windmill　风车　借助装在转轴上的风叶以开发风能的装置。风叶有一个安装角或略有扭曲,因此可将吹来的风分解为两个分力,其中在风叶平面上的分力使风车旋转。

同水轮一样,风车是最早代替人力的动力机之一。欧洲人从12世纪至19世纪初,在长达650年的时间内日益普遍地使用风车;自蒸汽机发明后又经过了100年,风车才慢慢衰落。第一次世界大战后,随着内燃机的发展和电力的广泛应用,风车很快不再使用;但此后利用风力发电,成为越来越受到重视的实验项目。

在已知最早的有关风车的记载中,曾提到公元644年波斯的风车匠人和915年波斯塞斯坦的风车。当时的风车是卧式的,风叶呈辐射状安装在固定建筑物顶端的主轴上,沿直径有正好相对的进风口和排风口。其设计仿效古老的水磨;每一风车不用齿轮,直接带动一副石磨。波斯的风车匠人被成吉思汗的军队俘虏,并送往中国传授制造风车的技术,中国人从此一直用风车灌溉。

风叶装在水平轴上的立式风车,直接仿照罗马水轮机通过一对齿轮将动力沿直角方向传给石磨。最早的柱式风车的车身似一箱体,内有齿轮装置、石磨和机件并带有风叶。风车安装在一根稳固支撑的木柱上,木柱套接在位于车身第二层台面的水平桁条上,这样,风车能够转向,使风叶处在迎风方向。

后来的塔式风车将石磨和齿轮装置安装在固定的塔楼内,活动塔顶带动风叶沿导轨旋转。已知最早的塔式风车图例大约出现于1420年。在整个欧洲到处都有柱式和塔式风车,美洲的移民也建造这两种风车。

为了有效地工作,风叶必须正对风向。在早期风车中,柱式风车车身或塔式风车塔顶的转向,是用手通过一根延伸到地面上的长尾杆来完成的。1745年E.李在英国发明自动的扇形尾,它包括一组5～8个较小的叶片,与风叶成直角地安装在柱式风车的尾杆或梯架上,并通过齿轮装置与在环绕风车导轨上转动的轮子相连。风向改变时,导向叶片因侧面受风力而旋转,带动导轨上的轮子旋转,风车车身亦随轮子旋转,直至风叶正对风向时为止。扇形尾也可安装在塔式风车的塔顶,向下带动导轨上的齿条。

风车的风叶安装在与水平面成5°～15°仰角的轴上。最早的风叶是用布蒙在木质骨架上而成,当风车静止时将每一片风叶分别安装在风车上。早期的风叶呈平面形,与旋转方向成一固定角,后来改进为像飞机螺旋桨的螺旋形风叶。

1772年苏格兰人A.米克尔发明弹簧式风叶,用与威尼斯式软百叶窗相似的、装有铰链的百叶窗式风叶,代替布制风叶,并由每一风叶上的弹簧和联结杆控制。每只弹簧必须在风车静止时根据所需功率大小,分别加以调整,这样风叶便可在一定的限度内自行调节。

1789年S.胡珀在英格兰发明卷帘式风叶,取代百叶窗式风叶,并可用遥控装置在风车运转时同时调整所有的卷帘。1807年W.丘比特将米克尔的铰链百叶窗式风叶与胡珀的遥控装置结合起来,从地面用链条通过一根穿过风车轴上小孔的传动杆来遥控,其原理与伞的原理相似;改变悬挂在链条上物体的重量,风叶即可自动调节。

1854年D.哈拉戴在美国发明装有环状风叶的风力机,1883年S.佩里用钢制成这种风力机,其效率虽低,但因价廉、可靠,为各国所采用。其设计是在轮盘内沿径向安装若干小叶片。可自动控制:尾叶片可控制偏转;轮盘偏离垂直偏转轴的中心,可控制转矩。因此,当风力增大时,风车沿垂直轴旋转,减少有效受风面积,以降低转速。

风车最主要的用途是磨粉,在某些地区用于灌溉土地和抽水,其作用也同样重要。自从P.La库尔于1890年在丹麦建造一座将风叶和一对扇形尾装在铁塔上的风车后,风车开始被用来发电,称风力发电。20世纪70年代,用风力发电供私人和商业使用,重新引起了人们的兴趣。

window　窗　房屋墙壁上开设的洞口,供采光与通风之用,窗的排列也往往具有建筑装饰的目的。自古以来,窗洞上就装有木、石或铁制的格栅,或加装玻璃与其他透光材料,如云母片或远东国家用纸。现代的窗户则几乎都安装有玻璃,少数窗子则使用透光塑料。在窗框中上下滑动的窗,称为上下推拉窗,仅有一扇窗可滑动的称为单悬窗,两扇都能滑动的称为双悬窗。窗扇装在铰链上向内或向外开启的称平开窗(**casement window**)。

古希腊人喜将居室围绕内庭布置,几乎可以无需开设窗户,因为每一房间都向内庭开门,起着采光作用。罗马帝国时期开始出现装有玻璃的窗,但极为罕见,绝大多数均用大理石、云母和贝壳装在窗上。在早期的基督教及拜占廷教堂中,窗子较多,往往装有玻璃。例如君士坦丁堡的圣索非亚教堂(532年始建)的窗户,用镂空的大理石板作框架,中间镶有玻璃。伊斯兰清真寺的窗户用小块玻璃镶嵌在水泥制作的窗棂内,水泥窗棂组成形式多样的花格,并用安装在花格内的多种颜色的玻璃取得富丽堂皇的装饰效果。彩色玻璃窗的制作技术,直到12及13世纪,才在西欧及北欧达到登峰造极的水平;欧洲的玻璃匠师不用大理石或水泥,而使用可以任意弯曲的铅条,以镶嵌不同颜色的玻璃,从而在哥特式大教堂中,把窗户制作成五彩缤纷的图画。

中世纪欧洲与伊斯兰的重要公共建筑,都采用上部为圆拱状的窗户,但住宅的窗洞大都为长方形,外面用格栅或花格遮挡。中世纪晚期由于玻璃价格日益降低,欧洲的住宅和民用建筑中装玻璃的窗子逐渐增多。窗框出现之后,开始时装有玻璃的窗框固定地安在窗子上部,窗子下部仍要用百页通风,但到15世纪,固定的百页由装在铰链上的活动窗扇所代替。于是房屋上就普遍采用长方形的窗洞,因为活动窗扇比较容易安装在长方形的窗框上。

在文艺复兴盛期,意大利和法国建筑中的窗洞尺寸,按古典的比例安排,并用一根竖棂和一根横档组成的十字加以分隔。窗洞上部常用额枋、檐口和三角饰等进行装饰,窗洞两侧有时还有壁柱。巴罗克时期,上述装饰又添加了各种旋涡形花纹和人像等。文艺复兴晚期,法国人创造了落地式长窗,至今仍在欧洲各国普遍使用;这是一种平开式窗户,窗洞较长,往往伸长到地面,而窗扇较窄,向内开启;窗外的墙上则装有铁栏杆,以保安全。17世纪时,英国出现了上下滑动的推拉窗,18及19世纪流行于英国和美国。

在现代,由于工业技术对建筑工程的影响,绝大多数住宅都使用金属窗框,且有可能装置大面积的玻璃窗。许多窗子常占有建筑物的整个立面,从一垛隔墙到另一垛隔墙,从楼板到顶棚。房屋采用空调设施时,则窗子上不再安装可开启的窗扇了。一些商店橱窗和相类似的大面积玻璃实际上既是墙又是窗,为了抵御风力,它们必须具有按玻璃面积而规定的厚度。摩天楼曾经完全用玻璃作外墙,虽然这些玻璃装置原先只不过是"幕墙",或不能开启的固定窗,但后来为了需要节省能源,就增设了可开启的窗扇,并往往采取挡光的有色玻璃。现代窗户常用两层或三层玻璃,玻璃之间留出具有隔热隔声作用的空气层,这种窗子被称作双层或三层玻璃窗。

Window Rock　温多罗克　美国亚利桑那州东北部阿帕奇县纳瓦霍国家保留地(部分伸延至新墨西哥州和犹他州)首府。在新墨西哥州盖洛普西北37千米处,1936年建立,作为统一领导保留地内许多印地安事务局的中央事务局总部。中心建筑为可供部族代表举行会议的八角形纳瓦霍会堂。人口3 059(2000)。

window-winged moth　窗翅蛾　鳞翅目窗蛾科几百种热带昆虫的俗称。体中、小型,色深。翅展10～30毫米。每翅中部常有一特有的黄或白色透明膜质区,故得名。幼虫将叶片两侧边缘黏结而成隧道,并居于其中。在地上作茧化蛹,有人认为窗蛾科与蝴蝶的祖先近缘。

windrower　堆行机　一种自行驱动或用拖拉机牵引的农业机械。用来收割谷物并把茎秆推倒成行,以便随后进行脱粒和清整。堆行机是割穗机的新一代产品。在美国、加拿大和西伯利亚的部分地区用来收割谷物。这些地区湿度高、谷物成熟期参差不一,用联合

堆行机
国际收割机公司供图

收获机直接收割不现实。用堆行机收割的谷物要干燥到适于脱粒的含水量,所以用它收割,可比用联合收获机收割提早 1 星期到 10 天,这样可显著地减少谷物的损失。堆行机通常包括下列部分:由发动机或拖拉机传动轴带动的刀杆,把谷物送到工作台上的夹杆机,以及把谷物送至一侧并堆成行以便干燥的帆布带输送机。

Winds, Tower of the　风塔　又称钟楼。约公元前 100 ~前 50 年西尔哈斯的安德罗尼卡在雅典建造的计时的建筑物。目前仍存在。它是一座八角形的大理石建筑,高 12.8 米,直径 7.9 米,对应于罗盘上主方位的 8 个面都在其雕带部分饰以代表风的浮雕像。在它下面,面对太阳的各面是日规的刻度线。钟楼的顶部装有风标,用青铜做成半人半鱼海神像。内装一水钟(漏壶),以便在没有太阳光时用来计时。

Windscale　温德斯开尔　设于英格兰西北部坎伯兰郡(现为坎布里亚郡的一部分)的核反应堆和钚的生产厂。1957 年该厂发生了英国最严重的核动力事故。该厂有两个气体冷却核反应堆。事故发生在 1957 年 10 月 8 日,一号反应堆在常规升温时,石墨控制块失去了控制,使邻近的铀释热元件破裂,铀因而逸出并开始氧化,释出放射线,并引发大火,燃烧 16 小时后才被扑灭。这场大火在反应堆芯内留下已熔化的 10 吨放射性燃料。大火也使大量放射性碘释入大气中。因此,政府禁止出售在反应堆周围 500 平方千米范围内生产的牛奶,达数星期之久。当时,英国政府只公布了事故的粗略情况,企图将其严重性减到最小。受放射性污染的反应堆从此关闭,直到 80 年代后期清除工作才开始。

Windsor　温莎　澳大利亚新南威尔士州城镇。为里士满-温莎都市区组成部分。濒临霍克斯伯里河。1794 年始有人定居。现存有早期居民建筑。设有霍克斯伯里农学院、美术学院等。生产服装和塑料。许多工人在该城镇东南 50 千米的悉尼工作。人口(包括里士满)21 050(2001)。

Windsor　温莎　加拿大新斯科舍省城镇。位于哈利法克斯西北 66 千米,埃文河和圣克鲁瓦河汇合处。1703 年有法国人定居。1750 年 C.劳伦斯少校建爱德华堡。1755 年法国阿卡迪亚人被逐出境。此后不久新英格兰保皇家族迁入,1764 年该地称温莎,成为自附近采石场装运石膏至美国的港口。其港口芬迪湾之潮汐,高潮达 18 米,低潮时几乎无水。主要生产木制品、纺织品、肥料、杀虫剂、石灰、石棉、熟石膏等。1878 年建镇。人口3 778(2001)。

Windsor　温莎　加拿大安大略省南部城市。位于底特律河左岸,对岸为美国密歇根州底特律市。1701 年底特律建要塞,此后不久该地有法国农民定居,地名为"渡口",后称里士满。1836 年改名温莎。由于该城坐落在底特律地区的中心,成为水路交通要冲、铁路枢纽和五大湖区的港口;是商业中心和工业中心。周围地区是富饶的农业地带,盛产水果、蔬菜、玉米、大豆、谷物、烟草和马铃薯。工业产品有机动车辆及零件、食品和饮料、化学制剂和药品、盐、工业机械以及钢铁制品。温莎是加拿大自美国进口货物的主要港口。有两条隧道、机动车辆渡轮和一座吊桥通往底特律市。市内有温莎大学和圣克莱尔应用文科与技术学院。莫尔登堡国家历史公园在市南 26 千米处。1854 年设村;1858 年设镇;1892 年设市。人口:市208 402;都会区307 877(2001)。

Windsor　温莎　英格兰伯克历史郡温莎-梅登黑德单一政区一城镇。位于伦敦西面泰晤士河南岸。现代镇内有高耸的皇家城堡(参阅 **Windsor Castle**),在白垩山上,原有威廉一世所筑要塞。1277 ~ 1685 年多次获特许状设镇。现为住宅区和地区服务中心,居民多在伦敦和斯劳两地工作。有金属加工和印刷等多种工业。四周的皇家公园从撒克逊时代起即是王室狩猎地。伊顿公学和阿斯科特赛马场就在附近。人口:温莎/伊顿30 136(1991)。

Windsor　温莎　美国康涅狄格州中北部城镇,哈特福德市北郊。1635 年始建永久性居民点。未正式设建制。原来尚包括现在的温莎洛克斯、东温莎、南温莎、锡姆斯伯里、布鲁姆菲尔德和埃灵顿等城镇。该镇保留有殖民时期的建筑,其中约瑟夫·卢米斯住宅附

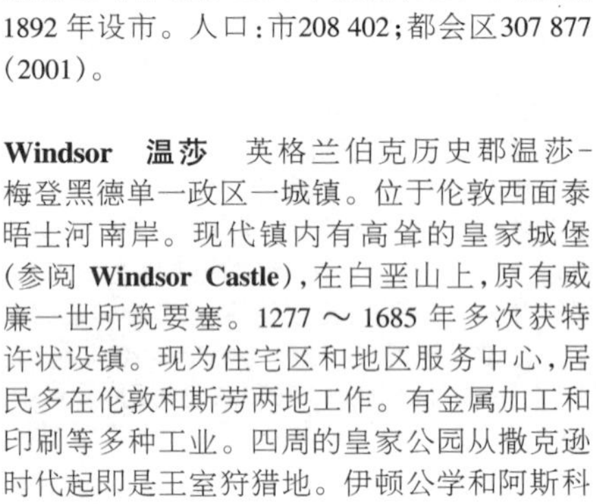

温莎镇的约瑟夫·卢米斯住宅
供图:Mark Sexton

近有一砾石,标明首批殖民者定居的地方。经济以传统农业为主。1950 年后发展了轻工业。面积 77 平方千米。人口28 237(2000)。

Windsor, HOUSE OF　温莎王室　旧称萨克森-科堡-哥达王室(1901 ~ 1917)或萨克森-科堡和哥达王室。英国王室。1901 年 1 月 22 日汉诺威王室的最后一代君主维多利亚女王逝世后,该王室由温莎王室继承。这一朝代包括爱德华七世(1901 ~ 1910 在位)、乔治五世(1910 ~ 1936 在位)、爱德华八世(1936 在位)、乔治六世(1936 ~ 1952 在位)和伊丽莎白二世(1952 起在位)。现王储为威尔士亲王查尔斯。萨克森-科堡-哥达为大不列颠和爱尔兰女王维多利亚的德裔丈夫艾伯特亲王的姓氏,他们的长子为爱德华七世。在第一次世界大战反德气氛正浓的时候,乔治五世以敕令(1917-07-17)宣告:凡属维多利亚女王男系子孙并为英国臣民者,必须采用温莎的姓氏。女王伊丽莎白二世的子女按正规应该使用父姓蒙巴顿。但 1952 年女王继位不久后就在枢密院宣布她的子孙必须以温莎为姓,这项决定于 1960 年 2 月 8 日修改为:除加有亲王、公主或殿下等尊称者外,其他子孙要采用蒙巴顿-温莎一姓。

附表:温莎王室,见 285 页。

Windsor, Alice de　温莎　参阅 **Perrers, Alice** 佩雷尔斯。

Windsor, Prince Edward, Duke of　温莎公爵　参阅 **Edward**(England and the United Kingdom)爱德华(英格兰和联合王国)项下的 **Edward VIII** 爱德华八世。

Windsor, Wallis Warfield, Duchess of　温莎公爵夫人(1896-06-19,美国宾夕法尼亚蓝岭顶~ 1986-04-24,法国巴黎)　母家姓 Bessie Wallis Warfield。1916 ~ 1927 年称斯潘塞夫人,1928 ~ 1937年称辛普森夫人。美国社会名流,她成为爱德华亲王温莎公爵(爱德华八世)的妻子,后者为与她结婚而逊英国王位。她出身于一个早期定居的美国家庭中,活跃于巴尔的摩的社交界。1916 年与美国海军飞行员 W.小斯潘塞伯爵结婚,1927 年离异。1928 年与英国人 E.A.辛普森结婚,随夫移居伦敦。辛普森夫人出入英国上流社交界时与爱德华相遇,爱德华当时为威尔士亲王,两人成为朋友,逐渐坠入情网。1936 年 7 月辛普森夫人到法院申请与第二个丈夫离婚,显然意图与爱德华(他已经成为国王爱德华八世)结婚,但是像她这样一个两次离婚的女人,在社会上和政治上都不可能容许她将来成为英国的王后。1936 年 12 月 10 日,爱德华宣布退位(次日由《退位法公告》确认),以便与辛普森夫人结婚。关于他退位的理由,他在著名的广播讲话中说:"我已经觉察到,如果没有我所爱的女人的帮助和支持,就不可能如我所愿,肩负重大的责任,并履行我作为国王的职责。"爱德华成为温莎公爵,辛普森夫人得到最后的离婚裁定书后,两人于 1937 年 6 月 3 日结婚;辛普森夫人成为温莎公爵夫人。伉俪婚后生活美满。第二次世界大战后大部

温莎王室(原名萨克森－科堡－哥达,1917 年 7 月 17 日改名温莎)

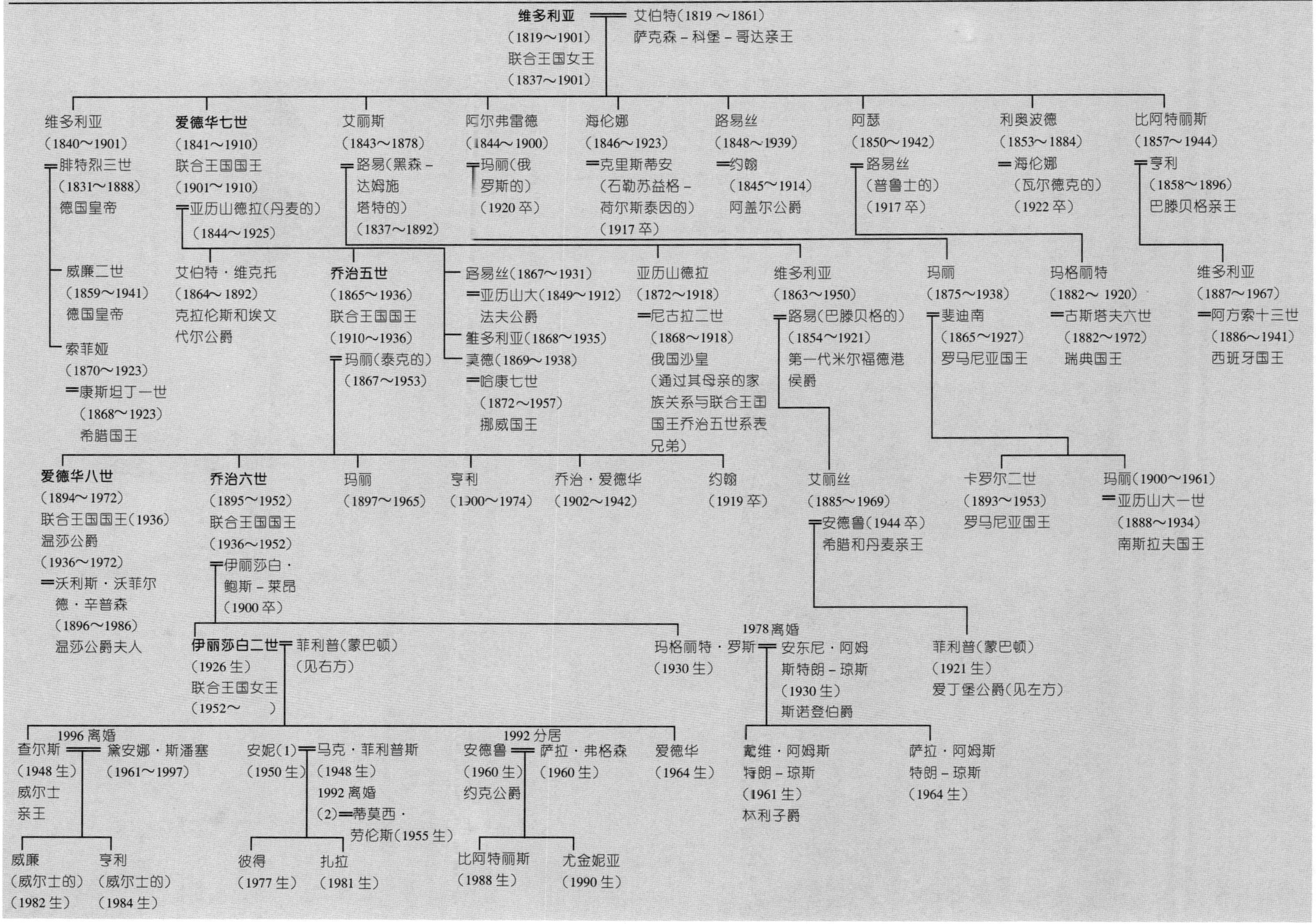

分时间住在法国。她始终爱时髦，讲气派；据说她有过这样一句惯用语："人不能够永远太富或太瘦。"

Windsor and Maidenhead 温莎-梅登黑德 英格兰南部伯克地理郡敕准自治市和单一政区。位于伦敦市中心西面64千米处。单一政区的大多数地方位于伯克历史郡，但还包括泰晤士河以北的区域(属白金汉历史郡)。

温莎城堡鸟瞰

供图：Hunting Aerofilms

泰晤士河流经其西北部及东北部。包括温莎和梅登黑德两古镇以及著名的英国王室邸宅温莎城堡。其无数的古建筑和梅登黑德附近的泰晤士河美景吸引众多旅游者。河谷内石南丛生，有温莎大公园和温莎森林。伊顿镇和伊顿公学与温莎隔河相望，现均为历史保护区。区首府梅登黑德。面积198平方千米。人口140 500(1998)。

Windsor Castle 温莎城堡 英国皇家居住地。坐落在英格兰伯克郡温莎-梅登黑德区东北边缘的小山上，位于泰晤士河北岸，占地5公顷。由两个四方形的庭院构成，院落之间隔有一个巨大的圆塔。圆塔建于人工堆成的小丘上，周围地势平坦，数英里之外都能看见。圆塔西边的庭院称为下院，东边的称为上院。撒克逊时代(约在公元9世纪)此地就有皇家住宅。1070年前后，征服者威廉一世在此地建土岗，并建围栏。亨利二世用石料盖圆塔，并在东、南、北三面筑围墙。13世纪亨利三世完成南面围墙和下院的西端工程，并且在今阿尔伯特纪念教堂所在地建起一座皇家礼拜堂。1348年爱德华三世将这个礼拜堂作为新成立的嘉德骑士团的中心，并把上院的防御用建筑改为皇家居室。查理二世和乔治四世改建了这些居室，除了供皇家居住外，还用作国宾馆。下院包括圣乔治教堂和艾伯特纪念教堂。爱德华四世所建的圣乔治教堂用作嘉德骑士团的礼拜堂。它是垂直哥特式建筑的典范之一，建于1528年，1921～1930年间重建。这里是仅次于威斯敏斯特教堂的皇家墓地，葬有亨利六世、爱德华四世、亨利八世和简·西摩、查理一世、爱德华七世和乔治五世的遗体。礼拜堂内还存有嘉德骑士团徽章，给人留下深刻印象。亨利七世所建的艾伯特纪念教堂用作皇家墓地，维多利亚女王重建并以艾伯特的名字命名，以纪念她的丈夫。这座教堂内葬有乔治三世、乔治四世和威廉四世。上院有皇家专用居室和宾客专用住房。上院中的礼宾用房有滑铁卢厅、圣乔治厅和大迎宾厅。上院还有皇家图书馆，藏有达·芬奇、米开朗琪罗、拉斐尔、小霍尔拜因等绘画大师的作品，价值连城。城堡南面、东面和北面是占地约200公顷的霍姆公园。维多利亚女王和艾伯特亲王的墓地弗罗格莫尔就在公园之内。城堡南面是大公园，面积700公顷。长街是一条5千米的大道，通向大公园。1685年查理二世在大道两旁植树。1945年又植新树取代老榆树。南面有维吉尼亚人工湖。

Windsor chair 温莎椅 一种流行的木椅，式样繁多，在英国和美国尤为普遍。18世纪中叶开始出现，最初作为乡村办公用椅，但在此之前，在一些旧的款式中，已包含其构造的基本原理。这种椅子由用车床制成的细长的纺锤形立柱组成，这些立柱插入木制的马鞍

18世纪的美国"梳子式"平顶高背温莎椅

纽约大都会艺术博物馆供图

形椅座，向下延伸成为椅腿，向上成为椅背和扶手。可分为三类：低背椅、"梳子式"平顶高背椅和"圈式"半圆形高背椅。1725年前后，美国费城开始生产各式温莎椅，一般较英国的轻便。样式繁多的"乡村"温莎椅都是按照同样基本原理制作的，但设计通常不复杂，以备与餐桌配用。把温莎椅装在摇动器上也可制成摇椅。

Windsor Locks 温莎洛克斯 美国康涅狄格州中北部哈特福德县城镇。濒临康涅狄格河。1663年创建。原为温莎的一部分。1829年建运河和船闸后，该处商业发展。1833年命名为温莎洛克斯。1854年设镇。早期以谷物加工和制造业为主。第二次世界大战期间修建布拉德利空军基地，今为国际机场。现经济以飞机和航空工业为主。附近有特罗利博物馆等名胜。面积23平方千米。人口12 043(2000)。

windsurfing 帆板运动 又作sailboarding，又拼wind surfing。由单人驾驶帆板，把航海和冲浪结合起来的运动。帆板长4米，重27千克，用聚氯基甲酸酯做成。板上装有一根可旋转的桅杆，挂上三角帆后用一对帆桁进行操纵。帆板形似一块长的冲浪板，底部有一小龙骨(或称中板)和一个导流尾鳍，但是没有舵。驾驶这种帆板，要看风帆受风中心与稳向板的相对位置来调整风帆，为此，须不断操纵双帆桁使风帆向前、向后，迎风或背风倾斜。帆板是美国在1967年发明的，它很快成为冲浪者和水手们广泛使用的娱乐用具。冲浪运动最常发生的问题是倾覆，但这不是一个严重的问题，因为帆板倾覆后很容易再立起来。帆板行驶速度不是很高，通常只在近岸的海面上使用。

Windthorst, Ludwig 温特霍斯特(1812-01-17，汉诺威奥斯纳布吕克[德国]～1891-03-14，柏林) 19世纪德国天主教著名的政治领袖，中央党创建人之一。1836年在奥斯纳布

供图：Archiv fur Kunst und Geschichte, Berlin

吕克担任律师。1849年为汉诺威王国议会议员，后被任命为王国司法部长。随后被选入北德意志国会、德意志帝国议会、普鲁士议会，成为在反对"文化斗争"中壮大的中央党领袖。俾斯麦和温特霍斯特势不两立，但在若干政治问题上温特霍斯特还是与俾斯麦合作。俾斯麦为获得中央党的选票同意撤销"文化斗争"的大部分法令，1890年，大多数反天主教的法令已被废除。

Windward Group(French Polynesia) 参阅 **Vent, Îles du** 向风群岛。

Windward Islands 向风群岛 法语作 îles du Vent,葡萄牙语作 Islas de Barlovento。西印度群岛中构成小安的列斯群岛南弧的一列岛群,在加勒比海东端。从北至南包括说英语的多米尼加岛;法国海外省马提尼克;说英语的圣卢西亚岛、圣文森特岛和格林纳达;在圣文森特和格林纳达之间还有一个小岛岛群——格林纳丁斯群岛。特立尼达和多巴哥及巴巴多斯虽然靠近这一地区,但通常不被视为向风群岛的一部分。多米尼加有时被划归背风群岛(**Leeward Islands**)。向风群岛属火山型地质,有火山口、温泉和硫磺排气孔。1902 年 5 月 8 日,马提尼克的培雷火山爆发是现代历史上破坏性最大的火山爆发之一,死亡人数 3 万人左右。向风群岛为海洋性气候,不断吹来的信风和每日的海风使炎热趋于缓和。旱季与湿季交替,群岛东侧因常有东北信风,降雨较多。从 6～10 月有飓风威胁。人口以黑人和混血种为主,还有东印第安人、华人、葡萄牙人、法国人和英国人。

Windward Islands 向风群岛 葡萄牙语作 Ilhas de Barlavento。西非海岸外大西洋中的岛群,由佛得角(**Cape Verde**)两个岛群中的一个组成。内有:博阿维斯塔岛、萨尔岛、圣卢西亚岛、圣安唐岛、圣尼古拉岛和圣维森特岛。植被稀疏,气候炎热。由于降雨少而经常干旱。

Windward Passage 向风海峡 西印度群岛连接大西洋和加勒比海的海峡。位于古巴岛(西)和伊斯帕尼奥拉岛(东南)之间。宽 80 千米,最深点 1 700米。处于美国东海岸和巴拿马运河之间的直线航线上。位于牙买加岛(西)和伊斯帕尼奥拉岛(东)之间的牙买加海峡,是向风海峡向西南的延伸部分。

wine 葡萄酒 用发酵的葡萄汁制成的含有酒精的饮料,主要成分为水、糖和酒精。葡萄酒的色、香、味同 400 余种化合物有关,颜色有红色、玫瑰色(粉红色)和白色(由淡黄色至褐色),按酒味分甜葡萄酒和无甜味葡萄酒。葡萄酒还可分为佐餐酒、香槟酒和强化酒:佐餐酒为天然或无泡葡萄酒,可呈红色、玫瑰色和白色,酒精含量约为 7%～15%;香槟酒或称发泡葡萄酒,大都为白色,但也可呈红色或玫瑰色,酒精含量与佐餐酒相似;强化酒或称餐后甜葡萄酒是在葡萄酒内兑入白兰地,可呈红色或白色,酒精含量约为 16%～23%,在强化酒内加入香料称为加香葡萄酒。生产葡萄酒的主要国家有法国、意大利、西班牙、阿根廷、葡萄牙、德国、南非和美国。

葡萄酒的历史可追溯到《旧约全书》的写作年代,在《创世记》(9:20)中说,是挪亚酿造了葡萄酒。古希腊的葡萄酒为暗褐色,通常与水同时饮用;饮纯酒被认为是酗酒。当时用木桶、羊皮袋或陶制双耳酒罐盛酒,用涂有油脂的碎布封闭,因为酒随时受到空气的影响。罗马时代虽然更为富庶,开始对葡萄酒进行品尝和鉴定,但在其他方面并无多大变化。中世纪欧洲葡萄酒的生产和质量不断下降,罗马人在气候适宜的地方到处种植葡萄,特别是在北非、西班牙、高卢、不列颠、伊利里亚。他们种植葡萄仍然是满足当地的消费,因为举行圣餐礼仪需要葡萄酒,管理好葡萄园成为教会的当务之急。优良的葡萄酒和著名葡萄园重新出现,无不是因为修道士的努力或君主们对教会特有的虔诚。在莱茵河及勃艮第最著名的葡萄园种植葡萄,传说应归功于查理大帝,但直到 12 世纪才建立起大范围的葡萄酒产区和较大的销售市场。由于受到中世纪运输条件的限制,葡萄园必须靠近河流,因此最著名的葡萄酒产自莱茵河、加龙河及卢瓦尔河沿岸地区。使用现在所说的那种葡萄酒瓶和软木瓶塞,似乎到 17 世纪末才开始普遍起来,酒瓶和软木塞的发展主要与香槟酒酿造业之父、欧维莱尔的 D.P.佩里尼翁有关。另一重要改进是 1775 年在莱茵高偶然发现未采摘的葡萄在藤上腐烂后产生一种用其他方法无法获得的甜味和芳香。18 世纪 50 年代中期,马德拉岛上的酒商开始通过加一份白兰地来强化葡萄酒,几乎所有餐后甜葡萄酒都在酿造过程中加入白兰地。

酿造方法随生产葡萄酒的种类而异,但都按照基本的程序进行酿造。葡萄经破碎后,将葡萄汁装入大桶中发酵,通常先加入二氧化硫以抑制野生酵母和微生物,同时加入含有选定菌株的葡萄酒酵母。在发酵过程中醪液发热,将温度控制在最适宜的限度内。应尽可能将桶内的空气排出,以抑制醋酸杆菌和其他有害微生物的作用。发酵需经数周方能完成,将酒从桶中滗出,使之与酒糟以及酵母、酸性钾、酒石酸盐和其他物质的沉淀分离;优质葡萄酒熟化期间须在木桶内每隔几年就重复滗清一次。装瓶前加膨润土之类的澄清剂使悬浮物沉降,在熟化期及装瓶后还要发生包括氧化在内的各种反应,使酒味醇正、芳香,并延长储存期。葡萄酒在储存期中,温度不能太高或太低,并需防光照和防振;佐餐酒瓶要横放,以保持软木瓶塞湿润。

wing 翅膀 又称翼。某些动物用以飞行的一种成对的结构。脊椎动物的翅膀由前肢演变而来。在鸟类,前肢的指数减少,前臂延长而成翅膀。飞行中,位于翅膀远端部位的初级飞羽主要产生推进力,次级飞羽位于不太活动的翅膀上部,主要提供上升力。翅膀的构造适应不同的生活方式:燕子的翅膀适于高速飞行;秃鹫的翅膀具翼缝,适于翱翔;企鹅的翅膀缺乏初级飞羽,仅能用来游泳。蝙蝠是唯一真正能飞翔的哺乳动物,前肢骨纤细而延长,附有飞膜,用以飞翔。所谓的飞鼠实际上并不会飞,但能利用附着在前后肢间的成对的膜进行滑翔。同样,猫猴(或称鼯猴、飞狐猴)也具有用以滑翔的膜结构。昆虫的翅膀由表皮折叠而形成。绝大多数昆虫都具有两对翅膀,但蝇类只用前一对,甲虫只用后一对。同侧的两个翅膀通常一起运动,但是蜻蜓的同侧两个翅膀则单独地运动。

wing 机翼 用来举托重于空气的航空器的翼面。机翼位于机身上方(高翼)时,向下视界不受限制,并具有良好的横侧安定性。水上飞机在高出机身上方的支架上安装机翼,称为伞翼,使发动机不被水溅湿。位于机身中央的中翼可使飞机的机腹部分不装梁,多装炸弹或货物。位于机身下的下翼可减小起落架的高度,并使发动机便于维修。

wing chair 翼式安乐椅 又称老人椅(grandfather chair)或鞍颊椅(saddle cheek chair)。一种包衬软垫的高背扶手椅,在椅背和两边扶手之间伸出两个可以防风的翼耳

约 1725 年的北美翼式安乐椅
纽约大都会艺术博物馆供图

状软衬体。最早于 17 世纪末期出现。往往与别的家具一起组成配套家具。

Wingate, Orde Charles 温盖特(1903-02-26,印度奈尼塔尔～1944-03-24,缅甸) 英国军人,"非正规军"指挥官,G.戈登和"阿拉伯的劳伦斯"式的非常规战著名人物。在第二次世界大战中,他指挥的由英国人、廓尔喀人和缅甸人组成的游击部队"独龙军"(Chindits,又称"温盖特袭击队")曾在缅北丛林中骚扰力量强大得多的日军。他曾在查特豪斯公立学校和伍利奇皇家军事学院受教育。1923 年参加皇家炮兵,到苏丹服役,并在利比亚沙漠进行过一些考察(1928～1933)。1936～1939 年在巴勒斯坦担任情报军官。1941 年 1～5 月率领一支埃塞俄比亚-苏丹部队从意大利人手中收复亚的斯亚贝巴。他

供图:William Vandivert, Life© Time Inc.

被派往印度后,组织"独龙军",并协助训练了一支由 F.D.梅里尔指挥的美国的类似部队"梅里尔袭击队"。1943年2～5月,"独龙军"从西面进入日军占领的缅甸,渡过亲敦江,与日军进行游击战,直抵伊洛瓦底江。1944 年 3 月指挥进入缅甸中部的空降部队,切断重要的曼德勒—密支那铁路,但以后不久在一次飞机失事中丧生。

Wingate, Sir (Francis) Reginald, 1st Baronet 温盖特(1861-06-25,苏格兰伦弗鲁格拉斯哥港～1953-01-28,东洛锡安邓巴) 英国将军,殖民地行政官员,英埃苏丹(1956年起为独

供图:BBC Hulton Picture Library

立的苏丹共和国)的主要创立者和总督(1899～1916)。1880年在英国炮兵部队任职,1883年调往埃及军队任职。6年后成为埃及军事情报负责人。他与马赫迪的追随者数次交战。1899年11月击败并击毙马赫迪的继承者哈里发阿卜杜拉·伊本·穆罕默德。次月任苏丹总督和埃及军队总司令。1916年6月起在喀土穆协助阿拉伯的沙特叛乱者反抗土耳其统治。1917年1月任英国驻埃及高级专员。因同情埃及国民党,于1919年10月被解职。

Winisk River 威尼斯克河 加拿大安大略省中北部河流。源出旺纳明湖,向东流入威尼斯克湖,再向北转东流经475千米,注入哈得孙湾。流域面积62 000平方千米。较大的支流有派普斯通河、阿什韦格河和沙马塔瓦河。威尼斯克所处地区除几个贸易站外荒无人烟。长400千米的河段流经省立威尼斯克河公园(面积1 740平方千米),下游穿过省立北极熊公园(面积29 093平方千米)。

Winkfield, James 温克费尔德(1882-04-12,美国肯塔基奇尔斯堡～1974-03-23,法国巴黎附近) 美国职业赛马骑师,赢得肯塔基马赛的最后一名非洲裔美国人。1898年首次参赛,因一开始就造成四马相绊很快就结束了比赛,被罚停赛一年。再次参赛后他很快弥补了上次失误,在肯塔基马赛中连续四次比赛,1900～1903年先后获得第三名、第一名、第一名和第二名。1903年还参加了当时美国最富有的马赛,纽约市的远景马赛。因接受3 000美元的开价改骑另一马主的赛马,他的名誉被败坏,参赛次数在1903年减少了1/3。由于反赌博立法,美国各地的赛马场地纷纷关闭(1890年有314个赛马场,到1908年仅剩下25个赛马场),1904年温克费尔德在一个在波兰和俄国经营的由美国人拥有的赛马训练场作骑师(许多退役的职业赛马骑师在欧洲继续他们的事业,因欧洲流行重量级乘骑者)。第一个赛季,他在俄国赢得"皇帝钱袋"和"沙皇三王冠"(莫斯科、圣彼得堡和华沙马赛),并且是1904年俄国全国的骑术冠军。从1909年开始,先后在奥地利和德国效力于一个波兰王子和一个德国男爵,特别是在德国赢得1909年巴登大奖赛。1913年回到俄国,最多时每年大概可以赚到10万卢布。俄国革命后,1919年冒险逃到波兰。1920年抵达巴黎,重操赛马业并赢得共和国总统奖。不久,与一个流亡的俄国贵妇人相遇并结婚,1930年退役,大部分时间都用来培育赛马。他在美国、俄国、德国、奥地利、法国、意大利和西班牙共赢得约2 600场比赛。

Winkler, Clemens Alexander 温克勒(1838-12-26,德国弗赖贝格～1904-10-08,德累斯顿) 德国化学家,发现元素锗。经营过12年钴玻璃工厂后,于1873年到弗赖贝格矿业学院任教。1886年,当他分析硫银锗矿石时发现了锗,这就是D.I.门捷列夫在1871年预言的称为准硅的元素。

Winkler Prins Encyclopaedie 《温克勒·普林斯百科全书》 由埃尔斯维尔在阿姆斯特丹出版的荷兰标准百科全书。第一版(1870～1882)是在德国《布罗克豪斯百科全书》(**Brockhaus Enzyklopädie**)的基础上编成的。第六版(1947～1954)共18卷。最新修订版共25卷,于1979～1984年出版,书名为《大温克勒·普林斯》。晚近各版均以条目长短均衡著称,有些条目由撰稿人署名。插图和地图多为彩色并印成折页形式。参考书目包含不同语种的著作。全书最后一卷包括索引。

Winneba 温尼巴 加纳南部沿海城镇。临几内亚湾。原为停泊港。随着特马港的开放,1962年港口职能完全中止。现经济转向渔业、农业(椰子树)和旅游业(固有海滩)。人口27 105(1984)。

Winnebago 温内巴戈人 操苏语的北美印第安部落。当1634年法国探险家J.尼科莱第一次遇到他们时,他们住在今威斯康星州东部。温内巴戈人长期居住农村,住所为

温内巴戈人首长
威斯康星州历史学会供图

圆顶棚屋,种植玉米、南瓜、豆类及烟草;也参加其西南方草原上的共同猎捕野牛的活动。这个部落分成若干族外婚氏族,氏族之上,组成两个胞族。上胞族(气胞族)拥有4个氏族,下胞族(土胞族)拥有8个氏族。有些氏族具有特殊职能,诸如仲裁纠纷问题,每个氏族对于生活中重大事件各有其固定的习俗。主要的夏季庆祝仪式是夏季驱魔舞,舞蹈中包括驱魔舞社成员们的一种秘密仪式及一些公开仪式。驱魔舞社是一个兼收男女会员的秘密宗教会社。冬节是一种全氏族性的仪礼,专为提高作战和围猎的能力而举行。春季野牛舞是一种巫术仪式,是为唤来大群野牛举行的。1865年前后,温内巴戈人约有1 200人生活在内布拉斯加;20世纪末期内布拉斯加州索斯顿县温内巴戈人保留地共有人口不足1 200人。1875年起,大批温内巴戈人又迁回威斯康星。现在威斯康星州的温内巴戈人,占有12个县的部分地区,20世纪末期人口约3 000～5 000人。全部温内巴戈人(包括保留地以外的人数)估计有7 000人。

Winnetka 温内特卡 美国伊利诺伊州芝加哥北郊住宅村。位于库克县境内,濒临密歇根湖。1840年创建。1869年设建制。当地公共学校以其在教学方面的试验(常被称为温内特卡教学计划)而受到全国重视。设有新特里尔乡中学和哈德利盲人学校等多所学校。人口12 419(2000)。

Winnipeg 温尼伯 加拿大城市,马尼托巴省省会。在雷德河和阿西尼博因河汇合处,位于温尼伯湖西南偏南65千米、(美国)明尼苏达州边境北95千米处。1738年,法国

温尼伯市的省议会大厦(中)
加拿大旅游局供图

人在该地建鲁日堡(红堡),后又有数座贸易站出现,这些所在同雷德河苏格兰移民点(建于1811～1812)一起构成新城中心。1885年加拿大太平洋铁路通达后成为草原诸省主要谷物市场和储运地,也是北部矿区的服务点。现为加拿大最大的工业、交通、商业、金融和保险业中心之一。当地的廉价电力和天然气以及完善的运输条件促进了经济发展。主要工业有面粉加工、肉类和食品加工以及印刷、酿酒、服装、汽车和农机制造等。地处两条横贯北美大陆的铁路线和横贯加拿大的公路线上,有繁忙的国际机场。1950年遭特大洪水袭击,1967年建成长48千米的雷德河分洪河道,使该河洪水绕过城区。是多民族聚居的世界性城市和全省文化中心。有交响乐团、皇家温尼伯芭蕾舞团和马尼托巴戏剧中心。设有马尼托巴大学及所属4所分校和温尼伯大学。省议会大厦(1920)为新古典式建筑,圆顶上有著名的"金童"铜像。市内的"世纪中心"由马尼托巴自然与人博物馆和天文馆组成。当地每年8月举办国际民间艺术节。1972年1月1日,大温尼伯都会联合体的各自治城市并入温尼伯市。1873年建市。人口:市618 477;都会区684 800(2001)。

Winnipeg, Lake 温尼伯湖 加拿大马尼托巴省中南部湖泊。在加拿大地盾西南边缘。由萨斯喀彻温、雷德、温尼伯等众多河流汇成，湖水向东北经纳尔逊河排入哈得孙湾。

温尼伯湖西北端萨斯喀彻温河汇入处形成的大急流

供图：George Hunter

湖面海拔 713 英尺。湖长 264 英里，宽达 68 英里，面积9 416平方英里。平均深 50 英尺，最深点 713 英尺。在航运和商业性捕鱼业方面具有重要性。南岸为服务于南面40英里处的温尼伯市的主要游览区。主要岛屿赫克拉、迪尔和布莱克构成赫克拉省立公园（面积 333 平方英里）一部分。

Winnipeg Free Press 《温尼伯自由新闻》 加拿大马尼托巴省温尼伯出版的日报，因坚持政治上独立，为公共事业和少数民族利益而奋斗，被称为"加拿大的牛虻"。1872 年由 W.F.勒克斯顿和 J.A.肯尼创办，当时名为《马尼托巴自由新闻》。19 世纪 80 年代加拿大向西部开拓时该报发行量和影响力迅速增长。1901 年起由 J.W.达福任主编，他使该报确立了政治上独立和积极为公众利益服务的方针。该报的本地、全国和国际新闻广受好评。它的社论赢得国际声誉。

Winnipeg River 温尼伯河 加拿大马尼托巴省东南部和安大略省西部的河流。源出加拿大-美国边界上的伍兹湖。向西北流经几个湖泊注入温尼伯湖，全长 320 千米，流域面积 126 600平方千米。支流法尔斯蒂尔河发源于苏必利尔湖附近，两河在 1733 年通航后曾是探险者和毛皮商往来线路。下游多急流瀑布，不利航行，但向马尼托巴省大部分地区提供电力。

Winnipegosis, Lake 温尼伯戈西斯湖 加拿大马尼托巴省西部的湖泊。在温尼伯湖和萨斯喀彻温省界之间，为阿加西冰川湖的残余部分。由西面的众多溪流汇集而成，湖水向东南经马尼托巴湖注入温尼伯湖。长 240 千米，宽 51 千米，面积5 374平方千米，最深点 254 米。湖内遍布岛屿，仅容小船通行。南岸莫西河口处的温尼伯戈西斯是这一重要商业性捕鱼区的中心，又是湖滨最大的居民点以及加拿大国家铁路起自多芬的支线终点站。

Winnipesaukee, Lake 温尼珀索基湖 美国新罕布什尔州中东部贝尔纳普和卡罗尔县湖泊。位于拉科尼亚以东的怀特山山麓。是该州最大的湖泊。长 20 英里，宽 12 英里。湖中有 274 个岛，最大者为长岛（3 英里 × 1.5 英里），沿岸多小湾，283 英里长的湖岸树木葱郁。是夏季游乐区。湖水从温尼珀索基河排出，向西南流经 20 英里，注入梅里麦克河。

Winogradsky, Sergei Nikolaevitch 维诺格拉茨基（1856-09-01，基辅～1953-02-25，法国布里孔特罗贝尔） 俄国微生物学家，从生理学角度研究了土壤细菌的硝化作用和固氮过程，发现甚多，从而使细菌学成为一门主要的生物科学。1881 年在圣彼得堡大学学习自然科学，1885 年赴德国施特拉斯堡。1887 年证实无色硫磺细菌在黑暗条件下能将硫化氢氧化成硫并再氧化成硫酸，从而获得能量。1888 年赴苏黎世大学，1889 ～ 1890 年在该处发现能引起硝化作用的细菌，建立两个新属：形成亚硝酸盐的亚硝化单胞菌属（*Nitrosomonas*）及形成硝酸盐的亚硝化球菌属（*Nitrosococcus*，即硝化杆菌属［*Nitrobacter*］）。后回圣彼得堡，到 1905 年第一次退休前一直在帝国实验医学研究所工作，在此提出了研究土壤微生物的新方法，尤其是研究与豆科植物共生固氮以及散在土壤中固氮的细菌的方法。1893 ～ 1895 年发现一种有固氮作用的厌氧菌——巴斯德氏芽孢梭菌（*Clostridium pasteurianum*）。1917 年十月革命爆发后被迫离开俄国，1922 年在巴黎巴斯德研究所重新开始他的科学生涯，直到 1940 年第二次退休时为止。

Winona 威诺纳 美国明尼苏达州东南部城市，威诺纳县县城。在密西西比河陡岸上。建于 1851 年 。1852 年规划时原名蒙特苏马，后为纪念传说中的一位印第安公主而改

威诺纳市的蒸汽机船博物馆

供图：Milt and Joan Mann from CameraMann

今名。1857 年设市。初期为一河港，为小麦运输和伐木-锯木业中心，通铁路后得到发展。1900 年后，原有木材和小麦业衰落，铁链和药品生产等行业兴起，出产石灰石。设有州立威诺纳大学（1860）、圣玛丽学院（1912）和圣特里萨学院（1907）。当地高 150 米石灰石结构的舒格洛夫山曾被当作水上船只的航标。人口27 069（2000）。

Winooski 威努斯基 美国佛蒙特州西北部奇滕登县城市。位于伯灵顿东北。1787 年建立，1922 年设市。以"纱厂城"著称。1835 年建立毛纺厂，之后发展成为工业社区。一度兴盛的纺织业已衰落，现经济主要依靠加工木材和工具、模具制造业。设有圣迈克尔学院。人口6 561（2000）。

Winooski River 威努斯基河 美国佛蒙特州中北部河流。该河源出于华盛顿县卡伯特附近，先流向西南，然后转向西北，穿过格林山脉，在威努斯基附近注入尚普兰湖。威努斯基河全长约 153 千米。该河及其支流的防洪和水电工程包括杰尔支流上的东巴里水坝（1935）。

Winslow 温斯洛 美国亚利桑那州中东部纳瓦霍县城市。位于小科罗拉多河河谷。初建于 1882 年，为圣菲铁路一支线终点。1900 年设镇，1957 年设市。经济以运输业、制造业、商业和旅游业为主。伐木业也十分重要。附近有流星陨石坑及纳瓦霍国家保留地。人口9 520（2000）。

Winslow, Edward 温斯洛（1595-10-18，英格兰伍斯特德罗伊郡特威奇～1655-05-08，英属西印度群岛牙买加附近海域） 马萨诸塞普利茅斯殖民地的英裔创建人。1617年移居

供图：Pilgrim Hall Museum, Plymouth, Mass.

荷兰。1620 年乘"五月花"号船移居新英格兰。他的第一个妻子伊丽莎白（原姓巴克）在到达普利茅斯后不久去世。1621 年 5 月，他同 S.怀特夫人结婚，她是在新英格兰移民中出生的第一个孩子 P.怀特（1620 ～ 1704）的母亲。温斯洛由同伴委派同邻近的印第安人交涉，成功地赢得他们的首领的友谊。1624 ～1647 年间除 3 次任总督外，为总督委员会委员。1643 年任新英格兰联合殖民地专员，曾代表马萨诸塞湾和普利茅斯殖民地几次去英格兰。1646 年 10 月最后一次被派往英格兰，住了 9 年，在O.克伦威尔手下任职。1655 年奉克伦威尔之命征伐西印度群岛，在牙买加附近的船上去世。其著作零散，但对研究普利茅斯殖民地的历史学家极有价值。

Winslow, Josiah 温斯洛（约1629，新普利茅斯殖民地～ 1680-12-18，新普利茅斯殖民地马什菲尔德） 英属美洲新普利茅斯殖民地军事领袖和总督。新普利茅斯殖民地开拓人 E.温斯洛总督之子。在哈佛学院辍学后，1651 年随父去英格兰。次年回新普利茅斯，在故乡马什菲尔德任民兵大队长。1657 年被任命为新普利茅斯殖民地助理总督。1658 年任新英格兰联盟执政府的殖民地委员，后当选为新普利茅斯军队总司令。1672 年参与签署新英格兰联盟的新施政纲领。1673 年当选为新普利茅斯总督。他建立了殖民地的第一所公立学校。1675 年菲利普王战争爆发，他任新英格兰联盟军队总司令。他击败印第安人并焚毁其村庄，但因伤亡过重，不得不在 1676 年把总司令一职让给 B.丘奇上尉，但仍任总督。

Winsor, Justin 温泽(1831-01-02,波士顿～1897-10-22,美国马萨诸塞剑桥) 美国图书馆学家。曾任波士顿公共图书馆馆长(1868～1877)及哈佛大学图书馆馆长(从1877年

美国国会图书馆供图

起),是美国图书馆事业的重要人物。1876年创立美国图书馆协会,为第一任会长。他也是历史学家,曾编辑《美国历史述评》(8卷,1884～1889)。另有著作数种。

Winstanley, Gerrard 温斯坦利(1609-10-10受洗,英格兰兰开夏威根～1660以后) 英格兰神秘主义者和空想家,掘土派领袖。他写的多种小册子,特别是《正义新律》,论述没有政府的理性社会,是19世纪无政府主义者思想的先声。1649年4月温斯坦利同三四十人一起,在泰晤士河畔沃尔顿附近的小山坡上,根据他的思想建立了一个原始的农业公社。他们被称为掘土派。由于不断受到邻居和当局的干涉,1650年3月解散,温斯坦利还继续写作。1652年发表《论政纲之自由原则》,勾勒了一幅共产主义社会的图景,并将此书献给O.克伦威尔。他认为英国内战打击了国王、地主、律师和买卖人,他们是没有土地的劳苦大众的敌人;也打击了教士,他们关于天堂、地狱的训诫剥夺了人们尘世间的权利,他们是阶级统治的工具。他提倡普遍的宗教宽容,用自然科学和英国宪法的知识取代宗教的说教。后来掘土派基本上被人遗忘,但是,温斯坦利的某些思想被认为对公谊会颇有影响。

Winsted 温斯特德 美国康涅狄格州西北部利奇菲尔德县城市,温切斯特镇(乡)的主要社区。在斯蒂尔和马德两河汇合处。1750年始有人拓居。1917年设市。水力资源丰富。19世纪生产金属、木和革制品。现经济以生产各种机械为主。设有康涅狄格西北社区学院。人口7 321(2000)。

Winstedt, Sir Richard Olof 温斯台特(1878-08-02,牛津～1966-06-02,伦敦) 英属马来亚教育长官。兴办马来语教育,写了大量关于马来亚的著作。1902年首次到马来亚。在霹雳州和森美兰州农村地区任行政官员时潜心研究马来人的语言、信仰、风俗和历史。他的第一篇关于马来民间传说的论文发表于1907年,他的《马来语语法》初版于1913年。由于他在这方面的特殊兴趣,他被任命为海峡殖民地和马来联合邦助理教育长官,专门负责方言(马来语)教育。1924～1931年任教育长官。虽然他使马来语学校采用了大量本土教材,但是方言教育至多仅在小学得以进行。他被一些人指责为利用教育造就驯顺的殖民地居民,而不是促进当时正在迅速成为多种族的并且高度西化的社会中的马来人的真正利益。尽管公务繁忙,仍撰写大量关于马来亚历史和文化的专著和文章。20世纪30年代,他撰写了若干马来小邦的历史,1935年他的马来半岛通史问世。他还出版了《马来古典文学史》(1940)。1935年退休回英国,被封为爵士。1937～1946年任英国伦敦大学东方与非洲学院马来语高级讲师。1945年当选不列颠学会会员。

Winston-Salem 温斯顿-塞勒姆 美国北卡罗来纳州城市和入口港,福赛斯县县城。位于皮德蒙特高原,与海波因特及格林斯伯勒形成皮德蒙特都会区。1913年由温斯顿和塞勒姆两镇合并而成。工业以烟草业为主,还有纺织、啤酒、食品、服装工业,并生产电池、游泳池过滤器和水泵。是一个金融中心,有几个银行总部设在此地。设有韦克福勒斯特大学(1834)、塞勒姆学院(1772)、州立温斯顿-塞勒姆大学(1892)、福赛斯工学院、北卡罗来纳艺术学院和皮德蒙特圣经学院。在按照原居民点重建的旧塞勒姆,每年举办摩拉维亚教会耶稣复活节的日出礼拜。人口:市185 776;格林斯伯勒-温斯顿-塞勒姆-海波因特都会统计区1 251 509(2000)。

winter 冬季 一年中介乎秋春之间气温最低的季节。这一名词来自古日耳曼语,意谓"水的时期"("time of water"),是指中、高纬度地区冬天的雨、雪。通常在北半球定为从冬至(一年中白昼最短的一天)即12月21或22日到春分(昼夜等长的一天)即3月20或21日,在南半球则定为从6月21或22日到9月22或23日的时期。冬季气温低的现象仅出现在中、高纬度地区;在赤道地区,气温几乎全年都高。在欧洲语言中,冬季的概念是潜伏季节,尤其是农作物的休眠时期。有些植物在留下种子后便死亡,有些则仅在开春以前停止生长。当然,很多动物特别是那些冬眠的动物也进入休止状态;许多昆虫死亡。

winter aconite 冬乌头 又作new-year's gift。毛茛科菟葵属(*Eranthis*)约7种多年生草本植物的俗称。原产于欧洲温带地区,广泛栽

冬乌头(*Eranthis*)

供图:G.E.Hyde from the Natural History Photographic Agency—美国不列颠百科全书公司

培以观赏其早春开放的花朵。花单生,由5～8枚黄色萼片构成(花瓣退化或缺),花柄短,自块根生出。欧洲菟葵(*E. hyemalis*)是常见的栽培种,高约20厘米,花径2.5厘米。

winter cress 山芥 十字花科山芥属(*Barbarea*)杂草,约12种,原产北温带。普通山芥(*B. vulgaris*)初夏抽出高约80厘米的花茎,茎上有浅裂的无柄叶片;花簇多分枝,花小,鲜黄色;角果狭长,种子多数。春山芥(坏血病草、早山芥,*B. verna*)基生叶有4～8对裂片,约比普通山芥多一倍。以上两种有时栽培用作沙拉原料。

Winter Haven 温特黑文 美国佛罗里达州中部波克县城市。西距莱克兰25千米。地处众多小湖泊之间。1883年始有白人定居。后发展成为铁路运输点。1911年设建制。1924年与附近的弗洛伦斯维拉合并,建成温特黑文市。柑橘种植、磷酸盐矿物开采和旅游业是城市的经济支柱。保险业和制造业(如建筑材料)也十分重要。一些地区的湖泊提供水上运动和垂钓活动。该地有大量的退休人口。主要名胜有塞普里斯公园、斯洛克姆水上公园和佛罗里达柑橘展览馆。1964年建立波克社区学院。人口:市26 487;莱克兰-温特黑文都会统计区483 924(2000)。

winter hazel 蜡瓣花 金缕梅科蜡瓣花属(*Corylopsis*)植物。约10种,落叶灌木或小乔木。原产于东亚和喜马拉雅山脉地区,在世界各地已作为观赏植物栽培。早春开花,先花后叶,花钟形,奶油色至黄色,有芳香,花序下垂。少花蜡瓣花(*C. pauciflora*)植株高2米,分枝多,花奶黄色,聚生成2～3簇,花序亦长达2米,花期早。穗状花序蜡瓣花(*C. spicata*)植株高度及开花时期与上述种相近,但花为柠檬黄色。香蜡瓣花(*C. glabrescens*)高6米,较耐寒冷。

Winter of Khosrow Carpet 霍斯罗夫之冬地毯 参阅**Spring of Khosrow Carpet** *霍斯罗夫之春地毯*。

Winter Park 温特帕克 美国佛罗里达州中部奥兰治县城市。南邻奥兰多。1881年始有人定居。1885年建立的罗林斯学院促进了社区的发展。1887年设镇。1925年设市。现主要为住宅区。市内有4个相连的湖泊,建有游船和垂钓设施。人口24 090(2000)。

Winter War 冬季战争 参阅**Russo-Finnish War** *苏芬战争*。

Winteraceae 温特氏木科 木兰目一个芳香乔木和灌木科。7或8属,88～120种。除4种外均原产于东南亚和澳大拉西亚。木质部无导管;树液辛辣;叶具腺点,革质,全缘;花小,簇生,通常两性,具2～6枚萼片,花瓣排成两轮或多轮,雄蕊数枚,心皮1至数个。许多种有药用价值,最著名的种是南美的温特氏辣皮(*Drimys winteri*)是高15米的乔木,树皮和叶有胡椒样的辣味;树皮从前用以预

防坏血病；叶革质，椭圆形；枝条带红色；花簇生，具茉莉香气，奶油白色，直径2.5厘米，花瓣8～12枚。中美洲的格兰纳达辣皮（*D. granadensis*）与之近缘，药用价值亦与之近似，是本科在北美的唯一的种。原产于新西兰的具色假温特氏木（*Pseudowintera colorata*）是高10米的乔木，叶有胡椒味，椭圆形，具红斑。本科的其他属是 *Bubbia* 属、*Belliolum* 属、*Exospermum* 属、*Tetrathalamus* 属和 *Zygogynum* 属。

Winterbotham, Frederick William　温特博瑟姆（1897-04-16，英格兰格洛斯特郡斯特劳德～1990-01-28，多塞特白兰德福德）　第二次世界大战中在"超级"（Ultra）密码破译计划中起关键性作用的英国情报机构的官员。1915年参加皇家格洛斯特郡轻骑兵，后调至皇家飞行队，成为一名战斗机飞行员。在战争中他被击落当了战俘，但因此而学会德语。退役后就读于牛津大学，1920年获法学学位。1929年他加入英国情报机构（有时称军情六处），担任空军情报部负责人。30年代，他常以外交官的身份作为掩护访问德国。到1939年，他还帮助研究了一种新的航空照相侦察方法，这种方法在第二次世界大战中对英国非常有用。1938年，温特博瑟姆和军情六处的同事们发现德国人研制出一种称为"谜语机"（Enigma）的新型机械加密装置。到1940年，英国密码破译专家破译了这种绝密的密码系统，于是能截收、破译并掌握许多德军最重要的情报。温特博瑟姆受命负责向英国领导人W.丘吉尔和世界各地的英军指挥官分发这种代号为"超级"的高度敏感的情报数据。温特博瑟姆特工组提供的情报有助于盟国的计划人员和指挥官在对轴心国的作战中达到最大的战略效果。温特博瑟姆于1943年获三级大英帝国勋章，1945年获功勋勋章。他在《超级计划》（1974）一书中向公众叙述了"超级"计划的故事。

wintergreen　冬绿　杜鹃花目一些常绿植物的俗名。鹿蹄草属（*Pyrola*）约12种，俗名贴胫草。原产北温带，为多年生匍匐植物，叶通常成莲座状丛生于茎基部。花穗顶生，数

平铺白珠树（*Gaultheria procumbens*）

供图：Roger and Joy Spurr—Bruce Coleman Inc./美国不列颠百科全书公司

目不定，花萼5裂，花瓣5枚，雄蕊10。小鹿蹄草（*P. minor*）花球形，粉红色，密生成穗。中鹿蹄草（*P. media*）的花序较长，圆柱形；花粉红色，球形。圆叶鹿蹄草（*P. rotundifolia*）花白色，花瓣开展。平铺白珠树（茶白珠树，*Gaultheria procumbens*）枝条多而短，直立，上部着生叶片；叶有短柄，厚而发亮，叶缘有齿。花坛状，单生于叶腋，下垂，淡粉红色，外观蜡质。果实俗称鹿果，厚而肉质的花萼增大，形似鲜红色浆果，中间包埋一个含很多种子的小蒴果。原产于沙质土壤林荫地，尤其是美国北部及加拿大南部山区，在英格兰栽种能忍受恶劣条件。叶味涩，但因含冬绿油而有香气。冬绿油为挥发油，味辛辣，可用于糖果及口香糖调味，治疗肌肉疼痛，其有效成分是甲基水杨酸脂，已能人工合成。山茶叶是各种冬青叶的混合物，在北美一些地方用作饮料。

Winterhalter, Franz Xaver　温特哈尔特（1805-04-20，德国门森施万德～1873-07-08，美因河畔法兰克福）　德国油画家、石版画家，以创作皇室肖像画知名。曾在弗赖堡因布赖斯高和慕尼黑学画。1828年开始为皇室作画。先后受国王路易·菲力普和拿破仑三世的恩宠。1841年奉维多利亚女王之召去英国成为宫廷画师。其作品风格最早有些学究气，表面如搪瓷般平滑，后来变得笔触挥洒自如并具有浪漫主义魅力。因其作品大量被复制而广为人知，这些作品现在的主要价值在于形象化地反映了贵族化的维多利亚时代的欧洲。

Winters, Jonathan　温特斯（1925-11-11，美国俄亥俄代顿～　　）　全名 Jonathan Harshman Winters Ⅲ。美国喜剧演员，脱口秀主持人J.帕尔曾称他为"世上最有趣的演员"。出身于美国中西部银行世家。早年养成模仿电影声效的爱好，逐渐发展成一种模仿和即兴表演的才能。第二次世界大战期间曾在美国海军服役，后来在代顿艺术学院学习两年。在涉足演艺界之前干过各种不同的工作（包括在一个孵化工厂干活）。在一次才艺比赛获胜之后，温特斯在代顿电台得到一份音乐主持人的工作，1950～1953年主持过几场当地的电视节目。因要求加薪遭拒绝，离开俄亥俄来到纽约市。1955年成为出现在著名的CBS文化系列汇演中的第一个喜剧演员，翌年成为他自己每周一次的电视杂耍表演节目的主要演员。他还成功经营一家夜总会，录制了几张获得格莱美奖提名的喜剧专辑；其专辑《快乐的呼唤》（1995）曾获得格莱美奖。精神问题和对酒精的依赖性最终导致他在20世纪60年代初住进疗养院；痊愈出院后的十年时间里继续拍摄电影、电视和经营夜总会。有幸成为演员R.施泰格尔所形容的"当今最具有即兴表演天赋的人之一"，温特斯的喜剧形式并非依靠一般的笑话，而是以一种讥讽和夸大的方式对日常生活中的各种怪癖加以评论。他是少数几个能在完全没有台词的每周电视系列节目《乔纳森·温特斯的古怪生活经历》（1972）中担任主角的专业演员之一。除了自己的电视节目和专题节目之外，温特斯还在选集系列节目中，如《雪利神殿传奇故事剧院》和《弱光层》，饰演给人印象深刻的角色。1981年与R.威廉斯在电视情景喜剧《莫克与明蒂》中共同饰演主角；十年后，因在另外一部情景喜剧《戴维斯规则》的配角表演获得艾美奖。演过的电影包括《疯狂的世界》（1963）、《被爱的人》（1965）、《马克思万岁！》（1969）和《打火石》（1994）。他的短篇小说集《温特斯的故事》1987年成为畅销书；翌年他又出版了画集。曾长期担任美国印第安人全国大会荣誉主席，1999年因其对美国幽默作出的贡献获得肯尼迪中心的马克·吐温奖。

Winters, (Arthur) Yvor　温特斯（1900-10-17，美国伊利诺伊芝加哥～1968-01-25，加利福尼亚帕洛阿尔托）　美国诗人、评论家和教师，主张文学作品的评价既要根据其道德和思想内容，也要根据其美学基础。曾在芝加哥、科罗拉多和斯坦福等大学学习，后在爱达荷和斯坦福大学任教（1927～1966）。他对当代文学偶像T.S.艾略特、H.詹姆斯的抨击引起了广泛争论。他的诗集于1952年出版（修订版，1960）。主要评论著作有《原始派和颓废派》、《莫尔的诅咒》和《剖析废话》，均收入《为理性辩护》（1947；修订版，1960）一书中。《创见的形式：关于短诗形式的评论和历史论文》于1967年出版。

Winterthur　温特图尔　瑞士北部苏黎世州城市。位于苏黎世城东北。约建于1175年。东北部郊区是罗马人居住区维托杜鲁姆旧址。著名的建筑物有市圣劳伦斯教堂（1264～1515）、市政厅（1781～1783）和会议厅（1865～1869）。高等学府中著名的有瑞士最大的技术学院。该市美术馆和交响乐队十分有名。现为铁路枢纽和工业中心，有高科技产业，亦有棉纺织业。人口约87 697（1998）。

Winterthur Museum　温特图尔博物馆　位于美国特拉华州温特图尔，靠近威尔明顿，专门陈列美国装饰艺术品和家具。博物馆占有一所1839年建造的大厦，限于收集1640～1840年期间的国内建筑式样、家具、金属器皿、纺织品、绘画、印刷品和其他物件。博物馆把多数收藏品陈列在按时期划分的展览室内，各展室展品都尽可能详尽。1927年H.F.杜邦继承了这所大厦，发展藏品，并自1951年把这所修饰一新和扩建的建筑作为博物馆开放。

Winthrop, John　温思罗普（1588-01-22，英格兰萨福克爱德华斯通～1649-04-05，马萨诸塞湾殖民地波士顿［美国］）　英属北美马萨诸塞湾殖民地首任总督，新英格兰创建者中主要的清教徒。新发迹的乡绅之子，拥有200公顷田产。因此，温思罗普也跻身于绅士的行列，很早就养成颐指气使、发号施令的

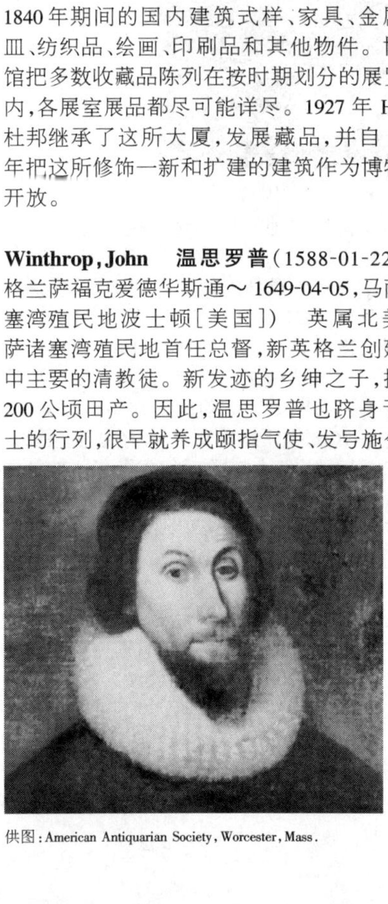

供图：American Antiquarian Society, Worcester, Mass.

习惯。15 岁进入剑桥大学三一学院学习,攻读法律,毕业后任地方治安官。1627 ～ 1629 年任王室庄园事务法庭律师。他笃信宗教,成为清教徒。自幼就潜心钻研《圣经》,并坚信上帝已经选择他作为圣徒。后来由于经济萧条,查理一世实行反清教政策,他的土地收益日减。在1629年马萨诸塞湾公司获得在新英格兰建立一块新殖民地的王室特许状以后,温思罗普决定卖掉在英格兰的田产,携带全家前去美洲。马萨诸塞湾公司任命他为新殖民地的总督。1630 年春他乘"阿贝拉"号船西航。他号召同行的殖民者遵守集体纪律和个人义务,进行一种社会实验,颇有成就。此后,他在新英格兰的荒野上生活 19 年,直至去世。

他受到移民的尊敬,1629 ～ 1648 年间,有 12 次当选为总督。17 世纪 30 年代初,他领导移民建设城镇网,每一城镇都设有教堂。他本人定居波士顿,该城很快就成为马萨诸塞的首府和主要海港。他的新农场位于米斯蒂克河畔。1642 年英国内战爆发,许多新英格兰人返回祖国与查理一世作战,但是温思罗普没有离开美洲,他始终受到殖民地人民的尊敬和爱戴。

Winthrop, John, THE YOUNGER **温思罗普(小)**(1606-02-22,英格兰萨福克格罗顿～1676-04-15,马萨诸塞湾殖民地波士顿[美国]) 英属北美洲的律师和殖民地总督。马

康涅狄格州立图书馆供图

萨诸塞湾殖民地首任总督J.温思罗普之子。1631 年移居波士顿,曾数任总督委员会委员。1633 年参与创建马萨诸塞的阿加万(现伊普斯威奇)。1634 年去英格兰,次年返回,出任康涅狄格总督一年。1641 ～ 1643 年再次去英格兰,返回马萨诸塞后在林和布伦特里建立铁工厂。1651 年成为康涅狄格行政长官。1657 ～ 1658 年任副总督。从 1659 年直至去世,每年都被选为总督。1662 年在英格兰获得合并康涅狄格和纽黑文殖民地的特许状。1675 年任新英格兰联合殖民地专员。当选英格兰新组织的皇家学会会员。

Winton 温顿 澳大利亚昆士兰州中部城镇。为公路交叉点,通铁路,有航空线通布里斯班。是钱纳尔地区(以畜牧业为主)的交易中心,经销牛和良种美利奴羊。镇内有屠宰场。流行民歌《跳华尔兹舞的玛蒂尔达》的歌词,据传是 A.B.帕特森于 1898 年在该城镇附近的达格沃思站所作。人口约 1 753 (1993)。

Winton, Alexander 温顿(1860-06-20,苏格兰斯特灵格兰吉茅斯～1932-06-21,美国俄亥俄克利夫兰) 苏格兰出生的美国汽车制造业的先驱,曾生产过数千辆温顿 6 缸汽车。他先在克莱德造船厂当学徒,1880 年移居美国,当汽船工程师。1896 年,他造出一辆用汽油发动机驱动的汽车,次年创办温顿汽车公司。1897 年他驾驶该公司制造的一辆汽车,7 月 28 日从克利夫兰出发,于 8 月 7 日驶抵纽约,以证明其良好的耐久性。1898 年 3 月出售第一批正规生产的美国汽车,此后多年该公司一直是美国主要汽车制造厂家之一。他首先在美国造出直列式 8 缸发动机。1902 年他制造的"弹丸"1 号赛车在佛罗里达州代托纳比奇创造 52.2 秒钟行驶 1 英里(1 英里约合 1.6 千米)的速度记录。1912 年,创设温顿内燃机公司(现为通用汽车公司的一部分),研究柴油机。

Wintun 温顿人 操佩纽蒂语的加利福尼亚印第安居民集团,原住在萨克拉门托河谷西侧(南北约 400 千米)及河谷附近的山麓地带。温顿人中间通行 4 种主要语言(事实上各有许多方言):北部温顿语又称温图语;中部温顿语又称农拉基语;南部温图语,分为山地温图语和帕特温河温图语。帕特温人有时被划为一个单独的群体。温顿人居住区地形狭长,故其文化亦各不相同。比如,北部温顿人的编筐技术模仿俄勒冈印第安人;中部编筐法一如波莫人;南部则为混合型。各地均以捕鱼为食,至于采集橡实和其他野生植物以及猎捕水禽和其他猎物,都是普遍的经济活动方式。帕特温河谷居民住房圆顶敷泥;山地居民或住锥形树皮房,或住简陋的茅舍;北部居民的居住情况尚无资料。关于温顿人的社会及政治组织,所知亦少;但显然曾有过自治村庄或族群,而其社区首领的权力近乎独裁。南部温顿人对于库克苏教的发展影响很大。20 世纪晚期,温顿人不足 1 000之数。参阅 **Pomo**。

Wiraqoca (Inca god) 参阅 **Viracocha** 维拉科查。

wire 线材 金属丝或细棒。一般易于挠曲,断面呈圆形。线材由各种金属和合金制成,例如钢、黄铜、青铜、铜、铝、锌以及贵金属金、银、铂等。所用的生产方法基本相同。关于线材的记载及其制造方法,首次出现在《圣经·出埃及记》第 39 章第 3 节:"把金子锤成薄片、剪出线来……"圆形线材的成型,大概是先将金属片切成窄条,再将窄条锤打成线或丝。由于这些线很短,需要把几根线钎焊或锤合使长度增加。好几个世纪,线材是用手工穿过金属模拉拔成短段的。把要拉的那个线头锤尖,使能穿过模孔,拉线工人用手或铗钳夹住线头,把线材从模孔中拉出。金属线拉细程度受拉线工人力量的限制。因此,采用了种种办法增加拉线工人的力量。例如让他坐在悬挂的椅子里,使他的脚蹬在模具的构架上,而能手拉腿蹬地使劲。较粗的线材就必须锻打或轧制成型,或是两者兼用。19世纪,特别是在发明钢丝绳、40年代电报

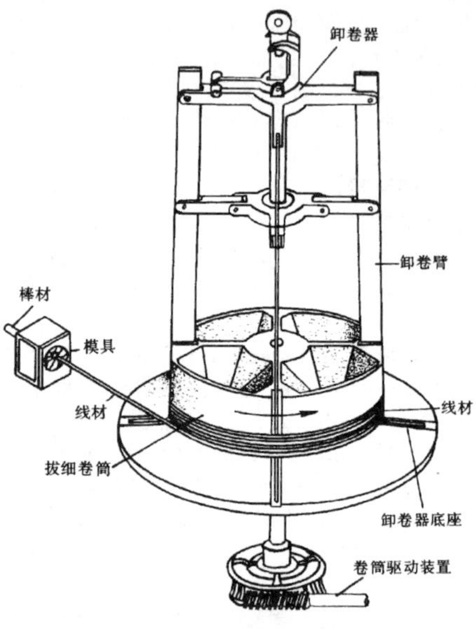

单级卷筒拔丝机

的发展及下半叶电话和有刺铁丝网的发明之后,对钢丝、铜线的数量和长度的需求剧增。贝塞麦炼钢法、平炉炼钢法以及轧制线材的新机器、新方法的发明,使生产更多和更长的线材成为可能。现今线材是由热轧棒材拉拔制成。对有些较软的金属,棒材可用挤压或铸造方法代替轧制。棒材表面的氧化铁皮用硫酸溶液酸洗清除,按材料不同,也可用别的酸液或熔融盐浴,或用机械方法去锈。喷丸法有时用于清理弹簧丝棒材。表面清洁后,洗净酸液并浸入涂料溶液(如石灰乳、硼砂或磷酸盐),以中和残留酸液,并作下一步拔丝过程中的润滑剂载体。拔丝的程序是先把棒材的端部弄尖,将尖端穿过模孔后系在拔丝卷筒上。拔丝卷筒用电机转动,将经过润滑的棒材从模具中拉出,使断面减小而长度增加。小规格的线材,不能一次拉成,要用多个单级组合成的多级拔丝卷筒机拉拔。

wirehaired pointing griffon 硬毛指示猎物格里芬狗 一个猎狗品种。于19世纪末由荷兰的 E.K.科塔尔斯育成,用作通用猎狗,适于在水、陆环境中指示和寻取猎物。动作慢,聪明。四肢强健,体粗壮。体高 50 ～ 60 厘米,体重 20.5 ～ 27 千克。眉毛浓密。被毛粗糙凌乱,毛色为灰、白和栗色相间。

wireworm 切根虫 马陆(**millipede**)种类之一。

Wirral 威勒尔 英格兰默西赛德大都市地区一大都市区(自治市)。面积 158 平方千米,占据威勒尔半岛的大部分。濒临默西河、迪河和爱尔兰海。有渡口、公路隧道和铁路隧道与默西赛德的其他地区相连。市区、工业区和商业区集中在半岛的东北部,其余地区大部分是乡村和富饶的农田。半岛西部是在利物浦工作的人的住宅区。从新布赖顿到西柯比的沿岸地带是娱乐区。工业有面粉加工、人造黄油、药品和航海机械制造等。森赖特港有历史悠久的尤尼赖佛肥皂厂。人口约 334 800(1988)。

Wirt, William (Albert) 沃特(1874-01-21，美国印第安纳马克尔～1938-03-11，印第安纳加里) 美国富有革新精神的教育家。以创立“分组”制度闻名。该制将学生分成两组，在教室和娱乐或职业活动之间轮换。沃特1898年毕业于坐落在印第安纳格林卡斯尔的德波大学后，继续在该校研究生院及芝加哥大学学习，随后到欧洲研究教育方法。他在印第安纳州上大学之时即已开始了自己的职业生涯；他曾在雷德基任学校监督(1895～1897)，在格林卡斯尔教数学，后在布拉夫顿任学校监督(1899～1907)，并在那里推行他创立的制度。后在任加里公立学校监督期间(1907～1938)才以其“加里计划”(实质上就是他原来的“分组制度”)引起全国的注意。当时加里成为闻名全国的循序渐进的教育中心。他曾打算使他的计划能更有效地利用学校的设备，更着重学校的娱乐活动和职业活动，把在校时间从6小时延长到8小时，并鼓励教师在学科领域内专业化。1914年纽约市聘请他到那里去贯彻他的制度，但纽约的教育家对加里计划发生争论，导致这一计划于1918年被否定。到1930年，遵循沃特计划的学校在不到20年的时间里从1 000多所(分布于200多个城市)缩减到寥寥无几。

Wirth, (Karl) Joseph 维尔特(1879-09-06，德国布赖斯高地区弗赖堡～1956-01-03，弗赖堡) 德国自由派政治家、魏玛共和国(1919～1933)总理。主张根据《凡尔赛条约》

供图：Archiv fur Kunst und Geschichte, Berlin

的解决办法履行德国义务的政策，一贯反对两次世界大战后德国军国主义。他是天主教中央党左翼成员，1914年被选入帝国议会，1918年革命后供职于魏玛国民议会。1920年任财政部长。1921年5月出任总理。他主持与苏联订立《拉帕洛条约》(1922-04-16)，从而结束德国在战后的孤立状态。1922年11月辞职。在魏玛共和国末期，他曾先后担任主管协约国占领诸省事务的部长、布吕宁内阁的内政部长。希特勒上台后流亡巴黎和瑞士。1948年返回德国，反对西德重新武装和加入北大西洋公约集团，呼吁建立一个统一、中立的德国，未成。1955年获苏联的斯大林和平奖。

Wirth, Louis 沃思(1897-08-28，德国格明登～1952-05-03，美国纽约州布法罗) 美国社会学家，研究城市问题的先驱。他是芝加哥大学著名教师，1926年起把实地调查同理论结合起来，对社会学之形成一个专业作出贡献。沃思1947年任美国社会学学会会长，1949～1952年任国际社会学协会第一任主席。他是《城市在国民经济中的作用》(1937)一书的主要作者；此书为美国资源委员会编著，是以社会科学调查资料为基础而拟定全国城市政策的一种早期尝试。其他著作有《城市中犹太人居住区》(1928)；《作为一种生活方式的都市特性》(1938)，成为刊载在《美国社会学期刊》中的一篇经典之作。另有许多论文汇辑成两本著作，一是《社区生活与社会政策》(1956)，另一是《路易·沃思论城市与社会生活》(1964)。

Wisbech 威斯贝奇 英格兰剑桥行政、历史郡芬兰区一城镇(教区)。濒临宁河，距沃什湾18千米。为富饶农业区的贸易、行政和服务中心。有制罐头和酿酒业以及轻机械制造业。生产球根植物和鲜花是本区一大特色。设有园艺学校。河畔有些乔治式建筑，其中佩科弗大厦现属全国名胜古迹托管委员会。人口24 981(1991)。

Wisconsin 威斯康星 美国中北部的一州，1848年5月29日成为联邦第30州。位于密歇根湖(东)和密西西比河(西)上游之间。北濒苏必利尔湖西部，并和密歇根州的上半岛相接，西和西南分别与明尼苏达州和艾奥瓦州接壤，南界伊利诺伊州。

该州经济多样化，个别因素在全州处处可见，但其三个主要方面各集中在特定区域。东南部为工业带，从芝加哥地区沿密歇根湖越过州界至该州最大城市密尔沃基和更远的地区，这一工业带是使该州成为全国制造业最强的州之一的主要因素。在南部2/3的地区，气候宜人，土壤肥沃，地形宜于乳品工业，这些有利的具体因素使该州的牛奶、乳酪和黄油生产在全国首屈一指。北部是人烟稀少的常绿树——阔叶树林和湖区，宜于旅游和娱乐活动。

面积56 153平方英里。威斯康星之名是印第安语“我们所住的地方”的法文译文的英语化说法。麦迪逊自1836年起为准州首府，1848年成为州首府和威斯康星大学所在地。

自然地理和人文地理

土地 *地形和水系* 威斯康星州可分5个自然地理区。北部高地是一片广阔的高原，底层是花岗石基岩。高地内有本州最高点——普赖斯县的蒂姆斯山(海拔1 951英尺)。苏必利尔湖沿岸低地是一片狭长平原，北部高原至此陡降。高地斜坡向南缓降至中部平原，中部平原是在本州中部横向延伸的砂岩层上的新月型地区。西部高原耸立在西南部，侵蚀灰岩和砂岩的一些小溪把西部高原划成丘陵和谷地。东南部山岭和低地区由3条南北走向、平行宽广的灰岩山脉组成，其中有开阔而平缓的低地相隔。海拔最低的地区是密歇根湖沿岸地带，约为海拔581英尺。除西南地区外，全州有厚厚的冰川沉积物。冰蚀区表面通常是广阔的波状起伏地带，错落有致地点缀有沼泽湿地和成群或单个湖泊，冰蚀区处处是卵石覆盖的粗糙不平的冰碛。

威斯康星州是全部水系均外流的少数几个州之一。主要河流是风景如画、岛屿星罗棋布的威斯康星河，这条河长430英里，源出密歇根州边界，南流至麦迪逊附近，绕巴拉布山脊边缘后折向西流经西部高原，在普雷里德欣附近注入密西西比河，一个水库系统调节其流量。未经开发的河流包括上圣克罗伊河、纳默卡根河、沃尔夫河上游、派恩-波泊尔河、布鲁尔河和派克河，圣克罗伊河下游风景壮丽。这些河流都在威斯康星州北部。这一地区加上相邻的明尼苏达州的一部分是世界上最大的湖泊集中地之一。有将近1.5万个面积超过20英亩的内陆湖，总面积超过1 500平方英里。最大的湖是福克斯河谷的温纳贝戈湖(215平方英里)。密歇根湖的7 387平方英里水域和苏必利尔湖的2 675平方英里水域都包括在该州的边界内并由该州管辖。该州沿密歇根湖的岸线约400英里长，沿苏必利尔湖的岸线约150英里长。

不寻常的地表特点包括苏必利尔湖中的阿波斯特尔群岛；密歇根湖和格林湾之间多岩石的多尔半岛；切入地表下300～500英尺的密西西比河和威斯康星诸河下游的宽阔峡谷；巴拉布山、里布山和戈吉比克山等古老山脉遗迹；密尔沃基以西不整齐的冰川“水壶形冰碛”；名为威斯康星德尔斯的狭窄的河谷和密歇根湖和苏必利尔湖的沙滩。

土壤 宜于农业的最好土壤是东部山岭和低地地区及西部高原的黑色草原土壤和灰棕色森林土壤，这些土壤的地区气候温和，生长季节较长。北部高地和中部平原林区的土壤不宜农耕，但经过灌溉、排水和施肥，部分土壤已可种植某些蔬菜和越橘等特殊作物，产量很高。在西部高原的陡峭山坡上，须采取严格的土壤防蚀措施，在中部平原须保护沙质土壤不受风力影响。在某些地区使用控制漂流雪花的篱笆来控制流沙。

气候 冬季漫长而严寒，夏季炎热但为时较短。1月平均气温：北部为－12 °C，东南部为－6 °C；7月平均气温：北部为19 °C，西南部为22 °C。滨湖地带的夏季和冬季气温受大湖调节，作物生长期自东向西，自南向北递减，东南部(沃土区)长达6个月左右，北部高原部分地区只有3个月左右。

平均年降雨量为30英寸左右，多集中在5～10月。降雪量因地区而异，南部为30英寸左右，覆盖85日，北部约为50或60英寸，苏必利尔湖附近覆盖140日。自12月至4月中为州内河湖结冰期。

动植物 森林覆盖率一度为85%左右，其余为草原和沼泽地。多数森林已因取用木材和耕种而砍伐，但天然继续生长和造林使森林覆盖率又达45%，林区集中在北部高地和中部平原。树木有次生阔叶树，如槭树、桦树、橡树、颤杨、榆树、椴树和椤树；以及常绿树，如白松、红松和短叶松、铁杉木、胶冷杉、黑云杉、白雪松和落叶松。

各地区常见的动物有白尾鹿、狐、棉尾兔、臭鼬、美洲旱獭、松鼠、金花鼠和黄鼠。黑熊、郊狼、狼、豪猪、海狸、水獭、雪兔和鹰主要生活在北方。雉鸡栖居在南部农业区。水禽众多，成千上万移栖的黑额黑雁每年飞来禁猎区两次。鱼的种类繁多，包括鲎、各种鲑鱼、鲈鱼、大眼鰤、白斑狗鱼、北美狗鱼和鲟鱼。

威斯康星州中南部一个乳牛场中的荷尔斯泰因牛

供图：© Robert French—Odyssey Productions

住区模式 大多数人住在东南部的城市群中，来自东方的移民最早到达这一地区并在此定居，他们发现这里的土壤和气候宜于务农。另一些人横穿该州前去更远的地方寻找农田，他们分布比较平均，只有中部平原南部和北部高地除外，那里的土壤贫瘠而潮湿，作物生长期短，不宜定居。

农村的农业居民点是由分散的农庄组成的。从上空俯视，田地格局和道路走向使土地呈棋盘状，反映出形成这种模式的把土地划分为6英里见方区域的土地测勘方法，但一些凸凹不平的地形，沼泽地或等高栽种布局打破了这种规则性。在许多地区的农庄中，仍主要有传统红色的奶牛棚（比农舍大得多）及其挤奶房和圆柱形筒仓，空旷的农村呈长方形，小城镇亦呈长方形，城镇内主要方向的道路成十字形，路边有长方形街区及其住宅。

不到1 000人的城镇星罗棋布，大城市多在东南部。密尔沃基及其卫星城市是美国主要的制造中心之一，机电设备业特别发达，这个城市也是一个港口。威斯康星大学主要校园在门多塔湖和莫诺纳湖之间的风景胜地麦迪逊。密尔沃基以南密歇根湖畔的拉辛和基诺沙是小港口，生产拖拉机和金属物品。格林湾是福克斯河河口的一个湖畔港口，也是一个造纸中心。由于格林湾是职业橄榄球队格林贝包装工队的发源地，在产生职业橄榄球队的中西部小城市中，只有这一城市有着职业运动联合会给予的拥有会员队的权利。阿普尔顿位于福克斯河流出温纳贝戈湖处，是拥有重要的纸张制作联合企业的最大城市。温纳贝戈湖西岸的奥什科什是一个木工行业中心。密西西比河港口拉克罗斯生产多种物品。

人民 居民主要是北欧人。德国移民最多，此后依次为波兰人、斯堪的纳维亚人（主要是挪威人）和英国人。日耳曼血统的人现分布很广，但比较集中在东部和密尔沃基。波兰人很多，主要住在密尔沃基和史蒂文斯波因特地区。挪威人多住在西部和南部，瑞典人则住在北部和西北部。目前在国外出生的人很少，多数人是不同国籍血统的人的混血儿。黑人和西班牙裔美国人主要住在东南部湖畔城市中。4/5以上的黑人住在密尔沃基，他们占当地人口的将近1/3。美洲印第安人主要住在密尔沃基市和梅诺米尼县。

移民给该州带来各种各样的宗教信仰。挪威人多为路德会教徒，德国人是路德会教徒和天主教徒，波兰人是天主教徒，南部人和东部人是非路德教的新教徒。这种差别仍然存在，这些宗教教派去教堂做礼拜的人几乎相等。

从20世纪30年代的大萧条起至60年代末，北部人口减少，但自此时起，下降趋势已经扭转。西部高原和中部平原大部分地区人口呈上升趋势。东南部人口虽然持续增长，但增长速度放慢，历史性的从北部和西部向东南部迁移已经停止。全国普遍的迁移趋势是继续从城市中心向近郊区流动。人口5 363 675（2000）。

经济 经济稳定。三种主要的经济行业是制造业、农业和旅游-娱乐业。该州主要制造耐用品，耐用品的生产随经济而浮动，这种浮动可能由于农业和林业原料的加工（主要是造纸）而取得平衡，因为这些原料加工浮动较小。产品的主要市场和大部分的原料及能源供应来源都仰仗他州，内向和外向流动使该州与美国整体经济联系紧密。在农业收入和产品附加值方面，该州在全美排名前1/4之中。

该州奉行综合性经济政策。总的努力方向是：保留和创造就业机会；通过职业与技术教育和就业培训提高劳动力技能水平；控制州支出和税收以改进商业气氛；帮助小型的和少数人办的企业；使原料在运出该州前最大增值；促进旅游事业的发展和助长国际贸易和投资。

资源 铁矿已不再开采，但诸如砂子和砂砾、建筑石材和碑石材料及农用石灰等非金属矿物对州经济十分重要。1976年在威斯康星州北部发现了北美十大锌铜整块硫化物矿体之一，其中含5%的锌和其他矿物。虽然75%的森林为阔叶林，但主要的木材产品是纸浆，商业捕鱼多在密歇根湖，湖鲑和白鲑价值很高。电力靠燃煤发电厂供应，但本州三个核设施的发电量也很大，水力发电站发电量所占比例较小。

工业、农业和旅游业 威斯康星州的收入主要来自制造和加工、批发和零售贸易、服务（包括旅游业）、管理和建筑。制造业以生产金属制品和农林产品加工为主。农业以乳牛养殖业为主，这需要高度的技巧和效率。约4/5的农业收入来自家畜与家畜产品，仅乳制品就占3/5。专门出售各种乳酪、五花八门的香肠和类似产品的商店是威斯康星公路和社区的特点之一，这些产品多在本地生产。此外，威斯康星州是全国生产和消费啤酒的大州，可反映该州浓烈的德国传统。

旅游业在20世纪中叶兴起，现与制造业及农业并列为主要经济行业。旅游发展局通过7个入境城市和芝加哥的信息中心并通过发行期刊、小册子、电影和幻灯片促进旅游业。州立公园中的约11.7万英亩土地和国有、州属和县属森林中的数百万英亩土地可作娱乐用。公有森林多在北方，东南部多数公园在人口集中地附近，但任何地点在驾车行驶一小时的路程内都有一个公园。

林业和渔业 木材工业以木质纸浆生产为主，占伐木的半数以上，木材多为颤杨和松树。锯材原木以阔叶木材居多，如红栎木、颤杨、糖槭和榆树；软木材供应较少，主要是白松。燃材产量很高，这是在70年代末期因能源危机应运而生的。

40～60年代海七鳃鳗使商业捕鱼近乎绝迹，此后在大湖的威斯康星州区域内，商业捕鱼稍有恢复。湖鲑大量繁殖；白鲑、湖鲱、金鲈和圆鳍雅罗鱼亦逐渐增多。这些鱼的平均商业捕鱼量已可与七鳃鳗灾害前相比。太平洋银鳟、大鳞大马哈鱼和其他准许捕捉的鱼已引入密歇根湖，成效惊人，使消遣性垂钓兴起，在经济上已超过商业捕鱼。

运输 运输路线以密尔沃基和芝加哥为枢纽，向东南部辐射，显示出该地区人口密集、工业集中。城市之间的巴士服务普遍，较大的城市有市内巴士服务，两条州际公路横越该州。通过该州港口装运的货运量占大湖区货运总量的1/4以上；最大的港口是德卢斯（明尼苏达州）-苏必利尔、密尔沃基和格林湾。麦迪逊、密尔沃基和一些小城市是重要航空线枢纽；地区性及定期航线往返邻近地区。

行政与社会状况 *政府* 1848年制订的第一份威斯康星州宪法仍是基本法。两届议会的两院通过一些修正案，已由公民投票批准。州长、副州长、首席检察官、州务卿、财政部长和公共教育导学是宪法中规定的官员，自1970年后由选举产生，任期4年，任次不限。州议会分参议院和众议院，参议院有参议员33人，经选举产生，任期4年；众议院有众议员99人，任期2年。

最高法院基本上是受理上诉的法院，由7名法官组成，法官在全州范围由选举产生，任期10年。该州还有一个上诉法院和一个有原审判权的巡回法院，上诉法官和巡回法官任期6年。全州还有约200个市法院。

地方政府机构包括县、市、村和镇。县是州和地方的代表，由经选举产生的监督人委员会进行管理。在一个县内，不属于市的所有地区组成镇，其边界通常与政府划分的镇区相符。在镇的一年一度的集会上，符合条件的选民作出政策决定，由3人组成的镇委员会付诸实行。

无党派官职的选举在春天举行，有党派官职的选举在秋天举行；在这两次选举前都先举行候选人选拔会。无党派选举产生法官、州公共教育导学、地方教育董事会董事、县属区长以及市、村和镇的官员。所有其他官员都是在党派基础上选出的。候选人选拔会是无限制的，即一个人可以在任何一个政党的候选人选拔会中投票，不论他惯常的党派从属关系，也不论投票人在大选中计划如何投票。在全国跻身于显赫地位的威斯康星州政界领袖的思想观念是各种各样的，从有进步思想传统的拉福莱特派到保守派参议员麦卡锡。

党组织有两套系统：法定的和自愿的。自愿的党的系统由缴纳党费的党员组成，它召开州的党代表大会，制订党的政纲，政纲在法定的党的政纲代表大会上正式通过。

教育 1856年在沃特敦开办的幼儿园是全美的第一个幼儿园。在美国南北战争后，密尔沃基已作为一个幼儿园中心而著称。在1875年通过《免费中学法》以前，该州已有许多私立中学。州的公共教育部承担中小学教育的全部责任，地方教育委员会负责当地各区的教育。

公立高等教育的主要系统是威斯康星大学系统，1971年和威斯康星州立大学系统合并，成立13所4年制、授予学位的学院、13所两年制（中央系统）学校和威斯康星大学分校。此外还有一个全州范围的职业、技术和成人教育系统。授予学位的主要私立学校有：马凯特大学（密尔沃基，建于1857年）；劳伦斯大学（阿普尔顿，1847年）；和伯洛伊特学院（伯洛伊特，1846年）；卡罗尔学院（沃基肖，1846年）；迦太基学院（基诺沙，1847年）；里彭学院（里彭，1863年）和圣诺伯特学院（迪皮尔，1898年）；建在斯普林格林附近的赖特住所塔利埃森庭园的建筑学校是学生和经验丰富的建筑家们的向往之地。

保健与福利 州和地方的公众服务机构计划包括公共保健和医疗辅助制度；为在就业方面有缺陷的人制订的有侧重的就业计划；对教养、心理健康和发育缺欠人员的综合慈善机构和实地与县级服务计划，以及经济援助。

保健与公众服务部1982年开始实施社区选择计划，制订一些以社区为基础的非慈善机构方式，取代对体弱和残疾老人的长期照顾，并给予资助。本来应住养老院的人现在通过各种地方性资助服务继续过独立、有尊严和个人选择的生活，这些服务使他们可以仍然住在自己家中或其他类似家庭的场所。

州议会1983年通过了《保健机构的权力授予法》，使全州范围的这些机构和其他类似机构猛增。提供保健服务的机构争相降低医疗费用，缩短了住院时间，当日施行外科手术，减少医院数目，兴建了24小时急诊中心、流动外科中心和老人日托中心。

文化生活 威斯康星州移民来自各种各样的种族，从新英格兰人和美国南部人至几乎每个欧洲国家的移民。同一民族的人在种族聚居地定居，并保留移植的文化传统，因而威斯康星州的艺术和艺术形式百花齐放。居民日益同化，但这些独特的表达形式仍大部分保留下来，人民群众的艺术生活丰富多彩，对艺术普遍具有鉴赏力。在全国艺术界崭露头角的威斯康星人有：作家J.缪尔、T.怀尔德和E.费伯；演员A.伦特和L.方坦及建筑家F.赖特。

威斯康星大学反映出全州对艺术的兴趣，并增强了这种兴趣。它是全国设有驻校艺术家的第一所大学，这些艺术家是油画家J.柯里（1936）、钢琴家兼作曲家G.约翰森（1939）和其他人。它支持在国际上享有声誉的密尔沃基艺术四重奏乐团和麦迪逊的普罗阿尔特弦乐四重奏乐团。威斯康星大学通过分校多年来一直支持全州的艺术家、作家、戏剧和舞蹈团体。夏季它为来自全国的中学生举办音乐讲习班。

威斯康星大学分校1957年帮助建立威斯康星艺术基金会和委员会，这一机构1970年成为州的正式机构，名称为威斯康星艺术委员会。1973年定名为威斯康星艺术董事会，旨在管理对艺术团体和个人的援助。

密尔沃基是一个主要的艺术中心。宽敞的19世纪帕布斯特剧院已经恢复。表演艺术中心是一个多种目的的设施，密尔沃基交响乐团、佛罗伦萨歌剧院（该州历史最悠久的表演艺术组织）、密尔沃基芭蕾舞团和贝尔坎托合唱团都在这里演出，马金美术馆也设在那里。密尔沃基艺术博物馆有100年历史，在全国享有盛名，收藏了欧洲和美洲大师的作品和现代艺术品。威斯康星密尔沃基校园中的戈达梅尔图书馆内有美国地理学会的稀世之珍的地图收藏品。

许多民族继续举行一年一度的节日。瑞士人在新格拉鲁斯举行的威廉·退尔庆典上演席勒的戏剧《威廉·退尔》。挪威人在斯托顿举行叙坦德·马伊节，在芒特霍雷布附近的芒兹山洞唱挪威歌曲。在密尔沃基举行的一年一度的节日包括夏日节、德国节、波兰节和假日民间集会，这是全国历史最悠久、规模最大的多种族节日。全州的一些中心举行许多手工艺品博览会。威斯康星州商品交易会每年8月在密尔沃基郊区西艾利斯举行。

该州有许多历史名胜和博物馆，其中包括设在巴拉布的世界马戏团博物馆，它收藏并展出世界各地马戏团的用具和其他物品。其货车及各种其他用品在密尔沃基一年一度的马戏团展览中使用。

威斯康星州北部和西部人口稀少的地区是旅游胜地。吸引游客的度假地区包括密歇根湖和格林湾之间的多尔半岛，那里有长达数英里的巉岩如锯的海岸线和沙滩及5个州立公园。森林广阔，还有樱桃园、苹果园、夏日别墅、沿岸小村庄、手工艺品商店和夏季剧院。另一个度假地区是威斯康星州北部，人口稀少，密林广布。溪水清澈，还有数百个湖泊，对爱好野外活动的人来说，这是诺斯伍兹的缩影。中部平原的威斯康星德尔斯是旅客度假胜地。威斯康星河切入多岩的峡谷，此外还有许多公共露天游乐场，引人入胜。西部高原为丘陵和山谷，风景如画、山坡陡峭、森林茂密、岩石峭壁、怪石嶙峋、两旁树木成荫的小道在寂静的田园风光中蜿蜒前进，这些风景胜地包括保留下来的康沃尔铅矿工人故居和一个著名的夏季莎士比亚剧院。这一地区是该州宣传最少但应引起人们注意的地区，堪称非正式的国家公园。

该州职业体育队包括格林贝包装工队（橄榄球）、密尔沃基酿酒者队（棒球）和密尔沃基公羊队（篮球）。此外还有几个职业体育运动小联合会棒球队和大学联队，包括威斯康星-麦迪逊大学的十大学联合会队。

历史

史前的居民 所谓的古印第安人是在最后的大陆冰川消退期间或以后到达现在的威斯康星州的。在欧洲人到达时，史前的印第安人和现今的印第安人的关系如何尚不明确。欧洲人遇到的民族有：奥吉布瓦人（奇珀瓦人）、梅诺米尼人、温内巴戈人、波塔瓦托米人、基查波人、索克人、福克斯人、伊利诺伊人、迈阿密人、马斯库滕人、休伦人、奥塔瓦人和桑蒂苏人。其中留下4个民族——奥吉布瓦人、梅诺米尼人、温内巴戈人和波塔瓦托米人，另外在19世纪20年代从东方迁移来4个民族——斯托克布里奇人（马希坎人）、蒙西人、布罗瑟顿人和奥内达人。

早期住区 法国探险家J.尼科莱于1634年来到威斯康星。威斯康星受法国人控制，到1763年这一地区为英国人所占领。随后该地区根据1783年的《巴黎条约》被割让给美国。1836年成为威斯康星准州的一部分，1848年成为第30个州。

法国人和英国人主要对毛皮生意感兴趣，美国人与他们不同，从事彻底的变革：清理土地进行耕种；建造房屋、修路、建镇；砍木取材。他们很快地通过几个条约和势不可当的军事战绩夺取了印第安人的土地。他们先后以铅矿矿工和拓荒农民的身份，最初占领了西南部的土地。在19世纪30年代，开始涌入大批北欧移民，在随后数十年中，他们的人数猛增，到1880年，通过定居已大体划定宜于耕种的地区。

政治和经济上的成熟 随着奴隶问题激化，1854年3月在里彭组成的一个新政党成为威斯康星的共和党。自那时起至1932年，共和党人在多数的州选举和总统选举中都占优势。在美国南北战争后，出现了一次根深蒂固的政治骚乱，这部分是铁路和大企业的经济和政治实力日益增长的结果。1900年左右掀起了进步运动，使改革家R.M.拉福莱特成为公众注意的焦点，并通过了一些法案使该州成为社会立法的带头人。这些法案包括反选举舞弊法、工人赔偿法和第一个州所得税法。

虽然进步运动是该州的一支强大的政治力量，但是它是州共和党的一部分，1934年它脱离出去成为威斯康星进步党。1946年又参加共和党，但许多党员却参加了复兴的民主党。在共和党居近似统治地位100多年后，在25年的6任州长中，民主党担任了4任州长。并长期在州议会中居多数。然而，共和党总统候选人通常得到较多的支持。

进步运动的另一个发展结果是“威斯康星思想”。它行动的中心思想是：大学校园的边界就是州的边界，旨在集中州政府、大学和公民团体的人力物力，努力解决社会、政治和经济问题。

南部2/3的地区发展农业，兴起以乳酪生产为重点的乳品业。自1920年起，威斯康星州的乳品业在全国首屈一指。19世纪70年代，威斯康星州北部森林进行商业伐木。木材砍伐持续了40多年，郊区破坏严重，至20世纪中期才开始恢复，重新植林并建立了旅游-娱乐业。

北部地区的铁矿开采始于19世纪80年代，运出了数百万吨的铁矿石，20世纪60年代这一地区最后的铁矿封闭。从对当地原料的小规模加工发展成的制造业大部分转为金属制造，在东南部随着人口增加和市场发展，制造业有显著发展，制造业的重要性日益增加说明一个农村社会已逐渐转变为以城市为主的社会。在20世纪20年代达到并超过了平衡均势，到1980年将近2/3的人口为城市居民。

威斯康星州的人在社会、政治和经济各方面的品质在一个有利的自然环境中已混为一体，成为一个能独立发展的州。农业和制造业之间实现了满意的平衡，重新建立了林业资源。旅游-娱乐业已随制造业和农业在收入中占第三位。州政府对与发展有关的问题进行战略规划和研究，日益强调以社区领导作为发展的动力。

Wisconsin, University of　威斯康星大学　设于美国威斯康星州的高等教育系统，包括13所4年制学院和13所两年制教育中心。威斯康星大学最初的大学分部于1849年建在麦迪逊市，是由政府提供土地建立的一所学院。1862年《莫里尔法》实施后，获得了牢固的基础。1874年全面实行男女合校，并赢得了民主教育典范的声誉：它的大门向所有“具有充分才智的人”敞开。1971年麦迪逊的威斯康星大学与威斯康星州立大学系统合并，从此威斯康星大学成为全国最大的州立大学系统之一。在校学生约16万人。所有13所4年制学院均授予学士和硕士学位，而博士学位则由麦迪逊和密尔沃基两地的大学授予。麦迪逊大学本部是世界上最大的大学研究中心之一。它设有一所文理学院；农业和生命科学、医疗保健、商业、教育、环境研究、消费科学等系；还设有法律、药学、医学、兽医学和护理学的研究生院或第一职业学院。

Wisconsin Dells　威斯康星德尔斯　美国威斯康星河畔风景区和城市。在威斯康星州中南部哥伦比亚、索克朱诺和亚当斯几个县境内。东南距麦迪逊80千米。风景区的幽谷为急流在砂岩中切成一道窄沟而形成，窄沟深达45米，长24千米，沟边怪石嶙峋。最著名的“立岩”是印第安人夏天跳舞的天然祭坛。城市已发展成旅游中心，其他名胜有斯托里布克公园、德尔斯堡公园和威斯康星鹿园。人口：市2 418(2000)。

Wisconsin Evangelical Lutheran Synod　威斯康星州福音信义会大会　美国基督教信义宗教会，倾向保守。1892年由三个德裔教会大会联合而成，当时称为威斯康星、明尼苏达、密歇根及其他州福音信义联合大会。1959年采用今名。该会对教义和信义宗信纲坚持严格而保守的解释。该会拥有教区学校甚多，中心机构设在密尔沃基。

Wisconsin Glacial Stage　威斯康星冰期　北美更新世的年代和地层的最近代的重要划分单元。因威斯康星州研究过的地层而命名。威斯康星期全部，至少是后半部与欧洲传统的玉木冰期相当。发生于桑加门间冰期之后，代表最后一次主要大陆冰盖穿过北美大陆而前进。该大冰期的终了大致与北美更新世的结束相吻合。这是个稍有些模糊的终结，因为冰川冰同时在其他地方并未消失。与此相似，也没有结论性的证据表明冰将不会再回来。该冰期是研究得最清楚的、影响到北美的冰期。可以分为早、中、晚3个亚期，早威斯康星亚期曾在20世纪70年代后期利用海底岩心测年，大约为11.5万年前。在五大湖区，威斯康星大冰期的沉积有很好的代表，可以分出5个亚期，依次代表冰川的进与退。这次大冰期对北美的地貌有深远的影响，如五大湖是广阔的大陆冰盖边缘上的冰川湖的残余。很多物质从各个地区侵蚀来，也只能在别的地方去沉积。例如，大平原区的富饶土壤基本上是河流和冰川消融水所堆积的粉砂层。保存在威斯康星沉积物中的孢粉层序表示出在冰体边缘存在冻土带，这冻土带为披毛猛犸象、北美驯鹿、麝牛所占据。美洲野牛、马、大地树懒和很多其他脊椎动物占据了西南边的大平原，而同时，一个同样丰富多彩的动物群，包括西貒剑齿虎、乳齿象和骆驼占据了东南边的地区。在威斯康星冰期晚期，北美人类最早的遗迹已很明显，不过还有一些迹象表明，人类到达北美的时间甚至更早。该冰期终了的一个特点，同样也是更新世终了的一个特点，就是许多种大型哺乳动物在北美绝灭，如马、猛犸象、剑齿虎等。有人提出，新大陆原始人类的过度狩猎是这次绝灭浪潮的主要因素，真正原因可能更复杂，涉及不同的气候和环境因素，此外可能有人的干扰。

Wisconsin River　威斯康星河　美国河流。源出威斯康星州北部韦勒斯县湖区，南流经过威斯康星州中部，到威斯康星德尔斯后转向东南，又由波蒂奇折向西南，再往西注入密西西比河。长690千米。轻舟可自河口上溯320千米到波蒂奇。在普雷里德萨克附近有水电站堤坝，形成威斯康星湖。

Wise, Isaac Mayer　怀斯(1819-03-29，奥地利帝国波希米亚施泰因格鲁伯[今在捷克]～1900-03-26，美国俄亥俄辛辛那提)　犹太教拉比。致力于团结美国犹太人的工作，成为美国许多改革派组织的最伟大组织者。曾在波希米亚境内拉德内斯任拉比两年，1846年移居美国纽约州奥尔巴尼，担任拉比8年；1854年任辛辛那提市伯尼·耶索伦大会堂拉比。怀斯并没有实现各派犹太人的统一，但确实使改革派内部达成一致，使改革派教义适应美国生活。主编英文周刊《美国以色列人》和德文报纸《底波拉报》，利用这些刊物和会议场合宣传改革派团体集中领导的必要性。他认为犹太教负有世界性任务，坚决反对在巴勒斯坦建立犹太国家。

Wise, John　怀斯(1652-08-15受洗，马萨诸塞罗克斯伯里[美国]～1725-04-08，马萨诸塞伊普斯威奇)　美洲殖民地基督教公理会牧师和神学家。他在马萨诸塞州各地传教，曾因领导抗税而受审。1710年发表小册子《教会争端》，主张教会的民主和自由。7年后发表《为新英格兰教会的行政制度辩护》，对美国革命的领袖们发生重大影响。

Wise, Robert　怀斯(1914-09-10，美国印第安纳温切斯特～2005-09-14，加利福尼亚洛杉矶)　美国电影导演和制片人，他的电影将戏剧的紧张情节与对人物的深入刻画相结合。曾在富兰克林学院学习新闻。1933年开始在好莱坞的雷电华影片公司工作。1939年被提升为剪辑师，剪接了O.韦尔斯的《公民凯恩》(1941)和《安倍逊大族》(1942)。1944年导演了他的处女作《恶妇的诅咒》。之后，导演了《盗尸者》(1945)、《只许失败的拳击手》(1949)等影片。怀斯的如下影片蜚声影坛：戏剧片《三个秘密》(1950)和《总经理的随从》(1954)；科学幻想经典片《地球停止转动的那一天》(1951)；战争故事片《沙漠军团》(1953)和《无声下潜》(1958)；拳击片《上帝喜欢我》(1956)；犯罪戏剧片《我要活》(1958)和《明天的可能性》(1959)，后者是怀斯的不仅担任执导并且兼任制片的第一部影片。怀斯最受欢迎、获得最大成功的影片是耗资巨大的两部音乐片《西区故事》(1961；与J.罗宾斯合导)和《音乐之声》(1965)，以及丰富多彩的动作史诗片《沙纸》(1966)。他后来的影片中有两部科学幻想片：《仙女星座》(1971)和《星辰的旅行：电影》(1979)。

Wise, Stephen Samuel　怀斯(1874-03-17，奥匈帝国匈牙利布达佩斯～1949-04-19，美国纽约州纽约)　犹太教改革派拉比、美国犹太复国主义运动的领导人，对美国犹太教改革派的发展发挥影响的开明派活动家。怀斯于1901年在哥伦比亚大学获哲学博士学位，随私人教师受拉比职业培训。他先后在纽约市(1893～1900)和俄勒冈州波特兰(1900～1906)等犹太教会担任拉比，其后受聘为纽约市埃玛努-埃尔寺拉比，该寺当时是美国犹太教改革派最有影响力的会堂。因为不能获得在讲台上讲话自由的充分保证，辞而不就。他自己另建具有影响力的自由会堂(1907)，终生主持该会堂。怀斯在纽约市的政治生活几十年中成为著名的民政改革家，他经常在卡内基大厅针对时务发表精彩演说，听众甚多，多年不懈。怀斯是最先积极从事犹太复国主义运动的美国犹太领导人之一。他出席1898年在瑞士巴塞尔举行的第二次犹太复国主义运动大会，同年又参与创立美国犹太复国主义组织，自1936～1938年任主席。此外又参与成立并领导常设机构美国犹太人大会和世界犹太人大会(1936)。怀斯是民主党的重要党员，与威尔逊总统相识，美国政府批准《巴尔福宣言》即是受他的影响。他是30年代动员美国舆论反对希特勒的斗争中的一位领袖。1922年，怀斯创办纽约市犹太宗教学院，这是一所为纽约地区培养开明派拉比的神学院；它于1950年与希伯来协和学院合并。

Wise Men　哲人　参阅 **Magi** 博士。

Wiseman, Frederick　怀斯曼(1930-01-01，美国马萨诸塞波士顿～　　)　美国电影制作家，以拍摄观察美国社会事业机构所起作用的纪录片著称。怀斯曼曾就读于威廉斯学院(1951年获文学士学位)和耶鲁大学法学院(1954年获法学士学位)。后操律师业并教授法律，但对这些一直不感兴趣，于是改行，于1964年为S.克拉克导演的影片《冷漠的世界》担任制片工作。不久，怀斯曼完成了他的第一部重要影片《蒂蒂卡特蠢事》(1967)，对为犯罪的疯人而设立的一家州立医院的内部情况果断地进行拍摄。这一影片及随后的大部分影片都是黑白片，既没有解说，也没有音乐，而是数十小时直接拍摄的结果，怀斯曼将这些素材缩减成一两个小时的片子，寓影片结构和观点于高度精选的剪辑过程之中。怀斯曼继续拍摄了一系列关于美国各种不同的社会事业机构的纪录片，这些社会事业机构包括：一所公立中学(《中学》，1968)，一支大都市警察队(《法律与秩序》，1969)，一所旧城的贫民医院(《医院》，1970)，军事训练(《基本训练》，1971)，少年法庭(《少年法庭》，1973)，动物实验室(《灵长类》，1974)，城市福利局(《福利》，1975)，一家高价的百货商店(《商店》，1983)，一间紧张护理的医院病房(《濒临死亡》，1989)和一所国家公园(《中央公园》，1990)。在他的影片中，怀斯曼避免卷入赞同就这类机构对个人的影响作综合和同情的描述的争辩中去。

Wiseman, Nicholas　威斯曼(1802-08-02，西班牙塞维利亚～1865-02-15，英格兰伦敦)　宗教改革运动后天主教第一任常驻英格兰枢机主教、第一任威斯敏斯特大主教。父母为爱尔兰人，幼年在西班牙度过。1824年获博士学位，1828年任罗马大学东方语言学教授、英文学院院长。英格兰兴起牛津运动，1835～1836年威斯曼在伦敦宣讲天主教义，创办天主教季刊《都柏林评论》。自此以后，他毕生致力于英国天主教的复兴。1840年任主教，被委为米德兰区名誉主教兼伯明翰附近奥斯科特学院院长。1848年调伦敦，任名誉主教。1850年教皇庇护九世决定恢复英格兰主教区和神职人员建制，召唤威斯曼到罗马，任命他为枢机主教兼第一任威斯敏斯特大主教。英格兰人抨击此举为“教皇侵略”，1850年焚烧教皇和威斯曼的模拟像。作为对此的答复，威斯曼遂著《向英格兰人民的理智和善意呼吁》。1852年主持天主教第一次威斯敏斯特大会。

wisent　欧洲野牛　牛形哺乳动物。参阅 **bison** 美洲野牛。

Wishart, George　威沙特(约1513，苏格兰皮塔罗～1546-03-01，爱丁堡)　苏格兰宗教改革事业的早期殉道者。他原在蒙特罗斯大学任希腊文教师，被控为异端，1538年前往剑桥。1539年奉派到布里斯托尔传教，又被控为异端，遂迁居欧洲大陆。1542～1543年在剑桥大学任教师，不久返回苏格兰，对诺克斯发挥重大影响，并积极传播基督教新教教义。博思韦尔伯爵将他拘留，不经正式手续将他引渡给枢机主教比顿，比顿下令对他进行审讯，处以火刑。他所译的《第一瑞士信纲》(1536)于1548年出版。

Wislicenus, Johannes (Adolph)　维斯利采努斯(1835-06-24，图林根克莱因奈希施泰特［德国］～1902-12-05，德国莱比锡)　德国化学家，确认原子在分子中空间排布重要性的先驱者。在哈佛和苏黎世大学学习并任教，后来在别处得到教授职位。在J.H.范托夫和J.-A.勒贝尔的结构理论之前几年，维斯利采努斯对乳酸的研究使他在1873年发现两种化合物可能具有相同的化学式但性质不同。他把这一同分异构现象归因于两种化合物有不同分子结构或原子排布。

Wismar　维斯马　德国北部梅克伦堡-西波美拉尼亚州城市。濒临波罗的海维斯马湾。1229年首见记载，1250年前建市，是汉萨同盟成员。1648年归瑞典，1803年后归梅克伦堡-什未林(政府)管辖。第二次世界大战期间，许多旧建筑物毁于炮火，只有中世纪的市政中心幸存下来。建有多座砖砌建筑。2002年被联合国教科文组织列为世界遗产。战后，这里的航道和港口设施大为扩充，新建起大型造船厂。为公路和铁路枢纽。行业有捕鱼、制糖和金属加工。人口约45 714(2003)。

维斯马市港口的渔船
供图：W. Krammisch—Bruce Coleman Inc.

Wiśniowiecki, Michael　维希尼奥维茨基　参阅 **Michael Wiśniowiecki** 米哈尔·维希尼奥维茨基。

Wissel Lakes　维塞尔湖群　新几内亚岛西部的印度尼西亚伊里安查亚省苏迪曼山脉中的一串三个高地湖：其中帕尼艾湖最大、位置最北；塔格湖在其南；蒂吉湖在最南边。湖群海拔约1 750米，是通过阿拉布河受地壳构造作用的堵塞造成的。湖岸为新几内亚高地上农业人口最稠密的聚集区之一，大多数是似俾格米人的卡保库人，操巴布亚语。虽然这个地区自史前时期以来早已有人居住，但人口的高度密集大概始自16世纪引种甘薯。最先看到这几个湖的欧洲人是一位荷兰军官——海军上尉维塞尔，时间在1937年。

Wissler, Clark　威斯勒(1870-09-18，美国印第安纳韦恩县～1947-08-25，纽约市)　美国人类学家。曾提出文化区域的观念，所著《美洲印第安人》(1917；1922再版)一书，至今仍是北美人种学的经典著作。在大学攻读心理学，1901年在哥伦比亚大学获哲学博士学位，因受F.博厄斯影响而对人类学发生兴趣。曾任纽约市美国自然历史博物馆馆长近40年，1924～1940年在耶鲁大学任教。《北美平原的印第安人》(1912)一书，反映了他所作的实地调查的重点所在。后来他成为达科他部落和黑脚人部落问题的权威，写了200多篇科学论文和通俗文章。其作品着重描述物质文化、神话和传说、艺术图案、社会组织和伦理标准，特别是太阳舞的隆重宗教仪式。在美国自然历史博物馆任职期间，曾按地区和部落收集并展出手工艺品，以此提倡文化区域的观念。在《美洲印第安人》一书中，他探讨了文化诸特征在区域范围的聚集现象以及文化与自然环境之间的关系，并列出了若干主要文化区。维斯曼的有关文化诸特征之分布地带及适应情况，以及特征的相对年代的论述，见于《人类与文化》(1923)及《原始美洲的天人关系》(1926)两书中。他的晚年著作有《印第安马队》(1938)和《美国印第安人》

纽约美国自然史博物馆供图

(1940)。

Wissmann, Hermann von 维斯曼(1853-09-04,勃兰登堡的奥得河上法兰克福～1905-06-15,奥地利利岑附近) 德国探险家。两度穿越非洲大陆,增加了人们对上刚果的知识,其探险导致建立东非德国殖民地。1880年由安哥拉罗安达动身,横越非洲,1882年到达坦噶尼喀(坦桑尼亚)的萨达尼。在旅途中,维斯曼发现桑库鲁河(今刚果[金]境内),调查开赛河与刚果河间的通道。1884～1886年为比利时勘探开赛河的适航性,并再次向东跨过大陆探险到坦噶尼喀湖(今坦桑尼亚境内)及桑给巴尔。1888年被任命为德意志帝国驻东非专员,镇压阿拉伯奴隶贩子的叛乱,并在今坦桑尼亚境内确立德国的统治。他于1891年辞职。1895年又返回东非任德意志帝国总督。

Wister, Owen 威斯特(1860-07-14,费城～1938-07-21,美国罗得岛北金斯敦) 美国小说家。他的《弗吉尼亚人》(1902)把牛仔塑造为美国民间英雄和常见的小说人物。1882

美国国会图书馆供图

年毕业于哈佛大学,又在巴黎学习了两年作曲。由于身体欠佳返回美国,在怀俄明度过1885年的夏天。同年秋进入哈佛大学法学院。1888年毕业。1889年获律师资格后,在费城开业两年。每年夏天继续在西部度过,1891年他的2篇西部特写被《哈珀斯》杂志刊出,受到热烈欢迎,转而从事文学创作。《弗吉尼亚人》写一个大牧场领班牛仔的故事,出版后风行一时。主题是担任教师的文雅的女主人公同性格粗鲁的牛仔情人之间的矛盾。小说中持枪决斗的高潮被认为是最早出现在小说中的这类"最后一决雌雄"的场面。另一部重要作品《罗斯福:1880～1919年的一则友情故事》(1930)详尽叙述了他和哈佛时的同班同学T.罗斯福的长期交往。他还写有一些儿童读物。1928年威斯特文集出版,共11卷。他的女儿F.K.威斯特把他1885～1895年的日记和书信汇编为《欧文·威斯特在西部》,于1958年出版。

Wisteria 紫藤属 又拼Wistaria。豆科的一属,木质藤本。主要原产亚洲和北美。该属植物因其生长习性及多且美的花而在各地广为栽培。羽状复叶,互生;花蓝色、紫色、玫瑰色或白色,聚生,花簇大,下垂。栽培种有:多花紫藤(日本紫藤,*W. floribunda*)原产日本,是本属中最耐寒者;美国紫藤(灌木状紫藤,*W. frutescens*)原产美国东南部;长穗紫藤(肯塔

紫藤属(*Wisteria*)植物
供图:W. H. Hodge

基紫藤,*W. macrostachya*)原产美国中部和南部;华紫藤(中国紫藤,*W. sinensis*)原产中国。

witan 咨议院 又作witenagemot。英格兰盎格鲁-撒克逊时代国王的咨议机构,主要职责是对国王垂询的问题提供意见。它确认国王向教会或俗人授予的土地,赞同国王颁行新法律或对旧习惯法的陈述,辅佐国王处理叛逆和有不忠嫌疑的分子。其组成和开会时间由国王决定。出席的人是大贵族和主教。它决非民意机构。其组成和任务类似后来盎格鲁-诺曼时代国王的议会(commune concilium),基本的区别在于后者的贵族议员都是与国王有着封建关系的。

Witbank 沃特班克 又译维特班克。南非德兰士瓦省城镇。在比勒陀利亚东面。建于1890年。地处一煤矿区的中心。在南非战争期间,当时还是年轻士兵的W.丘吉尔自比勒陀利亚逃出后,曾躲藏在该地附近的一个煤矿。1910年建镇。1972年沃特班克水库容量从1 700万立方米增至10 800万立方米。该镇围绕重工业迅速发展起来。其水电站向广阔地区供电。人口41 784(1985)。

witch ball 巫球 空心的玻璃球,有的直径达18厘米。有数种颜色,一般是绿色和蓝

英国19世纪的涂银巫球
伦敦维多利亚和艾伯特博物馆供图

色。18世纪以后的文献有关于巫球的记载,它的起源可能更早。英国有许多地方生产这种巫球。美国从19世纪起也开始生产,它与渔民用以漂浮渔网的玻璃球相似,因而有人认为它同海上的迷信有关。另有人认为,它原是挂在窗户上避邪用的。19世纪中叶,有一种里面涂银的巫球,它像凸镜一样能把整个房间反映在上面。人们把巫球作为古董收藏,至今仍有制造。

witch doctor 巫医 无文字社会中以巫术为人治病或行善的人。此词源于18世纪的英国,通常带有贬意,在人类学上其词义亦不确切。参阅**medicine man; shaman**。

witch hazel 金缕梅 金缕梅属(*Hamamelis*)植物。共6种。落叶灌木或小乔木,原产于北美东部和亚洲东部。金缕梅的花簇生成小簇,紧贴分枝着生。叶广椭圆形,有齿,叶脉明显。一些栽培种在温暖的冬日或早春开黄花,花具4枚狭窄带状的花瓣。美洲金缕梅(*H. virginiana*)高达4.5米;晚秋开花,花

金缕梅属(*Hamamelis*)植物
供图:Shunji Watari—美国不列颠百科全书公司

黄色,花萼杯状,冬季宿存;果翌年成熟后爆裂;其叶(有时小枝及树皮)可制芬芳的搽剂;其分叉的小枝从前用为占卜杖,以寻找地下水,故俗名"巫棒"。春金缕梅(*H. vernalis*)高约2米,冬末春初开花。

Witch of Buchenwald 女妖(布痕瓦尔德的) 参阅**Koch, Ilsa**科赫。

witchcraft 巫术 为了反社会的邪恶目的而以人力运用据说是超自然的力量。女子操此术者叫做女巫,男子操此术者叫做巫师。在技术发达的现代文化形态中,仍有人相信巫术,在许多无文字的社会中,对它的信仰依然是具有强大潜在力的因素。

在古希腊,荷马的著作就提到巫术。古典时期最著名的女巫是传说中的美狄亚。罗马诗人贺拉斯在《讽刺诗集》中有一段精细地描述两个女巫在埃斯基林公墓的施术过程。《圣经》中包含一些关于巫术的资料,最显著的例子就是国王扫罗前去求教隐多珥女巫(《撒母耳记上》28)。早期的基督教作家们普遍认为任何所谓的巫术都是一种幻想和骗术;一个信仰坚定的基督教徒所使用的耶稣的名字可以抵挡前来袭扰的巫术。根据这种看法,在教会法中明文规定,坚决不准施行巫术。要求教士在布道时必须宣传巫术虚妄,

因为只有上帝是有威力的；而且事实根据与幻想或梦想之间有着截然的区别。但是，在此后的一些世纪里，对巫术的信仰扩大了，也许正是宣传反对巫术的布道所促成的，单纯的老百姓本来没有听说过有这种可能性。自从二元论的异端兴起，认为与上帝匹敌的魔鬼具有真实的力量，就强调与撒旦的联系了。一旦认为巫术令人着魔，走向异端，否定上帝，就成为异端裁判所的处理权力之内的事。

从中世纪末至18世纪初，整个欧洲强烈地反对巫术，以《圣经》中的训戒"以邪术的女人，不可容她存活"（《出埃及记》，22∶18）为根据，到处进行公审和处决。有人谴责巫术，指出所谓的灵验的根源乃是一些心理因素，他们本人也被钉在火刑架上烧死。巫术审判的牺牲者的人数有种种不同的估计，从几十万至几百万。英国移民把巫术信仰带到了美洲殖民地。1692年在马萨诸塞的塞勒姆，由于一群十几岁小女孩的告发，经过长时间审讯之后，有30多人（有几个人经过严刑拷打）被定为施用巫术罪。进入20世纪以后，从欧洲和南北美洲继续听到一些零散的对巫术的控诉。在无文字的社会里，信仰巫术几乎是普遍的。在某些民族中间，一些人公开宣称她们是女巫，明目张胆地进行恐吓；但通常人们不承认自己懂巫术，巫术只能作为小道消息的话题。19和20世纪，这种遍见于世界的现象成为广泛的人类学研究的题目。

witches'-broom　扫帚病　植物染病时出现的矮弱嫩枝簇生呈帚状的症状。木本植物的小枝和枝条顶死。致病原因包括锈病（胶锈菌属［*Gymnosporangium*］和膨痂锈菌属［*Pucci-*

患扫帚病的桦树

供图：G.E.Hyde from the Natural History Photographic Agency—美国不列颠百科全书公司

niastrum］），拟梨孢假壳菌属（*Apiosporina*）、外担子菌属（*Exobasidium*）及外囊菌属（*Taphrina*）真菌，螨，昆虫，病毒，菌质体，细菌和槲寄生类。易染此病的植物有桤木、苜蓿、唐棣、桦、加利福尼亚牛眼树、扁柏、樱桃、桂樱、榆树、冷杉、朴、*Holodiscus* 属植物（蔷薇科）、皂荚、刺柏和红柏、熊果、松毛翠、桑、栎、马铃薯、杜鹃花、蔷薇、槐树、云杉及草莓等。

witches' sabbath　巫师夜会　欧洲基督教传说中的女巫夜间聚会。1400年宗教法庭着

F.de 戈雅绘《巫师夜会》（1798）

供图：SCALA—Art Resource/美国不列颠百科全书公司

手认真调查巫师活动时，关于巫师夜会的说法即已流传。据说女巫飞行赴夜会，其法是通身涂特制油膏或者骑乘魔鬼所提供的山羊、公绵羊或狗。据宗教法庭法官报道，巫师夜会上的活动有匍匐而吻魔鬼的尾巴、舞蹈、宴会和无约束的交欢。

witchweed　独脚金　玄参科独脚金属（*Striga*）植物。约50种，原产于旧大陆热带，一种已引入美国东南部。约10种寄生在玉米、高粱、水稻、甘蔗和烟草等作物上，严重危害寄主植物的生长。该属植物为分枝草本，高约15～75厘米。叶对生或互生，通常狭窄，表面不光滑，有的呈鳞片状。花二唇形，单生，红、黄、淡紫、淡蓝或白色。种子小，数量多，接触寄主根后萌发，以其根附着于寄主根部。其生活周期的最初4～6周在地下生长，幼株完全依赖寄主为生。出土后可进行光合作用，但仍须从寄主体内吸取水分和矿物质，致寄主植物发育不良，发黄乃至枯萎，产量明显降低。严重的侵染可致寄主死亡。英语中 witchweed 一词亦指玄参科 *Alectra* 属植物，其中一些非洲种寄生于豆科植物和烟草，在热带美洲则寄生于甘蔗。

witenagemot（Anglo-Saxon council）　参阅 **witan** 咨议院。

Wither, George　威瑟（1588-06-11，英格兰汉普郡本特沃思～1667-05-02，伦敦）　Wither 又拼 Withers。英国诗人和清教徒的小册子作者。以他的几首歌曲和赞美诗最为知名。威瑟1604年入牛津大学马格达伦学院，1606年未取得学位即离校。1610年定居伦敦，1615年开始攻读法律。他的作品《剥去陋习的外衣并痛加鞭笞》（1613）对色情、贪婪和骄傲加以讽刺挖苦，显然触犯了他人，因而被投入监狱数月。在狱中写了《牧羊人的行猎》一书（1615），其中5首牧歌属于他最优秀的诗之列，其形式仿效斯宾塞，而情感则接近华兹华斯。《菲岱里雅》（1617）是一本哀歌式书信体诗集，为情人的变心而怨叹，在后来各版中收入了那首著名的抒情诗《我在绝望中，消得人憔悴》。威瑟在《我一无所有，我一无所求，我一无所虑》之作（1621）中，一方面强调了自身的美德，另一方面生动地谴责了他人的恶行，因此又一次被投入监狱。他的颂诗《美德，菲拉雷特的情侣》及一本爱情和田园诗集《青春诗作》于1622年出版。前者是他成为一个虔诚的清教徒并专为宗教和政治运动写作之前，对纯文学的最后贡献。《教堂赞美诗与颂歌集》（1623）是不完全依据《诗篇》的第一本英文赞美诗集；它包括一些粗犷、质朴的散文段落。1625年大瘟疫时期，他正在伦敦，事后出版了《不列颠的备忘录》（1628）。那是一首篇幅浩繁的关于大瘟疫的长诗，其中杂有咒骂和预言。在参加查理一世对苏格兰誓约派的征讨和在内战中为国会方面服务期间，威瑟写了许多宗教诗和赞美诗。这些诗收入1641年出版的《哈利路亚，或不列颠的第二份备忘录》。1660～1663年因一首未发表的批评新下议院的诗而再遭监禁。威瑟的诗虽被认为单调乏味，但其繁多的种类却颇惊人。他在歌谣和赞美诗中把乡俗语言和正规的韵律结合在一起，产生相当动人的效果。虽然他的声名曾一度湮没，他的姓名也成为写作清教徒小册子的雇佣文人的同义语，但后来他的声誉已经恢复。

witherite　碳钡矿　旧称毒重石。一种碳酸盐矿物，即碳酸钡（$BaCO_3$）。尽管很稀少，但除重晶石外它是最常见的钡矿物。通常以相当纯的形式同重晶石和方铅矿伴生于低温热液矿脉中。产于英格兰北部和苏格兰。由于它可溶于一般酸中，所以在制取其他钡化合物时，宁愿用碳钡矿，而不用重晶石。也用于表面硬化钢和精制糖。详细物理性质，参阅 **carbonate mineral**（表）。

Witherspoon, John　威瑟斯庞（1723-02-15，苏格兰东洛锡安吉福德～1794-11-15，美国新泽西塔斯库伦）　苏格兰裔美国长老会牧师、签署美国《独立宣言》的唯一教士。1757年在佩斯利任牧师，1768年迁居美洲，任新泽西学院（今普林斯顿大学）院长，对长老会的奋兴和发展有重大贡献。任学院院长期间颇有建树：增设课程、添置科学设备，筹集基金和扩充学生名额。他热心美洲事业，坚决维护殖民地人民利益，与英国相抗争。曾任大陆会议（1776～1779，1780～1782）代表。在宗教和政治问题方面著述很多。

Witigis　维蒂吉斯（活动时期536）　东哥特军人，后成为意大利的东哥特人国王，曾领导他的人民与东罗马帝国进行最后的斗争，没有成功。536年当拜占廷的将军贝利萨留向罗马进军时，杀死国王西奥达哈德。同年秋，维蒂吉斯当选为国王。他留少数人守卫罗马，而将大部分兵力集中于拉韦纳。当他不在罗马时，教皇却把罗马交给了贝利萨留。537年3月，他回师包围罗马。当东罗马皇帝查士丁尼一世派来援军时，他被迫同意缔结3个月停战协定。538年哥特人放弃了对罗

马的包围。到 540 年春天，他们只占有拉韦纳的阵地了。为挽救局势，维蒂吉斯同意退位，后被带往君士坦丁堡，命运如何不详。

Witkiewicz, Stanisław Ignacy　维特凯维奇（1885-02-24，华沙～1939-09-18，波兰沃林尼亚耶焦利）　波兰画家、小说家、剧作家。从克拉科夫美术学院毕业后曾游历德国、法国和意大利。1914 年赴澳大利亚，任马林诺夫斯基率领的人类学考察队的画家和摄影师。3 年后作为俄国军队后备役军官目睹了俄国革命。1918 年居住在塔特拉山脚下的扎科帕内。第二次世界大战开始时自杀身亡。写了几部小说和剧本，并画了几百幅所谓心理肖像以维持生活。50 年代，他的剧本开始在波兰和西方重新上演，并成为波兰剧院的保留剧目。

Witkowski, Felix Ernst　维特科夫斯基　参阅 **Harden, Maximilian Felix Ernst** 哈尔登。

Witold WIELKI（Lithuanian leader）　参阅 **Vytautas the Great** 维陶塔斯（伟大的）。

Witos, Wincenty　维托斯（1874-01-22，奥匈帝国波兰加利西亚维日霍斯瓦维采～1945-10-30，克拉科夫）　波兰政治家、农民党领袖，三次担任波兰总理（1920～1921，1923，1926）。1908～1914 年任奥地利-波兰加利西亚议会议员，1911～1918 年任奥地利下院议员。第一次世界大战后当选为新成立的波兰共和国议会议员，不久担任议会中最有力量的政治团体农民党的领袖。1920 年 7 月～1921 年 9 月任各党联合政府总理。1923 年 5～12 月第二次组织政府，但未能制止日益加剧的通货膨胀和全国性骚动。虽然起初他被认为属于左派政党，可是逐渐成为主张保守的力量，1926 年 5 月他第三次组织政府，完全以中间偏右为基础。不出数天，其内阁即

伦敦波兰图书馆供图

被民族英雄 J. 毕苏斯基所领导的政变推翻。此后，他一直反对毕苏斯基蒙上薄薄面纱的独裁政权。1930 年被捕入狱，1932 年又一次被捕，并被判刑，1933 年判决被认为非法并宣布无效。他怕再次被捕，逃往捷克斯洛伐克。后又回波兰，1939 年被德军监禁。1945 年又被俄国人逮捕，释放后不久即去世。

Witoto　维托托人　又拼 Huitoto。哥伦比亚西南部和秘鲁北部的南美印第安人，其语言属于一种独立语群。过去，在几千名土著居民中有 30 多个维托托部落。由于遭受剥削、疾病和同化，最近估计维托托人已减少到不足1 000人。20 世纪初维托托人从事橡胶采集劳动，因受剥削，人口严重下降。幸存的维托托人有正统维托托人、博拉人（米拉纳人）、奥凯纳人和奥雷洪人，现在居住在普图马约河、阿波波里斯河和卡克塔河沿岸。维托托文化是典型的热带森林文化；维托托人从事农作和采集，也是渔猎能手。其典型的住区是一幢圆形或长方形大草舍，可容纳许多家庭。传统上妇女裸体，男子着围腰布，男女均文身。维托托人作战频仍，将年轻的俘虏留下，把年老的吃掉。食人只限于男人参加，是巫术和宗教仪式的一部分。巫师能祈神祛病。维托托人的家庭由家长、子媳及未婚子女组成，也是基本政治单位。

Witsieshoek（South Africa, town）　**沃齐斯胡克**　参阅 **Phuthaditjhaba** 普塔代哈巴。

Witt, Johan de　维特（1625-09-24，尼德兰多德雷赫特～1672-08-20，海牙）　17 世纪欧洲杰出的政治家之一，1653～1672 年任荷兰联省共和国最高国务秘书（raadpensionaris），

阿姆斯特丹国家博物馆供图

第一次和第二次英荷战争（1652～1654，1665～1667）期间领导联省，使国家的海军和商业力量得到加强。维特出身于权势世家。其父雅科布 6 次任镇长，并多年代表该镇任荷兰省议会议员。作为主张共和政体或寡头政治的省权党的强烈拥护者，维特反对奥兰治王室亲王，集中体现了联省原则，得到广大群众的拥护。在莱顿求学，早年就显示出非凡的才能，特别在数学和法理学方面。他的《线曲初阶》（1650 年以前写成，1659～1661 年出版）是最早的解析几何教科书之一。1650 年被任命为多德雷赫特镇议会议长，为该镇出席省议会的代表团领导人。年轻的奥兰治亲王威廉二世在荷兰议会和军队的支持下，逮捕了省权党的 5 位领导人，把他们拘禁起来，其中有雅科布。威廉的突然死亡引起反抗。雅科布所鼓吹的主张获得胜利，省议会的权力在共和国居于支配地位。父亲的地位给予他机遇，而他自己的雄辩口才、智慧和办事能力使他于 1653 年 7 月 23 日被任命为荷兰联省共和国的最高国务秘书，时年 28 岁。1658、1663 和 1668 年连续重新当选，一直任职到 1672 年去世。

1653 年他看到国家由于对英战争而濒临灭亡的边缘，决心媾和。他拒绝克伦威尔提出的英荷合并的建议，但于 1654 年与英国缔结《威斯敏斯特条约》，荷兰做出了很大的让步。条约包括一项秘密条款，即荷兰各省保证不选荷兰联省督军，该条款为荷兰议会所拒绝，但维特说服省议会予以接受。这一条款是针对年轻的奥兰治亲王的，亲王与斯图亚特王室的亲密关系使他成为克伦威尔怀疑的对象。1654 年媾和后，维特的政策富有成果。他恢复了国家财政，扩展了荷兰在东印度群岛的商业优势。1658～1659 年他支持丹麦反对瑞典，1662 年与葡萄牙缔结有利于荷兰的和约。查理二世继承英国王位后，维特坚持反对奥兰治亲王任督军，引起英荷政府间的敌意，1665 年战争重又爆发。他作为执政亲赴海上督战，他的组织和外交才能使之得以签订维持现状的、对联省共和国来说是非常体面的《布雷达条约》（1667-07-31）。他的外交手腕取得的另一个更大的胜利是，缔结荷兰共和国、英国和瑞典三国同盟（1668-01-17），以阻止法王路易十四企图占领西属尼德兰。1672 年路易十四突然宣战，率军入侵联省共和国。人民发出呼声要求威廉三世执政，纷纷举行激烈的示威游行。其兄科内利乌斯以阴谋反对亲王罪被捕（07-24）。8 月 4 日维特辞去国务秘书职务。他前往探视其兄，群众风闻后蜂拥而至，抓住两兄弟，将他们撕裂。这个时代和荷兰历史上最伟大的政治家就这样地丧生了。

Witt, Katarina　维特（1965-12-03，东德卡尔-马克思城[今德国开姆尼茨]～　）　德国花样滑冰选手，是在 1936 年 S. 赫尼之后第一个连续两次赢得奥林匹克运动会金牌的女选手（1984，1988）。20 世纪 80 年代富有魅力的维特以优雅的舞姿和高超技艺诠释了此项运动。她赢得 4 次世界冠军（1984、1985、1987、1988）和 6 次欧洲冠军（1983～1988）。5 岁开始滑冰，很快就引起东德体育官员的注意，他们把她列入国家的特殊培训计划。维特跟世界著名的花样滑冰教练之一 J. 米勒练习滑冰。1981 年赢得全国冠军，并一直保持了 7 年。1990 年她成为电视特别节目冰上卡门的主角，此次表演使她荣获艾美奖。同年，维特和 B. 博伊塔诺一起编制了一台滑冰节目，在美国巡回演出。奥林匹克规则的改变允许维特在 1994 年的挪威利勒哈默尔奥运会上回到滑冰赛场，获得第 7 名。她还在各种国内和国际滑冰比赛中担任评论员。

Witte, Emanuel de　维特（1617，尼德兰阿尔克马尔～1692，阿姆斯特丹）　荷兰画家，其

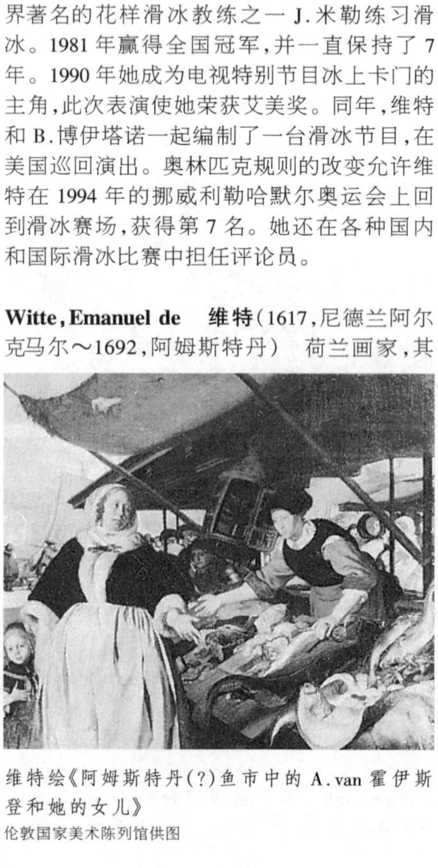

维特绘《阿姆斯特丹（?）鱼市中的 A. van 霍伊斯登和她的女儿》

伦敦国家美术陈列馆供图

教堂内景画代表了尼德兰建筑画的最后一个阶段。他的艺术生涯开始于代尔夫特，在那里专作历史画和肖像画。至17世纪中叶对建筑画发生了兴趣，画了许多描绘阿姆斯特丹建筑内景的作品，如《老教堂》、《新教堂》(1677)等。他画的内景规模雄伟，使用精致复杂的透视和较大的人像，调色倾向于在日光区用黄带白和在阴影区用灰至深的单色调，偶尔也用浅绿或红。他也是位有名的日常生活景象画家，作有《鱼市》(1672)。

Witte, Sergey Yulyevich, Graf (Count)　维特(1849-06-29，俄罗斯帝国格鲁吉亚梯弗里斯～1915-03-13，彼得格勒)　伯爵。俄罗斯财政大臣(1892～1903)、帝国首届立宪政府

供图：H. Roger-Viollet

的总理大臣(1905～1906)，致力于把君主制度与西方式的现代化结合起来。祖籍荷兰，其父为高加索总督府农业部长，其母出身于俄国服务贵族家族。童年在高加索度过，毕业于敖德萨新罗西斯克大学，后进入铁路管理部门工作。俄土战争期间(1877～1878)主管奥德萨铁路运往前线的货运。1889年受聘筹建财政部铁道司。1892年2月任交通大臣，同年8月任财政大臣。他提出了发展俄罗斯帝国经济的远大计划，并充分运用国家力量展开范围广泛的活动：改组国家银行，把现有资金用于工业部门；建立俄国轮船公司，开办航海和工程学校；鼓励兴办储蓄银行，修改公司法；以及使卢布成为可以兑换的货币。他还设法向法、英、比、德等国的投资者借款，为工业化筹集资金。他全力推进铁路的修建工作，特别是修建西伯利亚大铁路。在差不多十年的时间里，"维特计划"获得了相当大的成功。但到19世纪末20世纪初，由于国际局势的不稳定，俄国得到的外国贷款减少了；国内工人罢工，农民骚乱，再加上他与沙皇尼古拉二世的关系不睦，终于在1903年8月离开财政部，改任有名无实的大臣委员会主席。他曾说服沙皇发表《十月宣言》(1905)，允许成立代议制政府。在新的政府中他担任首相。1905年7月他还任俄国全权代表与日本谈判和约，他虽为俄国争得有利的条件，但并未赢得人民的支持。他还与欧洲银行界缔结一批贷款协定以拯救俄国财政。1906年4月因完全失去沙皇的信任，被迫辞去首相职务。

Witteberg series　维特贝格统　南非开普系沉积地层最上部的单位。由厚约805米的页岩和砂岩组成，并且是晚泥盆世地层与早石炭世地层之间的过渡层(石炭纪开始于约3.6亿年前)。是上泥盆统向下石炭统的过渡地层。该统富含植物化石，很多属已描述过了。其中有鳞木(*Lepidodendron*)、封印木(*Sigillaria*)、圆印木(*Cyclostigma*)和裸蕨植物(*Dutoitia*)。

Wittelsbach, House of　维特尔斯巴赫家族　德意志贵族世家，曾产生巴伐利亚和莱茵巴拉丁领地统治者，直至20世纪。此名来源于巴伐利亚境内的维特尔斯巴赫城堡。1124年，舍耶恩伯爵奥托五世(？～1155)移家至此，并以此为名。其子奥托六世被德王腓特烈一世封为巴伐利亚公爵，称奥托一世。自1180年受封之日起至1918年，巴伐利亚一直由维特尔斯巴赫家族统治。1214年，奥托二世利用婚姻关系获得莱茵巴拉丁领地，将权力扩张到巴伐利亚以外。1328年，其后裔路易成为神圣罗马帝国皇帝，称路易四世。1329年，路易四世对维特尔斯巴赫家族领地进行了首次重大的划分，将莱茵巴拉丁领地和巴伐利亚的上巴拉丁领地分别授予两个侄子鲁道夫二世(？～1353)和鲁佩特一世。1353～1390年间，这些领地由鲁佩特独自统治；1356年他被授予莱茵巴拉丁领地选侯之衔。1392年，上巴拉领地以外的巴伐利亚领地被再次划分，结果开创了因戈尔施塔特、慕尼黑及兰茨胡特3个支族。但是，3代之后，阿尔贝特四世(？～1508)采用长子继承制，又将这些领地统一起来。巴拉丁领地一支虽产生过一位德意志国王鲁佩特(1400～1410)，但维特尔斯巴赫家族的领地在其内部继续再划分，从而产生许多支脉。其中一支产生过1654年即位的瑞典国王查理十世；其后查理十一世和查理十二世继续统治维特尔斯巴赫王国，直至1718年。巴伐利亚诸公爵自1623年起也成为选侯。巴伐利亚选侯查理·阿尔贝特(？～1745)自1742年起为神圣罗马帝国皇帝，称查理七世。其子马克西米连三世·约瑟夫于1777年死去，巴伐利亚这一支家族由此绝嗣。根据1724年订立的王朝继承条约，巴拉丁领地选侯查理·特奥多尔继承了巴伐利亚。查理·特奥多尔1799年去世，巴拉丁领地与巴伐利亚由茨魏布吕肯一支的马克西米连四世·约瑟夫公爵统一起来，他于1806年成为巴伐利亚国王，称马克西米连一世。马克西米连的后裔一直担任巴伐利亚国王，至1918年路易三世逊位。

Witten　维滕　德国西北部北莱茵-威斯特法伦州城市。濒临鲁尔河。1825年建制。第二次世界大战中遭严重破坏。战后进行了现代化重建，有众多商行。还有一座书画艺术博物馆。城南森林茂密，是鲁尔地区良好的娱乐场所。工业有钢铁、机器、玻璃制造和煤焦油提炼等部门。人口约101 823(2003)。

Wittenberg　维滕贝格　德国中北部萨克森-安哈尔特州城市。在柏林西南，濒临易北河。1180年首见记载，1293年建市。1212～1423年间该地成为阿斯卡尼亚公国和萨克森选侯驻地。1423年归韦廷家族。维滕贝格大学为选侯智者腓特烈在1502年创办，因教师有马丁·路德和梅兰希顿而出名，1817年并入哈雷大学。1996年多座与路德生前相关的建筑被联合国教科文组织列为世界遗产。1806年该城为法国人占领，并于1813年加强

维滕贝格市面对集市的中世纪市政厅(右)
供图：W. Krammisch—Bruce Coleman Inc./美国不列颠百科全书公司

防御工事。1814年普鲁士人破城，翌年归普鲁士人所有。1517年10月31日路德把他著名的《九十五条论纲》钉在城堡内万圣教堂的木门上，在维滕贝格掀起了宗教改革运动。1760年大火时木门被焚毁。路德墓所在的教堂于1760和1813～1814年两度遭严重破坏，后已重修，1858年改装铜门，门上刻有拉丁文的路德论纲。其他著名建筑物有城堡(1490～1499)、市政厅(1524～1540)、宗教改革者故居和市教堂(1300)。该教堂中有宫廷画家老克拉纳赫(1472～1553)的祭坛壁画。该市为河港，也是铁路枢纽，工业发达，以化工业为主。有国有氮气厂和化肥厂。人口约46 295(2003)。

Wittenmyer, Annie Turner　维滕梅尔(1827-08-26，美国俄亥俄斯普林斯桑迪～1900-02-02，宾夕法尼亚萨纳托加[今在波茨敦])　婚前名Annie Turner。美国救济工作者和改革家。南北战争期间向战地医院提供医疗援助和饮食支持，后成为禁酒运动中一位有影响的组织者。1850年与丈夫一起定居艾奥瓦州的基奥卡克。南北战争爆发后，投身救济工作。作为基奥卡克军人援助协会的秘书，她访问过军营，组织了一个全州范围的地方援助协会体系以加快医院用品的收集，不久协会就成为该州事实上的物流机构。后被任命到一个付薪水的州卫生机构工作。1863年10月当选艾奥瓦州卫生委员会主席，该机构旨在反对全男性的艾奥瓦陆军卫生委员会接管艾奥瓦州妇女工作的企图。双方对抗持续到1864年，当时对方诬告维滕梅尔管理不善和贪污。在驳斥这些指控并击退对她的职位威胁之后，她于1864年辞去州执法官职位。她继续在陆军医院开设特别营养厨房的计划。由于美国基督教委员会的支持，她开始在田纳西州纳什维尔建了一个厨房。经过她培训的妇女很快就在其他医院建起了类似的厨房，到南北战争结束时，她的想法已经

得到军队医疗部门的普遍接受。在这场战争期间和之后,她还曾代表艾奥瓦孤儿院工作。1868年她带头组织女士和本堂牧师基督教徒联盟,这是一个救助贫困人口和病人的循道宗信徒的组织。1871年被挑选为后继组织大会协会的处理信件秘书。大约在那个时期她搬到费城并创办期刊《基督教妇女》,任该刊物编辑长达11年。曾加入"妇女十字军",这是一个基本上没人组织的禁酒浪潮,1873～1874年风行于纽约西部各地、俄亥俄以及中西部各州。1874年11月参加了俄亥俄州克利夫兰会议,在此次会议上全国基督教妇女禁酒联盟成立,她当选为该联盟的第一位主席。次年她和该联盟的文件秘书F.威拉德一起宣讲禁酒并组建地方和州分会。她还负责创办《我们的联盟》杂志,并连选连任该组织主席,直到1879年。除禁酒之外二人在从事妇女选举权事业的问题上存在分歧。维滕梅尔继续反对全国基督教妇女禁酒联盟政治化,支持在1890年成立的分裂派别——超党派基督教妇女禁酒联盟,任该组织主席(1896～1898)。她还是妇女救济队的主席(1889～1890),这是美国内战联邦退伍军人协会的一个附属机构。她还发起运动,要求为南北战争时期的护士和寡妇以及退伍军人的母亲建立一个全国妇女救济之家,并曾担任在俄亥俄和宾夕法尼亚州建立的此类救济之家的主管。1892年她代表一个为南北战争时期的护士提供养老金的议案,游说美国国会。1898年她本人得到一份特别养老金。其著作包括《妇女为基督工作》(1871)、《妇女的节俭十字军》(1878)、《宗教改革的妇女》(1884)和《在枪口下》(1895)。

Wittgenstein, Ludwig (Josef Johann)　维特根斯坦(1889-04-26,维也纳～1951-04-29,英国剑桥郡剑桥)　20世纪英语世界中哲学界的主要人物。他虽是奥地利人,一生大部分时间住在英国。他经过长期的努力,在不同的时期建立起两种有高度独创性的思想体系,每一体系都具有一种精致而有力的风格,极大地影响了当代的哲学。在这两个时期中,他都发表过经典性的哲学著作,第一本是《逻辑哲学论》,第二本是《哲学研究》。他少年时一直在家中受教育,到14岁为止。后在一所奥地利学校攻读3年。然后赴柏林学机械工程学,为时2年。1908年在英国研究航空学。由于涉及飞机发动机设计问题,他又对数学发生兴趣,渴望进一步熟悉数学基础。B.罗素的《数学原理》一书对他具有决定性的影响。1911年去剑桥,在罗素指导下研究数理逻辑直到1913年末。然后去挪威,仍刻苦钻研逻辑学。第一次世界大战爆发后,维特根斯坦在奥地利军队中服役,战争结束时他成为意大利人的俘虏。整个战争期间,他坚持研究逻辑和哲学问题,并将他的思想及时记在随身带的笔记本中。战后将手稿寄给罗素。在罗素的帮助下,1921年他的《逻辑哲学论》一书出版。该书的中心问题是:"语言是如何可能成其为语言的?"维特根斯坦感到惊讶的是:一个人居然能听懂他以前从未遇到的句子。他得出了这样的解释:一个描述事物的句子(命题)一定是"实在的一幅图像"。命题显示其意义;命题显示世界的状态。他认为所有的图式和世界上所有可能的状态一定具有同一逻辑形式,它既是"表现形式",也是"实在形式"。但是这种逻辑形式自身却不能得到说明。不能说明的还有其他一些东西:实在的简单元素的必然存在、思想和意愿的自我的存在以及绝对价值的存在。这些不能说明的东西也不能想,因为语言的界限就是思想的界限。该书的最后一句话是:"对于不可说的东西,必须沉默。"由于他认为《逻辑哲学论》已经完成了他对哲学的贡献,便于1920～1925年在下奥地利的一些小村庄任小学教师。1929年初他回到剑桥讲授哲学。在1929～1951年这一时期,他进行了大量的写作工作,研究的最大成果是《哲学研究》。这本书是按照他的愿望在他死后出版的(1953)。书中的观点与《逻辑哲学论》有很大不同。他放弃了先前的想法,认为无穷无尽的各种语言用法背后,并未隐藏着统一的本质。他采用游戏的例子,指出游戏之间仅有"重叠"或"交叉"的相似性,不存在一切游戏共同具有的性质。"游戏"一词所适用的诸多情形,仅具有"家族"相似性。推及哲学,"知识"、"命题"、"记忆"、"意向"、"思想"、"规则"、"信念"等词,也是这么朦胧不清。维特根斯坦第二个哲学体系突出的特点是他较注重于揭示概念怎样同行为和反应相联系,怎样同人们生活当中对概念的表达相联系。他试图根据人们的生活方式,而不是根据模糊的精神领域来展示概念的作用和意义。

Wittig, Georg　维蒂希(1897-06-16,柏林～1987-08-26,西德海德堡)　德国化学家。因对有机磷化合物的研究与H.C.布朗共获1979年诺贝尔化学奖。维蒂希1923年毕业于马尔堡大学,1926年在此获博士学位;至1932年为止,一直任讲师。他在1956年任教于海德堡大学之前,曾在不伦瑞克工科大学和不伦瑞克、弗赖堡、蒂宾根等大学任教。1965年在海德堡大学退休,但继续从事研究。维蒂希在研究包含负碳离子(一种带负电荷的有机物种)的反应时,发现一类称为叶立德的化合物,它们能催化一种特殊类型的反应(后来称为维蒂希反应),并证明在许多有机化合物的合成中具有重大的意义。

Wittingau (Czech Republic)　**维廷高**　参阅**Třeboň 特热邦**。

Wittlin, Józef　维特林(1896-08-17,奥匈帝国德米特罗夫[今在乌克兰]～1976-02-29,美国纽约州纽约)　波兰作家、散文家、诗人和波兰语言大师。从伦贝格(今利沃夫)公学毕业后,在维也纳大学攻读哲学。1914年被征入奥匈军队,在俄国前线参加过几次战役,两年后因健康欠佳退役。1920年开始写《赞歌集》,对强大的国家和社会制度的牺牲品——人——所受的贬低,发出人道主义抗议。1924年,他重新把荷马的《奥德赛》译成波兰文。他在波兰文学中占有显著地位的主要作品是《世上的盐》(1935),叙述波兰一个目不识丁的农民,即"有耐力的步兵"的故事。第二次世界大战爆发前几个星期,他离开波兰,先在巴黎逗留,后又前往伦敦。1941年以后一直居住在纽约,写了一本思念故乡的、热情洋溢的书《我的利沃夫》(1946)。1949年成为美国公民。

Wittstock, Battle of　维特施托克战役(1636-10-04)　三十年战争中的一次战役,它是瑞典巴内尔将军(古斯塔夫二世的门生)的最大胜利。这次胜利是在1634年讷德林根大败后,瑞典驻德军队急需获得一次胜利以改善新教事业的时候取得的。1636年秋,巴内尔率1.8万人寻找战机。神圣罗马帝国-萨克森军队约2.5万人在柏林西北93千米的维特施托克南面有森林覆盖的小山上摆开阵势。巴内尔果断地派出约一半兵力,行军11千米,向敌人后方大迂回,而他则率另一半军队夺取并守住前沿阵地的一座小山。虽然瑞典骑兵在数量上处于劣势,但从下午3点到日落仍挡住帝国军队的进攻。下午6点,当巴内尔的前线几乎被突破时,迂回部队到达目的地,袭击帝国-萨克森军队的后方和侧翼。帝国-萨克森军队三面受敌,很快崩溃,四处逃窜。

Witu Islands　维图群岛　又拼Vitu。巴布亚新几内亚东部俾斯麦群岛中的火山岛群。在太平洋西南部俾斯麦海新不列颠岛以北65千米处。由加罗韦、乌内阿和蒙杜阿3大岛和5个小岛组成。当地多林木,出产椰干和可可。陆地总面积117平方千米。人口约8 599(1980)。

Witwatersrand　威特沃特斯兰德　南非德兰士瓦省南部含金砾岩构成的山岭。又称兰德。是瓦尔河和林波波河的分水岭,约长100千米,宽37千米,平均海拔约1 700米。1886年发现丰富的金矿,随后涌来大批移民。约翰内斯堡就在该山的中心地区发展起来。威特沃特斯兰德由14个区组成,从西面的兰德方丹至东面的德尔马斯。人口3 572 171(1985)。

Witwatersrand System　威特沃特斯兰德系　南非前寒武纪重要的岩石划分单元(前寒武纪开始于约38亿年前,终止于5.7亿年前)。覆于多米尼昂礁岩系之上,伏于芬特斯多普系之下,从兰德方丹到斯普林斯呈东西向带状出露,该带北起克莱克斯多普地区瓦尔河,南至芬特斯多普地区。它实际占据更大地区,但大部分被后来的沉积物覆盖;该地层的地下范围已由地球物理勘探和钻探所圈定。因为它含有宝贵的金和铀矿床,在经济上很重要。整个系厚8 100米,分成上下两部。每部又分成统。下部分三个统:由下而上为豪斯皮特山统、戈文门特礁岩统和杰泼斯顿统。上部自下而上分为美因博得统和金伯利-艾尔斯博格统。戈文门特礁岩统由页岩和石英岩互层组成,并有含金矿的卵石层;该统还含有广泛的冰期迹象。经济上最重要的是美因博得统,大部是极富含铀和金的石英质砾岩。由页岩、石英岩和白云岩组成的金伯利-艾尔斯博格统也发现大量金矿。

Witz, Konrad **维茨**(约1400,罗特韦尔帝国自由城[今在德国]～约1445,瑞士同盟巴塞尔或日内瓦[今瑞士]) 瑞士画家,最早把写实主义的风景画与宗教画相结合的欧洲画家

维茨绘《捕鱼的奇迹》(1444)
日内瓦美术和历史博物馆供图

之一。一般认为海尔斯皮格祭坛画(约1435,现已分散)是其存留下来的最早作品。约作于1440～1443年间的三幅板上,画可能是一套失散的祭坛画的一部分。《圣凯瑟琳与马格达莱纳的马利亚》、《约阿希姆与安娜相会》和《圣母领报》,表明他独特地掌握了线透视,有立体造型感,十分注意光在织物、石头、木头上的变化。他不是利用北欧艺术中流行的神秘象征手法,而是忠实地描绘自然现象,使景物生动、可信,借以表达这些庄严场面的重要意义。这一特点在其杰作《捕鱼的奇迹》(1444)中最为明显。

Wivallius, Lars **维瓦利乌斯**(1605,瑞典维瓦拉～1669-04-06,斯德哥尔摩) 瑞典诗人、冒险家。他的抒情诗表现出他那个时代瑞典诗歌中未曾有过的对大自然美的情感。早年就读于乌普萨拉大学。1625年漫游德国、法国、意大利和英国。他常冒充贵族,在欧洲招摇撞骗,在纽伦堡曾被捕入狱。1629年返回瑞典后,因诈婚再次入狱,1634年被放逐到芬兰北部达7年之久。他的民谣人多在狱中写成,最佳作品是在渴望自由和热爱自然的冲动下写出的。

Wiyot **维约特人** 北美洲北部太平洋沿岸最南端的印第安人,居住在马德河下游、洪堡湾及加利福尼亚州境内伊尔河下游一带地方。他们操维约特语,系大阿尔冈昆语系语言,在文化上及语言上同*尤罗克人*(**Yurok**)相近。维约特人聚居区多在溪流及河湾附近,而不临海居住。他们很少以海生动物为食或从事海上交通,宁愿选择平静的河湖地带来维持生活。每个村庄由4～12所住房组成,大约平均每村容纳30人居住;一些零散居地,每处只有一二所住房。此外,还建有男人的蒸汽浴室,供住宿、工作及消闲之用,也用来作为定期的汗浴及净身之所。维约特人主要在河流及近海区捕捞鲑鱼及其他鱼类,也拣拾各种软体动物,尤其喜爱蚌蛤,间亦捕捉陆生哺乳动物。房屋及独木舟均用沿海所产红杉制成。他们以齿贝、黑曜岩石刀、啄木鸟头皮、白鹿皮及其他物品计算财富。维约特人没有正式的领袖或拥有政治大权的个人,富人起咨询作用,颇有影响。争端、甚至杀人问题,都以赔偿齿贝为解决办法。维约特人萨满教僧多为女性。虽然这个部落属于西北海岸文化区,但宗教信仰有很多借自加利福尼亚中部的宗教成分。

wizard **术士** 指行巫术的人(参阅**magician**)或行*法道*(**sorcery**)的人。

Władysław **弗瓦迪斯瓦夫** 英语作Vladislas或Vladislaus,匈牙利语作Ulászló,捷克语作Vladislav。波兰统治者之名,按年代顺序分列于后,并各以●为标记。

● Władysław I **弗瓦迪斯瓦夫一世**(1260或1261,波兰～1333-03-02,波兰) 波兰国王(1320～1333),把许多波兰小公国合并成一个王国,为强大的波兰国家奠定了基础。库亚

14世纪石棺上的弗瓦迪斯瓦夫一世雕像
波兰克拉科夫市瓦韦尔国家艺术馆供图

韦小公国的卡齐米日一世之子。1275年继承其父的公国。1296年由大波兰贵族选为大公。但后来这些贵族转而向波希米亚国王瓦茨拉夫二世效忠,1300年瓦茨拉夫在格涅兹诺登上波兰王位。弗瓦迪斯瓦夫为了坚持对波兰王位的要求,前往罗马寻求教皇卜尼法斯八世的支持。1305年在匈牙利帮助下与瓦茨拉夫二世作战。1305年占领小波兰。1314年占领大波兰,并控制了沿波罗的海的北方地区,包括波美拉尼亚和但泽在内。但是,条顿骑士团于1308年占领了波美拉尼亚,尽管弗瓦迪斯瓦夫施展许多策略,波美拉尼亚依然掌握在日耳曼人手中。1320年1月20日他在克拉科夫加冕为波兰国王。1331年9月波兰与条顿骑士团的战争再度爆发,在同年9月27日普沃夫采战役中,他把条顿骑士团打得惨败。在外交方面,他努力加强与匈牙利的友好关系,并与立陶宛结亲。到他去世时,已为将来波兰民族的发展打下坚实的基础。

● Władysław II Jagiełło **弗瓦迪斯瓦夫二世**(约1351～1434-05-31或06-01,波兰加利西亚勒武夫附近格鲁代克[今乌克兰利沃夫]) Jagiełło(亚盖沃)立陶宛语作Jogaila或Iogaila,英语作Jagiello或Jagello。立陶宛大公(1377～1401,称亚盖沃),波兰国王(1386～1434,称弗瓦迪斯瓦夫二世)。他将两个国家合并起来,使其成为东欧的主要强国。波兰

15世纪上半叶后期石棺上的弗瓦迪斯瓦夫二世雕像
波兰克拉科夫市瓦韦尔国家艺术馆供图

亚盖沃王朝(**Jagiellon dynasty**)的奠基人。立陶宛大公阿尔吉达斯之子,后继父位为大公。当时波兰贵族需要有一个强有力的统治者帮助他们从匈牙利人手中收复领土,就建议亚盖沃同波兰女王雅德维加结婚,并与雅德维加为波兰的同朝国王,条件有二:一是必须使立陶宛人信奉天主教,二是立陶宛要与波兰完全合并。亚盖沃认为这一计划在战略上很有好处,于是双方于1385年在《克赖瓦条约》上签字。1386年2月2日,亚盖沃成为波兰国王;2月15日受洗,成为天主教徒;2月18日同雅德维加结婚,3月4日在克拉科夫加冕。他立即命令立陶宛人改宗天主教。1399年雅德维加死后无嗣,弗瓦迪斯瓦夫成为波兰的唯一君主。1401年订立《维尔纳(维尔纽斯)条约》,他承认堂兄维陶塔斯为立陶宛大公,条件是波兰和立陶宛永久实行共同的外交政策以保证不可分割的联合。在外交方面,他要解决4个主要问题,即:恢复立陶宛和波兰与条顿骑士团对等的地位;遏止鞑靼人的入侵;收回被匈牙利占领的罗塞尼亚;扩大波兰在东南部的影响以反对匈牙利的竞争。由于维陶塔斯的军事支援,他在这几个方面都大有所获。条顿骑士团在一系列战争中连连败北,丧失了在东北欧的领导地位。1399年鞑靼人在沃尔斯克拉河战役后,力量大为削弱。波兰早在1387年就从匈牙利人手中收复了罗塞尼亚,且使摩尔多瓦的王公称臣纳贡。弗瓦迪斯瓦夫在内政方面不太成功。他不遗余力地向立陶宛人推行天主教,但未能使立陶宛并入波兰,只好让维陶塔斯称霸一方。1430年维陶塔斯死后,他仍不能恢复自己在立陶宛的权威。在波兰,贵族集团巩固了自己的地位,弗瓦迪斯瓦夫也未能利用城镇自由民作为与贵族抗衡的砝码。

● Władysław III Warneńczyk **弗瓦迪斯瓦夫三世**(1424-10-31,波兰克拉科夫～1444-11-10,保加利亚瓦尔纳) 波兰国王(1434～1444)、匈牙利国王(1440～1444),试图把奥斯曼土耳其人赶出巴尔干,但未成功。10岁父死,他继承波兰王位,但实权由与其父关系密切的顾问克拉科夫主教Z.奥莱希尼茨基操纵。1440年7月,他在布达登基为匈牙利国王,称乌拉斯洛一世。哈布斯堡国王奥尔伯特的遗孀的支持者们企图控制匈牙利王国,于是爆发了3年的战争。最后,教皇

尤金四世调解双方媾和。1443年他和他在匈牙利的主要支持者亚诺什·匈雅提率4万大军进入巴尔干。1444年7月1日迫使苏丹穆拉德二世订立《塞格德和约》。其中规定:土耳其退出塞尔维亚、阿尔巴尼亚和所占领的匈牙利领土,同时赔款10万金弗罗林。但和约刚刚签订两天,他继续向巴尔干进攻。在瓦尔纳一战,土耳其军重创波、匈联军,他战死沙场。、

● **Władysław IV Vasa　弗瓦迪斯瓦夫四世**(1595-06-09,波兰克拉科夫～1648-05-20,梅雷奇)　波兰国王(1632～1648),致力于医治其父内争外战而留下的创伤,赢得人民爱戴。

供图:Pedzlem rozmatiym

西格蒙特三世之子。在北欧和俄国变乱时期,力求保证波兰的安全。15岁时,波兰军队趁B.戈东诺夫去世后的混乱时期占领了莫斯科,在他父亲的操纵下,使他当选为俄罗斯沙皇,但从未登上莫斯科大公国的宝座。他在青年时代就在对莫斯科大公国的战争(1617～1618)和对奥斯曼帝国的战争(1621)中显露出将才。1632年父死,继承波兰王位。莫斯科大公国的4万名军队乘机包围俄罗斯于1618年割给波兰的斯摩棱斯克城。他于1633年3月率军解围,而后发动攻势,于翌年2月俘获俄国司令官。随后双方签订《波里扬诺夫和约》,沙皇M.罗曼诺夫确认以前割让给波兰的领土,并同意付给20万卢布,以换取弗瓦迪斯瓦夫放弃对沙皇王位的要求。此后,弗瓦迪斯瓦夫移师南下,强迫土耳其人订立协议。其中规定:波兰和奥斯曼保持各自控制的哥萨克和鞑靼,两国对摩尔达维亚和瓦拉几亚共同拥有宗主权。1635年9月他与瑞典签订《斯图姆斯道夫停战协定》。这一协定虽然对他有利,但未能使他重新获得其父得而复失的瑞典王位。1637年与神圣罗马帝国皇帝斐迪南三世之妹奥地利的塞西莉娅·莱娜塔结婚。在哥萨克开始掀起反波兰统治的叛乱时溘然逝世。

Włocławek　弗沃茨瓦韦克　波兰库亚瓦滨海省城市,濒临维斯图拉河。11世纪是库亚维亚主教所在地,为大波兰地区最早发达城镇之一。1256年设镇。天文学家哥白尼1489～1491年在此学习。19世纪在波兰第一家造纸厂和纤维素厂设立后,成为一主要工业城镇。纤维素制造业在第二次世界大战后的几十年里一度繁荣,但20世纪末走向衰落。该地也是农业中心。1968年一个带有水电站的溢流坝在维斯瓦河上建成,人口约121 229(2002)。

Włocławek　弗沃茨瓦韦克　波兰中部省份。1975年设省。面积4 402平方千米。北邻托伦省,东邻切哈努夫省和普沃茨克省,南邻科宁省,西邻彼得哥什省。维斯图拉河自东南至西北流经该省中部。另有鲁杰茨、兹格洛维亚恰和奥赫尼亚河流经。东南部维斯图拉河沿岸有戈斯蒂宁风景区。经济以生产纤维素、化学品、陶器和玻璃为主。全省各地有食品加工和建筑材料厂。省会弗沃茨瓦韦克市临维斯图拉河。其他工业城市有利普诺、雷平和切霍齐内克。人口约415 400(1982)。

WMC　参阅 **World Methodist Council** 世界卫理公会协进会。

WMO　参阅 **World Meteorological Organization** 世界气象组织。

woad(*Isatis tinctoria*)　**菘蓝**　又作dyers-woad(染匠菘蓝)。十字花科二年生或多年生草本植物,曾栽培作为蓝色染料靛蓝的原料,现也栽培观赏。花小,花瓣4枚,黄色,

菘蓝(*Isatis tinctoria*)
供图:Shunji Watari—美国不列颠百科全书公司

簇生成穗,夏季开放。原产于欧亚,已在北美东南部归化。株高可达90厘米,角果簇生,下垂卵形,有翅,含种子1粒。茎生叶多毛,基部箭形;基生叶长,披针形,生有绒毛。干叶研碎再经濡湿并发酵,可制成靛蓝。

Wobasi Khan　渥巴锡汗(1743～1774)　中国厄鲁特蒙古土尔扈特部领袖。土尔扈特部原居中国新疆西北部,17世纪因受准噶尔部压迫和沙俄的威胁,西迁到欧洲伏尔加河下游地区。后俄国势力逼近该地区,以土尔扈特为奴役对象。1761年渥巴锡继立为汗。1771年初决定摆脱俄国羁绊,率领所部离开伏尔加河地区东返。历时8个月行程万里重返祖国故地。出发时有17万人,到达伊犁时只剩下8万人。回中国后受到清政府妥善安

中国大百科全书出版社供图

置。乾隆帝封渥巴锡为卓哩克图汗,意为勇敢的汗。

Wobbly　参阅 **Industrial Workers of the World** 世界产业工人联盟。

Woburn　沃本　美国马萨诸塞州东北部米德尔塞克斯县城市。位于波士顿西北。1642年创建并设镇。1803年通米德尔塞克斯运河。19世纪初经济由农业转为工业,以鞋靴和皮革工业为主。现服务业和商业是城市收入的主要来源。但轻工业也十分重要,生产电子器件、化学药品和食品。该市是著名物理学家B.汤普森爵士的出生地(1753),其故居被辟为博物馆。该市老墓地有4位美国总统(G.克利夫兰、B.哈里森、F.皮尔斯和J.A.加菲尔德)的先人墓地。人口37 809(2003)。

Woburn Abbey　沃本隐修院　英格兰贝德福德郡贝德福德公爵府邸。原为一座中世纪的隐修院,18世纪经两次改建成为府邸。有1 000公顷的园林和大量罕见的飞禽走兽。第13代公爵鉴于须交纳大量遗产税,将园林辟为旅游点,大事宣传并获得成功,20世纪50年代即已全国闻名,60年代声名传及国外。

Wodan(Norse god)　参阅 **Odin** 奥丁。

Wodehouse, Sir P. G.　沃德豪斯(1881-10-15,英格兰萨里吉尔福德～1975-02-14,美国纽约州南安普敦)　英国出生的诙谐小说家、抒情诗人和剧作家。他成功地塑造了吉夫斯

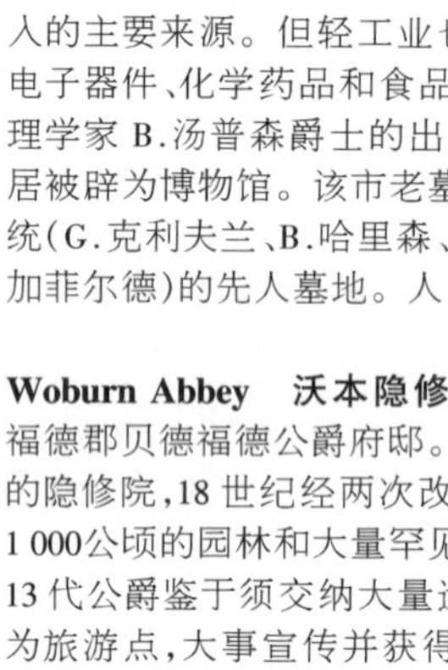

每日电讯报社供图

这个登峰造极的“绅士中的绅士”形象，因而闻名。他一生写了九十多本书，与人合作写了三十多个剧本和音乐喜剧，还创作了二十多个电影脚本。沃德豪斯就读于伦敦的达利奇学院，先在银行工作，后任伦敦《环球报》幽默专栏作家(1902)，并为许多其他出版物撰稿。1909 年后，他曾在美国和法国生活工作多年。1940 年，他在法国为德国军队所俘，战争的大部分时间他被拘留在柏林。1941 年，他从柏林向美国作了 5 次广播讲话，以诙谐的口吻描述他的被俘生涯，巧妙地嘲笑了拘禁他的人。然而他利用敌人提供的广播机会一事在当时事实上处于德国包围之中的英国引起很深的难以消除的反感。战后沃德豪斯在美国定居，于 1955 年入美国籍。沃德豪斯开始写作时写的是公立寄宿中学学生的故事，稍后写轻松的爱情故事。1913 年，《新鲜事》问世，标志着他写闹剧的转变。从此以后，闹剧成为他的专长。他在英语遣词造句方面，有学者的造诣。同时他又好用故意牵强附会的形象比喻和俗话俚语。他的故事都经过精心构思，情节错综复杂。无论其作品在何时出版，它们的英国社会氛围总是爱德华后期的。年轻的未婚男子伍斯特和才智远胜于他的男仆吉夫斯首次出现于《有两只左脚的人》(1917)中。但在《多谢你，吉夫斯》(1971)中，两人仍是书中主角，连他们的年纪也未增加。沃德豪斯在他逝世的 1975 年被封为爵士。

Woden(Norse god) 参阅 **Odin** 奥丁。

Wodonga (Australia) **沃东加** 参阅 **Albury-Wodonga** 奥尔伯里-沃东加。

Wodzisław Śląski 希隆斯克地区沃济斯瓦夫 波兰中南部希隆斯克省城市。地处雷布尼克煤田，捷波边界以北 10 千米、省会卡托维兹市西南 48 千米处。12 世纪时作为手工业和商业中心首见记载。1257 年设市。15 世纪弗朗西斯卡僧侣在波兰统治者赞助下建隐修院和教堂。1875 年由普鲁士统治。1921 年归还波兰。第二次世界大战中大部分工厂被毁。战后重建为波兰中南部工业和运输业中心。经济以采煤、炼焦和食品加工业为主。有数条管道自当地气田向卡托维兹和波兰其他城市输送天然气。随着 20 世纪末的经济结构调整，该地人口减少了一半。人口约49 784(2002)。

Woestijne, Karel van de 武斯泰纳(1878-03-10，比利时根特～1929-08-23，兹韦纳尔德) 佛兰芒语诗人，其作品构成世纪交替时期一个典型人物的象征性自传，这个人物是个力求得到精神解脱的、世故而又厌世的肉欲主义者。武斯泰纳研究过德国哲学，后在布鲁塞尔当记者和政府官员(1907～1920)，从 1920 年起到他去世，一直在根特大学任文学教授。他早期的诗集主要写自己的往事，如《父亲的房子》(1903)写他童年时代，《鸟果园》(1905)写他的青年时代和求爱，以及《金币的影子》(1910)，提及他的婚姻和当父亲。在他的全部作品中有一个固有不变的主题，

供图：Edgar Barbaix, Ghent, Belg.

就是对灵肉冲突的折磨人的意识，这在《流浪汉》(1920)中达到了高峰。他的诗歌由于有力地传达出精神渴望从冲动的欲念中解放出来，因而是欧洲象征主义的最高成就之一。

Woffington, Peg 沃芬顿(约1714，爱尔兰都柏林～1760-03-28，英格兰伦敦) 爱尔兰女演员。因美貌、生动和机智而成为当时著名的戏剧人物之一。幼时同母亲和姐姐一起沿街卖唱，10 岁在《乞丐的歌剧》的少年演出中扮演皮奇姆而首次露面。1732 年首次在伦敦演出。其真正的艺术生涯是从 1737 年在莎士比亚剧《哈姆雷特》中扮演奥菲利娅获得成功后开始的。1740 年她已是都柏林的著名女演员，在法夸尔《招兵官》中扮演的西尔维亚和在《恩爱夫妻》中扮演男角哈里·威尔代尔爵士，深受都柏林观众欢迎。1740 年 11 月当她在科文特加登剧院演出同样角色时，伦敦的观众也报以同样的热情。1740～1746 年在特鲁里街剧院演出范布勒剧中的布鲁特

供图：Mander and Mitchenson Theatre Collection, London

夫人和克拉丽莎以及莎士比亚剧中的罗莎林和福特夫人等角色时又获新的声誉。1742 年她在都柏林同 D.加里克(**Garrick, David**)一起演出。直到 1745 年，加里克都是她生活中最重要的伴侣。但是加里克希望她在自己的指导下扮演主角并成为自己的妻子，而她却不能使自己长期符合他或别的男子的要求。1747～1750 年她在科文特加登剧院扮演的悲剧角色表现出加里克对她教导的成功；1750～1754 年她又在都柏林取得专业成功。作为“牛排俱乐部”的唯一女成员，她以“罕见的聪明女性”受到人们的赞扬。1754～1757 年她在科文特加登剧院重演以前的角色，又创造一些新角色。1756 年她开始生病，1757 年 5 月 3 日扮演罗莎林后退出戏剧舞台。

Wöhler, Friedrich 维勒(1800-07-31，美因河畔法兰克福附近埃舍尔赛姆[德国]～1882-09-23，德国格丁根) 德国化学家。1828 年首次从无机物质合成有机化合物尿素。几乎同时，他还开发了金属铝的制备法。维勒曾就读于法兰克福大学预科，1820 年入马尔堡大学攻读医学。次年他又转学到海德堡，受杰出化学家 L.格麦林影响开始研究化学。1823 年他得到医学学位，但他决定放弃医学，1823～1824 年在斯德哥尔摩跟随欧洲化学大师 J.J.贝采利乌斯从事化学研究。他不仅掌握了技术，还致力于研究新元素。其间，他与贝采利乌斯建立了深厚的友谊。不久，他又把贝采利乌斯的许多论文和教科书译成德文。1825年返德，在柏林市立技术学校教化

贝特曼档案馆供图

学，直至1831年。1828年他从一种叫氰酸铵的无机化合物合成了尿素，而过去认为只能由动物生成。这一成就受到老一辈科学史家们的赞赏，认为是推翻生命力学说的重要一步，该学说认为有一种特殊的生命力控制着生命过程。大概在合成尿素的同时，他又研究出小规模制备金属铝的方法，这方法后来发展为工业规模的生产。1831 年到卡塞尔技术学校任教。好友 J. von 李比希建议在研究上进行合作，共同研究了苦杏仁油(苯醛)的化学成分。从研究中产生了基团理论，第次尝试推断有机化合物的结构。1836 年任格丁根大学化学教授，直至去世。在此期间他继续研究无机和有机化学，他分离出多种元素和新矿物质。研究了在生理学上很重要的化合物，如尿酸和可卡因，并与李比希继续合作。1850 年之后越来越多的学生慕名来到格丁根，这不仅由于其实验室的声誉，同时也由于维勒的个人高尚品德所致。他是一位出色的教师，忠诚于教育事业。维勒编过许多有机化学、无机化学和分析化学的重要教科书。他是当时主要化学刊物《李比希化学年鉴》的编辑之一。他几乎被各科学协会聘为名誉会员，并获得过许多勋章和奖章。

Wohlgemuth, Michael 沃尔格穆特(1434～1519) Wohlgemuth又拼Wolgemut。纽伦堡15世纪末晚期哥特式风格的主要画家。所作一批大幅祭坛画有大量雕刻和镀金，此外还作有肖像画和书籍插图。施特劳宾圣雅各教堂的祭坛画据传是其创作活动(约 1475～1476)的开始。其技艺精湛，使15世纪早期的尼德

沃尔格穆特绘《基督复活》(约 1475 ~ 1476)
供图:Marburg—Art Resource/美国不列颠百科全书公司

兰风格适应了德国人的艺术趣味。

Wojciechowski, Stanisław 沃伊切霍夫斯基(1869-03-15,俄罗斯帝国波兰卡利什～1953-04-09,波兰戈拉伯基) 第一次世界大战前波兰为脱离俄国争取独立斗争的领导人之一,独立后曾任第二届总统(1922 ～ 1926)。在华沙大学求学时,曾参加争取独立的一支主要力量——波兰社会主义运动。1891 年被捕,一年后获释,先去巴黎后转伦敦,在英国协助出版波兰社会主义刊物《黎明》,并结识波兰民族主义领袖 J. 毕苏斯基。他也研究合作运动。1906 年回波兰后,从事发展合作社的工作。第一次世界大战中,他把德国视

供图:S. Kirkor, London

为波兰最大的敌人。1915 年去莫斯科,1917 年在那里被选为波兰党派联盟会议主席。战争结束后回华沙,从 1919 年 1 月到翌年 7 月担任新波兰共和国 3 届不同内阁的内政部长。1922 年 11 月以波兰农民党员的身份当选为议员。同年 12 月 G. 纳罗托维奇总统被刺后,他当选为总统。在新政府中,他和军事参谋长毕苏斯基在国家应采取何种方向问题上意见分歧,他主张继续实行议会政府,而毕苏斯基则主张更加独裁的办法。1926 年 5 月,毕苏斯基发动政变,他就此下野。

wok 炒锅 烹饪用薄壁锅。外形如浅碗,带手柄,广泛用于中国式烹饪。锅的圆底可聚集热量,用少量油很快地烹调食品。烹调中可将烹调过食物挪到锅的斜边上保温,同时将其他食物在锅底烹调。炒锅是为节约稀少的燃料而发明的,通常用铁、碳钢、铜或铝制造。锅直径 10 ～ 32 英寸,家用锅平均为 12 ～ 14 英寸。在中国已有3 000年的历史,适合于各种烹饪方法,其中包括炒、炸、煮、燉。炒锅加上笼屉和锅盖就转变为蒸锅。炒锅在中国原为木柴、木炭灶而设计,在西方可在煤气灶或电炉上加金属圈承架,防止倾斜。

Wokha 沃卡 印度东北部那加兰邦沃卡县县城、城镇。位于科希马北面 80 千米,沃卡山山麓。现人口稀少。沃卡县面积1 600平方千米,地势崎岖,林木茂密。农业为主要行业。居民多数为罗塔族,大都从事轮作种植业。农作物有水稻、棉花、姜、辣椒、南瓜、西瓜、薯蓣、马铃薯和小米。养牛、养蜂、养禽占重要地位。家庭手工业有织布、制陶、铁铺、染色、藤木器、木雕和肥皂制造等。有碾米加工和一个印刷厂。边境筑路部队在该县修筑了许多条公路。人口:城镇8 180;县57 583(1981)。

Woking 沃金 英格兰萨里行政、历史郡一区。位于伦敦西南 40 千米处。面积 64 平方千米。建成通往伦敦的铁路(1838)后,发展为居住城镇,景色宜人,附近有石南丛生的荒地和松林。当地的清真寺(1889)和英格兰第一个火葬场(1885)很著名。是重要购物中心,有轻工业。人口约91 800(1998)。

Wokingham 沃金厄姆 英格兰伯克地理郡、历史郡一城镇和单一政区。位于伦敦西面 53 千米处。面积 179 平方千米。沃金厄姆镇在温莎皇家森林内,1219 年获准设市场,1583 年获特许状。镇西南的砖瓦厂曾十分活跃,现机械工业和软件业是主要的经济活动。该城镇是到雷丁和布拉克内尔上班的人们的住宅区。面积:单一政区 179 平方千米。人口:城镇 38 063(1991);单一政区约 145 300(1998)。

Wolcot, John 沃尔科特 参阅 **Pindar, Peter** 平德尔。

Wolcott, Oliver 沃尔科特(1726-11-20,康涅狄格温莎～1797-12-01,美国康涅狄格利奇菲尔德) 美国官员,曾签署《独立宣言》(1776),参与同易洛魁人谈判并达成协议(1784)。出身康涅狄格世家,其父 R. 沃尔科特曾任殖民总督(1750～1754)。他最初于利

耶鲁大学美术陈列馆供图

奇菲尔德县当律师,后历任当地行政司法官(1751)、康涅狄格议会议员(1771 ～ 1786)、费城大陆会议代表。独立战争爆发后签署《独立宣言》,旋返故乡成立本州民军,并率民军参与纽约市保卫战(1776-08)。翌年组织更多的康涅狄格州志愿军参加攻打 J. 伯戈因将军的战役。1779 年指挥大陆军抗击英军入侵康涅狄格州。1775 年出任北部印第安事务专员。战后帮助谈判第二个《斯坦尼克斯堡条约》。后任康涅狄格州副州长(1787 ～ 1796)、州长(1796 ～ 1797)以及批准新联邦宪法的康涅狄格州代表大会的代表。

Wolcott, Roger 沃尔科特(1679-01-04,康涅狄格温莎～ 1767-05-17,东温莎) 英属美洲殖民地法官、军官、康涅狄格总督。原为服装店学徒。1707 年任温莎镇管理委员会委员。1709 年获得律师资格,当选为康涅狄格州议会议员。1710 年任治安官。1720 年任哈特福德县法官。1732 年任哈特福德最高法院法官、该院首席法官。1710 ～ 1711 年还担任立法议会秘书。1741 年当选副总督。1750 年当选总督,任职 4 年。他还是处理边境纠纷、印第安人事务、货币发行和法典修订的殖民地委员会的重要成员。在军队中,他于 1739 年晋升上校,任康涅狄格第一团团长。1745 年晋级少将。在攻占法国人的路易斯堡时,他任远征军副司令。他还是富有的农场主和诗人。1725 年出版了康涅狄格第一本诗集。

wolf 狼 犬科,野生犬形食肉动物。灰狼(林狼,*Canis lupus*)是最著名的种,生活在开阔地区及多林地带,曾分布于整个北美洲和欧亚大陆。在很多分布区已被消灭,现大多

雄性灰狼(*Canis lupus*)
供图:John H. Gerard

分布于亚洲和北美洲从阿拉斯加到北部平原各州。在很多地区其数量正在减少。灰狼头宽,四肢有力,脚大,胸高而窄。与体型较小的丛林狼相比,灰狼耳较短,鼻垫更阔,跑时尾耸立。除某些家犬品种外,是现有最大的犬科动物。分布北方的雄体形大,连同长 50 厘米的尾在内,全长 2 米左右,重约 45 ～ 55 千克。雌小于雄。南方亚种小于北方亚种。灰狼毛密长而柔软,多为灰色,也可能褐色、浅红色、黑色或灰白色。生性聪明,群居。为印第安人所赞赏。常数只至 20 多只成群,据

认为雌雄终生配对。以许多动物，包括鼠、兔和鸟类为食，主要猎物是体形更大的草食动物，如鹿、驼鹿和北美驯鹿，潜随追猎以捕获这些动物。有食物时就饱食一顿，只剩下毛和骨。灰狼掠食不适于生存的个体，从而有利于控制大型草食动物的数量，但不幸的是因伤害家畜，所以被人杀害。灰狼在 2 ～ 3 龄性成熟时或性成熟后，仍生活于家族群中。12 月至翌年 4 月交配，妊娠期 63 天，一窝 4 ～14 仔。家族群中的每个成员都相互友好，但很少接受外来的个体。所有成员都非常关怀幼狼。红狼（*C. rufus*）是美国中南部的一种黄褐、浅红或黑色的犬科动物。以前称为黑狼（*C. niger*），但可能不是不同于灰狼和丛林狼的独特的种。体长 105 ～ 125 厘米，尾长 33 ～ 43 厘米，体重 14 ～ 37 千克。已濒于绝灭，在 70 年代总数不到 100 只。恐狼（*C. dirus*）为已知最大的狼，在更新世是西北美洲常见的种，比现代的灰狼大一半。**丛林狼（coyote）**是北美犬科动物，或称草原狼、薮狼。其他叫做狼但又不属于犬属（*Canis*）的有以下几种：**鬃狼（maned wolf）**、**土狼（aardwolf）**、**袋狼（Tasmanian wolf）**。南极狼现已绝灭，这种狼实为福克兰群岛的**南美狐（South American fox）**。

Wolf, Christian, Freiherr von 参阅 **Wolff, Christian, Freiherr von 沃尔弗**。

Wolf, Friedrich August 沃尔夫（1759-02-15，勃兰登堡邻近北豪森的哈根洛德～ 1824-08-08，马赛） 德国古典学者，学术界公认为现代语文学的奠基人，但使他享有盛名的则是他的《荷马引论》（1795），此书首次提出了现代形式的“荷马问题”。沃尔夫极为早熟，儿童时代就学习了希腊语、拉丁语和法语。此后主要通过自修于 1777 年考入格丁根大学，成为该校攻读语文学的第一个学生，当时语文学还只是神学的一个小小分支学科。1783 ～ 1806 年沃尔夫任哈雷大学教授时，把语文学提高为一门独立学科，而他的热情的演讲曾激励了整整一代学者。虽然对于荷马史诗的作者问题自古以来就有人怀疑过，但只有沃尔夫的《引论》才动摇了学者们的看法，使他们不再承认这位古代盲歌手就是《伊利亚特》和《奥德赛》的唯一作者。沃尔夫的理论认为，两诗是由多数作者口述，后来才从艺术上加以统一的。这一理论为现代人开拓了理解史诗传统和诗歌起源的道路。

Wolf, Hugo（Philipp Jakob） 沃尔夫（1860-03-13，奥地利温迪施格雷茨［今在斯洛文尼亚斯洛文尼格拉代茨］～ 1903-02-22，维也纳） 作曲家，他把 19 世纪德国利德（艺术歌曲）提高到发展的顶峰。曾就学于维也纳音乐学院（1875 ～ 1877），性情暴躁、喜怒无常，一次因直率批评老师被学校开除。1875年与作曲家 R. 瓦格纳相识，并受到他的鼓励。1879 年与 J. 勃拉姆斯邂逅，也受到鼓励，勃拉姆斯劝他开阔音乐视野与事业。年轻时即与 G. 马勒相交往。19 世纪 70 年代后期显然传染上梅毒。在疾病不断复发时，他情绪极度沮丧，不能作曲；但病情缓和时他又会兴高采烈，下笔似有神。1883 年成为《维也纳沙龙报》音乐评论员，每周一篇评论对当时维也纳音乐界加以鞭辟入里的剖析。所作早期歌曲有一些是为歌德、N. 莱瑙、海涅和 J. 冯·艾兴多夫的诗

供图：Osterreichische Nationalbibliothek, Vienna

谱曲。1883年开始谱写取材于 H. 冯·克莱斯特悲剧的交响诗《彭特西里阿》。1888 年起，为歌德、E. F. 默里克等人的诗谱写了大量歌曲。根据 P. J. L. 冯·海泽和 E. 冯·盖贝尔诗而作的《西班牙歌曲集》于 1891 年问世，接着《意大利歌曲集》出版（第一卷 1892；第二卷 1896）。另外还根据易卜生和米开朗琪罗的诗而创作一些声乐套曲。第一部歌剧《长官》（1895）取材于阿拉尔孔的小说，1896 年在曼海姆首演失败，修改后于 1898 年在斯特拉斯堡上演。第二部歌剧《马努埃尔·费纳加斯》亦取材于阿拉尔孔作品，但未完成。由于他作为歌曲作曲家名噪一时，他在世时，柏林和维也纳就建立沃尔夫协会。他收入甚微，靠友人慷慨解囊度日。1897 年因为严重的精神失常和麻痹性痴呆的征兆住进精神病院。沃尔夫作有歌曲约 300 首，其中许多歌曲在他去世后出版。成熟时期的作品极富独创性，采用德国艺术歌曲的最优秀传统。他创作声乐旋律线相当出色，能把所谱诗句的细腻感情变化丝丝入扣地表现出来。所作歌曲气氛从温柔的含情脉脉到讽刺幽默到刻骨铭心的精神痛苦，应有尽有。声乐旋律线与钢琴伴奏中匠心独运的动人和声巧妙结合，形成他所特有的音乐与语言的融合。器乐作品更多地以其蕴含的思想而不是以其写作技巧而引人入胜，其中包括根据 1887 年的弦乐四重奏小夜曲改编而成的管弦乐《意大利小夜曲》（1892）。

Wolf, Max 沃尔夫（1863-06-21，巴登海德堡［德国］～ 1932-10-03，海德堡） 德国天文学家。曾用照相法搜寻小行星，发现了228颗。

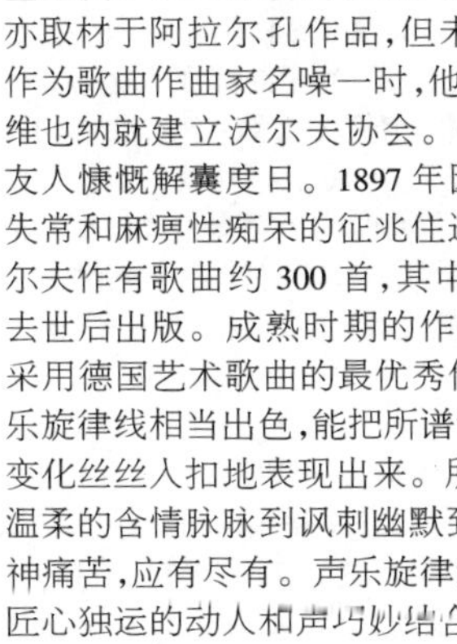

供图：Archiv fur Kunst und Geschichte, Berlin

他早年就已对天文学发生兴趣。21 岁时就已发现一颗现以他的姓氏命名的彗星。1890 年被任命为海德堡大学天文学试用教授。一年后，他在一架电机驱动的望远镜上安装了照相机，以搜寻小行星（在此之前，小行星都是通过观测逐个发现的）。沃尔夫指出，运动较快的小行星在长时间曝光的底片上会形成短线而不是光点，光点则是恒星。1893 年，他成为新柯尼希施图尔山天文台的台长并兼任海德堡大学天体物理学特聘教授。9 年后被选为海德堡大学天文学教授。通过照相研究，他确认银河系内有星际物质暗云。他率先使用体视比较仪，极大促进了在照相底片上发现和认证变星或移动天体的方法。1906 年，他发现第一颗特罗央群小行星阿基里斯。特罗央群小行星是两群在木星轨道上绕太阳运转的小行星：一群在木星之前 60°，另一群在木星之后 60°。

Wolf,（Johann）Rudolf 沃尔夫（1816-07-07，瑞士苏黎世附近的法伦登～ 1893-12-06，苏黎世） 瑞士天文学家和天文史学家。沃尔夫曾就读于苏黎世大学、维也纳大学和柏林大学，1839 年任教于伯尔尼大学，为数学和物理学教师，1844 年，任该校天文学教授。1855 年，任苏黎世大学和苏黎世联邦理工学院天文学教授。在他倡导下，于 1864 年建成苏黎世天文台。沃尔夫证实 S. H. 施瓦贝发现的太阳黑子活动周期，并利用历史记录资料更为精确地测定周期长度的平均值为 11 年。沃尔夫还将太阳活动周期和 J. 冯·拉蒙特的地磁观测资料相联系。1849 年，他发明一种根据黑子和黑子群的计数来测定太阳活动盛衰的方法，这就是迄今仍在使用的沃尔夫太阳黑子数法。

Wolf Creek Crater 沃尔夫克里克陨石坑 澳大利亚的大陨石坑。位于西澳大利亚州霍尔斯克里克以南 105 千米处。直径 853 米，深 46 米，边沿高出地面 18 ～ 30 米。只发现陨石碎片。为陨石爆炸形成的陨石坑。

Wolf-Ferrari, Ermanno 沃尔夫-费拉里（1876-01-12，意大利威尼斯～ 1948-01-21，威尼斯） 意大利歌剧作曲家，遵循喜剧与现实主义传统。曾去慕尼黑学习音乐，后来返回威尼斯，于 1902 年任马尔切罗学院院长。写过意大利语歌剧，但他更多表现出日耳曼人的气质，而且他的大多数作品都在德国上演。最成功的喜歌剧《为父亲们开设的学校》（1906）和《苏撒拿的秘密》（1909）表现了 18 世纪风格，但却以 20 世纪手法配器。在《狡猾》（1927）和他唯一的悲歌剧《圣母的珠宝》（1911）中他受到马斯卡尼的真实主义风格的影响。也写过室内乐、器乐和管弦乐作品，以及一部小提琴协奏曲。

wolf herring（*Chirocentrus dorab*） **狼鲱** 即宝刀鱼。鲱形目宝刀鱼科的纯海水鱼，见于印度洋及日本至澳大利亚东部的西太平洋。狼鲱为肉食性，攻击并掠食其他鱼类，这不同于以浮游生物为食的其他鲱类。两颌具大牙，以捕捉并咬紧猎获物。外观同鲱科鱼

类相似,体长形,银色,尾鳍叉状。体型较大,平均长约1.5米,最大3米以上。具掠食习性,可侵害很多种鱼类。

Wolf-Rayet star 沃尔夫-拉叶星 一类温度很高并有特殊光谱的白色恒星,它们的内部有的具有巨大湍流,有的则持续地抛射大量物质。典型的沃尔夫-拉叶星的直径比太阳大几倍,光度比太阳高几千倍。现已观测到几百颗这类恒星,大部分分布在银河系旋臂中。1867年,法国天文学家沃尔夫和拉叶首先区分出这类恒星,因而得名。

wolf snake 狼蛇 游蛇科无毒蛇类,因上下颌前端的牙齿特长而得名。东南亚的狼蛇划为阔突蛇属(*Cercaspis*)和白环蛇属(*Lycodon*),非洲的狼蛇则划为狼蛇属(*Lycophidion*)。好望角狼蛇(*Lycophidion capense*)广布埃及至南非一带。体小,黄褐色,带有金属样的光泽,主要捕食蜥蜴。印度狼蛇(*L. aulicus*)分布在东南亚,体小,褐色,夜间活动,捕食小鼠、壁虎和蜥蜴。

wolf spider 狼蛛 又作ground spider(地蛛)或hunting spider(猎蛛)。蜘蛛目狼蛛科动物,是一个广分布的大类群。因像狼那样追赶并扑上抓住食物而得名。中到小型,

狼蛛(*Lycosa*)

供图:Anthony Bannister from the Natural History Photographic Agency—美国不列颠百科全书公司

最大的长2.5厘米,步足长度与此相若。多数深褐色。从眼的排列可以鉴别:最下一列四个小眼,中列有两个大眼,上列有两只小或中等大的眼。螯肢强壮。体长而宽,被毛。腿长而粗壮。行走快。常在草中、石和木头下或落叶层中,夜间或阴天尤其活跃。卵藏在灰色的卵袋中,卵袋附在雌蛛纺器上,像拖着一个球。幼蛛孵出后爬在雌蛛背上数天。多数种类在地下打洞,衬以丝管。有的用垃圾等隐蔽洞口;还有的在洞上方筑一个角楼样的结构。少数种类织网。水盗蛛属(*Pirata*)常见于池塘或溪流边,头胸部背面有V形色较浅的斑,腹部有人字形斑纹和成对的黄点。豹蛛属(*Pardosa*)的种类(细腿狼蛛)步足相对较长,"脚"上有长刺;卵袋浅绿色或灰色,形似透镜。地狼蛛属(*Geolycosa*)的种类(挖穴狼蛛)大部分时间在洞内,前足发达,能掘土。狼蛛属(*Lycosa*)是一个大属,包括本科大多数体型最大的种类,如欧洲南部的塔兰托狼蛛(参阅**tarantula**)。

Wolfcampian Stage 狼营阶 美国下二叠统地层最下面的一个阶,尤其在美国西南部发育良好(二叠纪开始于大约2.8亿年前,延续约0.55亿年)。该阶得名于得克萨斯州格拉斯山脉中的狼营山。65千米的露头平行于早二叠世海岸线。本阶的厚度变化大,岩相关系复杂;其中粗粒灰岩砾岩在侧向上渐变成页岩,在惠科山脉成比较均匀的互层,灰岩同惠科组页岩成互层。狼营阶富产蜓类动物群。特征动物有假希瓦格蜓(*Pseudoschwagerina*)。根据这种动物化石可以将本阶与其他地方的岩层作对比。

Wolfdietrich 沃尔夫狄特里希 日耳曼传奇故事中的英雄,在中古高地德语诗《英雄集》中的《奥尔特尼特》和《沃尔夫狄特里希》里,他是君士坦丁堡皇帝胡格狄特里希的儿子。其父错认他为私生子,将他遗弃,皇帝的忠实侍臣贝尔希通·冯·梅兰却把他抚养成人。贝尔希通和他的16个儿子都支持沃尔夫狄特里希,后者在其父去世后,被自己的兄弟从他的继承产业上赶走。这个英雄长期流亡在伦巴第奥尔特尼特王的宫廷里,后回国解救被关押的贝尔希通诸子,并恢复自己的王国。

Wolfe, Charles 沃尔夫(1791-12-14,都柏林～1823-02-21,爱尔兰科克郡昆斯敦) 爱尔兰诗人和牧师。所写《约翰·穆尔爵士的葬礼》(1817)是为纪念半岛战争中科鲁尼亚(西班牙拉科鲁尼亚)战役的英军司令而写,为最著名的英语挽歌之一。曾就读于都柏林三一学院,1817年被授予神职,任蒂龙郡教区牧师。

Wolfe, James 沃尔夫(1727-01-02,英格兰肯特韦斯特勒姆～1759-09-13,魁北克) 从法国人手中夺取魁北克时的英军司令官。此役使英军在加拿大占据优势地位。将门出

伦敦国立肖像画陈列馆供图

身。1741年任皇家海军陆战队军官,但不久即调到第12步兵团,屡立军功。1758年在J.阿默斯特少将手下任旅长,远征法国人占据的布雷顿角岛。攻克岛上要塞路易斯堡主要是他的功劳。后回国养病。1759年任远征魁北克的司令官,重返美洲。先攻该城以东的博波特海岸,不克。乃突袭该城上部附近的亚伯拉罕平原上的法军。9月13日法军溃逃。沃尔夫负伤3次,得知陷城后死去。

Wolfe, Thomas (Clayton) 沃尔夫(1900-10-03,美国北卡罗来纳阿什维尔～1938-09-15,巴尔的摩) 美国作家,以第一部小说《向家乡看吧,安琪儿》(1929)闻名。其父是雕石

供图:Charles Scribner's Sons

匠,其母出身于北卡罗来纳州名门。沃尔夫幼时受私人教育,1916年进北卡罗来纳大学,在学校里创作并演出过几出独幕剧。1920年加入哈佛的G.P.贝克的第47戏剧创作班学习,想成为一名剧作家。他有几个剧本曾在哈佛上演,包括《欢迎来到我们城市》(1923)。他在哈佛还开始创作《礼貌之家》(1948年出版,生前未上演)。1957年,《向家乡看吧,安琪儿》成功地改编成剧本在百老汇上演。沃尔夫于1923年离开哈佛到纽约,除去欧洲及其他地方游行外,从此一生大部时间住在该城。他的一些故事,著名的有《只有死人才了解布鲁克林》,包含他对城市生活的观察。因仍然希望成为剧作家,曾在纽约大学的华盛顿广场学院任教。他在几部小说里描写过这段经历。1926年他在国外时就开始写作后来的《向家乡看吧,安琪儿》,书中回顾了自传式的主角尤金·甘特在山城阿尔塔蒙特的成长,出版后在阿什维尔受到热烈赞赏。遂不再教书而全力写作,1935与1936年分别出版了《时间与河流》和《一部小说的故事》。此后在生前未出版过其他小说,但去世时却留下大量手稿。编辑E.阿斯韦尔从中选录整理出两部长篇《罗网与磐石》(1939)和《你不可能再回家》(1940)、一部短篇小说集和一部未完成的小说《远山》的部分章节(1941)。沃尔夫的《给他母亲的信》(1943)以及《书信选》(1956)也都先后出版。他的大量文稿保存在哈佛大学。

Wolfenbüttel 沃尔芬比特尔 德国西北部下萨克森州城市。位于布伦瑞克南面,濒临奥克河。1118年首见记载。以一座城堡为中心发展起来,该城堡约1283年成为韦尔夫家族喜爱的驻地。1540年设建制。老城有许多文艺复兴和巴罗克风格的半露木架结构建筑,如18世纪评论家、戏剧家G.莱辛的故居。奥古斯特公爵图书馆收藏有珍贵的中世纪手稿。工业有罐头、农业机械、化工和乐器制造。人口约53 622(1995)。

Wolfenden Report 沃尔芬登报告 1957年英国同性恋犯罪和卖淫问题研究委员会发

表的研究报告，建议制定法律以约束性行为。该报告利用精神分析和社会科学的研究成果，极力主张公共法规应避免试图通过立法来建立道德风尚，并认为公共法规应加过问的仅仅是那些有伤风化或破坏社会秩序的性行为。因此，该委员会建议，在达到承诺年龄的成人之间的同性恋行为不宜纳入刑法的范围。贯彻上述建议的立法体现在 1967 年制定的《性犯罪惩治法》中。

Wolff, Betje　沃尔夫（1738-07-24，荷兰弗利辛恩～1804-11-05，海牙）　荷兰女作家。曾与 A.代肯（**Deken, Aagje**）合著荷兰第一部长篇小说《萨拉·比尔格哈特小姐传》（1782）。

供图：Iconographisch Bureau, the Hague

出身于富有家庭，17 岁时随一名海军军官私奔，几天后即返家，这一经历使她心灵深受创伤。1759 年，她再嫁给比她大 30 多岁的牧师 A.沃尔夫。她的最初之作只是些模仿 A.蒲柏的古典诗歌；也写过一些抒情诗和讽刺诗。大多数讽刺诗针对她周围保守、偏狭的人们。1767～1769 年，沃尔夫为杂志《格里扎尔德》撰稿。1776 年与代肯结识时，她已是一个知名和引起广泛评论的作家。丈夫死后，她与代肯同住一栋房子。5 年后，书信体长篇小说《萨拉·比尔格哈特小姐传》问世。它是一部对人物性格作了精心描绘的现实主义作品，此书获得成功后，两人继续合作，又创作了 3 部书信体长篇小说及其他作品。

Wolff, Christian, Freiherr von　沃尔弗（1679-01-24，西里西亚布雷斯劳～1754-04-09，普鲁士哈雷）　Wolff 又拼 Wolf。德国哲学家、数学家和科学家，对多种学科作过研究，但他作为德国启蒙运动（18 世纪以理性主义为特征的哲学运动）的代言人而出名。他就学于布雷斯劳、耶拿和莱比锡各大学，是哲学家和数学家G.W.莱布尼兹的学生。1707

供图：Archiv fur Kunst und Geschichte, Berlin

年由于莱布尼兹的推荐，他任哈雷大学数学教授。1723 年因与虔信派教徒的神学辩论而被开除。1723～1740 年任马尔堡大学数学和哲学教授。担任彼得大帝科学顾问期间（1716～1725），曾促成俄国圣彼得堡科学院的建立。后应普鲁士国王腓特烈二世（大帝）之请担任哈雷大学校长（1741～1754）。沃尔弗写成哲学、神学、心理学、植物学和物理学方面的许多著作，还把英法启蒙时期以及莱布尼兹和笛卡儿的合理思想应用于阐述自己的哲学体系，即沃尔弗哲学。唯理论和数学的方法论是这一哲学的精髓所在，它在德国哲学思想的发展中是一支重要的力量。

Wolff, Magda　沃尔夫　参阅 **Lupescu, Magda** *卢佩斯库*。

Wolffian duct　沃尔夫氏管　又称原肾管。将尿液从胚期肾脏输送到体外或原始尿囊的导管。共一对。雄性两栖动物的精液亦通过沃尔夫氏管排出。有些种类的沃尔夫氏管既输送尿，也输送精液，但在大多数两栖类则发育出分开的管子来从肾输送尿液。在高等脊椎动物，沃尔夫氏管伴随胚期肾脏一同发育，但最终的肾脏则经过输尿管排尿，沃尔夫氏管则发育为雄性生殖系统的一部分，如附睾及输精管。

wolffish　狼鳚　鲈形目狼鳚科9种分布于北大西洋与北太平洋的大型长体鳚的统称。体型远大于大多数其他鳚类。最大的种可长约2.3米。头大，体长而后端渐细，沿背缘有

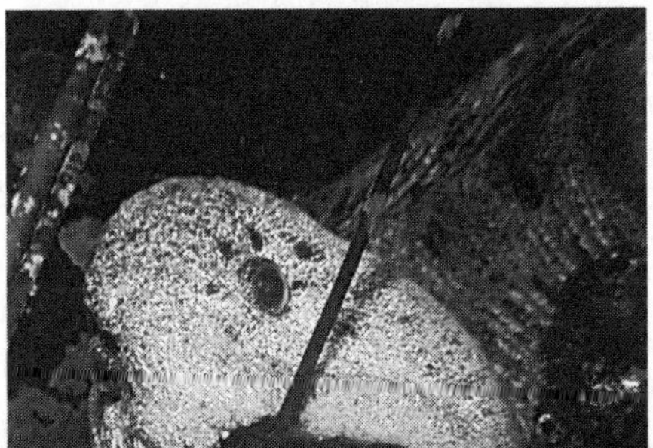

东太平洋种狼鳗鳚（*Anarhichthys ocellatus*）

供图：Douglas Faulkner

一长背鳍。牙齿令人生畏，包括大的犬牙和坚硬的磨牙，能咬食蟹、海星、海胆及其他猎物。狼鳚分布于从海岸线到深 300 米以下的海域。在欧洲称为 catfish。在欧、美都是食用鱼类。种类有身体具垂直带纹的北大西洋狼鳚（*Anarhichas lupus*），身体有斑点的另一北大西洋种小狼鳚（*A. minor*），以及身体有黑斑的东太平洋种狼鳗鳚（*Anarhichthys ocellatus*）。

Wölfflin, Heinrich　沃尔夫林（1864-06-21，瑞士巴塞尔～1945-07-19，巴塞尔）　美学家，那个时代最重要的艺术史学家，其著作均用德文写成。曾在巴塞尔、柏林和慕尼黑等地的大学求学。在其博士论文《建筑心理学引论》（1886）中已提出他后来加以发展和完善的一种方法，即以对创造过程的心理解释为基础的一种对形式的分析。特别在有关文艺复兴时期和巴罗克时期的著作以及有关丢勒的著作中，如在《文艺复兴与巴罗克》（1888）、《古典艺术》（1899）、《意大利文艺复兴的艺术》（1913）、《阿尔布雷希特·丢勒的艺术》（1905）等书中，他使用了这一方法。他的主要著作《艺术史原理》（1915）在艺术批判中占十分重要的地位，此书将他的思想综合成一个完整的美学体系。他以他的老师 J.布克哈特的美学理论，特别是其艺术的“等值”理论（根据这一理论，看得到的和理想的价值被认为是可以互换的）为出发点，引申出“直观形式”的概念——按照特定时期通用的方式对一幅图画进行形式处理。他的学派又从这里引申出一个“预想”理论，而用直观形式包括所有类型的艺术准备，不管涉及的是形式还是内容。因此他所提出的这个体系也可用于现代抽象艺术。曾在巴塞尔（1893～1901）、柏林（1901～1912）、慕尼黑（1912～1924）和苏黎世（1924～1934）等地的大学担任教授。长期的教学工作使他的思想得到广泛传播。

Wolfgang, Marvin　沃尔夫冈（1924-11-14，美国宾夕法尼亚米勒斯堡～1998-04-12，宾夕法尼亚费城）　美国犯罪学家，《英国犯罪学杂志》称其为“英语世界最具影响力的犯罪学家”。曾就读于宾夕法尼亚大学，1950 年获得硕士学位，1955 年获得博士学位。1952 年正式成为宾夕法尼亚大学的教员，并继续在该校执教直到去世。曾在多个全国委员会任职，包括总统防范暴力委员会（1968～1969，任该委员会的研究主任）和全国扫黄委员会（1968～1970）。在《犯罪杀人模式》（1958）一书中，他分析了费城近 600 名杀人犯，并得出结论：下层社会中许多杀人事件起因于琐事争吵和侮辱，其中因受害者激事就占了 1/4 以上。在《暴力的亚文化群：关于综合的犯罪学理论》（1967）一书中，他与合著者 F.费拉卡迪认为此种行为是暴力的亚文化群的产物，在这种文化中每个争执的人都认为另一方将使用暴力。该研究结果很快提出建议，通过分散低收入住房驱散亚文化群。当这一理论被用于解释非洲裔美国人和南部白人男性当中的暴力行为高发率时，引起极大争议。通过与 R.菲廖和 J.T.塞林合作撰写《出生组群中的违法行为》（1972）一书，他发现半数的犯罪行为和近 3/4 的严重犯罪行为都是由一小部分惯犯所为，这一发现影响到世界各地的刑事司法制度。许多司法权对沃尔夫冈的研究作出的反应是通过了所谓的“三振出局”法律，即三次犯有重罪的人就要被判终身监禁。他的研究成果，即美国的穷人、年轻人和非洲裔美国人被判死刑的人数不成比例，被最高法院引用在 1972 年的重要判决 F.乔治案中，宣布现行的死刑法律违宪，这是他所期待的事实，他本人就是死刑的反对者。沃尔夫冈著有 30 多部书。生前得到多项荣誉，其中包

括美国刑法学协会的萨瑟兰奖，来自德国、奥地利、瑞士刑法学协会的贝卡里亚金质奖章，以及全国犯罪与少年犯罪理事会的庞德奖。他曾为来自世界各地近百名的博士生提过建议，其中许多人成为重要的刑法学家。

wolfram 参阅 **tungsten 钨**。

Wolfram VON ESCHENBACH **沃尔夫拉姆·冯·埃申巴赫**（约1170～约1220） 德国诗人。他的史诗《帕尔齐法尔》是中世纪最深刻的文学作品之一，其中道德的崇高和想象力都同样突出。原是一个破落的巴伐利亚骑士，似乎曾经为许多法兰克尼亚领主效过劳。他也熟悉图林根伯爵赫尔曼一世的宫廷，在那里，他会见过伟大的中世纪抒情诗人瓦尔特·冯·德尔·福格威德。他虽然自称未受过教育，但却表现出对法国文学和德国文学十分熟悉。至今尚存的文学作品全都表现出他那种非凡的独特人格，共有抒情诗 8 首，主要为《破晓歌》，描写情人在早晨的离别；史诗《帕尔齐法尔》；未完成的史诗《威廉》，讲述十字军战士纪尧姆·德·奥朗日的传略；以及另一史诗，即所谓《蒂图埃尔》的短小片段，该史诗详述了出自《帕尔齐法尔》第三部西贡纳的悲剧爱情故事。《帕尔齐法尔》是一首长诗，分 16 部，共25 000行，约写于 1200～1210 年之间，是根据克雷蒂安·德·特罗亚未完成的骑士故事

海德堡手抄卷里细密画中的沃尔夫拉姆·冯·埃申巴赫画像
海德堡大学图书馆供图

《帕尔齐法尔，或圣杯的故事》写成的，它的开头和结尾都是新材料，他推说这些材料来自一个未经查明、很可能是虚构的普罗旺斯诗人吉奥，其实也许就是沃尔夫拉姆自己编造的。这个故事采用古典神话故事"正直的笨伯"为题材，叙述笨人帕尔齐法尔连自己的名字都不知道就出门去冒险，由于他的天真和朴实却达到了聪明人所达不到的目的。沃尔夫拉姆利用帕尔齐法尔从神话故事中的笨伯发展成为聪明而又肯于负责的圣杯守卫者这一奇异过程，对人的精神教育作了一个巧妙的讽喻。沃尔夫拉姆的深刻主题与他的语言词藻夸张、繁复、难读很相衬，他的思路也很独特，以致到了晦涩难懂的地步。他与哈特曼·冯·奥厄和戈特夫里德·冯·斯特拉斯堡一起被称为中古高地德语三大叙事诗人。

wolframite 黑钨矿 钨的主要矿石，一般与锡矿石伴生于花岗岩及其周围的矿脉中。呈这种产状的地点有：英国康沃尔、西班牙西北部和葡萄牙北部、德国东部、缅甸、马来半岛以及澳大利亚。由含有不同比例的铁钨酸盐 $FeWO_4$ 和锰钨酸盐 $MnWO_4$ 的混合物构成；铁占优势（Fe∶Mn≥4∶1）的品种叫钨铁矿；锰占优势（Mn∶Fe≥4∶1）的品种叫钨锰矿。黑钨矿为褐色至黑色，具有半金属至金属光泽和一组完全的解理。摩氏硬度为 5～5.5；比重 7～7.5；属单斜晶系。

wolfsbane（plant） **狼毒** 参阅 **monkshood 乌头**。

Wolfsburg 沃尔夫斯堡 德国北部下萨克森州城市。濒临中部运河，在州首府汉诺威东 70 千米处。1132 年首见记载。1938 年建为工业社区，主要厂家为大众汽车厂，大部分劳动人口均在该厂工作。市内有 14 世纪的城堡。另有一汽车博物馆和天文馆。人口约 122 724（2003）。

Wolgemut, Michael 参阅 **Wohlgemuth, Michael 沃尔格穆特**。

Wolin 沃林 波兰西北沿海岛屿，属西滨海省。北濒波罗的海，东为济夫纳河，南临什切青潟湖，西傍希维纳河。面积 245 平方千米。主要城镇有南部的沃林和北部的缅济兹德罗耶。中部有沃林国家公园。沃林镇濒临济夫纳河，是古代斯拉夫要塞，已有1 000多年历史。1945 年归属波兰。

Wollaston, Lake 伍拉斯顿湖 加拿大萨斯喀彻温省东北部湖泊，距赖恩迪尔湖西北部 30 英里（50 千米）。长 70 英里，宽 25 英里，面积1 035平方英里（2 681平方千米）。湖水自两个出口流出：一是西北方向出口，通过丰迪拉克河进入阿萨巴斯卡湖和马更些河水系；二是东北方向出口，通过高汉诺河进入伦迪尔湖和丘吉尔河水系。1800 年左右发现后，用之为上述两水系的连接点。以商业性和娱乐性捕鱼闻名。

Wollaston, William 沃拉斯顿（1659-03-26，英格兰斯塔福德郡科通克兰福德～1724-10-29，伦敦） 英国唯理论哲学家和伦理学家。其伦理学说不仅影响了当时的哲学，而且也影响了后来的哲学。在剑桥大学学习之后，他在伯明翰做教员（1682），不久就被任命为牧师。1688 年他继承了家中大部分财产，因而能够迁居伦敦，致力于研究学术和哲学。他和妻子过着隐居生活，只同几个朋友有交往。他写作虽多，但在风格上要求过高，因而毁掉许多手稿。他喜好文字优美，由其主要著作《自然宗教论》（1724）可见一斑。尽管某些评论家发现他的观点中包含了 20 世纪某些伦理学学说的萌芽，但他的有神论在 18 世纪末期却受到了严厉指责，尤以 D.休姆在其《有关自然宗教的对话》（1779）中对他的攻击最为激烈。

Wollaston, William Hyde 沃拉斯顿（1766-08-06，英格兰诺福克东迪勒姆～1828-12-22，伦敦） 又译渥拉斯顿。英国科学家。他的粉末冶金基础技术，在加工铂、钨、钼和其他

伦敦国立肖像画陈列馆供图

过渡金属方面成为现代工业的模式。在对铂的研究中，他还发现两个与铂有关的元素钯（1803）和铑（1804）。他受的正式教育是内科医师，但由于强烈的好奇心使他转而研究化学、物理学、天文学和植物学。铂具有延展性，在化学研究和制造业中很有价值。他对铂的研究工作于 1804 年完成时，正处于大量粗铂由于缺少有效的方法提纯而无法利用的时候。沃拉斯顿把发明的方法一直保密到临死前不久，使他毕生经济上非常拮据。他的研究范围广泛，成为当时最有影响的科学家之一。沃拉斯顿关于化学、矿物学、结晶学、物理学、天文学、植物学、生理学和病理学等学科的 56 篇论文中，有许多篇显示了重要的科学进展。

wollastonite 硅灰石 白色玻璃光泽的硅酸盐矿物，通常呈块体或板状晶体，与其他含钙硅酸盐矿物（如透辉石、透闪石、石榴子石和绿帘石）一起产出于变质石灰岩中。产于罗马尼亚奇克罗瓦罗明纳、意大利索马山、芬

产自美国犹他州的硅灰石
供图：Charles F. Lewis collection

兰帕尔加斯，美国产地包括犹他州、密歇根州罗亚尔群岛、加利福尼亚州里弗赛德以及纽约州的埃塞克斯县。硅灰石是钙硅酸盐（$CaSiO_3$）三种变体中最常见的一种。用于许

多陶瓷产品,包括地面和墙壁的瓷砖、瓷绝缘体和瓷制用具中。硅灰石也用于焊条涂料和油漆颜料中。

Wollomombi Falls　沃洛蒙比瀑布　澳大利亚新南威尔士州东北部沃洛蒙比河上的两个瀑布,位于阿米代尔东面35千米处。瀑布一段直落335米,总落差480米,是世界上落差最大的瀑布之一。

Wollongong　伍伦贡　澳大利亚新南威尔士州沿岸城市。建于1816年,1942年建市。沿太平洋海岸延伸48千米,面积715平方千米。经济原以畜牧业和林业为主,后成为乳品业中心。丰富的布利煤矿(煤多出口)促进重工业发展。现生产冶金产品、化肥、机械、服装等。肯布拉人工港泊有渔船队。设有伍伦贡大学和理工学院。人口约236 010(1991)。

Wollstein, Martha　沃尔斯坦(1868-11-21,纽约州纽约～1939-09-30,纽约)　美国女医生,儿科病理学的研究者。1889年她毕业于纽约医院附属妇女医学院,第二年参加纽约市婴儿医院工作。1892年任该院病理学家。第一项试验工作涉及婴儿腹泻问题,研究结果进一步证实此病与她早期对痢疾杆菌的研究有关。此项工作受到纽约市洛克菲勒医学研究所的注意。在该所,她与他人合作进行了美国第一次对脊髓前角灰质炎的试验工作。她还对肺炎作了初步研究,并与H.阿莫斯一道研究成一种制造抗脑膜炎的血清的方法。在对流行性腮腺炎的早期研究方面她也是先驱者。1921年以后,沃尔斯坦在婴儿医院研究儿科病理学,尤其是黄疸、先天性异常、结核病、脑膜炎和白血病。她发表过80篇科学论文。

Wollstonecraft, Mary　沃斯通克拉夫特(1759-04-27,英格兰伦敦～1797-09-10,伦敦)　婚后名Mary Wollstonecraft Godwin。英国作家。以热诚争取妇女平等的教育机会和社会地位

伦敦国立肖像画陈列馆供图

而闻名。她的早期著作《论妇女教育》(1787)为其论妇女在社会中的地位的成熟作品《为女权辩护》(1792)的先声。她的辩护围绕着教育方面的考虑,其中心思想是启发妇女的才智。她一向为伦敦出版商J.约翰逊写作,1792年她离开英国去巴黎就近观察法国革命,随后与美国G.伊姆雷上尉结婚。1794年春,生下一女名芳妮。次年,由于和伊姆雷的关系破裂,她曾自杀未遂。她回伦敦重新为约翰逊工作,成为以约翰逊的家为中心的一个有影响的激进团体的一员,其他成员有W.戈德温、T.潘恩、T.霍尔克罗夫特和W.布莱克以及1793年以后的W.华兹华斯。1796年,她开始与戈德温私通,随后有了身孕,两人遂于1797年3月29日结婚。婚后生活幸福但甚短促,在她生下第二个女儿玛丽后11天而去世。沃斯通克拉夫特婚后生活,始终为传记作者们所关注。19世纪写作的传记往往强调她生涯中放浪的一面,而忽略了她作为一个才智超群的女性进行的活动。20世纪后期,女权问题再次引起重视,于是她又成为一些著作的研究对象。

Wolof　沃洛夫人　Wolof又拼Ouolof。穆斯林民族,生活在塞内加尔和冈比亚境内,操尼日尔-刚果语系大西洋语支的沃洛夫语。沃洛夫人典型的乡村社区很小,约百人左右,绝大部分是农民,种植花生、玉米及高粱,但有许多人在达喀尔和班珠尔做商人、金银匠、裁缝、木匠、教员和公务人员。传统的部落特点是:社会等级分明,有王族、贵族、武士阶级、平民、奴隶及贱役劳动者,位于众人之上的是大酋长。沃洛夫人一向是双系即按父系和母系传代。但受伊斯兰教影响,已出现以父系为主的趋势。他们既有核心家庭,又有一夫多妻家庭。沃洛夫妇女以其发型精巧、金饰盛妆及服色艳丽著称。

Wolof empire　沃洛夫帝国(兴盛时期14～16世纪)　又拼Ouolof。在欧洲人与西非接触初期统治塞内加尔内陆的国家。建于1200年后不久,由政教合一的国王或"布尔巴"统治。14世纪开始建卫星国,其中最重要的是卡约尔。15世纪沃洛夫成为强大的帝国。1440年葡萄牙人到来后成为葡萄牙人的贸易伙伴和政治盟友。但它保持独立,抵制葡萄牙人的渗透企图。1556年卡约尔贵族摆脱沃洛夫的统治,在塞内加尔海岸建立独立国家。这一行动切断了沃洛夫通海的道路,也切断了它同欧洲的贸易联系,因而沃洛夫的重要性下降。

Wolong Nature Reserve　卧龙自然保护区　中国第三大自然保护区,保护世界珍稀动物大熊猫及其自然生态系统与该地区的垂直带谱。1975年正式成立。在四川省阿坝藏族羌族自治州汶川县西南卧龙关附近。面积2 000平方千米。1980年1月列入联合国世界生物圈保护网。地处青藏高原东缘,邛崃山东坡,岷江上游皮条河流域。海拔从1 100米上升到4 000多米,相对高差超过2 000米以上,为世界特有的高山生态系统类型。气候凉爽,降水丰富,沟谷深切,起伏很大,动植物资源十分丰富。植物有2 000多种,其中珍贵树种有连香树、金钱槭、水青树、领春木、红豆杉、吊麦云杉等。鸟类200多种,兽类60多种,其中珍稀动物有大熊猫、金丝猴、牛羚、小熊猫等10多种,而且多属第三纪古老孑遗动物。大熊猫多活动于2 600～3 000米的高山地带。这里山势险峻,树木参天,藤蔓互攀,

卧龙自然保护区风光
中国大百科全书出版社供图

阴暗潮湿,林下箭竹丛生,大熊猫的食物、饮水和隐蔽条件都较好。在大熊猫活动区设有世界首次建立的、进行系统观察和研究大熊猫野外生态的"五一"棚。在海拔3 800～4 800米的高山中,还栖息有中国特有的高原珍兽白唇鹿。

Wolseley (of Wolseley), Garnet Joseph Wolseley, 1st Viscount　吴士礼子爵(第一)(1833-06-04,爱尔兰都柏林郡戈尔登布里奇～1913-03-26,法国芒通)　英国陆军元帅。

伦敦国立肖像画陈列馆供图

曾在世界各地作战,并对英国陆军的现代化发挥过作用。1852年任陆军少尉,在第二次英缅战争、克里米亚战争和印度兵变中作战有功。他九死一生,遍体鳞伤,并且[illegible]目失明。25岁即成为英军中最年轻的陆军中校。1860年前往中国,任J.H.格兰爵士的参谋。他在《1860年对华战争记事》(1862)一书中叙述他的计划和行动。1861年被派往加拿大,为与美国进行战争而改进加拿大的防务。1870年率红河远征军穿过950千米荒野前去镇压曾在马尼托巴宣布成立共和国的L.里尔。他在战场上的成功和对军队的改进,体现在他所著《军人作战手册》中,为此于1871年被任命为陆军部军务局长助理。1873年被派往西非镇压阿散蒂人王国,摧毁其首都库马西。两年后被派往非洲南部的纳塔尔,促进南非的联合。1879年在南非指挥对祖鲁人的作战。他在平定祖鲁兰以后,又向德兰士瓦推进,在那里镇压布尔人的起义。回陆军部后,历任军需主任(1880)、副官长(1882)。后来埃及发生尤拉比帕夏领导的民族主义起义。他指挥英军迅速占领苏伊士运河,并在卡比尔山打败尤拉比(1882-09-13)。格莱斯顿授予他男爵爵位作为奖励。1884年去埃及援救在苏丹喀土穆被围困的C.戈登。1885

年1月28日抵达,但两天前该城已失陷,戈登被击毙。因战功卓著,晋封子爵。1890～1894年任爱尔兰驻军司令官。后成为陆军元帅和英军总司令(1895～1901)。

Wolsey, Thomas, Cardinal　沃尔西(约1475,英格兰萨福克伊普斯威奇～1530-11-29,莱斯特郡莱斯特)　天主教英格兰枢机主教、政治家。他的不得人心,在他败落之后,

牛津基督教堂供图

助长了反教权主义的发展,此为英格兰宗教改革运动的因素之一。伊普斯威奇一屠夫之子,毕业于牛津大学。1498年受神职为司铎,1507年任英格兰国王亨利七世的宫廷司铎。1509年任林肯教长。亨利七世死后,他深得年轻的国王亨利八世的欢心。1513年组织亨利八世对法国的远征,取得成功。从此两人关系更为密切。在亨利八世的推荐下,教皇利奥十世任命他为林肯主教(1514年2月)、约克大主教(1514年9月)和枢机主教(1515)。1515年12月沃尔西任英格兰大法官。3年后教皇利奥十世任命他为教皇特别代表。他利用自己的权势大量聚敛财富,其数额仅次于国王。亨利八世希望教皇克雷芒七世宣布他与阿拉贡的凯瑟琳的婚姻无效,要求沃尔西促成其事,但沃尔西未能办到。沃尔西出身卑贱而盛气凌人,引起一批贵族的仇恨。于是,沃尔西于1529年被指控犯有侵害王权罪,革掉约克大主教以外的所有职务。1530年又被指控犯有叛逆罪(与法国王室通信),被捕后死去。

Wolverhampton　伍尔弗汉普顿　英格兰西米德兰兹都会郡的大都会自治市。斯塔福德历史郡。面积69平方千米。位于"黑乡"工业区西北边缘,靠近什罗普郡和斯塔福德郡的农田。该镇早期主要是农业中心。开发斯塔福德郡煤矿和铁矿后,成为金属加工业中心。现生产油漆、橡胶车胎和金属制品等。市中心建有两个大型商业区。居民中有很多从英联邦国家移民来的非白种人。人口约241 600(1998)。

wolverine　狼獾　又作glutton,carcajou或skunk bear。*Gulo gulo*种北美有时作*Gulo luscus*。见于世界寒冷北方高纬度区特别是森林地区的鼬科动物。似形小而矮胖的熊。体长65～90厘米,尾长13～26厘米,毛浓密。肩高36～45厘米,体重9～30千克。腿短,稍呈弓形;脚底有毛;爪长而锐利,可部分回缩;耳短,牙有力;被毛粗而长,光滑,呈黑灰褐色,身体两侧从颈到尾基各有一浅褐色条

狼獾(*Gulo gulo*)
供图:Alan G. Nelson—Root Resources

纹。有肛门腺,可分泌气味难闻的液体。以力强、狡猾、胆大和贪食著称。会避开陷阱走到捕兽者的小屋,吃掉贮藏的食物,带走便于携带的食物;留下令人作呕的气味弥漫屋内。一年大部分时间独居,夜行性,捕食各种动物。除人类以外,没有任何动物会猎捕狼獾。2～3月求偶,一窝1～5仔,妊娠期约9个月。毛皮用于风雪大衣的镶边,因呼吸出的水汽凝结于其上易于掸除。

Wołyń(Ukrainian region)　**沃文**　参阅**Volhynia 沃利尼亚**。

Woman Citizen, The　《女公民》　美国周刊,为20世纪前几十年最具影响力的女性出版物之一。该刊物由于F.L.莱斯莉夫人给全美女权运动联合会主席C.C.卡特留下一笔可观的遗产而得以创刊。按照遗产规定,这笔钱必须用于帮助女权运动的事业。于是,卡特将《妇女杂志》、《全国选举权新闻周刊》、《女选民》三个刊物合并,于1917年创办了《女公民》。R.扬任该刊物总编辑,《妇女杂志》前任编辑A.S.布莱克韦尔成为文稿编辑。这笔遗产确保《女公民》一直没有负债,使得订阅该刊物的读者广泛并具有影响力。每位国会议员都被免费列入该刊物的邮寄名单。争取美国妇女的公民权一直是《女公民》的首要任务,但该出版物也有关于世界各地童工和妇女选举权状况的报道。美国妇女在1920年争取到选举权之后,《女公民》继续出版,将编辑内容转向妇女的政治教育。到20年代晚期,来自遗产的资金开始减少。该刊物改名为《妇女杂志》,希望这个名称会涉及的范围更广,吸引的订户更多。改名之后发行量确实有所提高,但经济大萧条的到来迫使该杂志于1931年停刊。

woman suffrage　妇女选举权　由法律规定的妇女在全国和地方选举中的投票权。

在古希腊和罗马共和国以及18世纪末期在欧洲出现的少数几个共和国,妇女被排除在选举之外。当选举权扩大时,例如1832年在英国那样,妇女仍然被拒绝给予任何投票权。妇女投票权问题终于在19世纪引起争论。这一斗争在英国和美国特别激烈;但这些国家不是最先给予妇女投票权的,至少不是最先在全国范围上如此。20世纪初期,妇女已经在新西兰(1893)、澳大利亚(1902)、芬兰(1906)和挪威(1913)赢得了在全国性选举中的投票权。在瑞典和美国,她们已在有些地方选举中享有投票权。

第一次世界大战及其后果加速了在欧洲各国和其他地方给予妇女选举权。在1914～1939年期间,妇女在另外28个国家里获得了与男子同等的投票权或者在全国选举中的投票权。这些国家包括苏俄(1917),加拿大(1918),德国、奥地利、波兰和捷克斯洛伐克(1919),美国和匈牙利(1920),英国(1918和1928),缅甸(1922),厄瓜多尔(1929),南非(1930),巴西、乌拉圭和泰国(1932),土耳其和古巴(1934),以及菲律宾(1937)。在这些国家中,最初只在市选举或其他地方选举中或省选举中给予妇女投票权,后来才在全国选举中给予投票权。

第二次世界大战以后不久,法国、意大利、罗马尼亚、南斯拉夫和中国也给予妇女投票权。印度1949年的宪法给予妇女完全的选举权;巴基斯坦妇女在1956年的全国选举

1914年袭击伦敦白金汉宫的女权运动分子们被逮捕
供图:BBC Hulton Picture Library

中获得完全的投票权。在以后的10年中,妇女享有选举权的国家达到100多个,部分的原因是由于所有在第二次世界大战后获得独立的国家都在它们的宪法中保证给予男女公民以同等的投票权。到1971年,瑞士让妇女在联邦和大多数州的选举中投票。1973年叙利亚给予妇女完全的投票权。波斯湾沿岸保守的阿拉伯国家仍然拒绝给予妇女投票权。1952年通过的联合国保护妇女政治权利协定规定:妇女应当在一切选举中享有与男子完全平等的权利,任何人不得予以歧视。

从历史上看,美国和英国提供了19世纪和20世纪关于妇女选举权斗争的典型例子。美国建国以后,妇女几乎普遍被排除在投票之外。争取妇女选举权的运动在19世纪早期反对奴隶制的高潮中开始。像L.莫特这样的妇女在反奴运动中非常热心而且被证明是极好的演说家。当E.C.斯坦顿加入反奴队伍时,她和莫特认为,妇女的权利应和黑奴的权利一样,必须加以调整。1848年7月,她们发出呼吁,要求召开一次讨论女权问题的会议。这次会议于1848年7月9～20日在斯坦顿的家乡纽约州的塞尼卡福尔斯举行,会议发表了一项声明,要求给予妇女选举权和要求让妇女有受教育和就业的机会的权利(参阅**Seneca Falls Convention**)。随后于1850年,L.斯通和一群东部的主张妇女选举权的杰出人士在马萨诸塞州伍斯特召开第一次全国妇女运动会议。另一次会议于1852年在纽约州的锡拉丘兹举行,这次会议是斯坦顿

某些国家中妇女的情况[1]

国家	参政情况	受教育情况					婚姻和生育			就业
	妇女享有选举权的最高年份[2]	成年人识字者所占百分比[3]		妇女入学百分比[4]			第一次结婚的平均年龄[5]		生育次数/一个妇女（总生育率）[6]	妇女在劳动力中所占的百分比[7]
		女	男	小学	中学	大学	女	男		
非洲										
阿尔及利亚	1958	45.5	69.8	45	43	34	20.8	26.3	4.9	9.2
埃及	1956	33.8	62.9	45	44	33	20.4	26.2	3.9	10.9
肯尼亚	1963	49.2	69.6	49	41	28	…	…	6.5	40.5
尼日利亚	1954	31.5	53.8	44	42	27	…	…	5.9	33.3
南非	1930	78.0	80.6	50	…	…	22.4	25.1	4.2	41.0
突尼斯	1959	51.7	73.6	46	43	39	21.9	26.8	3.4	20.9
美洲										
阿根廷	1947	95.1	95.5	51	51	53	23.1	26.4	2.8	27.9
巴西	1932	80.6	81.8	49	54	52	22.9	26.1	3.1	35.1
加拿大	1918	95.7	95.6	48	49	56	25.2	27.3	1.7	45.0
古巴	1934	93.0	95.0	48	52	58	25.0	27.7	1.9	36.1
墨西哥	1953	85.1	89.5	49	50	33	21.2	24.4	3.2	23.5
尼加拉瓜	1955	57.1	58.0	51	58	55	…	…	5.3	33.2
美国	1920	95.3	95.7	49	49	53	24.3	26.2	1.9	45.0
亚洲										
中国	…	68.0	87.0	46	42	33	…	…	2.4	44.5
印度	1949	33.7	61.8	41	34	30	17.7	22.7	3.8	27.0
伊朗	1963	43.3	64.5	46	41	30	18.5	25.0	6.2	10.3
以色列	1948	88.7	95.0	49	51	47	22.7	26.0	2.8	41.1
日本	1945	100.0	100.0	49	49	39	25.7	28.2	1.6	40.8
菲律宾	1937	87.5	89.9	49	50	53	23.5	26.1	3.4	37.0
沙特阿拉伯	—	48.1	73.1	46	42	43	…	…	7.0	3.6
叙利亚	1949	69.3	89.7	46	41	41	20.7	25.9	6.5	15.4
泰国	1932	84.5	93.2	49	48	40	22.0	24.7	2.4	45.4
土耳其	1934	71.1	89.7	47	37	34	21.7	25.2	3.4	31.1
欧洲										
法国	1944	98.7	98.9	48	50	53	25.1	27.2	1.8	43.3
德国	1919	100.0	100.0	49	48	43	24.7	27.1	1.5	39.0
希腊	1952	89.1	97.6	49	47	49	23.4	27.6	1.5	37.1
爱尔兰	1922	100.0	100.0	49	51	45	25.6	27.5	2.1	30.7
意大利	1945	96.4	97.8	49	49	48	23.8	27.1	1.3	37.2
波兰	1918	98.3	99.2	49	50	56	22.6	25.1	2.1	45.4
瑞典	1919	100.0	100.0	49	50	54	27.6	30.2	1.9	48.0
英国	1918	100.0	100.0	49	50	48	24.5	26.6	1.8	42.8
大洋洲										
澳大利亚	1902	100.0	100.0	49	50	53	24.8	27.1	1.9	41.4
巴布亚新几内亚	1975	37.8	64.9	44	38	24	…	…	5.1	39.8

…未掌握资料。 —没有资料或资料不适合。 1.现有的最近年份的资料。 2.投票权的行使可能带有对年龄、种族或身份的歧视性条件。 3.最近的关于15岁以上的人口普查或调查资料，包括某些估计在内。 4.每一层次中占学生总数的百分比。 5.从所有结过婚的人当中统计。 6.一个普通妇女在其一生中生育的子女总数，假定没有早产死亡。 7.妇女在全部劳动力中所占的百分比，包括那些失业和正在寻找工作的人，但不包括全天料理家务者。

资料来源：乔尼·西格和安妮·奥尔森，《世界上的妇女：一幅国际图表》（1986）；国际劳工组织，《劳工统计年鉴》（1992）；联合国，《人口统计年鉴》（1982，1990）；联合国，《世界人口趋势和政策，1987年的监视报告》（1988）；联合国教科文组织，《统计年鉴》（1992）；国际复兴开发银行/世界银行，《世界银行图表》（1992）；来自各国的资料。

和精明能干的女权运动领袖S.B.安东尼共同从事有风险的活动的第一个场合，这两位人物一起领导了以后50年的美国妇女选举权运动。

随着运动开始得到群众的支持，其他的争取妇女选举权的会议也陆续举行，但人们最初只知道，除非修改各州宪法，否则不可能将投票权扩大给予妇女。南北战争（1861～1865）以后，在这方面进行了一些努力，然而，尽管连怀俄明准州也于1869年给予妇女在所有选举中的投票权，但人们不久就明白，修改联邦宪法才是较好的策略。因此，全国妇女选举权协会于1869年成立，宣布的目标是通过修改联邦宪法使妇女获得投票权。安东尼和斯坦顿是这个组织的领导人，这个组织在成立以后的50年内每年举行一次会议。1869年斯通建立了另一个组织美国妇女选举权协会，其目的是要通过修改各州宪法使妇女获得选举权。1890年这两个组织合并，称为全美妇女选举权协会，共同进行活动将近30年。

当怀俄明于1890年加入联邦时，它成了第一个在宪法中赋予妇女投票权的州。随后，进行了一些强大的运动，以促使各州立法机关向它们的选民提出州宪法的修正案，让妇女在州的事务中享有完全的选举权。还做了一些努力，使妇女在总统选举中有投票权，以及在某些州里使妇女在市的和地方的选举中有投票权。在以后的25年中，一些个别的州接受了运动的要求，给予妇女选举权，每一个这样的州都增加了部分由妇女选出的国会议员的人数。这些议员部分地由于其选区的性质而投票赞成关于授予妇女选举权的美国宪法修正案。到1918年，妇女在15个州内获得了与男子平等的选举权。

第一次世界大战和战时妇女在各方面所起的重大作用，击溃了美国反对妇女选举权的剩余势力。关于妇女选举权的联邦宪法修正案曾于1878年和1914年在国会提出：1878年的修正案被压倒多数的反对票击败；1914年的修正案尽管在众议院和参议院都获得简单多数票，仍然功败垂成（宪法修正案必须在国会获得2/3的多数票才能送交各州立法机关批准）。然而，到1918年，两大政党都支持妇女选举权，修正案于1918年1月和1919年

6月分别在众议院和参议院获得所需的2/3的多数票。之后，为使2/3的州立法机关批准修正案的运动蓬勃开展，1920年8月18日，田纳西州成为第36个批准修正案的州。8月26日，国务卿宣布第19条修正案成为美利坚合众国宪法的一部分。美国妇女被授予和男子处于平等地位上的选举权。

在英国，妇女选举权最初由M.沃斯通克拉夫特在她所著的《为女权辩护》(1792)一书中提出。19世纪40年代的宪章运动也要求给予妇女选举权。19世纪50年代以后，英格兰的一些杰出的自由主义知识分子日益要求授予妇女选举权，其中著名的有J.S.穆勒及其妻哈里特。1865年在曼彻斯特成立了第一个妇女选举权委员会，1867年穆勒向议会提交了该委员会的请愿书，请愿书要求授予妇女选举权并附有大约1 550人的签名。1867年的改革法案没有包含关于妇女选举权的条款，但与此同时，在英国的大多数主要城市里都成立了争取妇女选举权的社团，而且这些组织在19世纪70年代向议会提交了要求妇女选举权的请愿书，书中有总数约为300万人的签名。

在随后的一些年里，每个提交议会的重要的选举权法案都遭到失败，这主要是当时的政治领导人W.格莱斯顿和B.迪斯累里不敢冒犯维多利亚女王固执地反对妇女运动的立场。然而议会于1869年给予纳税的妇女在市选举中的投票权，而且在随后的几十年里，妇女有资格成为郡议会和市议会的成员。但在全国议会选举中仍然拒绝给予妇女投票权，尽管议会中有相当多的人支持给予这种投票权的立法。1897年各个主张妇女选举权的社团合并为全国妇女选举权社团联盟，从而使这个运动具有更大程度的凝聚力和组织性。然而，由于对政府不采取行动感到失望，妇女选举权运动的一部分在E.潘克赫斯特和她的女儿克里斯塔贝尔领导下变得更加好斗了。在自由党于1906年重新执政后的数年内，又有7个选举权法案在议会未获通过。结果，随着时间的推移，许多争取妇女选举权的人士开始卷入日益激烈的行动。这些妇女斗士或主张妇女选举权的人士一旦出名便被投入监狱，他们在狱中以绝食继续抗争。与此同时，公众加强了对争取妇女选举权运动的支持，组织了示威、展览和游行以支持妇女投票权。当第一次世界大战开始时，主张妇女选举权的各组织把他们的精力转移到支援作战，他们的卓有成效的活动极大地有助于赢得公众对妇女选举权运动的衷心支持。所有3个主要政党的大多数议员终于认识到有必要授予妇女选举权，人民代表法案终于在1917年6月和1918年2月分别在下议院和上议院获得通过。根据这个法案，所有30岁以上的妇女都有完全的选举权。其后不久又通过了一个准许妇女担任下院议员的法案。1928年妇女的投票年龄降低至21岁，使妇女选民与男子选民处于平等的地位。

Woman's Christian Temperance Union (WCTU) 基督教妇女禁酒联盟 又译基督教妇女戒酒联盟。美国组织，1874年11月成立于俄亥俄州克利夫兰，以响应1873～1874年在纽约州各地和美国中西部许多地方发生的一系列禁酒示威游行的“妇女的圣战”运动。A.T.维滕梅尔是一个有经验的战时资金筹集者和管理者，1874年基督教妇女禁酒联盟成立时当选为主席。在她的5年任期内，基督教妇女禁酒联盟形成了一个拥有1 000多个地方分会的组织，开始出版杂志《我们的联盟》。然而，当F.威拉德领导的一个联盟部门要求把选举权加入该组织的禁酒纲领时，分歧开始产生。1879年，反对此项改动的维滕梅尔被威拉德取代。在此后的20年威拉德一直领导禁酒运动，该联盟成为19世纪最大和最有影响的妇女组织之一。她扩大组织纲领，加入了劳工法和监狱改革等项议题，并于1891年当选世界基督教妇女禁酒联盟(1883年成立)主席。联盟同样也为争取妇女选举权斗争，不过该组织的支持给主张扩大选举权者带来一些问题，如造酒行业成为女权运动强有力的反对者。1898年威拉德去世，联盟开始远离女权主义组织，集中精力开展禁酒运动。尽管1919年美国宪法第18修正案获得通过之后，该组织的人数不断减少，但在20世纪它仍在继续工作。该组织反对吸烟、酗酒和吸毒，经营一家出版公司并在学校积极宣传其纲领。

Woman's Journal 《妇女杂志》 美国主张妇女选举权者的周刊，1870年1月8日由L.斯通和她的丈夫H.布莱克韦尔创办，读者对象是对妇女权利感兴趣的广大中产阶级女性群体。作为美国妇女选举权联合会的官方出版物，周刊发表该组织的观点。因为该刊物“专注于妇女的利益——其教育、行业、法律和政治平等，尤其是选举权利”，它出版发行了涉及妇女选举权的演讲、辩论和会议记录。同时，该出版物也刊登短篇小说、诗歌和专栏文章，这使得该刊物的观点更加温和，比起更加激进的全国妇女选举权联合会所属的与其竞争的报纸《革命》在政治上较为淡化。《妇女杂志》的读者支持把选举权作为一种途径，为妇女争取更好的教育，更多的就业机会，以及为已婚妇女争取财产权。该刊物对一些“丢脸的”话题，如妓女、流产和避孕则采取回避态度。尽管有时资金不足，但《妇女杂志》生存期还是长于《革命》，最终成为妇女选举权运动的主要出版物。1893年之前该杂志主要由几位创刊人和J.W.豪编辑。1893年斯通去世之后，她的女儿A.S.布莱克韦尔负责管理编辑工作直至1917年该刊物与《女公民》合并。

Woman's Peace Party (WPP) 妇女和平党 美国组织，为了响应1914年第一次世界大战在欧洲爆发，J.亚当斯和其他女权主义者召开三日和平会议之后成立。此次会议于1915年1月在美国华盛顿哥伦比亚特区召开，与会的妇女代表来自各种不同的组织，她们对讨论的大多数问题立场一致，其中包括呼吁限制军备、斡旋欧洲冲突以及消除战争的经济因素。和平运动与选举权运动最终联合在一起，因为其纲领加入了争取妇女选举权这一要点。由于坚信妇女无法忍受战争造成的破坏，1915年4月妇女和平党成员前往荷兰，在第一届探讨和平问题的国际妇女会议上会见其他来自参战国和中立国的妇女。但由于美国宣布参战，原来有4万人的妇女和平党分裂成几个派别，有些成员转向战争救援工作，有些则拒绝以任何方式支持这场战争。由于德国妇女无法前往法国凡尔赛，妇女和平党成员和她们的国际代表在第一次世界大战后在瑞士苏黎世举行了一次会议(1919年5月)，抗议《凡尔赛条约》对德国的惩罚。她们赞成妇女和平和自由国际联盟原则上更加民主和接纳德国的协定。代表团还成立了新的妇女和平与自由国际联盟，联盟宪章保证支持“各种促进和平、国际主义，以及妇女自由的运动”。妇女和平与自由国际联盟美国支部就是从妇女和平党的班底发展起来的，是在美国存在时间最长的妇女和平组织。

womb (anatomy) 参阅 **uterus** 子宫。

wombat 毛鼻袋熊 有袋超目袋熊科(Phascolomyidae或Vombatidae)2种澳大利亚

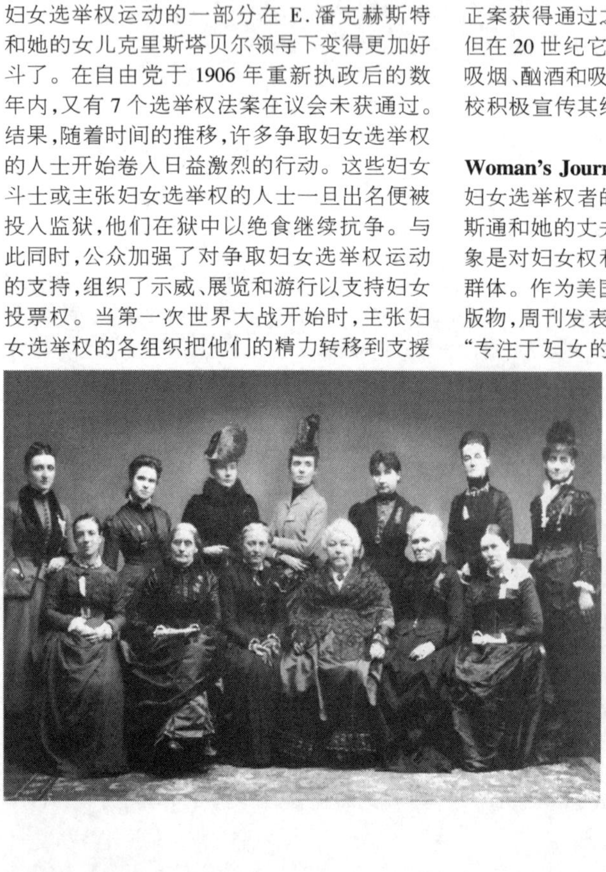

1888年在美国首都华盛顿聚会的各国妇女斗士（从左至右的坐者）：A.斯科特查德（英国）、S.B.安东尼（美国）、I.博热洛（法国）、E.C.斯坦顿（美国）、M.J.盖奇（美国）、A.格里彭贝里男爵夫人（芬兰）

美国国会图书馆供图

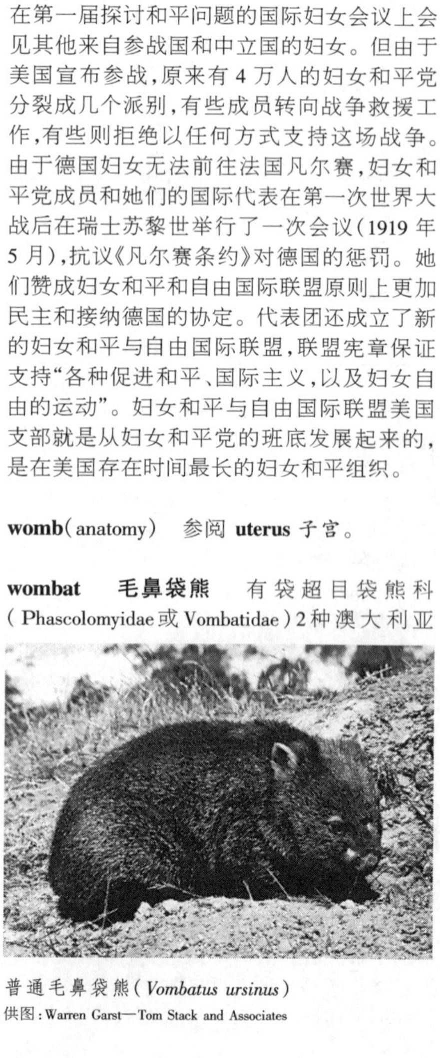

普通毛鼻袋熊(*Vombatus ursinus*)

供图：Warren Garst—Tom Stack and Associates

兽类的统称。近乎无尾。体长 70 ～ 120 厘米,体型笨重,身体结构似美洲旱獭。与其他有袋动物不同之处为牙无根,且不断地生长;切牙似啮齿动物。眼小,耳短。腹袋向后开口。每窝产一仔,在腹袋内喂养 5 个月或更长时间。主要夜间活动,仅食植物,以草及乔木、灌木根部的内层树皮为食。会在耕地及牧场上挖长达 30 米的地穴,于其末端以草为巢,其穴中又有时居住野兔,因此毛鼻袋熊常遭捕杀。普通毛鼻袋熊(塔斯马尼亚袋熊、熊样毛鼻袋熊,*Phascolomis*[或 *Vombatus*] *ursinus*)被粗糙的黑毛,耳小,分布于澳大利亚东南部和塔斯马尼亚;大陆种群有时称为多毛毛鼻袋熊(*V. hirsutus*)。罕见的昆士兰毛吻袋熊(巴纳德氏毛吻袋熊,*Lasiorhinus barnardi*)分布于昆士兰中东部,毛细,灰色,耳较长。受法律保护,大部分种群生活在一所国家公园里。

Women of All Red Nations(WARN) **全体印第安部落妇女** 美国组织,成立于1974年,由 20 世纪 70 年代初一群支持美国印第安人运动的妇女发展起来。尽管男人和女人都卷入了美国印第安人运动的激进主义,但只有男人因参与反对联邦政府的激进行动而受到严惩。由于意识到她们被认为无权力,所以总是被忽视,这些妇女利用她们的隐蔽性成立了一个强大组织,争取美国印第安人的权利。该组织主要关注影响美国印第安妇女的问题;由于地方团体开始代表美国印第安男人竞选运动,在 20 世纪 90 年代中期,全体印第安部落妇女的全国工作还包括了诸如尊重被关押的美国印第安男人及他们的文化等议题。作为代表美国印第安妇女的最著名团体之一,该组织参加各种全国性会议并且与其他妇女组织(如全国妇女组织)合作,制定各项对少数民族妇女的重要政策。该组织的主要目标是改善美国印第安妇女的受教育机会、医疗保险和生育权利;与向妇女施暴作斗争;结束对美国印第安人的成见和剥削;确认印第安人土地的契约;保护美国印第安人居住的土地和环境。为了保护居住地环境,该组织在《阿奎萨斯内随笔》杂志上发表文章《辐射:对派恩里奇妇女有危险》(1980)。

Women Strike for Peace(WSP) **妇女争取和平罢工** 从1961年11月1日国际社会举行的一场反对大气层核试验的抗议活动中发展起来的组织。在举行抗议活动的当天,各国有12 000 ～50 000名妇女举行示威,抗议核试验并特别表达了核试验对儿童健康构成危害的关注。美国大约有1 500名妇女在华盛顿哥伦比亚特区游行,呼吁停止核试验。同年组织此次罢工的重要人物 B.阿布朱格和 D.威尔逊建立了妇女争取和平罢工这个组织。1963 年美苏两国签署的《禁止核试验条约》,在某些方面是由于该组织努力的结果。20 世纪 60 年代妇女争取和平罢工的成员在白宫、纽约联合国总部以及五角大楼附近设置纠察队,表示他们反对核试验和战争。80 ～ 90 年代该组织一直是和平运动的主要力量,公开表示反对美国在拉丁美洲和波斯湾国家进行干预。除了采取直接政治行动以外,该组织还鼓励成员上书国会议员,与其他妇女和平团体进行合作。90 年代后期,该组织主要致力于到 20 世纪末使世界各国完全取消核军备。

Women's Armed Services Integration Act《妇女参军平等法案》 美国1948年制定的法律,允许妇女在美军正式服役。第一次世界大战期间,许多妇女曾作为志愿者应募加入美军,她们通常都是从事文书工作。当战争结束时,她们也就无事可干了。第二次世界大战期间也是如此,当时有更多的女志愿者加入到军队中来。尽管美国国会 1943 年给予美国陆军妇女队在战时的正规军队地位,但该《陆军妇女队法》计划在 1948 年 6 月 30 日失效。预见到这一结果,美军高层将领 1946 年提出陆军妇女队应成为永久性的军事人员。经过两年的立法辩论之后,该议案于 1948 年春在议会通过。1948 年 6 月 12 日该议案经杜鲁门总统签字成为法律,即《妇女参军平等法案》。该法使妇女不仅在陆军,而且在海军、海军陆战队和新成立的空军都能成为正规兵。同时该法把在各军兵种服役的女兵人数限制在总兵力的 2%。

Women's Army Corps(WAC) **陆军妇女队** 第二次世界大战期间创建的美国陆军单位,目的是使妇女能够在非战斗岗位服役。除了护士以外,妇女在此之前从未在美国军队中服过役。成立陆军妇女队后,服役的妇女人数超过 15 万。1941 年 5 月马萨诸塞州参议员 E. N. 罗杰斯提出一项议案,要求在美国陆军成立妇女队。罗杰斯预见到军队可能会需要妇女,她希望该议案能为妇女争取到一份与男性士兵差不多的薪水和补助金。该议案在 1941 年 12 月 7 日日本轰炸珍珠港之前一直被搁置。1942 年 5 月 15 日成为法律。根据该法成立陆军妇女辅助队(WAAC),并给予队员们法定地位和薪水,但女兵却很难像男兵那样得到足够的补助金。1943 年 7 月,在数千名妇女入伍之后,美国陆军去掉了该单位的“辅助”称呼,从那时起陆军妇女队队员领到了美国陆军的全部补助金。1980 年,加入陆军妇女队的16 000名妇女领到了延误发放的退伍军人补助金。美国公众最初对妇女当兵有抵制。陆军妇女队指挥官 O.C. 霍比为消除此种疑虑起到作用,大力宣传一种观点,即多一名妇女服役就会多一名男性士兵参加战斗。妇女接替了数千名男性士兵的文书工作,许多人在非传统岗位工作,如雷达操作员、电工和空中交通管制人员。陆军妇女队在北非、欧洲和亚洲的战场表现优异,陆军妇女队一直是美国陆军一个独立单位,1978 年男女兵力混合后此种状况方告结束。

Women's International League for Peace and Freedom(WILPF) **妇女和平与自由国际联盟** 美国国内成立时间最长并一直很活跃的和平组织,从第一次世界大战起就开始反对战争。该组织在美国约有 100 个分会,在大约 50 个国家设有分会。费城是美国总部所在地,而其国际总部则设在日内瓦。妇女和平与自由国际联盟正式成立于 1919 年第一次世界大战结束,其前身是妇女和平党,一个由 J.亚当斯和其他参加过 1915 年 4 月海牙国际妇女大会的人创建的反战组织。当时公开发表反战言论被认为是激进和不爱国的,部分妇女和平党成员因表达自己的观点而付出巨大代价。经济学家 E.G.鲍尔奇丢掉了她在韦尔斯利学院的教授职位,而亚当斯则被宣布是“美国最危险的女人”。最终,亚当斯和鲍尔奇的反战工作得到了承认——两人分别于 1931 和 1946 年获得诺贝尔和平奖。在整个 20 世纪,妇女和平与自由国际联盟始终坚持其反战使命并努力为全人类争取政治、经济、社会和心理的自由,坚信这些自由始终因战争威胁而受损。当前,妇女和平与自由国际联盟的首要任务是争取裁军、种族平等和妇女权利。该组织还与其他激进主义组织结盟,如核武器冻结运动、妇女中美洲巡回演讲团,以使公众更多地了解该组织的目的并给予支持。

Women's Land Army(WLA) **妇女陆地服务队** 美国联邦政府设立的组织,1943～1947 年招募和培训妇女在由于第二次世界大战期间引起的劳力流失而疏于管理的农田干活。到 1942 年夏,美国农民面临严重的劳动力短缺——自 1940 年以来,大约 600 万农民离开了土地到薪酬更高的军工厂工作或在军队服役。广播电台和报纸紧急呼吁志愿者帮助夏收。基本没有农田耕作经验的妇女响应了这一号召,自愿来到农村,使许多农作物没有烂在地里。但不久事态就变得很清晰,如果美国要动员一支可靠的农耕力量,就需要一种更有组织的方式。到 1943 年美国国会已多次拨款给紧急农场劳力署,包括招募、培训和安置一支女性农场工人队伍,后来称作妇女陆地服务队,即美国农作物工作队的下属单位。新成员无需具有农耕经验,但陆地妇女服务队明确规定申请人应该身体健康、手巧、有耐心和好奇心并且爱国。妇女陆地服务队招募了 100 多万女性工作者,其中有高中和大学的学生、美容师、会计、出纳、教师、音乐家及许多其他职业的人员。这些妇女有的开拖拉机,有的照料农作物,甚至还有的剪羊毛,工作时间都很长。绝大多数工人拿的都是非熟练工人的工资——每小时 25 ～ 40 美分——她们还要用这些钱支付工装费、饭费和住宿费。多数工人加入妇女陆地服务队并不是为赚钱,而是要为战争作贡献 。到 1944 年底,妇女陆地服务队已经出色证明自己是一支必不可少的、能吃苦耐劳的队伍,农场主都渴望在下一个季节得到她们的服务。妇女在战争刚结束的一段时期里继续自愿提供服务,在俄勒冈州一直服务到 1947 年。

women's liberation movement **妇女解放运动** 又称女权运动。一种社会运动,为妇女争取平等权利,赋予妇女以与男子平等的地位,以及选择自己的职业和生活方式的自由。

对妇女权利的关心可追溯至启蒙运动时期,这一时期的自由、平等主义和改良主义的理想当时正由中产阶级、农民和城市劳动者扩大至妇女。这一时期关于妇女权利的早期思想在 M.沃斯通克拉夫特的《为女权辩护》

一书中得到充分的阐述。该书于1792年在英国出版，书中对女性的存在只是为了取悦于男性的观念提出挑战，并建议妇女在教育、工作和政治上应获得与男子同样的机会。但在19世纪，这种关于妇女需与男子平等的认识，却集中体现在获得**妇女选举权**（**woman suffrage**）的运动上，对妇女的社会地位、所扮演的角色及其在经济中所占的位置未能作出根本的或具有深远影响的重新估计。19世纪后期，一些妇女开始在专业领域中工作。20世纪上半叶，妇女作为整体获得投票权，但对妇女所能从事的工作仍然受到明显的限制，流行的观念也仍然是把妇女限制在妻子、母亲和家庭主妇的传统角色之中。

与此同时，造成妇女地位低下（或至少是依赖）的经济条件正在发生变化，妇女生育的孩子少了，家用电器使她们免做许多以前与管理家务连在一起的笨重杂活。第二次世界大战后的数十年间，西方世界经济中服务行业的发展促使创造了妇女同男子一样能够胜任的新的工作。所有这些因素使越来越多的妇女认识到，社会对她们的传统看法不像妇女的真实生活状况那样改变得快。此外，60年代美国的民权运动鼓舞着妇女通过相似的群众鼓动活动和社会批判来改善她们的状况。

波伏瓦的《第二性》（1949）一书是新女权主义兴起的里程碑。该书成为一本遍及全球的畅销书。它通过诉诸妇女的解放亦即男子的解放这一思想来唤起女权主义的觉醒。另一本重要的书是美国人B.弗里登于1963年出版的《女性的神秘》。她抨击失去活力的家庭生活——使妇女同意成为被动的角色和依赖男性支配的原因。1966年弗里登和其他女权主义者成立了全国妇女组织。紧接着其他争取平等权利的妇女组织在美国和西欧纷纷成立。这些组织争取推翻迫使妇女地位低下的歧视性法律和惯例，诸如在契约和财产所有权问题上、就业和工资问题上、工资收入的处理上，以及有关性和孩子生育（即避孕和堕胎）的问题上的歧视。

日益成长的女权运动更广泛地争取改变社会的成见，即认为妇女是比较脆弱、惯于被动和有依赖性的人，她们比男子缺少理性而易动情感。女权主义争取为妇女获得工作上的更大自由，并在经济上和心理上使之独立于男人，如果她们愿意的话。女权主义者批评社会普遍强调妇女只是性欲的对象，争取提高妇女的觉悟和扩大她们的机会，以达到与男子平等的目的。女权主义的另一个目标是推动妇女参与政治决策和社会生活的一切领域。

西方发达国家的女权主义者抨击大众媒体对妇女作出抱有偏见、成见或歧视性的描述。在非洲的一些地区，女权主义者的目标较低，诸如取消新娘聘金等。在伊斯兰教的中东，她们争取放宽妇女穿衣服的规则和被隔离的规则。在许多国家，她们公开谴责妻子签署契约或提出诉讼需要得到丈夫的同意。

Women's National Loyal League 妇女全国效忠联盟 1863年5月14日由S.B.安东尼和E.C.斯坦顿创建的组织，旨在通过修改美国宪法，取消奴隶制，从而结束美国内战。为此他们组织了一次马默斯请愿，敦促美国国会解放所有的奴隶。该联盟由斯坦顿领导，声称有大约5 000名成员，其中许多人是主张妇女参政主义者，这些人中止了有关妇女参政权的工作，集中精力制止战争。该组织的工作受到广泛赞扬，收集到大约40万个签名。1865年美国宪法第13修正案颁布，奴隶制被取消。由于该修正案获得通过，联盟随之解散，而广大妇女在组织策划和公开演讲方面获得了宝贵经验，又重新投入到争取妇女参政权的斗争中。

Women's Trade Union League（WTUL） **妇女工会联盟** 美国第一个专门组织女工的全国性协会。1903年成立，在团结各阶层妇女争取更好、更公平的工作条件方面取得巨大成功。该组织主要依靠自身成员的资源，只接受美国劳联或其他主要劳工团体的象征性财政支持。妇女工会联盟是美国劳联1903年波士顿会议后产生的，此次会议表明美国劳联无意把妇女列为其成员。同年晚些时候，劳工领袖M.K.奥沙利文和L.奥赖利，以及街坊文教馆工作人员L.瓦尔德和J.亚当斯帮助成立了妇女工会联盟，到1904年该组织已经在芝加哥、纽约市和波士顿建立了分支机构。从一开始该组织就有一个坚定的改革计划，按照社会团体的传统进行运作，给劳动妇女提供受教育的机会，与此同时还努力改善工作条件。该组织在社会改革家M.D.鲁宾斯担任主席期间，取得的成果最大。1907～1922年，在他的领导下，该组织曾为一天工作8小时、最低工资制的建立、终止妇女夜班工作，以及取消童工进行斗争。在1909～1911年的服装业罢工期间，联盟成员曾与罢工工人一起肩并肩地游行并帮助建立罢工基金。1911年纽约市三角衬衫公司发生灾难性大火之后，联盟成员对工厂环境进行了长达4年的调查，为建立新的规章制度创造了条件。到20世纪20年代中期，该联盟的领导权已从富裕的中产阶级妇女手中转到有工人阶级背景的妇女手中。但在20年代后期以及整个大萧条期间，联盟出现了严重的财政问题。1950年妇女工会联盟解散。

won 圆 又拼hwan。朝鲜和韩国的货币单位。韩国中央银行拥有为韩国发行纸币和硬币的专有权。纸币发行的面额从1 000圆到10 000圆不等。钞票正面图案印有李朝早期的人物画像，包括孔儒学家李晃（1 000圆纸币）和李珥（5 000圆纸币）以及世宗大王（10 000圆纸币），后者从1419～1450年统治着李朝。硬币面值从1～500圆不等。新韩圆于1962年开始发行，兑换率为100旧圆等于1新圆。朝鲜民主共和国的中央银行于1946年成立，拥有在该国发行和管理钞票和货币的专有权。朝鲜圆在1959年之前称人民圆，等于100钱辅币。当地的朝鲜圆不能兑换外币并受到政府的严格控制，现已发行一种供外国人使用的外汇券。

wondjina style（cave painting） 参阅 **wandjina style 旺吉纳式绘画**。

wongar（mythology） 参阅 **Dreaming, the 梦想期**。

Wonhyŏ Daisa 元晓大师（617，朝鲜～686，朝鲜） 佛教僧人，高丽十圣之一。兼取佛教各派教义进行系统化整理，使贤愚都能理解。为求证涅槃的人制定5条戒律。他认为，必须在生活中调和理想与现实，有一事足以说明他对此点的认识，据说，某夜他托苦修之名去与某美貌公主同寝，次日早晨并不自责，只说，要得道不能靠妄求自己所不能得，应靠承认自己有不能者。他著有《大乘起信论疏》、《金刚三昧经论》和《二障章》。

Woni（people） 参阅 **Hani 哈尼族**。

Wŏnju 原州 韩国中北部江原道城市。自古为战略要地。朝鲜战争（1950～1953）后，成为军事基地。与汉城、釜山、大丘有铁路、公路相通，是附近山区林产品的集散地和加工中心。大多数工业与军用有关。原州著名的传统工艺品为镶嵌螺钿漆器。人口237 460（1995）。

Wŏnsan 元山 朝鲜东南部城市。濒临日本海，位于平壤以东约130千米处。有两个岬角和20个大小岛屿为屏障，为朝鲜东海岸的天然良港。1880年成为商业港。先后铺设3条通往汉城、东北诸城市和平壤的铁路线。1945年独立后，经济由贸易转为渔业和水产品加工业。朝鲜战争期间，炼油厂和其他工厂被炸毁，现已重建。工业有造船、铁路、化工和纺织。现已成为文化、教育和医疗中心。松涛园、明山和深宝里等东海岸海滨为著名的海水浴场和休养胜地。人口约274 000（1987）。

元山市的体育中心与港口
供图：Jean Mohr

Wonthaggi 旺撒吉 澳大利亚维多利亚州南部城镇。距巴斯海峡8千米。19世纪50年代发现煤矿，但1909年才开采。1911年设自治市。由于铁路机车改用内燃机，当地煤矿不再积极开采。现生产冶金产品、农具和汽车零件。有铁路和巴斯公路通墨尔本。附近有兴旺的帕特森角游览地。人口约6 990（1993）。

wood 木材 树干和树根中坚硬的纤维状物质。是地球上最丰富和用途最广的天然材料，与煤炭、矿物及石油等资源不同，它可以再生。人类从蒙昧状态起至今，一直都在使用木材，先是作为燃料，随后则在许多方面加以应用。现代社会中虽已广泛使用金属和合成材料，但世人对木料、胶合板、纸张及纤维素衍生物等木材制品的需求，却在逐年增加。使用得最多的木材来自两类树木：针叶树或软材，如松、云杉或冷杉等；阔叶树或硬材，包括栎树、胡桃树及槭树等。

从树干的横截面上，可以看到三个基本部分：树皮、木质部和髓心。在树皮与木质部之间，尚有薄薄一层树木生长的细胞。木质部在髓心周围一圈圈地向外生长，每年一圈，称作生长轮。每一生长轮由两个部分组成，里面的部分名为早材或春材，是春季生成的，比较轻和软；而外面的部分名为晚材或夏材，则是树木在生长季节时继续形成的。在横截面上还可看到心材与边材的区别：心材颜色较深；而边材则是心材周围颜色较浅的部分，它含有的细胞具有吸取水分和矿物质及涵养枝叶的作用。木材的其他特征为颜色、气味、质地和纹理：不同树种的木材，有不同的颜色，从冬青树的白色到红杉的红色和乌木树的黑色，颜色深浅各异；有的木材如雪松类散发出明显的气味，而有的木材则气味很少；质地是指木材表面的均匀程度；纹理则指其纤维线条的走向。不同树种的木材具有不同的吸湿性。采伐的木材含水率的多少，能引起木材的膨胀和收缩，并影响其重量、体积、密度、硬度、强度、发热量和耐腐性。木材的力学性质包括强度、硬度、挠性和相对密度。不同的木材，强度差异很大，而且同一件木料受力方向不同，其强度也有差别。生产木料的企业就按上述这些木材的基本性质，以规定某一种木材的最佳用途。

木材处理的两大步骤为干燥与防腐。木材在露天风干或在窑内烘干，以减少其重量及胀缩程度，使之更便于加工。木材还必须防止其受到虫蛀及菌类的侵蚀而发生腐朽，可用化学药品进行防腐处理。砍伐下来的树身经加工后成为圆木（如圆篙和圆柱）或板材。圆木去皮和施加防腐剂后，即成为可以使用的原木。板材经防腐处理及锯成不同尺寸后，运送到其他加工厂，可制成各种产品。一些基本的产品有：薄木片（从一大段原木上切削下来的薄层）、胶合板（用狭木条作板芯，外面胶贴薄木片的层压板）、碎料板（把碎木片和刨花等用胶黏合后加工成型的木板）及纤维板（用纸浆纤维压制而成的薄板）。市场上出售的各种不同的木制品，大至漂亮的家具，小至牙签，估计有一万种之多。木材及其加工后的下脚料也是许多化工制品（赛璐玢、木炭、染料、炸药、漆、松节油和酵母等）的基本原料。木浆也是制造纸张和包装材料的主要原料。生产纸浆时可用机械方式将木材磨成粉末，也可用化学制剂将木材煮烂，还可以先用化学制剂加以处理，再用机器将其粉碎。纸制品则花色繁多，从精美信笺到新闻纸及瓦楞纸箱等，规格高低不一。

Wood FAMILY 伍德家族 英国斯塔福德郡陶工中的著名家族，也是该郡的陶器业由农村个体生产发展成为有组织的工业的主要力量。这个家族中最杰出的几个成员是：拉尔

伊诺克·伍德约1810年制作的莎士比亚胸像

伦敦维多利亚和艾伯特博物馆供图

夫·伍德（1715 ～ 1772）、其弟艾伦（1717 ～ 1785）及其子小拉尔夫（1748 ～ 1795）。1730年，拉尔夫跟J.阿斯特伯里学艺。后来又在T.惠尔登手下做工并学会了制造彩釉。1754年开始在伯斯莱姆独自生产盐釉陶器，并练习做模坯雕刻匠。1731 ～ 1746年间，艾伦跟小托马斯·韦奇伍德学艺，随后也到惠尔登手下做工；4年后，他开设了自己的工厂。拉尔夫在大约1760年制成精美的彩釉塑像，开始时用的是菱锰褐色，继而增加了各种绿、蓝和淡灰的橄榄色等色彩。题材种类很多，一般认为涂菱锰褐色和橘红色彩釉的《赫迪布拉斯》骑马像最佳。《牧师与摩西》也是这一时期的作品，问世后广为流传，以后由他的儿子和其他陶工继续复制。在动物雕塑方面，他塑制的牡鹿尤为闻名。拉尔夫属于英国陶工中最早一批把自己名字印在器皿上的人。一般认为是他首先引入人形酒壶（状似戴三角帽的矮胖老人）。1762年，他首次制成了这种器皿，定名为《托比·菲尔》壶。小拉尔夫利用其父的模具和题材广泛的新模具制造了许多塑像。其人像用珐琅上色代替彩釉，并在底部印有模子的编号。现存的一张发货清单表明，1783年拉尔夫曾经向J.韦奇伍德供应过塑像。约在同期或稍后，他好像是聘用了曾短期受雇于韦奇伍德的法国血统的雕塑师让·沃伊兹（约1740 ～ 1791以后）。沃伊兹大概曾为拉尔夫塑造《美丽的赫柏（青春女神）》壶；还有一批属于吕纳维尔的P.-L.西弗莱风格的人像模型，可能也是他的作品。威廉（1746 ～ 1808）是艾伦的儿子，曾被韦奇伍德雇用为雕塑师。他的弟弟伊诺克（1759 ～ 1840）很有才能，一度是韦奇伍德的学徒，后来跟汉弗莱·帕尔默学艺。约在1783年伊诺克·伍德作为自主的陶工与堂兄小拉尔夫合股在伯斯勒姆开业。1790年又与J.考德威尔合股经营，厂名改为“伍德-考德威尔”。1818年，伊诺克独资继续经营，厂名为“伊诺克·伍德父子工厂”。当时该厂的各种器皿畅销于斯塔福德郡，包括黑炻器、碧玉炻器、可能还有瓷器；此外，还生产了大量蓝花陶器，其中大部分出口到美国。伊诺克亲自塑制了相当大量的胸像。伍德工厂于1846年歇业。

Wood, Anthony 伍德（1632-12-17，英格兰牛津郡牛津～ 1695-11-29，牛津） 英国古物收藏家，毕生收集牛津和牛津大学的文物，并发表这些方面的历史著作。所写《牛津大学历史及其文物》（1674）是讲述牛津大学的著作；《牛津学苑》（1691 ～ 1692）是介绍曾在牛津大学攻读的作家和教士的大型传记辞典。伍德耳聋，尖酸刻薄而又多疑，常与家人及学校同事争吵。他的传记文章对时人多有尖刻的批评。他有一段文字指责第一代克拉伦登伯爵腐败，因而被定为诽谤罪并被赶出大学

牛津博德利图书馆供图

校门。临终前，他把所有文稿（包括通信、自传和日记）交给牛津的阿什莫尔图书馆，自传和日记由克拉克编为《伍德的生平和时代》（1891 ～ 1900）出版。所著《牛津市文物调查》由克拉克编辑，1889 ～ 1899年出版。

Wood, Evelyn 伍德（1909-01-08，美国犹他奥格登～ 1995-08-26，亚利桑那图森） 母家姓Nielsen。美国教育家，发展了一种广泛应用的快速阅读方法。父母是摩门教徒。1929年毕业于犹他大学，同年与道格拉斯·伍德结婚。20世纪30年代她帮助信奉摩门教的丈夫进行教会活动，然后开始在犹他州一所摩门教中学教书。1947年获犹他大学硕士学位。50年代她在各个中学辅导补习阅读时开始发展帮助缓慢阅读者读得更快而又理解更多的技术。她对高速阅读及其有关技巧进行系统研究。到了1958年，她教的犹他大学学生阅读速度达到每分钟几千字。她称之为阅读动力的阅读方法的关键技术，是当眼睛快速地做之字形移动一页一页看下去时，手作为节拍器。1959年她在华盛顿（哥伦比亚特区）开设第一家伊芙林·伍德阅读动力学院，随后许多同样的学习中心相继成立。伍德的方法强调全面增进阅读效率，在大量增加阅读速度的同时，也包括理解和词语记忆。

Wood, Fernando 伍德（1812-06-14，美国宾夕法尼亚费城～ 1881-02-14，阿肯色温泉城） 美国国会议员和纽约市长，美国南北战争期间领导北方和平民主党人。原是商人，1834

年以民主党人身份进入政界，领导坦曼尼协会。1841～1843 年任众议员。1854 年竞选纽约市长获胜，1856 和 1859 年连选连任。尽管北部地区的共和党人指责他贪污受贿，坦曼尼协会埋怨他不照顾本党，但他建成中央公园，并进行了重大改革。当坦曼尼协会不再支持他时，他另建自己的政治团体——莫扎特协会。1860 年率领亲南方的代表团参加民主党全国代表大会。1861 年初，当南北战争迫在眉睫时，他号召纽约市退出联邦，宣布为自由市。1863 年组织“和平民主党人”（共和党人称之为“铜头毒蛇”），要求北方立刻谈判停战。1862 和 1866～1880 年连续当选众议员，反对共和党的重建政策，但支持其财政措施。1877 年被选为众议院多数党领袖，同时任筹款委员会主席。

Wood, Grant **伍德**（1892-02-13，美国艾奥瓦阿讷莫萨附近～1942-02-12，艾奥瓦州艾奥瓦市） 美国画家，20 世纪 30 年代在美国盛行的中西部地方主义运动的主要代表人物之一。他在巴黎朱利昂学院学习一年（1923）后回到艾奥瓦州锡达拉皮兹。1927 年受聘设计彩色玻璃窗。他不谙彩色玻璃，于是到德国

伍德绘《美国哥特人》（1930）
芝加哥美术学院供图

寻找工匠协助。在那里他深受 16 世纪各位德国和佛兰德斯大师们的极为精细的绘画的影响。随后他放弃了印象派风格，开始用极为精细的现实主义手法来作画，并因此成名。他用这种风格为其母画的肖像《女人与植物》（1929）没有引起人们的注意，但 1930 年他的《美国哥特人》在芝加哥美术馆展出时引起了轰动。其严峻冷静的现实主义手法和真诚坦率、富有乡土气息的人物在美国艺术中是罕见的。这一作品表面上画的是一位农民布道员和女儿站在他们的农舍之前，但伍德实际上是以他的姊妹南和他的牙医 B.H.麦基比为模特儿。作为中西部严肃、勤劳的乡村居民的生动肖像，这张画成为美国艺术中最有名的肖像画之一。伍德是地方主义运动的领导人之一。他的另一张名画《革命的女儿们》（1932）是一张讽刺性的肖像画，三位其貌不扬的老妇表现出对于她们的美国革命祖先沾沾自喜。1934 年伍德受聘为艾奥瓦市的艾奥瓦大学美术系副教授。在他其他主要作品中有几张描绘美国历史事件的绘画，和一系列中西部乡村风景，用巧妙的简化形象来表达强烈的美国气氛。

Wood, Mrs. Henry **伍德夫人**（1814-01-17，英格兰伍斯特郡伍斯特～1887-02-10，伦敦） 英国小说家，以《伊斯特·林恩》（1861）一书成名。这部小说曾经译成多种文字，并改编为

供图：Mansell Collection

剧本，取得很大成功，其情节常为通俗小说仿效。后来又写有许多成功的小说，著名的有《钱宁一家》（1862）。她还善于讲故事和逼真地刻画中产阶级人物及他们之间的关系。1867 年成为《大商船》杂志的所有人和主编。

Wood, Sir Henry J(oseph) **伍德**（1869-03-03，伦敦～1944-08-19，英格兰赫特福德郡希钦） 指挥家。在英国普及管弦乐的主要人物。原为管风琴演奏者，1886 年起在伦敦皇家音乐学院学习作曲。1889 年作为指挥与 A.劳斯贝歌剧团合作巡回演出，后又在其他

供图：Edmond X. Kapp

歌剧团任指挥。1894 年在伦敦女王音乐厅帮助组织了一组瓦格纳作品音乐会。1895 年又在该音乐厅举办了季节性的、每晚演出的逍遥音乐会，对英国人的音乐生活产生了广泛影响。从通俗曲目开始，有步骤地扩展到 18、19 世纪的全部管弦乐，后来又介绍了当代几位杰出作曲家如 R.施特劳斯、德彪西、勋伯格的作品。自 1927 年起，英国广播公司接管了逍遥音乐会。第二次世界大战中女王音乐厅被毁之后，逍遥音乐会改在皇家艾伯特音乐厅举行。他出版了一部弥撒曲、歌曲集、韩德尔和普赛尔作品的改编曲、根据 J.S.巴赫的托卡塔和赋格改编的管弦乐曲（用笔名保罗·克列诺夫斯基出版）以及《优美的歌唱艺术》4 卷（1927～1928）、《我的音乐生活》（1938）和《论指挥》（1945）。1911 年受封爵士。

Wood, John, THE ELDER **伍德（老）**（约 1704，英格兰约克郡？～1754-05-23，萨默塞特巴斯） 英国建筑师和城市规划师。从 1727 年起居住在巴斯，为该休养城市的规划者，他虽曾设计若干个帕拉弟奥风格的建筑，但主要以街道或住宅群等群体的设计而闻名。他所作的第一个城市景观规划是巴斯的南北广场（1728），随后有女王广场（1735）、普赖尔公园（1735～1748）、皇家矿泉医院（1738）、圆形广场（死后由其子小伍德于 1764 年完成）、皇家新月大厦（1767～1769，由小伍德根据其父的设计建造）。他在巴斯以外的作品有布里斯托尔交易所（1740～1743）和利物浦交易所（1748～1755，与其子合作）。著

伍德（老）1735～1748 年设计建筑的普赖尔公园
供图：National Monuments Record, London

有《布里斯托尔交易所说明》（1745 年出版，1969 年重刊）。其他工程有巴斯-布里斯托尔运河以及兰达夫的大教堂（1735 年开始重建，现并入格拉摩根的加的夫大教堂）。

Wood, John, THE YOUNGER **伍德（小）**（1728-02-25，英国萨默塞特巴斯～1782-06-18，萨默塞特巴斯伊斯顿） 英国建筑师，他在巴斯的作品代表了当地帕拉弟奥风格（由其父老伍德开始）的顶峰（巴斯是综合规划最有成就的城市之一）。他最初作为其父的助手负责利物浦交易所（1748～1755）的收尾工程。1754 年其父去世后，成为巴斯的主要建筑师，根据其父的设计完成了圆形广场上的建筑，并设计了皇家新月大厦（1767～1775），这是一座面向公园的半圆形庞大建筑，由 30 套相连的城市住宅组成。这座巨型建筑的统一立面造成了宏伟的效果，这种设计在英国城市建筑中还是首次，为后人竞相仿效。他在巴

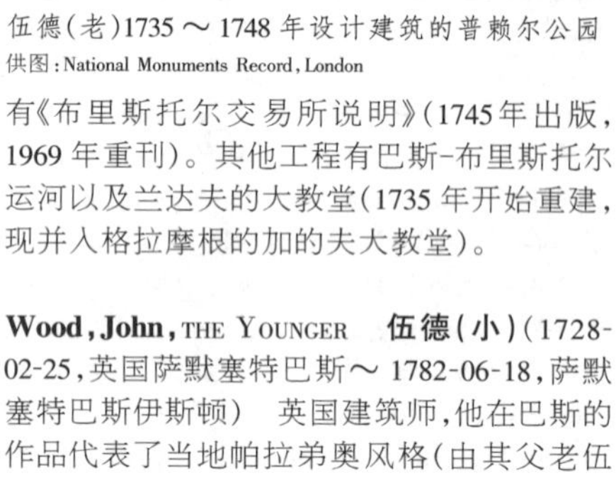

伍德（小）设计建筑的皇家新月大厦
供图：Aerofilms Ltd., London

斯的著名作品还有会议厅（1769～1771），一部分曾在1942年毁于轰炸，后来修复。

Wood, Leonard 伍德（1860-10-09，美国新罕布什尔温切斯特～1927-08-07，波士顿） 美国军医官，后成为美国陆军参谋长和菲律宾群岛总督（1921～1927）。哈佛医学院毕业

美国国会图书馆供图

（1884），翌年在陆军中当外科医生。由于参加镇压印第安人的远征，获得奖章。美西战争爆发后，与友人T.罗斯福招募美国志愿兵第一骑兵团，任司令官。因在古巴作战有功，升准将。战后任古巴总督（1899～1902），在古巴建立现代化的教育、司法和警察制度。1903年升少将，任菲律宾群岛摩洛省总督。回国后任陆军参谋长（1910～1914）。1917～1918年间或在国内或在国外担任指挥之职。他强调备战，在纽约州普拉茨堡组织夏令营对文官进行军训。1920年为共和党总统候选人，但在竞选中败于W.G.哈定。1921年哈定总统派他率领"伍德-福布斯代表团"去菲律宾，后又任他为菲律宾总督，直到1927年因病重辞职。

Wood, Mary Elizabeth 伍德（1861-08-22，美国纽约埃尔巴～1931-05-01，中国武昌） 又名韦棣华。美国图书馆员和传教士，由于她的努力，中国建起了大量的图书馆，并建立起一个大规模培养图书馆员的学校。在纽约州的巴达维亚长大并在当地一所公立学校上学，后成为当地的里士满图书馆的馆员（1889～1899）。1899年前往中国武昌看望她在当地传教的哥哥。听从哥哥的建议，伍德延长了逗留时间，在由教会管理的布恩学校（文华学校）教授初级英语。1904年她成为正式的世俗传教士之时，学校已经增设了大学部。伍德开始利用捐款筹建一个必需的图书馆。该建筑最终于1910年建成。后来在美国休假期间，伍德在纽约市的普拉特学院和波士顿的西蒙斯学院攻读图书馆学。为使布恩学校图书馆发挥更大的作用，她在武昌和汉口建了几个分馆，并且组织了流动图书馆系统，把中英文图书送到更多的地方。从1915年开始，她就帮助选派中国学生到美国学习图书馆学，1920年她在布恩学院开设了一个图书馆学校。1949年该学院被关闭之前，这个图书馆学校已有500名毕业生，其中多数人前往美国深造。1923年伍德向当时的中国政府领导人提出申请，要求把在义和团运动之后的庚子赔款中尚未支付的600万美元的一部分拨给中国公共图书馆的建设。1924年她前往美国首都华盛顿，为此事亲自游说。美国国会通过了一项议案，在中国教育和文化促进基金会的指导下为"教育和其他文化活动的发展"拨款（最终达1 200万美元）。该基金会为北京国家图书馆、布恩学校的图书馆和学术活动的建设拨了专款。伍德在其余生为该校筹集到一笔受美国董事会控制的永久性捐赠，后称玛丽·伊丽莎白·伍德基金会。

Wood, Matilda Alice Victoria（entertainer） 伍德 参阅**Lloyd, Marie**劳埃德。

Wood, Robert E(lkington) 伍德（1879-06-13，美国密苏里堪萨斯城～1969-11-06，伊利诺伊莱克福里斯特） 美国企业首领。在他领导下，西尔斯-娄巴克公司成为世界最大的

西尔斯-娄巴克公司供图

销售商。1900年毕业于美国军事学院，1905年被派往巴拿马运河区工作。1914年底运河完成后辞去军职，翌年进入商界。第一次世界大战期间重服兵役，任中校，在法国服役；1918年4月返美，提升为准将，一度任军需局代理局长。1919年又进入私营企业界，在蒙哥马利·沃德公司工作五年。此后转入西尔斯-娄巴克公司，1928年任总经理，1939年任董事长，1954年退休，仍任董事。1967年12月西尔斯-娄巴克公司首创月零售额10亿多美元的纪录。

Wood, Robert Williams 伍德（1868-05-02，美国马萨诸塞康科德～1955-08-11，纽约州阿米蒂维尔） 美国物理学家。推广了拉曼光谱术。1897年最先观察到场致发射，即导体在电场中发射带电粒子。这种现象用于场致发射显微镜以研究原子结构。1901年起在约翰斯·霍普金斯大学先后任实验物理学教授和研究教授，除了在物理光学方面的基础

约翰斯·霍普金斯大学供图

性发现外，还改进了衍射光栅上密集线的划线方法以及天文研究用的其他分光方法。还在超声学和生物物理学领域做出重要贡献。发表的著作有《物理光学》（1905）和一本荒诞诗集《怎样从花上和鸟对话》（1907）。

wood alcohol 木精 参阅 **methanol** 甲醇。

wood-boring beetle 锯木天牛 参阅**long-horned beetle**天牛。

Wood Buffalo National Park 伍德布法罗国家公园 加拿大公园。位于艾伯塔省北部和西北地区的南部、阿萨巴斯卡湖和大奴湖之间。建于1922年。面积44 807平方千米。是世界最大的公园。有辽阔的森林和平原，皮斯河流经其间，湖泊众多。为平原现存最大的兽群栖息地，园内多北美野牛，还有熊、北美驯鹿、麋鹿、河狸以及濒于绝种的珍禽美洲鹤。

wood duck（*Aix sponsa*） 林鸳鸯 又作woodie。北美产颜色艳丽的小型鸭科鸟类，栖鸭的一种。受欢迎的猎禽。营巢于离地面15米的树洞中。体长约43～52厘米，雄

雄性林鸳鸯（*Aix sponsa*）
供图：Grant Heilman

雌均具独特的羽冠（蚀羽或夏羽无羽冠）。雄鸟易鉴别，羽冠有两条纵列的白色条纹；头紫色和绿色相间；胸红褐色，有白斑；两肋青铜色。雌鸟有白色眼环，体羽为如煤炱的灰褐色，喉白色，胸部有白色条纹。平均每窝产卵约12枚；孵化期约30天，幼雏于出壳的次日即可随雌鸟离巢，能从高达15米的巢跳到地面。雏鸟以水生昆虫和其他小生物为食，成鸟喜吃橡子或其他坚果。林鸳鸯常为人捕猎，由于滥捕和生境受破坏，一度濒于绝灭，在自然资源保护主义者的不懈努力下，其种族得以保存。人们在水体上方或周围的桩顶上建造人工巢箱，有效地阻止其种群数量的下降。

wood engraving 木口木刻 指在硬木块横断面即端面上雕刻画像以制成版画的技法。这种技法出现于英国18世纪下半叶，其第一位大师是版画家T.比尤伊克，他替《英国鸟类史》（1797、1804）等自然史书籍所作插图就是这种技法的首次运用。英国诗人和艺术家

L.巴斯金刻制的木口木刻《男人头像》(1961)
芝加哥美术学院

W.布莱克(1757～1827)曾在木块上刻制自己设计的图像,在当时是以这种技法创作版画原作的典范。在19世纪的法国和德国,也是书本、杂志以至报纸插图的一种最常用手段。19世纪末,在复制图画方面照相凸版已开始取代木口木刻,但后者依然有不少人采用,而且在20世纪中叶被一些艺术家运用得很出色,如M.C.埃歇尔、L.巴斯金和M.科恩。

wood fern　林蕨　参阅 **shield fern** 鳞毛蕨。

Wood-Forbes Mission　伍德-福布斯代表团(1921)　美国新任总统W.哈定派往菲律宾的调查团,其结论是菲律宾人还没有准备好独立。1913年W.威尔逊总统任命F.B.哈里森为菲律宾总督。哈里森认为,使菲律宾人准备迎接独立的最好办法是叫他们尽可能广泛地管理自己的内政。1916年《琼斯法》通过,促使哈里森推行他的在菲律宾文职官员中用菲律宾人代替美国人的政策。美国共和党人争辩说,哈里森的菲律宾化政策是不成熟的,菲律宾人接管权力以后把工作搞得一团糟。哈安支持这种说法,就派L.伍德将军和W.C.福布斯两人前去调查实际情况。1921年10月这两个人报告说,菲律宾群岛尚未具备独立的条件,很多有文化的菲律宾人都愿意接受美国的训政。菲律宾人听到伍德-福布斯的报告,感到非常愤怒。此后6年伍德任美国驻菲律宾总督,极不得人心。

Wood frog(*Rana sylvatica*)　**林蛙**　蛙科动物,陆栖蛙类。产于美国东南部到阿拉斯

林蛙(*Rana sylvatica*)
供图:Karl H.Maslowski

加一带。美国和加拿大部分地区的林蛙一般栖息于潮湿的林地。北方的林蛙常出现于春季有水可供繁殖的地区。体色可由淡黄色变成粉红色、褐色或浅黑色。脸上有一不甚明显的黑色面罩状斑。最大的体长约8.25厘米。声似鸭鸣。

wood hoopoe　林戴胜　又作kakelaar。佛法僧目林戴胜科(Phoeniculidae)的非洲热带鸟,6～10种,或归入戴胜科(Upupidae)。体长22～38厘米。主要为黑绿或紫黑色,尾

紫黑色林戴胜(*Phoeniculus purpureus*)
供图:Anthony Mercieca from Root Resources—美国不列颠百科全书公司

长,凸尾,有的尾端白色。嘴细尖,稍下曲或明显下曲。*Rhinopomastas* 属的两个种喙形如东方人用的短弯刀,故俗名弯刀嘴鸟或弯刀嘴戴胜。

wood louse　丸虾　陆生甲壳动物两个有亲缘关系的种类:球潮虫(**pill bug**)和潮虫(**sow bug**)。

wood mouse　林小鼠　参阅 **field mouse** 田鼠。

wood oil　木油　参阅 **tung oil** 桐油。

wood oil tree　木油树　参阅 **varnish tree** 漆树。

wood owl　林鸮　鸱鸮科林鸮属(*Strix*)11种猛禽的统称。有明显的脸盘,但无耳羽束。见于美洲、欧洲和亚洲的林地和森林中。林鸮一词亦指见于非洲和美洲的叫鸮属(*Ciccaba*)鸟类。林鸮以昆虫、鸟类、小型哺乳动物(主要是啮齿类和野兔)为食。北美东部的横斑林鸮(*Strix varia*)全身缀以褐和白色横斑,体长约40～50厘米。北欧、亚洲和北美的大灰鸮(乌林鸮,*S. nebulosa*)是最大的林鸮

横斑林鸮(*Strix varia*)
供图:Karl Maslowski

之一,体长常超过70厘米;体羽厚密,因此外形比实际大得多,体羽灰至淡褐,下体缀以横斑,且体多条纹。北美西部的斑点鸮(西方林鸮,*S. occidentalis*)上体具斑点,下体缀以横斑;体长约40～50厘米。欧、亚和非洲的茶色林鸮(灰林鸮,*S. aluco*)体羽呈褐色或茶色,具白点及深褐色横斑。

wood pigeon(speices *Columba palumbus*)　**林鸽**　即斑尾林鸽。鸠鸽科鸽亚科(Columbinae)鸟类。见于欧洲、北非和亚洲西部(东到印度锡金山区):林栖。体长约40厘米。体浅灰色,具白色颈圈,翅上具白色横纹。雄鸟向雌鸟进行"求婚喂食"后交尾。每窝产卵两枚,一年可孵育3窝。在地面觅食种子、谷物和浆果。其嗉囊能容60颗橡子。在农业区可能为害庄稼。鸽亚科鸽属(*Columba*)中其他一些种亦称林鸽,例如斑点林鸽、灰林鸽、紫林鸽、日本林鸽等,广泛分布于东南亚和太平洋地区。

wood rat　林鼠　又作pack rat(驮鼠)或trade rat(贸易鼠)。啮齿目仓鼠科林鼠属(*Neotoma*)22种北美洲和中美洲啮齿动物的统称。栖息在沙漠、森林到海拔高的多岩石

白喉林鼠(*Neotoma albigula*)
供图:G.C.Kelley—Photo Researcher,Inc.

山腰。浅黄、灰或淡红褐色;通常腹部和足为白色;耳较大,尾通常多毛而蓬松。体全长23～47厘米,包括尾长8～24厘米。林鼠基本属夜行性,以植物为食。栖于用细枝或仙

人掌等植物材料筑成的窝内。窝阔可达 1 米,筑在树上、树木下面的地面、岩山突出部或仙人掌上。住在沙漠中的林鼠用仙人掌筑窝,并且筑在仙人掌上,这可能是食肉动物难以逾越的屏障。林鼠之所以被称为驮鼠或贸易鼠,是因为它们收集各种小块材料并储存在窝里,有时在窝以外的地方拾起一件发光的物件,而留下一件自己正在运送的东西,这样就给人一个印象,好像它在用一样东西来"交易"另一样东西。

Wood River　伍德里弗　美国伊利诺伊州西南部麦迪逊县城市。地近伍德河和密西西比河汇流处。1908 年随附近标准石油公司炼油厂的建立发展起村庄。1923 年设市。为伍德里弗-东奥尔顿工业联合体的一部分。现经济以石油、罐车制造和石、黏土、玻璃制品生产为主。人口11 296(2000)。

wood sorrel　酢浆草　酢浆草科酢浆草属(*Oxalis*)植物,有数百种,尤指山酢浆草(*O. montana*)。该种为草本,原产北美,北至加拿大南部、南至田纳西、西至明尼苏达一带均

欧洲酢浆草(*Oxalis europaea*)
供图:Walter Chandoha

可见;高约 15 厘米,茎粉红色;花白色或浅红色,5 ～ 8 月开放;具 3 枚小叶。英语中 wood sorrel 一词有时亦指蓼科的微酸酸模(*Rumex acetosella*)及秋海棠科原产西印度的尖叶秋海棠(*Begonia acutifolia*)。

wood spirit　木醇　参阅**methanol**甲醇。

wood tar　木焦油　木材碳化或干馏产物中的一种液体。粗木焦油用作燃料、绳索与木材的防腐剂,也用来填塞缝隙。分馏时可得杂酚油、馏出油和沥青。木焦油有栎木、山毛榉木的硬木焦油和主要是松木特别是含树脂树桩、树根的含树脂木焦油两种。硬木焦油可从木醋酸制得,为木醋酸中的沉积物或蒸馏残液。粗木醋酸是木材干馏中逸出挥发分的冷凝物。含树脂木焦油与硬木焦油不同,含有气味芳香的萜烯混合物,通称松节油。松焦油通称斯德哥尔摩焦油或阿尔坎格尔焦油,是松节油馏出(通常借助蒸汽)后的残液。在苏联、瑞典和芬兰林区大量制取,广泛用于制造涂柏油的绳索、浸渍大麻纤维以制造麻絮。在医药中,小量松焦油用于配制某些软膏和消毒剂。它的一些馏分尤其是杂酚油馏分,用于冶金工业泡沫浮选过程。

wood thrush(bird)　**黄褐森鸫**　参阅 **nightingale thrush** 夜莺鸫。

wood turtle(*Clemmys insculpta*)　**林龟**　即木雕水龟。水龟科动物,产于加拿大的新斯科舍省至美国东部和中部地区。尾长。背甲粗糙,长约 15 ～ 20 厘米,每块骨板上的沟纹形成同心排列的角锥图形。背甲棕色,颈部和四肢微红色。半水栖。虽善于游泳,但常上岸漫游草地或丛林地区,取食柔嫩植物和小型无脊椎动物。为人类喜爱的玩赏动物。以前曾作为食品出售。

wood wasp　木黄蜂　又作木胡蜂。膜翅目长颈树蜂科(Xiphydriidae)、尾蜂科(伏牛蜂科,Orussidae 或 Oryssidae)及杉蜂科(Syntexidae)昆虫的俗称。尾蜂科又称寄生木黄蜂,杉蜂科又称翠柏木黄蜂。长颈树蜂分布于欧洲和北美,长约 20 ～ 25 毫米,圆柱形,浅黑色。幼虫钻入枯木或垂死的落叶树的木质部内。尾蜂相对罕见,但广布世界各地。在北美和欧洲仅尾蜂属(*Orussus*)一属。成虫黑色,约 8 毫米长;幼虫寄生于吉丁虫体内。北美有香翠柏杉蜂(*Syntexis libocedrii*),分布于太平洋沿岸各州。成虫长约 8 ～ 14 毫米。幼虫钻入香翠柏(北美翠柏,*Calocedrus decurrens*)的木质部内。

woodbine　苦壁藤　几种藤本植物的俗称,分属显花植物的几个科。尤指北美的弗吉尼亚爬山虎(**Virginia creeper**,五叶爬山虎,*Parthenocissus quinquefolia*)和欧亚大陆的忍冬(**honeysuckle**,*Lonicera periclymenum*)。

Woodbridge　伍德布里奇　英格兰萨福克行政、历史郡萨福克海滨区一教区(城镇)。位于德本河口湾顶端。附近有英格兰最大考古宝藏之一的萨顿胡船葬墓地。曾为皇家海军建造船只,曾为集市城镇,以制造绳索和帆布闻名。现仅生产游船,也经营园艺。人口 10 950(1991)。

Woodbridge　伍德布里奇　美国新泽西州米德尔塞克斯县一镇区。位于狭窄的阿瑟尔基尔海峡两岸。300 多年前建立时为一农业社区。现有重工业,包括炼油、塑料和化工等生产。1665 年始有居民,1669 年设建制。包括福兹和塞沃伦两个工业区。1929 年在此建造美国第一条立体交叉公路。1965 年建立州立伍德布里奇弱智儿童学校。人口 97 203(2000)。

Woodbury, Helen Laura Sumner　伍德伯里(1876-03-12,美国威斯康星希博伊根～ 1933-03-10,纽约州纽约)　婚前名 Helen Laura Sumner。美国经济学家,她的调查工作主要侧重于历史和现代的劳工问题,尤其是与妇女和儿童有关的问题。在威斯康星和科罗拉多长大。1898 年毕业于马萨诸塞州韦尔斯利学院,在该校时对社会团体工作产生兴趣。1896 年出版小说《白奴》,揭示了她早期对经济问题的理解力。1902 年开始在威斯康星大学攻读经济学研究生,在该校曾当过 R.伊利的秘书并师从 J.R.康蒙斯。她帮助完成了康蒙斯的《工会制与劳工问题》(1905),并与 T.S.亚当斯一起著有《劳工问题》(1905),该书成为广泛使用的大学课本。1906 ～ 1907 年,对科罗拉多的妇女选举权进行实地调查,并于 1909 年发表报告《平等选举权》。她重新开始其研究,帮助编纂和编辑了几卷由美国工业研究所出版的康蒙斯的《美国工业社会文献史》。1908 年因发表博士论文《美国劳工运动,1827 ～ 1837》获得博士学位,该论文成为康蒙斯和几个学生写的《美国劳工史》(1918)前两卷中的主要内容。她开创性的研究报告《美国女工史》,由美国劳工统计局作为其《关于美国女工和童工工作条件的报告》的第 9 卷,于 1910 年出版。1909 ～ 1913 年为联邦政府进行各种合同文本的研究工作。赴欧洲研究考察期间,在法国、德国和瑞士搜集到工业法院的信息,1910 年作为劳工统计局的简明新闻发表。1913 年作为工业专家加入设立一年的美国联邦儿童局,两年后升任助理局长,局长为 J.莱斯罗普。后来放弃这一行政职务,改任儿童局的首席调查员。1918 年与经济学家 R.M.伍德伯里结婚后,以承包合同的方式为儿童局工作。她为该局出版的著作包括《美国的童工立法》(1915;与 E.梅里特合著)、《波士顿的劳动儿童:在现代依法管理制度下的童工研究报告》(1922)、《雇佣证明制度管理的应用标准》(1924)。

Woodbury, Levi　伍德伯里(1789-12-22,美国新罕布什尔弗朗西斯敦～ 1851-09-04,新罕布什尔朴次茅斯)　美国政治家,1846 ～ 1851 年任最高法院法官。1809 年毕业于达特茅斯学院,并在学习法律后,于 1812 年获准当律师。后任新罕布什尔州高等法院法官(1817 ～1823)、新罕布什尔州州长(1823 ～ 1825),并于 1825 ～ 1831 年任美国参议员。1831 ～ 1834 年任海军部长,1834 年任财政部长。在任财政部长期间,他协助 A.杰克逊总统反对给美国银行重发特许证。在 1837 年的经济恐慌中,伍德伯里保持了联邦政府的信用,从而使许多州银行受益。他任财政部长直至 1841 年离开内阁为止,当年他重新当选为参议员。1845 年 J.K.波尔克总统任命他为最高法院大法官,1846 年 1 月获得批准。他担任此职直至去世。作为一个美国新英格兰人,伍德伯里一直是相当保守的,在任最高法院法官期间,他对宪法持严守词句的观点。他以持异议著称,在这些异议中,他常坚持州的权利应超过联邦政府的权利。

woodchuck(*Marmota monax*)　**美洲旱獭**　又作 groundhog(土拨鼠)或 whistle-pig。啮齿目松鼠科动物。体粗壮,脚黑色,毛浅红褐或褐色,体长 42 ～ 51 厘米,尾长 10 ～ 15 厘米,重 2 ～ 6 千克。分布于美国东部和中部、加拿大到阿拉斯加。栖息于开阔田野和林地边缘,主要以低矮的绿色植物为食。美洲旱獭主要地栖,但善于游泳和攀缘。夏天大量进食,储存脂肪以备度过冬眠期。善于挖洞,洞

穴有总入口和供逃跑之用的隧道。春季产仔，每窝4～5只，除春季外终年独居。幼仔和母兽共处约2个月。有时毁坏庭园和牧场的土地。其肉可食，其弃洞还为兔、狐和其他小型动物提供了隐蔽所。据美国传说，美洲旱獭于每年2月2日出蛰，该日即称土拨鼠日，根据这天的天气情况可以预测冬季的持续时间：若阳光照不出土拨鼠的影子则预示早春，反之则预示寒冷将持续。

woodcock 丘鹬 鸻形目鹬科躯体短粗、喙长、栖息于潮湿稠密林地的5种鸟，与沙锥近缘。是会令人吃一惊的猎禽：会蹲伏在枯叶中一动不动，淡黄褐色有斑纹的羽衣与环境

欧亚丘鹬（*Scolopax rusticola*）
供图：D. Middleton—Bruce Coleman Inc./美国不列颠百科全书公司

一致，直到几乎被人踩上才突然迅速飞走。眼睛在头部的位置比其他任何鸟都靠后，视野为360度。耳孔位于眼眶下而非眼后。独栖，黄昏时最活跃。主要以蚯蚓为食。用脚敲地把蚯蚓引诱到地表，然后用长而敏感的喙（喙尖张开）像镊子一样，将蚯蚓拖出，这种取食习性迫使丘鹬必须迁徙，土地一开始上冻就离开。每个个体每天食量约450克，相当于其体重的两倍。丘鹬于早春营巢，巢由树叶构成，通常筑于树脚下，每窝产4卵，由雌鸟单独孵化。受惊时，雌鸟能双腿抱着一只幼雏飞去。幼雏一月之内即可长到成鸟大小。美洲丘鹬（*Scolopax*［或 *Philohela*，*minor*］）的雌鸟体长（包括喙）约30厘米，雄鸟略小。翅圆且外侧飞羽稀少，在飞行时能发出振动响声，这种响声似乎为有意发出的。雄鸟求偶表态时发出悦耳而多变哨声般的鸣啭，先螺旋式地向上飞到60～90米高空，接着拍动翅膀降落到原地，这种动作在黄昏时进行，反复半小时之久。美洲丘鹬繁殖于北美温带，并在美国东南部越冬。欧亚丘鹬（*Scolopax rusticola*）在英国到日本的旧大陆温带地区繁殖。偶然迁徙到美国东部。颜色与美洲丘鹬不同，腹部有褐色横斑。雌雄大小几乎相同，均约35厘米。求偶表态时雄鸟按三角形途径低飞过树梢，同时发出呱呱的叫声。其他丘鹬产于印度和东印度群岛。

Woodcock, George 伍德科克（1904-10-20，英国兰开夏班伯布里奇～1979-10-30，萨里埃普瑟姆） 英国劳工领袖，职工大会（TUC）总书记（1960～1969）。12岁当纺织工，1927年获得奖学金到罗斯金学院学习，1933年又在牛津大学学习哲学与政治经济学，成绩优异。1936年入职工大会供职，1947年任副总书记，1960年任总书记。1969年辞去职工大会职务，出任新成立的劳资关系委员会主席至1971年。在任职工大会总书记期间，以擅长行政管理和调解事端闻名，努力使职工大会更好地与政府和企业合作，解决国家经济困难，说服工会同意限制工资和提高生产率。1953年获得英帝国一级勋章，1967年被委任为枢密顾问官。

Woodcock, George 伍德科克（1912-05-08，加拿大马尼托巴温尼伯～1995-01-28，不列颠哥伦比亚温哥华） 加拿大诗人、评论家、历史学家、游记作者、剧作家、电影剧本作者和编辑。他的作品，特别是他的诗，反映了他认为社会将发生革命变革的信念。出生后不久即随全家返回英国。因家境贫寒未能上大学，当过农场主、铁路管理员和自由作家。40年代创办和编辑激进的文学杂志《现在》，并为无政府主义出版社"自由出版社"工作。1949年携妻迁往加拿大。1954～1955在西雅图的华盛顿大学任教，继而在温哥华的不列颠哥伦比亚大学任教，后成为副教授。1963年停止教学，专事写作和编辑工作。他出版了100多部书。他的诗，特别是在第二次世界大战以前出版的诗，表达了他对社会革命变革所持的无政府主义态度，所写诗集包括《白岛》（1940）、《游览笔记》（1975）和《诗选》（1983）。游记有《通往死亡之城》（1957）、《印度的面貌》（1964）、《沙漠中的洞穴》（1988）。《无政府主义：自由意志论思想和运动的历史》于1962年问世。他还写了许多论述加拿大文学的论文，出版了他朋友G.奥韦尔、M.里奇勒、H.里德等人的传记和2部自传《致往昔的信》（1982）和《在蓝山那边》（1987）。

woodcreeper 攀木鸟 又作 woodhewer（砍林鸟）。雀形目砍林鸟科约48种美洲热带鸟的俗称。在树干上活动，从树皮和树叶中搜寻昆虫。多数种类体长20～38厘米（有几种略小）。体羽淡褐色（常带有橄榄色）；头和下体有灰白条纹或横斑；翅和尾通常淡红褐色。在多数种类中嘴侧扁结实而长度适中，少数种类的嘴极其下曲或楔形。尾羽宽而坚挺，攀缘时作支撑用。从一棵树到另一棵树作波浪式飞行。栖于森林，独居，根据鸣声可辨知其栖息处；有几种反复发出刺耳的或悲切的音调，其他种类发颤音。除已知几个种用植物材料在树洞中营巢外，其繁殖习性尚不了解。分布在墨西哥南部到巴西北部的横斑攀木鸟（旋木砍林鸟，*Dendrocolaptes certhia*）是广分布的典型种，体长28厘米，嘴厚实，有扇贝形的黑斑。玻利维亚到阿根廷的大浅红攀木鸟（大棕砍林鸟，*Xiphocolaptes major*）在地上取食。洪都拉斯到阿根廷东北的纯褐攀木鸟（煤烟色砍林鸟，*Dendrocincla fuliginosa*）常尾随于蚂蚁行进的行列。

象牙色喙攀木鸟（*Xiphorhynchus flavigaster*）
绘图：H. Jon Janosik

woodcut 木版画 又称木刻。将顺纹裁成的厚木板雕成画版的技法。这是一种最古老的凸版印画法。中国自5世纪起就用它来装饰纺织品。欧洲从14世纪初已采用此法印

E.蒙克的木版画《吻》（1902）
伦敦维多利亚和艾伯特博物馆供图

饰纺织品，但直到14世纪末，在法、德两国才有较大的发展。德国最早的木刻始创于1423年的布克斯海姆隐修院圣克里斯托弗像。巴伐利亚、奥地利和波希米亚的宗教画像和扑克牌，起初是在15世纪初用木版印的。由于活字印刷的出现，荷兰和意大利广泛使用木刻插图。至16世纪，黑线条的木版画受丢勒及其弟子的影响而臻于完善。木版画在17世纪作为流行的插图手段而被广泛采用，但19世纪初被**木口木刻**（**wood engraving**）所取代。19世纪中叶，有些大画家重新发现了木版画的表现潜力。挪威画家E.蒙克开始将软木的纹理和他的图像结合起来，取代了传统的细纹硬木。法国画家高庚则用砂纸处理木版的表面，从而获得新的色调效果和新的纹理质地。木版画在德国成为表现主义画家的一种重要艺术手段；他们用弧口凿粗略地砍凿木版，风格粗犷。美国在20世纪20至30年代中，由于肯特和其他画家所作的插图而使木版画受到重视。在日本艺术史中，木版画也起过重要的作用，一种称为**浮世绘**（**Ukiyo-e**）的民间风俗画在日本很流行。不少浮世绘木版画在19世纪末传到西方，影响了

李桦的木版画《逃难》(1944)
供图:© Li Hua/Chinastock Photo Library

先锋派画家。20世纪日本版画家如栋方志功等使木刻技术得以复兴。

Wooden, John (Robert)　伍登(1910-10-14,美国印第安纳马丁斯维尔附近～2010-06-04,加利福尼亚洛杉矶)　美国篮球教练员。曾指导洛杉矶市加利福尼亚大学各篮球队,使这些队先后在12年中(1964～1965,1967～1973,1975)10次夺得全国大学生体育协会篮球冠军,其中6次蝉联。他于第二次世界大战期间任体育教官;战后1946～1948年在特雷霍特任印第安纳州立师范学院(现印第安纳州立大学)篮球总教练和田径运动教师;1948年任加利福尼亚大学总教练;1975年退休。40年间他所训练的队共胜885场,负203场,获胜率为0.813。他是唯一以运动员兼教练员的身份入选马萨诸塞州斯普林菲尔德篮球名人堂的人物。

wooden and bamboo slips from Zoumalou, Changsha　长沙走马楼简牍　中国湖南长沙走马楼22号古井窖出土的三国孙吴简牍。1996年发掘所获。初步估计总数约14万枚左右。时代主要属于三国孙吴前期,集中于孙权称吴王的黄武及孙权称帝的黄龙、嘉禾时期,少数竹简使用东汉献帝建安末年年号。简牍书体介于隶、楷、行之间。已整理出的简牍种类有简、牍、签牌、封检等。简牌内容十分丰富,可分为符券类、簿籍类、书檄类、信札和其他杂类(如名刺、礼单、封检)等。从已释读的部分看,主要是孙吴长沙郡与临湘侯国(县)的地方文书档案,内容涉及赋税、名籍、官府文书等。这批吴简对于研究三国孙吴的社会、经济、政治、法律等具有重要意义。

woodhewer (bird)　**砍林鸟**　参阅 **woodcreeper 攀木鸟**。

Woodhull, Victoria　伍德哈尔(1838-09-23,美国俄亥俄荷马～1927-06-10,英国伍斯特郡布里蒙斯诺顿公园)　母家姓克拉夫林(Claflin)。美国非凡的社会改革家。她在不同时期参加支持了妇女选举权、恋爱自由、神秘社会主义、绿背纸币运动等各种活动,也是美国历史上第一个参加总统竞选(1872)的女性。

维多利亚和妹妹田纳西出身在一个私人医生和算命术士的家庭中,从小受唯灵论的熏陶,随大人漫游,为公众提供心理及其他疗法。甚至在其15岁与坎宁·伍德哈尔结婚后,她仍与妹妹合作表演千里眼。1864年与坎宁离婚后,据称她已同J. H. 布拉德上校结婚。通过布拉德,她了解了许多19世纪的改革运动。

加利福尼亚历史学会供图

1868年全家搬到纽约市。在纽约,由于双方对唯灵论具有共同的兴趣,克拉夫林姐妹受到铁路创业人C. 范德比尔特的青睐。在范德比尔特的资助和指导下,姐妹二人创办了一个颇有成就的证券交易所——伍德哈尔-克拉夫林公司。伍德哈尔夫人还受一位异常的哲学家S. P. 安德鲁斯的影响,参加了安德鲁斯所组织的社会主义团体——全民政治学社。这个团体反对传统婚姻,提倡社区照料儿童和财产以及完全的恋爱自由。在《政府的起源、趋向和原理》(1871)论文集中,她采纳了安德鲁斯的观点。

1870年,克拉夫林姐妹创办《伍德哈尔和克拉夫林周刊》,宣传妇女应有与男人平等的权利,提倡两性间应只有一个道德标准等等。开始时,伍德哈尔夫人提倡恋爱自由,受到妇女选举权运动领袖们的猜忌,但她在美国众议院司法委员会前为妇女选举权进行申辩之后却赢得了领袖们的支持。当一个称为全国激进改革者的持异议的团体在1872年自全国妇女选举权协会分裂出去时,伍德哈尔夫人被平等权利党提名为总统候选人。

一位著名的妇女选举权运动的同情者T. 蒂尔顿对伍德哈尔夫人产生了兴趣;由于他们的关系,那广泛流传的H. W. 比彻和蒂尔顿太太之间的桃色情事首次在克拉夫林姐妹的《周刊》上披露出来(1872-11-02),造成了一桩全国闻名的丑闻。两姐妹声称此事证明了单一道德标准的必要性。她们曾被指控通过邮件寄送不正当材料,但翌年被宣称无罪。1872年克拉夫林姐妹在《周刊》上发表了马克思和恩格斯《共产党宣言》的第一个英译本。

1872年美国《哈泼周刊》所登伍德哈尔夫人的漫画像,她所持牌子上书"自由恋爱"
美国不列颠百科全书公司供图

1876年伍德哈尔夫人与布拉德离婚;次年范德比尔特去世,姐妹二人前往英国,旅费显系范德比尔特的继承人所资助,以防其对遗嘱提出异议。在伦敦,伍德哈尔夫人的一次演说使一个富有的英国银行家J. B. 马丁如醉如痴,于是马丁向她求婚。由于马丁家庭的反对,直至1883年他们才结婚。两年后,田纳西嫁给一位英国商人和艺术品收藏家F. 科克。姐妹二人因从事慈善事业,名声大振,跻身于英国上流社会而受到广泛的欢迎。由于其女朱拉·莫德·伍德哈尔的帮助,伍德哈尔夫人创办了一份重点宣传优生学的刊物《慈善家》(1820～1910)。她还成为一位航空事业的早期赞助人,1914年为首次横越大西洋飞行提供奖金5 000美元。

woodie　参阅**wood duck 林鸳鸯**。

Woodland　伍德兰　美国加利福尼亚州中部城约洛县县城(1862)。东南距萨克拉门托30千米,在萨克拉门托河谷中。该城是亨利·威科夫于1853年所建,原名约洛城,1859年首次通邮时因该城位于一片橡树林中而改今名。伍德兰为一大农业区的贸易、船运与农产品加工中心,该农业区出产甜菜、蔬菜、水果、大米和橄榄油。轻工业制造业有塑料制品、活动房屋和农业机械。1874年设建制。

人口49 151(2000)。

Woodland cultures 林地诸文化 北美洲东部史前文化,可溯至公元前1千纪。在大平原地区,可以找到林地文化的变体。在公元1千纪,大部分林地文化为密西西比文化(**Mississippian culture**)所代替,在某些地区,这些文化则延续至有史时期。林地诸文化的特征是:种植玉米、豆类和南瓜,陶器具有特殊的形制,修建墓冢。

Woodlark Island (island, Papua New Guinea) **伍德拉克岛** 参阅**Muyua** 穆乌阿岛。

woodpecker 啄木鸟 䴕形目啄木鸟科啄木鸟亚科(Picinae)鸟类,约180种,以在树皮中探寻昆虫和在枯木中凿洞为巢而著称。除澳大利亚和新几内亚外,几乎分布全世界,但

绒啄木鸟(*Dendrocopos pubescens*)
供图:Kenneth and Brenda Formanek

以南美洲和东南亚数量最多。多数啄木鸟为留鸟,但少数温带种如北美的黄腹吸汁啄木鸟(*Sphyrapicus varius*)及扑动䴕属(*Colaptes*)的种类有迁徙习性。大多数啄木鸟终生都在树林中度过,在树干上螺旋式地攀缘搜寻昆虫;只有少数地上觅食的种类能像雀形目鸟类一样栖息在横枝上。多数啄木鸟以昆虫为食,但有些种尤其是 *Melanerpes* 属的种类,食果实。吸汁啄木鸟一般在一定季节内食某些树的汁液。春天,占据各自领域的雄啄木鸟大声鸣叫,加以常常啄击空树,偶尔敲击金属,从而增加了声响,但在其他季节啄木鸟通常无声。啄木鸟多无社群性,往往独栖或成双活动。橡树啄木鸟(*Melanerpes formicivorus*)长20厘米,分布于北美西部向南到哥伦比亚的落叶林中。红头啄木鸟(*M. erythrocephalus*)体型大致与橡树啄木鸟相近,长19～23厘米,稀疏分布于北美温带东到落基山脉的开阔林地、农地及果园。*Dendrocopus* 属的著名种类包括:绒啄木鸟(*Dendrocopos pubescens*)长约15厘米,分布于北美温带林地和园林;大斑啄木鸟(*Dendrocopos major*)长约23厘米,分布于欧亚大陆西部温带向南到北非的森林和庭园;柔毛啄木鸟(*Dendrocopos villosus*)长20～25厘米,分布于北美温带。*Dryocopus* 属包括两个著名的种:黑啄木鸟(*Dryocopus martius*)长约46厘米,分布于欧亚大陆温带地区的针叶树和山毛榉林;北美黑啄木鸟(*Dryocopus pileatus*)长约40～47厘米,分布于北美大部分温带成熟森林中。三趾啄木鸟属(*Picoides*)有两个种:北三趾啄木鸟(*P. tridactylus*)分布范围在北半球亚北极地区,南至某些山脉;黑背三趾啄木鸟(*P. arcticus*)分布加拿大的中部森林。绯红背啄木鸟(*Chrysocolaptes lucidus*)分布于印度到菲律宾的开阔林。绿啄木鸟(*Picus viridis*)分布于欧亚大陆温带向南到北非的林地。红腹啄木鸟(*Centurus carolinus*)分布于美国东南部的落叶林。参阅 **ivory-billed woodpecker**。

woodpecker finch 啄木雀 加拉帕戈斯地雀(**Galapagos finch**)类群的一个种。

woodruff 车叶草 茜草科车叶草属(*Asperula*)植物的通称。许多欧洲国家的森林中或背阴处均有车叶草疯长,其叶常用作香草或入药。包括一年生植物及多年生植物,茎通常方形。花小,漏斗形,簇生。少数种类栽作观赏植物。而甜车叶草(香甜拉拉藤,*Galium odoratum*)属于另一个属,以前亦归入车叶草属,学名为 *A. odorata*(香甜车叶草)。

Woodruff, Wilford 伍德拉夫(1807-03-01,美国康涅狄格法明顿～1898-09-02,加利福尼亚旧金山) 耶稣基督末世圣徒教会(摩门教)第四任会长,1889～1898年在任。1833年在俄亥俄州柯特兰加入摩门教会,先后随该教会移居密苏里州、伊利诺伊州诺伍和犹他州。他在初任会长时有妻子数人,1890年公开宣布摩门教废除多妻制。

Woods, Lake of the 伍兹湖 在加拿大安大略、马尼托巴省和美国明尼苏达州交界处风景优美的湖区。长110千米,宽达95千米,水域面积4 472平方千米。湖流域面积70 370平方千米。湖岸线长约40 000千米,湖面海拔323米。有雷尼河自东南注入。水浅,湖岸曲折多变。湖中岛屿达14 000多个。湖水向西北经温尼伯河注入温尼伯湖。湖区辟有4个(安大略)省立公园。北岸的凯诺拉为沿湖主要城市。

Woods, William B(urnham) 伍兹(1824-08-03,美国俄亥俄纽瓦克～1887-05-14,华盛顿[哥伦比亚特区]) 美国最高法院大法官(1880～1887)。1847年获得律师资格后便私人开业当律师,直至南北战争爆发时为止。战前曾任纽瓦克市长和州议会议员。1862年参加联邦军队,经常参加战斗,擢升为陆军准将。他的战争经历使他成为共和党人。以后在亚拉巴马定居,重操律师业,从事棉花种植,并积极参加重建时期的活动。1869年被格兰特总统任命为第五巡回区的巡回法院法官并移居亚特兰大。1880年海斯总统任命他为最高法院大法官。他在任六年间,写了218项判决意见,其中很多是关于专利和衡平法案件的,显示出他对复杂的案件具有非凡的分析才能。他有两项最著名的判决意见:一是在"美国诉哈里斯"一案中否定了关于三K党的法令,理由是根据宪法第14条修正案,政府无权管制个人的活动;二是在"普雷塞诉伊利诺伊州"一案中宣称,《权利法案》只限制联邦政府的权力,而不限制州政府的权力。这两项意见后来都被撤销。

Woods Hole 伍兹霍尔 美国马萨诸塞州东南部巴恩斯特布尔县法尔茅斯镇的一个无建制村庄。为科德角主要港口,前往马撒葡萄园岛和楠基塔特岛的启航点。设有伍兹霍尔海洋学研究所(1930)、海洋生物学实验站和国家海洋渔业局的实验站及水族馆。岸外的诺布斯卡灯塔建于1829年。

Woodson, Carter G(odwin) 伍德森(1875-12-19,美国弗吉尼亚新坎顿～1950-04-03,华盛顿[哥伦比亚特区]) 美国历史学家。他率先引导学者们研究长期被忽视的黑人领域,并在黑人学校和学院中加以推广;他研究的重点是黑人对文明的贡献。1926年他创办黑人历史活动周。他出身贫寒,早年即自立谋生。1912年获哈佛大学哲学博士学位。1915年创立黑人生活历史研究会,鼓励白人学者研究黑人历史,协助国家培养黑人历史学家,搜集有关黑人历史的珍贵文献。1916年主编的《黑人历史杂志》延续30余年。1919～1920年任华盛顿霍华德大学文学院长和研究生部主任,1920～1922年任西弗吉尼亚州立学院院长。同时,创建并担任专门出版有关黑人生活和文化著作的协会主席。著有《我国历史上的黑人》(1922)、《1861年以前的黑人教育》(1915)和《黑人移民的一个世纪》(1918)。临终前计划编辑6卷本的《非洲百科全书》。

Woodstock 伍德斯托克 加拿大安大略省东南部城市。位于泰晤士河畔。市内的历史建筑有市政厅(1853,现辟为牛津博物馆)及老圣保罗教堂(1834)。乳品业和畜牧业在经济上占重要地位。工业产品种类齐全。伍德斯托克城东还发现了石油矿藏。人口32 086(1996)。

Woodstock 伍德斯托克 美国纽约州东南部阿尔斯特县城镇。东南距金斯顿16千米。为四季游览胜地。1902年后发展为著名的艺术家聚居区。1906年纽约艺术学生联合会的暑期讲习班迁此。1969年8月在伍德斯托克音乐文艺表演会上举行过一次摇摆舞联欢,参加人数达30万～50万人。标志着20世纪60年代美国青年逆流文化的顶点。伍德斯托克有艺术和手工艺品展厅、戏剧学院,也经常举行音乐会。面积175平方千米。人口6 241(2000)。

Woodstock, Thomas of 伍德斯托克的托马斯 参阅 **Gloucester, Thomas of Woodstock, Duke of** 格洛斯特公爵。

woodswallow 林燕 又作 swallow-shrike(燕鵙)。雀形目燕鵙科鸣禽,共10种,自印

度东部、东南亚和菲律宾向南分布到澳大利亚和塔斯马尼亚。翼形和空中取食习性像燕。灰色，带有白、黑或淡红色调（雌雄相似）。喙坚实而裂宽，舌尖刷状。喧闹而好

林燕（燕鵙属［*Artamus*］）
供图：Craeme Chapman—Ardea, London

斗。在旷野的半空中捕食昆虫，栖息时身体紧紧相依；有几种集群繁殖。澳大利亚的15厘米长的小林燕（小燕鵙，*Artamus minor*）以及22厘米长的白眉林燕（白眉燕鵙，*A. superciliosus*），是本科中最小和最大的种类。

Woodville, Anthony　伍德维尔　参阅 **Rivers, Anthony Woodville, 2nd Earl** 里弗斯伯爵（第二）。

Woodville, Elizabeth　伍德维尔（1437～1492-06-07或08，伦敦）　英格兰国王爱德华四世的王后。貌美。1464年5月与爱德华结婚时，已是寡妇，并有两子。因她是兰开斯特家族的女儿，因此遭到当权的约克王室的憎恨。加之她封亲戚以高官厚爵，更加不得人心。她为爱德华生下并存世的有两男五女。约克王室继承王位似乎已不成问题。但1483年爱德华四世死后不久，格洛斯特公爵（理查三世）击败她的一党，夺取12岁幼王爱德华五世的王位。不久她的两个儿子都在理查拘禁下失踪，可能被杀害。1485年亨利·都铎成为国王亨利七世之后，娶她的长女为后。1487年她可能由于叛国活动失宠，被迫退居隐修院。

Woodville, Richard　伍德维尔　参阅 **Rivers, Richard Woodville, 1st Earl** 里弗斯伯爵（第一）。

woodwarbler　林莺　又称森莺。雀形目林莺科（森莺科，Parulidae，以前称Compsothlypidae科或苔莺科［Mniotiltidae］）鸣禽。为新大陆鸟类，与旧大陆的真莺有区别（参阅 **warbler**）。100多种，小型，性活跃，常见于林地，亦见于沼泽地和干燥灌丛。色泽多鲜明，至少在繁殖季节如此。嘴细短。一般从叶簇中觅食昆虫。鸣声往往嘈杂单调。巢通常整洁，杯形，筑于灌木或树上；有几种（如灶鸟［**ovenbird**］）在地上或近地面处筑一圆顶巢。产2～5个（罕见6个）带斑点的卵。最熟悉

巢中的一对香桃木莺（*D. coronata*）
供图：S. Roberts—Ardea London

的黄色林莺（*Dendroica petechia*）有时误称为野金丝雀，在从阿拉斯加、纽芬兰到西印度、秘鲁和加拉帕戈斯群岛一带繁殖，长13厘米，黄色，雄鸟下体有不显著的红条纹。林莺属（*Dendroica*）是最大的属，主要在北美洲，27种，多数种类的羽色斑驳，对比鲜明，如香桃木莺（黄腰白喉林莺，*D. coronata*）黑、白和黄色相间。黑顶白颊林莺（黑头莺，*D. striata*）是一常见种，但色彩对比不强烈。某些作者把林莺属并入虫林莺属（*Vermivora*），后者有11种，不甚艳丽，多数种类在美国为人熟知。与科名同名的种是北方森莺（美洲森莺，*Parula americana*），在北美洲东部繁殖，淡蓝色，翅有白条纹，有部分白眼环，胸黄色，横穿一条暗色窄带。落基山脉以东的黑白苔莺（*Mniotilta varia*）有条纹，习性似䴓行鸟。王森莺属（*Basileuterus*）为热带的大属，22种，模式种是金冠莺（金顶王森莺，*B. culicivorus*），产于墨西哥到阿根廷。黄喉地莺属（*Geothlypis*）8种，生活在沼泽地和潮湿的灌丛。普通黄喉地莺（*G. trichas*）在美国常称马里兰黄喉地莺，雄鸟黄色，面部黑色如面罩状；从阿拉斯加、纽芬兰到墨西哥可以听到它尖锐而重复的"wicheree"的叫声。其他种类是热带的留鸟。有些林莺俗称为鵖或红尾鸟。参阅 **chat; redstart**。

Woodward　伍德沃德　美国俄克拉何马州西北部城市，伍德沃德县县城（1907）。在北卡内丁河畔。1893年始有人定居。为当地小麦产区和养牛区的加工、销售中心以及一些石油天然气公司的基地。美国大平原试验站在此进行农作物和牧草的研究。1947年4月9日的强龙卷风使该市遭受严重破坏。附近设有州立温泉公园。人口11 893（2000）。

Woodward, C(omer) Vann　伍德沃德（1908-11-13，美国阿肯色范戴尔～1999-12-17，哈姆登）　美国历史学家和教育家，他成为美国南北战争后南方历史的主要阐述者。伍德沃德1930年毕业于佐治亚州埃默里大学，1932年获哥伦比亚大学硕士学位，1937年获北卡罗来纳大学哲学博士。在担任各种教职以后，他于1946～1961年执教于约翰斯·霍普金斯大学历史系，1961年后为耶鲁大学历史教授，1977年退休。伍德沃德的著作对美国南方的历史进行了极为精细和富有创见的修订。在他的第一部巨著《农业反叛者托姆·沃森传》（1938）中，他解释说：那位激烈的农业改革者转化为种族主义的煽动家，反映了平民党改革运动在南方政治中的失败。在《新南方的起源，1877～1913》中，他从一方为贫穷的白人农民、农业改革者和平民党政治家，另一方为大商业、工业和土地所有者利益之间的政治斗争的角度，考察了19世纪90年代剥夺南方黑人公民权的现象。《重新联合和复旧：1877年的妥协与重建时期的结束》（1951）强调影响历史性妥协的经济动机。伍德沃德的广为人们阅读的著作是《吉姆·克劳的奇异生涯》（1955）。他在这部书中指明：白种人和黑种人在法律上的隔离并不像南方人一贯主张的那样是在"远古时代"确定的，实际上是19世纪90年代平民党运动失败之后在南方继之而起的一种比较晚近的现象。这部著作为20世纪50和60年代废除种族隔离的尝试提供了一个理论基础，因为它指明：甚至在重建时期结束以后的20年间，白人的生活地位与黑人基本上还是相等的。

Woodward, R(obert) B(urns)　伍德沃德（1917-04-10，波士顿～1979-07-08，美国马萨诸塞剑桥）　美国化学家。由于合成复杂的有机物质包括奎宁（1944）、胆固醇和可的松

哈佛大学供图

（1951）以及维生素B_{12}（1971）而闻名于世，获1965年诺贝尔化学奖。早年醉心于化学，1933年进入麻省理工学院。由于热衷于化学而牺牲其他课程，结果休学一个学期，但还与别人合著了3篇研究论文。1936年被授予理学士学位，一年后又获博士学位。紧接着他就与哈佛大学有来往，1950～1960年任教授，1960～1979年任唐纳讲座科学教授。1963年西巴药品公司为他在瑞士巴塞尔建立伍德沃德研究所，从而他同时在剑桥与巴塞尔两地指导科研活动。对天然产物化学的研究是伍德沃德所广泛从事的有机化学的基础，基于在甾族化合物领域的工作，他先后在1940～1942年发表首批研究成果的4篇论文，描述紫外光谱与分子结构间的关系。他较早地认识到物理测量法比化学反应法更能阐明物质结构特征，由此引出了伍德沃德规则。他所推测的复杂天然产物的结构包括：青霉素（1945）、展开青霉素（1948）、士的宁（1947）、土霉素（1952）、瑟文（1954）、碳霉素（1956）、胶霉毒素（1958）、玫瑰树碱（1959）、蜡梅碱（1960）、竹桃霉素（1960）、链黑菌素

(1963)和河豚毒素(1964)。他对碳霉素结构的描述揭示了以前未知的天然产物大环内酯抗生素,还推测了该物在自然界形成的方式。他还首次推测了活生物体中的甾族激素的正确生物合成途径。他合成了许多复杂分子,被公认为是近代有机合成之父。合成奎宁(1944)之后他便着手完成类固醇、胆固醇和可的松的首次全合成(1951),然后是合成相关的萜烯羊毛甾醇(1954)。1954 年宣布合成士的宁和麦角酸。1956 年合成利血平,这一合成是精巧技术的典范并用于工业化生产。后来的成就包括合成叶绿素(1960)、四环素(1962)、秋水仙素(1963)和头孢菌素 C(1965)。他与苏黎世联邦理工学院的 A.艾斯钦莫瑟合作(十多年,在两个实验室约有 100 个合作者),在 1971 年通过一系列的 100 多个反应完成复杂的辅酶维生素 B_{12}(氰钴胺素)的合成,这项巨大的工作在以往化学的任何综合性工作中史无前例。维生素 B_{12} 的工作导致 R.霍夫曼的轨道对称守恒原理的公式化和被公认。这一原理阐明了一大类基本反应,是 20 世纪 60 年代有机化学理论最重要的发展。在他去世时还进行着合成红霉素的工作。伍德沃德的工作对当代有机化学家产生了无与伦比的影响。他一生获得了许多荣誉,包括英国皇家学会的戴维奖章(1959)、梵蒂冈宗座科学院的庇护十一世金质奖章(1961)、美国国家科学奖章(1964)、诺贝尔化学奖(1965)等。他还是华盛顿全国科学院、伦敦皇家学会的成员以及其他许多国家科学协会的名誉成员。

Woodward, William 伍德沃德(1876-04-07,纽约市～1953-09-26,纽约市) 美国银行家,善于培育良种马,并以占有和驾驭良马著称。1901 年毕业于哈佛大学法学院,任美国驻英大使乔特的秘书。1903 年返回纽约参加汉诺威银行,1904 年任副总裁,1910 年任总裁。1914 年任第一届联邦储备委员会委员;1927～1929 年任纽约票据交换所董事长;后任中央汉诺威银行托拉斯董事长。1933 年退休,在马里兰州安纳波利斯附近潜心经营贝莱尔育马场,马里兰州自英格兰引进的第一批纯种马就是在那里培育的。得驯马师菲茨西蒙斯之助,这个育马场培养出两匹在美国三王冠大赛上获奖的良马。伍德沃德所培育的良马也曾参加英国古典赛马。他自 1917 年为美国赛马总会成员;1930～1950 年任赛马管理委员会主席。

woodwind 木管乐器 笛类和簧管类(即单簧管、双簧管、大管、萨克斯管)管乐器。这两类乐器在过去都是木制的,但现在也可用金属制造。木管乐器的发声方式与其他管乐器不同。小号或其他铜管族乐器是气流通过吹奏者振动着的嘴唇直接进入气柱而发声,而笛类乐器是由一股窄的气流撞击管孔边缘而发声。簧管类(如单簧管和萨克斯管)是用一个富于韧性的材料如芦苇或金属制的薄簧片顶在吹口的开口处,迫使气流经过簧片再振动气柱而发声。双簧乐器(双簧管和大管)用两个簧片。吹奏乐队或管弦乐队的木管组通常由三支长笛、一支短笛、三支双簧管、一支英国管、三支单簧管、一支低音单簧管、三支大管和一支低音大管组成。

Woodworth, Robert S(essions) 伍德沃思(1869-10-17,美国马萨诸塞贝尔彻敦～1962-07-04,纽约市) 美国心理学家。对学习做过重要研究,曾建立一个"动态心理学"系统,试图兼收并蓄所有不同心理学派的思想。先任数学教师,后才转而学习心理学。他曾在哈佛大学从 W.詹姆斯及在哥伦比亚大学从 J.M.卡特尔攻读研究生课程,1899 年,获哥伦比亚大学哲学博士学位。1901 年伍德沃思和 E.L.桑代克证明:训练结果不能转移;学习一种课题不能提高全面的学习能力。他一直在哥伦比亚大学从事研究,1909 年成为心理学教授。伍德沃思认为:行为和意识是心理学的两大主题;行为综合表现了外界环境的刺激和机体内部的特征二种因素;而且一个人对一件事情的处理方法(机制)充分体现了他的行为动机(驱力)。他设计了第一张用以检测异常行为的问卷,这是一种粗略筛选行为失调的方法。他在《动力心理学》(1918)一书中,试图综合动机、知觉、学习以及思维等学说来解释行为。他在自己的学术生涯中,一直想通过他撰写的教科书和其他著作创立一个统一的心理学理论。

woof(weaving) 参阅 **filling** 纬纱。

wool 羊毛 动物纤维,形成保护羊体的覆盖毛被。以羊皮为衣的史前期人类,最终学会利用羊皮上的纤维纺纱织布。羊种的选育消除了羊体毛被中大部分外层的粗长毛,保留由柔软、纤细的纤维所构成的保暖性强的绒毛层。羊毛主要从活羊身上剪下,有时也把屠宰后羊只的毛皮加以处理,使毛纤维从羊皮上脱落,得到品质较低的羊毛,称皮板毛。洗毛除去物提纯后得到**羊毛脂**(**lanolin**),可用于化妆品和软膏。羊毛纤维主要由动物蛋白质角蛋白组成。蛋白质比构成植物纤维的纤维素更易受化学品的损伤和周围不利条件的破坏。羊毛纤维比棉花、亚麻、蚕丝和人造丝等纺织纤维粗,直径约 16～40 微米。细羊毛的长度约 4～7.5 厘米,最粗的羊毛长度可达 36 厘米。羊毛纤维具有卷曲特征,细羊毛纤维每厘米中的卷曲数可高达 12 个,粗羊毛纤维每厘米中两个或更少。羊毛通常为白色,粗羊毛的光泽比细羊毛好。单根毛纤维可以承受 15～30 克的拉力,伸长达原有长度的 25%～30%而不断裂。与植物纤维不同,羊毛纤维湿态时强度较低。羊毛纤维具有高回弹性能,在受到有限的拉伸和压缩后,能回复到原来的长度,因而使织物和服装能够保持外形,具有良好的悬垂性能和抵抗褶皱的能力。卷曲能使纤维相互抱合,因而纱的捻度低时强度亦好。纤维的卷曲和回弹性使纱线和织物的结构膨松,能容纳热绝缘良好的空气。羊毛的密度低,制成的织物重量较轻。羊毛纤维对染料有良好的亲和力。羊毛吸湿性强,能吸收高达自身重量 16%～18%的水分,当从空气中吸收水分时,会使穿着者有暖和的感觉,能随大气条件调节水汽含量。由于水分的吸收和释放是逐渐的,羊毛给人的潮湿感觉不明显,也不使穿着者有干燥过快所引起的寒冷感。纺纱和织造过程中,毛纤维受到拉伸,洗涤时松弛回缩,能使纤维恢复到正常形态。湿纤维受机械作用会发生毡缩,纤维纠缠在一起,形成紧密聚集的毡块。羊毛有很好的耐干洗剂性能,但强碱和高温对毛纤维有破坏作用。洗涤时要求温度在 20 ℃以下,使用温和的洗涤剂,并尽可能减少机械作用。由于防蛀、防霉、防缩、耐火和拒水等性能的整理剂的研制成功,羊毛的使用性能已得到了改善。一般用较短的纤维制造粗纺毛纱,它的质地粗壮、丰满,常用于制作粗毛呢和毛毯等织物。精纺毛纱细而光洁,且紧密耐久,一般用长纤维纺制,用于制造细薄服装和外衣。未使用过的羊毛称为原毛,原毛的产量有限,因此使用再生毛。再生毛主要用于粗纺和混纺,由于加工过程中受到的损伤,再生毛的品质降低。澳大利亚、俄罗斯、新西兰和哈萨克斯坦为细羊毛主要生产国,印度的粗羊毛或地毯毛的生产量最大。羊毛的主要消费国是英国、美国和日本。

Woolf, Arthur 伍尔夫(1766-11-04受洗,英格兰康沃尔坎伯恩～1837-10-26,根西) 英国工程师,研制复式蒸汽机的先驱。他原来是个木匠,后来在发明家 J.布拉马工程师手下工作。他作为伦敦啤酒厂的工程师,开始用蒸汽动力进行试验,于 1804 和 1805 年取得伍尔夫高压复式蒸汽机专利,其热效率为 7.5%,几乎是 J.瓦特的膨胀式蒸汽机的两倍。1810 年,又改进了 J.霍恩布洛尔 1781 年的复式发动机。1812 年,将他的发动机用于矿井抽水。这种发动机应用很广,直到 10 年以后才被效率更高的 R.特里维西克的高压发动机所取代。

Woolf, Leonard (Sidney) 吴尔夫(1880-11-25,伦敦～1969-08-14,英格兰萨塞克斯罗德梅尔) 英国文学家、出版家、政界人士、记者和国际主义者,对文学和政治生活均有影响,

供图:Gisele Freund/Photo Researchers

主要因其个性而不是其成就而被人们缅怀。吴尔夫的自传反映了使他成为时代杰出人物的那种坚韧不拔的道德修养和思想精神素质。自传的头三卷《播种》(1960)、《成长》(1961)和《重新开始》(1964),重现了作者所诞生的自由派犹太人的阶层;20 世纪初在剑桥大学度过的精神振奋的生活;他在锡兰(1904～1911)当公务员的经历使他成为反

帝国主义者;以及艺术家和作家所组织的布卢姆斯伯里团体的氛围。吴尔夫和他的妻子(小说家V.吴尔夫)曾对这一团体起过组织者的作用。1917年夫妇二人建立自己的霍加斯出版社,他们独具慧眼,促进了T.S.艾略特和E.M.福斯特等作家的成长。自传的最后两卷《一路下山》(1967)和《重要的历程而不是到达》(1969)从1919年写至1969年,这期间吴尔夫通过编辑左翼和国际主义刊物及他的作品,产生了一定政治影响,帮助打下了国际联盟和联合国及福利国家的政策基础。

Woolf, Virginia　吴尔夫(夫人)(1882-01-25,英国伦敦～1941-03-28,萨塞克斯罗德梅尔附近)　全名Adeline Virginia Stephen。英国女作家。她对小说的形式作出独特贡献,也

供图:Gisele Freund

是当时最优秀的评论家之一。自幼在家由其父L.史蒂芬亲自教授,父亲于1904年逝世后,她住在伦敦戈登广场,该住所后成为**布卢姆斯伯里团体(Bloomsbury group)**的活动中心。1912年与L.吴尔夫结婚,1917年夫妇创建霍加斯出版社。小说《远航》(1915)和《夜与日》(1919)问世后,她开始进行新的试验。她企图强调人的经验的不停流动,强调性格的难以确定以及影响人的意识的外在环境。她对人类所经历的时间既是个别瞬间的连续,也是岁月和世纪的整体流逝这一点也感兴趣。她从写作《雅各的房间》(1922)开始,就试图表达个人经历中的现在的时间和过去的时间以及角色所意识到的历史性时间这些不同的时间概念。在《黛洛维夫人》(1925)和《到灯塔去》(1927)中,她进一步发展了自己的写作技巧;尤其是一方面通过运用诗的手法,例如反复出现的意象,一方面通过限制行动的时间,使每部小说的结构都很严谨。《奥尔兰多》(1928)是一部历史幻想作品,它唤起人们对从伊丽莎白一世到1928年之间的英国,特别是英国文学界的回顾。她在长篇随笔《一间自己的房间》(1929)中,描述了女作家在一个男人的世界中所遇到的困难。在《海浪》(1931)中,她限于记录意识流的轨迹。读者生活在六个人物中的这一个或那一个的心中,从他们的童年直到他们的暮年。《岁月》(1937)一书范围更加广阔,也更多地采用了传统手法。《幕与幕之间》(1941)和《黛洛维夫人》一样,全书情节发生在一天之内,但是通过对一场回顾英国历史的乡村露天剧的描绘,作者暗示了延续的时间概念,同时使读者时刻意识到即将来临的战争。V.吴尔夫写完《幕与幕之间》后因精神病复发在她萨塞克斯的家附近投河自尽。吴尔夫夫人写过两部传记:一部是幻想式的关于布朗宁一家的生活片断(《活力》,1933);另一部是美术评论家罗杰·弗赖的长篇传记(1940)。她的优秀评论都收入《普通读者》(1925)、《普通读者:第二卷》(1932)、《飞蛾之死》(1942)和《花岗石与彩虹》(1958)等集子中。

Woollcott, Alexander (Humphreys)　伍尔科特(1887-01-19,美国新泽西帕兰克斯～1943-01-23,纽约市)　美国作家、评论家和演员,以其尖刻的妙语闻名。他身材高大、魁梧,自封为阿尔贡金圆桌会议的领袖。该组织是20世纪20至30年代设在纽约阿尔贡金饭店的一非正式午餐俱乐部。1909年从纽约州克林顿的汉密尔顿学院毕业后,成为《纽约时报》的年轻记者,1914年升任戏剧评论员。1917～1918年曾在美军短暂服役并为《星条旗报》报道,后回《纽约时报》并先后为《纽约先驱报》和《纽约世界报》工作。他同时还为《纽约人》撰稿,并于1929年发展到无线广播界,成为空中的"公告传报员",在美国赢得健谈、善于闲聊的才子和花花公子的声誉。作为文学评论家,他对美国购书者产生了巨大影响。他曾在G.S.考夫曼和M.哈特的剧作《来赴宴的人》(1940)中扮演主角,易怒和专横的伍尔科特本人在剧中受到讽刺。著有《菲斯克夫人关于演员、演技和演出问题的观点》(1917)、《两个绅士和一位夫人》(1928)、《罗马在燃烧》(1934),并出版有2部文集:《伍尔科特文选》(1935)和《伍尔科特文选续集》(1937)。

Woolley, Frank Edward　伍利(1887-05-27,英格兰肯特汤布里奇～1978-10-18,加拿大新斯科舍切斯特)　加拿大板球运动员。以优美的左手击球动作著称。在甲级板球比赛中跑垒共获58 969分、145个百分,使2 000多击球员出局,接球成功1 018次。这一成绩一直是世界纪录。在连续3个赛季中,每一赛季跑垒获2 000分,使100个击球员出局。1906～1938年为肯特郡板球俱乐部队员,在64次国际比赛中共得3 283分。退休后任教练。后移居加拿大。

Woolley, Sir (Charles) Leonard　伍莱(1880-04-17,伦敦～1960-02-20,伦敦)　英国考古学家,曾发掘苏美尔人的吾珥城(位于今伊拉克),大大增进了有关古代美索不达米亚文明的知识。又发现有关洪水的地质证据,与《创世记》中所描写的洪水现象可以互相印证。1907～1911年参加考古工作队到苏丹瓦迪哈勒法附近进行考察,其地埃及古物甚丰。1912～1914年在叙利亚北部发掘赫梯城市卡尔基米什,其发现记载于《卡尔基米什》一书中(三卷,1921～1953)。后又在埃及国王阿肯那顿的首都阿巴尔那丘墟工作。1922～1934年领导了由不列颠博物馆与宾夕法尼亚大学共同发起的吾珥城发掘工作,使学者们得以根据出土文物将该城的历史自公元前4世纪的湮没时期上溯到史前的兴起时期——约公元前4千纪。伍莱发现大量有关当时居民日常生活、艺术、建筑、文学、政治和宗教等方面的资料,使人们对后来所称的"文明摇篮"了解更多。他最引人注目的发现之一是约公元前2700年的几座王墓,从中揭示出当时曾有国王死后以其扈从陪葬的做法。在若干撰稿人的参与下,他于1927年开始出版10卷本的《吾珥发掘报告》。另著有《苏美尔人》(1928)、《迦勒底人的吾珥》(1929)及《发掘过去》(1930)。伍莱还设法究明美索不达米亚文明同希腊、爱琴海诸文明之间的关系,为此于1937～1939及1946～1949年到土耳其东南部安条克以北的阿特沙奈丘墟(古阿拉拉赫)进行发掘,发现一个古代小国遗址,居民多半是胡里安人,居住遗迹可溯至公元前4千纪,考察结果汇为《阿拉拉赫——土耳其哈塔伊省阿特沙奈丘墟发掘报告,1937～1949》(1955)及《湮没的王国》(1953)两书。1935年受封为爵士。

Woolley, Mary Emma　伍莱(1863-07-13,美国康涅狄格南诺沃克～1947-09-05,纽约韦斯特波特)　美国教育家,1901～1937年为芒特霍利奥克学院院长,对该校的资源、地位和学术水平作出极大改进。1884年毕业于马萨诸塞州诺顿的惠顿神学院,之后在该神学院教书(1885～1886,1887～1890)。1890年的一次欧洲之行使她萌生接受更高教育的志向,1891年成为罗得岛普罗维登斯布朗大学录取的第一名女生。伍莱是1894年最早毕业的两名女生之一,她又在该校多读了一年,获得历史学硕士学位。1895～1900年在马萨诸塞州韦尔斯利学院教授圣经史和文学。1900年初被挑选接替E.S.米德担任芒特霍利奥克学院院长,在此后的英国之旅期间研究了妇女教育实践和问题,并于1901年1月开始新的工作。在其领导下,该院的学术水平得到提升,工资和福利也有所改善,并开设了许多选修课。该学院的楼房建设在她36年的任期内增加了16座主要建筑,捐款增加了10倍,接近500万美元。除了芒特霍利奥克学院之外,另外两个对伍莱有吸引力的主要事业是妇女选举权与和平。1937年从院长职位退下。由于与校董会在继任人选问题上产生重大分歧,退休后再也没有回去过。去世前一直活跃于各种组织,特别是全国妇女党。

woolly monkey　绒毛猴　5种南美灵长目动物的统称。栖息在亚马孙流域,由于生境遭破坏,数量愈来愈少。体长平均40～60厘米,尾长略大于体长。毛短而密,呈棕褐、灰、微红或黑等色,有些类型头部颜色较深。头大而圆,面裸露,黑或褐色。四肢强健有力,尾大,具执握能力。体粗壮,腹部突出,故葡萄牙文名barrigudo,意为"大肚猴"。昼行性,喜群居,常成小群生活,常与卷尾猴、吼猴和其他猴类结伴。通常用四肢行走,动作迟缓,也时常用手、脚和尾或只用尾在树上悠荡前进。在地面上能直立,用尾作为支撑。绒毛猴约4年性成熟。妊娠期约7～8个月,每胎一仔。食物以果实、树叶为主,豢养时能食各种食物。性温和,驯服,但豢养时需要一定程度的悉心照顾。情绪不好时会流泪。饲为玩赏动物的绒毛猴似喜欢玩捉迷藏。绒毛

洪堡绒毛猴(*Lagothrix lagotricha*)
供图:George Holton—Photo Researchers/美国不列颠百科全书公司

蜘蛛猴(woolly spider monkey)的形状介于绒毛猴和蜘蛛猴之间。

woolly rhinoceros 披毛犀 更新世的绝灭属——腔齿犀(*Coelodonta*)动物。化石见于欧洲、北美、亚洲的更新统(160万年前至1万年前)。很可能由较早期的额鼻角犀属

披毛犀(*Coelodonta*)
不列颠博物馆供图

(*Dicerorhinus*)演化而来,原在亚洲东北部,后进入欧洲,在最后的冰川期末绝灭。在西伯利亚已发现冰冻的披毛犀,其他披毛犀完好地保存在中欧油区。披毛犀体粗壮,头骨前面有两个大角,全身覆盖一厚层毛。也出现在较温暖的无冰川区,栖居于草地。是石器时代的画家和雕刻家喜用的题材,在许多地方均发现披毛犀的画像或雕刻,其中一些极为逼真。

woolly spider monkey (*Brachyteles arachnoides*) **绒毛蜘蛛猴** 卷尾猴科一种罕见的巴西猴。产地局限于巴西东南部的山地森林,《红皮书》中已列为极濒危动物。结构和外形介于绒毛猴属(*Lagothrix*)种类和蜘蛛猴属(*Ateles*)种类之间。毛厚,身体粗壮,腹凸出,这些与绒毛猴类似;拇指短,四肢很长,又像蜘蛛猴。绒毛蜘蛛猴体长45～63厘米,尾长65～80厘米,浅黄或褐色,脸裸露,尾能卷曲。对其习性不甚了解。白天活动于树冠,采集树叶、种子和果实等食物。

Woolman, John 伍尔曼(1720-10-19,新泽西安科卡斯[美国]～1772-10-07,英格兰约克郡约克) 英属北美洲殖民地基督教公谊会领袖、废奴主义者。21岁开始宣传公谊会教义,按照该会规定不取报酬。从1743年起,不顾艰苦,频繁巡回传教,在马里兰的东海岸鼓吹废奴主义,在罗得岛滨海地区劝说船主不再蓄奴。在宾夕法尼亚边区印第安人村落中,他支持摩拉维亚派传教士,限制向印第安人售酒;呼吁改革对印第安人的土地政策而使之更加公平。伍尔曼束身谨严,不使用与贩奴有关的产品。经过他的努力,公谊会各教堂一致表示反对蓄奴,许多人释放自己所蓄奴隶。

Woolsey, Sarah Chauncey 伍尔西(1835-01-29,美国俄亥俄克里夫兰～1905-04-09,罗得岛纽波特) 笔名Susan Coolidge。美国儿童读物作家,所刻画的活泼顽皮的主人公与她的时代行为准则形成对照,深受读者欢迎。很小的时候就喜欢阅读和写短篇小说。1855年随家人搬到康涅狄格州纽黑文(她的叔叔T.D.伍尔西当时是耶鲁学院的院长)。美国南北战争期间,她一直在医院工作。1870年父亲去世之后,全家人定居罗得岛州纽波特。那时伍尔西已在杂志上发表了数篇文章,多少有些受好友H.亨特的影响,她开始认真写作。第一部作品是为女孩子写的短篇小说集,用的是笔名苏珊·库里奇,1871年作为新年特价书出版。此后她便一直用这个名字。后来的作品包括《卡蒂做了什么》(1872),这是受她自己的童年激励而为女孩子写的书,是第一部广受欢迎的作品。此外还写了《淘气鬼的感恩节》(1874)、《小米草》(1879)、《乡村小姑娘》(1885)、《刚满16岁》(1889)、《浆果灌木丛》(1893)以及《巴黎一所旧的女隐修会学校及其他文件》(1895)。她笔下和善的淘气鬼和百折不挠的主人公与许多当代文学的描写有所不同,受欢迎长达几十年。此外,她还出版过3部诗集以及《德拉尼夫人的自传和信函》(1879)、《简·奥斯汀的信件》(1892)等作品,并翻译了法国作家T.戈蒂埃的《我的宠物家庭》(1882)。

Woolsey, Theodore Dwight 伍尔西(1801-10-31,纽约市～1889-07-01,美国康涅狄格纽黑文) 美国教育家、学者,耶鲁大学校长(1846～1871)。他的许多创新措施后来在高

耶鲁大学供图

校中普遍施行。1820年以班里头名的成绩毕业于耶鲁大学;1831年任该校希腊文教授。1846年当选为耶鲁大学校长,提高了学术标准并扩建了该大学。在他的领导下,耶鲁大学设立理学院;授予美国第一个哲学博士学位(1861);开办第一所美术学院;使法学院及神学院恢复活力;改组校务委员会;并肯定"教师治校"。他整理的希腊悲剧版本将德国先进的学术研究方法引入美国的大学。所著《国际法研究引论》(1860)及《论离婚及离婚立法》(1869)曾多次再版。退休后著有《政治学》(1877)、《共产主义与社会主义》(1880);并曾领导美国修订新约全书委员会。

Woolson, Constance Fenimore 伍尔森(1840-03-05,美国新罕布什尔克莱尔蒙特～1894-01-24,意大利威尼斯) 美国作家,其短篇和长篇小说尤以书中唤起的地方意识而著称。为J.F.库珀的曾侄女,在俄亥俄州的克利夫兰长大。美国南北战争期间,她在医院工作。1869年父亲去世后,陪伴母亲游历美国东部和南部各地,1870年开始向《哈珀杂志》、《大西洋月刊》及其他杂志投寄旅游札记和短篇小说。《乌有城堡:莱克区札记》(1875)收入了几部有地方色彩的短篇小说。19世纪70年代后期,她在佛罗里达和卡罗来纳度过了大部分时光,这两个地方成为她的最佳短篇的背景。1879年前往欧洲旅游,并在那里度过余生。她的长篇小说在正式出版之前都在《哈珀杂志》上连载,作品包括《安妮》(1882)、《为了多数人》(1883)、《东方天使》(1886)、《朱庇特灯光》(1889)以及《霍勒斯·蔡斯》(1894)。这些作品全都以真实的发生地为背景,展示出一种心理上的微妙含义,使人联想到她的好友H.詹姆斯的作品。还出版了短篇小说集《看宋人罗德曼:南方札记》(1886)。长期卧病在床之后,1894年她从威尼斯自己的公寓窗外跌落致死(也许是故意的)。《前院,及其他意大利短篇小说》(1895)、《多萝西,及其他意大利短篇小说》(1896),以及一部旅游札记《门托尼、开罗和科孚》(1896)在她去世后出版。

woolsorters' disease 恶性炭疽 参阅**anthrax 炭疽**。

Woolston, Thomas 伍尔斯顿(1670,英格兰北安普敦郡北安普敦～1733-01-27,伦敦) 宗教著作家、英格兰极端自然神论者。1691年成为剑桥大学的研究员,在研读了奥利金的著作后,追随奥利金,用隐喻法解释《圣经》,不拘泥于字面意义。不久同政府发生冲突,研究员身份被取消,1721年到伦敦。他发表《在不信教者和叛教者之间评说是非》(1725),从此卷入关于自然神论的争论。他一方面表示怀疑《圣经》上的预言和基督的复活,另一方面主张用隐喻法解释《圣经》中的神迹。他在《论我们救主的神奇治病大能》(1730)一书中运用他的这种方法,据说此书销行3万册。由于发表这些著作,他被捕并受审讯,被判处一年徒刑,并被课罚金。他因无钱缴纳罚款,死于狱中。

Woolwich 伍利奇 伦敦格林尼治自治市的历史城镇。位于泰晤士河南岸,原为英格兰大伦敦的一个自治市,1965年后,成为扩大了的格林尼治(**Greenwich**)外围自治市的一部分,是格林尼治市行政中心。该地自古已有人居住,罗马时期公墓的遗迹在此发现。公元918年正式史籍中已有"Uuluuich"的地名。16世纪初,伍利奇因用作军舰修造所和海军基地而成为要地。1512～1513年,亨利八世于此设一皇家军舰修造所,为他新成立的海军造一艘名为"伟大哈里"号或称"亨利

蒙恩”号(1 000吨)的旗舰。该地还为弗朗西斯·德雷克爵士和沃尔特·雷利爵士造过船只。在会造铁船之前,伍利奇一直是英国皇家海军主要修造舰船的地方。军舰修造所于1869年关闭。17、18 世纪中,在伍利奇沃伦曾经设立过许多军事机构,从 1805 年始,该地有皇家兵工厂之称。1721 年在此建立的皇家军官学校于 1808 年迁往伍利奇公地,迁入建筑家詹姆士·怀亚特所建的一幢建筑物中。许多著名的军人如陆军元帅基钦纳勋爵、查尔斯·乔治·戈登将军和奥德·温盖特将军等都曾在该军官学校受过教育。1947 年该军校与桑德赫斯特的皇家军事学院合并,于桑德赫斯特成立新的皇家军事学院,伍利奇的军校遂关闭。在伍利奇公地上有一座皇家炮兵兵营,附近有一座称为圆形大厅的建筑物(一直用作枪炮博物馆),现在两座建筑物都用作皇家炮兵博物馆。皇家兵工厂在第二次世界大战中雇用工人约40 000名,但 20 世纪后期,规模大为缩小,许多占地转用于建造民房。

Woolworth Co. 伍尔沃思公司 全称弗兰克·温菲尔德·伍尔沃思公司。美国公司,以“五分一角”(即以一角或更低的价钱销售所有商品的商店)的理念发展而成的一个大型连锁零售企业。伍尔沃思将四大洲的这些特殊商店集合起来,发展成一个巨大的跨国公司。总部设在纽约市的伍尔沃思大楼。该公司由 F. W.伍尔沃思(1852 ~ 1919)创立,他是“五分一角”多元商店的创始人。1998 年更名为维纳多集团公司(Venator Group, Inc.),到 21 世纪初该公司在北美、欧洲等地的 14 个国家开设了零售商店。

1879 年伍尔沃思在纽约州尤蒂卡和宾夕法尼亚州兰开斯特开办了他的第一批“五分”商店。在兰开斯特的商店取得了成功,尤其在把最高价提高到 1 角后,他在随后的 10 年间,在宾夕法尼亚、新泽西、纽约、特拉华和康涅狄格诸州许多市镇开设 21 个以上的商店,其中多数都极为成功,并由他人参加合伙出资和管理。到 1904 年底,他在 21 个州和哥伦比亚特区,甚至向西远达科罗拉多,共开设 120 家商店。伍尔沃思的成功之道在于运用了整批进货、柜台展销和现金交易、自行取货的办法。1905 年他组建 F.W.伍尔沃思公司时资本额为1 000万美元。5 年后即在 1909 年,他在英国和爱尔兰设立并经营伍尔沃思有限公司。1911 年他邀请其他四家竞争对手零售商在纽约市沃尔多夫·阿斯托里亚饭店聚会,共商合并他们的企业成为一家全国性公司的事宜。他们分别是 S.H.诺克斯(伍尔沃思的嫡表兄),有 108 家小零售店;F.M.柯尔比,有 84 家;C.S.伍尔沃思(弗兰克之弟),有 14 家;E.P.查尔顿,有 48 家。他本人的公司在合并时最为庞大,自缅因至北卡罗来纳,自纽约至科罗拉多,共有商店 319 家。1911 年 11 月 12 日签署协议,新合并的公司在 12 月 15 日成立,资本额为6 500万美元。1912 年 3 月 1 日,从东海岸到西海岸全国 596 家商店都以伍尔沃思公司为名。到 1929 年伍尔沃思公司拥有了约 2 250家经销店,其商店数继续在美国和英国快速增长。1932 年公司将其最高售价提升到 2 角,1935 年则完全取消了价格限制。1963 年公司收购鞋类制造与零售商 G.R.金尼公司(1894 年创建),1969 年又收购澳大利亚鞋类连锁店“鞋人威尼斯”。1982 年公司售出其英国子公司的 52.6%股权。多年来,伍尔沃思公司还收购了其他的连锁店。公司旗下的运动鞋零售连锁店“福洛克”(Foot Locker)尤为成功。到 1982 年该公司在全世界拥有 8 000 多家商店,但也面临了来自凯马特公司(Kmart Corporation)及其他打折零售商店的竞争。这些压力迫使伍尔沃思公司越来越依赖于旗下的福洛克、金尼鞋店,以及其他的专卖店。1997 年伍尔沃思公司关闭了在美国剩余的百货店,从而放弃了它在美国传统的普通商品零售业务。

Woonsocket 文索基特 美国罗得岛州北部普罗维登斯县城市。濒临布莱克斯通河,北邻马萨诸塞州。1666 年建欧洲移民居住点。1871 年建镇。1888 年设市。约 1810 年,靠水力兴建棉纺厂。1840 年建毛纺厂。现工业仍以纺织业为主,还生产服装、电子产品、机械、机床、橡胶制品和塑料产品。居民多为来自加拿大的法裔,法语是当地第二语言。人口43 224(2000)。

Wooster 伍斯特 美国俄亥俄州中北部城市,韦恩县县城(1811)。东北距阿克仑 45 千米,濒临基尔布克河。建于 1808 年。1817 年设镇,1869年设市。设有伍斯特学院、俄亥俄州立大学农业技术学院、俄亥俄州农业研究和发展中心。经济以制造业为主,生产油漆设备、钢管、橡胶和塑料器皿以及汽车零件等。人口23 421(1994)。

伍斯特市的韦恩县历史学会博物馆

供图:Milt and Joan Mann from CameraMann

Worcester 伍斯特 英格兰中西部伍斯特郡行政、历史郡一城市(“区”)。面积 33 平方千米。曾是原伍斯特郡首府。除圣约翰小住宅区外,均位于塞文河东岸。东岸的皮彻克洛夫特草场是英国最古老的跑马场之一。据记载,680 年以前已有人居住。原为塞文河渡口,1313 年建成第一座大桥。在中世纪是重要的羊毛城镇。13 世纪以后,手套制造业成为重要的工业。英国最古老的报纸之一《博罗伍斯特报》1690 年在此创刊。1750 年 J.沃尔建立的瓷器厂至今仍很著名。现在也有多种轻型机械工业。该镇在英国历史上曾起到过重要作用,伍斯特战役(1651)结束了英国的内战。大教堂在该城历史上极为重要,教堂的现在建筑是伍尔夫斯坦主教从 1084 年开始建造的,几世纪来不断有所增加和更新。该城镇有两所历史悠久的中学,即建于1541年的大教堂中学和1561年伊丽莎白敕许的皇家中学。人口约95 300(1998)。

塞文河畔的伍斯特市大教堂

供图:G.F.Allen—Bruce Coleman Inc.

Worcester 伍斯特 南非西开普省城镇。在开普敦东北偏东。建于 1820 年。1842 年建市。主要为葡萄栽培中心,水果加工、罐头、毛纺业和轻工业为经济支柱。设有盲聋哑学校。城北有卡鲁国家植物园,面积 150 公顷,专门栽培卡鲁(**Karroo**)特有的肉质植物。人口76 894(1996)。

Worcester 伍斯特 美国马萨诸塞州中部城市,伍斯特县县城(1731)。临布莱克斯通河。是主要工商业中心和该州第二大城市,也是都市区的中心城市。1713 年始有永久居民点,1722 年设镇,1848 年设市。1789 年建立纺织业,生产美国最早的灯芯绒。蒸汽机的出现和连接普罗维登斯的布莱克斯通运河通航(1828)使城市经济进入工业化阶段。通铁路后发展迅速。现工业多样化,生产金属制品、纺织品、服装、纸张、皮革、电机和精密仪器等。经济亦获益于设在此地的几家州立医院。该市早期支持废奴主义者,为转移逃亡奴隶的“地下铁路”的重要一站。亦为著名文教中心。设有圣十字学院(1843)、伍斯特理工学院(1865)、州立伍斯特学院(1871)、克拉克大学(1887)、阿萨姆普逊学院(1904)、贝克尔初级学院(1887)、伍斯特初级学院(1905)和新英格兰中部工学院(1971)。有伍斯特美术馆、伍斯特科学中心、伍斯特历史学会博物馆和约翰·伍德曼军械库。每年 10 月举办伍斯特音乐节(始于 1858 年,是美国历史最久的音乐节)。人口:市约172 648;伍斯特都会统计区约511 389(2000)。

Worcester, Earls and Marquesses of 伍斯特伯爵和侯爵 英国封爵贵族,按年代顺序分列于后,并各以●为标记。

● Worcester, Thomas Percy, earl of 伍斯特伯爵(约1344~1403-07-23) 即T.珀西。英格兰贵族。第一代诺森伯兰伯爵亨利·珀西之弟,“急性人”亨利·珀西爵士之叔,同为反对亨利四世的叛乱分子。伍斯特伯爵在爱德华三世统治时期在法国立过战功。在理查二世时任舰队司令官。1399年背弃理查二世，博得亨利四世的信任。但1403年参加珀西家族发动的一次叛乱，同年7月在什鲁斯伯里战役中被俘，后被斩首。

● **Worcester, John Tiptoft, 1st earl of　伍斯特伯爵（第一）**（约1427，英格兰贝德福德郡埃弗顿～1470-10-18，伦敦）　即J.蒂贝托特。玫瑰战争期间英格兰约克家族著名领袖，以残酷和滥用法律出名，被称为“英格兰的屠夫”。第1代蒂贝托特男爵之子，在牛津大学受教育，1449年受封伍斯特伯爵。1456～1457年任爱尔兰总督，1457年和1459年两次出使教皇宫廷。他去国外3年，其间一度去耶路撒冷朝圣；其余时间在意大利的帕多瓦、费拉拉和佛罗伦萨度过，钻研法律、拉丁文和希腊语。他于爱德华四世在位初期返英，1462年2月7日任英格兰保安长官。1462年他宣布第12代牛津伯爵J.德维尔有罪，1464年又宣布R.格雷爵士和兰开斯特家族的其他一些成员有罪。1467年他再任爱尔兰总督。任职一年期间，曾褫夺德斯蒙德伯爵的公权，并且残酷地处死伯爵的两个年幼的儿子。1470年作为保安长官，他为沃里克伯爵的20名追随者定罪，把他们钉在尖桩上处死。兰开斯特家族复辟后，伍斯特逃匿，但被发现，由第13代牛津伯爵J.德维尔审讯。他在伦敦塔行刑场被处死。他的儿子爱德华于1485年去世后，伯爵爵位返还王室。

● **Worcester, Edward Somerset, 2nd marquess of　伍斯特侯爵（第二）**（1601～1667-04-03，伦敦附近兰贝斯？）　即E.萨默塞特，又称拉格伦的赫伯特勋爵。英国内战时期著名王党分子。他的父亲第5代伍斯特伯爵萨默塞特在内战爆发时借给查理一世大量钱款，1643年被封为伍斯特侯爵。他本人则于次年依靠某些不正当的特权，被封为格拉摩根伯爵。1646年其父死后，又继承了伍斯特侯爵爵位。由于涉及查理一世企图从爱尔兰和国外获得军事援助的计划，他在1644年和1645年成为非常重要的人物。1645年他代表查理在基尔肯尼与爱尔兰罗马天主教签订一项条约。但是，由于奥蒙德和爱尔兰效忠派的反对，国王不得不否定他的行动。在共和国时代，他被明令放逐出英格兰，他的产业被没收。王政复辟后发还了他的产业。他要求获得查理一世许诺给他的萨默塞特公爵爵位，未能如愿，连格拉摩根伯爵爵位也没有得到正式承认。伍斯特对机械试验极感兴趣，他的名字与蒸汽机的早期历史密切相连。

Worcester, Hereford and（county, England）参阅 **Hereford and Worcester 赫里福德－伍斯特**。

Worcester, Joseph Emerson　伍斯特（1784-08-24，美国新罕布什尔贝德福德～1865-10-27，马萨诸塞剑桥）　又译武斯特。美国词典编辑家。他所编的几部词典可与韦伯斯特词典媲美。他首创在释义中引入同义词，并有其他创新，成为后来词典编辑的惯例。著有

马萨诸塞历史学会供图

《美国地名词典》（1818）、《古代和近代历史概论》（1826），被广泛用作教科书。1828年后全力从事词典编辑工作。1829年缩编韦伯斯特《美国英语词典》，紧接着编出《英语综合注音释义词典》（1830），书中提出“折中元音”之说，用以描写“cat”一词之元音a与“father”中元音a两者之间的一个音值，即“half”或“past”等之中的a音。但此书与韦氏辞典酿成“辞典之战”，久而未决。另著有《英语通用必备词典》（1846）、《英语注音、释义及同义词词典》（1855）。最成功的作品是篇幅最长、插图丰富的四开本《英语词典》（1860）。19世纪后半，伍斯特的词典渐渐失去同韦伯斯特词典的竞争力，不再出版。这主要是由于韦氏词典的出版者采取了更为积极的推广措施和编辑方针。

Worcester Art Museum　伍斯特艺术博物馆　美国最佳小型艺术博物馆之一，位于马萨诸塞州伍斯特，藏品编年排列跨越50个世纪。该馆举办的大型展览被艺术界所注重。藏有约3 000件日本版画的约翰·钱德勒·班克罗夫特收藏馆享有国际声誉，因为它是按照普瓦蒂埃附近一法国隐修院的12世纪罗马式牧师会礼堂的样子重建的。博物馆于1898年开馆。

Worcester porcelain　伍斯特瓷器　自1751年到现在英国伍斯特郡伍斯特地区一家工厂制造的陶瓷器皿。1862年，该厂成为伍斯特皇家瓷器公司。虽然所有各个时期的伍斯特

约1770年的伍斯特圆筒形有柄大瓷杯，在“湿蓝色”鱼鳞底色中绘有中国式风格图案
伦敦维多利亚和艾伯特博物馆供图

产品工艺水平都很高，但是1752～1783年则是其辉煌的顶峰。这一时期以伍斯特瓷器工业的奠基人约翰·沃尔而命名为沃尔时期。在沃尔时期（1752～1783）的许多伍斯特产品风格中有一些值得一提，如：用釉下蓝在模印的或无花纹的瓷胎上进行彩绘；约自1756年起，在釉上转印黑色图案，后来，则在釉下转印蓝色图案；先转印图案轮廓，再由半熟练工人用手工填入釉上彩；用日本式的图案在制品板面画上传统的梅花、菊花、鱼类等，与画有各种规整的或几何图形的板面相间隔；还有的是在彩色底釉上，特别是镶金的深蓝色底的“预留板面”上画上异国情调的鸟类。伍斯特瓷器的底色是它的一项特殊成就，其中有几种色调是仿效塞夫尔陶瓷颜色发展起来的。蓝色和其他底色常用来画成鱼鳞形。伍斯特瓷器的色调还有近似朱红色、红棕色、淡红色和紫红色、海绿色、叶绿色、豆青色、浅黄色、翠绿色，以及从浅天蓝到最深的钴蓝等各种色调。镶金绘饰常为旋涡形花纹和螺旋形花纹，将图案围绕在当中，显得十分精巧优雅。

Worcestershire　伍斯特郡　英格兰行政、历史郡，位于西米德兰兹地区。伍斯特行政郡下设6个区：布罗姆斯格罗夫、莫尔文希尔斯、韦查冯、怀尔福里斯特、雷迪奇自治市和伍斯特市。行政郡的区域比历史郡的区域更小，并稍有不同，有几块小地方属于其他历史郡。欣顿村庄和柴尔德威克姆村庄周围的区域、凯默顿教区和阿什顿安德希尔教区属格洛斯特历史郡。利辛顿和阿克顿格林之间的一小块地方和斯托克布里斯教区属赫里福历史郡。上阿利位于斯塔福德历史郡，上阿利以南一小块地方属什罗普历史郡。伍斯特历史郡还包括行政郡余下的地方，以及行政郡以外的一些教区，如戴尔斯福德、埃文洛德、阿斯顿马格纳、布洛克利、帕克斯福德等。它还包括赫里福单一政区东北部和沃里克行政郡埃文河畔斯特拉特福德区，以及西米德兰兹都会郡的部分地方。该郡的中心是塞文河和埃文河及其支流（斯托尔河和蒂姆河）浇灌下的肥沃的低地平原。早期多为树木茂盛之地，故史前遗迹不多。但莫尔文和布里登山的铁器时代的土方工程可回溯到公元前2～前1世纪。在伍斯特市里发现有少数罗马人占领的痕迹。最早的盎格鲁-撒克逊殖民者是6世纪时的赫威赛人（Hwicce）。到了679年，赫威赛王国在伍斯特镇成立一个独立的主教管区，从那时起，该镇除起教会作用外，还成为英格兰和威尔士之间的贸易和军事联络的主要地点。接着该地区又成为麦西亚王国的一部分，9世纪时又短暂地被丹麦人所侵占，在盎格鲁-撒克逊人从丹麦人手中夺回麦西亚后，郡本身就成为一个行政区。中世纪时的寺院运动对伍斯特郡的历史起了极为重要的作用。8～13世纪之间郡内有不少于13个寺院机构，那些在伍斯特、伊夫舍姆、珀肖尔和莫尔文的旧址仍给人以极为深刻的印象。在伊夫舍姆山谷种植花卉、水果和蔬菜就是从伊夫舍姆和珀肖尔两地的僧侣开始的。到了1086年钦定最后税册（土地调查清册）发表，一半以上的伍斯特郡都隶属于教会，这就阻止了当地贵族的兴起。英国历史上有两次决定性战役是在伍斯特郡展开的。1265年蒙特福特在伊夫舍姆被爱德华（后为爱德华一世）军队所杀，1651年，由克伦威尔

所率领的议会军队在伍斯特重创了查理二世的苏格兰军队,从而结束了英国内战。此后该郡的历史平淡无奇。由于以教会为中心的过去,伍斯特郡到处都有古老的教堂、寺院和小修道院,还有许多精致的半木料村屋可追溯到15和16世纪。从中世纪开始直至17世纪,伍斯特城和伍斯特郡南部一些地方的毛纺业十分繁荣,北部的采煤和采铁业早在13世纪就开始了。随着18世纪运河的开凿和19世纪铁路的修建,历史郡北部边缘地带成为成长的工业城市伯明翰和重工业化的黑区(以采煤业和金属加工业而闻名)的一部分。现农业主要在行政郡内。东南部(如伊夫舍姆谷地)集中种植果树和蔬菜。在其他农业区,乳牛养殖业占支配地位。伍斯特郡也是啤酒花的主要产地。伍斯特和布罗姆斯格罗夫的重工业十分重要。雷迪奇和基德明斯特有机械制造业和金属加工业。德罗伊特威奇附近的斯托克普赖尔有重要的盐业和化学工业。在伍斯特和几个集镇有农机制造、水果罐头制造及加工、苹果酒生产,以及牛奶加工业。面积:行政郡1 735平方千米。人口:行政郡538 200(1998)。

word processing 文字处理 将书面的、口头的或记录在媒体上的信息打字或印刷出来的方法。文字处理系统能迅速制成各种文件,包括信函、公文和手册,费用低廉。现代文字处理系统的原型机于1936年研制成,包括一台自动打字机,能存储和印制简单的文件。它使用穿孔纸带作为存储手段。1964年,国际商用机器公司研制成功高速率的磁带电动打字机,装有磁带存储和检索装置。60年代末期和70年代期间小型和微型数字计算机的发展,使文字处理系统升级迅速,具有更强的处理能力。先进的文字处理系统有一台连接到计算机的激光打印机,与装有磁带存储器的电子计算机相连接。输入终端由字母数字式键盘和阴极射线管显示器组成。荧光屏上的显示使打字员能校对、编辑或改工所输入的信息，全部文件,包括文字修改和增删,都由电子计算机记录下来。定稿后计算机开动打印机,印出所需数量的制品。文字信息可以存储在计算机中,以备再用。

word processor 字处理器 用来书写和修改文档,构建文本布局,并在电脑显示器上预览将要打印的文档的计算机程序。其预览功能即"所见即所得"。字处理器使书写和编辑文档更加方便,特别是其复制和移动文本的功能("剪切"和"粘贴"),以及其内置的检查拼写的词典和语法检查器。另外一些常见的功能还包括大量可供选择的印刷字体和文字大小,各种各样的段落和页面版式,查询和替代字符串的工具,字数统计等。现代的字处理器还能获得许多其他功能,如表格的创建和图片的插入。它们通常提供通用文档类型的模板,比如信件、备忘录和简历等。

Worde, Wynkyn de 沃德(?～1534或1535) 阿尔萨斯(法国)出生的伦敦印刷商,曾出版大批图书(从1501年起至少出版了600种)。他在英国首先采用斜体活字(1524)。1476年英国第一家印刷企业W.卡克斯顿印刷所开办时,沃德即受雇于该所。1491年卡克斯顿去世,他便接管这家印刷所。1500或1501年将该所由威斯敏斯特迁至伦敦舰队街。

Worden, John L(orimer) 沃登(1818-03-12,美国纽约韦斯特切斯特县～1897-10-18,华盛顿[哥伦比亚特区]) 美国海军军官,指挥联邦"莫尼特"号战舰与南部邦联的"梅里

美国海军部供图

麦克"号战舰间的战斗,使之成为美国南北战争中第一次南北方装甲舰的海战(1862-03-09)。1834年加入海军后在巴西舰队接受训练(1835～1838)。后曾于墨西哥战争(1846～1848)时在太平洋海岸及战后在地中海舰队和本土舰队服役。1862年1月16日奉命指挥J.埃里克森的实验军舰"莫尼特"号。3月,沿大西洋海岸行驶时于詹姆斯河口与南部邦联较大的铁甲舰"弗吉尼亚"号(原"梅里麦克"号)遭遇。炮战历3小时,双方撤出战斗。沃登面部受伤,双目险被炮弹击中。后指挥南大西洋封锁舰队。1872年晋升海军少将,1875～1877年指挥欧洲舰队。1886年退休,国会批准终生领取全薪。

Wordsworth, Dorothy 华兹华斯(1771-12-25,英格兰坎伯兰科克茅斯～1855-01-25,威斯特摩兰吕达尔芒特) 英国散文作家,她的《1798年阿尔福克斯登日记》和《1800～1803

供图:Gordon Wordsworth

年格拉斯米尔日记》,以其富于想象力的景物描写、完美的风格和显示的具有独特品质的个性,至今仍为人们所喜读,也是了解其兄、浪漫主义诗人威廉·华兹华斯的重要文献。她在两本《日记》中的描述曾经给S.T.柯尔律治和威廉以灵感,但是她并不想当职业作家,她写文章只是为了取悦威廉。她的散文文笔洒脱、清新,十分自然。《格拉斯米尔日记》对于了解她哥哥的生平事迹,考证她哥哥在诗歌创作的黄金时期中几乎每一首诗的写作日期和背景,无疑是一部很有价值的著作。《阿尔福克斯登日记》则记载了她哥哥同柯尔律治的友谊。她和其兄威廉有强烈的共鸣,比任何人都更了解他,对他起一种"鼓舞作用"。1796～1798年,她在萨默塞特郡的阿尔福克斯登同威廉和柯尔律治过着"三人一心"的共同生活。她同他们一起去过德国(1798～1799)。1799年12月与威廉有了自己的家——卜居湖区的格拉斯米尔。1802年其兄结婚后仍在该处居住,直至1813年随家迁居吕达尔芒特。1829年她患了重病,死前20年一直神志不清。她的作品生前无一发表。《日记》的最齐全版本出版于1941年,编者为E.德塞林考特。

Wordsworth, William 华兹华斯(1770-04-07,英格兰坎伯兰科克茅斯～1850-04-23,威斯特摩兰吕达尔芒特) 英国主要的浪漫主义诗人和桂冠诗人(1843～1850)。他与S.T.

供图:Dove Cottage, Grasmere, Eng.

柯尔律治合写的《抒情歌谣集》(1798)促进了英国浪漫主义运动的兴起。其作品的主要主题是人与大自然的关系。诗人把自己描绘为"大自然的崇拜者",人们也常称他为"大自然的祭司"。生于英格兰北部湖区。兄弟四人,他行二;妹妹多萝西终身与他作伴。父母早丧,由其舅抚养成人。早年熟读英国名家诗篇,并特别受家乡湖光山色的陶冶。1787～1791年在剑桥大学圣约翰学院学习,对书斋生活和寻求神职缺乏兴趣,学业平平。1790年,与友人徒步旅行法国、意大利、瑞士和德国。1793年,发表他的最早诗作《黄昏信步》和《写景诗》,后者以欧陆旅行观感为素材。1790～1792年诗人同情法国大革命,再去法国,后因舅父断绝资助只好回国,不久英法战争爆发,他认为法国人"自己转而成为压迫者……忘记了他们曾为之斗争的一切",从而改变了态度。1793～1795年是他生平最不幸的时期,生计无着,思想苦闷。由于友人赠给一笔遗产,诗人和妹妹于1795年10月得以在多塞特郡乡间定居,恢复了他在大自然间沉思和忆旧的习惯。后迁至阿尔福克斯登,在此期间他写下唯一的无韵诗悲剧《边境居民》。他们兄妹在此首次与柯尔律治相遇,三人结成挚友,成为文学界的佳话,一个新的诗派由此诞生。华兹华斯和柯尔律治两人合作匿名发表了《抒情歌谣集》(1798),柯尔律治的长诗《古舟子咏》居全集之首,最末一首

为华兹华斯的《廷特恩教堂》。其余的诗除3首外，均为华兹华斯所写。华兹华斯在广告中解释说，这些诗只是一种试验，试图把中下层阶级的口语尽量用于表达诗的乐趣。《抒情歌谣集》后来被认为是英国诗史的一个转折点，但在当时引起的反响不大。1801年增加了内容，以华兹华斯一人的名义再版，并由他写了前言，提出他主张的诗歌辞令、韵律和主题的原则。他认为在散文和韵文之间没有本质的区别，乡村农民的生活和语言更接近自然、更加真实。对此柯尔律治持不同意见，并认为华兹华斯的长处正在于他高雅超众的诗篇。1798～1799年，兄妹两人与柯尔律治同游德国消磨严冬，在此期间，他写下几首最优秀的抒情诗"露西"组诗。1799年底与多萝西回到湖区定居。1797～1808年这10年被评论家称为华兹华斯"伟大的十年"，因为他所有最优秀的作品几乎都是在这期间完成的。华兹华斯计划写一部哲学诗巨著，名为《隐者》，先写他的《序曲》。结果《序曲》发展成为一部独立的著作，于1805年完成初稿，后来经过修改，直至1850年诗人去世时方才出版。《序曲》是一首自传诗，描述了诗人成长的过程，回忆他在一生各个时期的感受和思想，被认为是诗人最重要的作品。《隐者》永远未完成，计划写的三部只完成了一部，即1814年出版的《漫游》。它表述了浪漫主义时期一些最深切的信念和最典型的态度。此后诗人的想象力渐衰，缺乏早年的清新感，佳作渐少。1843年被封为桂冠诗人。1850年逝世后葬于湖区格拉斯米尔教堂墓地。

work 工作 在经济学和社会学中，指社会生存所必需的活动和劳动。早期人类的主要活动是狩猎和采集食物。早在公元前40 000年，狩猎者开始集体活动，追踪并捕杀动物。部族中年幼或体弱的成员自然较适合于采集食物。妇女可能由于需要孕育子女，一般不参加狩猎。若干原始民族显示出制造武器的才能，因此提供了早期劳动分工的例子。在农业种植代替了简单的采集后，导致食物的少量剩余，同族中的若干成员可以从事较专门的技艺，如陶器制作、纺织和冶金。充足的食物供应和铜器的发展奠定了社会向复杂发展的基础，从而可以供养较多的人口；在城市建立后，新的专业如商业、法律、医学和防御得到了发展。经济的日益复杂化需要永久性的记载，因此写作和簿记便应运而生。

这些文化以及随后的希腊和罗马社会，其特征均为严格的、世袭的、等级的阶级结构。国王和贵族在武士的支持下进行统治；僧侣担任政府官职；商人参与手艺人和工匠们产品的交易；农民在家庭田地上耕作；奴隶则在矿山和手工业作坊劳动。这些手工业作坊是现代工厂的原型，作坊由一个工匠带领几个工人制作金属武器和工具。较大的工程如金字塔、水渠则由主建筑师指挥，由工头和文书协助。这些工程需要由掌握不同程度技术的劳动者从工匠至奴隶们参加。

在罗马帝国解体后不久，由于社会生活收缩在较小的、自我封闭的范围内，若干这种有组织的复杂工程便在欧洲消失。贵族拥有的土地由农民耕种，农民则通过继承束缚在田地上。农民向贵族交纳生产物的大部分以换取在军事上的保护。教堂在中世纪的经济中也有着重要的作用，它向石匠、雕刻匠、釉工提供了工作。

随着城镇生活日趋活跃，手艺行会愈显出重要性，至14世纪达到了顶点。行会的宗旨是限制某一行业的劳力供应和控制生产。行会成员按其经验分成等级：师傅、雇工和学徒。当有些师傅发现进行原料和成品贸易比手工艺劳动更加有利可图时，行会内部的关系便变得紧张；其他人则发现不让雇工升为师傅可以获得更多利益。因此，学徒和雇工就结成一个自由劳工阶级，雇主-雇工关系随之产生。

约由公元1000年起，风力和水力替代或帮助劳动者进行制革、加工谷物、压榨橄榄并在矿山中和鼓风炉旁驱动风箱。机械化对大型建筑项目影响很小；教堂和城堡由一位石匠师傅领导，他不但设计建筑物，还管理账目和采购原料，组织技艺独特的工匠进行建筑。技术进步和欧洲各大国世界范围的探险和殖民化相结合，大大改变了经济生活。有些行会师傅能够积累大量资本，迫使其他未成功的师傅成为挣工资的劳动者。这种转变在英格兰特别明显，当地由于垄断性特许状的颁发、金融和贸易的发展、机械的改进，特别是18世纪蒸汽动力的发明，这种转变受到鼓励。

早期的工厂将以前由单一工匠完成的工作分成明确不同的几种任务，再由工资低廉的非熟练的或半熟练的工人借助机器完成。这种新组织缩短了生产一项产品所需的时间，降低了成本并通常改善了质量。可是，过去控制生产的工人不服从工厂制定的规章制度，这就需要建立较之工业化以前更为复杂的监督等级制度。工厂制度鼓励并需要大城市的发展。城市化要求较高的农业生产率，这种提高是通过使用肥料、科学育种和机械化实现的。新世界的各个殖民地向欧洲的城市提供多由奴隶生产的农产品。

19世纪，由于机床（使金属成型的车床式机器）的发展，有可能通过采用标准部件和广泛的分工而达到降低成本和生产大量产品。大规模生产促进制造商行的规模发展更大，需要空前多的经理、监督、会计、科学家、工程师、技术员、推销员等专业人员。在某些情况下，办公室工作要按工业流水线的相同原理进行组织。在20世纪的工业化国家中，工作的专业化和职业化继续发展，出现了和工作各个方面有关的许多专业，包括个人福利和鼓励、技术效率、整个生产系统的效率、劳动生产率以及科学在工业中的应用。在这些专业如生产管理、劳资关系、人事管理、研究和发展、人-机工程学、运筹学和系统工程中，有些功能是交叉重叠的。

work 功 物理学中，物体在外力作用下运动而至少有分力加在物体位移的方向时，所发生的能量传递的量度。如果力是恒量，功就可由沿物体路径方向的分力乘以路径的长度得出。对物体做的功，不仅由整个物体的移动来实现，还可以通过压缩气体、转动轮轴、甚至物体内部质点在外部磁力作用下的微小运动而实现。除非物体有某种程度的位移，并且沿物体的运动路径有作用力的分力，否则就没有做功。拿一个重物静止不动时并没有把能量传递给它，因为没有位移。拿起一端系有重物的绳使重物以恒速转圈时，也没有把能量传递给物体，因为力是指向圆心的，它与位移成直角，这两种情况都没有做功。功的数学表示依具体情况而定。在恒温下压缩气体所做的功可表述为压强与体积变化的乘积；由转矩转动轴所做的功，可以通过转矩乘角位移表示。对物体做的功等于物体能量的增大，因为功把能量传递给物体。可是，如果施加的力与物体的运动方向相反，功是负值，即从物体取走了能量。功的单位与能量的单位相同，是焦耳和尔格。

work function, electronic 参阅 **electronic work function** 电子功函数。

work hardening 加工硬化 在冶金过程中，由于锤锻、滚轧、拉拔或其他物理加工，导致金属硬度的增加。这些加工引起金属的最初微小变形，虽然使金属强度削弱，但经过连续不断的变形后，其强度反而有所增加。这种似乎矛盾现象的原因在于金属晶体结构。施加应力后，晶体彼此发生滑移，但由于晶体结构的复杂性，滑移次数越增加，使进一步滑移时受到的阻碍也越大，因为有许多位错线彼此相互交叉。参阅 **tempering**。

Work Projects Administration 公共事业规划署 参阅 **Works Progress Administration** 公共事业振兴署。

work song 号子 以劳动时作为节奏性陪衬和用来说明工作情况为主要类型的歌曲。世界各地许多职业的工人都有哼唱号子的习惯。它包括个体劳动者简单的哼唱，以及由于政治和社会的原因对工作条件或工人生活的境况有意识的表示抗议的歌唱。在不同的地区，各种不同种类的工作各有独具特色的号子。以书面形式记载下来的号子几乎没有。甚至近至100年前，大多数的劳动者还是文盲。工作时所唱的号子通常都是为了减轻重复性劳动的乏味或是借助有规律的节奏来提高效率。在这些歌曲中，工人的哼唱和动作以及他们的工具的敲打声往往组成配合旋律。这些歌曲的歌词可以反映出工作的性质（如美国密西西比河船夫哼唱的"水深一哼或水深一哼点二五"）或叙述一个与此关系不大的故事。用来说明工作情况的歌曲表达人们共有的被剥削的感受、工人的自豪感以及生活的痛苦和无聊；这些歌曲在近几个世纪被广泛用来传播思想，或号召支援。

Worker, The (newspaper) **《工人日报》** 参阅 **Daily World**《世界日报》。

worker-priest 工人司铎 天主教工人司铎运动的成员。这种运动是天主教会鉴于工人阶级日益疏远天主教会而于第二次世界大战后在法国和比利时等地发起的，其目的是要设法接近工人。工人司铎不着圣衣，走出教堂，在工厂和工地就业，与工人共同生活，共同体会社会问题和经济问题。巴黎枢机主教苏阿尔赞助这一运动。结果许多司铎不得不积极从事政治活动，与工友一同参加示威，就住房、种族主义、和平等问题提出抗议。教皇庇护十二世和教皇约翰二十三世分别于1954和1959年下令停止这一运动。教皇保罗六世于1965年同意该运动，但形式有所更改。

workers' compensation 工伤补偿金 又称工人抚恤金。指雇主为其职工工伤和职业病而承担某些费用的社会福利规划。1884年德国首先实行工人抚恤金。到20世纪中叶，世界许多国家都已有某种形式的工人抚恤金或职业伤残法规。有些实行强制性社会保险；有些从法律上要求雇主提供一定的保险赔偿金，而投保却由工人自愿。多数国家的职业伤残保险赔偿金均由雇主筹措。在实施不成文法的国家里，社会保险立法基于"严格责任"或"无事故责任"之说。这种学说的立论基础是，在现代工业雇佣条件下，雇主最有能力防止工伤和职业病，应该使他们从经济利益上考虑而去采取预防措施。在英美，工人因过时的不成文法袒护雇主而难于向雇主取得抚恤金，19世纪后半叶工人曾开展运动争取修改不成文法，并制定安全法规明确规定雇主有提供安全工作条件的职责。嗣后，安全法规逐步为工人抚恤金制度所代替。

Workers' Opposition 工人反对派 苏联历史中，共产党内的一个派别，1920～1921年间以争取工人的权利和主张由工会控制工业而取得显著地位。它的失败为镇压党内持不同政见者开创了先例，使斯大林最终建立独裁统治成为可能。1919年开始发展。他们反对党中央机关控制地方党组织和工会，反对党缩小工人在企业管理中的作用，反对越来越多地在工业中使用所谓资产阶级专家，反对党努力在企业中用一长制代替集体管理。当1920～1921年它反对托洛斯基变工会为国家机构的计划时，成为反对派。它主要由A.G.什利亚普尼科夫、S.P.梅德维捷夫和A.柯伦泰领导的工会会员组成。第10次党代表大会（1921-03）谴责他们的观点，勒令把小集团解散。但他们继续活动，并抱怨党内缺乏民主，党中央不尊重工人和地方自治权等。第11次党代表大会虽未开除工人反对派领袖人的党籍，但公开谴责他们并强迫其停止活动。1926年残存的反对派成员曾和其他反对派分子一道企图防止斯大林攫取对党的完全控制，但没有成功。到1933年，工人反对派的所有领导人都被清除出党，在30年代的清洗中，除柯伦泰外其他领导人均不知去向。

workhouse 济贫院 为贫民提供就业机会并向老弱病残施舍食物的机构。在17～19世纪的英国以及荷兰、美洲殖民地都曾设置过。因为济贫院不仅收容贫民，经常也杂有孤儿、疯子和罪犯，所以很难和教养院区别开。根据当时社会条件，被收容者可以交给包工头，或者闲着，以免在劳动力市场竞争。1601年英国的《济贫法》规定了教区对贫民负责，后来在教区建立了济贫院；19世纪早期，由若干教区联合起来共同负责济贫院事宜。到20世纪，社会保险制度取代了济贫院。

Workingmen's Party 工匠党 美国第一个面向劳工的政治组织。1828年初建于费城，1929年再建于纽约，起因于工匠和熟练的雇工对他们低下的社会和经济地位的忧虑。该党迫切要求男子普选权、平等的教育机会、保护债务人免于监禁和在国民警卫队中强迫服役，以及扩大经济保障和缩短工时。费城党鼓动开展免费公共教育和结束监狱契约劳工的竞争。纽约党在激进的斯基德莫尔的领导下，要求10小时工作制、废除债务监禁，以及实施工人对建筑物的留置权法。纽约党在赖特和欧文领导期间，并要求用公费普及世俗教育。党员埃文斯于1829年创办了第一家劳工报纸《工人辩护者报》。该党发展迅速，但19世纪30年代初期，在党的教义和领导问题上的派别争论，使党发生分裂。一些党员于1833年组成昙花一现的平权党；其他的人加入纽约民主党的改革派"罗克福克党"。

Workington 沃金顿 英格兰西北部坎布里亚行政郡阿勒代尔区城镇和港口。属坎伯兰历史郡。位于德文特河口，濒临爱尔兰海。19世纪是采煤和钢铁工业的中心。现采煤业已停止，但还有炼钢业和其他制造业。人口25 579（1991）。

Works Progress Administration（WPA） 公共事业振兴署 又作Work Projects Administration（公共事业规划署，1939～1943）。又译工程进度管理署。美国F.D.罗斯福总统实行"新政"时，在1935年建立的为失业者创造就业机会的机构。共存在8年，为850万人安排了工作（1934年失业者超过1 100万）。联邦政府为此支出约110亿美元。总共建筑逾104.6万千米公路，12.5万所公共建筑，7.5万座桥梁，8 000个公园和800个飞机场。1939年公共事业振兴署改名为公共事业规划署。1943年因转入战时经济，失业问题实际已不存在，故撤销。

Worksop 沃克索普 英格兰诺丁汉行政、历史郡巴塞特洛区城镇。濒临切斯特菲尔德运河，近舍伍德森林。1296年获皇家特许状。19世纪成为采煤中心。第二次世界大战以来工业发展很快。人口37 247（1991）。

workstation 工作站 一种高性能计算机系统。它基本上是为单用户设计的，并具有高级的制图能力、大的存储容量和一个强大的微处理器（中央处理器）。工作站的能力超过个人计算机（PC），但是赶不上中等规模的计算机（它能够控制由外围个人计算机或工作站构成的大网络，并管理复杂的数据处理和报表任务）。工作站这个术语有时被赋予同主计算机连接的哑（即没有任何处理能力的）终端设备。与大多数个人计算机中应用的复杂指令集计算（CISC）不同，大多数工作站的微处理器采用精简指令集计算（RISC）的体系结构。因为它减少了永久储存在微处理器中指令的数目，所以RISC体系结构可以使数据处理合理化并加快。这就必然带来以下结果：在工作站上运行的应用软件必定比CISC体系结构的应用软件含有更多的指令且更为复杂。工作站的微处理器典型地提供32位编址（表示数据处理速度），与之相比，大多数个人计算机提供按指数律放慢下来的16位系统。一些高档工作站应用64位处理机，它拥有相当于32位处理机40亿倍的数据编址容量。高档工作站的原始数据处理能力使它们能够提供高分辨率或三维图形界面、复杂的多任务软件和同其他计算机联网的先进功能。工作站主要用于执行计算密集型的科学和工程任务。它们在一些复杂的金融和商业应用中也受到欢迎。此外，高档工作站经常为其"客户"个人计算机的网络服务，它们利用常驻工具和应用程序访问和控制存储在工作站上的数据。工作站是于1981年由美国国家航空航天局为其"阿波罗"航天计划而研制的，并于1983年推向市场。工作站优于个人计算机的主要方面在于工作站所具的高级制图和数据处理能力。但是高级的图形界面、强大的微处理器和RISC技术同高档个人计算机的结合就使它们同低档工作站几乎没有什么区别。同样，高档、64位工作站也可以准确地模拟一些中等规模计算机系统的数据处理技术。

Worku, Daniachew 沃尔库（1936，埃塞俄比亚亚的斯亚贝巴～　　）埃塞俄比亚的剧作家、小说家、诗人和文学史家。在本国外以他用英文写的小说《第十三个太阳》（1973）而知名。《第十三个太阳》部分地反映沃尔库本人长期的政治活动。他本在亚的斯亚贝巴的海尔·塞拉西一世大学讲授阿姆哈拉语言和文学，由于政治活动，他被迫离开了大学职位。《第十三个太阳》（指埃塞俄比亚历法中最后的第十三个月份）讽喻在海尔·塞拉西反动统治下的埃塞俄比亚，但其寓意深藏在异常具体生动、富有诗意的对一次朝山进香途中所见的埃塞俄比亚社会的描绘中。埃塞俄比亚的社会和文化以及它的种种国民性都在语带嘲讽却又饱含怜惜之情的叙述文字中得到了表现。

World Alliance of Reformed Churches（Presbyterian and Congregational） 世界长老、公理会归正联盟 基督教长老会、公理会和归正会的国际合作组织，1970年于肯尼亚内罗毕由国际公理协进会与全世界长老制归正会联盟（又称世界归正宗联盟）合并而组成。国际公理协进会于1891年在伦敦成立，是公理会与一部分独立派和合一派教会的联合组织，宗旨是促进各成员教会的团契和共同事业，但无权管辖它们。全世界长老制归正会联盟由长老会和归正会于1875年在伦敦组成。这是世界上最老的国际新教具有共同信条的团体，是自愿参加的组织，促进各成员教会的团契和合作并增进其共同的利益。在20世纪后期约有7 000万信徒。

World Bank 世界银行 全名世界银行集团（World Bank Group）。联合国附属机构，旨在作经济援助计划以增进会员国的经济发展。总部设在华盛顿(哥伦比亚特区)。该银行是发展中国家获得金融援助的最大来源。它还提供技术援助和政策建议,并且代表国际的贷方监督自由市场改革的实施情况。世界银行与国际货币基金会和世界贸易组织一起,在监督发展中国家的经济政策和公共机构改革方面,以及在界定全球宏观经济的进程方面扮演重要角色。

1944年在联合国货币及金融会议(一般称布雷顿森林会议)上成立,召开这次会议是为了建立一个新的、第二次世界大战后的国际经济体系,1946年6月世界银行正式开始运作。它的第一笔贷款是用于西欧的战后重建工作。从20世纪50年代中期开始,它在对发展中国家的基础建设计划的金融投资中发挥了重要作用,这些计划包括道路、用于水力发电的水坝、清水与污水处理设备、海港和机场等。

世界银行集团有5个组成机构:国际复兴开发银行(IBRD)、国际开发协会(IDA)、国际金融公司(IFC)、多边投资担保机构(MIGA)和国际投资争端调解中心(ICSID)。国际复兴开发银行以市场利率提供贷款给中等收入的发展中国家和值得信任的低收入国家。国际开发协会(成立于1960年)则提供免息的长期贷款、技术援助和政策建议给低收入的发展中国家,用于医疗、教育和农村发展等方面。国际复兴开发银行的主要资金来自全世界的资本市场,而国际开发协会则使用来自发达国家的援助资金运作贷款事务。国际金融公司与私人投资者合伙运作,提供贷款、贷款担保和股票融资给发展中国家的企业。多边投资担保机构对外资提供贷款担保和保险,以避免在发展中国家非商业性冒险所造成的损失。最后是国际投资争端调解中心,它独立于国际复兴开发银行的之外运作,负责通过调解或仲裁来解决外资与其所投资的发展中国家之间的投资争端。

世界银行虽然既不对联合国大会也不对安理会负责,但它还是与联合国有关。它的180多个会员国每个都有代表在理事会中,该理事会每年召开一次会议。虽然理事会对国际复兴开发银行的政策有一些影响力,但实际的决策权在很大程度上是由银行的24个执行董事来行使的。5个主要国家(美、日、德、英、法)指定各自的执行董事。其他国家则按地区分组,每组选举一位执行董事。表决权根据一个国家赞助资金的多少,而这又以该国的经济资源为基础。较富有和较发达的国家组成了银行的大股东,因而也就能行使更大的权力和影响。经费来自会员国的资金赞助、世界资本市场上的债券发行,以及国际复兴开发银行和国际金融公司的贷款利息所得的净收入。职员约有1万多人,其中约1/4派驻在发展中国家工作。银行在约70个国家里设有办事处,世界银行的人员在许多国家里直接担任财政部和其他部门的政策顾问。世界银行与全世界的金融市场和机构之间有咨商和非正式的关系,它还与发达和发展中国家的非政府组织保持联系。

世界银行是世界上最大的多边贷方机构,世界上最穷的一些国家欠世界银行大笔钱款。事实上,几十个债务最重的贫穷国家的最大一部分外债(有的达到50%以上)的贷方就是世界银行和多边地区开发银行。根据一些分析,这些债务负担(按照银行法规,这些债务是不能取消或改变偿还日期的)已经在整个发展中国家造成永久性的经济萧条。

World Book Encyclopedia, The 《世界图书百科全书》 针对中小学课程需要而编辑的美国百科全书,在芝加哥出版。初版于1917年,1925年以后,逐年修订。全书22卷,着重地理和传记,也涉及商业、心理学、政府、能源、生态学和犯罪学等广泛的学科领域。由物理、生物、社会科学和其他领域的权威撰写。具有完备的参见系统,而主要学科条目之末又均附有相关条目名。总索引外另有约200项关于重要学科的阅读和学习指南。插图和地图丰富多彩,印刷精美。1961年出版了罕见的布莱叶盲字版(145卷),1964年又出大字版(30卷)。每年还出版年鉴。1995年该书制成2张CD-ROM光盘。在DOS(操作系统)版本中的《世界图书信息检索》可查阅百科全书条文和图表;在Windows和Macintosh版本中的《世界图书插图信息检索》可查阅条文、图表以及数千幅插图和地图。

World Community of Al-Islām in the West 西方伊斯兰世界社团 参阅 **Islam, Nation of** *伊斯兰民族组织*。

World Confederation of Labour(WCL) **世界劳工联合会** 1920年作为国际基督教工会联合会而组成的劳工联盟组织,代表西欧和拉丁美洲基督教工会的利益。1968年重新组织,改称现名。虽然这个联合会致力于国家、地区和国际方面的经济统合目标,但它的影响力只限于各成员国的国内政策和地方事务。它是一个最小的国际性工会联合会。

World Convention of Churches of Christ 基督会世界大会 基督教基督会的国际组织。中心机构设在美国纽约市。第一次大会于1930年在华盛顿举行,规定每五年开会一次。大会无权支配会员教会,但为各国基督会提供联谊和交流的方便。

World Council of Churches(WCC) **世界基督教协进会** 1948年成立于阿姆斯特丹的普世教会运动机构,是"承认我们的主耶稣基督为神和救世主的各教会之间的团契"。世界基督教协进会不是一个教会,不向各教会发布命令或指示。它谋求教会的合一和更新,为各教会提供一个讲坛,共同商谈,共同祈祷,本着宽容和互谅的精神共同工作。第一次世界大战后普世教会运动产生两个组织:生活和工作运动,注意教会的具体活动;信仰和制度运动,着重于各教会的信仰和组织以及联合可能引起的问题。不久双方谋求建立单一的组织。1937年,设在爱丁堡的信仰和制度会议和设在牛津的生活和工作会议通过了建立单一的机构的计划。一些教会的首脑于1938年在荷兰乌得勒支开会,草拟章程,但因第二次世界大战,迟至1948年世界基督教协进会第一次大会才得以召开。1961年国际基督教宣教协会并入该协进会。协进会成员有基督教大多数派别和若干东正教会,不包括天主教会。美国南方浸礼会也不参加协进会。协进会的监督机构是大会,每2年举行一次大会。大会任命人数众多的中央委员会,中央委员会从其委员中推举26人组成执行委员会。执行委员会与各专门委员会和六位主席共同在大会休会期间推行工作。协进会的中央机构设在日内瓦,人员较多,由秘书长领导。协进会的工作分三大方面:教会关系;普世教会运动的研究和促进;教会之间的援助和救济难民工作。在这几方面分别设有工作组和委员会,如信仰和制度委员会、平民信徒生活和工作委员会、教会内和社会上男女合作委员会。世界基督教协进会的一些机构与一些革命运动一致行动,这种情况时时受到一些成员教会的指责。

World Cup 世界杯 足球世界冠军奖杯。第一届世界杯足球赛由国际足球协会联合会于1930年主办,乌拉圭获冠军。除第二次世界大战期间外,世界杯赛每四年举行一次。

朱尔·里梅杯(世界杯)
供图:Keystone

先进行分区循环赛,选出32个优胜队,然后进行淘汰赛。世界杯赛与奥运会足球赛不同,它不限于业余运动员,因此更接近于世界最佳球员之间的较量。起初由法国人朱尔·里梅发起,故名朱尔·里梅杯,通称世界杯。1970年,该奖杯归在1958、1962、1970年三次夺冠的巴西队永久保留。同时另设新的奖杯,即由意大利雕塑家西尔维奥-加扎尼加设计的大力神杯。关于世界杯冠军,参阅 **Sporting Record**: Football。

World Cup 世界杯 高尔夫球赛奖杯。1967年以前称加拿大杯(Canada Cup),每年由各国派2名男运动员组成一队,参加比赛,优胜者获此杯。奖杯于1953年由加拿大实业家霍普金斯设立。比赛采用72穴制,按击球次数计分,举行4天,有40多个国家代表队参加，击球总数最低的队为胜。击球次数最低的个人亦获奖。关于冠军队，参阅 **Sporting Record**：Golf。

World Cup　世界杯　自1967年以来每年向高山滑雪的男、女优胜者颁发的奖杯。在世界杯赛中，滑雪运动员在整个冬季参加所有指定的比赛，从三个高山滑雪项目（降下速滑、小回转、大回转）中累计成绩，总分最高的运动员为优胜者。世界杯赛受国际滑雪联合会管理。关于世界杯冠军，参阅 **Sporting Record**：Skiing。

world dawn（myth）　**世界发端**　参阅 **Dreaming, the** 梦想期。

World Evangelical Fellowship　世界福音团契　基督教团体的国际联谊组织。主张根据保守观点，严格遵照经文解释基督教信仰。参阅 **Evangelical Alliance**。

World Federation of Trade Unions（WFTU）**世界工会联合会**　由世界工会代表大会于1945年成立的左倾国际劳工组织。其主要创始者是英国职工大会、美国产业工会联合会和全苏工会中央理事会。该组织最初倾向苏联。尽管为调解该组织内部共产党派和非共产党派之间的分歧作出重大努力，但冷战的加剧终于最后导致分裂。非共产党会员退出该组织，于1949年成立国际自由工会联合会（**International Confederation of Free Trade Unions**）。现世界工会联合会最大的会员是亚洲、拉丁美洲和非洲的发展中国家，虽然在法国和意大利也有规模颇大的会员。世界工会联合会的总部设在布拉格。

World Food Council　世界粮食理事会　联合国机构，1974年12月联合国大会根据联合国世界粮食会议的建议建立。理事会由联大选出的36个成员国组成，每年开会一次，总部设在罗马。理事会协调情况，就粮食政策提出战略性建议向联大报告。它重点考虑发展中国家的5类问题：①增加粮食生产；②能更多和更有效地进行粮食援助的体制；③改进国际营养条件；④增加国际粮食储备，作为全球粮食保证制度的一部分；⑤减少发展中和发达国家之间粮食贸易的障碍。世界粮食理事会的活动于1993年中止。

World Food Programme（WFP）　**世界粮食计划署**　联合国机构，1961年成立，1963年开始活动。它是联合国大会和联合国粮食及农业组织的联合机构，致力于通过粮食援助和紧急救济促进经济发展。其主要的机构为粮食援助政策和计划委员会及联大和粮农组织联合行政组。该组织的目的是要具体准备消除因缺粮而产生的紧急情况。活动有捐助实物、现金和提供服务（主要是运输），使受惠者能维持均衡的饮食，促进土地的开垦和灌溉。

world grief（critical term）　参阅 **Weltschmerz** 悲世。

World Health Organization（WHO）　**世界卫生组织**　联合国专门机构，1948年成立，旨在促进国际合作以改善卫生环境。除了从国际联盟卫生组织（1923成立）和巴黎国际公共卫生局（1909成立）接过有关流行病控制、检疫措施及药物标准等方面的具体任务外，其章程还规定它有促进所有民族获得“最高可能水平的健康”的广泛任务。世界卫生组织对健康的定义是“完全的身、心健康和社会福利，不仅仅是没有疾病”。世界卫生组织总部设在日内瓦，下设三个主要机构：世界卫生大会，每年开会一次，是总的决策机构；由卫生专家组成的执行委员会，这些专家由大会选出，任期3年；秘书处，在世界各地设有地区办事处，雇用当地工作人员。世界卫生组织的工作范围是：①设置世界卫生情报及科研中心。它确立了一整套编纂好了的国际卫生规章条例，例如，使检疫措施标准化，以避免不必要地干扰贸易和乘飞机出境旅行等。秘书处并经常就疫苗使用、肿瘤研究情况、营养品新发现、麻醉品控制以及危及健康的核辐射现象等最新情报通报各成员国。②发起、推广各种防治传染病及地方病的措施，如开展大规模防病运动，包括全国性种痘，传授使用抗生素和杀虫剂的方法；改进实验及临床设备，以利于早期诊断及疾病预防；协助各成员国在供应洁净用水及卫生设备方面取得进展；对农村居民进行卫生教育。③鼓励各成员国加强并扩大其公共卫生行政机构。经成员国邀请，世界卫生组织可以对各国政府提供技术咨询，协助制订长期卫生计划；派出国际专家小组指导实地调查和示范项目；帮助建立地区卫生中心，并对各国发展医、护人员教育给予帮助。它还提供现场教学的师资人员，对医生、公共卫生行政人员、护士、卫生视察人员及实验技术人员提供出国奖学金。

World Heritage Site　世界遗产保护区　根据国际《保护世界文化和自然遗产公约》所指定的任何“具有全球性价值”的地区或物体。该公约由联合国教科文组织于1972年正式通过，为国际合作以保存和保护全世界文化宝藏和自然环境提供了一个框架。凡是被列出的地点，都由其所在国家依法严格予以保护。这类保护区分为两大类：一是文化遗产保护区，二是自然遗产保护区。文化遗产保护区包括历史建筑及历史名城、重要考古遗址和有永久纪念价值的巨型雕塑及绘画作品自然遗产保护区则只限于那些具有下述条件的区域或景点：①可为地球进化史或当前地质演变过程提供突出例证者；②具有罕见的、独一无二的、超乎其类的或极其优美的的自然景观或自然现象者；③为稀有动植物或濒危物种提供生境者；④存在着特殊的生物多样性的地区。自然遗产保护区包括许多国家公园和其他早已指定的物种保护区，文化遗产保护区则包括了许多世界最有名的建筑物在内。在世界遗产表上，文化保护区与自然保护区之比约为三比一。

World Intellectual Property Organization（WIPO）　**世界知识产权组织**　旨在促进在全世界对工业产权（发明、商标和设计）和对获得版权的材料（文学、音乐、摄影和其他艺术作品）进行保护的组织。根据1967年在斯德哥尔摩签订的一项公约（1970年生效）建立。1974年12月成为联合国专门机构，总部设在日内瓦。它的前身可追溯至国际保护知识产权联合局，该局由巴黎联盟（国际工业产权保护联盟，1883）和伯尔尼联盟（国际文学与艺术作品保护联盟，1886）的秘书处合并而成。世界知识产权组织的决策机构是大会，每2年召开一次，世界知识产权组织的会议也同时举行。现拥有180多个成员国。该组织具有双重目的：①通过国际合作，促进对知识产权的保护；②在有关商标、专利和保护艺术及文学作品的协议方面，监督巴黎联盟、伯尔尼联盟和其他知识产权联盟之间的行政合作。

World Meteorological Organization（WMO）**世界气象组织**　联合国专门机构，其宗旨是：促进世界范围气象观测系统的建立；促进观测资料的标准化及国际交流；促进气象科学在其他领域内的应用；促进不发达国家气象工作的发展。其前身是建于1873年的国际气象组织，这是一个由各国气象组织的负责人组成的非政府组织，1947年由12国负责人举行会议，通过《世界气象公约》，决定建立新的组织，1951年世界气象组织开始工作。总部设在日内瓦。世界气象大会由全部185个成员国的代表组成，至少每4年召开一次会议，制订总政策和通过各项规章；由36名代表组成的执行委员会，至少每年开会一次并落实大会制订的总政策；秘书处是气象组织的行政中心，秘书长由大会指定，任期4年。还设有6个区域协会（非洲、亚洲、南美洲、北美洲和中美洲、西南太平洋、欧洲），其成员负责研究各该地区的特殊问题。另设有8种技术委员会（航空气象、农业气象、大气科学、基础系统、气候学、水文学、气象仪器和观测方法，以及海洋气象），每4年召开一次会议。世界气象组织的多项重大计划中有世界天气观察——用一个卫星系统和电信网络连接陆地和海上的许多站点以监视天气情况；世界气候计划——监视气候的变化，包括全球变暖；还有大气研究和环境计划，用以促进对臭氧耗层等问题的研究。

World Methodist Council（WMC）　**世界卫理公会协进会**　基督教循道宗的国际合作组织。协进会设有教义、传道、教育、信徒活动、青年、出版及社会与国际事务等专门委员会。在瑞士日内瓦设有办事处，中心机构设在美国北卡罗来纳州朱纳拉鲁卡湖城。

world music　世界音乐　一类音乐，主要是指20世纪80年代遽然猛增的英国和美国发行的非英语唱片。这一类别名称主要是媒体和音像店使用。这种具有争议性的音乐分类其范围很广：包括图瓦喉声歌手、津巴布韦吉他乐队、巴基斯坦夸瓦里祈祷歌（苏非派音乐）歌手以及法裔路易斯安那音乐提琴手、夏威夷闲散曲调吉他手等西方非主流民歌音乐家。从许多方面来看，世界音乐的历史就是西方唱片公司推销外来音乐的历史。尽管有这些商业起源，到90年代早期，这个新用语已经促成音乐家和制作人意识的变化,使世界音乐成为一种真正的音乐类别。世界音乐的诞生可追溯到1982～1983年。当时英美的推销商、唱片公司、批发商、商店以及一些新闻工作者和广播人开始推广其他国家的音乐,特别是非洲音乐(一度几乎与世界音乐同义)。人们对非洲音乐兴趣渐增,最明显的迹象是尼日利亚裘裘(juju)乐队指挥K.S.艾德的成功。1983～1984年,他最初两张全球发行的专辑在美国各卖出10万张以上。这个数字(不到艾德在尼日利亚正常销售量的一半,比西方流行音乐表演者界定成功的百万销售量要少得多)为那些因人们被世界音乐所吸引而出现的许多新公司奠定了基准。"世界音乐"一词被英国一群独立唱片公司采用。他们希望把各种不同的音乐(不仅包括非洲各地的音乐,也包括东欧、亚洲、中南美洲、加勒比海地区的音乐)结合起来。矛盾的是,世界音乐常与地方或乡土音乐同义。世界音乐因其"真实性"而受到欢迎,与80年代西方流行音乐制作人所喜爱的逐渐人工和机械的声音形成对比。这个规则的少数例外包括来自法属西非和北非的几位地方明星,其中某些人靠着在法国唱片公司所录制的唱片而在国际上获得成功。1983～1986年间进军英国的大部分世界音乐唱片公司的销售水平都很低,仅有少数公司幸存,其中最著名的是摇滚歌手P.加布里埃的真实世界唱片公司。当P.西蒙、D.伯恩、R.库德尔三位知名美国摇滚艺人在扩展世界音乐市场中扮演重要角色时,几家唱片公司开始或扩展了他们的世界音乐曲目。西蒙获格莱美奖的专辑《雅园》(1986)以南非黑人乐师为号召,自推出以来卖出500多万张。鉴于此次成功,唱片公司也比较愿意推出这类音乐。业界对世界音乐的认同是在1990年,当时有影响的美国行业杂志《公告牌》推出世界音乐排行榜。一年后,格莱美奖中也加入世界音乐这一项。一大群与爱尔兰有关的艺人,许多在他们的专辑标题中以"凯尔特"为号召。其著名乐队包括"谜"(来自德国)和"森林物语"(1995年格莱美奖得主,来自法国)等。

World Series　世界棒球系列赛　美国棒球比赛。由两个主要职业棒球组织美国棒球联盟(AL)和全国棒球联盟(NL)在赛季后为决出冠军而进行的决赛。两联盟化敌为友后,于1903年开始举办世界棒球系列赛。波士顿队(AL)在5局3胜制系列赛中以5:3击败匹茨堡队(NL)。1904年纽约巨人队(NL)拒绝同波士顿队比赛,美国联盟再次获冠军。自1922年以来,7人赛方案成为标准方案。1955年开始在每次系列赛中票选出一个最有价值一的球员,这在棒球领域里是莫大的荣耀。蒙特利尔和多伦多队分别在1969和1977年获准加入职业棒球大联盟队,是第一批加入职业棒球大联盟的加拿大队。1992年多伦多队还赢得世界系列赛冠军,成为第一个非美国球队的冠军。在世界棒球系列赛上,美国联盟纽约扬基队夺冠次数最多。世界棒球系列赛这一名称也用于几个次要的棒球锦标赛。其中包括在国际联盟和美国协会(两者都是美国次要的职业联盟)冠军队之间的青少年世界棒球系列赛,以及每年一次有国际代表性的9～18岁男、女少年儿童队小联盟世界系列赛。关于联合总会世界棒球系列赛成绩,参阅 **Sporting Record**:Baseball。

World-Soul　世界-灵魂　基于把灵魂归属于人及其他有生命机体这一类比,把灵魂归属于物质的世界。关于世界本身存在着一个精神本原、智慧或心灵这种思想,是在柏拉图(公元前5世纪)和柏罗丁(3世纪)的著作中找到的西方经典表述形式。它可能与古代共有的把万物都赋予灵魂的想法有关(参阅 **animism**)。相似的东方概念可见于印度哲学中的我(**atman**),即"最高宇宙之自我"这一基本命题。

World Trade Center　世界贸易中心　纽约市一中心广场周围的建筑群。2001年受到美国历史上最致命的恐怖袭击。位于曼哈顿西南端,靠近哈得孙河河岸,离华尔街西北仅数条街。它由纽约市与新泽西港务管理局建造,供同国际贸易有关的工商企业和政府机构集中办公之用。在2001年受到袭击之前,中心以其两双子巨型塔楼而著名,每座楼有110层,1号塔楼楼顶高达417米,2号塔楼高达415米。塔楼由山崎美能登所设计,1972年开放,为当时世界上最高的建筑物,后于1973年被芝加哥的西尔斯大厦超过。该中心两座塔楼,各有97部电梯,21 800个窗户,每层楼约有0.4公顷可供出租的面积。南楼(即世界贸易中心2号塔楼)的107层设有观光瞭望台。北楼(1号塔楼)有一根高110米的电视广播天线。2001年以前,该中心就是恐怖主义袭击的主要目标。1993年2月26日恐怖分子安放在2号塔楼地下停车场的炸弹爆炸,毁坏了楼基(随后修复),死6人,伤约1 000人。发生于2001年9月11日的恐怖袭击更具破坏性。劫机者故意将2架商业客机撞向世贸中心大楼。第一次于当地时间8点46分撞击北楼,第二次于9点03分撞击南楼。大楼严重毁坏并被火焰吞噬,南楼9点59分倒塌,北楼半小时后也倒塌。大楼残骸也毁坏了附近一些其他建筑。约2 800人在这一突发事件中丧生。

World Trade Organization(WTO)　**世界贸易组织**　致力于监督世界贸易和使世界贸易自由化的国际组织。其前身为1947年创立的《关税及贸易总协定》(GATT)。按当初的设想,《关贸总协定》很快即会被一个称为国际贸易组织(ITO)的联合国专门机构所代替。但是这个国际组织从未产生,而过去50年间《关贸总协定》在世界贸易自由化方面却取得极大的成功。到20世纪80年代后期,出现了许多要求建立更强有力的多边组织以控制贸易和解决争端的呼声。在进行多边贸易谈判的乌拉圭回合(1986～1994)结束后,世界贸易组织于1995年1月1日开始运作。

1994年4月在摩洛哥的马拉喀什签订协议成立世界贸易组织,《关贸总协定》的各缔约国经正式批准后,即成为世贸组织的正式成员。世贸组织有6项基本目标:①建立并执行国际贸易的法规;②为谈判提供平台,监督并使贸易进一步自由化;③解决贸易纠纷;④提高决策程序的透明度;⑤与其他有关全球经济管理的主要国际经济机构进行合作;⑥帮助发展中国家在全球经济体制中充分受益。虽然和《关贸总协定》有着共同的宗旨,但世贸组织追求的目标更为广泛。例如,《关贸总协定》几乎将注意力专门集中在货物上——不过不包括农业和纺织业的大部分产品——世贸组织则关注所有的货物,服务和知识产权,以及某些投资政策。此外,取代《关贸总协定》临时秘书处的世贸组织常设秘书处加强了贸易政策审议和争端解决机制,并使之有条理地进行。由于世贸组织所涵盖的产品大大超过《关贸总协定》,也由于成员的数目及其参与的范围持续增长——世贸组织的国际贸易综合份额现在已占全球总贸易额的90%以上——公开进入的市场实际上已经增加。

《关贸总协定》和世贸组织所包含的规章都至少有三个目的。第一,保护弱小国家的利益,反对强大国家的歧视性贸易惯例。世贸组织的最惠国条款和国民待遇条款规定所有世贸组织成员必须给予所有其他国家以同等的进入市场机会,对本国和外国的供应商必须平等对待。第二,规章要求成员只能通过关税来限制贸易,为进入市场所提供的优惠不低于他们在清单上的具体承诺(即,成员在取得世贸组织成员身份时,或其后,所同意承担的义务)。第三,这些规章意在帮助各国政府抵挡本国各利益集团为寻求特殊好处而进行的游说活动。虽然这些规章中规定了一些例外,但这些例外在世贸组织的核心协定中的存在和再现,是为了确保不会出现最坏的过分行动。这样,就可以为国际市场带来更大的确定性和预见性,世贸组织就能够提高经济福利,降低政治上的紧张局势。

通过《关贸总协定》和世贸组织许多回合的多边贸易谈判商,进行国际经济一体化的步伐已经变慢,也不像有些成员所希望的那样包罗万象。一些成员建议,出于政治、军事或其他理由,在那些会员制组织的小集团(例如,欧洲联盟、北美自由贸易协定和亚洲太平洋经济合作组织)之间应该进行另外的一体化。尽管建立世贸组织的那些协定中都有最惠国条款,这个组织还是允许在一定的条件下有特惠的结合。尽管如此,许多这样的协定可能并不包括"实际全部贸易"(这是世贸组织的基本条件),因而这和成立自由贸易区及关税同盟并不抵触。在这些协定中最常去掉的是农业等政治上敏感的部分。

自20世纪90年代起,世贸组织一直是激烈批评的目标。全球化的反对者,特别是那些反对日益增长的跨国公司势力的人,认为世贸组织侵犯了国家的主权,助长了大公司的利益,使面对进口竞争进行挣扎的地方小企业受到损害。环境保护集团和劳工集团(特别是在较富有的国家)声称贸易自由化将导致环境破坏,并且伤害低技术的工会工人的利益。针对这些批评,世贸组织的拥护者断言管制贸易并不是保护环境和劳工利益的有效方法。同时,有些世贸组织成员,尤其是发展中国家,反对制定法规对不能达到环境标准与劳动标准的国家进行制裁,认为这类作法无异于隐蔽的贸易保护主义。

world tree 世界树 又称宇宙树。世界的中枢，是尚无文字的民族，尤其是亚洲、澳大利亚和北美洲不同民族的许多神话和民间故事的广泛主题，这使他们能联系神界和圣域来理解人间和尘世。已知有两种主要的形式，都以世界树的观念为中心。在一种形式中，这种树是将天地结为一体的垂直中枢；在另一种形式中，这种树是大地水平中枢上的生命之源。用《圣经》术语来说，前者可称为智慧树(或译知善恶树)；后者可称为生命树。按照有关垂直的智慧树的传说，这棵树在天地之间伸展。它是神界与人世之间的极其重要的联系。神谕和审判或先知的其他活动均在其下进行。按照有关水平生命树的传说，这棵树植于世界的中心，并由具有超自然力的卫士保护。它是大地繁育和生命之源，也是人类生命之源。它的果实带来永恒的生命；如果它被伐倒，所有化育活动都会停止。生命树最常现于探险传奇故事中，故事中的主人公寻找生命树，途中必须克服各种障碍。

World War I 第一次世界大战 1914～1918年发生的一次国际冲突，使欧洲大部分国家以及俄国、美国、中东和其他地区卷入战争。交战双方为同盟国(主要为德国、奥匈帝国和土耳其)与协约国(主要为法国、英国、俄国、意大利、日本，1917年起还有美国)。战争以同盟国的失败告终。

至1910年，欧洲主要国家结成两个潜在的敌对联盟，以德国和奥地利为一方，法国、英国和俄国为另一方。1914年6月18日，一名塞尔维亚民族主义分子在萨拉热窝刺杀了奥地利的斐迪南大公。随即发生了一系列威胁、最后通牒和军事动员，8月中旬终于在两个联盟间爆发了全面战争。

德国长期以来准备在两条战线上进行陆地战，即西线反对法国，东线反对俄国。在西线，其军队迂回绕过法国主要防御部队，向西穿过比利时南下，从而使英国由于恪守条约义务而参战。德军向南直扑巴黎。法国得到英国远征军增援，到11月才沿埃纳河稳住防线，虽使巴黎幸免被占领，但却使这一战争在法国领土上进行。由于现代大炮和机枪的巨大火力，战争迅速转为消耗战，西线出现了僵局，1916年索姆河与凡尔登的多次战役以及1918年初德国的大规模反攻均未能打破这一局面。

在东线，1914年俄国早期的反攻深入东普鲁士、德属波兰和加利西亚，但至年底，俄军被德奥部队截住。1915年5月在德军一次惊人的反击中俄军被赶回本国领土。虽然俄军又发动几次反攻，死伤惨重，却无法突破德方防线或占领德国领土。

其他战场虽在主战场边缘，却也战斗剧烈。其中包括加利波利和达达尼尔；高加索和波斯；美索不达米亚和埃及；的里雅斯特西北的伊松佐河谷。

在海上，只有德国和英国拥有实力强大的舰队。英国试图封锁德国，切断它从海外运输粮食与物资的海上通道。为了报复，德国使用它的最新武器——潜艇，以阻断英伦三岛的海上供应线。德国的无限制潜艇战，最后促使美国于1917年参加对德战争。最主要的海上交锋亦即世界海战史上最大一次海战，是1916年5月英德两国舰队间的日德兰战斗，但未分胜负。

俄国作战不力，伤亡惨重，引起国内广泛不满，导致俄帝国于1917年初垮台以及同年11月间布尔什维克革命获得胜利。在列宁的命令下，俄国于11月26日单方面停战，1个月后同德国签订正式和约，退出战争。德军从东线撤往西线，企图打破僵局，但因美军抵达法国，将其力量抵消。

1918年秋，同盟国地位迅速恶化。奥匈帝国因军事失利以及俄国革命所激发的民族起义的震撼，10月间实际上已解体。德国对西线的大反攻遭到失败。协约国军队到1918年10月收复了德军占领的法国领土及比利时部分地区。德国军队士无斗志，民心涣散，在广泛的政治骚乱中，德皇威廉二世于11月9日退位。两天后，德国与协约国签订停战协定，第一次世界大战告终。

World War II 第二次世界大战 1939～1945年间，几乎波及世界各地的一场战争。主要交战国为轴心国(德国、意大利和日本)与同盟国(法国、英国、美国、苏联以及中国)。这场战争在许多方面是第一次世界大战遗留的、经过动荡不安的20年仍未解决的争执的继续。

德国对第一次世界大战失败的怨恨、《凡尔赛和约》的严酷条款以及魏玛共和国发生的社会动荡和政治不稳定终于导致具有强烈民族主义色彩与反犹太人的国社党(纳粹党)的领袖希特勒上台。1933年，希特勒获得独裁权力后，几乎立即开始秘密重新武装德国。他利用其他欧洲强国不愿积极反对，1936年3月下令对莱茵兰实行军事占领。同年晚些时候，早已入侵埃塞俄比亚的意大利法西斯独裁者墨索里尼宣布建立罗马-柏林轴心；翌年意大利参加德国与日本缔结的反共产国际协定。德、意两国以反共为名，从1936年起干预西班牙内战。

1938年3月，希特勒派兵占领奥地利，不久将它并吞。1939年3月，他利用内外压力将整个捷克斯洛伐克兼并。1939年4月，意大利并吞阿尔巴尼亚。9月希特勒开始入侵波兰。两天后，英法对德国宣战。1939年底，德国与苏联将波兰瓜分，苏联占领爱沙尼亚、拉脱维亚、立陶宛，此外还进攻芬兰。在几个月间，德国的主要活动在海上，特别是对驶往英国的商船进行的有效的潜艇战。1940年4月，德国占领了一些挪威港口和整个丹麦。5月10日，德国在西线的主要攻势开始，以闪电战越过荷兰和比利时进入法国。到6月22日，法国3/5领土包括巴黎被占领；其余地区成为一个“中立国”，政府设在维希。8～9月间，德国空军大规模轰炸英国，准备实行横渡英吉利海峡的入侵。英国皇家空军获得“不列颠之战”的胜利。希特勒只得无限期推迟入侵行动。

1940年11月，意大利入侵希腊失败后，希特勒将匈牙利、罗马尼亚和斯洛伐克拉入轴心国；1941年3月，保加利亚也参加了。6月，希特勒废除1939年的《德苏互不侵犯条约》，向苏联发动大规模的突然袭击。德国机械部队深入俄国领土，一度达到莫斯科郊外。

另一轴心国日本，因对华战争旷日持久而无结果，决定利用欧洲局势以夺取欧洲国家在远东的殖民地。1941年12月7～8日，日本袭击夏威夷珍珠港和菲律宾。数日内，美国对所有轴心国宣战。日本迅速占领菲律宾、东南亚大部地区和缅甸、荷属东印度群岛及许多太平洋岛屿，但于1942年6月在关键的中途岛海战中惨败。美国的太平洋战略是采用海上两栖战术，逐岛进攻，向日本逼进。另一方面，使用少量兵力同亚洲大陆上的中国和英国的军队配合。

在北非，英国在1940～1941年曾击败意大利军队，却同德国非洲部队陷入拉锯战。1942年11月，英美军队在北非登陆，展开盟军第一次反攻，德军被逐步逼入突尼斯，1943年5月终被歼灭。7月，盟军从北非登陆西西里岛，9月入侵意大利，法西斯政权被推翻，意大利参加盟国对德战争。

德军进攻斯大林格勒(1942-08～1943-02)，遭到猛烈抵抗而未获胜。德军在苏联失去势头；红军从1943年起开始将德军逐出苏联西部，当时德国正在为意料中的盟军对西欧入侵做准备。1944年6月6日，15.6万英、加、美部队在美国艾森豪威尔将军指挥下，在法国北部诺曼底海滩登陆。盟军拥有制空权，迅速向东逼进，于1945年3～4月占领德国本土。同时苏军在1944年将德军完全逐出苏联，进入波兰、捷克斯洛伐克、匈牙利和罗马尼亚。1945年初，它占领德国东部1/3地区。在德国崩溃的高潮、柏林被苏军包围时，希特勒于4月30日自杀；5月8日，全部德军投降。

在太平洋地区，美国麦克阿瑟将军的越岛作战战略终于使盟军于1944年10月占领菲律宾。莱特湾海战几乎消灭了日本海军。1945年3月和6月，对硫黄岛与冲绳岛的占领，为对日本进行大规模战略轰炸和入侵日本本土铺平了道路。1945年8月6日和9日，对广岛和长崎的原子弹轰炸使战争突然戏剧性地结束。9月2日，日本签署了正式投降条约。

World Weather Watch 世界天气监视网 世界气象组织为改进全球性气象观测和预报系统，于1961～1962年实施的计划。旨在避免各国分析和预测工作的重复；还为各个气象服务机构提供履行其职责所需的数据和基础资料。该系统以建立在环球各关键位置的若干世界中心和区域中心为基础。全球性各种来源的常规和卫星气象观测中有代表性的资料，经选择凡足以确定世界天气形势概貌的，便发送到各个中心，在那里进行全球和半球的天气分析，供气候学和研究工作采用，也可传送给各个研究中心。各个研究中心根据本区域内各国的需要，从每天的世界气象观测资料中选取所需的资料，进行区域性分析和预报。

World Wide Web (WWW) 环球信息网 又作Web，又称万维网、环球网。因特网

(**Internet**)上领先的信息检索服务。环球网使用户能访问以超链接方式连接起来的大量有关文档。超链接即超文本链接或超媒体链接,是以电子方式把有关信息链接起来,使用户可以方便地访问。超文本使用户能从文本中选取需要进一步解释的词语,从而访问与该词语有关的另一些文档;超媒体则不仅可以链接文本,而且可以链接图像、声音、动画和电影。环球信息网以因特网基本的客户-服务器方式运行。服务器程序负责存储文档,并在需要时把文档传送给网上的其他计算机;客户程序则负责根据用户的要求向服务器请求所需的文档。浏览器软件使用户能观看检索到的文档。环球信息网的超文本文档常称为网址或主页。超文本文档(其中包括文本和超链接)是用超文本置标语言(HTML)编写的,并且都指定有网上地址,称为统一资源定位符(URL)。环球信息网是1989年由设在瑞士日内瓦的国际科学机构——欧洲核研究组织——的T.伯纳茨-李及其同事开始开发的。他们创立了超文本传送协议(HTTP),使服务器程序与客户程序之间的通信标准化。1992年1月,他们对外发布了以文本为基础的浏览器。1993年9月,美国伊利诺伊大学全国超级计算机应用中心的M.安德雷森等人发布了名为马赛克(Mosaic)的环球网浏览器,使环球信息网很快被公众接受。马赛克使人们可以通过在个人计算机上已使用多年的"指-点"式图形操作方式来使用环球信息网。1994年4月,安德雷森与人合作创建网景通信公司,同年12月,发布网景领航员浏览器,很快成为占主导地位的环球网浏览器。到90年代中期,环球信息网上已有几百万活跃的用户。

World's Columbian Exposition　世界哥伦布博览会　1893年为纪念哥伦布发现美洲400周年而在芝加哥举行的博览会。在美国的主要城市间,对于举办这次博览会曾有过激烈的竞争。芝加哥之所以被选中,一方面因为它是铁路中心,另一方面,它提供了1 000万美元的保证金。1893年的哥伦布世界博览会设计的面积达278公顷,其中一部分就是今芝加哥杰克逊公园,面临密歇根湖。主要设计者为芝加哥建筑师D.H.伯纳姆,主任设计师为C.B.阿特伍德,F.L.奥姆斯特德从事自然美化工作。建筑物具有古典式正面,一条均匀的飞檐,高达60英尺,给人以深刻的印象。这座建筑物的各面以熟石膏粉饰,与内部各展览厅的使用关系不大,但"白城"很壮观,入夜万盏灯光如同白昼,使人们产生了对古典建筑艺术的兴趣。哥伦布博览会总支出达2 834.07万美元,其中1 867.8万美元花在地基和建筑物上。参观博览会的人数超过2 140万。闭幕时现金结余446 832美元,使美国的国际博览会第一次获得盈利。面积为60万平方英尺的艺术宫,1928～1932年间重新修建,以陈列科学和工业博物馆的展品。

worm　蠕虫　一些无脊椎动物门:扁形动物门(扁虫),环节动物门(环虫),纽形动物门(纽虫),袋形动物门(蛔虫、蛲虫、小线虫、粪类圆线虫、铁线虫),星虫动物门(沙虫),螠虫动物门(螠虫),棘头动物门(棘头虫),须腕动物门(须虫)及毛颚动物门(箭虫)的动物。英语中worm一词也泛指蜈蚣类和马陆类,其他无脊椎动物(尤其是昆虫)的幼体以及某些脊椎动物,如blindworm即盲缺肢蜥(*Anguis fragilis*),一种无肢体、似蛇的蜥蜴。上述蠕虫样的动物一度曾合并为蠕形动物门(Vermes),该术语今已不用。在动物学上蠕虫指各种*扁虫*(**flatworm**)、*环节动物*(**annelid**)、*纽虫*(**ribbonworm**)、*棘头虫*(**spiny-headed worm**)和*袋形动物*(**aschelminth**)。蠕虫通常身体细长,管状(常为圆柱形、扁平或叶形),一般无附肢。体长差异很大,从某些袋形动物的不足1毫米到某些纽虫的30米以上。蠕虫分布于各种生境:海水、淡水和陆地。某些类型为寄生性,另一些营自由生活。蠕虫对人类来说十分重要,有的可改善土壤情况(如蚯蚓、袋形动物);有的寄生于人类或家养动物(如扁形动物、袋形动物)或寄生于庄稼(如袋形动物)。在世界上实际所有生态系统中,蠕虫也是食物链中重要的一环。

worm lizard (*Rhineura floridana*)　**蠕虫蜥**　蜥蜴亚目蚓蜥科爬行动物。产于北美洲,穴居于佛罗里达半岛上的土壤、沙和腐叶土里。体长18～35厘米,桃红色。外貌似蠕虫。受惊时立即返回洞内,尾部先进洞。无四肢,或无外眼,无耳。一生中大部分时间在地下度过,取食蠕虫、蜘蛛和白蚁。

worm shell　蠕螺　腹足纲前鳃亚纲蛇螺科海产贝类。壳为不规则卷曲的窄管,形似蠕虫。多黏结在岩石或珊瑚、珊瑚礁上。以海水中悬浮微粒为食,通过足部腺体分泌的黏质网捕食。网在水流中展开,食物微粒黏在网上;几分钟后网被食掉,再伸出一新网。蠕螺在热带海洋沿岸形成一明显的区域,每平方米达6万多个,壳缠结成厚堆积层。

worm snake　蠕蛇　多种外形似蠕虫、无害、洞栖蛇类的俗称。常指盲蛇科的蛇类。美国东部的美洲蠕蛇(*Carphophis amoena*)属游蛇科,褐色或浅黑色,腹部桃红色,成体长度一般不及25厘米。东方蠕蛇属于泥蛇属(*Trachischium*),与美洲蠕蛇相似。

美洲蠕蛇(*Carphophis amoena*)
供图:Karl H. Maslowski

Wormley Conference　沃姆利会议(1877-02-26)　美国历史上,在首都华盛顿沃姆利旅馆举行的会议。该次会议上,共和党和民主党领导人在会上解决了1876年R.B.海斯与S.J.蒂尔登在竞选总统中的争执。民主党的蒂尔登获选票25万张,但距离多数还差1张选票。佛罗里达、南卡罗来纳和路易斯安那的选票(俄勒冈也有1票)仍在争夺中,双方均不愿让步。*选举委员会*(**Electoral Commission**)与共和党和民主党举行几次会议后,此次会议终于达成了妥协:民主党同意海斯任总统,共和党同意从前邦联诸州撤走联邦军队,北方结束对南部地方政治的干预,和民主党分享重要职务的任免权,至少吸收一名南方民主党人入阁。

Worms　沃尔姆斯　德国西南部莱茵兰-普法尔茨州城市,莱茵河左岸的港口。位于曼海姆西北,最初是凯尔特人的居民点。凯撒大帝时期称作樊吉奥嫩姆城,是樊吉翁斯的主要城镇。公元413年成为勃艮第首府。436年被匈奴人摧毁。该城和勃艮第王国遭受匈奴人浩劫,由此产生史诗《尼伯龙根之歌》(约1200年)中的许多传说。约600年时成为主教管区和加洛林王朝、萨利王朝的皇帝们最喜欢的驻地。1156年沃尔姆斯成为神圣罗马帝国的自由城,在1801年前一直保持自由。此地举行过百余次的议会会议。1122年的沃尔姆斯宗教协定结束了关于任命主教权的争执。马克西米连一世于1495年在议会公布了《永久和平条约》。路德在著名的1521年议会上对查理五世为自己的教义进行了辩护。沃尔姆斯于1525年成为新教之乡,1540和1557年的宗教会议在此召开。三十年战争期间灾难深重,1689年又遭法国人劫掠焚烧。第二次世界大战中破坏严重,战后进行了重建。市内的圣彼得和圣保罗大教堂为莱茵河畔最优美的罗马式教堂之一。还有圣母教堂(1467)、圣保罗教堂(1002)等著名教堂,圣安德鲁教堂(1016)现为市博物馆。该市的犹太人社区自称为德国最古老的社区,自公元初年就已存在,虽然它在588年始见记载。其他古迹有哈根纪念地和齐格弗里德喷泉,两者均为纪念《尼伯龙根》传说,此外还有19世纪路德纪念碑。酒类贸易很重要。工业生产有皮革、机械、化工产品、纺织品、颜料陶瓷和电器等制造业。人口81 100(2003)。

Worms, Concordat of　《沃尔姆斯宗教协定》　1122年教皇加里斯都二世(1119～1124在位)与神圣罗马帝国皇帝亨利五世(1106～1125在位)为解决主教叙任权之争而订立的和解条款。主教叙任权之争在皇帝亨利四世(1056～1106在位)与教皇格列高利七世(1073～1085在位)之间即已发生。《沃尔姆斯宗教协定》的签定标志着教权与王权斗争第一阶段的结束。教皇与英格兰国王之间同样性质的争执于1107年平息,其解决办法为《沃尔姆斯宗教协定》提供了依据。协定对于高级教士的神职性质与他们作为封地领主对皇帝的臣属地位有明确的规定。主教以及大隐修院长从教士中推选,如果选举中发生分歧,皇帝有权决定其人选。当选者首先被授予代表世俗权力的权标,然后被授予代表宗教权力的牧杖和权戒,以表示献身教会接受神职。

Worms, Diet of　沃尔姆斯议会(1521)　神圣罗马帝国议会在德意志境内沃尔姆斯召开的会议,宗教改革家路德出席此会议并为自己的信仰辩护。1521年4月17日,路德第一次出现在议会上。他在答问的时候承认会场上所示书籍是他所著。议会责令他批判这些著作,他要求给予考虑时间。次日路德在会上宣称,除非有《圣经》上或理性上的根据,否则他不能批判自己的著作。路德发表这一声明后,议会陷于混乱之中。于是皇帝宣布休会。路德随即离开沃尔姆斯,隐匿在爱森纳赫附近的瓦尔特堡。当年五月,议会通过《沃尔姆斯敕令》,宣布路德为违法分子和异端分子。

wormwood　蒿　菊科蒿属(*Artemisia*)植物,具苦味或芳香,草本或灌木,广布世界许多地区。头状花序小,数多,簇生,绿黄色,仅具盘花。叶互生,常分裂,绿色、灰绿色或银

普通蒿(*A. absinthium*)
供图:Ingmar Holmasen

白色。龙蒿(*A. dracunculus*)亦是一个熟知的种,叶可供调味;艾蒿(*A. vulgaris*)用于调味饮料。最为人熟知的种可能为普通蒿(苦味蒿、洋艾,*A. absinthium*),可入药及用制苦艾酒(**absinthe**)等饮料。普通蒿原产于欧洲,已在加拿大及美国归化。

Worpswede school　沃普斯韦德画派　1889年后一批为了描绘地方风景而在德国北部不来梅附近沃普斯韦德村定居下来的画家。他们以浪漫和感伤的风格,描绘当地的石楠丛、草甸、森林、溪流、桥梁、风车和农民,使人有些联想起19世纪初法国的巴比松画派。F.马肯松和O.莫德尔松首先到达该村;19世纪90年代陆续来的画家有P.贝克尔(后与莫德尔松结婚)、H.阿姆·恩德、F.奥韦尔贝克和H.福格勒尔。天才的女雕刻家C.韦斯托夫也曾在沃普斯韦德工作,她在这里与德国诗人R.M.里尔克结识,并于1901年结婚。两年后,里尔克出版了一本讨论艺术家和风景画的书,名为《沃普斯韦德》。1895年,沃普斯韦德画派在慕尼黑举办了作品展,其中马肯松的绘画《摩尔人的布道》荣获金质奖章。

Worrell, Sir Frank (Mortimer Maglinne)　沃雷尔(1924-08-01,巴巴多斯布里奇敦～1967-03-13,牙买加金斯敦)　牙买加板球运动员。1960～1963年任在20世纪60年代初期称雄世界的西印度群岛国际板球队队长,与威克斯和沃尔科特组成最佳中局击球手阵容,时称"三W"。沃雷尔曾就学于英格兰曼彻斯特大学。西印度群岛队于1963年6～8月在英格兰举行的系列赛中以3胜1负1平的成绩胜英格兰队,这是他一生中最重要的胜利。1962～1964年任牙买加参议员。由于对板球运动有贡献而于1964年受封为爵士。死于白血病。

Worsaae, Jens Jacob Asmussen　沃尔索(1821-03-14,丹麦瓦埃勒～1885-08-15,哥本哈根)　丹麦考古学家,史前考古学主要奠基人之一。所著《丹麦的原始古迹》(1843)是19世纪考古学名著之一。早年研究丹麦各地石料古迹,证明并非祭坛而是古墓葬。1838～1843年间求学时即担任哥本哈根博物馆馆长C.J.汤姆森的助手,并准备《丹麦原始古迹》的材料。后来到德国、法国、英格兰及爱尔兰进行地层学的研究,对汤姆森有关史前期三分法(石器时代、青铜器时代及铁器时代)加以修订,使之更为精确。1847年担任丹麦史前及历史时期古遗址检查员,1851年发现早期贝丘,由此确定旧石器时代(约公元前1万年以前的人类活动时期)为史前一个单独的阶段。1855年任教于哥本哈根大学,1865年继汤姆森任博物馆长。沃尔索一生对科学的

丹麦驻英国大使馆供图

考古学方法贡献很多,认为不仅要研究出土文物,还应对文物的埋藏地层及地理条件加以考察,他所提出的规范,其专业修养的程度大大超越了他那个时代的水平。

worsted knitting yarn　针织精梳毛纱　用经过精梳的羊毛长纤维纺成的毛纱。精梳时除去不需要的短纤维并使纤维平行排列。精纺工序对纱条适当加捻,使纤维集聚,因此精梳毛纱的捻度比膨松的粗梳毛纱高。双股线由两根单纱捻合而成,3股或4股毛线由3根或4根单纱捻合而成,粗而柔软的毛纱坚牢耐用,常用来制作毛线衫。

Wortels, Abraham　参阅 **Ortelius, Abraham** 奥特利乌斯。

Worth, Charles Frederick　沃思(1825-10-13,英格兰林肯郡伯恩～1895-03-10,巴黎)　时装设计的先驱,巴黎高级时装的奠基人。他第一个制备并早期展出成套作品,并首次使用青年女郎作服装模特儿。沃思率先倡导设计女装,并由设在法国的工厂成批生产,然后分发到世界各地。沃思曾在伦敦的一家织物零售店里当合同簿记员,1845年离开英国。

供图:BBC Hulton Picture Library

起初在巴黎一家女装零配件商店里工作,1858年开设了一家自己的妇女成衣店。通过奥地利驻法国大使夫人梅特涅公主的关系,他得到了法国皇帝拿破仑三世的妻子、时髦的欧仁妮皇后的赞助。他领导巴黎时装新潮流,所设计的豪华的礼服反映了第二帝国时期(1852～1870)高贵典雅的风尚;所推出的裙撑成为19世纪70和80年代妇女时装的一项标准。

Worth, Irene　沃思(1916-06-23,美国内布拉斯加～　)　美国女演员,但主要在英国舞台上演出。沃思曾就读于加利福尼亚大学并当过几年教师。1942年首次登台,巡回演出《千万别忘了我》一剧。1943年首次在百老汇演出。1946年首次在伦敦演出,饰演《你一生的时光》(1946)一剧中的艾尔西。沃思曾从师于伦敦的福杰蒂。早期在伦敦表演的角色有《游戏为先》(1946)中的萨波、《爱德华,我的孩子》(1948)中的佩里和《鸡尾酒会》(1949～1950)中的科普尔斯顿等。在老维克剧团期间,曾扮演过莎士比亚剧中德丝狄蒙娜和海伦娜等人物。参加过加拿大安大略省的斯特拉特福戏剧节,在《终成眷属》和《理查三世》中扮演角色。在纽约市首演阿尔比的《小小艾丽丝》(1965)中的主角。1970～1971年在布鲁克在巴黎和伊朗的国际戏剧研究中心工作。70年代沃思又在《海达·加布勒》、《海鸥》和《可爱的青春小鸟》等剧中出演角色。她参加拍摄的电影有《杀人勋章》(1958获英国电影学院奖)、《替罪羊》以及《七海之王》等。沃思还在英国、美国和加拿大演过大量广播剧、电视剧,她得过许多奖章,并于1975年被授予荣誉高级英帝国勋爵士。80年代她继续表演,曾在爱丁堡戏剧节和几部电影里饰演角色。

Worthenia　沃氏螺属　腹足类(螺类)一个绝灭的属。化石常见于泥盆系到三叠系(4.08亿年前至2.08亿年前),但在北美中部大陆地区晚石炭世(3.2亿年前至2.86亿年前)地层中尤为特别。其特征是螺旋状壳内

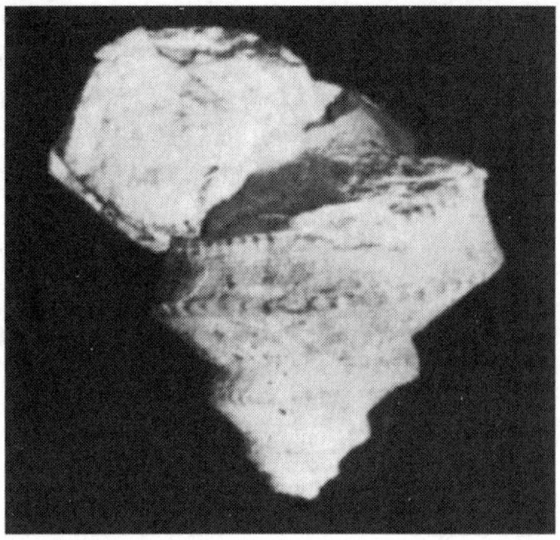

沃氏螺属(*Worthenia*)
不列颠博物馆供图

有一条沿着螺环边缘隆起的脊,脊有小结节,螺口较大并呈卵形。

Worthing 沃辛 英格兰西萨塞克斯行政郡一区(自治市)。属萨塞克斯历史郡。面积32平方千米。濒临英吉利海峡。西北通伦敦的铁路等现代交通使其成为海滨胜地并逐渐成为退休人员居住区。气候宜人,附近适宜种植色拉用蔬菜。人口约99 700(1998)。

Worthington 沃辛顿 美国俄亥俄州中部富兰克林县城市。濒临奥兰塔吉河。在哥伦布北郊。1803 年由锡俄托地产公司规划建设,1835 年设村,1956 年设市。设有沃辛顿学院及俄亥俄州铁路博物馆。现主要为住宅区,也有一些分散的轻工业。人口 14 869(1990)。

Wotan(Norse god) 参阅 **Odin 奥丁**。

Wotruba, Fritz 沃特鲁巴(1907-04-23,维也纳～1975-08-25,维也纳) 奥地利雕刻家,擅长雕刻瘦削健美、结构完美的人像。14 岁学习雕刻,1925～1926 年是雕刻家安东·哈纳克的学生。早期作品是象征性的,后趋向抽象,力图发展一种自己的风格。为逃避纳粹,曾流亡瑞士。1939～1945 年间,其技巧不断进展,那些用石块粗略雕琢成的人像,很少保留传统观念;作品朴实无华,非常有力。从 1952 年起,他制作了一些肌理更精练的木石雕刻。其青铜雕刻有《伫立的人像》(1949～1950)。

Wotton, Sir Henry 沃顿(1568-03-30,英格兰肯特鲍顿马莱布～1639-12,白金汉郡伊顿) 英国诗人、外交家和艺术鉴赏家,多恩和弥尔顿的朋友。在其存世不多的诗作中,以写给波希米亚的伊丽莎白的《你这夜美人》最著名。其作品多数首次出现在《沃顿遗著》(1651)中,I.沃尔顿写了《沃顿传》附于卷首。1604 年被封为爵士,1604～1623 年间曾断断续续地任驻威尼斯大使;1614 和 1625 年任议会议员;1624 年任伊顿公学校长;1627 年成为牧师。因曾长住威尼斯,对建筑和绘画的鉴赏力远远超出同时代人。著有《建筑学原理》(1624),清晰扼要地陈述了他的观点。

牛津博德利图书馆供图

Wouk, Herman 沃克(1915-05-27,纽约市～) 美国小说家,以其史诗般的战争小说而著名。第二次世界大战期间在太平洋上的驱逐扫雷舰"赞恩"号上服役。他最著名的小说《凯恩兵变》(1951)就是根据这些年的经历写成的。这部描写海军传统的小说塑造了一个令人难忘的人物奎格舰长,获 1952 年普利策奖。沃克的小说的基础是相信人的善良,就《马乔里晨星》(1955)而言,是相信女人的纯洁,并都是围绕精神上的困惑展开的。他在写作技巧上没有多少创新,但他的小说非常受欢迎,大部分作品改编成电影剧本。所写以第二次世界大战为背景的两卷集历史小说《战争风云》(1971)与《战争和回忆》(1978)被改编成受欢迎的电视连续短片。

wound 创伤 因受强大外力作用而造成的身体组织完整性的破坏。因为这里的所谓"强大外力"所涵盖的范围太广,其中包括外科手术,所以在这种笼统定义下的创伤分类就显得有点纷乱繁杂。其中最重要的分类法是把创伤分为开放性和闭合性二大类。前者是指那些因机体保护层,如皮肤、黏膜等受到破坏,而使各种异物得以侵入组织的创伤;而后者是指那些创伤组织并没有直接暴露在外的创伤,其修复过程自然也就没有感染之忧。进一步分类的根据大多是导致创伤的原因模式。

闭合性创伤 因受直接打击而致伤的程度取决于这一打击的强度和方向。显然,打击的力量越大,损伤也就越重;但外力方向的作用常常被人们忽视,其实,方向和强度在致伤方面具有同等重要的意义。例如,用锤子从头的一个侧面"擦"过,可致严重的头皮血肿;但如果从正面以同样力度锤击头部,则可导致广泛的颅骨损伤。各种解剖和生理因素也可对损伤程度构成影响。例如,人在跌倒时,都会保护性地用手扶地,但这个动作对儿童、年轻人和老年人的影响却大不一样。轻度打击大多引起皮肤和皮下软组织损伤,症状有因毛细血管破裂和各种血液成分外渗到组织中引起的皮下软组织出血、水肿和挫伤。一般情况下,这种皮下组织的出血和水肿可很快自行停止,并在数日内被吸收,此创伤即告愈复。血肿如果作为正式的临床诊断,则是指那些源于较大血管破裂出血形成的较大"血腔"。一种直接的、有足够强度的外力可造成任何人体组织和器官的损伤,不仅可伤及皮下组织、血管、神经、肌肉、骨骼、关节,甚至可伤及各种内脏。骨折的发生,尤其是在老年人,不一定非有强大外力不可。有时一个很不起眼的外力撞到一个机体薄弱点,就会造成骨折;有时由于力的传导作用,一个跟头摔下去,直接承重的骨骼还没怎么样,远处较弱的骨骼却会发生骨折。例如,人从树上摔下来时常常是手先着地,但这种情况造成的骨折有多种可能性——掌骨、舟骨(腕骨之一)、前臂桡骨、肘关节和肩关节。而具体到某个人的骨折类型,就和多种因素有关,如落地方向、着力角度和此人的解剖结构特点等。

扭伤也是一种常见的间接损伤类型。崴脚、拌倒等是日常生活中最常见的事故类型,也是踝关节损伤、下肢骨骨折、髋骨骨折和股骨颈骨折的最常见的原因。人们在乘坐车、船、飞机出行时,常常用安全带把自己固定在座位上,但当汽车急转弯、突然刹车和发生交通、飞行事故时,司、乘人员的头、颈、胸等可动部分常常就是首当其冲的受伤部位,这类创伤统称鞭打损伤。

开放性创伤 当创伤破坏了皮肤、黏膜、骨骼和体腔壁的完整性,就给伤员增添了多种危险——感染、伤口异物污染、组织缺损,以及由这些创伤和周围恶劣环境引发的各种继发性损伤——所有这些损伤的叠加效应可严重危及伤员生命。剑伤、刀伤或枪伤所造成的贯通伤和劈裂伤的创伤范围较为局限,而且只要不伤及要害,就不会有什么危险;但留在体内的弹片和深深的、不整形的弹道以及弹道中的坏死组织,终究是很麻烦的事。

健康的皮肤有丰富的血液供应,富有弹性。它不仅有很强的抵御创伤的能力,而且它在受到创伤之后能很快地得到修复。皮下脂肪组织比较松软,容易出现循环障碍。肌肉损伤最常见的原因是用力不当的投掷运动、长时间缺血和各种类型的炎症。

如果一个开放性创伤已经伤及骨骼,那问题就很严重,因为失去血供、再加上感染的碎骨是不能存活的;这些骨碎片还作为异物会进一步引发各种合并症。退一万步讲,即便这种开放性骨折在事发当时是无菌伤口,那谁也不能保证这种开放的创面不会因感染而导致严重后果。显然,所有伤及骨、关节、神经、大血管和内脏的创伤都是极其严重的情况。

伤口感染的问题贯穿于创伤的始终。一般说来,处理各种细菌感染的关键是确定细菌种类。处理各种非细菌污染时,首先必需弄清的问题是:对创伤修复有重要影响的污染范围和污染物的性质(如有机物引起的发炎重于其他物质)。以创伤坏死组织和有机污染物为培养基的强毒力细菌感染性疾病主要有三种:①气性坏疽;②链球菌、金黄色葡萄球菌和(绿脓)杆菌感染;③破伤风。前者以组织坏死的蔓延范围之广和速度之快最为严重,如不及时手术,患者可迅速毙命;第二种情况以创伤局部的化脓(脓肿)和严重的全身败血症危及患者生命;后者的局部症状并不明显,伤后还有好几天的潜伏期;但其预后极差,主要症状是全身肌肉痉挛和苦笑样面容。

创伤修复是一个很长的、包含多种生理和病理现象的生物学过程。现以一期手术刀口(创口整齐、无污染、无缺损、未经处理的创伤)为例说明这一过程。刀伤——因皮肤弹性作用,刀口咧开——血管破裂出血、并充填伤口——因伤口内血液凝固、收缩、表层结痂,致使二创面靠拢(24小时内)——肉芽组织取代血凝块(从二侧创面的正常组织中分化出的纤维母细胞及其胶原纤维、血管内皮细胞向凝血块内生长,逐渐建立起新的毛细血管网;各种炎性细胞[如嗜中性粒细胞]和巨噬细胞也向其中浸润,执行其吞噬、消化组织碎片和入侵的微生物的生物学功能,用时一周左右);肉芽组织的肉眼形态为鲜红色、表面呈细颗粒状——表面皮肤再生(源于创口二侧健康皮肤的基底细胞增生,用时一周左右)。皮肤修复以后,虽然此时伤口的色泽红润、略凸于周围皮肤,但可称之为创伤已经愈合。肉芽组织最后完成瘢痕化过程,还要大约一个月左右的时间。陈旧性瘢痕色泽灰白,而且永远也晒不黑;瘢痕既没有汗腺、皮脂腺,也不长毛发。瘢痕是从肉芽发展、老化而成——纤维母细胞变为纤维细胞;胶原纤维成为又粗又密的纤维条索;建立起毛细血管网;炎性细胞消退。

我们可以在显微镜下完整地观察到上述创伤修复的发生、发展全过程的组织学形态。体表皮肤的组织学分类是"复层鳞状上皮"。这种上皮的再生是从周围健康皮肤的基底细胞增生并向创伤中心方向爬行开始的;而后是从底层向表层的逐步分化;最表层的扁平细胞被称作"角化细胞"。这是一个角化层不断脱落,再由底层细胞不断补充的代谢过程。如果创伤修复是在痂下愈合,那么,有一种说法认为,周围基底细胞向中心爬行有赖于一种酶的作用。

Wounded Knee　翁迪德尼　美国南达科他州西南部派恩里奇印第安人保留地中的村庄名和小河名,是印第安人同美国政府代表曾两次发生冲突的地点。1890年12月29日,200多名操苏语的印第安男女和儿童,在一场被称为"翁迪德尼战役"的行动中被美军屠杀。这一事件结束了对印第安人的征服。19世纪80年代后期,这批操苏语的印第安人的保留地日渐缩小,从而造成半饥饿状态,他们对派尤特部落的先知沃沃卡作出了积极的响应,后者保证只要举行某种仪式和舞蹈,白人就会消失,原有的土地和野牛就能失而复得。这种称为*鬼舞道门*(**Ghost Dance**)的仪式引起了白人的惊恐,并招致了联邦军队的干涉。军队制止了狂热的鬼舞,而部落首领"坐岭牛"则于被捕时被保留地警察杀害。数百名操苏语的印第安人逃离自己的保留地,前往巴德兰兹地区藏身。他们聚集在另一位首领"大脚板"的周围,于12月28日夜悄悄地向尾追不放的第七骑兵团投降。在翁迪德尼河畔宿营一夜以后,由于一名年轻的印第安人战士的新步枪而发生了扭打,于是这批印第安人就被包围,而且基本上被解除了武装。从扭打的人群中响起了一枪,一名骑兵倒了下去。骑兵们在机枪的支持下,向印第安人射击,后者仅有的武器不过是收藏在毯子下面的刀和棍棒。逃跑的印第安人遭到追击,有些在距营地几英里远的地方丧生。尽管被杀的印第安人的数目不详(事后印第安人抬走了一些尸体),但是第二年春天,当气候适宜,军队又去的时候,一个集体墓坑里就掩埋了144具印第安人尸体(其中有44具女尸,16具童尸)。在敌对的行动中,约有30名骑兵被杀。1973年2月27日,美国印第安人运动的约200名成员,在R.米恩斯和D.班克斯的率领下,以武力占领了翁迪德尼保留地村庄,宣布成立"奥格拉拉苏语印第安独立国",同时宣誓要坚持下去,除非美国政府满足印第安人运动的如下要求:更换各印第安人部落领导人;重新审查同印第安人签订的全部条约;由参议院全面调查印第安人所受的待遇。联邦法院执行官立刻包围了这批印第安人,并开始围攻。这次围攻于5月8日结束,印第安人交出武器,并撤出翁迪德尼,交换条件是政府保证就印第安人的疾苦进行谈判。在双方商谈和交火交替进行的围攻期间,又有两名印第安人被打死,以及一名联邦法院执行官受重伤。

Wouri River　武里河　Wouri又拼Vouri或Vuri。喀麦隆西南部河流。由恩卡姆河和马孔贝河在亚巴西东北32千米处汇合而成,然后流向西南约160千米,注入几内亚湾。亚巴西以下64千米可通航。全国主要工业中心和港口杜阿拉位于武里河在大西洋的河口处。

Wouwerman, Philips　沃弗尔曼(1619-05-24受洗,尼德兰哈勒姆～1668-05-19,哈勒姆)　荷兰巴罗克动物画、风景画和风俗画家,以画马最为著名。曾师从其父和F.哈尔斯等人学画。署其名的作品有1 000多幅,但其中有许多是他的弟弟彼得(1623～1682)和扬(1629～1666)以及许多模仿者所作。他的三个艺术时期风格各殊:早期作品,棕色占优势,画法倾向生硬;中期作品较纯净、鲜明;后期作品颇有气魄,画面呈柔和的银灰色。

Wovoka　沃伏卡(1858?,犹他准州～1932-10,内华达印第安人保留地沃克河)　又名威尔逊(Jack Wilson)。印第安人宗教领袖,他挑唆起约1890年席卷保留地的第二次鬼舞道门。1889年自称蒙上帝启示:印第安人的祖先将在两年内复活;野牛将再次充满平原;白人将会消失。他的教派迅速传到其他部落,特别是好战的苏族,他们认为最后向白人复仇的时机已到。两种文化的敌对日益发展,终于酿成惨案;1890年12月29日,南达科他州*翁迪德尼*(**Wounded Knee**)地方200多名苏族人不分男女老幼,被美国军队杀害。此后,沃伏卡的许多信徒发现解脱无望,他们的运动终于烟消云散。

wow (sound reproduction)　**失真**　参阅 **flutter and wow** *颤振及失真*。

WPA (U.S.)　参阅 **Works Progress Administration** *公共事业振兴署*。

WPA Federal Art Project　公共事业振兴署联邦艺术计划　Federal Art Project缩写为FAP。20世纪30年代萧条时期罗斯福政府制订的由政府资助美国视觉艺术的第一个重大的,也是最为广泛、影响最大的计划。该计划雇用经验丰富、风格不同的艺术家,鼓励各种不同流派的艺术并存,对以后的美国艺术影响很大。这主要归功于该计划的主持者霍尔格·卡希尔的领导。他原是一位博物馆馆长,也是美国民间艺术家。他认为艺术家工作救济计划对文化发展具有很大潜力。每项救济计划都面临着既要救济失业的艺术家又要努力创作高质量艺术作品的任务。为此1935年他制订了一个包括创作、教育、研究、服务在内的全面计划。还在各地建立了100多个艺术中心和画廊,从而普及了艺术。1936年卡希尔说,制订计划依据的原则是:艺术并不意味着偶尔得之的杰作,不靠一两个天才,而有待一个全面的、健全的运动。WPA/FAP聘用的艺术家多数来自救济名单,同时由少数的非救济艺术家从事监督。艺术家每周基本工资23.5美元,定期交付作品。为维护朝不保夕的工作机会和改善工作条件,艺术家在全国范围内组织了艺术家工会。其领导人和WPA/FAP行政官员共同工作,并且效仿劳工运动的作法;1937年艺术家工会加入产联。该计划在1936年高峰时曾雇用5 000多位艺术家,在其存在的8年多时间内雇用的人数约一倍于此。共创作2 566件壁画、10万多件架上画、约17 700件雕刻、约30万幅版画、约2.2万本版画图册及难以数计的广告画和手工艺品设计图。联邦全部投资为3 500万美元。这些艺术品范围广泛,质量高,具有代表性。M.梅尔莱著有《小提琴与铁锹:公共事业振兴署艺术计划》(1976)。

WPA Federal Theatre Project　公共事业振兴署联邦戏剧计划　美国联邦政府主持和资助的全国性戏剧运动。其目的在于为1935～1939年经济萧条时期失业的戏剧界人士提供就业机会。受雇于戏剧各个领域的专业工作者达1万人。他们4年中在40个州里演出约1 000场,常常是免费向公众演出。其中包括古典戏剧和现代戏剧、儿童剧、木偶戏、音乐喜剧和以*活报剧*(**Living Newspaper**)闻名的纪实剧。并创立起美国的黑人戏剧。由于联邦戏剧运动对社会、经济问题提出坦率评论,引起国会非美活动委员会和拨款小组委员会一系列的争议和调查,使美国国会采取行动于1939年取消了这个计划。

WPA Federal Writers' Project　公共事业振兴署联邦作家计划　1935年美国公共事业振兴署(WPA)制订的计划,为克服大萧条而施行的新政的一部分。本计划规定为失业的作家、编辑及研究人员提供就业机会。在H.G.阿尔斯伯格领导之下,在美国各州开展工作,一度为6 600名男女人员安排了工作。这个计划最重要的成就是编写了美国指南丛书,内容包括每个州和地区(除夏威夷外)的指南,也包括首都华盛顿、纽约市、洛杉矶、旧金山、新奥尔良、费城及几条主要公路(美国1号公路、海洋公路、俄勒冈山路)和几十个城镇、乡村和县的指南。各州指南包罗万象,是介绍关于地理、建筑、历史和商业情况的导游性质的信息资料。这个计划还出版了一些关于种族研究、民间故事、地方志、自然研究的书籍和小册子，总数超过1 000种。根据公共事业振业署的规定，参加此项计划的绝大多数人士是救济名单上所列者。其中有20世纪30年代著名作家C.艾肯、M.博登海姆及C.麦凯；有后起之秀R.赖特、R.埃利森、N.阿尔格伦、F.耶比、S.贝洛、L.艾斯利及W.基斯。1939年国会停止对此项计划的资助，但准许各州继续实施至1943年。

Wrangel, Ferdinand Petrovich 弗兰格尔 (1797-01-09[旧历1796-12-29]，俄罗斯普斯科夫～1870-06-06[旧历05-25]，爱沙尼亚塔尔图) Wrangel俄语作Vrangel。俄国探险家。1820～1824年曾绘制西伯利亚东北海岸的地图。西伯利亚沿海的弗兰格尔岛以他的姓氏命名。1815年毕业于俄国海军学院。1817～1819年参加戈洛夫宁率领的"堪察加"号炮舰的环球航行。在西伯利亚探险之后，又于1825～1827年率"克罗特基"号炮舰进行另一次环球探险。1829～1835年任俄国在美洲的移民区总督，1840～1849年任俄美公司经理，1855～1857年任海军大臣，1864年退休。他是圣彼得堡科学院院士，曾参加创建俄国地理学会。

Wrangel, Karl Gustav, Greve (Count) **弗兰格尔伯爵**(1613-12-13，瑞典乌普萨拉附近斯库克洛斯特～1676-06-25，波美拉尼亚外海吕根岛施皮克[德意志]) 三十年战争

供图：Svenska Portrattarkivet, Stockholm

(1618～1648)和波罗的海争夺战时期的瑞典陆海军司令。在德意志从军。1638年任少将。因战功卓著，不断获得擢升。1646年任瑞典军总司令。在与法国司令蒂雷讷的联合作战中显示出自己的才能，后任波美拉尼亚总督。1653年虽任海军中将，但在第一次北方战争(1655～1660)时期，他指挥地面部队立了大功。此后参加查理十世对波兰、勃兰登堡和丹麦的战争(1655～1658)。1657年晋升海军大将。查理十一世年幼时，弗兰格尔为摄政院成员(1660～1672)。1664年任大元帅和军事委员会主席。他赞成瑞典与法国联合进攻荷兰。两年后当瑞典侵入勃兰登堡时，抱病任总司令，进兵德意志。

Wrangel, Pyotr Nikolayevich, Baron 弗兰格尔(1878-08-27，俄罗斯帝国立陶宛新亚历山德罗夫斯克～1928-04-25，布鲁塞尔) 俄国内战(1918～1920)最后阶段的白军将军，一个古老的德国男爵家族成员，曾参加俄国沙皇卫队，第一次世界大战时期任哥萨克师师长。1917年二月革命推翻罗曼诺夫王朝以后，他继续在陆军中服役。当他支持的科尔尼洛夫将军企图推翻临时政府(1917-08)失败而被捕后，他辞去军职前往克里米亚。十月革命胜利后，加入邓尼金的白军，指挥一个军。在邓尼金进攻时期(1919夏)，他于7月2日攻占察里津(现名伏尔加格勒)。1920年4月接替邓尼金，任白军总司令。1920年6月在乌克兰发动新的反攻。但在11月初，红军击败了白军。白军溃退至克里米亚，乘船逃往君士坦丁堡。他在离开俄国后亡命西欧，撰写回忆录(1929年出版英译本)。

Wrangel Island 弗兰格尔岛 俄罗斯远东区北部楚克奇自治区岛屿。位于北冰洋的东西伯利亚海与楚科奇海之间。岛形狭长，宽约125千米。面积约7 300平方千米。隔德朗海峡与大陆相望。属北冰洋苔原地带，多低低的地衣。1938年发现的最高点苏维埃山海拔1 096米。该岛由结晶板岩、花岗岩、片麻岩和冲积沙土组成，多小湖，北部和西南部沿岸潟湖周围多沙嘴。属北冰洋气候，7月平均气温2.4 °C，岛屿周围海域很少解冻。夏季鸟类繁多，还有北极狐和北极熊。该岛以俄罗斯探险家F.P.弗兰格尔的姓氏命名。1976年设国家自然保护区，占地70万公顷，有北极熊、海象和驯鹿等动物。

Wrangell Mountains 朗格尔山 北美洲西部太平洋沿岸山脉的一段。是朗格尔-圣伊莱亚斯国家公园和自然保护区的主要部分。在美国阿拉斯加州东南部。从科珀河延伸至育空边境附近的圣伊莱亚斯山脉，绵亘160千米。有许多超过3 000米的山峰，最高点布莱克本山海拔4 996米。其大片雪原形成长72千米的冰川。大多数山顶为死火山。朗格尔火山(4 320米)是接近休眠期的最后一座。20世纪初在麦卡锡以北发现丰富的铜矿藏。现仍在开采金、铜和锌。

Wrangell-Saint Elias National Park and Preserve 朗格尔-圣伊莱亚斯国家公园和自然保护区 在美国阿拉斯加州东南部，临加拿大边界。1978年建立。面积498.7万公顷，是美国最大的国家公园。内有许多大冰川和4 880米以上的高峰。圣伊莱亚斯火山峰高5 489米，是美国第二高峰。其他景观有峡谷、火山峰和开阔的低平谷地。生息有各种野生动物。

wrasse 隆头鱼 鲈形目隆头鱼科300多种鱼的统称。广布于全世界热带和温带海域，以珊瑚礁中为最丰富。体长约5厘米～2米余。大多数种类体长形，比较纤细，主要特征为唇厚，鳞大，背鳍与臀鳍均长，颌前部一般有突出的大犬牙。大多数为肉食性，捕食海产无脊椎动物。一些小型隆头鱼如双带锦鱼(*Thalassoma bifasciatum*)的幼鱼和某些裂唇鱼属(*Labroides*)的种，是大型鱼类的"清洁工"，剔取石斑鱼、鳗类、啮鱼及其他定期游来的鱼类的体外寄生物为食。这种清洁服务，同样也由其他各种小鱼和某些虾类完成。一些隆头鱼，如西大西洋的蚝隆头鱼(*Tautogaonitis*)，黄褐色或暗黑色，但很多种类如地中海的彩虹盔鱼(*Corisjulis*)色调鲜明，通常具有错综

干"清洁工"的隆头鱼(*Labroides*)
供图：Douglas Faulkner

复杂的颜色或花纹。同一个种的颜色，也可因年龄和性别而错综变化。此外，一些种的体色还可以随着性别的转变(由雌变为雄)而改变。隆头鱼虽然很多，但作为一个类群对人类意义并不大。比较著名或有价值的种类有：豚鱼或隆头鱼(*Lachnolaimus maximus*)为西大西洋产的食用种，重达7千克左右；新月锦鱼(*T. lunare*)，印度洋-太平洋种，体色绿、红、淡紫；布谷隆头鱼(*Labrus ossiphagus*)，东大西洋和地中海种，雄鱼蓝色和橙黄色相间；雌鱼橙黄或淡红；蚝隆头鱼又称黑鱼，为西大西洋的普通食用鱼类，最大的约90厘米长，重约10千克。

Wray, John (English naturalist) 参阅 **Ray, John 雷**。

wreath 花圈 一种圆形花饰。通常由花朵、叶和叶丛编成，传统上用以表示尊敬或庆贺。在古希腊，花圈通常由橄榄树、松树、月桂树、芹菜或棕榈树枝叶制成，授与奥林匹克

W.P.弗里思绘《生日快乐》中过生日的小女孩坐在套有花圈的椅子上
哈罗盖特美术陈列馆供图

竞技运动优胜者,或作为对诗人和演说家的奖品。古希腊的青年情侣将花圈悬挂在情人的门口当作钟情的标志。在罗马,以桂冠相赠也是尊敬的标记,尤其是对民政官员和归来武士的尊敬。意大利文艺复兴时期(约15～16世纪)恢复了节日佩戴花圈的习俗。其后在维多利亚时代的英国,宴会上有时把花圈套在主宾座椅上以示敬意。悬挂通常用冬青叶和浆果编成的装饰美丽的圣诞花圈,是北欧、美国和加拿大的风俗。人们还习惯在家门悬挂丧礼花圈以示哀悼,或将花圈放置墓前,以花圈之环形象征生命的继续。

wreckfish (*Polyprion americanus*) **多锯鲈** 又称 stone bass(石巴斯鱼)。鲈形目肖鲈科的大型灰色鱼,分布于地中海及大西洋两侧,一般生活于近海。体高,头大,下颌突出,体长可达约2米,重36千克以上。常生活在漂浮的木头及其他失事船只残骸近旁,以群集其间觅食小型生物的鱼类为食,故英文名意为"难船鱼"。

Wrecsam (Wales) 参阅 **Wrexham 雷克瑟姆**。

Wrede, Karl Philipp, Fürst von 弗雷德 (1767-04-29,巴拉丁领地海德堡～1838-12-12,巴伐利亚埃林根) 巴伐利亚陆军元帅。他与拿破仑联盟直至1813年参加反法联盟。在巴拉丁领地接受文官教育。1799年他招募一支志愿军,为奥地利人效劳。1801年成为巴伐利亚军的中将。1805年抗击奥地利军入侵。巴伐利亚人与拿破仑结盟后,他参加过多次战役。1813年巴伐利亚决定加入反法联盟,翌年弗雷德率兵入侵法国。1814年被封为亲王。1817年继蒙热拉执政。

Wrekin, The 里金山 英格兰中西部什罗普(前称萨洛普)郡一区。面积291平方千米。为平原农业区。南部有塞文河流经。什罗普夏丘陵一带分布有历史上重要的制铁业村庄。1963年为容纳西米德兰兹的过剩人口而在此规划建立特尔福德新城镇。该镇包括了道利、梅德利等工业村,约占全区总面积的1/3。诸村庄目前的铁产品有钢家具、汽车零件和火炉等。东北部的纽波特是农牧业产品集散中心,附近饲养牛和种植谷物。区首府多宁顿伍德在特尔福德新镇内。人口约149 800(1998)。

wren 鹪鹩 雀形目鹪鹩科(Troglodytidae)鸟类,59种。形小,体壮实,浅褐色。本科起源于西半球,仅普通鹪鹩(*Troglodytes troglodytes*)一种已分布到旧大陆。该种在极地附近温带区繁殖,在北美洲称为冬鹪鹩,在欧亚大陆常简称为鹪鹩,是本科的典型种,长约10厘米,褐色,有深色条纹(雌雄相似),嘴短而稍下曲,翅短圆,尾短而翘。鹪鹩类在沼泽、多石的荒原或灌丛捕食昆虫。常反复不停地高声鸣叫,可据此知其藏身之所。许多种在洞中营巢,有些在灌丛或岩石突出部筑圆顶巢。雌鸟用软物垫在巢内。一窝产卵2～10枚。一年可抱卵3或4窝。从加拿大到火地岛各地常见的是莺鹪鹩(*T. aedon*,包括 *T. brunneicollis* 和 *T. musculus*),灰褐色,有条斑,长12厘米。美国最大的种类是西南部荒漠地区的棕曲嘴鹪鹩(*Campylorhynchus*

普通鹪鹩(*Troglodytes troglodytes*)
供图:Ronald Thompson—Annan Photo Features

brunneicapillus),在墨西哥更常见。林鹪鹩属(*Henicorhina*)种类体型极小,见于热带森林地带,沼泽鹪鹩属(*Cistothorus*)及 *Telmatodytes* 属种类俗称沼泽鹪鹩,形小,见于热带和温带湿地。少数种类鸣声悦耳,如美国东部的卡罗来纳鹪鹩(皇苇鹪鹩,*Thryothorus ludovicianus*),干旱的北美西部的峡谷鹪鹩(*Catherpes mexicanus*)以及南美洲的歌鹪鹩(风琴鸟,*Cyphorhinus arada*)。普通岩鹪鹩(*Salpinctes obsoletus*),美国唯一的胸部有条纹的鹪鹩,在大平原以西的岩石间营巢。许多形状和大小与鹪鹩相似但与之无亲缘关系的鸟类,也称为鹪鹩,如新西兰鹪鹩,参阅 **Xenicidae**;澳大利亚鹪鹩,参阅 **emu-wren**; **fairy wren**。在热带美洲有蚋鹪鹩(**gnatcateher**)。

Wren, Sir Christopher 雷恩(1632-10-20,英格兰威尔特郡东诺伊尔～1723-02-25,伦敦) 英国建筑师、设计师、天文学家和几何学家,为当时英国最知名的建筑大师。他设

伦敦国立肖像画陈列馆供图

计了包括圣保罗大教堂在内的共53座伦敦教堂,还设计了许多闻名于世的建筑物。雷恩是皇家学会的奠基人,为1680～1682年学会会长,他的科学研究受到牛顿和帕斯卡的高度评价。他于1673年受封为爵士。早年进威斯敏斯特的学校就读,并经常在其姊夫霍尔德尔的指导下作天文学实验,制造过各种天文学模型和气象图。后又对生理学发生兴趣,为解剖学家准备过实验和制作过许多反映肌肉活动的纸模。1649年进牛津大学。1653年获文科硕士学位。同年进该校万灵学院工作,开始他研究和实验的活跃时期。1657年任格雷舍姆学院天文学教授。当时牛津大学有一批学者(包括雷恩)对经验哲学颇感兴趣。在外地一些学者的支持下,他们提出建立一个促进物理和数学知识发展的学会。这些人后来就成了英国皇家学会的创始人。雷恩是学会中最活跃的人。他还为皇家学会章程起草了序言,当时他才28岁。1661～1673年任牛津大学天文学教授,1680～1682年任皇家学会会长。雷恩在天文学上的成就虽不惊人,却完成了大量的工作。在物理学上,他用一悬球所作的实验,被牛顿认为是对他一条运动定律的验证。在气象学上,他为获取长期记录曾作过一些设想,其意义直到19世纪才被认识。在几何学方面,他在欧洲最先得到求摆线长度的方法。在生理学方面,他和化学家R.玻意耳一起指导过一次先进的实验:往动物血管里注射麻醉剂。但雷恩一生最杰出的贡献是在建筑学方面。建筑学成为他30岁以后的主要事业。当时全英大约只有6个人懂得建筑理论,而这6个人都不能使建筑艺术纳入皇家学会的范畴。由于雷恩具有物理学家的直观能力和模型制造家的艺术才华,科学与艺术的结合使他能设计出规模宏伟、结构复杂的建筑,从而成为英国最受称赞的建筑师。他转向建筑始于1661年。当时他被邀请参加丹吉尔地方的海港和城防工事检验工作。在检验中反映出他有驾御建筑的能力。1662年他受聘设计牛津的谢尔登剧院。这座建筑物不仅继承了古罗马马塞卢斯剧场的古典形式,而且采用了新颖的木桁架结构作屋顶,从而把古典形式同新观点合为一体;从某种意义上说,这正体现了皇家学会的精神。1665年,雷恩作为一个使团成员到巴黎访问6个月。在那里他结识了当时的伟大建筑师意大利人贝尔尼尼,并从当时正在建造的罗浮宫、凡尔赛宫和巴黎其他宗教建筑物中吸取了许多新东西。1666年9月伦敦发生大火灾,许多建筑物被焚毁。他从牛津赶往伦敦,经查勘后提出重建被毁城区的计划。重建工作开始于1667年,他是领导重建工作的六人委员会的成员。1669年,原国王工程检查官逝世,他被指定接任此职,直到1718年。自1670年起,雷恩在伦敦建造了许多教堂。他的设计风格极其多变,不拘一格,最杰出的代表作是圣保罗大教堂。这是一座古典式和哥特式混合型的建筑。其造型后来被誉为"标准设计"。该教堂始建于1675年,直到1711年才完成,历时35年。直到18世纪的英国哥特式结构都受他对哥特式的态度的影响。在建造教堂的同时,他还建造了许多宫廷建筑和实用性建筑。其中主要有剑桥大学三一学院新图书馆、切尔西皇家医院、肯辛顿皇宫、汉普顿宫以及格林尼治皇家医院等。在这些建筑物中,他的古典主义风格令人难忘。他在事业上有许多对手。由于建筑思想的不同和野心的驱使,他们反对雷恩的工作。1714年雷恩把工程检查官的业务交给一个委员会,自己只保留了

一个总检查官的空名。后来连这个空名也保不住，于 1718 年被解职。

wren-babbler 鹩鹛 雀形目画眉科约20种亚洲小鸟。体长 10～15 厘米，尾甚短，嘴稍短而直，以这些特征与近缘的钩嘴鹛相区别。主要分布在南亚。如印度支那北部的条纹长尾鹩鹛（*Spelaeornis chocolatinus*），成小群在灌木丛中活动。

条纹长尾鹩鹛（*Spelaeornis chocolatinus*）
绘图：H. Douglas Pratt

wren-warbler 鹪鹩莺 雀形目旧大陆的莺科多种同鹪鹩一样将尾翘起的鸟类的俗称。又指澳大利亚及新西兰细尾鹩莺科（Maluridae）数种鸟类。莺科的鹪鹩莺属于非洲的 *Calamonastes* 属（也可归入拱翅莺属［*Camaroptera*］），尾较长，下部有条斑，如中非南部的条纹鹪鹩莺（*C. fasciolatus*），会像缝叶莺那样缝巢。

灰鹪鹩莺（*Calamonastes simplex*）
绘图：H. Douglas Pratt

wrench 扳手 又作 spanner。通常用于紧固螺栓和螺母的手动工具。扳手基本型式是在手柄的一端或两端有能卡紧螺栓或螺母的凹口，在与手柄和螺栓或螺母轴线的垂直方向用力转动手柄时，就可拧转螺栓或螺母。有些扳手的两端都有卡住所要拧转零件用的直边凹口，称为呆扳手，有各种规格，以适合不同尺寸的螺栓和螺母。套筒扳手的端部有 6、8、12 或 16 角孔的套筒，用以紧紧套住螺母。12 角孔套筒扳手用于六角或方螺母；8 或 16 角孔的套筒扳手用于方形件。由于套筒的侧壁薄，适于用来拧转那些呆扳手难于够到的螺母。当螺母或螺栓头位于栓接件表面下的凹处时，必须使用套筒扳手；这类套筒扳手具有方孔或六角孔短套管，以及固定的或可拆卸的手把。现代套筒扳手都成套制造，包括若干个短套筒，其一端为方孔，以装可拆手柄；另一端为 8 或 12 角孔以便适用于不同的螺栓和螺母。手柄和延伸部分有几种类型，如 T 型手柄、螺丝刀式手柄和棘轮式手柄（参阅 **ratchet**）等。测量施加在螺母和螺栓上扭矩和扭力的手柄，是套筒扳手的有用附件。一类扭力手柄有两个臂与装有套筒的头部相连接，套筒卡住要紧固的螺栓或螺母；一个臂上装有扭力指示刻度尺并相对于扳手头部保持固定；而另一臂则装有手柄，紧固螺栓时，它相对于头部和刻度尺产生弯曲。弯曲臂上的指针在刻度尺上指示出扭力。扭力扳手的用途是确保螺钉和螺栓在栓接组件中充分拧紧，以防松动，而又不会拧得过紧。具有一个固定和一个可调钳口的平行钳的扳手，可用于拧转有限范围内不同尺寸的螺栓和螺母。一种钳口与手柄相垂直的扳手是由 C. 蒙基发明的，称为活扳手；另一种是钳口几乎与手柄平行的，称为克雷森特扳手。两种活扳手的活动钳口是靠转动一蜗杆来调节的，蜗杆与齿条啮合使钳口开合。可调管扳手用于夹持或拧转管件或圆杆，它的钳口带齿，其中一个钳口可上下移动，并牢固地夹紧工件。埋头螺钉或定位螺钉的头部通常都有六角形凹槽，需使用专用扳手，一般常使用内六角扳手。这种扳手是用六角形工具钢棒材制成，一端弯成 L 形，而另一端可插入螺钉的凹槽内。电动或机动扳手用于快速拧紧或旋松螺栓或螺母。实质上，它们是用小型手提电动机或风动马达带动的高速旋转的套筒扳手。它们装有扭矩限制器，当达到预定扭矩时，套筒扳手就停止转动。风动扳手一般用在汽车修理站，因为这里适于使用压缩空气，而电动机火花则有引起火灾的危险。

wrenthrush（*Zeledonia coronata*） 鹪鹩鸫 即冠鹪鸫。哥斯达黎加和巴拿马密林中的一种鸟，大小如鹪鹩（11 厘米），淡褐色，尾短，躲藏在下层林丛，嘴和脚的构造似鸫。以前曾被归入为鸭鸫（**chat-thrush**）的一个种（雀形目鸫科），但现在认为是接近林莺（**woodwarbler**）的一类（林莺科）。有些作者建议把它分出来暂时作为鹪鸫科（*Zeledoniidae*）。

鹪鹩鸫（*Zeledonia coronata*）
绘图：John P. O'Neill

wrentit（species *Chamaea fasciata*） **鹪鹩雀鹛** 北美洲太平洋沿岸的一种鸟，或认为是雀形目画眉科在新大陆的唯一种类，但通常放在其本身的鹪雀鹛科（Chamaeidae）内。羽毛蓬松，褐色，体长约 16 厘米，尾长，在密丛林中发出大声刺耳的鸣声，成对地取食果实和昆虫。

鹪鹩雀鹛（*Chamaea fasciata*）
供图：B. Brewer Hall from the National Audubon Society Collection/Photo Researchers—美国不列颠百科全书公司

wrestling 摔跤 一种由两名竞赛者进行的体育项目，形式有多种。比赛时用强力迫使对手除双脚外身体的任何部分触地；迫使对手保持某种姿势，通常是仰卧（背向下），或在规定的最低限度的时间内把对手把持住。运动员用各种姿式进行摔跤，有时身体直立，有时躺在地上（或垫上）。

摔跤基本上分三类：系带式、抓握式和随意式，均自古有之。在系带式摔跤中，主要靠抓握对手的衣服来进行。在许多情况下，双方都只有一根特制的腰带可供抓握；但在另外一些情况下，选手们穿着系有腰带的特殊上衣和裤子。抓握式摔跤要求选手在比赛开始前根据规定的方式抓握对方身体；通常这种抓握要贯穿整个比赛过程。随意式摔跤为现代国际比赛所采用。比赛开始时，双方选手是分开的，他们可以自由选择抓握动作，而明确规定禁用的动作则除外（例如揪住对手的衣服，或使用卡脖子等危及生命的抓握）。

摔跤运动还可以按取胜的要求进行分类。按使用暴力多少可分为以下几类：改变姿势运动，要求迫使对手放弃某种姿势；摔倒，要求迫使站立着的对手除双脚外的身体任何部分触地；瞬间着地摔跤，要求迫使对方在短时间内保持一定姿势，通常是仰卧；双肩着地摔跤，要求将对手压倒在地，使其在相当长时间内不能挣脱；主动服输摔跤，要求对手自动用声音或手势表示失败。

早年历史 没有什么体育项目比摔跤历史更悠久、分布更广。那些一直保持至今的摔跤运动，往往具有浓厚的地方色彩。

摔跤可能起源于徒手搏斗。特别是作为一种体育的搏斗形式，它只须把对手降服而不要把他致于死地。公元前 3000 年的艺术作品描绘了在巴比伦和埃及的系带式摔跤运动，苏美尔人的《吉加美士史诗》也叙述了这种摔跤。早在公元前 1500 年印度就有随意式摔跤，公元前 700 年的中国文献中对随意式摔跤有所描述，公元前 1 世纪的日本文献对这种摔跤也有记载。瑞士、冰岛、日本和哥萨克人在20世纪所实行的系带式摔跤与埃及在公元前2500年所实行的摔跤没有什么差别。

摔跤也许是古希腊人最喜爱的运动项目。古希腊的年轻人把摔跤学校看成是社会生活的焦点。古希腊各个时期的花瓶和钱币的纹饰中不乏摔跤场面。但是它们所描述的不外是随意式摔跤，摔跤手同古希腊其他运动项目的选手一样都是赤身裸体的。摔跤从公元前776年起成为古代奥林匹克运动会的一部分。古代奥运会上有两种摔跤锦标赛：一种是三局两胜制的摔跤比赛；一种是角力（拉丁文为 *pancratium*），它把摔跤与拳击合二为一，比赛要有一方服输才结束。直立摔跤也是古代奥运会五项运动的一部分，这种比赛要进行到有一方倒地为止。最著名的古希腊摔跤手是米伦（克罗顿的）（**Milon of Croton**）。他6次在古代奥运会上夺魁。罗马人不如希腊人那样热中于摔跤运动。从罗马帝国衰落到公元800年左右，欧洲史料中不见有摔跤运动的记载。

中世纪 大约公元800年，信奉伊斯兰教的波斯统治者开始招募土耳其雇佣兵。这些士兵带来了称做科莱希（koresh）的随意式摔跤，摔跤者穿着紧身皮革长裤，比赛时要抓住对方皮裤，当输方背部触地，比赛便告结束。土耳其人逐渐地主宰整个穆斯林世界，他们的摔跤运动随之传播开来。后来在13世纪期间蒙古人入侵，带来了蒙古式摔跤。这种摔跤得到君主的青睐，成为现代伊朗的民族体育。

相扑（sumo） 日本系带式摔跤。710～1185年间在天皇倡导下，相扑成为群众喜爱的观赏性体育。17世纪，相扑式摔跤在日本已成为一种职业体育。日本还有另一种有名的摔跤方法，即19世纪从柔术（jujitsu）演变而成的柔道（**judo**）。20世纪下半叶，柔道成为一项国际体育项目。

中世纪时，各种风格的摔跤出现在欧洲。在13世纪初期，伦敦举行了第一次有记载的英格兰摔跤比赛。在英格兰和布列塔尼有一种通常称做“康沃尔和德文”的系带式摔跤运动，这种摔跤至少起源于4或5世纪。神圣罗马帝国的骑士们把摔跤作为一种武术技巧来学习。1526年蒙古人征服印度后，蒙古随意式摔跤被引进印度。这种摔跤在印度和巴基斯坦一直延续到20世纪。在现代纪元的开端，英格兰国王亨利八世与查理二世以及法国国王法兰西斯一世都是有名的摔跤运动倡导者。

现代摔跤运动 从18世纪开始，摔跤手和其他大力士不断出现在集市、戏院和马戏场上，向所有的观众提出挑战。在这些摔跤手中，最初有英国人T.托珀姆，进入20世纪，有德国出生的国际知名人士E.桑多。19世纪初，摔跤成为德国体育体操学校训练课程的一部分。在美国，摔跤作为一项新兴的体育项目受人喜爱。

19世纪下半叶，有两种形式的摔跤经发展最终在国际上占统治地位：希腊罗马式摔跤即古典式摔跤（**Greco-Roman wrestling**）和自由式摔跤（**freestyle wrestling**）。

19世纪末20世纪初著名职业摔跤运动员有俄罗斯的G.哈肯施米特，他保持世界冠军，直至1908年败于美国摔跤运动员F.戈茨。1911年他再次被戈茨打败。1913年戈茨退休后，职业摔跤在与拳击争夺观众的斗争中节节败退，它作为一项重要的职业体育运动已宣告完结。此后，虽然通过电台广播以致后来通过电视转播使观众有所增加，但是摔跤已成为纯供观赏的项目。

20世纪的业余摔跤 20世纪职业摔跤运动逐步衰落，而这期间业余摔跤却有显著改进。起初摔跤不设体重分级（第一届奥运会上只有重量级），但是后来业余摔跤建立了体重级制（关于体重分级，参阅 **freestyle wrestling**）。早些时候，一场摔跤比赛不间断地进行，有时限定时间，有时不限。业余摔跤则规定每场比赛包括三回合，每回合限定为3分钟。这一规定从1967年起在所有国际比赛中实行。

也许最重要的一点是，业余摔跤制订了如下给分办法：在任何一方都没有被摔倒的情况下，居控制地位的一方可以得分，这样就基本上不会出现平局。这一办法的出现是由于古典式摔跤只允许抓握腰部以上的身体部位，并禁止用下肢进攻，这样一旦双方都倒在垫上时，场面就会变得很沉闷。1928年美国全国大学体育协会通过大学式摔跤为全国性体育项目，后来制订了一套给分的办法，以便在比赛时计算场上累积比分。规则与裁判办法同国际自由式和古典式比赛相似，其中包括根据不同情况给分，如反控制、将对手按倒在地、把对手置于被按倒在地的危险之中等。如果一场比赛中任何一方都未被摔倒，就用场上累积比分和双方居控制地位的时间差别来决出胜者。第二次世界大战后，大学式摔跤在美国的大、中学校里日益普及。

20世纪，苏联的A.哈尔兰皮耶夫等人在研究了各种传统的摔跤形式以后，创造了第三种国际摔跤，即桑勃式摔跤（一种穿上衣的摔跤）。这种摔跤在苏联、保加利亚和日本盛行起来，于1964年为国际上所承认。在桑勃式摔跤中，运动员使对手身体腾空之后背部着地即为胜利；如果双方倒地，则需有一方被制服，比赛方可停止。桑勃酷似柔道与蒙古式摔跤。每一场比赛包括3个回合，每一回合持续3分钟。

组织 西方世界从未试图组织职业摔跤活动。从19世纪初开始，出现了一些地方性和全国性的业余摔跤组织。19世纪后期开始有地区性的比赛。1911年国际业余摔跤联合会成立（1920年重建），对包括奥运会在内的国际比赛进行管理。1950年开始举办了古典式摔跤锦标赛，1951年开始举办自由式摔跤锦标赛。国际柔道联合会（成立于1951年）在1956年举办了世界柔道锦标赛，1964年举办了奥林匹克柔道锦标赛。关于古典式摔跤奥运会冠军、自由式摔跤奥运会冠军以及柔道的奥运会冠军，参阅 **Olympic Games**；关于世界冠军，参阅 **Sporting Record**: Judo; wrestling。

原则与实践 按照国际业余摔跤联合会规则，国际自由式与古典式比赛中触垫倒的摔跤法是相似的，其目的均是把对手摔倒或按倒在地上，使其双肩胛同时触地，这只需要很短的时间，但在肩背上不断翻滚不算失败。

运动员们在一个大垫子上交手，从站立姿势开始互相抓握，比赛由裁判人员进行观察和加以控制。其中一人是裁判，他与摔跤运动员一起站在垫上，看到能使对手触地倒的技法时就示意给分。如果比赛到了规定时间还无人被摔倒，这些分就被用来确定胜利者，比赛实际上是不断进行的，不过每场比赛被分成三节，其间有短暂的休息。

运动员们站立时竭力用一系列的技法把对方摔倒在垫上，这些技法包括抱起、摔、扭身、抱双腿和绊摔。当遇到进攻时，运动员运用反攻手段来扭转局势使之对己有利。如双方运动员都倒在垫上但双肩都未触垫，他们便继续进行，直至一方肩背触垫为止。力气大虽然很宝贵，但并不是先决条件，因为多数技法是利用杠杆原理实施的，速度和良好的身体状况远为重要。摔跤的动作很猛烈，牵涉到全身所有的肌肉。使用体重分级的办法可防止把两个体重相差太大的人配对比赛。

Wrexham 雷克瑟姆 威尔士语作 Wrecsam。威尔士东北部郡级市，地处英国边境。包括东部的低地，这是该市大多数人口的聚居地。还包括西北部的埃斯克鲁萨姆峰、鲁阿本峰等地。在西南部它延伸到克伊里奥格谷地和周围的山脉（如伯温山）。雷克瑟姆郡级市的大多数区域位于登比历史郡内，但其东南部属于弗林特历史郡。雷克瑟姆城镇是该郡级市的行政中心和主要的居民点，有钢铁厂。由于丰富的煤矿的开发，19世纪其周围地区很快实现工业化。雷克瑟姆成为北威尔士煤田的商业中心。到20世纪末，煤矿开采和重工业大多已经停止，但有一些新兴工业，如工程、汽车配件、包装、药品、电子器件、光纤、食品加工和化学制品。雷克瑟姆城镇有东北威尔士高等教育学院。城镇周围地区是城区，东南部主要为乡村，主产谷物和其他适于耕种的农作物。在西部多山地带出产家畜，该地旅游业也十分重要。面积500平方千米。人口125 200（1998）。

Wrexham 雷克瑟姆 威尔士语作 Wrecsam。威尔士德纳姆历史郡雷克瑟姆郡级市城镇。是工业和商业中心。为东北威尔士最重要的城镇。这是一座古老的城镇，爱德华一世时封给瓦伦伯爵。19世纪开始开采附近的煤田，炼钢、制革和酿造工业也发展起来。第二次世界大战以后，工业向多样化发展，增加了制造业、食品加工，以及塑料、合成纤维、轮胎和化学药品的生产。该镇也是雷克瑟姆马埃勒区的首府。有圣贾尔斯教堂（1472）。教堂墓地有耶鲁大学创办人E.耶鲁的墓。在美国康涅狄格州纽黑文耶鲁大学校园内有这座教堂钟塔的相同复制品。人口40 614（1991）。

Wright, Sir Almroth Edward 赖特（1861-08-10，英格兰约克郡米德尔顿蒂亚斯～1947-04-30，白金汉郡法纳姆康芒） 英国细菌学家和免疫学家。因使用病人体内细菌制作自体疫苗以及使用加热杀死的伤寒菌制造抗伤寒疫苗从而促进了预防注射工作。1883年在都柏林的三一学院获得医学学位。后继续在莱比锡大学、马堡大学和斯特拉斯堡大学受教,并在几个大学教书,最后在1892年被内特利的陆军医学院任命为病理学教授。他在此研制了一种抗伤寒的疫苗,在印度3 000多士兵中作过试验,后成功地用于布尔战争中。因此英军成为参加第一次世界大战的唯一接受过伤寒免疫注射的军队,这个因素也使这次战争成为第一次死于感染的士兵少于中弹身亡者的战争。在这次战争中,赖特在法国服役,负责调查伤口感染问题。赖特于1902年辞离军队,同年任伦敦圣玛丽医院病理学教授。赖特在此作实验直至1946年退休。后来发现青霉素的A.弗莱明即为其助手。赖特还研制了抵抗肠结核和肺炎的疫苗并对调理素的研究作出极大贡献,调理素是使细菌更易受白细胞吞噬的血中成分。1906年受封为爵士。

Wright, Archibald Lee　赖特　参阅**Moore, Archie** 穆尔。

Wright, Benjamin　赖特(1770-10-10,美国康涅狄格韦瑟斯菲尔德～1842-08-24,纽约市)　美国工程师,领导建设了伊利运河。他在这项工程中训练了大批工程师,因此被称为"美国工程学之父"。青年时学习测量,曾为奥奈达县和奥斯威戈县的农民测量了约20万公顷的土地。1811年,纽约州运河委员会聘请他在罗马和沃特福德之间为伊利运河测定一条线路。工程于1817年开始,1825年结束,他负责指导中段和特别艰巨的东段的测量工作。1828～1831年任切萨皮克和俄亥俄运河的总工程师,1833年任圣劳伦斯运河总工程师。此外还曾任韦兰、切萨皮克-特拉华、特拉华-哈得孙等运河工程的顾问工程师,并在纽约、伊利诺伊、弗吉尼亚和古巴为建设铁路进行过测量。

Wright, Frances　赖特(1795-09-06,苏格兰邓迪～1852-12-13,美国俄亥俄辛辛那提)　出生于苏格兰的美国女社会改革家。她在宗教、教育、婚姻、节育等方面都有革新的观点,她既是一名为大众欢迎的作家和演说家,又是某些方面诋毁的目标。父亲为一名富有的苏格兰激进人士。她两岁时成为孤儿,由在伦敦的一些保守派的亲戚抚养成人。1818年她首次来到美国,翌年在纽约市编写一个剧本并予以出版。此后遍游美国。返回英格兰后于1821年出版《美国的社会观点和习俗》一书。稍后她与拉法耶特侯爵结识并于1824年共同回到美国。由拉法耶特介绍,她认识了T.杰斐逊和J.麦迪逊,这两人都赞成她购买奴隶,然后教育他们并解放他们,最终在美国以外帮助他们建立一个聚居地的计划。1825年她在田纳西州西部购置一片土地,然后购买一些奴隶,给予他们自由,叫他们定居在她称为"纳休巴"的公社里。这些被解放的奴隶据想象是要以劳动来偿付赖特的。但是,这个社会主义的公社却以失败而告终。1828年她移居印第安纳州,参加"新和谐公社"。在这里,她协助小欧文主编《新和谐报》。两人漫游欧洲以后,于1829年定居纽约市,共同出版激进的《自由问询报》。赖特公然蔑视政党提名的群众集会,在讲坛上对奴隶制、宗教及婚姻(她强调道德而轻视婚约)以及男女不平等进行抨击。虽然她常常成为群众讥笑和起哄的对象,她却坚持发表自己的看法,并在1829年散发了一抄本,题名《群众会议演讲录》。1831年她与W.P.德鲁斯蒙特结婚,4年后离婚。她继续从事写作和宣传,积极支持A.杰克逊和民主党,在辛辛那提度过晚年,成为一名终身不渝的政治活动家。

Wright, Frank Lloyd　赖特(1867-06-08,美国威斯康星里奇兰森特～1959-04-09,亚利桑那菲尼克斯)　以富有创造天才而闻名于世的美国建筑师、作家。他的草原风格成为

供图:© Arnold Newman

20世纪美国住宅建筑设计的基础。一生设计了800多幢建筑,其中380幢付诸建造,现尚存280幢。他的作品以对本质的深刻理解和以形式与细节的相互烘托为主旨。他看到自然界的结构存在着类似的关系,而将他的作品称为"有机建筑"。早年在芝加哥的D.阿德勒和L.沙利文的建筑事务所任职,1893年自设事务所,致力于寻求适合于美国中西部的住宅建筑风格,当时其他青年建筑师亦在作同样探讨,形成所谓"草原学派"。1900年草原式建筑风格趋于成熟,主要靠自学成才的赖特是这一风格的主要创导人。草原式住宅被作为商品建筑而大量兴建,它用简洁的墙面、宽敞的起居室、环境采暖装置等取代了住宅中复杂的分间和细节,经济合理地达到了舒适、方便、宽敞的功能。1900～1910年他设计建造了50多所草原式住宅。1904年建造的紧靠铁路线的拉金邮购公司,采用了封闭、防火、空气过滤调节、机械通风、吸声等一系列技术措施,成为20世纪初期代表美国文化的最优作品。两年后建造的一位论派教堂于1971年被美国列为国家历史文物。他和当时许多建筑师不同,利用装饰以表示尺度并突出重点,在上述教堂的内部巧妙地使装饰从属于体量而强调了空间,这比拉金公司的设计又提高了一步。1909年赴欧洲,在德国出版了两本有大量建筑图例和照片的专著。应日本邀请设计的东京帝国饭店(1915～1922,1967年拆除)是他的重要作品之一,舒适豪华,空间优美,结构独特。完工后一年即经受了东京最严重地震的考验。30年代经济危机时期,建筑活动停顿,他在普林斯顿、芝加哥、纽约等地任教,并在欧美各地巡回展出他的建筑艺术。1932年在其住所塔里辛设建筑训练班。经济好转后,恢复了他作为杰出建筑师的地位,并获得国际声誉。匹兹堡附近山间的"落泉"别墅(1936),一所以悬臂挑出在瀑布上的住宅,是他最为得意的作品。威斯康星州拉辛市约翰逊制蜡公司办公大楼是一个封闭的空间,顶部采光,采用曲线形式,空心蘑菇状柱子,构思新巧。晚年重要作品有纽约的古根海姆博物馆(1943～1959)和旧金山附近的马林县政府中心。前者没有分隔的楼层而是用螺旋形的斜坡一直到顶,实现了他多年来所设想的连续空间。后者为一个庞大的建筑群,包括建筑、公路等,在他去世后始建。著有《自传》(1932,1943年修订)、《消失的城市》(1932)、《有机建筑》(1939)、《一个美国建筑》(1955)和《遗嘱》(1957)等。

Wright, James C(laude), Jr.　赖特(小)(1922-12-22,美国得克萨斯沃思堡～　)　美国政治家、议员,1986年任美国众议院议长,但因财务方面不正当行为受到指责,于1989年辞职。他曾就读于韦瑟福德学院和得克萨斯大学。第二次世界大战中在陆军航空兵服役。战后进入政界,作为民主党人于1946年当选得克萨斯州众议院议员。后竞选连任失败,1950～1954年任得克萨斯韦瑟福德市市长。1954年成功地获选进入美国众议院,此后连选连任达16次。1961年竞选参议员,未能成功。1976年被众议院的民主党议员选举为多数党领袖,1986年任议长,接替托马斯·P.奥尼尔。在众议院,他是一位敢作敢为和有自信心的领袖,但1988年6月众议院道德委员会开始调查关于他在财务方面不正当行为的指控。1989年4月,委员会一致控告他五条罪状,包括69项违反众议院道德规定的行为。他被控告接受过非常高的费用,实质上违反了众议院关于外部挣得收入的限额,同时他接受打折扣的住房和其他礼物,但没有列入他的财务申报表上。赖特于1989年5月31日宣布他要辞去议长和国会中的职务,一周后托马斯·弗利当选,接替他出任众议院议长。赖特是因丑闻在中期辞去职务的第一位众议院议长。

Wright, Joseph　赖特(1734-09-03,英格兰德比郡德比～1797-08-29,德比)　英国画家,在艺术中主要表现工业题材,并善于运用人工光线。他的充满着月光和烛光的画面,将新的机械时代的写实主义与包含在工业和科学中的浪漫主义相结合。表现技术主题的画(1763～1773),部分受卡拉瓦乔追随者的影响,名作有《气泵》(1768)和《太阳系仪》(约1763～1765)。其肖像画也引人注目。

Wright, Judith(Arundell)　赖特(1915-05-31,澳大利亚新南威尔士阿米代尔～2000-06-

25,堪培拉） 澳大利亚女诗人,善用现代的表达方式,以技巧娴著称。毕业于悉尼大学。曾先后当过广告公司职员、悉尼大学秘书、布里斯班的公务员和统计员。1949 年起在澳大利亚各大学任兼职教师,1967 年成为布里斯班的昆士兰大学英语高级课程导师,并且还是一个活跃的文学编辑。第一部诗集是《游移的形象》(1946),随后出版了《女人对男人》(1949)、《大门》(1953)、《两次火灾》(1955)、《城市的日出》(1964)等。短篇小说集《爱的本质》出版于 1966 年,而她的《诗集:1942 ～ 1970》于 1971 年问世。此外还写有几部儿童读物、一部澳大利亚诗人 C.哈珀的传记和一部关于澳大利亚短篇小说家 H.劳森的论著。

Wright, Laura Maria Sheldon 赖特（1809-07-10,美国佛蒙特约翰斯伯里～ 1886-01-21,纽约易洛魁附近） 婚前名 Laura Maria Sheldon。美国传教士,她把全部精力毫无保留地贡献给了塞讷卡人的教育和社会福利,尊重他们的文化并帮助他们适应保留地生活。她从小就跟当地的土著孩子一起玩耍,10 岁便开始在他们当中主持祷告会。在当地学校完成正规教育之后,成为一名教师。1833 年嫁给了在纽约州西部给塞讷卡印第安人传教的教士 A.赖特。由于对丈夫在布法罗克里克印第安人保留地的工作产生兴趣,她很快就熟练掌握了塞讷卡语。几年后成为一位受印第安人尊重和热爱的人物。利用丈夫想出的塞讷卡字母,她用自己编写的课本,包括 1836 年印刷的识字课本、1842 年的拼音课本和 1841 ～1850 年常见的双语杂志,教孩子们读写。赖特夫妇还尽力帮助塞讷卡印第安人逐渐从狩猎文化过渡到定居的农耕文化,由于布法罗的城市发展需要大量土地,布法罗克里克印第安人保留地被占用,使得这项工作变得更加复杂。塞讷卡印第安人搬迁到卡特罗格斯保留地后,条件极端艰苦,包括饥饿和传染病,使许多塞讷卡儿童成为孤儿。赖特把许多孤儿带到家中,并于 1854 年说服马里兰州巴尔的摩市的一名富商 P.E.托马斯建立起托马斯印第安孤贫儿童避难所(后称托马斯印第安学校),赖特后来兼任该机构的负责人之一。在塞讷卡印第安人当中,她被称作赖特大婶。她的善举无数,且尊重塞讷卡印第安人的风俗。1875 年丈夫去世,此后她一直居住在 N.H.帕克的家中。

Wright, Mickey 赖特（1935-02-14,美国加利福尼亚圣迭戈～ ） 美国女子高尔夫球运动员。在女子职业高尔夫球协会主办的 82 次比赛中获冠军,其中 1963 年一个赛季内就在 13 次比赛中夺魁,这些都是世界纪录。被美联社评选为 1963 年和 1964 年最佳女运动员。1964 年任女子职业高尔夫球协会主席。

Wright, Wilbur and Orville 莱特兄弟（威尔伯 1867-04-16,印第安纳米尔维尔～ 1912-05-30,代顿;奥维尔 1871-08-19,美国俄亥俄代顿～ 1948-01-30,代顿） 美国飞机发明家,航空先驱者。1903 年成功地进行了第一架可操纵的动力飞机的持续飞行;1905年制

奥维尔·莱特
布朗兄弟公司供图

造和飞行了第一架实用的飞机。主教之子。早年主要靠自学设计和制造印刷机械和自行车。威尔伯产生动力飞行的想法是受 O.利林塔尔的影响。通过观察鹰在空中保持平衡

威尔伯·莱特
布朗兄弟公司供图

的情况,1899 年威尔伯认识到飞机要能飞行,必须能绕 3 个轴转动即能向两侧倾斜,能升降,能向左右转弯。1899 年莱特兄弟制造第一架双翼机时安装了机械扭曲机翼,即在一侧机翼升力增加的同时,另一侧机翼升力减小,由此操纵飞机压坡度转弯或由滚转改为平飞。他们的功绩除了完成有动力的飞机飞行外,绕 3 个轴操纵飞机是他们对空气动力学和飞行方面的主要贡献。为了实现动力飞行,他们决定先掌握滑翔飞行技术。1900 ～ 1902 年制造 3 架双翼滑翔机并作了飞行。

1908 年在飞机旁的莱特兄弟
美国国家档案馆供图

最后一架滑翔机有升降舵、方向舵和扭曲机翼。他们制造滑翔机时进行了大量理论工作和实验工作,包括风洞试验。他们还设计和制造了实现动力飞行所必需的螺旋桨和轻型发动机。1903 年人类历史上第一架有动力装置的飞机"飞行家"1 号制造成功,12 月 17 日凌晨该机从平地起飞。第一次飞行 12 秒,最后一次 59 秒,飞行距离 260 米。1904 年"飞行家"2 号飞行成功。1905 年制造的"飞行家"3 号是世界上第一架实用的飞机,能转弯、倾斜、做圆圈飞行和 8 字飞行,续航时间超过半小时。1905 年 10 月 16 日至 1908 年 5 月 6 日,因财政拮据,莱特兄弟没有进行过飞行。1908 年威尔伯在法国作飞行表演,在 5 个月内飞行 100 多次,总飞行时间超过 25 小时,其中约 60 次带乘客飞行,有 7 次飞行时间超过 1 小时,最后一次飞行时间达 2 小时 20 分。与此同时奥维尔也在美国作轰动一时的表演飞行,并为美国陆军制造了世界上第一架军用飞机。1909 年之前,世界航空可以说是在莱特兄弟统治之下,他们同时也在欧洲和美国制造飞机。

Wright, Quincy 赖特（1890-12-28,美国马萨诸塞梅德福～ 1970-10-17,弗吉尼亚夏洛茨维尔） 美国政治学家和国际法权威,因对战争和国际关系的杰出研究工作而闻名。1912 年在隆巴德学院(伊利诺伊州的盖尔斯堡)获得文学士学位。1915 年在伊利诺伊大学获得哲学博士学位。1916 ～ 1919 年在哈佛大学任教。1919 ～ 1923 年在明尼苏达大学任教。1923 年任芝加哥大学的政治学教授,1931 年又任该校的国际法教授。1943 ～ 1945 年担任美国国务院的顾问。1945 年担任纽伦堡国际军事法庭的顾问。1956 年退休。随后在许多美国和外国研究机构中从事研究和教学工作。1942 年出版了两卷本的《战争研究》一书。在这部书中他从历史上、法律上和文化上考察了战争的惯例,并且得出了战争可以最好通过一个具有与其职责相应的权力的世界组织予以消除的结论。他的《国际关系研究》(1955)一书提出了把国际关系作为一门独立学科的论据。他拥护 20 世纪 20 ～ 30 年代的国际联盟。他还反对美国在东南亚的卷入。其他著作还有:《在美国通过国内法实施国际法》(1916)、《美国对外关系的控制》(1922)、《国际联盟下的委任统治》(1930)、《战争的起因与和平的条件》(1935)、《国际关系中的稳定与进步问题》(1954)以及《国际法在防止战争中的作用》(1961)。

Wright, Richard 赖特（1908-09-04,美国密西西比纳奇兹附近～ 1960-11-28,法国巴黎） 美国长、短篇小说家。最早反对白人对黑人歧视的美国黑人作家之一,以小说《土生

哈珀斯和罗出版公司供图

子》(1940)和自传《黑孩子》(1945)闻名。他开创了第二次世界大战后其他黑人作家所探索的反抗传统。赖特的祖父母都当过奴隶。父亲在他5岁时离家,他曾辗转寄养于各亲戚家,在贫困中长大。干过多种工作,后来迁移到田纳西州孟菲斯,然后到了芝加哥。在那里干过各种粗活,后来通过"联邦作家计划"得到写作机会。1932年加入美国共产党,1937年到纽约,担任共产党《工人日报》的哈勒姆黑人区编辑。他的中篇小说集《汤姆大叔的孩子们》(1938)首次引起公众注意,书中提出的问题是:黑人怎样才能生活在一个不承认其人性的国家?除一个故事外,每个故事的主人公的探求都以死亡告终。在《土生子》里小说场景转到芝加哥。主人公比格·托马斯偶然杀死一个白人女孩,在其随之而来的逃亡中才深深体会到在白人世界受敌视的滋味。该书发表后成为畅销书,被O.韦尔斯搬上百老汇舞台(1941)。1951年在阿根廷改编为电影,赖特本人扮演比格·托马斯。1944年因政治和个人分歧脱离共产党。《黑孩子》生动地记述了他在南方的童年和青年时代。第二次世界大战后定居巴黎。《局外人》(1953)被誉为美国第一部存在主义小说。它警告说,在一个不准备接纳他的正在崩溃的社会里,黑人已经觉醒。后来的3部小说未受到好评。这一时期的论战作品有《白人,听着!》(1957),原是他在欧洲所作的一系列演讲。短篇小说集《八个男人》出版于1961年。自传体小说《美国渴望》叙述赖特移居北方后的经历,在他死后于1977年出版。赖特书中涉及种族、性和政治的一些较坦率的段落原来出版之前已被删节。但《土生子》、《黑孩子》和他的其他作品的未加删节的版本已于1991年出版。

Wright, Sewall 赖特(1889-12-21,美国马萨诸塞梅尔罗斯~1988-03-03,威斯康星麦迪逊) 美国遗传学家,种群遗传学的创建人之一。1915年获哈佛大学理学博士学位,

威斯康星大学供图

1915~1925年以遗传学家身份在美国农业部任职。后任芝加哥大学(1926~1954)和麦迪逊的威斯康星大学(1955~1960)教授。最初研究豚鼠近交和杂交对遗传的影响,后来他用豚鼠研究基因对毛色的影响。之后,又提出了进化的数学理论并推导出一些公式,用以计算各种交配体系对群体产生的效果和估量近交(后一公式在家畜育种上有重要用途)。赖特的主要研究成果是提出"遗传漂移"的概念,即所谓赖特效应:种群遗传性状的保留与否,常常和种群分离有关。因为少数个体携带的劣势基因性状很可能随着离群索居而从此失传。应当承认,这只是一个机会问题,而与自然选择机制无关。

Wright, Warren 赖特(1875-09-25,美国俄亥俄斯普林菲尔德~1950-12-28,佛罗里达迈阿密滩) 美国金融家、良种赛马马主和培育家、卡卢梅特马场场主。受教育于公立学校及商业学院。1890年起在其父在芝加哥建立的卡卢梅特发酵粉工厂工作25年多。1899年继任总经理。该厂于1928年出售。1931年继承其父遗产约3 000万美元。其中有种马场及跑马场。自1941年起,卡卢梅特马场经常培育出杰出良马,有8匹马获肯塔基大赛奖,其中两匹赢得美国三王冠奖。

Wright, Wilbur 威尔伯·莱特 参阅 **Wright, Orville and Wilbur** *莱特兄弟*。

Wrigley, William, Jr. 里格利(小)(1861-09-30,美国宾夕法尼亚费城~1932-01-26,亚利桑那菲尼克斯) 美国工厂主,世界最大的口香糖生产商和经销商。13岁时为他父亲的公司做肥皂的旅行推销员。1891年到芝加哥做肥皂经销商,随同每箱肥皂分送发酵粉作为赠品。1892年兼售发酵粉,以口香糖作为赠品。后停止出售肥皂和发酵粉,只卖更受欢迎的口香糖,并根据订货数量以时钟、咖啡磨碎机或鱼具奖励商贩。1893年开始出售留兰香香料,利用广告,广为推销。至1908年留兰香年销售额已超过100万美元。1911年接收生产口香糖的泽诺制造公司,建立里格利(小)公司。它是全国广告最多的公司之一。里格利1925年离任总经理而任董事长。该公司在美国、加拿大和澳大利亚都有工厂。在芝加哥的总公司——里格利大厦——现在是一座标志明显的建筑物。

Wriothesley, Henry 赖奥斯利 参阅 **Southampton, Henry Wriothesley, 3rd Earl of** *南安普敦伯爵(第三)*。

Wriothesley, Thomas 赖奥斯利 参阅 **Southampton, Thomas Wriothesley, 1st Earl of** *南安普敦伯爵(第一)*。

wrist 腕 又作carpus。掌骨与前臂骨间的复合式关节。腕关节由八、九块小短骨(腕骨)构成,大致分成二排。腕部有许多个小关节:桡尺远侧关节,当作前臂骨的枢轴;桡腕关节,在桡骨和第一排腕骨之间,可作屈伸运动;腕中关节,在两排腕骨之间;腕骨间关节,位于同排两个相邻腕骨之间。腕部骨的数量多,彼此间又构成复杂的关节,这使腕的活动非常灵活,运动的范围也大。桡腕关节的关节囊为多个韧带加强,因此手和前臂能一道作旋转运动。腕骨间的韧带限制腕骨的活动范围。腕部骨很多,迫使这个部位的许多血管和神经穿过一个狭窄的开口,即腕管。若患腕管综合征,则当腕屈曲时,狭窄的开口会压迫神经而引起疼痛。手腕其他常见的问题有骨折、小关节脱位以及使用过度引起的肌腱和韧带发炎。

writ 令状 在普通法中,指法院以主权机构的名义签发的要求完成某一特定行为的命令。现代最普遍的令状是用来开始诉讼的传票。此外,还包括用来强制执行法院的判决(扣押财产、交付)的令状,要求下级法院提供案卷的令状(调审令)或完成某一行为的令状(履行职责令)。令状的起源可以追溯到盎格鲁-撒克逊诸王时代,他们虽然也试将令状用于司法事务,但是主要是用来授与土地。13世纪初,主要使用三种令状:第一种是特许状,通常以授与土地和赐予终身自由;第二种是委任状,用来确定王室官员的任期和职责;第三种是密令,用来传达情报或命令给某一个人或给特定的一批人(它与前两种不同之处在于是盖有国王印章并密封)。诺曼王朝开始在司法事务中使用令状并发展成固定的程式。最重要的是用以开始诉讼的启诉令,它在许多情况下与现代传票起到几乎相同的作用。这样的令状是发给被告人,要求其作出赔偿或者出庭应诉。其他一些重要的令状有责成转交财产的相助令,授权收回经错误剥夺土地的地籍状。欧洲的民法法系没有形成一套界限明确的命令,而是采用其他手段来达成上述各种目的。

writing 文字 人类用语言符号或代号进行视觉交际的系统,与语言单位的意义或声音有约定俗成的联系,可记载于纸、石、泥板或木上。文字的前驱是使用图形符号即以图画式的手段去表现具有某些传统含义的客体。图形符号或象形符号和图画的区别在于它仅表现交际中的主要内容而不表现美学上的修饰细节。图形符号实际上就是一种象征性符号,用以记述一个人或一件事物,目的在于识别其各不相同的特性。某些象征性符号和某些事物和人之间建起彼此的对应关系并逐渐形成惯例,共同遵守。这些事物和人在口语中都有名称,因而对应关系就进而在书写符号与其口语中同样的人或物之间也得以建立。人们一旦发现可以用书写符号表示话语时,就再无必要将诸如"一个男子杀死一头狮子"的事件用画"这个人手持长矛刺死狮子"的方式来表现了。相反,口语中"人杀死了狮子"这句话可以用传统的象征性符号来代替"人"、"刺杀"及"狮子"这3个词。与此相类,5只羊也不必单个地画5只羊来表示,只需要用与这两个词相对应的两个象征性符号来代替它就可以了。

单个符号表现单个词的机制,自然导致出现完整的词的符号系统,即词符文字。但是,这样充分发展的系统,从古迄今均未曾有过,因为要创制和记忆无限数量的词和名称的符号是完全不现实的。古埃及人和苏美尔人都找到了用表音的方法来解决这个问题。根据表音法,一个与特定的词相关联的书写符号,转而可以用来表示其他与此读音相同或相似的词。通常使用此法时,书写符号所表示的已经不再是词,而是词的组成部分,例如音节——元音和辅音的固定组合。音节文字系统与词符文字相较,使用的符号远少于后者,其符号以无限方式相组合,可以表示一

切语词。

如果我们把组成单词的字母看做是严格地表示一种语言的全部单个语音(音素)之书写系统的话,那么,第一种字母是希腊人创制的。公元前2千纪整个过程中,虽有数次试图把埃及-闪米特型音节文字中的元音标示出来,但没有一种体系发展成完整的元音系统。常用的方法是借助于附加语音指示符号以读出元音,因为在正常条件下闪米特文字体系是不标示元音的。然而,尽管闪米特人不愿使用这类语音标示符号,希腊人却把它们系统地用于每一个音节(即辅音)符号之后。希腊人全部接受西闪米特音节文字的字形以后,便发展起一套元音符号,把它们附于音节符号之后,使这些音节符号的音值减低到简单辅音的程度,由此在人类历史上第一次创造出一个完整的字母文字体系。

汉字文字系统是部分地使用词符,部分使用音符的系统。一个汉字的读音可以表示几个同音词(发音相似,意思各异)中的任何一个,以增减笔画或仅靠语境就可提供出该词属于那个特定例子的线索。

Writings (division of Bible)　参阅 **Ketuvim**《圣录》。

Wrocław　弗罗茨瓦夫　波兰西南部省份。北邻莱什诺省,东北界卡利什省,东南连奥波莱省,西南接瓦乌布日赫省,西毗莱格尼察省。北部为波兰中部平原绵延起伏的农区。西南部为崎岖的苏台德山麓。有奥得河、巴雷奇河、贝斯奇察河流经。工业有金属制品、纺织、造纸、机床和玻璃制造。省会**弗罗茨瓦夫(Wrocław)**市近郊有化工厂和食品加工厂。该省西南部有造纸厂和建筑材料厂。农业地区尤其是北部奥得河沿岸出产小麦、黑麦、燕麦、大麦、甜菜和马铃薯。北部有畜牧业。除省会外,大城市有奥莱希尼察、奥瓦瓦、索布特卡、米利奇和下布热格。人口约1 137 300(1995)。

Wrocław　弗罗茨瓦夫　德语作 Breslau(布雷斯劳)。波兰西南部城市,下西里西亚省省会。濒临奥得河同奥瓦瓦河、斯莱扎河、贝斯奇察河及维达瓦河汇合处。为下西里西亚大工业中心和波兰第4大城市。有电子、数据处理、铸造、重型机械、纺织、炼铜和食品加工等工业项目,建有波兰最大面粉厂。作为重要交通中心,通国际铁路,有飞机场和河运设施。作为一科学文化中心,有弗罗茨瓦夫大学(1702年建,第二次世界大战后重建)等众多教育机构、博物馆、剧院和音乐中心、动植物园等。市内波兰实验剧院以用新法培养演员和编剧而国际闻名。考古表明,石器时代当地已有人定居。城市建于10世纪。当时受波兰皮亚斯特国王统治。1241年奥得河以南的大部分市区遭蒙古人入侵破坏。13世纪应西里西亚当局邀请,大批德国人移居此地。1261年获市自治权,再次发展成为经济中心。1741年被普鲁士攻占,终于成为德国一部分。1910年人口达50多万。由于德国首相俾斯麦力主当地德国化,居民大部分为德国人。第二次世界大战中被纳粹占据。1945年5月,德军被苏联军队击溃。同年8月该市归于波兰。市内德国人或西逃,或疏散,余者为清一色波兰人。第二次世界大战中,90%的工业和70%的居民区遭严重破坏或彻底摧毁。战后迅速开始重建。弗罗茨瓦夫大学和其他许多精美建筑得到修复。新建起现代化工业区以容纳日益增长的人口。市内多公园和复原的历史古迹。人口约640 367(2002)。

wrought iron　熟铁　冶炼所得铁的两种形式之一,另一种是**铸铁(cast iron)**。熟铁较软、可延展、呈纤维状,从部分被渣子包围的比较纯的铁球的半熔化物料中制得。熟铁含有通常少于0.1%的碳和1%～2%的溶渣。从大多用途来说熟铁比铸铁优越。铸铁因碳含量高而质地过硬、易碎。古代最早的铁是直接用铁矿石冶炼的,把铁矿石放在炉内用木炭(既作燃料又起还原剂的作用)加热,然后在炽热状态下用锤锻打还原后的铁和渣的混合物,除去杂质并将铁粒锻结成黏结体。欧洲曾发现可在鼓风炉内用铸铁间接生产熟铁。在最为广泛应用的间接法中有一种方法叫搅炼法,是由英国人H.科特在1784年发明的。其做法是在熔铁炉内熔化铸铁,然后用棒搅拌,铸铁中的碳在炉内氧化气体的作用下而被除去。在碳被除去后,脱碳的固体铁大为增加,再把由此制得的金属和渣的稠性混合物通过挤压机除去大部分残留的渣,所形成的粗糙的圆柱体供轧制更为完善的产品。公元前2千纪在小亚细亚开始以熟铁代替青铜,公元前3世纪中国、印度和地中海国家用熟铁制造工具和武器。熟铁的主要有利条件是在自然界远比铜和锡容易取得。在许多世纪中,熟铁一直用来制造不断增长的民用器具和战争武器、盔甲等。19世纪,熟铁开始用于建筑结构,用作横梁时因抗拉强度高而优于铸铁。自发明贝塞麦炼钢法和平炉炼钢法后,熟铁在建筑结构中被钢取代。20世纪,熟铁基本上只用于装饰。从古代起就已用手工制造熟铁围栏、门、阳台、格子窗和其他户外装饰品。欧洲中世纪有大量熟铁手工制品,特别显著的是15和16世纪用熟铁制作的教堂祭坛屏饰和带装潢的盔甲。

wrybill (species *Anarhynchus frontalis*)　**弯嘴鸻**　又作 wrybill plover。鸻形目鸻科的新西兰鸟类。喙向右弯约20°,刚出壳的幼雏就出现这种嘴型。能寻觅石下的食物,并用其喙像长柄大镰刀一样捞取浅的泥中的食物。体长约15厘米。上体灰色,下体白色,具黑色胸带。在南岛多岩石的河畔筑巢。每窝产卵两枚。成大群地于北岛的海滨越冬。

wryneck　歪脖鸟　又称蚁䴕。啄木鸟科蚁䴕亚科(Jynginae)两种鸟的俗名,或单列为蚁䴕科(Jyngidae)。分布于开阔林和灌木林中,灰褐色。受惊时颈部像蛇一样扭转,故得其俗名。以长舌舐食地上的蚂蚁或树上的昆虫。在旧的啄木鸟洞穴中营巢。欧亚歪脖鸟(欧亚蚁䴕,*Jynx torquilla*)长16厘米,在英格兰到日本之间繁殖,在热带越冬。红胸歪脖

红胸歪脖鸟(*J. ruficollis*)

绘图:H. Douglas Pratt

鸟(红胸蚁䴕,*J. ruficollis*)见于非洲。

wryneck (congenital disorder)　参阅 **torticollis** 斜颈。

wu (Buddhism)　**悟**　参阅 **Satori** 开悟。

Wu　吴　中国西周至战国初期东南地区的诸侯国。又称勾吴、攻吴。姬姓。始祖为周太王之子太伯、仲雍。据有今江苏、上海大部和安徽、浙江的一部分。建都于吴(今江苏苏州)。吴原为楚属国。公元前506年吴王阖闾攻楚,破楚郢都。又与越(今浙江、福建一带)屡战不休,后吴败于越,吴王阖闾受伤病死。其子夫差即位,立志报仇,于公元前494年战胜越国,许越为属国,并北上争霸。筑邗城(今江苏江都),开邗沟,从海上攻齐。公元前484年大败齐军于艾陵(今山东泰安),又于公元前482年在黄池(今河南封邱)盟会诸侯,与晋争为盟主。越王勾践乘虚攻吴都,并以水师自海道入淮,绝吴军归路。公元前473年越灭吴。

Wu, Chien-shiung　吴健雄(1912-05-31,中国上海～1997-02-16,美国纽约)　美籍华裔物理学家。她对宇称守恒定律不适用于亚原子粒子间的弱相互作用提供了第一个实验证

中国大百科全书出版社供图

据。1934年毕业于南京中央大学。1936年到美国,和劳伦斯同在加利福尼亚大学学习。1940年获哲学博士学位后,在史密斯学院和普林斯顿大学任教。1944年在哥伦比亚大学战争研究部从事辐射探测研究。战后仍在该大学工作,1957年任杜平物理学教授。1956年,哥伦比亚大学的李政道和普林斯顿高级

研究院的杨振宁提出弱核相互作用宇称不守恒,吴健雄和国家标准局的科学家在1957年检验这个理论,方法是观测钴60射出的β粒子,观察到有一个占优势的发射方向,因此,这个弱相互作用宇称是不守恒的。这次以及许多类似实验的成功使她和李政道与杨振宁二人都受到全世界的赞扬。1958年R.P.费因曼和M.盖耳曼提出在核的β衰变中矢量流守恒,这个理论在1963年经吴健雄和哥伦比亚大学另外两位物理学者合作用实验证实。1975年获选年度风云妇女,并获国家科学奖章。同年出任美国物理学会会长。1978年获国际性的沃尔夫基金会首次颁发的奖金。1982年应聘为北京大学、南京大学的名誉教授。1994年6月当选为中国科学院首批外籍院士。

Wu Bangguo　吴邦国(1941-07,中国安徽肥东～　)　中国共产党第十六届中央政治局常务委员,第十届全国人民代表大会常务委员会委员长。1960～1967年在清华大学

中国大百科全书出版社供图

无线电电子学系电真空器件专业学习。1964年4月加入中国共产党。1967年后,任上海电子管三厂技术科科长、党委副书记、革委会副主任、厂长。1978年后,任上海市电子元件工业公司副经理。1979年任上海市电真空器件公司副经理。1981年任上海市仪表电讯工业局党委副书记。1983年任中共上海市委常委兼市委科技工作委员会书记。1985年任上海市委副书记。1991年起,任上海市委书记。1995年3月在第八届全国人大第三次会议上,当选为国务院副总理。历任中共第十二届、十三届中央候补委员,第十四届四中全会增补为中央书记处书记,第十四、十五、十六届中央委员、中央政治局委员,第十六届中央政治局常委。1998年3月第九届全国人大一次会议上再次当选为国务院副总理。2003年3月第十届全国人大一次会议当选为全国人大常委会委员长。

Wu Changshuo　吴昌硕(1844-09-12,中国浙江安吉～1927-11-06,上海)　又拼Wu Ch'ang-shuo。中国近代画家。名俊卿,初字香补,中年以后更字昌硕,亦署仓硕、苍石。10余岁时喜刻印章,受父指点,初入门径。1860年后因战乱与家人失散,流亡数年。21岁时回乡务农,同时钻研篆刻书法。22岁中秀才。30岁后对绘画产生兴趣,求教于任颐。53岁被举为江苏安东(今涟水)县令,到任1个月即挂冠而去。久寓沪,以鬻画终生。著有《缶庐诗》4卷、《缶庐印存》2卷。他的诗书画印造诣极深。自谓学书"曾读百汉碑,曾

吴昌硕绘《岁朝清供图》
中国大百科全书出版社供图

抱十石鼓"。篆隶真行草无不精习。中年着力临摹石鼓文,其书凝炼遒劲,浑厚有力。晚年常以篆隶书狂草,豪迈奔放。又偶作正楷,挺拔严毅。刻印初师浙派,又曾受邓石如、吴熙载、赵之谦影响,后钻研金石,自成一家。1904年公推为杭州西冷印社首任社长。吴昌硕的绘画受徐渭、石涛、朱耷、扬州八怪影响,尤以石涛为深。画梅菊清冷孤傲,运笔无往不复,无垂不缩,力透纸背,有浓厚金石味。其笔墨气势,老辣深厚、苍劲雄浑。傅色古朴醇厚。

Wu Chen　参阅 **Wu Zhen** 吴镇。

Wu Cheng'en　吴承恩(约1500～约1582)　中国明代小说家,长篇小说《西游记》作者。字汝忠,号射阳山人。山阳(今江苏淮安)人。性敏多慧,幼年有文名,喜爱神奇的故事传说。嘉靖二十九年(1550)补贡生。四十五年

江苏淮安市的吴承恩墓
中国大百科全书出版社供图

(1566)任浙江长兴县丞。后被诬罢官,从此绝意仕进,对当时社会腐败、黑暗深为愤懑。有写唐僧取经故事的长篇小说《西游记》、志怪小说集《禹鼎志》(今佚)。诗文辑为《射阳先生存稿》4卷。

Wu Chiang (China)　参阅 **Wu Jiang** 乌江。

Wu Ching-tzu (Chinese author)　参阅 **Wu Jingzi** 吴敬梓。

Wu-chou (China)　参阅 **Wuzhou** 梧州。

Wu Daozi　吴道子(约685～约760)　又拼Wu Tao-tzu。中国唐代画家。后改名道玄,尊称吴生。阳翟(今河南禹县)人。曾学书于张旭、贺知章。绘画远师南朝梁张僧繇,近师张孝师。做过兖州瑕丘(今山东滋阳)县尉。漫游洛阳,在天宫寺为斐旻将军作画,时与斐旻舞剑、张旭草书并誉为三绝。玄宗闻其名,召进宫廷,开元间授以中书省内文学馆内教博士。曾为明皇画钟馗像。约开元十三年随玄宗东封泰山,与画家韦无忝、陈闳合画《金桥图》。图中桥梁山水、车舆人物、草木鸷鸟、器杖帷幕皆为吴道子所画。天宝年间于大同殿画嘉陵江山水,为唐玄宗赞美。天宝八年在洛阳玄元皇帝庙画《五圣图》,受到诗人杜甫极口赞美。他一生绘制了近400堵壁画,名迹颇多。其人物造形重视眼神描写。在长安菩提寺所画舍利佛有转目视人的效果。在赵景公寺画执炉天女能窃目私语;画《地狱变相》,人物夸张,阴气袭人,使当时京都的渔罟之辈畏罪改业。他把达官贵人也画在地狱里,认为贵人与庶民同罪,反映了他的平等思想。在千福寺画菩萨像,把菩萨画成自己的模样,也是对宗教权威的蔑视和批判。他的画艺极高,落笔或自臂起,或从足先,均不失尺度。画佛像圆光、屋宇柱梁或弯弓挺刃,都

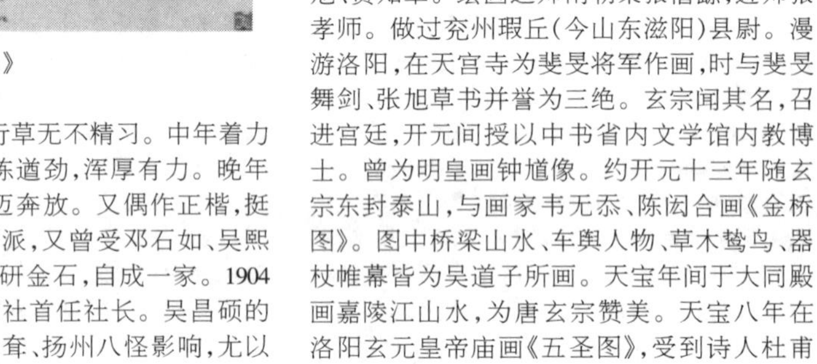

吴道子绘《送子天王图》
中国大百科全书出版社供图

不用圆规矩尺,一挥而就。他的绘画风格被誉称吴装。同时他也提高了笔墨的功能性,以表现物像的基本结构。宋人米芾用“莼菜条”对他的线型作了形象化的解释,即用这种状如兰叶的线条而加粗加厚,形成波浪起伏的线型,可以表现物体的凹凸面,表现出衣纹的高、侧、深、斜、卷、折、飘举的复杂变化。他作画“笔才一二,象已应焉”,笔迹磊落,给人以“吴带当风”的感受。后人将他与张僧繇合称“疏体”代表画家,称誉他是“百代画圣”。

Wu Dayou　吴大猷(1907-09-29,中国广东广州～2000-03-04,台湾台北)　祖籍广东高要。中国物理学家和教育家。台湾的中央研究院院长(1983 ～ 1994-01)。1929 年毕业于天津南开大学,任教于母校。1931 年赴美国密歇根大学学习,获文学硕士学位;后获哲学博士学位。1934 年回国后,任北京大学物理系教授。1938 ～ 1946 年任西南联合大学物理系教授。1946 年应国民政府军政部邀请,率研究生数人赴美国考察战后科学发展情况,并计划筹设科技研究机构。此后,除在密歇根大学、哥伦比亚大学任教及研究外,还曾任加拿大国家研究院理论物理组主任、美国布鲁克林理工学院教授、纽约州立大学布法罗分校物理学和天文学系主任等职。1948 年被选为中央研究院院士。1956 年以后经常到台湾讲学,任教于台湾大学及台湾清华大学。1957 年成为加拿大皇家学会会员。1962 年台湾中央研究院恢复物理研究所后,任代理所长。1967 年以后,他为台湾的科学和发展拟订发展政策及计划,成立科学发展基金。在促进人才培养和延聘、建立研究机构及教研设施、开展国际科技合作等方面不遗余力。研究成果主要在原子和分子结构及光谱、核子散射、大气物理、电离体及气体方程式、统

中国大百科全书出版社供图

计物理、相对论等方面。专著包括:《多原子分子振动光谱及结构》、《量子力学散射论》、《狭义及广义相对论》、《量子力学》等,以及英文版《现代物理学基础的物理本质和哲学本质》(1974)和《物理学:它的发展》(1992)。

Wu dialect　吴方言　汉语方言之一。分布在上海地区、江苏省东南部和浙江省大部地区。使用人口约占汉族总人口 8.4%。语音特点:①有浊塞音、浊塞擦音和浊擦音声母;②没有卷舌音声母;③有双唇、舌尖中、舌面前、舌根四个鼻音声母;④大多数地方分尖团;⑤单元音韵母丰富,复元音韵母较少;⑥鼻音韵尾只有一个舌尖中鼻音或舌根鼻音;⑦古入声韵尾一律变为喉塞音;⑧一般有七八个声调。具有吴方言特点词汇:劗(削)、逋(蹲)、瀊(水溢)、搭(同、和)、膛(过饱)、汏(洗)、赅(拥有)、轧(挤)、誃(斜靠)、掊(扔)。

Wu Gorge(China)　**巫峡**　参阅 **Changjiang Sanxia** 长江三峡。

Wu Guanzheng　吴官正(1938-08,中国江西余干～　　)　中国共产党第十六届中央政治局常务委员,中央纪律检查委员会书记。1959年入清华大学动力系热工测量及自动控

中国大百科全书出版社供图

制专业学习,任团支部书记,1962 年加入中国共产党。1965 年在清华大学动力系热工测量及自动控制专业读研究生,任党支部副书记。1968 年后任湖北省武汉市葛店化工厂技术员、技术科副科长、车间主任、厂党委委员、厂革委会副主任。1975 年后任武汉市科委副主任、党组成员,市科协副主席、党组成员,市革新改造挖潜指挥部副指挥长兼办公室主任,市工程科技中心主任、党委书记。1982 年后任中共武汉市委常委、武汉市委书记、市长。1986 年后任中共江西省委副书记、副省长、代省长、省长、省委书记。历任中共第十二届中央候补委员,第十三、十四、十五、十六届中央委员,第十五、十六届中央政治局委员,1997 年起任中共山东省委书记、省委党校校长。2002 年 11 月当选为中共第十六届中央政治局常委,中央纪律检查委员会书记。

Wu Guanzhong　吴冠中(1919-07-05,中国江苏宜兴～2010-06-25,北京)　中国现代画家。1936 年入国立杭州艺术专科学校,1942 年毕业,任国立重庆大学建筑系助教。1947 年春公费赴法国留学。在巴黎国立高等美术学校 J. 苏弗尔皮教授工作室研习油画,同时在A. 洛特工作室学习,并在卢弗尔美术史学校学习。1950 年秋毕业回国,先后任教于中央美术学院、清华大学建筑系、北京艺术学院、中央工艺美术学院。现为中央工艺美术学院教授、中国美术家协会常务理事。吴冠中长时期探索东西方艺术融合的道路。50 年代他主要作人物画,着力于人体描绘;60 年代以后主要画风景,融创作与写生于一体,追求中国艺术情趣、意境与西方视觉形象、形式美的结

中国大百科全书出版社供图

合;70 年代以后更多作水墨画;80 年代后进一步向写意发展,从具象走向抽象,水墨与油画交织进行。他的作品充满激情与诗意,擅长捕捉大自然的生命律动,尤其长于表现江南水乡景色,在当代中国画坛极负盛名。他的作品曾应邀在世界许多国家和地区展出。法国文化部授予他国家最高文学艺术勋位,大英博物馆也为他举办过个人画展。代表作品有《太湖鹅群》(1974)、《鲁迅故乡》(1977)、《蒙马特景色》(1989)、《狮子林》(1983)、《春雪》(1990)、《松魂》(1983)、《高昌遗址》(1980)等。出版有多种画集、画册。

Wu Han　吴晗(1909-11-05,中国浙江义乌～1969-10-11,北京)　中国现代史学家。名春晗,字辰伯。1927 年入杭州之江大学。次年入上海中国公学大学部,颇受校长胡适

中国大百科全书出版社供图

赏识。1931 年经胡适举荐为国立清华大学史学系工读生,专攻明史,1934 年毕业。先后在清华大学、云南大学、西南联合大学历史系任教。1943年加入中国民主同盟,从事民主运动。中华人民共和国建立后任北京市副市长、全国人民代表大会代表、中国人民政治协商会议全国委员会常务委员、民盟中央副主席、中国科学院哲学社会科学部委员。1957 年 3 月加入中国共产党。1959 年 9 月,发表《论海瑞》、《海瑞骂皇帝》等文章,1960 年改编成历史剧《海瑞罢官》。1965 年 11 月,姚文元发表《评新编历史剧〈海瑞罢官〉》,指责吴晗的《海瑞罢官》是反党反社会主义的“一株毒草”。文化大革命开始后,受到四人帮残酷迫害致死。1979 年 9 月平反昭雪,恢复名誉。生平精研明史,著有《朱元璋传》、《读史札

记》、《史事与人物》、《历史的镜子》、《投枪集》、《春天集》、《灯下集》、《学习集》等。

Wu Hou　武后　参阅 **Tang** ——:唐朝帝王序列下 **Wu Zetian** 武则天。

Wu-hsi(China)　参阅 **Wuxi** 无锡。

Wu-hsien (China)　**吴县**　参阅 **Suzhou** 苏州。

Wu-hsing (China)　**吴兴**　参阅 **Huzhou** 湖州。

Wu-hsing(China)　参阅 **Wuxing** 五行。

Wu-i Mountains (China)　参阅 **Wuyi Shan** 武夷山。

Wu Jiang　乌江　又拼 Wu Chiang, Wu River。中国贵州省第一大河,长江上游的支流。又称黔江。发源于贵州省威宁彝族回族苗族自治县香炉山花鱼洞,流经黔北及川东南,在

建设中的乌江渡电站大坝
中国大百科全书出版社供图

四川省涪陵市注入长江。全长1 050千米,流域面积约 8.8 万平方千米。上游流经石灰岩地区,多溶洞、伏流。中游穿行在大娄山和武陵山间,成特殊的箱状河谷,谷深水急,险滩相接。下游流贯于川东南山地丘陵地带,山地峡谷与丘陵宽谷交替出现,河中多礁石、岩块。故以水急、滩险、谷狭闻名于世,号称"乌江天险"。全流域水能蕴藏量为1 042.59万千瓦,其中乌江干流为 580.4 万千瓦。中下游可进行 9 个梯级开发,乌江渡电站坝高 162 米,装机63万千瓦,是中国喀斯特地区已建成的最高大坝。现中下游近 500 千米可通航机动船。

Wu Jianxiong (**American physicist**)　参阅 **Wu, Chien-shiung** 吴健雄。

Wu Jingheng　吴敬恒(1865-03-25,中国江苏武进～ 1953-10-30,台湾台北)　又拼 Wu Chin-hêng。中国语言文字学家、国民党元老。原名朓,字稚晖。25 岁进江阴南菁书院,1892 年乡试中举人,次年京试未中,后入苏州紫阳书院。他热衷于汉语拼音文字的研究,于 1895 年拟成拼无锡音的《豆芽字母》(又名《等韵简码》)。1901 年东渡日本,就读东京高等师范学校。1903 年开始在上海张园演说,鼓吹革命,并为《苏报》撰稿,抨击清廷;后因《苏报》案发,逃往伦敦。1905 年加入同盟会。后与张人杰、李煜瀛在巴黎成立世界社,创办《新世纪》杂志,形成中国最早的无政府主义派别之一"新世纪派"。他们鼓吹个人冒险,用暗杀恐怖手段推翻清政府等无政府主义理论,在当时产生一定影响。1911 年回国。辛亥革命后,协助教育总长蔡元培推行国语注音字母工作。1913 年再赴欧洲,发起组织世界编辑社和留法勤工俭学会。1916 年回国,在上海办《中华新报》。1919 年出任是年成立的北洋政府"国语统一筹备会"副会长。1924 年被选为国民党第一届中央监察委员,后连任多届。1928 年受国民政府教育部聘请,任国语统一筹备委员会主席,提倡注音识字运动,推广普及教育及国语统一工作。1949 年到台湾后,历任国民党中央评议委员、国防最高委员会委员、中央研究院院士、国民大会代表、"总统府"资政等职。

Wu Jingzi　吴敬梓(1701～1754)　又拼 Wu Ching-tzu。中国清代文学家,长篇小说《儒林外史》(The Scholars)作者。字敏轩,一字文木,号粒民,安徽全椒人。出身世家。早年家

吴敬梓墨迹
中国大百科全书出版社供图

业衰落,移居江宁(今南京)。一生鄙弃功名利禄,拒不应博学宏词试。晚年家益贫困,卒于扬州。所著《儒林外史》揭露士大夫丑恶面貌,对科举制度和封建礼教有深刻批判,是中国叙事文学中讽刺艺术的高峰,开创了以小说直接评价现实生活的范例。

Wu-kung Mountains (China)　参阅 **Wugong Shan** 武功山。

Wu Li　吴历(1632～1718)　中国清代画家。原名启历,字渔山,号墨井道人,江苏常熟人。其十一世祖吴讷为明都察御史,父吴士杰早亡,家境衰落。青少年时学经学于陈瑚,学诗于钱谦益,学琴于陈岷,学画于王时敏、王鉴,稍长以卖画为生。吴历不满清朝统治,康熙元年(1662)母、妻又相继亡故,思想趋于消极,萌发出世念头,先接近佛教,与虞

吴历绘《泉声松色图》
中国大百科全书出版社供图

山破山禅寺默容和尚多有往来,探讨佛理。后入天主教,教名西满。曾随比利时传教士柏应理南下澳门。二十一年为天主教耶稣会修士,6 年后任司铎,在上海、嘉定一带致力于宗教事业。吴历以山水画闻名于清代画坛。在王时敏、王鉴家中广泛临摹宋元名家作品,尤其对于吴镇、王蒙两人用力最深,为掌握笔墨技法打下了良好的基础,逐步形成自己的风格,既有北方山水刚劲雄伟的气魄,又有南方水乡淡雅浑朴的情调。其早年作品似王鉴,不多见;中年着重吸取王蒙、吴镇之长,用笔细润沉着,善用重墨、积墨;70 岁后作品渐多,水墨渲染和干笔枯墨并用,反覆皴染,沉郁苍秀,最具特色。中年时作品《琵琶行图》、《消夏图》、《湖天春色图》、《兴福感旧图》等,晚年时作品《泉声松色图》、《横山晴霭图》、《陶圃松菊图》等,皆为存世佳作。书法学苏轼,又善诗,著有《墨井诗钞》、《三巴集》、《三余集》等。与王时敏、王鉴、王翚、王原祁、恽寿平合称清六家 (**Six Masters of the early Qing period**)。

Wu-lu-mu-ch'i (China)　参阅 **Urumqi** 乌鲁木齐。

Wu Mountains(China)　参阅 **Wu Shan** 巫山。

Wu Peifu　吴佩孚（1874-04-22～1939-12-04）　又拼 Wu P'ei-fu。中国民国时期北洋军阀直系首领。字子玉。山东蓬莱人。1896年中秀才。后肄业于开平武备学堂。清末参加

供图：BBC Hulton Picture Library

袁世凯的北洋军。辛亥革命后在曹锟的第三师任团长、旅长、师长。袁世凯去世后北洋军分裂为直、皖、奉系，吴为直系。护法运动期间率第三师攻入湖南。次年与西南军阀结成反段军事同盟。1920年推翻亲日的段祺瑞政府，任直鲁豫巡阅副使。1921年任两湖巡阅使。1922年4月驱逐奉系军阀张作霖出京，次年升直鲁豫巡阅使，控制河南、湖北、直隶、陕西等省，准备以武力统一全国。1923年镇压京汉铁路大罢工，造成"二七"惨案。1924年调直军10余万人在山海关迎击奉军时，部下冯玉祥发动北京政变，成立国民军反戈讨吴。吴逃往湖南岳州。1925年任"讨贼联军总司令"，击败国民军，占领郑州、保定。1926年和奉系军阀张作霖在北京宣布联合"讨赤"，继续对国民军作战。时国民革命军北伐，吴亲率直军主力南下，为北伐军击败。1927年逃入四川。1932年起寓居北平，后因牙疾发作，日本医生为其开刀拔牙，暴卒。

Wu River（China）　参阅**Wu Jiang**乌江。

Wu San-kuei（Chinese general）　参阅 **Wu Sangui** 吴三桂。

Wu Sangui　吴三桂（1612～1678-10-02）又拼 Wu San-kuei。中国明末大臣，清初策动三藩叛乱的主要汉姓藩王。江苏高邮人，祖籍辽东（今辽宁辽阳）。字长白。以父荫袭军官，明末任辽东总兵，封平西伯，驻防山海关。李自成攻入北京后，三桂引清兵入关，受封平西王。1659年被派往西南镇压南明桂王政权，后留镇云南，逐渐形成割据势力，成为拥兵自重的"三藩"。清圣祖（康熙）为加强统一实行撤藩。康熙十二年（1673）吴三桂举兵反清。先称周王，后在湖南衡阳称帝，国号大周，改元昭武。不久病死。余部为清所灭。

Wu Sanlian　吴三连（1899-10-03～1988-12-29）　又拼 Wu San-lien。中国台湾政界元老和企业家。字江雨，台湾台南县人。日本东京商科大学毕业。留学期间积极倡导日本占领下台湾的民族运动。曾任日本大阪《每日新闻》经济记者、《台湾新民报》总编辑和东京支局长。后因揭露日本人在台的暴政，拥护民族正义，而被免去东京支局长职。1942年前往大陆，任天津合丰行总经理。1945年抗战胜利后，被推选为天津台湾同乡会会长，后又与北京台湾同乡会扩大联合服务，合组"平津台湾同乡会联盟"，协助平津一带3 000余名台胞于翌年全部返台。1947年以最高票当选第一届国民大会代表。1951～1954年任台北市第一届民选市长。1954～1960年先后当选台湾省临时议会第二、三届及台湾省议会第一届议员。1967年被聘为国家安全委员会议建设计划委员会委员。1974年任总统府国策顾问。1987年1月创办《自立早报》。吴三连在推动发展民间工业方面卓有成就。曾创办纺织、水泥、瓦斯事业，并参与工矿、轮胎、玻璃、塑胶、金融、保险、汽车制造等企业，担任董事、常务董事、董事长等职。他热心于教育及新闻事业，还担任中华文化复兴委员会副主任委员，并主持《自立晚报》，是该报发行人。

Wu school　吴门派　中国明代绘画流派。因其主要代表画家沈周、文徵明、唐寅、仇英等人都属吴郡人，活跃于现在的苏州，而苏州有吴门之称，故名。吴门及附近地区在元末

吴门派画家沈周绘《山溪隐居图》（1464）
大阪市立美术馆供图

就活跃着一批文人画家，至明初，杜琼、刘珏、徐贲等文人画家，上承元代黄公望、王蒙等人的衣钵，以山水为描绘对象，作品讲求笔情墨趣。他们的绘画实践及艺术主张，给后来的吴门派画家以直接影响。沈周（1427～1509）、文徵明（1470～1559）等人在继承宋元以来文人画传统的基础上，以各自不同的风格，开创了一代画风，形成了新的绘画流派。吴门派画家在创作思想和笔墨技法上，除承继历代文人画的优秀传统外，还广泛师法院体绘画及职业画家，并能师法造化，不少作品直接描绘了苏州地区的名胜景物。同时他们本人又是著名文人，在创作中注意体现并反映文人的审美情趣，同时将诗词、书法等融于绘画之中，使文人画更趋完善。吴门派画家在题材上比较宽泛，山水、人物、花鸟均有涉猎和建树，其中以山水画成就最为突出。在吴门派画家中，沈周、文徵明、唐寅、仇英4人成就最高，影响最大，画史上将他们并称为吴门四家或明四家，追随者甚众，并世代相传，统治明代画坛达150余年之久，其中不少人为画史上的著名画家，如陈淳、陆治、文彭、文伯仁、钱谷，陆师道、周之冕、周天球等人。直至明末董其昌、陈继儒、赵左等人，亦受吴门派影响。

Wu Shan　巫山　又拼 Wu Mountains。中国四川省名山。位于四川、湖北二省边界巫山、奉节、巴东等县境内。山势北高南低。北部海拔1 000～1 500米，最高峰朝阳坪海拔2 368

巫山晨雾
中国大百科全书出版社供图

米；南部一般海拔700～800米，最高点大块田海拔2 085米。山体主要由石灰岩组成。长江横穿巫山3个背斜山地，形成著名的"长江三峡"，即瞿塘峡、巫峡、西陵峡。因流水侵蚀、溶蚀作用强烈，山体破碎，群峰林立。山峰高出江面一般为500～600米，最高的达1 300米，形成著名的"巫山十二峰"，其中以神女峰最为奇秀。

Wu-su-li Chiang（Russia-China）　参阅 **Wu-suli Jiang** 乌苏里江。

Wu-tou-mi（China）　参阅 **Five Pecks of Rice** 五斗米道。

Wu Tse-t'ien（Chinese empress）　参阅 **Tang**——：唐朝帝王序列下 **Wu Zetian** 武则天。

Wu-t'ung-ch'iao（China）　参阅 **Wutongqiao** 五通桥。

Wu Wei　吴伟（1459～1509）　中国明代画家。字次翁，号小仙。江夏（今湖北武昌）人。幼孤贫，年20余岁以能画召入宫廷，明宪宗叹为"仙笔"。因奴视权贵，遭谗放归南京。

吴伟绘《溪山渔艇图》
中国大百科全书出版社供图

孝宗弘治初再被征召，授锦衣百户，赐"画状元"印章。因不惯朝廷羁绊，复称病归南京。其后长期奔走江湖。武宗正德初又遣使征召，时因纵酒去世。他三被朝命，两入宫廷，但大部分时间活动于院外，以卖画为生，狂放不羁，乐与山人野夫厚交。其性格志尚便溶化于他的艺术之中。画山水深受戴进影响，但更为简括放纵。尤喜作大幅，气势雄伟，笔墨奔放，传世代表作如《溪山渔艇图》、《江山万里图》，是宋代以来水墨写意山水画的新发展。宗教人物画初学吴道子、李公麟，精于白描；后有取于梁楷的减笔画法，多水墨写意，奇逸潇洒动人。如从已失传之南京昌化寺穿石、没海、神通游戏之五百罗汉佛教壁画中，又如从现存之《洗兵》、《北海真人》、《采芝仙人》、《仙踪侣鹤》等道教卷轴画中，均可以看到他使宗教绘画艺术面目一新。其中仙人器宇轩昂，神情"奇逸潇洒"，面貌又大体相似，可能是他的自我写照。《武陵春图》刻画了江南名妓齐慧真，线条纤细，形象清秀，成为绘画艺术史上难得的佳构。他的追随者甚多，张路、蒋嵩、汪肇等"浙派"画家，大多直承其法。

Wu Weiye　吴伟业（1609～1672）　中国明末清初诗人、戏曲家。字骏公，号梅村。太仓（今属江苏）人。早年师事张溥，为复社成员。崇祯四年（1631）中进士，授翰林院编修，历迁至南京国子监司业。南明福王时任少詹事。明亡一度隐居不仕。清顺治十年（1653）被迫入京任国子监祭酒，三年后借口母病辞官归乡。工诗词。诗以情韵见长，早期作品风华绮丽，晚期多激荡苍凉之音。七律和七言歌行尤有名。《圆圆曲》、《永和宫词》、《临淮老

中国大百科全书出版社供图

妓行》等均述时事，抒写亡国之痛。还有一些反映民生疾苦的诗篇。词亦豪放悲壮，小令婉约有致。另有传奇《秣陵春》，杂剧《通天台》、《临春阁》，皆借史事表达沧桑之感，寄寓了对明代的怀念。著有《梅村家藏稿》等。

Wu Wenjun　吴文俊（1919-05-12，中国上海～　）　中国数学家，中国科学院学部委员（院士）。1940年毕业于上海交通大学数学系，1949年在法国斯特拉斯堡大学获法国国家科学博士学位。1983年任中国科学院系统科学研究所名誉所长，1984年当选为中国数学会理事长。1956年因在拓扑学中的示性类与示嵌类方面的卓越成就获中国自然科学奖一等奖。20世纪70年代初期开始研究中国古代数学史。70年代后期，致力于数学机械化与机械化的数学的研究。进一步探讨了微分几何的定理证明。提出了利用机器证明与发现几何定理的新方法。主要贡献在拓扑学，并从事于对策论（又称博弈论）和奇点理论的研究。首先给出了惠特尼示性类的乘法公式一个简单的证明，又定义了吴类并给出了计算微分流形的切丛的斯蒂菲尔-惠特尼示性类W的吴公式。50年代，定义了非同伦不变的拓扑不变量，并引进了示嵌类。关于庞特里亚金示性类的一系列工作也是引人注目的。70年代，给出了 I^* -度量的公理化定义，证明了 I^* -度量对于多种几何作法的可计算性。此外，60年代给出了带奇点的代数流形的陈示性类的定义。

Wu Xiaobang　吴晓邦（1906-12-18，中国江苏太仓～1995-07-08，北京）　中国舞蹈艺术家、教育家。1929～1936年，3次东渡日本学习舞蹈，从邓肯（I. Duncan）、维格曼（M. Wigman）的现代舞理论中得到很大启发。1932年在上海创办舞蹈学校，1935年又创办舞蹈研究所，开始中国新舞蹈艺术的创作和教学活动。1935年9月在上海举行了首次个人舞蹈发表会，代表作有《傀儡》、《送葬》、《浦江之夜》。抗日战争爆发后，创作并演出了《义勇军进行曲》和《游击队之歌》，产生强烈社会反响。1938～1945年，在上海、广东、桂林、重庆等地开展新舞蹈活动，代表作有《丑表功》、《思凡》、《饥火》、《罂粟花》、《虎爷》、《宝塔牌坊》等。1943年在广东曲江地区的省立艺术专科学校开设舞蹈系，开创了中国正规的舞蹈教育专业。1945年6月到延安，在鲁迅艺术学院教授舞蹈。1948年在东北民主联军与部队舞蹈工作者联合创作演出《进军舞》。1951年主持中央戏剧学院舞蹈干部训练班。1954年任中国舞蹈研究会主席。1957年建立天马舞蹈艺术工作室，开始整理完善他的新舞蹈理论体系。同时对中国古代乐舞进行研究，以古曲创作了《梅花三弄》、《平沙落雁》、《渔夫乐》、《十面埋伏》和《梅花操》等舞蹈。1979年任中国舞蹈家协会主席。以后主要致力于教学和学术研究，先后在北京、江西、四川、辽宁、浙江、福建、香港等地举办讲习班，就舞蹈的基础理论、应用理论和舞蹈史等课题进行专题讲座和讨论。艺术专著有《新舞蹈艺术概论》（1950、1982）、《我的舞蹈艺术生活》（1982）、《舞蹈新论》（1985）、《舞论》（1985）、《吴晓邦谈艺录》（1988）等。

Wu Youru　吴友如　中国清代民间插图画家。名嘉猷，字友如，元和（今江苏吴县）人。生卒年不详。当19世纪60年代太平军席卷江浙一带时，他还不满20岁。据传他原是苏州桃花坞年画的画师。1884年应聘到上海《点石斋画报》负责编绘工作。《点石斋画报》系申报副刊，由点石斋石印书局出版，每旬1册，每册8页，以图文互映的形式描绘当时社会生活现状，注重写实，通俗易懂，故流传甚广。1890年9月吴友如自创《飞影阁画报》，每月3册，每册10页，仿折叠式装成，内容多为故实。类别为百兽图说、闺艳汇编、沪装仕女等。1893年8月退出画报，创刊《飞影阁画册》，每逢朔望，月出两册，每册12页，其中如人物仕女、仙佛神鬼、鸟兽鳞介、花卉草虫、山水名胜、考古纪游、探奇志异等，分类成册。吴友如除画年画及石印画报外，1891年绘《蚕桑丝织绸图说册》，1893年绘《申江胜景图》两卷。他的绘画融会了民间年画和写实的表现手法，对后来连环画、年画的发展有相当影响。

Wu Youxun　吴有训（1897-04-26，中国江西高安～1977-11-30，北京）　中国物理学家、教育家。1920年毕业于南京高等师范学校。1921年赴美入芝加哥大学，随A.H.康普顿

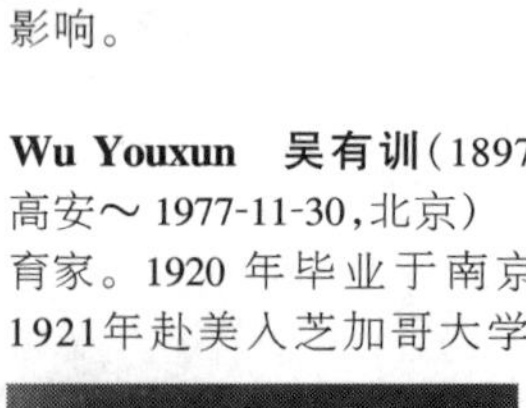

中国大百科全书出版社供图

从事物理学研究，1926年获博士学位。同年秋回国，先后在江西大学和中央大学任教。1928年起任清华大学、西南联合大学物理系教授、系主任、理学院院长。1945年10月任中央大学校长。1948年底任上海交通大学教授，1949年任校务委员会主任。1950年任中国科学院近代物理研究所所长、中国科学院

副院长。1955 年当选中国科学院学部委员并任数学、物理学和化学部主任。曾任中国科联副主席（1950 ～ 1960）、中国科协副主席（1961 ～ 1977）。吴有训在跟随康普顿从事 X 射线方面的研究工作时，曾以精湛的实验技术和卓越的理论分析，推翻了 W. 杜安和 G. L. 克拉克为否定康普顿效应而提出的“三次辐射”假设。1924 年他与康普顿合作发表《经过轻元素散射后的钼 K_α 射线的波长》，1926 年他单独发表《在康普顿效应中变线与不变线的能量分布》和《在康普顿效应中变线与不变线的能量比》。他的这些工作涉及康普顿效应的实质性问题，因此成为 1925 年 11 月美国物理学会第 135 届会议的主要议题之一。他的成果丰富了康普顿的工作，使康普顿效应进一步为国际物理学界所公认。

Wu Yuzhang **吴玉章**（1878-12-30，中国四川荣县～ 1966-12-12，北京） 中国政治家、教育家。原名永珊，字树人，号玉章。少年时曾在成都尊经书院读书。1903年留学日本，

中国大百科全书出版社供图

1905 年孙中山组织同盟会时即加入，任评议部评议员。创办《四川》杂志，鼓吹革命。辛亥革命时，他策动荣县独立和内江起义，策应武昌起义。1912 年孙中山任临时大总统时，在总统府工作。1913 年被袁世凯通缉，赴法国入巴黎大学求学。袁倒台后于 1917 年回国，在北京创办勤工俭学预备学校。1922 年任成都高等师范学校校长，后任重庆中法大学校长。1926 年任中国国民党第二次全国代表大会秘书长和中央执行委员。1927 年参加南昌起义，任革命委员会秘书长。起义失败后去苏联学习和工作。1935 年被派往巴黎办《救国时报》。1938 年回国抗日，任国民参政会参政员。1939 年底到延安，任鲁迅艺术学院院长、延安大学校长、宪政促进会会长、新文字协会会长。1945 年抗日战争胜利后，任中共四川省委书记。1948 年组建华北大学，任校长。1950 年任中国人民大学校长，后兼中央社会主义学院院长、中国文字改革委员会主任。历任中共中央委员、全国人民代表大会常务委员会委员和中国科学院哲学社会科学部学部委员。吴玉章在政治活动中的大部分时间从事教育工作。他办学的宗旨是教育为政治服务，但他认为学校是传授知识的地方，政治运动不能过多。他主张汉字改革。50 年代主持制定了《汉字简化方案》和《汉语拼音方案》。著有《吴玉章回忆录》（1978）、《历史文集》（1963）、《文字改革文集》（1978）等。

Wu Zhen **吴镇**（1280 ～ 1354） 又拼 Wu Chen。中国元代画家。字仲圭，号梅花道人。嘉兴（今属浙江）人。出身寒素，以在村塾授读、钱塘卖卜谋生。博学多识；工草书，得力怀素、㬎光；能诗擅画，尤擅水墨山水、松桧、竹石，亦能画肖像。山水主要师董源、巨然，

吴镇绘《渔父》
美国史密森学会供图

兼取南宋马远、夏圭等，善用老笔湿墨，笔力雄劲，墨气沉厚，既不同于董巨的“淡墨轻岚”，亦有异于黄公望的“特妙风格”。后人将他与黄公望、倪瓒、王蒙合称“元四家”，董其昌称他于四家之中“大有神气”。喜写《渔夫图》借以寄寓避世避地、乘桴独泛之思。画古木、怪石，亦挺劲有龙盘虎踞之势。画墨竹笔意豪宕，汪洋纵恣，生意满纸，为墨竹的典范。其诗文题咏在画面上较赵孟頫、黄公望繁富，亦较赵、黄更加重视书法与绘画风格的协调与统一。明代沈周尊他为师范；文徵明也受到他很大影响；清代吴历认为他的作品“天然浑成，五墨齐备”。存世画迹有《双桧》、《苍虬》、《松泉》、《渔父》、《渔隐》、《嘉禾八景》、《竹石》、《竹谱》等图。存世著作有《梅道人遗墨》1 卷，系后人所辑。

Wu Zongyuan **武宗元**（？～ 1050） 又拼 Wu Tsung-yüan。中国北宋画家。初名宗道，字总之，白波（今河南孟津）人。官虞部员外郎。擅画道释人物，宗吴道子。年十七即成

武宗元绘《朝元仙仗图》
中国大百科全书出版社供图

名。宋真宗崇信道教，1008 年开始营建玉清昭应宫，宗元正在盛年，领导道观壁画的绘制工作。他还曾在洛阳、中岳、许昌等地绘制过一些宗教壁画，都获得很高声誉。存世作品仅有《朝元仙仗图》，是某道观壁画稿样，赵孟頫定为真迹。画东华、南极二帝君领导仙官、侍从、仪仗行列去朝见太上玄元皇帝（共 88 人）。此图是武宗元和北宋宗教人物画的代表作，也是研究“画圣”吴道子最重要的依据，它还为研究唐、宋道教的发展变化提供了很多宝贵的形象资料。此图现存美国。

Wu Zuguang **吴祖光**（1917-04-21，中国北京～ 2003-04-09，北京） 中国剧作家。原籍江苏武进。其父吴瀛，精于书画和古文鉴赏，曾参加创办故宫博物院，对其文学生涯有深刻影响。1934 年毕业于北京孔德学校，入中法大学文学系学习。1937 年起在国立戏剧专科学校任职、任教，有《凤凰城》（1937）、《正气歌》（1939）问世。1941 年抵重庆，任中央青年剧社编导委员。陆续创作《风雪夜归人》（1942）、《牛郎织女》（1943）、《林冲夜奔》（1943）、《少年游》（1944）等。其代表剧作《风

中国大百科全书出版社供图

雪夜归人》通过对名伶与豪门媵妾相恋的爱情悲剧，揭露贫富对立的社会及人的觉醒。1949 年回北京后任电影编导，先后导演《红旗歌》等 6 部电影。1957 年被错打成右派，去北大荒劳动。1960 年回北京从事京剧剧本写作。文化大革命中被迫停笔。1978 年创作大型话剧《闯江湖》，是作者晚年的一部力作。除话剧外，他还创作、改编了《国魂》、《莫负青春》、《山河泪》、《春风秋雨》等 6 部电影和《凤求凰》、《三打陶三春》等戏曲剧本。他的剧作结构不繁，情节跌宕，蕴含诗意，且富于幽默感。

Wu Zuoren **吴作人**（1908-10-01，中国江苏苏州～ 1997-04-09，北京） 中国现代画家、美术教育家。祖籍安徽泾县。1927 年考入上海艺术大学美术系。1928 年转入南国艺术学院美术系，同年入南京中央大学艺术系徐悲鸿工作室。1929 年赴法国留学，翌年考入巴黎高等美术学校，11 月入比利时布鲁塞尔皇家美术学院。1931 年在比利时皇家美术学院暑期会考中获金质奖章和桂冠生荣誉，享有个人工作室。1933 年，再次获皇家美术学院雕塑构图第 1 名。1934 ～ 1935 年参加绘制 1935 年世界博览会布鲁塞尔馆壁画。1935 年归国任南京中央大学艺术系讲师。1936年

中国大百科全书出版社供图

与吕斯百、刘开渠在南京举办联展。1939～1942年间，油画《播种者》、《纤夫》等作品参加在美国、苏联举办的中国绘画展。1943～1945年间，赴甘肃、青海地区旅行写生，临摹敦煌壁画。曾在成都、重庆举办个人画展。1946年任北平艺术专科学校教务主任兼油画系教授。1947年赴英国、法国、瑞士举办个人画展，进行学术访问。1951年，任中央美术学院教务长，同年出访印度、缅甸。50～60年代，作油画《齐白石像》、《三门峡》、《船厂》，中国画《双牦》、《扁担箩筐》、《太湖》、《知白守黑》等。1955年起任中央美术学院副院长、院长、名誉院长。自40年代中期起，吴作人在作油画的同时，开始兼作水墨画。60年代已形成清新简约、中西相融的艺术面貌。70年代后转以水墨画为主，多取雄鹰、骆驼、牦牛、金鱼、熊猫等禽鸟动物入画，作品以物喻情，风格简淡高雅。先后当选为中国美术家协会副主席、主席。1985年法国政府和文化部授予艺术文学最高勋章。1988年比利时国王授予他王冠级勋章。

Wubeizhi　《武备志》　英语作 Treatise on Armament Technology。中国古代论述武备的专著。明茅元仪辑历代军事书籍2 000余种，于天启元年（1621）编成，共240卷。分《兵诀评》（18卷）、《战略考》（31卷）、《阵练制》（41卷）、《军资乘》（55卷）、《占度载》（96卷）五部分。各部分均绘图立说，史料丰富。

wucai　五彩　英语作 polychrome。中国明、清两代生产的多彩瓷器或色系。由蓝、红、绿、黄、赭、紫等色组成。属釉上彩瓷。彩瓷在明嘉靖（1522～1566）时已著名，“万历（1573～1620）五彩”尤为特殊，驰誉中外。产品色彩艳丽，画笔苍劲，纹饰茂密，以红浓绿艳取胜。其中淡赭彩加青花龙纹者尤为名贵。“万历五彩”后世仿品甚多，日本所仿颇能乱真。清康熙（1662～1722）时期五彩又有改进，色调更为强烈，微微凸起，别称“硬彩”。且有五彩夹金的装饰，华丽绚烂，光彩照人。后来仿制者多不能及。雍正（1723～1735）时更在五彩颜料中加入氧化铅（俗称“玻璃白”），使色调柔和而有浓淡之感，且一变过去平涂画法而为渲染，使画面艳丽清逸，其精品几乎达到“花有露珠，蝶有茸毛”的艺术效果。因彩色用粉调匀，颜色清淡，故名粉彩。又因彩色柔和，别名“软彩”。五彩中有用青花作轮廓线画在釉下，烧成后在釉上填加其他彩色再用低火烧制者，通称“斗彩”。以明成化（1465～1487）时作品最精，被誉为明清两代之冠。

清代五彩冰梅地蝴蝶梅瓶
中国大百科全书出版社供图

Wuchang　武昌　又拼 Wu-ch'ang。中国湖北省武汉市辖区。位于长江南岸，有长江大桥与汉阳相连。面积81.22平方千米。三国吴为江夏郡治。西晋至宋分置县、州、路治。元为武昌路治，明为武昌府治，湖广总督及湖广布政使司驻地。清为湖北布政使司驻地。1912年为湖北省省会及武昌县治。1926年12月划武昌县城区为武昌市。1927年武昌市与汉口市合并为京兆区，定名武汉。1929年武汉分治，武昌市区属湖北省，为省会区。1935年复置武昌市。后又几经合分，1949年武昌市与汉口市、汉阳城区合置武汉市，设武昌办事处。1952年改今名。区内多湖泊和东西向山丘，建筑与山湖交错。商业繁华。1920～1925年在此兴建多座纱厂，成为中国大型纺织工业中心。名胜古迹有东湖、黄鹤楼、长春观、宝通禅寺等。1911年辛亥革命起义于此，有武昌起义军政府旧址、起义门等纪念地。人口980 000（2005）。

Wucheng culture　吴城文化　中国商代（约公元前17世纪～约前11世纪）青铜文化。

吴城文化商鼎
中国大百科全书出版社供图

1973年在江西清江吴城村发现。分布于赣江、鄱阳湖流域。吴城文化青铜器有戈、矛、刀等武器和鼎、斝等礼器。其形制、饰纹与中原商文化同类器物相似，但采用不同于商文化的石范铸造。陶器有鬲、罐、豆、甗等，除绳纹外，多饰几何形印纹。吴城文化中的生产工具以马鞍形陶刀、凹刃石斧和有段石锛为特征。有些陶器和石范上刻有象形文字和符号，字的结构与殷墟甲骨文不尽相同。遗存还有圆角长方形半地穴式房基、长方形土坑竖穴墓葬以及椭圆形陶窑等。

Wudadi Sun Quan　吴大帝孙权（182～252）字仲谋。中国三国时吴国的创建者。吴郡富春（今浙江富阳）人。200年继其兄孙策统领江东六郡，镇抚山越。208年联合刘备大破

中国大百科全书出版社供图

曹操军于赤壁。222年彝陵之战击败刘备。同年称吴王。229年在武昌称帝，改元黄龙。不久迁都建业（今南京），在位31年（229～252）。有谋略，知人善任。置农官，兴水利，实行屯田。开发山越地区，设立郡县，促进江南农业发展。又举办大规模航海事业，加强对夷洲（今台湾省）联系，并与东南亚诸国开展经济、文化交流。

Wudalianchi　五大连池　中国黑龙江省县级市。著名火山风景区和疗养胜地。位于省中部偏北，小兴安岭南麓。1719～1721年火山爆发，喷出玄武岩流堵塞白河，形成5个由南向北彼此相连的偃塞湖。以五湖相连得名。周围形成14座火山丘，地质地貌保存完好，熔岩流动景象清晰，千姿百态，景观奇特，被誉为“天然火山博物馆”。药泉山矿泉为冷水碳酸矿泉，洗浴可治病。有50多家疗养院所。原属德都县，1979年设五大连池管理处，1983年析出设市，属黑河地区。1993年3月黑河地区改市，五大连池市由省直辖，但由黑河市代管。1995年德都县并入。面积9 800平方千米。林区多红松、落叶松、冷杉等。农业主产小麦、玉米、谷子、甜菜等。工业以食品、饮料、化工、机械、木材加工等为主。北黑铁

五大连池风光
中国大百科全书出版社供图

路和202国道等过镜。区内建有五大连池自然保护区。人口360 000(2005)。

Wuding 武丁(公元前1250～前1192) 中国商朝(约公元前17世纪～前11世纪)国王。传说名昭,为盘庚弟小乙之子。少时长在民间,了解民情。即位后起用奴隶傅说为辅佐,以甘盘为大臣。重视农业生产,奋发图强,国家大治。曾联合诸侯之师先后征讨相继犯边的西北的羌、舌方、鬼方、土方,南边的虎方、荆楚,东南的夷,均获大胜。统治期间成为商王朝极盛时期。注重农时,亲自下令耕种,为此修订历法,在此时期的甲骨卜辞中出现置于年终的闰月,称为"十三月"。在位59年。死后祀为高宗,其子祖庚继位。

Wugong Shan 武功山 又作Wu-kung Mountains。中国江西、湖南两省边界山地。属罗霄山脉北段,东北-西南走向。长约150千米,大部在江西省中、西部,从江西宜春向西南延伸到湖南茶陵。主要由花岗岩、片麻岩构成,海拔1 000～1 500米。主峰金顶海拔1 918米,位于萍乡、安福边界上。武功山为赣江水系的袁水、泸水、禾水和湘江水系的洣水、渌水的分水岭。北侧的袁水、渌水谷地为

武功山
中国大百科全书出版社供图

断裂谷地,分水岭低缓,浙赣铁路沿此通过。山地两侧煤藏丰富,以萍乡、安源煤矿最著名。

Wuhai 乌海 中国内蒙古自治区辖地级市。新兴的煤炭工业基地。位于自治区西南部,东靠桌子山,西为贺兰山余脉,黄河从市内穿过。两山夹束,风沙侵袭,砂石覆盖冲积

乌海市一角
中国大百科全书出版社供图

台地(称乌达滩)。平均海拔1 120米。1949年以前,这里未曾单独设立行政建制,是个"逐水草而居"的牧地。地下矿藏丰富,著名的乌达煤矿和桌子山煤矿储量大,品质亦佳,适于炼焦。原有小煤窑,生产条件十分落后。1958年起以煤炭采掘工业为中心综合发展工业。1961年黄河西岸巴彦淖尔盟的乌达镇改乌达市,东岸伊克昭盟桌子山矿区设海勃湾市,两市隔河相望。1976年两市合并为乌海市,直属自治区管辖。现辖海勃湾、海南、乌达3区。面积1 754平方千米。工业有煤炭、化工、冶金、机械、电力、水泥、皮革、制糖、毛纺等,其中煤炭产值占全市工业总产值的1/2。郊区无霜期长,日照充足,水源丰富,土质松软,片片绿洲点缀着戈壁荒滩,盛产蔬菜和葡萄。包兰铁路穿过该市,还有支线通拉僧庙和吉兰泰盐池。公路由海勃湾市通过终年不冻的黄河渡口,直达宁夏石嘴山市。居民有汉、蒙古、回、朝鲜、达斡尔、锡伯、壮族等25个民族。人口430 000(2005)。

Wuhan 武汉 又拼Wu-han。中国湖北省辖地级市,省会。重要工业基地和交通枢纽。位于省境东部,长江和汉江汇合处。北部为大别丘陵西南缘,中部和南部属江汉平原。

武汉市的一片住宅区
中国大百科全书出版社供图

长江由西向东穿过,汉江自北向南呈"丁"字形汇入长江。平原区地势低洼,河湖众多,主要湖泊有梁子湖、东湖、南湖等20余个。市区被长江、汉水分割为武昌、汉阳、汉口三部分,自古有"武汉三镇"之称,由长江大桥、江汉桥、江汉二桥联为一体。市境属北亚热带湿润季风气候,夏热冬冷,夏雨冬干,年平均温度16.7°C。城区受热岛效应影响,夏季温度高达35°C以上,素有"火炉"之称,年降水量约1 280毫米。

春秋、战国时属楚。西汉为沙羡县地。东汉末鲁山北建郤月城,鲁山建鲁山城,江夏山(今蛇山)建夏口城。隋改汝南县为江夏县,治所由涂口(今武昌县金口镇)移夏口(今武汉市武昌),并改汉津县为汉阳县。唐、宋即以商业著称,南宋时鄂州(武昌)与临安(杭州)、建康(南京)并称三大都会。明、清武昌为武昌府治,清时汉阳为汉阳府治,都居重要地位。"武汉"之名,即是武昌、汉阳两府首字合称。汉口原属江夏。明末清初汉口商业崛起,与河南朱仙镇、江西景德镇、广东佛山镇齐名。清咸丰八年(1858)汉口辟为商埠,英、

武汉长江大桥
供图:Paolo Koch—Photo Researchers

俄、德、法、日等国在此强设租界,建立工厂和港口。19世纪末,洋务派重要人物张之洞(1837～1909)在汉阳创办汉冶萍公司,出现中国最早的近代钢铁厂和军火工厂。在武昌建有近代棉纺织厂。1911年武昌爆发辛亥革命,结束了中国封建王朝统治的历史。1926年始设汉口市和武昌市,1927年两市合并为武汉特别市。后几经分合,于1949年又合武昌、汉阳、汉口称武汉市,为中央直辖市。1954年改省辖市。市人民政府设在汉口。辖江岸、江汉、硚口、汉阳、武昌、青山、洪山、东西湖、汉南、蔡甸、江夏、新洲、黄陂13区。面积8 483平方千米。

1949年后,武汉工业迅速发展。1954年兴建武汉钢铁(集团)公司,为中国重点钢铁联合企业之一。此后又兴建的大型现代化企

业有武汉重型机床集团有限公司、武汉锅炉股份有限公司等。现已形成以冶金、纺织、机械、食品为主，化工、建材、电子等门类齐全的综合性工业基地。建有青山(冶金、机械)、葛店(化工)、关山(机电)等13个各具特色的工业区。传统工艺品主要有绿松石雕和汉绣。有武汉大学、华中科技大学等多所高等院校，还有电视大学、成人高等教育、科研机构300多个。主要剧种有京、汉、楚剧等，武汉杂技团是中国著名的艺术团体。

武汉市交通便利，扼长江水运中枢，自古有“九省通衢”之称。沿江有汉阳、汉口、江岸等19个作业区、港口码头395个，是中国最大的内河港口之一，并辟有直达香港、日本的远洋航线。京广铁路纵贯南北。1957年武汉长江大桥建成。江岸西站是京广铁路大编组站之一。还新建有武昌—大冶、汉口—丹江口等铁路，使武汉成为华中地区铁路枢纽。全省公路网交会于此，有318、107、316等国道过境，并与汉宜高速公路相交。有航空线25条，通向全国各主要城市；省内航空线通往沙市、宜昌和恩施。沿长江、汉江两岸建有标高31米左右的堤防308千米，重要涵闸百余处。名胜古迹有黄鹤楼、晴川阁、古琴台、归元寺、宝通禅寺等，还有东湖、龟山、蛇山等风景区和武汉动物园、植物园等游览地。有辛亥革命以来的纪念地数十处。为中国历史文化名城之一。人口：全市7 880 000(2005)。

Wuhan University　武汉大学　中国综合性大学。校址在武汉。前身是1893年湖广总督张之洞创办的自强学堂。后相继更名为方言学堂(1902)、国立武昌高等师范学校(1913)、国立武昌师范大学(1923)、国立武昌大学(1924)、国立武昌中山大学(1926)。1928年7月定名国立武汉大学。1938年迁往四川乐山，1946年迁回武汉。学校设有文、法、理、

武汉大学校园
中国大百科全书出版社供图

工、农、医6个学院、8个研究所。辜鸿铭、竺可桢、黄侃、郁达夫、李达、许德珩、李四光、闻一多、李剑农、汤佩松、桂质廷、朱光潜、叶圣陶、吴宓等学者曾在校任教。1952年全国高校院系调整，医、工、农3个学院先后划出组建新校，同时并入中南地区部分高校相关学科，成为一所文理科综合大学。2000年8月，与武汉水利电力大学(1954)、武汉测绘科技大学(1955)、湖北医科大学(1943)合并组建新的武汉大学。至2004年，学校设有6个学部31个学院(系)，以及研究生院、留学生教育学院等。有本科专业108个、硕士学位授予权专业243个、博士学位授予权专业167个、博士后科研流动站23个；有马克思主义哲学、中国古代史、图书馆学、情报学、西方经济学、世界经济、国际法学、环境与资源保护法学、马克思主义理论与思想政治教育、社会保障、分析化学、发育生物学、微生物学、地图学与地理信息系统、水利水电工程、水文学及水资源、无线电物理、摄影测量与遥感、大地测量学与测绘工程、口腔基础医学等20个国家重点学科，4个国家重点实验室，2个国家工程技术研究中心，6个国家基础科学研究和教学人才培养基地。教职工8 336人，其中教授1 098人，副教授1 913人，中国科学院院士4人，中国工程院院士7人。在校各类学生64 096人，其中博士生4 408人，硕士生13 462人，普通本科生30 097人，外国留学生610人。馆藏图书542万册，中外期刊20 524种。校园占地335.57万平方米，校舍建筑面积202.50万平方米，其中早期建筑群属国家级重点文物保护单位。出版发行《武汉大学学报》等27种学术刊物。

Wuhu　芜湖　又拼Wu-hu。中国安徽省辖地级市。位于省境东南部，裕溪河、青弋江与长江汇合处。地势低平，渠塘交织，间有零星低丘。原是芜湖县，1949年析县置市。1952年改省辖市。辖镜湖、三山、弋江、鸠江4区

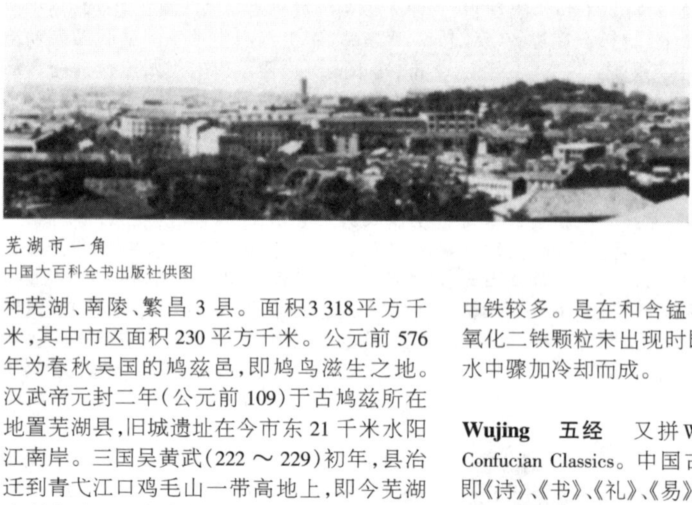

芜湖市一角
中国大百科全书出版社供图

和芜湖、南陵、繁昌3县。面积3 318平方千米，其中市区面积230平方千米。公元前576年为春秋吴国的鸠兹邑，即鸠鸟滋生之地。汉武帝元封二年(公元前109)于古鸠兹所在地置芜湖县，旧城遗址在今市东21千米水阳江南岸。三国吴黄武(222～229)初年，县治迁到青弋江口鸡毛山一带高地上，即今芜湖市所在地。五代南唐以后大力围垦沼泽，芜湖成为当地和皖南山区粮食、木材的集散地。手工作业的“芜钢”也随之兴起。明、清两代畅销中国的“三刀”，即菜刀、剪刀、剃刀，多用“芜钢”制作。同时期兴起的还有棉布、浆染、粮食等加工作坊。清光绪二年(1876)芜湖辟为商埠，洋货大量涌进倾销，使传统手工业受到严重摧残，芜湖成为外国资本掠夺内地粮食、矿产、茶叶、木材和土特产的畸形商业都会。19世纪末20世纪初，稻米年出口量最高达800万担，居中国四大米市之首。并建有小规模的纺纱、碾米、卷烟、火柴工厂。1949年后“米市”已不存在，1984年恢复。工业有冶金、机械、电力、造船、化学、纺织、造纸、卷烟等。工业产值在省内仅次于合肥市。芜湖是长江沿岸十大港口之一，长江航运上通安庆、九江、武汉，下至南京、南通、上海，万吨巨轮可终年通航。1980年芜湖辟为对外贸易港。20世纪50年代后重点改造和扩建的裕溪口现已建成现代化的淮南煤炭转运港。有淮南、宁铜、皖赣、宣杭等铁路干线，公路有205、318等国道穿境而过，城市周边正在形成高速公路网，可连接上海、宁波北仑港、连云港等出海口。赭山上的滴翠轩相传是北宋文学家黄山谷(1045～1105)读书处。山南的广济寺建于唐代。市内的镜湖公园和赭山公园都是风景优美的游览地。人口：全市2 310 000(2005)；市区690 000(2004)。

Wuhuan　乌桓　中国古代民族。又称乌丸。与鲜卑同为东胡族的一支。秦末(公元前3世纪末)东胡为匈奴击破后，部分迁居乌桓山(今辽河上游西喇木伦河以北)而得名。汉武帝(公元前140～前87在位)击败匈奴，迁乌桓于上谷、渔阳、右北平、辽东、辽西五郡边塞，始置护乌桓校尉，持节监护乌桓各部不得与匈奴通。东汉魏晋沿置。乌桓原是游牧部落，南迁后开始发展农业并与汉互市。献帝初年中辽西乌桓首领蹋顿统一辽东。在北平及上谷诸部，组成联盟，势力渐强，并卷入中原封建割据战争。建安12年(207)，蹋顿为曹操败于柳城，大部分归附曹操，其余迁入中原，渐与汉族融合。留居塞外的大多并于鲜卑。

wujin glaze　乌金釉　英语作black bronze glaze。中国陶釉的一种。色纯黑如漆。成分中铁较多。是在和含锰、钴矿石烧炼中乘三氧化二铁颗粒未出现时即从窑内取出，放入水中骤加冷却而成。

Wujing　五经　又拼Wu ching，英语作Five Confucian Classics。中国古代5部儒家经典，即《诗》、《书》、《礼》、《易》、《春秋》。五经之名始于汉武帝(公元前140～前87在位)立太学，设五经博士教授弟子。通经是士人担任官职的必由途径。经义成为古代政治和伦理道德规范。为提高五经地位，汉宣帝(公元前73～前49在位)和汉章帝(公元76～88在位)都曾召著名儒生讨论五经异同，由皇帝称制临决，亲作结论。东汉时还将五经刻于石碑公布，以防经文传写致误。

wuju　婺剧　中国戏曲剧种之一。俗称金华戏。流行于浙江金华(古称婺州)、丽水、台州等地区，以及江西东北部。是多声腔剧种，兼唱高腔、昆腔、乱弹、徽戏、滩簧、时调六种声腔。高腔剧目大多是明代前期南戏传奇剧本，如《白兔记》、《黄金印》、《槐荫树》、《合珠记》、《古城会》等。昆腔戏是苏州昆腔的支派，唱腔朴实健康，擅演整本武戏。乱弹唱调委婉流丽。徽戏由安徽传入，保留了许多传统剧目、唱腔。滩簧和时调戏是由民间说唱、民歌小调发展形成的小戏。婺剧长期在农村中流行，形成质朴、粗犷、强烈、夸张的风格。

婺剧的剧本、唱腔、表演技巧对研究中国戏曲发展史有重要价值，是研究16世纪高腔的勃兴、17世纪乱弹腔的演变、18世纪皮簧腔的形成与盛行的珍贵资料。

Wular Lake 武勒尔湖 印度次大陆北部查谟和克什米尔最大湖泊。在克什米尔印度控制区。位于克什米尔谷北端，斯利那加西北偏北32千米。湖长16千米，宽10千米，

武勒尔湖畔的度假地
供图：D. Chawda—Keystone

面积30～260平方千米，随季节变化。武勒尔湖对杰赫勒姆河流量有调节作用。湖西南岸有索布尔镇。东北的一个岛上有15世纪的废墟。

wulfenite 钼铅矿 即铅钼酸盐($PbMoO_4$)，是钼的次要来源和第二种最常见的钼矿物，产于铅和钼矿床的氧化带中。发现有完好的晶体的地点有：捷克共和国的普日布拉姆、美国亚利桑那州的尤马县和墨西哥的马皮米和杜兰戈。其他地点还有：德国、奥地利、意大利撒丁岛及澳大利亚。钼铅矿通常结晶成带斜面的正方形薄板，具松脂至金刚光泽，颜色为黄色至橙色，摩氏硬度是3；比重6.5～7；属正方晶系。

Wulfhere 伍尔夫希尔（？～674） 麦西亚人的国王（657起），曾称霸于英格兰亨伯河以南大部分地区，并控制埃塞克斯、伦敦、萨里及西撒克逊的土地或韦塞克斯泰晤士河北的地区。国王彭达的幼子，其父于654年战败阵亡之后，一度被隐匿起来。657年麦西亚人摆脱了诺森伯里亚国王奥斯威的控制，他成为国王。他采取有力措施传播基督教，并劝导东撒克逊和南撒克逊人接受基督教。657年从诺森伯里亚获得林齐，并胜利地制服韦塞克斯。他向四方扩展领域，使麦西亚一度成为大国。他死后由兄弟艾特尔雷德继位。他的独子森雷德（或科恩雷德）又于704年继承艾特尔雷德的王位。

Wulfila（Christian missionary） 参阅 **Ulfilas** 乌尔斐拉斯。

Wulfstan 伍尔夫斯坦（？～1023-05-28，英格兰约克） 笔名卢普斯。伦敦主教（996～1002）、约克大主教（1002～1023）和伍斯特主教（1002～1016）。任主教前的身世不详。1008年后为国王艾特尔雷德和克努特的顾问并起草法律。可能是他鼓励克努特成为一位基督教国王，从而防止了丹麦人的征服成为盎格鲁-撒克逊文明的灾难。他对治理国家和安排社会事务颇感兴趣。在他的著作《政体的基本原则》中描述了国王以下的各个层次的责任，明确了教会与国家之间的相对权力。他对教会的改革也深表关切，研究过正典经文考证，著有《埃德加正典》。其名著为《沃尔夫对英格兰人的召唤》，是1014年在艾特尔雷德被丹麦入侵者驱逐后对自己同胞的热情召唤，要求他们忏悔和实行改革。

Wulfstan, Saint 伍尔夫斯坦，圣（约1008，英格兰沃里克附近朗伊青敦～1095-01-19或20，伍斯特） 基督教教士。从1062年起任伍斯特主教，在位期间取缔布利斯托尔的奴隶市场，重建伍斯特大教堂，参与勘查地产。经常向英格兰国王威廉二世提出建议。

Wulingyuan 武陵源 中国国家级风景名胜区。由张家界、索溪峪、天子山及杨家界等风景区组成，属湖南省张家界市境。位于省西北部武陵山区。这里奇峰怪石，峭壁绝崖，自然景观以“险、奇、秀、幽、野”为特色。风景

武陵源风景旅游区内的张家界国家森林公园
中国大百科全书出版社供图

区面积371平方千米。1993年初，联合国确认定为“人类自然景观遗产”，列为世界遗产。张家界又名青岩山，距张家界市区32千米，风景区面积133平方千米，1982年建立国家森林公园。著名景点有黄狮寨、金鞭溪、腰子寨、砂刀沟等。金鞭岩为武陵源最著名的石峰之一，黄狮寨为享有盛誉的凌空观景台。索溪峪西南与张家界相连，现已开辟天然植物园、西海、十里画廊、百丈峡、别有洞天、黄龙洞等景区。天子山东连索溪峪，南接张家界，主峰海拔1 250米，由一扇长20多千米、高数十米的巨大石壁所环绕，有黄龙泉、茶盘塔、老屋场、凤栖山、石家檐等7个风景区。武陵源区特产有青岩茗翠（中国名茶之一）、大庸毛尖、龙虾花茶、石耳、松菌、回阳草、金香柚等。张家界市城区在枝柳铁路线上。市区、慈利县和桑植县都有公路与张家界、索溪峪、天子山等景区相通；长沙也有公路直通景区，还有直升机航班到索溪峪；景区内修有简易公路和石板路。

wulun 五伦 英语作five cardinal social relationships。中国封建社会的5种人伦关系和伦理准则。又称人伦。《孟子·滕文公上》：“父子有亲，君臣有义，夫妇有别，长幼有序，朋友有信。”朱熹继承孟子说而倡五教，《白鹿洞书院学规》以上述孟子讲的五伦为“五教之目”。从此历代封建王朝均以此作为保证社会结构稳定和国家秩序安定的行为规范。

Wundt, Wilhelm 冯特（1832-08-16，巴登曼海姆附近内卡劳［德国］～1920-08-31，德国格罗斯波顿） 德国生理学家、心理学家，公认的实验心理学奠基人。为J.弥勒的学生，曾任海德堡大学生理学讲师，1858年在该校成为H.von亥姆霍兹的助手。并写成《对感官知觉理论的贡献》（1858～1862）。1862年他首次讲授科学心理学课程时，该学科仍被认为是哲学的一个分支。在《论人类和动物的心理学讲演录》（1863）一书中，他提出了这门课程的主旨，强调了实验方法。1871年受命接替亥姆霍兹，于是专心于著作，写成心理学历史上最重要的著作之一的《生理心理学纲要》（2卷，1873～1874；3卷，第6版，1908～1911）。该书提出一种研究直接意识经验（包括感觉、情感、意志和观念）的心理学体系，又包含统觉或有意识知觉的概念。所用的方法是内省，或称意识经验的意识考察。1875～1917年任莱比锡大学教授，开始了一生中最有成效的时期。1879年在莱比锡大学创建了世界上第一个备有一套实验室的心理学研究所，1881年创办了心理学杂志《哲学研究》。冯特晚期最重要的著作包括《心理学大纲》（1896）、《民族心理学》（10卷，1900～1920）。

Wupatki National Monument 伍帕特基国家保护区 美国亚利桑那州中北部国家保护区。位于小科罗拉多河畔，靠近圣弗朗西斯科山地，西南距弗拉格斯塔夫48千米。1924年设立。面积142平方千米。内有哥伦布发现美洲以前的红砂岩村落800余处。对房屋梁木年轮的研究表明，村落建于11～13世纪。居民据信为霍皮印第安人祖先。大村落群有伍帕特基（霍皮语，意为“高屋”）和西塔德尔。

Wuppertal 乌珀塔尔 德国西北部北莱茵-威斯特法伦州城市。位于杜塞尔多夫东北，沿莱茵河右岸支流乌珀河的陡岸绵延16千米。1929年由巴门、埃尔伯费尔德、拜恩堡

乌珀塔尔市的悬吊式单轨铁路
供图：S. Kuebe—ZEFA/美国不列颠百科全书公司

等镇合并而成。巴门和埃尔伯费尔德分别于11和12世纪见于记载，1527年共同垄断了贝尔吉施的纱线漂白业。16世纪引进丝带制作和亚麻布编织，18世纪又引进花边制作(1750)、丝编织(1775)和红色染色法(1785)，促进了这些城镇纺织业的发展。1853年埃尔伯费尔德开始有济贫制度，这长期以来被认为是世界的楷模。20世纪初在乌珀河上修建了一条独特的悬吊式单轨铁路为巴门、埃尔伯费尔德和其他城镇服务。第二次世界大战中该市遭受严重破坏，战后在河谷的平行阶地上进行了重建，修建了许多公园、园林和著名的动物园。为地区纺织业中心，也生产化工产品、橡胶、车辆、工具、印刷设备和机械等，有酿酒厂、印刷厂和出版机构。人口：市362 137；大都会区840 648(2003)。

Wurlitzer FAMILY　**沃利策家族**　美国乐器制造家和商人家族。鲁道夫·沃利策(1831-01-30，德国萨克森舍内克～1914-01-14，美国俄亥俄州辛辛那提)1853年移居美国，定居辛辛那提市，开始经营乐器。从诗琴制造家海因里希·沃利策(1595～1656)起，乐器就是传统的家族营业。至1861年，因为德国进口乐器供不应求，他在辛辛那提建乐器制造厂，以军乐队乐器为主。1865年在芝加哥设立分厂。1890年这家商号组成R.沃利策公司，创业人任总经理和董事长。他的三个儿子都继承了父业。长子霍华德·尤金(1871-09-05，辛辛那提～1928-10-30，纽约市)于1889年加入该商号，任总经理和董事长。主要由于他的努力，这家公司的业务才扩大到制造自动乐器和投币自动乐器。次子鲁道夫·亨利·沃利策(1873-12-30，辛辛那提～1948-05-27，辛辛那提)曾在柏林学小提琴，对小提琴制作感兴趣，建立了沃利策珍贵小提琴收藏馆。他从1894年起积极经营，任总经理和董事长。三子法尼·雷金纳德·沃利策(1883-12-07，辛辛那提～1972-05-06，纽约州北托纳旺达)曾专攻现代乐器生产工艺。1904年回辛辛那提，1909年移居纽约州的北托纳旺达，主管购置德克莱斯特滚筒风琴厂以后成立的生产部门。系该公司总经理、董事长和名誉董事长。1910年沃利策公司购得纽约州埃尔迈拉市的霍普-琼斯管风琴厂，将其业务移到北托纳旺达，所制“管弦乐队组合式”管风琴和“强力沃利策”管风琴闻名于世。随着电影的出现，“强力沃利策”的剧院管风琴愈来愈受欢迎；不久它就成为新电影院的装置。这种管风琴配备有小号、大号、双簧管、单簧管、钟琴、木琴、鼓等许多乐器的音色和音响效果，其外貌也十分美观。“强力沃利策”是历史上生产得最多的管风琴。

Würm glacial stage　**玉木冰期**　欧洲阿尔卑斯地区晚更新世重要的年代和地层划分单元(更新世开始于约160万年前，终止于约1万年前)。位于里斯-玉木间冰期之后，可与北欧的魏克塞尔冰期、北美的威斯康星冰期相对比。阿尔卑斯地区的更新世冰川作用早已得到确认，构成了现今关于更新世冰川理论的基础。玉木冰期大约开始于7万年前，分为早、中、晚冰段。玉木冰期之终止和最后一次冰川后退是许多小的冰退与冰进的综合结果。

Württemberg　**符腾堡**　古代德意志邦国，先后为伯爵领地、公国、王国，第二次世界大战后划分前为共和国。符腾堡的土地约相当于今德国巴登-符腾堡州的中、东部地区。在其独立存在的最后阶段，东北部、东部与巴伐利亚接壤，东南部与巴伐利亚和康斯坦茨湖(博登湖)毗邻，西南、西北和西部均与巴登相连，但在南部边界内有霍亨索伦家族的一块飞地(1849年划归普鲁士)。首府斯图加特。境内除莱茵平原外，皆为高山和丘陵地带，包括施瓦本山和黑林山，内卡河流注其中。中世纪早期，符腾堡为士瓦本(**Swabia**)的一部分。11世纪末建立的当地伯爵王朝(符腾堡)从12世纪中期开始向外扩张，控制士瓦本的大部地区。1495年符腾堡成为公国。1534年符腾堡公爵乌尔里希成为哈布斯堡家族的封臣，使公爵国信奉路德主义，没收了教会的土地。他的儿子克里斯托费尔公爵(1550～1568在位)建立由国家控制的教会，并成为德意志基督教新教的领袖。他在司法、行政等方面的改革延续达200年之久。腓特烈公爵(1593～1608)使公国摆脱了哈布斯堡王朝的最高领主权，并成为路德宗和加尔文宗诸侯福音联盟的中坚力量。符腾堡在三十年战争时期(1618～1648)遭到大破坏，从1688年至1693年大同盟战争期间遭受法国的侵略。符腾堡公国却政治清明，1649年实行义务教育制度。公爵埃贝哈德·路易(1693～1733在位)加强国防，兴办学校，营造闻名的路德维希堡宫，引进纺织工业和其他工业。拿破仑赏赐符腾堡大片领土，使其面积到1810年增加了一倍，公国的地位提高为选侯领地(1803)和王国(1806)。1815～1819年符腾堡发生政治动乱。1819年国王威廉一世(1816～1864在位)颁布宪法，建立两院制议会。符腾堡为19世纪德意志自由派的中心。1834年它与普鲁士共同加入关税同盟。国王查理(1864～1891)在七周战争(1866)中支持奥地利，因而被迫向战胜国普鲁士赔款。在普法战争(1870～1871)中，符腾堡支持普鲁士，于是加入新成立的德意志帝国。1876～1900年由赫尔曼·冯·米特纳赫特担任首相，符腾堡仍保持内政、宗教、教育、邮政、铁路等方面的自主权利。此外，它还保有税收和军队的特别权益。机械、汽车、精密仪器、纺织、钟表、乐器以及印刷装订等行业，在符腾堡蓬勃发展起来。原来的人口外流现象大为减少。1891年查理的王位由堂侄威廉二世(1891～1918在位)继承。威廉在位期间开始进行开明的政治改革，艺术和戏剧日趋繁荣。但是，符腾堡的社会进步却受到第一次世界大战的冲击。1918年11月发生革命，威廉二世被迫退位。1919年颁布共和宪法。符腾堡根据《魏玛宪法》成为德国的一个州，丧失了原先的特权。纳粹统治时期，1933年符腾堡设帝国地方长官，1934年将州政府置于中央管辖之下，取消了州议会。第二次世界大战后，符腾堡分为美国和法国两占领区。1949年德意志联邦共和国成立后，将符腾堡划为巴登、符腾堡-巴登和符腾堡-霍亨索伦三个州。1952年这三个州又合并为巴登-符腾堡州。

Wurtz, Charles-Adolphe　**孚兹**(1817-11-26，法国斯特拉斯堡附近沃尔菲斯海姆～1884-05-12，巴黎)　一译维尔茨或伍尔茨。法国化学家和教育家，以研究有机氮化合物、烃和

供图：Boyer—H. Roger-Viollet

二醇著称。他曾学医和教书，后就读于吉森大学和斯特拉斯堡大学(1843)。1845年成为J.-B.-A.杜马的助手。1852年接替杜马在医学院的职务。在1875年成为巴黎大学有机化学第一任教授。研究磷的各种酸时发现磷酰氯。1849年合成了氨的第一个有机衍生物乙胺，6年后发明用钠和烷基卤制烃的方法，即所谓孚兹反应。他研究甘油，进而研究二醇，并合成胆碱等多种重要化合物。1867年与A.凯库勒制得酚。他与M.贝特洛一起使巴黎成为欧洲先进的化学教育中心之一。

wurtzite　**纤锌矿**　一种锌的硫化物矿物。典型产地是玻利维亚的波托西、美国蒙大拿州的比尤特山及内华达州的戈尔德菲尔德。它是闪锌矿的一种稀少且不稳定的(温度低于1 020°C时)，六方对称变体，即结晶上可转化为后者。将闪锌矿加热到1 020°C，随后快速冷却，即可人工合成纤锌矿。详细物理性质，参阅 **sulfide mineral**(表)。

Würzburg　**维尔茨堡**　德国中南部巴伐利亚州西北部城市。濒临运河化的美因河。原为凯尔特人居民点。704年首见记载。8世纪40年代初建立主教管区。为几届帝国议会和会议的所在地。1802或1803年该城市归属巴伐利亚。1805年成为莱茵联盟的维尔茨堡大公国。1814年又回归巴伐利亚。1821年建一新主教管区。第二次世界大战中受严重破坏，战后进行了彻底重建。辉煌的巴罗克式主教住宅(1719～1744)已遭破坏，但其宏伟的阶梯和G.提埃坡罗所作的著名壁画却保存至今。1981年其住宅、花园和广场被联合国教科文组织列为世界遗产。其他名胜有中世纪的美因桥、尤里乌斯医院、市政厅、马林贝格城堡，其院内的圆形教堂是德国现存的最古老教堂之一。现在的维尔茨堡大学建于1582年。曾是法兰克尼亚首府，现为下法兰克尼亚的巴伐利亚行政区首府，也是葡萄种植业中心和铁路与水运交通枢纽。生产钢铁、纸和印刷品、电子器件、木

美因河畔的维尔茨堡市，高处为马林贝格城堡
供图：R. Waldkirch—ZEFA

器、皮革、酒等。人口约132 687(2003)。

Würzburg，University of　维尔茨堡大学　德语全称为 Bayerische Julius-Maximilians-Universität Würzburg。设于德国维尔茨堡由国家资助的自治大学。建于 1582 年。早期为著名的天主教神学研究中心。1814 年改为世俗大学，以医学院最为著名。哲学家 F.W.谢林、病理学家 R.菲尔绍和物理学家 W.伦琴都曾在该校任教，后者于 1895 年在该校发现 X 射线。

Wusong　吴淞　中国上海市宝山区的重要港口和工业区。在市北部，北临长江，东濒黄浦江，踞上海水上要冲吴淞口边。以境内原有吴淞镇得名。原属江苏省宝山县，1928 年随县划归上海市。1960 年析置吴淞区。1964 年并入上海市杨浦区。1980 年 10 月恢复市辖区建制。1988 年 1 月和宝山县合并设宝山区。2006 年建立吴淞街道办事处。历为上海门户和军事要地。曾为鸦片战争、抗日战争和解放战争时期的重要战场。现为以冶金工业为主的新兴工业区和重要的对外贸易港口区。沿黄浦江一带码头林立，

长江和黄浦江汇合处的吴淞口
中国大百科全书出版社供图

是上海最大的对外贸易集装箱运输装卸作业区。境内地势低平，有蕴藻浜沟通黄浦江及附近小河组成内河水网。清末修建的淞沪铁路通往上海市中心。北面的南石塘和狮子林，扼长江和黄浦江的门户，地势险要，原筑有坚固的炮台捍卫海防，1932 年淞沪战争中被日本侵略军所毁。人口约80 000(2002)。

Wüst，Georg　维斯特(1890-06-15，德国波森[今波兰波兹南]～1977-11-08，德国埃朗根)德国海洋学家，最早通过收集和分析一系列系统的观测结果，对大西洋的自然结构和深层环流有基本了解。1919 年获柏林大学博士学位。先后在德国大西洋考查团(1925～1927)和国际墨西哥湾流考查团(1938)中任总海洋师。还负责国际湾流探险(1938)。由“流星”号探测船进行的大西洋考查是第一次对整个大洋进行的研究，他根据积累的大量资料，制成了显示大西洋复杂的温度分层和盐度分层及大西洋深层洋流结构的横剖面图。第二次世界大战后，维斯特再次在基尔设立了海洋研究所，基尔随之极大地繁荣起来并成为一个研究中心。他从 1946 年任所长直至 1959 年退休。

Wusuli Jiang　乌苏里江　又作 Ussuri River。中国与俄罗斯的界河，黑龙江重要支流。上游由乌拉河和松阿察河汇合而成，前者源于俄罗斯境内锡霍特山脉奥勃拉奇纳

乌苏里江日出
中国大百科全书出版社供图

亚山南麓，后者源于兴凯湖，自南向北流经中国的虎林、饶河、抚远 3 县、市，于抚远三角洲东北端汇入黑龙江。以乌拉河为正源，全长 890 千米，流域面积 18.7 万平方千米。江面宽阔，水流缓慢。主要支流有松阿察河、穆棱河、挠力河等。1977 年双方制定在中俄国境水域的航行规则。乌苏里江每年有 5 个月左右封冻期。乌拉河口以下可通航。

Wusun　乌孙　中国古代民族。先民系古代坚昆人从叶尼塞河流域南下的一支。初游牧于敦煌、祁连间，与匈奴、月氏为邻。后乌孙牧地为月氏所占，乌孙人多逃奔匈奴。公元前 177～前 176 年间月氏被匈奴王冒顿逐往伊犁河后，乌孙在匈奴帮助下尽据月氏故地，公元前161年左右建都赤谷城(伊塞克湖

新疆伊犁昭苏草原上形如山丘的乌孙古墓
中国大百科全书出版社供图

东岸)。西汉时乌孙有 12 万户，63 万人。以畜牧为业，善养良马“西极马”。当时的乌孙人已使用铁器，冶金、制陶、制革、毛织也有一定水平。汉武帝元狩四年(公元前 119)派张骞出使乌孙以制匈奴，后曾两次以汉宗室女细君、解忧公主嫁乌孙。双方往还密切，促进了中原与西域的经济文化交流，并牵制了匈奴的势力。公元前 71 年汉与乌孙合击匈奴，使乌孙摆脱匈奴侵扰的威胁。但自公元前 52 年起，乌孙出现大小昆弥两个王统，分疆而治，内乱迭起。南北朝时乌孙因柔然人侵，西迁葱岭北。辽会同元年(938)遣使入贡，以后逐渐与邻近各族融合。近代哈萨克族仍有乌孙的部落。

Wutai　五台　中国山西省忻州市辖县，因境内有著名的五台山而得名。位于省东北部。县政府驻台城镇。面积2 868平方千米。为一山区县，五台山盘踞在县境东北部，北台叶斗峰，海拔3 058米，为华北地区最高峰。向西、西南海拔逐渐降低，呈河谷地貌形态。大部分地方属温带大陆性气候，唯西南部滹沱河谷地气候温暖，属暖温带。西汉(公元前 206～公元 23)置虑虒县，西晋(215～316)废。北魏太和十一年(487)置驴夷县，至隋大业二年(606)改为五台县。抗日战争时期为晋察冀边区政府驻地。国际共产主义战士白求恩大夫曾在县境东南松岩口村工作，现建有纪念馆。农田多分布在河谷和缓坡区，以种植玉米、谷子、高粱、莜麦、马铃薯为主。主要矿产有煤炭、白云石、硅石、紫砂、纹石等，其中白云石储量大，品位高。工业有采矿、化肥、水泥、机械、电力等。著名特产有台砚(又叫段砚)，已有 600 多年生产历史，产仿古砚等 90 多个品种，远销日本、香港和东南亚等地。五台县交通以公路为主，可直通太原，并将开通太原—五台直升机航线。县境名胜古迹很多，东北部台怀镇为五台山环抱，有显通寺、铜殿、大白塔等名寺古刹 47 座，是中国四大佛教名山之一。五台山西南部豆村有始建于北魏时期(420～533)的佛光寺，阳白乡有中国现存最古老的唐代木结构建筑南禅寺，都是著名的古迹。人口310 000(2005)。

Wutai Shan　五台山　又作 Wu-t'ai，Mount。中国佛教四大名山之一。在山西省东北部。东与太行山相连，北至滹沱河谷地，西南与系舟山相接。因五座山峰顶部状如平台，故名。又因五台山夏季凉爽，亦名清凉山。山体呈东北-西南走向。五台山包括东台望海峰、西台挂月峰、南台锦绣峰、北台叶斗峰、中台翠

五台山南禅寺
供图:Christophey Liu/Chins Stock Photo Library

岩峰,其中北台叶斗峰海拔3 058米,为华北最高峰。

五台山自东汉永平年间(58～75)起,历代修建的寺庙鳞次栉比,佛塔摩天,殿宇巍峨,金碧辉煌,是中国历代建筑荟萃之地。雕塑、石刻、壁画遍及各寺,均具有很高的历史

五台山无量殿
中国大百科全书出版社供图

文物价值。唐代(618～907)全盛时期,五台山共有寺庙300余座,现尚存47座。其中有中国现存最早的两座木结构建筑佛光寺和南禅寺。舍利大白塔高56.4米,造型奇特,为五台山标志。气候、植被垂直分带明显。植物资源丰富,以冷中生草本植物为主。牧草丰盛,水源充足,每年6月举行骡马交易大会,为北方牲畜交易场所。

Wüthrich, Kurt　维特里希(1938-10-04,瑞士阿尔贝格～　　) 瑞士科学家,因研究出确定和分析蛋白质等生物大分子的技术,与J. B.芬恩和田中耕一共获2002年诺贝尔化学奖。1964年获巴塞尔大学有机化学博士学位。后在瑞士和美国做博士后研究。1969年到瑞士联邦工学院任教,1980年成为生物物理学教授。2001年到加利福尼亚拉霍亚市斯克里普斯研究所任客座教授。20世纪80年代初开始设计应用核磁共振(NMR)研究生物大分子的方法。在他开始研究时,核磁共振仅适用于小分子;而用于大分子时,无数的原子核产生混乱,核磁共振信号难以辨认。他采用一种称为顺序分配的溶液,可有条不紊地将各个核磁共振信号与被分析蛋白质的相应氢核相互匹配,从而理顺这样的混乱状况。他还说明如何利用这种信息来确定无数对氢核之间的距离。1985年首次使用他的方法完成了对一种蛋白质结构的完全测定。

Wutongqiao　五通桥　又拼 Wu-t'ung-ch'iao。中国四川省乐山市辖区。著名旅游胜地。位于乐山城南20千米,面积474平方千米。秦代属南安县。清乾隆(1736～1795)后,据传因与盐业兴衰休戚相关的五通神和境内一座

五通桥茫溪河上的竹索桥
中国大百科全书出版社供图

老桥相结合而得名。1951年由乐山县划出成立五通桥市(县级),1959年撤市并入乐山县,1985年为乐山市辖区。全区融山、水、树、桥、城为一体,为乐山大佛风景名胜区的重要组成部分。岷江之水绕廓而过,支流茫溪河、涌斯江穿越区内腹地,在四望关前汇合,形成一片开阔的天然水面,水域64公顷。岸边榕树遮天,浓荫铺地,三面环山,层峦叠嶂,素有"小西湖"和"水城"的美称。每年端午节都在这里举行盛大的龙舟会,成为四川民俗旅游胜地。五通桥为乐山市的重要工业区,盐化、纺织和机械工业均较发达,占全区工业总产值的4/5以上。区内有五通桥盐厂、川康毛纺厂、东风电机厂和亚西橡塑机器有限公司等18个大中型企业,井盐年产量约50万吨,仅次于自贡,是四川第二大制盐中心。有传统的竹编工艺品、红袍柑及历史悠久的德昌源豆腐乳等特产。人口320 000(2005)。

Wuwei　武威　又拼 Wu-wei。中国甘肃省辖地级市。甘肃省人口最多、农业人口最稠密的市。位于省西北部河西走廊东段,祁连山北麓,石羊河中游。古丝绸之路经此,为古代中西交通和战略要地。西汉元狩二年(公元前121)置姑臧县,东汉为武威郡治。三国为凉州治。十六国时,前凉、后凉都在此建都。唐广德二年(764)为吐蕃占据,州县废。五代和西夏时为西凉府。元至元十五年(1278)为西凉州,明洪武九年(1376)为凉州卫。清雍正二年(1724)置武威县为凉州府治。1913年废府存县。1985年撤销武威县设武威市,2001年撤武威地区和县级武威市,设地级市。辖凉州区和民勤、古浪2县以及天祝藏族自治县。面积33 249平方千米,其中市区面积5 081平方千米。20世纪50年代后期,新建兰新铁路和包兰铁路的干塘—武威支线在此交会。甘新公路横穿市境,武威—民勤公路纵贯南北,市、乡通汽车。地处河西走廊最大的武威绿洲上,灌溉便利,农业发达,产粮、油、麻、甜菜。为农畜产品的集散地。轻工业有制糖、酿酒、亚麻、地毯等,重工业有机械、煤炭、冶金、电力、水泥、化肥等。古迹有皇娘娘台齐家文化遗址、始建于前凉(314～376)年间的大云寺和西夏天佑民安五年(1094)立的护国寺感应塔碑,以及文庙、海藏寺、罗什寺塔、钟楼、天梯山石窟等。武威为中国历史文化名城。人口:全市1 870 000(2005);市区980 000(2004)。

wuwei　无为　又拼 wu-wei,英语作 nonaction。中国古代哲学术语。道家哲学的重要概念。涵义是无作、无事、无欲、清静以及顺应自然变化。老子最先提出"无为而无不为"的命题,以说明自然与人为的辩证关系。他认为"道"本"无为",人效法"道"也当无为。《庄子》对无为有发挥,认为"逍遥,无为也"。还主张"上无为,下有为";"上必无为而用天下,下必有为为天下用,此不易之道也"。道家以无为作为人类社会理想,法律首先是对人的自然本性的束缚。汉初本黄老之学,实行"与民休息"的无为政策,对社会经济的恢复起了有利的作用。魏晋玄学家主张无为则含有贬低名教(伦理纲常)的意义。

Wuxi　无锡　又作 Wu-hsi。中国江苏省辖地级市,著名工业和旅游城市。在省境南部、太湖之滨。扼沪宁铁路、沪宁高速公路、沪宜公路、锡澄公路和京杭运河、锡澄运河等水陆交通中枢。汉置无锡县。三国吴废。晋复置。元元贞元年(1295)升为无锡州。明复为县。1949年析无锡县城、郊和武进县马迹山置无锡市,为苏南行署驻地。1953年升为省辖市。1995年原管辖的无锡县改为锡山市。2000年撤销锡山市,设立锡山区和惠山区现辖崇

安、南长、锡山、北塘、惠山、滨湖6区，并代管江阴、宜兴2县级市。面积4 785平方千米。市境地势低平，西南郊滨湖一带有惠山、锡山、峄嶂山等低山丘陵分布。梁溪是市区经五里湖（又名蠡湖）通往太湖的主要水路。历

大运河无锡段闸
《黑星》杂志社供图

为著名的鱼米丝绸之乡。春秋战国以来断断续续开通的江南运河，隋大业六年（610）浚深、拓宽后，无锡逐渐发展为江南漕粮集中地和粮食市场。清咸丰三年（1853）以后漕粮改由海路北运，无锡变为上海的主要粮食供应地。1909年沪宁铁路建成通车，无锡粮食市场更加繁荣。与安徽省芜湖、湖南省长沙和湖北省沙市同为中国四大米市。19世纪，无锡手工业、手工棉纺织业和木机缫丝业已有发展。19世纪末，中国近代工业兴起后，无锡是中国民族资本工业最早发展的城市，纱厂（1894年）、面粉厂（1901）、铁机缫丝厂（1904）、花边厂（1912）以及碾米、榨油、机器制造、造纸等工厂相继建立。到1936年抗日战争前夕已成为江苏省工业发达的城市，有“小上海”之称。1949年以来，重点发展纺织工业、机械制造工业、电子工业和一些高新技术工业部门，形成了棉、毛、丝、麻、化纤、针织、纺织机械等部门齐全的纺织工业体系，还有通用机械、精密机床、家用电器、电子、食品等工业部门。交通有京沪铁路、312国道及沪宁高速公路贯穿境内。惠山泥塑具有400多年的历史，是该市传统工艺品。无锡是太湖地区的重要旅游城市，以秀丽的湖光山色驰名。市内有原东晋书法家王羲之故居崇安寺、明东林书院等古迹；市近郊有惠山、锡山间的锡惠公园和“天下第二泉”、寄畅园、龙光塔等名胜；太湖之滨一带有蠡园、梅园和鼋头渚园林以及湖中的三山公园。20世纪80年代末以来，又在太湖之滨陆续修建了中央电视台外景基地——唐城和三国水上战场基地，还有马迹山度假村等名胜。市内有江南大学等高等院校。人口：全市4 470 000（2005）。

Wuxing　五行　又拼Wu hsing，英语作Five Elements。中国古代哲学概念。原指“五材”，即水、火、木、金、土。《左传》：“天生五材，民并用之。”后指构成宇宙万物的五种物质元素。西周末年，史伯提出了“以土与金、木、水、火杂，以成百物”的观点，反映出探求事物间相互关系的思想。阴阳五行家邹衍释“五行”为金、木、水、火、土为“五德”，认为王朝交替是五德循环转移的结果。西汉董仲舒吸取阴阳家思想明确提出“五行相生”的观点，著有《五行相生篇》。五行又称五常。《荀子·非十二子》：“案往旧造说，谓之五行。”杨倞注：“五行，五常仁、义、礼、智、信是也。”佛学中的五行指圣行、梵行、天行、婴儿行、病行（《涅槃经》），又指布施行、持戒行、忍辱行、精进行、止观行（《大乘起信论》）。

Wuxu Bianfa　戊戌变法　参阅 **Hundred Days of Reform 百日维新**。

无锡寄畅园
中国大百科全书出版社供图

Wuyi Shan　武夷山　又作Wu-i Mountains。中国江西、福建两省边境山脉。为赣江与闽江的分水岭，东南沿海地区重要的自然地理界线。它在一定程度上阻挡北方冷空气的东

武夷山隐屏峰
中国大百科全书出版社供图

侵和削弱东南季风的西侵，使山脉东西两侧的气候有较大不同，从而导致自然景观的差异。山体呈北北东走向，长约540千米。北接仙霞岭，南接九连山，地势北高南低，北段海拔1 200米以上。主峰黄岗山海拔2 157米，为武夷山最高峰。南段海拔多千米以下。狭义的武夷山在北段，武夷山市西南部，为一喀斯特地貌景观集中地，已建为国家级风景名胜区。1999年12月武夷山作为文化与自然遗产被列为世界遗产。其红色砂岩、砾岩被切割成“丹霞”地形，赤壁丹崖尤为壮观。九曲沿河有“峰”、“岩”13座，如三仰峰、晒布岩、鹰嘴岩等。沿层面发育有岩洞，著名的白云宫即建于白云岩的岩洞。屹立在岸边的玉女峰、大王峰高出河面400～500米，夹河对峙，状如石柱。武夷山区年降水量可达2 000毫米，湿度大，森林覆盖率约55%，是中国森林茂密的地区之一。植物资源丰富，北部以甜槠、木荷为主，南部以栲、楠为主，并多杉木、马尾松、竹类。武夷山中段称杉岭，以盛产杉木得名。崇安特产有武夷岩茶。还有丰富的野生动物资源。1979年建立武夷山自然保护区，占地56.5万公顷。鹰（潭）厦（门）铁路穿过武夷山隘口。

Wuyishan　武夷山　中国福建省县级市。地处武夷山北段，三面环山，略成向南开口的盆地。建溪支流崇阳溪纵贯盆地。武夷山主脊绵亘西北边界，黄岗山突兀于群峰之巅，海拔2 158米，为全省最高峰。黄岗山下以桐木乡为中心的三县（市）毗连地带，1979年辟为国家级“武夷山自然保护区”，面积达56.5万公顷，以森林生态保护为特色。五代南唐保大九年（950）置崇安场，宋淳化五年（994）升场为县。1989年撤崇安县设立武夷山市（县级）。1994年改由省直辖，现由南平市代管。面积2 800平方千米。农产以稻谷为主，是福建商品粮基地县之一。武夷岩茶以品质优良驰名中外。森林茂密，林副产品以笋干、香菇为多，产量居全省前列。工业以食品（粮油加工、制茶）、纺织、森工、造纸、工艺品等为主。公路四通八达，建有机场，交通便捷。城南武夷山风景区为国家级风景名胜区，其中溪东区已建成国际旅游度假区。著名胜景有大王

峰、玉女峰、天游峰、天心岩、水帘洞、一线天等，清澈的九曲溪蜿蜒峰岩之间，岩石凝紫，溪水碧蓝，有“碧水丹山”之称。古迹有兴田汉城遗址、朱熹考亭书院及星村过林窟旧址等。人口220 000(2006)。

Wuzhi Shan　五指山　中国海南岛中南部山地的统称。以五峰耸立如五指得名。海南岛中南部为穹窿断块构造，被屯昌一琼中一线断裂谷所分隔。此线以东即五指山，以花岗岩为主体；此线以西为黎母岭、鹦哥岭。二列山脉平行排列，均为东北-西南走向，构成海南岛的最高脊。超过1 500米的山峰有6座，最高的五指山海拔1 867米。海南岛主要河流均发源于此，向四方分流入海，如北流的南渡江，东流的万泉河，西流的昌化江，南流的河流则较短小。五指山地处热带，面临海洋，冬季甚少寒潮影响，终年高温多雨。年降水量2 866毫米。夏秋常有台风侵袭，多暴雨，其东部为海南著名暴雨中心，全岛雨量最多地区。由于水热条件优越，故拥有多种类型的热带性植被。海拔700～800米以下的丘陵为热带季雨林和雨林，800～1 400或1 600米为山地雨林与山地常绿阔叶林，1 400或1 600米以上为山顶苔藓矮林，面积较小，砍伐后为山地灌木草丛所代替。经济林以橡胶林为主。矿产资源丰富，铁、水晶量大质好。现已建有五指山自然保护区。

Wuzhishan　五指山　中国海南省直辖县级市。位于海南岛中南部、五指山西南麓，南距三亚市57千米。南圣河穿城而过，将市区分为南北两部分。面积1 129平方千米。市境山岭连绵，峰峦奇秀，五指山海拔1 867米，为全省最高点。热带海洋季风气候，干湿季分明。年平均降水量1 500毫米，全年无霜降。盛产橡胶、咖啡、胡椒等热带作物和沉香、降香、槟榔、巴戟、益智、砂仁等南药，以及胭脂、花梨、绿楠、母生等热带珍稀林木。森林覆盖率47%。明、清两代归琼崖郡管辖，后分属白沙、保亭、乐东3县。1953年海南黎族苗族自治州政府由抱由迁驻冲山，设通什镇，成为自治州首府。通什黎语谓冲山，山高水寒之意。1986年置通什市。1987年自治州撤销，由海南省直接管辖。2001年更名为五指山市。20世纪50年代以前，该市仅为五指山区的茅草圩，交通闭塞，野兽出没，疟疾猖獗。经50多年来的建设，已发展成为初具规模的新城市。工业有木材加工、机械、水泥、橡胶、皮革等。市境西南建有水电站。商业发展迅速。自1954年海榆中线通车后，交通运输深入五指山腹地，与岛内各市县连成公路运输网络，成为海南岛南北交通中心。为五指山地区文化中心，市内设有大专院校及多所中小学、职业技术学校。五指山的太平山瀑布、小岛天然公园，以及苗村、黎寨等为旅游景点。黎族占全市人口3/5以上。人口110 000(2005)。

Wu Zhong　吴忠　中国宁夏回族自治区辖地级市。位于银川平原中部，黄河过境。明代灵州守御千户筑堡，以屯长吴忠命名为吴忠堡。后属灵州。1913年改吴忠堡为镇，属灵武县。1950年改镇为市，1955年为吴忠回族自治州首府。1963年改县，1983年复设市。1998年撤银南地区和县级吴忠市，设地级市。辖利通区和盐池、同心2县，并代管青铜峡市。面积20 395平方千米。吴忠原为宁夏最大皮毛市场，与银川、西安、天津、上海有直接商业往来。20世纪80年代以后，工业发展很快，成为银南地区主要工业城镇，拥有机械、电力、电子、仪表、化工、纺织、建材、造纸、食品加工等工业。农业垦殖历史悠久，盛产小麦、稻谷、大麻、烟草等。城市交通便利。城西古城湾为黄河重要水运码头，包兰、宝中、大古铁路经过境内，有109国道、包兰、银平、银榆、石营等公路干线在此交会，石中高速公路已建成通车。名胜有关马湖汉墓群。人口1 100 000(2005)，其中一半以上是回族。

Wuzhou　梧州　又拼 Wu-chou。中国广西壮族自治区辖地级市，自治区东部内河港口城市。旧称苍梧。位于西江与其支流桂江汇合处，总汇广西80%面积的水流，为东出广东的交通要冲，素有“广西水上门户”之称。是著名的商业和外贸城市。秦代为桂林郡地，汉元鼎六年(公元前111)置苍梧郡和广信县。隋开皇年间(581～600)废苍梧郡，改广信县为苍梧县。唐武德四年(621)置梧州。宋称梧州苍梧郡，元改为梧州路，明、清称梧州府。1912年称苍梧县。1927年设梧州市，1932年撤市，归苍梧县。1949年又由苍梧县析置市。辖万秀、蝶山、长洲3区以及苍梧、蒙山、藤县3县，代管岑溪市。面积12 583平方千米，其中市区面积1 098平方千米。梧州处在桂东花岗岩丘陵区，既是山城，又是水都。城区建在阶地、高河漫滩和江心洲上，有西江大桥和桂江一桥、二桥连接被河流分割的市区。扼广西水运的总出口，向为广西重要的内河港口。东下广州全年可通1 000吨级轮船，上溯浔江、郁江、黔江、柳江、桂江可达桂平、贵港、南宁、柳州、桂林等城市。清光绪二十三年(1897)梧州开放对外通商，在湘桂铁路通车前，是西江流域物资集散地和桂、黔、滇进出口商品转运港。当时来往船舶甚多，商贾云集，商业之盛居广西各城市之首，有“广西小上海”之称。湘桂、黎湛铁路通车后，梧州的地位相对下降，但仍是桂东的水运和公路交通中心。广西东部的粮食、禽畜、桂皮、药材、茶叶、松香、干果、木材等均在梧州加工转运，仍然是重要的贸易出口城市。梧州是广西现代工业的创始地，最初兴建有制药、炼油、制酸等工厂，后因战争破坏大多倒闭。1949年后梧州工业迅速发展。先后建起电力、机械、日用化工、造船、纺织、丝绸、医药、制糖、造纸、皮革、塑料、电子、光学仪器、建筑材料、食品、冶金等工业部门。其中松脂厂规模巨大，设备先进，为亚洲最大松脂厂，所产松香、松节油畅销各国。梧州还有世界最大的养蛇外贸仓库。梧州水运发达，四季通航，客运、货运都可直通粤港澳，公路有207、321、324等国道纵横交错，南梧、桂梧高速公路正在建设中。有广西财经学院、梧州学院两所高等学校。有太平山公园、苍梧李济深故居、蒙山太平天国封王遗址等游览胜地。人口：全市3 030 000(2005)；市区480 000(2004)。

梧州市鸟瞰
中国大百科全书出版社供图

Wyandot (people)　**怀恩多特人**　参阅 **Wendat** 温达特人。

Wyandotte　怀恩多特　美国密歇根州东南部韦恩县城市。临底特律河。位于底特律西南。约1820年始建居民点。1867年设市。1864年成为全国第一个生产转炉钢的产地。1872～1920年以造船业闻名。现有钢、钢制品、水泥、塑料管和工业用钻石等制造业。当地的大片地下盐层是发展化工业的基础。人口30 938(1990)。

Wyandotte Cave　怀恩多特溶洞　在美国印第安纳州南部的克劳福德县，怀恩多特村附近。内有五层、长40千米的通道，是南接肯塔基和田纳西州溶洞区的密西西比石灰岩带上最大的溶洞。洞口高出布卢河60米左右。据认为史前时代印第安人在这里居住过。洞内的奇景有“罗思罗克大教堂”(为一周长约400米的巨大洞室，中央为有“碑山”之称的53米高岩堆)和“参议院厅”，为一长44米宽17米的椭圆形凹地。当中是被坠下的岩石托起的“宪法柱”，即一个由钟乳石和石笋构成的巨大白色方解石圆柱。柱身有凹槽，周长22米有余。洞内还有许多各种形态的钟乳石。洞内温度恒定在12 ℃左右。附近有小怀恩多特溶洞，南面32千米处有马伦戈溶洞。

Wyandotte Constitution　《怀恩多特宪法》　美国南北战争爆发前制订的文件。根据这一文件，堪萨斯作为自由州加入了联邦(1861-01-29)。该宪法中有关于反对奴隶制的规定，也有关于反对妇女与黑人选举权的条文，但也肯定了妇女的财产权。因起草于怀恩多特区(属今堪萨斯城)，故名。这一文件经全民投票表决通过，后修改多次(包括1912年关于普选权的修正案)，至今仍为堪萨斯州的宪法。

Wyat, Sir Thomas　怀亚特(1503，英格兰肯特梅德斯通附近阿灵顿～1542-10-06，多塞特舍伯恩)　英国诗人，把意大利的十四行诗和三行连环韵诗，以及法国的回旋曲介绍到英国文学中。毕业于剑桥大学圣约翰学院。是亨利八世的朝臣，因风度翩翩，精通音乐、语言和兵器而受赞赏。曾多次担任外交使节。1537 年受封爵士。但主要以其诗，尤其是他的歌曲而闻名。他的诗有强烈的个性，在当时颇不寻常。作品有《赞美诗若干首，依英韵咏作》(1549)；还有三部讽刺诗及《歌曲和十四行诗》，均收在《陶特尔杂集》(1557)中。

Wyat, Sir Thomas, THE YOUNGER　怀亚特（小）（约1521～1554-04-11，伦敦）　英格兰军人和阴谋家。曾领导反对玛丽一世女王的叛乱。著名诗人和外交家托马斯·怀亚特之

伦敦国立肖像画陈列馆供图

子。早年好勇斗狠，1543 年曾因参加伦敦街头暴行入狱。1543 ～ 1549或1550年在国外服役，为一勇敢军官。回英格兰后于 1551 年任肯特郡长，建立了自己的军事组织的雏形。1553 年 7 月国王爱德华六世去世后，他支持信奉天主教的玛丽继位，但到年底又认为女王拟与未来的西班牙国王腓力二世结婚是损害英格兰的国家荣誉。遂与简·格雷郡主之父萨福克公爵等人一起密谋反对女王，但事泄，仅他一人召募起一支军队。1554 年 2 月 3 日率兵入伦敦郊区，迅速向市中心推进。但因得不到群众的支持，且军心涣散，与女王军队刚一交锋即投降。同年 4 月被处死。

Wyatt, James　怀亚特（1746-08-03，英格兰斯塔福特郡伯顿康斯特布尔～ 1813-09-04，威尔特郡莫尔伯勒）　英国建筑师，以设计乡村住宅和奇特的仿哥特式的方特希尔教堂而留名于世。1762 年去意大利生活了六年，回国后设计了伦敦的伟人祠（1772 年建成，后被毁），为新古典主义风格，使他名噪一时。1796 年继 W.钱伯斯任工程部的总监，负责修复达勒姆、赫里福德、利奇菲尔德和索尔兹伯里等地的主教座堂以及温莎城堡、威斯敏斯特教堂和牛津的马格达伦学院。他严格地按古典风格设计的作品如兰开夏郡的希顿府邸（1772）和萨福克郡的赫文宁厄姆府邸（约 1788 ～ 1799），在创造性方面，不如其仿哥特式建筑那样大胆放纵，其中最引人注目的为威尔特郡的方特希尔教堂式府邸（1796 ～ 1807），该建筑原先是为点缀风景而设计的，后来却成为主管该工程设计与施工、酷爱浪漫主义的 W.贝克福德的奇特宅第。其中央塔楼高 82 米，1807 年倒坍，1822 年贝克福德将该产业出售后，整个建筑沦为废墟。其奇特、壮观的景象只能从 J.拉特的《方特希尔图集》（1823 年出版）中领略一二。他还设计过一些著名的哥特式乡村住宅，如肯特郡的李·普利奥瑞住宅（1783 ～ 1790）和赫特福德郡的阿什里奇住宅（1808 ～ 1818 年，由他的侄子完成）。

Wyatt, John　怀亚特（1700-04，英格兰斯塔福德郡锡克布鲁姆？～ 1766-11-29，沃里克郡伯明翰）　英国机械师，在发展动力纺纱方面作出贡献。原为木匠，1730 年由 L.保罗资助，从事镗削金属和制造锉刀的机器方面的工作。1738 年他首先取得纺纱机专利。这种机器，几乎完全是由保罗设想而由怀亚特提供技术制造的，其原理是从一组以不同转速旋转的辊子上抽取纤维，在一段时间内很流行，但到 18 世纪 70 年代被 R.阿克赖特的水力精纱机所取替。

Wychavon　韦查冯　英格兰中西部伍斯特行政郡一区。面积 666 平方千米，位于郡的东南部。大部分为塞文河和埃文河肥沃的谷地，东南和西南两端各有科茨沃尔德丘陵之一部分，中部、南部出产水果和蔬菜。伊夫舍姆镇有水果、蔬菜罐头制造业。德罗伊特威奇镇自古罗马时代起就以含盐矿泉和浴池闻名。区首府珀肖尔有跨埃文河的 17 世纪古桥和有千年历史的诺曼隐修院。人口约110 600(1998)。

Wycherley, William　威彻利（1640，英格兰什罗普郡施鲁斯伯里附近克利夫～ 1716-01-01，伦敦）　英国剧作家。所写《乡村妻子》也许最为成功，讥讽过分的嫉妒和自满，剧中人在引人发笑的谈话中不自觉地泄露出他们的特点。15 岁时曾被送到法国受教育，1660 年进牛津大学学习，但未得到学位，后又学习法律。早先曾草拟第一部剧本《林中爱情，或圣詹姆斯公园》，1671 年秋该剧在伦敦上演，受到欢迎。克利夫兰公爵夫人 B.维利尔斯成为威彻利的保护人，于是他也被延揽到宫廷才子的圈子里。第二部剧本《绅士舞蹈教师》1672 年上演，并不成功。《爽快人》1676 年上演，讽刺贪得无厌，讽刺虽然粗糙、鲁莽，但尖锐而有力。《乡村妻子》1675 年上演，对习俗和社会的批评十分严厉。1680 年与德罗赫达的女伯爵秘密结婚。女伯爵是个严厉的清教徒，对他管得很严，致使他失去朝廷恩宠。一年以后这位夫人去世，留给他很大一笔财产。不过遗嘱却引起争端，结果威彻利由于打官司失败被关进债务人监狱。七年后，詹姆斯二世为他清偿了大部分债务，救他出狱，还赐给他一小笔年金。B.E.麦卡锡为他写的传记于 1980 年出版。

Wyckoff, Ralph Walter Graystone　威科夫（1897-08-09，美国纽约杰尼瓦～ 1994-11-03，亚利桑那图森）　美国晶体研究科学家，用 X 射线法确定晶体结构的先驱，最先用这种方法来研究生物物质的学者之一。曾就读于康奈尔大学，1917 ～ 1919 年任分析化学讲师。1919 ～ 1927 年在华盛顿卡内基研究所的地球物理实验室工作。1927 ～ 1937 年进入洛克菲勒医学研究所，后加入莱德勒实验室和雷切尔实验室。他在结晶学、电子显微术和医学研究上都做了极重要的工作，积极支持劳厄 X 射线晶体分析法，曾发明由复杂的 X 射线衍射照片中得出晶体结构的技术，后转向研究有机物质，企图把蛋白质提纯并结晶，从而导致完善了超速离心机，使之能够分离病毒。第一个防病毒性疾病的体外疫苗，就是从分离出来马昏睡病的病原病毒制成的，随着这种疫苗的商业性制造，又大大改进了在鸡胚胎中培养病毒的技术，使之成为制造其他疫苗的标准技术。1959 ～ 1981 年任亚利桑那大学物理学教授。编有《晶体结构》6 卷（第 2 版，1963 ～ 1971），并著有《动物化石的生物化学》(1972)。

Wycliffe, John　威克里夫（约1330，英格兰约克郡～ 1384-12-31，莱斯特郡拉特沃思）　Wycliffe 又拼 Wicliffe 或 Wiclif。神学家、哲学家、宗教改革运动的先驱者之一。第一部全译英文《圣经》的倡导者。1369 年获神学士学位，1372 年获神学博士学位。1374 年英格兰国王爱德华三世任命他为拉特沃思牧区长。后奉爱德华三世派遣，赴布鲁日与教皇代表就英格兰与教廷双方在教廷赋税和神职任免权等重大问题上的分歧进行商谈。为此撰写《论神权》（三卷）和《论政权》两篇论文，认为人所行使的权力直接来自上帝，如果人犯有不可赦免的大罪，那么人的权力就仅存于表面。只有义人才有真正的权力，即使义人不能使自己这种权力获得承认。他进而指出，教会既然有罪就应当放弃财产而恢复安贫乐道的本来状况，剥夺教会资产应由国家特别是国王执行。教皇格列高利十一世连续发表 5 份通谕，驳斥他的政治宗教理论，要求英格兰政府将他逮捕，英格兰政府置之不理。威克里夫返回拉特沃思闭门著述，系统批判教会的信仰和行为。在理论上他从得救预定论出发，赞成由上帝预定拯救的人们组成“无形”教会，不赞成有形的教会。但他主要抨击变体论即认为圣餐礼上所用的饼和酒果真变为耶稣的肉和血的教义。威克里夫用尖刻语言抨击教会人员，教皇、枢机主教、从事世俗职务获利甚丰的教士、修士等等无一例外。自 1380 年 8 月至次年夏，威克里夫在女王学院紧张地准备翻译《圣经》并筹组“穷修道”修会，以便将《圣经》真理传播到民众中去。在他的倡导下有两种《圣经》译本出现，其中一种文笔较为流畅。罗拉德派的出现与威克里夫的关系固然不能肯定，但罗拉德派无疑曾宣传威克里夫的论点。1381 年威克里夫退隐于拉特沃思，当时爆发农民起义，他同情正直的贫民。坎特伯雷大主教西蒙死于乱中，后继大主教库尔特尼反对威克里夫。1382 年 5 月，他的许多著作在伦敦举行的教区会议上受到谴责；在牛津，他的追随者纷纷屈服，他的著作全部被禁。同年，他在拉特沃思初患中风，仍坚持写作，1384 年再次患中风而死。宗教改革运动后，为他作传记的新教人士大多认为，威克里夫是独自一人反对中世纪邪恶的第一位宗教改革家，但现代有些学者认为，这种看法不符历史真实情况。

Wycombe　怀科姆比　英格兰白金汉行政、历史郡一区。在森林密布的奇尔特恩山区内。泰晤士河为其南界。面积 324 平方千米，大部分是乡村。部分地区位于奇尔特恩

自然风景区内。有史前墓冢和土建工程。主要城镇有海威科姆、马洛和里斯伯勒王子城。人口约163 400(1998)。

wydah(bird) 参阅 **whydah** 维达鸟。

Wydeville, Anthony **威德维尔** 参阅 **Rivers, Anthony Woodville, 2nd Earl** 里弗斯伯爵(第二)。

Wydeville, Richard **威德维尔** 参阅 **Rivers, Richard Woodville, 1st Earl** 里弗斯伯爵(第一)。

Wye, River **怀河** 又译瓦伊河。英格兰和威尔士的河流。长约210千米。从威尔士中部的高沼地向东南流经英格兰,在塞文河口湾注入爱尔兰海。是英国主要河流之一。源出普林利蒙高地东坡,至赖厄德附近接纳伊兰河(其上游水库为伯明翰供水)。过比尔斯韦尔斯,在阿伯林菲急转向东北流去,至海伊进入英格兰。在赫里福德接纳莱格河。罗斯以下河段多处谷深流曲,风景优美。蒙茅斯以下河段为历史上英格兰和威尔士的分界。河中盛产鲑鱼。

流经赫里福德-伍斯特郡西蒙兹亚特的怀河
供图:G. F. Allen—Bruce Coleman Inc.

Wyeth, Andrew (Newell) **韦思** (1917-07-12,美国宾夕法尼亚查兹福德~2009-01-16,查兹福德) 美国水彩画家,以写实主义手法绘古老建筑物、田野、丘陵和生活中所接触的人物而闻名。1937年在纽约首次举行个人展览。画的主题几乎全都来自查兹福德附近布兰迪万河流域和故乡缅因州库欣附近地区。作画主要用泥土颜色,但能变化出数百种柔和色调。其技法精确细腻,使人览之如入幻境。《克里斯蒂娜的世界》(1948,纽约市现代艺术博物馆藏)一画显示他善于使用特殊透视角度和光线明暗表现动态。他最善于观察人物身上的生活印迹、地势的起伏以及前代人在古老房屋内外所遗留的生活痕迹。

韦思绘《克里斯蒂娜的世界》(1948)
纽约市现代艺术博物馆供图

Wykeham, William of **威克姆**(1324,英格兰汉普郡威克姆~1404-09-27,汉普郡毕晓普斯沃尔瑟姆) Wykeham 又拼 Wickham。英格兰高级神职人员和政治家,牛津大学的温切斯特学院和新学院的创建者。出身贫寒。约在1356年开始为国王爱德华三世服务,到14世纪60年代中期,成为国王最信赖的助手。1367年任英格兰大臣和温切斯特主教。在兰开斯特公爵约翰(冈特的)领导的反教权主义风潮中失去大臣职位(1371)。理查二世即位后,他于1389~1391年任大臣。

英国温切斯特学院教堂东壁上14世纪晚期的威克姆滴水石头像
英国温切斯特学院供图

Wyler, William **惠勒**(1902-07-01,法国米卢斯~1981-07-27,美国加利福尼亚贝弗利希尔斯) 美国电影导演,其影片以人物刻画精致著称。曾就读于瑞士洛桑的高等商业学校和巴黎音乐学院。曾在纽约为环球影片公司做对外宣传工作。后来迁居好莱坞。1925~1927年在50多部西部片中担任练习生、道具员、场记员、助理导演和导演。他执导的成名之作是《法律顾问》(1933),并从这部影片开始拍出一批票房收入较高的影片,如《他们三个人》(1936)、《孔雀夫人》(1936)、《死胡同》(1937)、《红衫泪痕》(1938)、《呼啸山庄》(1939)、《西部人》(1940)和《小狐狸》(1941)。他的独特风格是在每个镜头中依靠画面构图的变化造成多种多样的视觉形象。其《忠勇之家》(1942)获奥斯卡奖,此后的《我们生活的美好年代》(1946)和《宾虚传》(1959)两次获该项奖。第二次世界大战期间导演过《孟菲斯美女》(1944)和《霹雳》(1945)等杰出纪录片。战后最受好评的影片有《罗马假日》(1953)、《收税人》(1965)和《滑稽女郎》(1968)等。

Wylie, Elinor **怀利**(1885-09-07,美国新泽西萨默维尔~1928-12-16,纽约) 美国女诗人、小说家,以贵族气派和传统观点写的作品反映了第一次世界大战余波中美国人态度的变化。出身于显赫的费城世家。在纽约文学界以美貌和作品闻名。她的作品包括四卷诗集和四部小说。其诗结构严谨,格调感人,反映出16和17世纪英国诗歌的影响。小说把文雅的幻想、古典的形式同周详研究过的历史背景交糅在一起。《孤儿天使》(1926)设想英国诗人雪莱从溺水中获救被带到美国的生活。其第三个丈夫W. R.贝尼特在她死后编辑出版了她的《诗集》(1932)、《散文集》(1933)和《最后的诗集》(1943)。

Wyndham **温德姆** 澳大利亚西澳大利亚州最北部的港口。位于金河河口,临剑桥湾西湾。1885年建为金伯利金矿的港口。1919年,州政府在此定点建立肉加工厂,该厂现为温德姆-东金伯利郡各牲畜站服务。附近奥德河(**Ord River**)两岸灌溉平地生产若干谷物。为从西南3 246千米外帕斯来的大北公路的终端站。经一条旱季公路与斯图尔特横贯大陆公路相连。人口随肉类加工厂的季节性用工而增减。人口1 329(1986)。

Wyndham, George **温德姆**(1863-08-29,伦敦~1913-06-08,巴黎) 英国保守党政治家。任爱尔兰事务大臣时,1903年提出《爱尔兰土地购买法》(亦称《温德姆土地购买法》),缓和了爱尔兰农场所有权的问题。1887年担任A. J.贝尔福的私人秘书。1889年选入下院。1898~1900年任陆军部次官。1900年任爱尔兰事务首席大臣。他的土地购买法规定利用英国政府基金于爱尔兰土地转让,使土地买卖既对土地所有者有利,也保证购买条件是佃农所能够承受的。1905年辞职。

Wyndham, John **温德姆**(1903,英格兰沃里克郡伯明翰~1969-03-11,伦敦) 英国科学幻想小说作家,他对道德准则的关心甚于对小说的关心。原名John Wyndham Parkes Lucas Beynon Harris。曾在德比郡求学,从事过多种职业，从务农到广告业务。20年代中期，为美国许多廉价杂志写短篇小说，但直到第二次世界大战后才出版了第一部长篇小说《巨型三裂植物的时代》(1951)，这部作品很快奠定了温德姆作为一位科幻小说家的地位。其他作品有《海妖醒来》(1953)、《蝶蛹》(1955)、《米德威奇杜鹃》(1957；电影，1960)和《利琴的烦恼》(1960)。他的短篇小说收入《想想她的处世为人》(1961)和《时代的种子》(1969)中。

Wyndham, Sir William, 3RD BARONET 温德姆(1687，英格兰萨默塞特奥查德温德姆～1740-06-17，萨默塞特韦尔斯) 英格兰托利党政治家，1710～1740年为议员。1712年任陆军大臣。1713年任财政大臣。1714年任国库主管。曾参与博林布鲁克和老觊觎王位者J.爱德华的阴谋，并成为詹姆斯党的首领。1715年被捕后逃脱，后又投案自首，未受到追究。后成为反对R.沃波尔的派别领袖。

Wynfrid 温弗里德 参阅**Boniface, Saint**卜尼法斯，圣。

Wynn, Ed 温恩(1886-11-09，费城～1966-06-19，洛杉矶) 真名艾赛亚·爱德华·利奥波德。美国演员、导演、作家和作曲家。1902年在诺威奇作首次职业性演出，获"纯粹的白痴"绰号，该绰号取自一个同名的讽刺剧。30年代为全国广播明星。他经常运用古怪的风格、夸张的手法、鲁莽的格调以及插科打诨，使其舞台与银幕上的喜剧风格令人一目了然。早期影片包括《领我向前》(1930)和《首领》(1933)等。50年代，转向戏剧表演，所演《要人之挽歌》获1956年电视埃米奖，在影片《安娜·弗兰克的日记》中的表演获奥斯卡奖提名。后期影片有《最伟大的故事》(1965)及《玛丽·波平斯》(1964)。其子基南·温恩(1916～1986)也是著名演员，其孙特雷西·基南·温恩是电影剧作家。

Wynne (o Lasynys), Ellis 怀恩(1671-03-07，威尔士梅里奥尼斯厄拉西尼斯～1734-07-13，梅里奥尼斯兰韦尔) 威尔士牧师、作家。所著《睡诗人的梦幻》(1703)被认为是最优秀的威尔士散文杰作。该书系根据罗杰·莱斯特兰奇爵士所译西班牙讽刺作家克维多的《梦》(1627)改写，是对当代罪恶的无情写照，作品紧扣原文。但是，怀恩使用了通俗的语言，并把西班牙原作中的人物和背景转换为17世纪后期的威尔士人物和背景。该书现存有30多种威尔士文版本和几种英文版本。曾在牛津大学就读，成为牧师前为律师。

Wyntoun, Andrew of 温唐的安德鲁(约1350～约1423) 苏格兰编年史家，所作《最初时期编年史》是有关14世纪末、15世纪初史料的主要来源，也是仅有的几部中期苏格兰语长篇著作之一。温唐曾任圣安德鲁斯教堂教士。约从1393到1421年年迈退休为止，任苏格兰金罗斯洛赫利文的圣塞尔夫隐修院院长。他的编年史有九卷，用散文体的八音节对句写成，追溯到上帝创世至1420年为止的人类历史(尤其侧重苏格兰方面的)。作者大量引用古代传教士的记录、拉丁编年史、基督教教会的标准典籍及其他苏格兰编年史。莎士比亚的《麦克白》中关于麦克白同三女巫相遇的故事即来源于《最初时期编年史》。该书的价值还在于记述了苏格兰英雄罗伯特·布鲁斯之死。

Wynyard 温耶德 澳大利亚塔斯马尼亚州北部城镇。位于英格利斯河口，濒临巴斯海峡。通铁路和公路，是附近乳品、蔬菜产区和综合性农业区的服务中心。有食品加工厂。港口有小型渔船队海洋作业。人口约4 705(1986)。

Wyoming 怀俄明 美国第9大州，面积253 326平方千米。1890年7月10日加入联邦成为第44州。州名源自特拉华州印第安语的一个单词，意为"广阔平原的土地"，这是对怀俄明宽广自然环境的贴切描述，该州叉角羚的数量同人口数量不相上下。居民住在分布全州各地的小牧场镇或农耕镇、矿区住地以及提供极好的户外娱乐机会的一些社区中。每年有上百万游客前来游览黄石公园和大蒂顿国家公园。首府夏延位于怀俄明州的东南角。

怀俄明州和另外6个大平原州和落基山州接壤：东与南达科他州和内布拉斯加州交界，南邻科罗拉多州，西南与犹他州毗连，西与爱达荷州接壤，北和西北接蒙大拿州。19世纪期间，成千上万名拓荒者沿着俄勒冈、奥沃兰德、摩门、博兹曼和布里杰小道穿过怀俄明州。1860～1861年，为时不长的快马邮递路线沿俄勒冈小道横跨该州，联合太平洋铁路公司的轨道在19世纪60年代后期第一次联接北美洲的东海岸和西海岸时也经过该州。

自然地理和人文地理

土地 *地形* 怀俄明的主要地势是几个大盆地和与其毗连的落基山区。宽阔的盆地是向斜的，而主要山脉是在7 000万年前至4 000万年前影响这一地区的拉拉米造山运动期间形成的。地表平均海拔2 040米，高度居全国第二，仅次于科罗拉多州。3/4的地区海拔在1 609米以上，40%的地区海拔超过2 100米。境内最低点是从该州流入南达科他州的贝尔富什河水道，海拔953米。境内最高峰是中西部温德河岭的甘尼特峰，海拔4 207米。

怀俄明州分为6个自然地理区：布莱克丘陵、大平原、南落基山区、中落基山区和北落基山区以及怀俄明盆地。布莱克丘陵自南达科他州延伸入该州，地形很低。怀俄明大平原区占东端1/3的地区，海拔自东部边界缓升至西部边界的许多山脉。

南落基山区从科罗拉多东北部沿着拉勒米、梅迪辛博和马德雷山脉延伸，最远的延伸部分沿拉勒米山进入怀俄明州，山脉系统在这一带的卡斯珀市附近北普拉特河正南处终结。北落基山区从加拿大经过蒙大拿州、爱达荷州向南延伸，在黄石公园西北角进入怀俄明州。中落基山区大得多，占该州西北部大部分地区，沿爱达荷-怀俄明州的边界向南延伸进入犹他州。这一地区有风景如画的比格霍恩和温德河岭、黄石公园的喷泉和火山喷气孔及位于公园东部边界的火成岩阿布萨罗卡高原和甘尼特峰。

怀俄明盆地由错落有致的丘陵和山间盆地组成，位于南落基山区和中落基山区之间。这一地区包括格林河形成的弗莱明峡谷和大分水岭盆地，盆地的内陆水系无出水口。

水系 大陆分水岭从该州中南部穿过怀俄明州，呈西北走向，穿过黄石国家公园后离开该州。由于有分水岭，怀俄明州为北美四大水系——科罗拉多河、哥伦比亚河、密苏里河和大盐湖——的供水源头，其中对该州最重要的是密苏里水系，该水系流经怀俄明州近3/4的地区。据估计，这些水系供水量的75%来自怀俄明各山脉的融雪。

土壤 怀俄明州的数百种土壤可以大体上分为3大类，主要依据该州不同的海拔和气候区而定。在怀俄明州的许多山岭中可见到各种山地土，尤以西北地区最多。这些土壤多为酸性，商业性耕作的价值有限，但这些土壤可能对于用作夏季牧场的高山草地和用于木材产品的零散森林有益。该州西南部至中北部有各种荒漠土，多为碱性，主要用于冬季放牧地，但其他土壤如有水灌溉，也适宜于农作物生长。东部1/3的土地为平原土，相当肥沃，宜于适度的旱地耕作，包括种小麦。

气候 怀俄明州位于北美陆块内地(称为大陆性的一种条件)，海拔高度适中，这种位置对其气候有影响。该州包括干旱沙漠区、半干旱大草原(矮草草甸)区和高山气候区。干旱沙漠区在西半部，平均年降水量在100～200毫米之间。70%以上土地为半干旱大草原，平均年降水量为230～410毫米。山区的降水量更大。在某些山区，每年总降雪量可超过5 100毫米，每年地面积雪达150天以上。

各地每月平均气温差别很大。1月平均气温在山区为-12 °C，在东南部为-2 °C。7月平均气温在山区为10 °C，中北部比格霍恩盆地为24 °C。

动植物 怀俄明州约80%地区覆盖着禾草以及半荒漠到荒漠灌木。森林主要在山区和河川沿岸，这些地区的土壤湿润。阔叶树的地区有限，多数森林为松柏目，东北部主要为美国黄松，中南部为美国黑松，西北部为花旗松、恩格尔曼氏云杉和美国黑松。

怀俄明有大量动物繁衍，叉角羚的数量很多，在境内到处可见，在蒿属植物和禾草地区最多。白尾鹿和黑尾鹿也很多，美国赤鹿(美国驼鹿)和北美麋较少。黑熊生活在怀俄明的大多数森林山区，灰熊生活在黄石公园内和周围的高山和荒原。黄石和大蒂顿国家公园中有成群的美国野牛。境内某些高原有松鸡、北美鹑、鹑鸡和雉鸡，野火鸡常见于境内许多露天林地。

住区模式 欧洲人在怀俄明最早的定居模式是由诸如拉勒米堡(1834～1890)和布里杰堡(1843～1890)等军事据点的位置决定的。19世纪60年代后期联合太平洋铁路的修建使得几个早期住区相继建立，其中包括

在怀俄明州科迪的一年一度科迪竞技表演庆祝会上用绳索套小牛的表演

供图：© James Fain

夏延、拉勒米、罗林斯、罗克斯普林斯和埃文斯顿。

目前的住区模式以该地区的农业、采矿和娱乐活动为基础。该州没有大都会区，两个最大城市卡斯珀和夏延按照多数州的标准只能算是小城市。其余城镇人口都很少，相距很远。它们是周围的牧场和农场、矿区和娱乐地区的服务中心。

人民 该州95%以上的人口是白种人。虽然多数白种人最早来自欧洲，但墨西哥裔美国人现在占怀俄明州人口的5%左右，黑人数量不到总人口的1%，大多居住在夏延地区。尽管中国移民在修筑联合太平洋铁路中起了很大作用，但怀俄明州的亚裔很少，还不足2 000人，多数住在南部。近2%的人口是美洲印第安人，主要是阿拉帕霍人和肖肖尼人。印第安人有半数以上住在中西部9 065平方千米的温德河居留地。人口493 782(2000)。

经济 该州的经济同采矿业和农业（主要是肉牛和羊的销售）有密切关系。旅游业在经济中的地位十分重要，并且发展很快，每年到该州公园和历史名胜观光的游客成千上万。制造业不太发达。

采矿 该州是美国主要的产煤州之一。在1920年以前，煤是该州最有价值的矿产资源，但目前排在石油和天然气蕴藏之后，居第3位。在州内各地的石油和天然气蕴藏中，已知的最大储量在东北部。西南部也有丰富的页岩油蕴藏。

铀的储量很大，估计占美国总储量的1/3。境内铀的最大蕴藏在雷德沙漠、雪莉盆地、南保德里弗盆地、瓦斯山和庞普金布茨地区。该州还有大量天然碱（未经提炼的苏打灰）、皂土（用作钻泥）、石膏、石灰石和铁矿石。由于80年代中期金价上涨，怀俄明州的采金量增加，特别是在温德河岭南端。

农业 怀俄明州的别名是“牛仔州”，这说明有史以来经营牧牛场不论在经济上还是在文化上都对该州十分重要。该州的牧场非常适宜于牲畜生长，该州约70%的土地用于牲畜放牧。美国的绵羊、羊羔和肉用牛多产自该州。绵羊的主要品种是兰布莱绵羊，牛的主要品种是安格斯和赫里福德牛。

主要的农作物地区在东南部、比格霍恩和温德河盆地。最重要的谷物是小麦；其他重要作物有燕麦、大麦、干草和玉米，该州也是甜菜、干豆（包括大北方豆和菜豆）及马铃薯的主要产地。

旅游 旅游和娱乐都是怀俄明州的主要发展行业，在该州经济中占有很大比重，就业人数约占全州就业总量的10%。州政府已加强怀俄明州的壮丽景色和娱乐机会的宣传，境内的州立公园和历史名胜、黄石和大蒂顿国家公园，以及诸如比格霍恩峡谷国家娱乐区、拉勒米堡国家历史名胜及魔鬼塔和福斯尔孤峰名胜古迹区等引人入胜的地方都是游客常到之处。

运输 最初横贯大陆的铁路路线现在仍是怀俄明州的主要运输走廊之一。仍然运送大量货物穿越该州的联合太平洋铁路，现在同80号州际公路共用这一走廊，80号州际公路是美国最重要的东西走向的公路之一。第二条东西向的运输走廊是90号州际公路。怀俄明州主要的南北向运输走廊是25号州际公路。该州各地由铺设路面的高速公路和道路网相连，其中包括把该州最大城市卡斯珀同黄石国家公园连接起来的、风景如画的黄石高速公路。

怀俄明州没有客运火车服务，但有定期短途航班为州内主要城市和娱乐地区服务，如夏延、拉勒米、卡斯珀、科迪和杰克逊霍尔。多数定期短途航班的起点是科罗拉多州的丹佛或犹他州的盐湖城。冬季还有一些航班飞往杰克逊霍尔等滑雪地区。

行政与社会状况 *政府* 1889年通过的怀俄明州宪法规定州政府分为三部分：议会、行政机构和司法机关。共有5位经选举产生的行政官员——州长、审计长、财政部长、公共教育主管和州务卿；该州不设副州长职位。所有行政官员的任期均为4年。这5位选举产生的州行政官员各自负责州政府的一个领域，享有较大程度的自主权。

怀俄明州宪法规定成立一个两院制议会，由众议院和参议院组成。参议院有30名参议员，经选举产生，任期4年；众议院有64名众议员，经选举产生，每隔两年选举一次。两院中的代表权以县或区的人口为依据。怀俄明州的立法机构由兼职的公民立法委员组成，他们每年举行为数有限的立法会议。

怀俄明州宪法还建立起一个三级法院体系，包括地方法院、9个区法院和1个州最高法院。区法院法官每6年改选一次。州最高法院共有5位法官，每8年在超党派选举中改选一次。地方法院包括乡村法院和治安法官及自治市法院。

在地方政府一级有23个县和许多自治市、学区和特别区。市政府的形式由地方选择，有实权的和无权力的市长和经理形式都可采用。各县都采用政府的委员会形式。一般县政府为4 226平方英里（10 950平方千米）面积上的稀少人口提供服务，这一面积是特拉华州的两倍以上。南部的斯威特沃特县面积为10 429平方英里（27 000平方千米）。由于面积大，地方政府官员必须坚决保证有效地提供服务，居民则需要有自力更生精神。

怀俄明州在政治上是保守的，在总统竞选中一般支持共和党。该州还推举了许多共和党参议员和众议员进入美国国会。虽然民主党人在州的行政官员选举中频频获胜，但自从1936年以来，民主党人一直未能在州参议院中取得多数席位，自1964年以后，也未能在州众议院中取得多数席位。

教育 与全国平均水平相比较，怀俄明州的学校较小，师生比例适宜。在州内最边远的一些地区，幼儿园儿童到八年级的学生仍在只有一位教师的学校中上课。

设在拉勒米的怀俄明大学建于1886年，是该州唯一的公立四年制高等学府。这所大学设有100多个专业供大学生选择，并设有多学科的研究生课程。卡斯珀、夏延、谢里登、鲍威尔、罗克斯普林斯、托灵顿和里弗顿还有两年制社区学院。

保健与福利 怀俄明州的户外娱乐机会极多，犯罪率低、污染程度轻。该州居民受教育程度良好，中学和大学毕业生比例超过全国平均数。由于州的经济依赖采矿业，因而人均收入有差异，但在落基山区通常属最高之列。较大城市和城镇中有良好的保健设施，但在许多农村地区仍缺少高级专科住院实习医生。

文化生活 西方的传统和文化仍是怀俄明州生活的主要部分。庆祝该州西方传统的一年一度的节日包括每年8月在道格拉斯举行的县商品交易会、怀俄明州商品交易会，7月在拉勒米举行的狂欢节。这些大型活动都有牧马骑术表演。在开拓节期间，每年夏季在夏延都举行世界规模最大的牧马骑术表演，自1897年以后，每年都举办开拓节，吸引了世界各地的游客前来观看骑野马、骑公牛、绳索套小牛和滚桶等活动。

音乐公司和音乐节日包括夏延交响乐团、卡斯珀平民交响乐团、蒂顿村的大蒂顿音乐节和以室内乐为主、在拉勒米举行的怀俄明夏季音乐节。一些城市和城镇的剧院十分活跃。该州还有一些博物馆，许多保留了该州丰富多彩的历史传统。每个县至少有一个图书馆，最大的是拉勒米的怀俄明大学威廉·罗伯逊·科图书馆。

怀俄明州有许多州立公园和国家公园，为露营、远足和观赏野生动物提供了非常好的机会。全世界历史最长的国家公园——黄石公园——的几乎全部区域都在怀俄明州境内。许多怀俄明州居民定期利用该州极好的狩猎和捕鱼机会。

历史

史前时期至白人探险 最早在怀俄明居住的是两万多年前自西伯利亚穿过阿拉斯加到达这一地区的古印第安狩猎者和采集者。这些人的总数不多，因为他们依赖当地的猎物才能生存。到第一次有记载的白人到达怀俄明的时期，该州人口可能不超过1万人。在1800年前后，怀俄明最大的部族是肖肖尼人，但也有人数较少的阿拉波霍人、克劳人、夏延人、奥加拉拉人和布鲁勒达科他人（苏人）。

据记载，最早进入怀俄明的白人是韦伦德里勋爵皮埃尔·戈捷·瓦雷纳的儿子——法裔加拿大兄弟弗朗索瓦和路易-约瑟夫。两兄弟于1743年到达该州东北角，企图寻找一条通向太平洋的道路，但未成功。虽然刘易斯和克拉克远征队（1804～1806）只差60英里没有到怀俄明，但其成员科尔特脱离了队伍，一度进入怀俄明北部；远征队的正式记载中有科尔特的路线和有关杰克逊霍尔和黄石公园地区的描述。

皮毛贸易和联合太平洋铁路 继最早的探险家之后到来的是为数不多的皮毛商人。虽然这些山区人在任何时候在怀俄明的人数从不超过500人，但1825～1840年，该州经济主要依赖一些有名的设陷阱捕兽者和皮毛商的活动，其中包括布里杰、萨布利特、史密斯和菲茨帕特里克。

随着美国人口西迁，进入怀俄明地区的人数不断增加，1841～1868年，多达40万的移民穿过怀俄明，踏上通往今俄勒冈、华盛顿、蒙大拿、犹他和加利福尼亚的小道。仅在1 850年，估计就有5.5万人穿过这个未来的州。快马邮递的骑马人，包括野牛比尔·科迪从1860年4月至1861年10月携带邮件穿过怀俄明。

1867年11月，联合太平洋铁路公司的第一列火车到达夏延，使怀俄明首次对外部开放。在第一年，夏延的人口从很少的人一下增至6 000多人，尽管该城镇主要是由帐篷和棚屋构成，商业建筑物很少。联合太平洋铁路继续横贯该州，最后在1868年进入犹他州，怀俄明南部的人口随之迅速增长。这条铁路的修建主要在西部进行，1868年7月25日怀俄明准州成立。

州 准州居民于1889年11月5日投票通过州宪法，但怀俄明直到1890年才正式加入联邦。怀俄明州的宪法是全世界赋予妇女正式投票权的第一部宪法。怀俄明也是第一个选出女州长的州，N.T.罗斯于1924年担任州长。这些重大事件使怀俄明赢得平等州的称号。

在怀俄明建州以前的几年中，当地养牛业就欣欣向荣。该州广阔的牧场促使了牛仔时代的形成，威斯特根据他在世纪之交的怀俄明的经历写的小说《弗吉尼亚人》（1902）描述了这个时代。尽管好莱坞经常表现得有些夸张，但这一时代就是以牧牛人、定居移民和牧羊人之间在牧场上的暴力行动为特性，这种暴力行动一直持续到1900年以后。

虽然怀俄明保留了西方的传统和个性，但该州多数人从事的是采矿业，而不是过着一种牛仔的生活。该州对煤、石油、天然气和铀等能源工业的依赖使怀俄明易受“经济繁荣与萧条”周期的影响，而这种周期的产生又取决于其产品在国际市场上的价格。例如，在70年代能源繁荣时期，该州人口增长率大约为全国增长率的四倍，其人均收入也在全国名列前茅。而到80年代，世界石油供过于求，致使该州经济滑坡，人口大量外流。怀俄明州正努力通过开发旅游业等新领域使其经济向多样化发展，但毋庸置疑怀俄明州的长期经济发展将同采矿业联系在一起。

Wyoming Massacre **怀俄明惨案**（1778-07-03） 美国独立战争期间，英军在宾夕法尼亚的怀俄明谷屠杀美国居民360人的事件。1778年6月初，J.巴特勒上校率领效忠派和印第安易洛魁人1 000名进攻怀俄明谷的5 000名居民，其中多为聚集在福蒂要塞的美国妇女和儿童，结果，男女和儿童有360人被屠杀，另外有许多人逃往森林，成为饿殍。巴特勒率队北上，继续袭击纽约的边境居民点。这导致后来美国人对易洛魁人更猛烈的攻击。

Wyong **怀昂** 澳大利亚新南威尔士州东部城镇。临怀昂河。在塔格拉湖西侧。为附近综合性农业区、金红石和锆石矿区及林区的服务中心。有锯木、水果加工、制砖等工业。位于北方铁路干线和太平洋公路线上。是塔格拉湖游览区主要城镇。当地鱼虾捕获量很大。人口3 902（1981）。

Wyre **怀尔** 英格兰西北部兰开夏行政、历史郡一区（自治市）。北滨爱尔兰海。面积283平方千米。地处沿岸低平原，有集约农业。东缘接奔宁高沼地。境内有怀尔河。多数居民集中在爱尔兰海附近的弗利特伍德、桑顿-克利夫利斯和波尔顿-勒-法尔德。弗利特伍德是英格兰西海岸主要渔港、集装箱运输港和度假胜地。区首府波尔顿-勒-法尔德是农产品集散地。人口约105 100（1998）。

Wyre Forest **怀尔森林** 英格兰中西部伍斯特行政郡一区。该区除了上阿利附近一块区域（属斯塔福德历史郡）和上阿利南部一小块区域（属什罗普历史郡）之外，其他地方均在伍斯特历史郡内。面积196平方千米，位于郡的北部。名称来自西北缘的林地。地处斯陶尔和塞文两河谷牧区部分。首府塞文河畔斯陶尔波特位于区南端。距首府以北5千米的基德明斯特是全国地毯业中心，其他工业有电器生产、化工和精炼糖业。斯陶尔波特保留着许多18世纪的房舍和仓库，有“英格兰中部地区威尼斯”之称。人口约96 300（1998）。

Wyrtgeorn（ancient British king） 参阅 **Vortigern** 沃尔蒂格恩。

Wyspiański, Stanisław **韦斯皮扬斯基**（1869-01-15，波兰克拉科夫～1907-11-28，克拉科夫） 波兰剧作家、画家。被认为是现代波兰戏剧的创始人，他在剧中将希腊神话与

供图：Muzeum Narodowe, Krakow, Poland

波兰历史相揉和，创造出一种新的富有特点的戏剧形式。早年学过古典文学和绘画。1890年得到一笔赠金得以游历西欧和中欧的艺术名城，1890～1894年曾数访巴黎。首次发表的魔幻剧本《传说》于1897年上演。继而又发表两出模仿希腊风格的悲剧《诅咒》（1899）和《审判官们》（1900）以及一部爱国主义题材的诗作《卡济米日·维尔基》（1900）。他最著名的剧本《婚礼》，于1901年首演。故事来自于诗人L.雷德尔与一位美丽的农村姑娘在克拉科夫附近农村举行的真实的婚礼。婚礼被用来象征性地表现波兰的过去、现在和未来的包罗万象的全景。《婚礼》的巨大感染力和政治含义在首演时轰动了克拉科夫，后又在全波兰上演。续篇《解放》于两年后发表。1905年韦斯皮扬斯基被任命为克拉科夫美术学院教授。他的绘画，尤其是为彩色玻璃所绘的图案，显示出他构图鲜明而奇妙的才华。

Wyss, Johann Rudolf **维斯**（1782-03-04，瑞士伯尔尼～1830-03-21，伯尔尼） 瑞士民俗学者、编辑和作家。1805年在伯尔尼学院任哲学教授，后任市立图书馆馆长。他是瑞士故事和民间传说的搜集者，这些故事和传说刊印在《瑞士田园牧歌、民间故事、传说和小说》（1815）中。他还同当时最优秀的瑞士作家合作，编辑了《杜鹃花》年鉴（1811～1830）。他最重要的贡献之一是《瑞士家庭鲁滨逊》（1812～1827）的续写和编辑整理，此书原稿主要是他父亲写的。这本书被译成多种文字，成为当时最广泛传诵的小说之一。维斯还是瑞士国歌《召唤吧，我的祖国》（1811）的作者。

Wyszyński, Stefan **维辛斯基**（1901-08-03，俄罗斯帝国波兰沃姆扎附近祖泽拉～1981-05-28，华沙） 波兰格涅兹诺和华沙大主教，波兰首席主教。在华沙、沃姆扎和弗沃茨瓦韦克求学后，于1924年8月3日受神职，

任弗沃茨瓦韦克教堂副主教。在卢布林公教大学获社会学和教会法博士学位后，于1935年创办基督教工人大学，并执教到1939年纳粹和苏联军队入侵波兰为止。不久，主教科扎尔命令他离开弗沃茨瓦韦克，因此，1 811名波兰司铎惨死在德国集中营时，他幸免于难。1945年3月他回弗沃茨瓦韦克，担任神学院院长；翌年3月任卢布林主教，1948年11月12日教皇庇护十二世调他任格涅兹诺和华沙大主教。1952年11月29日提名为枢机主教，但未能前往罗马受职。他虽然同政府签有共处协定，但是不让教会参与政府的许多迫害性行动。1953年，他未经审讯而受到软禁。政府声称，他原曾保证教会惩罚有反政府活动行为的司铎，但他却违背了这项保证。1956年，哥穆尔卡上台后不久，维辛斯基获释。他同哥穆尔卡缔结协定，政府允许公立学校设宗教课，条件是教会在任命高级神职人员时必须经政府批准。维辛斯基的这种妥协避免了一场危机，这种危机会招来苏军的入侵，就像当时发生在匈牙利的情况一样。哥穆尔卡同维辛斯基的这种不巩固的协议一直到哥穆尔卡的接班人盖莱克统治期间还有效。但是，对于20世纪70年代以后为争取更大的自由而涌现出来的保卫工人委员会、团结工会、团结农会等波兰运动，维辛斯基给予谨慎的支持。维辛斯基在教义问题上持有强烈的保守态度。1979年，他同波兰当局谈判教皇约翰·保罗二世访问波兰问题，这是他最后一次重要行动。

Wythe, George　威思（1726，弗吉尼亚伊丽莎白城～1806-06-08，美国弗吉尼亚里士满）美国法学家，最早宣称法院可使一项被认为违反宪法的法律无效的美国法官之一。他也许还是第一位伟大的美国法律教师，他的学生包括这样一些著名人物，如T.杰斐逊、J.马歇尔和H.克莱。1746年获律师资格，曾任弗吉尼亚州下议院议员（1754～1755，1758～1768）和职员（1769～1775）。1764年他起草了一份弗吉尼亚致英国下议院的激烈的抗议书，反对《印花税条例》。1776年他作为大陆会议的代表在《独立宣言》上签字。同年与杰斐逊等人受命修订弗吉尼亚的法律。他是美国制宪会议（1787）和批准联邦宪法的弗吉尼亚会议（1788）的成员。1778年起任衡平法法院法官，1788年任弗吉尼亚唯一的衡平法法院法官。作为州最高法院的当然成员，他在“弗吉尼亚州诉卡顿”案（1782）中声称法院有权拒绝执行违反宪法的法律。后来当选总统的杰斐逊在18世纪60年代期间曾在他开设在弗吉尼亚威廉斯堡市的律师事务所里学习过法律。由于杰斐逊的影响，他在威廉和玛丽学院任教（1779～1789）而成为第一位美国法律教授。1780年他的在该校的学生之一是后来成为美国首席大法官的马歇尔。他后来在里士满开设一所私人法律学校，学生之一是未来的美国参议员克莱。他死于中毒。他的侄孙辈G.威思·斯威尼（又是继承人）涉嫌谋杀受审但被宣告无罪，因为唯一证人是一个没有资格作证的黑人。

美国国会图书馆供图

Wyżyna Małopolska（Poland）　参阅 **Little Poland Uplands** 小波兰高地。

X

X-chair 参阅 **scissors chair** 剪式椅。

x-disease **x病** 参阅 **hyperkeratosis** 表皮角化症。

X Club **X俱乐部** 维多利亚时代伦敦的科学家私人晚餐俱乐部，以其9个会员在英国19世纪科学与文化发展上的影响而引人瞩目。在当时的绅士社会中，晚餐俱乐部是很普遍的。自1864年11月至1892年5月，X俱乐部在伦敦的“活动季节”(10月至6月)每月都进行聚会。俱乐部的会员有J.D.胡克(植物学家，可能是俱乐部的发起人)、T.H.赫胥黎(生物学家)、J.廷德耳(实验物理学家)、J.卢伯克(银行家、文化人类学家与昆虫学家)、W.斯波蒂斯伍德(女王的印刷员与业余数学家)、E.弗兰克兰(化学家)、G.巴斯克(退休外科医师、比较解剖学家与显微镜专家)、T.A.赫斯特(数学家)和H.斯宾塞(进化论社会学家与哲学家)。

X俱乐部抵制英国的自然神学传统和既有的教会特权及其教育制度，代表了科学的自然主义运动。X俱乐部的会员认为自然规律是要由科学进行调查研究的决定性因果规律。可能有超出科学理解范围之外的神秘事物，但是，如果有，则是处在知识范围之外的，是“不可知的”。他们认为科学的明显实用价值表明科学社会需要更多的科学建议和更多的科学从业人员。他们还认为，科学的最大好处是理智的科学推理可以和传统教育同样有效地锻炼人的头脑，从而达到对自然界的真正了解。基于这样的信念，X俱乐部的人们主张由科学家(而不是神职人员)执掌文化的领导权，保卫达尔文及其进化论，力争政府对科学和科学家事业的支持，并要求在各级教育中给科学以一定的地位。X俱乐部会员的科学权威、社会地位、严谨勤勉和政治敏锐对于这个小团体的成功是至关重要的。通过经选举轮流领导小组的工作以及卓有成效的网络活动，他们对科学界有极大的影响，并且成为政府的重要顾问。作为广受欢迎的讲师，权威杂志的撰稿人和教科书作者，他们是英国维多利亚时代工业化与世俗化社会中科学的主要阐释者。

X ray **X射线** 波长极短的一种电磁辐射，由带电粒子减速或原子内电子跃迁产生。X射线的波长范围为10^{-8}～12^{-12}米，相应的频率范围为10^{16}～10^{21}赫兹。跟其他类型的电磁辐射(γ射线、紫外线、可见光、红外线和无线电波)一样，X射线在真空中有同样的速度($c=3\times10^{10}$厘米/秒)，并显示出与波的本性相联系的现象，如干涉、衍射和偏振。

X射线是W.C.伦琴于1895年11月8日在德国维尔茨堡研究低压气体放电产生阴极射线的效应时发现的。阴极射线是放电管的负极(或阴极)发射的电子。虽然许多科学家已研究阴极射线的一些性质，但是伦琴发现了这些研究人员早先未曾注意到的效应，即置于放电管外面涂有氰亚铂酸钡的表面会发出荧光，而当时已经把气体放电中的可见光和紫外线都屏蔽掉。于是他推断有一种不可见辐射从管内穿过空气并在屏上产生荧光。他把这种新奇的射线命名为X射线，表示是性质未知的射线。

X射线的一般现象 当X射线束穿过物质时，该物质就变成次级X射线源和电子源，同时，由于这些次级过程，一部分原初级X射线束被吸收。与初级X射线束相比，次级辐射的强度较弱，而且其中一些不能从物质中逸出。

当X射线束照射物质时，能产生两种次级X射线，分别称为散射X射线和荧光X射线。前者的特征是其能量几乎与初级X射线束的相同，而荧光X射线的能量则低于初级X射线能量。散射X射线就是初级X射线，只是穿过物质时其方向(也可能有少量能量)有所变化。荧光X射线反映靶材料的特征，只要初级X射线束的波长短至足以激发荧光，荧光X射线并不会随初级X射线束波长的改变而改变。

若把初级X射线视为粒子，就可以理解散射X射线的由来。X射线粒子称为光子，当它接近电子时可能被散射(偏折)。在这些少量散射过程中，X射线会失去其部分能量而将其传给电子。

当电子从某些靶原子射出，而使原子失去电子处于电离状态时，可引发荧光X射线。当原子恢复其正常能量状态时，就会以荧光X射线的形式释放能量。大多数元素都能受激发射两种主要的荧光X射线，分别称为*K*和*L*标识X射线。所有元素都发射标识X射线。这些X射线的能量随元素的原子序数(原子核电荷)增加而有规律地增长。*K*-X射线是原子发出的能量最高的标识X射线，因为它是由原子中束缚得最紧的电子的发射引起的。

物质受X射线辐照时，除了会发射次级X射线外，也会发射次级电子。次级电子可分为反冲电子和光电子。反冲电子按X射线散射的粒子理论的方式，从初级X射线获得能量，而光电子的发射过程与光线产生的光电效应相同。

当X射线被气体吸收时，使气体发射光电子。这些电子又使气体的分子电离，因此增强初级X射线的效应。若这些过程发生在活组织中，则复杂的有机分子发射的光电子可破坏组织的细胞。

X射线的二象性 早先的X射线实验表明，只有把X射线看作由波组成，才能阐明实验结果。然而，其他一些实验指出，X射线是由粒子所组成。实际上，这种二象性并非X射线所独有，而是各种形式的能量和物质的一个普遍性质。应把X射线(以及其他各种电磁辐射)既视为一些粒子又视为一些波，即把它们视为由被称为量子(或光子)的小电磁波包组成。

视为波的X射线 按照经典电磁理论，减速电子会产生电磁辐射，其方式与加速电子在无线电天线中产生无线电波相似。磁场不能使X射线束偏折，看来证实了这一经典的X射线由来的想法。若能观察到与波的叠加有关的衍射和干涉现象，就可获得波存在的关键性证明。此外，若能观察到偏振效应，就能确定波为横波(振动与波的传播方向垂直)。就光来说，这些效应在发现X射线的1895年已为大家所知。对于X射线，伦琴早先的实验未能观察到这些效应。

1906年，英国物理学家C.G.巴克拉用实验表明X射线被一块碳沿某些特定方向散射时发生偏振。说明X射线很可能是与光的性质相同的横电磁波，只是波长有所不同。

许多科学家试图通过X射线穿过狭缝看到衍射条纹来证明其波性，且一些迹象表明X射线的波长约为1埃。1912年，德国物理学家M.T.F.von劳厄想出一种测量X射线波长的方法。他从晶体中原子在整个晶体结构中规则排列、其间隔约为1埃(10^{-10}米)的现实出发，得出单晶中的许多原子可用作X射线衍射光栅的结论。劳厄的同事们把窄X射线束射向硫化锌晶体，并在晶体后面放一张照相底片。所得照片包含一个中心暗斑和一些复杂但对称的小圆点图样；中心暗斑是X射线直接穿过晶体的结果，而许多对称的小圆点则是由硫化锌晶体原子的衍射所产生的。这些实验确定X射线是波，其波长的数量级为1埃，并证实晶体具有按规则结构排列的原子，称为点阵。

继劳厄实验后不久，英国物理学家L.布拉格发明了另一种X射线衍射技术。他通过考虑晶体点阵中的原子是如何对X射线散射的，得出下列结论：若波长λ的X射线以相对于晶面为θ的入射角射向晶面间距为d的晶体，则当整数n(称为衍射级)乘以波长等于点阵间距乘以入射角正弦的二倍(即$n\lambda=2d\sin\theta$)时，会产生相长干涉。这一方程称为布拉格定律，它奠定了X射线晶体衍射分光计的基础。利用这一理论，布拉格得到探测器中电离强度作为角度函数的分布。这一分布表明，X射线有线状谱和连续谱两种，前者反映管内靶材料的特征。布拉格从由晶体点阵几何得到的晶体间距d以及晶体密度和单原子的质量，能计算出标识X射线谱线的波长并证明这些波长近似地与吸收体原子量的平方成反比地变化。这些实验证实了巴克拉早先的实验结果，他利用吸收短波X射线小于吸收长波X射线的事实，发现了两个强极值区。1911年，巴克拉将长波极值命名为L系，短波极值为K系。

1923年，美国物理学家A.H.康普顿演示了X射线从抛光玻璃表面上的反射。他发现当角度小于10弧分时，可以观察到按镜面反射定律所预定方向的强反射束。X射线波性的最终证明是1925年观察到刻划光栅对

X射线的衍射。由于精确地知道刻划光栅的线间隔，因此已用此法来测定X射线波长的绝对值。

视为粒子的X射线 光电效应和康普顿效应生动地证明了X射线的粒子性。为了阐明黑体辐射(理论上完全不反射或完全吸收[即"黑"]体的辐射)，M.普朗克假设能量以小波包或量子形式辐射，波包或量子的能量为 $h\nu$，其中 ν 为辐射频率，h 为一常量(现称普朗克常量)。普朗克假设除了能阐明黑体辐射外，另一个最重要的成就之一是爱因斯坦用它来阐明光电效应。在光电效应中，被吸收的电磁辐射从吸收体中发射出一个电子。爱因斯坦光电效应方程确定发射电子的动能 E_{kin} 等于入射光子的能量 $h\nu$ 减去电子从样品逸出时所需的功 W_0：

$$E_{kin} = h\nu - W_0。$$

虽然这一方程最初是根据在金属表面吸收光线的光子导出的，若 W_0 为电子从原子的束缚态射出时所需的功，则它对X射线光子也是适用的。

证明X射线粒子性的又一组实验是康普顿于1922～1923年间做出的。他利用X射线分光计，测量轻元素散射的X射线波长。除了波长与原初级射束相同的散射X射线外，他发现在较长的波长处有第二个峰值，其强度和波长是样品散射角的函数。康普顿和荷兰科学家P.德拜相互独立地阐明了这一效应(现称为康普顿效应)。他们提出初级X射线光子可看作一小球，能与散射物质中的某一电子碰撞，其碰撞方式与两个质量不同的光滑的弹性球之间的碰撞相似。因而光子会失去一些能量并将其传给反冲电子，致使波长变长了。假设在光子和电子的碰撞过程中能量和动量(质量乘速度)守恒，他们能推导出散射X射线的波长移位，从而确定在较长波长处新峰值的位置。

X射线的探测和测量 X射线束由其强度和谱(能量)分布所表征，已研究出许多测量这些特性的方法。

X射线探测方法一般有两种。第一种方法利用X射线使照相乳胶产生光化学变化。底片的黑度与曝光有关，而曝光则定义为X射线强度和曝光时间的乘积。底片上致黑的位置和程度由光学技术决定。

探测X射线的第二种方法是利用X射线使气体或固体电离，或在晶体中产生荧光。利用这些现象的探测器称为电子探测器。电子探测器有多种形式，其中包括**电离室(ionization chamber)**、**闪烁计数器(scintillation counter)**和**固体探测器(solid-state detector)**。

这些器件每吸收一个光子就产生一个电压脉冲。计算电压脉冲的数目，就可以确定光子的数目。此外，可把来自所有这些器件的电压脉冲接到脉冲-高度分析器，这种电子仪器能将脉冲记数和按能量分类，以获得谱分布。

这里描述的各种计数器也在X射线衍射分光计中用作探测器。X射线分光计主要由X射线源、衍射样品和探测系统组成。如果所采用的是已知波长的X射线，则可用于研究晶体结构。利用已知结构的衍射晶样，可利用X射线分光计来测定X射线谱。

X射线的应用 X射线的许多不同特性已广泛应用于医学、工业和科学等众多问题。例如微分吸收、吸收的定量测定、晶体衍射、标识辐射的荧光以及X射线产生的生物效应。

X射线最早的应用之一是在医学中用于诊断和治疗。诊断包括骨折、体中异物、牙洞以及诸如癌等疾病的检查。在治疗处置中，则用X射线来制止恶性肿瘤的扩散。

在工业上，X射线照相可用于无损检测铸件中不能直接观察到的裂痕，以及测量材料的厚度。X射线已广泛应用于各种材料的品质鉴定。通过定量测定已知组分的样品中的X射线吸收量，就可以确定其厚度。如果样品厚度已知，则可通过这种吸收来精确地测定其组分，即使样品含有两种元素。

样品产生的X射线荧光可用于许多仪器中对材料进行定性和定量分析。初级射束可以是X射线、γ射线、电子或其他带电粒子。荧光X射线的能量是样品中所含物质的表征。利用适当的标准，可作出定量测定。这一原理已用于电子微探头，其中用直径约为0.000 1厘米的窄电子束来测定样品某一区域的组分。在扫描电子显微术中用X射线来获得样品中元素分布的"图像"。此外，荧光源还能与硅(锂)探测器组合，作为材料快速鉴定的能量分析探测器。

X-ray diffraction X射线衍射 晶体中均匀排列的原子受X射线束照射而产生波的干涉图的现象。晶体原子平面对X射线的作用，如同一均匀划线的光栅对可见光束的作用。参阅 **Bragg law; Laue diffraction pattern**。

X-ray source X射线源 发射X射线波段辐射的各种类型的天体。由于地球大气非常有效地吸收X射线，所以只有X射线望远镜和检测器由空间飞行器运载到大气以上的空间，才能观测到产生这种电磁辐射的天体。仪器设备的进展以及观测技术的改善，X射线源的发现数目迅速增长。到20世纪末，已在宇宙各处探测到这种天体几千个。

太阳是探测到有X射线发射的第一个天体。在1949年，火箭运载的辐射计数器测到日冕的X射线。不过，太阳本身却是一个X射线弱源，之所以易于探测到，原因仅在于离地球近。30年之后，轨道飞行器HEAO－2(即爱因斯坦天文台)，已能从许多更遥远的普通恒星容易地检测到X射线。从普通恒星的星冕中探测到X射线的星数已有150个以上。已观测有X射线发射的恒星几乎包括了各种类型，从主序星、红巨星，直到白矮星。大多数恒星以X射线发射的能量仅占其辐射能的极小一部分。然而，年轻的、大质量的恒星却是强有力的X射线发射源。这种恒星通常出现在星云中，它们炽热的星冕气体能膨胀，并使星云本身也成为一个可探测的X射线源。超新星遗迹是一种更强有力的X射线源类型。它们是正在死亡的恒星在激烈爆发时所抛射的气体壳。第一个观测到的是蟹状星云，它是1054年其辐射到达地球的一个超新星的遗迹。不过，它却不是一个典型的遗迹，因为它的X射线是遗迹中心处的脉冲星的高速电子所产生的同步加速辐射。大多数其他超新星遗迹的X射线主要是出自炽热气体。一个超新星爆发抛射的气体相当冷，但以几千千米/秒的高速向外横扫它们吹积起的星际气体。强力冲击波使星际气体炽热到足以发射X射线的 10^8 K的高温。

银河系中最强的X射线源是某种类型的双星。这些被称之为X射线双星的X射线输出比太阳在各个波段的总辐射还要高出1 000倍。在X射线天文学诞生的初期所发现的X射线源中的大多数都是X射线双星，例如，天蝎座X－1。它是一个典型的X射线双星源，它是一个密近双星，其中一个子星是一个十分致密的天体。这个致密天体可能为一中子星，在直径仅约20千米的球形天体中聚集了约2个太阳质量的物质。另外一个可能是，这个致密天体为一更为致密的黑洞，它是一个已坍缩的恒星，其引力强到连光线也不能从其中逃逸向外。当双星中的另一伴星的气体落向该致密天体时，后者将气体旋入其周围的吸积盘中。盘内的黏滞特性将气体的轨道能转化为热能，当温度足够高时，就发射出大量的X射线。已知有几种类型的X射线双星。在X射线脉冲星中，气体射束到达中子星的两极，并以十分有规律的周期发出脉冲辐射。在一种称为X射线暴源的天体中，中子星的磁场悬浮气体，直到累积起重量一次又一次地压碎磁场，下落的气体发射出突然的X射线暴。在一个轨道扁椭的双星中会出现暂现X射线，因为只有当二子星距离最近时，才会偶然出现气体的转移。天文学家通常都把X射线双星中的致密天体视为中子星，除非当其计算出的质量超过3个太阳质量才另作他论。在此情况下，则将它视为黑洞。两个十分强的黑洞候选者是天鹅座X－1(6个太阳质量)和LMCX－3(10个太阳质量)。

在近距星系中，例如仙女星系，可以探测到其中的X射线双星族发射的X射线，和射电星系、塞弗特星系以及类星体等按各种判据划分为活动星系类的天体相比，近距星系都只算是X射线弱源。活动星系的特征是其核心均有激烈活动，通常认为其X射线出自质量可达10亿个太阳质量的中央黑洞周围的炽热气体吸积盘。这些星系的X射线能量有剧烈的变化。例如，类星体OX169，出自直径不到2光时(即小于太阳系的跨度)的区域内的X射线输出，在不到2小时的短时标内，就有明显变化。星系团是另外一种河外X射线强源。星系团的X射线不是出自其成员星系，而是成员星系之间的炽热气体团。它们受成员星系的综合引力左右而保持在星系团之中。典型的情况是气体温度高达 10^9 K。炽热气体可能起源于为数众多的超新星的抛射。

最后，还有一种出自遥远距离和来自各个方向的X射线弥漫背景辐射。尽管1962年就已发现了这种背景辐射，但对其本原仍不清楚。这种X射线可能是源于充斥整个宇宙的极其稀薄的气体。不过，目前大多数天文学家有倾向性的观点认为，背景辐射中的主要的 X 射线来自距离遥远到不能单个加以观测的、为数众多的类星体。

X-ray style X射线式风格 用素描或彩绘描写动物骨架结构和内部器官的绘画风格。史前狩猎文化独特的艺术风格之一。起源可追溯到北欧中石器时代的艺术，最早的例证是在法国南部发现的马格德林时代后期骨片。X 射线式的动物画在西班牙北部、西伯利亚、北极圈、北美、新几内亚西部、新爱尔兰、印度及马来西亚的狩猎文化艺术中亦曾有所发现。当今发现的主要是在澳洲北部的东阿纳姆地的原始岩石、洞穴和树皮画之中。

澳大利亚阿纳姆地巴博亚人绘制的 X 射线式风格树皮画——巨蜥

供图：Stadtisches Museum fur Volkerkunde, Frankfurt am Main

X-ray telescope X射线望远镜 一种为探测和分解来自地球大气层以外射线源的 X 射线而设计的仪器。由于地球大气有吸收作用，X 射线望远镜必须由火箭或气球带到高空，或是置于大气层外的轨道上。气球携带的 X 射线望远镜用于探测穿透力较强（较硬）的 X 射线，而由火箭或人造卫星带到更高处的，则用于探测较软的 X 射线。目前已经使用了几种类型的 X 射线探测器，其中包括盖革计数器、正比计数器和闪烁计数器。因为天体 X 射线源都十分遥远，因而很弱，所以要在宇宙射线诱发的背景辐射中探测 X 射线，就要求这些探测器收集面大、效率高。反射 X 射线望远镜的设计，应使强穿透力的射线以掠射角投射到反射面上。

X-ray tube X射线管 又称伦琴射线管。用高压电场加速电子到高速并使它们与阳极靶碰撞以产生 X 射线的真空管。由于 X 射线能不同程度地穿透固体物质，所以可用于医学和工业，用于探明结晶物质的结构和科学研究。X 射线管由电子源（阴极）和阳极（通常为钨）封装于玻璃管壳内制成。其设计原型是由美国工程师 W.D.库利吉于 1913 年发明的。

X-trisomy X-三体 一种女性性染色体疾病，染色体组型为 XXX。较特纳氏综合征（即 X-单体）多见。患者外观正常，能正常地性成熟，有生育能力，因此往往未能诊断。统计研究表明，患者精神失常、智能发育迟缓（或二者并发）的发生率与正常人群相比稍有增高。

Xai-Xai 赛赛 旧称若昂贝卢。莫桑比克南部港口城镇。位于林波波河东岸、靠近入海处。为周围地区所产腰果、稻米、玉米、木薯、高粱的销售中心。饲养奶牛。有轻轨铁路通往内地并通至港口。因港淤塞，又因汽车运输与之竞争，其重要性降低。莫桑比克海峡沿岸有南北向的公路干线连接赛赛与莫桑比克首都马普托。人口约93 519（1991）。

Xaignabouri, Muang 沙耶武里 又拼 Sayaboury。老挝西北部城镇。位于湄公河以西 29 千米左右。有锯木厂，从事藤条、竹、棒胶、安息香等林产品的贸易，开发大量柚木资源供出口。周围地区高地居民为苗族和克穆族，人口稀少，以森林采集和轮作为生。低地和谷地居民为老挝人，占该省人口的大多数，种植双季稻和棉花。人口：城镇约13 775（1973）。

xanthate 黄原酸盐 在碱存在下用二硫化碳处理醇生成的有机盐的总称。来源于希腊词 xanthos（"黄色的"），因乙基黄原酸钾（$C_2H_5OCS_2K$）与硫酸铜化合时得到黄色沉淀而定名。最重要的一类黄原酸盐是从纤维素制得的黄原酸钠盐；用以加工成人造丝或透明玻璃纸。某些低分子量醇的黄原酸酯可用作矿石浮选剂。

Xánthi 克桑西 希腊色雷斯区西部的州和城市。城市位于狭长的埃斯基泽山谷顶端，罗多彼山脚下。该市曾为土耳其人的夏季避暑胜地，19 世纪 90 年代通铁路后地位开始重要，巴尔干战争（1912 ～ 1913）后归保加利亚，而第一次世界大战后又属希腊。州面积为1 793平方千米。克桑西市有公路通达斯塔夫鲁波利斯镇和拉戈斯港。人口：市约 37 462；州约90 450（1991）。

xanthinuria 黄嘌呤尿症 一种少见的遗传性、嘌呤代谢障碍性疾病，患者体内缺少黄嘌呤氧化酶。正常情况下，嘌呤碱基（黄嘌呤）在黄嘌呤氧化酶的作用下被降解为尿酸，然后随尿排出体外。当体内缺乏黄嘌呤氧化酶时，黄嘌呤不能被降解，而是大量积聚在体内，致使血和尿中的黄嘌呤浓度急剧升高。黄嘌呤尿症患者的一般情况尚好，早期多无明显症状；黄嘌呤性肾结石是影响患者健康的严重合并症。该病无特殊治疗方法，应嘱患者多饮水，少吃动物脏器的肉、龙须菜和蘑菇等富含黄嘌呤的食物。

Xanthophyta 黄藻门 通称黄绿藻（**yellow-green algae**）的藻类。

xanthosis（medicine） **褐黄病** 参阅 **carotenemia** 胡萝卜素血症。

Xanthus 桑索斯 今克讷克。古吕基亚主要城市，位于今土耳其西部的科贾河河口上流。尽管早期的吕基亚铭文中提到它，但它的初期历史不详；公元前 6 世纪的历史中再次提到它时，已是吕基亚的主要城市。约公元前 540 年被居鲁士手下大将哈尔帕戈斯围攻。困在城内的吕基亚人把妻子、儿女、奴隶和财富统统集在卫城下面烧掉，然后向波斯人猛冲，直到最后一个人战死为止。这座城市很快被重建，公元前 5 ～前 1 世纪为兴盛时期。公元前 42 年被罗马人围攻，市民再次进行英勇的保卫战。该城现有保存完好的剧场、寺庙等建筑遗址。人口约 17 051（1990）。

Xauen（Morocco） **沙文** 参阅 **Chechaouene** 舍沙文。

Xauen, Dámaso Berenguer y Fusté, conde de（count of） **沙文伯爵** 参阅 **Berenguer（y Fusté），Dámaso** 贝伦格尔。

Xavante（people） 参阅 **Shavante** 沙万特人。

Xavier, Saint Francis 沙勿略，圣方济各（1506-04-07，纳瓦拉桑圭萨附近沙勿略城堡～1552-12-03，中国广东沿海上川岛） 近代天主教最伟大的传教士，对天主教在印度、马来群岛和日本的传播与发展起了重要作用。1525 年入巴黎大学。1529 年起与同学依纳爵·罗耀拉同室居住。沙勿略等 6 人在罗耀拉率领下于 1534 年 8 月在巴黎蒙马特尔教堂发愿效法基督，守神贫贞洁。7 人陆续完成学业，聚集于威尼斯，1537 年沙勿略在该地受神职为司铎。7 人连同新加入的同道一同到罗马。他们声望甚高，许多信奉天主教的君主希望起用他们。其中葡萄牙国王若昂三世需要勤奋的教士前往他新近在亚洲占领的地区传教。罗耀拉原选定两人，不料其中一人患病，罗耀拉遂指定沙勿略代替他。1540 年 3 月沙勿略自罗马出发，先到里斯本，前往东印度群岛。当年秋，教皇保罗三世正式承认由罗耀拉及其追随者成立的耶稣会。1542 年 5 月沙勿略到达葡萄牙在东方的据点果阿。靠译员协助，将《教义问答》译成泰米尔语，利用这本小册子进行传教活动。1545 年秋，沙勿略到达马来群岛。他先在葡萄牙商业中心马六甲向各族人传教，数月后前往马来亚和香料群岛（摩鹿加岛）的土著人中间建立教会。1548 年，沙勿略返抵印度，此时已有许多耶稣会士在印度活动。成立于数年前的信德学院已由耶稣会接管，沙勿略以之为果阿主教区培训土著教士和初级传教人员的机关，当时果阿主教区管辖范围由非洲南端好望角延伸到中国。此时沙勿略目光已转向欧洲人 5 年前才到达的日本。1549 年 8 月 15 日，沙勿略率领新受洗入教的日本人弥次郎和其他伙伴抵达日本鹿儿岛。为在日本传教，他适应当地情况，放弃赤贫，而讲究排场。1551 年底他暂返印度，将其时已有的 5 处教会、约2 000名信徒托付给其他教士。1552 年，到达中国广东沿海的上川岛，准备前往中国时染病而死。

Xenacanthus　异刺鲨属　曾长期生存但已绝灭的淡水鲨鱼属。从泥盆纪末(3.45亿年前)一直生活到三叠纪末(1.9亿年前)。躯体细长,背鳍低,向后延伸,几乎与三角形的

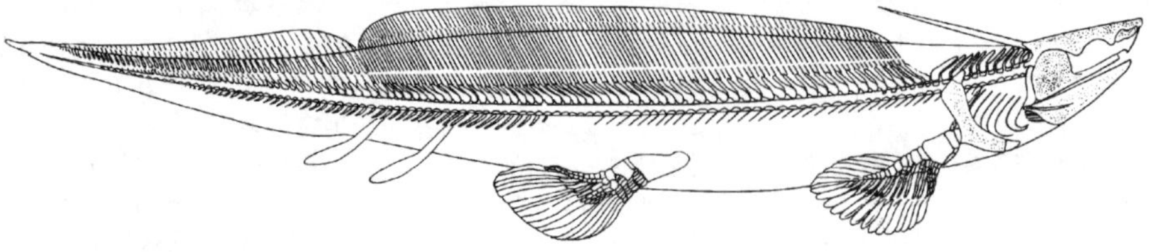

异刺鲨属(*Xenacanthus*)

尖尾连在一起。头骨的背面,伸出一根长而尖、能活动的刺。

Xenakis, Iannis　泽纳基斯(1922-05-29,罗马尼亚布勒伊拉～2001-02-04,法国巴黎)　又译克赛纳基斯。罗马尼亚出生的法国作曲家、建筑家及数学家。他首创《概率音乐》,这是借助于电子计算机、根据数学概率系统而

供图:Lipnitzki—H. Roger-Viollet

作的乐曲。出身希腊血统的富裕家庭,1932年移居希腊。1947年在雅典理工学院毕业后,因政治活动被逐出希腊而移居巴黎,与建筑家勒·科比西埃一起工作达12年之久,在此期间他设计了1958年布鲁塞尔世界博览会的菲利浦斯馆。30岁以后开始认真致力于音乐创作,接受米约的培训,并在巴黎音乐学院(1950～1962)学习作曲,师从梅西昂。1954年以所作《变形》开始了他的概率音乐的试验。他的论文《系列音乐之危机》(1955)阐明了他严格的逻辑推理技巧。他的作品《阿霍尔里普西斯》(Achorripsis, 1958)是为21件乐器写的,它引导泽纳基斯制订出他的最简作曲规则。这些规则在为10件乐器而作的由计算机推算的ST/10-1,080262的程序中得到扩展。ST/4-1,080262是为弦乐四重奏而作的,《赞歌(向布莱斯·巴斯葛致敬)》也是为10件乐器而作的,此外还有为4件乐器写的《是命运-不是命运》等,都基于同一程序。在以上这些作品中他运用一个IBM 7090计算机来控制音的连续次序、乐器配合、音高、时值和力度。表演者无即兴演奏的自由,但所取得的音响效果则是流畅、均匀和自然的。他和巴黎现代音乐器乐合奏团进行了长期而富有成果的合作,使他的室内乐作品经常被演出并录制成唱片。1966年他创立了数学与自动化音乐学校。

Xenarthran　异关节类　一个历史极为悠久的哺乳动物类别,由色带目(Cingulata)的犰狳和被毛目(Pilosa)的树懒和食蚁兽组成。这些动物之所以归为一类(异关节类)是因为它们的脊柱下部都具有一个共同的特征。其腰椎为"异关节性";亦即,其腰椎具有额外的骨连结(关节),功能为加强下腰和髋部。有

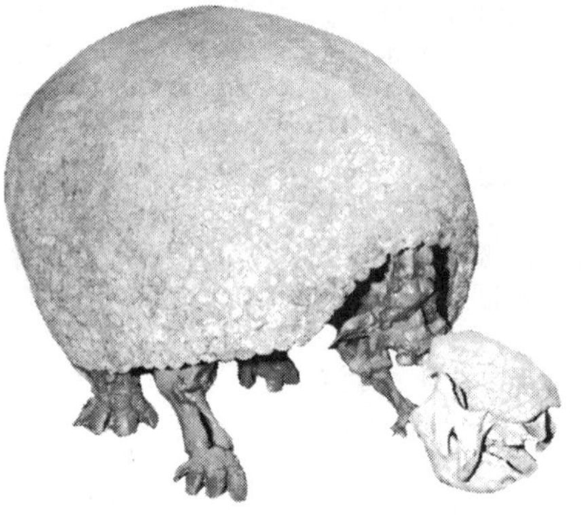

雕齿兽(雕齿兽属)(*genus Glyptodon*)
美国不列颠百科全书公司供图

了这些额外的骨连结,和谐动物在进行与行进无关的活动时能使用前肢进行其他动作,如挖掘——食蚁兽和犰狳取得食物时就主要依靠这种方法。异关节类的食物范围各异,从严格的以昆虫为食(如仅食蚂蚁和白蚁)的食蚁兽到严格以树叶为食的树懒。但犰狳的食性却一点也不特化,它们能以多种不同的植物和小动物为食。但各种异关节类的代谢都具有相似的特点:与其他哺乳动物相比,其代谢率均较低;其中一些种类消耗的热量与体型相似的其他哺乳动物相比,还不到后者的一半。结果,异关节类的进食量少于其他哺乳动物,体温亦较其他哺乳动物低几度。现在异关节类的分布范围仅限于拉丁美洲,只有九带犰狳(Dasypus novemcinctus)为例外,该种可分布到美国南部。

Xenia　齐尼亚　美国俄亥俄州西南部城市,格林县县城(1804),靠近小迈阿密河。位

齐尼亚市的J.盖洛韦原木屋
供图:Milt and Joan Mann from CameraMann

于代顿东南偏东26千米处。1803年始建。1817年设村,1834年设市。19世纪40年代通铁路,促进其发展成为农业和畜牧业的贸易中心。也生产小型制品如家具、绳索、塑料、铸件和飞机部件。附近设有学校,其中州立中央大学(1887)和威尔伯福斯大学(1856)是两所具有历史意义的黑人大学。人口24 664(1990)。

Xenicidae　异鹩科　雀形目的一科,从前称刺鹩科(Acanthisittidae)。本科种类一般称作新西兰鹪鹩。现存3种:岩鹪鹩(微黄腹异鹩,*Xenicus gilviventris*)、丛鹪鹩(长脚异鹩,*X. longipes*,罕见,分布南岛)和刺鹩(来福枪手鸟,*Acanthisitta chloris*,南北岛均常见)。第4种斯蒂芬岛鹪鹩(莱尔氏异鹩,*X. lyalli*)在1894年被一位灯塔管理员发现,随即被他的猫咬死。由猫拖回来的9个个体被送到不列颠博物馆。这可能是唯一不会飞的雀形类,显然仅分布在科克海峡一个岛上不足一平方英里、窄小得惊人的范围内。异鹩形小,体结实,嘴像鸸,尾极短。略似八色鸫,可能两者有共同的祖先。刺鹩长仅8厘米,羽衣褐黄相间,使人联想到早年英国来福枪队的制服。

来福枪手鸟(*Acanthisitta chloris*)
供图:M. F. Soper—Bruce Coleman Inc./美国不列颠百科全书公司

攀缘在树上,主要在山毛榉林中。丛异鹩也是树栖的食虫鸟。岩异鹩主要在开阔的山坡上觅食。两种异鹩在飞落时有力地上下跳动,而刺鹩不断抖动翅膀。

xenobiology　外星生物学　参阅 exobiology 外空生物学。

Xenocrates　色诺克拉底(?～公元前314,雅典)　希腊哲学家、柏拉图的学生。继斯珀西波斯任希腊学园主持人(学园为柏拉图于公元前387年左右创办)。柏拉图去世(公元前348或前347)后,他和亚里士多德一道离开雅典,公元前339年他当选为学园主持人时才返回,从此终生留在学园。他的著作除若干片断外,均已无存。据亚里士多德称,他的学说与柏拉图的学说相似,其中有一条是:

一切现实事物都是从两个对立的原则“1”和“不定的2”之间的交互作用“派生”而来。“多样性”、罪恶和运动都是由“2”产生的，而统一、善和安定则来自“1”。数和几何学的量值被视为这种派生的首要成果。他把全部现实分为三类：①可以感觉到的客体；②可以用真正的知识认识到的对象，如柏拉图的“理念”；③介乎一、二类之间的天体，因而它们只是“意见”的对象。这种三分法可以说明学园倾向的特点，即他们想在两种传统的认识方式（感性经验的方式和通过智力的方式）之间搭上一座弥补空隙的桥梁。他思想中的第二个三分法是神、人和“精灵”。精灵是半人半神，其中有的性善，有的性恶。他认为这些精灵具有一般民间宗教里神的许多特点。而人们制订的秘仪就是为了抚慰邪恶的精灵。他的精灵论特别对早期的基督教作家有很大影响；这些作家把异教的神同邪恶的精灵等同起来。有些人认为区别精神、躯体和灵魂的古典分法来自色诺克拉底，另一些人则认为来自新多葛派哲学家波塞多尼奥斯。色诺克拉底有时被看成是原子学家，因为他认为物质是由不可分的单位构成的。他认为强调数目在哲学中重要性的毕达哥拉斯是声学中原子论观点的创始人。他对哲学的一般看法也使用三分法，将哲学分为逻辑学、物理学和伦理学。声称哲学的产生是由于人们想解决自己的焦虑。认为幸福只是圆满境界的取得，而这种境界只有人才能达到。因此人只有同自己感到很自然的事物接触时才有欢乐。这种学说把伦理置于哲学思辨之上，正是斯多葛派如下观点的先河：伦理的标准来自对物质世界的观察。但他承认外部条件对幸福来说是重要的，这是斯多葛派所否定的一种概念。

xenolith　捕虏体　侵入岩体内与岩体本身无关的岩石碎块。捕虏体代表较老的岩石碎块，是当岩浆还是流体时进入到岩浆里的，可能位于其原来被挤离位置附近，也可能由于密度较大而深深地沉到侵入体里。捕虏体可以与同源包体相对照，同源包体是侵入体中在成因上与其本身有联系的较老的岩石碎块。所有这样加入到侵入体里的岩块通称包体。捕虏体通过接触变质作用而被重新改组，热和流体使捕虏体的母岩在矿物成分和化学成分上都起了变化，研究这些变化能得出有关岩浆体的温度和成分的信息。

xenon　氙（Xe）　化学元素，周期表0族（稀有气体）极为稀少的重气体，而且是第一个被发现能生成真正化合物的稀有气体。无色、无嗅、无味，比空气重4½倍多。固体氙属于面心立方晶系，这意味着晶体是由单原子分子构成的，并像球一样，尽可能紧密堆积在一起。痕量的氙存在于地球中的气体中，在空气中（按干燥空气的体积计）约占0.000 008 6%或近似为0.1ppm。氙是用液态空气分馏法小规模生产的。1898年，当英国化学家W.拉姆齐和M.W.特拉弗斯重复分馏在六个星期前所发现的稀有气体氪时，分离制得氙。氙已用于频闪仪和高速摄影照明等需产生强而极短闪光的灯中。电荷通过低压氙气时，会发出蓝白色闪光。而电荷通过高压氙气时，会发出类似日光的白光。氙闪光灯已用于激活红宝石激光器。天然氙是9种稳定同位素的混合物：氙124（0.096%）、氙126（0.090%）、氙128（1.92%）、氙129（26.44%）、氙130（4.08%）、氙131（21.18%）、氙132（26.89%）、氙134（10.44%）和氙136（8.87%）。存在于某些陨石中的氙含有较大比例的氙129，据认为氙129是碘129（半衰期为1 700万年）的放射性衰变产物。研究陨石中氙129的含量，有助于了解太阳系历史。已知通过铀裂变和其他核反应制得十多种放射性氙同位素，如氙135（半衰期9.2小时）便是在核反应堆中由铀裂变产生的。这对反应堆来说是个麻烦，因为氙会吸收裂变产生的中子。直到1962年N.巴特利特制备出第一个稀有气体化合物六氟铂酸氙红色晶体以前，人们一直认为稀有气体在化学上是惰性的。六氟铂酸氙的化学式最好表示为$Xe(PtF_6)_x$，式中x在1和2间变化。后来发现氙可直接与氟化合生成XeF_2、XeF_4、XeF_6一系列氟化合物，其中四氟化氙XeF_4最易制得。氙的氧化物XeO_3和XeO_4，均可在水溶液中以间接方法制备，但干燥后不稳定，容易发生爆炸。已制得并研究过的氙的化合物还有：稳定的不溶性高氙（Ⅷ）酸盐，如高氙酸钠$Na_4XeO_6 \cdot 8H_2O$，以及其他几种稳定化合物，如黄色的八氟氙（Ⅵ）酸铯Cs_2XeF_8等。氙原子序数54。原子量131.30。熔点－111.9°C。沸点－107.1°C。密度（0°C，1大气压）5.887克/升。化合价0、2、4、6、8。电子组态2,8,18,18,8或$(Kr)4d^{10}5s^25p^6$。

Xenophanes　色诺芬尼（约公元前560，爱奥尼亚克洛丰～约前478）　希腊诗人和叙事诗作者。他又是宗教思想家和爱利亚哲学学派的著名先驱者，这一学派强调统一而不强调差别，并且把具体事物的个别存在看成是表面的而不是实在的。约在公元前546年前后他被波斯人逐出希腊。曾在西西里居住，并在地中海其他地区流浪若干时候，后在意大利南部的埃利亚定居。其哲学思想主要表现在旅途中吟诵的诗篇。从其片断的史诗中反映了他对当时拟人说的蔑视，对于人们把荷马的神话信以为真，也不以为然。最著名的是他对奥林匹斯男神和女神的不道德行为的有力抨击。在其片断的哀歌中，他嘲笑灵魂转生之说，谴责从附近的吕地亚殖民地传到克洛丰来的奢风。面对当时流行的放纵之风，他主张保持明智和合理地享受社会娱乐。有些评论家认为巴门尼德是爱利亚学派的创始人，但色诺芬尼的哲学可能比巴门尼德的观点出现的时间更早。认为色诺芬尼创立这一学派的传说主要是根据亚里士多德的证明，而色诺芬尼的观点也预示着亚里士多德的观点。在后来提过色诺芬尼的少数其他希腊作家中，有柏拉图和泰奥弗拉斯托斯。柏拉图说：“爱利亚学派开始于色诺芬尼，甚至更早，它的出发点是万物统一的原则。”泰奥弗拉斯托斯则把色诺芬尼的学说总结为如下的公式：“万物归于一，而一就是上帝。”色诺芬尼多半是一个诗人和宗教改革家。他把一般哲学和科学的见解应用于通俗的概念，而只在很小程度上是巴门尼德那样的自然哲学家（巴门尼德寻求构成自然变化基础的抽象原则）。

Xenophon　色诺芬（公元前431，希腊阿提卡～前350以前，阿提卡）　希腊历史学家。《远征记》的作者，他的散文受到古代文艺评论家的推崇，并对拉丁文学有很大的影响。他的著作16世纪就被译成多种欧洲文字。直到近代，他仍然具有崇高的声望。他客观地记录自己的经历，表述个人对时人时事的看法，从这个意义上讲，他是有史以来第一个新闻记者。他文笔流畅，具有明快优美的风格。出身于富有的雅典人家庭。在雅典与斯巴达的大战时期（公元前431～前404）长大成人。曾在雅典骑兵部队中服役。后来，与当时许多富家子弟一样，投拜到苏格拉底的门下。这些子弟大多不满于极端民主政治，同情曾在公元前411和前404年一度执政的右翼分子。公元前401年雅典重新建立民主政治。色诺芬选择了漂泊海外的生活。公元前399年苏格拉底被处死后，更加深了他对极端民主政治的憎恶。他一生的重大经历是在波斯王子居鲁士的希腊雇佣兵团中服役。居鲁士死后，他当选为希腊万人军司令官。他率领这批远离故国1 000英里的希腊人在库尔德斯坦和亚美尼亚陌生的土地上冲杀。公元前400年初回到黑海之滨的希腊城市特拉佩祖斯（现在特拉布宗）。这次的光辉业绩成为他的名著《远征记》的素材。此后，他在保加利亚和小亚细亚服役。在小亚细亚时结识了他毕生推崇备至的斯巴达国王阿格西劳斯二世。色诺芬曾参加阿格西劳斯所指挥的打败希腊联军的科罗尼亚战役。战役结束后，他陪同阿格西劳斯前往德尔斐，向雅典圣库中的阿波罗神奉献祭礼。大约就在这前后，他被雅典人判处流放。从此，色诺芬与斯巴达结下了不解之缘。阿格西劳斯赐给他房屋和地产。他的婚姻也幸福美满。他既有钱又有空闲时间，经常出去打猎，并建造一座供奉狩猎女神阿耳忒弥斯的神殿。

公元前365年，雅典和斯巴达携手反对第比斯，因而解除了对色诺芬的放逐令。色诺芬返回故乡，但依旧对民主政治不满。公元前355年写作《财源论》，向各城邦鼓吹和平政策。在他的著作中，最富有他个人色彩的是《远征记》。这部历史叙事生动而细致，但有故作玄虚、牵强造作的地方。由于一生过着戎马生涯，他写成两部著作，一是《马术》，介绍职业骑手从事狩猎和战争的全部知识；一是《骑兵队长》，其中最生动的是讲述自己在雅典当骑兵时的种种遭遇的章节。由于对苏格拉底的崇拜和对诡辩哲学家的憎恶，他写过三部著作（《辩护》、《会饮》和《回忆》）为苏格拉底申辩。色诺芬对苏格拉底的看法与同代人柏拉图的看法迥然不同。色诺芬在《居鲁士的教育》一书中，通过叙述居鲁士所受的理想教育来说明他对于培养政治人才的见解。这是他在思想方面最有独到见解和风格新颖的作品。由于对修昔底德的景仰，色诺芬为修昔底德未完成的著作增写续篇。但他所写公元前411～前403年的历史东拼西凑，缺乏分析，根本无法与修昔底德的著作相提并论。色诺芬晚年居住在雅典。

xenotime 磷钇矿 分布广泛的磷酸盐矿物磷酸钇（YPO_4，虽然大部的铒常取代钇）。呈褐色玻璃状晶体、晶体集合体或玫瑰花状，产在火成岩及与其伴生的伟晶岩中，或石英片麻岩和云母片麻岩中，有时也产生在碎屑沉积物中。磷钇矿的产地有挪威、瑞典、马达加斯加、巴西和美国北卡罗来纳。详细物理性质，参阅 **phosphate mineral**（表）。

Xerente（people） 参阅 **Sherente 谢伦特人**。

xeroderma（skin disease） 参阅 **ichthyosis 鱼鳞病**。

xeroderma pigmentosum 色素性干皮病 罕见的隐性遗传性皮肤病。患者皮肤对日光及紫外线照射缺乏抵抗力。照射后可发生多数雀斑样色素沉着斑，往往发展成多发性癌。有轻型或重型。防治包括避免日晒及切除癌早期或已恶变的皮损。

xerophyte 旱生植物 适应在干旱或生理干旱（盐沼、盐土或酸沼）环境中生活的植物。具防止失水或贮存随时可用水分的机制。肉质植物（是贮存水分的植物），例如仙人掌和龙舌兰具有厚的肉质茎或叶。其他旱生植物的适应包括叶表面具有蜡质，有在干旱季节落叶的能力，叶改变位置或合拢以减弱吸收阳光的能力，叶面盖有浓毛等。

Xerox Corporation 施乐公司 曾译塞罗克斯公司。美国公司，首创静电印刷普通纸复印机。总部设在康涅狄格州斯坦福。1906年成立，名为哈洛伊德公司（相纸的生产商和销售商）。1947年该公司从C.卡尔森手中购买了静电复印术的专利权。1958年改名为哈洛伊德-塞罗克斯公司，1959年推出了914型静电复印机，大获成功和赞誉。1961年，公司更名为施乐公司。第一台复印机获得成功后，施乐公司将其业务扩大到信息、出版领域。1970年在加利福尼亚的帕洛阿尔托成立了帕洛阿尔托研究中心（PARC）。除了保持复印机大制造商的地位外，公司还继续发展文字处理机器（1974）、激光打印机（1977）和以太网（办公通信网，1979）。1985年公司卖掉它的出版公司。产品有复印机、打印机和数字印刷机等。

Xerox PARC 施乐帕洛阿尔托研究中心 全名 Xerox Corporation Palo Alto Research Center。施乐公司于1970年在美国加利福尼亚州帕洛阿尔托成立的分支机构，专门研究新的信息技术，且研究不只限于复印机业务。许多计算机设计方面的创新发明都是由该中心研发而成，包括首款个人计算机阿尔托、图形用户界面、激光打印机以及应用广泛的计算机网络技术以太网。施乐公司自1948年发明复印机以后长期在这一市场占据主导地位，但在1966年C.P.麦考拉夫担任总裁后，公司开始尝试多元化经营。1969年公司研究主管J.戈尔德曼制订了一个计划，建立一个“先进的科学与系统实验室”来开发未来科技。该实验室要在先进的物理学、材料学以及计算机科学应用方面做一些开创性工作。20世纪70年代的众多发明中，很少能有与个人计算机的重要性相媲美的。施乐的阿尔托个人计算机研制于1973年，因此帕洛阿尔托研究中心无愧为最早成功研制个人计算机的先行者。阿尔托的下一代“施乐之星”于1981年面世，但那些新崛起的计算机公司已推出更便宜的计算机。不过，施乐之星采用鼠标引导的图形用户界面、内置以太网网络协议以及可配置激光打印机等，使它的技术遥遥领先。但因销售情况很不理想（售出不到2 000台），施乐退出了个人计算机市场，而让其他公司利用施乐的发明赚钱。研究中心的问题部分归咎于距离。远离公司权力中枢，研究中心的研究人员没有成为公司日常活动的一部分。G.斯塔克韦瑟开发的激光打印机技术的故事就突显了研究中心与公司总部之间的联络不畅，导致公司无法及时利用这些发明赢利。不过后来激光打印机最终成了畅销产品。早期的另一项突破是以太网。70年代中期由R.梅特卡夫提议并与英特尔公司和数字设备公司开发，此网络标准加强了局域网络上数据交换的速度和可靠性。目前以太网仍通用于小型办公室和家庭，用来连接计算机和打印机。A.凯是最早预见到开发小型笔记本计算机的人之一。他为此开发了一种叫 Smalltalk 的计算机程序语言。这是第一种真正面向对象的计算机程序语言，在个人计算机程序人员中仍很流行。整个90年代，研究中心一直在继续研究新观念和新技术，但任务被限制在一定的范围内。最有趣的新发明之一是电子纸。1999年施乐与明尼苏达矿业制造公司（3M）签约，制造并共同开发电子纸张产品。

Xerxes I 薛西斯一世（约公元前519～前465，波斯波利斯） 又称薛西斯大帝。波斯国王（公元前486～前465），大流士一世之子和继承人。以其横越赫勒斯滂（达达尼尔海峡）大举入侵希腊而著名（前480），他的最终失败意味着阿契美尼德帝国衰落的开始。公元前484年镇压埃及的叛乱，血洗三角洲。此后，他取消埃及和巴比伦尼亚的王号，自立为“波斯人和米底人的国王”。后欲为其父在马拉松的惨败雪耻，决心进攻希腊，秣马厉兵3年。公元前481年率兵500万（据希罗多德记载，现在估计为36万）和700～800艘战舰，从赫勒斯滂跨过海峡。最初势如破竹，占领阿提卡，洗劫雅典城（公元前480-09-21）。但在9月29日的萨拉米斯大海战中却惨遭败北。他被迫退回亚洲，驻跸苏萨和波斯波利斯，大兴土木，广筑宫室。晚年深居简出，公元前465年在一次宫廷阴谋中遇害。

公元前6世纪晚期至前5世纪早期波斯波利斯宫殿浮雕中的薛西斯一世像
芝加哥大学东方学院供图

Xhosa 科萨人 又拼Xosa。前称卡菲尔人（Kaffir，阿拉伯语意为异教徒），非洲南部特兰斯凯（**Transkei**）一群族源相近的部落，是操班图语的南部恩古尼人（**Nguni**）的一支。科萨人主要分为戈卡莱卡人、恩基卡人、恩德兰巴人、杜沙尼人、卡伊人、恩廷德人、格昆赫韦比人（后者部分属于科伊科伊族源）。18世

从田间返回村舍的途中载歌载舞的科萨人妇女
供图：Authenticated News International

纪末及 19 世纪，卡菲尔战争（参阅 **Cape Frontier Wars**）连年不断，科萨人与开普殖民地东部边界地区的欧洲移民相互抗争。其时科萨人正因人口过剩、土地缺乏而向南扩展，开普殖民地移民也正好向北移动以寻求沃野良田。两相遭遇，战乱达百年之久，最后科萨人失败。目前科萨人主要务农，也饲养少量牛。他们是父系氏族，氏族属于部落或酋长领地，族长即是酋长，由一些小氏族或家族族长组成的议事会辅佐，管理全部落事务。自60年代起，男人大批离开特兰斯凯到约翰内斯堡及国内其他地区做流动工人，为家庭和村庄生活带来严重影响。20 世纪末期，科萨人约有 500 万，其中 40%生活在特兰斯凯，其余散居于南非各地。

Xhosa-Ciskei（South Africa） **豪萨-西斯凯** 参阅 **Ciskei** 西斯凯。

Xhosa language 科萨语 又拼 Xosa。旧称卡菲尔语。通行于南非共和国，特别是好望角以东的班图语言，属尼日尔-刚果语系贝努埃-刚果语族班图语支的东南分支或恩古尼语分支。该分支的其他语言还有祖鲁语、斯威士语、索托语、茨瓦纳语、文达语和恩德贝勒语。科萨语和祖鲁语极为相似，可以看作一种语言的不同方言，但是操科萨语者和操祖鲁语者仍把它们看作独立的语言。科萨语的语音系统有三种借自科伊桑语言的吸气音；使用声调系统来区分同音词义。

Xi Jiang 西江 又拼 Si Kiang。又作 Hsi River，West River。中国珠江的主流。在广东省西部。上游南盘江发源于云南省曲靖市马雄山，在黔、桂两省边境与北盘江汇合称红水河，向东南流到象州石龙附近与北岸柳江汇合称黔江，在桂平与西南来的郁江汇合称浔江，到梧州与西北来的桂江汇合后始称西江。全长2 210千米，流域面积 35.5 万平方千米。在石龙以上为上游，流经石灰岩地区，河床深切，滩多水急，落差大，又多伏流。北盘江支流打帮河上的黄果树大瀑布水头高达 66米。石龙至梧州为中游，多峡谷和浅滩。梧州以下为下游，河道宽阔。出高要、羚羊峡进入珠江三角洲，在三水同北江相遇。三水以下水流分散，主流经磨刀门注入大海。

Xia DYNASTY **夏**（约公元前 2070 ～ 前1600） 又拼 Hsia。中国历史上第一个王朝。夏后氏部落领袖禹子启建立的奴隶制国家，建都阳城（今河南登封县东）、斟鄩（今登封县西北）、安邑（今山西夏县西北）等地。传到桀暴虐无道，贪欲无度，百姓指日咒骂，为商汤所灭。共传 14 代 17 王。今河南嵩山一带和伊河、洛河流域为夏代的活动中心区。

Xia Gui 夏圭（活动时期 1159 ～ 1224） 又拼 Hsia Kuei。中国南宋画家。字禹玉。钱塘（今浙江杭州）人，宁宗（1195 ～ 1224）时为画院待诏，善山水人物。与马远同时而风格相近，同属水墨苍劲一派，驰名于时，并称为“马、夏”。以水墨皴染结合的方法画山石，被称为“拖泥带水皴”。画树喜用秃笔，点景人物及屋宇楼阁笔简意足。善于提炼剪裁，景色含蓄动人。名作山水四段（原应为十二段，现残存四段）《遥山书雁》、《渔笛清幽》、《烟堤晚泊》、《烟村归渡》。其作品除构思巧妙别致的小幅，还有不少长图大卷，如《江山佳胜图》、《溪山清远图》等，描绘江浙山河之秀美，境界清幽深远，把平凡的景色画得优美动人。其子夏森继承他的画风，亦善画山水。

夏圭绘《溪山清远图》
台北故宫博物院供图

Xia Nai 夏鼐（1910-02-07 ～ 1985-06-19） 中国现代考古学家。字作铭。浙江温州人。在考古学研究的广泛领域有重要成果。1934 年毕业于清华大学历史系，次年参加安阳殷墟发掘。1935 ～ 1939 年留学英国伦敦大学，获埃及考古学博士学位。1941 年在埃及开罗博物馆从事研究工作。1943 ～ 1949 年任中央研究院历史语言研究所副研究员、研究员，参加过四川彭山汉代、六朝崖墓发掘和甘肃考古调查。1950 年以后，历任考古研究所研究员、副所长、所长，中国科学院哲学社会科学部学部委员，中国考古学会理事长，中国社会科学院副院长兼考古研究所名誉所长，中国国家文物委员会主任委员。领导过辉县、郑州、洛阳、陕县、长沙等地的考古调查和发掘，并主持北京明定陵的发掘。他通过甘肃齐家文化墓葬的发掘，纠正了瑞典学者安特生关于甘肃新石器时代文化分期的观点，正确判定仰韶文化的年代早于齐家文化。通过辉县发掘，首次在安阳以外发现早于殷墟的商代遗迹。通过长沙发掘，研究得出当地战国墓的演变规律，为楚文化研究奠定了基础。根据碳 14 断代的数据，全面系统地研究中国各地区新石器文化的年代序列。根据中国各地出土的丝织品、外国货币及其他遗物，阐明汉唐时代中西经济、文化方面的联系，并对中西交通的路线提出创见。利用考古资料，阐明中国古代在天文、数学、纺织、冶金和化学等领域取得的成就，为科技史的研究做出重要贡献。主要学术著作有：《考古学论文集》（1961）、《考古学与科技史》（1979）、《中国考古学研究》（日文，1980）、《中国文明的起源》（日文，1984）等。还主持完成了《中国大百科全书·考古学》的编撰工作。夏鼐是英国学术院通讯院士、瑞典皇家文学历史考古科学院外籍院士和美国全国科学院外籍院士。

Xia Wenyan 夏文彦（活动时期约13世纪末至 14 世纪） 中国元代（1271 ～ 1368）书画鉴赏家，以编著画史《图绘宝鉴》知名。字士良，号兰渚生，云间（今上海松江）人。曾任忠翊校尉、知余姚州事等官职。对画精于赏鉴，富于收藏。《图绘宝鉴》完成于 1365 年，次年刊行。全书分为 5 卷。第 1 卷为叙论部分，其论画与记装裱定式虽沿袭旧说，亦颇慎于选择，便于应用。后 4 卷载从三国吴至元代画家小传共1 500余人。因系杂抄众书，未详加整理，致使前后体例不一，人物次序排列常有颠倒，对某画家之评论亦自相矛盾。其汇众书于一编，且略有补充，毕竟不能废其联缀补充之功。尤以金、元两代所列甚可称道。于金代能将 120 年来画家广为搜罗；于元代虽未详加厘订，但能看到其时画坛的繁荣景象。其后明代韩昂又有《图绘宝鉴续编》，续至明代。明末清初坊间又出现托名蓝瑛、冯仙湜之《增补图绘宝鉴》，并将三者合刊。

Xia Yan 夏衍（1900-10-30，中国浙江杭州～1995-02-06，北京） 中国作家，文艺活动家。本名沈乃熙，字端先。1915 年入浙江公立甲种工业学校读书。1919年五四运动后参加编辑浙江第一份马克思主义刊物《浙江新潮》。1920 年中学毕业后公费保送日本留学。1927 年回国，同年加入中国共产党。1929 年发起组织上海艺术剧社，首先提出“普罗列塔利亚戏剧”口号。同年翻译出版了高尔基的《母亲》，在中国产生很大影响。1930 年中国左翼作家联盟成立，夏衍是领导人之一。同年还发起组织左翼戏剧家联盟。1932 年化名黄子布进入电影界，除创作外，还积极组织左翼电影队伍，翻译介绍苏联影片及电影理论。第一部电影剧作《狂流》于 1933 年 3 月在上海公映。随后又将茅盾的短篇小说《春蚕》改编为剧本搬上银幕，获得很大成功。1936 年写成大型历史剧《赛金花》，不久发表报告文学《包身工》以及历史剧《自由魂》（后改名《秋瑾传》）。1937 年创作《上海屋檐下》。抗日战争

中国大百科全书出版社供图

爆发后，任上海《救亡日报》总编辑。此后离开上海去广州、桂林继续主编《救亡日报》，并写出剧本多种，从不同角度反映生活，激励人民从事抗日活动。1940年先后撰写剧本《心防》和《愁城记》。1941年皖南事变后奉命赴香港，创办《华商报》。香港沦陷后回到重庆，在中共南方局任职，并为《新华日报》副刊撰稿。后写出《法西斯细菌》(1942)、《芳草天崖》(1945)等剧作。1949年后在上海领导文化工作。1954年起任文化部副部长。翌年发表多幕剧《考验》(1955)，此后还改编《祝福》、《林家铺子》等电影文学剧本，以风格朴实、简洁见称。1964年文化部在康生的指挥下批判夏衍。1965年被免去文化部副部长职务。随后受到长期监禁。1978年得到平反后当选为中国电影家协会主席、中国戏剧协会理事、全国文联副主席等职，仍积极从事文艺和文化交流事业。1984年完成自传体回忆录《懒寻旧梦录》上半部。

Xiachuan culture　下川文化　中国华北地区旧石器时代晚期的文化。1970年在山西中条山东端发现。分布范围包括垣曲、阳城和沁水3个县。1972～1978年进行了多次发掘。文化遗物以石器为代表。一类石器为承袭中国旧石器时代早期以石英岩、砂岩、脉石英等为原料打制的粗大石器，另一类是以燧石或玛瑙和黑曜石等硅质岩制作的细石器。后者是下川文化的主体，代表了旧石器时代石器制作技术的最高水平。细石器中的石核有锥状、楔状、柱状、漏斗状等类型。细石片两端多残断，反映当时人类把大量石片截断，选其平整者镶嵌复合工具。细小石器有琢背小刀、雕刻器、尖状器、锥、钻、镞和刮削器等，琢背小刀为下川文化的典型器物。下川的旧石器与中国北方新石器时代的细石器同属一个文化传统。但下川时代较早，制作技术原始，代表性石器也有其特点，因此与其他细石器遗址有明显区别。

Xiaguan (China)　**下关**　参阅**Dali**大理。

Xiajiadian culture (lower stratum)　**夏家店下层文化**　中国北方地区夏商时期(约公元前22世纪～约前11世纪)的青铜文化。1959年在内蒙古赤峰市夏家店遗址下层发现。分布在辽河以西、张家口以东地区。居民过定居

夏家店出土的灰陶甗，1959年
中国大百科全书出版社供图

农业生活，饲养家畜，兼营狩猎。房子多为半地穴式，有内墙和外墙。在村落周围有石块砌的围墙。墓葬在居住区附近，有土坑墓和石椁墓。葬式多为仰身直肢。陶器有鬲、甗、鼎、罐、豆、簋等，多为黄、红、白三色彩绘。石器有斧、刀、镰等，多磨制，也有打制石器和少量细石器。青铜器少见，有小刀、镞、耳环等。卜骨的发现表明存在占卜习俗。

厦门市远眺
中国大百科全书出版社供图

Xiajiadian culture (upper stratum)　**夏家店上层文化**　中国北方地区周代青铜文化。分布在辽河以西、张家口以东地区。时代比东周(公元前8世纪～前3世纪)燕文化为

内蒙古林西县大井子铜矿遗址出土的夏家店上层文化陶钵
中国大百科全书出版社供图

早。陶器多为红褐色夹砂陶。手制，有鬲、甗、盆、钵、豆、罐等。石器分磨制、打制和细石器3种，常见的有斧、刀、锤斧和刮削器等。骨器以长铤骨镞最具特色。青铜器多见于墓葬，鼎、簋、簠等的形制、花纹具典型的中原风格，双耳鬲、双联罐、各式短剑与剑鞘、绳纽状柄刀、联珠装饰品等则具显著的地方特色。住房有半地下窖穴式和地面建筑两种，有的有石块、土坯砌成的围墙。墓葬均为长方形土坑竖穴，有石椁或石棺。大墓有丰富的青铜礼器、容器、武器等随葬品，小墓无随葬品，表明死者生前贫富悬殊。

Xiamen　厦门　又作Amoy。中国福建省辖地级市，经济特区。位于省境东南部九龙江口东。分大陆和海岛两部分。市境略呈向东南开口的马蹄形盆地。中低山地蜿蜒于东、北、西三面边境，向中南部逐渐降低为丘陵、台地、平原，最后没入海中，成为深入内陆的策槽溺谷。海湾内泥沙堆积较盛，岛屿、岩礁众多。厦门本岛最大，面积128平方千米，集美海堤建成后与大陆相连成为半岛。花岗岩高丘迤逦没入海中后复出，构成鼓浪屿，面积1.8平方千米，在厦门港中部。在鼓浪屿的日光岩上可以眺望金门岛，收览厦门市全景，为旅游、度假胜地。厦门港水深港阔，2万吨级船通行无阻，5万吨级船可乘潮进出。港外有诸岛屏障，最著名的是大小金门岛。厦门岛原名嘉禾屿，又称鹭岛，属同安县。因形势险要，宋元时代设千户所，驻兵防守。明洪武二十年(1387)筑城，始名厦门城。清顺治十三年(1656)，明将郑成功改为思明州。康熙十九年(1680)清军占领后改为厦门厅。福建水师提督移驻于此，成为中国东南海防要地。鸦片战争后，厦门被列为首批开放的五个通商口岸之一，鼓浪屿出现了外国人居留地。19世纪厦门以输出闽南茶叶闻名，是大陆居民开发台湾的基地，也是华人移居东南亚的主要口岸。1912年改思明县。1933年设厦门市。1955年集美海堤建成后，市区范围扩大。1980年建立厦门经济特区，是中国4个经济特区之一，1984年特区范围扩大到全岛。辖思明、海沧、湖里、集美、同安和翔安6区。面积1 569平方千米。

厦门属南亚热带湿润气候，年平均气温20°C以上，年降水量1 300毫米左右。农产品有稻谷、甘蔗、花生、烟草、水果等。自创办经济特区以来，经济发展迅速，工业产值约占全省的1/7。以机械、电子、化工、食品、纺织、建材、水产加工、造船等工业为主。交通发达，鹰厦铁路通江西鹰潭接浙赣铁路，319国道、324国道、泉厦漳高速公路、环岛路是其对外的主要交通线。1984年建成东渡港4个深水泊位。厦门国际机场，可通国内主要城市和新加坡、马尼拉等。风景游览胜地有"海上花园"鼓浪屿、万石岩、民族英雄郑成功演武场遗址、集美学村和华侨领袖陈嘉庚故居和陵墓、闽南佛教胜地南普陀寺等。有厦门大学等高等院校及国家海洋研究所等科研机构。人口：1 470 000(2005)，其中归侨和侨眷约10万人。

Xiamen University　厦门大学　中国的综合性大学。校址在福建省厦门市。原为著名爱国华侨领袖陈嘉庚于1921年4月6日创立，1937年改为国立，1952年院系调整时确定为综合性大学。学校设有研究生院和18个学

厦门大学校园
中国大百科全书出版社供图

院，包括45个系和89个科研机构，成为一所包括人文科学、社会科学、自然科学、工程与技术科学、管理科学、艺术教育科学、医学科学等学科门类相当齐全的综合性大学。学校拥有10个博士、硕士学位授权一级学科，95个专业招收培养博士研究生，158个专业招收培养硕士研究生（其中包括5个专业学位授权点），71个专业招收本科生；拥有13个国家级重点学科，5个国家人文社会科学重点研究基地，12个博士后流动站，5个国家基础科学人才培养基地。学校现有教职工4 600余人，其中中国科学院院士、中国工程院院士9人，在校全日制学生近3万人。学校占地533万多平方米，校舍建筑面积120万平方米，图书馆藏书310万册。出版物有《厦门大学学报》等。

Xi'an **西安** 又拼Sian。中国陕西省辖地级市，省会。中国著名古都之一，西北地区最大的城市和经济、文化、交通中心。位于渭河平原（又称关中平原）中部，"八百里秦川"的中心，南倚秦岭。为暖温带半湿润气候，1月平均气温－1.3°C，7月平均气温26.7°C，年平均气温13.6°C，年降水量580毫米。东有灞河、浐河，西有沣河、滈河，曲流环绕，地势平旷，灌溉便利，土地肥沃。西安古称长安，从公元前11世纪周代定都今长安县境丰、镐二京起，相继有十多个王朝在此建都，历时千余年之久。西汉惠帝时（公元前194～前188）始筑长安城。唐时扩建长安城，全城分宫城、皇城和郭城3部分，城市建设宏伟壮观，人口曾达100余万，堪称当时世界上最发达的城市之一，可与西欧罗马城相媲美。明洪武二年（1369）设西安府，始称西安。1928年设西安市，1930年改名为西京市，1943年复名西安市。1953年曾升中央直辖市，1954年又改为省辖市。辖新城、莲湖、碑林、雁塔、未央、灞桥、长安、临潼、阎良9区及蓝田、户县、周至、高陵4县。面积9 983平方千米，其中市区面积3 547平方千米。

近代工业发展较晚。1935年陇海铁路通西安后才出现少量的面粉、火柴、纺织等厂。抗日战争时期是后方主要城市之一，沿海地区不少工厂相继迁入，促成了城市发展。在20世纪50和60年代，西安被列为中国的重点建设地区，现已发展成为以精密机械和轻纺工业为主的现代化的综合性工业城市。利用中国东部及关中地区的棉花，在史前文化遗址半坡村附近建起了绵延数千米的"纺织

西安市的大雁塔
供图：Andrew J. Watson

城"，还建成生产输变电及其他电工设备的"电工城"及"电子城"。阎良区是中国最大的航空科研、生产基地。此外还有冶金及矿山机械、仪表、化工、食品等工业部门。交通运输业发达。陇海铁路横贯市区，连接京广、宝成、成渝、包兰、兰新等铁路，1991年西安至延安的铁路通车。公路四通八达，联接省内各地和邻省，有210、211、108、310、312国道纵横交错，西宝、西黄、西潼、西洛高速公路已通车。西安咸阳国际机场民用航线辐射全国各大城市及省内延安、榆林、汉中和安康等地。西安成为中国东部与西北、西南地区联系的重要枢纽。

市内有西安交通大学、西北大学、西安电子科技大学、陕西师范大学等30多所高等院校。科技力量强，有200多个科研机构。西安古迹众多，有闻名于世的秦始皇陵兵马俑及历代帝王陵墓群，有由1 000多块历代名家书写的碑石组成的碑林，此外还有周丰镐遗址、秦阿房宫遗址、汉长安城、未央宫、唐大明宫、兴庆宫和兴教寺、香积寺、青龙寺、华清池、大雁塔、小雁塔，保存完整的明代城墙等。20世纪80年代末建成的陕西省历史博物馆，珍藏有近3 000件展现中国古代文明的文物珍品。人口：全市7 270 000（2005）。

xian **县** 又拼hsien。中国的基本行政区划单位。起源于春秋时代（公元前770～前476）。县作为中央行政区划单位的最早记录见于公元前688或前687年。战国时代（公元前475～前221），诸王国的王权增强，贵族削弱，县成为由王国中央权力直接管辖的以县为基础的新型行政系统的模式。公元前4世纪，秦国首先设县为基本行政单位。后来，统一中国的秦、汉王朝沿袭了这一体制。西汉王朝（公元前206～公元25）在确立领土等级制的基础上，把一些县联合组成更大的行政单位"郡"，另一些以大城市为基础组成"州"。县由朝廷任命的行政长官治理，地方僚佐辅助之。公元6世纪后期，隋朝改革政制，废郡治，但保留州、县。州平均由6～7个县组成。在元朝和明朝，县以上更大的行政单位是"省"，它由几个州组成。除短暂的中断外，现中国政府基本沿袭这种行政区划制度。

xian **仙** 又拼hsien，英语作immortal。中国道教想象的超离尘世、长生不死、神通广大、变化莫测的仙人。成仙方式有：白日飞升、遨游名山、托物演化。道教认为生的根本在精气神，只须固精、养气、存神，就能长生成仙。保养精、气、神的要领在于清静无为，虚心寡欲。吴筠《神仙可学论》、司马承祯《坐忘论》都提出道教学仙修道的理论。修炼方法则有炼丹、食药、辟谷、服气、斋戒等。中国道教记述神仙事迹的典籍有《列仙传》、《神仙传》、《续仙传》、《墉城集仙录》、《历世真仙体道通鉴》等。

Xi'an Incident **西安事变**（1936-12） 中国国民党爱国将领张学良、杨虎城在西安扣留

爭取中華民族生存
張楊昨發動對蔣兵諫
通電全國發表救國主張八項
改組南京政府容納各黨各派

1936年12月13日《西北文化日报》关于西安事变的报道
中国大百科全书出版社供图

蒋介石(**JiangJieshi**),逼蒋联共抗日的事件。又称双十二事变。1936年日本侵略中国步步深入,在陕甘进攻红军的张学良和杨虎城在中国共产党抗日民族统一战线政策的感召和全国抗日救亡运动的推动下,与红军停战。12月4日蒋介石亲去西安督战,张学良向蒋多次"哭谏",要求蒋联共抗日,被蒋拒绝。12月12日晨,张、杨发动"兵谏",扣押蒋介石,通电全国提出停止内战、改组南京政府、容纳各党派共同救国等主张。南京政府中的亲日派主张用武力讨伐张、杨;亲英美派则主张和平解决。中国共产党确定了和平解决西安事变的方针,派周恩来、叶剑英、秦邦宪等前往西安。经过多次谈判,蒋介石接受停止内战、联合红军抗日的方针。12月25日释放蒋介石,西安事变终于和平解决。张学良在陪同蒋介石回南京后即被扣,1949年被带到台湾。西安事变的和平解决,为推动国共第二次合作,建立抗日民族统一战线创造了条件。

Xi'an Jiaotong University 西安交通大学 中国的以理工科为特色的综合性高等学校。校址设在陕西省西安市。1896年创办于上海,初名南洋公学,是中国人自己最早创办的新式学堂之一。主要培养商务为主的实业人才,并创设师范院。1906年改为邮传部高等实业学堂。1907年后增设铁路工程、电机、航海等工程专科,着重培养工程技术人才。1911年辛亥革命后,改称南洋大学堂。1921年定名为交通大学。学校改为工科后,参照欧、美工科大学的课程设置,以工为主,工、管结合。教学上工、文并重,造就了一批中国最早的工程技术人才。1956年,交通大学部分系科、师资及图书、设备迁至西安,分设西安和上海两部分。1959年,两部分分别独立建校。西安部分定名为西安交通大学,上海部分定名为上海交通大学(**Shanghai Jiaotong University**)。西安交通大学坐落在唐代都城长安著名的兴庆宫南苑遗址上。2000年与西安医科大学、陕西财经学院合并。设有理学、机械工程、电气工程、能源与动力工程、材料科学与工程、电子与信息工程、软件、航天航

西安交通大学图书馆
中国大百科全书出版社供图

空、人居环境与建筑工程、生命科学与技术、医学、经济与金融、管理、公共政策与管理、人文社会科学、网络、职业技术暨继续教育等17个学院和外语部、体育部及第一、第二、口腔3所附属医院。有74个本科专业,157个硕士学位学科专业,102个博士学位学科专业,18个博士后科研流动站,10个专业学位授权点和人才培养基地。有20个国家重点学科,4个国家重点实验室,4个国家专业、专项实验室,1个国家工程研究中心。学校有教职工15 000余人(含附属医院),其中专任教师3 200余人,正、副教授近2 000人,中国科学院院士5人,中国工程院院士8人。全日制在校学生32 774人,其中研究生11 974人。图书馆藏书366万册。校园面积230余万平方米。出版物有《西安交通大学学报》、《当代经济与科学》等21种。

Xi'an monument 大秦景教流行中国碑 又作 Hsi-an monument。中国唐代基督教碑刻。明天启五年(1625)在陕西省周至县出土,现藏西安市陕西省博物馆。唐贞观九年

大秦景教流行中国碑
供图:Giraudon—Art Resource

(635)基督教聂斯脱利派(中国称景教)僧侣阿罗本自波斯来中国,在长安建波斯寺,后称大秦寺。唐德宗建中二年(781)立此碑。碑全高2.80米,宽0.85米,厚0.16米,上刻十字架,碑额题"大秦景教流行中国碑颂并序"。碑文用中文刻写,大秦寺僧景净撰,吕秀岩书,正书32行,行62字,概述景教在中国早期传教活动。碑下部和两侧有70名景教教徒的古叙利亚文题名。碑文已译成多种文字流传于世。是研究早期基督教在中国传布和古代中西交通的珍贵资料。

Xian Xinghai 冼星海(1905-06-13,中国澳门~1945-10-30,苏联莫斯科) 中国作曲家。曾用名黄训、孔宇。祖籍广东番禺。出生时父亲已经去世,7岁随母亲到新加坡。1920年前后,被岭南大学招收到广州,先入附中,后升入大学预科,半工半读。在校期间自学小提琴和单簧管,曾参加学校乐队并担任指挥。1926年入北京国立艺术专门学校选学小提琴,1928年到上海学习期间结识了田汉(**Tian Han**)。1929年到法国巴黎勤工俭学学习音乐,先后师从P.奥别多菲尔、V.丹第等教授;1935年春考入巴黎音乐学院,在著名作曲家丢卡的高级作曲班学作曲。同年秋回到上海,投身到抗日救亡运动中,创作了《救国军歌》、《夜半歌声》、《热血》、《拉犁歌》、《青年进行曲》等歌曲,在群众中广泛传唱。1937年抗日战争爆发后,冼星海参加上海话剧界救亡协会战时移动演剧第二队,并赴武汉与张曙共同负责抗战音乐工作。他深入到学校、农村、厂矿和部队辅导群众歌咏,举办规模巨大的抗战歌咏集会,创作了许多抗战歌曲流传于全国(如《保卫卢沟桥》、《祖国的孩子们》、《游击军》、《到敌人后方去》、《在太行山上》)。1938年11月,冼星海到延安鲁迅艺术学院音乐系任教。大型合唱套曲在他的音乐创作中占有特殊的地位和意义。1939年3月,他以诗人光未然的长诗《黄河吟》谱写的《黄河大合唱》,是他最重要、影响最大的作品。这部作品以黄河为背景,热情歌颂了中华民族源远流长的光荣历史和中国人民坚强不屈的斗争精神。同期,他还创作了套曲《生产大合唱》,其中的《二月里来》和《酸枣刺》作为独唱和童声合唱曲目流传至今。1940年赴苏联,次年因苏德战争爆发滞留苏联和蒙古。1945年病逝于莫斯科。他一生创作歌曲数百首(现存250余首),大合唱4部、歌剧1部、交响曲2部、管弦乐组曲4部、管弦乐曲1部,以及小提琴、钢琴等器乐独奏、重奏曲多首。被毛泽东誉为"人民的音乐家"。

Xianbei 鲜卑 中国古代民族。先世是商代东胡族的一支。汉初,东胡为匈奴冒顿单于击败,部分部众退居鲜卑山(今内蒙古科尔沁右翼中旗西),因以为名。游牧于今西剌木伦河流域。曾归附东汉。匈奴西迁后尽有其故地,留在漠北的匈奴10多万户均并入鲜卑,势力逐渐强盛。公元2世纪中叶首领檀石槐被鲜卑各部推为"大人",建立包括宇文、慕容、拓跋、段、乞伏等部的军事联盟,分东、中、西三部,各部均置大人统领。东汉遣使持印绶封檀石槐为王。鲜卑以游牧为主,善骑射,所制"角端弓"为古代有名的武器。檀石槐死后鲜卑部落联盟解体。十六国时期鲜卑的慕容、乞伏、宇文、拓跋等部都曾建立政权。特别是拓跋部于5世纪中建立北魏王朝,统治北部中国达140余年,并竭力促使鲜卑人汉化和封建化。内迁的鲜卑人则逐渐转向农业并与汉族融合。

Xianfeng 咸丰 又拼 Hsien-feng,参阅 **Qing——**:清朝帝王序列下 **Qingwenzong Yizhu** 清文宗奕詝。

Xiang dialect 湘方言 汉语方言之一。分布在中国湖南省。使用人口约占汉族总人口的5%。湘语的语音特点可归纳为:①部分地方有浊塞音、浊塞擦音和浊擦音声母(如双峰),部分地方没有(如长沙)。中古浊声母一律变不送气清音;②有双唇、舌尖中、舌面前、舌根4个鼻音声母;③-n、-l声母在开口、合口韵母前不分,"南"、"兰"同音;在齐齿、撮口韵母前分别读舌尖中鼻音和鼻面前鼻音,"犁"、"泥"不同音;④"夫"、"胡"不分,"灰"、"飞"同音;⑤有卷舌音声母;⑥有舌尖中和舌

根两个鼻音韵尾；⑦古入声韵尾已脱落，但保留入声调；⑧一般具有五六个声调。具有湘语特点词汇：光(亮)、眼珠(眼睛)、谷(稻)、白话(故事)、崽(儿子)、伢子(小伙子)、郎(女婿)、势花(活泼、能干)、秆(稻草)、狗子(跳蚤)、嗅(闻)。

Xiang-Fan, Battle of　襄樊之战(1268～1273)　中国宋、元战争中的重要战役。1235年起元军与南宋军在长江、淮河流域对峙达30年之久。1267年忽必烈用南宋降将刘整建议，集中兵力围攻汉水上游战略要地襄阳、樊城。南宋多次增援均失败。1273年元军切断襄、樊通路，樊城失陷。襄阳被围5年后守将吕文焕投降。1274年元军自襄阳沿汉水东下，1276年灭南宋。

Xiang Jiang　湘江　又作Hsiang River。中国湖南省的最大河流。为长江主要支流之一。又称湘水。发源于广西兴安县海洋山西麓，向东北流入湖南省东部，在永州市与潇水

湘江上的湘潭公路大桥

中国大百科全书出版社供图

汇合，向东流经衡阳、湘潭、长沙，至湘阴县入洞庭湖后归长江。全长856千米，流域面积9.46万平方千米。上游水急滩多，中下游水量丰富，水流平稳。干支流大部可通航，旧时是两湖与两广的重要交通运输线路。

Xiang Xiu　向秀(约227～272)　又拼Hsiang Hsiu。中国魏晋之际玄学家。字子期。河内怀(今河南武陟)人。竹林七贤之一。曾任黄门侍郎、散骑常侍等职。据《晋书·向秀传》，向秀曾作《庄子注》，但原书早佚，在张湛《列子注》和陆德明《经典释文》中均有引文。另有《周易注》，亦佚。他与嵇康辩论养生论的《难养生论》收在《嵇康集》中。擅长辞赋，哀吊亡友嵇康、吕安的《思旧赋》颇有名。由于向秀著作大都佚失，很难窥见其思想全貌。他以“无”为“万物之总名”，认为万物都是“自生”、“自化”的，不存在“生生者”或“化化者”。他主张合“名教”与“自然”为一，更强调“自然”应合于“名教”，这一思想对以后郭象的哲学思想有所启发。

Xiang Xu　向戌　又拼Hsiang Hsü。中国春秋(公元前722～前481)后期宋国执政。宋桓公曾孙。官左师，因封地在合邑称合左师。他利用与晋执政大夫赵武和楚执政令尹子木都交好的条件，在晋楚争霸中奔走斡旋，使两国和各自的盟国在宋国都会商，达成休战协定。规定除秦齐外各国向晋楚同样纳贡，使两国均享霸权。此后晋楚间约有40余年未直接交兵。为中国历史上著名的“弭兵之盟”。

Xiang Ying　项英(1898-05，中国湖北武昌～1941-03，安徽泾县)　又拼Hsiang Ying。中国共产党早期领导人之一。原名项德隆，曾化名江钧、张成。1922年加入中国共产党。曾

中国大百科全书出版社供图

长期从事工人运动，担任过中共中央职工运动委员会书记，中华全国总工会执行委员、副委员长、委员长、党团书记等职。在中国共产党第三至六次全国代表大会上均当选为中央委员，六届一中全会上当选为中央政治局委员、常委。1930年8月任中共中央长江局书记，1930年12月到位于江西东南部和福建西部的中央革命根据地，次年1月根据中共中央决定组织中央苏区中央局，任中央局代理书记和中央革命军事委员会主席。1931年11月中华苏维埃共和国临时中央政府成立，任临时中央政府执行委员会副主席。1934年，在中共六届五中全会上当选为中央政治局委员、书记处书记。同年10月中国工农红军第一方面军主力长征后，他留在原地坚持斗争，任中共中央苏区分局书记、中央革命根据地军区司令员兼政治委员。抗日战争爆发后先后任新四军副军长、中共中央东南分局书记、中共中央革命军事委员会新四军分会书记、中共中央东南局书记等职。1941年1月在国民党发动的“皖南事变”中，犹豫动摇，处置失当，对新四军皖南部队遭受严重损失负有责任，后于安徽省泾县茂林地区突围时被杀害。著有《南方三年游击战争经验对于当前抗战的教训》(1937)、《项英将军言论集》(1939)等。

Xiang Yu　项羽(公元前233～前202)　又拼Hsiang Yü。中国秦末农民起义军领袖。名籍，字羽。下相(今江苏宿迁)人。战国末楚 名将项燕之后。公元前209年9月从叔父项梁在会稽起兵反秦，响应陈胜吴广起义。陈胜、吴广牺牲后，项梁叔侄兵力扩充到六七万人，成为当时反秦主力。项梁战死后，秦将

中国大百科全书出版社供图

章邯围赵，楚怀王任命项羽为上将军，统率全军救赵。在钜鹿一战摧毁秦军主力。不久率40万大军入关。秦亡后自立为西楚霸王，大封诸侯王。后在楚汉战争中为刘邦击败。公元前202年底被汉军困于垓下，后突围南逃至乌江自刎。

Xiangdao　《向导》　中国共产党第一份中央机关报。1922年9月13日在上海创刊，是中国第一次国内革命战争时期(1924～1927)有影响的政治刊物。1927年7月18日在武汉出第201期后停刊。《向导》遵循中国共产党的民主革命纲领，大力宣传反对帝国主义，揭露帝国主义国家联合侵略中国的罪行，使“打倒帝国主义”成为中国人民的共同呼声。还宣传中国共产党的统一战线政策，支持和帮助孙中山实现了国共两党第一次合作。周报还开展反对传统教育、旧文学和文言文的宣传，提倡新文学和白话文。最高发行量逾40万份。蔡和森长期担任《向导》主编。后彭述之、瞿秋白也先后主持过《向导》工作。毛泽东、周恩来为周报写过重要文章。中共早期领导者陈独秀、张太雷、赵世炎等都是《向导》的撰稿人。

Xiangfan　襄樊　又拼Hsiang-fan。中国湖北省辖地级市，湖北省第二大城市，重要工业城市。位于省境北部的襄阳盆地，汉江中游，唐、白河相汇处。市区跨汉江两岸，南为襄阳，北为樊城，有襄樊汉江大桥相连。面积19 626平方千米，其中市区面积3 564平方千米。襄樊自古为军事要地。春秋筑襄阳城。汉置县。三国为曹操和刘备争夺的重点。唐大和初年(827)樊侯筑土城于汉江北岸关羽大败魏军之地，故称樊城。两城在1267年均被蒙古忽必烈部围困，历时5年而城破。元为襄阳路，明复为府，并曾扩展旧城。1951年析襄阳县城区与樊城合并设襄樊省辖市，以襄阳、樊城两首字命名。辖襄城、樊城、襄阳3区，南漳、谷城、保康3县，并代管老河口、枣阳、宜城3县级市。矿产丰富，金红石储量居中国前列，还有磷、重晶石、耐火黏土、石灰石等。农业主要产水稻、小麦、玉米、薯类和

棉花、芝麻、烟叶。为中国重要芝麻产区，湖北省的小麦和棉花主要产区。特产有黑木耳、蚕茧、茶叶。20世纪50年代后工业发展迅速，以纺织、食品、汽车等工业为主，并建有电子、机械、医药、化工、建材等多种工业，已

襄樊市樊阳的古文化街
中国大百科全书出版社供图

形成樊西、樊东、万山、郑家山、钱家营等工业区。襄樊扼南阳—襄阳隘道要冲，向为鄂北与豫、陕两省交通重镇和经济中心。60年代起，先后兴建的汉口—丹江口、襄阳—重庆、焦作—枝城铁路在此交会。还有207、316国道及汉十高速公路交叉贯穿全境。襄樊港是汉江重要港口，共有码头的伯位97个。临江南岸从万山起至襄阳城下，有最古老的老龙堤防。襄樊机场和老河口机场辟有直达北京、广州、上海、西安、武汉等航线。有隆中诸葛亮故居、襄阳城、绿影壁、米公祠、南宋李曾伯摩崖、广德寺多宝佛塔等古迹和襄阳公园游览地。襄樊为三国时期谋士庞统、唐代诗人孟浩然、北宋书法画家米芾等名人出生地。保康县有中国第一个野生腊梅保护区。人口：全市5 780 000（2005）；市区2 190 000（2004）。

Xianggang 参阅 **Hong Kong 香港**。

Xiangjun 湘军 中国清末大臣曾国藩编练的军队。1852年末曾国藩奉命协助湖南巡抚办理团练，镇压太平天国革命，后在练勇的基础上扩编成湘军。是年1月先在长沙编练陆师，9月又在衡州创立水师，由曾国藩统辖。全军有水师5 000人，陆军6 500人及工匠、役夫等共计1.7万人，后逐步扩大。1854年开始对太平军作战，争夺武汉、九江、安庆等战略要地，从长江上游进逼太平军首都天京（今南京）。1864年7月攻陷天京。后曾国藩恐清廷猜忌，遣散湘军2.5万人，余部继续参加镇压捻军、回民军和苗民起义。后左宗棠建议编入防军。湘军的主要将领左宗棠、刘长佑、曾国荃、刘坤一等均先后任总督职务，形成湘系军阀，成为清末重要的武装政治集团。

Xiangkhoang 川圹 老挝中北部城镇。位于查尔平原南侧川圹高原上。曾为国际鸦片市场。川圹北部山谷中的老挝人和川圹以北和以东散布的高地地区的克穆人和傣人种植玉米和稻子。高地少数民族苗人传统上种植鸦片罂粟。川圹周围地区未开发矿藏种类之多居老挝各省之首。有煤、铁、锑、铅、锌、银和铜等。与琅勃拉邦和孟万荣等城市通公路。人口：镇约4 000（1958）。

Xiangkhoang, Plateau de 川圹高原 旧称镇宁高原。老挝中北部一地质结构复杂、被沟谷切割的高地。为安南山脉北段向西延伸部分。境内主要河流南有湄公河的支流南俄河和南涅河，北有康河。石灰岩和砂岩丘陵上原有热带季风雨林，因苗族和克穆族人的耕作，仅剩下沿河零散的橡树和松树。川圹镇附近开采砂金、锑、铜、铅、锌和银矿。

xiangsheng 相声 英语作comic dialogue。中国曲艺的一种。以讽刺、幽默逗人发笑为特点。最早流行于北京、天津地区，20世纪30年代开始在南方地区发展。相声的基本艺术手段为“说、学、逗、唱”。“说”是运用中国语言的特色，叙说笑话、绕口令、俏皮话、歇后语以及灯谜、对联、打油诗等；“学”是模仿各种唱腔、方言、叫卖声、鸟兽叫以及各种人物的神态、语气；“逗”是通过相互对话，制造噱头笑料；“唱”是编唱滑稽可笑的词曲，或夸张演唱各种观众熟知的戏曲唱腔和民歌小曲等引人发笑。一段

侯宝林、郭启儒演出对口相声《夜行记》的剧照
中国大百科全书出版社供图

相声中往往偏重其中某一两种手段。相声又分“单口”、“对口”、“群口”三种表演形式。单口相声由一个演员表演，讲述笑话；对口相声由两个演员一问一答制造笑料；群口相声由三个以上演员表演；以对口相声最为流行。传统相声节目以诙谐描述各种生活现象和讽刺各种丑恶现象为主。中华人民共和国建立后，对相声作品的思想内容以及在语言的净化和提炼上作了重大改革，使其成为雅俗共赏的全国性曲种。

Xiangtan 湘潭 又拼Hsiang-t'an。中国湖南省辖地级市。位于省境东部，湘江下游，城区跨湘江两岸。地处丘陵地带，湘江及其支流涟水、涓水等蜿蜒其间，形成连绵的冲积平原。西南部有衡山余脉延伸，地势较高。秦属长沙郡，西汉属湘南县。唐天宝八年（749）始称湘潭县。元元贞元年（1295）升为湘潭州，明洪武三年（1370）又降为县。明曾为“工商十万，商贾云集”的商埠，清为中国南方重要药材和米市之一，曾为湘江下游最大的物资集散地。1918年粤汉铁路通车后，商业地位被长沙取代。1950年析湘潭县城及附近地置湘潭（县级）市。1980年升为省辖市。辖雨

湘潭市一角
中国大百科全书出版社供图

湖、岳塘2区和湘潭县，并代管韶山、湘乡2县级市。面积5 006平方千米，其中城区面积280平方千米。20世纪50年代以来发展迅速，已建有钢铁、机械、电工电器、纺织、食品等工业部门。拥有全省最大的钢铁厂、电机厂和纺织印染厂。是中国电工电器六大生产基地之一。湘潭电机集团有限公司创建于1936年，为中国电工行业的骨干企业。湘潭钢铁集团有限公司是一个以生产线材和金属制品为主的大型钢铁联合企业。湘潭锰矿为国内锰系产品的主要生产基地。农业生产条件较好，以产稻谷为主，次为薯类、小麦、芝麻、花生、茶叶、莲藕等，还产淡水鱼和鱼苗。水陆交通便利。湘黔铁路贯穿全境，通往韶山的铁路支线在向韶与湘黔铁路相连，京广铁路从市区东北经过，107、320国道和京珠高速公路等在境内交汇。湘江常年可通航500吨级货轮。有湘潭大学、湘潭师范学院等高等院校。名胜古迹有潇湘八景之一的韶山、西晋湘州刺史陶侃（259～334）故居陶公山和陶侃“衣冠冢”、市区的雨湖和文庙等。白云铺系中国著名画家齐白石的故乡。人口：全市2 830 000（2005）；市区700 000（2004）。

Xianyang 咸阳 又拼Hsien-yang。中国陕西省辖地级市。位于渭河平原中部，渭河北岸，东距西安市区20千米。辖秦都、渭城、杨陵3区，及三原、泾阳、乾县、礼泉、永寿、彬县、长武、旬邑、淳化、武功10县，并代管兴平县级市。面积10 213平方千米，其中市区面积617平方千米。地势西北高东南低。北部为黄土高原沟壑区。咸阳是中国著名古都之一。公元前350年，秦孝公从栎阳迁都咸阳

直至秦末,共140多年。秦始皇统一中国后迁中国东部豪富12万户于此,城市规模扩大,成为全国政治、经济、交通和文化中心。公元前206年,城市为项羽焚毁。汉灭秦后,迁都长安,咸阳改名为新城,武帝时成为小县

咸阳市秦都宫殿遗址发掘现场

中国大百科全书出版社供图

渭城。公元23年,东汉迁都河南洛阳后,咸阳更趋衰落。隋开皇九年(589)复置咸阳县。唐武德元年(618)定国都于长安,咸阳再度兴盛,为西行驿站和渭河渡口防地。明洪武四年(1371)移咸阳县治于今市区。直至1911年隶属西安。1952年设市,1983年改为省辖市。所处渭河平原区土地肥沃,气候温和,有泾惠渠、渭惠渠等灌区,盛产小麦、玉米、烟叶、棉花等。境内塬区果林面积大,盛产苹果。工业以电子和轻纺为主,是西北新兴的工业城市,工业产值居全省第3位。市内有国内最大的彩色显像管厂。主要产品有布匹、显像管及电子元器件、食品等。交通便利,有陇海铁路、咸铜铁路、侯西铁路在此交会,另有211、310、312等国道及西宝高速公路贯穿境内。为关中西部及甘肃平凉、庆阳地区的物资集散地。西安咸阳国际机场即在市区北塬上。拥有陕西科技大学、西北农林科技大学、陕西中医学院等多所高等院校及科研所。市境多帝王将相陵墓,共计500余座,其中以乾陵(唐高宗李治和女皇武则天合葬墓)最著名。其他名胜古迹有郑国渠首、神农教稼台等。人口:全市5 040 000(2005);市区980 000(2004)。

xiao 孝 又拼hsiao。英语作filial piety。中国古代儒家伦理思想,中国传统的重要道德规范之一。对中国封建社会、政治、家庭具有深刻的影响,是家庭、社会和谐稳定的基础。《吕氏春秋·孝行览》中说:"夫孝,三皇五帝之本务,而万事之纲纪也。"孝的涵义是善事父母、爱利尊长。《新书·道术》中说:"子爱利亲谓之孝。"《墨子·经上》中说:"孝,利亲也。"常与弟(悌)连用。《论语·学而》中说:"其为人也孝弟。"朱熹注:"善事父母为孝,善事兄长为弟。"《孝经》对孝有专门的阐述。该书在唐代被尊为经书,南宋以后则被列入十三经。17世纪日本的德川幕府崇奉儒家思想,引入孝的观念,日语作kō。

xiao 箫 中国吹孔气鸣乐器。有排箫与洞箫两种。古代箫指排箫,由长短不同的若干竹制律管编排组成。今称箫指竹制单管、竖吹的洞箫,相传由羌笛改进而来。洞箫顶端开吹孔。有6个音孔,正面5个,背面1个,

中国古代的排箫

中国大百科全书出版社供图

连同底孔组成七声。其声幽扬清雅,用于独奏或合奏。

Xiao Changhua 萧长华(1878-12-01,中国北京～1967-04-26,北京) 中国京剧演员、戏曲教育家。字和庄,学名宝铭。原籍江西新建,客籍江苏扬州。出身梨园世家,伯父永寿、父亲永康都是清末著名戏曲演员。自幼受到艺术熏陶,11岁时与兄长荣投师徐文波门下,从周长山、曹文奎、周长顺、裕云鹏等老师学老生、老旦及文丑;12岁出台,15岁后专工丑

萧长华(左)与梅兰芳合演《女起解》中饰崇公道的剧照

中国大百科全书出版社供图

行,18岁又拜名丑宋万泰为师。学成后,先后搭入小鸿奎、玉成、同庆、鸿庆各大名班,得与谭鑫培、王楞仙、黄润甫、金秀山、龚云甫、杨小楼等名匠同台奏艺。中年后,长期与梅兰芳合作,并佐马连良、于连泉、孟小冬、金少山、徐碧云、谭富英、张君秋等演出,以其精湛剧艺,饮誉大江南北。在《群英会》、《审头刺汤》、《连升店》、《女起解》、《法门寺》、《选元戎》等剧中塑造的蒋干、汤勤、店家、崇公道、贾桂、程咬金等丑角人物,忠邪善恶,面目各异,都达到了形神俱妙、意韵真醇的艺术境界,格调高雅灵隽、洁净脱俗。表演中,唱念做舞均具自家特色。尤以念白功力深厚,擅于在语气、节奏的变幻中传情达意,展示角色的心理,富于旋律性和韵味美;唱工的行腔吐字,十分讲究口锋,具遒劲古朴之风。在京剧丑角表演艺术的传承、发展上,建树卓著。1904年出任喜连成(后改富连成社)科班总教习,遍教生、旦、净、丑各行,主持整理、教排了大量传统剧目,尤以"三国戏"和"三小(小丑、小旦、小生)戏"著称于世。晚年出任中国戏曲学校校长,亲自执教授艺,对造就新一代戏曲人材,业绩宏伟。一生中积教龄60余年,培育学生不下千人,其中多人成就为一代名家。子盛萱及孙辈能承继家学。有《萧长华戏曲谈丛》、《萧长华演出剧本选集》和《萧长华艺术评论集》等书及主演的《群英会》影片行世。

Xiao He 萧何(?～公元前193) 又拼Hsiao Ho。中国西汉大臣、政治家。沛(今属江苏沛县)人。早年为秦沛县狱吏。秦二世元年(前209)佐刘邦起兵。攻占咸阳后收秦

中国大百科全书出版社供图

丞相御史府藏律令图书,得掌握全国户口、民情。刘邦被项羽封为汉王后,萧何定计以巴蜀为基地,招纳贤才,伺机还定三秦,夺取天下,并荐韩信为大将。楚汉战争中以丞相身份留守关中,使成为汉军的巩固后方,保证前线兵力粮饷的供给。刘邦称帝后封酂侯。采摭秦法,酌加新律,作成《九章律》,对后世影响很大。又助高祖诛韩信、陈豨、英布等异姓侯王。后被拜为相国。

Xiao Hinggan Ling 参阅 **Lesser Khingan Range** 小兴安岭。

Xiao Yan 萧衍 又拼Hsiao Yen。参阅 **Liangwudi Xiao Yan** 梁武帝萧衍。

Xiao Yuncong 萧云从(1596～1673) 又拼Hsiao Yun-ts'ung。中国明末清初画家。字尺木,号无闷道人、钟山老人。安徽芜湖人,一作当涂人。入清隐居不仕,人品很高。擅画山水,亦能人物。山水风格毓秀,不拘一家,长卷尤胜。相传弘仁早年曾从他学画,其

萧云从绘《云台疏树图》
中国大百科全书出版社供图

所作多感慨沧桑，表扬忠烈。著名作品如曾在采石太白楼画泰岱、华岳、匡庐、峨嵋四大名山，为时所称；又有《太平山水图》、《离骚图》雕版印行，流传广远，对版画艺术贡献很大；且对日本著名南画画家祇园南海和池大雅等有不小影响。他还帮助铁工汤天池创造了铁画，为中国艺苑增添异彩。著作有《梅花草堂遗稿》等。

Xiaoqing He　小清河　中国山东省河流。源出济南市南部山区，汇集黑虎、趵突、孝感诸泉水，与黄河南堤大致平行东流，途中接纳绣江河、孝妇河、淄河等支流，在寿光县境内

小清河下游羊角沟镇渔港
中国大百科全书出版社供图

注入莱州湾。全长240多千米，流域面积1.1万平方千米。1985年全河渠化工程竣工，已可常年通航。

Xiaoshan　萧山　中国浙江省杭州市辖区。位于钱塘江下游东南岸，与杭州隔江相望。西汉置余暨县，三国吴太平二年(257)改永兴县，唐天宝元年(742)始名萧山县，以城西萧山得名，历属会稽郡、越州、绍兴府，1958年始改属杭州市。1987年撤县改置萧山市。2001年撤萧山市，设立杭州市萧山区。面积1 263平方千米。地处宁绍平原西端，地势南高北低，中部为水网平原，东北部为海积沙地。河湖众多，有钱塘江、浦阳江、西小江、湘湖等。农作物以粮、棉、麻、油菜为主，其中络麻产量约占中国1/10，是浙江棉花、油菜籽重点产区之一。萧山鸡、萧山萝卜干、杜家杨梅、湘湖莼菜为著名特产。工业有纺织、机械、化工、建材、食品等支柱产业。乡镇企业遍布全区，新兴工业集镇大批涌现，是杭州的工业卫星城镇。所产仿南宋官窑青瓷、花边负有盛名。浙赣铁路与萧甬铁路在北部接轨，杭温公路、萧金公路在此交会，浙东运河、钱塘江、浦阳江航运便利。有春秋越国渡口城堡固陵城遗址，清代抗英民族英雄葛云飞墓等。人口1 170 000(2005)。

xiaozhuan　小篆　参阅 zhuanshu 篆书。

Xiaozhuang Wen huanghou　孝庄文皇后　(1613～1688)　又拼 Hsiao-chuang Wen huang-ho。中国清初影响朝廷局势的人物，清太宗皇太极的妃子。姓博尔济吉特，蒙古科尔沁

中国大百科全书出版社供图

贝勒寨桑之女。一生经历清初三朝政局的变化，精心扶立其子福临(顺治)和孙玄烨(康熙，8岁即位)两个幼年皇帝先后主政。福临6岁即位，多尔衮以皇叔辅政。1644年清军入关，多尔衮封号加至皇父摄政王。顺治初年孝庄文皇后为稳定政局，传曾下嫁多尔衮。

Xibe　锡伯族　中国少数民族。主要分布在新疆、辽宁、黑龙江、吉林、内蒙古等省区。人口188 824(2000)。东北地区的通用汉语文；新疆的使用锡伯语，属阿尔泰语系满-通古斯语族满语支。有锡伯文。先世游猎在嫩江、松花江一带，一说为古鲜卑人后裔。一说因锡伯山而得名。16世纪归附建州女真。17世纪末被清政府编入满洲八旗。1764年锡伯官兵及家属3 000多人被清廷遣往新疆伊犁戍边屯田。主要从事农业。西迁新疆的锡伯族开凿的察布查尔水渠有利于发展北疆农业。同时驻守卡伦，换防台站，肩负守边重任。农闲时喜打猎捕鱼，善骑射。住房为土木结构平房，多向南，有庭院。家庭为一夫一妻制。普遍行土葬。多信萨满教，相信万物有灵，崇拜祖先。家庭多三代同堂，辈份最高的男子为家长。由男性家长组成的氏族会议族内重

锡伯族姑娘
中国大百科全书出版社供图

大问题，执行族规。主要节日有西迁节(4月18日)、抹黑节(农历1月16日)。1954年在新疆成立了察布查尔锡伯自治县，并先后建立了6个民族乡。

Xibe language　锡伯语　中国锡伯族语言。属阿尔泰语系满-通古斯语族满语支。主要分布在中国新疆维吾尔自治区伊犁哈萨克自治州察布查尔锡伯自治县，使用人口约2.7万。锡伯语与满语比较接近。锡伯语语音特点：有27个辅音，其中包括8个塞音，6个塞擦音，8个擦音，3个鼻音，1个边音和1个颤音；还有5个腭化辅音和11个圆唇化辅音。有8个单元音，12个复元音；元音有和谐现象。词素有名词、方位词、形容词、数词、代词、动词、副词、状词、后置词、连词、小词、语气词、叹词13类，有较丰富的形态变化。名词有数、领属、格(主格、领属-工具格、宾格、与-位格、离格、方向格、造-联合格)等语法范畴；动词有态(使动-被动态、相互态、众动态)、体(开始体)、时(现在时、过去时、现在将来时)、式(陈述式、祈使式)；句子主语在前，谓语在后；宾语、补语在主语之后、谓语之前；修饰语在中心词前。词汇里有汉语、维吾尔语、蒙古语、哈萨克语和俄语借词。锡伯语有根据满文改制的文字。

Xichang　西昌　中国四川省凉山彝族自治州辖县级市，自治州首府。中国卫星发射中心之一。位于省境西南部横断山脉北段，安宁河畔，南临邛海。面积2 655平方千米。西昌是一座具有2 000多年悠久历史的古城。西汉元鼎六年(公元前111)设邛都县，为越西郡治所。北周改越西县。明洪武中置建昌卫。清雍正六年(1728)置西昌县。1979年析西昌县部分地区建市。1986年撤销西昌县并入西昌市。市境有宽阔的安宁河谷，海拔1 538米以上，气候温暖、土壤肥沃，水源充足，农产丰盛，有“川西南粮仓”之称。广大山场

林木及林副产品资源丰富。工业有机械、冶金、食品、纺织、森工、建材、化工、烟草等部门，其中机械、食品工业各占全市工业总产值的1/4以上。西昌是中国冶金科学试验的重要基地。其卷烟产量在四川占有一定地位。西昌是川西南地区的交通枢纽，也是成昆铁路的重要站。108国道及宜西、乐西、西巧、西木等省级公路与省、州各地相连。有直达成都的航线。主要的风景名胜有城南的邛海和泸山。泸山光福寺内有地震碑林百余块，为中国所罕见。位于市北70千米处的中国西昌卫星发射中心已对外开放。市内有凉山大学等高等院校及中等专业学校，并建有中国唯一的凉山彝族奴隶社会博物馆。人口580 000(2005)。

Xidi 西递 中国安徽省黟县东南部古村落，面积12.96公顷，东西长700米，南北宽300米，居民300余户，1 000多人。据史料记载，西递始祖为唐昭宗李晔之子，因遭变乱，逃匿民间，改为胡姓，繁衍生息，形成聚居村落，故自古文风昌盛，到明清年间，一部分读书人弃儒从贾，成功后大兴土木，建房、修祠、铺路、架桥。该地多石山，自古以来有驿站，设递铺，故名西递。该村建房多用黑色大理石，两条清泉穿村而过，有99条高墙深巷和各具特色的古民居。2000年被列为世界文化遗产。

Xie Dongmin 谢东闵(1908～2001) 又拼Hsieh Tung-min。中国台湾国民党党政要人。字求生，台湾省彰化县人。少年时期，因不满日本占领下台湾日籍教员侮辱中国的言论而赴大陆，先后在上海东吴大学、中山大学等校就读。抗日战争期间，任职于《广西日报》及中国国民党直属台湾党部，宣传抗日。1945年6月，当选为国民党第六次全国代表大会唯一台籍代表。台湾光复后，被任命为高雄州接管委员会主任委员，转任高雄县首任县长。后历任国民党中央委员会副秘书长、台湾省政府委员兼秘书长、省议会副议长和议长(1963～1972)等职，并当选国民党中央委员及中央常务委员。除党政工作外，曾先后兼任台湾省合作金库理事长、台湾《新生报》董事长、中国青年反共救国团副主任、省立师范学院院长。1958年3月创办实践家政专科学校。1972年6月起，出任台湾省政府主席。任职期间，革新省政，开发山坡地，发展农产品加工，提倡"客厅即工厂"，推行"小康计划"，照顾低收入民众，改善民间习俗等。1978年3月当选第6任台湾副总统，1984年卸职，任"总统府"资政。

Xie He 谢赫 又拼Hsieh Ho。南朝齐(479～502)画家。长于肖像画，尤擅时妆妇女。今其画迹无传。因撰著《古画品录》而享誉后世，宋代称为《古今画品》，明刊本则标名为《古画品录》。这部著作提出对人物画的创作和品评的六项准则，即对后世影响极大的"六法论"。后来甚至将之引申为中国画的代称，或理论和技法的总称。六法：①气韵生动，是绘画创作的表现目的与评品的最高标准；②骨法用笔，是绘画重要表现手段——用

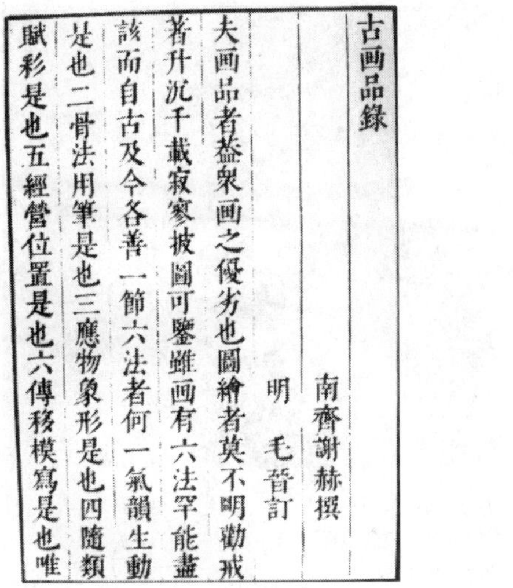
古画品録
南齊謝赫撰
明 毛晉訂
夫画品者盖衆画之優劣也圖繪者莫不明勸戒著升沉千載寂寥披圖可鑒雖画有六法罕能盡該而自古及今各善一節六法者何一氣韻生動是也二骨法用筆是也三應物象形是也四隨類賦彩是也五經營位置是也六傳移模寫是也唯

谢赫撰《古画品录》书影
中国大百科全书出版社供图

笔的艺术功能；③应物象形；④随类赋彩；⑤经营位置，讲形象、色彩、构图乃绘画艺术的造型基础；⑥传移模写，是学习的方法、途径和对画家的最低要求。这是在前人特别是在顾恺之所论基础上进一步的概括和总结。书中正文品评画家27人，分成六品(等级)，依六法标准，特重气韵，进行评价，可见其与当时评论人物的风尚有密切联系。书中还保存了一些史料，并能知人论世，且提出要深刻理解描绘对象，并强调艺术的独创性。

Xie Jun 谢军(1970-10-29，中国北京～) 中国国际象棋女棋手。世界冠军获得者(1991、1993)。8岁开始学习象棋，有"小天才"的雅号。10岁进北京什刹海业余体校，在北京市少年儿童象棋赛中获第1名。1984年14岁时，在上海夺得全国少年冠军，1985年在广州参加全国成人赛，赢得了国家大师称号。1987年首次代表北京队参加全国比赛，获冠军。1988年赢得亚洲女子冠军。接着在希腊举行的奥林匹克团体赛上以9胜2平2负的成绩为中国队取得第4名。1990年在吉隆坡参加国际象棋女子个人赛，战胜了包括苏联全国冠军和国际特级大师在内的17位欧、美高手，达到了国际特级大师标准，进入世界8强。1990年11月谢军率中国女队在第29届奥林匹克团体赛中夺得铜牌。1991年2月击败南斯拉夫国际特级大师马里奇。1991年秋，在马尼拉与蝉联5届世界冠军的俄罗斯选手奇布尔达妮泽对弈15局，在两位主教练戚惊萱和叶江川的帮助指导下，以4胜9和2负，积分8.5的成绩取胜，成为首位亚洲的女子世界冠军，从而结束了苏联选手统治国际象棋长达41年的局面。1993、1998、2001年蝉联国际象棋女子世界冠军。1991、1993年两次被评为全国十佳运动员，两次获体育运动荣誉奖章。2003年4月罗马尼亚国际象棋基金会授予谢军金色证书，以表彰其对中国及世界国际象棋的贡献。谢军现任国际棋联女子委员会主席、中国国际象棋协会副主席，北京棋院院长。

Xie Lingyun 谢灵运(385～433) 又拼Hsieh Ling-yün。中国晋宋间文学家。陈郡阳夏(今河南太康)人。袭祖父谢玄爵，封康乐公，世称谢康乐。曾任永嘉太守。时出任临川内史。宋文帝后受人以叛逆罪弹劾，死于广州。诗多写江南山水，刻画细致，风格清新，为中国山水诗派创始人。当时诗人多从山水领悟玄理，他的一些诗能把情、景、理融为一体，但多数诗则是景物描写和艰涩玄言杂见，影响诗情完整。《山居赋》描写他的庄

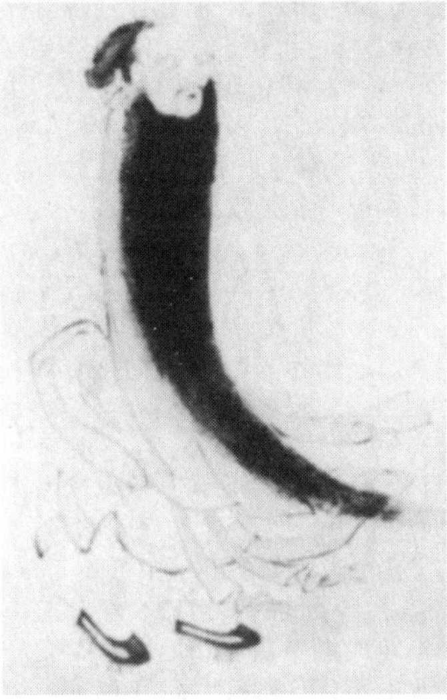
中国大百科全书出版社供图

园别墅，是研究当时庄园制度的重要资料。曾与名僧修订《大般涅槃经》译文，在佛经翻译上有所贡献。有《谢康乐集》。近人黄节有《谢康乐诗注》(1958)。

Xie Tiao 谢朓(464～499) 又拼Hsieh T'iao。中国南朝齐代诗人。字玄晖。陈郡阳夏(今河南太康)人。父纬，官散骑侍郎。母为宋文帝之女长城公主。与山水诗人谢灵运并称大、小谢。曾任宣城太守。亦称谢宣城。为"永明体"主要作家。作品讲求音韵和谐，形式工整，对唐代律诗、绝句形成有影响。尤善于写山水景物，名作《晚登三山还望京邑》刻画春江日暮景色，"余霞散成绮，澄江静如练"为后世传诵。唐代诗人多重视谢朓诗，李白在诗中屡次称引。有《谢宣城集》。近人郝立权有《谢宣城诗注》。

Xigazê 日喀则 又拼Jih-k'a-tse，Shigatse。中国西藏自治区日喀则地区辖县级市，地区行政公署驻地。自治区第二大城市。面积3 700平方千米。位于西藏南部年楚河与雅鲁藏布江汇流处，海拔4 000米以上。建城已有500多年历史。明正统十二年(1447)一世达赖根敦珠巴在此建扎什伦布寺(意为"吉祥的堆集")，历时12年建成显宗大殿及释迦、弥勒、渡母三佛堂，故日喀则又称扎什伦布。最闻名的是九世纪班禅所建强巴佛(藏语，即未来佛)，佛像高26.5米，耗黄金6 700两，黄铜115吨，外饰名贵宝石30粒，大珍珠300颗，堪称世界最大镀金铜佛。此后在此设日喀则宗。1960年改日喀则县，1986年设日喀则市。城区沿年楚河谷西侧向南延展，面积扩大为原来的三倍多。农作物有青稞、小麦、豆类等。畜牧业发达。工业有电力、煤炭、机械、食品、皮革、印刷、粮油加工、汽车修配等。手

工业产品有氆氇、藏靴、地毯、马具、金丝帽等。公路219国道横穿境内,318国道可通往国外,是通往珠穆朗玛峰的必经之地,成为藏南农牧产品集散地和交通中心。中尼公路经此。名胜除扎什伦布寺外,还有建于1087年的夏鲁寺。人口90 000(2005)。

Xihe 羲和 中国神话中的太阳女神。是天帝俊的妻子。生10个太阳,都住在汤谷扶桑。一说尧做国君时,10日并出,射日英雄羿射下9个;一说太阳每天轮流外出巡行,由羲和驾车伴送,到太阳进入虞渊才空车返回。另传说羲和是天地初生时管太阳月亮的神。《尚书·尧典》则以羲和为掌天文历象的官。

Xihu 西湖 中国国家级风景名胜区。位于浙江杭州市区。古称上湖、武林水、钱塘湖、西子湖。唐后始称西湖。湖泊三面环山,南北长3.3千米,东西宽2.8千米,周长约15千米,水面为5.66平方千米,平均水深约1.5～1.8米,流域面积21平方千米。西湖原为与钱塘江相通的浅海湾,宝石山构成其北翼岬角,吴山为其南翼岬角。由于长江、钱塘江带来的泥沙不断堆积,河口沙坎日益填高,与大海隔断成湖。白堤和苏堤将湖面分割成西湖、北里湖、西里湖、岳湖、小南湖。湖中有孤山、小瀛洲、湖山亭、阮公墩4个小岛。有金沙涧、友弘涧、赤山泉和长桥溪等注入西湖。环湖山峦叠翠,并有楼阁、亭榭、宝塔点缀。

Xiliaodezong Yelü Dashi 西辽德宗耶律大石(1087～1143) 中国西辽政权的建立者。字重德。契丹族人。辽太祖耶律亿八世孙。通晓契丹文、汉文。天庆年间(1111～1120)举进士。辽天祚帝初年曾为翰林承旨,契丹语称翰林为"林牙",故又称"大石林牙"。时天祚帝屡败于金朝,1124年大石见辽朝将亡,便自立为王,率二百骑西走。西域诸部皆归顺,后又称天祐皇帝,号古儿汗(Gurkhan,众汗之汗)。1130年率部西征,攻入八剌沙衮(今吉尔吉斯斯坦托克玛克市东南布拉纳废墟)兴建都城,改元延庆。中国历史称为西辽,阿拉伯历史称为哈喇契丹。1149年降服花剌子模,西辽疆域东起哈密,西至咸海,北达叶尼塞河上游,南抵阿姆河,一时成为中亚强大帝国。

Xiling Gorge(China) **西陵峡** 参阅 **Changjiang Sanxia** 长江三峡。

Xilinhot 锡林浩特 中国内蒙古自治区锡林郭勒盟辖县级市,盟行政公署驻地。位于自治区中部偏东,锡林郭勒大草原上。蒙语意为高原的城。元代这里是蒙古族部落游牧之地。清乾隆八年(1743)在此修建贝子庙,经七代活佛主持精修,1936年全部竣工,香火鼎盛时庙内有喇嘛1 200人。1953年设锡林浩特镇,1963年设阿巴哈纳尔旗,1983年改为锡林浩特市。面积15 758平方千米。资源丰富,阿尔善油田年产百万吨原油,市境煤储量达240亿吨,可露天开采。还有铁、铬、铜、锡、钨等矿藏。建有电力、煤炭、制毯、制革、毛纺、乳品、民族用品、造纸、水泥、食品加工等企业。郊区草场面积广,草质好。现有5条公路干线分别通往张家口、赤峰、乌兰浩特、赛汗塔拉和西乌珠穆沁旗。已经开辟北京—呼和浩特—锡林浩特的民用航线。锡林浩特已成为交通枢纽和毛皮等畜产品集散地。每年夏季在此举行那达慕大会,进行商贸活动。人口150 000(2005)。

锡林浩特市
中国大百科全书出版社供图

xin 心 英语作mind。中国古代哲学术语,原指思维器官。《孟子·告子》:"心之官则思。"后泛指人的意志、主体,与作为客体的概括物相对。《荀子·解蔽篇》:"心者,形之君也,而神明之主也。"《朱子语类》卷5:"心有体、用。未发之前,是心之体;已发之际,乃心之用。"又《朱文公文集》卷32:"人之一身,知觉运用,莫非心之所为。"王守仁《答顾东桥书》:"心之虚灵明觉,即所谓本然之良知也。"在藏传佛教中,心泛指思想意识等精神现象。

Xin DYNASTY **新** 又拼Hsin。中国西汉末王莽(**Wang Mang**)建立的王朝(8～23)。俗称新莽。公元23年绿林起义军灭新,王莽被杀,拥立汉宗室刘玄为更始皇帝。25年汉光武帝刘秀重建汉朝,史称东汉。

Xin Fengxia 新凤霞(1927,中国天津～1998-04-12,江苏常州) 中国评剧女演员,工青衣、花旦。原名杨淑敏。6岁从堂姐学京剧,13岁拜师改学评剧,一年后即在《点秋香》、《花为媒》、《杜十娘》等剧中担任主角。1951年参加中国人民解放军总政治部评剧团。1953年入中国评剧院。20世纪50年代初期因主演《刘巧儿》声誉鹊起,至60年代中期,曾主演过《刘巧儿》、《艺海深仇》、《志愿军的未婚妻》、《金沙江畔》、《祥林嫂》、《杨三姐告状》、《花为媒》、《牛郎织女》、《乾坤带》、《无双传》等多部戏。她的演唱清新甜润,富有华彩,将传统评剧女声悲腔化为喜腔,塑造了新的妇女形象。她认真学习刘翠霞、白玉霜、爱莲君等人的唱腔,同时学习大鼓、梆子、坠子、琴书等的演唱技巧,并得到很多名家的指点,逐渐形成了自己的艺术风格。她所创造的新的板式和唱腔,如欢快的[蜻蜓调]、抒情的[降香调]、悲凉的[送子调],特别是[凡字大慢板]和[反调大慢板]等,丰富和发展了评剧女腔。晚年左肢偏瘫后,以培养年轻演员为主,同时发奋写作和绘画。其回忆录和散文小品,朴质真挚,别具风格。《新凤霞回忆录》在北京、天津和香港出版,并有英文译本问世。

Xin Jiang 信江 又作Hsin River。中国鄱阳湖水系五大河流之一。又称上饶江。发源于浙赣两省交界的怀玉山南麓。向西流经鹰

信江上的龙舟竞渡
中国大百科全书出版社供图

潭后分两支注入鄱阳湖。全长313千米,流域面积约1.6万平方千米。玉山以下可通航。

Xin Qiji 辛弃疾(1140～1207) 又拼Hsin Ch'i-chi。中国南宋词人。字幼安,号稼轩。历城(今山东济南)人。出生时北方已为金兵占领,自幼立志抗金复国。曾率众参加抗金起义军,在军中掌书记。归南宋后念念不忘

中国大百科全书出版社供图

收复中原,先后上《御戎十论》、《九议》等疏,分析当时形势,驳斥妥协投降的议论,提出激励士气、据守两淮、出兵山东等建议,均不被采纳。历任湖北、江西、湖南安抚使。后罢官在江西上饶长期闲居。1203年起用,任浙东安抚使、镇江知府,参与准备北伐,但不久又去职。辛词传世600多首。他的词发扬苏轼豪放风格,内容更加广阔,后人并称"苏辛"。辛词特色在以豪迈悲壮笔调抒写北伐救亡的抱负和怀才不遇、壮志难酬的深沉悲愤。有

沙场阅兵、突骑渡江的回忆，有力挽银河、只手补天的瑰丽想象，也有对祖国雄伟山川和古代英雄人物的热情礼赞。代表作有《永遇乐》（"千古江山"）、《破阵子》（"醉里挑灯看剑"）、《水龙吟》（"楚天千里清秋"）等。某些词如《摸鱼儿》（"更能消几番风雨"）用香草、美人等比兴手法表现爱国情怀，空灵蕴藉，妩媚多姿。《菩萨蛮》（"郁孤台下清江水"）豪放中别具委婉沉郁风味。有些咏闲适生活和农村风物的词作也清新明丽、活泼有致。辛弃疾在当时影响很大，和他同时的词人陈亮、刘过等，词风都和他相近。有《稼轩长短句》。今人邓广铭有《稼轩词编年笺注》（1978）、《辛稼轩诗文钞存》（1957）。

Xin'an Jiang 新安江 又作 Hsin-an River。中国钱塘江干流的一段。在浙江省西部。长373千米，流域面积1.16万平方千米。发源于安徽省休宁县境内，初名冯村河、大源河、率水，东流至歙县浦口始名新安江。又称徽（歙）港。东南流至浙江省建德市梅城入桐江。1957、1960年在淳安、建德两县市境内建成新安江水库和发电站。

新安江畔
中国大百科全书出版社供图

Xin'an school 新安画派 参阅 Hongren 弘仁。

Xin'anjiang Shuiku 新安江水库 又作 Hsin-an River Dam。中国大型水利工程之一。在浙江省西部淳安、建德两县市间。新安江为钱塘江干流的一段，起自安徽省南部歙县浦口，东流经浙江省淳安、建德，至梅城入桐江。沿岸以低山、丘陵、盆地为主。属亚热带季风湿润气候，年平均气温17 ℃左右，平均降水量约1 500毫米，水量丰富。河流切过山丘形成峡谷险滩，河岸陡立，水流急湍，适宜建造水电站。1957年在建德附近铜官峡兴建水电站，1960年完成，并形成新安江水库。水库长约100千米，宽窄不等，最宽处10余千米；水面积约580平方千米，蓄水量178亿立方米，是良好的水产养殖场。水库建成后拦蓄了夏秋间钱塘江上游的山洪，保障了下游安全，为沿岸几十万亩农田提供了灌溉用水。新安江的航运也得到改善。新安江水电站最大坝高105米，坝顶长465米，有9台发电机，装机总容量66.25万千瓦，为华东电网的主要调峰电站。

新安江水电站大坝
中国大百科全书出版社供图

Xindian 新店 又拼 Hsin-tien。中国台湾省北部台北县辖地级市。位于台北市之南，西接中和、土城及三峡，东界石碇，南邻乌来。面积约120平方千米。地处台湾西部海岸平原最北端，及台湾北部雪山山脉支脉以北的丘陵地带。南势溪与北势溪在该市东南汇合为新店溪后，蜿蜒纵贯市区，沿岸形成多处S形弯谷（濛濛谷、翡翠谷等）及深潭（碧潭、青潭等）。该市为地区性农产品产销中心，茶叶、稻谷、甘薯、蔬菜及柑橘类水果产量均丰，其中"文山包种茶"远近闻名。较重要的工业有木材、玻璃、机械、纺织、化学、食品和电子等。交通便利，为北（台北）宜（宜兰）公路的中途站。观光事业颇具发展潜力，为台湾主要露营场地之一。除碧潭可游憩泛舟外，尚有湖山原野乐园、碧山公园等胜地。近年该市东南境建有翡翠水库，亦属山水胜景。人口259 516（1999）。

新店市的碧潭和上方的吊桥
美国不列颠百科全书公司供图

Xindian culture 辛店文化 中国商周时期甘肃、青海地区的青铜文化。瑞典考古学者安特生（J. G. Andersson）1924年在甘肃临洮县辛店发现。主要分布在洮河、大夏河和湟水流域。碳14法测定其年代为公元前1000年左右。当时使用工具以石器和骨器为主，有斧、铲、刀、镞、锥、针等。青铜器不多，有削、凿、锥等工具和泡、珠、铃等装饰品。陶器多为彩陶，以绘黑色图案的夹砂红陶为特征，常见饰纹为宽带纹、曲折纹、双钩纹、回纹、"勿"形纹、S纹以及鹿、狗、鸟、蛙等动物纹。器形有双耳罐、双耳杯、双耳盆、鬲、鼎、豆、盘等。建筑遗迹有半地穴式长方形房基和袋形或长方形窖穴。墓葬多为长方形竖穴，葬式有仰身直肢和侧身屈肢，并盛行二次葬。殉葬现象普遍。

辛店文化双钩纹双耳罐
中国大百科全书出版社供图

Xing kiln 邢窑 中国唐代（618～907）瓷窑。窑址位于河北内邱，唐代属邢州。以生产白瓷著名。白瓷胎体坚硬细薄，釉色洁白匀净而微闪青灰或淡黄，陆羽《茶经》曾形容其釉色"类雪"、"类银"。瓷品多为碗、盘、壶等生活用器。据考古发掘，在埃及、伊拉克、日本、印度等遗址内均有当时传去的邢瓷残片。

邢窑白瓷碗
中国大百科全书出版社供图

Xing'an 兴安 中国广西壮族自治区桂林市辖县。面积2 345平方千米。汉为始安县地。唐武德四年（621）置临源县，大历三年（768）改全义县。北宋太平兴国二年（977）改兴安县。东北为越城岭，东南有海洋山，两山之间是东北—西南走向的谷地兴安隘，习称湘桂走廊。湘江上源海洋河在县东部自南向北流，漓江上源大溶江在县西部自北向南流，两河之间分水岭很低。在2 200多年前的秦代，中国人民就在兴安县城附近开凿了引湘

兴安灵渠
中国大百科全书出版社供图

入漓的兴安运河（又称灵渠、湘桂运河），是中国古代4个伟大工程之一，世界最早的越岭设闸运河。在近代交通兴起之前，一直是长江和珠江两大流域交往的重要通道。1949年以后对灵渠进行全面的整修，扩大了灌溉面积。古迹还有古严关和秦城遗址。农产丰富，盛产稻谷、花生、芝麻、柑橙、白果（银杏）、茶叶、毛竹（南竹）等。其中白果年产约900吨，柑橘年产2.5万吨，是广西水果基地之一。森林覆盖率达58%，是自治区木材重要产区。工业有食品、化肥、农药、水泥、造纸及农产品加工业等。人口360 000（2005）。

xing'ershang and xing'erxia 形而上与形而下 英语作the formless versus the formal。中国古代哲学术语。《周易·系辞上》中说：形而上指无形象的规律，谓之“道”，形而下指有形象的事物，谓之“器”。唐崔憬以形而上为“用”，形而下为“体”。认为“凡天地万物皆有形质，就形质之中有体有用。体者即形质也，用者即形质上之妙用也。言有妙理之用以扶其体，则是道也。其体比用，若器之于物，则是体为形之下，谓之为器也。”宋张载认为形而上的道就是气，形而下的器是个别物体。南宋朱熹则以“理”为形而上，“气”为形而下。“理”在“气”先，“理”生“气”，故形而上也为形而下的本原。清戴震提出不同解释：“形谓已成形质。形而上犹曰形以前，形而下犹曰形以后。阴阳之未成形质，是谓形而上者也，非形而下明矣。”认为形而上和形而下是气（阴阳）化流行过程中前后两个阶段的形态。

Xinghua 兴化 又拼 Hsing-hua。中国江苏省县级市。在省境北部，里下河地区。辖昭阳、戴窑、安丰等29镇、5乡。面积2 393平方千米。战国时属楚，相传为楚将昭阳食邑，昭阳镇由此得名。汉海陵县地。五代杨吴始置兴化县，取“凯兴教化”之义。1983年划归扬州市。1987年底撤兴化县，设立县级市，1996年由泰州市代管。兴化是江苏省地势最低平的市，地面高程一般为1.8～2.3米，最低处为1.4米，最高处为2.5米，素称“锅底洼”。境内湖荡罗列，河渠纵横，水域面积占总面积的29%。大部分耕地原为低产一熟沤田。1949年以来，结合治理淮河，大兴水利建设，现已全部改为一年二熟水旱田。实行稻、麦、棉、油菜、绿肥轮作制，农业高产稳产，为中国著名的商品粮、棉花、油料生产基地之一。富产淡水鱼、虾、蟹、珠、禽蛋、猪以及茭白、蒲草、芦苇、菱、藕等，被誉为“鱼米之乡”。工业有机械、电子、化工、棉纺、食品、肉类加工、服装等。内河航道四通八达，有定期航班通扬州、泰州、东台、盐城、建湖等市县。高邮—兴化—盐城公路横穿境内。名胜古迹有昭阳镇的李家花园船厅、郑板桥故居和新垛乡施家桥的施耐庵墓等。人口1 550 000（2005）。

Xingkai Hu 兴凯湖 中国黑龙江省最大的淡水湖，又称新开湖。在密山市东南部中俄边界上。兴凯湖由断陷形成，分大兴凯湖和小兴凯湖，两湖之间有宽约1千米的沙坝，涨水时相通。大兴凯湖面积4 380平方千米，小兴凯湖面积140平方千米。1858年和1860年签订不平等的《瑷珲条约》和《北京条约》后，大兴凯湖2/3被沙俄所占。在中国境内注入大兴凯湖的河流有白泡子河、梨树沟河、红眼哈大泡子；注入小兴凯湖的有承紫河、小黑河、金眼库河、大西河、小西河。在俄罗斯境内有8条河注入大兴凯湖。湖水在东北部溢出后为松阿察河，注入乌苏里江。湖内富产鱼类。

xingshu 行书 又拼hsing-shu，英语作running script。中国汉字书体之一，介于楷书、草书之间。相传行书创始于汉末刘德升，三国魏锺繇传其法发展为“行押书”，即一般公文

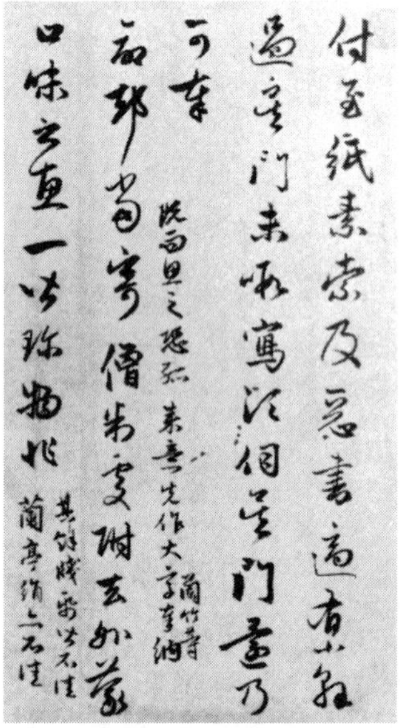

元代赵孟頫的行书
台北故宫博物院供图

和书信往来所用的字体。它在西晋甚为流行，到了东晋王羲之、王献之父子等人又加以变化。它比楷书便捷，比草书易识，且因其不像篆隶真草规制之严，故在诸书体之中流行最广。它也为书法家提供了纵横驰骋的广阔天地，故自东晋以来工书者多以行书名世。王羲之的《兰亭集序》等被历代书家奉为行书的最高典范。唐太宗的《晋祠铭》、《温泉铭》第一次为行书树碑立石。最著名的《大唐三藏圣教序》，亦是以行书之气，运集王羲之真行草各书之体。隋代僧智永，唐初欧阳询、虞世南、褚遂良等亦皆长于行书。盛唐李邕专以行书见长，体势雄健，悉以书碑。颜真卿的行书带有篆笔，显得更为浑厚雄壮。其《祭侄文稿》曾被誉为“天下第二行书”（兰亭第一）。宋代最有代表性的苏、黄、米、蔡四家，所长无不侧重在行书方面，他们创立了真正的宋代书体，对以后书法艺术的发展有着深远影响。元代赵孟頫的行书，恢复汉唐遗法，一变宋代传统，创立了秀润华美的风格，对后代影响也很大。明代董其昌则泛学晋唐，以虚笔取神，潇洒出尘，善用空白，自成一家，传布广远。此后百余年间学行书者大抵不出赵、董二家。明末清初只有王铎（1592～1652），主要学习王氏父子和颜真卿，健笔中锋，险中求稳，风格雄壮，拔帜于赵、董之外，为宋代以后所罕见。直到清代中叶，刘石庵、何绍基才脱出赵、董的樊篱，刘能上追颜、杨、苏、米，更欲上攀魏晋，所作沉厚耐看。何绍基（1799～1873）早师颜真卿，中学张黑女、欧阳通，晚年专攻汉石，其行书纵横变化，甚有奇气，堪称行书后殿。清末杨守敬，行书苍劲遒峭，格调甚高。康有为行书深受《石门铭》影响，卓荦奇逸，气派很大。现代书法家沈尹默（1883～1971）对旧诗词功力很深，工正行书，尤以行书为最。遍学晋唐，主要崇尚二王，晚年融合苏、米，精于用笔，艺术风格秀润典雅，高步当世。著有《书法论丛》，深入浅出，甚有益于后学。

Xingtai 邢台 又拼 Hsing-t'ai。中国河北省辖地级市。位于省境南部太行山东麓。辖桥东、桥西2区及邢台、柏乡、清河、宁晋、隆尧、临城、广宗、临西、内丘、平乡、巨鹿、新河、南和、任县、威县15县，并代管南宫、沙河2县级市。面积12 439平方千米，其中市区面积133平方千米。古名邢邑，传说商王祖乙曾迁都于此。西周曾为邢国。秦置信都县。汉更名襄国县。319年为十六国后赵都城。隋开皇九年（589）改襄国县为龙冈县。开皇十六年置邢州。北宋宣和二年（1120）始称邢台。金、元为顺德路，明、清称顺德府。1912年废府留邢台县。1953年析邢台镇设邢台市。1983年改为省辖市。地处滏阴河上游及其支流冲积平原，地势平坦，属暖温带大陆性季风气候，年平均气温13°C，年降水量约550毫米。环城多泉，著名的有达活泉、百泉等。土壤为褐土，农作物主要是小麦、玉米、棉花等。有煤、铁和铝钒土等矿产，并有丰富的地下水。工业以煤炭、冶金、纺织、机械为主，所产原煤、生铁、钢材、小拖拉机、轮胎、冶金设备在省内外占有一定地位。京广、京九铁路和京珠高速公路纵贯市区，有106、107国道过境。境内有刑台机场。是晋、冀、鲁三省传统的商品集散地之一。旧城东北隅的开元寺始建于唐开元年间（713～741），现存两殿为清代重修。旧城中心的清风楼，建于明成化年间（1465～1487）。城西北的达活泉公园建有元代科学家郭守敬纪念馆和观星台。人

邢台市的达活泉公园
中国大百科全书出版社供图

口：全市6 730 000(2005)；市区560 000(2004)。

Xingtian 刑天 中国神话中的一位天神。传说刑天和天帝争神座，天帝断其首，葬之常羊山中。断头的刑天以乳为目，以脐为口，左手握盾，右手执斧，向空挥舞不止。陶渊明诗“刑天舞干戚，猛志固常在”，即咏其事。

Xingu River 欣古河 巴西马托格罗索州和帕拉州河流。源出马托格罗索高原，由几支源流汇成，大致向北流，注入亚马孙河。全长1 300英里。下游很宽，河口处 2½ 英里。上游多险滩。仅河口至索西尔和维多利亚的125英里河段可通航。20世纪70年代末建成欣古-阿拉瓜亚水电工程。50年代欣古国家公园划作巴西印第安人保留地(内有濒临灭绝的奇考人)。

Xingxing Xia 星星峡 中国新疆维吾尔自治区东部峡谷。在哈密市东南，邻接新疆与甘肃省界。是北山因风蚀作用形成的干谷，自古为中原地区与西域间的交通要冲，至今仍保有公路干线交通站的地位。兰新铁路由星星峡之西红柳河谷进入新疆。

Xingyi 兴义 中国贵州省黔西南布依族苗族自治州辖县级市，自治州首府。位于省境西南部，是滇、黔、桂三省区毗连地带。兴义古称黎峨，又名黄草坝，因盛产金钗石斛(土名黄草)而得名。唐贞观八年(634)设附唐县。元为普安路黄草坝地方。清嘉庆三年(1798)置兴义县。1950年为兴义专员公署驻地。1981年为黔西南自治州首府。1987年11月，撤县建兴义市。面积2 911平方千米。境内山峦起伏，沟谷纵横，热量丰富，雨量充沛，无霜期长，垂直差异大。盛产稻谷、玉米、烟草、茶叶、甘蔗、花生及亚热带柑橘果类。矿产有煤炭、铜、汞、锑、钼、钴、铀以及石英砂岩、石灰岩、白云岩、黏土等。水力资源丰富，喀斯特风光奇异。建有煤炭、电力、化工、机械、建材、食品、饮料、纺织、印刷、饲料、森林等工业。南盘江上建有鲁布革、天生桥大型电站。南宁—昆明铁路、盘县—百色公路经此。市内有中国第一家民族婚俗博物馆。市境顶效猫猫洞发现旧石器时代文化遗存。有汉、布依、苗、彝、回等 27 个民族。人口730 000(2005)。

Xingzhonghui 兴中会 又拼 Hsing-Chung Hui，英语作 Revive China Society。中国近代由孙中山创立的最早的资产阶级革命团体。1894年11月24日在檀香山成立。以“驱除鞑虏，恢复中华，创立合众政府”为纲领。1895年2月21日与香港辅仁文社杨衢云、谢缵泰联合成立兴中会总会。筹划10月26日在广州起义。未发事泄，陆皓东等被捕牺牲，孙中山流亡国外。1900年1月在香港创办《中国日报》。10月派郑士良在惠州三洲田起义，屡败清军，因外援不至中途解散。同时史坚如在广州谋炸两广总督德寿，事泄被捕牺牲。兴中会主要在会党、华侨中发展力量，先后在横滨、河内、旧金山、南非等地成立分会。1905年与华兴会等联合组成中国同盟会。

香港兴中会分会部分会员合影

中国大百科全书出版社供图

Xinhua Ribao 《新华日报》 英语作 New China Daily。中国抗日战争和解放战争时期共产党在国民党统治区出版的机关报。1938年1月11日在武汉创刊。同年10月25日迁往重庆。1947年2月28日被国民党封闭。主要负责人是潘梓年(社长)、章汉夫(总编辑)、熊瑾玎(经理)。报纸宣传中国共产党的纲领、政策，报道解放区军民生产建设和八路军、新四军坚持抗战的战绩，团结民主党派与进步人士和广大读者，推动抗日民族统一战线的发展，成为当时销量最大的报纸之一。郭沫若、茅盾、柳亚子、沈钧儒、黄炎培、邓初民、陶行知、张西曼等学者、教授和社会活动家都是报纸的撰稿人。中国共产党的北方局、华中局、西南局在抗日战争和解放战争期间也出版过同名的机关报。目前南京还有《新华日报》，是中共江苏省委的机关报。

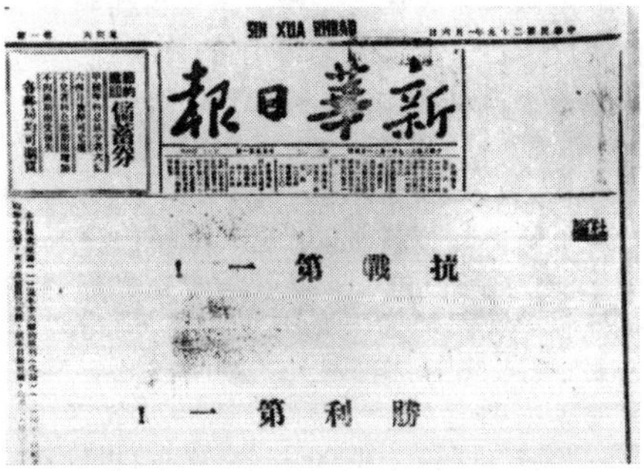

新華日報

抗戰第一

勝利第一

1940年1月6日《新华日报》头版因社论被国民党当局强令删去而被迫“开天窗”

中国大百科全书出版社供图

Xinhui 新会 中国广东省江门市辖区。位于珠江三角洲西部，西江、潭江下游，南濒南海。辖会城街道和大泽、三江、崖门等10镇。面积1 260平方千米。三国吴永安六年(263)在县境西部置平夷县，西晋太康元年(280)改称新夷县。东晋元熙二年(420)于县北境另置新会郡和盆允县。隋开皇九年(589)改新会郡为新会县，盆允、新夷并入。1992年撤县改市。2002年撤市改为江门市新会区。广东省著名侨乡。农业主种水稻，兼种甘蔗、花生、黄豆、木薯、蚕桑、烟草、黄红麻、蒲葵、蔬菜和茶叶等。水果以柑、橘、橙、香蕉和荔枝为主。海洋捕捞和淡水养殖业发达。有钨、锡、钽、铌、石英砂、黑白泥、钾长石、花岗岩等矿藏。主要工业有化纤纺织、服装、机械、建材、电机、化工和食品加工等。名胜古迹有明代学者陈白沙钓鱼台故址和陈白沙祠、龙兴寺石塔、镇山宝塔、崖门炮台、国母殿、新会学宫、梁启超故居与凌云塔、叱石、天成寺等。圭峰山为省级风景名胜区。水陆交通方便，公路干线通邻县。北路沿潭江可达开平市，经西江可通广州、肇庆、梧州。出崖门可至沿海各港和香港、澳门。人口740 000(2005)。

Xining 西宁 又拼 Hsi-ning。中国青海省辖地级市，省会。高原古城。位于省境东北部，黄河支流湟水谷地，为兰青铁路终点，青藏铁路和公路的起点。湟水河谷自古是中国内地通往西藏和柴达木盆地的必经之路。东汉建安年间(196～220)分临羌县设西都县，为西平郡治。北魏孝昌二年(526)为鄯州治。唐仪凤三年(678)置鄯城县，上元初年(760)后地入吐蕃，称青唐城。北宋崇宁三年(1104)改西宁州，西宁之名始此。南宋绍兴六年(1136)后属西夏。元仍为西宁州，明洪武六年(1373)改为卫，清雍正二年(1724)升府，并置西宁县为府治。1913年废府存县。1928年设青海省，西宁为省会。1944年以西宁县城郊置西宁市。辖4城区和湟源、湟中县以及大通回族土族自治县。面积7 472平方千米，其中市区面积342平方千米。市区大部分位于河谷低阶地上，沿河谷展开。属季风性温带草原气候，年平均温度5.6°C，年降水量371毫米。种植小麦、蔬菜。畜牧业以奶牛业和养猪业为主。20世纪50年代后期起工业开始发展，现已成为青海省最大的工业城市。初步建立了以机械、化工、纺织为中心的工业体系，在传统的毛纺、皮毛和制革工业的基础上，大力发展冶金、机械、化工、电子、建材及塑料、食品、造纸等工业。西宁以北35千米处有全省最大的大通煤矿，并建有发电厂。1974年甘肃省刘家峡水电站的高压输电线同西宁电网相接，为西宁建设提供重

西宁市一角

中国大百科全书出版社供图

要的能源。现有甘青、青藏、宁张、宁果等主要公路干线和兰青、宁大、青藏铁路与省内外联系，是 109、214、227、315 等国道交会之地，成为内地通往青海腹地和西藏的交通要冲。空中航线开通有至北京、西安、兰州、格尔木等地航班，更突出西宁的重要地位。有青海民族学院、青海师范大学等高等院校。文化古迹有东关清真大寺、北禅寺、南禅寺，此外湟中塔尔寺是藏传佛教圣地。中国最大的内陆湖——青海湖也在附近，湖中鸟岛是国家自然保护区。人口：全市 1 840 000（2005）；市区 800 000（2004）。

Xinjiang 新疆 又拼 Sinkiang。中国新疆维吾尔自治区的简称。地处欧亚大陆中部，中国西北部边疆地区。介于北纬 34°09′～49°08′，东经 73°25′～96°24′，从东向南与甘肃、青海和西藏等省、自治区毗邻，东北与蒙古交界，西北、西南与俄罗斯、哈萨克斯坦、吉尔吉斯斯坦、塔吉克斯坦、阿富汗以及克什米尔地区接壤。面积 1 655 826 平方千米，大约占中国土地面积的 1/6。居民以维吾尔族和汉族最多，余为哈萨克、回、蒙古、柯尔克孜、锡伯、塔吉克、塔塔尔、达斡尔、满、乌孜别克、藏、俄罗斯等民族。设 5 个自治州、7 个地区、2 个地级市、11 个市辖区、20 个县级市、62 个县和 6 个自治县。首府乌鲁木齐。

自然条件及资源　地貌轮廓为“三山夹两盆”。南为帕米尔高原、昆仑山和阿尔金山，北为阿尔泰山，中有天山横亘，海拔都在 3 000～4 000 米以上，西南部高达 5 000～6 000 米以上，最高点喀喇昆仑山的乔戈里峰为 8 611 米，是世界第二高峰。三列山地把新疆分成两大盆地，北为准噶尔盆地，南为塔里木盆地，习惯上称北疆、南疆。准噶尔盆地呈不等边三角形，盆底平均海拔 500 米左右。边缘多绿洲和戈壁，中央为固定和半固定的古尔班通古特沙漠，面积 48 000 平方千米，是中国第二大沙漠。盆地西部的阿拉山口和额尔齐斯河谷是西来湿润气流入疆的通道。塔里木盆地属全封闭性，平均海拔 1 000 米左右，面积约占全疆的一半，是世界最大的内陆盆地。从盆地四周向中心分别为高山带、山麓砾石带、冲积平原带（绿洲带）和沙漠带。中央的塔克拉玛干沙漠是中国最大的沙漠，面积 337 600 平方千米。三列山地内部还有许多山间盆地和谷地。比较大的有塔城、吐鲁番、哈密、拜城、大小尤勒都斯、昭苏和巴里坤等盆地，以及博尔塔拉、伊犁、达坂城等谷地。吐鲁番盆地艾丁湖的湖面在海平面下 155 米，是中国大陆上的最低点。新疆地处内陆腹地，四周高山环抱，湿润的海洋性气流难以进入，气候以干冷为特色，降水稀少，蒸发力强，年温差、日温差极大，具有强烈的大陆性，降水和气温的地区差异和垂直差异显著。冬季全区处在蒙古高气压控制下，天气稳定、寒冷、干燥。北疆的 1 月平均气温约 -15～-20°C，为中国最寒冷地区之一。富蕴县可可托海是中国仅次于黑龙江漠河县的第二个寒极。一般有 5 个月（11～3 月）在 0 °C以下。南疆由于有天山屏障，1 月平均气温比北疆高出 10～12 °C，月平均气温在 0 °C以下的为 3 个月。夏季南北疆温差不大，7 月平均气温约 22～26°C。吐鲁番盆地是中国夏季最热的地方之一，素有“火洲”之称。春秋短促。无霜期虽然只有 120～240 天，但是大于 10°C的积温较高，北疆为 2 600～3 800°C，南疆在 4 000°C以上，吐鲁番盆地高达 5 500°C以上。降水稀少，大部地区年降水量在 150 毫米以下，只相当同纬度华北地区的 1/4。山地雨量多于平原，西部多于东部，北疆多于南疆。塔里木中心及其东南部不足 10 毫米。全区 400 多条河流绝大部分是内流河，只有额尔齐斯河最后流入北冰洋，和田县西南部奇普恰普河是印度河支流什约克河上源，最后流入印度洋的阿拉伯海。河水补给主要依靠高山融冰化雪，所以较大河流多发源于天山和昆仑山的西段。主要河流有伊犁河、额尔齐斯河、塔里木河、开都河、乌伦古河、玛纳斯河等。塔里木河全长 2 179 千米，是中国最长的内流河。地下水资源丰富，广泛分布在各个盆地。最大的湖泊原为罗布泊，因补给水源中断，现已干涸。其他还有博斯腾湖、布伦托海等。森林资源主要分布在阿勒泰和伊犁地区。全区矿藏已发现 100 多种。石油远景储量大于中国东部近海诸油田。煤、铁、锰、铬、钛、金、铜、铅、锌、镍和铍、锂、钽、铌、芒硝、云母、玉石等储量也很丰富。

新疆古称“西域”，有许多城邦和游牧部落（参阅 **Turkistan**）。公元前 3 世纪末曾被匈奴征服。汉武帝遣张骞出使西域，相约共御匈奴，西域 36 国和部落开始内附汉廷。汉将霍去病击败匈奴后，畅通了通西域的道路。当时西域各国以农业为主，兼及渔、牧，冶炼和酿酒也较发达。汉武帝曾两次以宗室女（江都公主、解忧公主）嫁西域乌孙王，并传播中原的文化和物产。新疆自此成为“丝绸之路”上的重要通道。西汉太初四年（公元前 101）在轮台（今轮台县东南）和渠犁（今库尔勒县西南）设使者校尉，是西汉第一次在该地设置官员。神爵三年（公元前 59）又在乌垒城（今轮台县城东策大雅）设西域都护府，总管西域事务。唐属北庭、安西两都护府。唐代回纥逐渐兴起，并曾助唐平“安史之乱”，与中央王朝建立了密切联系。宋时人西辽。元重新统一中国后设别失八里等行省。清初在伊犁设将军府。光绪十年（1884）清政府平定准噶尔叛乱后置新疆省。辛亥革命时新疆宣布共和，但政权落入军阀和官僚之手。1955 年正式成立新疆维吾尔自治区。直到 1949 年，新疆工业基础还十分薄弱，大部分是食品、缝纫、纺织的手工作坊。

经济　现在全区建立起石油、煤炭、电力、冶金、机械、化工、建材、棉毛纺织以及食品和制糖、皮革等工业部门。石油及棉毛纺织、制糖等工业在全国占一定地位。乌鲁木齐市是全区最大的工业基地，此外还建成了许多新的工矿业中心。全区草场辽阔，从平原的荒漠草原到高山的草甸有各种天然牧场。畜牧以绵羊、马和骆驼等为主，新疆细毛羊、库车羔皮羊、伊犁马等都是良种牧畜。耕作业主要是人工灌溉的绿洲农业，以种植粮食作物尤其是小麦为主。经济作物有棉花、油料、甜菜、烟草、瓜果。伊犁地区是重要的粮仓，石河子地区是重要的甜菜产区，南疆是中国长绒棉的重要基地。所产葡萄、甜瓜、香梨等在国内享有盛誉。

交通运输及其他　全区已形成以乌鲁木齐为中心，以公路运输为主，铁路、航空运输密切配合的交通运输网。以兰新铁路为主干，与包兰、陇海铁路相接出疆，自治区内铁路主要有乌鲁木齐经库尔勒到喀什的南疆铁路和乌鲁木齐到阿拉山口的北疆铁路。2004 年新疆铁路的营运里程已达 2 999 千米。公路以乌鲁木齐为中心，216、217、312、314、315 等国道主干线为骨架，沟通自治区各地，哈密—乌鲁木齐—霍尔果斯高速公路已建成通车，公路通车里程已达 87 000 千米。有乌鲁木齐至阿拉木图、伊斯坦布尔、比什凯克、新西伯利亚等地的国际航班；有乌鲁木齐至北京、上海、广州等重要城市的国内航班，形成以乌鲁木齐为中心的民用航空网。还有克拉玛依至乌鲁木齐的输油管道。区内有新疆大学等多所高等院校及 190 多所科研机构。人口 19 260 000（2005）。

Xinjie　参阅 **New Territories** *新界*。

Xinxiang 新乡 又拼 Hsin-hsiang。中国河南省辖地级市。新兴工业城市。位于省境北部，南临黄河，西北依太行山与山西省陵川县相接，东隔黄河与山东省菏泽县相对。市境由太行山前冲积扇过渡到黄河中下游冲积平原。西周初属鄘国。汉属获嘉县。北魏太和二十三年（499）获嘉县治迁此。隋开皇六年（586）置新乡县。1949 年析县设市。1949～1952 年为平原省省会。1953 年撤销平原省后划归河南省。辖卫滨、红旗、凤泉、牧野 4 区及新乡、获嘉、原阳、延津、封丘、长垣 6 县，并代管卫辉、辉县 2 县级市。面积 8 629 平方千米，其中市区面积 346 平方千米。卫河从西向东流经市区；人民胜利渠由南向北，引黄河水济卫河，直达天津。是豫北粮、棉重要产区。煤炭与建材资源丰富。全市形成了以轻纺工业为主体，以机械、电子、化工、建材、电力、煤炭、冶金、医药、食品等为骨干的工业体系。京广、新（乡）焦（作）铁路在此接轨，新（乡）菏（泽）铁路在此与新焦铁路连通，构成十字要道，新菏铁路向东在兖州又与京沪铁路衔接。另有 3 条地方铁路通往周围县市。新乡是河南北部最重要的铁路转运站。公路纵横遍布城镇与乡村。有鲁堡龙山文化遗址、比干墓、香泉寺、白云寺、百泉风景区等名胜古迹。市内建有河南师范大学、新乡医学院等高等院校。人口：全市 5 650 000（2005）；市区 930 000（2004）。

Xinxiu Bencao 《新修本草》 英语作 Revised Materia Medica。中国由国家编定的第一部药典。一名《唐本草》。苏敬等编，唐高宗显庆四年（659）成书颁行。全书目录 1 卷、《本草》20 卷（现存 11 卷）、《药图》25 卷、《图经》7 卷（已佚）。正文在梁陶弘景《本草经集注》基础上修订增补。收药物 850 种，分玉石、草、木、兽、禽、虫鱼、果、菜、米谷等 9 类，对各种药物的品种、规格、炮炙方法、产地、采集时间、疗效等都有记载，并从药材产地征集绘图，成为中国最早的药物图谱。本书总结了唐以前的药物学成就。唐宋医学著作多征引本书。现有中国和日本学者从敦煌、日本残卷中整理辑成的佚本。

Xinyang 信阳 又拼 Hsin-yang。中国河南省辖地级市。位于省境南部，大别山北麓。淮河干流蜿蜒市区北境，支流浉河由西向东流经市区，是城市主要供水来源。南扼三关要隘，北接黄淮平原，地势险要。气候温和，雨量充沛，土地肥沃，灌溉便利，被誉为中州的“鱼米之乡”。西汉置钟武县，东汉改置平春县。晋孝武帝改平阳县。隋开皇初年(581)又改为义阳县。北宋始称信阳县。元至元十四年(1277)置信阳府，翌年改信阳州。1913年改州为县。1949年析县设市。1998年撤信阳地区，设地级信阳市。辖狮河、平桥2区和息县、淮滨、潢川、光山、固始、商城、罗山、新县8县。面积18 819平方千米，其中市区面积3 672平方千米。农业生产水稻、小麦、大豆、棉花、花生、油菜、麻类等。信阳毛尖为中国名茶之一。有机械、化工、电力、水泥、纺织、制药、制革、造纸、塑料等工业部门。所产木工机械、各类罐头和各色地毯远销国内外。京广铁路纵贯市区，并有公路干线联系武汉、襄樊、合肥、郑州、南阳、周口等城市，107、312等国道经过此地。交通四通八达，是豫南交通枢纽和河南通往华中、华南的门户。有避暑胜地鸡公山及义阳三关、太子城、楚王城、贤隐寺、南山嘴遗址、春秋战国墓群等古迹。人口：全市7 940 000(2005)；市区1 380 000(2004)。

Xinying 新营 又拼 Hsin-ying。中国台湾省西南部台南县辖市及县治所在地。面积38.54平方千米。位于台南市东北约40千米处。地当西部海岸平原之南段，坐落在急水溪北岸。1662年郑成功收复台湾后，该地为屯田驻兵的垦区，当时郑氏营镇中有“柳营镇”之名，即指该地。清代改名为“查亩营”。1945年台湾光复后改现名。该市曾经为农产品交易中心，其周围地区系肥沃的冲积平原，现生产稻谷、甘薯及甘蔗、凤梨、柑橘等水果，亦有水产养殖业。市内有织造、食品加工及制鞋等工业。交通便利，除西部纵贯铁路以该市为中途站外，并可经由新营交流道直上中山高速公路，联系南北各大城市。人口76 475(1999)。

Xinyu 新余 中国江西省辖地级市。位于省境中部。市区北面有蟠龙山，南面有虎山，百丈山和钟山东西对峙，赣江支流袁水流贯境内。汉时，新余属豫章郡宜春县。三国吴宝鼎二年(267)始建县。因境内主川袁水中游原名渝水，名新渝县。唐天宝年间742～756，改渝为喻。1956年易名为新余县。1960年改县为省辖市。1963年撤市复县，1983年复设市。辖渝水区和分宜县。面积3 164平方千米，其中市区面积1 776平方千米。地形以丘陵为主，气候温暖湿润。境内水力资源较丰富，江口水库为江西著名大水库之一，可灌溉农田2万多公顷。蕴藏铁、煤、石灰石、耐火材料、铜、铅、锌、锰等矿产。1949年以前，新余只有一些手工业小作坊，工业基础薄弱。现有冶金、电力、煤炭、化学、机械、建材、纺织、造纸、食品、皮革以及木材加工等工业部门，以钢铁工业为主体，是江西钢铁工业的重要生产基地。农业生产以粮食为主，大宗产品有稻谷、大豆、棉花、油菜、花生、油茶、苎麻、蔬菜、柑橘等。新余交通便利，浙赣铁路横贯东西，上高—新余和分宜—文竹两铁路支线纵贯境区南北。公路四通八达，可达南昌等城镇。袁水可通航。名胜古迹主要有虎瞰山的魁星阁，始建于南宋嘉定年间(1208～1224)的南濒袁水的瀛洲书院，以及江口风景区、仙女湖风景名胜区等。人口：全市1 100 000(2005)；市区780 000(2004)。

Xinzhou 忻州 中国山西省辖地级市。位于省境中部偏北，滹沱河上游，忻定盆地西部。辖忻府区和定襄、五台、繁峙、宁武、静乐、神池、五寨、岢岚、河曲、保德、偏关、代县12县，并代管原平县级市。面积25 180平方千米，其中市区面积1 954平方千米。春秋属晋。北魏永兴二年(410)置秀容县，隋开皇十八年(598)置忻州。明初废秀容入忻州。1912年改州为忻县，1983年改忻县为忻州市。2000年撤忻州地区和县级忻州市，设立地级忻州市。北、西、南三面环山，东部地势平坦。滹沱河及其支流云中河、牧马河横流东去，诸河流域均有灌溉之利。矿产有铁、石灰石、石墨等。农业以种植小麦、高粱、玉米、棉花、向日葵等为主，山区则以种植莜麦、马铃薯为主。工业有冶金、机械、建材、地毯编织、纺织、造纸、化工、食品加工等。除同蒲铁路干线南北贯通外，往东还有忻河支线铁路。忻州师范学院、山西省玉米研究所设此。中国四大佛教名山之一的五台山就位于该区。城南5千米韩岩村是金代著名文学家元好问(1190～1257)的故里，村旁建有陵园。人口：全市2 970 000(2005)；市区510 000(2004)。

Xinzhu 新竹 又拼 Hsin-chu。中国台湾省西北部县。面积1 427平方千米。新竹古称“竹堑”，为昔日平埔族“竹堑社”所居之地。清康熙年间(1662～1722)始有汉人至此开垦。清光绪元年(1875)正式设县，日本占领时期设新竹州，1950年复改为新竹县。县治原设新竹市，1982年后该市升省辖市，县治移设于竹北镇。东南部为雪山山脉，头前溪为境内最大河流，自东南山区汇合油罗溪、上坪溪后顺地势向西北流出海，全长约63千米，沿途多丘陵，为低平的冲积平原。东北季风与西南季风长驱无阻。有“风城”之称。农产品以茶、稻谷、甘薯、柑橘、麻类为大宗，茶园面积占该省的1/3。有煤、石油、天然气、铁、矽砂等矿产，其中矽砂产量居台湾之冠，煤产量也占相当比重。除电子工业外，还有石油精炼、玻璃、水泥、制糖、纺织、化肥、水果罐头、木材加工等工业。县内西部交通方便，有南北纵贯铁路和中山高速公路经过，另有新竹至内湾的铁路支线及其他公路支线；东部山区较闭塞。该县多温泉、瀑布，有不少寺庙。西南部的狮头山有台湾佛教圣地之称，尖石乡的鸳鸯谷瀑布群也很壮观。北部关西镇之北建有六福村野生动物园。东南部与苗栗县交界处有大霸尖山(为台湾百岳之一)及雪坝国家公园。人口433 767(1999)。

Xinzhu 新竹 又拼Hsin-chu。中国台湾省省辖市。位于台湾省西北部新竹县境内，在台北市西南方，西距海岸(台湾海峡)约10千米，原为新竹县县治所在地，1982年升格为省辖市，将香山乡划入该市后辖区扩大，面积约104平方千米。新竹市因地处西北沿海新竹平原中心，成为台湾北部最早开发的城市。古称“竹堑”，早在清康熙年间(1662～1722)即有王世杰率180余名乡族入境开垦。雍正元年(1723)竹堑已成为北台湾的重镇。光绪元年(1875)始改名为新竹城。今该市工商业繁荣，市郊工厂林立，市区中西建筑并存。地当南北纵贯铁路及中山高速公路的要冲，交通十分便利。生产稻谷、茶叶等农产品。工业和科学技术发达，有化学、化肥及造纸、制糖、玻璃、电子等轻工业，并于1980年成立科学工业园区，以推动科技创新及高科技关键零部件的研究开发，并建有台湾第一座集成电路生产厂。市内寺庙古迹颇多，著名的有城隍庙、关帝庙、竹莲寺、孔庙及郑氏家庙等。其中郑氏家庙为清代开台第一位进士郑用锡于道光十八年(1838)所建。清华大学、交通大学及联合工业研究所设于该市。居民多为客籍和闽籍，民风淳朴。人口约370 000(2004)。

新竹市的迎曦门
台湾中华书局供图

Xiong Foxi 熊佛西(1900-12-04，中国江西丰城～1965-10-26，上海) 又拼 Hsiung Fo-hsi。中国现代作家。原名熊福禧。中学时代就倾心于戏剧。1919年入燕京大学，提倡戏剧运动。1924年赴美国哥伦比亚大学攻读戏剧、文学，得硕士学位。1926年回国后历任燕京大学等校教授。1932年前后在河北定县任农民剧场主任，主持农村戏剧实验工作。1938年在成都主办四川省立戏剧音乐实验学校。1946年任上海市立实验戏剧学校校长。在此之前还在重庆等地编过戏剧和文学刊物。1949年后任中央戏剧学院华东分院院长、上海市戏剧电影协会主席等。一生致力戏剧教育和创作，写过40多部剧本，有《青春的悲哀》、《一片爱国心》、《袁世凯》等，还写过小说和戏剧评论。

Xiong Qinglai 熊庆来(1893-10-20，中国云南弥勒～1969-02-03，北京) 中国现代数学家。早年肄业于云南高等学堂英法文专修科。1913年经云南省留学生考试被选派比利时留学。1914年转赴法国，先后就读于格勒诺布尔大学、巴黎大学、蒙彼利埃大学和马赛大学。1920年获理学硕士学位。回国后历任云南工业学校和路政学校教员，东南大学数学系教授、系主任，清华大学教授、系主任。1931年再次赴巴黎深造，研究亚纯函数。1933年获法国国家理科博士学位。同年回国

中国大百科全书出版社供图

后继续在清华大学任教。1937～1949年任云南大学校长。1949年夏第三次赴法继续其亚纯函数的研究。1957年回国后任中国科学院数学研究所研究员、函数论研究室主任等职。

熊庆来主要研究领域是函数论。他建立的无穷级亚纯函数的一般理论包括了所有的无穷级亚纯函数与无穷级整函数，是对E.波莱尔的有穷级亚纯函数与有穷级整函数的自然推广，更优于L.布卢门塔尔的工作。关于R.奈望林纳第二基本定理，他得到了一些函数（结合其导函数或原函数）的基本不等式以及关于代数体函数的第二基本定理的证明和推广。共发表有创造性的论文50多篇，各种专著和教材10余种。专著《关于亚纯函数及代数体函数，奈望林纳的一个定理的推广》（1957，法文版）已被收入国际著名丛书《数学科学纪念文集》（1957年后连续出版）之中。

Xiong Shili　熊十力（1884～1968-05-24）又拼Hsiung Shih-li。中国近、现代哲学家。原名升恒，字子真。湖北黄冈人。曾参加1911年武昌起义。后入南京支那内学院研究

中国大百科全书出版社供图

佛学。执教北京大学、四川复性书院。中华人民共和国建立后历任中国人民政治协商会议第二、三、四届全国委员会委员。在哲学上吸取中国《周易》和西方生命哲学思想，按照“中体西用”模式对佛教唯识论加以改造，创造了以“恒转”为本体的哲学体系。著作有《新唯识论》（1932）、《破“破新唯识论”》（1933）、《十力论学语要》（1947）、《佛家名相通释》（1937）、《原儒》（1956）、《体用论》（1958）、《乾坤衍》（1961）等。

Xiong'er Shan　熊耳山　中国河南省西部山脉。为伊河、洛河的分水岭。东北—西南走向。西南端接伏牛山，为秦岭东延的支脉。以两峰高耸状如熊耳得名。以褶皱断块构

熊耳山远眺
中国大百科全书出版社供图

造山地，主要由中山和低山组成，岭脊多呈锯齿状。主峰金宝山海拔2 094米。

Xiongnu　匈奴　又拼Hsiung-nu。中国古代北方游牧部族。公元前3世纪形成部落联盟，冒顿单于统一各部，统治大漠南北广大地区。汉朝初年匈奴经常南下，侵扰山西北部，

汉朝赐给匈奴王温禺鞮的“汉匈奴栗借温禺鞮”铜印，内蒙古伊克昭盟东胜征集
中国大百科全书出版社供图

汉高祖刘邦亲率大军出击，后缔约“和亲”。汉武帝时对匈奴转采攻势，多次进军漠北，匈奴势力渐衰。汉王朝先后在匈奴故地设置朔方、五原、酒泉、武威、张掖、敦煌等郡。汉武帝遣张骞两次出使西域，约结月氏，联姻乌孙，以断匈奴右臂。公元前52年呼韩邪单于附汉，汉与匈奴和平共处40多年，经济文化交流频繁。东汉光武帝时，匈奴分为两部，南下附汉的称南匈奴，留居漠北的称北匈奴。北匈奴于和帝时部分西迁。南匈奴屯居河北、山西、内蒙、陕西、甘肃长城内外等地区。西晋时先后建立赵、夏、北凉等政权。最后与汉族融合。

Xipe Totec　希佩·托特克　中美洲墨西哥人所奉祀的春神和草木萌发之神，又是金匠

蒙特阿尔班出土的8～11世纪的希佩·托特克陶像，萨波特克文化
供图：Hamlyn Group Picture Library

的守护神。此神身披新剥下的人皮，象征春回大地、万象更新。此神的造像最初出现于特奥蒂瓦坎附近的霍拉尔潘和特斯科科，与9～12世纪的马扎潘文化有关。阿兹特克人于阿克萨亚卡特尔在位时（1469～1481）开始信奉此神。

Xipibo（Andean Indians）　参阅**Shipibo**希皮博人。

Xiqi Dongshu Guandao　西气东输管道　英语作West to East Gas pipeline。中国将西部新疆塔里木盆地发现的天然气资源，经过甘肃、宁夏、陕西、山西、河南、安徽、江苏，输送到东部上海、浙江的输气管道。是中国最长（约4 200千米，干线途经9省）、输气量最大（年输量120亿立方米）、用户最多（沿途8省市民用和工业用气）的管道。2003年建成靖边至上海段（1 516千米），将长庆天然气输到上海地区；2005年完成塔里木轮南至靖边段（2 484千米），将塔里木的天然气输送到上海。

Xirgu, Margarita　希尔古（1888-06-18，西班牙莫林斯德雷伊～1969-04-25，蒙得维的亚）全名玛格丽塔·希尔古（第一）·苏维拉。西班牙加泰罗尼亚女演员兼演出人。最大的贡献是推动了加西亚·洛尔卡剧作的上演。希尔古于1906年在巴塞罗那举行首次职业性演出，5年后加入普林西帕尔剧团。1914年首次使用加泰罗尼亚语在马德里演出。在随后的20年中，由于表演感情深刻，演技卓越，在悲剧和喜剧中均取得了同样的成功。饰演过的角色有：莎乐美、圣女贞德、美狄亚等。后在巴塞罗那的“西班牙剧院”任导演，并主演过加西亚·洛尔卡许多剧作的首演，最著名的有《马里亚娜·皮内达》（1927）和《叶尔玛》（1934）。1936年西班牙内战爆发，她前往拉丁美洲巡回演出。此后，她在阿根廷首演了加西亚·洛尔卡的《贝尔纳德·阿尔瓦的家》（1945）。在乌拉圭任蒙得维的亚戏剧学校校长并在自愿放逐中度过晚年。拍过的电影有《维尔兰提》（1910）和加西亚·洛尔卡的《血姻

缘》(1939)。

Xisha Qundao 西沙群岛 中国南海诸岛的四大群岛之一。位于海南岛榆林港东南约330千米。由40座岛、沙洲、礁、滩组成，总面积约8平方千米。分宣德群岛、永乐群岛两

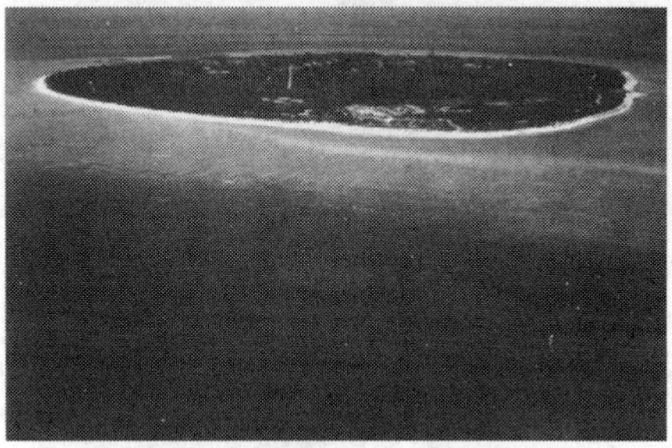

西沙永兴岛远眺
中国大百科全书出版社供图

组岛群。宣德群岛中的永兴岛面积1.85平方千米，是南海诸岛的最大岛屿和政治、经济中心。西沙群岛拥有丰富的自然资源，是南海航运要冲。

Xishuangbanna Nature Reserve 西双版纳自然保护区 中国热带雨林自然保护区。位于云南省西南部。处于横断山脉南，无量山和怒山南延余脉之间，境内地势起伏，但多河谷平坝。海拔最高为2 429米，最低为457米。由于四周高、中间低，南部又有南流各河河谷造成的较多缺口，季风易于深入内部，形成丰沛的降水和较高的气温。虽处在北纬21°以北，但能出现较大范围的热带气候，成为全球热带最北缘。这里全年平均气温15.1～21.7 °C，海拔800米以下为热性气候，800～1 400米为暖热性气候，1 400～2 000米为暖温性气候。全年雨量1 193～2 491毫米，7～8月雨量超过250毫米为雨季，11月至翌年4月雨量只有几十毫米为旱季。生物资源十分丰富，据统计，高等植物约有4 000多种，占全国的1/7。其中有被称为活化石的云南苏铁、木沙木罗等30余种，特有树种有细蕊木莲、望天树等153种，稀有树种有西南紫薇、隐翼、铁力木等134种，还有珍贵药用植物龙血树、美登木、白木香等。野生动物种群非常丰富，保护区兽类102种，占中国种数的1/4。鸟类427种，占中国鸟类的22.2%，爬行动物63种，两栖动物38种，鱼类100种，昆虫的种类在1 400多种以上。保护区内生活着中国的野生亚洲象种群，以及印支虎、印度野牛、白颊长臂猿、懒猴、鼷鹿，绿孔雀、孔雀雉、犀鸟、白鹏、原鸡、巨蜥、蟒等野生动物。西双版纳自然保护区分勐腊瑶族区保护区、勐腊尚勇保护区、孟腊小勐仑保护区、景洪勐养保护区和勐海曼稿保护区5片，面积共2 000多平方千米。

Xiu Shui 修水 中国江西省西北部河流。发源于江西省铜鼓县西南的大围山麓，东流至永修县吴城镇注入赣江转汇鄱阳湖。长357千米，流域面积1.48万平方千米。修水县渣津以下可通航。

Xiuhtecuhtli 齐乌蒂丘特利 阿兹特克人的火神，被认为是所有生命的创造者。人们把他和与他对应的女神钱蒂科联系在一起，认为他是造物主奥梅蒂丘特利的代表。阿兹特克人祭司的一项重要职责是维持圣火，使之长燃不熄。在新建筑落成时，依仪式点起新火。每52年一次，在阿兹特克历的一个完整周期终结之时，按照仪式先将火从一座神殿传向另外一座神殿，然后再从神殿传往人家。火神以各种形象和装束出现，其一把他表现为一个没有牙齿、弯腰曲背的老人，头顶一只硕大的火盆。他的象征是火蛇齐乌科特尔，后者的特征是鼻为触角，上饰七星。

Xiwangmu 西王母 又拼Hsi Wang Mu，英语作Queen Mother of the West。也称金母、王母娘娘。中国神话中的女神。在《山海经》里原是豹尾虎齿、代天行刑的神。在《穆天子传》、《汉武帝内传》里成为容貌绝世的女神，曾赐汉武帝长生不死的蟠桃。道教典籍则说她是西方金气化生，与木公共同管理金、木二气，育养天地，生成万物。后世小说、戏曲里又称其为瑶池金母。蟠桃熟时大开寿宴，诸仙都来上寿，成为长生不老的象征。

Xixia 西夏 又拼Hsi Hsia。中国宋代党项羌族在西北建立的政权。唐代党项羌迁徙到今甘肃、宁夏、陕北一带，后受宋管辖。1038年李元昊(1003～1048)独立称帝，国号大夏

西夏古城哈拉浩特(黑城)遗址
中国大百科全书出版社供图

(宋人称西夏)。建都兴庆府(今宁夏回族自治区银川市东南)，创制西夏文字，定法律、官制及军制。最盛时统治20州，据有今宁夏以及陕西、甘肃西北部和青海东北部及内蒙古部分地区，曾击败吐蕃、回鹘，多次对宋朝作战。居民从事农牧业。产青白盐，以织毡毯著称，与宋朝经济文化关系密切。西夏宝义二年(1227)为蒙古汗国所灭。共历10帝190年。

Xixia character 西夏文 中国古代西夏党项人使用的文字。11世纪西夏主李元昊称帝，在广运元年(1036)颁布西夏文，命野利仁荣加以演绎。其间西夏文与汉文并用。西夏国灭亡(1227)后，党项后裔仍有人使用。元代居庸关石刻、明代中叶保定石幢均有西夏文，以后湮没。字体仿汉文楷书，但无一字与汉字相同；此外尚有篆字、草字，共6 000余字。每字由一至数个小方块字素构成，分左、右、上、下、中等块，会意字占大多数，形声字很少，对转字更少。现存西夏文书籍有《同音》(1132)、《文海》(12世纪中叶)、《五音切韵》(1173)、《番汉合时掌中珠》(1190)、《三才杂字》(1223～1226)等。

Xixia ling 西夏陵 英语作Imperial Tombs of Western Xia。中国西夏(1038～1227)王陵，位于宁夏回族自治区银川市西的贺兰山东麓。陵区东西宽约4千米，南北长约10千米，分布有11座帝陵(李继迁裕陵、李德明嘉陵、李元昊泰陵、李谅祚安陵、李秉常献陵、李乾顺显陵、李仁孝寿陵、李纯義庄陵、李安全康陵，以及李遵顼和李德旺的两个无号陵)、260余座陪葬墓、1处建筑遗址和若干处窑址。其中裕陵和嘉陵是李元昊称帝(1038)后追尊的陵号。1972～2001年进行发掘，为国家重点文物保护单位。

Xixiajingzong Li Yuanhao 西夏景宗李元昊(1003～1048) 中国西夏政权(1038～1227)第一代皇帝。小字嵬理，后更名曩霄。祖父李继迁因宋太宗赐姓赵，故其又称赵元昊。银川(今陕西米脂)党项羌族人。通汉文。继承祖父、父在今宁夏、陕北的割据势力，于1032年废弃唐、宋所赐李、赵姓氏及拓跋旧姓改姓嵬名，1038年称帝，建都兴庆府(今宁夏银川)，国号大夏(宋人称西夏)，年号天授礼法延祚。在位17年(1032～1048)。仿宋朝法制厘定典章制度，创制西夏文字。1037年设立夏、汉字院，建立"蕃学"(党项学)。曾击败吐蕃、回鹘，对宋朝进行多次战争，至1044年双方始订立和约，暂时休战。1048年，太子宁凌噶因夺妻之辱入宫行刺，景宗受伤而死。谥武烈皇帝。

Xixiangji 《西厢记》 参阅 **Wang Shifu 王实甫**。

Xiyang 昔阳 中国山西省晋中市辖县。位于省境东部太行山区中段。西汉置沾县，北魏孝昌二年(526)改乐平县。清嘉庆元年(1796)废入平定州，1912年复置乐平县。1914年改名昔阳县。县政府驻乐平镇。面积1 943平方千米。境内山峦起伏，沟壑纵横，除了松溪河两岸有狭窄的河谷平川外，绝大部分耕地都分布在山地丘陵，属山坡地。水土流失严重，农业单产低。20世纪60～70年代，昔阳县在大寨村的带动下，大搞农田基本建设，将山坡耕地建设成高标准水平梯田，做到保水保土保肥，生产条件大为改善，农业成倍增产，为山区农业增产探索了道路。大寨曾一度名扬全国，成为广大农村学习的典型。昔阳县是山西省玉米高产县之一，还生产谷子、小麦、大豆、蓖麻等作物。蕴藏有煤、铁、硫磺、铜、云母、石膏、铝矾土等矿，建有煤矿、氮肥、拖拉机、水泥、食品等工业部门。公路干线北通阳泉市，南连黎城县。人口230 000(2005)。

Xiyouji 《西游记》 又拼Hsi-yu chi，英语作Record of a Journey to the West。中国明代长篇小说。吴承恩作。100回。据民间流传的唐僧取经故事并参考话本、杂剧和有关神话传说写成。中心人物是神猴孙悟空。写孙悟空大闹天宫后和猪八戒等保护唐僧去西天取经，一路降妖伏魔，历经八十一难，终成正果。充分表现孙悟空神通广大、机智勇敢，反抗传统秩序和乐观诙谐、战胜困难的精神。塑造

众多神魔形象，将生物自然属性、人的社会属性和超自然神性巧妙熔铸在一起。情节曲折、想象奇特、风格明快，语言亦流畅生动、妙趣横生。《西游记》在中国小说史上占有重要地位，在中国已成为家喻户晓的古典小说名著。孙悟空的形象更成为京剧武剧中“猴儿戏”的代表剧目。1942 年英文版译名为 Monkey。

Xizang（China） 参阅 **Tibet 西藏**。

Xochicalco 霍奇卡尔科 托尔特克人古城，以其壮观的废墟而闻名。在今墨西哥莫雷洛斯州。建于 8～9 世纪，后来成为重要贸易中心。西班牙征服（1520年左右）前一度为宗教活动中心，后又改为防御性城堡。出土古建筑物有两大建筑群：一组以拉马切神庙金字塔为中心；另一组则环绕一个主要的神庙金字塔，是霍奇卡尔科重要遗址，浮雕有带羽蛇神、祭司、武士、文字及象征火的符号等，表现出鲜明的马雅文化影响。1999 年宣布被联合国教科文组织列为世界遗产。

霍奇卡尔科的主要神庙金字塔
供图：Lawrence Cherney—FPG/美国不列颠百科全书公司

Xochimilco 霍奇米尔科 墨西哥联邦区中部附属行政区。在墨西哥谷地霍奇米尔科湖上，海拔2 274米，是一座前哥伦布时期城市，以水上花园著称。印第安人在湖面上搭木筏，在上面覆盖泥土，种植果树、蔬菜和花草，并通过运河将水果、蔬菜和鲜花运往墨西哥城。历经时日，木筏生根成为小岛。旅游业是主要收入来源。有连通环城高速公路的大道及其他几条大道，通墨西哥城中心区。设有墨西哥城都市区自治大学分院。人口 271 151（1990）。

Xochiquetzal 索奇奎特萨尔 中美洲阿兹特克人所崇奉的女神，司掌美丽、爱情和家庭工艺，又与树木花草有关。据阿兹特克人的神话传说，索奇奎特萨尔来自西方翠宫。她原是雨神的妻子，由于貌美而被夜神拐走并被推举为爱神。

手抄卷插图画中的索奇奎特萨尔画像
利物浦市立博物馆供图

Xosa 参阅 **Xhosa 科萨人**。

xu 虚 又拼 hsü。英语作 emptiness 或 purity。中国古代哲学术语。道家用以形容宇宙的原始状态。如《管子·心术上》称“天之道，虚其无形”，“虚者，万物之始也”。虚也能指方位。如《易·系辞》称“周流六虚”，注“六虚，六位也”。

Xu Beihong 徐悲鸿（1895-07-19，中国江苏宜兴～1953-09-26，北京） 又拼 Hsü Pei-hung。中国画家、美术教育家。父亲徐达章是画师，幼从家学，17 岁便在宜兴小学、中学和女子师范学校任图画教师。1917 年去日本学习美术。同年冬回国，被北京大学聘为画法研究会导师。1919 年，得蔡元培之助，公费留学法国。在五四运动提倡的科学与民主思想启迪下，1920 年撰写《中国画改良论》，提出“古法之佳者守之，垂绝者继之，不佳者改之，未足者增之，西方画之可采入者融之”。这一艺术见解成为他终生矢守的原则。留学期间曾赴柏林访问画家康普，并去比利时、瑞士、意大利浏览和临摹古今艺术名作。1927 年回国，任教于南京中央大学艺术系和上海南国艺术学院。同时与田汉、欧阳予倩等提倡现实主义运动，还先后赴法、比、德、意、苏等国举办中国美术展览。1936 年在桂林创办美术馆。1937 年回到重庆中央大学任教。次年，徐悲鸿应泰戈尔之邀，赴印度国际大学讲学，并举办画展。1946 年他任北平艺术专科学校校长。

其画作多寓意深邃，寄蕴爱国主义思想感情。30 年代值民族灾难深重，曾创作油画《田横五百士》，取《史记·田儋列传》故事，以喻威武不能屈。《徯我后》则取材《书经》，表达苦难中人民渴求解放。《九方皋》以《列子·说符》篇为题材，赞颂相马名士九方皋善辨马之良莠，以讽善用人才；尝说“人须无傲气，但必具傲骨”。《愚公移山》作于抗日战争时期，以《列子·汤问》篇中神话故事为题材，歌颂知难而进的顽强意志。同时期创作的中国画如

徐悲鸿绘《奔马》
中国大百科全书出版社供图

《风雨鸡鸣》、《奋飞》、《负伤》、《侧目》等无不隐喻民族的自尊以及奋发图强的战斗精神。艺术上极富创造性，既继承民族优秀传统，又吸取西方艺术之所长，故能融中西画法于一炉。重视写实，师法造化，主张“尽精微，致广大”，既深入观察客观对象之细微变化，又提炼概括，以求整体统一。1949 年 7 月在中华全国文学艺术工作者代表大会上当选为全国文联常务委员，又当选为中华全国美术工作者协会主席。应邀出席中国人民政治协商会议。随后被任命为中央美术学院院长。1953 年出席第二届文代会期间，因突发脑溢血于 9 月 26 日逝世。12 月举行了徐悲鸿先生纪念会和《徐悲鸿遗作展览会》。国家还在北京

徐悲鸿绘《田横五百士》
中国大百科全书出版社供图

建立了徐悲鸿纪念馆。

Xu Da 徐达(1332～1385) 又拼Hsü Ta。中国明代开国名将。字天德。濠州(今安徽凤阳)人。农家出身,1353年加入朱元璋的义军,参与攻取滁、和二州及太平、集庆(今南京)、镇江等战,授统军元帅职。1363年他

中国大百科全书出版社供图

在江西鄱阳湖大败陈友谅军。1364年朱元璋称吴王,以徐达为左相国。后任大将军,帅师20万于1367年攻灭张士诚,封信国公。1368年朱元璋登皇帝位,任徐达为右丞相。同年为征虏大将军,以步骑25万北伐灭元,略取中原,并且攻克元大都(今北京)。他分兵袭太原,定山西、陕西,所向披靡。1370年徐达论功居开国功臣之首,授太傅、中书右丞相参军国事,改封魏国公。后又北越沙漠,追击扩廓帖木儿。他治军严明,勇略兼备,能与部伍共甘苦,故受到士卒拥戴。死后追封中山王。

Xu Daoning 许道宁 又拼Hsü Tao-ning。中国北宋(960～1127)画家。长安(今陕西西安)人,另说河间(今属河北)人。初在汴京卖药。画山水学李成,始尚矜谨,老年唯以笔墨简快为己任,故峰峦峭拔,林木劲硬,别成

许道宁绘《雪溪渔父图》
中国大百科全书出版社供图

一家之体。擅画林木、平远、野水。丞相张士逊赠诗云:"李成谢世范宽死,唯有长安许道宁。"可知他是北宋李、范之后,郭熙以前最负盛名的画家。沈括、黄庭坚对他的山水画深加赞美。现藏美国堪萨斯纳尔逊美术馆的《秋江渔艇图》(又名《渔父图》)当是他晚年的代表作。奇峰峭壁,兀立如屏。焦墨泼墨,一笔直下,墨中具有浓淡的变化。画树也用大笔粗墨。画小山头上的远树,长短不一,直立如柱,挺劲而又富于变化。人物、野水也非常真实生动。

Xu Guangqi 徐光启(1562～1633) 又拼Hsü Kuang-ch'i。中国明代科学家,政治家。字子先,号玄扈,基督教名徐保罗。上海人。1604年中进士。1632年任礼部尚书,兼东阁大学士,后兼文渊阁大学士。科学研究范围广泛,从耶稣会传教士利玛窦等学习西方数学、天文、水利、地理、火器等,以农学和天文学最突出。最早把欧洲数学引入中国。译著有《几何原本》、《测量法义》、《测量异同》和

中国大百科全书出版社供图

《勾股义》等。历法方面主持编译《崇祯历书》,奠定近三百年历法基础。军事学方面亲自练兵,负责制造火器,著有《徐氏庖言》、《兵事或问》、《选练百字括》、《选练条格》等。平生用力最勤的是对农业和水利的研究。著有《屯盐疏》、《种竹图说》、《宜垦令》、《农政全书》等,以《农政全书》影响最大。该书60卷,分农本、田制、水利、蚕桑、牧养、荒政等12门类,引用历代著作300多种,是科学的重要文献,刻印后不久就流传到日本。

Xu Jingye 徐敬业(?～684) 又拼Hsü Ching-yeh。中国唐代反抗武则天专政的军事首领。曹州离狐(今山东鄄城西南)人。祖父徐世勣为唐开国功臣,赐姓李,因避唐太宗李世民讳,改单名勣。669年李勣死后,敬业袭爵英国公,历官太仆卿、眉州刺史。684年在眉州刺史任因罪贬柳州司马,赴任时途经扬州,因武则天废唐中宗临朝亲政,遂策划起兵。在扬州率众10万,自称匡复府上将,领扬州大都督,传檄声讨武则天。后不听军师魏思温直趋洛阳的建议,用右司马薛璋计,先取金陵然后北上,屯兵淮阴而亲领大军攻下润州(今江苏镇江)。武则天派李孝逸领兵30万追击,敬业大败。奔至海陵(今江苏泰州)为部将所杀。

Xu Wei 徐渭(1521～1593) 又拼Hsü Wei。中国明代文学家、书画家、戏曲家。字文长,号天池山人、青藤道士,或署田水月。山阴(今浙江绍兴)人。幼年丧父,20岁时考取秀才,其后屡应乡试不中。中年曾在浙、闽总督胡宗宪幕下出奇计,破倭寇。胡宗宪被杀

徐渭绘《墨葡萄图》
中国大百科全书出版社供图

后,他惧怕牵连,一度发狂,自杀未遂,从此潦倒终身。他天才超逸,性格豪放,反对礼教束缚,痛恨达官贵人。他具有多方面的艺术才能,晚年卖画为生,但从不为当道官僚作画。卒后浙江民间普遍流传着关于他的故事。他反对奸相严嵩,赞成政治家张居正的进步措施。他的诗歌得"李贺之奇,苏轼之辩",如多首题画诗均为传世名作,其《谒明孝陵》七律,论者或誉为明代诗歌第一。其反对摹拟,强调独创的见解,对其后的"公安派"等也发生过影响。戏曲方面论著有《南词叙录》,剧作有《四声猿》、《歌代啸》,或抨击权奸的虚伪狠毒,或歌颂女子的聪明才智,或揭露佛门的尔虞我诈,或嘲笑社会的是非颠倒,思想性、文学性均不同凡响,在明代中叶成就最大,不只冲击了戏曲上的陈规,也影响了在其稍后的戏曲大师汤显祖。在书画艺术方面,他也是旷代奇才。其书法艺术,行草朴厚纵逸兼备,愤世疾俗之气腾跃纸上。著名学者、书法家胡小石称:"明自万历起至天(启)、崇(祯)始有明之草书,以天池生为始。"他认为自己的

"书第一,诗二、文三、画四",而"识者许之"。其绘画艺术和他的诗歌书法一样,也是新颖奇特,云垂海立,特长在水墨大写意花鸟画,笔势狂逸,墨汁淋漓,势如暴风骤雨。所创造的艺术形象极为简练概括,大大发展了林良、沈周、唐寅、陈淳的水墨一派。甚至打破了花鸟、山水,以至于人物画题材的界限,通过诗歌题咏,更可以了解到他的寄意所在。其后清代朱耷、石涛、扬州八怪等都受到他很大影响。近、现代的绘画艺术大师吴昌硕、齐白石对他尤为推崇。其传世著作除以上所引者外有《徐文长全集》、《徐文长佚稿》与《徐文长佚草》等。绘画代表作品今有《墨葡萄图》、《榴石图》、《黄甲图》、《杂花图》、《牡丹蕉石图》与《驴背吟诗图》等。诗歌、书法亦见于画幅之中。

Xu Xi　徐熙　又拼Hsü Hsi。中国五代南唐(937～975)画家。江宁(今江苏南京)人,一作钟陵(今江西南昌附近)人。《图画见闻志》等书将他列入宋代。当因南唐晚期为周、宋属国,徐熙似在宋平南唐之前逝去。世为江南名族,志节高迈,放达不羁,终身不仕,毕生致力于绘画艺术。善画花木禽鱼,蝉蝶蔬果,学穷造化,意出古今,是具有高度文化修养和独创天才的画家。所画江湖、山野园圃风格清新洒脱,画法特点是:画鸟形骨轻秀,画花重视笔墨的运用。和他同时的著名文学家徐铉说他"落墨为格,杂彩副之,迹与色不相隐映(墨主,色辅)也";沈括《梦溪笔谈》说他"以墨笔为之,殊草草,略施丹粉而已"。他的用笔用墨,或双勾、或单线、或粗笔、或细笔、或浓墨、或淡墨,改变了细笔勾勒填彩晕染的传统方法,画图之中笔意贯注,墨法生动,收到风格高秀的艺术效果。由于一幅之中变化多端,故米芾说"熙画高不可摹";《宣和画谱》赞他"骨气风神,为古今绝笔"。他善于著色,如画牡丹"花光艳逸,晔晔灼灼",画海棠"富艳有生意",并曾为宫廷画过作为装饰用的"铺殿花"、"装堂花"。李后主、宋太宗、米芾等都很重视他的作品。到宋徽宗时画院中已逐渐向他学习,元明清以来,水墨浅色写意花鸟高步画坛,主要便是受到他的启发与影响。他的孙子崇嗣、崇矩、崇勋皆善画。崇嗣更能上承祖法又吸取黄筌父子之长,创制出"直以五色染就,不见笔迹"的"没骨花"。徐熙作品早已无存,现存无名款之《雪竹图》、《写生蛱蝶图》与相传赵佶所作之《柳鸦芦雁图》、《荷塘秋晚图》等,均可作为研究徐熙的参考。又现存之《豆花蜻蜓》小幅,可能即系崇嗣之作。清代著名画家恽寿平的花卉,自云其法来自徐崇嗣。

Xu Xiake　徐霞客(1586～1641)　又拼Hsü Hsia-k'eh。中国明代地理学家。名宏祖,字振之,号霞客。江阴(今属江苏)人。幼年博览"古今史迹及舆地志、山海图经"。22岁开始旅游,前后30多年。游踪北至河北、山西,南至云、贵、两广计16省。对各地山脉、河流、动植物等有详细考察,并按日记载。死后经季会明等整理成《徐霞客游记》20卷。主要贡献在地貌和水文方面,特别是对中国西南地区喀斯特地貌的特征,包括岩洞分布情

中国大百科全书出版社供图

况,石笋、石钟乳的成因,都有细致的考释。

Xu Xiangqian　徐向前(1901-11-08,中国山西五台～1990-09-21,北京)　又拼Hsü Hsiang-ch'ien。中国共产党第八、十一、十二届中央政治局委员,第三、四届全国人民代表大会常务委员会副委员长。原名象谦,字子敬。1924年11月黄埔军官学校第一期毕业。参加了讨伐军阀陈炯明的东征。1927年3月加入中国共产党。同年12月参加广州起义,后同彭湃等坚持海陆丰地区游击战争。1929年6月到鄂豫皖革命根据地,历任中国工农红军师长、军长、第四方面军总指挥。指挥部队粉碎了国民党军对鄂豫皖和川陕革命根据地的多次"围剿"。参加领导了第四方面军的

中国大百科全书出版社供图

长征,与组织第二中央的张国焘进行了斗争,维护了红军的团结。抗日战争初期任八路军第一二九师副师长、第一纵队司令员,领导冀南、山东苏北和皖北的抗日游击战争。1942年后任陕甘宁晋绥联防军副司令员兼参谋长、抗日军政大学代校长。解放战争时期任晋冀鲁豫军区、华北军区副司令员,组织指挥了运城、临汾、晋中、太原等战役。中华人民共和国建立后,先后担任中央人民政府革命军事委员会总参谋长、副主席,国防委员会副主席,全国人民代表大会常务委员会副委员长,国务院副总理兼国防部长,中央军委副主席等职。1955年被授予中华人民共和国元帅军衔。在中国共产党第七至十二次全国代表大会上均当选为中央委员,在中共八届、十一届、十二届全会上当选为中共中央政治局委员。1985年9月在全国党代表会议上辞去中央委员和政治局委员的职务。发表过多种军事论著,并著有回忆录《历史的回顾》(1984)。

Xu Zhimo　徐志摩(1896-01-15,中国浙江海宁硖石～1931-11-19,山东济南附近)　又拼Hsü Chih-mo。中国诗人、散文家。名章垿,初字槱森,留学美国时改字志摩。笔名南湖、诗哲。先后在上海沪江大学、北京大学学习。1918年赴美国哥伦比亚大学读银行学。1920年转到英国剑桥大学读书。受浪漫派诗人拜

中国大百科全书出版社供图

伦、雪莱、济慈的影响,半年间写了很多诗。1922年回国后,历任上海光华大学、东吴大学法学院英文教授,并在南开大学、清华大学、北京大学、平民大学任教。1923年以英美留学生为主体的"新月社"成立,他是主要成员,写有不少诗,多数表现为对黑暗社会的不满。先后主编北京《晨报》副刊和上海《新月》杂志、《诗刊》。用自由体写诗,努力探讨新诗体裁和形式,逐渐成为新月社代表诗人,对"新月派"诗人有很大影响。他的诗作有《翡冷翠的一夜》(1927)、《志摩的诗》(1928)、《猛虎集》(1931)、《云游集》(1932)。诗作想象丰富,表现含蓄,善用比喻,富于韵致,对新诗体裁和形式的发展起过不小作用。但后来的许多诗作流露出感伤、颓废的情绪。散文集有《落叶》(1926)、《巴黎的鳞爪》(1927)、《秋》、《爱眉小札》(日记)、《志摩日记》等。翻译文学作品有《曼殊斐尔小说集》、《玛丽玛丽》等。1931年由南京乘飞机赴北平,在济南附近撞山遇难,年仅36岁。1983年出版有5卷本《徐志摩文集》。

Xuande　宣德　参阅Ming——:明朝帝王序列下 **Mingxuanzong Zhu Zhanji 明宣宗朱瞻基**。

Xuanhua　宣化　又拼Hsüan-hua。中国河北省张家口市辖县。位于省境西北部,张家口市东南部。县政府驻张家口市宣化区。面积2 095平方千米。汉为广宁县地。北魏置文德县。此后屡为重要地方行政中心。金大定二十九年(1189)改名宣德县,元中统四年(1263)置宣德府。明初成为京畿防卫要地,宣德五年(1430)为总兵驻地。清康熙三十二年(1693)始置宣化县。自1914至1928年为张北地区治所。1949年后两度设市,1961年县、市分置,1963年撤销宣化市并入张家口

市，为张家口市宣化区。1983 年宣化县划属张家口市。全境处于冀西北山间盆地——宣化盆地。属暖温带大陆性季风气候。矿藏资源丰富，主要有铁、锰、金、煤、膨润土等。铁路有京包、宣庞、大秦等线横贯南北，110、112国道、宣赤、宣蔚、宣常公路等过境。自古以来这里是经张家口通往蒙古的驿站，后又为贸易中心。经济以农业为主，兼营工、林、牧、副业。农作物有玉米、高粱、谷子、马铃薯等。工业有机械、采矿、化工、建材、造纸、酿造等部门。特产有宣化葡萄、葡萄酒。人口 300 000(2005)。

Xuantong 宣统 又拼 Hsüan-t'ung。参阅 **Qing——**：*清朝帝王序列下* **Puyi** *溥仪*。

Xuanxue 玄学 英语作 Dark Learning。中国魏晋时代(220 ～ 420)哲学思潮，因依托“三玄”(《老子》、《庄子》、《周易》)来宣扬自己的思想，故称玄学。玄学家以老庄思想糅合儒家经义代替两汉经学。先是何晏、王弼提倡“贵无”，主张一切存在物(“有”)由“无”产生，以“无”为本。名教(伦理纲常)出于自然，强调“无为而治”。其后向秀、郭象反对“无”中生“有”观点，宣传万物“自生”、“独化”，但也认为名教与自然一致，封建秩序完全合理。斐頠作《崇有论》，明确反对“贵无”思想，强调“无”不能生“有”，竭力维护封建名教。魏晋玄学与汉代经学神学目的论不同，着重探讨现象世界之后更根本的本体，标志中国哲学理论思维水平的显著提高。东晋以后玄学渐趋衰微，但它对经学佛学影响仍极为深远。又泛指一切抽象的理论，亦称“形而上学”。

Xuanye 玄烨 又拼 Hsüan-yeh。参阅 **Qing——**：*清朝帝王序列下* **Qingshengzu Xuanye** *清圣祖玄烨*。

Xuanzang 玄奘(600 ～ 664) 又拼 Hsüan-tsang。中国唐代佛教僧人、唯识宗开创人，佛经翻译家、旅行家。通称“三藏法师”。俗姓陈，名祎，洛州缑氏(今河南省偃师县缑氏镇)人。13岁出家，20岁受具戒。后云游四方参

中国大百科全书出版社供图

访各派名师，学《涅槃经》、《摄大乘论》、《杂阿毗昙心论》、《成实论》、《俱舍论》等佛典。在成佛的根据、步骤和方法等问题上，深慨各典论述不一，为澄清疑窦，决心“乘危远迈，杖策孤征”，西行求法。贞观元年(627 年，一说贞观三年)从长安西行，经姑臧(今甘肃武威)，出敦煌，涉流沙。沿今新疆及中亚等地辗转到摩揭陀国王舍城，入当时印度佛教中心那烂陀寺，从戒贤法师学《瑜伽师地论》、《显扬圣教论》、《对法论》、《集量论》、《中论》、《百论》、《俱舍论》、《大毗婆沙论》、《顺正理论》、《因明论》、《声明论》等。5 年后游学印度各地数十国，巡礼圣迹。玄奘几乎学遍大小乘学说，融会贯通。后回那烂陀寺主讲《摄大乘论》和《唯识抉择论》等。当时那烂陀寺大德师子光根据空宗“三论”驳《瑜伽师地论》，玄奘为此撰《会宗论》三千颂，调和空有二宗观点。还和小乘论师、“顺世论”者辩论获胜，名声益盛。后戒日王礼请玄奘于曲女城设无遮大会，玄奘作《真唯识量颂》18 日，与会僧众无人敢破，成为大乘唯识宗集大成者。玄奘谢绝印度学僧挽留毅然回国。西行历时 17 年，行程 5 万里，途经 138 国。携回佛典 520 夹，657 部，于唐贞观十九年(645)到长安，受到数十万人欢迎。此后住大慈恩寺主持译经，19 年间译经论 75 部，1 335卷。主要经论有《大般若经》、《解深密经》、《大菩萨藏经》、《瑜伽师地论》、《成唯识论》、《俱舍论》等。还把《老子》和《大乘起信论》译为梵文，传入印度。并将西行见闻撰成《大唐西域记》一书，是研究中亚、南亚各国历史、宗教、地理的重要文献。有弟子数千人，著名的有窥基、圆测、普光、神泰、法宝、神昉、清迈、慧立、玄悰等。后人取玄奘西行事迹为题材者有元吴昌龄杂剧《唐三藏西天取经》和明吴承恩小说《西游记》等。

Xuanzhou 宣州 中国安徽省宣城市辖区。位于省境东南部水阳江中游。西汉置宛陵县，为丹阳郡治。西晋太康元年(280)分丹阳郡置宣城郡。隋大业年间(605～617)改宛

宣州市一角

中国大百科全书出版社供图

陵县为宣城县。南宋乾道二年(1166)升宁国府。元是宁国路治。明、清为宁国府治。1912年废府为宣城县，1987 年撤县建宣州市，2000 年撤市改为宣城市宣州区。面积 2 533平方千米。地处皖南山区与长江沿岸冲积平原交接地带，有青弋江、水阳江北流入长江，东北有南漪湖。农业发达，素称鱼米之乡。山区产竹、木、茶叶，平原盛产稻谷、小麦、棉花、茶叶、花生、油菜籽和麻类，是安徽粮、棉、油、鱼、茶叶、烤烟重点产区。特产有水东蜜枣、宣木瓜(中药材)、宣笔等。宣州历史上曾产宣纸，质地优良，色泽洁白，有“单宣”、“夹贡”等著名品种，是中国书画专用纸张，自古闻名。现为宣纸集散地。新建工业有机械、纺织、化学、造纸、食品等，并产煤、铁、铜、珍珠岩等矿。芜屯公路、皖赣铁路和宣州—杭州铁路经此。水阳江、青弋江都有小汽轮直达芜湖等地。南部建有国家一类保护动物扬子鳄繁殖基地。有郊区敬亭山、南麓的双塔和水东镇碧山的龙泉洞等名胜古迹。人口840 000(2005)。

Xuchang 许昌 又拼 Hsü-ch'ang。中国河南省辖地级市。位于省境中心腹地，地处豫西东部山前丘陵平原向黄淮平原过渡地区。地势西北高，东南低，清溪河自北向南流经全境，支流清泥河流经市区西部。属淮河流域颍河水系。西周为许国。春秋战国时，先属郑，后归韩。秦置许县，属颍川郡。东汉建安元年(196)迁都于此，改称许都。三国魏黄初二年(221)改名许昌。北周大定元年(581)置许州。以后州、府、县互易。1912 年改为许昌县。1947 年析县设市。辖魏都区和许昌、鄢陵、襄城 3 县，并代管禹州、长葛 2 县级市。面积4 977平方千米，其中市区面积 67 平方千米。许昌是中国三大著名烤烟产区之一。大部分烟叶在许昌集中外运，部分当地加工。市区建有大型烟叶复烤厂及中型卷烟厂，其他还有纺织、建材、电力、机械、继电器、橡胶、塑料和食品等企业。京广铁路贯穿市区南北，郸城—禹州地方铁路在此与其交会，另有 107、311 国道途经此地，许郑、许南、许洛、许周公路干线通往郑州、南阳、洛阳、周口等城市。交通便利，商业繁荣。名胜古迹有文峰塔、灞陵桥、春秋楼、华陀墓、古钧瓷遗址等。人口：全市 4 500 000(2005)；市区 380 000 (2004)。

Xue Ji 薛稷(649～713) 又拼 Hsüeh Chi。中国唐代书法家。字嗣通，蒲州汾阴(今山西万荣)人。官至太子太保，礼部尚书。其书法得力于褚遂良，为褚派巨子，故时称“买褚得薛，不失其节”。唐中宗朝颇重汉魏碑刻，评者谓“薛学褚亦有新奇”，当即指他能吸收碑刻的笔法而言。代表作有《信行禅师碑》。其弟薛曜学褚，亦自成一格，其《夏日游石淙诗序》，险峻而多筋节，对柳公权与宋徽宗书法风格的形成，均发生影响。薛稷还长于绘画，尤擅画鹤，李白、杜甫均有诗赞美，《唐朝名画录》列为神品。

Xue Muqiao 薛暮桥(1904-10-25 ～ 2005-07-22) 中国经济学家。江苏无锡人。15 岁时因父丧辍学，考入沪杭甬铁路工作。1931 年参加中央研究院进行农村调查。1933 年赴广西师范专科学校讲授农村经济。1934 ～ 1938年在上海主编《中国农村》月刊。1936 年将其论著汇编为《中国农村经济常识》一书出版。1937 年出版以西方国家作为研究对象的农业经济学书籍《农村经济底基本知识》。1938 年参加新四军，曾写成《政治经济学》和《中国革命的基本问题》两本教材，分别在桂林、香港出版。抗日战争胜利后，任山东省政府秘书长兼实业厅厅长。1948 年任中共中央财政经济部秘书长。1949 ～ 1952 年任政务院财经委员会秘书长兼私营企业局局长。1952 年任国家计划委员会委员、副主任，兼国家统计局

局长。1962年任国家物价委员会主任,兼任中国科学院哲学社会科学部学部委员。“文化大革命”中被批斗后下放干校劳动。1975年任国家计划委员会顾问兼经济研究所所长。曾到安徽、江苏、山东等地进行调查,提出发展乡镇工业,准许私商长途贩运,发展集体和个体的服务性行业等。1980年任国务院经济研究中心总干事。主要著作有:《政治经济学》(1940)、《抗日战争时期和解放战争时期山东解放区的经济工作》(1979,1982增订本)、《社会主义经济理论问题》(1979)、《中国社会主义经济问题研究》(1979,1982修订,有英、法、日、德、西5种文字译本)、《我国国民经济的调整与改革》(1982)、《薛暮桥统计论文集》(1986)。

Xuefeng Shan　雪峰山　中国湖南省西部山地。沅江与资水的分水岭。北北东—南南西走向,南起湖南、广西边境,与南岭相接,北止洞庭湖西南。属多级剥夷面中山地貌。西南段山势陡峻,主峰苏宝顶海拔1 934米。东北段降低到500～1 000米,中间在烟溪附近海拔仅300～400米。资水下游在此成直角转折切过雪峰山,形成新化至烟溪间的峡谷,湘黔铁路由此通过。雪峰山杉木资源丰富,为省用材林重要基地。会同县为重要杉木林区,以速生、优质、高产著名。大量分布毛竹、马尾松。有丰富的水能资源,建有柘溪水电站和大圳水库等。

Xugu　虚谷(1824～1869)　又拼Hsü-ku。中国清代著名画家。僧人,俗姓朱,名虚白,字怀仁,安徽歙县人,移居扬州。太平天国革命时曾为清军参将,出家为僧后以虚谷名,号紫阳山民。出家后主要从事诗文书画,往来于苏州、上海间,与任颐、吴昌硕、杨逸等为书画友。擅画花果禽鱼,喜用枯笔干墨,线条破碎,然后以色拢括而成整体,独创一格,别具风味。画山水多取小景,简括洗炼,澹泊萧疏,冷峭新奇。兼擅画人物肖像,用笔较之花鸟、山水稍稍收敛工细,着重在头部的刻画,形象准确,神态生动,敷色参以西法,淡雅简洁,具阴阳凹凸之形。能诗,有虚谷和尚诗录。虚谷的绘画艺术,“落笔冷隽,蹊径别开”。名重当时,同辈画家任颐、胡公寿等均极为心折。虚谷卒于上海,弟子苏州狮子林方丈恬翕扶柩归苏州,葬于光福寺侧石壁。

虚谷绘《梅鹤图》
中国大百科全书出版社供图

Xujiayao man　许家窑人　中国华北地区旧石器时代中期的古人类化石,因1973年在山西阳高古城公社许家窑村发现而得名。据铀系法断代距今约10万年。出土化石近20件,有代表10余个男女老幼个体的枕骨、顶骨残片、上颌和下颌骨残块及零星的牙齿。体质特征较北京人(**Peking man**)进步而与尼安德特人(**Neanderthal**)接近,一般认为属直立人向早期智人过渡的类型。许家窑文化包括大量打制石器如石球、刮削器、尖状器、雕刻器、小石钻等。其原料大多为脉石英、火石和火山岩,也有少量石英岩、变质灰岩、硅质岩和玛瑙。石球数量最多,最大的重1 500余克,最小的不足100克。表面布满修理的疤痕,说明是特意加工成球形作为狩猎武器。根据对动物群化石的研究推测,当时生态环境为森林、灌丛、草原交混地带,有野猪、赤鹿、蒙古马、梅花鹿、河套大角鹿等动物。许家窑人群居,以采集狩猎为生。

许家窑文化的角器
中国大百科全书出版社供图

Xun Huisheng　荀慧生(1900-12-05,中国河北东光[今阜城]～1968-12-26,北京)　中国京剧演员。原名词,又名秉彝、秉超,字慧声,号留香,艺名白牡丹,后用慧生。幼习梆子,首演于天津,1910年入京,与尚小云、赵桐珊并称“正乐三杰”。后学京剧,拜陈德霖、王瑶卿为师。1918年加入喜群社,与梅兰芳、程继先合演《虹霓关》,从此专演京剧。先后与杨小楼、余叔岩、高庆奎、周信芳、盖叫天等同台,名重一时。荀慧生从20年代起即致力于京剧艺术革新的探索。依靠他梆子的功底,吸取梆子旦角艺术之长,熔京剧青衣、花旦、闺门旦、刀马旦的表演于一炉,从唱腔、念白、身段诸方面切合自身素质进行了改革和创造。至30年代,逐渐形成了风格新颖、独具一格的“荀派”艺术。荀派唱腔风格素以柔媚婉约著称;念白口齿伶俐,柔和圆润;身段动作变化多姿,主张“熟戏三分生”,反对“千人一面”,塑造的人物都有鲜明个性。荀派剧目多得益于王瑶卿的悉心指教,流传较广的有:《红娘》、《红楼二尤》、《丹青引》、《勘玉钏》、《荀灌娘》、《鱼藻宫》、《十三妹》、《辛安驿》、《花田错》、《金玉奴》、《杜十娘》、《卓文君》等三四十出,尤其《红娘》一剧脍炙人口,盛演不衰。1949年后,他热心戏曲改革,注重培养人材。荀派传人甚多,其中成就突出者为童芷苓、吴素秋、刘长瑜等。曾任北京市戏曲研究所所长、河北省梆子剧院院长等职。有《荀慧生演剧散论》、《荀慧生演出剧本选集》和《荀慧生舞台艺术》(1960)行世。

中国大百科全书出版社供图

Xunzi　荀子(约公元前325～前238)　又拼Hsün-tzu。中国战国末期思想家、教育家。名况,字卿,又称孙卿。赵国(今山西西南部)人。游学于齐国,在稷下讲学,三为祭酒。后受齐人毁谤离开齐国。公元前264年左右受聘入

中国大百科全书出版社供图

秦。公元前247年左右到赵国。以后到楚国，受春申君委为兰陵(今山东苍山兰陵)令。晚年积极从事教学和著述。著名学生有韩非、李斯等。荀子总结先秦诸子学术思想，是先秦儒家中唯物主义代表。在自然观上认为“天行有常”，社会治乱和自然现象无关。提出“形具而神生”，强调身体是精神的基本。否定鬼神之说。主张“明于天人之分”，即把自然的“天”和社会的“人”分开，社会治乱由政治好坏决定。在中国哲学史上第一次提出改造自然，“制天命而用之”的“人定胜天”思想。在认识论方面，认为人的认识器官包括感官和心两部分。知识来源于五官感觉，感觉的作用是辨别外在现象，心的作用是“徵知”，即根据感官印象认识外物。反对天赋道德观念，认为人天赋性“恶”，道德品质由后天人为，即受环境教育影响。因此强调“隆礼”、“重法”的重要性。晚年著有《荀子》，其注本除唐杨倞《荀子注》外，还有清王先谦《荀子集解》、梁启雄《荀子简释》，以及北京大学哲学系的《荀子新注》。

Xuzhou 徐州 又拼Hsü-chou，Süchow。中国江苏省辖地级市。旧称铜山。中国历史文化名城和重要的煤炭工业基地。在距今4 000多年的帝尧时是大彭国所在地。春秋战国时

徐州市的云龙公园
中国大百科全书出版社供图

期称彭城邑。秦置彭城县。公元前2世纪初，西楚霸王项羽曾建都于此。西汉先后为楚国、彭城国都，属徐州刺史部。东汉建安三年(198)曹魏占领彭城后迁徐州刺史部于此，始称徐州。历为州、郡、路治所。清雍正十一年(1733)升为徐州府，置铜山县。1912年废府留铜山县。1945年抗日战争胜利后建市。1949年划归山东省管辖，1952年底归回江苏省，为省辖市。辖云龙、鼓楼、贾汪、九里、泉山5区及丰县、沛县、铜山、睢宁4县，并代管邳州、新沂2县级市。面积11 257平方千米，其中市区面积935平方千米。处徐淮黄泛平原西部，历史上水旱灾害严重。1949年后几经整治水道，农业已改变原来单一的旱作制，主产小麦、玉米、水稻、棉花、花生等，并为江苏省新兴的蚕桑饲养基地。市郊周围有寒武、奥陶系灰岩残丘，残丘两侧煤炭蕴藏丰富，为大型徐州煤田所在地。周显王八年(361)魏国凿通汴水与鸿沟的交通，地当汴、泗汇合处的彭城邑，成为江淮下流通往中原和关中的水运枢纽。南宋建炎二年(1128)黄河南徙，流经徐州城下。元、明二代京杭运河全线贯通，徐州更成为漕运线上的重镇。明万历三十八年(1610)徐州附近运河河道淤废，清咸丰五年(1855)黄河北徙山东，徐州失去水路运输的条件，经济衰落。1912年津浦铁路、1915年陇海铁路徐汴段和1925年陇海铁路徐海段相继建成通车，徐州遂成为中国东部重要的铁路枢纽和苏北、鲁南、豫东、皖北间的最大商业中心。在省境西北部，京沪、陇海二铁路交会处，有104国道、310国道、徐临(沂)、徐商(丘)、徐宿(县)、徐淮(阴)、徐连(云港)等公路干线通鲁南、豫东、皖北以及省内苏北各地。现在徐州已成为以煤炭、电力工业为主体，并有冶金、矿山机械、建筑材料、化工、电子、仪表、轻纺等部门的中等综合性工业城市，是江苏省的能源基地。1958年新辟京杭运河(微山湖)西航道，徐州重新恢复水路运输。

市南郊凤凰山建有烈士纪念塔、纪念馆。南郊云龙山巅有宋代放鹤亭，东麓有北魏时在山崖巨石上雕刻的石佛和明代的兴化寺，西麓有云龙湖和云龙公园。1952年在北郊茅村出土的东汉画像石墓，1984年在东郊狮子山西麓出土的汉代兵马俑，90年代初在市区、市郊出土的汉墓群，都为研究两汉社会经济、文化提供了宝贵资料。市区户部山上的戏马台相传系西楚霸王项羽戏马处。该市有中国矿业大学、徐州师范大学等高等院校。人口：全市9 160 000（2005）；市区1 680 000（2004）。

xylem 木质部 维管系统的一部分，其功能为将水和溶解的矿物质从根部运送到植物的其他部分，并有机械支持作用。木质部由特化的输水组织构成，这些组织的主要成分是狭长的空心细胞。此类细胞可有几种类型，包括**管胞(tracheid)**、**导管(vessel)**分子、木纤维和**薄壁组织(parenchyma)**细胞。成熟的木质茎和根中，大部分体积为木质部；乔木的

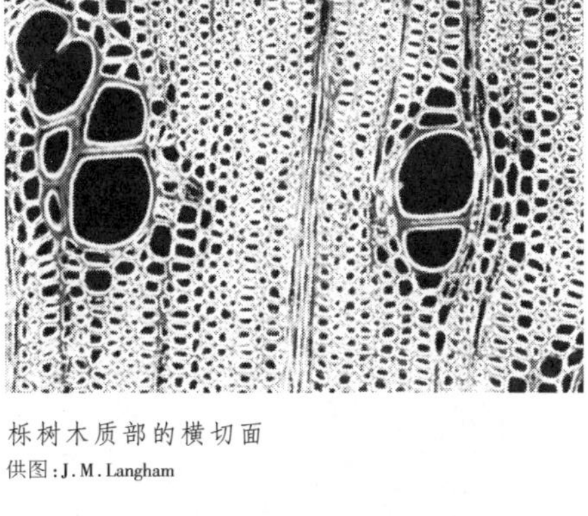

栎树木质部的横切面
供图：J. M. Langham

木材部分即由木质部构成。植物生长过程中，根和茎顶端的分生组织细胞分生活跃，产生出初生木质部。后来维管形成层出现于木质部与韧皮部之间，并产生次生木质部，覆于初生木质部的外侧。此时初生木质部的细胞死亡，变空，失去输导功能，变成坚硬的骨架，其功能仅为支持植株。因此在大树的树干和老枝中仅木材的外侧部分(次生木质部)能输导水分和矿物质，而内侧部分(心材)由已死亡但结构上仍十分坚固的初生木质部构成。

xylene 二甲苯 化学式均为$C_6H_4(CH_3)_2$，但分子结构不同的三种异构体的总称。用作溶剂、航空燃料的组分或生产染料、纤维和薄膜的原料。二甲苯的异构体在结构上的差别仅在于甲基的位置不同，表示为邻位(o)、间位(m)和对位(p)。从煤焦油馏分和石油中得到三种异构体的混合物，其中间二甲苯体积占50%～60%，其余各占20%～25%。混合物分馏时，可将沸点很近的间位和对位异构体从挥发性较低的邻位异构体中分出。间位和对位异构体混合物经冷却，大部分对二甲苯析出，几乎是纯的结晶。剩下的液体，主要是间位异构体，可利用其在氢氟酸和三氟化硼混合物中的溶解性而加以纯化。把间二甲苯和对二甲苯硝化、还原可得到二甲苯胺，用于染料生产。间二甲苯可转变为三硝基-叔丁基间二甲苯(二甲苯麝香)，是香料组分。二甲苯氧化生成羧酸(甲苯甲酸)，继续氧化则生成二元羧酸(苯二甲酸)。工业二甲苯混合物为无色、无黏性、可燃的有毒液体，不溶于水，但能与许多有机液体混溶。可用作大漆和橡胶泥的溶剂。

xylophone 木琴 打击乐器。一套有固定音高的、按音高排列的木条，支撑在波节(不振动的)点上，用有衬垫的槌子敲击。木琴可能源于东南亚或大洋洲，简单的形式是用2、3根原木横放在演奏者的腿上，或者用2、3块木板横放在两个支撑点上，在地上掘坑便可作为共鸣箱。比较复杂的形式是把木条固定在一个框架里，并且加上共鸣器。印度尼西亚的甘姆邦琴是最发达的形式，它的木条钉在用作共鸣箱的木槽边上，音域约为3½或4个8度，用在佳美兰乐队中。木琴于18世纪后期从缅甸传入中国。它也是非洲音乐的主要乐器之一，有多种形式。阿马丁达琴系用原木制成。每个音板条附加一个用葫芦制的共鸣器，有时用薄膜乐器（振动膜）附在共鸣器的壁上，使发音带嗡嗡声。许多非洲木琴和东南亚木琴在调音和结构上有相似之处，可能是通过贸易和移民而传到非洲的。在拉丁美洲称**马林巴琴(marimba)**，可能是由非洲奴隶传入。欧洲人于1511年初次提到木琴，长期以来是中欧的民间乐器。1830年左右由于波兰木琴演奏家M.J.古济科夫巡回演出的音乐会，使木琴大受欢迎。他用的是当时通用的“4条街式”的木琴，有4条错开的排，按半音（即按12音音阶）定音。20世纪的木琴把木条安排成两排，有点像钢琴键的排列，放在架上；为了改进音质，每个板条下面都有凹沟，并且有共鸣管。音域为从中央C起向上4个8度。采用木琴的

非洲的原木阿马丁达琴
供图：Hillegeist/Kubik

著名作品有P.布莱兹的《无主的锤子》(1954)和D.肖斯塔科维奇的《黄金时代》(1930)等。

西方与木琴有关的金属击鸣乐器有钟琴与颤音琴。

XYY-trisomy XYY-三体 较常见的人类男性性染色体疾病(男性活产儿的发病率1/500～1/1 000)，因多一条Y染色体，故亦称"超雄"综合征。患者身材高，痤疮严重，有时伴骨骼畸形及智能缺陷。有证据表明这类人大多有犯罪倾向。但从幼儿开始的长期观察表明事情未必如此。

XYZ Affair XYZ事件 外交事件，1798年被揭露时，几乎使美国与法国卷入战争。1797年，J.亚当斯总统派遣3名部长去法国谈判商务协定，以保护美国的航运。在巴黎，有3个法国谍报人员谒见部长们，建议向法国外交大臣塔列朗贿赠25万美元，并给法国1 000万美元贷款，作为谈判的先决条件。1798年4月，这3个法国谍报人员(在外交通信中称X、Y、Z)的阴谋在美国被揭露后，群情激昂，继而进行备战。虽然发生了一个时期没有宣布的海战，正式战争终未爆发。这次事件最后由《1800年协议》解决。

Y

Ya-lu-tsang-pu Chiang(Asia) **雅鲁藏布江** 参阅 **Brahmaputra River 布拉马普特拉河**。

Yaabetz 亚贝茨 参阅 **Emden, Jacob Israel 埃姆敦**。

Ya'an 雅安 中国四川省辖地级市。位于四川盆地西陲,大渡河支流青衣江中游,是四川通青藏高原的咽喉。川藏公路、川滇公路在此交会。西魏废帝二年(553)置始阳县。隋开皇十三年(593)改蒙山县,仁寿四年(604)为雅州治所,大业三年(607)改蒙山县为严道县。明洪武四年(1371)废县入雅州。清雍正七年(1729)升雅州为府,并另置雅安县,因境内有雅安山而得名。1951 年划雅安县城区设市,为西康省省会。1955 年撤销西康省并入四川省后,为雅安专署所在地。1959

雅安市的高颐墓阙
中国大百科全书出版社供图

年市、县合并为雅安县,1983 年撤县改市。2000 年撤雅安地区和县级雅安市,设地级雅安市。辖雨城区和名山、荥经、汉源、石棉、天全、芦山、宝兴 7 县。面积15 398平方千米,其中市区面积1 060平方千米。市境山峦起伏,地势西高东低,有利于太平洋暖湿气流西伸北进,是四川多雨地区之一,年降水量近1 800毫米,全年雨日 218 天,素有"天漏"和"雨城"之称。雨多湿重,为中国边茶的主要种植区。主要工业有机械、化工、云母加工、皮革、造纸、食品等部门。雅安云母公司是中国最大的云母加工企业之一。市内的高颐墓阙为中国重点文物保护单位。市境有四川农业大学等高等院校及中等专业学校。人口:全市1 540 000(2005);市区340 000(2004)。

yab-yum 雅雍 藏语,原意为"父母",指印度、尼泊尔和中国西藏地区佛教艺术中男神与女性配偶相互欢抱的形象。据一般解释,他们象征方便(男性)与智慧(女性)的融合。源起于密教,也见于印度教。藏俗以向具有

约 19 世纪的西藏唐卡中的雅雍
供图:Fosco Maraini

雅雍形态的神灵乞求更为灵验,僧人所选择的本尊也多是雅雍。

Yablochkov, Pavel Nikolayevich 雅勃洛奇科夫(1847-09-14,俄国扎多夫卡~1894-03-31,萨拉托夫) 俄国电气工程师和发明家,发明雅勃洛奇科夫烛,这是第一种广泛实用的弧光灯,它的成功大大加速了电照明的发展。1871 年他负责管理莫斯科和库尔斯克之间的电报线路。1875 年辞去该职献身于弧光灯研究。1876 年他迁居巴黎,同年末研制雅勃洛奇科夫烛成功,它由两根平行的碳棒构成,中间用不导电的黏土板隔开,使用时碳棒

供图:H. Roger-Viollet

逐渐烧掉,黏土也随之挥发掉。他的装置有几年广泛地用于欧洲城市的街道照明,但是逐渐被白炽灯所代替。他在其他电气领域中也有发明,但最后死于贫困。

Yablonitsky Pass 亚布洛尼察山口 乌克兰西部外喀尔巴阡山东部的山口。是乌克兰连通外喀尔巴阡州与罗马尼亚东北部的交通要道。该山口南部为蒂萨河谷,北部为普鲁特河源头。亚布洛尼察山口的顶端海拔为931 米,有公路和铁路通过。其附近山地高达2 000余米。

Yablonovy Range 亚布洛诺沃山脉 俄罗斯远东赤塔州外贝加尔地区和布里亚特境内的山脉。东北—西南走向,长约 800 千米。最高点库索图伊山海拔 1 680 米。主要由花岗岩和片麻岩构成,由地壳抬升,形成多断裂。山顶岩石裸露,其余大部山地覆盖着茂密的森林(白桦、云杉和松树)。西伯利亚大铁路经地势较低的亚布洛诺沃隘口穿过亚布洛诺沃山脉。

yacht 帆船 用风帆或动力推动的船舶,通常船体较小,轻盈,供比赛或娱乐之用。在娱乐方面,帆船这个词适用于原先以风帆,后来用蒸汽机或内燃机推动的巨型船舶。不从事帆船运动(非航海)的广大群众都是从这个意义上来理解帆船的。从技术上讲,帆船不包括用划桨、摇橹或舷外发动机来推进的船只。另外,除了最大型的以外,有动力装置的娱乐用船通常被称为汽艇。参阅 **motorboat**。

英语 yacht 一词和许多欧洲语言中的相应词都来自 16 和 17 世纪荷兰语中的 jaght(后改为 jacht),加上 schip 后就变成"驱逐船"的意思。

帆船运动和帆船俱乐部 当 17 世纪荷兰作为海上强国而崛起时,古代的帆船就成为一种游船,先是为皇家贵族所用,后来在运河和各低地国中受保护与不受保护的水域上为中层阶级市民所用。帆船竞赛只是作为私人活动偶尔进行。英王查理二世流放于低地国时,英国的帆船比赛开始兴起。1660 年查理二世复位后,阿姆斯特丹市赠给他一艘长 22 米、宽 5.6 米的游艇。查理二世把它命名为"玛丽"号。查理和他的弟弟约克公爵(后来的英王詹姆斯二世,1685 ~ 1688 在位)建造了更多帆船;1662 年,他们用其中两艘帆船在泰晤士河上往返于格林尼治和格雷夫森德之间进行比赛,下赌金 100 英镑。帆船运动遂在富豪和贵族中成为时髦的风尚,但持续时间不长。

1720 年在爱尔兰的科克镇成立了水上俱乐部。这是不列颠群岛上第一个帆船俱乐部,它是一个从事海上巡逻的非官方海岸防卫组织,采用了许多海军的装备和礼仪。1765 年前该俱乐部一直属于社交性团体,1828 年与其他团体合并后改称科克帆船俱乐部(即后来的皇家科克帆船俱乐部)。

18 世纪中叶左右,在泰晤士河上开始有组织地搞了一些帆船竞赛活动。1775 年坎伯兰公爵创建坎伯兰船队供泰晤士河上竞赛用。1820年乔治四世登基时,船队改名为"庆祝国王陛下加冕典礼航海协会船队"。泰晤士帆船俱乐部在一次竞赛争端中退会,于

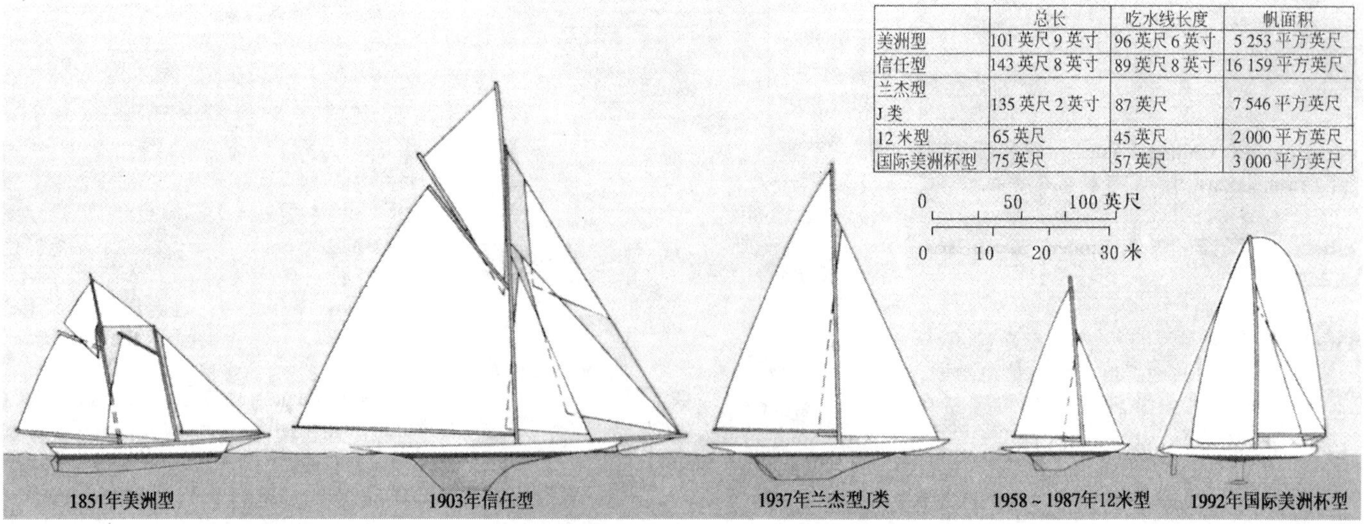

	总长	吃水线长度	帆面积
美洲型	101 英尺 9 英寸	96 英尺 6 英寸	5 253 平方英尺
信任型	143 英尺 8 英寸	89 英尺 8 英寸	16 159 平方英尺
兰杰型 J类	135 英尺 2 英寸	87 英尺	7 546 平方英尺
12 米型	65 英尺	45 英尺	2 000 平方英尺
国际美洲杯型	75 英尺	57 英尺	3 000 平方英尺

美洲杯赛帆船设计的进化过程(左起):该杯赛的原获胜者美洲型;最大的护卫船信任型;典型的兰杰型 J 类护卫船;典型的 12 米型帆船;国际美洲杯型

1830年改为皇家泰晤士帆船俱乐部。早在1815 年,英国第一个帆船俱乐部在怀特岛的考斯港成立。在皇家的赞助下,位于欧洲大陆和怀特岛之间的索伦特海峡便成为英国帆船运动的固定场所。乔治四世继位时,位于考斯港的俱乐部更名为皇家帆船运动俱乐部,它要求所有会员拥有至少重达 20 吨的船只。

17 世纪期间,在纽约的荷兰人最早发起北美洲的帆船运动。当英国人控制北美洲时,活动继续不断地进行。当时航海活动主要以游乐为目的。第一个持续的美国帆船俱乐部——底特律小船俱乐部——成立于 1839 年。1844 年 J.C. 史蒂文斯在其“吉姆克拉克”号纵帆船上创立了纽约帆船俱乐部。

帆船的种类 17 世纪～ 19 世纪下半叶,用于航海的古老帆船均仿照双桅帆船、双桅(或三桅)纵帆船和快艇等海军船艇的造型。最早给大型帆船的设计以巨大影响的是“美洲”号帆船所取得的成就。“美洲”号系由 G. 斯蒂尔斯为以 J.C. 史蒂文斯为首的企业联合组织所设计。1851 年“美洲”号在考斯港比赛中获胜后,比赛就以该船的名字命名(参阅 **America's Cup**)。早年的帆船并没有经过现代意义的设计与建造过程,而只使用一个模型,直到 19 世纪后半叶才出现所谓造船工程。20 世纪 20 年代才像早先对船身的设计应用一般科学那样,应用气体动力学来设计风帆与缆具。

由于几乎所有帆船都是个别订做的,在建造按级别统一设计的船只之前,就需要一些船只在比赛时作出让步。这样就出现了等级规则。这些规则在 1906 年作为国际规则得到通过。1919 年加以修订。现今,航海活动中发展最快的就是用按级别统一设计的船所进行的比赛。所有这些船在船身长度、宽度、帆的面积等方面均按统一规格建造。这种船可以在公平的基础上进行比赛,不需要任何船作出让步。

只要帆船运动主要为皇家和富人所有,那就必然不惜工本,造出来的船就愈来愈长、愈来愈重。19 世纪下半叶,自英国证券经纪人 R.T. 麦克马伦和律师兼新闻记者 E.F. 奈特出海航行后,小型帆船开始得到推广和普及。美籍船长 J. 斯洛克姆只身驾驶一艘 11.3 米长的小船“浪花”号完成了环球航行(1895 ～ 1898),证明了小船的海上适航性。此后,到 20 世纪特别是第二次世界大战后,小型比赛和娱乐用的帆船变得更加普通;最小的身长只有 3.7 米,成为人们喜爱的训练用船。到 20 世纪后期,出现了一些不到 3 米长的船,可由单人操纵横渡大西洋。

动力帆船的种类 1840 ～ 1850 年后,蒸汽动力逐渐取代了商船上的风帆,蒸汽机以及后来的内燃机也越来越多地为游船所采用。大动力的游船发展到了一个高水平。远航成为有钱人喜爱的消遣活动。最早的动力船是用明轮驱动的;后来改用全部浸在水下的螺旋桨或推进器。同海军舰艇和商船一样,一般的帆船都是机帆船,即带有机器以辅助帆的推动力的船,这种情形延续了许多年。到 20 世纪下半叶,许多帆船仍然是机帆船,但是大多数已完全用汽油或柴油引擎作动力了。

19 世纪的后 10 年,兴起了建造大型蒸汽帆船的热潮。其中最令人注目的是 2 690 吨重的“五月花”号(1897 建)。它装有三级膨胀发动机、双螺旋桨,内有水密舱间的铁制船壳,由 150 多名船员操作。

随着更大更可靠的内燃机问世,它们开始被许多大型帆船用来做动力装置。第一次世界大战期间,使用重油为燃料的柴油机得到进一步发展;在后来的 10 年内,大型动力帆船的建造业蓬勃发展,3 097吨重的“猎户星座”号(1930)的出现标志着一个高潮,这期间建造的最大机帆船是重 2 323 吨、钢制的四桅帆船“海云”号(1931)。

1932 年后,大动力帆船的建造业衰落,人们趋向建造价钱比较便宜的小船。第二次世界大战后,许多海军小艇出售给私人改造成帆船。到 20 世纪后期,帆船比赛已成为一项广受欢迎的活动。成千上万帆船运动员自己操作和维修船只。帆船的数量和帆船运动员的人数不仅在传统的沿海地带,而且在内陆水域和湖泊也不断增加。

竞赛俱乐部 在英格兰,大多数重要的帆船俱乐部到 1881 年都已经成为帆船竞赛协会(1875 年成立,1952 年改名为皇家帆船运动协会)的会员。该会制订了有关帆船比赛的规则,后来作为一个代表性机构,负责所有英国帆船运动事宜,包括同港口、码头和政府其他有关当局打交道。在美国,淡水航行比较盛行、新奥尔良、底特律、波士顿、旧金山、马尔布黑德、奥伊斯特贝、芝加哥和拉契蒙特等地,在 1849 ～ 1880 年间纷纷建立了帆船俱乐部。到了20世纪后期,美国已有约 1 500十分活跃的帆船俱乐部。1852 年加拿大皇家帆船俱乐部成立。1862 年澳大利亚帆船队(后改名为皇家悉尼帆船队)成立。世界上许多国家都建立了帆船俱乐部。1925 年北美帆船竞赛联合会成立。由于需要有一个机构来制定国际竞赛规则和分级,国际帆船竞赛联合会(IYRU)于 1907 年应运而生。一些专业性的帆船运动组织也相继出现,如美国巡航俱乐部(1922)和皇家海洋竞赛俱乐部(1925)均活跃于近海和远洋的竞赛活动,还成立了许多其他专门组织来制作航海图并为小型船赛提供优胜杯。到了 20 世纪后半叶,各级和各种型号的船只都成立了自己的组织。

奥林匹克运动会 从 1900 年起,每届奥林匹克运动会(1904 年除外)都举办了帆船比赛。早期奥运会上有各种大小和重量的帆船参加比赛。由于运船比较困难,而且花钱很多,加上召集大批业余选手越来越困难,东道国就常常在比赛中获胜,有时还是靠别人弃权取胜的。第二次世界大战后,船只的级别稳定了,船体也缩小了。帆船通常有 5 个种类,以 5.5 米长的船居多,这 5 个种类是:单人船、双人中插板船、双人龙骨船、三人单一型船和开发型船。帆船的等级由国际奥委会根据国际帆船竞赛联合会的建议而确定。

航道 帆船竞赛在两种航道上进行:点对点航道和封闭式航道。大多数海洋赛采用点对点航道,如越洋竞赛、环球竞赛、*百慕大赛*(**Bermuda Race**)和*横渡太平洋赛*(**Transpacific Race**)。美洲杯和*法斯耐特杯*(**Fastnet Cup**)等近海比赛分别采用点对点和封闭式航道。1907 年首次举行的*一吨级帆船杯*(**One Ton Cup**)赛则兼用两种类型的航道。至于小型帆船赛,无论在内陆水域或近海水域,通常都采取封闭式航道,以三角航线最为普遍。

横渡大西洋赛及环球航行 “船队翼”号、“维斯塔”号和“亨丽埃塔”号这三艘船身长度为 32 ～ 32.6 米的纵式帆船,于 1866 年

依照纽约帆船俱乐部规则进行了一次从康涅狄格州桑迪胡克至英国怀特岛考斯港的航行比赛，为海洋航赛揭开了序幕。美国报纸出版商 J.G.贝内特的"亨丽埃塔"号用 13 天时间走完全程，赢得了这次比赛的胜利。1876 年 A.约翰逊为庆祝美国独立 100 周年，驾驶一艘 6 米长的船实现了单人横渡大西洋的创举。美国水手 S.芳勒夺得 1891 年第一届单人驾船赛冠军。从 1960 年起伦敦《观察家报》赞助了一系列单人驾船赛，此后每 4 年举行一次。奇切斯特[**Chichester, Sir Francis (Charles)**](即后来的弗朗西斯爵士)就是在这些比赛中初露头角的。环球航行比赛有 1968 年由伦敦《星期日泰晤士报》所资助的"金色地球"大赛，以及后来由皇家海军竞赛协会所主办、从 1973 年起每 4 年举办一次的各项比赛等。参阅 **Sporting Record**: Yachting；并参阅 **Olympic Games**。

Yacine Kateb (Algerian author) **雅辛·卡泰布** 参阅 **Kateb, Yacine** 卡泰布。

yad 指经标 犹太教仪礼用品，有银质、木质或其他金属的柄，顶端如食指指物状，在诵读《圣经》时用以指点字句，以免手触神圣的经卷。

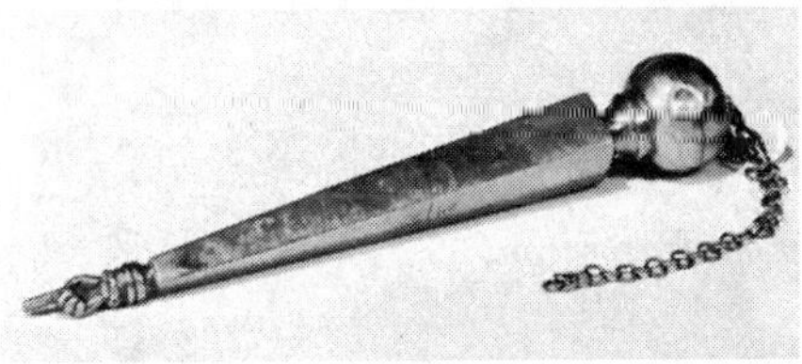

19 世纪的欧洲指经标
希伯来协和学院博物馆供图

Yādava DYNASTY **雅达瓦王朝** 12～14世纪印度中部一个印度教王国的统治者。其版图相当于今马哈拉施特拉邦。创始人为毗拉马(约 1187 ～ 1191 在位)。他建德瓦吉里城为首府。其孙辛伽纳在位时期(约 1210 ～ 1247)，其疆土东抵喀喀迪耶，南达曷萨拉，北接巴拉马拉和遮娄其，王朝达到鼎盛。此后各代继续扩张，也取得一定成功。最后一代是罗摩旃陀罗(1271 ～约 1309 在位)。1294 年，德里苏丹阿拉-乌德-丁·卡尔吉率领穆斯林军队前来进犯，使其臣服纳贡。后曾试图摆脱附庸地位未果。罗摩旃陀罗被投入监狱。释放后忠于德里至死。其子再次试图摆脱附属国地位，战死沙场。1317 年，雅达瓦王国被卡尔吉帝国兼并。

Yaddo 亚多 正式名称为亚多协会，是一个作家、作曲家和视觉艺术家的创作集体，位于美国纽约州萨拉托加温泉郊外。亚多是一个非营利组织，由纽约金融家 S.特拉斯克(1844 ～ 1909)和他的妻子、作家 N.特拉斯克(1853 ～ 1922)及慈善家 G.F.皮博迪(1852 ～ 1938)创建于 1900 年，旨在为艺术家们提供一个环境安静、隐蔽的居住和工作之处，以利于创作。特拉斯克夫妇生前经常让艺术家们在他们的亚多庄园留宿，在其 400 多英亩(160 公顷)的林地、湖泊和花园中坐落着一幢富丽堂皇的宅第。N.特拉斯克1920年与皮博迪结婚。在她死后 4 年(1926)，这项计划付诸实施，亚多向第一批艺术家客人打开大门。通常客人们住2～8周，迄今为止最多一年接待过 177 人。要求来亚多的申请由艺术家组成的顾问委员会审查，而邀请不分性别、种族、年龄或宗教信仰。作品的质量是接受的唯一标准。体验过亚多计划的著名人物有 T.卡波特、J.奇弗、H.布罗赫、J.鲍德温、S.普拉斯、B.马拉默德、C.麦卡勒斯、K.A.波特、C.斯蒂尔、M.艾弗里、R.卡弗、J.T.法雷尔、W.C.威廉斯、T.罗特克、R.洛威尔、L.休斯、O.吕宁和 H.卡蒂埃-布勒松。亚多由纽约州艺术委员会和美国全国艺术基金的资助以及私人和公司的捐款维持。

纽约州萨拉托加温泉的亚多庄园
供图：© Tim Moran

Yadin, Yigael 亚丁(1917-03-21，耶路撒冷～ 1984-06-28，以色列哈代拉) 原名伊戈尔·苏肯尼克(Yigael Sukenik)。以色列考古学家、军事将领，以研究死海古卷而闻名。父为考古学家。亚丁曾就读于希伯来大学，1955 年获哲学博士学位。1932 ～ 1948 年间为哈加纳犹太人军事组织成员，1949 ～ 1952 年期间任以色列国防军参谋长，1977 ～ 1981 年担任副总理。作为以色列境内重要考古学考察的一位领导者，亚丁亲自主持过哈措尔 1955 ～1958 年和 1968 年两次考察、死海洞穴 1960 ～ 1961 年的考察、梅察达 1963 ～ 1965 年的考察。1959 年任希伯来大学考古学教授。曾获"以色列桂冠奖"(1956)和"罗思柴尔德人文学科奖"(1964)。亚丁的著作主要为其考古学成果，如：《古卷中之预言》(1957，1962 再版)、《哈措尔》(3 卷，1958 ～ 1962)、《从考古发现看〈圣经〉所载各国之兵法》(2 卷，1963)。其他著作还有《梅察达：希律王的堡垒和奋锐党的最后据点》(1966)。

Yadong 亚东 中国西藏自治区日喀则地区辖县。位于自治区南端、喜马拉雅山南麓。1960 年设县。县政府驻下司马镇。面积 5 100平方千米。东西分别与不丹、印度为邻。历来是中国同印度、不丹贸易往来的重要口岸，中国西南边防前哨的战略要地。清光绪十九年(1893)辟为商埠，下司马成为英国的租界。地处峡谷，海拔比相距 46 千米的帕里低2 000米。北部冷，南部热，年均温度 -2°C，年降水量 400 毫米，属温带高原季风气候。在印度洋暖湿气流的影响下，山谷分布葱茏馥郁的森林，有云杉、冷杉、红杉、乔松以及桦树、青冈等阔叶林。全县有森林 1.2 万公顷。亚东南部为农业区，主要产青稞、小麦、马铃薯、苹果。药材有三七、虫草、黄连、贝母、麝香等；北部寒冷，为牧区。居民除藏族外还有汉族、土族、蒙古族、布依族以及少数不丹、印度的侨民。工业以帕里手工毛线、荞麦酒为特色。拉(萨)亚(东)、丁(嘎)亚(东)等公路为主要交通运输线。亚东口岸是中印贸易的主要通商口岸。名胜古迹有东噶寺、噶久寺和清兵守边炮台。人口10 000(2005)。

Yafo (Israel) **雅法** 参阅 **Tel Aviv-Yafo** 特拉维夫-雅法。

Yagoda, Genrikh Grigoryevich 雅戈达(1891，俄罗斯帝国波兰罗兹～ 1938-03-15，莫斯科) Yagoda 又拼 Jagoda。斯大林时期苏联秘密警察首脑(1934 ～ 1936)，大清洗审判中的主要角色。1907年加入布尔什维克党。1920 年成为契卡(苏联秘密警察)中央执委会成员。1924 ～ 1934 年任苏联国家政治保卫局副局长。1930 年起主管苏联劳改营系统。作为斯大林长期的亲密合作者，1934 年成为苏共中央委员，并掌管新建的内务人民委员部(NKVD)，它吸收了秘密警察部队。有迹象表明，雅戈达曾积极策划对苏共政治局委员 S.M.基洛夫的暗杀，斯大林认为基洛夫是他的潜在的对手。作为内务人民委员，雅戈达策划第一次公开的"清洗审讯"(1936-08)。在审讯中，季诺维也夫、L.B.加米涅夫及其他同案被告供认了一系列惊人的罪行，并被立即枪决。一年后他自己也成为他曾帮助策划的大清洗的牺牲品，1936 年 9 月被撤职，1937 年被捕。在第 3 次公开清洗审讯(1938-03)中，他被指控为企图通过怠工而颠覆苏联的"托洛斯基阴谋集团"成员。后被处决。

Yahgan (people) **雅甘人** 参阅 **Yámana** 雅马纳人。

yahrzeit 周年悼亲日 意第绪语，又拼 yortzeit 或 jahrzeit。犹太教徒纪念父母或近亲逝世一周年的日子，常俗全天燃烛，犹太教改革派和保守派男女信徒在会堂三次礼拜中诵"卡迪什"，男信徒可以进前当众宣读律法书。如果悼亲日适值不应宣读律法书之日，进前礼可以提前在最接近周年忌辰之日举行。比较博学而虔诚的犹太人在此日学习《密西拿》，从其中第 6 部分即关于净化的律法中选与死者姓名首字母相符的章节。有些犹太人周年悼亲日禁食，也有人仅禁酒肉。扫墓者今已不多见。

Yahweh 雅赫维 给摩西以启示的、犹太人的上帝的名字，原是四个希伯来辅音字母 YHWH。公元前 6 世纪巴比伦囚虏时期以后，特别是公元前 3 世纪以后，犹太人不再使用这个称谓，这是因为，一方面，犹太教逐步在希腊、罗马世界广传，成为普世性的宗教，于是更为普通的称呼"埃洛希姆"逐步取代"雅赫维"，以显示犹太人的上帝对所有其他诸神的全面权威；另一方面，神的名字日益神圣化，教徒不敢直呼，会堂礼文乃代之以"我主”。此词在七十子希腊文本《旧约》作“主”。在6～10世纪马所拉学士们为恢复希伯来文圣经而辑录的马所拉本圣经中用希伯来词汇“我主”(Adonai或Elohim)取代了YHWH；后来又出现了人为的耶和华的名字(Jehovah)。尽管文艺复兴和宗教改革时期以后的基督教学者们用耶和华取代雅赫维，但19和20世纪圣经学者们再次使用雅赫维的名字。早期基督教作家，如2世纪的克雷芒(亚历山大的)就使用了类似雅赫维的形式。其他希腊文版本也指出YHWH发音为雅赫维。关于雅赫维一词的含义，意见不一；许多学者认为其意为“万有之主”。《撒母耳记上》称上帝为“万军之主”，万军指天堂或以色列。在摩西时代以前，上帝的这个名字可能早已存在。摩西的母亲名叫约西别，即源于雅赫维；摩西所属的利未部落可能也知道雅赫维的名字。

Yahyā（Mahmūd al-Mutawakkil） 叶海亚（马哈茂德·穆泰瓦基勒）(1867，也门～1948-01-17，也门萨那)　1904～1948年也门栽德派的伊玛目。1904年继其父位任伊玛目。由于也门人对土耳其统治普遍不满，他很快就组织起一支有战斗力的军队。1911年迫使土耳其人承认他管辖也门的自治权。第一次世界大战结束时，他成为也门的独立自主的统治者。20世纪20和30年代，他接受意大利的经济和军事援助，但坚决拒绝保持密切接触。1934年与沙特阿拉伯交战，以失败而告终。第二次世界大战期间保持中立。后英国加强他们在亚丁的地位而且他的统治日益引起国内人民的不满，1948年这位伊玛目被人用机枪打死。

Yaḥyā ibn Maḥmūd al-Wāsiṭī 叶海亚·伊本·马哈茂德·瓦西提(活动时期13世纪，伊拉克)　穆斯林巴格达画派杰出的插图画家。这个流派把土耳其艺术和本地基督教

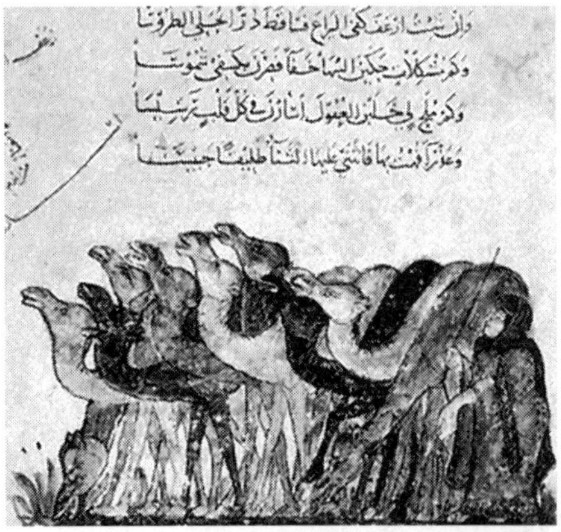

巴格达画派画家叶海亚·伊本·马哈茂德·瓦西提绘于1237年手抄卷中的插图画——骆驼与赶骆驼的人
巴黎国家图书馆供图

(大概是雅各比派或叙利亚基督一性论派)绘画融合成一种伊斯兰生气勃勃的混合主义绘画，对14世纪波斯艺术的发展有重要影响。他是瓦西特镇人，该镇在今伊拉克南部。约1237年，他曾为哈里里的《麦加玛特故事集》画过一组插图，描述12世纪一个擅于雄辩的阿拉伯流浪汉的冒险经历。96幅插图的质量高超，构图优美，人物生动、富于表情，色彩鲜明却又有所抑制。这些画反映了13世纪伊斯兰人的生活概貌，是连环画中的杰作。

Yahya Khan，Agha Mohammad 叶海亚汗(1917-02-04，印度白沙瓦附近～1980-08-10，巴基斯坦拉瓦尔品第)　巴基斯坦总统(1969～1971)，职业军人，巴基斯坦武装部队总司令(1966)。18世纪征服德里的波斯君主纳迪尔沙的武士阶级的后裔，旁遮普大学和印度军事学院毕业。第二次世界大战期间在意大利和中东服役。印巴分治后，于1947年组建巴基斯坦参谋学院。印巴战争后，他在34岁时成为巴基斯坦最年轻的陆军准将，40岁时成为巴基斯坦最年轻的陆军上将，1966年任武装部队总司令。当发生街头动乱时，阿尤布汗请他接管政府，并保持巴基斯坦的完整，他任军法管制首席执行长官。1969年3月阿尤布汗辞职，叶海亚汗接任总统。1971年巴基斯坦中央政府与拉赫曼领导的东巴人民联盟发生严重冲突。叶海亚汗派兵镇压。巴基斯坦军队在执行他的命令时极为残酷，因而有几百万东巴基斯坦难民流入印度。这引起印度侵入东巴基斯坦，并使占领东巴基斯坦的西巴基斯坦军队一败涂地，东巴基斯坦遂成为独立的孟加拉国。叶海亚汗因丧失东巴基斯坦而引咎辞职(1971-12-20)，由接任总统的布托把他软禁起来，不久获释。

Yaḥyā Ṣobḥ-e Azal，Mīrzā 叶海亚·苏贝赫·阿扎尔(1831，德黑兰～1912-04-29，塞浦路斯法马古斯塔)　创立巴哈教派的伊朗伊斯兰教领袖巴哈·乌拉的异母兄弟，19世纪中叶奥斯曼帝国巴布派运动的领导人。叶海亚是什叶派支派领导人米尔扎·阿里·穆罕默德(号称巴布)的指定继位人。阿里·穆罕默德于1850年被处决；次年，信徒尊叶海亚为巴布。为了避免正统什叶派当局的迫害，他于1853年从伊朗逃往土耳其统治下的伊拉克，率领信徒留居十年，他的信徒通称阿扎尔派或巴布派。1866年，叶海亚在埃迪尔内与自称有神性的布哈·乌拉决裂。为制止派别冲突，奥斯曼帝国当局将二人驱逐出境，1868年将叶海亚押解到塞浦路斯。1878年塞浦路斯归属英国，叶海亚自此领受皇家年金，过着隐居生活。

Yaizu 烧津　日本本州静冈县城市。位于骏河湾西岸。德川时代(1603～1867)起即为

烧津市港口鸟瞰
供图：Photos Pack—美国不列颠百科全书公司

捕捞金枪鱼、鲣鱼、飞鱼和鲭鱼的重要沿海渔业港口之一。有罐头厂和冷冻厂。20世纪初期发展了深海捕渔业。人口约115 932(1995)。

yajña 祭典　印度教名词。指根据古代印度经籍吠陀的规定而举行的祭典；与包括拜像和不见于吠陀的礼仪的**普阇(puja)**不同。祭典礼仪必须正确执行，必须诵念特定的经咒；祭主和祭器必须洁净。由于礼仪有这些要求，专司祭典的种姓近代婆罗门应运而生，至今重大公共祭典仍由他们主持。

Yājūj and Mājūj 耶朱哲和马朱哲　伊斯兰末世论中所说的两股或两支与人类为敌的势力或民族，在世界末日到来之前他们将劫掠世界。据《古兰经》载：某一民族惧怕耶朱哲

修筑山间隔障以围困耶朱哲和马朱哲，盖西姆绘于16世纪
不列颠图书馆供图

和马朱哲，劝亚历山大大帝筑一道坚固的隔障把他们围困在两山之间，须待世界末日才放他们出来。在此之前他们夜夜挖掘，企图破坏隔障逃跑，但每天早晨都发现隔障已为安拉修复。传说中有几种描述耶朱哲和马朱哲的内容。据说他们就是基督教圣经中所说的歌革和玛各在穆斯林世界的对应人物及其民族。据说他们有的身高如侧柏，有的躯体高宽都一样；另一变种则是通身有耳。他们将大批出现于古代世界的东北隅，以示世界末日之将至，然后他们向南移往以色列，沿途将吸干底格里斯河及幼发拉底河或加利利海的流水，杀掉每一个人。等到人类被杀尽没有“人靶子”时，他们弓箭的目标就射向天空，但安拉会以蠕虫填满他们的耳、鼻、喉，一夜之间把他们毁掉，或派遣鸟群把他们溺死于海中。

Yajurveda 夜柔吠陀　印度教古代经典吠陀之一，内收咒语和偈颂。参阅**Veda**。

yak（species *Bos grunniens*）　**牦牛**　偶蹄目牛科动物。体形粗大，栖息在海拔4 300～6 100米的青藏高原。某些雄体肩峰高达1.8米；雌体和驯化的变种小得多。野牦牛（*Bos

牦牛（*Bos grunniens*）
供图：Russ Kinne—Photo Researchers/美国不列颠百科全书公司

grunniens mutus）毛短，黑色，但两胁和尾部的毛长，蓬生。角向外向上生长，像美洲野牛一样头向下俯。雌体、幼仔和未成年雄体组成一大群，成年雄体组成小群。冬天交配，次年秋天产仔。牦牛以草为食，需水量大（据说冬季吃雪代水）。野牦牛现已大为减少，被列为濒危动物；主要分布于西藏北部。驯化的牦牛容易与家牛交配；毛呈黑白花色，在山区及高原用作驮畜、挽畜或坐骑。野生牦牛及家养牦牛的皮均可用以制革，在印度用其尾制蝇掸。家养牦牛的乳及肉可食。胁腹部有流苏状长毛，此处的毛可用以编织绳索。牦牛的干粪在无树的青藏高原上常为唯一可获得的燃料。

Yaka　雅卡人　非洲民族，居住在宽果河和万巴河之间多树高原和大草原地区，该地区位于刚果（金）西南部，西面与安哥拉交界。他们的族源尚未确定。"雅卡"现在是一个部落的名称，指传统不同的人们，包括与邻族苏库人有亲缘关系的那些人。农村的雅卡人经营自然农业，以木薯和玉米为主要农作物，辅以渔猎。多数雅卡人在金沙萨或其他城市工作，许多人则在大刚果地区各地从事贸易。雅卡人的物质文化（雕刻、编筐、金属制造和纺织）颇有名气。雅卡人所制面具和人像，体态丰腴，环眼翘鼻，别具一格；有些着以杂色，许多还系以酒椰叶纤维布或边饰。雅卡风格在邻近各族的艺术表现形式中居于首位。

Yakima　雅基马人　操萨哈普蒂安语的印第安部落，居住在美国华盛顿州中南部沿哥伦比亚河、雅基马河及韦纳契河一带地方。他们是高原文化区成员，主要从事捕鲑。虽然在文化上雅基马人与其他高原萨哈普廷印第安人十分相似，但在1855～1858年雅基马印第安战争中，他们却赢得历史性的声誉。在战争中，印第安人企图阻止美国军队为白人探矿者及移民进驻而扫荡华盛顿准州，但以失败告终。冲突起因于一项1855年的条约，双方商定雅基马人及其他13个部落将被安置在一保留地中结成雅基马民族。条约尚未批准之际，许多部落在雅基马酋长卡迈阿坎领导下，团结一致，准备把白人逐出这个地区。开始时，印第安人多次告捷，引起华盛顿及俄勒冈其他部落纷纷起事。双方袭击、伏击、接战，时经3载，至1858年9月，在四湖战役中印第安人遭受决定性的失败，翌年1855年条约付诸实施，雅基马人与其他参战的印第安部落均被限制在保留地内，他们祖传的肥沃土地被白人全部夺去。从那时起，雅基马保留地的全部居民都被称为雅基马人，原先部落的后裔已不可辨。

Yakima　亚基马　美国华盛顿州中南部城市，亚基马县县城（1886）。濒临亚基马河。1883年设市，称北亚基马。1918年改现名。1884年修筑北太平洋铁路时，选当时的亚基马城（今尤宁加普）为筑路总部所在地。后该地被放弃，而其北6千米处的新拓居地北亚基马发展为铁路仓库和牛的转运站。1891年亚基马河流域成为苹果、梨、樱桃、甜菜、薄荷、啤酒花、牲畜和乳品的高产区后，经济以食品加工业为主。现为旅游中心和雷尼尔山国家公园门户。设有亚基马河流域学院（1928）。人口：市71 845；都会统计区222 581（2000）。

Yakima River　亚基马河　美国河流。发源于华盛顿州中南部喀斯喀特山脉的斯诺夸尔米山口附近，东南流经埃伦斯堡和亚基马，在本顿县肯纳维克附近汇入哥伦比亚河。全长320千米。灌溉面积19万公顷。源头附近的基奇拉斯水坝为美国开垦局亚基马工程的主要部分。

Yako　雅科人　又拼Yakö或Yakurr，居住在尼日利亚东部克罗斯河地区的民族；操尼日尔-刚果语系贝努埃-刚果语支的卢科语。雅科人主要种薯蓣，其他作物有芋头、玉米、秋葵和南瓜。主要经济作物是棕榈油。雅科人住在密集的村庄，村庄划为许多分区，每个分区有几个父系氏族。父系血统掌握农田、宅基地和合作劳力的权力。父系氏族的男子共同生活，集体农耕。氏族首领调解纠纷、主持祭祀及对外代表全氏族。雅科人也承认母系血统。对牲畜和现金等可转移财富的继承由母系掌握。在村分区以内，主持世俗和宗教仪式的权力授予在分区首领领导下的一个头领小组。传统的雅科人宗教仪式涉及献祭、祈祷或者控制精灵以及占卜。现在许多雅科人已成为基督教徒。

Yakovlev, Aleksandr N(ikolayevich)　雅科夫列夫（1923-12-02，苏联俄罗斯雅罗斯拉夫尔～　　）　苏联经济学家，宣传工作者，共产党官员。1987～1990年为政治局委员。第二次世界大战期间，雅科夫列夫在红军服役（1941～1943）。1944年加入苏联共产党。1946年毕业于雅罗斯拉夫尔师范学院。毕业后，在苏联共产党内任职，先任区党报编辑，后在苏联共产党校担任讲师并为中央委员会工作人员。1965～1973年担任后一职位时，从宣传部的指导员升至宣传部代理部长。1973～1983年任苏联驻加拿大大使。此时他给后来的苏联总统戈尔巴乔夫印象极深，后成为他的可靠助手。他在科学院世界经济和国际关系研究所任所长2年。1986年被选入中央委员会书记处，1987年6月成为政治局正式委员。他被认为在制定"公开性"和"改革"（这是戈尔巴乔夫执政早期的基本思想）政策中起了作用。1990年3月，作为苏共对外政策书记，进入16人的总统顾问委员会，担任此职到该年7月。1990年7月雅科夫列夫辞去政治局和书记处的职务。

Yakovlev, Aleksandr Sergeyevich　雅科夫列夫（1906-04-01，俄国莫斯科～1989-08-22，莫斯科）　飞机设计师，以设计"雅克"系列飞机而著称。这些飞机大部分是战斗机，第二次

供图：Novosti Press Agency

世界大战中曾被苏联广泛使用。1931年毕业于空军工程学院，立即开始设计活塞式和喷气式飞机。第二次世界大战前夕，设计出"雅克-1"型战斗机。他的第一架喷气式战斗机"雅克-15"型设计于1945年，以后相继设计出"雅克-17"和"雅克-23"。他的出色成就双发动机直升飞机"飞行货车"（"雅克-24"）创造了几项世界纪录。第二次世界大战结束后转向民用飞机的设计，尤其是体育运动飞机。他于1938年加入苏联共产党，1940～1948年任航空工业部副人民委员，后任总设计师。曾7次获得斯大林奖，8次获得列宁勋章。1976年成为苏联科学院院士。

yaksha　夜叉　印度神话中的一类自然精灵，他们一般对人仁慈，守护藏在地下和树根

印度中央邦毗底沙约公元前1世纪的夜叉石雕像
供图：Pramod Chandra

中的财宝。夜叉首领俱吠罗(**Kubera**)是神话中喜马拉雅山区阿罗迦国之主。夜叉常被尊为城市、区县、湖泊或水井的保护神。对他们的崇拜,以及民间对蛇神、生殖女神和母亲神的信仰,可能起源于印度早期达罗毗荼诸民族。夜叉崇拜与吠陀时期祭司主持的祭祀同时存在,并在贵霜时期继续兴盛。在艺术中,夜叉雕像属最早的神祇雕像,显然早于菩萨像和婆罗门教诸神之像,影响了后两者的造像。它们也是后来印度教、佛教和耆那教艺术侍从的原型。

Yakub Beg　阿古柏(1820～1877-05-16)　19世纪英、俄帝国主义扶植的新疆割据政权头目。中亚浩罕汗国安集延(今乌兹别克斯坦)人。乌兹别克族(一说塔吉克族)。原为浩罕王的帕夏(总司令)。1865年中国新疆爆发反清运动时乘机侵入南疆。镇压了穆斯林各族反清势力,先后攻占喀什噶尔、阿克苏、叶尔羌、库车、莎车、和田和吐鲁番等地。1867年建立"哲德沙尔"(七城之意)王国,自称汗。1870年又占领乌鲁木齐。对新疆各族人民实行残暴统治。1871年俄国出兵侵占伊犁,1872年派出考尔巴尔斯使团与阿古柏订立通商条约,承认并支持阿古柏政权。英国通过土耳其苏丹封阿古柏为艾米尔(统治者),并供给武器装备。1873年英国派费赛斯使团与阿古柏签订商务协定。1875年清政府派左宗棠率军讨伐。1877年5月16日阿古柏兵败在库尔勒服毒自杀。

Yakuba(African people)　**雅库巴人**　参阅 **Dan** 丹人。

Yakurr(people)　参阅 **Yako** 雅科人。

Yakushi-ji　藥师寺　日本奈良供奉藥师的一所综合寺院建筑。约690年建于奈良城外,718年在城内重建。原建筑现仅存三层的东塔,为奈良时代(710～784)宗教建筑物

日本奈良市奈良时代的藥师寺三层东塔
供图:Milt and Joan Mann－CAMERAMANN INTERNATIONAL

中最杰出的实例之一。藥师寺保藏着许多日本艺术珍品,其中最著名的是奈良时代称为藥师三尊的雕像群(藥师如来、日光菩萨、月光菩萨)。

Yakut　雅库特人　又称萨哈人(Sakha)。西伯利亚东部一个主要民族,20世纪末约有38万人。这个民族于17世纪时曾居住在勒拿河中游狭小的地区,现在已发展扩充遍居

雅库特人吹奏霍穆斯口琴
供图:Sovfoto

于俄罗斯东北角雅库特共和国全境。雅库特人使用一种突厥语;在他们的语言里称为萨哈语。

雅库特人看来是一个民族联合体,一部分人由贝加尔湖地区移来,与勒拿河地区的土著居民融为一个民族。这个土著民族可能大多数是埃文克人,埃文克人对雅库特人的文化已有很多贡献。但是,另外的资料则证明雅库特人的祖先来自南方,同大草原及阿尔泰山区的突厥语诸部落族源相近。17世纪时,雅库特人已与其他北方民族完全同化,共有80个独立部落,部落下面分为氏族。核心家庭是雅库特人的主要社会单位。妇女在家庭及公共生活中的地位低下。他们认为铁匠具有超自然的力量,因为他们把铁工技巧看成是一种神授的才能。昔日的雅库特宗教信仰中有许多超凡的精灵,其中有善有恶。雅库特人多数原为半定居民族,冬季住在覆以泥土的木屋里,夏季则住在圆锥形帐篷内;住所都设于牧场附近和过冬饲草丰富而便于储备的地方。南部的雅库特人经过同化许多已转向农业;靠北些的雅库特人则自埃文克人那里引进了驯鹿育种繁殖这一行业。雅库特人以制造铁器闻名,也是有史时期西伯利亚诸部落中唯一善于制陶的部落。尽管北极地区气候条件恶劣,雅库特人一直坚持以饲养牛、马、驯鹿为基础的经济活动。不过,他们所饲养的家畜,一年之内要有大部时间留在圈栏之内,喂以饲草、饲料。乳制品在他们的饮食中占有显著位置。河湖捕鱼在他们的经济活动中仅次于饲养牲畜。雅库特人仍保持了象牙雕刻、木雕及首饰制作等传统艺术,但影片制作等较现代艺术也很受欢迎。吹奏口琴曾一度为一种萨满教仪式的伴奏,现也有复兴之势。

Yakut language　雅库特语　雅库特语作Sakha-tyla。属突厥语族(阿尔泰语亚语系),通行于俄罗斯东北部西伯利亚东北部的萨哈(雅库特)共和国。由于操雅库特语的民族在地理上与其他突厥语民族相隔达数世纪之久,雅库特语已发展起超过该语族常规的若干特征;它显示出与东北突厥诸语言最近的系属关系。雅库特族居民约38万,几乎全部以雅库特语为母语。大多数人也使用俄语。有时雅库特语也在北方其他民族之间作为通用语互相交流,参阅 **Turkic languages**。

Yakut-Sakha　雅库特－萨哈　又称Yakutiya。位于西伯利亚东北部,俄罗斯极东北部的一个共和国。占据流入北冰洋的几条大河勒拿河、雅纳河、因迪吉尔卡河和科雷马河流域,包括拉普捷夫海和东西伯利亚海之间的新西伯利亚群岛。为俄罗斯境内最大的共和国,建于1922年。

该共和国为多山地区,有广阔的高原、沿海低地和河谷。西起中西伯利亚高原,东抵莫马山脉,北临北冰洋,南至斯塔诺夫山脉。这一地区属极端大陆性气候,为世界上有人定居地区气候最恶劣之地。1月份平均气温为－43.5 °C,7月份19 °C。这种气温之所以可以忍受,是因空气异常干燥和平静无风。各处降水量均很低,年平均为200～400毫米。除南部零星小块非冻土地外,全区为永久冻土带。首都**雅库茨克**(**Yakutsk**)冻土深140米,北冰洋沿岸广阔的化石冰地区,冻土深达300米,或更深些。永久冻土上面土地极为贫瘠。苔藓、地衣和矮小灌木丛等冻原植物生长在北方沿岸的宽阔地带,往南则渐次出现矮树森林,品种有达呼里落叶松和矮白桦,还出现桦树、松树和云杉构成的沼泽林或泰加林。

雅库特人是由当地部族和6～10世纪来自南方的突厥族结合而成,于17世纪上半叶加入俄罗斯国家。雅库特建于1632年,是共和国的最大城市。1638年建雅库特省,向俄罗斯人开放,俄罗斯人于是在勒拿河中部沿岸城镇中定居。到19世纪,原先的游牧人(驯鹿和牧马)、猎人和渔人过起了定居生活。20世纪后期,雅库特人构成该共和国的1/3人口,俄罗斯人则占一半。

经济状况反映了雅库特的偏远和恶劣的自然条件。农业只能在勒拿河南段及其支流沿岸发展,种植马铃薯、燕麦、麦和蔬菜,并饲养牛。雅库特人、埃文克人和埃文人主要靠养鹿、捕鱼和狩猎松鼠、狐狸、北极狐和貂为生。矿藏有南部靠近阿尔丹和托莫特以及因迪吉尔卡河谷的黄金,维柳伊河盆地的金刚石和食盐,雅纳河谷的锡,以及勒拿河下段沿岸的煤。采矿和伐木是主要工业。在维柳伊盆地发现有巨大的天然气矿床,20世纪80年代初仍在勘探中。雅库茨克附近是该共和国工业最发达的地区,有食品加工、锯木厂和轻工业品制造厂。维柳伊河畔的车尔尼雪夫斯基的水电站已发电。

除有公路将雅库茨克与阿尔丹、鄂霍次克海港马加丹和维柳伊河流域连接起来外,本地区的唯一交通主要依靠河流(一年只通航三四个月)、冬天的雪橇拖车,以及航空线通往莫斯科和该共和国的其他城镇以及其邻近区域。面积3 103 200平方千米。人口约1 108 600(1991)。

Yakutsk　雅库茨克　俄罗斯远东地区北部雅库特共和国城市和首府。位于勒拿河畔。1632年在勒拿河下游右岸建要塞,1642年迁至现址。长久以来一直是小型地方行政中心,多木制房屋。现已建立了轻工业、现代房屋和街道,但其职能仍然主要是行政中心及河港。有一所综合大学(建于1956)。人口约194 400(1994)。

yakuza 无赖汉 日语，又作gyangu。日本暴力团(bōryokudan)匪徒。

Yala 也拉 泰国最南部城镇。为现代化商业中心。濒临北大年河，有曼谷—新加坡铁路和北大年—槟榔屿公路穿经该地。居民包括泰国穆斯林、马来穆斯林和华人。也拉大量种植橡胶树。附近山洞里有壁画和一尊卧佛雕像。人口：约73 363(1992)。

Yalag 亚拉格 参阅**Gordon, Judah Leib** 戈登。

Yale, Caroline Ardelia 耶鲁（1848-09-29，美国佛蒙特夏洛特～1933-07-02，马萨诸塞北安普敦） 美国聋人教育家，长期任克拉克聋人学校校长。在马萨诸塞州南哈德利霍利

北安普敦市克拉克聋哑学校供图

奥克山学院学习两年，并在佛蒙特州威利斯顿和布兰登的两所专科学校短期教学之后，在北安普敦克拉克聋哑人学校(1896年成为克拉克聋人学校)任教。校长H. B. 罗杰斯不采用手语而采用德国的唇读法教聋儿说话和读唇。耶鲁在该校工作达63年。1873年升为副校长，1886年任校长。任期内增设了体育及手工训练，并于1889年开班培训聋人教师。她是美国聋人说话教学促进协会会长，著有《创业岁月，一个特殊教育领域中拓荒者的回忆》(1931)。

Yale, Elihu 耶鲁（1649-04-05，美国马萨诸塞波士顿～1721-07-08，英国伦敦） 英国富商、东印度公司官员及耶鲁大学的捐助人。耶鲁出生在马萨诸塞州，3岁时由家人带到英国，从此一直未回美国。1671年耶鲁开始在东印度公司工作，次年被送到马德拉斯。他在工作上很能干，1687年升为马德拉斯的福特森特圣乔治东印度公司主管人。5年后公司将其免职，指控他牺牲公司的利益，以增加自己的财富。他被拘留在马德拉斯直到1699年，并被迫付了一笔罚金。但是，当耶鲁最后乘船回英国时，仍携有为数可观的款项。康涅狄格的伦敦代理商杰里迈亚·达默建议耶鲁向殖民地的塞布鲁克学院捐助，必受欢迎，耶鲁乃向该校赠书。1718年C. 马瑟给耶鲁写信，暗示他如果另送一批数目较大的赠品，则塞布鲁克学院将会重新以耶鲁命名，以示谢意。于是耶鲁送去更多的书、一张乔治一世的画像以及从东印度运来的各种货物。这些赠品在波士顿卖了约800英镑，并用此款在纽黑文修建了一所耶鲁学院，1886年改名为耶鲁大学。

Yale, Frankie 耶尔（1885，美国纽约布鲁克林～1927-07-01，布鲁克林） 弗兰克·尤阿尔的别名。美国黑帮匪徒及西西里人兄弟会组织西西里人联盟的头子。联盟最盛时期是1918～1928年，在第一次世界大战时，已发展成为在美国一些城市中进行抢劫、开设妓院、勒索劳工和其他犯罪活动的卡特尔组织。耶尔一次在布鲁克林大街上驾驶自己的汽车行进时，与他并行的另一辆汽车上的人用机关枪向他扫射，将他杀死。据说，A. 卡彭怀疑他拦截了私酒，故派人将他暗杀。耶尔的葬礼十分排场，他的灵柩价值12 000美元，仅鲜花就装了28辆汽车。

Yale, Linus 耶尔（1821-04-04，美国纽约索尔兹伯里～1868-12-25，纽约州纽约） 美国发明家，发明并设计了坚实的圆柱形销栓锁，被称为耶尔锁。他在1851年首先制成了耶尔安全银行锁。后来，他在马萨诸塞州谢尔本福尔斯开办工厂，生产耶尔银行魔锁和耶尔银行金库双重锁。约1862年，他制出了字码锁。耶尔最重要的发明是按古代埃及人的销栓机构制成的圆柱锁。1868年耶尔同汤氏父子合伙，在康涅狄格州斯坦福创办了耶尔制锁公司。

Yale University 耶鲁大学 1701年建于康涅狄格州纽黑文的一所私立大学，为常春藤盟校的成员大学之一，在美国最古老的大学中名列第三。原是一所综合学院，获得康涅狄格州殖民地立法机构的办学许可证，在基灵沃斯等地创办。1716年迁往纽黑文，1718年改名为耶鲁学院，以纪念一位英国富商和慈善家E. 耶鲁，因为他对这所学校不断捐赠巨款。耶鲁办学早期着重古典学科，严格坚持正统的清教派观点。耶鲁医学院建于1810年，神学院是1822年由一个神学系扩建成院，法学系则是在1824年合并到耶鲁的。1802～1853年在耶鲁任教的地质学家本杰明·西利曼是使实验与应用科学成为受人尊重的学科的一位教育家。他在耶鲁创立的《美国科学与艺术杂志》(后简称《美国科学杂志》)，是19世纪世界最有名望的一种学术刊物。19世纪50年代创办设菲尔德理学院，直到20世纪还是美国最领先的科学与工程教学中心之一。1846年耶鲁开办研究生课程，次年建立文理研究生院。1866年创办文科学院，此后又陆续创办音乐、林学、保育、戏剧、管理和建筑学院。1864年又改名为耶鲁大学。1892年研究生院开始招收女生(原来只收男生)，但到1969年才在全部院系招收女生。耶鲁大学招生严格，在学术水平和社会声望方面，在全国最高学府中也名列前茅。下设耶鲁学院(本科)、文理研究生院和10所职业学校。耶鲁大学图书馆藏书1 050万册，是美国最大图书馆之一。它的美术馆建于1832年，收藏极为广博，是美国大学中的第一馆，当时J. 特朗布尔上校为了保存他的美国革命时期的绘画，向耶鲁捐建了一座画廊。耶鲁的皮博迪自然历史博物馆藏有古生物、考古学和人类文化学的重要文物。耶鲁大学毕业生中有美国总统W. H. 塔夫脱、G. 福特、G. 布什，政治家J. C. 卡尔霍恩，神学家J. 爱德华，发明家E. 惠特尼、S. F. B. 莫尔斯和词典学家N. 韦伯斯特。

Yalong Jiang 雅砻江 又作Ya-lung River。中国水力资源最集中的河流之一。为长江上游金沙江的支流。发源于青海省巴颜喀拉山南麓，东南流入四川省，在攀枝花市三堆子入金沙江。石渠以上为石渠河，以下称雅砻江。全长1 571千米，流域面积12.8万平方千米。河口平均流量1 810立方米/秒。水流湍急，水力资源丰富，达3 372万千瓦。雅砻江下游的二滩电站，装机容量330万千瓦，年发电量170亿千瓦时，于1997年建成。

Yalow, Rosalyn S(ussman) 耶洛（1921-07-19，纽约州纽约～2011-05-30，纽约） 美国医学物理学家。因对发展放射性免疫检验(RIA)术的贡献而与A. V. 沙利和R. 吉耶曼共获1977年诺贝尔生理学或医学奖。耶洛1941年毕业于纽约市亨特学院。4年之后，她在伊利诺伊大学获物理学哲学博士学位。1946～1950年间，在亨特学院讲授物理学。1947年在布朗克斯退伍军人管理局医院当核物理学顾问。1950年在该医院任放射性同位素科副主任。她和同事S. A. 贝松博士一起，着手研究放射性同位素的各种医学应用。通过把放射性同位素示踪技术和免疫学两方面结合起来，耶洛建立了放射性免疫检验(RIA)术。这种技术对测定血液中或其他液体中的生物性物质和药物性物质的微小浓度是一种非常灵敏而简单的方法。RIA技术最初是由耶洛和贝松于1959年在研究糖尿病人血液中胰岛素的浓度时首先应用的。但不久这个方法获得了几百种其他方面的应用。1976年耶洛成为获得A. 拉斯克基础医学研究奖的第一个女性。1973年以后，她担任S. A. 贝松研究实验室主任。

Yalta 雅尔塔 又拼Jalta。乌克兰南部的克里米亚城市。在克里米亚半岛南岸，濒临黑海。史前已有人定居，19世纪初具有现代规模，1838年建镇。此处背山面海，风景如画，冬季温暖，是乌克兰著名的旅游区和疗养地，有许多旅馆与疗养院，其中之一是1900年在作家-医生A. 契诃夫鼓动下所建。有酿酒、

雅尔塔市利瓦季亚宫面朝花园的正面
供图：John Massey Stewart

罐头水果、烟叶加工等工业。与苏联黑海各港口有定期客轮相通，有公路与辛菲罗波尔相连。第二次世界大战期间，丘吉尔、罗斯福与斯大林于 1945 年 2 月在该市的利瓦季亚宫会晤，史称雅尔塔会议。人口约 89 300（1991）。

Yalta Conference　雅尔塔会议（1945 - 02 - 04 ～ 11）　第二次世界大战时 3 个主要盟国首脑的一个重要会议。美国罗斯福总统、英国丘吉尔首相和苏联部长会议主席斯大林在克里米亚的雅尔塔开会，商讨有关最后战胜

丘吉尔、罗斯福、斯大林在雅尔塔会议上
供图：ITAR—TASS/Sovfoto

并占领纳粹德国的计划。这次会议已经决定将德国划分为几个由美、英、法、苏的军队管辖的占领区。与会者原则上同意：盟国除提供最低生活资料外，对德国人不负任何责任。他们宣布，废除或没收德国军需工业；一致同意将主要战犯交国际法庭审判，后来就在纽伦堡开庭执行。赔偿问题由专门委员会研究决定。

如何处理东欧其他战败国和被解放的国家，是这次会议上讨论的一个主要问题。斯大林所接受的协议规定，建立一个“能广泛代表一切民主人士的过渡性行政机构……通过自由选举，尽快成立关心人民愿望的政府”。英国和美国一直与流亡在伦敦的波兰政府保持关系，苏联却承认共产党领导的波兰民族解放委员会（总部在卢布林）。西方盟国和苏联，都不愿意舍弃他们所支持的一派，只同意卢布林的委员会应加以扩大，包括波兰其他政治组织的代表，盟国将承认它为民族团结临时政府，以待通过自由选举，产生出一个接替的政府。三国首脑还讨论了波兰未来的疆界，但没有作出任何决定。

在远东问题上还有个秘密协议，其中规定：苏联在德国投降后两三个月内参加对日作战。其条件是，苏联将重新获得 1904 ～ 1905 年俄日战争中丢失给日本的土地，主张亲苏的外蒙古维持现状。斯大林同意与中国签订友好同盟条约。

联合国组织宪章已经起草，与会者拟订了有关安全理事会投票问题的折衷方案。苏联人撤回原先的要求，不再主张苏联的 16 个加盟共和国都成为联合国大会的成员国。

在雅尔塔达成的协议于 1946 年公布后，在美国遭到严厉的批评。其原因是，事实证明，斯大林没有实现他在波兰、捷克斯洛伐克、匈牙利、罗马尼亚和保加利亚举行自由选举的允诺。相反，在所有这些国家中建立了共产党政府，非共产党政党遭到镇压，真正的民主选举从未举行。在雅尔塔会议期间，罗斯福和丘吉尔全都信任斯大林，相信他会遵守诺言。两位领袖从未想到斯大林会让共产党人代替欧洲所有的人民阵线政府。罗斯福和丘吉尔之所以赞同雅尔塔达成的协议，是因为他们认定在太平洋和中国的满洲打败日本人，苏联的帮助是非常必要的，而事情的发展结果证明他们当初的认识是错误的。总之，苏联是战争结束时东欧的军事占领者，西方的民主国家很难强迫斯大林履行在雅尔塔会议上的诺言。

Yalu Jiang　鸭绿江　又作 Yalu River，Amnok-kang。中国与朝鲜民主主义人民共和国的界河。源于长白山主峰东南麓。流经中国吉林、辽宁两省和朝鲜的两江道、慈江道和

鸭绿江大桥
中国大百科全书出版社供图

平安北道，在中国东港市流入黄海。干流全长795 千米。主要支流在朝鲜一侧有长津江、秃鲁江；中国一侧有浑江、叆河等，以浑江最长。流域面积 6.38 万平方千米，80% 以上为山地，河流切割较深，河谷狭窄，比降大，总落差达2 400米，水力资源 230 万千瓦。水丰发电站是中朝合营的第一座大型电站，此外还有云峰、桓仁、回龙山、太平哨等以发电为主，结合防洪、灌溉、航运的大中型综合水利工程。集安、河口和丹东有铁路公路桥连接两岸，为中朝交通要道。鸭绿江因滩多水急，冬季水浅封冻，航运受限制，水丰库区以下可通航。

Yam（god）　参阅 **Yamm** 雅木。

yam　薯蓣　或称山药。薯蓣科薯蓣属（*Dioscorea*）几种植物的统称。原产于东西半球的温暖地区。许多种在热带栽作粮食作物。在某些热带地区，尤其是西非和新几内亚的耕作传统中，薯蓣是主要的农产品，在复杂的仪式中亦不可或缺。真正的薯蓣在植物学上不同于番薯（**sweet potato**），但块茎内含水分多的甘薯品种在美国亦常称为 yam。黄独（*D. bulbifera*）是美国栽培食用的少数几种薯蓣之一。薯蓣具粗壮的块茎（通常是茎的基部发育而成），由此生出细长的一年生攀缘茎，茎上有叶，互生或对生，全缘或有缺刻。花单性，形成长簇；花通常小，一朵并不明显，但花簇则甚为艳丽；每朵花有浅绿色、钟形或扁平的花被，花被片 6 枚；雄花的花被围绕着 6 枚或 6 枚以下的雄蕊；雌花的花被遮盖着由 3 室构成，具 3 翅的子房。子房发育为膜质的蒴果，蒴果成熟后 3 瓣裂，释出大量稍扁平或球状的种子。大多数薯蓣含一种辛辣的成分，烹调后消失。三浅裂薯蓣（*D. trifida*）及参薯（*D. alata*，即大薯）可食，广泛栽培于热带及亚热带国家。参薯的块茎有时重 45 千克。圆形薯蓣（*D. rotundata*）及卡宴薯蓣（*D. cayenensis*）为西非主要的栽培薯蓣种类。可食薯蓣（*D. esculenta*）种植于印度次大陆、越南南部及南太平洋岛屿，是味道最好的薯蓣种类之一。中国薯蓣（*D. batatas*）广泛栽种于东亚。已知的薯蓣有好几百种，味道及外形各异。薯蓣的肉质颜色不同，从白色至黄色、粉红色、或紫色。味道有甜有苦或无味。薯蓣可烹食作为含淀粉的蔬菜。常将薯蓣煮熟，然后捣烂成具黏性的糊状或面团状，但亦可像马铃薯一样炒、烤或烘熟食用。

yam bean　薯蓣豆　参阅 **jícama** 豆薯。

Yama　阎魔　藏传佛教的八大护法天王之一。参阅 **dharmapāla**。

Yama　阎摩　印度神话中的死神。据吠陀载，他是第一个死去的人，首开万人死亡之路。他护佑南方即死亡之地，统辖死者休息之地，此地据说在南方地下。中国西藏地区和中国内地以及日本的佛教神话中也有阎摩，不过作用较小，仅是镇守阴间。

yama　禁制　梵语，意为“限制”。在印度的瑜伽派哲学中，一个人为达到等持即完全的精神集中状态所要经历的 8 个阶段的第一阶段。这是一种道德上的准备，目的在于净化个人；它包括不许伤害他人，不许说谎、不许偷盗、不许贪色贪财。第二阶段“遵行”的道德意图与“禁制”相似，它要遵守 5 项戒律：清

洁、满足于自己的物质状况、禁欲、研究有关解脱的形而上学和敬奉天神。但无论"禁制"还是"遵行"都不是真正的瑜伽状态；它们是任何苦行所必需的预备阶段。在瑜伽的实践中，它们只是为后来更加困难的阶段作准备。

Yama-no-kami　山神　日本民间宗教所崇奉的许多山岳之神。可分为两类：①统辖山岳之神，为猎人、伐木工人和烧炭工人所信奉；②司掌农事之神，为农人所信奉。山神中

山神画像

供图：Giraudon—Art Resource/美国不列颠百科全书公司

最重要者是大山祇尊，他是被生父伊奘诺尊在盛怒之下斩成数块的火神之子。另一位重要山神是女神木花开耶姬，她是天照大神之孙琼琼杵尊之妻，她有两女住在富士山上。祀奉山神的通行仪礼是献膪(鲱鱼)。

yamabushi(Japanese religion)　**山伏**　参阅 **Shugen-dō** 修验道。

Yamaga Sokō　山鹿素行(1622-09-21，日本旧岩代国会津～1685-10-23，江户)　又名甚五左卫门。日本德川时代军事学家、儒学家，第一次系统地阐明武士阶级的使命和义务。并对日本的军事科学做出重要贡献。他的思想成为后来的武士道的核心。原为浪人，早年去江户，成为新儒学派学者林罗山的得意门生。他除了研究儒家哲学外，还研究佛教、神道教和军事学。不久，便成为当时最有名的教师之一，弟子成千名。1652 年赤穗藩主聘他为军事教官。他在研究战略、战术、武器和军事情报等方面有许多独到的见解。同时，他企图完善一种适合武士阶级的道德规范，因此转向中国儒家学说中提倡回到孔子教导的古学学派。他认为古学比日本德川时代淡化了的新儒家哲学更适合武士阶级。他把武士比作儒家的"超人"，并教导说，武士的基本职责不仅是胜任军事活动；还应为下层阶级作出道德榜样，以证明接受领主的薪俸是当之无愧的。他不忽视儒家道德的基础——仁，但更强调第二个美德——义，他把这解释为义务或责任。他研究儒学，但反对朱子的学说，著有《圣教要录》。德川幕府认为他的观点可能危害将军的政权，就将他放逐远地，交赤穗藩主看管。日本著名的"赤穗四十七义士"，都曾受到他的启发。他的另一个思想是认为日本文明比中国文明优越，按他在《中朝事实》一书中所说，日本的天皇万世一系，而中国则不断改朝换代；中国的儒家学说已经被弄得面目全非，而日本始终坚持孔子关于大义名分的观念。到 19 世纪，他的这些思想鼓舞了尊王倒幕运动。

Yamagata　山形　日本本州北部一县。濒临日本海。面积9 327平方千米。大部为山地。境内有磐梯朝日国家公园从北向南延伸，包括被佛教修验道教派崇敬的出羽三山

山形市的国分寺

供图：Photos Pack—美国不列颠百科全书公司

(月山、汤殿山、羽黑山)。西北部有鸟海国定公园，位于与秋田县交界处，最高处为鸟海山(2 230米)。东南部的藏王国定公园以高1 841米的藏王死火山为主要名胜。最上川流经该县。谷地通公路、铁路。农业以种植水稻、养蚕和经营果园为主。林业和渔业也占一定地位。开采石油、锌、天然气和长石矿。生产电机、精密仪器和纸张。县首府山形市为最大城市和商业中心，地处内陆山间盆地，设有山形大学(1949)，生产各种消费品和金属铸件。米泽为另一重要内地城镇。沿海地区有鹤冈、酒田(主要港口)等工业中心。人口：市约242 015；县约1 256 000(1983)。

Yamagata Aritomo, Koshaku　**山县有朋**(1838-08-03，日本萩～1922-02-01，东京)　日本军官和政治家，对日本于 20 世纪初成为军事强国起着重大作用。是日本议会政体下的

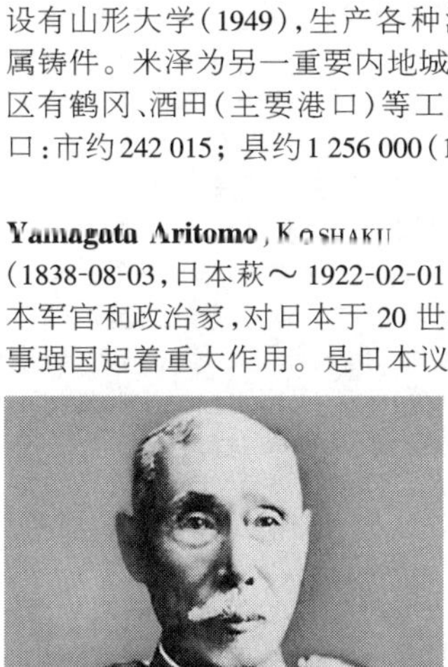

东京国际教育情报学社供图

第一位首相，并两次组阁(1889 ～ 1891，1898 ～ 1900)。

山县有朋出身于长州藩最下层的武士家庭。曾当过库房小听差，向警察局通风报信，以为糊口。约 1858 年在一所私立学校接受教育，后成为提出"尊王攘夷"口号的改革派分子。1863 年被选为由长州藩改革派组成的骑兵队指挥官，在下关事件——西方列强的混合舰队炮轰长州，改革派遭到失败——中受伤。这次失败使他认清，除非拥有与西方列强相等的现代化武器，否则"尊王攘夷"的政策是注定要失败的。

1867 年德川幕府被推翻，明治天皇亲政，北方幕府余党作乱，他率军戡平。在学习军事基本原理作为日本军队迈向现代化的一个步骤之后，山县于 1870 年回到日本，不久成为军部副大臣的秘书。为废除封建领地制度，将权力集中于中央，他建议组成帝国军队。当 1871 年初从原来的封建军队中选出约一万士兵组成一支队伍时，山县被提升为军部副大臣，后任帝国近卫军司令。在王政复古英雄西乡隆盛的帮助下，山县成功地实行征兵制。当政府分设陆、海军两部时，山县任陆军大臣。但政府决策大权主要掌握在行政会议参议手里。为此，当就出征台湾问题进行讨论时，他虽是陆军大臣，却无发言权。这一事实使他决定为把军事决策与文官统治分开而斗争。政府为平息反对派的不满，于 1874 年 8 月勉强地将他提升为参议。

1877 年西乡隆盛及其支持者在萨摩藩起兵反对政府，山县率军平乱。1878 年山县发表《告诫军人书》，强调勇敢、忠诚和服从天皇的旧有美德，反对民主和自由主义倾向。在将作战局从陆军部分开和改组总参谋部后，他辞去陆军部长职务，出任总参谋长。他采取重大步骤，以普鲁士为榜样，对日本军事制度进行改革。1882 年他说服天皇颁发《帝国军人训谕》，作为帝国军队的精神准则。由于预见到将爆发中日战争，他改组军队，使之能够适应野地作战。当他仍任总参谋长时进入政界，1882 年成为参议院议长，1883 ～ 1889 年任内务大臣，建立地方政府机构，使警察制度现代化。1884 年他被封为贵族，辞去总参谋长职务。

考察欧洲地方政府制度一年之后，1889 年回到日本，成为在新建立的议会政体下的第一位首相。他比草拟宪法的伊藤博文更为保守，向第一届国会提出日本必须向亚洲大陆地区扩大其版图。当他晋升为最高级的将军之后，他成为事实上的军队首脑。他劝天皇颁发《帝国教育敕令》，作为明治天皇统治的指导原则。1891 年，被党派斗争弄得精疲力尽，乃辞去首相职务，但他继续任法务大臣(1892 ～ 1893)和枢密院议长(1893 ～ 1894)，成为主要的元老。

1894 年中日战争爆发时，山县任第一军司令，率军驻在朝鲜，战争中期，因病回到日本。在日本打败中国后，俄、德、法 3 国进行外交干涉，1896 年，他作为特使前往莫斯科，与俄国达成妥协，共同瓜分朝鲜半岛。1898 年晋升为陆军元帅。

他的第 2 届内阁于 1898 年 11 月成立。内阁的一半成员为陆、海军将领，在他们的簇拥下，山县成功地加速了在亚洲扩张的政策。在中国发生义和团运动时，日本在八国联军中出兵最多，在镇压中国民族主义运动中发挥了主要作用。对内，他竭力镇压刚出现的社会劳工运动。他发布政府章程，规定只有

现役军官才能担任陆军和海军大臣，从而事实上使军队摆脱了文官的控制。1900 年 10 月，因无法克服由于军事扩张而造成的国家财政危机，以及无法应付义和团运动后列强瓜分中国的问题，他的内阁辞职。1903 ～ 1909 年间，他与伊藤博文轮流担任枢密院议长。1904 ～ 1905 年日俄战争期间，山县任总参谋长，因功受封为公爵。

1909 年伊藤博文遇刺身亡后，山县成为领导日本的事实上的独裁者，坚持反对成立真正的内阁。1911 年中国爆发辛亥革命，他极力支持清朝政府。1921 年因干预王储的婚姻受到公众的指责。翌年羞愧而死。

Yamaguchi　山口　日本本州最西部的县。邻接日本海、下关水道和濑户内海。面积 6 100平方千米。大部为高原和丘陵。西部典型的岩溶构造秋吉台的石灰岩洞是闻名的旅

山口县秋吉台的石灰岩
供图：Orion Press—FPG

游胜地。种植水稻、柑橘，捕捞大量深海鱼。大峰产煤，秋吉开采石灰石和大理石。工业产品有钢铁、化工品和木材。首府山口市建于 14 世纪，是仿照京都修建的城堡镇，在大内藩主统治时为繁荣的文化和商业中心。该市还是 15 世纪风景画家雪舟的故乡。最大城市下关为该县主要工业、教育中心和港口。岩国市有著名的古城堡和锦带拱桥。萩为历史悠久的制陶中心。人口：市 129 467；县 1 572 645（1990）。

Yamal Peninsula　亚马尔半岛　俄罗斯中西部低地。位于西伯利亚西北部，西临卡拉海和拜达拉塔湾，东部和东南部濒鄂毕湾，北部傍马雷金海峡。长 700 千米，最宽处 240 千米，面积 122 000 平方千米。沿海大部是低平的沙岸；内陆地势向南升高，最高处海拔 90 米，由于海相和冰川沉积物的影响，地貌复杂。河流极少。西海岸发现有大型天然气田，已在哈拉萨维开采天然气。"亚马尔"在涅涅茨语中，意为"天涯海角"。

Yamalo-Nenets　亚马尔-涅涅茨　俄罗斯中北部共和国。1930 年建为涅涅茨人（即萨莫耶德人）自治区。1979 年涅涅茨人仅占总人口的 11%。面积 750 300 平方千米。1991 年苏联解体后成为共和国。地处西西伯利亚平原北部。除西部为北乌拉尔狭长的山地外，大部为辽阔的平原，多沼泽和荒凉的苔原。南部有矮小的树林。气候极为严寒。20 世纪 70 年代初天然气矿床开发之前，仅有养鹿及渔业。当地天然气田属世界最大气田之列，其中梅德韦日耶和乌连戈伊的产量最大。人口约 464 800（1993）。

Yamamoto Eizō　山本荣藏　参阅 **Ryōkan** 良宽。

Yamamoto Gonnohyōe, HAKUSHAKO (Count)　山本权兵卫　（1852-11-26，日本旧萨摩国鹿儿岛～ 1933-12-08，东京）　日本海军军官，曾两度出任首相（1913 ～ 1914，1923 ～ 1924）。甲午战争任大本营副官。1898 年任海军大臣，升中将。1904 年升为大将，任军事参议。1913 年任首相，曾通过提高政党影响的立法和改革文官制度，取得日本在中国东北的新铁路筑路权。1914 年因海军军官受贿问题，被迫引退。1923 年东京大地震后再度出任首相。4 个月后因发生企图暗杀摄政皇子（后为裕仁天皇）事件引咎辞职。

Yamamoto Isoroku　山本五十六（1884-04-04，日本长冈～ 1943-04-18，所罗门群岛）　策划 1941 年 12 月 7 日对珍珠港美国海军基地实施突然袭击的日本海军军官。1904 年山本毕业于海军学校，日俄战争中任少尉军官。1926 年至 1927 年，他任日本驻华盛顿使馆海军武官。1936 年任日本海军部次长，1938 年任第一舰队司令，1941 年 8 月任日本联合舰队司令。山本反对与美国进行战争，因为他担心日本在同如此强大的对手进行的长期战争中会失败。但是一旦做出了进行战争的决定，山本便断言日本取胜的唯一机会就是发起突然袭击，一举瘫痪太平洋上的美国海军部队，此后日本便能不受阻碍地攫取东南亚富饶的土地并横跨太平洋东进。海军总参谋部采纳了山本提出的以航空母舰为基地的空袭珍珠港的计划，但与此同时他却预言，如果同美国的战争持续时间超过一年，那么日本最终将会失败。成功地偷袭珍珠港后，山本寻求与美国太平洋舰队残存力量也就是航空母舰部队进行决战。但由此而产生的战役，即中途岛海战（1942-06）却是美国人取得了胜利。山本在所罗门进行的作战也很不成功。美军破译了日军通讯密码，得知其行动路线，设伏并在所罗门群岛的布干维尔岛上空击落其座机，他因此而毙命。山本是第二次世界大战中日本最伟大的海军战略家。他对海军战略的贡献在于他较早地认识到航空母舰舰载机在远程海上突袭中的价值。

Yámana　雅马纳人　又称雅甘人（Yahgan），南美印第安人，人数极少，是火地岛南岸及其毗邻的合恩角以南诸岛上的传统居民。19 世纪，他们有 2 500～3 000 人。雅马纳语构成一独特语群，由 5 种可以互相听懂的方言组成，相当于 5 个地区性的语言分支。考古已发现雅马纳人大批宿营地遗迹。他们与阿拉卡卢夫人（**Alacaluf**）及乔诺人（**Chono**）一样，从事狩猎和采集贝壳动物、海豹、鲸、鸟类及浆果、菌类等。尽管气候寒冷多雨，他们一般只穿兽皮斗篷，其独木舟两端尖翘，舟中有炉火。雅马纳人没有有组织的部落生活或公认的领袖。通常一夫一妻制的家庭是组成社会的、政治的和经济的基本单位。他们没有明确的迁移方式，在每处只宿营数日。雅马纳人的艺术活动简单而稀少。他们信仰一位善神（生命的赐予者并惩罚做坏事的人）及一些小精灵。

Yamana Mochitoyo　山名持丰（1404-06-26，日本～ 1473-04-15，京都）　又名山名宗全。15 世纪日本西部最强大的武士集团首领。为了争夺在室町幕府中的权力，与日本东部的重要武士集团首领细川胜元发生冲突，引起所谓应仁之乱（1467 ～ 1477）。虽然山名和细川都在 1473 年死去，但内乱仍继续了 4 年。最后山名氏失势，细川氏大权在握。

Yamanashi　山梨　日本本州中部内陆县。面积4 463平方千米。大部为山地，包括西北部的白根山（3 192米）和南部边界上的富士山（3 776米）。境内有富士川及其支流。南部为

山梨县七岛附近山谷中的瀑布
供图：Cosio—Shostal

与富士山相联系的山中湖、河口湖、西湖、精进湖和本栖湖。经济以农业为主，有大片桑林和果园（桃、苹果、樱桃、葡萄）。小规模生产纺织品和食品。首府甲府（**Kōfu**）为重要的工业和教育中心。人口约865 000（1993）。

Yamanouchi FAMILY　山内氏　日本封建主家族，1600 ～ 1868 年统治四国岛的土佐藩。山内氏由山内一丰（1545 或 1546 ～ 1605）起家。因在丰臣秀吉军中立下战功，得一小块封地。秀吉死后，依附德川家康（1543 ～ 1616）。家康成立幕府，封他为土佐藩主。自此，山内氏对德川家一直忠心耿耿。19 世纪中叶开始出现倒幕活动时，山内丰信（1827 ～ 1872）极力奔走，与反对德川氏的藩主进行谈判。谈判未成，他为了阻止对手们在新政府中掌握过多权势，就摇身一变参加倒幕派。

明治维新后,土佐藩并入高知县,丰信封公爵,但无封建特权。

Yamanoue Okura 山上忆良(约660～约733) 日本最富于个性,甚至有些怪诞的古典诗人。他生活和写作于一个大胆试验的时代,这时日本诗歌正在中国文学的推动下迅速发展。他的和歌以儒教的道德说教为特征,在日本诗歌中独树一帜。儒教道德的谨严逻辑往往与佛教的遁世、宿命观相融汇,这更接近于后世形成的典型日本世界观。关于山上忆良的早年我们所知不多。726～732年任九州筑前国守。现存作品全部收在8世纪的诗集《万叶集》里。最著名的诗是《贫穷问答歌》,以一个穷人和一个困苦无告者之间一问一答的方式,描述贫穷的痛苦。表现他对子女之爱,哀悼他的儿子之死,悲叹人生无常和他本人的老病的诗歌也都是杰作。

Yamāntaka 焰鬘得迦 北传佛教的八大明王之一。参阅 **dharmapāla**。

Yamasaki, Minoru 山崎实(1912-12-01,美国华盛顿西雅图～1986-02-06,密歇根底特律) 美国建筑师,作品以柔和悦目为其显著特点,与第二次大战后现代建筑中常见的生

供图:Michael A. Vaccaro

硬刻板形式大异其趣。毕业于西雅图的华盛顿大学,1934年前往纽约,在此担任过很多设计工作。1943～1945年任哥伦比亚大学建筑设计讲师。1945年迁居底特律,在一大型建筑公司任总设计师,作品之一是新古典主义的联邦储备银行。1951年设计的兰伯特-圣路易斯机场,巧妙地利用混凝土拱,给人以深刻印象,并对此后美国航空站设计具有深刻影响。其他的杰出作品还有日本神户的美国领事馆(1955),底特律的州立韦恩大学麦克格雷格公共会议纪念中心(1958)和雷诺兹金属公司大厦。他为1962年西雅图世界博览会设计的美国科学馆,形态动人,但有些评论家认为那些高大的哥特式尖拱并不合理。建在伊利诺伊州格伦科的一座犹太教会堂(1964),构思不凡,但也受到类似的批评。他设计的纽约市世界贸易中心(1972),是世界最高建筑之一,由两座完全一样的110层的塔楼组成,下面有一占地2公顷的广场。

Yamasee War 雅马西战争(1715～1716) 英属美洲殖民史上,南卡罗来纳东南部印第安人(主要是雅马西人)与英国殖民者之间的战争,以印第安人在该地区的势力崩溃告终。出于对英国不断蚕食土地以及不公正的毛皮贸易的怨恨,一部分雅马西人杀死了90个白人商人及家属(1715-04-15)。后来,周围的印第安人部落群起响应,与雅马西人联合袭击贸易站和种植园。南卡罗来纳民军自其他殖民地取得援助加强反击,叛乱遂告失败。许多印第安人逃往佛罗里达,与逃亡的黑奴以及其他印第安人形成塞米诺尔人。

Yamashita Tomoyuki 山下奉文(1885-11-08,日本高知～1946-02-23,菲律宾马尼拉) 又作 Yamashita Hōbun,别名"马来亚之虎"(Tiger of Malaya)。在第二次世界大战中以成功地进攻马来亚和新加坡而闻名的日本将军。1905年毕业于陆军士官学校,1916年毕业于陆军大学,山下在陆军总参谋部任职,他在帝国陆军中军衔晋升迅速,最终成为航空兵中军衔最高的将官。他是一位颇有才干的战略家,训练日本陆军掌握了丛林战的战术,并协助制订了1941～1942年入侵泰国和马来半岛的军事计划。在10个星期的战役中,山下的第25集团军横扫全马来亚,并于1942年2月15日夺占英国在新加坡的庞大的海军基地。此后不久,山下即被东条英机首相解除职务,改任满洲陆军训练部队指挥官,1944年东条英机内阁垮台以前,他未担任现役职务。1944年奉派担任菲律宾地区日军指挥官。他的部队在莱特战役和吕宋战役中遭惨败,但他仍率部支撑到1945年8月东京宣布总投降。一年多以后,他作为战犯受审,尽管他声称不知道其部下所犯暴行,仍被宣判有罪,最终处以绞刑。

Yamato 大和 日本本州神奈川县城市。位于相模原高原东部。德川时代(1603～1867)为四周养蚕区的地方贸易中心。1942年建立军用航空基地(战后被美国占领军接管)。1955年后工业发展迅速,生产车辆、机械和唱片。与东京-横滨都会区通铁路。人口约188 351(1988)。

Yamato-e 大和绘 12和13世纪初日本的重要绘画风格。具有平安晚期世俗性和装饰性特色,惯用强烈的色彩。其画风有日本固有的,也有来自中国唐朝装饰壁画和画卷的影响。在镰仓时代,写实主义比平安时期文雅的超然风格更受欢迎,当时的绘画具有讽刺性。大和绘线条明快有力、布局严谨、富装饰性,基本上是一种插图美术。12～13世纪的画卷显示出和散文有密切的关联,源氏画卷可能是这方面最古老的物证。其题材多样,协调和谐,色彩丰富,是平安晚期的典型特点。

12世纪下半叶的大和绘画卷(局部)

供图:Yamato Bunka Museum

Yamato-Kōriyama 大和郡山 日本本州西部奈良县城市。在奈良西南5千米处。原为史前居民点,15世纪末成为城堡镇。1893年,国营铁路干线通车后建起纺织厂。金鱼养殖向为最重要行业,产量约占全国的60%,并建立了海外市场。当地慈光院有茶道馆、花园,吸引不少游客。人口92 948(1990)。

yamato koto(musical instrument) **大和古琴** 参阅 **wagon** 和琴。

Yamato Takeru 日本武尊 日本民间传说中的英雄,以勇敢和机智闻名,在世时期可能为公元2世纪。传说中他是十二世景行天皇的儿子。他的故事出现在《古事记》(成书于712年)和《日本书记》(成书于720年),故事中说他机智地乔装成妇人,制服熊袭族两武士,乘他们在招待宴会上酒醉将他们杀死。他用草薙剑把虾夷人放火点燃的野草砍倒而脱险。他的冒险活动在伊势的能褒野结束,在该地病殁。死后变为一只白鸟,今伊势建有白鸟陵。

Yamazaki Ansai 山崎闇斋(1619-01-24,日本京都～1682-10-16,京都) 中国朱子理学

东京国际教育情报学社供图

的日本儒者，提倡神儒一致，创立垂加神道。早年为佛僧，后习儒学，逐渐反佛。29岁开始讲儒经，弟子数千人，其中有当时大学者。山崎从朱熹复杂哲学体系中抽出一个简单公式，叫做"敬内义外"。"敬内"指新儒学所提倡的居敬和持志。但在山崎手中，这些概念都披上了宗教色彩。他晚年把儒家学说与神道教义合而为一，把理学所讲的"太极"与神道史上最初两代大神等同起来。山崎这种儒神合一说，成为后世日本极端民族主义和崇拜天皇的哲学理论根据。山崎本人抱有强烈的民族主义，他教导门人说，假如孔子和孟子率军入侵日本，门人都应披甲上阵，擒拿此二圣。

Yamazaki Sōkan　山崎宗鉴（约1465，日本旧麻绩国～约1552，四国?）　日本室町时代（1338～1573）晚期的连歌诗人。以编纂《犬筑波集》（约1615）最为驰名，《犬筑波集》是第一部公开刊印的俳谐（滑稽）连歌的集子。宗鉴的生平事迹不详。据传，他曾给足利义尚将军当过家臣，义尚在1489年死后，他出家为僧。还有不少传说谈到他的离经叛道的生活方式，通常他被描写成困苦无告和疯疯癫癫的，但据史料，他由于教授诗歌和擅长书法，所入足以丰衣足食。《犬筑波集》收录了宗鉴等人的俳谐，大概是在几年期间写成的，但是在编纂后大约一百年才得以问世。出版之所以耽搁可能是由于宗鉴编此书是为了他的学生使用，不是为了出版。但更可能的理由是它的许多诗粗俗下流。《犬筑波集》的俳谐虽非阳春白雪，然而却很风趣和清新，为17世纪颇有抱负的俳谐诗人（特别是谈林派诗人）所喜爱，他们常常试图模仿其中的风格。

Yambol　扬博尔　又作Jambol。保加利亚中东部城镇。濒临登萨河。镇北为卡比尔人遗址，最初为公元前2000年铜器时代的居民点，于公元前342～341年被菲利普二世率领的马其顿人征服。公元前72年被罗马占领后，卡比尔便成为罗马的色雷斯省的城镇，管辖登萨河中段，为去阿德里安堡（现称埃迪尔内）途中的休息站。4世纪时为一主教辖区中心地，于6世纪消失。在卡比尔挖掘出的文物现存扬博尔地区博物馆。11～14世纪期间，该镇名为戴姆波里斯；15～19世纪在土耳其人统治期间，称扬博里。镇上有一著名的石造清真寺遗址。工业产品有纺织品、制鞋机械、陶瓷、家具、食品、酒类和饮料等。人口约99 225（1991）。

Yamethin　央米丁　缅甸中北部城镇。地处中部平原一处高地上。1888年设市。建有铁路修配厂。由其东南方建于11世纪的杰尼水库灌溉。有公路和铁路通仰光和曼德勒。周围地区产水稻、甘蔗、玉米和黍类。人口约36 400（1993）。

Yami　雅美族　中国台湾现存土著民族之一。语言属南岛语系印度尼西亚语族巴丹语支。居住在台湾东方的离岛（兰屿岛）上。就语言和文化类型而言，雅美族与菲律宾巴丹

雅美族夫妇
台湾中华书局供图

岛的居民同源。在雅美族的传说中，称其祖先来自南方海域的岛屿。雅美族为农渔并重的民族。农作物除粟外，还种植生长于水中的芋头，因此灌溉技术颇为发达，水渠遍布全岛。但发达的灌溉系统可导致社会权力集中的理论，并不适用于雅美族。该族是一权力最不集中的社会，与泰耶尔族、布嫩族的社会型态相似，系一无固定领袖的社会。雅美族系从父居的社会，婚后妻从夫居，营核心家庭生活。在理论上，雅美族确有父系世系群的存在；但在实际生活中，个人双边亲族可发挥极大作用。该族为一极端惧怕死灵的民族，在日常生活中多避讳谈及已故亲属的名字。

Yami language　雅美语　中国台湾雅美族使用的语言之一。属南岛语系印度尼西亚语族巴丹语支。主要分布在台湾东部的离岛（兰屿岛）上。使用人口约3 000。语言内部比较一致，无方言差别。雅美语的语音特点是：有20个辅音音位，塞音和塞擦音分清浊；有卷舌塞音和擦音，舌根塞音和低元音相拼时读小舌塞音；除v、l和舌叶塞擦音仅出现在词首和词中外，其他辅音均可出现在词首、词中和词尾。有重音，一般落在多音节词的最末一个音节。词汇的主要特点是：双音节和多音节词占大多数；新词的产生主要依靠词干加黏附性前缀、中缀和后缀构成，重叠词干也是能产生新词的构词方式；有汉语和日语借词，但数量不大。词类有名词、代词、数词、动词、形容词、副词、连词、助词等8类。名词和代词有"格"语法范畴。一般名词和专有名词都有主格、属格和处格；一般名词还有宾格。人称代词有单数和复数，复数分包括式和排除式，均有主格（宾格同形）、属格和处格等形式。动词有"时"、"态"、"式"等语法范畴。时分现在时（将来时同形）和过去时；态有主动态和被动态；式分陈述和命令。形容词重叠词干表示程度的加重或加深。助词分格助词、结构助词和感叹助词3类，有较强的语法功能。句子的基本语序为：谓语在句首；主语和宾语在谓语之后；宾语根据使用格助词的情况，可在主语前，也可在主语后；定语根据使用格助词的不同情况，位置比较自由，可在中心词前，也可在中心词之后。

yamim nora'im　敬畏节日　希伯来语，英语作High Holy Days。犹太教名词。指岁首节（提市黎月1、2日）和赎罪日（提市黎月10日）。敬畏节日有时即泛指犹太教历新年的头10天，即这三个敬畏节日加上中间所夹的7天。

Yamm　雅木　又拼Yam。古代西闪米特人所信奉的主管江河湖海及泉水之神，据乌加里特地方出土的有关巴力的神话载，起初，诸神之首厄勒封雅木为王，雅木派使者要求诸神同意让巴力作他的奴仆。厄勒终于同意；但巴力不从，与雅木争斗。巴力靠工艺之神科塔尔所造武器致胜，杀雅木，夺其王位。有些学者认为，雅木乃龙、蛇之神。

Yamoussoukro　亚穆苏克罗　科特迪瓦中南部城镇，陪都。在首都阿比让西北274千米处，号称科特迪瓦的"第二首都"，因为这是科特迪瓦自1960年独立以来唯一的国家元首乌弗埃·博瓦尼的出生地、故乡和非正式的总部。该国唯一政党科特迪瓦民主党的会议厅也设在此地。亚穆苏克罗成为主要城市中心，道路纵横稠密，拥有各项公用设施，主要由于总统的影响。渔业、林业和香料工业在经济上占重要地位。主要文化活动场所有亚穆苏克罗教堂、大清真寺、其他教堂和中学等。人口约110 000（1995）。

Yamoussoukro Basilica　亚穆苏克罗教堂　科特迪瓦境内亚穆苏克罗市的天主教堂，全称亚穆苏克罗和平圣母教堂，是世界上最大的基督教堂。教堂于1986～1989年期间迅速建成，费用由该国独立以来一直任总统的乌弗埃·博瓦尼承担，位于他的故乡亚穆苏克罗市。教堂外形基本上与罗马圣彼得大教堂相仿，在拉丁式十字架形式的柱廊之上冠以圆顶。教堂前方有大广场，有两排柱廊环绕。柱廊中的272根多立斯式柱子为水泥制成，高达31米。教堂的圆顶气宇轩昂，高达149米，使圣彼得大教堂的圆顶相形见绌。教堂可供18 000人礼拜，广场可容30万人。

Yampa River　扬帕河　美国西部河流。源于科罗拉多州西北部落基山脉的怀特河国家森林，北流经斯蒂姆博特斯普林，后向西穿过恐龙国家保护区深约490米的扬帕峡谷，在犹他州边界附近汇入格林河。扬帕河全长约400千米，主要支流小斯内克河从北面注入扬帕河。河名大概源自一印第安人部落。

Yampi Sound　扬皮湾　澳大利亚西澳大利亚州北岸印度洋海湾。位于金湾和科利尔湾之间。1838年由J.L.斯托克斯命名，湾域潮差极大，航行困难。湾中有巴克尼尔群岛的四个岛群。数座岛上发现高品位铁矿。1951年开始开采，所产铁矿多运往南澳大利亚州

西澳大利亚州的扬皮湾

供图:Western Australian Tourist Development Authority

的怀阿拉和新南威尔士州的肯布拉港冶炼。

Yamuna River 亚穆纳河 又称朱木拿河。印度北部北方邦河流。源出喜马拉雅山脉贾姆诺特里附近,向南经过喜马拉雅山麓进入印度北部平原,流经德里、马图拉、阿格拉、菲罗扎巴德和埃达沃。自埃达沃以下,南岸有众多支流汇入,其中最大的有昌巴尔河、信德河、贝德瓦河和根河。亚穆纳河全长1 376千米。在安拉阿巴德附近与恒河汇合,汇流处为印度教圣地。河上航运很少。阿格拉以上河段夏季水量甚小,其部分原因是运河分流了大量的水。

Yan 燕 公元前11世纪中国西周分封的诸侯国。在今河北北部和辽宁西部。姬姓。开国君主为周太保召公奭的长子。建都蓟(今北京城西南)。战国时成为七雄之一。燕

燕下都遗址出土的饕餮纹半瓦当

中国大百科全书出版社供图

王哙在位时因内乱一度被齐攻占。燕昭王时乐毅为将,联合秦、韩、赵、魏组成5国联军伐齐,攻下70余城。燕将秦开又大破东胡,向东北扩展,设立上谷、渔阳、右北平、辽东、辽西等郡,一时雄据北方。昭王去世后,乐毅遭惠王猜忌逃往赵。不久燕被齐击败,从此一蹶不振。公元前228年秦灭韩破赵后又兵临易水,燕国危急,太子丹派荆轲刺秦王未遂。公元前226年燕都被秦攻破,燕王喜迁都辽东郡,杀太子丹求和。公元前222年终被秦所灭。

yan 甗 又拼yen。又作hsien。中国古代蒸饭的炊具。分上、下两部分,中间有箅,上部放食物,下部放水,底下燃火。有的上、下两部分能分开。陶甗最早见于龙山文化(公元前2500～前2000),在商代至西周普遍流行。东周以后逐渐少见。战国晚年为无足的明器陶鍑所代替。商代前期铜甗为礼器,口上

周代青铜甗

芝加哥菲尔德自然史博物馆供图

有双耳,有的铸花纹或铭文。西周末至春秋铜甗多为方形,战国时多为圆形。秦汉至晋还在使用。

Yan Fu 严复(1854-01-08～1921-10-27) 又拼Yen Fu。中国近代启蒙思想家、著名翻译家。字又陵,又字几道。福建侯官(今福州)人。1866年就学福州船政学堂。1877年作为清政府第一批留欧学生赴英国海军学校学习。1879年回国,先后任船政学堂教习、北洋水师学堂总教习、总办。1894年中日甲午战争后,他感于民族危机严重,在天津《直报》上连续发表政论文章,积极介绍西学,抨击清王朝封建专制统治,宣传变法维新,呼吁自强保种,救亡图存。1897年与人创办《国闻报》,著论提倡新学,鼓吹改革,并陆续翻译T.H.赫胥黎的《天演论》、A.斯密的《原富》、H.斯宾塞的《群学肄言》、J.穆勒的《群己权界论》和《穆勒名学》、甄克思的《社会通诠》、孟德斯鸠的《法意》等书。是中国第一个系统介绍西方哲学的人,他着力宣传的"物竞天择,适者生存"的思想在当时产生巨大影响。他对戊戌维新运动和后来的维新派、革命派都有深

中国大百科全书出版社供图

刻影响。但他并不赞成民主革命运动。辛亥革命后继续反对共和。1915年参加筹安会,拥护袁世凯实行帝制。晚年提倡尊孔读经,反对五四新文化运动。著作有《严几道诗文钞》、《严侯官先生全集》等。

Yan Jici 严济慈(1901-01-23,中国浙江东阳～1996-11-02,北京) 中国物理学家,中国科学院学部委员(院士)。字慕光。1923年毕业于南京高等师范学校数理化部和东南大学物理系。1925年在巴黎大学获硕士学位。1927年获法国国家理学博士学位。1927起在上海大同大学、中国公学、暨南大学和南京第四中山大学任教。1928年起在法国从事科学研究。他是中国现代物理学研究的开创人之一。1932年参与筹建中国物理学会,先后任秘书长和理事长。历任北平研究院物理研究所所长,中国科学院副院长,中国科技大学校长,全国自然科学专门学会联合会秘书长,中国科学技术协会副主席,全国人大常委会副委员长。他在压电晶体学、光谱学、地球物理学等方面进行了卓有成效的工作。他重视青少年的科学训练和教育,对推动中国基础物理教学起到了重要作用。他在建设中国科学院,组织领导中国科学技术事业和培养新一代的科技人才,推动中国自然科学和技术科学的发展,以及促进中国同世界各国开展学术交流和科技合作等方面,都作出了重要的贡献。出版有《严济慈科学论文集》(1986)。

Yan Jiagan 严家淦(1905-10-23～1993-12-24) 中国国民党政要。字静波,江苏吴县(今苏州)人。1926年毕业于上海圣约翰大学。1931年出任京沪、沪杭甬铁路管理局材料处长。1939年升任福建省政府建设厅长,不久改任财政厅长,首创田赋征实制度,为政府采纳并推行于全国。抗日战争胜利后,历任台湾行政长官公署交通处长、财政处长兼台湾银行董事长。1947年任台湾省政府财政厅长,主持币制改革,发行新台币以稳定金融,为此后经济发展奠定了基础。1949年国民党退居台湾后,先后任台湾经济部长、财政部长,台湾省政府主席。1963～1972年任行政院院长。1966、1972年两度当选"副总统"。1975年蒋介石逝世后继任"总统",至1978年5月届满卸任。后仍担任国民党中央常务委员、中华文化复兴运动推行委员会会长等职。1984年起,改任国民党中央评议委员。

Yan Liben 阎立本(?～673) 又拼Yen Li-pen。中国唐代画家。雍州万年(今陕西临潼)人。父毗、兄立德均是著名建筑师、工艺师和画家,且均贵仕。立本在唐太宗朝任主

阎立本绘《凌烟阁功臣图》

中国大百科全书出版社供图

爵郎中,高宗朝先代兄为工部尚书,后拜右相,改中书令。他能继承家学,更向前代绘画大师张僧繇、郑法士等学习,善画人物、车马、台阁,尤精肖像,号为"丹青神化"、"天下取

则"。据记载,他画过沉毅英武的唐太宗像;画过反映新疆等地的《西域图》;画过反映唐初中外关系友好、经济文化交流的《执贡图》;还画过唐太宗时代著名政治家、军事家与唐高宗朝早期的著名大臣《秦府十八学士图》、《凌烟阁功臣图》、《昭陵列像图》与《永徽朝臣图》;他还画过关心农民生活"位置经营,冠绝古今"的《田舍屏风》十二扇。还有至今尚存的反映中国唐初汉藏两大民族友好关系的《步辇图》以及"明劝戒,著升沉"最为中外所称道的《历代帝王图》(两图均系摹本)。《历代帝王图》画出 13 个不同形象、不同性格、不同表情、不同生活经历、不同政治作为的帝王(可能有缺)。对于他们有褒,有贬,有赞扬,有同情,有讽刺,有卑视,很清楚地表达出作者的政治见解。在艺术性方面,无论造型、用线设色都很有独到之处,承先启后,为一代名家。

Yan Ruoqu 阎若璩(1636~1704) 又拼 Yen Jo-ch'ü。中国清代汉学家。山西太原人。字百诗,号潜丘。早年,随其父祖客居江苏淮安。康熙元年(1662),返太原。十八年,入京应博学鸿儒科试,落第。二十九年,受徐乾学聘,南下江苏洞庭山参与修纂《大清一统志》。晚年仍居淮安,专意著述。四十三年,为皇四子胤禛(清世宗胤禛)召见,抱病赴京,卒于京邸。他一生为学,博览群书,长于考证,遇有疑义,反复穷究。长期研治《古文尚书》,潜心 30 余年,撰成《古文尚书疏证》8 卷,引经据古,一一揭其伪迹。《古文尚书》为东晋梅赜伪作,遂成铁案。他亦精于地理之学,山川形势,州郡沿革,了如指掌。撰成《四书释地》5 卷,兼及名物训诂、典制考实,旁参互证,多所贯通。于同时学者好加讥评,仅服膺钱谦益、黄宗羲、顾炎武 3 人。曾为黄宗羲《明夷待访录》纠举舛错,为顾炎武《日知录》订正讹误。他以记诵博赡,考核精审名著一时,此后乾嘉考据学风受其影响甚大。其主要著述除《古文尚书疏证》、《四书释地》外,尚有《潜丘札记》、《毛朱诗说》等。

Yan Shan 燕山 中国河北省、北京市、天津市北部山地。西起河北省尚义,东至青龙河畔,略成东西走向,山体分散,孤峰高耸,北高南低。八达岭至密云水库间山地称军都山,密云以东山地为狭义的燕山。海拔 500~1 000米。山地南翼出露坚硬的石英岩,形成东西向延伸高脊。长城即沿高脊修筑。滦河、潮白河及其支流将石英岩山脊切出许多隘口,如潘家口、喜峰口、古北口等,成为交通要道和古代重兵防守的险关。燕山南麓近千年来时有强烈地震。

Yan Song 严嵩(1480~1567) 中国明代中期权臣。字惟中,一字介溪。江西分宜人。1505 年进士。1536 年擢礼部尚书,1542 年拜武英殿大学士,参预机务。不久进为首辅,掌相权 20 余年。当政期间,以子世蕃和义子赵文华等为爪牙,操纵国事,排陷异己,文武大臣如夏言、曾铣、张经、杨继盛等都被杀害。还卖官受贿,吞没军饷,使武备废弛,东南倭寇和北方鞑靼侵扰不已。晚年其子世蕃因御史邹应龙、林润相继弹劾被诛。1562年严嵩

中国大百科全书出版社供图

被革职。1565 年家产籍没。不久病死。著有《钤山堂集》40 卷。

Yan Xishan 阎锡山(1883-10-08,中国山西五台~1960-05-23,台湾台北) 中国民国时期山西军阀。字伯川。早年去日本学军事。1905年在东京加入中国同盟会。1909年毕

中国大百科全书出版社供图

业于日本陆军士官学校。回国后历任山西陆军监督、新军标统,参加反清活动。1911 年武昌起义后被举为山西都督。北洋政府期间支持袁世凯,任山西省省长。1927 年任国民革命军北方总司令。在山西"清党"反共,次年任第三集团军总司令。1929 年参加讨伐唐生智,被蒋介石委为陆海空军副司令。1930 年与冯玉祥、李宗仁等倒蒋,失败后逃往大连。1932 年任太原绥靖公署主任,重新掌握山西军政大权。"九一八"事变后支持蒋的不抵抗政策。抗日战争时期采取"抗日和日、联共反共、拥蒋拒蒋"的两面政策。抗日战争结束后支持蒋介石打内战。1949 年 3 月人民解放军攻占山西后逃离太原。6 月在广州就任国民政府在大陆的最后一任行政院长。后逃往台湾,任国民党中央评议委员。1960 年病死台北。

Yan Yuan 颜元(1635-04-27~1704-09-30) 又拼 Yen Yüan。中国清初思想家、教育家。字易直,又字浑然,号习斋。直隶博野(今属河北)人。长期从事教学,终身未仕,晚年主持肥乡漳南书院。为学早年好陆(九渊)王(守仁),后笃信程(颢、颐)朱(熹),最后反对程朱理学,提倡恢复"周(公)孔(子)正学"。和学生李塨倡导实学,强调"习行"、"习动",反对读死书的学风,世称颜李学派。颜元深信经世致用之学足以富国强兵,曾说:"如天不废予,将以七字富天下:垦荒,均田,兴水利;以六字强天下:人皆兵,官皆将;以九字安

中国大百科全书出版社供图

天下:举人材,正大经,兴礼乐。"颜元主要著作有《四存编》(《存性编》、《存学编》、《存人编》、《存治编》)、《四书正误》、《朱子语类评》和《习斋记余》等。

Yan Zhenqing 颜真卿(709 ~ 785) 又拼 Yen Chen-ch'ing。中国唐代书法家。字清臣,京兆万年(今陕西西安)人,祖籍琅琊临沂(今山东临沂)。先后反对安禄山和李希烈的叛乱,功勋很大,以身殉国。殊功绝艺,为人景仰。自南北朝以来,其家世祖上如颜腾之、颜之推、颜师古、颜勤礼等均研究古文字学,工于书法。其姻娅长辈如殷令名、殷仲容父子,亦为唐初书法名家。他幼受熏陶,家贫乏纸笔,以黄土埽墙学书字,攻楷书尤妙。入仕后又得到张旭的传授,艺业更进。其后历官南北,多览著名石刻,眼界更加开阔。其楷书庄严雄伟,气势开张,望之如端人正士。论者更重视其晚年所作,如《中兴颂磨崖》、《元次山碑》、《宋广平碑》、《颜氏家庙碑》等,谓其"所

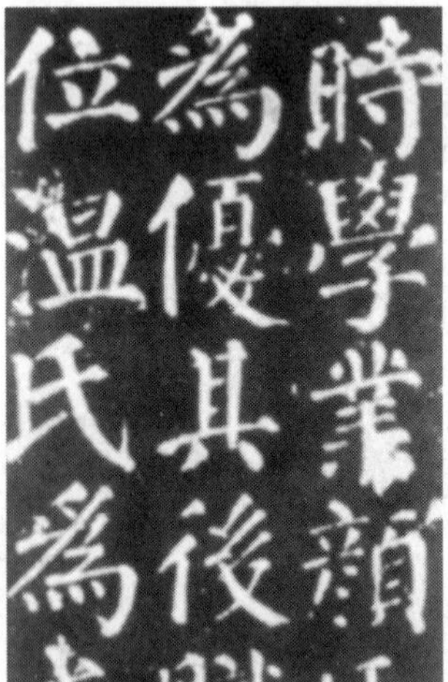

颜真卿书《颜勤礼碑》
中国大百科全书出版社供图

得愈老,所造更高"。其行、草如《祭侄季明文稿》墨迹,《祭伯父稿》、《争座位》、《蔡明远》、《送刘太冲叙》等帖,均遒劲顿挫,变化神奇,意兼篆籀,自开一派,无一笔入二王庭户。故苏轼诗云"颜公变法出新意",并评其书法与杜甫的诗歌、吴道子的绘画同为最高典范。颜书对后代书法名家影响极大。至于其家世所正定的"颜氏字样"千余年来由唐至清被用作科举场中的书法"正体",他的书法长期以

来更为劳动人民所喜爱，至明代万历朝刻书字样无不从颜出，即所谓"老宋体字"，流行几百年，至今不绝。

Yana　雅纳人　操霍卡语的加利福尼亚印第安人，原先居住在萨克拉门托河上游东部诸支流一带，其范围自皮特河至拉森峰之西南。雅纳人的地区包括许多山麓及窄狭而崎岖的峡谷，部分为林地，大部为灌丛或岩石。雅纳人有4个分支——北雅纳人、中雅纳人、南雅纳人及雅希人——各操互相能听懂的方言。雅纳人言语的主要特点是男女用语形式各异。差异虽小，但女性使用独特的词语形式，男人之间说话时要使用男性词语形式，而男性向女性说话时则使用女性词语形式。一般说来，雅纳人生活艰苦，土地贫瘠，冬季住房系用泥土覆盖，夏季则住茅舍，猎捕各种动物及捕鲑为生。社会组织方面，除有小型群组，有阶级等级之外，现在人们知之甚少。雅纳人比较好斗，这是加利福尼亚北部山地居民一种普遍特征。19世纪60年代，雅希人遭到邻近白人移民的野蛮屠杀，少数幸存者藏于深谷，与世隔绝40余年。最后一名雅希人于1911年被人发现，1916年死去。其他雅纳人即使现在存活，也已混居在其他印第安人之中。

Yanam　亚南　印度南部安得拉邦东北部境内的飞地和本地治里中央直辖区城镇。濒临戈达瓦里河口。原为科拉帝国的一部分。16世纪被穆斯林占领。17和18世纪时成为穆斯林、英国、法国军队交战的战场。1765年大部分沿海平原并入马德拉斯总督辖区，而亚南仍为法国的一块飞地。1954年并入中央直辖区。人口11 631(1981)。

Yan'an　延安　又拼 Yen-an。中国陕西省辖地级市。地处陕北黄土高原，延河及其支流南川河汇合处。秦置高奴县。隋大业三年(607)设肤施县。1936年改延安县，1937年设延安市，为陕甘宁边区首府。1936～1947年为中国共产党中央所在地。1949年撤市并入延安县，1972年又分设延安市和延安县，1975年延安县并入延安市。1996年撤销延安地区和县级延安市，设立地级延安市。辖宝塔区和延长、延川、子长、安塞、志丹、吴起、甘泉、富县、洛川、宜川、黄龙、黄陵12县。面积36 712平方千米，其中市区面积3 556平方千米。地处黄土高原区，地势西北高、东南低。有宝塔山、凤凰山和清凉山等，形势险要。北近鄂尔多斯高原和毛乌素沙漠，自古就是陕西农业区和西北游牧区间的战略要镇。北宋(960～1127)时是防御西夏的军事重镇。1221年蒙古军在此战胜女真金王朝大军。19世纪60年代西北地区回民抗清起事，被清镇压，延安受到严重破坏。20世纪20～30年代又遭特大旱灾，人口再度锐减。1935年中国共产党领导的红军长征到达陕北，此后延安成为中国共产党在抗日战争及内战时期的司令部驻地。1938～1939年遭日本飞机轰炸，城内建筑大部被毁。

延安周围地区为典型黄土高原丘陵沟壑地貌，是中国水土流失最严重的地区之一，生态环境受到严重威胁。70年代初开始治理，成为根治黄河规划的一部分。后又以改土治水为中心，工程措施与生物措施相结合，实行山水林田路综合治理，已初见成效。农业以小麦、玉米为主，牧业以养羊为主。延安地区煤炭蕴藏丰富，并有石油资源。已有煤炭和石油开采业。市内以地方工业为主，有电力、机械、化肥、纺织和汽车修配业。1991年底建成延安至西安的铁路，现包西铁路、210国道纵贯南北，还有公路东连太原，西通银川，南接西安，北达包头，是陕北交通中心。民航班机直达北京、西安、太原等城市。建有陕北地区最高学府——延安大学。革命旧址有140多处。市内宝塔山上有明代古塔，还有清凉山万佛洞等古迹。人口：全市2 100 000(2005)；市区370 000(2004)。

延安市的延河大桥
供图：A. Topping from Rapho/Photo Researchers

Yanbu'　延布　又拼 Yenbo。沙特阿拉伯西部城镇。位于吉达北面，东距麦地那160千米。濒临红海。为该国红海第二大港。经济传统上依赖朝圣贸易和出口农产品。为减轻对吉达港的压力，现正扩建港口。20世纪80年代修建3条输油管，将石油和石油产品输送至延布大型石油化工联合企业。该镇有一小型机场和连接麦地那的公路。人口30 000(最近统计)。

Yancey, Jimmy　扬西（1898-02-20，芝加哥～1951-09-17，芝加哥）　原名詹姆斯·爱德华·扬西。美国布鲁斯音乐钢琴家，首创布吉-伍吉风格，演奏时左手持续弹奏缓慢而简单的低声部音型。他的学生A.安蒙斯和M.刘易斯普及了这一"扬西风格"，但演奏时低声部音型速度较快。扬西的钢琴技艺曾得其兄阿隆索指点，但主要靠自学成才。童年即从事唱歌与舞蹈生涯，参加美国歌舞杂耍表演团在国内和欧洲巡回演出，1913年曾奉命为英王乔治五世表演。返回芝加哥后演出于小酒馆和民间集会。参加黑人社团打棒球至1919年，同年与E.哈里斯("扬西妈妈")结婚。整个20、30和40年代中夫妇联袂演出于一些家庭聚会；曾三度联合录制唱片；1939年在无线电广播网、1948年在纽约市卡内基音乐厅演出。从1925年起直至去世，扬西在芝加哥白袜棒球体育场任管理员。扬西对其他音乐家具有深远影响，但生前他的音乐仅在志同道合的小圈子中为人所知。他去世后"扬西妈妈"仍继续演唱和录制唱片，与小蒙哥马利兄弟和E.赫尔弗等钢琴家合作。1981年再度在卡内基音乐厅献艺。

Yancey, William Lowndes　扬西（1814-08-10，美国佐治亚沃伦县～1863-07-27，亚拉巴马蒙哥马利）　美国南方政界领袖，晚年坚决主张南方退出联邦，以回击北方的废奴活动。在南卡罗来纳州格林维尔学习法律，1834年获得律师资格。在"否认原则"危机时期，他主编《格林维尔山区人》，采取坚决的联邦主义立场。1836年迁往亚拉巴马州当律师，日益出名。1841年当选州众议员，1843年为州参议员。1844年被选入美国众议院，翌年连选连任，但于1846年9月辞职返回南方，在当地开展反击北方废奴鼓动的运动。1848年起草《亚拉巴马政纲》，坚持奴隶主有权把奴隶带进准州，国会有责任保护任何地方奴隶主的权利，准州议会不得禁止奴隶制度，而民主党应该只批准拥护奴隶制的候选人担任公职。尽管该《政纲》为亚拉巴马议会通过，但1848年民主党全国代表大会上却受到压倒多数的反对。他态度坚决，《1850年妥协法》通过后更倡言南方独立。1858年组织南方人权利联盟，到处发表演说，以争取各党派支持他的立场。到1860年，《亚拉巴马政纲》得到整个南方的有力支持。查尔斯顿民主党全国代表大会勉强接受稍加修改的政纲，但促使战前最后一次大会瓦解。A.林肯任总统后，他起草南方脱离联邦的法令。1861年初去英格兰和法国，寻求对方正式承认新成立的南部邦联政府，目的未遂而返。1862年进入邦联参议院，不久去世。

Yancheng　盐城　又拼 Yen-ch'eng。中国江苏省辖地级市。在苏北东部滨海平原中部，新洋港和串场河交汇处。西汉元狩年间(公元前122～前117)置盐渎县，东晋义熙年间(405～418)改名盐城县。1983年升为省辖地级市。辖亭湖、盐都2区及响水、滨海、阜宁、射阳、建湖5县，并代管东台、大丰2县级市。面积14 562平方千米，其中市区面积1 728平方千米。盐城濒临黄海，唐宋二代先后在今串场河沿线修建捍海堰工程，堰内种田，堰外煮盐，农盐两利，是当时中国主要海盐生产中心,后世为纪念宋代主持修堰的范仲淹称该堰为范公堤。南宋建炎二年(1128)黄河南支夺淮入海,海岸迅速向海外推进。清咸丰五年(1855)黄河北徙时盐城距海已有

盐城市一角
中国大百科全书出版社供图

75千米,淮南盐业日趋衰落,逐渐为植棉业取代。20世纪20年代后,盐城成为江苏省东部滨海平原粮、棉产地和政治、经济中心。现拥有纺织、针织内衣、粮油加工、农业机械、化肥、农药、家用电器、电子等工业部门。90年代初以来,大丰市桑蚕饲养业发展较快。有公路南达南通、上海,西连扬州、南京,北通淮阴、连云港等市,通过内河航线与京杭运河、长江沿岸各重要口岸相通,并有204国道过境。市内有新四军重建军部旧址、纪念塔、纪念馆和抗日军政大学五分校旧址等。古迹有南宋丞相陆秀夫忠烈公祠。市东部黄海沿岸,北起响水县蒲港,南到东台市琼港黄海新堤外侧的整个滩涂,属南温带向北亚热带过渡区,植物繁茂、鱼、虾、贝、虫、蛇等动物繁多,是丹顶鹤、白鹤、灰鹤、黑鹤、天鹅、鹭鸶等珍禽的理想冬栖地,1983年已辟为盐城沿海滩涂珍禽保护区。大丰市境内的滩涂带,1986年辟为世界著名珍兽麋鹿保护区。人口:全市7 990 000(2005);市区1 490 000(2004)。

Yandang Shan　雁荡山　中国名山之一。位于浙江省东南部。以山水奇秀闻名,号称

雁荡山的灵岩风景区
中国大百科全书出版社供图

“东南第一山”。以瓯江为界分南雁荡山(平阳县西南)和北雁荡山(乐清市东北)两组山区。通常称北雁荡山为雁荡山。主要由流纹岩构成,断裂构造发育,经风化作用形成奇特的地貌。北雁荡山最高处百岗尖海拔1 057米。附近雁湖岗岗顶有湖,芦苇丛生,结成草荡。因秋雁常来栖息,故称雁荡。知名始于唐初,北宋以后声誉更著,建有寺庙亭院。分为灵峰、灵岩、大龙湫、雁湖、显圣门、仙人桥、羊角洞7个风景区,其中以灵峰、灵岩和大龙湫瀑布最著称。山麓建有革命烈士墓。

Yáñez, Agustín　亚涅斯(1904-05-04,墨西哥瓜达拉哈拉～1980-01-17,墨西哥城)　墨西哥小说家、政界人物。原为一位职业律师,20世纪40年代开始写小说。杰作《在洪水边缘》(1947)描绘墨西哥革命前夕典型的乡村生活。作者运用意识流手法、内心独白和复杂的结构,预示了50和60年代问世的拉丁美洲新小说具有的许多特点。小说《创造》(1959)试图阐释革命所导致的新的文化气氛。《贫瘠的地》(1962)展示工业化对农业社会的影响。他的《作品选》出版于1968年。曾任墨西哥哈利斯科州州长、总统副秘书、教育部部长。大部分作品以家乡哈利斯科州为背景。

Yáñez Pinzón, Vicente　亚涅斯·平松　参阅 **Pinzón, Martín Alonso; and Pinzón, Vicente Yáñez** 平松兄弟。

Yang, Chen Ning　杨振宁(1922-09-22,中国安徽合肥～　　)　又拼 Yang Zhenning。中国出生的美国理论物理学家,别名 Frank Yang。他同李政道的研究阐明当基本粒子衰

中国大百科全书出版社供图

变时,宇称——在右手坐标系和左手坐标系中出现的物理现象之间的对称性——不守恒。在这个发现之前,物理学家们认为,同能量守恒或电荷守恒定律一样,宇称对称性也是普遍的定律。在粒子物理学中的这个和其他研究项目使得杨振宁和李政道共获1957年诺贝尔物理学奖。

生平　其父杨可传(又名杨武之)是北京近郊清华大学的数学教授。幼年时,杨振宁读过B.富兰克林自传,并取“Franklin”作为其外文名。1942年毕业于昆明西南联合大学,获理学士学位;1944年获硕士学位。1946年,他获得研究生奖学金,入美国芝加哥大学。他与E.特勒同获核物理学博士学位,然后留在芝加哥一年任E.费米的助手。在其科学成长历程中,费米很可能是对他影响最大的物理学家。李政道也获得研究生奖学金来到芝加哥,两人开始合作,终于使他们获得在宇称研究上的诺贝尔得奖成果。1949年,杨振宁进入新泽西州普林斯顿高级研究院,1955年任该院教授。1964年成为美国公民。

工作　几乎从杨振宁成为物理学家的最初日子起,他就已对弱相互作用——长期被认为是引起基本粒子蜕变的力——的理论作出巨大贡献。(把核子约束在一起的强力和对化学反应起作用的电磁力是宇称守恒的。在大多数物理过程中,这些力是起支配作用的,因此宇称守恒似乎是一个正确的物理定律,而在1955年以前,很少有物理学家对此提出疑问。)由于新发现的一个介子——K介子——其衰变模式好像呈现不同宇称的构形,所以到1953年,人们认识到在此领域中有一个十分重要的佯谬。过去认为宇称必须守恒,因此这个发现就导致一个严重的佯谬。在考察了一切可供选择的方案后,李政道和杨振宁不得不检查宇称守恒本身的实验基础。他们于1956年初发现,同过去的设想相反,没有反对弱相互作用中宇称不守恒的实验证据。已经做过的实验原来完全同此疑问无关。他们提出可能解决问题的一套实验,经过几个实验小组在第二年所做的实验,发现许多违反宇称的结果。此外,这些实验还表明,粒子和反粒子之间的对称性(即电荷共轭对称性)也被弱衰变所破坏。

在弱相互作用研究项目之外,杨振宁还同李政道及他人合作,对统计力学——研究大数量质点组成的系统——进行了重要研究,并在晚些时候研究基本粒子在极高能下的反应性质。1965年起,杨振宁是长岛斯托尼布鲁克的纽约州立大学科学研究院的爱因斯坦物理学讲座教授。20世纪70年代,他是洛克菲勒大学委员会和美国科学促进协会的成员,并从1978年起,成为圣迭戈的索尔克生物科学研究院的成员。他还是以色列贝尔谢巴的本古里昂大学委员会的成员。1957年获爱因斯坦奖,1980年获朗福德奖金,1986年获自由奖和国家科学技术奖章。

yang-ch'in(musical instrument)　参阅 **yangqin** 扬琴。

Yang-chou(China)　参阅 **Yangzhou** 扬州。

Yang Chu(Chinese philosopher)　参阅 **Yang Zhu** 杨朱。

Yang-ch'üan(China)　参阅 **Yangquan** 阳泉。

Yang Chuanguang　杨传广(1933-07-10,中国台湾台东～2007-01-27,美国加州)　又拼 Yang Ch'ung-kuang。中国台湾田径运动选手,以十项全能运动最负盛名。台湾台东县人,祖先为阿美族山胞,以务农为生。其父早年热衷田径及棒球运动,因此他自幼受到熏陶。在台东农校读书时,开始学习田径,成绩出众。1952年在省中学生运动会上获跳高第1名。1953年省运动会获跳远冠军。1954年参加第2届亚

洲运动会,获十项全能冠军。1956 年参加澳洲墨尔本第 16 届奥运会,得十项全能第 8 名。1958 年在第 3 届亚运会上破 7 000 分大关,蝉联亚洲十项全能冠军,博得"亚洲铁人"

中国大百科全书出版社供图

称号。次年赴美,入洛杉矶加利福尼亚大学学习。1960 年参加在罗马举行的第 17 届奥运会,在十项全能激烈竞争中以8 334分荣获亚军,成为自 1936 年中国人首次参加奥运会(柏林)以来第 1 位获奖牌者。1963 年在美国圣安东尼奥学院举行的运动会上,他又以 9 121分的优异成绩创造了十项全能世界最新纪录,被评为当年世界最佳运动员。1964 年参加东京奥运会后,宣布退出田径运动。1981 年底返台。1983 ～ 1986 年任立法委员。

Yang Guang 杨广 参阅 **Suiyangdi Yang Guang** 隋炀帝杨广。

Yang Guifei 杨贵妃(719～756) 又拼 Yang Kuei-fei。中国唐玄宗李隆基的宠妃。小字玉环。蒲州永乐(今山西省永济县)人。体态丰盈,晓音律,善歌舞。初为玄宗子寿王

陕西兴平县马嵬坡杨贵妃墓
中国大百科全书出版社供图

瑁妃,后为玄宗所夺,745 年封为贵妃。三个姊妹均封国夫人,堂兄杨国忠为宰相。节度使安禄山曾奉为义母,一时权势倾天下。755 年安禄山以诛杨国忠为名发兵叛乱,潼关失守,玄宗逃奔四川。途经马嵬坡时禁卫军哗变,逼玄宗将贵妃缢死。

Yang Hsiu-ch'ing (Chinese rebel leader) 参阅 **Yang Xiuqing** 杨秀清。

Yang Hsiung (Chinese poet) 参阅 **Yang Xiong** 扬雄。

Yang Hucheng 杨虎城(1893-11-20～1949-09-17) 又拼 Yang Hu-ch'eng。中国国民党军队爱国将领,西安事变的组织者之一。陕西蒲城人。早年参加辛亥革命。北伐战争中任

中国大百科全书出版社供图

国民军师长、军长。1930 年任陕西省政府主席,后任西安绥靖公署主任。受中国共产党抗日民族统一战线政策影响,反对蒋介石"攘外必先安内"政策,1936 年 12 月 12 日与张学良一起发动西安事变,扣押蒋介石,逼蒋停止内战团结抗日。1937 年 4 月被蒋逼令出国"考察"。抗日战争爆发后归国,为蒋长期监禁。1949 年 9 月 17 日被蒋下令秘密杀害于重庆中美合作所。

Yang Huizhi 杨惠之 又拼 Yang Huei-chih。中国唐代雕塑家。与吴道子(约 686 ～约 760)同时。先学画,与吴同师张僧繇笔法,后专攻雕塑,与吴道子齐名,当时有"道子画,惠之塑,夺得僧繇神笔路"之誉。他在南北各地寺观中作过很多塑像,见于记载的如洛阳北邙山老君庙神仙塑像,长安北太华观玉皇像,河南广爱寺三门上五百罗汉像及山亭院楞伽山、临潼福岩寺神像等。他创制的千手千眼观音,后人皆祖之;创制的五百罗汉像等,黄巢起义军"惜其神妙,卒不残毁";他还创制过浮雕形式的山水壁。据传,他曾为名艺人留杯亭作彩塑像,于市中面壁而置之,京兆人皆能从塑像背影识出留杯亭的形象。曾著《塑诀》1 卷,已失传。他的真迹久已无存,1918 年著名历史学家顾颉刚在江苏吴县甪直镇保圣寺发现罗汉像 18 尊(现尚存 9 尊)和壁塑山水,认为系杨所作,引起中外美术界的重视。后经考证,此寺建于唐大中年间,在杨惠之后约一百年,其后又经宋、明、清重修,塑像当出自宋代。顾颉刚在 1980 年撰文认为寺庙虽建于后世,雕塑当仍有杨法遗存。

Yang Jian 杨坚 又拼 Yang Chien。参阅 **Suiwendi Yang Jian** 隋文帝杨坚。

Yang Quyun 杨衢云(1861～1901-01) 又拼 Yang Ch'ü-yün。中国近代民主革命家。名兆春,号飞鸿。福建海澄人。幼随父在香港读书。1892 年与谢缵泰组织辅仁文社(又称辅仁书报社)。通过讨论时事以"开通民智"。1895 年和孙中山一起于 2 月 21 日在香港成立兴中会总部。10 月准备在广州起义,他负责运输军火。失败后移居日本横滨。1900 年惠州起义失败后留香港,以教书掩护革命活动。1901 年 1 月被清政府派人暗杀。

Yang Shangkun 杨尚昆(1907-05-25,中国四川潼南～ 1998-09-14,北京) 中国共产党第十二、十三届中央政治局委员,中华人民共和国主席(1988 ～ 1993)。1925 年加入中国共产主义青年团。1926 年转入中国共产党,同年夏,入上海大学学习,年底赴苏联莫斯科,入中山大学学习。1931 年回国后,任中华全国总工会宣传部部长、中共党团书记,中共江苏省委宣传部部长,中共中央宣传部部长。

1933 年 1 月到中央革命根据地,先后任中共中央局党校副校长、中国工农红军第一方面军政治部主任、中央革命军事委员会总政治部副主任、第三军团政治委员。1934 年,被选为中共第六届中央候补委员,中华苏维

中国大百科全书出版社供图

埃共和国中央执行委员。红军长征初期,与军团长彭德怀指挥第三军团,掩护中央纵队和后续部队渡江。1935 年 1 月,参加在遵义召开的中共中央政治局扩大会议,支持毛泽东的主张。之后与彭德怀率部北渡赤水、攻占娄山关、再克遵义城,取得长征以来第一个大胜利。第一方面军与第四方面军会合后,他反对张国焘的分裂活动,拥护中央北上抗日的战略方针,随右路军北上。是年 9 月,第一、三军组成陕甘支队,他任支队政治部副主任。到达陕北后,任西北革命军事委员会总政治部副主任、中国人民红军抗日先锋军总部政治部主任、中国人民抗日红军大学政治部主任。1936 年 12 月任中央革命军事委员会总政治部副主任。1937 年任中共中央北方局副书记,1938 年 11 月任书记,领导华北抗日根据地的斗争。1941 年回延安,参加整风运动,1945 年任中共中央军事委员会秘书长、中央外事组副组长。1947 年春,兼任中央警卫司令员,组织中央和军委机关安全撤离延安。后任中共中央后方委员会副书记。1948 年 3 月至中华人民共和国建立后长期担任中共中央办公厅主任、中央副秘书长。文化大革命期间受到迫害。1978 年起,任中共广东省委第二书记、广东省副省长、省军区第一政治委员,中共广州市委第一书记等职。1981 年 7 月任中共中央军委常务委员兼秘书长,翌年 9 月起任军委常务副主席兼秘书长,1983 年 6 月任中华人民共和国中央军事委员会副主席。他是中共第八届中央委员、中央

书记处候补书记，第十一届中央委员(1979年增补)，第十二、第十三届中央委员、政治局委员，第五届全国人大常委会副委员长兼秘书长。1987年11月任中共中央军委常务副主席兼秘书长。1988年4月被选为中华人民共和国主席、中央军委副主席。1989年11月，被选为中央军委第一副主席。1992年10月和1993年3月，杨尚昆先后从中央政治局、中央军委和国家主席等岗位退离。

Yang Shen　杨慎(1488～1559)　中国明代文学家、学者。字用修，号升庵。四川新都人。正德六年(1511)殿试第一，授翰林院修撰。世宗时任经筵讲官。1524年两次上“议大礼”疏，触犯世宗，遭廷杖几死，后谪戍云南永昌。诗文清丽，早年诗作有六朝风，晚年转向平实。学识渊博，于史学、金石、民间文学、词曲等深有造诣。著作100余种。有《升庵集》80卷。散曲有《陶情乐府》。

Yang Wanli　杨万里(1127～1206)　中国南宋诗人。字廷秀，号诚斋。吉水(今属江西)人。绍兴间进士。曾任秘书监。主张抗金，秉性刚直。以拒不为权相韩侂胄撰《南园记》为世所称。诗与陆游、范成大、尤袤齐名，称南宋四大家。一生作诗2万首，今存4 200多首。诗初学江西派，中年改学王安石及晚唐。诗风一变再变，终于别出机杼，师法自然，形成别具一格的“诚斋体”。特点是语言活泼自然，想象新颖奇巧，善于捕捉景物特征和变化，富于诙谐幽默的风趣，时人称为“活法”。还写过一些关心国事民生的诗篇，又工文章词赋，著名作品有《千虑策》、《浯溪赋》等。有《诚斋集》。

Yang Wujiu　扬无咎(1097～1171)　又拼Yang Wu-chiu。中国南宋画家。字补之，号逃禅老人、清夷长者。清江(今属江西)人，寓居豫章(今江西南昌)。汉代著名学者扬雄的后裔。平生耿介，不慕荣利，在宋高宗时因不满秦桧对金朝妥协投降，朝廷累征，辞而不就。画水墨人物学李公麟，尤擅水墨梅、竹、松、石、水仙，更以画梅称绝。相传其家中有梅大如数间屋，苍皮藓斑，繁花如簇，补之日对之临画。他曾从学于北宋晚期墨梅的创始人花光和尚。他善画野梅，宋徽宗戏呼为“村梅”。他又在“繁花如簇”的基础上提炼出“疏枝冷花，清气逼人”的艺术形象。他改变花光和尚以墨晕作花的方法，变黑为白，自成一家，创用墨线圈出花瓣的圈花法(只最小的蓓蕾用浓墨点出)，从而取得“出蓝之誉”。他画树干苍劲生动，用粗笔一笔而成，或湿或干，恰到好处。间有用飞白之处，真实地表现出老干斑驳的质感，枝条用笔富有弹性，挺秀峻拔。形象写实，不借用线勾勒；水墨写意，观之略无放纵泼辣之感，确实做到“清意逼人”。现存《四梅图》、《雪梅图》都是他的代表作。他还长于诗词与书法。书法清劲学欧阳询；有《逃禅词》传世，词格清劲雅逸。从《四梅图》的自题词中，还可以探寻他关怀国家命运发出的隐约感叹；从《雪梅图》中更可以理解到他立身处世的志芳行洁。他不仅创立了墨梅新派，还推动了文人水墨画的新发展。对

扬无咎绘《独坐弹琴》
中国大百科全书出版社供图

后世墨梅名家有很大影响。

Yang Xiaolou　杨小楼(1878-12-03，中国北京～1938-01-15)　中国京剧演员。名三元，谭鑫培义子，随谭氏子辈排名嘉训，艺名小楼。原籍安徽怀宁。出身梨园世家，祖父杨二喜，演武旦，父杨月楼，演武生，人称“杨猴

杨小楼在《甘宁百骑劫魏营》中饰甘宁的剧照
中国大百科全书出版社供图

子”。幼入北京小荣椿科班二科，习武生。17岁出科，在京、津搭班演出。变嗓后，发愤勤学，曾得谭鑫培、王楞仙的指点，又向俞菊笙请教。24岁搭宝胜和班，以“小杨猴子”名贴演，崭露头角。再赴天津演出，一出《艳阳楼》轰动剧坛。29岁时任清升平署外学民籍学生。辛亥革命后，曾领衔陶咏、桐馨、中兴、崇林、松庆、双胜、忠庆、永胜各社，以武生挑大梁，先后与谭鑫培、陈德霖、王瑶卿、黄润甫、梅兰芳、尚小云、荀慧生、余叔岩、郝寿臣等同台合作，享有“武生宗师”之盛誉。杨小楼具有较好的艺术秉赋，身材魁梧，扮相英俊，嗓音清亮爽脆，有一种声如裂帛的炸音。行腔朴实无华，念白抑扬顿挫；运用武技，必从人物、剧情出发，讲求精当贴切，故有“武戏文唱”之称。杨小楼在艺术上继承家学，师法俞(菊笙)杨(隆寿)。更能博采众长，形成了人们所推重的“杨派”。杨小楼戏路宽广，擅演剧目有《长坂坡》、《挑滑车》、《铁笼山》、《八大锤》、《艳阳楼》、《蚆蜡庙》、《安天会》、《连环套》、《恶虎村》、《宁武关》、《镇潭州》、《林冲夜奔》等。晚年又排演了新编剧目《野猪林》、《甘宁百骑劫魏营》、《坛山谷》、《康郎山》等，尤以和梅兰芳合演的《霸王别姬》珠联璧合，一时称为绝响。宗法杨派的主要有孙毓堃、李万春、高盛麟、李少春、王金璐、刘宗扬等。

Yang Xiong　扬雄(约公元前53～公元18)　又拼Yang Hsiung。中国西汉文学家、哲学家、语言学家。字子云。蜀郡成都(今属四川)人。40岁左右到长安。曾在天禄阁校书。早年爱好辞赋，仿司马相如作品，作有《甘泉》、《羽猎》等赋，辞采华丽，气势壮阔，世称

台北故宫博物院供图

“扬马”。此外还有《解嘲》、《逐贫赋》等作，抒发仕途不得志的牢骚。晚年感到辞赋是“雕虫小技”，潜心于哲学，著有《法言》、《太玄》等书。前者摹仿《论语》，讨论伦理、历史等问题，后者摹仿《周易》，探讨宇宙万物的根源。此外他还研究语言学和文字学，著有《方言》，为后世研究古代语言的重要资料。

Yang Xiuqing　杨秀清(1821～1856-09-02)　又拼Yang Hsiu-ch'ing。中国清代太平天国领袖之一。原名嗣龙。广西桂平人。幼失双亲。原为烧炭工。1846年在紫荆山参加洪秀全创立的拜上帝会。1848年冯云山被捕后，洪秀全返广州设法营救，会中主持无人，杨假托天父附体，传言群众，稳定人心，取得代天父传言权力。1851年太平军金田起义，为左辅正军师、中军主将，12月封东王，节制诸王

总理军政大权。指挥太平军出湖南,连克武汉三镇、九江、安庆。1853年3月攻下南京。建都天京后主持太平天国内政外交决策和派军西征北伐,多有建树。因居功骄傲,专横跋扈,引起领导集团内部矛盾激化,招致洪秀全的不满。1856年9月2日为韦昌辉所杀。后洪秀全追念前功,定其死日为"东王升天节"。

Yang Xuanzhi　杨衒之(活动时期6世纪中叶)　又拼 Yang Hsüan-chih。中国北魏散文家。北平(今河北遵化)人。曾任期城郡守。公元547年行经北魏旧都洛阳,见城郭崩毁,宫室寺观庙塔都成丘墟,深为感慨,乃撰写《洛阳伽蓝记》,记述殿堂、宫宇、寺庙、园林的形制规模和盛衰兴废,对当时王侯贵族的豪奢淫佚,多所讥评。文中所反映当时政治经济情况和社会风俗人情,更为历代史家重视。全书文笔简练,叙事散文中夹用骈偶,而能融合自然,颇具特色。今人周祖谟有《洛阳伽蓝记校释》(1963)、范祥雍有《洛阳伽蓝记校注》(1978)。

Yang Yan　杨炎(727～781)　又拼 Yang Yen。字公南。中国唐朝宰相。凤翔天兴(今陕西凤翔)人。以文笔瑰丽为宰相元载器重,任吏部侍郎。德宗即位任宰相。780年倡议改革赋税制度,行"两税法",即按资产多少、贫富等级在每年夏秋两季分别收税,以代替按人丁收税的"租庸调"制。这一简化合理的税法为后代沿用。翌年被宰相卢杞陷害,贬崖州司马。途中赐死。

Yang Zengxin　杨增新(1864～1928-07-07)　又拼 Yang Tseng-hsin。中国清末和民国初期新疆军阀。字鼎臣,又字子周。云南蒙自人。光绪进士。曾任甘肃河州知府、陆军学堂总

中国大百科全书出版社供图

办。1908年任新疆阿克苏兵备道,旋升统领。1911年武昌起义后任新疆都督兼民政长,开始把持新疆省军政大权。1914年改称新疆将军、巡按使、督军。拥护袁世凯称帝,受封一等伯。1928年宣布易帜归附南京国民政府,7月1日就任新疆省政府主席。后被部属刺死。

Yang Zhenning(physicist)　参阅 **Yang, Chen Ning** 杨振宁。

Yang Zhongfu　杨忠辅　又拼 Yang Chung-fu。中国宋代天文学家。字德之。官成忠郎。宋宁宗庆元五年(1199)作《统天历》。经长期晷影测量得出一回归年长度为365.242 5日,是中国古代回归年长度测量最佳成果之一。从历代回归年长度值比较中提出长度古大今小的概念,并在《统天历》中具体应用,是世界最早提出并应用这一重要概念的天文学家。还用近距实测历元取代弊病很大的传统上元积年法。这些改革对元代郭守敬的《授时历》有直接影响。著有《八历冬至考》、《晷景考》等。

Yang Zhu　杨朱　又拼 Yang Chu。中国战国(公元前475～前221)初期哲学家。又称杨子、阳子居或阳生。生平事迹不详。其创立的杨朱学派在孟子时代影响很大。《孟子·滕文公下》:"杨朱、墨翟之言盈天下。天下之言,不归杨则归墨。"杨朱提倡"轻物重生,全性葆真",即重视保存个人生命,反对追求身外事物及儒家的伦理思想和墨家的"兼爱"主张,与儒墨成鼎足之势。孟子抨击杨子"拔一毛而利天下不为"的利己思想。关于杨朱学派的思想史料,散见于《孟子》、《庄子》、《韩非子》、《吕氏春秋》等书。《列子》中的《杨朱篇》是后人著作,不能代表杨朱的思想。

Yangbajing　羊八井　中国第1座最大地热发电站所在地。位于西藏自治区拉萨市西北80多千米的当雄县境内,中尼、青藏公路交会于此。热田有20多口热井向空中喷射

羊八井的地热资源开发
中国大百科全书出版社供图

汽水混合物,井内最高温度172 °C,井口压力4.7个大气压,估计深处温度在200 °C左右,属于高温热水类型。在地下7～10千米处由于受断裂构造的控制存在未冷却的岩浆侵入体。念青唐古拉山充沛的大气降水和消融的冰雪水沿断裂线向深处渗透,受岩浆体加热作用变成高温地下热水,再沿断裂向上运动,最后冲出第四系的冰碛砂砾层或黏土层(即盖层),形成井喷奇观。喷汽水柱有的高达50～60米。浓雾滚滚翻腾,"暴"雨倾盆坠落,气势磅礴,蔚为壮观。地热类型有沸泉、热泉、温泉、汽泉、喷气泉、热水沼泽、水热爆炸穴、间歇喷气井、热水湖、放热地面等17种。其中80～90 °C的泉眼有几十处,热田面积14.5平方千米,热发散量每秒11.6万千卡。全年放出热量相当燃烧47万吨标准煤。1977年在羊八井建立地热电站,装机容量1 000千瓦,1981年又建成6 000千瓦地热电站,1985年扩建为1万千瓦,1990年底装机容量达2.518万千瓦,是目前西藏最大的电站,年发电量占拉萨电网40%。热田东北还有世界罕见的热水湖,面积约7 400平方米,水深16米左右,水温50 °C,实测地下水温高达172 °C。已在热水湖西侧修建地热浴池,每天接待大批牧民前来沐浴。

yangban　两班　朝鲜李朝时期(1392～1910)的最高社会阶级,包括文班(文官)和武班(军官)。两班一词源出高丽王朝(935～1392)实行文武科举之时。到李朝,它指整个土地所有阶级。李朝有严格的阶级结构体系,主要分为4个阶级,即两班、中人(中间阶层)、常民(老百姓)和贱民。国家授予两班许多特权,包括按官级大小和身份高低享有土地和俸禄。只有他们能参加科举以及免除兵役与徭役。两班须遵守的规矩很严格。家族中须连续三代至少有一人为官员,否则被剥夺两班地位。他们必须经常显示礼貌和德行,并准备为伟大的事业而牺牲。不管怎样贫困,也不能有卑微的表现。1894年废除两班制度。

yangge　秧歌　中国北方的民间舞。原起于农民在插秧等劳动中演唱,故名。一些地区将节日中各种民间舞蹈也统称为"闹秧歌"。秧歌队从几十人到上百人、化装为各种人物,手持折扇、手帕、彩绸、绸伞等在鼓、锣、唢呐伴奏下,以单行或双行对舞形式,边走边舞。表演分大场和小场。大场是全队的各种队形变化。小场为2～3人表演的小型歌舞,角色多为一对青年男女。各地秧歌风格各异。山东鼓子秧歌舞者手臂随身体左右摆舞,舞姿粗犷豪放;河北秧歌动作多扭腰、抖肩,表演诙谐风趣;陕北秧歌挺胸挥臂,风格朴实健壮。

Yangiyul　扬吉尤利　又拼 Iangiiul。乌兹别克斯坦塔什干州中部绿洲城市。原为地处古镇卡温奇-泰佩遗址的一村庄。因位近塔什干,在塔什干-撒马尔罕铁路和大乌兹别克公路上,故在两次世界大战之间时期得以蓬勃发展。现为一繁盛的食品等轻工业中心。人口约56 900(1991)。

Yangjiang　阳江　中国广东省辖地级市。位于省西南部,漠阳江流域,南临南海。辖江城区和阳东、阳西2县,并代管阳春县级市,市区在漠阳江下游东岸。面积7 822平方千米,其中市区面积437平方千米。隋末置阳江县。清同治九年(1870)升为阳江直隶厅,光绪三十二年(1906)升为阳江直隶州。1912年复为阳江县。1959年与阳春县合并为两阳县,1961年恢复阳江县。1988年初建阳江市。处云雾山南麓的粤西沿海,大部属漠阳江谷

地。农业主种水稻，兼种甘蔗、花生，局部地区有小面积橡胶、胡椒。家禽饲养甚盛。海洋捕捞及海水养殖占重要地位。闸坡、东平、沙扒、溪头为重要渔港。其中闸坡为中国十大渔港之一。特产有阳春砂仁、马水甜橘、程村蚝、儒洞金钩虾米等。有铜、铁、钨、锡、煤、石灰石、硫铁矿等矿藏。主要工业部门有采矿、冶金、电力、制糖、化工、水产品加工、服装等。江城区北山塔为广东省重点文物保护单位。海陵岛有南宋少傅张世杰墓及祠堂。海陵岛大角环之闸坡海水浴场为海水日光浴及旅游胜地。广茂铁路经市境西北阳春市。325国道横贯全境。漠阳江航道通阳春、阳东部分乡镇。海运以北津港为主要口岸，通航广州、湛江、江门、香港、澳门。人口：全市2 620 000(2005)；市区630 000(2004)。

Yangming Shan　阳明山　中国台湾省著名山峰。位于台湾岛北部，台北市和台北县境内。原名草山，位于大屯火山群最高峰七星山南侧。山青谷翠，原野开阔，遍植樱、桃、杜

阳明山前山公园内的阳明湖
中国大百科全书出版社供图

鹃，建有中山楼、阳明山庄、阳明公园、前山公园等，是著名的风景区。近年来七星山(1 120米)也称阳明山。其中大屯山(1 090米)火口直径360米，深60米，雨季积水，有“天池”之称；小观音山(1 072米)火口南北长1 300米，东西宽1 100米，深300米，也是著名的风景区。

Yangmingshan National Park　阳明山国家公园　中国台湾省第三座国家公园。位于台湾省北部台北盆地北端及东北一带的大屯火山群中心地区。1985年9月16日建立，面积约114.56平方千米。跨越台北市士林、北投区及台北县淡水、三芝、石门、金山、万里五乡镇的山区。其范围北抵竹子山及其北界的土地公岭，南达纱帽山及鹅尾山南麓，东至磺嘴山、五指山东侧，西毗烘炉山、面天山西麓。地势海拔200～1 200米，最大的湖泊名竹子湖，系由火山岩流所形成的堰塞湖，为南磺溪的源头。

据地质调查，区内大屯山及七星山火山群曾分别在距今约280万年前至250万年前、70万年前至60万年前、60万年前至50万年前、50万年前至35万年前发生过4次主要火山喷发活动，乃中国境内除长白山区以外较完整的火山景观区，今梦幻湖、向天池及磺嘴池即其旧火山口遗迹。因该园区地形复杂，加以位居台湾北端，故冬夏气候受季风影响甚大。全区植物茂密，约有1 224种之多，随海拔高度变化而分3种植被景观：①海拔

阳明山国家公园景观
台湾中华书局供图

900米以上的山区呈现草原植被，大部为台湾箭竹及芒草植物；②海拔500～900米为暖温带常绿阔叶林，以红楠、大叶楠等樟科植物为主，此外有枫香、昆栏树、杨桐、山樱花等；③海拔500米以下为亚热带雨林，有蔓生笔筒树、山苏花、姑婆芋等植物。梦幻湖生长的台湾水韭，为世界罕见的珍稀植物。因采伐滥猎破坏野生动物栖息环境，原有大型哺乳动物几乎绝迹，仅森林茂密处可见台湾猕猴、山猪、赤腹松鼠、白鼻心、穿山甲、野兔等。

阳明山国家公园依据不同的资源特性与分布情形，划分为4个区：①生态保护区，包括鹿角坑溪原始森林区、磺嘴山与大尖后山自然生态区、七星山梦幻湖台湾水韭生育区；②特别景观区，以大屯火山群为主的特殊地质地形天然景观，可远眺台北市区及北海岸；③游憩区，目前已规划者计有大屯自然公园、大屯坪、菁山、擎天岗草原、硫磺谷及龙凤谷、小油坑；④一般管制区，不属于上述分区，而准许维持原土地利用形态的其他地区。

Yangôn　仰光　又作Rangoon。缅甸联邦的首都、城市。位于缅甸南部仰光河的东(左)岸，安达曼海马达班湾以北40千米处。为缅甸最大的城市和工商业中心。坐落在一个低矮的山脊上，四周为三角洲冲积地。最早的居住群落位于山脊，但现代的城市建在冲积地上。城市面积199平方千米。当地气候温暖潮湿、多雨。城市中心称作“兵营”，是英国人在1852年设计的。仰光最著名的建筑是佛教的大金塔，高99米，建在高出城市51米的山丘上。亦有包括世界和平之塔(1952)在内的其他宗教建筑。市中心大部分为砖房，一般为三至四层。传统的木结构建筑多见于城市边缘地区。旧殖民地时代的红砖建筑现多为政府部门、法院、医院和海关。仰光沿河两岸有缅甸最大的碾米厂和锯木厂。主要工业为国有，生产纺织品、肥皂、橡

仰光市的瑞光大金塔
供图：R. Manley from Shostal—美国不列颠百科全书公司

胶、铝、铁板和钢板。大多数小型行业,如食品加工、制衣等则为私有或合作性质。市中心为商业区。仰光市中心的北部为皇家湖,四周为林木茂密的公园。附近为动物园和植物园。还有博物馆、美术馆、考古学馆、体育馆等。仰光大学始建于1920年,1964年改为文理科大学。仰光为缅甸主要贸易中心,承担全国80%以上的对外贸易。主要出口稻米、柚木和金属矿砂。仰光也是全国铁路、水路、公路和航空运输中心。市北敏加拉洞有国际机场。市中心的瑞光大金塔作朝圣之地已有数百年历史。仰光是从后来称为大光的寺庙周围的居民点发展起来的,15世纪初成为城镇。18世纪50年代中叶,国王雍笈牙征服下缅甸,将大光建为港口,并改名为仰光,意为"争息乱平"。后成为下缅甸的行政首府。至19世纪初,仰光已有了欣欣向荣的造船业,成为英国的贸易站。1824年第一次英缅战争爆发时仰光被英国人占领,但两年后归还缅甸。1852年,再次被英国人占领,成为下缅甸(即南部)首府。缅甸全境归并英国后,仰光成为首都,地位愈加重要。1930年,仰光遭受大地震和大海潮的袭击。第二次世界大战期间,是同盟国与日本之间主要战役的战场。后重建。20世纪末,主要由于缅甸政府实行孤立主义政策,仰光的经济活力已大为衰落。人口4 455 500(2004)。

Yangôn River 仰光河 又作Rangoon River。缅甸南部河口湾,由勃固河及密马加河在仰光市汇合而成。注入东南40千米处的安达曼海马达班湾。通过端迪运河(1883年开凿)与伊洛瓦底江相连,可接纳远洋轮船。

yangqin 扬琴 又拼yang-ch'in,又称洋琴;英语作dulcimer。中国乐器,以蒙有橡皮或皮革的竹片击弦发音,琴弦的振动透过架设弦线的琴码而传送到木质梯形音板。扬琴设琴码4～5排,每一琴码上架设1组弦线,上下各组弦线各相隔1个全音,而左右相邻两个琴码上的弦线则各相差五度,从而可以奏出所有调性的半音音阶。乐域从中央C下方1个八度到其上2个半八度。扬琴约于1800年从西方传入东亚,现在已成为中国民族乐队中一个重要的乐器,亦用于说唱伴奏。

Yangquan 阳泉 又拼Yang-ch'üan。中国山西省辖地级市,省内第三大城市。位于山西东部,太行山西侧,石太铁路线上。辖城区、矿区、郊区3区及平定、盂县2县,面积4 451平方千米,其中市区面积662平方千米。原为平定县的荒滩,名沙江口。1907年石太铁路通车后,采煤炼铁等工业随之兴起,到1936年才形成一个3万人口的小镇,属平定县。1947年设阳泉市,1949年改为阳泉工矿区,1951年复设市。1983年起并辖平定、盂县两县。附近矿产资源丰富,主要有煤炭、铝矾土、硫化铁、铁矿、铜等。该市地处山西最大的煤田——沁水煤田的北部,煤炭蕴藏量达127亿吨,为优质无烟煤。2005年全市产煤3 228万吨(以阳泉煤矿为主),为中国最大的无烟煤产地。还大量开采铝土矿与硫铁矿。除采矿外,并建有冶金、电力、化工、机械、建材、纺织等工业。东面的娘子关,有大型火力发电厂。该市还是山西省东部山区的公路交通枢纽,207、307国道过境。人口:全市1 260 000(2005);市区630 000(2003)。

Yangshao culture 仰韶文化 中国黄河中游地区新石器时代文化。1921年在河南渑池县仰韶村发现,分布中心在陕西渭河流域、山西西南和河南西部的狭长地带。外围区域

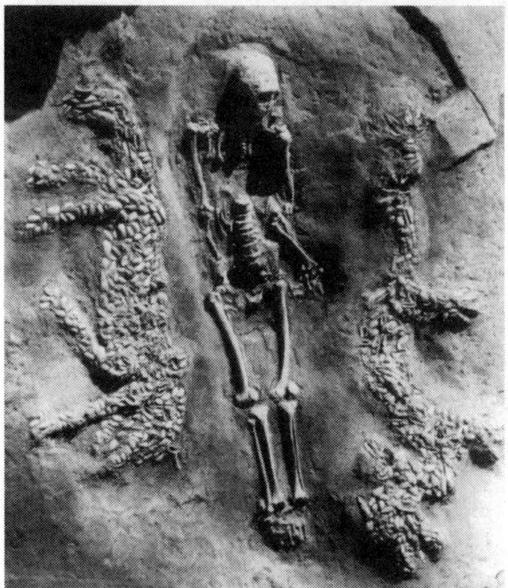

仰韶文化蚌壳龙图案,河南濮阳水坡遗址出土
中国大百科全书出版社供图

西至甘肃和青海交界,东及京汉铁路沿线,北到内蒙古河套地区,南达汉水中游。东西约1 000千米,南北也近1 000千米。碳14测定年代约在公元前5 000～前3 000年。有磨制石器如铲、斧、锛、凿、刀、箭头和纺轮等;打制石器有石刀和盘状器;还有磨盘、磨棒和砺石。有较发达的农业,作物是粟和黍。饲养的家畜主要是猪。也从事狩猎、捕鱼和采集。陶业处于手制阶段,陶器多用泥条盘筑法制造,以红色为主,有炊器、水器、饮食器、盛储器等。绘有花纹的彩陶是仰韶文化的特征,故仰韶文化也称彩陶文化。有村落遗址,其中临潼姜寨的村落约有100多座房屋,分为五组围成一圈,四周有濠沟环绕,反映当时有较严密的氏族公社制度。仰韶文化早期盛行集体合葬和同性合葬。几百人埋在一个公共墓地,排列有序,头向西方,各墓规模和随葬品差别很小,但女子随葬品略多于男子,反映出当时女性的中心地位。仰韶文化与大汶口文化是大体并行发展的两支原始文化,形成中华民族原始文化的核心。

Yangshi Lei 样式雷 中国清代宫廷建筑匠师家族。始祖雷发达(1619～1693),字明所,原籍江西建昌(今永修县),明末迁居南京。清初,雷发达应募到北京供役内廷,康熙初年参与修建宫殿工程。在太和殿工程上梁仪式中,他使梁木顺利就位,被敕封为工部营造所长班,负责内廷营造工程,有"上有鲁班,下有长班"之说。其子雷金玉继承父职,并投身于内务府包衣旗,担任圆明园楠木作样式房掌案。至清代末年,雷氏家族已有六代后人在样式房任掌案,负责过北京故宫、三海、圆明园、颐和园、静宜园、承德避暑山庄、清东陵和西陵等重要工程的设计。同行称该家族为"样式雷"。雷氏家族进行建筑设计方案,先按百分之一或二百分之一比例制作模型小样进呈内廷,以供审定。模型用草纸板热压制成,称"烫样"。其台基、瓦顶、柱枋、门窗以及床榻桌椅、屏风纱橱等均按比例制成。雷氏家族烫样独树一帜,是了解清代建筑和设计程序的重要资料。留存于世的部分烫样现存北京故宫。

Yangshuo 阳朔 中国广西壮族自治区桂林市辖县。是著称于世的兴安-桂林-阳朔风景区的重要组成部分,有"阳朔山水甲桂林"之说。面积1 428平方千米。汉为始安县地。三国吴置尚安县于今县境东北部兴坪。西晋武帝时(281～290)改为熙平县,南朝齐废。隋开皇十年(590)置阳朔县。1981年成为桂林市辖县。城垣临漓江,古木嘉树多为明、清两代遗物。奇峰异壑,景色隽逸清秀,是中国旅游地的明珠。主要名胜有碧莲峰、书童山、角田洞、月亮山、田家河、榕荫古渡、白沙渔

阳朔漓江风光
中国大百科全书出版社供图

火、莲花岩、西郎山、东郎山,以及杨堤飞瀑、桃源仙境、七姐下凡、九马画山等漓江沿岸风光。盛产稻谷、玉米、荔浦芋、甘蔗、花生、沙田柚、柿、金橘、柑橙、板栗、松脂、苎麻、冬笋等。工艺品朱泥陶茶具、仿唐三彩车木工艺制品以及桂花浸膏都深受各国游客青睐。人口310 000(2005)。

Yangtze Plain(China) 扬子江平原 参阅 **Changjiang Zhongxiayou Pingyuan** *长江中下游平原*。

Yangtze River(China) 扬子江 参阅 **Chang Jiang** *长江*。

Yangzhou 扬州 又拼Yang-chou。中国江苏省辖地级市,著名历史文化名城和园林城市。在省中部偏西,西邻安徽省,地当京杭运河与通扬运河之交,南隔长江与镇江市相望,是苏北水陆交通门户及国家一类对外开放口岸。春秋时为邗国地。东周敬王三十四年(公元前486),吴灭邗,于蜀岗筑邗城,并开凿邗沟通长江和淮河,扬州市区由此兴起。秦置广陵县。西汉吴王刘濞(公元前215～前154)开盐河(又称邗沟,今通扬运河前身)以通淮南沿海,奠定今扬州市水运基础。北周大象年间(579～581)置吴州。隋开皇九年(589)始称扬州。隋炀帝开凿通济渠沟通淮河与黄河间交通后,扬州成为江南漕粮北运和淮南盐转运长江中游各地的枢纽。唐代中

期发展为国内外商贾云集、“富甲天下”的中国东南第一大都会。唐末、五代十国至两宋屡经战乱，商业衰落。元、明二代相继完成京杭运河工程，扬州仍然是中国东部南北水运交通咽喉。元称扬州路，明、清称扬州府。19世纪中叶以后，京杭运河山东段淤塞，漕粮改经海运，两淮盐运也在20世纪初经由铁路转运，扬州渐见衰落。1912年废府留县，称江都县。1949年析江都县城和近郊置扬州县级市。1983年升省辖市。辖广陵、邗江、维扬3区和宝应县，并代管高邮、仪征、江都3县级市。全市面积6 634平方千米，其中市区面积986平方千米。

扬州市重修的二十四桥
中国大百科全书出版社供图

1949年后扬州市经济发展迅速，是省内稻米、麦类、油菜籽等的重要产地之一，淡水养殖业和养鸭业也发达。拥有内河船舶制造、汽车装配、化肥、农药、电子、纺织、食品、制鞋、造纸、印刷、化妆品等工业部门，成为苏北重要工业基地之一。传统食品酱菜、手工工艺品漆器、玉雕、贝雕、乐器、刺绣、绒花、剪纸、盆景艺术等都有较大发展。扬州对外交通主要依靠公路，宁通高速公路、淮江高速公路交叉贯穿境内。2004年4月，宁启铁路南京至扬州段建成通车，从此结束了扬州无铁路的历史。扬州风景秀丽，园林建筑始于公元前150年前的吴王刘濞时代。清乾隆年间(1736～1795)全城园林数以百计。平山堂、瘦西湖为著名文化、风景游览区。蜀冈有唐城遗址、南朝宋大明寺、宋平山堂、谷林堂、清西园、鉴真和尚纪念堂等。其他文物古迹有瘦西湖莲花桥、瘦西湖西侧廿四桥(新建)、普哈丁墓园和阿拉伯文碑、史可法祠和墓、天宁寺、个园、何园等。邗江县槐泗镇西北有隋炀帝陵，江都市南有著名的江都水利枢纽。市内有扬州大学。人口：全市4 540 000(2005)；市区1 130 000(2004)。

Yanji 延吉 又拼 Yen-chi。中国吉林省延边朝鲜族自治州辖县级市，自治州首府。位于省境东部，长白山区布尔哈通河畔，延吉盆地中央。面积1 332平方千米。清初属南荒围场地，光绪二十一年(1895)始设延吉厅，宣统元年(1909)升府，1913年改县。旧名局子街，又名烟集冈。曾为东北地区六大海关之一。1953年建县级市。长春—图们铁路是对外联系的主要通道。公路可通州内各市县。地方工业发达，有食品、电子、纺织、制药、化肥、水泥、木材加工、陶瓷、印刷、玻璃等部门。工业多具民族特色，如丝绸、木器、朝鲜族常用胶鞋、森工鞋和民族毛纺等。有延边大学、医学院和农学院等高等院校。延边歌舞团闻名全国。人口410 000(2005)，50%以上为朝鲜族。

Yankari National Park 扬卡里国家公园 尼日利亚中东部包奇州公园，在包奇城南面。1956年开辟为禁猎区。1991年成为国家公园。占地2 244平方千米。海拔500米。属热带草原。有河漫滩沼泽、草地和茂密的灌木丛。多野生动物，其中有非洲大羚羊、南非羚羊、狷羚、大象、河马、长颈鹿、狒狒、鬣狗、狮、豹和鳄等。该公园的景观包括以前的居民为储水而雕刻的砂岩水缸和维基温泉。

Yankee 扬基 一译“北方佬”或“美国佬”。美国本地人或美国公民的绰号，狭义言之，指美国新英格兰(缅因、新罕布什尔、佛蒙特、马萨诸塞、罗得岛、康涅狄格)各州的本地人。此名通常表示如下各种特征：精明、节俭、机敏、守旧。南北战争期间(1861～1865)和以后，南方人对北方士兵和北方人都如此称呼。语源不详。《牛津大词典》释义认为“最合理的推测”是此词源于荷兰语 Jan(John)一名的指小形式 *Janke*。据记载，1775年英国士兵使用此词以表示对美军嘲弄之意。M.马修斯所编《美国英语词典》(1951)曾溯此词之源，指出1775年列克星敦战役之前，并无新英格兰人使用此词的例证。于是产生许多奇异的说法。一说有一支马萨诸塞印第安部落，叫做扬科人(“无敌者”)，据说曾为英勇的新英格兰人击败，后来新英格兰人就采用了印第安人这一称呼。弗吉尼亚人则提出了相反的说法，认为此词原意是“懦夫”或“奴隶”，源于切罗基语 *eankke*；但切罗基语中并无此词。有关扬基和扬基歌(Yankee Doodle)的这些说法和许多别的说法，在O.G.索奈克(1873～1928)为国会图书馆馆长撰写的长篇研究报告中，曾予评论并加扬弃，报告题名《关于“星条旗”、“嗨”、“亚美利加”、“扬基歌”等词之语源研究报告》(1909)。

Yankton 扬克顿人 美国印第安人苏人(Sioux)联盟的一个主要分支，这个联盟又称达科他人联盟。

Yankton 扬克顿 美国南达科他州东南部城市，扬克顿县县城(1862)。在密苏里河和詹姆斯河汇合点附近。1858年始有人定居，1861～1883年为达科他准州首府。1869年建市。旧准州议会大厦现为博物馆。1872年南达科他铁路通车后，此地成为内河港口和淘金者的供应站。设有芒特马蒂学院(1922)。经济以周围地区农产品加工为主。人口约13 528(2000)。

Yanmenguan 雁门关 中国长城的重要关隘之一。位于山西省代县城西北20千米处。唐代(618～907)于恒山山脉雁门山顶置关，称西陉关。元(1279～1368)废。明(1368～1644)初移筑现址。两山夹峙，形势雄伟。古为山西北部交通及军事重地。

Yannina (Greece) 参阅 **Ioánnina** 约阿尼纳。

Yanofsky, Charles 亚诺夫斯基(1925-04-17，纽约州纽约～) 美国遗传学家。证明基因与蛋白质结构之间存在着线性对应关系。曾于纽约市立学院及耶鲁大学学习化学及微生物学。1951年获哲学博士学位。后在耶鲁大学工作到1954年，证明由于抑制基因突变，在突变体中已失去的酶会重新出现。他参加的研究小组最先证明，某些突变基因能产生无活力的蛋白质，可用免疫技术测出。1958年在斯坦福大学用大肠杆菌为材料证明，构成遗传物质部分成分的含氮基顺序与蛋白质中的氨基酸顺序之间存在着线性对应关系。他和他的研究小组研究了粗壮脉纹孢菌(*Neurospora crassa*)的各种突变体，发现一种突变体能生成一种无活力的蛋白质，但由于抑制基因突变，则在突变体中又能生成有活力的酶。亚诺夫斯基现任美国遗传学会主席，获全国科学院奖(微生物学，1972)。

Yanomami 扬诺马米人 又拼 Yanomamö。南美印第安人，操希里尼亚语，住在委内瑞拉南部奥里诺科河流域偏僻的林区以及巴西北部亚马孙河流域最北地带。21世纪早期，扬诺马米人可能总共约有32 000人。扬诺马米人刀耕火种，居住在分散的半永久性的小村落里，种植大蕉、木薯、块根植物、玉米和其他蔬菜为主，采集鲜果、坚果、种子、根茎和蜂蜜为辅。他们捕猎猴子、鹿、貘、禽类、犰狳，还种植烟草和棉花，因扬诺马米人无论老少均喜吸烟，而棉花则是重要经济作物，并用以制作吊床绳索、网子、容器和衣着。扬诺马米人之间常发生战争。大多数扬诺马米人的社会生活集中表现为一方面以交易及共享食品和友好部落结成联盟，一方面则发动战争攻打敌对村庄。1991年巴西政府划出一片93 240平方千米的土地作为扬诺马米人的家园。

Yanqing 延庆 中国北京市辖县。位于市西北部。地处燕山山地的延庆-怀来盆地东部。北、东、南三面环山，山地占全县面积75%，最高峰大海坨山海拔2 234米。中部属断陷盆地，向西南敞开，平均海拔500米。盆地中部有妫水河自东向西注入官厅水库，北部有潮白河上源之一的白河横贯。属暖温带大陆性季风气候。年均温度8.5 °C，年降水量492毫米。西南隅康庄是北京市降水最少、大风日数最多的地方。西汉置居庸县,北齐废。唐置妫川县,后改缙山县。元升为龙庆州,明初废。永乐十二年(1414)复置隆庆州,隆庆元年(1567)因避讳改称延庆州。1913年改州为县。1928年隶察哈尔省。1952年改属河北省,1958年划归北京市。县府驻延庆镇。辖11镇、4乡。面积1 993平方千米。延庆经济以农业为主,耕地3.5万余公顷。多种植玉米、谷子、高粱。特产有苹果、核桃、山楂等。西北部深山区林木繁茂,主要有松、柏、桦、栎等。有北京市第1个国家级自然保护区。工业有塑料、水泥、化肥、地毯、造纸、玻璃钢等。北京—包头铁路过县西南隅,北京—张家口、昌平—赤峰等公路斜穿县境。名胜古迹有驰名中外的八达岭长城、龙庆峡、山戎墓葬群、古崖居等。县境东北发现有下德龙湾硅化木化石群。人口280 000(2005)。

Yanshi 偃师 中国河南省县级市。位于省境西部黄河南岸。面积948平方千米。公元前16世纪,商在此建都,古称西亳。据传,周武王伐纣回师,筑城息偃戎师,遂名偃师。汉置偃师县,1993年撤县设市。历史上有70余位帝王先后在偃师建都,长达1 770年。有著名帝喾都城遗址,二里头村夏代后期都城遗址,商汤遗址,汉魏洛阳故城遗址,中国最早的大学(佃庄太学)和历史上最早的天文台(灵台)遗址。东汉、曹魏、西晋、唐等朝皇帝先后葬于嵩邙,与洛阳古墓群连为一体。有闻名中国的古碑碣。1987年建成的商城博物馆,是中国唯一的夏商断代博物馆,馆藏文物达4 000余件,有200多件为稀世珍宝。农业主产小麦、玉米、棉花、芝麻等。偃师是河南省粮棉生产基地之一,为中国农业部农业机械化服务中心试点之一,先后培育出"硕大25"、"偃师4号"、"豫麦7号"等优良品种,并在全省普遍推广。工业已形成农副产品加工、建材、化工、机械、采矿、针织服装等6大行业,主要集中于城关镇。陇海铁路横贯东西,焦枝铁路走通南北,另有310和207国道公路穿越市境。交通便利,商业繁荣,市场活跃。人口840 000(2005)。

Yantai 烟台 又拼Yen-t'ai。中国山东省辖地级市,著名的港口城市,胶东半岛重要经济中心。位于省境东部,山东半岛北侧,濒临黄海的芝罘湾。港阔水深,形势险要,与隔海遥望的大连市共为渤海门户。辖芝罘、福山、牟平、莱山4区和长岛县,并代管龙口、莱阳、莱州、招远、海阳、蓬莱、栖霞7县级市。面积13 748平方千米,其中市区面积2 732平方千米。烟台原是福山县一渔村。市区北部海中的芝罘(Chefoo)岛,秦皇、汉武帝都曾到此巡游。唐、宋时期中国人多由此渡海去朝鲜、日本。元代是南粮北运航道上主要停泊点之一。因是海防要地,明洪武三十一年(1398)在此设奇山千户所,派驻重兵,修筑城池以御倭寇。在城北小山上设有墩台狼烟报警,烟台由此得名。清咸丰十年(1860)英法联军占领此港。同治二年(1863)辟为通商口岸,贸易进一步繁荣,人口也迅速增加。19世纪末至20世纪初胶济铁路建成后,山东出口贸易集中青岛,烟台港口开始衰落。1934年设烟台特区,1938年设市。1956年蓝(村)烟(台)铁路建成,与胶济铁路相连。烟台港自20世纪50年代以来屡经改、扩建,现拥有8座码头,可同时停泊3艘万吨巨轮和数十艘大型轮船。海运对外通达朝鲜、日本、东南亚等地,对内与上海、天津、大连、青岛等地联系密切,又发展成为国际贸易港口和渔业基地,公路有204、206国道在境内终结。主要工业有纺织、采矿、冶金、电子、化工、机械、船舶修造、建材等。"北极星"木钟、三环牌铜锁、金奖白兰地酒和花边刺绣是四大名牌产品。农产品以花生、水果最为盛名,烟台青香蕉苹果和大樱桃远销国内外。重要海产有对虾、小黄鱼、带鱼、海参、扇贝、海带等。烟台有飞往上海、北京、广州等地的航线及飞往日本东京的货机。市内有烟台大学、鲁东大学等高等院校。市北烟台山风景优美,市南"毓璜顶"有元建玉皇庙。人口:全市6 470 000(2005);市区1 700 000(2004)。

烟台市一角

中国大百科全书出版社供图

yantra 具 印度教密宗和金刚乘即佛教密宗坐禅时所用的线形图案。具的种类不一,有的临时画在地上或纸上;有的刻在寺庙里的石头或金属物上。礼拜性力女神沙克蒂所使用的吉祥具又称吉祥轮,由9个三角形组成:5个三角形顶朝下,据说代表约尼即女性生殖器像;4个三角形顶朝上,据说代表林伽即男性生殖器像。

吉祥轮

Yanzhou 兖州 中国山东省县级市。位于省境西南部,济宁、曲阜之间。是鲁西南新兴的矿业城市。春秋时为鲁国负瑕邑,秦置瑕丘县。南朝宋元嘉十二年(435)起为兖州治所。北宋大观四年(1110)改瑕丘县为瑕县,后又改为嵫阳县。明洪武十八年(1385)升兖州为兖州府。成化七年(1471)改为滋阳县。1913年废府。1958年滋阳县并入曲阜,1961年析出改置兖州县。1992年撤县,设县级市。面积648平方千米。地处鲁西南平原,在京沪铁路和新兖石铁路的交会点上,素有"九省通衢,齐鲁咽喉"之称。有327国道和京福高速公路等过境。煤藏丰富,质量优良,是中国八大煤炭工业基地之一。所产煤炭可通过石臼港出口。除采煤外,还有机械、肉类加工等工业。农产以小麦、大豆、高粱、甘薯、谷子、玉米、棉花为主。名胜古迹有兴隆塔、西吴寺新石器文化遗址、少陵台。人口600 000(2005)。

兖州市的兴隆塔(602)

中国大百科全书出版社供图

Yao 尧人 操班图语的诸民族,居住在坦桑尼亚最南部、莫桑比克的罗伍马河和卢任达河之间地带以及马拉维南部地区。到1800年,尧人已是来往于内陆诸部落与东海岸阿拉伯人之间的商人;到1990年时,全部尧人酋长领地便分别为德国、葡萄牙及英国所统治。他们从事农业,刀耕火种,主要作物为玉米和高粱;在湖泊和较大的河流附近地区,还辅以鱼类。在马拉维,他们种植烟草作为重要的经济作物。尧人在传统头人的管理下居住在75~100人密集的村子里。这些头人犹如酋长,按母系世袭。尧人的社会生活的特征是每年举行包括给男孩行割礼的成丁仪式。原来的信仰是祖灵崇拜,由于同阿拉伯人接触,多数人已成为穆斯林。

Yao 瑶族 中国少数民族。主要分布在广西、湖南、广东、云南、贵州等省区。人口2 637 421(2000)。有本民族语言,但支系较复杂。无文字,一般通用汉文。内部支系繁多。不同支系分别使用属于汉藏语系苗瑶语族瑶

瑶族姑娘
中国大百科全书出版社供图

语支的勉语、苗语支的布努语和壮侗语族侗水语支的拉珈语等。大部兼通汉语,部分兼通壮语,使用汉文。先世是两汉时的"武陵蛮"、"五溪蛮"。南北朝时称为"莫徭"。唐、宋以后大体分布于现今住地。社会经济发展不平衡。占人口大多数、自然条件较好、与汉族杂居的地区农业生产水平与当地汉族、壮族相近。部分地区以林业为主,兼营农副业,迁徙无定。少数边远山区还沿用"刀耕火种"的生产方法。以大米、玉米、薯类为主食。"油茶"、"乌酢"是特殊风味食品。服装主要用青、蓝土布制作。妇女大多在领、袖、裤脚绣彩色图案。住房有竹木结构或土墙结构的平房和楼房。婚姻行一夫一妻制,一般不与外族通婚。人死后大部分行土葬,部分行火葬。信奉多神,崇拜祖先,信仰"盘瓠"。也有信仰道教的。节日主要有盘王节、达努节等。节日娱乐盛行对歌,长腰鼓是具有民族风格的乐器。20世纪50年代起先后成立了广西都安瑶族自治县、金秀瑶族自治县、巴马瑶族自治县、富川瑶族自治县、大化瑶族自治县、广东连南瑶族自治县、连山壮族瑶族自治县等13个自治县以及110多个民族乡。

Yao 尧 中国传说中的帝王之一。原为古代氏族社会后期部落联盟领袖。姓伊祁,号陶唐氏,名放勋,史称唐尧。建都平阳(今山西省临汾县)。传曾设官管理政务、掌管时令,

纽约大都会艺术博物馆供图

制定历法。年老时咨询四岳,推选舜为继承人。对舜进行3年考核后命摄位行政。死后即由舜继位。即中国古史上传为美谈的"禅让"制。尧在位98年,享年118岁。

Yao 八尾 日本本州大阪府城市。濒临长濑河。位于金刚生驹国定公园内山坡和平原上。德川时代(1603～1867)为商业中心。1925年建成通大阪的铁路。现为大阪-神户都会区的工业、居民卫星城,沿河建有机械、化工和纺织厂。人口约276 591(1988)。

Yao LANGUAGES 瑶族诸语言 中国瑶族语言。使用人口约988 000。中国瑶族使用属于汉藏语系的三种语言。一是"勉语",属苗瑶语族瑶语支,主要分布在中国广西、湖南、云南、广东、贵州等省(区);此外还分布在越南(称曼语)和老挝。二是"布努语",苗瑶语族苗语支,主要分布在中国广西壮族自治区西北部一带。三是"拉珈语",属壮侗语族侗水语支,主要分布在广西壮族自治区金秀瑶族自治县。语言谱系分类中的瑶语专指"勉语"。瑶语(龙胜勉语)语音特点:有78个声母,其中包括双唇、舌尖中、舌根塞音各分清、浊、清送气3套;舌尖前、舌面前塞擦音也分3套;有唇齿、舌尖前、舌面前、喉门清擦音;双唇、舌尖中、舌前、舌根鼻音分清、浊二套;有边音、边擦音和双唇舌面半元音各1个;有17个腭化辅音和31个圆唇化辅音。有60个韵母,其中包括9个单元音韵母、10个复元音韵母和41个带辅音韵尾的韵母(辅音韵尾由3个塞音和3个同部位的鼻音组成)。有9个声调,其中7个舒声调[中平(1)(括号内的数字为调类,以下同)、次低降(2)、高降(3)、升降(4)、中升(5)、次低升(6)、高短降(7,不带人声韵尾)],2个促声调[高平(7)、次低升(8)]。以虚词和词序表示句子成分的语法关系。形容词重叠或在前加一个固定音节表示程度加深;动词重叠表示"试行"或"短暂";名词、代词作修饰语时在中心词前;形容词作修饰语时在中心词后。在句型结构上,句子主语在谓语之前;宾语和补语在动词之后。

Yao Ming 姚明(1980-09-12,中国上海～) 中国篮球运动员。身高2.26米,是中国最高的篮球选手,体重125千克,有"小巨人"之称。父母皆为篮球运动员,母亲是20世纪70年代中国国家女子篮球队队长。他9岁进入上海徐汇区少年体育学校。13岁以后参加上海青年队。18岁入选中国国家男子篮球队。2000年3月获全国男篮甲A联赛1999～2000赛季的篮板、扣篮、盖帽3个单项奖,同时入选中国男篮全明星阵容和亚洲全明星队。2001年亚洲篮球锦标赛中,平均每场贡献13.4分,10.1个篮板和2.8次盖帽,投篮命中率达72.4%,使中国国家队夺得冠军。2002年6月在美国国家篮球协会(NBA)选秀中成为新秀状元,之后加盟休斯敦火箭队。2003、2004年均入选NBA全明星阵容。在2004年2月火箭队以123:121胜老鹰队的比赛中拿下41分、16个篮板、7次助攻,创下他个人NBA生涯单场得分新高。美国媒体认为,姚明改变了美国人对中国人乃至亚洲人的看法,他的球技、为人与随和幽默的个性均超过了他的年龄,因而拓展了西方人的视野,称其为"中国的奇迹"。

Yao-shih-fo(Buddha) 参阅 **Bhaiṣajya-guru 药师佛**。

Yao Yilin 姚依林(1917-09-06,中国香港～1994-12-11,北京) 又拼Yao I-lin。中国共产党第十三届中央政治局常务委员。祖籍安徽省贵池县。幼年丧父,随母迁徙,在江苏、浙江、上海生活、学习。1934年考入清华大学化学系后,参加中共的外围组织——中华民族武装自卫会。1935年11月加入中国共产党,并先后担任北平市学生抗日救国联合会秘书长、党团书记。是著名的"一二·九"抗日爱国运动的主要领导人之一。1936年5月到天津任中共中央北方局宣传部干事,编辑党的刊

中国大百科全书出版社供图

物《长城》。同年11月任中共天津市委宣传部长。抗日战争爆发后,任中共天津市委书记,中共河北省委秘书长、宣传部长,参与组织冀东暴动。1939年2月任中共冀热察区委宣传部长。同年7月起任晋察冀中央分局、中央局秘书长。解放战争时期,任晋察冀边区政府工业局局长。1947年9月,任晋察冀边区政府财经办事处副主任。1948年9月,任华北人民政府工商部长。

中华人民共和国建立后,长期担任国家财贸部门的领导工作,曾任贸易部副部长、党组副书记,商业部副部长、党组副书记,中央财贸部副部长,国务院财贸办公室副主任,商业部部长、党组书记,中央财经领导小组成员,中央财贸政治部主任等职务。文化大革命中遭受迫害。1973年11月出任对外贸易部第一副部长。1977年3月,任国务院财贸领导小组组长,1978年8月再次出任商业部部长、党组书记。同年12月,任中共中央副秘书长兼中央办公厅主任。1979年3月,任国务院财政经济委员会秘书长,同年7月,在全国人大五届二次会议上被任命为国务院副总理,分管经济工作。他担任这一职务一直到1993年。这期间,他还曾兼任国家计划委员会主任、党组书记,中央财经领导小组副组长,中央引进智力领导小组组长等职务,主持编制和组织实施了国民经济和社会发展第六和第七个五年计划,主持编制了第八个五年计划。

他在1958年中共第八次全国代表大会第二次会议上当选为候补中央委员。1977年

在中共第十一次全国代表大会上当选为中央委员。1980年在中共十一届五中全会上当选为中央书记处书记。1982年在中共十二届一中全会上当选中央政治局候补委员、中央书记处书记。1985年在中共十二届五中全会上当选为中央政治局委员。1987年在中共十三届一中全会上当选为中央政治局常务委员。

1992年中共第十四次全国代表大会和1993年第八届全国人民代表大会第一次会议后,他不再担任党和国家的领导职务。

Yaounde(people) 参阅 **Yaunde** 雅温得人。

Yaoundé 雅温得 喀麦隆共和国城市和首都。在尼永河与萨纳加河之间的高原上。1888年在德国保护国时期建立。1915年被比利时军队占领。1922年为法属喀麦隆首都。1940～1946年杜阿拉取代该城为首都。独立后,1960年为喀麦隆政府所在地,1961年为联邦政府所在地,1972年为联合共和国政府所在地。政治和商业中心,公路、铁路和航空的交通中枢。有卷烟厂、酿酒厂、锯木厂和印刷厂。1962年设雅温得大学。有喀麦隆巴斯德研究所、国立图书馆和档案馆。附近有纳赫蒂加尔瀑布和俾格米人洞室。人口约800 000(1992)。

雅温得市一角
中国大百科全书出版社供图

Yaozhou kiln 耀州窑 中国宋代(960～1279)瓷窑。窑址分布于陕西铜川西南。铜川在宋代属耀州。瓷品以青瓷为主。其青瓷以印、刻、划花技法精良,形制规整和品类繁多见称。据考古发掘证明其上限到唐(618～907),下限可至元、明(1279～1644),其间未曾中断。宋代产品以日用的盘、碗、壶、罐、盆、瓶、盒、炉等为主。造型变化多样,纹饰浑朴厚重,在北方青瓷中首屈一指。除青瓷外,唐代还烧造白釉黑花及白釉绿彩瓷。白瓷釉质莹润,胎薄而坚,色调乳白或米黄,温润有如象牙。故清人笔记中有"耀器白者为上"的记载。

耀州窑刻划牡丹荷叶尊
中国大百科全书出版社供图

Yap 雅浦 旧称Guap(瓜浦)。加罗林群岛西部岛屿和群岛,密克罗尼西亚联邦的一部分。群岛总面积118.9平方千米,由伽伽尔托密尔、马朴、拉孟哥及雅浦(又称鲁耳、如耳、尔浦或雅普)等岛构成。雅浦是最大的岛,面积100.2平方千米,中央有一列山丘,最高处为塔必伍山,高173米,林木茂密。群岛终年温度几无变化,月平均温度为28 °C,年均降雨量为3 100毫米。在欧洲人到来之前,雅浦为一文化区中心,其西部是帛琉,东部到特鲁克附近。这个时期岛上居民的遗物有大量的废墟和当时岛民使用的著名的石板钱。该群岛可能是1526年由葡萄牙人首先发现的,1686年西班牙人大型帆船船长F.拉思伊诺再度发现后,名义上归属西班牙。1899年转让给德国。在此期间,美国人D.欧基非在此地建立了一个贸易王国:供应居民传统用的石板钱以换取椰仁干。后德国当局把雅浦设为海底电缆中心,并分群岛为10个行政单位,每单位选出长官一人,是行政区管理咨询会议的成员。至今仍沿用此行政区的划分法。自1919年日本人控制此地区后,此地遂成为争执点,直至1921年美、日达成关于电缆使用的协议。第二次世界大战期间,雅浦为日本空军和海军基地;1947年成为联合国太平洋群岛托管地区的一部分;1986年成为新建立的密克罗尼西亚联邦的一部分。椰仁干是主要出口商品,岛民食用有余的香蕉、椰子和芋头在附近的珊瑚岛上出卖。还种植薯蓣、甘薯、胡椒、丁香及烟草;也有些渔业。农业劳动按性别分开,各自管理自己的芋根园地。当地制度是按经济的重要性划分村庄的等级,其最重要的为加盖彻帕、提比和尼格洛格。20世纪70年代前已有20多所公立小学和教会小学。雅浦人在生理上和语言上与美拉尼西亚人的关系比与加罗林群岛其他种族更近。人口:岛约6 951(1985);群岛约5 196(1980)。

Yap Ah Loy 叶阿来(1837-03-14,中国广东省～1885-04-15,马来半岛吉隆坡) 吉隆坡华人领袖。是使该市发展成为商业和矿业中心的主要人物。19岁时到达马来雪兰莪邦。初为矿工和商贩。1869年成为吉隆坡华人甲必丹。他开始组织有效的行政机构和强大的军队。1870年雪兰莪邦发生内战。他面临着华人帮派间的自相残杀和马来帮派的进攻。1873年他在吉隆坡取得决定性胜利,从而成为雪兰莪邦的头号人物。他发展采矿工业,把吉隆坡建成马来半岛的经济中心。他控制着锡市场,拥有当地的"农场"(垄断鸦片买卖和独占赌场)和各种商业收入,聚集了巨大的个人财产。1879年英国开始派驻扎官到吉隆坡,加紧殖民活动。因此,叶阿来的后继者未能保持像他那样巨大的权力。

Yap Trench 雅浦海沟 西太平洋深海沟,亦称西加罗林海沟。位于雅浦海岭和雅浦群岛东侧。南北长650千米,最深点8 527米,在帕劳群岛东北约480千米处。是北起白令海西南边缘,南到菲律宾海沟南端的一系列海沟的一部分。该系列海沟还包括千岛、日本、伊豆和马里亚纳等海沟。在马里亚纳海沟和雅浦海沟交界处附近的特里埃斯特海渊,深11 034米,是已知的太平洋最深点。

Yapen Island 亚彭岛 印度尼西亚伊里安查亚省北部沿海岛屿。位于萨勒拉湾,占亚彭瓦罗彭县大部分地区。中央山脉海拔1 496米。主要村落塞鲁伊位于中南部海岸。面积2 424平方千米。人口:县64 206(1990)。

yapok 蹼足负鼠 又作yapock 有袋哺乳动物,负鼠(**opossum**)的一种。

Yapurá Rio (South America) 参阅 **Japurá River** 雅普拉河。

Yaʿqūb ibn Laith aṣ-Ṣaffār 耶古卜·伊本·莱斯·萨法尔(840～879) 萨法尔帝国的缔造者。原为铜匠学徒,后当强盗,聚集一独立武装队伍。由于占领今阿富汗境内的一些非穆斯林地区而得到哈里发的赏识。后作为一个独立的统治者进行活动,铸造自己的钱币,把塔希尔王朝逐出呼罗珊,后夺取伊朗的粮仓法尔斯省和阿瓦士省,并于878年向巴格达进军,后因守军决开河堤才被迫停止前进。在伊朗历史上,他是一位传说中的英雄。他的宫廷恢复使用被阿拉伯语取代两个世纪的波斯语。

Yaʿqūbī, al- 叶耳孤比(?～897,埃及) 阿拉伯历史学家、地理学家、世界史《伊本·瓦迪赫史》和普通地理《地方志》的作者。873年前,他一直定居在亚美尼亚和呼罗珊,在伊朗塔希尔王朝赞助下,撰修史书。塔希尔王朝覆灭后,他去印度和马格里布(北非)旅行,死于埃及。《伊本·瓦迪赫史》分两部分,第一部分叙述伊斯兰教以前时期的民族和非伊斯兰民族,尤其是他们的宗教信仰和文学,收有希腊哲学家著作的摘引,以及故事或寓言的概述;第二部分是叙述至872年的伊斯兰史。通篇作品渗透了作者的什叶派观点。《地方志》大部散失。叶耳孤比在该书中,在记述伊拉克、伊朗、阿拉比亚、叙利亚、埃及、马格里布、印度、中国和拜占廷帝国各大城市时,集中记述各种数据、地形地貌和税收等情况。

Yaque del Norte River 北亚克河 在多米尼加共和国中部、西北部。全国最大河流。源出中科迪勒拉山北坡,向北流入锡瓦奥谷地,后大致流向西北偏西,过锡瓦奥谷地农业区,注入大西洋的曼萨尼约湾。全长386千米,河道很浅,仅可供小船通航,雨季常泛滥。河水在锡瓦奥谷地用于灌溉水稻、甘蔗、大蕉和烟草。1972年在塔韦拉筑成水电站拦河坝。

Yaque del Sur River 南亚克河 多米尼加共和国西南部河流。为该国三大河系之一。源出中科迪勒拉山南坡,进入圣胡安东面的谷地,穿过内瓦谷地后急转向东注入加勒比海的内瓦湾。全长130千米。仅可通行小船,但河水广泛用于灌溉水稻、大蕉、甘蔗、豆类、香蕉和花生,经济意义重大。

Yaqui 雅基人 印第安民族,主要聚居在墨西哥西海岸索诺拉州南部。雅基人操犹他-阿兹特克语系中卡伊塔语群的雅基方言(唯一尚存的使用卡伊塔语群的另一部落是与雅基人同一族源的马约人)。雅基人过去为定居的农业部落,现在部分雅基人仍以农业为生。16、17世纪,雅基人对于西班牙人的入侵曾顽强抵抗。其后雅基人逐渐接受基督教影响,形成以教会为中心的社区;但19世纪时墨西哥人侵夺雅基人部落领地以内的肥沃田地,又引起雅基人多次起义,最后于1887年被墨西哥军队平息。此后成千上万的雅基人遭受驱逐,余下的人也因战乱及迁徙流离而人口锐减。20世纪30年代,墨西哥政府又将大部分部落农田归还给雅基人。40年代起,利用亚基河兴修水利,灌溉农田,使雅基人的农业重点由过去种植玉米、豆类、南瓜等粮食作物转为种植小麦、棉花等经济作物和生产各种植物油。雅基人信奉天主教,但其宗教仪式显然深受土著习俗的影响。20世纪末,雅基人人口约25 000,另有数千人住在美国亚利桑那州。

Yaqui River 亚基河 西班牙语作Río Yaqui。又译雅基河。墨西哥西北部索诺拉州河流。由巴维斯佩河和帕皮戈奇克河汇合而成,先向南后向西流经沿海平原,注入加利福尼亚湾。全长约320千米,为索诺拉州的最大河系。有灌溉之利,下游种植小麦、玉米、水稻和水果。不通航。

Yaracuy 亚拉奎 委内瑞拉西北部一州。地处热带,面积7 100平方千米。位于肥沃的、经济上重要的亚拉奎河流域,主要农作物有花生、甘蔗、香蕉、柑橘、咖啡、棉花和烟草。矿藏有煤、铜、铅和铂。地处全国人口最密集地区,是以巴基西梅托为中心的重要商业区的一部分。泛美公路横贯该州中心,连接州首府圣费利佩(**San Felipe**)与邻近各城。人口约518 902(2000)。

Yarborough, Cale 亚尔伯勒(1939-03-27,美国南卡罗来纳蒂蒙斯维尔～　) 美国常规汽车比赛选手,是第一个连续3年(1976、1977、1978)获全国常规汽车比赛协会赛冠军的运动员。此前,1968年在协会举办的4次比赛中获胜,其中包括代托纳五百英里赛和亚特兰大五百英里赛。1977年参加30项比赛,常胜不败。

yard-of-ale glass 一码啤酒杯 啤酒玻璃杯,英国从17世纪已使用,约一码(90厘米)长,可容一品脱(半升)左右。一端具一喇叭形口,另一端为一平底或圆底,后者使喝酒更加困难,因为当空气进入其中时,啤酒受到压

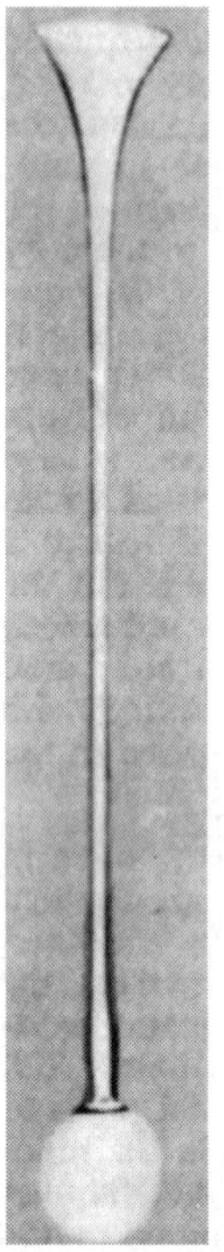

18世纪的英国一码啤酒杯
伦敦维多利亚和艾伯特博物馆供图

力,会一冲而出。此种酒杯一般不适用,似乎是为显示喝酒的绝技或为特殊的祝酒之类而备用的。

yardang 雅丹地形 由风蚀广泛地切割成沟、槽和坑的弱固结的软岩和基岩的大面积地表。岩石被侵蚀成为走向与盛行风向大致平行的相间的脊和沟。起伏一米至几米,可能出现一些孤立凹地及其他不规则形态。世界各地的不同荒漠,包括突厥斯坦荒漠和莫哈韦沙漠在内,都有雅丹地形。

Yarden, ha-(Israel-Jordan) 参阅 **Jordan River** 约旦河。

Yardley, Herbert Osborne 亚德利(1889-04-13,美国印第安纳沃辛顿～1958-08-07,华盛顿[哥伦比亚特区]) 美国密码学家,第一次世界大战期间和大战之后,最早组织领导美国正式的破译密码活动。青年时代就显露数学方面的天才。他喜欢玩扑克,成为终生嗜好。23岁进国务院当密码员,极有才能,不久即提出改进和保护美国密码的建议。1917年奉命主管军事情报局(MID)破译科。第一次世界大战后,他建议成立永久性机构从事"研究和破译密码"。1919年国务院和军方联合拨款在纽约成立破译小组,由他负责。1921年这个小组破译了日本的外交密码,国务院在华盛顿海军裁军会议上因掌握了情报而处于有利地位。后来几年里这个小组却遭到上级官员的冷遇甚至敌视。国务卿亨利·史汀生声明"先生们!不要相互拆阅信件",使这种敌视达到顶点。破译小组解散后,亚德利失业。1931年他出版详细叙述破译小组工作的《美国的黑房子》,此书问世后有19个国家改变了外交密码。1938年中国国民党领袖蒋介石请他去破译当时侵华日军使用的密码。他在中国工作到1940年,然后去加拿大建立密码机构。他还写有《一个玩扑克牌的人的教育》(1957)。

Yardley, Kathleen 亚德利 参阅**Lonsdale, Dame Kathleen** 朗丝黛耳。

Yare, River 耶尔河 英格兰诺福克郡河流。在诺里奇以东40千米处注入北海。比尔河和韦弗尼河也汇入该河河口湾。湾畔岬角上有游览地大雅茅斯。

Yareaḥ, ha-(rabbi) **亚雷阿赫** 参阅 **Astruc of Lunel** 阿斯特鲁(吕内勒的)。

Yarikh 雅里赫 古代西闪米特人所信奉的月神。据乌加里特的古诗载,雅里赫娶女神尼卡尔为妻,尼卡尔也是月神。该诗先叙求婚及付彩礼之事,后论此项结合表现女性特色的意义。人们相信,丰产表现为子孙繁衍,它是这项婚事主要结果。迦南人相信,天上的丰产也会使人类享受地下的丰饶。

Yarīm 耶里姆 也门西南部城镇。位于也门高地中央,邻近海拔约3 000米的苏马拉山。在古代,耶里姆地区为统治大部南阿拉伯的希木叶尔国(公元前115～公元575)重镇。该国首都宰费尔(**Zafār**)在耶里姆以南15千米处。耶里姆现为萨那—塔伊兹全天候公路上的小车站,也是附近农牧区贸易中心。公路旁的崎岖多山地带有古代采法尔遗址。人口约8 038(1977)。

Yarkant(China) **叶尔羌** 参阅 **Shache** 莎车。

Yarkant He 叶尔羌河 又作 Yarkand River。中国塔里木河的正源。在新疆维吾尔自治区塔里木盆地西南部。发源于喀喇昆仑山北麓。全长1 079千米,集水面积4.8万平方千米,年径流量74亿立方米。河水靠大气降水及冰雪融水补给。下游为季节性河流。

Yarkon River(Israel) 参阅 **Yarqon River** 亚尔孔河。

Yarlung Zangbo Jiang(Asia) **雅鲁藏布江** 参阅 **Brahmaputra River** 布拉马普特拉河。

Yarmouth 雅茅斯 加拿大新斯科舍省西南部城镇。地扼大西洋芬迪湾口。曾为著名造船中心,现为港口,也是通往美国缅因州巴港和波特兰的汽车轮渡终点站。港湾口的雅茅斯灯塔为显眼的陆地标志。主要产品有工业用布、棉质细帆布、奶制品和鱼制品,出口纸浆木、鱼、木材、水果和牛。1890 年建镇。人口 7 561(2001)。

Yarmouth, Great(Norfolk, England) 参阅 **Great Yarmouth** 大雅茅斯。

Yarmouth Interglacial Stage 雅茅斯间冰期 北美更新世重要的年代和地层划分单元(更新世开始于约 200 万年前,终止于约 1 万年前)。位于广泛分布的大陆冰川作用中的堪萨冰期之后,伊利诺伊冰期之前。因艾奥瓦州雅茅斯地区被研究过的堆积而得名。同欧洲阿尔卑斯区的明德-里斯间冰期相当。以发育在堪萨冰期堆积物上的残余古土壤以及泥炭堆积为代表。有些地方有保存很好的脊椎动物化石。这些动物群的成分表明,该间冰期至少同现代气候一样温暖。有些地区特征性堆积物的发育似乎表明,该间冰期时的气候可能是半干旱性的。

Yarmūk River 耶尔穆克河 西南亚河流。为约旦河支流。大部分形成叙利亚和约旦两国边界。1967 年 6 月"六日战争"后,下游 23 千米被以色列占领。该河源出叙利亚西南部接近约旦边境的熔岩平原。河长约 80 千米(直线长 32 千米)。穿切熔岩高原和白垩质石灰岩地层,形成陡深的峡谷。耶尔穆克河为巴勒斯坦历史上耶尔穆克河战役的古战场。636 年 8 月 20 日阿拉伯人在此打败拜占廷军队,标志着穆斯林宗主权在巴勒斯坦的开始,其统治仅在十字军时期(1099 ~ 1291)中断,一直持续到第一次世界大战。该河曾为约旦提供电力,其河谷有铁路支线,但后来的阿以战争和该地区的领土争端,极大地破坏了这些经济开发成果。1967 年"六日战争"后,以色列开放下游(有自然风光、温泉和罗马时代的遗迹)为旅游区。1966 年古尔灌溉渠竣工,引耶尔穆克河水灌溉约旦的北加尔地区。

yarn 纱 纤维集聚或捻合成的连续缕条,主要用以制造织物。纱由天然或合成纤维中的长丝或短纤维制成。长丝是极长的纤维,包括天然纤维丝和合成纤维。大多数天然纤维的长度很短,而合成纤维也可切成整齐的短纤维。纺纱是对纤维集合体牵伸加捻的过程。长丝比短纤维需要的捻度少。捻度较大的纱强度好,低捻纱柔软有光泽,高捻产生皱纱。双股或多股单纱可以加捻成为股线。用于产生特殊效果的花式纱线有毛圈线、竹节线和绳绒线等。变形纱是合成纤维长丝用加热等方法制成膨松或有弹力的纱。织物中经纱通常比纬纱坚牢、捻度高、表面光滑并较为均匀。针织用纱捻度比机织用纱少,可以是单纱或股线。缝纫用线是具有圆截面的紧捻合股纱。

Yaroslav I 雅罗斯拉夫一世(980~1054-02-02) 绰号智者。基辅大公(1019 ~ 1054)。弗拉基米尔大公之子。1015 年其父死时,他任诺夫哥罗德副摄政。他在诺夫哥罗德人及北欧雇佣军帮助下击败了屠杀过 3 位兄弟夺得基辅权力的长兄斯维雅托波尔克,于 1019 年就任基辅大公。他促进基督教的发展,把希腊文的宗教著作译为斯拉夫文,建立教堂和隐修院,确立教会地位及教士的权利。聘请拜占廷建筑师和工匠改建和美化基辅城,建造著名的圣索菲亚大教堂和基辅要塞的金门。他编纂习惯法和法令为新的《罗斯法典》奠定基础。他推行积极的外交政策并取得多次的重大军事胜利。他从波兰人手中收复加利西亚,击退佩切涅格人的入侵,征服立陶宛、爱沙尼亚和芬兰,但在 1043 年远征君士坦丁堡时受挫。他积极发展与东方、西方的贸易,并与欧洲各王朝建立密切的外交关系,把 3 个女儿分别嫁给挪威国王、匈牙利国王和法兰西国王。在遗嘱中把帝国分给 5 个儿子,禁止他们彼此争权夺利,命令 4 个幼子服从继位基辅大公的长子伊兹雅斯拉夫。但他死后,内战随即爆发。

Yaroslavl 雅罗斯拉夫尔 俄罗斯西部一州。地处伏尔加河流域上游,面积 36 400 平方千米。大部分为低地平原,丹尼洛夫和乌格利奇冰碛低高地从东北向西南穿过该州。伏尔加河上的雷宾斯克水库(面积 4 579 平方千米)大部分位于该州西北部。天然植被有云杉、松、橡树、枫树和桉树,沿河多沼泽和河滩草地。农业以饲养奶牛为主,干酪业著名。种植亚麻、燕麦、饲料作物和蔬菜。各城镇普遍有纺织、木材加工和食品加工业,首府雅罗斯拉夫尔和雷宾斯克有机械制造业和化学工业。电力由雷宾斯克水电站提供。人口约 1 475 700(1991)。

Yaroslavl 雅罗斯拉夫尔 俄罗斯联邦西部城市,雅罗斯拉夫尔州行政中心。位于伏尔加河右岸,莫斯科东北 282 千米处。1010 年由雅罗斯拉夫尔大公所建。1218 ~ 1471 年归莫斯科公国统治,成为独立公国首都。1238 和 1332 年曾先后遭鞑靼人和伊凡大帝卡利塔劫掠。1371 年被诺夫哥罗德占领。16 世纪开始同西方进行贸易,又因地处大伏尔加河贸易航道上而得到稳步发展。1722 年俄国早期最大的工厂雅罗斯拉夫尔工厂建立,18 世纪末该城成为重要工业中心。现有重型机械(尤其是柴油机和电气设备)、炼油、纺织、合成橡胶、轮胎等工业。电力由烧煤的热电站,以及伏尔加河畔的雷宾斯克及乌格利奇水电站供给。市内保留有 16 ~ 17 世纪的建筑物主显圣容隐修院及其他教堂,还有俄国最古老的剧院(1750)。有数所高等学校以及博物馆、美术馆和交响乐团。人口约 638 100(1991)。

雅罗斯拉夫尔市的尼古拉-纳登教堂
供图:Shostal

Yarqon River 亚尔孔河 又拼 Yarkon River。以色列中西部河流。为该国主要常年性河川,几乎全长处在以色列边界内。河名源出希伯来语,意为"绿色"。发源于罗什艾因附近一些泉水,向西流在特拉维夫-雅法北部注入地中海,全长约 26 千米。该河构成北面沙龙平原和沿海低地之间分界。20 世纪 50 年代之前景色宜人,游船不断。亚尔孔-内盖夫工程扩建后,水位下降,河水污染。第一次世界大战中,英军在亚尔孔河流域数次战胜土耳其军。1936 年雅法港阿拉伯工人罢工期间,河口的特拉维夫曾修建浅水港(第二次世界大战后废弃)。

特拉维夫-雅法市以北的亚尔孔河河段
供图:Maynard Williams—Shostal

Yarra River 亚拉河 澳大利亚维多利亚州中南部河流。源出东部高地马特洛克山，西流至墨尔本，注入霍布森斯湾。全长246千米。上游流域为木材和奶牛产区，由1977年成立的新亚拉河流域管理局负责开发。该河第一个定居点(1835)后发展为墨尔本市。

Yarrawonga 亚拉旺加 澳大利亚维多利亚州濒临墨累河的城市。穆尔瓦拉是其毗连城镇，位于新南威尔士州，与亚拉旺加隔墨累河相望。亚拉旺加在墨累河谷公路上，有铁路向西南通墨尔本(西南217千米)，靠近亚拉旺加拦河坝，该坝将墨累河拦住，形成穆尔瓦拉湖，这是用于灌溉和娱乐的一个水库(6 070公顷)。亚拉旺加建于1868年，1891年成为农村行政区；其名称来自一个澳大利亚土著用词，意为"鸬鹚筑巢处"。该城镇为一个牲畜饲养、乳制品制造、水果栽培和小麦及葡萄种植地区的中心。也有牲畜销售、面粉制作和制鞋等行业。人口(包括穆尔瓦拉)约5 850(1993)。

yarrow 蓍草 菊科蓍属(*Achillea*)植物，约80种，为多年生草本。主要原产于北温带。叶有齿，常细深裂，有时具芳香。头状花序小，平顶，花白色、黄色或粉红色。有些种栽

变种洋蓍草(*A. millefolium* variety *lanulosa*)
供图：Dennis E. Anderson

培为庭园花卉。发嚏蓍(短瓣蓍、齿叶蓍，*A. ptarmica*)的干叶可制引嚏药粉；洋蓍草(千叶蓍，*A. millefolium*)的茎叶可制鼻烟或茶。

Yaruro 雅鲁罗人 居住在委内瑞拉奥里诺科河各支流沿岸的南美印第安民族。现在只在该国卡帕纳帕罗河和锡纳鲁科河一带残存少数雅鲁罗人。他们使用大奇布查语群的一种语言。由于雅鲁罗人的生活以河流为中心，他们与这个地区大草原上的典型的农民和猎人不同。鳄、海牛、海龟以及这些动物的蛋是基本食物。他们乘独木舟用弓箭捕鱼，但不猎捕鳄鱼和吼猴，因为他们相信这类动物与人类是亲戚。雅鲁罗人制陶、编筐、织网。他们采用大家庭制；还存在有两个母系半偶族，互相通婚。婚姻主要是一夫一妻制，但偶尔也有一夫多妻或一妻多夫者。雅鲁罗人信奉月神及一些小神。

Yasawa Group 亚萨瓦群岛 斐济西大区内约由20个火山岛组成的列岛。位于南太平洋，在斐济主岛维提岛西北。陆地总面积

亚萨瓦群岛上的村落
供图：Photo Research International

135平方千米。有纳维蒂和亚萨瓦两主岛。距楠迪的国际机场很近。20世纪70年代开始发展旅游业。居民几乎全为美拉尼西亚人。人口5 333(1986)。

Yashin, Lev Ivanovich 亚申(1929-10-22，苏联俄罗斯莫斯科～1990-03-21，莫斯科) 苏联足球运动员，是技巧超群的守门员。1949～1971年为莫斯科狄纳莫俱乐部成员。1954年加入苏联国家足球队，1956年该队在奥运会上获得金牌。1970年退休前一直作为苏联队队员参加比赛，其中包括1958、1962和1966年的世界杯赛。退役后任教练。

yashmak 耶希麦克面罩 长而窄的面罩或面纱，多数穆斯林妇女在公共场合戴用。

1855～1860年的彩色雕版画中戴耶希麦克面罩、身着查多尔罩袍的穆斯林女子
伦敦维多利亚和艾伯特博物馆供图

或是一块黑色马鬃织物，两端系在太阳穴附近，倾斜地下垂，像遮篷似地盖住脸部；或是一块缀着饰带、开着眼洞的罩，用细绳在脑后系住，有时在鼻部用一小片金银或象牙把它托起。戴耶希麦克面罩时，一般要配一件通常称作查多尔的罩袍。这种风俗历史悠久，但20世纪后已逐渐消失。

Yasnaya Polyana 亚斯纳亚波利亚纳 俄罗斯中西部图拉州村庄，原为俄国小说家列·托尔斯泰的庄园。在莫斯科以南160千米处。1828年托尔斯泰出生于此，1862年结婚后回到此地居住了48年。托尔斯泰信奉基督教无政府主义以后，许多崇拜他的人到此访问。1910年托尔斯泰逝世，葬于离故居不远的老林山上，仅以9棵橡树为墓标。1941年德军占领时期遭抢掠。此后，托尔斯泰故居和保存下来的一部分庄园受到苏联文化部的保护。托尔斯泰纪念馆包括沃尔孔斯基厅、仆人房、马车库、花园(延伸至沃龙卡河)、托尔斯泰故居及图书馆(藏书约22 000册)等。托尔斯泰所办农民学校的校舍现为文化馆。1978年纪念馆被授予列宁勋章。人口不到10 000(20世纪80年代初)。

Yass 亚斯 澳大利亚新南威尔士州东南部城镇。临亚斯河。1837年建镇。地处东部高地西坡的亚斯平原，为附近美利奴羊、小麦、燕麦、水果、银、铅、铋产区服务中心。地当休姆公路，与悉尼通铁路。镇东北32千米有巴林贾克河。人口4 828(1991)。

Yass-Canberra (Australia) 亚斯-堪培拉 参阅 **Australian Capital Territory 澳大利亚首都直辖区**。

Yasuda Yukihiko 安田靫彦(1884-02-16，东京日本桥～1978-04-29，神奈川县大矶) 原名安田新三郎。日本画家。曾在东京文学院短期学习。擅长以日本画传统和心理学因素画历史人物，其技法基于"大和绘"，线条优美，色彩柔和。1901年他和几个年轻美术家合作，成立"小堀"研究小组。1914年参加日本美术院的复兴工作，并成为其中最重要的成员之一。其历史画因其历史知识渊博而丰

安田靫彦的历史人物画
东京国家博物馆供图

富多彩，名作有《梦殿》(1912)、《五山之祈》(1914)和《黄濑川之阵》(1941)。

Yasuda Zenjirō 安田善次郎(1838-11-25，日本越中富山～1921-09-28，大矶) 日本实业家。安田财团创立者。第二次世界大战结束前，该财团是主宰日本经济的第四大工业与金融联合体。出身贫寒。早年便去东京当售货员，后来自己经营钱庄。发财之后，成为新明治政府(1868～1912)的重要领袖，创建一金融帝国，后又开办工厂，收买铁路和轮船公司等。年老时期，成为日本重要的慈善家。曾捐赠很多的艺术品及教育项目。

Yasui Sōtarō 安井曾太郎(1888-05-17，京都～1959-12-10，东京) 日本画家，擅长西方风格的素描，尤以肖像画著名。出身于商人家庭。1904年，在创建人浅井忠领导下的圣护院西洋画研究所(后来成为日本关西美术院)学习。1907～1914年到法国学画，其间曾到荷兰、意大利、西班牙及其他欧洲国家做短期访问。深受G.库尔贝和P.塞尚作品影响。1914年回日本时，成功地举办了有40多幅画的展览会。由于刻苦写生和经常研究装饰性构图，逐渐从法国名画家的强烈影响下解脱出来，发展成较独特的风格。其代表作有《洗足的裸女》(1913)、《桐花盛开》(1924)、《持扇女》(1929)、《汉城》(1938)和《在画室》(1951)。

Yāsūj(Iran) 参阅 **Yesuj** 亚苏季。

Yates, Edmund Hodgson 耶茨(1831-07-03，爱丁堡～1894-05-20，伦敦) 英国新闻记者和小说家。他使报纸的闲话栏和社交新闻小报两者为人们所尊重。耶茨的父母F.H.耶茨和E.耶茨均为演员。他从16岁起即在伦敦邮政总局工作，1872年退休前升至负责处理无法投递信件的部门负责人。在19世纪50年代早期，他为各种通俗刊物撰写评论和诗歌，并开始担任编辑，同时与人合作写闹剧；在文艺界成为一个为人熟知的人物。1855年任《时代画报》的专栏作家，在报界首次开辟关于社会名流的闲话专栏，名为《在俱乐部中闲荡的人》，一时声名大噪。19世纪60与70年代，耶茨编过各种通俗刊物，包括《寺院酒馆》、《廷斯利杂志》和《时代》。1874年与G.默里创办第一家较有名气的社交新闻报纸《大千世界》。这是一家专门报道社会名流的活动与交往的报纸。耶茨作为编辑，力图把《大千世界》办得高于这类出版物的通常水平，也就是高于那些庸俗下流、恶意中伤的刊物的水平。后者的编辑往往用它们来进行诽谤性的人身攻击，以发泄他们自己或他们的朋友的私忿。尽管耶茨因有一次在刊物中诽谤他人一度短期入狱，但是《大千世界》办得十分成功。耶茨还写过几部小说，其中许多在通俗刊物上分期连续刊登。这些作品中最出色的是《被迫就范》(1864)和《害群之马》(1867)。然而他的传世之作则是他的自传《爱德蒙·耶茨：回忆与经历》(1884)。

Yatsushiro 八代 日本九州熊本县城市。位于球磨川三角洲，濒临八代湾。16世纪为城堡镇，开始生产八代陶器。20世纪初工业发展迅速，以当地丰富的自然资源(水、木材、黏土、石灰石)生产水泥、纸张、人造丝和饮料。有一渔业和商业港口，在鹿儿岛线和肥萨线铁路交叉处，1956年扩建。人口108 790(1985)。

Yaunde 雅温得人 又拼Yaounde或Jaunde，又称埃翁多人(Éwondo)。喀麦隆中南部山区班图语民族，大多住在首都雅温得及其附近。雅温得人同其族源很近的埃顿人共同组成贝蒂人的两个亚族。贝蒂人则是散居在喀麦隆南部、赤道几内亚本部和加蓬北部的芳人(**Fang**)的一支；其余两支是布卢人和正统芳人，多数住在加蓬和赤道几内亚。雅温得语是班图诸语言中雅温得-芳语群的一种方言。当地居民可以使用诸如埃顿方言之类的一种母语，但同时学习用雅温得语阅读和书写。雅温得语在其他民族聚居的农业地区为商业及行政用语，而在雅温得城内更为广泛流通，成为来自喀麦隆全国各地及邻国的移民的混合语。雅温得语日常用语中杂有其他各族的方言、其他邻接地区的语言，还有英语、法语等成分。

雅温得人与其他贝蒂人具有共同的文化和历史，因此不易区别。据传，贝蒂人为大批芳人移民之最后一批，而这些芳人则是因奥斯曼·丹·弗迪奥所领导的富拉尼人的圣战的冲击而迁向东北地区的。正统芳人进入现今的加蓬，布卢人直趋沿海地区，贝蒂人便随这两大先驱者之后而占据邻近各地。雅温得人住在赤道森林地带，以种植木薯及玉米为主食，辅以各种蔬菜、棕榈油、野生菌类、昆虫及其他采集品。薯蓣类、芭蕉及花生也在雅温得人经济中占重要地位，花生尤为重要，其埃翁多人一名即源于花生。雅温得人饲养山羊及猪，多用于盛典宴飨，日常很少食用。可可为重要经济作物，但因土地贫瘠，加以人口高度密集使耕地减少，种植可可收益不及其他地区。因此，雅温得农民收入都较低。一般说来，雅温得人多在城市做劳工，可可种植区虽较富庶，务农者也不多。

雅温得人同布卢人及其他芳人一样，在欧洲人入侵以前只有一些松散的政治机构，其社会迄今仍是基本上人人平等的。现在雅温得人的主要社会单位是：①取决于父系的在谱系上有关的氏族；②这些氏族内部的各家系；③较大的部落实体，实即松散地凝聚在一起的氏族群。过去雅温得人社会所采用的年龄组，近年来已逐渐失去其重要性。农村地区的雅温得人大多数是比邻而居，聚为里巷(其人口鲜有超过300或400者)，而非真正村落。

Yauri 姚里 尼日利亚西北部索科托州古代王国和世袭酋长国，地方政务会议所在地。王国可能为雷舍人创建，14世纪中叶已成为豪萨人最重要的王国之一，以伊斯兰教为国教。16世纪中叶被凯比王国征服。约于1810年，姚里的豪萨族统治者阿尔比希尔宣布效忠关图酋长国，并成为姚里的第一个埃米尔。1844年姚里人民逐走埃米尔加杰尔，导致内战。1850年迁都尼日尔河伊库姆岛，1888年又迁都**耶卢瓦**(**Yelwa**)。该酋长国于1901～1960年由英国统治。1960年尼日利亚独立之后，耶卢瓦仍为酋长国首邑和主要贸易中心。现居民以姚里、达卡尔基(达卡拉瓦)、坎贝里、雷舍、杜卡瓦、豪萨和富拉尼人为主。

Yavana 耶槃那 古印度文献中，对希腊人或其他外国人的称呼。这个词以Yauna与Iama-nu的形式出现在阿契美尼德的(伊朗的)铭文里，指的是公元前545年被阿契美尼德王朝的居鲁士大帝所征服的小亚细亚爱奥尼亚人。西北诸省的印度人可能从这里吸收了这个词，而在印度最早有证据地使用这个词的则是语法学家帕尼尼(约公元前5世纪)，他的写法是Yavanānī，而注释者认为它的意义是希腊手迹。当时这个名称也许指的是居住在阿契美尼德东部诸省的希腊人社团。从亚历山大大帝的时期(约公元前334)起，耶槃那一词被用来专指希腊人的大夏王国，特别在公元前175年以后又专指旁遮普的印度-希腊王国。当时的印度资料把耶槃那看成是西北的野蛮民族。从基督教时期初期起，这个词泛指任何外国人，而在晚得多的时候，它又用来指入侵印度的穆斯林。

Yavarí Río(South America) 参阅 **Javari River** 雅瓦里河。

Yavorov, Peyo 亚沃罗夫(1877-05-06,保加利亚奇尔潘～1914-01-20,索非亚) 保加利亚诗人、剧作家,保加利亚诗歌象征主义运动的奠基人。曾参加策划1903年8月马其顿人反抗奥斯曼霸权的未遂起义,编辑革命报纸,并随同游击队两次进入马其顿。36岁时自杀身亡。1900年之前主要写作具有社会政治意义的诗篇。由于对"激进主义"幻想破灭,遂放弃现实主义,而代之以内省和象征主义。除《不眠之夜》(1907)等诗集外,他的作品还有剧本《在维托沙山麓下》(1911)和《雷声停止的时候》(1912)、马其顿领袖G.德尔切夫的传记和战争岁月回忆录《海杜特的理想》(1908)。

Yavuz 耶乌嗣 参阅 **Selim I 谢里姆一世**。

Yaw, Ellen Beach 亚乌(1868-09-14,美国纽约波士顿～1947-09-09,加利福尼亚西科维纳) 别名Lark Ellen(百灵埃伦)。美国歌剧女高音,在20世纪初的欧洲和美国乐坛享有极高声誉。1888年在布鲁克林首次公开演出。6年后赴欧洲学习。首次巡回演出在国内举行。1896年,她在纽约市的卡内基音乐厅演唱。1899年11月在伦敦萨伏依剧场开演阿瑟·沙利文的喜剧《波斯玫瑰》,其中的女高音角色是专为她创作的。该歌剧获得极大成功,她因此得到一份令人羡慕的资助,使她能够在巴黎师从M.马尔凯西深造。经三年刻苦攻读后,她先后在法国、意大利、瑞士和英国举办音乐会。1907年在罗马首次举办歌剧演唱会,1908年在纽约市大都会歌剧院演唱相同的角色。她在欧洲举办音乐巡演直到1912年,在美国巡回演出直到1931年。人称百灵埃伦,她美妙的歌喉和出众的音域使评论家和听众深感愉悦。1931年退休,但仍继续慈善演唱直至1946年。

yawara (martial art) 参阅 **jujitsu 柔术**。

Yawatahama 八幡滨 日本四国爱媛县城市。濒临宇和海。德川时代(1603～1867)为城堡镇和渔港。后发展成为蚕茧和生丝贸易中心。现为重要的深海渔业基地,有渔产加工和棉纺织业。内地种植柑橘。跨丰后水道与九州的臼杵通轮渡。人口38 550(1990)。

Yawkey, Tom 约基(1903-02-21,底特律～1976-07-09,波士顿) 美国职业棒球业经营家、运动员,美国棒球联盟波士顿红袜队老板(1933～1976)。约基在舅父家中成长,在耶鲁大学攻采矿工程和化学,1925年获理学士学位。16岁丧母,继承舅父财产。他所拥有的红袜队曾三次夺魁。约基酷爱垂钓和狩猎,喜欢打墙网球和墙手球。在南卡罗来纳州南岛拥有野生动物保护地一处,为候鸟提供栖食地,并收容其他野生动物。他立遗嘱将该地6 070公顷土地赠给南卡罗来纳州政府,并附赠1 000万美元作为该处的维修基金。1980年入选纽约库珀斯敦棒球名人堂。

yawl 双桅轻便帆船 一种双桅帆船,一般装一面或多面三角帆、一面主帆和一面后帆。

双桅轻便帆船"吉鲁埃特"2号
供图:Frank Gordon and Son

前桅即主桅高于后桅。这种船的后桅装在舵轴的后面,另一种双桅船(ketch)的后桅则靠近船中部。像多数现代游艇一样,双桅轻便帆船都张纵帆(与龙骨对正),最能节省人力。这个名称有时也用于舰载小艇或挂斜桁四角帆的轻便渔船。

yaws 雅司 又称热带莓疮。常发生于世界上各热带潮湿地区的一种接触性传染病。病原为细弱密螺旋体,其形态结构与引起梅毒的苍白密螺旋体不易区分。一些梅毒学家主张:雅司只不过是一种热带农村形式的梅毒,但雅司不是性病,其第三期损害和内脏损害远较梅毒少得多;诊断梅毒的华色曼氏反应与康氏反应在雅司患者也常呈阳性,它们之间存在着某种程度的交叉免疫。雅司螺旋体存在于病损部的分泌物中,健康人皮肤若有擦伤,直接接触病损部的分泌物即可受染;雅司又可通过污染的衣服或蝇类传播。幼儿期最易感染本病,并因此获得相当的免疫力。雅司可分三期,其症状是在侵入部位的皮肤先出现丘疹,继之以多数菜花样疹,其后,某些病例可发生皮肤、黏膜及骨骼的毁形性破坏。雅司初疮的主要特征为表皮疣状增厚,随后纤维化,表皮开裂,易出血并排出浆液性液体,一个多月后愈合,遗留疤痕。这时又可出现多数与初疮类似的皮疹,常分布于皮肤与黏膜交界处,如口、鼻及肛门周围,亦见于大腿根部的皮肤、颈、臂、腿和臀部等处。无论初疮还是第二期雅司疹均呈黄红色,外观略似红覆盆子果,故本病又名热带莓疮。随后,皮疹缓解,仅留下表浅的疤痕;但某些病例可发生第三期雅司的畸形损害,累及鼻、长骨(呈"飞回镖形腿"),偶可波及脾脏、脑及大血管。青霉素能杀灭雅司螺旋体,除第三期雅司外可迅速治愈。而第三期雅司则需要联合应用氧苯胂及次水杨酸铋。预防在于隔离和及时治疗以减少感染机会,还应注意个人与集体卫生。皮肤上的所有伤口与疮疡应予适当的抗菌药,并覆盖清洁的敷料。所有与雅司病损部位接触过的衣物均应消毒,不使成为传播媒介。

Yayoi culture 弥生文化(约公元前250～约公元250) 继绳纹文化的日本史前文化。1884年在东京弥生町发现代表这一文化的器物,故名。原起自九州,后向东北关东平原扩展。弥生时代人开始制作青铜器和铁器,从事纺织,聚居村社。他们的房屋架于地面,草顶。他们仍打猎和拾贝壳,但利用由中国传来的方法种植水稻。弥生陶器如同更早的绳文陶器,是未经上釉的。早期弥生时代(公元前250～前100)陶器的特征是刀刻的表面装饰,中期(公元前100～公元100)陶器表面则有梳形印痕装饰。这些红色、黄褐色的陶器形状有高脚杯、罐、碗、壶等。在弥生文化遗址发现类似中国汉代青铜制品的铜镜和铜钱、青铜武器(剑、矛和戟),以及雕有几何图案的铜铎。弥生陶器大致可以濑户内海为界,分为东、西两种类型。铜器的分布,西在九州北部,中在近畿地区,东在关东平原。

yazata 亚札塔 琐罗亚斯德教义中的一批天使。他们是阿胡拉·玛兹达所创造以协助他维持世界秩序和抑制阿里曼等妖魔的势力。他们采集阳光并把它洒向人间,人们才能洗涤和提高自己的心灵。

Yazd 亚兹德 又作Yezd。伊朗中部城市。始自公元5世纪,位于贫瘠多沙的平原上,海拔1 200米。完全是沙漠气候。在历史上,该地区位于中亚和印度贸易路线的交叉点上。由于多宗教建筑物,曾赢得"虔诚之乡"美称。该城一些居民为琐罗亚斯德教教徒,其祖先在阿拉伯穆斯林征服伊朗时逃往亚兹德和克尔曼。现为该教在伊朗的最后中心。自萨珊时期以来,以美丽的丝织品出名,亚兹德城则是丝织品的主要中心。除了城墙的遗迹外,还有许多重要清真寺和陵墓,其中最早的建于12世纪。星期五清真寺有伊朗最高的尖塔。现在城内有精纺厂、织布厂、净化过滤水设备厂,城郊有铜矿。农业生产杏仁、水果和谷物。有公路、铁路通克尔曼、伊斯法罕和德黑兰等市,并有一个机场。周围地区的经济以农业为主,以建立农业公司和农产品加工中心等方式实现了农业现代化。农产品有小麦、大麦、棉花、油籽、靛青、水果和蔬菜。人口:市306 268(1994)。

亚兹德市星期五清真寺的圆顶
伊朗国家旅游组织供图

Yazdegerd 伊嗣埃 又作Yezdegerd或Yezdegird,中古波斯语作Yzdkrt。伊朗萨珊王朝统治者的名字,按年代顺序排列于后,并各以●为标记。

● **Yazdegerd I 伊嗣埃一世**(活动时期5世纪初) 萨珊帝国国王(399～420)。一个有才智的统治者。他努力摆脱权贵和贤人的控制,由于他制止对基督教徒的迫害,基督教作者们称颂他的宽容,但按照古波斯僧侣的传统,他被视为罪人。他试图限制贵族的权力,与罗马帝国和平相处。后可能在呼罗珊被害死,由其子巴赫拉姆五世继位。

● **Yazdegerd II 伊嗣埃二世**(活动时期5世纪) 萨珊王朝的国王(438～457)。巴赫拉姆五世之子。狂热的琐罗亚斯德教徒。对基督教徒和犹太人都进行迫害。442年与罗马进行战争。他还与东部的贵霜人和基达尔人进行斗争。关于他统治时期情况所知甚少。

● **Yazdegerd III 伊嗣埃三世**(?～651,萨珊帝国梅尔夫) 萨珊王朝末代国王(632～651)。沙亚尔之子,霍斯罗夫二世之孙。幼年登基,实际从未行使政权。在位第一年,阿拉伯人就开始入侵。636或637年的卡迪西亚战役决定了帝国的命运。首都泰西封被阿拉伯人占领。伊嗣埃逃往米底。642年萨珊王朝的军队在纳哈万德战役中惨败之后,他东奔西跑寻求避难场所,直到最后在梅尔夫被杀。

Yazīd I 耶齐德一世(约645,阿拉比亚～683,大马士革) 伍麦叶王朝第二代哈里发(680～683)。尤以镇压阿里之子侯赛因领导的叛乱著名。侯赛因之死导致伊斯兰教什叶派与逊尼派永远分裂。穆阿威叶之子。耶齐德一世继任哈里发后,仍然推行其父制订的政策。他加强帝国的行政机构,改善叙利亚的防御,改革财政制度,完善大马士革绿洲的灌溉系统。

Yazīd ibn al-Muhallab 耶齐德·伊本·穆海莱卜(672～720,伊拉克瓦西特) 伍麦叶王朝治下的总督。8世纪初任呼罗珊总督,不久便同伊拉克总督赫贾吉冲突,被哈里发瓦利德拘禁。708年逃脱,投靠瓦利德的兄弟苏莱曼。715年苏莱曼即位时,他出任伊拉克总督,迫害赫贾吉(714年卒)的追随者。不久兼任呼罗珊总督,实行苛政。717年因向大马士革朝廷进贡不足而被囚禁。他再次逃脱,掀起暴动,后为此丧生。

Yazīdī 耶齐德派 又拼Yezīdī,Azīdī,Zedī或Izdī,曾译亚齐德派。主要流行于伊拉克境内摩苏尔、土耳其境内迪亚巴克尔、叙利亚境内阿勒颇、亚美尼亚、高加索地区以及伊朗部分地区的教派。该教派的起源不明,他们自己认为与人类其他部分来源不同,甚至不是亚当的后裔,他们在所居之处不与外人往来。他们居住分散,总数可能不足10万,但组织严密完善;以教宗为最高宗教首脑,大君为世俗领袖。他们崇拜孔雀天使,拜孔雀像,这位天使会同其他六位天使在至高上帝的管辖下统治宇宙(至高上帝创造宇宙之后即不再直接管理)。耶齐德派否认恶的存在,因此也不相信罪、魔鬼和地狱;他们认为,魔鬼在上帝面前忏悔傲慢之罪,获得赦免,重任天使长。因此该派被误称为拜魔鬼派。

Yāzijī, Nāṣīf 雅齐吉(1800-03-25,黎巴嫩希马村～1871-02-08,贝鲁特) 黎巴嫩学者,对阿拉伯文学传统的恢复起了重要作用。1840年前,在黎巴嫩埃米尔贝希尔·谢哈布二世部下供职,后迁贝鲁特,继续从事文学工作。他是基督教徒,一度帮助美国传教士编写地方教会学校用的阿拉伯语教科书。他深爱阿拉伯语,对古典阿拉伯文学的美妙也有深入的鉴赏力。他也是一个语言纯正癖者,刻意消除许多世纪以来那些已收进阿拉伯语中的“讹误”,并回到古典学者的实践中去。过去的几个世纪中,古典文学被人忽略,但雅齐吉和其他阿拉伯基督教徒的作品帮助把古典文学恢复为当代阿拉伯文化中的一个积极因素。

Yazılıkaya 亚泽勒卡亚 土耳其语,意思是“岩石雕刻”。为土耳其东部旧赫梯王国首都哈图萨的遗址,位于博阿兹柯伊东北部约1英里处。有两个岩壁凹口,一个在东北部,另一个在东部,形成天然的画廊。东北部凹口的西侧所刻大多为男人图形,东侧皆为女性群像。另一凹口内一面为战士的浮雕,另一面是一个在保护神怀抱中的国王的巨大图像。经过研究,这一隐蔽的圣所是公元前13世纪由国王图德哈利亚斯四世建成的。

Yazoo City 亚祖城 美国密西西比州中西部城市,亚祖县县城(1848)。东南距杰克逊76千米,在亚祖河畔。建于1826年。1830年设建制。1904年几乎被大火焚毁,后经重建。1939年附近该州第一口油井喷油后,建起炼油厂。现为农贸中心(木材和棉花),鲶鱼养殖业十分重要。20世纪90年代建有一所联邦监狱,对当地经济贡献很大。生产化肥、化学制品和纺织品。布西有德尔塔国家森林和潘瑟斯旺普野生动物保护区。市东北有希尔赛德野生动物保护区。人口14 550(2000)。

Yazoo River 亚祖河 美国密西西比州河流。由塔拉哈奇和亚洛布沙河汇合而成。大致向南和西南流,多半与密西西比河平行。在维克斯堡汇入密西西比河,全长306千米。亚祖河流域过去易受上游洪水的影响。1886年堤坝系统完工后,成为一主要产棉区。沿河主要城市有格林伍德和亚祖城。

Ye Gongchao 叶公超(1904-10-20,中国广东广州～1981-11-20,台湾台北) 又拼Yeh Kung-ch'ao。中国学者,外交家。原名崇智,字公超。原籍广东番禺。幼年丧父母,由其叔父恭绰抚养成人。1918年就读天津南开中学。1920年赴美国就读,两年后毕业于马萨诸塞州阿默斯特大学。后转赴英国,入剑桥大学钻研西洋文学,1924年获文学硕士学位。此时他常在《新月杂志》上发表文章,介绍英国诗人T.S.艾略特的作品。1926年回国后,任教于北京大学及师范大学,主讲西洋文学。次年参与创办新月书店,并受聘为暨南大学外文系主任。1936年专任北京大学外文系教授兼系主任。抗日战争爆发后,随校迁昆明,任西南联合大学外文系主任。不久参加国民党中央宣传部工作,派赴新加坡任驻马来亚专员,从此转入政界。1946年回国,任外交部欧洲司司长,后任常务次长、政务次长。1949年6月任外交部长。1958年7月出任驻美全权大使。1961年奉调回台湾改任“行政院”政务委员。1978年被聘为总统府资政。所著除中文《叶公超散文集》外,尚有英文作品《介绍中国》、《中国古代文化生活》、《英国文学中之社会原动力》等。

Ye Jianying 叶剑英(1897-04-28,中国广东梅县～1986-10-22,北京) 又拼Yeh Chien-ying。中国共产党第十、十一届中央委员会副主席,第五届全国人民代表大会常务委员会

中国大百科全书出版社供图

委员长。出身于一个小商家庭。幼读私塾(中国的旧式初级学校),后上中学。1916年赴南洋谋生,翌年回国进入云南讲武堂学习。1920年毕业后,追随孙中山革命。孙中山在广州组织革命政府后,他曾参与1921年的出师桂林和1922年、1923年两次讨伐陈炯明叛军的战斗。1924年在粤军中任第二师参谋长。同年参加筹建广州黄埔陆军军官学校,后任教授部副主任。1925年参加讨伐陈炯明的两次东征。1926年参加北伐战争,攻克南昌后任国民革命军新编第二师师长。1927年4月蒋介石在上海杀害共产党人及其支持者,他通电反蒋,6月任国民革命军第四军参谋长,7月加入中国共产党。他策应8月1日在南昌发动的武装反抗国民党的起义,并率领第四军教导团南下广东,12月与张太雷、叶挺等一起领导了广州起义。1928年赴莫斯科中国劳动者共产主义大学学习。1930年秋回国。1931年初进入位于江西省南部和福建省西部的中央革命根据地,先后任中央革命军事委员会委员、参谋长、中国工农红军学校校长、中华苏维埃共和国临时中央政府所在地瑞金的卫戍司令员、红一方面军参谋长、闽赣军区和福建军区司令员。1934年参加红军第一方面军的长征。长征途中红军第一方面军在当时四川省西北部(今四川省北部)同红军第四方面军会合,他任会合后的红军前敌总指挥部参谋长,及时地向毛泽东报告了第四方面军领导人张国焘图谋劫持党中央、迫使第一方面军随张南下的密电,随即同毛泽东、周恩来等领导的红一方面军一起到达陕北。1936年9月被派往西安进行联络各方面爱国力量的统一战线工作。同年12月,驻在西安的爱国将领张学良、杨虎城发动武力拘

禁蒋介石的西安事变，他协助中共全权代表周恩来做了大量工作，促进了西安事变和平解决。抗日战争时期，任八路军参谋长。在中共党内先后任长江局委员、南方局常务委员，在武汉、重庆等地参与领导统一战线工作。1939年2月，协助国民党政府军事委员会创办南岳游击干部训练班，任副教育长，讲授游击战的战略战术，宣传中国共产党的抗日方针政策。1941年回延安任中共中央军事委员会参谋长。1945年在中共第七次全国代表大会上当选为中央委员。日本投降后，为制止内战，他于1945年12月参加以周恩来为首的中共代表团赴重庆同国民党政府代表进行停战谈判。1946年1月，作为中共代表团成员出席蒋介石召开的政治协商会议。停战协定签订后，1946～1947年任北平军事调处执行部中共代表。1946年7月任中共中央革命军事委员会副总参谋长。国民党发动全面内战后，他于1947年2月回到延安。3月，中共中央撤离延安，他任中共中央后方委员会书记。1949年又兼任中国人民解放军参谋长。北平和平解放后任北平市市长。

中华人民共和国建立后，他是中南地区主要领导人之一。历任中央人民政府委员、中共中央华南分局第一书记、广东省人民政府主席、中南军政委员会副主席、华南军区司令员、中南军区代司令员、中共中央中南局代理书记、中华人民共和国国防委员会副主席、中国人民解放军武装力量监察部部长、训练总监部代部长。1955年被授予中华人民共和国元帅军衔。1956年中共第八次全国代表大会上继续当选为中央委员。1958年后历任中国人民解放军军事科学院院长兼政治委员、中央军事训练和军事学术研究委员会主任。1965年当选为中国人民政治协商会议第四届全国委员会副主席。1966年任中共中央书记处书记、中共中央军事委员会副主席兼中央军委秘书长，主持军委日常工作。在八届十一中全会上当选为中央政治局委员。“文化大革命”期间，同林彪、江青集团进行了坚决斗争。1967年以后实际上被解除了在党中央和军队中的领导工作。1971年林彪叛逃事件发生后，他重新以中央军委副主席的身份主持军委日常工作。1973年中共十届一中全会上当选为中央副主席，1975年任国防部部长。当时主持中共中央日常工作的邓小平在1976年再度受到诬陷，被撤销职务，与邓小平合作的叶剑英也再度被实际上解除领导工作。

在1976年10月清除江青集团的斗争中，他起了决定性的作用。1977年中共十一届一中全会上当选为中央副主席、中央军事委员会副主席。1978年当选为第五届全国人民代表大会常务委员会委员长。1979年9月代表中共中央、全国人大常委会和国务院在纪念建国三十周年大会上发表重要讲话。1981年9月，以人大常务委员会委员长名义提出关于台湾回归祖国实现和平统一的九点建议，主张举行国共两党对等谈判，实行第三次国共合作。1982年在中共十二届一中全会上继续当选为中央政治局常务委员、中央军事委员会副主席。1983年因年迈辞去全国人大常务委员会委员长职务，在第六届全国人民代表大会第一次会议上被任命为中华人民共和国中央军事委员会副主席。1985年9月因病向中共十二届四中全会提出不再担任党的中央委员、中央军委委员，从而不再担任中央政治局委员、常委和中央军委副主席的请求，全会同意他的请求。他的主要著作收入《叶剑英选集》。

Ye Mingchen　叶名琛（1807～1859）　中国清末大臣。字崑臣。湖北汉阳人。1835年进士。1838年任陕西兴安知府。后任云南按察使、广东布政使等。1848年升广东巡抚。1852年镇压凌十八起义，升任两广总督兼通商大臣。1854年接受英、法、美侵略者军火接济，镇压广州天地会起义，屠杀10余万人。次年以总督兼协办大学士。1856年10月英军进犯广州，1857年12月英法联军再犯广州，均不作战守。1858年1月广州失陷被英军俘虏，2月解往印度加尔各答。1859年囚死。

Ye Qianyu　叶浅予（1907-03-01，中国浙江桐庐～1995-05-08，北京）　中国现代漫画家、国画家，原名叶纶绮。少习书画，1922年入杭州盐务中学，始作西画写生。1925年因家贫

中国大百科全书出版社供图

辍学，翌年到上海三友实业社任绘图员。自1927年开始作漫画。早期代表作为长篇连环漫画《王先生》，1936年又作续篇《小陈留京外史》，讽刺世俗及官场诸种丑态，人物造型受西方漫画的影响，简练明快，自成一格，一时脍炙人口。1937年任上海《救亡漫画》编委，兼漫画宣传队领队，创作反映战时生活和宣传抗日的作品。1939年在香港任《今日中国》画报主编，创作颇丰，成为当时最有影响的漫画家之一。1942年到贵州苗区旅行写生，试以民间艺术与传统笔墨相结合，寻求新的造型语言。翌年访问印度，作风物速写，归国后画印度舞，举办旅印画展，开始由漫画向中国画创作转折。1946年出访美洲，先后在纽约、波士顿等地举办个人画展。翌年，应徐悲鸿之邀，任国立北平艺术专科学校教授。1950年以后任中央美术学院教授、中国画系主任。他的国画主要出于自学，40年代作品多反映少数民族生活，如《贵州马帮图》、《苗家姑娘》和《凉山舞步》等，画风工细，富于装饰感。50年代作大幅作品，如《民族大团结》，也兼作山水写生、花鸟小品和人物速写。60年代作人物画如《程砚秋在舞台上》和《梅兰芳》等，笔墨技巧臻于成熟，题材也由博及约，比较集中于画舞，善于捕捉富有运动趋向的舞蹈动作瞬间和美的情态。70～80年代仍作画不辍，画风更为深沉老练。曾任中国美术家协会副主席、中国画研究院副院长等职。

Ye Qiaobo　叶乔波（1964-08-03，中国吉林长春～　　）　中国速度滑冰女运动员。短距离速度滑冰全能世界冠军。10岁开始学习滑冰，后接受中国冰坛宿将崔顺子指导。1976年在吉林省速滑比赛中夺得女子500米、1 000米和1 500米3项桂冠。1977年被选入八一速滑队。1982年初在训练中腰部严重扭伤，造成脑椎错位。医生告诫她有瘫痪的危险，但是她没有屈服。经过半年治疗，她以坚强的毅力重新投入训练。同年在全国速滑锦标赛中夺得2枚金牌、2枚银牌和1枚铜牌。1985年在日本举行的第11届中日友好速滑运动会上夺得1 500米金牌。1991年冬至1992年春，她连续参加了7次世界大赛，荣获7枚金牌、9枚银牌，其中在第16届冬季奥林匹克运动会上夺得500米、1 000米两枚银牌。这是中国选手首次在冬奥会上获得奖牌。在世界短距离速滑锦标赛上又连获3枚金牌，夺得女子全能世界冠军，成为中国和亚洲第一位短距离速滑全能世界冠军。

Ye Qisun　叶企孙（1898-07-16，中国上海～1977-01-13，北京）　中国物理学家、教学家，中国近代物理学的奠基人之一。1918年清华留美预备学校毕业，同年秋赴美留学。1920年获芝加哥大学理学士学位，1922和1923年先后获哈佛大学硕士和博士学位。1921年4月参加了在华盛顿召开的美国物理学会年会，宣读了他与W.杜安和H.H.帕尔默合作的论文《用X射线法重新测定辐射常数 h》，该文随后在美国《物理学评论》(1921)和《美国光学学会月刊》(1921)发表。叶企孙等测定的 h 值为 $(6.556 \pm 0.009) \times 10^{-27}$ 尔格秒，该值被世界物理学家沿用达16年之久。他的博士论文《流体静压对铁、钴、镍磁导率的影响》(1925)，发表在美国艺术和科学学术院院报上。在理论和实验方面都是开创性的。1923年10月离美回国，先后在南京东南大学、北京清华学校任教。1928年清华大学成立后，任物理系主任、理学院院长（1929～1937），并曾以教授会和校务委员会主席的名义代理校长职务。叶企孙在清华大学任职期间，延聘各方学者，包括吴有训、萨本栋、施汝为、赵忠尧、周培源、任之恭、孟昭英、熊庆来、杨武之、袁复礼等几十位名教授，在国内率先建立了数学、物理、化学、生物、心理、地学、土木（包括水利）、电机、机械、航空各系并设立理科研究所，建立实验室，招收研究生。此后历任西南联大物理系教授（1938～1941，1943～1946）兼理学院院长（1945～1946），清华大学特种研究所委员会主任委员（1938～1946），中央研究院总干事（1941～1943），1948年被选为中央研究院院士。1949年以后，任清华大学校务委员会主任委员、理学院院长（1949～1952），北京大学物理系教授、金属物理及磁学教研组主任（1952～1977）；中国科学院数理化学部常务委员等职。1977年1月13日因在“文化大革命”中受长期迫害逝世。

Ye Shengtao 叶圣陶(1894-10-28，中国江苏苏州～1988-02-16，北京) 中国作家、教育家。名绍钧，字圣陶。中学毕业后当小学教师，1914年开始用文言写小说，发表于《礼拜六》等刊物上。五四运动受到新潮思想影响改用白话文。1921年文学研究会成立，他是发起人之一，提倡"为人生"的文学。此后任教于上海中国公学、杭州第一师范学校和上海复旦大学，与朱自清等创办《诗》月刊(1922)。

中国大百科全书出版社供图

1923年进商务印书馆任编辑，主编《文学旬刊》。1927年主编《小说月报》。1930年参与编辑《妇女杂志》、《中学生》、《新少年》等刊物。九一八事变后，曾与夏丏尊等人发起、组织上海文化界反帝抗日大同盟。抗日战争爆发后，举家迁往重庆，任教于一些学校。抗日战争胜利后，回到上海，后由于参加民主运动受到迫害，遂假道香港、烟台到北平，参加华北人民政府工作。20年代，叶圣陶创作了大量短篇小说，结集出版的有《隔膜》(1922)、《火灾》(1923)、《线下》(1925)、《城中》(1926)、《未厌集》(1928)、《四三集》(1936)等，它们都以知识分子、市民为对象。其中《潘先生在难中》(收入《线下》，1924)是他的杰作。1928年完成长篇小说《倪焕之》，次年8月由上海开明书店出版，它描绘了知识分子从辛亥革命到1927年前后的生活历程及思想变化，成为新文学中的扛鼎之作，该书多次重印，标志着他的现实主义创作的成熟。散文集有《脚步集》(1931)、《未厌居习作》(1935)等，平实而质朴。他的《稻草人》(1923)是现代文学中的第一部童话作品，与《古代英雄的石像》(1931)一起，开拓了中国童话创作的园地。1949年后，历任中国出版总署副署长、教育部长兼人民教育出版社社长、中央文史馆馆长、中国民主促进会主席等职，同时还写作散文、诗歌和评论。出版有《叶圣陶文集》、《叶圣陶论创作》、《叶圣陶语文教育论集》等。

Ye Shi 叶適 (1150～1223) 又拼 Yeh Shih。中国南宋哲学家。字正则。温州永嘉(今属浙江)人。为永嘉学派的代表。历任太常博士、知建康制兼沿江制置使，代理工部、兵部侍郎。反对对金议和，后受韩侂胄诛连被夺职返乡。晚年居永嘉城外水心村讲学，人称水心先生。在哲学上反对性理空谈，认为道不能离开物。他对儒家典籍和人物都有讥评。也反对道家和佛教。讲究"功利之学"，重视理财，主张通商惠工，扶持商贾，流通货币。所著《习学记言》是对历代学术、经子群书的评论。另有《水心先生文集》和《别

中国大百科全书出版社供图

集》，中华书局1961年出版《叶適集》。

Ye Ting 叶挺(1896-09-10，中国广东惠阳～1946-04-08，山西兴县) 又拼 Yeh T'ing。中国人民解放军创建人之一，军事家。字希夷，1918年于保定军官学校毕业。1919年初投身孙中山领导的民主革命，在粤军中任支队副官，同年参加中国国民党。1921年在孙中山大本营警卫团任营长。1922年6月粤系军阀陈炯明叛变时，率部保卫总统府，掩护孙中山、宋庆龄脱险。1924年赴苏联莫斯科东方劳动者共产主义大学和红军特别训练班学习，在此期间加入中国共产党。1925年8月回国，不久任中国共产党直接掌握的国民革命军第四军独立团团长。1926年5月率该团担任北伐军先遣队，讨伐军阀吴佩孚，在攻克汀泗桥、贺胜桥、武昌等重要战役中多谋善断，战功卓著，为第四军赢得"铁军"的称号，被誉为"北伐名将"。北伐军占领武汉后任第二十四师师长兼武昌卫戍司令。1927年8月

中国大百科全书出版社供图

参与领导了南昌起义，任前敌总指挥兼第十一军军长，同年12月参与领导广州起义，任工农红军总司令。广州起义失败后受到共产国际的指责而离开共产党，在德国和澳门等地过流亡隐居生活。1937年抗日战争爆发后，回国参加抗战，出任新四军军长。1941年1月"皖南事变"中在同国民党军谈判时被扣，被囚禁达5年之久，身陷囹圄，坚贞不屈，曾作《囚歌》明志。抗日战争胜利后，经过中国共产党与国民党进行谈判交涉，于1946年3月获释。出狱后立即致电中共中央要求重新加入中国共产党。3月7日，中共中央决定重新接受他加入中国共产党。4月8日由重庆赴延安途中，因飞机失事在山西兴县黑茶山遇难。

Ye Zuibai 叶醉白(1909-10-01～1999-04-06) 又拼 Yeh Tsuei-pai。中国画家。原名叶锟。浙江青田人。擅画马。中央军校及国防大学毕业。历任团长、师长、代军长等职。于军旅期间即画马遣兴，退役后专事画马。1965年起赴世界各地展出其书画作品，日本东京文化沙龙曾为他举办"五十都市巡回展"。1977～1988年先后在芝加哥、中美洲、西德、荷兰、葡萄牙等地展出。叶醉白画马风格初期颇受徐悲鸿影响，但在1977年之后逐渐摆脱依傍而显露自己的独特风格。其后期作品倾向于恢复中国传统水墨画书画合一的特色，并在单纯的水墨形象构图中显示出类似抽象表现主义风格的特色。

Yeager, Chuck 耶格尔(1923-02-13，美国西弗吉尼亚米拉～) 别名 Charles Elwood Yeager。美国试飞员和美国空军军官，是第一个超声速飞行的人。中学毕业后不久，就在1941年9月参加美国陆军，被编入陆军航空队。1943年被任命为后备飞行军官，并成为驻英国的第八航空队战斗机部队飞行员。在第二次世界大战中他在欧洲上空执行任务64次，击落德机13架，自己也在法国上空被击落(他在法国地下工作者帮助下幸免被俘)。战后，他成为飞行教官，后又任试飞员，1947年被正式任命为上尉。耶格尔在若干名志愿者中被选中去试飞贝尔飞机公司制造的秘密的X-1实验机，试验飞行员及固定翼飞机对声速飞行中严重的气动应力的耐受能力。1947年10月14日，他驾驶一架挂在B-29母机上的X-1飞机，在加利福尼亚州南部的罗杰斯德赖莱克上空达到7 600米高度。然后，他脱离母机，用火箭推动单独上升到12 000米，在此高度上，他达到约1 066千米/时的速度，成为突破声障的第一人。但这一功绩直到1948年6月才公诸于世。耶格尔继续从事试飞，1953年12月12日在X-1A火箭发动机飞机上创造了2 660千米/时的飞行速度世界纪录。1954年耶格尔离开加利福尼亚州爱德华兹空军基地的助理试飞主任岗位，参加驻西德的美国第12航空队。完成若干例行的使命后，他于1962年返回爱德华兹基地，任航空航天研究飞行员学校的校长，军衔为上校。1968年任第四战术战斗机联队长。1975年以准将军衔退休。他的自传《耶格尔》于1985年出版。

year 年 地球绕太阳运转一周所需的时间，约365¼日。由于它有一个零数，所以任何一种要和季节保持一致的历法都须定期插入闰日。在格雷果里历中，一个平年包含365日，而每个第4年(有少数例外)是闰年，有366日。有几种年在天文学上是重要的，它们的长度略有差别。太阳年(365日5时48分46秒)，又称回归年或季节年，是太阳连续两次出现在春分点(即视太阳穿过天赤道向北运动瞬间的位置)的时间间隔。由于岁差(地球自转轴缓慢摆动的效应)的存在，太阳年比恒星年(365日6时9分10秒)短，后者是太阳在周年视运行中相对于背景恒星回到同一位置所需的时间。近点年(365日6时13分53秒)是地球两次通过近日点(地球轨道上最接近太阳的点)的时间间隔。在一些历法中使用的太阴年(12个朔望月，或12个

月相周期）的长度约为 354 日。宇宙年（约 2.25 亿年）则是太阳系绕银河系中心旋转一周所需的时间。

yeast 酵母菌 某些有经济意义的单细胞真菌，多属子囊菌纲，少数属担子菌纲。酵母菌在土壤中和植物表面上到处可见，特别是在含糖物质，如花蜜和水果中很丰富。子囊菌纲酵母菌共有数百种，通常在面包、啤酒和葡萄酒制造中使用的酵母菌，是由啤酒酵母菌（*Saccharomyces cereviseae*）中选用的菌种。食品和饮料加工过程中所用的小酵母片和酵母饼含有数十亿酵母菌单细胞，每个细胞的直径约为 0.075 毫米。酵母菌的无性繁殖方式为芽殖：在母体上产生芽体，生长，成熟然后脱落。少数酵母菌裂殖繁殖，母细胞分裂为两个相同的细胞。有些酵母菌是人类和动物的慢性和急性病原体（例如白地霉［*Candida albicans*］、组织孢浆菌属［*Histoplasma*］、芽酵母属［*Blastomyces*］）。色串孢属（*Torula*）是不完全的野酵母菌属，不形成有性孢子。在食品工业中，酵母菌用于产生发酵和发泡作用。该真菌以糖类为食物，产生酒精（乙醇）和二氧化碳；啤酒和酿酒工业需要酒精，而烤面包需要二氧化碳。酿制汽酒和啤酒时，在饮料成品中保留一定量的二氧化碳。面包制造过程中产生的酒精则在面团烘烤时排出。葡萄园中的天然酵母菌在酿酒发酵中起作用。一个酵母菌细胞每小时约可使与自己同重的葡萄糖发酵。酵母菌含蛋白质 50%，并为维生素 B_1、B_2、烟酸和叶酸的来源。酿酒酵母菌有时可作为维生素补助剂服用。在酵母菌的工业生产中，选用一种酵母菌种，饲以糖蜜、无机盐和氨的混合溶液。待该菌种的生长停止后，即将它从营养液中分离出来，然后洗涤、包装。焙烤所用酵母菌需与淀粉掺和压成片状，或与玉米粉混合成干颗粒。

Yeats, Jack Butler 叶芝（1871-08-23，英国伦敦～1957-03-28，爱尔兰都柏林） 爱尔兰画家。善于描绘爱尔兰人日常生活和凯尔特人的神话，对独立后的爱尔兰民族美术的兴起有贡献。他是著名肖像画家约翰·巴特勒·叶芝的次子，诗人威廉·巴特勒·叶芝的弟弟。曾在斯莱戈受教于私人教师，为其姊妹的著作作过插图。约 1915 年开始画油画。他处理爱尔兰景色的方法是浪漫与情感的，但从未脱离现实。叶芝还是作家，其文学作品和他的绘画一样，富于幻想、内容丰富多彩、即兴而作。

Yeats, William Butler 叶芝（1865-06-13，爱尔兰都柏林郡桑迪芒特～1939-01-28，法国罗克布吕讷卡普马丁） 爱尔兰诗人、剧作家、散文家，20 世纪最伟大的英语诗人之一。1923 年获诺贝尔文学奖。

叶芝的父亲约翰·巴特勒·叶芝原是律师，后成为肖像画家。母亲原名苏珊·波勒克斯芬，是爱尔兰斯莱戈一富有商人的女儿。叶芝通过父母双方与他作品中提及的各个英裔爱尔兰新教徒家庭有亲戚关系。人们通常认为叶芝会支持其新教传统——在爱尔兰居统治地位的天主教居民中，这一传统代表了一个强大的少数派，但他并不如此。实际上，他脱离了爱尔兰所有的两种历史传统：罗马天主教徒，因为他不能接受他们的教义；而他脱离新教徒，因为他对他们注重物质成就感到厌恶。叶芝认为，他最美好的愿望是培养一个比天主教和新教两者都更深厚的传统——一个隐秘的、主要存在于爱尔兰保留下来的习俗、信仰和圣地的人类学证据之中的爱尔兰传统，比基督教徒更为异端。

都柏林爱尔兰国家美术馆供图

1867 年叶芝两岁时，全家迁居伦敦，但童年和学生时代大部分与祖父母在斯莱戈度过。该地——其风光、民间故事和神奇的传说——似乎影响了叶芝的作品，并构成他的许多诗歌的背景。1880 年随家迁回都柏林，在那里上中学。1883 年入都柏林的大都会艺术学校，在那里他所受教育的最重要部分是结识其他诗人和艺术家。

此时，叶芝开始写作。他最初发表的作品是 1885 年的两首抒情短诗，发表在《都柏林大学评论》上。1887 年举家迁回伦敦，他开始专门写作。他加入通神学会，其神秘主义之所以使他感兴趣是因为它是一种远离平凡庸碌的尘世的想象中的生活方式。对叶芝来说，科学时代令人厌恶。他是一个幻想家，坚持使自己沉浸在富有诗意的意象中。他开始研究布莱克关于预言的著作，这项工作使他接触到其他空想传统，例如柏拉图主义、新柏拉图主义、斯维登堡学说及炼金术。

叶芝已成为一个自信的年轻人，他的自信使他相信自己的审美力和艺术风格感。他虽不自我吹嘘，但内心的傲慢很容易流露出来。收入《奥辛游历记及其他》（1889）中的他的早期诗作是唯美主义之作，常常很优美但总显得高傲，表现出超脱现世的心灵的呼唤。

叶芝很快卷入伦敦的文学生活。他成了莫里斯和亨利的朋友，是吟诗俱乐部的共同创立者。俱乐部成员包括其朋友约翰逊和西蒙斯。1889 年，叶芝见到热情、才气横溢的爱尔兰美人冈妮。正如他所写的，从那时起，“我生活的烦恼开始了”。他爱上了她，但他的爱没有成功的希望。冈妮喜欢他、崇拜他，但并不爱他。她的爱倾注在爱尔兰，她是一个爱尔兰爱国主义者、反叛者和雄辩家，其声音及外貌都令人肃然起敬。叶芝之所以参加爱尔兰民族主义运动，部分是出于信念，但主要是出于对冈妮的爱。叶芝的剧本《胡里痕的凯瑟琳》1902 年在都柏林初次上演时，她扮演剧中主角。

在有争议的爱尔兰领袖巴涅尔的声誉急剧下降并于 1891 年逝世之后，叶芝感到爱尔兰的政治生活已失去意义。他认为政治留下的真空也许能够由文学、艺术、诗歌、戏剧和神话传说来填补。散文集《凯尔特的曙光》（1893）是叶芝为达到此目的所作的第一次尝试，但在他 1898 年结识格雷戈里夫人之前进展不大。她是贵族，后来成了剧作家和他的密友。当时她正在搜集古代传说，即爱尔兰西部的口头传说。叶芝发现这一传说与他对古代的仪式、对尚未被基督教完全摧毁的非基督教信仰的看法一致。用他本人的话来说，他认为，如果在按他自己的个性发展的同时，能用一种严谨、高尚的风格来处理它，他可以创作出真正的诗。从 1898 年起，叶芝夏季在格雷戈里夫人位于戈尔韦郡库尔帕克的家中度过，并最终在附近买下名叫索尔巴利利的一座废弃的诺曼人城堡。在他最后及最优秀的许多诗中，这个以“钟楼”命名的建筑成了一个突出的象征。

1899 年，叶芝向冈妮求婚，但被拒绝。4 年后她嫁给麦克布赖德少校——一个与她对爱尔兰具有共同的感情、对英国的压迫怀有共同仇恨的爱尔兰军人，他是后来因参加 1916 年复活节起义而被英国政府处死的起义者之一。与此同时，叶芝致力于文学和戏剧，认为诗歌和戏剧将产生能改变爱尔兰民族的民族团结。1897～1898 年，他（与格雷戈里夫人及其他人一道）创办爱尔兰文学剧院，该剧院 1899 年在都柏林第一次演出，剧本是叶芝的《凯瑟琳伯爵夫人》。文学剧院 1904 年改名为“阿贝剧院”，叶芝去世前一直是该剧院的导演。在 1899～1907 年这一极其艰难的时期，他主持剧院日常事务，鼓励剧院的剧作家（特别是辛格）写作，并向剧院提供了他自己的许多剧作。其中许多成为阿贝剧院的保留剧目，它们是：《心愿之乡》（1894）、《胡里痕的凯瑟琳》（1902）、《沙漏》（1903）、《国王的门槛》（1904）、《在贝尔的海滩上》（1905）和《黛特》（1907）。

这一时期叶芝发表了几部诗集，著名的有《诗集》（1895）和《芦苇丛中的风》（1899）。这些诗的梦幻气氛及爱尔兰民间传说和神话的利用是他早期诗歌的特征。但在诗集《在塞文森林里》（1903）和《绿盔》（1910）中，叶芝逐渐放弃了他早期诗歌的先拉斐尔派风格和节奏，并摆脱了凯尔特和神秘主义的某些影响。1909～1914 年这几年标志着他的诗发生了决定性的变化。早期抒情诗中超俗、迷幻的气氛消失了，收入《责任》（1914）的诗表现出他的诗日趋精练和成熟，比喻更少却更能产生共鸣，同时也表现出他面对现实及其缺陷所持有的一种新的坦率态度。

1917 年，叶芝发表了《库尔的野天鹅》。从那以后，他的成就达到顶峰并维持下来——他恢复了灵感，技巧趋于完美，在英语诗歌史上几乎无人可与之相比。以他买下并修复的城堡为题名的《钟楼》（1928），是一个功成名就的艺术家之作。在这部作品里，一生的经历以完美的形式表现出来。但叶芝最优秀的一些诗为后来所作，收入《盘旋的楼梯》（1929）中。两部诗集中的诗都以复活节起义和爱尔兰内战、叶芝自己的钟楼、拜占廷帝国及其镶嵌画、柏拉图、柏罗丁、波菲利以及作者对穆尔的哲学和当代心灵研究的兴趣为主要题材和象征。在散文著作《幻景》(1925;修订本 1937)中,叶芝阐述了他自己的哲学。这一关于幻想、历史和神秘主义之间关系的冥想虽然费解,至今仍为研究叶芝的严肃学者之必读著作。

1913 年叶芝与美国诗人庞德在萨塞克斯的石头别墅一起度过了几个月,担任他的秘书。当时庞德正在校订日本"能"剧的译本,叶芝对它们很感兴趣。"能"剧提供了专为一小群内行观众而设计的一个戏剧框架,是有特色、使人感到亲切的剧种,能够充分利用面具、手势、舞蹈和歌唱所提供的手段并能够表达——与大众戏剧不同——叶芝自己深奥的象征主义。在《四个舞剧》(1921)、《鹰泉》(1916 年首演)和其他几部剧作中,叶芝创造了他认为相当于"能"剧的戏剧形式。

1917 年,叶芝向冈妮的女儿伊泽尔特·冈妮求婚,遭其拒绝。数周后向乔治·海德-李斯小姐求婚,得到她的同意并于当年结为伉俪。女儿安妮·巴特勒生于 1919 年,儿子威廉·迈克尔生于 1921 年。

1922 年爱尔兰自由邦成立时,叶芝应邀成为新成立的爱尔兰参议院议员。这一职位他担任了 6 年。1923 年,被授予诺贝尔文学奖。此时他已成为一个大名鼎鼎的人物,是无可争议的、当时最重要的诗人之一。1936 年他的《牛津 1892 ~ 1935 年当代诗选》出版,收入了他所喜爱的诗。此时他继续写他最后几部剧本,于 1938 年完成他最喧闹的一部剧作《赫恩的蛋》。叶芝最后两部诗集《新诗》和《最后的诗》分别于 1938 和 1939 年面世。他先前的许多题材被收入这些作品并以极大的技巧幅度加以再加工。这位老诗人在年近 75 岁时仍精力不减当年地采用民谣的韵律和问答体结构。

叶芝 1939 年死于国外。由于最后无法安排将他葬在爱尔兰,所以被葬在法国的罗克布吕讷。1939 年秋爆发的第二次世界大战使将他的遗体葬在斯莱戈的打算落空。1948 年遗体终于运回斯莱戈,葬在德拉姆克利夫一座新教徒的小墓地里,如他在《最后的诗》中的《在本布尔宾山下》中所详细叙述那样,安眠在他自己的墓志铭"冷眼面对人生和死亡。前进,骑士!"之下。

假若叶芝 40 岁时便停止写作,他现在也许会被人们看做一个按行将消亡、一度从凯尔特的复兴中吸取了新生的美和辛辣的先拉斐尔传统创作的二三流诗人。一个诗人,其最优秀的诗创作于 50 ~ 75 岁之间,这在文学史上尚无先例,叶芝这一时期的诗,从他对诗长期、执著的学习、实践中,从他在大范围内对诗歌、戏剧和散文的形式所作的实验以及他精神上的发展和个人智慧的逐步获得中吸取了力量。他将这种力量融入了他自己的神话框架。

叶芝的神话——从中产生了其伟大时代的凝练的象征主义——并不总是容易理解,叶芝也不企望那些不熟悉他的思想及他创作所遵循的传统的人立即明白其全部含义。他自己的轮回历史观使形象在他脑海里反复出现和汇合,于是它们数量增加、内容充实了,而且这种逐渐充实在他全部作品中均可见到。在叶芝主要的形象中,有勒达和天鹅,海伦和特洛伊被焚毁,以许多形式出现的钟楼,太阳和月亮,燃烧的房屋,洞穴、棘刺树和井,鹰、苍鹭、海鸥和隼,盲人、跛子和乞丐,独角兽和凤凰,以及马、猎狗和野猪。然而,这些传统的形象因与叶芝自己的个人经历一致而不断得到确认,正是这点赋予它们独特的重要品质。在叶芝的诗里,它们常被表现为强有力的、他引以为自豪的华丽诗句,表现为他所精通的许多诗歌风格。所有这些都具有叶芝所珍重并保持到晚年的两个品质——热情与快乐。

Yecla 耶克拉 西班牙东南部穆尔西亚省城市。位于穆尔西亚市北面的卡斯蒂约山麓,濒临塞古拉河支流。为农产品贸易中心,经营葡萄酒、橄榄、牲畜和谷物。亦有家具制造和酿酒等轻工业。人口约27 362(1991)。

Yegorov, Boris Borisovich 叶哥罗夫(1937-11-26,苏联俄罗斯莫斯科～ 1994-09-12,莫斯科) 苏联医生。他同 V.M.科马罗夫、K.P.费奥克季斯托夫于 1964 年 10 月 12 ～ 13 日乘"上升"1 号飞船首次完成了多乘员航天飞行,因此成为第一个从事航天活动的医生。1961 年毕业于莫斯科第一医学院,他参加研究从苏联航天飞行获得的医学遥测数据。作为内耳平衡感觉机制方面的专家,他在 1964 年夏开始接受"上升"1 号飞行的训练。在飞行中(远地点达 409 千米,是当时载人舱达到的最高点)他试验辐射、密闭、失重和航天飞行中的各种其他情况对他自己和其他航天员的影响。这是第一次着毛料服装而不是通常航天服进行的航天飞行,它使人联想到那次原计划飞行更长的时间,所以带上了一名医生。他并不是受过长期训练的专业航天员,后继续从事医疗工作。从航天飞行和后来的研究中所获得的医学资料,使苏联科学家在使人适应长期航天飞行方面取得进展。

Yegorova, Lyubov 叶戈罗娃(1966-05-05,苏联俄罗斯托木斯克～) 俄罗斯越野滑雪运动员,是 1994 年挪威利勒哈默尔冬季奥运会获奖牌最多的两个运动员之一。她在 1994 年获得 3 块金牌和 1 块银牌,再加上 1992 年她在法国艾伯特维尔奥运会上得到的 3 块金牌和 2 块银牌,总共获得 9 块奖牌;仅次于前队友获得 10 块奖牌的 R.斯梅塔尼娜。像许多在西伯利亚的孩子一样,叶戈罗娃很小就开始参加冬季运动,很快就熟练掌握了越野滑雪技术,16 岁时被派往列宁格勒(今圣彼得堡)与国内最好的越野滑雪选手一起训练。1987 年开始参加世界杯循环赛,最初成绩平平,1991 年总成绩名列第三,给人留下深刻印象,在下一赛季又取得同样成绩。1993 年赢得世界杯冠军,1994 年获得亚军。1991 ～ 1994 年,赢得 10 项世界杯冠军,还赢得 1991 年30 000米自由式滑雪世界冠军。是两次世界锦标赛(1991,1993)接力队的参赛队员。叶戈罗娃精力充沛,技术全面,在冬季奥运会长短距离比赛上都表现出色。在 1992 年冬季奥运会上,她获得综合追逐赛金牌、15 000米赛金牌、4 × 5 000米接力赛金牌,并在 5 000米和30 000米比赛中获得银牌。在 1994 年冬季奥运会上,她与意大利选手 M.迪琴塔同台竞技,获得5 000米赛、综合追逐赛和 4 × 5 000米接力赛金牌,以及15 000米赛的银牌。

Yegoryevsk 叶戈里耶夫斯克 又拼 Egorevsk, Jegorjevsk。俄罗斯西部莫斯科州城市。位于莫斯科东南面的格卢希茨基河畔。1778 年由维索科耶村建为市,并成为与梁赞州进行贸易(谷物和牛)的重要中心。19 世纪成为纺织中心。现也生产纺织机械、服装、鞋靴和磷酸盐(以当地的磷灰岩矿为原料)。有当地历史及文化陈列馆。并有医学院及师范学院。人口约74 000(1993)。

Yeh Chien-ying (Chinese official) 参阅 **Ye Jianying** 叶剑英。

Yeḥezqel (Jewish prophet) 参阅 **Ezekiel** 以西结。

Yehoram (Old Testament king) 参阅 **Jehoram** 约兰。

Yehoshaphat (king of Judah) 参阅 **Jehoshaphat** 约沙法。

Yehoshuaʿ (biblical Jewish leader) 参阅 **Joshua** 约书亚。

Yehu (king of Israel) 参阅 **Jehu** 耶户。

Yehuda THE ḤASID **耶胡达** 参阅 **Judah ben Samuel** 犹大·本·撒母耳。

Yehuda ben Shemuel ha-Levi (Hebrew poet) **耶胡达·本·谢姆埃尔·哈列维** 参阅 **Judah ha-Levi** 犹大·哈列维。

Yehudi, ha-(Ḥasidic leader) **耶胡迪** 参阅 **Przysucha, Jacob Isaac ben Asher** 普日苏哈。

Yekaterinburg 叶卡捷琳堡 俄罗斯中西部一州。位于乌拉尔山东侧,从海拔1 569米的孔扎科夫岩山延伸至西西伯利亚平原。全州几乎都是沼泽森林或称泰加林,林中有松树、白桦树和落叶松,只有最高山顶无树。极南端是森林草原,生长有白桦小树林。土壤贫瘠,农业主要限制在东南部。约 90% 为城市人口,反映了该州在乌拉尔工业区中所占有的地位。矿藏极为丰富,有卡奇卡纳、下塔吉尔、库什瓦以及其他各处的铁;有伊夫杰利的锰;叶卡捷琳堡市附近的钴、镍、钨和钒;北乌拉尔斯克的铝矾土;还有阿斯别斯特的铍。俄罗斯最大的石棉矿藏之一在阿斯别斯特,铜、铂和黄金也分布极广。但是煤和褐煤不足,全州缺乏燃料,需从库兹涅茨煤田输入煤,秋明州输入天然气。以本地的矿藏为基础,18 世纪起,铁制品和铜制品制造在本地区就很重要,今日则拥有多种技术先进的冶金工业。一些中心城市生产钢铁,其中有设在下塔吉尔的俄罗斯一家最大钢铁厂;克拉斯诺图林斯克和乌拉尔地区卡缅斯克生产铝;列日生产镍,几个中心地区生产铜。叶卡捷琳堡市和下塔吉尔是主要重型机械制造中心。化工及木材加工业亦高度发达。面积194 800平方千米。人口约4 728 000(1990)。

Yekaterinburg　叶卡捷琳堡　又拼 Ekaterinburg,1924～1991 年称斯维尔德洛夫斯克。俄罗斯中西部叶卡捷琳堡州的城市和行政中心。临伊谢季河(托博尔河的一条支流),在乌拉尔山东侧,位于莫斯科东1 667千米。在旧礼仪派俄罗斯宗于 1672 年建成的沙尔塔什村附近。1721 年建起一座炼铁厂,1722 年建要塞。1723 年将该新拓居地取名叶卡捷琳堡,以向彼得大帝一世的妻子叶卡捷琳娜一世表示敬意。该城镇成为乌拉尔区所有炼铁厂的行政中心,1783 年大西伯利亚公路建成通过这里,其重要性增加。1878 年西伯利亚大铁路将该市与西伯利亚连接起来。俄国1917 年十月革命后,叶卡捷琳堡因 1918 年 7月在此处决最后一个沙皇尼古拉二世及其家属而成为著名之地。1924 年为纪念布尔什维克领导人斯维尔德洛夫将此市更名为斯维尔德洛夫斯克,1991 年又恢复原名。现代的叶卡捷琳堡有 200 家以上的工厂,是俄罗斯最重要的工业中心之一,尤以重工业为主。冶金及化工机械、涡轮机、柴油机和滚珠轴承等为该市生产的多种机械产品中之首要者。该市也生产一些钢。化工和轮胎工业也很发达,并有各种轻工业,包括传统的宝石雕磨工艺。该市为整齐的格状结构,已扩展到伊谢季河谷(这里拦坝成一系列小湖)和低矮的环山。该市是重要的铁路枢纽,有四通八达的铁路线通往乌拉尔地区各地和俄罗斯的其他地方,包括莫斯科和圣彼得堡。该市又是乌拉尔地区的主要文化中心,有许多高等教育院校,包括国立乌拉尔高尔基大学(1920 年创办),一所音乐学院以及工业学院、矿业学院、林业学院、农学院、法学院、医学院、师范学院等。在此还设立有科学院乌拉尔分院和其他许多科学研究机构。人口约1 358 000(1993)。

Yekaterinoder (city, Russia)　**叶卡捷琳诺达尔**　参阅 **Krasnodar** 克拉斯诺达尔。

Yekaterinoslav(city, Ukraine)　**叶卡捷琳诺斯拉夫**　参阅**Dnepropetrovsk**第聂伯罗彼得罗夫斯克。

Yelang　夜郎　中国古族名和地方政权名。西南夷中的一支。战国至汉时主要分布在今贵州西部、北部及云南东北、四川南部、广西北部部分地区。首见于《史记·西南夷传》。传公元前 286 年楚庄跻曾经夜郎入滇地。秦时滇东部分地区属夜郎辖境。经营农业,已进入奴隶制社会。汉武帝建元六年(公元前135),汉使唐蒙在南越得蜀产蒟酱,知从四川经夜郎可下南越,遂上书武帝修治夜郎道路,用夜郎精兵以服南越。后汉赐竹姓夜郎侯财物,置犍为郡。修僰道至牂牁江,置邮亭于途,即南夷道。武帝元鼎六年(公元前 111)破南越后置牂牁郡(今贵州大部、广西西北部和云南东部),封夜郎侯为王,授王印。

Yelets　叶列茨　俄罗斯西部利佩茨克州城市。位于索斯纳河畔。1146 年首见记载。13世纪为一较小公国中心。长期为南方边境要塞。1395 和 1414 年曾分别为帖木儿和蒙古人占领,1483 年归属莫斯科公国。久以手工制花边著称。现为中等工业城市,有面粉加工和机械工业,并为铁路枢纽。人口约119 900(1993)。

Yelizavetgrad (Ukraine)　**伊丽莎白格勒**　参阅 **Kirovograd** 基洛沃格勒。

Yelizavetpol (Azerbaijan)　**伊丽莎白波尔**　参阅 **Gyandzha** 甘贾。

yellow birch (species *Betula alleghaniensis*, or *B. lutea*)　**黄桦**　又作 silver birch(银桦)或 swamp birch(沼桦)。桦木科观赏和材用树,原产于北美东北部。是最高大的桦树之一,高达 30 米,生在寒冷湿润洼地和海拔1 950米的干燥土壤上。粗枝和幼干上的银黄色树皮剥落成薄纸状卷曲物;老树干上的树皮红褐色,有深沟并裂成不规则的片状。淡绿色细枝微有香气。木材坚硬,淡红褐色,可制家具、木器、胶合板、地板等。

yellow bunting (bird)　参阅 **yellowhammer** 黄鹀。

yellow cress　参阅 **marsh cress** 蔊菜。

yellow-dog contract　黄狗合同　又译野狗契约。劳资间私下商定的一种协议:雇员在受雇期间不得加入工会。20 世纪 20 年代,在美国这类契约广为使用,能使雇主对那些鼓励工人破坏这些契约的工会组织者依法起诉。1932 年《诺里斯-拉瓜迪亚法案》根据政府不应干扰工人结社权利的新观点,规定这种契约在联邦法庭中无效,不得执行。

yellow fever　黄热病　热带及亚热带急性传染病,有时也见于温带。本病为病毒感染所致,可侵犯人类、一切猿猴和某些小哺乳动物。病毒通过几种蚊虫在易染寄主间传播。

黄热病的起源至今还有许多不明确处。西非一直被认为是本病毒的发源地,但历史上第一个有记录的爆发却是在 16 世纪西班牙入侵美洲之后的南美洲中部和沿海。此后300 年中黄热病是世界上的大瘟疫之一。美洲的热带及亚热带地区都曾发生疫病大流行,严重的流行向北曾到达波士顿,而且远离疫区到达西班牙、法兰西、英格兰和意大利等地。

在 19 世纪末叶,有几个学说解释黄热病的病因和传播。1881 年古巴哈瓦那的 C.J.芬莱提出,本病病原体是通过现称为埃及伊蚊(*Aedes aegypti*)的蚊虫传播。美国陆军的W.里德少校在调查研究芬莱的学说时,于1900 年证明了黄热病确实通过埃及伊蚊的叮咬在人与人间传播。里德进一步证明,(不像过去想象是通过身体接触)蚊虫是本病的唯一媒介生物。美国医生 W.C.戈尔加斯很快就根据里德的发现,通过控制伊蚊在哈瓦那几乎消灭了黄热病。后在里约热内卢以及在建筑巴拿马运河的工地,都重复了戈尔加斯取得的成功。美国的最后一次黄热病流行是在 1905 年,当时新奥尔良和南方另外几个口岸都发生了黄热病。本病病毒有两个很不相同的传播方式:①城市型即经典型黄热病,是通过埃及伊蚊在人与人之间传播;②丛林型黄热病,是由一种哺乳动物寄主(通常是一种猴)传给某种林栖的蚊虫再传给人。在南美,丛林黄热病由趋血蚊属(*Haemagogus*)的蚊虫传播,在非洲则由非洲伊蚊(*A. africanus*)传播。丛林黄热病的不同的传播方式是在 1933年认识到的,此后人们才清楚黄热病病毒还存在于南美的广大亚马孙河流域和奥里诺科河流域以及热带非洲中、西部的丛林中。

黄热病的病程快。被受染蚊虫叮咬后可有几天的潜伏期,病毒就在体内繁殖。然后症状的出现很急促,有头痛、背痛、迅速上升的体温、恶心和呕吐。这一期持续两三天,此后或开始恢复或病情加重,有高热、缓脉,并吐出黑血。可在症状出现后六七日死亡。因本病毒破坏肝细胞,黄疸(因胆色素的沉积造成皮肤和眼部变黄)是黄热病人的常见症状,本病也因此才称为黄热病。黄热病人的康复需要长时间,但一旦恢复却很完全,还得到终身免疫力。黄热病的死亡率有很大变异,决定于病毒株,还在一定程度上决定于病人的种族。许多人可能只有轻度感染,几天就过去了。黄热病没有特效治疗。良好的护理和支持措施,特别是退热,既有助于减轻病痛也可减少病死率。

黄热病是完全可预防的疾病的一个范例。当初,控制埃及伊蚊是唯一的预防措施,例如当年控制了埃及伊蚊才使巴拿马运河的修建成为可能。现在可用活病毒疫苗引发主动免疫而不造成疾病,这是第二位的重大预防措施。清除埃及伊蚊可保护城市居民。但如果必须在有丛林黄热病的地区旅行或居住,则必须进行个人免疫。在这类丛林黄热病地区,只要还有人未免疫则人类病例必然出现,因为没有实际可行的办法可以使南美和非洲广大林区中的动物和蚊群消除黄热病病毒。

yellow-green algae　黄绿藻　即黄藻。黄藻门(Xanthophyta)植物,约6 000种。曾因个体结构与绿藻相似而归入一类。后因黄藻的贮藏养分为油类,质体中 β-胡萝卜素的含量较高,以及运动细胞具不等长鞭毛而将二者区别。细胞壁常由相互叠合的两半组成。以动孢子和休眠孢子行无性繁殖。有性繁殖罕见,无隔藻属(**Vaucheria**)是一个重要的例外。

Yellow Hat sect (Tibetan Buddhism)　**黄帽派**　参阅 **Dge-lugs-pa** 格鲁派。

yellow journalism　黄色新闻　指报纸出版中利用过分渲染的文章和耸人听闻的消息以吸引读者和增加销路。这个名词是 19 世纪90 年代创造的,用以形容两家纽约报纸——《世界报》和《日报》——之间疯狂竞争时所使用的手法。J.普利策于 1883 年购买了纽约《世界报》,他利用绘声绘色、耸人听闻的报道和屡屡发起对政治腐败和社会不公现象的攻击,赢得全国报纸的最大销售量。他的领先地位在 1895 年遇到挑战,当时加利福尼亚矿业巨头之子 W.R.赫斯特迁居纽约,收买了《世界报》的竞争对手《日报》。赫斯特已经把旧金山的《考察家报》办成了非常成功、有巨大发行量的报纸。他很快表明有意在纽约也这样做,办法是在追求耸人听闻的新闻,发起攻击活动和办好星期日专题报道等方面超过他的对手。他从旧金山带来几位他原来的工作人员,并从普利策的报纸中拉过来几位,其中包括为《星期日世界报》画连环画《黄色小子》而极受人欢迎的漫画家 R.奥特考尔特。奥特考尔特脱离《世界报》后,该报的连环画改由 G.B.卢克斯担任。两套连环画的竞争十分令人瞩目,这两家报纸的竞争遂被描绘成"黄色新闻"。这种全力竞争以及为此而进行的宣传使两家报纸都获得巨大销路,并影响了美国许多城市的新闻业务。进入 20 世纪后不久,随着《世界报》逐渐退出耸人听闻新闻的竞争,黄色新闻时代可说已经结束。但黄色新闻时期的某些手法,例如通栏大字标题,彩色连环画和大量图片,则多少已成惯例,并得到广泛使用。

yellow mombin (tree) 参阅 **hog plum** 猪李。

yellow poplar **黄白杨** 参阅 **tulip tree** 郁金香树。

Yellow River(China) 参阅 **Huang He** 黄河。

yellow scales (*Xanthoria parietina*) **黄鳞** 又称水滨地衣(shore lichen)、壁生石黄衣。一种地衣,特征是边缘浅裂,中心起皱。见于空气中矿物质盐成分较多的地方,尤其是海边岩石与墙壁上。因呈黄色或橙色,曾一度被认为可用以治疗黄疸。

Yellow Sea **黄海** 又作 Hwanghae。中国大陆与朝鲜半岛之间的陆架浅海。因海水呈黄褐色而得名。南北长 870 千米,东西宽 556 千米,面积约 38 万平方千米,平均水深 44 米。汇入黄海的河流主要有淮河水系、中朝界河鸭绿江和朝鲜的大同江。西有胶州湾、海州湾,东有朝鲜湾和江华湾。海底平坦,饵料丰富,盛产对虾、大小黄鱼、带鱼等。

Yellow Springs **耶洛斯普林斯** 美国俄亥俄州西南部格林县村庄。位于代顿东北偏东 37 千米。1804 年始建。以当地一矿泉名而命名,1820 ~ 1880 年曾为疗养胜地。1856 年设建制。现有一些小型制造业,产品有铝铸件、青铜艺术品铸件、橡胶及塑料部件、科学仪器、彩色玻璃和藏书用标签。设有安蒂奥克大学(1852)。市东南有州立约翰布赖恩公园。人口约4 084(1994)。

Yellow Turbans **黄巾起义** 中国东汉(25 ~ 220)末的农民起义。以起义者头裹黄巾为标记而得名。是中国古代第一次利用宗教发动的起义。当时宦官专权,横征暴敛。豪族兼并土地,农民大量逃亡。起义首领张角创立"太平道",自称"大贤良师",秘密组织道徒数十万人,建立 36 个教区组织,遍布 8 州。公元 184 年(甲子),以"苍天已死,黄天当立。岁在甲子,天下大吉"为口号发动各州同时起义,沉重地打击了东汉王朝的统治。起义坚持 9 个月后其主力被政府军击败。

yellowberry **黄莓** 参阅 **cloudberry** 云莓。

yellowhammer (*Emberiza citrinella*) **黄鹀** 又作 yellow bunting。雀形目鹀科欧亚鸟类。其名来自德文"Ammer(鹀)"。长 16 厘米,褐色,有条纹,头和胸淡黄色。从不列颠到中亚

黄鹀(*Emberiza citrinella*)
供图:S.Dalton from the Natural History Photographic Agency—美国不列颠百科全书公司

的田野可听到它急促的鸣声。在美国南部,一种啄木鸟——黄羽轴扑动鴷(参阅 **flicker**)——常被称作 yellowhammer(黄锤鸟),原因是它会发出鼓击声。

Yellowhead Pass **耶洛黑德山口** 加拿大艾伯塔省和不列颠哥伦比亚省边界上穿越落基山的通道。在贾斯珀西面,自贾斯珀国家公园经过山口即进入省立罗布森山公园。海拔1 131米。1870 年弗莱明在勘测铁路路线时特别提及此地,后来加拿大国家铁路干线利用了这一山口。现在西起鲁珀特王子港,东至埃德蒙顿和波蒂奇拉普雷里的耶洛黑德公路也通过此山口。

Yellowknife **黄刀印第安人** 又称塔察诺廷人(Tatsanottine)。加拿大操阿萨巴斯卡语的印第安小部落,居住在大熊湖及大奴湖东北,即今西北地区。黄刀印第安人一名源于他们使用黄色的铜制造刀剑及其他工具。他们在语言及文化方面,几乎与奇佩维安人(**Chipewyan**)一样,后者却尽力劫掠、压迫前者。不过黄刀印第安人最后还是被多格里布人(**Dogrib**)消灭的。18 世纪末、19 世纪初,多格里布人为报复黄刀印第安人早先对他们的袭击、骚扰,对黄刀印第安人进行了大规模屠杀。到 20 世纪后期黄刀印第安人仅剩 500 余人,常常把他们自己看作是奥吉布瓦人。

Yellowknife **耶洛奈夫** 加拿大史密斯堡行政区城市,西北地区的首府。位于大奴湖北岸,耶洛奈夫河流入耶洛奈夫湾的河口以南8千米处。1935年始建(一年前在此发现金矿)。1945 年又发现重要金矿,两大金矿随之被开采。电力由耶洛奈夫河上格雷林瀑布的水力发电站供应。该市已发展成为西北地区最大的社区和最重要的行政、商业和教育

大奴湖畔的耶洛奈夫市
供图:George Hunter

中心。有公路绕湖向南通至黑伊里弗和艾伯塔。1970 年设市。人口16 541(2001)。

yellowlegs **黄腿鹬** 鹬科鹬属(*Tringa*)2 种美洲水滨鸟类。具灰褐和白色条纹的整洁体羽,嘴稍长;腿长,鲜黄色。鹬科亦包括杓鹬、翻石鹬和沙锥。小黄腿鹬(黄脚鹬,

小黄腿鹬(*T.flavipes*)
供图:Mary M.Tremaine—Root Resources

T.flavipes)体长约 25 厘米,迁徙时成大群地出现于横跨加拿大和阿拉斯加的繁殖地和自墨西哥湾到智利南部和阿根廷的越冬地之间平坦泥滩上。大黄腿鹬(黑白鹬,*T.melanoleuca*)体长约 35 厘米,嘴相对更长、更结实,微上翘;与小黄腿鹬有类似的繁殖和越冬范围,但各处数量都不多;比小黄腿鹬更胆小。两个种的身材大小几乎相同,但从叫声易于鉴别:大黄腿鹬常发出清晰的 3 音符的哢鸣;小黄腿鹬发出比较低而弱的 1 ~ 2 音符的哢鸣。两个种均食小鱼及其他水生动物(如昆虫、蟹、螺及蝌蚪)。在秋季迁徙中小黄腿鹬(有时大黄腿鹬亦然)会迷途而飞到西欧,在该处可能被误认为其他鹬属种类,如青脚鹬、红脚鹬和林鹬。

yellows (plant disease) **黄化病** 参阅 **Fusarium wilt** 镰孢霉萎蔫病。

Yellowstone Lake **黄石湖** 美国怀俄明州西北部黄石国家公园中的一个湖。海拔2 356米,在北美洲的相同高度中,它是最大的水体。黄石河自南向北流经此湖,供湖蓄水和排水。湖长约 32 千米,宽约 23 千米,岸线长 175 千米,最深处 90 米,水面面积 355 平方千米。此湖为号手天鹅和加拿大鹅等稀有水禽的一个栖息所,又是垂钓鳟鱼的佳处。

Yellowstone National Park　黄石国家公园　美国最大、最著名和建立最早的国家公园。大部位于怀俄明州西北部，小部在蒙大拿州南部和爱达荷州东部。1872 年 3 月 1 日作为第一座国家公园由美国国会建立。面积898 349公顷，全境大部分为平均高度2 440米的开阔火成岩高原。伸入公园的山脉西北部为加拉亭岭，东部为阿布萨罗卡岭，北面为雪山山脉，公园的南面边界是堤顿山脉。公园四周还被卡斯特、肖肖尼、堤顿、塔伊、比佛黑德和加拉亭国家森林环绕。除了崎岖的山峦和壮观的深谷外，黄石公园还有石林、冲蚀熔岩流、黑曜岩（火山玻璃）山、古怪的侵蚀地貌等地质奇观。然而它最吸引人之处是有10 000多个温泉，这些温泉表现为蒸汽孔、喷气孔、多彩热池、泥浆锅、颜料罐、温泉台地、热河和间歇泉。在公园的 200 多处间歇泉中，许多喷出的高度超过 30 米。最著名的“老实泉”因很有规律地每隔 33 ～ 120 分钟喷出一次而得名。黄石公园也以它的湖泊与河流闻名。其中有黄石湖、肖肖尼湖、蛇河和黄石河。黄石河的大峡谷是一条长 31 千米、流贯公园的多彩的狭隘河道，在其流经的路上有一些色彩斑斓的岩壁和两处壮丽的瀑布。公园区大部为林木覆盖，其中绝大多数是扭叶松，其他还有一些针叶树木以及三角叶杨和白杨。温暖时节各种野花盛开。1988 年一系列灾难性的森林大火，使公园大部分区域暂时处于荒芜状态。生活在黄石公园的动物具有落基山地区代表性，包括野牛、麋、巨角野羊、鹿、驼鹿、黑熊、灰熊和土狼，还有多种较小哺乳动物。公园中栖息着数百种鸟类，其中有许多水禽。湖泊和河流中盛产鱼类，鲑鱼是钓鱼者最喜爱的品种。园内道路总长逾 800 千米，小径总长逾 1 600 千米。1972 年建成的小洛克菲勒纪念大道是一条长 130 千米，把黄石公园与大堤顿国家公园连结起来的景色优美的道路。

Yellowstone River　黄石河　源出美国怀俄明州扬特山麓。流入黄石国家公园，经黄石湖形成两处瀑布（总落差 129 米），后穿过壮观的黄石峡谷，在加德纳（蒙大拿州）附近出黄石公园，北流过利文斯敦，折向东北经过比灵斯、迈尔斯城和格伦代夫，越过蒙大拿边界，在北达科他州的比福德附近汇入密苏里河。全长1 114千米。流域面积约181 300平方千米。该河以风景优美著名，经开发广泛用于灌溉。

流经黄石公园的黄石河

供图：Grant Heilman

yellowwood　罗汉松　又称黄木。罗汉松科罗汉松属（*Podocarpus*）约 100 种常绿乔木和灌木的通称。广泛分布于南半球山地森林。木材多为黄色，偶浅棕色或浅红色。在产地常被称为褐松或黑松。包括多数有重要经济价值的种：澳大利亚东南部的褐松（黄松、李松、澳大利亚罗汉松、高竹柏，*P. elatus*）；原产新西兰的黑松（穗花罗汉松、穗竹柏，*P. spicatus*）、白松（泪柏罗汉松、拟泪竹柏，*P. dacrydioides*）、锈竹柏（锈色罗汉柏，*P. ferrugineus*）和新西兰罗汉松（*P. totara*）等；原产中国与日本的大叶罗汉松（宽叶罗汉松，*P. macrophyllus*）；原产南部非洲的真黄木（非洲罗汉松、宽叶竹柏，*P. latifolius*）、南非黄木（好望角罗汉松、长竹柏，*P. elongatus*）、普通黄木（假黄木、镰叶罗汉松、镰叶竹柏，*P. falcatus*）；智利安第斯山地区的柳叶罗汉松（柳叶竹柏、智利罗汉松，*P. salignus*）和李果紫杉（李果罗汉松、安第斯罗汉松，*P. andinus*）以及原产西印度群岛的革质叶罗汉松（革质叶竹柏，*P. coriaceus*）。

Yeltsin, Boris (Nikolayevich)　叶利钦（1931-02-01，苏联俄罗斯斯维尔德洛夫斯克［今叶卡捷琳堡］～ 2007-04-23，莫斯科）　俄罗斯政治家。1985 ～ 1987 年任莫斯科市长（即共产党莫斯科市委第一书记），1990 年起为俄罗斯总统。1991 年成为俄罗斯历史上第一位民选领导人。叶利钦曾在乌拉尔工业学院学习，1955 ～ 1968 年在斯维尔德洛夫斯克州搞各项建设项目。1961 年加入共产党，1968 年开始专门从事党的工作，1976 年成为斯维尔德洛夫斯克州党委第一书记。此后，结识戈尔巴乔夫，不久成为他在斯塔夫罗波尔市的左右手。戈尔巴乔夫当权后，于 1985 年派他清除莫斯科党组织中的腐败现象，于 1986 年提升他进入政治局（担任无投票权的委员）。担任莫斯科市长期间，他表现出是一个坚定干练的改革者。但是，叶利钦开始在党的会议上发表自己的独立见解，抨击党内保守派，甚至批评戈尔巴乔夫本人的计划和政策，于是与戈尔巴乔夫之间出现裂痕，1987 年叶利钦被迫辞去莫斯科党内领导职务，1988 年离开政治局。1989 年 3 月，叶利钦作为持不同政见者，人民代言人和毫无保留地主张加速广泛改革的人，被选入新的苏维埃议会。一年后，1990 年 5 月 29 日，俄罗斯苏维埃联邦社会主义共和国议会选举他为俄罗斯共和国总统。担任总统以后，他公开主张苏联各苏维埃共和国拥有更大自治权，采取步骤使俄罗斯共和国更自主地支配自己的资源和财政，抨击政府的官僚主义，推动经济面向市场，并主张多党政体。1990 年 7 月，叶利钦退出共产党。他成功获得俄罗斯总统职位清楚地表明人民拥护快速有效的经济改革。1991 年 8 月强硬派共产党人发动短命的苏联政变期间，叶利钦处之泰然。政变发动仅几天之后便被粉碎，表明叶利钦是国内最强有力的人物。他与戈尔巴乔夫联合筹划共和国联合体的未来。作为俄罗斯总统，他着手改革衰退中的计划经济，使之成为以自由市场及私有企业为基础的经济体制。1992年停止了

供图：Vario Press/Camera Press from Globe Photos

价格补贴以及政府对食品和其他消费品的价格控制，同时允许自由市场在城市中适度发展。他保证采取进一步措施使俄罗斯经济转变为市场型体制。1993 年 9 ～ 10 月间，叶利钦的领导权受到严重考验，主张强硬路线的议员们在叶利钦解散议会之后发动了一场政变。虽然政变被镇压了，但叶利钦的支持者们在 12 月举行的选举中只取得微弱优势。1999 年 12 月 31 日宣布辞职。

Yelü Chucai　耶律楚材（1190～1244）　又拼 Yeh-lü Ch'u-ts'ai。中国蒙古汗国（元朝前身）大臣、政治家。字晋卿，契丹人。辽太祖九世孙。1215 年成吉思汗攻陷中都（今北京）被召用，任必囗赤（中书令），颇予信任。

中国大百科全书出版社供图

窝阔台汗继位后定策立朝仪，主张按中国传统制度治理，多被采纳。主张军民分治，州郡长吏理民事，万户府总揽军政。攻陷金汴京（今河南省开封市）时建议废屠城旧制，又请振兴文教，提倡儒学。元代开国规模多由耶律楚材奠定。窝阔台晚年及去世后，皇后乃马真氏宠信奥都剌合蛮等，耶律楚材渐被排挤。不久，抑郁而死。著有《湛然居士集》、《西游录》、《庚午元历》等。

Yelü Dashi　耶律大石　参阅 **Xiliaodezong Yelü Dashi** 西辽德宗耶律大石。

Yelü Yanxi　耶律延禧　参阅**Liaotianzuodi Yelü Yanxi** 辽天祚帝耶律延禧。

Yelwa 耶卢瓦 尼日利亚西北部凯比州城镇。姚里世袭酋长国所在地。介于孔塔戈拉与比尔宁凯比之间。为雷舍人在尼日尔河流域的早期居民点。1888年定为姚里酋长国的新都。1896年英国皇家尼日尔公司在此建商埠。1901年为英国占领。1968年部分镇区被卡因吉水库淹没。尼日尔河附近广阔的泛滥平原种植的洋葱、水稻、棉花为主要出口作物。此外耶卢瓦还销售当地农产品(高粱、黍类、豇豆、花生、甘蔗、牛油果、烟叶、可乐果、胡椒、鱼、牛和几内亚鸡)。居民多为穆斯林。人口5 744(1963)。

Yemen 也门 全称也门共和国。位于阿拉伯半岛西南角的国家。也门最宽处(从北到南)约565千米,长约1 100千米。该国北邻沙特阿拉伯,东邻阿曼,西南隔亚丁湾与吉布提、索马里相望,西面过红海可达厄立特里亚,东南濒阿拉伯海。也门领土也包括印度洋中距亚丁城正东约965千米的索科特拉岛、该岛附近的小岛兄弟群岛、分隔阿拉伯半岛和非洲的曼德海峡中的丕林岛以及红海中的卡马兰岛。首都萨那。面积531 869平方千米。人口约20 733 000(2004)。

土地 也门的3个主要地区大略平行于红海和亚丁湾的走向,分别为狭窄的海岸平原、距海较远的也门高地以及北部宽阔的沙漠高原。从沙特阿拉伯沿红海向南延伸的是一宽度25～40千米的窄条海岸平原,称帖哈麦。沿亚丁湾的海岸平原宽8～16千米,但不连续。也门西部的帖哈麦向东渐成高地,高地海拔450～1 500米。高地继续向东延伸,即被若干季节河道所分割,其中也有常年有水的哈德拉毛河道。也门高原以北是一沙漠地区,为沙特阿拉伯的鲁卜哈利沙漠(或称空旷地带)向南延伸的部分,面积占该国的一半。萨那以南的高地是一块地震活动区。1982年一次以这里为震中的地震造成大约3 000人死亡。

也门的降水量深受地势高度的影响。东部低平的沿海地区和北部的沙漠地带平均年降雨量在133毫米以下,而西南高地却高于400毫米。也门西部高地的雨量有时可接近750毫米。在南部海岸的亚丁,1月和7月的平均气温分别为25 °C和32 °C。夏季白昼的气温常常超过38 °C,且往往伴随着80%的相对湿度。高地夏季明显较凉,冬季有时颇冷,霜雪亦不少见。

也门西部的高原相当富饶,恰与阿拉伯半岛大部分的不毛之地形成对照。那里通常雨量充沛,并且均匀地分配在两个雨季之间。大多数农田无需灌溉也可收获。这些高原及其间的高地土质肥沃(包括台地和季节河河谷的平地),气候温和,宜于大量种植谷物(主要是高粱)和马铃薯。也门南部和东部的大部分地区缺少植被。不过也有例外,如沿哈德拉毛河谷的小块开垦地,以及散布着若干自然植被的南部沿海地带及其相邻高地,所生多为荆棘丛和矮树(如生产乳香和没药的树种)。

也门的矿物资源比较丰富。在萨那北面的努古姆山有铁矿和冶铁厂。该国北部还发现了新的铁矿。塞利夫有岩盐可采。此外还有其他矿藏。80年代中期在马里卜-阿尔-焦夫盆地的东北部发现了石油。在更东面的舍卜沃亦有石油和天然气的储藏。

人民 住在也门的是种族上大体划一的阿拉伯居民。它可以分为3个主要群体:定居的农民、城市居民(占总人口的1/5以上)和游牧民。主要宗教是伊斯兰教,其信仰者可分为两大穆斯林教派,即逊尼派和什叶派。此外还有少数基督教徒、印度教徒和犹太教徒。

也门的出生率和死亡率按世界标准衡量都很高,而在中东则是最高的。比较而言,其年人口增长率在该地区历来属于中等,原因之一是为寻找工作而外移的人数很多。这种人口流动的特征自古已然。也门人口有一半在15岁以下。

经济 也门的经济正在发展之中,既有国营又有私营企业。国民生产总值的增长速度低于人口增长,其人均国民生产总值长期居中东地区的最低水平之列。

也门经济的主体是农业。农业产值占国内生产总值的1/5,占用全国劳力的一半以上。尽管如此,食物供应仍然不能自给。除高粱和马铃薯以外,主要作物还有椰枣、西瓜、小麦、葡萄、大麦、玉米、棉花、黍类和蔬菜。在水浇地上种植的上等咖啡和阿拉伯茶(一种有麻醉作用的兴奋剂)用于出口。牧场可饲养牛、绵羊和山羊。

工业和矿业提供近1/5国内生产总值,雇用全国劳力的5%。小亚丁炼油厂(以前属英国人所有)的产值占全部工业产值的大部。其他工业还有食品加工、水泥预制件、砖瓦、纺织品、橡胶和塑料制品、盐制品的生产、软饮料装瓶和奶制品加工等。电力供应完全来自热电厂。

全国大部分公路都未铺设路面,现有道路亦养护不佳。主要港口为亚丁和荷台达。亚丁、萨那、荷台达和塔伊兹有国际机场。

也门每年的出口额仅及其进口的一小部分,贸易赤字巨大。1990年以前,赴外劳工、沙特阿拉伯人和私人的货币汇兑帮助弥补了该国赤字。从那以后,大部分国外劳工(海湾战争后失去了优惠地位)从沙特阿拉伯返回,而沙特政府也中止了它的援助。

也门的主要出口品有石油制品、食品(咖啡、饼干、葡萄、芝麻、糖和蜂蜜等)、香烟、皮革制品等,大多销往美国、意大利和沙特阿拉伯。进口物品有食品、牲畜、制成品、机械、运输设备和化学制品等,大多来自澳大利亚、泰国和美国。

政体与社会状况 也门是一个共和国,成立于1990年5月22日,即也门人民民主共和国(又称"也门[亚丁]"或"南也门")正式与阿拉伯也门共和国(又称"也门[萨那]"或"北也门")合并的那一天。1991年通过的也门共和国宪法规定有一个由5名成员组成的总统委员会,包括总统(他是国家元首)和副总统;一个有301名成员的议会;一个由总统任命、总理主持的部长委员会。法律制度以部落的和伊斯兰教(沙里阿)的传统法规为基础。

社会福利制度发展得极不完善,致使许多也门人健康欠佳,营养不良。人口中相当大的一部分染有疾病,如阿米巴痢疾和杆菌痢疾、疟疾、百日咳、麻疹、肝炎、淋病、霍乱、肺结核、伤寒等。医务人员和医院病床也很缺乏。婴儿死亡率属中东最高的国家之一。人的预期寿命为男子49岁,女子51岁。

国家为也门人提供小学和中学的免费教育。估计约3/4的适龄儿童可以入学。然而也门的成人文盲率却很高。萨那大学(建于1970年)和亚丁大学(建于1975年)是仅有的两所高等学府。也门是阿拉伯世界新闻报道

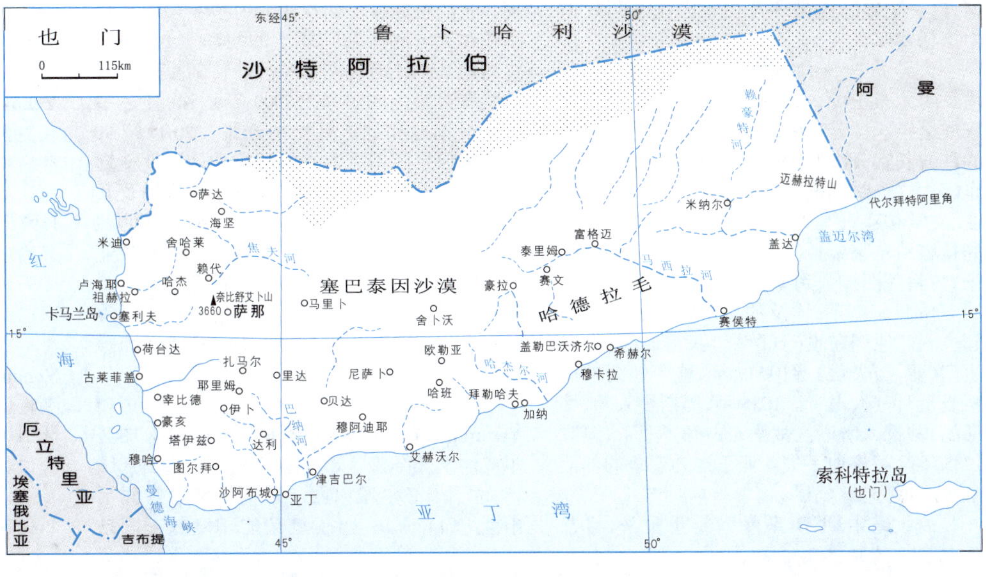

美国不列颠百科全书公司供图

最自由的国家之一。

历史 北也门或称也门(萨那),占据着也门的西半部,西濒红海,首都萨那。南也门或称也门(亚丁),沿着(作为阿拉伯海一部分的)亚丁湾展开,其位置正在也门(萨那)的东面,首城亚丁。在20世纪的大部分时间里,也门的这两部分在政治上一直分立。反映了它们此前的历史,即它们经常是各有自己的统治者,无论是当地人,还是外国人。

也门(萨那)的迈因王国早在公元前4世纪便与埃及有贸易往来,而与巴比伦的这种关系可能会更早。王国的繁盛几乎完全依靠种植和出口乳香、各种香料和其他地中海东部一带需要的物品。

从迈因王国稍往东南,是繁荣的萨伯王国。它的以马里卜水坝为基础的灌溉工程分布广泛,颇具效能,因而为人所知。该王国一度扩张到南阿拉伯半岛的大部,但到公元前1世纪后便衰落了,因为陆路香料运输为与之竞争的水路运输所取代,而马里卜水坝也已年久失修。

与此同时,古代也门(亚丁)分裂为加泰拜和哈德拉毛两个王国(公元前1千年)。它们参与有利可图的乳香和没药的贸易,同时又利用其四通八达的灌溉系统养活国内人口。公元前5世纪后期,加泰拜人败于萨伯人。

整个南阿拉伯半岛最后成了希木叶尔王国(约公元前100～公元525)的一部分。该王国曾暂时定都萨那。公元70年耶路撒冷陷落后,犹太人来此定居。基督教传教士在罗马皇帝君士坦丁(公元4世纪中叶)皈依该教后亦开始来到这里。由于迫害基督教徒,希木叶尔王国在公元525年被信仰基督教的阿比西尼亚王国(在埃塞俄比亚境内)所灭。公元575年,波斯萨珊王朝控制了这一地区。该地居民在公元7世纪中叶全部皈依伊斯兰教,至少在名义上是如此。不过,也门人对于哈里发(穆斯林世界的领袖)难得充分服从。也门(亚丁)自那以后也总是易手于地方首领和军阀之间。

几乎从伊斯兰教时代开始之时起,也门(萨那)地区就冲突不断。早在公元632年就发生过叛乱。到公元9世纪末,什叶派伊玛目哈迪建立了阿里德·栽德王朝。1962年以前,这一王室的成员一直在也门(萨那)政府中担任要职。

公元1173～1229年,统治整个也门的是埃及阿尤布王朝。此后,该地区落入拉苏勒家族之手。拉苏勒家族成员原为阿尤布王朝的地方长官,他们1229～1451年一直统治着也门。这一时期是也门的黄金时代,科学、农业、文学和建筑等方面皆有建树。其后掌权的是塔希尔家族。他们是萨那也门的部落男子,曾将版图扩张到亚丁的大部分地区。

16世纪初期,埃及的马木路克人试图占领也门。他们在也门(萨那)获得成功,但在也门(亚丁)失败。到1517年,整个地区被奥斯曼土耳其人占有。1635年,奥斯曼人为(萨那的)栽德人所逐。栽德人占领了亚丁,但到1735年又将该地丢失。亚丁遂为互争的部落首领所瓜分。

19世纪中期,奥斯曼人卷土重来,旨在从发动圣战的瓦哈比教派和埃及怀有帝国主义野心的穆罕默德·阿里手里夺取阿拉伯半岛,但直到1872年才得以占领萨那。在此其间,穆罕默德·阿里的进攻招致英国人于1839年占领亚丁。亚丁由英国的孟买"管区"实行管理,直到1937年成为英国政府的直辖殖民地和保护地。1914年订立的英国-土耳其协定,试图划定也门(萨那)和英占亚丁保护地之间的边界,但此事直到1934年才最终解决。

第一次世界大战中土耳其战败,也门(萨那)在栽德家族的领导下获得独立。他们宣称有权收回历史上的全部也门,包括亚丁和保护地。1962年的一场革命结束了栽德家族在也门(萨那)的统治,阿拉伯也门共和国宣告成立。也门(萨那)共和国基本上是亲西方的,也有部落性和宗教性的特征,尽管它还同时接受苏联的援助。

由英国倡议,成立于1963年的南阿拉伯联邦也包括了亚丁城,虽然它表示反对。英国人允诺联邦到1968年独立,但当1967年他们最后撤离时,马克思主义的国民解放阵线控制了这个日益削弱的联邦。结果,也门(亚丁)成为南也门人民共和国,1970年又更名为也门人民民主共和国。也门(亚丁)共和国是具有马克思主义倾向的世俗国家。两个也门的关系始终紧张,在20世纪70和80年代时有冲突。也门(亚丁)备受长期动荡之苦,仅政变就发生数次,而1986年爆发的一次短暂的血腥内战更夺去了数千人的生命。也门(亚丁)同苏联保持着密切的关系,而也门(萨那)则继续亲西方。

1989年,两个也门同意合为一国,经两国议会分别批准统一方案后,两国于1990年5月22日正式合而为一。由于在波斯湾战争中支持伊拉克,这个新国家很快陷入了困境。数十万也门劳工从沙特阿拉伯回国,急需的沙特援助中止,使得已极为严峻的国内经济形势雪上加霜。1993年的选举,是阿拉伯半岛上有史以来举行的第一次自由多党普选,也是第一次有妇女参加的选举。然而,亚丁和萨那不同政治阵营之间的继续对抗,妨碍了一个稳定政府的正常运行。北南两方不断升级的武装冲突,导致1994年5月内战爆发,不过很快即结束。90年代末期,也门也解决了两次边界纷争:与厄立特里亚在大哈尼什岛问题上的纷争(1998年,该岛曾被割让给也门)和与沙特阿拉伯在双方共有边界上的纷争(2000年)。而且还举行了全国性和地方性自由选举。20世纪90年代来自也门不受监管的种族地区的匪徒绑架了多名外国游客;这些地方是在也门及其他地区进行恐怖活动的伊斯兰好战分子的藏身之地,最著名的恐怖活动是2000年在亚丁港针对美国驱逐舰的自杀性恐怖袭击。2001年9·11恐怖袭击发生后,也门当局同美国官方加强了反恐领域的合作,追捕恐怖嫌疑分子。

Yemmiganūr 叶米加努尔 前称埃米加努尔或埃米加努鲁。印度南部安得拉邦西部城市,位于卡努尔城以西。叶米加努尔曾属于中世纪(14～16世纪)繁荣的印度教王国维查耶那加尔的范围,以后受穆斯林统治。主要工业有轧棉、榨花生油和编织。人口约76 428(2001)。

yen 日元 日本货币单位。原来下分100钱和1 000厘,1954年这两个小单位已从流通中废止。日元的符号为¥或Y。明治维新后1869年开始铸造日元,1871年币制改革时正式采用为基本单位。同年,日本政府宣布以日元替换各种氏族券,即16世纪末以后由封建领主所发行的纸币。据大藏省1868年的调查报告,在德川幕府时期,由244个氏族、14个地方官府和9个将军家臣发行的氏族货币总共达1 694种。到1879年,日元替换氏族券工作全部完成。日元(日本汉字作"円")名称,源出中国古时圆形货币的名称"圆"。

Yen-an (China) 参阅 **Yan'an** 延安。

Yen-ch'eng (China) 参阅 **Yancheng** 盐城。

Yen Fu (Chinese scholar) 参阅 **Yan Fu** 严复。

Yen Hsi-chai 颜习斋 参阅 **Yan Yuan** 颜元。

Yen Jo-ch'ü (Chinese scholar) 参阅 **Yan Ruoqu** 阎若璩。

Yen Li-pen 参阅 **Yan Liben** 阎立本。

Yen-t'ai (China) 参阅 **Yantai** 烟台。

Yen Ti 炎帝 参阅 **Shennong** 神农。

Yen Yüan (Confucianist philosopher) 参阅 **Yan Yuan** 颜元。

Yenagoa 耶纳戈阿 尼日利亚南部河流州城镇。位于尼日尔河三角洲,地处沼泽、红树林及热带雨林地区。当地传统居民伊乔人为渔民,曾充当贩奴中间人。奴隶贸易废除后,伊乔人转而出口棕油及棕仁。现为耶尔加地方政务会议所在地,也是四周农业区行政中心和农产品销售市场。附近石油和天然气田的开采使经济向多样化发展。人口约1 994(1972)。

Yenakiyevo 叶纳基耶沃 又拼Jenakijevo。乌克兰东部顿涅茨州城市。位于布拉维那河畔。1858年设生铁厂,但仅持续了8年;1883年开始采煤,始进入工业化时代。1895～1897年建金属冶炼厂。1925年建市。现有许多冶金(特别是钢铁)厂、以焦碳为基础的化工厂、水泥厂和建筑企业。设有矿冶学院。人口约114 000(1996)。

Yenangyaung 仁安羌 缅甸中西部城镇。濒临伊洛瓦底江。曼德勒西南217千米处。油田中心有油管通仰光对岸丹林的炼油厂。人口82 500(1993)。

Yenbo (Saudi Arabia) 参阅 **Yanbu'** 延布。

Yendys, Sydney 延迪斯 参阅**Dobell, Sydney Thompson** 多贝尔。

Yengema 延盖马 塞拉利昂中东部城镇。为金刚石开采区总部所在地，有金刚石淘洗厂、一座医院和几所学校。居民主要为科诺人和曼丁哥人。人口约12 938(1985)。

Yeni Osmanlılar（Turkish secret organization） 参阅**Young Ottomans** 青年奥斯曼党。

yeniçeri（Turkish soldier） 参阅**Janissary** 禁卫军。

Yeniseian languages 叶尼塞诸语言 又拼Yeniseyan，又作Yenisey-Ostyak languages。一个小语族，常同尤卡吉尔语、吉利亚克语以及洛拉维特兰诸语言一起划为古西伯利亚语群。叶尼塞诸语言包括四种语言，其中的科特语、阿林语及阿桑语均已消亡，只剩下凯特语(叶尼塞-奥斯佳克语)通行于西伯利亚东北部叶尼塞河畔的图鲁汉斯克城附近地区。

Yenisey River 叶尼塞河 又拼Yenisei或Enisei。亚洲大陆上最长河流之一，自南至北穿过俄罗斯中部。叶尼塞河的源头在俄罗斯中南部与蒙古国之间的边境山地内。叶尼塞河的主河道沿中央西伯利亚高原脚下的西西伯利亚平原东边缘向北流动，经过叶尼塞湾注入北冰洋的一段冰冷的水域——喀拉海。如把大叶尼塞河当做河源计算，叶尼塞河的长度为4 090千米，但如把色楞格河的源头当做河源，则长度为5 540千米。叶尼塞河的258万平方千米的流域面积，大部分都分布在海拔平均为500～700米之间的中央西伯利亚高原的西部。主要支流有来自西面的阿巴坎河、埃洛圭河、土鲁汗河，以及来自东面的土巴河、坎河、安加拉河、石通古斯河、下通古斯河及库雷卡河。叶尼塞河的水源大约一半来自融雪，1/3来自雨水，其余来自地下水。就径流而论，叶尼塞河是俄罗斯最大的河流，年均流量1.98万米^3/秒，汹涌的洪水出现在春季。叶尼塞河流域北部的气候属副极带，而中部和南部的气候则属明显的大陆性。10月初，叶尼塞河下游河面开始结冰，至迟到11月中，便全河封冻。全部河开最早要到5月末或6月中。流域的大部分布满泰加林(浓密的沼泽森林)，南部以松树为主，往北更远处则以落叶松为主。狩猎、捕鱼、驯鹿和饲养裘皮兽是流域内偏北居民的主要职业，煤、铜、镍的开采也是重要的。南部从事加工工业和制造工业。叶尼塞河及其主要支流安加拉河的水电蕴藏量估计有2 500万千瓦。萨彦诺戈尔斯克和喀拉海之间将近3 000千米的河段可以通航。木材是通过主要港口克拉斯诺亚尔斯克、斯特列尔卡、叶尼塞斯克、伊加尔卡、杜金卡和乌斯特港运输的主要货物，远洋船可向内陆逆流而上航行到伊加尔卡。

yeoman 自由民 英格兰历史上介于士绅和劳动者之间的一个阶级。自由民通常是土地所有者，但也可以是家臣、警卫、侍从或小官吏。此词出现在中世纪英语中，当时作yemen或yoman，可能是yeng man或yong man的缩写，意为"年轻人"或"侍从"。乔叟的《坎特伯雷故事集》(14世纪晚期)中所描写的自由民是一个守林人和一个家臣。在欧洲中世纪后期，自由民大都耕种田地。霍林希德在他的编年史中所描写的自由民是：拥有每年收入值6英镑(原为40先令)的自由土地，并且不服兵役。

Yeomen of the Guard 王室警卫 英国君主的随身警卫。1485年英王亨利七世开始设置，以后一直存在至今。王室警卫与伦敦塔守卫人虽同样身着都铎王朝时期的制服，但二者不同。王室警卫最初负责守卫宫廷，检查国王的食物；每当国王巡游海内外或上战场时，就由他们保障人身安全。20世纪时，仅在国王举行大典或接待外国国家元首时，才把他们召集到伦敦圣詹姆斯宫的警卫室。当国王出席议会的开幕仪式时，他们要搜查威斯敏斯特宫的地下室。这是从1605年火药阴谋案以后沿袭下来的习惯做法。原编制50人，现有79人，均由陆、海、空军中选拔，队长由英国政府任命。

王室警卫人员
供图：Press Association

Yeotmāl 耶奥德马尔 印度西部马哈拉施特拉邦东北部城市。位于通往那格浦尔、孟买和海德拉巴的主要公路上。为农业区(产棉花、小麦)中心，设有那格浦尔大学几所附属学院。人口108 578(1991)。

Yeovil（England） **约维尔** 参阅**South Somerset** 南萨默塞特。

Yepes y Álvarez, Juan de 参阅**John of the Cross, Saint** 约翰(十字架的)，圣。

Yeppoon 耶蓬 澳大利亚昆士兰州中东部沿海城镇，位于罗克汉普顿东北42千米，州首府布里斯班以北700千米。1865年欧洲人开始定居这一地区。耶蓬地区现有农业、伐木业和水果栽培；由于它是热带和温带植物和鸟类的混合区，使博物学家们很感兴趣。耶蓬是一大渔业(包括捕对虾)中心，并有海味加工厂、木材厂和砖厂。耶蓬为一重要旅游中心，有海滩、湖泊、沙崖。大堡礁即在附近。人口7 542(1991)。

yerba maté(beverage) 参阅**maté** 马黛茶。

Yerby, Frank (Garvin) 耶比(1916-09-05，美国佐治亚奥古斯塔～1992-11-29，西班牙马德里) 美国通俗历史小说家。他的短篇小说《保健卡》1944年获最佳短篇小说处女作欧·亨利纪念奖。1946年他的第一部长篇小说《哈罗的狐狸》发表后，立即获得成功。他的小说情节纷繁曲折，描写早期一个强有力的英雄人物。小说语言生动活泼，包括各种种族背景的人物，故事线索复杂，其间穿插爱情纠葛和暴力。他最优秀的作品也许是小说《达荷美人》(1971)。作为一个黑人作家，他因未在小说中对种族问题给予更多的注意而受到广泛批评。虽然他本人说，作家应当使人得到娱乐，而不是对人进行说教，一些批评家在其作品中发现他对历史神话，特别是美国和美国南部神话的猛烈批评。美国的种族歧视使耶比于1955年离开美国，自动流亡，居住在马德里。

Yerevan 埃里温 又拼Erevan，Erivan或Jerevan。亚美尼亚首都。在拉兹丹河畔，距土耳其边界23千米。公元607年开始有关于该市的记载，但考古发现证明，公元前6000～前3000年已有居民，公元前783年已建有耶尔布尼要塞。从公元前6世纪起成为亚美尼亚王国之一部。作为重要商业中心，该城不断发展，故在历史上长期被围攻和被攻占。先后由罗马(仍留有一个已毁的要塞)、安息、阿拉伯、蒙古、土耳其、波斯、格鲁吉亚和俄国人统治。1582年被土耳其占领，1604年归波斯，最后在1827年归属俄国。1920年成为亚美尼亚共和国首都。现代埃里温建在由拉兹丹河的深沟往上的山坡上，四周自然景色优美，北有阿拉格兹山和阿日达阿克山死火山峰，南有越过土耳其边界的亚拉拉特山。林荫大道两侧是用当地各种彩色石建造的、具有亚美尼亚传统建筑风格的许多现代建筑物。是重要文化中心，设有一所大学(1920)和其他多所高等院校。1943年建立亚美尼亚科学院，是市内众多研究机构中最重要的机构。麦梯纳达蓝档案馆收藏了丰富的古代亚美尼亚的手稿，如公元887年的拉撒路福音。还建有若干剧院和博物馆。工业的发展，以及拉兹丹河畔的几所水力发电厂(其中一所便在该市)使埃里温市迅速增

埃里温市的国家歌剧院
供图：A. Borodulin—De Wys Inc.

大,1914 年人口约为 3 万。化工产品有乙炔、塑料、合成橡胶和轮胎。还生产铝、汽车、涡轮机、电机、压缩机、电缆和机床等。人口约 1 248 200(2000)。

Yerkes, Charles Tyson　耶基斯 (1837-06-25,美国费城～ 1905-12-29,纽约市)　美国金融家,曾把兴建芝加哥公共交通系统的各公司联合成辛迪加。1862 年他已购有自己的钱庄。1871 年芝加哥火灾导致证券交易所的恐慌,使他无力支付作为代理人在销售市政债券所收的款项,以挪用公款罪被监禁 7 个月。出狱后,低价购买股票,在 1873 年的金融恐慌中获利。1882 年移居芝加哥,购得市内一有轨电车公司的股票买卖特权。此后 15 年中,他用一个公司的股份作为担保购买另一公司股权,从而把拥有、建筑、经营公共交通系统的各部分的许多公司合成一个整体。为了延长交通路线,需有使用公共土地的特许,他买通并控制市及州的政客,立法机关为其土地特许权展期一百年而不征收任何费用,激起公众愤怒。1899 年选举中,那些过去受贿投票选举耶基斯的议员被击败,艾伦法被废除。1901 年耶基斯把财政负担过重的有轨电车及高架铁路系统售给费城公共交通大王威德纳及埃尔金斯。为使伦敦地铁实现电气化,他携带1 500万美元来到伦敦。1892 年捐资芝加哥大学建立天文台。

Yerkes, Robert M(earns)　耶基斯(1876-05-26,美国宾夕法尼亚布雷迪斯维尔～ 1956-02-03,康涅狄格纽黑文)　美国心理学家,美国比较(动物)心理学的主要奠基人。早年毕业

供图:Dellenback—Institute for Sex Research

于乌尔西努斯学院,1902 年获哈佛大学博士学位,后任哈佛大学的讲师、教授(1902 ～ 1917),致力于建立一个灵长类研究所。1907 年发表第一本著作《跳舞的鼠》,开始把大鼠用作心理学实验的标准模型动物。后来,他开始对人类的心理测量发生兴趣,并在设计多方选择测验和广泛应用的(心理能力测量用的)点量表(1915)方面,做出了重要贡献。第一次世界大战期间,他带头开展了群体测验,对 172.6 万人进行了心理测试。战后他参加了华盛顿的全国研究理事会。1923 年,他开始了对黑猩猩的研究。1924～1944年任耶鲁大学心理学教授。他和妻子 A.W.耶基斯合写过许多著作,1929 年出版了他的一本主要著作《巨猿》。1929 年他的一个长期设想得以实现:在佛罗里达州奥兰治帕克建立了耶鲁灵长类生物学实验室。这是研究行为的神经和生理基础的唯一中心,在他 1941 年辞去所长职位后,该实验室改名为耶基斯实验室。《黑猩猩》(1943)是他的另一本重要著作,也是他最后的著作。

Yermak Timofeyevich　叶尔马克·齐莫菲叶维奇(?～1584或1585-08-06,西伯利亚)俄国人兼并西伯利亚时的远征队伍的哥萨克首领,俄罗斯民间文学中的英雄人物。1579 年经营工商业的斯特罗加诺夫家族召募叶尔马克及一帮哥萨克抵御西伯利亚部族的进攻。1581 年 9 月 1 日率 840 人出发,1582 年春到达西比尔鞑靼汗国的中央地区,占领额尔齐斯河上的卡什雷克。1584 年 8 月在与西比尔汗库程的作战中掉在额尔齐斯河里淹死。

Yermolova, Maria Nikolayevna　叶尔莫洛娃 (1853-07-03,莫斯科～1928-03-12,莫斯科)　俄国戏剧女演员。在其长达 50 年的戏剧生涯中,赋予各种女主角以一种积极独立的自由精神。曾就学于莫斯科戏剧学校,17 岁时在莫斯科小剧院首次登台,主演莱辛《爱米丽雅·伽洛蒂》(1870)一剧。她创造的角色主动积极,一反过去那种性格刻画被动化的表演,确立了她尔后的戏剧方向。她极善于在英雄悲剧中塑造各种主角,并为此终生呕心沥血。她是小剧院剧团的终生成员,所演的杰出角色有奥斯特洛夫斯基《大雷雨》中的卡捷林娜、维加《羊泉村》中的劳伦西娅、莎士比亚《理查三世》中的安妮夫人、《麦克白》中的麦克白夫人以及拉辛的《菲德拉》、席勒的《玛丽亚·斯图亚特》和《奥尔良的姑娘》中的主角。她在塑造每一个角色时均强调她们在精神上的独立性以及在蔑视腐败的当权者时所表现的人民大众的英雄主义。斯坦尼斯拉夫斯基认为,叶尔莫洛娃是他所观察过的最伟大的演员。1920 年她成为被授予"苏维埃人民艺术家"称号的第一人。1921 年退出剧坛。

Yersin, Alexandre(-Émile-John)　耶尔森 (1863-09-23,瑞士洛桑附近欧博讷～ 1943-03-01,印度支那安南芽庄[今在越南])　出生于瑞士的法国细菌学家,鼠疫杆菌(鼠疫巴斯德氏菌,又称鼠疫耶尔森氏菌)的发现人之一。早年学医于洛桑大学、马尔堡大学和巴黎大学,在巴黎师从 É.鲁和在柏林师从 R.科赫。1889 年应 É.鲁之聘在巴黎巴斯德研究所工作。1890 年赴印度支那经历了 4 年的探险生涯。1894 年正值中国鼠疫流行时,参加殖民医疗队赴香港与日本的北里柴三郎同时发现鼠疫杆菌。1895 年制成治疗鼠疫的血清。曾在河内创办医学校;又是越南芽庄巴斯德研究所的创办人和所长。据说耶尔森曾把橡胶树引进印度支那。

yersiniosis　耶尔森氏鼠疫杆菌肠道病　耶尔森氏菌属小肠结肠炎细菌引起的急性胃肠感染,表现为发热、常有血性腹泻及腹痛。皮肤出现短暂性红斑,膝、踝以及腕关节发生短暂性炎症。常见于幼童。感染常见于冬季。多数人感染此病缘于受污染的食物,如水、未消毒的牛奶、未加工或未煮熟的肉制品。将这些食物冷藏也未能充分保护人体免于细菌感染。尽管多数人未经治疗即可康复,但如果细菌引起败血病或感染其他器官,人体出现抑制免疫系统或血中铁含量过量(血色沉着病)就需要抗菌素治疗。

Yerushalayim (Israel)　参阅 **Jerusalem** 耶路撒冷。

Yerwa (Nigeria)　**耶尔瓦**　参阅 **Maiduguri** 迈杜古里。

Yesenin, Sergey Aleksandrovich　叶赛宁 (1895-10-03,俄罗斯梁赞省康斯坦丁诺沃～ 1925-12-27,列宁格勒)　Yesenin 又拼 Esenin。自称为木头俄罗斯的最后一个诗人。生于农民家庭,17 岁前往莫斯科,后又到彼得格勒(今圣彼得堡)。在这两个城市里结识诗人勃洛克和克柳耶夫,也了解到一些革命的情况。1916 年第一本诗集《扫墓日》出版。他欢迎十月革命,认为它可以使农民进入他在第二本诗集《伊诺尼亚》(1918)中所梦想的太平盛世。1920 ～ 1921 年写长篇诗剧《普加乔夫》,歌颂 18 世纪的农民起义领袖。1919 年在意象派的宣言上签名,不久成为这一派的主要成员。他经常到莫斯科的咖啡馆里朗诵诗歌,并大量饮酒。1922 年与美国舞蹈家邓肯结婚。两人离异后,他又回到俄国,与托尔斯泰的一个孙女结婚。1924 年回到故乡,了解到连村里的老百姓都能引用几句苏维埃口号,而他自己对马克思的著作却连 5 页也没有读过,深感内疚,认为自己未能负起人民诗人的责任。他力图与国家的步调一致。在《惨淡的月光》一诗(1925)中,他甚至歌颂起石头和钢铁,认为那是将来使国家富强的奥秘。但在另一首诗《严峻的十月欺骗了我》中却又直率地表露出他与布尔什维克俄国疏远的态度。他的最后作品——一首忏悔诗《黑人》,是对自己失败的无情鞭打。1925 年因神经错乱,曾住医院治疗。不久以后,在列宁格勒的旅馆中吊死,用自己的鲜血写下最后的几行诗。叶赛宁确有诗歌天赋,他的抒情短诗想象丰富,扣人心弦。无论生前和死后,他都拥有一大批读者。他的诗歌全集于1966 ～ 1968 年出版。

Yeshaʿyahu (Jewish prophet)　参阅 **Isaiah** 以赛亚。

yeshiva　授业座　又拼 yeshivah 或 yeshibah。犹太教教育机构,专门传授《塔木德》。授业座对于《圣经》和律法的注疏和运用为若干世纪犹太人的宗教生活确立了典范。关于授业座的早期历史,只有间接资料可考,公元 1 世纪以前未闻有此名称。在耶路撒冷第二圣殿时代(公元前 6 世纪至公元 70 年),宗教学术研究由最高司法机构大公会独揽。公元 70 年第二圣殿被毁,其后犹太人宗教生活中心转移到耶路撒冷以外各地的拉比住所。约翰南·本·撒该在犹大境内近海城市贾卜奈(今伊卜纳)所设授业座当时最为著名。《密西拿》于此时由西面·本·伽马列(卒于 175)及其子犹太亲王(约 135 ～约 200)的指导下编

成。从3世纪中叶起，犹太教学者集中精力从律法角度注疏《密西拿》。巴勒斯坦境内利达、凯撒里亚、塞佛里斯、太巴列等地都有学者设座授业。这些授业机构编成巴勒斯坦《塔木德》并着手纂辑《米德拉西》。同时，巴比伦境内也有许多授业座出现。及至巴比伦的授业座纷纷衰落，西班牙、法兰西、意大利、德意志和中欧等地授业座纷纷涌现；其后犹太人东迁，波兰境内出现一批重要的授业座。1492年西班牙驱逐犹太人，于是土耳其和巴勒斯坦一带兴起重要犹太教学术中心。自1648～1649年波兰迫害犹太人，当地各授业座大受损伤，但到了18世纪后半叶，哈西德主义兴起，吸引波兰、乌克兰等地大批犹太人，于是设座授业之风再度盛行。同时启蒙运动出现于东欧，主张变更犹太教义以适应现代文化，反对授业座所授传统教义，于是，哈伊姆·本·以撒于1803年在俄国沃洛津设立授业座，与启蒙派相抗衡。这个授业座对俄国犹太人影响甚深，但于1892年关闭。沃洛津授业座一反立陶宛、波兰、匈牙利等地授业座的传统，在培训拉比的授业计划中增设世俗学科。自1939至1945年，纳粹在欧洲迫害犹太人，授业座荡然无存，师生纷纷逃往英格兰、加拿大、美国和巴勒斯坦等地。

Yessentuki　叶先图基　又拼Jessentuki。俄罗斯西南部斯塔夫罗波尔边疆区城市。坐落在波德库莫克河谷。建于1798年，19世纪30年代发展为要塞，1917年设市。地处高加索山麓矿泉区，由旧哥萨克村（南部）和新市区（北部）组成。为休养和泥疗胜地。有食品加工和服装业。人口约95 500(1991)。

Yesuj　亚苏季　又拼Yāsūj。伊朗西南部城镇。有一制糖厂及其他地方工业，生产砖、马赛克瓦、牲畜饲料、席子、筐篮和地毯。有公路通多贡巴登、代赫达什特、设拉子、努拉巴德和布什尔。亚苏季有一热电站。人口29 991(1986)。

Yeti　参阅**Abominable Snowman** 雪人。

Yevpatoriya　叶夫帕托里亚　乌克兰南部克里米亚城市。濒临克里米亚半岛西岸的卡拉米特湾。该城于公元前6世纪建立，为希腊人殖民地。此后几经易主，1783年由俄国兼并。在克里米亚战争时期，英法联军在此城附近登陆(1854)。叶夫帕托里亚海滨优美，是疗养和旅游胜地，也是小型渔港。人口约110 500(1991)。

Yevreyskaya　犹太自治州　又拼Evreiskaia，英语作Jewish autonomous oblast。又称比罗比詹。俄罗斯远东哈巴罗夫斯克边疆区中的自治州。位于阿穆尔河（黑龙江）流域中游，面积36 000平方千米。大部为低地平原，有辽阔的沼泽、沼泽森林和草原，土地肥沃，大部已开垦。北部和西北部是布列亚山和小兴安岭的丘陵，有茂密的云杉、松木、冷杉和落叶松。冬季干冷，夏季湿热。虽1934年即辟为苏联境内犹太人居住区，但许多犹太人并未迁入。俄罗斯人和乌克兰人的人数大大多于犹太人。人口主要沿西伯利亚大铁路及可通航的阿穆尔河这两条主要交通干线分布。铁路沿线木材加工业发达。欣甘斯克开采锡矿。铁矿尚未开发。农业集中在阿穆尔平原，主要种植小麦、黑麦、燕麦、大豆、向日葵和蔬菜。河上有渔业，主要捕鲑鱼。首府比罗比詹(**Birobidzhan**)。人口约220 200(1991)。

Yevtushenko, Yevgeny (Aleksandrovich)　叶夫图申科(1933-07-18，俄罗斯联邦伊尔库茨克州济马～　　)　Yevgeny Yevtushenko又拼Evgenii Evtushenko。诗人，斯大林以后年轻一

供图：Tass—Sovfoto

代俄罗斯诗人的代言人。他们具有国际影响的要求（更大的艺术创作自由和文学应以美学标准而不是政治标准为基础）标志着50年代末和60年代苏联对艺术家的控制有所放松。乌克兰流放者的后裔，在西伯利亚大铁路沿线的一个小镇长大，第一首叙事长诗《济马车站》(1956)就以这里为背景。17岁开始在报纸上发表诗歌，后入莫斯科高尔基世界文学研究所学习，在斯大林死后成名。他的宣传鼓动天赋和吸引人的个性，以及为恢复艺术家的朴实而进行的大无畏战斗，使他不久便成为苏联青年的领袖。他一方面采用早期革命诗人马雅可夫斯基和叶赛宁的粗野和毫无诗意的语言，一方面又恢复在斯大林时代被摈弃的恋爱诗和抒情诗传统。他的长诗《娘子谷》(1961)悼念被纳粹屠杀的34 000名乌克兰犹太人，也是对苏联长期进行反犹太的抗议。由于在欧美旅行和朗诵诗歌，他与西方发生了文化联系，但1963年在巴黎发表他的《早熟的自传》后，遂立即被召回莫斯科，他的特权被取消。但当他1966年发表了《布拉茨克水电站》后，又重新获得了官方的好感。1972年莫斯科一家剧院上演《自由神像的内心》，就是由他较早的一些描写美国的诗歌拼凑而成。他的第一部长篇小说《浆果处处》1982年出版，1984年出版了英译本。

yew　紫杉　又称红豆杉。紫杉科（红豆杉科）紫杉属（红豆杉属，*Taxus*）植物，约8种常绿观赏乔木或灌木，广泛分布北半球（两种常呈灌木状，其他种可为高达25米的乔木）。分枝直立或开展。叶扁平，线形，长0.5～3厘米，深绿色，下表面有两条黄绿或带灰绿色的条纹；叶紧贴枝条螺旋状着生，由于基部扭曲，外表成两列。雌雄异株，生殖构造均着生叶腋。小孢子叶球小，圆形，具鳞片，球果状；大孢子叶球微小，绿色，单生。种子常单生于短枝端部，成熟时外被红色的肉质杯状假种皮。叶和种子所含生物碱有毒，能致家畜死亡。该属许多园艺变种间的差异主要是生长习性不同。紫杉类生长缓慢，但长寿，抗病害力中等。其木材坚硬，木纹细腻。边材白色或乳黄色，心材琥珀色至棕色。曾普遍用于制作多种用具和家具、弓等，现多用来雕刻和旋制工艺品。英语中一些其他属的植物亦称为yew，如粗榧(**plum-yew**)、艾伯特王子紫杉（参阅**Podocarpaceae**）及臭紫杉。

Yeysk　叶伊斯克　又拼Eisk，Jejsk。俄罗斯西南部克拉斯诺达尔边疆区城市。位于亚速海塔甘罗格湾南岸。1848年建为港口。渔业和鱼罐头工业是该市的经济支柱，其他工业有农产品加工。以医疗硫磺浴及泥浴著称，为疗养胜地。设有农业技术学院。人口约86 300(1991)。

Yezd(Iran)　参阅**Yazd** 亚兹德。

Yezhov, Nikolay Ivanovich　叶若夫(1895，俄罗斯圣彼得堡～1939-01以后)　Yezhov又拼Ezhov。俄国共产党官员，1936～1938年担任苏联安全警察（内务人民委员部）首脑期间，实行了被称为“叶若夫恐怖”的最残酷的大清洗。早年生活不详（绰号矮子，因身高仅5英尺，又是跛子）。1917年3月加入共产党。内战期间在红军中任政委。1927年成为莫斯科党中央委员会的一名官员和斯大林的亲信之一。1933年4月29日，被任命为新成立的中央清党委员会委员，该委员会实行了不流血的清洗，把100多万党员开除出党。1934年1月，在党的第17次代表大会上当选为中央委员；2月，继L.M.卡冈诺维奇担任共产党监察委员会主席。1937年10月成为政治局候补委员。同时，1936年9月26日，他继G.G.雅戈达任内务人民委员部首脑；1937年1月，又获新设的国家安全部总政委的头衔。

在担任上述几个职务期间，叶若夫犯下被称之为“叶若夫恐怖”的滔天罪行，在大清洗（参阅**purge trials**）中残酷无情地消灭和镇压斯大林的敌人或者被指控的敌人。清洗从党的领导人扩大到党和国家的机关工作人员，最后扩大到普通老百姓。但到了1938年夏，不知什么原因他本人也成了斯大林怀疑的对象。同年12月L.P.贝利亚接替他任内务人民委员部首脑。最后一次人们听到叶若夫的名字是在1939年1月，以后就消失了，很可能被处决。

Yezīdī(religious sect)　参阅**Yazīdī** 亚齐德派。

Yggdrasill　伊格德拉西尔　古斯堪的纳维亚神话中一株支撑宇宙的巨大的梣树，即世界之树。它的一条根通向尼弗尔海姆，即冥界；另一条根通向巨人之国尤通海姆；第三条根通向诸神居住的阿斯加尔德。在它下面有

三股泉水：乌尔达尔布伦尔(命运之泉)，命运之神诺恩氏就用这里的水来浇灌此树；赫威尔盖尔米尔(喧闹的水壶)，魔鬼尼德霍格住在这里咬它的根；弥米斯布伦尔(弥米尔之泉)，即智慧之源，奥丁神为取得这里的泉水献出了一只眼。在拉格纳勒克(世界末日)之后，受到极大震撼的世界之树，仍将成为新生之源。

YHWH 雅赫维 希伯来语中给摩西以启示的上帝的名字。由于它由4个字母组成，故又称表示上帝的四字母词。参阅 **Yahweh**。

Yi 夷 中国先秦时期对非华夏民族的泛称之一。夷又有诸夷、四夷、东夷、西夷、南夷、九夷等泛称。一般多用以泛称环渤海而居，南至江淮的中国东方各族，又称东夷。先秦时，东夷民族众多，主要指以传说时代的太皞、少皞为代表的部落集团及其后裔，《禹贡》称为鸟夷。夏与东夷屡有斗争，曾夺取夏太康王位的"有穷(在今山东德州)后羿"，就是东夷的一支。相传商汤先世活动在今山东、河北的渤海湾一带，故学者以为商人本亦为东夷民族。商王朝征服东夷以后，国力耗尽，为周所灭。周武王死后，殷裔武庚在东夷国家支持下发动叛乱。周公东征，杀武庚，灭嬴姓之国，平定了叛乱，但徐戎、淮夷仍长期存在于淮水流域。及至春秋，太皞、少皞、皋陶的后裔和九夷等东夷部落国家仍活跃在山东半岛和江苏、安徽的淮水流域，成为齐、楚两霸必争的与国。这些国家与华夏诸国早有通使、会盟关系，而诸夏国又或"用夷礼"，使夷、夏逐步接近以至融合。"九夷"之名犹见于战国时期，但秦并六国后，淮泗夷皆散为民户，到汉时已不见夷、夏之别。

Yi 彝族 又称罗罗。中国少数民族。分布在四川、云南、贵州西北部和广西北部。大渡河与金沙江、黄茅埂以西与安宁河两岸之间的大、小凉山是最大聚居区。人口7 762 272(2000)。语言为汉藏语系藏缅语族彝语支，有六种差别较大的方言。大多兼通汉语，使用汉文。原有13世纪形成的音节文字"爨文"(参阅 **Cuan**)，亦称"韪书"、"罗罗文"。近年对各地字形、读音不一的古彝文作了整理和规范化，在四川和云南部分地区推行。先世出于氐羌，先秦至公元初活动中心在邛都(今四川西昌)和滇池地区。3世纪以后逐渐南下到今滇东北、滇南、黔西北等地。晋、唐时爨氏成为云南大姓。东爨的乌蛮曾建立南诏政权。元、明时称乌蛮为黑爨或罗罗，彝族大部分自称"诺苏"、"纳苏("诺"意为黑，"苏"意为人)"、"罗罗"还有"撒尼"、"阿细"、"密撒濮"等数十种名称。以农业为主，兼营畜牧。中华人民共和国建立前社会经济发展不平衡。滇、黔、桂彝区已进入封建社会，地主经济比较发展。四川凉山彝区还保留奴隶制度。占人口7%的"诺伙"(黑彝)占有60%～70%的土地、牲畜和其他生产资料。"曲诺"、"阿加"、"呷西"三个奴隶等级则承担无偿劳役和超经济剥削。实行严格的等级内婚。以父系血缘为基础的黑彝家支组织具有政权性质。1956年继各彝族地区社会改革之后，凉山地区也推行改革，废除奴隶制度，使69万奴隶获得人身自由和平等的政治地位。彝族以大米、玉米、荞麦、薯类为主食。木制食器多以红、黑、黄漆绘成图案。凉山地区女子穿镶边或绣花右衽上衣，多褶曳地长裙。男子以青、蓝布帕包头，在右前方突出细长锥形犄角"英雄结"。外出时男女均披用羊毛线织成的黑色披风。行幼子继承制。过去信仰多神，崇拜祖先，行火葬。农历六月二十

彝族姑娘

供图：© Leon Lee

四日"火把节"是一年中最盛大节日，燃点松明火把绕宅院后插于田间。各村举篝火、弹月琴、"跳歌"(集体舞)，有的还举行赛马、斗牛、射箭、摔跤等竞技游戏。民间流传的歌舞、口头文学经过整理的有《阿细跳月》、《阿诗玛》等。民主改革以来社会经济迅速发展。在西昌地区建成大型钢铁联合企业。成昆铁路建成后贯穿大凉山和滇、黔彝族地区，改变了原来闭塞落后的面貌。在彝族聚居地区已建立四川凉山彝族自治州、云南楚雄彝族自治州、红河哈尼族彝族自治州和云南峨山、路南、宁蒗、漾濞、景东、南涧彝族自治县、巍山彝族回族自治县、江城哈尼族彝族自治县、寻甸回族彝族自治县、新平彝族傣族自治县、禄劝彝族苗族自治县、普洱哈尼族彝族自治县、景谷傣族彝族自治县、元江哈尼族彝族傣族自治县和贵州威宁彝族回族苗族自治县，四川峨边、马边彝族自治县和广西隆林各族自治县，并在云南、贵州、四川等省建立了260多个民族乡。

Yi 羿 中国神话传说中的射日英雄。先秦古籍有称夷羿，或仁羿；因与传说中夏代的有穷国国君后羿的事迹相混，又被称为后羿。羿善射。帝俊曾赐羿弓箭，令拯济世间艰困。尧做国君时，天空10日并出，禾苗草木枯焦，地上恶兽遍布。羿射落9个太阳，又尽除恶兽。但因其射杀的9个太阳正是天帝的9个儿子而触怒天帝，被贬斥人间。羿曾从西王母处求得不死药，但为妻子嫦娥偷吃，飞升月宫。羿孤零无依，后为学生蓬蒙杀害。后人追念羿除害功绩，祀为宗布神。

yi 匜 中国古代盥洗器。有流口，以匜注水而盥，以盘承污水，所以盘、匜是成套的盥洗器。盘、匜往往同出，常见于西周中、晚期至战国的墓葬。青铜或漆木质，陶质的多为明器。椭圆形，三足、四足、圈足或无足。铜匜形制似觥。觥有盖，匜一般无盖。

Yi DYNASTY 李朝 又称朝鲜王朝。朝鲜最后的、也是统治时期最长的一个王朝(1392～1910)。由李成桂建立，定都于汉阳(现为汉城)，国号朝鲜。李成桂与中国明朝关系密切，明朝把朝鲜视为藩属。此时中国文化的影响甚巨。李朝的政府机构悉仿中国官制，并把新儒学作为国家和社会的意识形态。李成桂改变土地集中在少数上层官僚手里的做法，给所有各级官吏重新分配土地，形成新的贵族**两班**(**yangban**)。1443年创制谚文。成宗时期(1470～1494)建立行政管理体制。1592年日本侵略朝鲜，破坏惨重。1627年满族入侵朝鲜西北部，李朝政府的权力被严重削弱。然而，到英祖(1724～1776)和正祖(1776～1800)时期，国势大有好转。农业发达，货币经济繁荣，实学派兴起。直到19世纪80年代，李氏王朝一直实行闭关自守政策。从1876年与日本签订条约开始，才对西方进行门户开放。不久，朝鲜成为列强角逐的场所。甲午战争和日俄战争之后，日本在朝鲜占有优势。1910年日本正式吞并朝鲜，李朝的统治告终。

Yi Chŏng 李霆(1541，朝鲜) 号滩隐，16世纪朝鲜美术家，名重当时。国王世宗(1397～1450)的玄孙。他不仅以画家著称，还集贵胄

李霆绘《墨竹图》

供图：Chung Sung-woo, Seoul

之风、豪侠气派和学者儒雅于一身而知名。也是著名诗人和书法家，传统画的大师，特别擅长用单色画竹。他说，竹之茎干挺拔，枝叶优美，所以爱竹。

yi-dam　本尊　中国藏传佛教中喇嘛或僧人与之保持某种特殊师承关系的神灵或护法神。喇嘛从修静入手，通过神的默启，于诸护法神中选择一尊可以引导自己终生修习的神。一经选定，即每天祈祷这座本尊。一般主神都可选作本尊，而且往往同本尊的对偶一道供奉。这一双身有时是文相，戴冠冕，作菩萨装璜；有时是武相，以头盖骨作冠，戴人头项圈，手持砍刀及头盖骨碗等法器。

Yi In-mun　李寅文（1745，朝鲜海州～1821，汉城）　号有春，朝鲜李朝（1392～1910）晚期著名山水画家。继承中国北宗风格，其画以构图纤巧和笔调大胆著称。最有名的作品为长卷《春江图》。他用水彩画山水，为朝鲜美术首开新风。

Yi language　彝语　中国彝族语言。属汉藏语系藏缅语族彝语支。分布在中国云南、四川、贵州、广西等省（区）。使用人口约506万。此外还分布在越南、泰国、缅甸境内（称罗罗语）。分北部、东部、南部、西部、东南部和中部6个方言。彝语（喜德）语音特点：声母多韵母少，元音分松紧，一般没有辅音韵尾。有37个单辅音声母，其中包括双唇、舌尖中、舌根塞音各分清、浊、清送气三套；舌尖前、卷舌、舌面前塞擦音也分清、浊、清送气三套；唇齿、舌尖前、卷舌、舌面前、舌根擦音分清、浊，有喉门清擦音；双唇、舌尖中鼻音分清、浊，舌面前、舌根鼻音仅有浊的；有边音和边擦音各1个。有6个带鼻冠音的复辅音声母；有10个单元音韵母：分5个松元音，5个紧元音；有4个声调：高平、次高平、中平、次低降。词类有名词、动词、形容词、数词、量词、代词、副词、介词、连词、助词、叹词11类，以虚词和词序表示句子成分的关系。名词可以同副词组合；动词有态（使动态、自动态、交互态）、式（疑问式、陈述式）、情貌（起始貌、进行貌、未完成貌和完成貌）；人称代词有格（主格、宾格、领属格、反身交互格）；句子主语在前，谓语在后；宾语在主语后，动词之前；名词、代词修饰语在中心词前，形容词、数量词组修饰语在中心词后；状语在中心词前；补语在动词、形容词谓语之后。原有一种称为“爨文”和“韪书”的音节文字。1956年设计了拉丁字母的文字方案，1957年经民族事务委员会批准试行。1974年对凉山原有彝文进行科学整理和规范；1975年中共四川省委批准《彝文规范试行方案》，1980年国务院批准《彝文规范方案》正式推行。规范彝文在学校教育和成人教育方面取得了一定成功。

Yi Sang-cha　李上佐（活动时期16世纪，朝鲜）　号学圃，朝鲜杰出画家，以风格清新独特著称。原是一个学者的家奴，但不久即以超群的艺术禀赋引起国王注意，被选为图画署画员。除为王室作肖像而外，也画风景。凭其绝技于1546年成为宫廷画师，列名朝廷，

李上佐绘《赏月图》
汉城国家博物馆供图

就其出身而论，这是一种绝无仅有的荣誉。

Yi style　李朝风格　朝鲜李朝（1392～1910）视觉艺术的独特风格。李朝的工匠和艺人，除偶尔从进口的中国艺术品中得到启发以外，主要依靠自己对美和完善的理解与感受。尤其在装饰艺术中更多地表现出一种自然的、具有乡土特色的审美观。1592年以后建造的宫殿与庙宇，绝大多数为多斗拱式

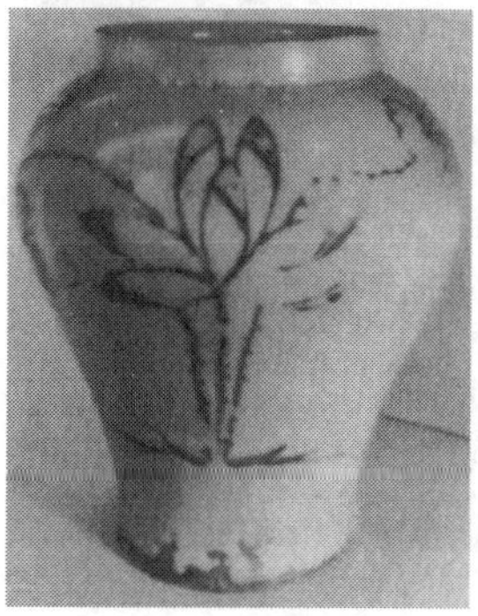

约15世纪的李朝风格釉下铜红彩瓷瓶
伦敦维多利亚和艾伯特博物馆供图

（**tap'o style**），佛像一般也为木制。在世俗艺术中，主要有绘画和瓷器，虽然绝大多数瓷器明显地比中国明清时代的粗糙，但装饰富丽（参阅 **punch'ŏng pottery**）。

Yi Sun-shin　李舜臣（1545-04-28，朝鲜汉城［今在韩国］～1598-12-16，鹭梁附近海上）　又拼Yi Sun-sin。朝鲜海军将领，民族英雄。他在海上的胜利对打败日本在16世纪90年代对朝鲜的侵略起了重要作用。他于1576年通过政府考试成为军官，曾在陆军和海军任不同职务。虽两度遭嫉受诬陷而被解职，但1591年被任命为仓罗左道水军都统。他倾全力训练士兵，贮备装备给养，并创制出被认为是历史上最早的装甲战舰“龟船”。船的上层护有甲板，以保护船员。甲板上装有尖铁和钢刀，以防敌人登船。船首为龙头状，通过龙头可发射火炮，并散发烟雾以掩饰船的位置。船尾和两侧亦可发射火炮。1592年日本侵朝时，与大多数朝军不同，李舜臣的军队早已作好战斗准备。他在南部海岸的胜利，有效地切断了侵朝日军的补给和增援，使日军未能利用初战告捷而继续推进。1593年李舜臣任全朝鲜水军都督。但在和谈后，1597年又遭诬告图谋不忠，被贬为普通士兵。日本旋再次犯朝，几乎全歼朝鲜海军。李舜臣被重新起用，指挥少数残余军舰，继续取得不败战绩，不久即恢复朝鲜的海上控制权。在决战中追击败退日军时中流弹而亡。

Yibin　宜宾　又拼 I-pin。中国四川省辖地级市。长江上游重要河港。位于四川盆地西南部，岷江和金沙江的汇合处。金沙江由此以下称长江，故有“万里长江第一城”之称。西汉置僰道县，为犍为郡治所。后改外江县、郁鄢县。唐天宝元年（742）改义宾县，宋太平

宜宾城远眺
中国大百科全书出版社供图

兴国元年（976）更名宜宾县。1951年析宜宾县城区设市。1996年撤宜宾地区和县级宜宾市，设地级宜宾市。辖翠屏区和宜宾、南溪、江安、长宁、高县、筠连、珙县、兴文、屏山9县。面积13 283平方千米，其中市区面积1 123平方千米。市区地处四川盆地南缘，依山傍水，形势险要，自古为四川盆地西南部重镇，川滇黔交界地区的物资集散中心。交通方便，内江—宜宾和宜宾—珙县两铁路在这里相接，宜西和川滇中路等公路也经过市区。与泸州、重庆、乐山等地有轮船相通。1993年开辟了宜宾至成都的直达航线。市境及其附近地区，煤炭、硫铁矿、磷矿石、水能及农副产品资源丰富。有食品、造纸、化学、电力等工业，是四川重要的酿酒、制茶、造纸工业中心。用糯米、大米、玉米、高粱、小麦5种原料酿造的宜宾五粮液独具一格，为中国名酒之一。所产红茶在国际市场上久负盛名。机制纸及纸板年产量约25万吨，纸浆年产量约20万吨（2005），为西北、西南地区新闻纸和包装纸供应地。宜宾的芽菜、糟蛋和府席为四川名优土特产。名胜古迹有翠屏山、真武山、流杯池等。宜宾市南有蜀南竹海国家级风景名胜区、兴文石林和珙县僰人悬棺。人口：全市5 180 000（2005）；市区770 000（2004）。

Yichang　宜昌　又拼 I-ch'ang。中国湖北省辖地级市，重要河港和工业城市。位于省西部，西陵峡东口，长江中、上游分界处，是出入四川的门户。地处鄂西山地与江汉平原过渡地带，丘陵起伏，仅中部长江北岸地势较平坦。面积21 081平方千米，其中市区面积4 248

平方千米。战国时属楚，称夷陵邑。汉置夷陵县。三国吴黄武元年(222)改西陵县。西晋太康元年(280)又改为夷陵。唐贞观九年(635)迁治今市区。明为夷陵州治所。清雍

扼长江三峡出口的宜昌市
中国大百科全书出版社供图

正十三年(1735)设宜昌府，县称东湖。光绪二年(1876)辟为通商口岸后，中转商贸繁盛。1912年废府为宜昌县。1914年修筑宜昌至重庆铁路，后来停建。30年代是沿海飞往四川的航空线中途补给站。1938年后日军从汉口入侵长江上游，宜昌被轮番轰炸，破坏严重，商业陷于停顿。1949年析县置省辖市，1954年改属宜昌地区，1979年复改省辖市。1992年撤宜昌地区。宜昌市辖西陵、伍家岗、点军、猇亭、夷陵5区和秭归、远安、兴山等县和五峰、长阳2土家族自治县，并代管枝江、宜都、当阳3县级市。原来只有几家碾米厂和设备简陋的船舶机械厂。随葛洲坝水利枢纽兴建，现已成为中国大水电城及华中电网的最大能源基地。还建有机械、冶金、造船、电子、纺织、化工、建材、食品等工业部门，已形成西坝、铁路坝、伍家岗、宝塔河、五龙等工业区。工艺品有黄杨木雕、山石盆景、黛釉彩陶等，富有地方特色。市郊农业以种植蔬菜为主，盛产柑橘。宜昌为长江重要港口，总长29.5千米，有码头百余座，3 000吨级客、货轮可终年停泊，通达重庆、武汉、上海等地。焦柳铁路与长江在境内交会，公路有318国道横穿全境，汉宜高速公路已全线通车，另有汉宜、宜保、宜秭等7条干线在此交会，通往省内各地。有民航班机至武汉、北京、广州、长沙、郑州等城市。为中国著名旅游城，是长江三峡风景名胜区旅游出发点。主要有三游洞、天然塔、陆游泉、南津关、西陵山及以葛洲坝水利枢纽大坝和库区为主体的平湖风景区等。三国时期的"夷陵之战"发生在此。清光绪十七年(1891)震惊中外的"宜昌教案"亦发生于此地。人口：全市4 000 000(2005)；市区1 200 000(2004)。

Yichun　伊春　又拼 I-ch'un。黑龙江省辖地级市。中国最大的林区城市。位于省北部。辖伊春、南岔、友好、西林、翠峦、新青、美溪、金山屯、五营、乌马河、汤旺河、带岭、乌伊岭、红星、上甘岭15区和嘉荫县，并代管铁力县级市。面积39 017平方千米，其中市区25 124平方千米。清以前为原始森林，康熙、乾隆年间(1662～1795)曾在此设狩猎场，后有少数鄂伦春人在此狩猎。原属汤原县，1900年成立伊春林业管理局。日军侵占时期，从1940年起修建绥佳线、汤林线(南岔至翠峦)，掠夺伊春林区木材。1945年日伪在此设义松街政权。1952年划出南岔地区设伊春县，1957年撤县设伊春省辖市。20世纪60～70年代曾设伊春特区、伊春专区。1979年复设伊春市。市境内北高南低，小兴安岭主脉由北向东南伸展，以低山、丘陵为主。松花江支流汤旺河自北向南纵贯全市，两岸为河谷平原。年均温度0.3 °C，年降水量600毫米以上。盛产红松，素有"红松故乡"之称。森林工业部门齐全，有采伐、锯材、人造板、制浆、造纸、化工、林业机械等，并有发电、钢铁、冶金、纺织、食品等工业。铁路有绥佳线、南乌线、翠峦线。有国家级丰林森林自然保护区。人口：全市1 310 000(2005)；市区850 000(2004)。

Yiddish drama　意第绪语戏剧　又译依地语戏剧。意第绪语舞台剧的文学、演出和表演风格。意第绪语戏剧在19世纪中期发源于欧洲，在较短的时期内即达到光辉的艺术表现顶峰。欧洲的犹太人戏剧起源于中世纪，当时，舞蹈演员、哑剧演员和职业性的小丑演员在婚礼和掣签节庆祝会上用歌唱和独角戏来作娱乐性演出。掣签节是庆祝哈曼覆灭、犹太人得救的节日，哈曼是《圣经》中一个迫害犹太人的人。这个节日成为不断上演精巧复杂剧目的时机，其中有些剧目一直保留到现在。至16世纪，这些剧目改用意第绪语演出，并添加一些歌唱和自由运用的即兴表

H.莱维克的意第绪语戏剧《华沙犹太人区的奇迹》(1945)中的一幕
供图：Collection of the YIVO Institute

演。意第绪语是中欧和东欧大部分犹太人使用的语言。通常认为职业意第绪语戏剧始于1876年，这年，A.戈德法登与两位巡游音乐家共同努力，在罗马尼亚一家小旅馆里演出他自己的两幕音乐短剧。戈德法登及其以后的意第绪语剧作家，如J.J.勒纳在俄国很有地位。然而1883年颁布的反闪米特人的法律明确禁止意第绪语剧目后，剧作家及其许多演员均流亡到英国和美国。19世纪末20世纪初，纽约市成为意第绪语戏剧中心。那里有大量犹太移民，支持商业剧院中的音乐笑剧、感伤情节剧及严肃的艺术戏剧。1918年施瓦茨创建意第绪语艺术剧院，并担任导演和主要演员。他在全盛时期是这一意第绪语戏剧舞台上最负盛名的演员，而这家剧院也成为训练一代演员的基地。第二次世界大战和纳粹集中营毁灭了德国和东欧的大部分意第绪语文化和戏剧。20世纪下半叶，纽约、伦敦、布加勒斯特、布宜诺斯艾利斯、莫斯科和华沙重新出现了一些前途未卜的意第绪语剧院。

Yiddish language　意第绪语　又称依地语。阿什肯纳兹犹太人(中欧及东欧犹太人及其后裔)所操语言。用希伯来字母书写。19世纪，意第绪语成为世界通用地区最广的语言之一，大多数国家中犹太居民都使用这种语言。在犹太历史上，意第绪语与希伯来语及阿拉米语并列为三种主要语言。

意第绪语文献最早可溯至12世纪，但学者们在9世纪当阿什肯纳兹人在中欧形成一个独特的文化实体时，即构拟出其原始语形式。意第绪语是在闪语成分和日耳曼语成分相互交混下而最初兴起的。闪语成分包括后古典时期的希伯来语及阿拉米语，两种语言都是最早移民由中东带到欧洲的；语法和词汇更富有影响力的日耳曼语成分则取自上德意志诸方言及中德意志诸方言。另外，少量罗曼语词似乎也在早期进入意第绪语。意第绪语从德语土地上产生，几乎传遍整个东欧，在那里获得斯拉夫语成分。

西意第绪语是意第绪语最早期的唯一形式，在古意第绪语时期(约终于1500)一直稳居主导地位。它包括西南支(瑞士-阿尔萨斯-德国南部)、中西支(德国中部)和西北支(荷兰-德国北部)的意第绪语。东意第绪语在中古意第绪语时期(约1500～1700)，其重要性约略与西意第绪语相等，到现代意第绪语时期(约从1700起)，便在广大范围内取代了西意第绪语，从而派生出现代全部意第绪语口语。东意第绪语的主要方言有：中东方言(波兰、加里西亚、匈牙利东部的意第绪语)、东南方言(乌克兰、罗马尼亚的意第绪语)、东北方言(立陶宛和白俄罗斯的意第绪语)。意第绪语的现代标准发音即依据东北方言而来，但其文学语言的语法则取自三者。

意第绪语从一开始就是市场语言，又是诸塔木德学院逻辑论辩的高级而复杂的语言。意第绪语的书面语功能几个世纪以来在传统希伯来文学体裁和阿拉米文学体裁所不能包括的领域继续发展和增长。16世纪意第绪语印刷术的兴起推动了以西意第绪语为模式的标准化文学语言的发展。西意第绪语不断为德语所同化，兼以18世纪末日耳曼化运动的积极附和者掀起一个政治运动以取缔这种语言，最终导致西意第绪语的消亡。

19世纪初期，东意第绪语相形之下不断繁荣，成为新文学语言的基础。其初由18世纪至19世纪神秘主义的哈西德派的提倡，加之后来社会、教育和政治运动的推动，意第绪语由大批东欧移民带至全世界各个大陆，扩大其传统的作用，成为犹太人的通用语。从此，促进意第绪语发展和提高的所谓意第绪语普及运动，由于意第绪语文学作品的大量流传而加强。其成就也包括1908年在切尔诺维茨召开语言大会，宣布意第绪语为一种犹太民族语；1913年B.布洛克霍夫提出正字法和语言改革；1925年在立陶宛维尔纳(维尔纽斯)建立意第绪语学会(Yivo)，1940年学会移至纽约。

数百万操意第绪语者成为纳粹大屠杀的受害者。由于苏联政府的迫害，由于以色列当局迄今所实施的为保卫现代希伯来语而反对意第绪语的半官方政策，也由于大量自愿选择西欧诸国其他主要语言的人数不断增加，致使操意第绪语的人数进一步减少。尽管如此，意第绪语仍继续在许多国家的极端正统的哈西德派中以及在许多著名大学学习意第绪语的世俗大学生中不断发展。目前，设意第绪语专业的大学有哥伦比亚大学（纽约）、希伯来大学（耶路撒冷）、麦克吉尔大学（蒙特利尔）、牛津大学和巴黎大学。

Yiddish literature 意第绪文学 又译依地文学。指用德系犹太人（Ashkenazi，指中、东欧犹太人及其在世界各地的后裔）使用的意第绪语（依地语）创作的文学作品。意第绪文学的起源一直是个谜，因为大量的文件不是散失就是被毁。已知最早的意第绪书写文学是11世纪到13世纪的一些犹太教祈祷词、经文的抄本等。世俗文学有改写的意第绪语《亚瑟王》和莱维塔于16世纪上半叶在意大利写的《波维之书》，后者是古意第绪文学最重要的作品。在意第绪语的圣经故事中，传统主题同欧洲形式的结合十分明显，在16世纪40年代印刷出版之前，一直以手抄本形式流传。在这10年中，《五经》（《旧约》的前五卷）的意第绪语译本、辞典、史书以及论述犹太教伦理的册子都有出版，并在德系犹太人中间广泛流传。已知最古老的意第绪文印刷物是一本圣经语词索引（1534），在此之前，尚有一本包括单独一篇意第绪语逾越节诗的册子于1526年在布拉格出版。从16世纪后期到18世纪末，主要的意第绪语文学作品是关于犹太人的传奇和民间传说、伦理和道德规范。《梅兹之书》（1602年巴塞尔首次印刷）是将许多世纪以来的短篇故事汇编成集出版。最受欢迎和印刷次数最多的是J.I.阿什肯纳齐的《泽诺林涅》，这本书影响了数代人的意第绪语风格，它将意第绪语的《五经》的中心内容改编成传奇、道德准则和犹太教士的评论。《旧约》的第一个意第绪语全译本是17世纪70年代在阿姆斯特丹印刷的。其他重要的意第绪语文学类型有历史歌谣和戏剧。

直到18世纪末，实际上所有意第绪语的文字著作基本上都是使用中欧地区流行的西意第绪语。18世纪期间，西部的德系犹太人文化开始消亡。造成这种状况的部分原因是哈斯卡拉运动的影响，这个由M.门德尔松及其集团倡导的柏林启蒙运动鼓吹德语地区的犹太居民德意志化。相反，在东欧完全讲意第绪语的居民这时有数百万，由于提倡神秘主义和崇尚个人精神的宗教运动哈西德主义的兴起，使以东欧当地语言为基础的意第绪语恢复了活力。布拉茨拉夫（当时属俄罗斯）的R.纳曼死后于1815年出版的奇妙故事集是第一本以东意第绪语创作的主要文学作品。东意第绪语是波兰、乌克兰、立陶宛及周围地区的方言，它构成了当时的意第绪口语。东欧的欧洲启蒙运动追随者立即用意第绪语作工具攻击和嘲笑哈西德主义。两个阵营双方都有意或无意地发展了最初的东欧意第绪文学。

现代意第绪文学的祖宗是S.阿布拉莫维茨，他的名字是由于门代尔·莫海尔·塞法里姆提到他才为人知晓的。门代尔放弃了他原先的现代化和启蒙运动的目标，即以其擅长的讽刺和寓言手法描绘东欧犹太人的真实形象。门代尔将几种东意第绪语方言熔进自己的文学语言中。今天的意第绪文学语言，实际上是门代尔锻造出来的。与门代尔一起称作当代标准意第绪文学三巨头的另两位是S.阿莱赫姆和I.佩雷茨。前者是杰出的幽默作家，后来的通俗音乐剧《屋顶上的小提琴手》（1964）就是以其作品改编的。后者是象征派，他将哈西德派传统的神秘主义予以浪漫主义化，使意第绪语更加接近欧洲文学的主流。

第一次世界大战后不久，在其故土东欧的心脏地区（分为苏联集团和非苏联集团）和美国两地，意第绪文学有意识地放弃了19世纪初大西洋两岸大多数意第绪作品所具有的政治和社会倾向。波兰、苏联以及美国的各种新的年轻的意第绪语作家组织开始单纯从艺术角度发掘意第绪文学的潜力，并在两次大战期间使意第绪文学达到了一种主要的世界文学水平。在美国的意第绪语诗人中间，莱维克的神秘和戏剧性的作品，施瓦茨、兰道和卡茨的实验性诗歌补充了产生于东欧的表现主义和象征主义。在散文舞台上，夏皮罗的印象主义的小说确立了自己是无可争辩的短篇小说大师的地位；还有一些长篇小说作家，如《阿什肯纳齐兄弟》（1936）的作者I.J.辛格，以及他的兄弟I.B.辛格，后者是1978年诺贝尔文学奖获得者，并且是所有意第绪语作家中读者最多的一位。这一切都加强了纽约是意第绪语文学的主要中心的看法。

在20年代的苏联，一批主要的意第绪语作家十分活跃，其中有诗人和现代派散文大师M.库尔巴克、长篇小说作家D.贝格尔松、象征派作家D.尼斯特。苏联意第绪语文学的非凡发展由于受到当局对创作自由的压制以及对所有杰出苏联意第绪语作家的杀害，尤其是1952年8月12日在莫斯科的卢宾卡监狱处死24名著名作家，它的活力实际上已经停止了。在波兰、立陶宛、匈牙利、罗马尼亚的主要意第绪语中心以及邻近地区，意第绪文学事业有着惊人的发展，但随之都成了纳粹的牺牲品，在遭到屠杀的600万犹太人中，大部分都讲意第绪语。

自从大规模屠杀以来，意第绪文学继续在现代派文学潮流中进行探索，从而同欧洲文学的主流保持着联系。现在，首先在北美和以色列，其次在西欧、南美、南非和澳大利亚等地讲意第绪语的地方，意第绪语文学也在寻找自己的犹太根，将有关遭到摧毁的东欧犹太人村庄的传奇故事和它现在所在地区的大城市生活综合到一起。当出生在东欧的年老一代意第绪语作家已不可能再培养年轻一代的作家时，北美和西欧新出现的青年意第绪语运动或许将能够写出意第绪语文学史上新的一章。

Yidu 宜都 中国湖北省县级市。位于省境西南部，长江和清江汇合处。汉置夷道县。南朝陈析置宜都县。隋开皇十一年（591）改宜昌县。唐武德二年（619）复名宜都县。1987年改置枝城市，以境内枝城港得名。1998年改为宜都市，面积1 357平方千米。地处江汉平原向鄂西南山地过渡地带，东北部为沿江平原。农业主产水稻、小麦、棉花和油菜；中部为丘陵岗地，盛产茶叶、柑橘、油桐，“宜红茶”享誉中外；西南部为山地，矿产丰富，主要有煤、硫、铁、重晶石、石灰石等。有煤炭、机械、制茶、化工、建材、造船、纺织、食品等工业。焦枝铁路和枝柳铁路在此通过枝城长江大桥相接，成为中国又一条纵贯南北的铁路线。枝城港有码头27座，山西晋东南、河南平顶山、贵州黔西煤田和湖北松宜等煤矿的原煤，以及鄂西南地区的物资均在此转长江水运。是湖北省重要“煤港”和水陆联运港。陆城港为清江门户，有码头9座，鄂西南山区茶叶、皮毛、药材、棕片、桐油等特产，多于此集散。公路有汉鱼、宜来、宜雅等干线，可通邻县及武汉、湘西等地。1967年建成幸福渠，自西南向东北斜贯市境南部，全长63.8千米。陆城镇北有红花套原始社会村遗址和城背溪文化遗址等古迹。名胜有荆门山、宋山、九龙山、古潮音洞等。晚清学者杨守敬出生于陆城。人口390 000（2005）。

宜都长江大桥
中国大百科全书出版社供图

yield point 屈服点 机械工程学中，使拉伸的固体材料开始流动或产生永久性形变的负荷除以材料的原截面积；或开始产生永久性形变的固体中的应力值。屈服点标志着弹性行为的完全结束和塑性行为的开始。许多材料没有确定的屈服点，而代之以屈服强度。屈服强度是产生任意程度（通常为0.2%）永久性形变的材料中的应力。少数材料在一比较确定的应力（上屈服点）下，开始出现塑性屈服，或塑性流动。当变形继续时，很快降低到较低稳定值（下屈服点）。应力增加超过屈服点时，便引起更大的永久性形变乃至断裂。

Yijing 义净（635～713） 中国唐代佛教僧人。旅行家、著名佛经翻译家。俗姓张，齐州（今山东历城）人，一说范阳（今北京西南）人。慕法显、玄奘出国求法高风，于唐高宗咸亨二年（671）从海道往印度求法，在巡礼佛教圣迹鹫峰、鸡足山、鹿野苑、祇林精舍后，到那烂陀寺学大小乘佛教。先后游历30余国，历时24

年，于证圣元年(695)携梵本经、律、论典籍约400部回洛阳，武则天亲往迎接。旋即主持译经，译出《金光明最胜王经》、《大孔雀咒王经》、《佛为胜光天子说王法经》、《药师琉璃光七佛本愿功德经》、《称赞如来功德神咒经》、《根本说一切有部毗奈耶》、《法华论》等共61部，239卷。在从印度回国途中，义净撰有《南海寄归内法传》4卷和《大唐西域求法高僧传》2卷。两传是研究南亚各国历史、宗教史的重要资料，有日本佛教学者高楠顺次郎的英文译本。

Yijing 《易经》 又拼I Ching，英语作Book of Changes。中国儒家经典之一。旧称《易》、《周易》。包括《经》、《传》两部分，约2.4万字。《经》传为周文王作。由卦、爻两

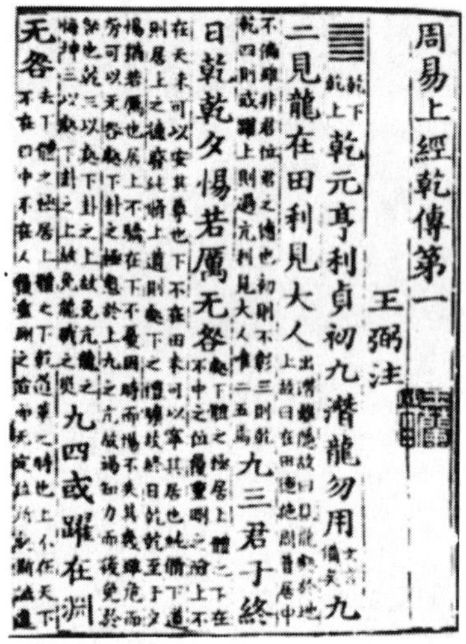
周易上經乾傳第一
王弼注
乾元亨利貞初九潛龍勿用九二見龍在田利見大人九三君子終日乾乾夕惕若厲无咎九四或躍在淵无咎

四部丛刊本《周易》书影
中国大百科全书出版社供图

种符号重叠演成64卦、384爻和卦辞、爻辞构成，依据卦推测吉凶祸福，是周人简易算卦(卜筮)书，故名《周易》。《易经》虽为占卦书，但其中蕴含深刻的理论思维和朴素的辩证观念。它把阴阳两种势力交感作用上升到哲学范畴，将世界万事万物组成统一体系，对秦、汉以后思想界发生深远影响。战国后期，对《易经》的研究逐渐成为一种专门学问，一些系统阐释《易经》的文字被收集汇成《易传》。《易传》通过释经表达哲学观点，包含世界观、伦理学说和丰富的朴素辩证法，从而在中国哲学史上占有重要地位。《易经》注本繁多，通行者有《周易正义》(魏王弼、晋韩康伯注，唐孔颖达疏)、《周易集解》(唐李鼎祚辑)及近人高亨《周易古经今注》和《周易大传今注》。

Yilan 宜兰 又拼I-lan。中国台湾省东北部县。面积2 143.62平方千米。县治设宜兰市。旧称"蛤仔难"、"甲子兰"、"噶玛兰"。开发较晚，原为平埔族聚居地。清乾隆年间(1736～1795)始有汉人入境。后经福建漳州人吴沙、吴化(吴沙之侄)率众移民垦殖，该地始渐开发。嘉庆十五年(1810)置噶玛兰厅。同治十三年(1874)设县。日本占领时期置支厅。1945年台湾光复后仍复为县制。县境西南部为中央山脉的东北余脉，西北部边境为雪山山脉。两山间是兰阳平原，由境内最大河流兰阳溪及清水溪、东澳溪等冲积而成。雨量充沛，有"兰雨"的雅称。农业发达，是台湾东部农业中心，盛产稻谷、甘蔗、花生、甘薯，被誉为"兰阳米仓"。宜兰市是全省最大米市之一。该县产的板鸭远近闻名。此外还产金枣、李子、柑橘。南部的太平山林场曾是台湾三大林场之一，也是旅游区。矿产有硫磺、锰、云母、铜、滑石、大理石等。工业有碾米、制糖、木材加工、制茶、水产加工及化肥、水泥、造纸等。交通便利，有宜兰线铁路、北回铁路、苏花公路、北部滨海公路、北宜公路、北部横贯公路及中部横贯公路宜兰支线。县东部有苏澳港，为该县物产集散中心。宜兰以瀑布、温泉闻名。五峰旗瀑布是兰阳八景之一，附近的礁溪温泉是台湾著名的温泉。人口445 000(2004)。

Yilan 宜兰 又拼I-lan。中国台湾省东北部宜兰县辖市及县治所在地。面积29.4平方千米。位于台湾东部海岸地带唯一冲积平原——兰阳平原中央。兰阳平原略呈三角形，有兰阳溪(全长73千米)流贯其间。该市较其邻近城镇头城、壮围、罗东等开发稍晚。清嘉庆十五年(1810)始设厅治(噶玛兰厅)并填土筑城，吸引移民聚居。同治十三年(1874)升为县治，并改今名。日本占领时期仍为厅治。1945年台湾光复后设县，复为县治所在地。境内地势平坦，年平均温度22°C，年降水量为2 700毫米，无明显旱雨季之分。该市为周围农业地区所产稻谷、金枣、李子等农产品集散地，亦是东部主要米市之一。有

宜兰市冬山河畔的风景
美国不列颠百科全书公司供图

造纸、食品、化肥等工业。交通便利，除利用苏澳港出口货物外，纵贯铁路宜兰支线经此；北宜公路以该市为端点，经坪林直达台北；中横公路宜兰支线经梨山联系台中。市内有宜兰公园、昭应宫(天后宫)、文武庙、壮围吴沙殿等名胜古迹。人口91 908(1999)。

Yildirim 伊勒迪里姆 参阅 **Bayezid I 巴耶塞特一世**。

Yili 《仪礼》 又拼I li，英语作Ceremonies and Rituals。又称《礼》、《礼经》、《士礼》。中国奴隶社会典礼仪节汇集，约编纂于西汉，与《周礼》、《礼记》并列入儒家经书。内容着重于婚嫁、丧葬、宗教祭祀、节日庆典以及官员觐见等仪式。

Yili He 伊犁河 又作I-li River。跨越中国和哈萨克斯坦的国际河流。上游在中国新疆维吾尔自治区西部，下游流经哈萨克斯坦境内，至阿拉木图以北注入巴尔喀什湖，全长

伊宁市的伊犁河大桥
中国大百科全书出版社供图

约1 500千米。上游有特克斯河、巩乃斯河、喀什河三源，均源出天山山地，西流经婆罗科努山和天山间谷地汇合后称伊犁河。在中国伊宁附近河谷宽展，平原广阔，土壤肥沃，有大批农、牧业人口定居，农业和畜牧业发达。在伊宁以下水浅沙滩多，河道分汊，不利航运。

Yima 伊玛 古伊朗宗教所信奉的太阳之子，人类始祖。关于他的事迹各宗教所传不一，互相矛盾。按照一种传说，至高之神阿胡拉·玛兹达本想叫他传道，但是遭到他拒绝，于是改派他在世界定居生活。他在黄金时代作王，由于他行为高尚，世上没有贫穷、死亡、疾病、衰老、严寒和酷暑。阿胡拉·玛兹达告诉伊玛严冬将临，于是黄金时代结束。他奉命在地下建立一块乐土，用他自己的光来照明，并把各类活物择优收在其中，以传宗接代。他们在那里要住到严冬消逝，然后出来重新聚居于世间。琐罗亚斯德教则把伽约马特作为人类始祖，否认伊玛为人类始祖。

Yin DYNASTY 殷 参阅 **Shang dynasty 商**。

Yin-hsien (China) 鄞县 参阅 **Ningbo 宁波**。

Yin ruins 殷墟 中国商代晚期都城遗址。位于河南安阳小屯村。商代从盘庚至帝辛(公元前1324～前1065)均在此建都。1928年开始发掘。洹河(又名安阳河)两岸20多个村庄都有商代居民点、墓地或铸铜、制骨作坊遗址。殷墟范围约24平方千米。小屯村遗址有版筑房基70多处，有的房基中有埋葬动物或人的祭祀坑，说明是王宫或宗庙遗存。遗址内发掘出有刻辞甲骨3万余片。刻辞多为商代王室占卜记录，刻有帝王及其祖先名字。王宫区东面有王室贵族墓葬，如著名的

安阳殷墟鸟瞰
中国大百科全书出版社供图

妇好墓。在洹河以北的商代晚期王陵区有13座大墓，发现随葬器物有玉、石、骨、牙、白陶、铜器等。大墓都有人殉葬，有的多达160人。大墓附近还有陪葬小墓和人殉坑，证实商代晚期的人殉和人祭制度。殷墟是中国国

务院公布的全国重点文物保护单位，为研究商代晚期奴隶制社会提供了第一手材料。

Yin Shan 阴山 又作 Yin Mountains。中国内蒙古自治区中部山脉。为中国内、外流域重要分界线。东西走向。包括狼山、乌拉山、大青山、大马群山等。狭义的阴山即指大青山。海拔 1 800 ～ 2 000 米，最高峰呼和巴什格山（属狼山）海拔2 364米。集宁以东到沽源、张家口一带山势降低到海拔 1 000～1 500 米。山地南北两坡不对称，北坡和缓倾向内蒙古高原，属内陆水系。南坡因断层以1 000多米的落差直降黄河河套平原。山地大部由古老变质岩组成，在断陷盆地中有沉积岩分布。煤藏丰富。石拐沟煤矿已开采，为包头钢铁公司及发电厂提供燃料。阴山北部的白云鄂博蕴藏丰富的铁矿和稀土金属。包头与白云鄂博间建有铁路。阴山山地位于温带半干旱区与干旱区。西部的狼山尤为干旱，大青山较为湿润。山坡低处为草地，中部有栎、榆、桦等树种。阴坡在2 000米处有矮曲林。

Yinchuan 银川 又拼 Yin-ch'uan。中国宁夏回族自治区辖地级市，自治区首府。位于银川平原中央，东临黄河，西倚贺兰山。北周建德三年（574）置怀远县。1038 年党项羌族首领李元昊建立西夏政权（1038 ～ 1227）时建都于此，称兴庆府。元以后为宁夏路、府、卫治。清雍正四年（1726）并置宁夏县。1913年

银川市承天寺塔（始建于9世纪中叶）
中国大百科全书出版社供图

废府存县。1929 年为宁夏省会。1942 年改宁夏县为贺兰县。1945 年由贺兰县析置市。1954 年宁夏省撤销时并入甘肃省。1958 年又以银川为首府建立宁夏回族自治区。辖兴庆、金凤、西夏 3 区和永宁、贺兰 2 县；并代管灵武市。面积9 555平方千米，其中市区面积2 045平方千米。20 世纪 50 年代以前对外交通靠黄河水运和公路。但黄河多峡谷急流，航行困难。1949 年以前，银川仅有少量面粉、电灯等少数手工业作坊，工业基础薄弱。1958 年包头经银川至兰州的包兰铁路建成后，才沟通银川和工业发达地区的联系，为工业发展创造条件。现建有煤炭、机械、电力、建材、食品、化工、毛纺等工业部门。银川平原素有"塞上江南"之称，是中国最古老的灌溉农业区之一。农业盛产稻谷、小麦、麻类等。特产有枸杞、甘草、贺兰石、羊裘皮、发菜及西口地毯。交通有包兰、宝中铁路与全国铁路相连，109、110、307 国道过境，银川至石嘴山、中宁、盐池等地的高速公路已建成通车。民航班机可达北京、西安、兰州等地。黄河航运较为发达。有宁夏大学、西北第二民族学院等高等院校和数十所科研机构。市西30 千米的贺兰山麓有西夏历代帝王陵墓。市内名胜古迹有海宝塔寺、承天寺塔（西塔）、玉皇阁、钟鼓楼和沙湖风景区等。人口：全市1 380 000（2005）；市区720 000（2004）。

Yinfujing 《阴符经》 英语作 Book of Secret Revelation。中国道教经典。又称《黄帝阴符经》。作者不详。成书年代因有唐初褚遂良、欧阳询写本，则当为隋以前之作。《阴符经》上篇讲修炼成仙之道，中篇讲富国安民之法，下篇讲强兵战胜之术。以阴阳五行奇正变化，阐明人的愿望行动必须符合客观规律，才

赵孟頫书《阴符经》石刻
中国大百科全书出版社供图

能"天人合发，万变定基"。主张冷静观察分析以把握时机。全书以道家思想为主，兼有纵横家及兵家言，在道教史上，常与《道德经》、《南华真经》（即《庄子》）并列。历代文士因其深有理致而颇为重视，对宋代理学家周敦颐、程颐、朱熹等的哲学思想有较大影响。经文简练，深沉隐晦，历来注本不少，以唐李筌、张果注最有名。

Yingkou 营口 又拼Ying-k'ou。中国辽宁省辖地级市，港口城市，轻纺工业中心。位于大辽河下游，辽东湾东北部。辖站前、西市、鲅鱼圈、老边 4 区，并代管大石桥和盖州 2 县级市。面积4 970平方千米，其中市区面积 633平方千米。明分属盖州卫、海州卫，清为盖平、海城二县地。辽河河口左岸的没沟营 19世纪初已发展为辽河、渤海航运港口和渔、盐生产重镇。因其地处辽河入海口，清道光十年（1830）改称营口。同治五年（1866）设海防厅，宣统元年（1909）置营口厅，1913 年改县，1938 年由营口县析置市。1954 年起为辽宁省辖市。市境地势平坦，土壤肥沃，水源充足，为辽宁主要水稻产区，出口大豆、豆饼和豆油。营口港为东北地区最早开放的港口，后因航道严重淤塞地位有所下降。现有通往大连、上海等地的班轮，海上运输与对外贸易有很大发展。鲅鱼圈港区一期工程已竣工，营口港成为仅次于大连的东北第二大海上门户。长大铁路、202 和 305 国道、沈大高速公路纵贯南北，盘海营高速公路已建成通车。大营铁路、营大和盖岫公路连接东西，交通便利。蕴藏丰富的石油、天然气、菱镁矿和铁矿，并富产鱼、盐。工业有纺织、化纤、印染、针织、造纸、火柴和食品加工等，近年兴起家用电器工业。名胜古迹有楞严寺、西炮台及金牛山旧石器文化遗址。人口：全市2 300 000（2005）；市区850 000（2004）。

yingqing ware 影青瓷 一种薄胎精细的中国瓷，又称青白瓷。宋代（960 ～ 1279）开始产于河南省，后来产于江西省景德镇。影青瓷以其白中泛黄的色彩而著称，通常半透

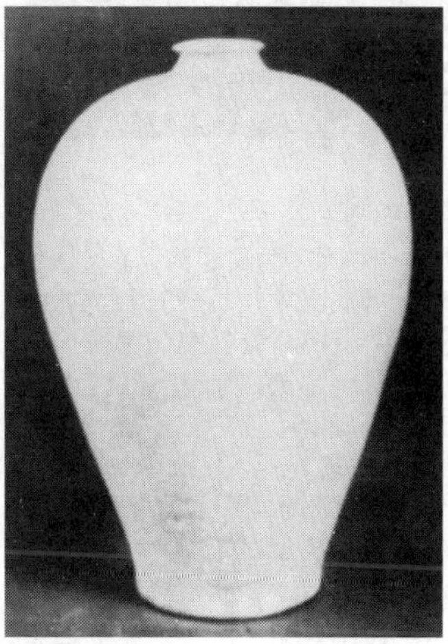

影青瓷瓶
中国大百科全书出版社供图

明，坯体施以白釉，略带浅蓝（青白），色调范围自蓝灰色到蓝绿色。宋代影青瓷上时常以精细雕刻或刻饰的花卉和动物作装饰题材。也发现有精巧的模印浮雕，不过模印浮雕在元代瓷器上更为常见。典型的制品是瓶形制品，如梅瓶、水罐（常为多片裂），圆锥形碗（有的碗边缘还包铜），还有高脚杯等。影青瓷曾远销亚洲各国、埃及和欧洲。

Yingtan 鹰潭 中国江西省辖地级市。位于省境东部，信江中游，浙赣铁路和鹰厦铁路交接处。原属贵溪县。宋朝为鹰潭坊，清朝为鹰潭镇。1957 年鹰潭—厦门铁路通车后，发展成中国南部重要的铁路枢纽站和赣东物资集散中心。1960年为上饶专区直辖镇。1979年改镇设市。1983 年升为省辖市。现辖月湖区和余江县，并代管贵溪市。面积3 554平方千米，其中市区 137 平方千米。鹰潭凭借优越的交通条件，逐步成为赣东北部最大的经济中心。现已建成冶金、电机、炼油、橡胶、枕木防腐、桥梁、水泥、食品等工业部门。贵溪县建有中国规模最大、设备最先进的铜冶炼厂，并有储量最大的银矿贵溪冷水坑银铅锌矿。主要农作物有水稻、花生、芝麻、黄麻、茶叶和柑橘等。交通除铁路外，206、320 国道等过境，水运也相当便利。距市区 30 千米的龙虎山风景文物游览区，由"上清宫"和"嗣汉天师府"及仙崖等组成。人口：全市1 120 000（2005）；市区180 000（2004）。

Yingzao Fashi 《营造法式》 英语作Architectural Methods。中国古代建筑专著。参阅

Li Jie。

Yining 伊宁 又作 Kuldja, I-ning, Gulja。中国新疆维吾尔自治区伊犁哈萨克自治州辖县级市，自治州首府。伊宁旧称固勒扎（Gulza），意为大角兰。位于南天山与北天山间的伊犁

伊宁市街心花园
中国大百科全书出版社供图

河谷。谷地向西扩展，气候湿润，宜农林牧。汉为乌孙、铁勒等族游牧地，张骞通西域时曾到此。唐显庆四年（659）置嗢鹿州都督府，唐末为九姓乌护牧地。元属阿力麻里行中书省，后属察合台汗国。清乾隆二十七年（1762）设伊犁将军驻惠远城（今伊宁市西），宁远城（今伊宁市）则为商民聚居区，两城均为建于 1761 ～ 1780 年的伊犁九城之一。1871 ～ 1881 年为沙俄所占，1881 年回归中国。光绪十四年（1888）于宁远城置宁远县，1913 年改名伊宁县。1952 年析伊宁县增设伊宁市。面积 629 平方千米。民族有维吾尔、汉、哈萨克、锡伯、回、蒙古等。矿产资源有铁、锰、钛、钒、铜等，煤层分布广，储量大。清末建有毛纺厂，现有纺织、机械、水泥、玻璃、食品、皮革加工等工业。公路有 218、312 国道过境，通乌鲁木齐及北疆各重要城镇，还可经天山公路与南疆重要城市联系，并有班车通巴仑台与铁路相衔接。此外有通往哈萨克斯坦的国际公路。为伊犁河谷物资集散地，是中亚各国边境贸易中心。辟有至乌鲁木齐民航线。人口430 000（2005）。

yinyang 阴阳 又拼 yin-yang；in-yō。中国古代哲学术语。指两种对立和互相消长的物质势力。阴原指有云遮日，后引申指土地、雌性、黑暗、消极、偶数等事物。阳指云开见日，

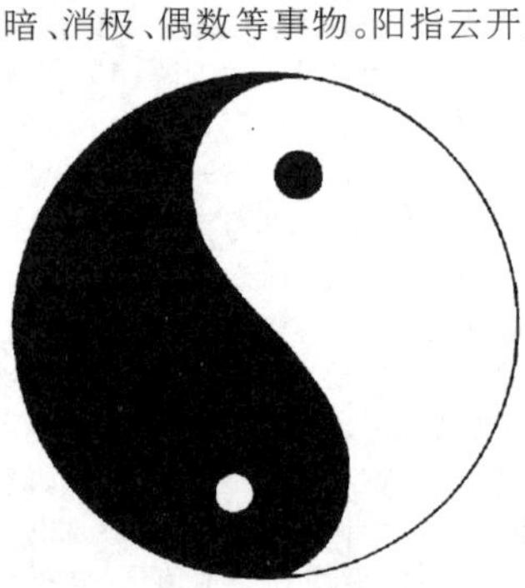

太极图

后引申指天穹、雄性、光明、积极、奇数等事物。阴阳观念在先秦有重要发展，对中国哲学、政治、艺术、医学、科学、占星、占卜都有深远影响。指宇宙万物的根本规律。《易传·系辞上》："一阴一阳之谓道。"《庄子·田子方篇》："至阴肃肃，至阳赫赫，肃肃出乎天，赫赫发乎地，两者交通成和，而物生焉。"《黄帝内经·四气调神大论》："夫四时阴阳者，万物之根本也。"后西汉董仲舒以阴阳为刑德。《天人对策一》："天道之大者在阴阳，阳为德，阴为刑。"南宋朱熹《太极图说注》中又指器："太极，形而上之道也；阴阳，形而下之器也。"

yinyangjia 阴阳家 英文作 school of Yin and Yang。中国先秦以阴阳五行说为中心思想的流派。由天文、占星家演变而来。战国时极盛。汉代称阴阳家，与儒、墨等并列为六家或九流十家。以阴阳五行说解释季节变化和农作物生长规律，按照事物本性和相互作用说明世界变化，有辩证法思想。以"阴阳消息"、"五德转移"解释王朝更替，提倡"仁义节俭，君臣上下六亲之施"。把自然和社会混同，用天象变化比附人事吉凶，结合科学和巫术，流于"天人感应"的神秘主义。对以后哲学思想发展产生影响。《黄帝内经》的作者和东汉王充把阴阳五行说中的科学成分发展为天道自然观，董仲舒和谶纬之学则把其中的迷信成分发展为系统的神学目的论。

Yinzhen 胤禛 又拼 Yin-chen，参阅 **Qing——**：清朝帝王序列下 **Qingshizong Yinzhen** 清世宗胤禛。

Yirmeyahu（Hebrew prophet） 参阅 **Jeremiah** 耶利米。

Yisra'el 参阅 **Israel** 以色列。

Yisra'el, Muse'on 参阅 **Israel Museum** 以色列博物馆。

Yíthion 伊西翁 又拼 Githion。旧作 Gythium。希腊伯罗奔尼撒半岛南部小港口。位于拉科尼亚湾西北端，伊西翁河口，有路堤通往马拉松岛。在古代曾是斯巴达（西北 37 千米）的港口和军火库。伊西翁城现输出橄榄和橄榄油，并保存有罗马时代的遗迹。人口4 054（1981）。

yitiaobianfa 一条鞭法 英语作 single-whip。中国明代后期实行的简化赋税制度。简称"条鞭法"，又名类编法、明编法、总编法等。1531 年御史傅汉臣和旌德县知县甘澧始行，后江、浙、赣也仿效推行。1581 年内阁首辅张居正推广到全国。办法为总括州县赋役按土地计算人口，将役并入赋内，赋役用银折纳，计亩征银。力役由官府办理，农民不再承担。赋役外的"土贡"杂税也合并征收，从而减化了税制，是中国田赋史上继两税法后的又一重大改革，促进了中国货币制度的发展。但豪强地主不尽遵守新法，且实行不久又巧立名目不断加赋，使此法未得彻底实施。清初沿用此法，并发展为"摊丁入地"制度。

Yiwen Leiju 《艺文类聚》 英语作 Classified Excerpts from Ancient Writers。中国最早的官修类书。唐欧阳询等奉高祖命于武德七年（624）编成。全书100卷，分48部，727目。

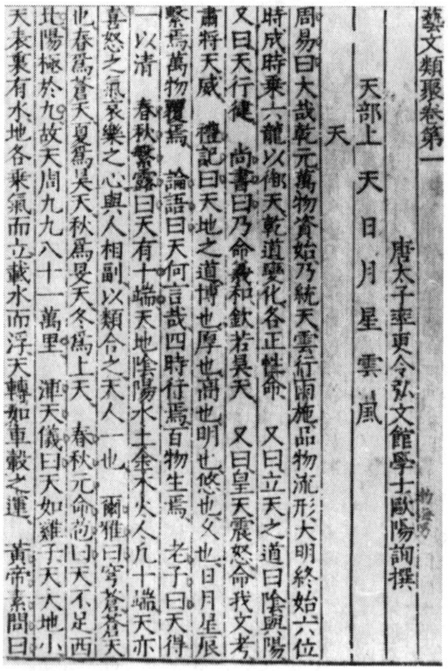

藝文類聚卷第一
唐太子率更令弘文館學士歐陽詢撰
天部上 天 日 月 星 雲 風
天
周易曰大哉乾元萬物資始乃統天雲行雨施品物流形大明終始六位時成時乘六龍以御天乾道變化各正性命 又曰立天之道曰陰與陽 又曰天行健 尚書曰乃命羲和欽若昊天 又曰皇天震怒命我文考肅將天威 禮記曰天地之道博也厚也高也明也悠也久也日月星辰繫焉萬物覆焉 論語曰天何言哉四時行焉百物生焉 老子曰天得一以清 春秋繁露曰天有十端天地陰陽水土金木火人凡十端天亦喜怒之氣哀樂之心與人相副以類合之天人一也 爾雅曰穹蒼蒼天也春爲蒼天夏爲昊天秋爲旻天冬爲上天 春秋元命苞曰天不足西北陽極於九故天周九九八十一萬里 渾天儀曰天如雞子天大地小天表裏有水地各乘氣而立載水而浮天轉如車轂之運 黄帝素問曰

明嘉靖六年刻本《艺文类聚》书影
中国大百科全书出版社供图

每类前列史实，后附诗文。史实摘自经、史、子类书。诗文则摘引有关诗、赋、碑文。征引古籍多至1 400种，其中多有后世亡佚的古籍，故宋后常以该书为校勘古籍、辑录佚文的依据。该书按类相从的编法便于查检，晚出类书大多仿该书体例。

Yixin 奕訢（1833-01-11，北京～ 1898-05-30，北京） 又拼 I-hsin。中国清末重要大臣、洋务派首领。爱新觉罗氏。道光帝第 6 子，咸丰帝奕詝异母弟。1851年封恭亲王。1860年

中国大百科全书出版社供图

英法联军攻陷北京，咸丰帝逃往热河，奉命留京，与英、法、俄分别签订《北京条约》。1861 年同治帝即位，由八大臣辅政。奕訢在英、美、法、俄支持下同慈禧太后发动政变，控制政权。授议政王、军机大臣，主持总理各国事务衙门。主张"借洋兵助剿"太平军，支持兴办洋务，成为清廷洋务派首脑人物。1865 年受慈禧疑忌罢议政王爵。1868 年西捻军入直隶，受命防卫京师。1884 年中法战争中又被慈禧罢免。1894 年中日战争前夕再次被起用督办军务，授军机大臣。

Yixing 一行（683～727） 又拼 I-hsing。中国唐代天文学家、佛学家。俗姓张，名遂。魏州昌乐（今河南南乐）人。21 岁出家为僧，先

后在嵩山、天台山研究佛经和天文历算。曾翻译《大日经》等典籍，一度为密宗大师。玄宗开元五年(717)应召到长安，后受命主持编修新历法，开元十五年编成《大衍历》。修历

中国大百科全书出版社供图

伊始便着手新天文仪器的制造和天文观测。与梁令瓒制成黄道游仪、水运浑象仪。重测150多颗恒星的位置。在新历中应用二十八宿距度的新测值，改变长期袭用汉代旧值的状况。主持全国13个测点的天文测量，其中南宫说等在河南4个测点间得出纬度相距1°，南北相差129.22千米的数据，是世界第一次实测子午线的长度。《大衍历》中描述太阳视运动的不均匀性，计算上创用不等间距二次内插法。还发明月亮位置和地理纬度不同而产生的视差对交食影响的近似计算公式。《大衍历》结构严谨、立法整齐，成为后世历法楷模。

Yixing　宜兴　中国江苏省县级市。在省南部，南连浙江省和安徽省，东濒太湖。辖宜城、城北2街道，张渚、西渚、太华等19镇。面积2 177平方千米。秦置阳羡县。西晋永兴

明代的宜兴紫砂茶壶
香港艺术博物馆供图

元年(304)改义兴郡。隋开皇九年(589)改为义兴县。北宋太平兴国元年(976)避太宗名讳，取"义者宜也"改名宜兴县。清雍正三年(1725)分置荆溪县，1912年荆溪县入宜兴县。1983年划归无锡市。1988年撤县建市，无锡市代管。市境南部为宜溧山地(也称界岭)，海拔500米以上；中北部属太湖水网平原，荆溪横穿中部，沿溪有西氿、团氿、东氿诸湖荡；北部全属平原圩区。南部山地属中亚热带湿润季风气候，盛产毛竹、杉木、板栗、茶叶。所产茶叶唐代为贡茶，有"阳羡贡茶"之称。山前东北侧丁蜀镇附近的鼎山、蜀山盛产紫砂陶土，自古为陶器产地，紫砂茶具古今闻名，誉之为中国的"陶都"。20世纪80年代末以来，发展了精陶、彩陶、钧陶、青瓷等高级餐具和化学、建筑、卫生器材与工程电器等。中、北部太湖水网平原素称"鱼米之乡"。主要工业部门有采矿、化肥、农药、机械、电子、纺织、服装、食品、建筑材料等。宁杭、沪宜、宜(兴)广(德)等公路和武宜、锡宜、宜溧等航道为水陆交通干道。有善卷、张公、慕蠡、灵谷诸溶洞和玉女潭等著名风景区。古迹有国山碑、周王庙、唐龙窑和东坡书院等。人口1 060 000(2005)。

Yiyang　益阳　又拼 I-yang。中国湖南省辖地级市。位于省北部洞庭湖南，资水下游。秦置益阳县，因县治(今白马坪鲁肃堤)在益水(现资水)北，故名。南宋建炎四年(1130)移治沧水铺，次年迁回原治。1950年析益阳县城关镇设县级市，1994年升格省辖市。辖资阳、赫山2区及南县、桃江、安化3县，并代管沅江县级市。面积12 325平方千米，其中市区面积1 852平方千米。属洞庭湖滨冲积平原，地势低平，土地肥沃，为省内农业生产条件较好的地区。农产以粮食为主，兼有生猪、鲜鱼、蔬菜和水果。工业有机械、电子、纺织、冶金、化工、仪表、食品等。益阳缝纫机厂系省内同类企业之首。益阳苎麻纺织印染厂是中国大型苎麻纺织印染企业之一。传统产品有益阳竹器、水竹凉席等。其中水竹凉席久负盛名，已有600多年历史，年产凉席约30万平方米，畅销国内外。益阳松花蛋，已有500多年的历史，历来以加工精细、质量优异而著称。水运有资江航道，益阳港货物吞吐量居全省第2位，为资水流域物资集散中心。有益阳—桃江(灰山港)—宁乡(煤炭坝)的地方铁路，全长102千米。以长益高速公路、益桃公路和319、207国道等为主干的公路运输网。关濑惊湍、志溪帆落、会龙栖霞、裴亭云树、白鹿晚钟、庆州渔唱、西湾春望、碧津晓渡、甘垒夜月、十州分涨，古称"益阳十景"。此外，还有白鹿寺、栖霞寺、裴公亭等名胜古迹。人口：全市4 510 000(2005)；市区1 260 000(2004)。

yiyangqiang　弋阳腔　中国戏曲声腔之一。又称高腔。由宋、元南戏流传至江西弋阳，与当地方音和民间音乐结合而成。演唱特点是台上演员独唱，后台众人帮腔，只用打击乐伴奏。并创造了"滚调"，即在长短句曲牌中增加整齐句的"滚唱"或散文体的"滚白"。明代中叶弋阳腔流传至北京、南京、安徽、浙江、湖南、福建、广东、广西、贵州、云南等地，与当地方言、民歌结合，迅速繁衍成当地新剧种，如江西的"乐平腔"、安徽的"徽州腔"、"青阳腔"(池州腔)、北京的"京腔"等。明末青阳腔对"滚调"演唱形式多有创造，使"徽池调"盛行，推动了高腔系统的发展。高腔流传地区又扩大到湖北、四川、河南、山西、山东等地，俗称"清戏"。现在以高腔为主的剧种有川剧、湘剧、辰河戏、婺剧、赣剧等，都继承了以鼓击节、一唱众和、加"滚"的特点，有的剧种还采用了中国管弦乐伴奏。

Yizhu（Chinese emperor）　**奕詝**　参阅 **Qing——：清朝帝王序列下 Qingwenzong Yizhu 清文宗奕詝**。

yizkor　求主眷念　德系犹太教赎罪日、逾越节第八天、住棚节和五旬节礼拜中悼念死者的祷文的开头语。在宣读《律法书》后，经卷尚未放回约柜之前，信徒诵这一段祷词，并可插入已故亲属的名字，因为据说死者也需要赎罪。

Yizreʿel, ʿEmeq（Israel）　**伊茨雷埃勒谷地**　参阅 **Esdraelon, Plain of 埃斯德赖隆平原**。

ylang-ylang（*Cananga odorata*）　**伊兰伊兰**　又拼 ilang-ilang，又作 perfume tree(芳香树)，即香依兰。亚洲南部的木兰目番荔枝科乔木。在菲律宾他加禄语中 ylang-ylang 意为"花中之花"。植株细长，树皮光滑，高约25米。整年盛开下垂的具长柄的香花，花瓣6枚，狭窄，长5厘米，绿黄色。叶常绿，互生，广椭圆形，尖锐而具波状边缘，长13～20厘米。果卵形，黑色，簇生，悬垂于长柄上。夏威夷人用其花编成花环，佩于颈上；伊兰伊兰花亦可蒸馏以制香水，其香气浓烈，但迅即消失。伊兰伊兰藤(极香鹰爪花，*Artabotrys odoratissimus*)亦属番荔枝科，为2～3.5米长的木质藤本，春天开大量绿白色小花；秋天簇生有长柄和两个种子的黄色李状果实。花柄(以及后来的果柄)中部形成钩状，以支持藤状的茎。叶常绿而光滑，花和果实芳香，因此鹰爪花成为湿热气候地区的优良棚架植物。本种不是商业性香水的原料。

YMCA　参阅 **Young Men's Christian Association 基督教青年会**。

Ymir（Norse mythology）　**伊米尔**　参阅 **Aurgelmir 奥尔盖尔米尔**。

Yngvi（Norse mythology）　**英威**　参阅 **Freyr 弗雷**。

Yo Fei（Chinese general）　参阅 **Yue Fei 岳飞**。

Yobe　约贝　尼日利亚东北部的州，北与尼日尔共和国接壤，东邻尼日利亚的博尔诺州，西南接包奇州，西北与吉加瓦交界。约贝州原为博尔诺州的西半部，于1991年建州。约贝州为平原，北部有季节性的科马杜古约贝河及其支流，南部有贡戈拉河，该州的植被主要是苏丹稀树草原型的，有零散的刺槐树。在北端还有一片萨赫勒稀树平原区，主要是多沙土壤和带刺的灌木。该州的主要居民为卡努里人。主要作物为高粱、黍类、花生、豇豆、玉米、芝麻和棉花，养牛和耕种是主要职业。达马图鲁为该州首府，恩古鲁、波蒂斯库姆和加舒阿是大城市。该州有公路干线连接波蒂斯库姆、达马图鲁和迈杜古里(博尔诺州)。人口1 578 172(1995)。

yodel　约德尔　用高音假声、低音胸声作快速交替的一种歌唱类型。在宽广音程的低音和高音上发出开元音和闭元音，可使它易于演唱。约德尔唱法与瑞士阿尔卑斯山居民和奥地利蒂罗尔居民的关系最为密切，但在其

他山区(例如中国和南、北美洲各国)和非洲的俾格米人以及大洋洲的土著居民中也有发现。此种唱法在山区居民中也用作向不太远的地方传递消息的一种手段。

Yodo River 淀川 日本本州中西部河流。源出日本最大淡水湖琵琶湖,流向西南,注入大阪湾。连接京都盆地与大阪平原,德川时代(1603～1867)为主要交通运输渠道。河上建有发电和灌溉用水坝。

Yoga 瑜伽派 印度六派正统哲学体系之一,影响遍及其他许多印度思想派别。它的基本经典是波怛阇利(约5世纪)的《瑜伽经》。瑜伽的理论内容主要依据**数论派(Sāṃkhya)**哲学;不同的是,瑜伽承认神的存在,作为精神解脱追求者的楷模。但是,瑜伽的实践内容比它的理论内容发挥更大的作用。一般说来瑜伽修习过程分八个阶段(八支瑜伽)。头两个阶段是道德准备:"禁制"(克制),戒绝杀生、欺诳、偷盗、色欲和贪婪;"遵行"(守规),洁身、知足、简朴、学习和信神。第三、四两个阶段是形体准备:"静坐"(坐姿),一系列姿态的练习;"调息"(呼吸控制)。第五个阶段是"制感"(感觉控制),能将感觉注意力从外界对象收回心中。以上五个阶段称作瑜伽的外助,余下三个阶段称作瑜伽的内助。它们是:"执持"(专注),能将外在意识长时间固定在一个对象上;"禅定"(静虑),不间断地默想自己沉思的对象,超越任何自我的回忆;"等持"(专心),在这最后阶段,沉思对象和沉思者合而为一,由此获得解脱。瑜伽之源已不可考,吠陀典籍所载那些颠狂"忘形"之人也许就是瑜伽修持者的鼻祖。后世瑜伽宗派很多,修持之法也以调息及静坐为主,**诃陀瑜伽派(Haṭha Yoga)**可作代表。史诗《薄伽梵歌》中也谈到瑜伽为人神结合之道。20世纪,瑜伽学说及其修持方法盛行于西方。1920年瑜伽难陀(Paramahansa Yogananda)在美国创建第一所重要的瑜伽功法传习所"自喻会"(Self-Realization Fellowship),历经半个世纪之后,瑜伽已被欧美此类会社及电视节目普遍加以宣传。

Yogācāra 瑜伽行派 又称唯识学派(Vijñānavāda)。大乘佛教的重要唯心学派。此派抨击上座部佛教的彻底现实论和大乘佛教中观学派的务实假设现实论。唯识学派这个名词更能说明此派哲学立场,即人所感知的实体并不存在,如同僧人坐禅时所想到的影像。可以谓之存在的,只是人对于法(形成宇宙之流的刹那生灭、互相联系的事件)的识。但是识能够在这些所谓不真实的事件中清晰地看出连续性和规律性的模式。本来只可能是紊乱,其中却似乎有秩序,为了解释这种现象,唯识学派提出含藏识(ālaya-vijñāna)的理论。他们认为,感觉由本人意识不到的含藏识加以整理,具有一致性和规律性。感觉印象在无意识中产生行,即形态,行熏染后起的印象,于是后起的印象带有连贯性和规律性。每人都有含藏识,含藏识变为集体的意识,这种集体意识使人对于世界的知觉秩序化,尽管世界并不存在。除了人的识以外,只有真如(tathatā)才是实有的,真如相当于中观学派所说的空(śūnya)。瑜伽行派的学说于公元7世纪由玄奘(602～664)传入中国,玄奘的弟子窥基(632～682)即以瑜伽行派为基础创立了法相宗。法相宗于公元654年(唐永徽五年;日本白雉五年)以后不久传入日本,后分为南北两宗。日本法相宗现保有法隆寺、药师寺和兴福寺,这些重要寺院位于奈良及其附近地区,它们是日本宗教艺术的宝库。

yogurt 酸奶 又拼 yoghurt,yourt 或 yoghourt。半流体的发酵乳制品,因含有乳酸成分而质地匀滑且有柔和的酸味。美国及中北欧用牛奶作原料,土耳其及东南欧常用绵羊和山羊奶,埃及与印度用水牛奶。酸奶可能源于土耳其。土耳其家庭将奶放在无盖锅中煮沸灭菌并蒸发水分,冷却后以酸奶接种,培养数小时,食用前冷却到常温。乳品厂一般在牛奶中添加奶粉,使质地浓厚。浓缩的灭菌牛奶用嗜热链球菌、保加利亚乳酸杆菌或嗜酸乳酸菌接种。有时还添加乳糖发酵酵母,在43～44°C培养4或5小时,直至形成凝乳。酸奶可以加各种香料和甜料,不加糖与香料的天然酸奶可与水果或蔬菜混合食用。印度和几个中东国家用黄瓜切片,加香料制成酸奶沙拉。酸奶也可用来做汤和调味汁。

Yogyakarta 日惹 又拼 Djokjakarta。印度尼西亚爪哇中南部特区。西、北、东与中央爪哇省交界。南临印度洋。面积3 169平方千米。1946年荷兰占领雅加达时,印度尼西亚首都迁至日惹。1950年独立时首都迁回雅加达,日惹成为特区。西半部为沿海平原,最宽处24千米,土壤由熔岩、火山灰形成。东部是肯当高原的延伸部分,呈东西走向,直抵海岸附近。主要河流奥佐河(包括支流奥帕克河)和普罗戈河向南流入印度洋。沿海低地居民主要从事农业和渔业。生产稻米、橡胶、椰干和食糖。日惹是印度尼西亚工业较发达的地区之一,工业有铁路工场、印刷、纺织、鞣革、食品加工、运输设备、造纸、化工和电动机械。公路网和铁路将特区首府日惹市与附近的班图尔、马格朗和苏拉卡尔塔连接起来。居民主要有爪哇人、巽他人和穆斯林巴厘人,还有众多的华人、印度人和欧洲人。2006年班图尔附近发生强烈地震,数千人死亡,损失巨大。人口3 122 268(2000)。

Yogyakarta 日惹 又拼 Djokjakarta,Jogjakarta,Jokjakarta 或 Jokyakarta。印度尼西亚爪哇岛日惹特区首府。距爪哇南岸29千米,邻近默拉皮火山(2 891米)。1946～1949年为印度尼西亚共和国政府所在地。1948年12月至1949年7月被荷兰占领。该市是著名的文化中心,也以手工艺品银器、蜡染印花和生产皮革制品闻名。还有铁路工厂、纺织厂、鞣革厂和制药厂。市内有18世纪的苏丹王宫、卡查·玛达大学、哈达基金会图书馆、索诺·布多约博物馆、一所艺术学院和一所私立大学。旅游胜地有卡利乌朗周围地区的婆罗浮屠和巴兰班南古代寺庙,以及默拉皮火山的高山游览胜地和银器制造中心哥打格德村。建有机场,通铁路和公路。2006年班图尔附近发生强烈地震,造成该市数十人死亡。人口397 431(2000)。

Yohannes Ⅳ 约翰尼斯四世(1831～1889-03-10) 英语作 John Ⅳ。本名卡萨。埃塞俄比亚皇帝(1872～1889)。同他的前任特沃德罗斯二世(1855～1868在位)一样,为坚强、开明的统治者,大部时间用于抵制埃及、意大利以及苏丹马赫迪教派的军事威胁。原为提格雷(北埃塞俄比亚一省)拉斯(王公),凭借武器优势终于在特沃德罗斯死后4年登上帝位。其主要对手为绍阿国王曼涅里克二世。曼涅里克二世在1878或1879年战败前,一直不承认约翰尼斯为皇帝。1882年曼涅里克之女与约翰尼斯之子议婚。商定约翰尼斯帝位由曼涅里克继承。但到1888年,双方关系复趋紧张。约翰尼斯同意大利人达成交换武器的协议。约翰尼斯在国内则强制臣民皈依埃塞俄比亚教会,激起反抗最烈的是穆斯林。推行扩张政策的埃及总督(奥斯曼帝国总督)伊斯梅尔帕夏是约翰尼斯帝国第一个外部威胁。但埃塞俄比亚军队于1875和1876年在北部山区连获决定性胜利。意大利为第二个侵略者,1885年占领原属土耳其和埃及的红海港口米齐瓦(马萨瓦),然后深入向提格雷省扩张,1887年为约翰尼斯击败。同年,伊斯兰复兴教派马赫迪派武装入侵埃塞俄比亚,洗劫旧都贡德尔。约翰尼斯率部攻进苏丹,于默特马战役中阵亡(1889年3月)。

Yoho National Park 约霍国家公园 加拿大公园,位于不列颠哥伦比亚省落基山脉西坡,面积1 313平方千米。风景有塔卡考瀑布,天然桥村和埃默拉尔德湖。境内3 050米以上高峰甚多,为登山运动胜地。斯蒂芬山西侧有5亿年化石地层。园内动物有多种禽鸟以及黑熊、灰熊、黑尾鹿、麋和野山羊。公园中央邻近菲尔德镇所在地,有天然淤积盐(可供动物舔吃),为麋喜爱的聚集地。

Yojoa, Lake 约华湖 洪都拉斯西北部湖泊。为全国最大的内陆湖,面积285平方千米,海拔650米。四周丛林覆盖山地。为旅游胜地。湖中可钓鱼、射鸭。四周山上可狩猎。有公路通首都特古西加尔巴和加勒比海沿岸城市。

yoke 轭木 套在几头挽畜的头部或颈部使之并力牵引的木条或木框。在早期近东以及希腊和罗马,轭木套在牛和野驴的角上或颈上。驾驭成队的加轭牲口是困难的;而且轭木还会将挽畜的气管压住,使之窒息。后来发明了马颈圈,从而解决了这个问题,并逐渐用马代替牛。

Yokkaichi 四日市 日本本州三重县城市。面对伊势湾。位于名古屋以西。在1470年所建城堡周围发展起来。至德川时代已成为重要贸易中心。每月初四开放集市,城市因之得名。第二次世界大战中遭严重破坏。后发展起大型石油化工联合企业。生产汽车、纺织品和化工品。港口不断扩大,输入原料,外运工业品。有北伊势工业区核心之称。人口约285 777(1995)。

Yokohama　横滨　日本的城市和港口,神奈川县首府。日本最大城市群京滨都会区的一部分。横滨在本州岛沿太平洋的一面,位于东京湾的西海岸。1859年当近邻神奈川被指定为允许外国人居住和贸易的日本主要港口的时候,它仅是一个小渔村。随着日本对外贸易和航运的发展,这块地方逐渐兴盛起来,1868年开始明治维新以后愈益发展。1889年神奈川与横滨合并而设横滨市。这个市已经成为日本的第二大城市、大港口和工业中心。1923年为关东大地震和火灾所毁;在第二次世界大战期间,1945年由于美军空袭而遭受严重破坏,但两次都得到重建。

横滨位于小山环抱的一块平原上,其中一座小山走向东南,尽头处构成本牧岬海角。气候冬季温和,夏季湿热。初夏和仲秋为雨季,9月常有台风。

横滨市的港口
东京国家博物馆供图

横滨与近邻川崎形成京滨工业区的中心。许多重工业集中于此,包括化工产品、机械、基本金属、石油产品、汽车、金属结构等工业,以及造船业。横滨港是日本最大的港口之一,为周围的工业地带进口原料,出口范围很广。

横滨的商业区,包括许多重要银行和其他的商号,集中于港口周围。在商业区的最北端,樱木町车站的附近,是中心商店街伊势佐木町大街。再往北,沿着海岸是工业区。商业区的南面是一个丘陵起伏的住宅区,名为山手町。1925年沿着防波堤基石开辟了山下公园,使海港景色佳丽。再往南,距海岸不远有一个三溪园,园内有一些历史建筑物(最突出的是一座古塔),都是从日本其他地区运来的。在山下公园上方的小山上有一座野毛山公园,内有美丽的花圃、露天剧场、音乐厅和动物园,为横滨市最大的公园之一。

横滨的文化生活,由于拥有四所大学(两所私立、两所公立)而更加活跃。金泽文库(金泽图书馆)创立于1275年,以所收藏的历史书籍和文献而著名。横滨有一个工商业博物馆,许多剧院上演各种各样的剧目,从传统的歌舞伎直到现代戏剧。

当地的交通有公共汽车和地下铁道。横滨有公路和铁路通全国的交通中心东京及日本其他各大城市。有几条国内航空线利用横滨西面的厚木机场。东京的羽田国际机场和成田国际机场也为该市提供服务。面积433平方千米。人口约3 426 502(2000)。

Yokomitsu Riichi　横光利一(1898-03-17,日本福岛县东山～1947-12-30,东京)　日本作家,他和川端康成都是受20世纪20年代欧洲文学先锋派倾向影响的日本新感觉派的中坚人物。在早稻田大学读书时便开始写作,未毕业便离开学校,后来参加剧作家菊池

东京国际教育情报学社供图

宽创办的杂志《文艺春秋》。1923年他与川端康成一道创办《文艺时代》杂志。短篇小说《头与腹》(1924)被评论家誉为一种新类型作品。他既反对继承自然主义自传体小说的衣钵,又反对为社会呼吁的无产阶级文学,而是开创了一种以新颖、惊人的方式来表达感性印象的美学。他一直关心写作的理论,他的观点便表述在他的《纯粹小说论》(1935)里。以他妻子的绝症为主题的《春天上了马车》(1926)是一篇抒情的、敏感的小说,《机械》(1930)则表明他日益倾心于支配人类行为的一种机械论原则的观点。

Yokosuka　横须贺　日本海港。在本州神奈川县,位于东京湾西岸。在三浦半岛上,其所在地原为一小渔村,1865年建立船坞。1884年成为重要海军基地。第二次世界大战后为美国海军基地。现为日本重要的贸易和渔业港口。东部有横须贺和长浦两处优良港湾。工业以造船为主。横须贺亦为东京-横滨都会区的住宅区。人口432 202(1995)。

Yokoyama Taikan　横山大观(1868-11-04,日本水户～1958-02-26,东京)　原名酒井秀麿。日本画家。在东京美术学校向桥本雅邦学日本画,成为校长冈仓觉三(天心)的得意

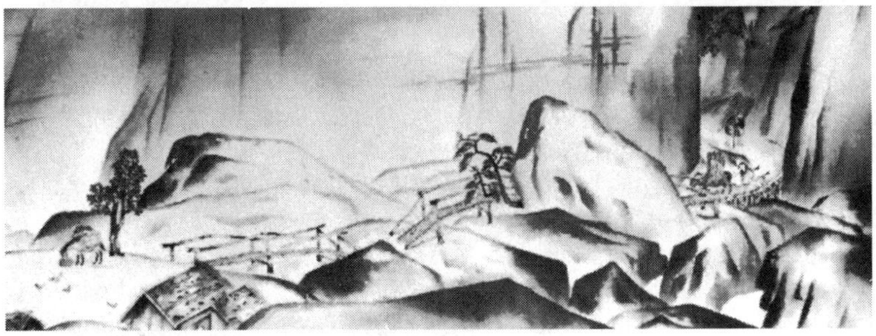

横山大观绘《转世图》(1923)
东京国家博物馆供图

学生。1896年在该校教授设计。1898年曾参与创办日本美术院。他重新研究日本画传统技法,和菱田春草一起发展了一种新风格,即排除线条而集中于色彩组合。这种画风在当时曾被贬称为"朦胧派"。他是由文部省发起的美术展览会(1907成立)的审查人之一。后来他集中全力恢复在冈仓觉三死后关闭了的日本美术院。美术院于1914年恢复后,举行一年一度非官方的展览会,以利青年画家显示才华。其作品有《山径》、《生生流转》和《夜樱》。

Yokuts　约库特人　又作Mariposan(马里波桑人)。加利福尼亚印第安人,操佩努蒂语族语言,居住在圣华金河谷及弗雷斯诺河以南内华达山脉西麓。约库特人分为部落,其数多达50个,各有方言、土地及名称。约库特人采集种籽及橡实等植物食品,也进行狩猎,使用陷阱及弓箭,诱捕鹿、羚羊、麋等。最典型的约库特人住房是苇席覆盖的公共住房,每所可供10个或10个以上家庭使用。此外,住房为平顶,以木柱支撑,以便遮荫。衣着简单;男人围腰布或裸体;女人着带穗的围裙。各部落或村庄有一首领,首领除富有之外,需要比一般人更有知识,特别是有关宗教事务的知识。首领一职是世袭的,妇女也可担任首领。另外还有两种重要的职务,一种是小丑,另一种是换装人,其特殊任务是殡葬或火化前为尸体换装。一夫多妻制为社会所接受,但在约库特人中间很少流行。约库特人的仪式有男孩的青春期仪式等;青春仪式要使用一种由曼陀罗提取的致幻剂,称为"陀罗茶"(toloache)。

Yola　约拉　尼日利亚东部贡戈拉州城镇和首府,阿达马瓦世袭酋长国首邑。镇西北9千米有临贝努埃河的吉梅塔港。与努曼、贾林戈、甘耶和吉梅塔通公路。1841年建为阿达马瓦酋长国政治中心,并成为富拉尼人护教战争的基地。1891年法国要求占有。1893年受英国控制,不久英国皇家尼日尔公司在此建商埠。1901年该公司被迫撤走。英国派来一支远征军击败富拉尼人军队。1914年靠英国人的守卫抵御了来自喀麦隆的德国军队的进犯。1935年曾与吉梅塔合并,1963年重又分为两个单独的城市区。现大部分贸易转至吉梅塔,但两镇同为主要销售中心。每逢7～10月的雨季后期,两镇商人收购花生、棉花和皮张,运销至尼日尔河三角洲的布鲁图和瓦里两港。当地贸易以高粱、黍类、牛油果、薯蓣、稻米、豇豆、甘蔗、花生、鱼、胡椒、靛青、牛、羊、家禽和棉花为主。设有法学院、文理学院、高等师范学院和大学预科学校。有医院、清真寺和天主教堂。人口54 810(1991)。

Yolande DE BRIENNE　约兰德(布列讷的)　参阅**Isabella**(Jerusalem)伊莎贝拉(耶路撒冷)项下的**Isabella II**伊莎贝拉二世。

yolk 卵黄 又称滋养质。卵的营养物质，用作发育中动物胚胎的食物。卵黄少且分布均匀的卵称为均黄卵，见于无脊椎动物及高等哺乳动物。卵黄丰富且集中于卵的一个半球的卵称为端黄卵，见于许多无脊椎动物及所有低于有袋类的哺乳动物。节肢动物的卵为中黄卵，其卵黄集中于卵的中心附近。

Yom Kippur 赎罪日 英语作Day of Atonement。犹太教最隆重的节日，定在犹太教历提市黎月(公历9、10月间)初十，届时犹太人请求上帝赦罪以重沐其恩宠。《圣经》称赎罪日为圣安息日，在这一天应绝对停止一切工作，禁绝饮食男女之事。极端正统派犹太教徒在此日不穿皮鞋，不往身上涂油。正统派犹太教徒可穿白色长袍，从赎罪日前夕到赎罪日全天，犹太教徒都要进行祈祷和默念。

yomihon 读本 戏作的一种体裁，为日本德川时代(1603～1867)一种流行的文学作品。读本与书的不同之处在于主要以图解为主，并以从中国和日本历史中收集的故事情节而著称。这些小说是不加任何掩饰的道德爱情故事，其中极为图式化的人物通常包括巫师、美丽的公主和无可挑剔的贵族绅士。读本在泷泽马琴写的几部书中很成功，其引人之处在于故事叙述而不是道德说教。

Yomiuri shimbun 《读卖新闻》 日本全国性日报，发行量仅次于《朝日新闻》，是日本"三大报"中最具耸人听闻的编辑格调的报纸。1874年创刊，是明治时期(1868～1912)之初为适应迅速现代化的日本社会对本国语言报纸的需要而出现的五种报纸之一。"读卖"是德川时期(1603～1867)报童高声朗读新闻以吸引顾客的一种做法。与其势力雄厚的竞争对手《朝日新闻》和《每日新闻》一样，《读卖新闻》有五种地区晨报版和晚报版，另有一种在东京出版的英语版。《读卖新闻》有意识地接受了20世纪初美国赫斯特报系的新闻风格的影响。《读卖新闻》的读者对象主要是工人阶级。这家报纸还成立了日本第一个职业棒球队(现名读卖巨人队)，以促进报纸的发行。

Yomou 约穆 几内亚东南部城镇。是几内亚高地森林浓密地区稻米、木薯、咖啡、棕榈油和棕榈仁的主要贸易中心。居民主要有格尔泽人和马诺人。人口约10 055(1983)。

Yomut carpet 约穆特地毯 土库曼斯坦约穆特土库曼人的手织铺地用品，通常为优质地毯。许多图案为一行行斜向排列的菱形花饰，配色各异；花饰外边可能是销栓钩图案，最典型的小边是一组循序渐进的直条纹，每道条纹缀以小花。其次还有一组图案，为一行行垂直排列的杂色八角，中间饰以小双头狗。大边为白地，图案为几何形蔓藤；外扎边图案为传统的茎叶，有时为鲜花盛开的植物。配色从红到梅红都有。有些马鞍袋或储存袋前脸用白色大地。约穆特地毯中一种特殊图案为类似储存袋袋面画的五边格子，饰以菱形格子花或一排枞树。约穆特帐篷带饰

19世纪的约穆特地毯
纽约大都会艺术博物馆供图

及平面织锦毯也很著名。大尺码的约穆特地毯是绵羊毛或山羊毛织制的，拴土耳其吉奥狄斯扣；小尺码则常拴波斯生纳扣，纬线有时是白棉纱和羊毛混在一起使用。

Yonago 米子 日本本州鸟取县城市。在构成米子平原的日野川三角洲。原是渔村，1601年建立城堡后，逐渐成为地方商业、交通中心。现为工业区，生产纸浆、食品、钢铁和纺织品。也是通往大山隐岐国家公园的门户。人口138 756(2000)。

Yonezawa 米泽 日本本州山形县城市。在奥羽铁路线上。从室町时代(1338～1573)至明治维新(1868)，为上杉氏(**Uesugi family**)的城堡镇。小规模生产纺织品，工业发展缓慢。20世纪60年代发展起电器工业和木材加工业。当地古城堡已辟为松岬公园。人口95 392(2000)。

Yong'an 永安 又拼Yung-an。中国福建省县级市。地处闽中谷地南端，境内丘陵占大部分。东部和西南部属玳瑁山地，山峦叠嶂，最高峰大丰山海拔1 706米。西北部属武夷

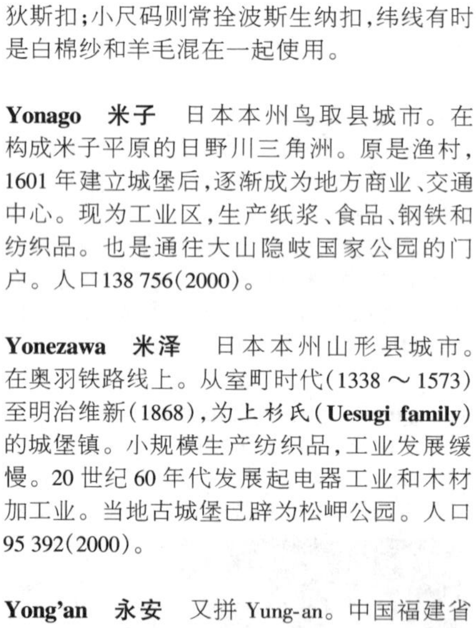

永安城关西门桥
中国大百科全书出版社供图

山东南坡，地层复杂，从寒武纪到第四纪地层大部分都有出露，是地层研究和地质教学考察的良好基地。中部沿沙溪两岸为丘陵地带，东岸多狭长的高丘陵，西岸为较宽阔的低丘和高丘。永安盆地是市区所在地，喀斯特地貌发育较好。原名东治、永宁，别称燕城。明景泰三年(1452)置县。1984年改县级市，由三明市代管。面积2 941平方千米。交通便捷，鹰厦铁路纵贯，公路四通八达，是联系闽西、闽北、闽南运输枢纽。矿产种类多，有煤、铁、锰、石灰石、萤石、重晶石、瓷土等。工业以采煤、化工(合成氨、维尼纶等)、电力、水泥、木材加工著称。永安市有全省最大的水泥厂。福建纺织化纤集团有限公司是全省最大的人造纤维生产基地。农产以稻、小麦、红薯、花生为主，并产香菇、笋干等。林木资源丰富。贡川草席驰名。名胜有桃源洞、小石林等。人口：全市320 000(2005)。

Yongding He 永定河 中国北京地区最大河流，海河五大支流之一。上游源于山西省宁武县的桑干河，在河北省怀来县纳源自内蒙古高原的洋河，流至官厅始名永定河，全长650千米，流域面积5.08万平方千米。流经

永定河上的7号桥
中国大百科全书出版社供图

山西、河北两省和北京、天津两市入海河，注入渤海。主要支流有壶流河、洋河、妫水、清水河等。永定河流域多暴雨、洪水，春旱也严重。上游黄土高原森林覆盖率低，水土流失严重，河水混浊，泥沙淤积，日久形成"地上河"。善淤、善决、善徙的特征与黄河相似，故有"小黄河"和"浑河"之称。河床经常变动。因迁徙无常，又称"无定河"。清康熙三十七年(1698)大规模整修平原地区河道后，始改今名。1954年建成蓄水22亿多立方米的官厅水库，才基本控制了上游洪水。

Yonge, Charlotte M(ary) 永格(1823-08-11，英格兰汉普郡奥特本～1901-03-24，奥特本) 英国小说家。一生将其作家才能献给了宗教事业。她的作品帮助扩大了牛津运动的影响，该运动谋求使英国国教恢复17世纪末的高教会派的理想。她最初的成名作是《雷德克利夫的继承人》(1853)，其主人公使美德变得浪漫和有吸引力。其他小说包括

伦敦国立肖像画陈列馆供图

《三色堇》(1854)、《雏菊花环》(1856，描写隐居生活的道德冲突)和《年轻的继母》(1861)。她还编辑一本少女杂志《每月邮包》，为其撰写历史小品和宗教短文。她最优秀的作品避免了宣传品的缺点，具有持久的生命力。

Yonghe 永和 又拼 Yung-ho。中国台湾省北部台北县辖市。面积5.6平方千米，为台北县幅员最小、人口密度最高的城市。位于淡水河支流新店溪西南岸，在台北市南约1.6千米处。18世纪早期已有开发。原属中和乡所辖，1960年分立设镇。后因推动都市计划，该镇得以迅速发展，商业渐趋繁荣，人口亦渐稠密，1979年升为县辖市。现为周围地区所产茶叶、稻谷等农产品分销中心。该市与台北市仅一水之隔，为台北市的卫星城，市内多系商业区及住宅区。保福宫为该市最大的庙宇。人口227 700(1999)。

Yonghe Monastery 雍和宫 中国藏传佛教名寺。位于北京。始建于清康熙三十三年(1694)，初为清世宗即位前的王府，雍正三年(1725)改现名；乾隆九年(1744)改为藏传佛教寺庙。中轴线上的院落从前向后分为五进，主要建筑有昭泰门、雍和门和天王殿，雍和宫居中，宫后为永佑殿，殿后为法轮殿，西为戒坛，后为万福阁(大佛楼)。后院东为永康阁，西为延宁阁，最后为绥成楼。此外还有东西配殿和四学殿(即讲经殿、密宗殿、数学殿、药师殿)。建筑布局完整，巍峨壮观，具有汉、满、蒙、藏民族特色。寺有三绝：一为金、银、铜、铁、锡制作的五百罗汉山。二为金丝楠木的木雕佛龛。三为大佛楼中总高26米(露地18米)的旃檀木雕弥勒像。另有宗喀巴的铜像，以及乾隆帝御制碑《喇嘛说》，碑文是研究清代藏传佛教的重要资料。

Yongle 永乐 参阅 **Ming**——：明朝帝王序列下 **Mingchengzu Zhu Di** 明成祖朱棣。

Yongle Dadian 《永乐大典》 英语作 Encyclopedia of the Yongle Reign。中国大型类书。明永乐元年(1403)成祖命解缙等编，次年成书，名《文献大成》。成祖嫌内容简略，又派姚广孝、解缙等重修，于永乐六年(1408)完成，改称今名。全书22 937卷(内目录、凡例60卷)，分装11 095册，约3.7亿字。参加编校、抄写的学者、书手近3 000人。《大典》采辑宋元前古籍七、八千种，按韵目分列单字，依单字辑入各项文史记载。全书收罗宏富，元以前佚文秘籍多赖以保存，对辑佚或校勘古籍有重要价值。清修《四库全书》时即从中辑出500多种书。《永乐大典》原来只抄正本1部，未刻印，后又摹写副本1部。正本约毁于明

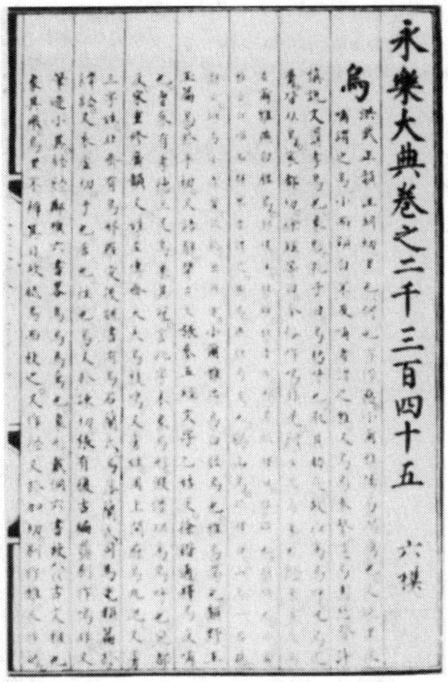
永樂大典卷之二千三百四十五
烏
六模

中华书局影印本《永乐大典》
中国大百科全书出版社供图

亡之际，副本在清咸丰时也渐散失，1900年八国联军入侵北京时，所余卷帙大部焚毁。现存世的约800卷。已由中华书局影印出版。

Yongli 永历 又拼 Yung-li。参阅 **Zhu Youlang** 朱由榔。

Yŏngsan River 荣山江 韩国西南部河流。发源于全罗南道北端，流向西南，在木浦附近注入黄海。流域为韩国最重要产米区，20世纪70年代，建立4个多功能水坝，既防洪又蓄水。

Yongyan 颙琰 又拼 Yung-yen。参阅 **Qing**——：清朝帝王序列下 **Qingrenzong Yongyan** 清仁宗颙琰。

Yongzheng 雍正 参阅 **Qing**——：清朝帝王序列下 **Qingshizong Yinzhen** 清世宗胤禛。

yoni 约尼 在印度教中，代表女性生殖器之像，象征湿婆神的配偶女神舍友。在湿婆教画像中，约尼常与林伽(**liṅga**)同时出现，林伽是男性生殖器像，象征湿婆。

Yonkers 扬克斯 美国纽约州东南部韦斯特切斯特县城市。位于哈得孙河东岸，在纽约市布朗克斯以北的丘陵地带。曾是曼哈顿印第安人主要村落。1639年为荷兰西印度公司占有。1682年建造一座庄园住宅，现辟为州历史名胜。1778年属扬克斯乡，是繁荣的农庄。1849年铁路通纽约市，1855年设村，1872年设市。现工业多样化，包括印刷出版、电梯、起重机械、化工品、电子设备和服装制造。设有圣约瑟夫高中和学院、伊丽莎白·塞顿初级学院、圣安德鲁斯高尔夫球俱乐部(美国最早的高尔夫球俱乐部之一)。人口197 388(2003)。

Yonne 约讷 法国中部勃艮第大区省份。由历史上的香槟省和勃艮第省的一部分以及奥尔良省和尼韦奈省的小部分组成。面积7 425平方千米，约讷河从南向北将该省分为两部分，流经省会欧塞尔和桑斯。境内有许多森林和荒地，气候温和，农作物主要是谷物和饲料，饲养牛。河谷的坡地上生产著名葡萄酒，沙布利生产的葡萄酒尤为著名。省内城镇都是小型农产品市场。工业甚少(木材加工、电器设备、食品加工)。农村人口不断流往巴黎地区。从巴黎通往地中海海滨的南部高速公路纵贯该省。境内有为数众多的古代村庄、古教堂和古堡，是旅游中心。全省设欧塞尔、阿瓦隆和桑斯三个专区，属于第戎教育区。人口333 221(1999)。

Yonne River 约讷河 拉丁语作Icauna。法国中北部河流，塞纳河左岸支流。源出涅夫勒省普雷纳莱山，在蒙特罗汇入塞纳河，全长293千米。该河以极快的流速向西北偏北穿过林木丛生的深谷抵达帕纳西尼尔-肖马尔，在那里建有大坝以调节流量。流过克拉姆西后进入约讷省并在奥塞尔上游接纳屈尔河。继而在茹瓦尼上游有已运河化支流阿尔芒松河汇入。奥塞尔以下112千米河段可通航。

Yono 与野 日本本州中东部埼玉县城市。2001年，与野市、附近的大宫市和浦和市，一同并入琦玉市。

Yoram (Old Testament king) 参阅 **Jehoram** 约兰。

Yorba Linda 约巴林达 美国加利福尼亚州南部奥兰治县城市。该地区1769年被一个西班牙探险队发现，1801年J. P.格里哈尔瓦得到一份西班牙赠地，他的两个女儿和女婿，佩拉尔塔夫妇和约巴夫妇继承了这块赠地，约巴家族拥有此地的所有权直到19世纪中叶。1907年约巴拥有的一部分土地被卖给了詹斯公司，该公司将这块地分成多块并把新城取名为约巴林达(linda在西班牙语中意为“漂亮的”)。该城市发展成一个牲畜、农业(出产柑橘、鳄梨、番茄和卷心菜)和交通(1918年修建了太平洋电气化铁路)中心。为满足第二次世界大战结束后奥兰治县下属自治市发展的需要，当地农田被占用，约巴林达现在主要是洛杉矶都会区的一个居民区。该市是美国总统R.尼克松的出生地，建有尼克松图书馆。城市附近有奇诺希尔斯州立公园。人口58 918(2000)。

Yorck von Wartenburg, Johann (David Ludwig), Graf 约克·冯·瓦滕堡伯爵(1759-09-26，普鲁士波茨坦[今在德国]～1830-10-04，西里西亚小沃尔斯[今波兰奥莱希尼察])普鲁士陆军元帅、改革家，成功地指挥了反对法国的解放战争(1813～1815)。拿破仑侵入俄国期间，他主动与俄国签订了单独的中立协定(1812年的《陶罗根协定》)，为普鲁士加入反对拿破仑的联盟开辟途径。1772年参加

普鲁士军队，1779年因不服从命令被开除，加入荷兰军队，在荷属东印度服役。1787年重入普军，曾在波兰作战(1794)。耶拿战役拿破仑击溃普军，他出色地指挥了后卫部队。1807年

供图：Bildarchiv Preussischer Kulturbesitz BPK, Berlin

擢升少将，任轻武器步兵总监，主持改组普鲁士军队。他是卓越的战术家，曾任部队战术教员，发展了步兵侦察与散兵战斗线。1812年率领随拿破仑入侵俄国的普鲁士部队。在拿破仑溃败时，与俄国人订立《陶罗根协定》，使他的部队保持中立。在后来几次战役中，功勋卓著，1814年封为瓦滕堡伯爵。

Yorghan Tepe (ancient Mesopotamian city) **约尔安提普** 参阅 **Nuzu** 努祖。

Yorimitsu 源赖光 又作Raikō。日本民间传说中的勇士，据说他伪装成僧侣进入嗜饮人血、祸害生民的童面巨人酒颠童子的城堡，用

歌川国芳的木版画—受土蜘蛛困扰的源赖光
伦敦维多利亚和艾伯特博物馆供图

魔酒把巨人灌醉杀死。巨人死后，他那被砍下的头仍继续攻击源赖光，但源赖光终于胜利而归。

York 约克 原为加拿大安大略省东南部城市(1983～1998)，1998年与多伦多、埃托比科克、斯卡伯勒和北约克，以及东约克自治镇合并组成多伦多市。1967年与前约克镇及韦斯顿镇合并，设为自治市。原约克镇建于1793年，曾名为都伯林。面积23平方千米。人口约150 255(2001)。

York 约克 英格兰北约克郡城市单一政区，位于乌兹河和福斯河汇合处，大约在伦敦与爱丁堡之间相等距离的位置。有约克大主教的教区总教堂，历史上是英格兰北方的基督教中心。约克也是原约克郡的首府，其位置处于三个行政区(约克从前所分的三个行政辖区)的交界处。公元71年被古罗马人占据并建要塞和城墙，其遗迹至今犹存。当时该地名为伊伯阿科姆，至公元约400年罗马人撤走前，是他们在北方的军事大本营。此后由盎格鲁-撒克逊人统治。7世纪，保罗成为第一位约克大主教，诺森伯里亚国王埃德温在现今大教堂所在地建了一座教堂。867年，丹麦人征服约克，并仍以约克为其在诺森伯里亚的都城。城名即源自丹麦语约维克。威廉一世征服英格兰北方时期，约克遭到严重破坏。城市部分被毁，土地遭水淹，并建起两座城堡(在今克里福德堡和城堡博物馆所在地)，以对付反叛的北方。以后重又兴旺起来，成为贸易中心(批发贸易)，专做羊毛生意。中世纪约克许多行会演出的48个神秘剧组成的组剧(参阅 **York plays**)流传至今。12世纪建市，曾是全国在规模和重要性上仅次于伦敦的城市。约克的圣彼得大教堂是英格兰最大的哥特式教堂，建于13～15世纪。其他中世纪建筑包括市政厅(1446～1448，第二次世界大战时被炸后重新修复)、商人冒险家大厅(1357)、圣威廉学院(1453，为礼拜堂牧师而建)，以及其他许多建筑。环绕该市的中世纪城墙长4千米，其历史可上溯至14世纪。约克现为一主要铁路枢纽，并建有国家铁路博物馆(1975)，是伦敦以外唯一的国家博物馆。工业产品包括火车车厢、减震器、光学仪器、玻璃容器和巧克力糖。约克的许多中世纪教堂和其他历史建筑使旅游业成为重要的产业。有约克大学(1963)和大主教住地主教村。城市和单一政区包括广阔的乡村和几个村庄。面积272平方千米。人口约181 094(2001)。

约克市的街景，背景为约克大教堂的钟楼
供图：Noel Habgood—Bruce Coleman Inc.

York 约克 美国缅因州西南部约克县城镇。位于大西洋岸、约克河口，东北距波特兰69千米。由约克村、约克比奇、约克港和内迪克角组成。1624年始有人定居。1641年成为美洲大陆第一座英属城市。有优美的港湾、沙滩和经修复的美洲殖民地时期建筑，一直为摄影师、艺术家度假者所向往。人口13 390(2003)。

York 约克 美国宾夕法尼亚州东南部城市，约克县县城(1749)。位于哈里斯堡东南45千米，濒临科多罗斯河。为包括北约克、西约克及数个镇区在内的都会区中心。1741年兴建。1777年大陆会议由费城迁此，将约克市定为国都(1777-09-30～1778-06-27)。在旧县法院(建于1754～1756)，大陆会议通过了《联邦条例》；发表了首份感恩节公告；从在巴黎的B.富兰克林处获悉法国将援助新生的美国。主张取代华盛顿军队司令的康韦阴谋集团亦在约克受挫。1778年9月美国在此接受法国价值160万美元白银的贷款。1 000万美元大陆币在此印制。南北战争期间南部邦联军队自约克赶走小股联邦军(1863-06-28)。经济活动种类繁多，以农业、制造业和商品销售业为主。生产制冷和军工设备、摩托车和纸张。设有宾夕法尼亚约克学院(1941)和宾夕法尼亚州立大学约克分校(1949)。1787年设自治镇。1887年设市。人口：市40 862；都会统计区381 751(2000)。

York, DUKES OF **约克公爵** 英国封爵贵族，按年代顺序排列于后，并各以●为标记。

● **York, Edmund of Langley, 1st duke of 约克公爵(第一)** (1341-06-05，英格兰赫特福德郡金斯兰利～1402-08-01，金斯兰利)

即埃德蒙(兰利的)。英格兰国王爱德华三世第4个在世的嫡子,金雀花王室支系约克家族的创始人。1362 年封坎布里奇伯爵,1385年封约克公爵,是爱德华三世的儿子中最无能的一个。1359 ～ 1378 年间,他参加在法国、西班牙和布列塔尼的几次战役,均未立战功。1381 ～ 1382 年间独立指挥远征军援助葡王费迪南德反抗卡斯蒂利亚,也遭到失败。1394 ～ 1395 年理查二世前往爱尔兰期间和1399年进行第 2 次爱尔兰远征时,都委派他代理朝政。1399 年 7 月兰开斯特的亨利(后为亨利四世)进犯英格兰时,约克曾企图组织抵抗,但见理查大势已去,不久即投降。

● **York, Edward of Norwich, 2nd duke of 约克公爵(第二)**(约1373,英格兰诺福克诺里奇? ～ 1415-10-25,法国阿让库尔) 即爱德华(诺里奇的)。约克家族成员。第一代约克公爵之子。曾受到理查二世的宠信,1390年封拉特兰伯爵,1394 年封科克伯爵,历任要职。1397 年理查二世政变后,约克继其叔格洛斯特公爵托马斯而任英格兰的保安长官。同年 9 月封奥马尔公爵。1399 年 8 月,他背弃理查,但在亨利四世召集的第一次议会上被指控为格洛斯特的谋害者。所幸只丢掉了最近获得的公爵称号。1402 年在阿基坦任国王代表,其父死后袭约克公爵。后来他在南威尔士对叛乱者作战。1405 年因被揭发参与反对亨利四世的阴谋,被关入伦敦塔和培文西城堡,但不久获赦。1412 年在参加克拉伦斯公爵托马斯的法国远征后留在阿基坦,直至 1413 年 8 月。后在阿让库尔战役中阵亡。著有英国最早的关于狩猎的书《狩猎能手》。

● **York, Richard, 3rd duke of 约克公爵(第三)**(1411-09-21～1460-12-30,英格兰约克郡韦克菲尔德附近) 英格兰王位的争夺者,他的企图引发了玫瑰战争。他是英格兰两个国王爱德华四世和理查三世的父亲。1415年继承其叔的约克公爵爵位。他是国王爱德华三世第 3 个儿子的后裔,按长子继承制,比亨利六世(1422 年即王位)更有权继承王位。但他忠诚地为亨利效力,1436 ～ 1437 和1440 ～1445 年任法国和诺曼底总督。此时他成为控制亨利政府的博福特家族的敌人。1447 年格洛斯特公爵汉弗莱死去,约克应成为王位继承人。但是,强大的博福特家族把他派往爱尔兰当总督。1450 年他回到英格兰,带头反对新任首席大臣萨默塞特公爵 E.博福特。1453 年 7 月国王精神失常,野心勃勃的王后安茹的玛格丽特在萨默塞特公爵的支持下要求摄政。但是她的统治不得人心,1454 年 3 月议会指派约克为摄政。玛格丽特对约克既恨又怕,因为他是潜在的王位竞争者,而她则希望为当时还很幼小的儿子获得王位。1454 年 12 月亨利恢复健康后,玛格丽特就劝说他辞退约克,起用萨默塞特掌权。约克立即起兵。1455 年 5 月 22 日,他的军队在圣奥尔本斯战役中杀死萨默塞特。他控制了政府,直至 1456 年 10 月玛格丽特再次占据上风。1459 年末,双方重开战端。1460 年7 月,约克的得力副手沃里克伯爵 R.内维尔在北安普敦击败兰开斯特家族,并俘获了国王。后来双方妥协,承认亨利终生为国王,亨利死后则由约克继承王位。但是,并不甘心的玛格丽特在英格兰北部发动一场叛乱。约克在韦克菲尔德附近的城堡外遭到兰开斯特家族的袭击身亡。次年,他的儿子爱德华夺取了王位,称爱德华四世。

剑桥三一学院约 1425 年教学大楼内彩绘玻璃中的约克公爵(第三)画像
供图:Royal Commission on Historical Monuments, England

● **York, James, duke of 约克公爵** 参阅 **James**(Great Britain)詹姆斯(大不列颠)项下的 **James II** 詹姆斯二世。

● **York, Henry Stuart, cardinal duke of 约克公爵(枢机主教)**(1725-03-06,罗马～1807-07-13,意大利弗拉斯卡蒂) 即 H.斯图亚特。英国被废黜的斯图亚特王朝国王詹姆斯二世最后的合法后嗣。出生不久其父老王位觊觎者 J.爱德华就封他为约克公爵。他曾在法国召募军队帮助其兄小王位觊觎者 C.爱德华发动 1745 ～ 1746 年叛乱,但遭失败。1747年罗马教皇本尼狄克十四世任命他为约克枢机主教。1758 年成为科林思大主教。1761 ～1803 年任弗拉斯卡蒂主教。小王位觊觎者死后,他于1788年自称亨利九世。拿破仑进犯意大利期间,他失掉自己的财产,1800 年后依靠英王乔治三世给他的年金生活。

爱丁堡苏格兰国家肖像画陈列馆供图

● **York, Prince Albert, duke of 约克公爵** 参阅 **George**(Great Britain)乔治(大不列颠)项下的 **George VI** 乔治六世。

York, HOUSE OF 约克王室 英格兰金雀花王室(**Plantagenet, house of**)幼支。自从 15 世纪从兰开斯特王室(**Lancaster, house of**)手中夺取王位后,曾出过 3 个国王:爱德华四世、爱德华五世和理查三世。这个王室创始于爱德华三世的第 5 子、第 1 代约克公爵兰利的埃德蒙(1342 ～ 1402)。但是,埃德蒙和他的儿子第 2 代公爵爱德华的一生经历大都平淡无奇。爱德华无嗣,公爵爵位传给侄子理查。第 3 代约克公爵理查反对兰开斯特王朝的亨利六世,是约克王室第一个提出王位要求的人。当时兰开斯特王室已有 3 代占据王位,按惯例,理查的要求似站不住脚。但就世系原则而言,理查的先祖莱昂内尔是兄,而兰开斯特王室则是莱昂内尔的弟弟冈特的约翰的后代。亨利六世朝政由王后安茹的玛格丽特及其宠信把持,治理混乱,于是理查拿起武器,并在议会中提出他有权拥有王位。贵族们承认他的权利要求,但提出一个妥协办法,即亨利终身拥有王位,他死后再由理查及其继承者继位。理查接受此项解决办法,但安茹的玛格丽特及其追随者拒绝接受。理查在韦克菲尔德战役中被杀。两个月后,他的儿子在伦敦被拥戴为王,称爱德华四世。他在陶顿血战后赶走敌人,为加冕铺平了道路。然而,兰开斯特家族虽被赶走,约克家族内部却发生内讧。1483 年爱德华四世卒,长子爱德华五世即位两个半月即被其叔格洛斯特公爵废黜。于是,格洛斯特公爵成为理查三世。但是不过两年,理查在博斯沃思原野被都铎家族的里奇蒙伯爵所杀,里奇蒙被拥戴为王称亨利七世,不久娶爱德华四世的长女为妻,从而使约克和兰开斯特两个王室结合在一起。

附表:约克王室,见 458 页。

York, Alvin Cullum 约克(1887-12-13,美国田纳西帕尔马尔～ 1964-09-02,田纳西纳什维尔) 第一次世界大战中的美国英雄。他的事迹曾拍成电影《陆军中士约克》(1941)。在默兹-阿尔贡进攻战(1918-10)中属美军第82 步兵师。他的团派 17 名侦察兵前去搞掉阻止美军前进的德国机枪火力点,约克是 17个人中的一个。他们潜入敌人战线的后面,有一半人被打死了。这时约克下士担任指挥,迅速向敌人开火,百发百中,打死德国机枪手 25 人,迫使其余的机枪手投降。在返回美军战线途中,他又生俘很多德军,总共达132 人。约克晋升为中士并荣获美国国会荣誉勋章以及法国和其他国家同类的勋章。战后回田纳西州,在该州赐给他的一个农场中生活。他协助建立了一所工业学校和一所圣经学校以教育乡村青年。有自传《陆军中士约克,他自己的生平事迹和战时日记》(斯凯希尔编,1928)。

York, Cape 约克角 澳大利亚大陆最北点。位于昆士兰州约克角半岛北端,与新几内亚岛隔托雷斯海峡相望。约克角长约 25千米,宽 19 千米。1770 年由英国航海家詹姆斯·库克上校以英王乔治三世兄弟约克公爵之名命名。

York, Elizabeth Angela Marguerite, Duchess of(queen consort of George VI of Great Britain) **约克公爵夫人** 参阅 **Elizabeth** 伊丽莎白。

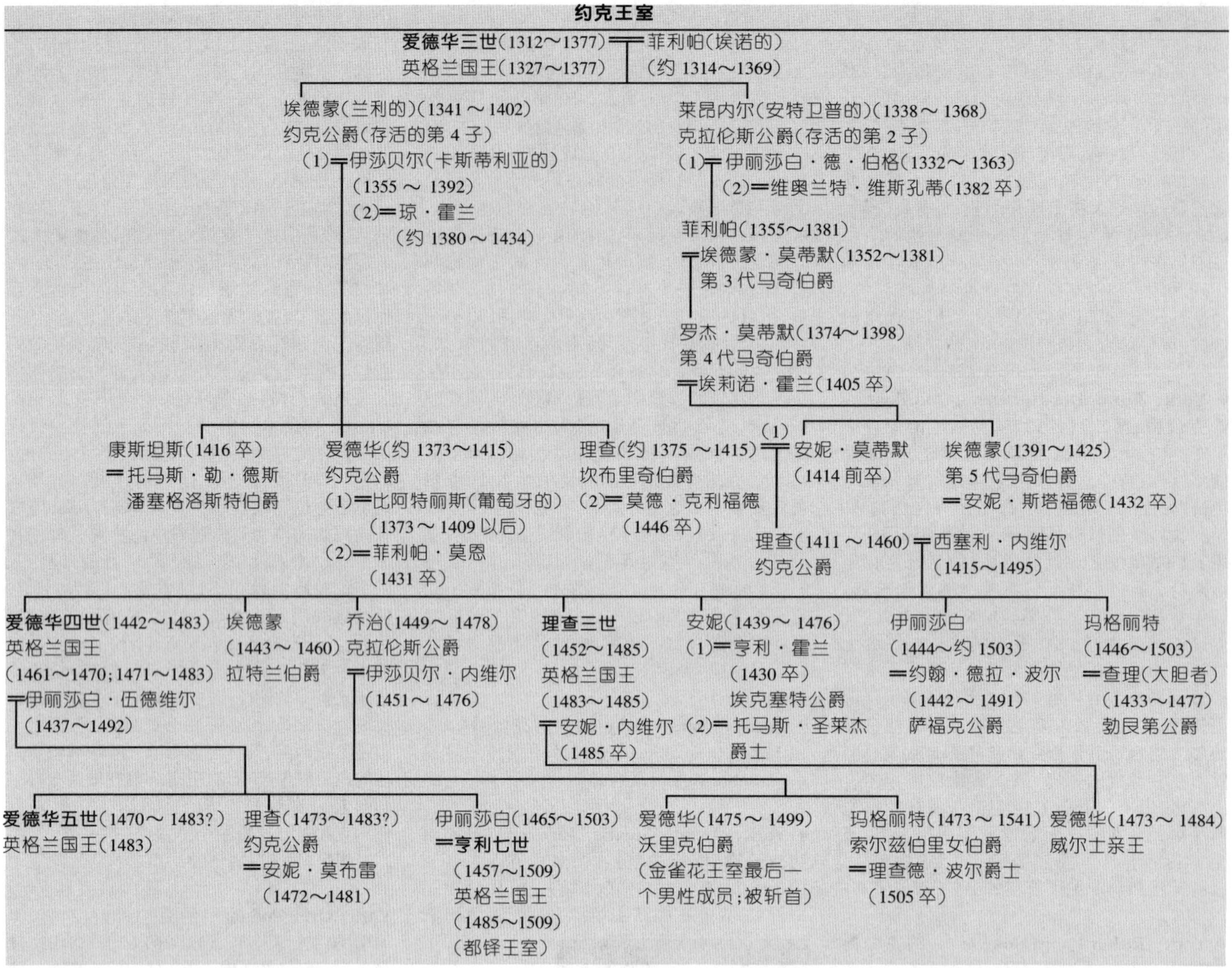

York Factory　约克法克特里　加拿大马尼托巴省东北部有历史意义的居民点。位于哈得孙湾岸海斯河口。早期为哈得孙海湾公司的贸易站。1684 年当地城堡被法国人破坏,不久重新修建。该地后几度易手,1713 年归属英国,曾是加拿大北部各皮毛贸易中心的主要港口、供给站和总部。横贯大陆铁路和通往哈得孙湾沿岸城镇丘吉尔的铁路支线建成后,该地重要性下降。1957 年关闭贸易站,结束了持续 275 年的经营活动。现为国家历史遗址,只有飞机或独木舟可达。

York plays　约克剧　指从14世纪开始由不知名的作者所著的 48 个剧本组成的组剧。中世纪时,在英格兰北部的约克城,每逢夏天的基督圣体节,行会总要演出这部组剧。约克组剧的某些剧本与韦克菲尔德组剧中相应的剧本几乎完全一致,据说这两种组剧是从一种现已失传的原始剧本相传而来。然而更大的可能是,大约在 14 世纪晚期某个时间约克组剧被完整地搬到韦克菲尔德,并在那里被确定为基督圣体节组剧。现存的剧本已被划分为若干单独的剧本,使每个剧只描写一两个故事。后来由于增加了源自诺森伯兰的叙事诗《北方的耶稣受难记》和伪圣经上的《尼科底母福音》,组剧篇幅又进一步扩大。组剧每次在约克城上演一天,按历史顺序在流动剧台上演出,这种流动剧台从选定处巡回到另一处。组剧表演从人的堕落到赎罪,从天使创生到末日审判的各个主要故事,其中有六部剧本专门写约克城的故事。

Yorke, Philip　约克　参阅 **Hardwicke, Philip Yorke, 1st Earl of 哈德威克伯爵(第一)**。

Yorke Peninsula　约克半岛　澳大利亚南澳大利亚州南岸半岛。南北长 260 千米,宽 32～56 千米。西临斯潘塞湾,东为圣文森特湾,南濒"调查者"号海峡。地势起伏平缓。主要产大麦和小麦。其他资源有海盐、石灰岩和石膏。气候干燥,阳光充足,促进了海滨旅游业发展。沃拉鲁为半岛主要运粮港口。

Yorkshire　约克郡　英格兰历史郡,地处英国中北部。位于奔宁山脉和北海之间。为英格兰最大的历史郡。包括南北延伸的 4 个宽阔地带:西部有奔宁高沼地;东南部有中部低地(包括约克谷),注入亨伯河口;东部有约克沼泽地和约克郡丘陵;东南端是北海沿岸的霍尔德内斯平原。约克历史郡北邻达勒姆郡,西北邻威斯特摩兰郡,西邻兰开夏郡,西南邻柴郡和德比郡,东南邻诺丁汉郡和林肯郡。约克郡包括以下行政单位:北约克行政郡;里德卡-克里夫兰、米德尔斯伯勒、赫尔河畔金斯敦、约克 4 个单一政区;蒂斯河畔斯托克顿的部分地区;还包括西约克郡会郡和南约克郡会郡内几乎所有的都会自治市。历史上约克郡曾分三个区,每个区均为完全的郡级行政单位:北区(包括里德卡-克利夫兰和米德尔斯伯勒 2 个单一政区的全部地区,北约克行政郡的大部分地区,达勒姆行政郡以及蒂斯河畔斯托克顿和约克 2 个单一政区的部分地区),东区(包括赫尔河畔金斯敦单一政区的全部地区,约克郡东区单一政区的大部分地区,北约克行政郡以及约克单一政区的部分地区),西区(包括南约克郡会郡和西约克郡会郡几乎所有的地区,北约克行政郡、坎布里亚行政郡、兰开夏行政郡的部分地区,以及约克郡东区、北林肯郡、约克 3 个单一政区的小块地区)。约克历史市镇位于三区的交界处。虽设有一个郡长,但 1 000 年来,三个区基本上是独立的行政单位。各区均有自己的季审法庭及郡议会。1974 年约克郡及其区失去了行政权。约克郡曾发现许多史前遗迹,最为出名的是遍布全郡各处的山顶要塞。罗马人发现这一地区居住着布里甘特人,东部居住着帕里西人。公元 1 世纪罗马人控制了这个地区,并在埃布拉库姆(今约克市)驻兵。罗马人把约克郡作为前方的一个基地,从这里出发去击退来自北方的侵略。5世纪初罗马的统治结束后,开始是盎格鲁人,后来是诺森伯里亚人占据约克郡,但9世纪时被丹麦人征服。1069年诺曼人镇压一切反对其统治的抵抗以前,约克郡一直强烈地保持着盎格鲁-斯堪的纳维亚文化。此后两个世纪中,本笃会、奥古斯丁会和西多会在该郡建立了重要的修道院。珀西、莫布雷、内维尔、瓦伦和其他一些贵族家族在此广置地产。约克郡仍然是抵御来自北方苏格兰侵袭的前线。玫瑰战争中有两次著名的战役在约克郡进行:一次是韦克菲尔德战役(1460),约克公爵(第三)被杀;另一次是陶顿战役(1461),约克军将兰开斯特军彻底击败。1644年在约克郡马斯顿荒原进行了英国内战中一次最重要的战役。1536年反对亨利八世宗教改革法的未成功起义,即求恩巡礼,主要发生在这里。当地放牧绵羊,这使约克郡在14～15世纪时建立起毛纺织工业。但经济仍以农业为主。产业革命时约克郡成为毛纺织品生产中心。利兹、设菲尔德、布雷德福、哈利法克斯、韦克菲尔德和哈德斯菲尔德等城镇生产毛纺织品。由于历史悠久,现在约克郡有许多古城堡、教堂、修道院和庄园宅邸。19世纪铁路的修建鼓励了西区南部的采煤业和设菲尔德、罗瑟勒姆、唐开斯特的钢铁业。工业化使约克郡的经济中心由农业转向制造业,同时也刺激了人口较多的西约克郡和南约克郡市区的发展。20世纪末采煤业、炼钢业、纺织业衰落,被新兴工业(工程和电子)所取代。

Yorkshire　约克夏猪　又作Large White。又称大白猪。18世纪用北英格兰土产的大型白猪和体型较小较肥的中国白猪杂交形成。肉质好,全身白色,耳竖立。原为腌肉品种,但在美国20世纪上升为杰出的瘦肉型猪。公猪多用来交配有色母猪以生产杂交仔猪。约克夏猪可能是世界上分布最广的猪品种。

Yorkshire fog　约克郡再生草　参阅**velvet grass** 天鹅绒草。

Yorkshire Post　《约克郡邮报》　英国出版的日报,是英国最权威的地方报之一。1754年由G.奈特在约克郡利兹创办,当时称《利兹报信者》,是4页周刊。1866年改为今名,成为日报,迅速获得关心郡外发展情况和态度严肃的声誉。自1882年由C.皮博第接任主编时起,它靠重视本地区、全国和国际的重大消息、有见地的社论和独立的办报方针吸引了越来越多的读者。到20世纪60年代,人们认为该报同曼彻斯特的《卫报》和爱丁堡的《苏格兰人报》相比毫无逊色。

Yorkshire terrier　约克夏㹴狗　又作Yorkie。又称约克郡狗。一个玩赏狗品种。约于19世纪中期于英格兰的约克郡及兰开夏郡育成。其谱系不详,但似包括几个㹴狗品种,如斯凯㹴狗和丹迪·丁蒙㹴狗;也可能包括马耳他狗。特征为被毛直而光亮。被毛由鼻到尾从中分开披向两侧,一直拖到地面,呈深蓝灰色,头和胸部带棕色。体小,但强壮。体高20～23厘米,体重2～3.5千克。通常健康而精神饱满,是受人喜爱的玩赏动物和伴侣狗。

Yorkton　约克顿　加拿大萨斯喀彻温省东南部城市。位于里贾纳东北189千米处。1890年加拿大太平洋铁路修到此地后,附近约克顿克里克的居民迁此。现为周围广大农业和火鸡饲养区的批发、营销中心。有牲畜围场、家禽市场、制革厂、砖瓦厂、农机厂、水泥厂等。1950年起,每两年举行一次国际电影节。西北19千米处有皇家加拿大空军雷达站。1894年设村,1900年设镇,1928年设市。人口15 315(1991)。

Yorktown　约克敦　美国弗吉尼亚州东南部历史城镇,约克县县城(1634)。位于威廉斯堡东南偏东、约克河南岸,与格洛斯特波因特隔河相望。1630年始有人定居,1691年批准建立港口后,不断发展成为繁忙的装运中心。其殖民地时期海关现被视为美国关税制度的起源。至1750年其商业作用已衰落。现该镇已被划为科洛尼尔国家历史公园(**Colonial National Historical Park**)的一部分。名胜有约克县法院(1633)、感恩圣公会教堂(1697)、联盟胜利纪念碑(1881,纪念美法联盟)、约克敦南北战争国家公墓等。

Yorktown, Siege of　约克敦围城战役(1781-09-28～10-19)　美国独立战争中法-美海陆军联合作战,在弗吉尼亚州约克敦一个半岛上围困迫降英军主力的战役。这次围攻实质上结束了美国独立战争的军事行动。英军司令官C.康华里勋爵在南部几个殖民地遭受一系列挫败后兵力衰竭,于是把他的军队从威尔明顿(北卡罗来纳州)向东撤退,1781年5月到达大西洋岸的彼得斯堡(弗吉尼亚州)。康华里的军队约有7 500人,在该地区与由拉斐德侯爵A.韦恩将军和施托伊本男爵率领的仅有约4 500人的美军相遇。为了保持与纽约市H.克林顿将军的英国主力军的海运交通线,康华里继续经由弗吉尼亚撤退,先到里士满,次至威廉斯堡,7月末最后抵达约克敦和邻近的格洛斯特岬,准备固守两地等待援兵。美军总司令G.华盛顿将军命令拉斐德封锁康华里可能从约克敦逃走的陆上通道。与此同时,华盛顿将军率领在纽约的2 500名大陆军联合罗尚博伯爵率领的4 000名法军,除留下一支掩护部队应付克林顿在纽约的军队外,法-美联军主力于8月21日开始向南疾进,到达切萨皮克湾,在那里会合格拉斯伯爵率领的有24艘军舰的法国舰队。这支舰队来自西印度群岛,正在进行对康华里军队的海上封锁。康华里没有等来英国海军的营救或增援,而格拉斯的舰队却把华盛顿的军队向南运抵威廉斯堡(弗吉尼亚州),与拉斐德的军队会师围攻约克敦。这使华盛顿把康华里围困在约克敦半岛的希望得以实现。同时,英国海军司令T.格雷夫斯率领的一支实力较弱的舰队在弗吉尼亚海角战役(参阅**Virginia Capes, Battle of**)中因寡不敌众被迫返航纽约。其后迟至10月17日再次派出舰队(约载7 000名英军,规模约为法军的2/3)驶向弗吉尼亚,但已为时过晚。10月上旬华盛顿的14 000名法-美联军陆续攻克英军在约克敦的设防阵地。在受到包围、炮轰和缺乏食物的困境中,康华里勋爵终于在10月19日下令全军投降。英军被俘人员总数约8 000名,还缴获了约240门大炮。双方伤亡人数相对较轻。约克敦战役的胜利结束了独立战争的战斗,从而在实际上保证了美国建国大业的成功。

Yoro　约罗　洪都拉斯西北部城市。地处高地。海拔559米。为富饶农业区(产咖啡、烟叶、牲畜、木材)的商业和制造业中心。有榨糖等工厂,制造鞋、服装、金属器皿。人口:城市区约32 752(1983)。

yortzeit(Judaism)　参阅**yahrzeit** 周年悼亲日。

Yoruba　约鲁巴人　尼日利亚境内有三大种族集团,约鲁巴人为其中之一。他们聚居于该国西南地区,另有一些很小的群体散居在贝宁和多哥北部。21世纪初他们人口超

正在编织篮子的贝宁约鲁巴人男孩
供图:Transafrica—FPG/美国不列颠百科全书公司

过2 000万。他们的语言属于尼日尔-刚果语系贝努埃语支。

绝大多数的约鲁巴男人务农,种植薯蓣、玉米、黍类作为主食,也种植芭蕉、花生、蚕豆和豌豆作为辅助食物;可可为主要经济作物。妇女不种田但掌握着许多复杂的市场交易方法,其社会地位多以其市场经营中的能力和职位来衡量,而与其丈夫的社会地位关系不大。在非洲手工艺方面,约鲁巴人一向属最为心灵手巧而多产之列。他们从事的工种有铁工、织工、皮革工、玻璃工、象牙雕刻和木雕等。公元13和14世纪时,约鲁巴人的青铜铸造采用夹蜡法,其制品精美绝伦,西非匠人无出其右者。约鲁巴妇女纺纱织布、编织筐篮,还从事印染工作。

多个世纪以来,约鲁巴民族拥有共同语言和文化,但可能从未有过统一的政治单位。他们似乎是一千多年以前自东部迁移到他们现在居住的尼日尔河下游以西的地方。在前殖民地时期,他们终于成为最为都市化的非洲人。他们建立过很多大大小小的王国,各以其首都或首邑为中心,由一名世袭的国王或奥巴进行统治。他们的城镇人口稠密,结果发展成为现今的奥约、伊费-伊费、伊莱沙、伊巴丹、伊洛林、伊杰布-奥德、伊克莱-伊基蒂等城市。17世纪时,奥约发展为约鲁巴诸王国中最大的一个(参阅**Oyo empire**);而伊费-伊费(**Ile-Ife**)则始终是一座具有浓厚宗教意义的城镇,按照约鲁巴神话的说法,这里是

大地生成的地方。18世纪末期至19世纪，由于约鲁巴诸小王国之间纷争不已，再加上达荷美（今贝宁）的丰人和穆斯林富拉尼人的不断入侵，奥约及其他王国相继衰落。传说的约鲁巴人国王仍然存在，只是其政治权力已所剩无几。

在约鲁巴人传统的城镇里，国王（奥巴）的宫殿位于中心，规模甚大，结构复杂，周围是本城镇各父系宗族的大院。宫殿与各大院现常以近代风格构成。

约鲁巴民族中社会与政治组织颇为多样，但共有许多基本特征。继承与继位按照父系代代相传；父系宗族成员在一名头人领导下共居一处，共有某些名字和禁忌，供奉本族的神祇，有权参与宗族土地的管理和使用。约鲁巴人也有几种自愿组合的社团，如："埃格贝会"，男性娱乐组织；"阿罗会"，农民互助组织，"埃苏苏会"，经济互助组织，成员缴纳定量资金后可以获得贷款。政治权威属于奥巴及酋长会议。王国下的"成员"城镇各有自己的酋长，酋长隶属于国王（奥巴）。国王同时也是宗教领袖，被视为神圣不可侵犯。

尽管有些约鲁巴人现已成为基督教徒或穆斯林，传统的宗教信仰仍保留下来。他们的传统宗教有一组复杂的神祇体系，上有造物主，下有约400个等级不同的小神和精灵，而大多数小神和精灵与其本身的宗派及祭司密切相关。约鲁巴语有大量文学作品，包括诗歌、短篇小说、神话和谚语。

Yosa Buson　与谢芜村　参阅 **Buson** 芜村。

Yosano Akiko　与谢野晶子（1878-12-07，日本大阪附近～1942-05-29，东京）　本名凤晶。日本女诗人，她的新风格曾在日本文学界造成轰动。在学校时便对诗发生兴趣并和一些

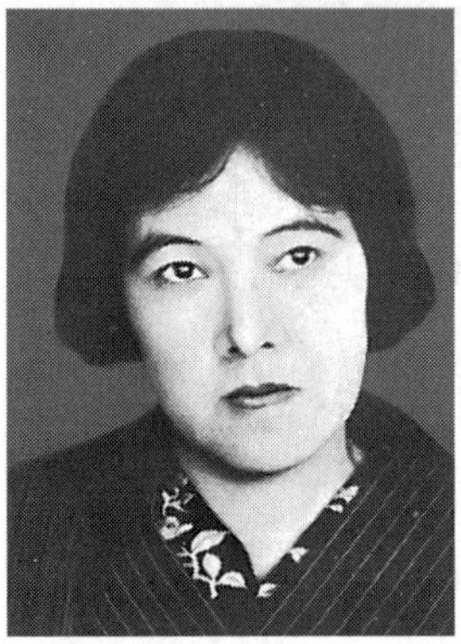

东京国际教育情报学社供图

友人出版过私人的诗歌杂志。1900年她成为与谢野宽的新诗社社友，开始在他的《明星》杂志上发表短歌。第二年去东京同与谢野宽结婚。她的诗格调清新，不落俗套，早已引起人们的注意。《乱发》（1901）使她成名，《梦之花》（1906）显示出她在艺术方面的发展。1912年她随丈夫赴法国，在那里度过一年。她将那个时期所写的诗收在《从夏到秋》（1914）这个集子里。回国后，她着手计划把紫式部于11世纪所著的古典作品《源氏物语》译成现代语。1921年她创办了女子文化学院，她本人也在这里执教。晚年她从事于文学评论。她的遗著《白樱集》（1942）表达了丈夫1935年去世后年代中她的感情。

Yosemite Falls　约塞米蒂瀑布　美国加利福尼亚州中部约塞米蒂国家公园内瀑布。由上、下约塞米蒂两瀑布组成。落差分别为1 430英尺（436米）和320英尺，加当中一段，

约塞米蒂国家公园内的约塞米蒂瀑布

供图：U.S. Department of the Interior, National Park Service

总落差2 425英尺。为世界落差最大瀑布之一。5～6月流量最大，少雨年份流量大大减少。

Yosemite National Park　约塞米蒂国家公园　美国加利福尼亚州中部山地风景区。1864年辟为州立公园。1890年加上周围地区设为国家公园。占地308 106公顷。位于内

约塞米蒂国家公园内的半圆顶山

供图：Ray Atkeson—美国不列颠百科全书公司

华达山脉，包括默塞德河的约塞米蒂谷、大片红杉林（有些树龄达数千年）以及多处地质构造奇观。约塞米蒂谷有陡立石壁、约塞米蒂瀑布群、巨大穹丘和峰峦等景观。其中埃尔卡皮坦花岗岩峭壁最为壮观，从谷底拔起达1 098米。巴杰山口滑雪区为冬季运动中心。园内植被随高度不同而变化：较低地区杂生落叶和针叶树，山谷一带有大片针叶林，高处生长铁杉和红松。有很多野生动物。

Yoshida Isoya　吉田五十八（1894-12-19，东京～1974-03-24，东京）　日本建筑师，为现代数寄屋（茶室）建筑风格倡导者，主张利用天然材料和传统营造技术，以表现当代的建筑形式。1923年获得东京艺术学校（今东京美术大学）建筑学文凭。第二次世界大战以前，专事私人住宅及高级餐厅的设计工作，后来改为设计公共建筑，最后则转向宗教建筑，旨在使其革新的传统主义手法得到新的应用机会。虽然数寄屋风格——曾在茶寮、私人住宅及餐厅建筑中应用——通常是基本上用木材加工手艺表现的，但吉田却认为现代的建筑材料也同样可以使用，只要这些材料的运用，能符合"风格的精神实质"。他还曾设计博物馆及其他公共建筑，赢得了设计作品宏伟的好评。吉田曾获得日本艺术学院奖（1952）和日本文化奖章（1964）。在他的许多作品中，著名的有猪俣公馆及豪毅屋（东京，1967及1971）、鹤屋餐厅（京都，1964）、东京的五岛艺术博物馆（1960）和奈良的大和文化博物馆（1960）。1941～1961年在他的母校执教，而于1964年成为日本历史上获得文化功勋章的第二位建筑师。

Yoshida Kenkō　吉田兼好（约1283，京都？～约1350或1352，京都附近？）　原名卜部兼好。日本诗人兼散文家，当时的卓越文学人物。他的散文集《徒然草》（约1330）特别在17世纪以后成为日本教育的一个基本部分，他的观点在后来的日本生活中占有突出地位。早年他在宫中服役，而在1324年宇多天皇死后，他便出了家，但是成为僧人并不曾使他退出社会。恰恰相反，他继续对俗世形形色色的活动有浓厚的兴趣，这一点反映在他的文章中。他的诗作是传统的，但是《徒然草》的散文却表现出一种洞察力和机智，得到14世纪以来读者的喜爱。他对古老习俗的消逝深感痛惜，表明他确信生活已经可悲地失去了往昔的光彩。《徒然草》论述美学问题的部分也受到人们的称赞。在吉田看来，美就意味着无常；他认为，无论是美的瞬间还是美的事物，越是短暂，就越珍贵。

Yoshida Shigeru　吉田茂（1878-09-22，东京～1967-10-20，日本大矶）　日本政治领袖，在第二次世界大战后盟军占领日本、日本企图建立新的民主制度的极为重要的过渡时期中曾几度出任首相。1906年东京帝国大学法学部毕业后，入外务省工作。1928年任驻瑞

供图：AP/Wide World Photos

典、挪威和丹麦公使，1928～1930年任外务省次官。1936年军部否决他任外务大臣，改任驻英国大使直到1939年。第二次世界大战期间，他因主张日本早日投降而于1945年6月被捕。9月盟军占领日本后获释，在战后最初的币原内阁中任外务大臣。鸠山一郎退出政界后，由他任自由党总裁。1946年5月22日接任首相，1946～1954年5次组阁。他努力恢复国内经济，制定战后与美国和西欧合作的路线。1951年签订结束第二次世界大战的和平条约和日美安全条约。1955年自由党和民主党合并为鸠山一郎领导下的自由民主党后，他退出政界。

Yoshida Tetsurō　吉田哲郎（1894-05-18，日本富山县福野～1956-09-08）　日本建筑师，将日本建筑知识传播到西方，同时在作品中引进西方的建筑手法。1931～1932年访欧

吉田哲郎1937年设计的东京民宅
东京国际教育情报学社供图

期间会见了德国建筑师H.海林和L.希尔伯赛默。在他们的要求下，他写了《日本住宅》（1935）一书向西方阐述日本建筑学，另有两部关于日本建筑和日本庭园的著作分别于1952和1957年出版。他对西方建筑的兴趣在作品中均有所反映，如京都邮政局（1922）、别府市政厅（1928）、东京和大阪的邮政总局（1931、1939）以及新潟的一座银行（1951）等。

Yoshikawa Eiji　吉川英治（1892-08-11，日本神奈川县～1962-09-07，东京）　日本小说家。以其普及日本古典文学的工作以及本人的富有独创性的小说，在20世纪作家中名列前茅。由于父亲经商失败，吉川只受过小学教育，早年生活困苦。1925年发表第一部小说《剑难女难》。《鸣门秘帖》（1926～1927）为他在日本文坛上奠定了地位。后来他写了几部浪漫主义传统的消遣小说，但逐渐转向对人的性格进行更严肃的探讨。在以一个著名武士为主题的长篇历史小说《宫本武藏》（1935～1939）中，他达到了某种完美的程度。后来，他在《新平家物语》（1950～1957）和《私本太平记》（1958～1961）中试图更深入地探索日本历史人物的生平。吉川讲究的文体、对心理的洞察和他的历史知识使他获得了广大的读者。1960年，他成为第一个接受文化勋章的通俗小说家。

Yoshino Sakuzō　吉野作造（1878-01-29，日本宫城县古川～1933-03-18，神奈川县逗子）　日本政治家、教育家，基督教徒，20世纪初期日本促进民主运动领导人。中学时开始信仰基督教，不久即在基督教社会主义运动中初露头角。1910～1913年出国留学，回国后任东京帝国大学教授，并成为议会政治的有力鼓吹者之一。他提倡民本主义，坚决认为人民的需求是政府的基本目标。为了达到这一目标，他主张实行普选、由文官管理军队、把贵族院改成民选机构以及逐渐建立一个社会主义国家。他曾短期进入政界，1918年创立政党黎明会。1924年辞去大学教授职务，专为《朝日新闻》撰稿。在保存和出版明治时代的历史资料方面，他也作出了重要贡献。虽然他曾一时引起公众注意，但他把基督教社会主义、工会主义及儒家道德结合在一起的思想本来就只能限制日本传统中的理性基础，而随着第一次世界大战后出现的经济和政治困难，大多数知识分子都舍弃了他鼓吹的马克思主义，这一大众运动就随之烟消云散了。

Yoshkar-Ola　约什卡尔奥拉　又拼Ioshkar-Ola或Joškar-Ola。俄罗斯西部马里共和国城市和首府。坐落在小科克沙加河畔。建于1578年。1584年沙皇戈东诺夫在此建要塞。由于远离交通线，发展缓慢。1919年为马里自治州首府，并改称克拉斯诺科克沙亚斯克，1927年更用现名。1927年修建通往泽廖诺多利斯克（伏尔加河畔）的铁路，促进了该市工业发展，特别是轻型制造业。有师范学院和林学院。人口约274 600（1991）。

Yŏsu　丽水　韩国最南端全罗南道城市。位于丽水半岛。李朝（1392～1910）时期设有海军总部。1949年成为开放港并建市。与汉城有铁路相通。与釜山、木浦和济州通班轮。

丽水市及其港湾鸟瞰
供图：Shostal

港口分作两部分，西面旧港为渔港，东面新港为商港。出口鲜鱼。丽川工业区有石油化工等工业。人口约173 164（1990）。

you　卣　又拼yu。中国古代酒器。青铜质。甲骨文、金文都有卣字。铜器中的卣为宋金石学家所定名，其状似壶而有提梁，俗称提梁卣。深腹，圈足，有盖，器身有圆筒形、椭圆形和方形几种。陶卣在新石器时代末见。在二里头文化中已出现穿带壶，卣应是从壶

铜卣
中国大百科全书出版社供图

形器演变而来。铜卣始见于商代前期，商代后期至西周中期更为流行。西周晚期逐渐被壶取代。

Youbou River（western Africa）　**尤博河**　参阅 **Cavalla River 卡瓦拉河**。

Youghal　约尔　爱尔兰科克郡的城市区、集市和渔港。位于布莱克沃特河口湾的西岸。13世纪盎格鲁-诺曼人建立男爵领地城镇。有城墙和城楼为防御工事，部分仍残留。城内圣玛丽教堂约建于1250年，教堂中有科克伯爵一世理查德·博伊尔的陵墓。伊丽莎白时代冒险家瓦尔特·雷利爵士曾任该市市长，其故居保留至今。从19世纪中叶到20世纪，当地一所女隐修院学校一直是**爱尔兰针织花边（Irish needle lace）**生产的中心。现为一重要旅游胜地，有小型纺织厂。人口约5 532（1991）。

Youghiogheny River　约克加尼河　美国东部河流。源出西弗吉尼亚州普雷斯顿县。近马里兰州西缘。流经宾夕法尼亚州，在麦基斯波特汇入莫农加希拉河。全长217千米。在康弗伦斯附近筑有水坝和水库。约克加尼河是马里兰州西部唯一不向南流入波托马克河的河流。

Youmans, Vincent (Millie)　尤曼斯（1898-09-27，纽约州纽约～1946-04-05，科罗拉多丹佛）　美国歌曲作家。因其为音乐剧《不，不，纳内特》（1925）、《准备行动》（1927）以及阿斯泰尔和罗杰斯首度携手合作的电影《飞向里约》（1933）所谱音乐而最为知名。尤曼斯于第一次世界大战期间服役于美国海军时开始创作歌曲。战后担任歌谱推销员（即受雇于出版商为之推广和兜售活页乐谱的歌唱员）和作曲家赫伯特的排练钢琴手。其歌曲创作在百老汇红极一时，曾与包括格什温、哈默斯坦第二和海曼在内的众多歌词作家合作。1934年尤曼斯因患肺结核而被迫退休后，复元缓慢，无法持续工作。1944年试图重操旧业未成，健康再度恶化。尤曼斯的歌曲以简朴见长。在已出版的不足100首歌曲中，约有18首被认为是歌手每演必唱的杰作，其中包括《二人茶》、《我想快乐》、《比你知道的更

多》、《时间由我自由支配》、《我心中的鼓》、《飞向里约》、《卡里奥克舞》和《月光下的兰花》。

Young　扬　澳大利亚新南威尔士州中南部城镇。位于大分水岭西坡，伯朗根河岸。1830年建居民点。现为附近樱桃、洋李、苹果、梨、谷物产区和牛、家禽、猪饲养区的服务中心。有水果加工、氧化镁处理、针织品生产、白兰地蒸馏、面粉、铸钢等工业。有公路和铁路通悉尼。人口6 797(1986)。

Young, Andrew　扬(1932-03-12，美国路易斯安那州新奥尔良～　　)　美国政治家、民权运动领袖、教士。扬出身于中产阶级黑人家庭，早年在实行种族隔离的南方学校上学。后进华盛顿(哥伦比亚特区)的霍华德大学医预科，又转读神学，1955年毕业于哈特福德神学院，获得神学学士学位。扬在南方一些黑人教堂传教时，积极参加民权运动，特别注意在选民登记站活动。他认识了马丁·路德·金博士，一起领导南方基督教领袖大会(SCLC)。1968年金遇刺后，扬又和艾伯纳西一起活动，直到1970年才辞去领袖大会职务。同年他首次竞选国会议员失败，1972年再次竞选成功。1974、1976年均连选连任。他在众议院反对削减社会福利事业经费，同时阻止追加越南战争拨款。1976年他鼓动黑人投票支持卡特。卡特当选总统后，提名他出任美国驻联合国大使。他对第三世界的同情使他成为有争议的人物。1979年他在会晤巴勒斯坦解放组织代表一事暴露后，被迫辞职。1981年扬当选亚特兰大市市长，并于1985年连选连任。

Young, Art　扬(1866-01-14，美国伊利诺伊奥兰治维尔附近～1943-12-29，纽约州纽约)　阿瑟·亨利·扬的别名。美国讽刺漫画家，社会改革家，其作品表达博爱精神和嫉恶如仇的感情。曾在芝加哥、纽约、巴黎等地学美术，并为报纸画连环漫画维持生计。1903年前后在纽约定居，成为社会党人，积极争取妇女参政权和工会权利，反对童工制和种族歧视。他所关心的问题反映在其作品中，特别是发表在《群众》月刊(1911～1917)上的连环漫画中。第一次世界大战期间因鼓吹反战运动被捕，后来两次作为社会党候选人竞选纽约州长失败。其自传《生平与时代》发表于1939年。

Young, Arthur　扬(1741-09-11，英格兰伦敦～1820-04-20，伦敦)　英国长于写农业、政治、经济题材的多方面作家。除了写农业题材之外，他的著名作品《法国游记》写于1792年，书名全文是《1787、1788和1789年游记，着重于法兰西帝国开垦、资源与国民繁荣实况的观察和认定》。本书对法国大革命时期的景况作了生动的描绘。他是牧师之子。曾在诺福克金斯林一家商店工作，但他对经商毫无兴趣。17岁时就出版小册子《论北美战争》。1761年去伦敦后创办《世界博览》杂志。同时期他还写过四部小说。1759年他父亲死后，母亲让他管理家庭农庄，但因庄园不大且负债累累，1767年他在埃塞克斯郡自己经营农庄，进行各种实验。所得结果写成《实验农业教程》(1770)一书。虽然他早年农业实验的成果总的说来不算成功，但毕竟他从中得到了扎实的农业知识。1768～1770年他出版《英格兰南部各郡和威尔士六周游记》等书，他说这些书以实际调查为基础，载有硕果仅存的有关英国租金、农产品与牲畜的资料。这些书都得到好评，到1792年已译成多种欧洲文字。1768年扬出版了《农民致英格兰人民书信集》。1771年出版《农民历书》，并多次重印。1774年又出版《政治算术》，也被广泛移译。1776～1778年他游览爱尔兰。1780年出版《爱尔兰旅行记》。1784年开始出版《农业编年史》，陆续出了45卷。1787年扬第一次访问法国，几乎走遍法国各地，那时正是大革命前夕和初期阶段。1792年出版两卷本《法国游记》，对法国大革命关头的人民和公共事务作了有价值的记述。回国后被英国任命为新建的农业部秘书，协助收集和编写英格兰各郡的农业调查。晚年在退隐中度过。

Young, Brigham　扬(1801-06-01，美国佛蒙特州怀廷厄姆～1877-08-29，犹他盐湖城)　宗教界名人、摩门教会第二任会长，殖民地开拓者，对开发美国西部有重大影响。早年为木

犹他州历史学会供图

匠、漆匠、玻璃工。受《摩门教经》(1830)感动，1832年4月14日加入耶稣基督末世圣徒教会(摩门教)。1835年被任命为十二使会中第三位。1838年率领摩门教徒(被逐出密苏里州)向伊利诺伊州诺伍迁移。1839年至英国创立教会，并进而向欧洲传播教义，广招信徒(斯堪的纳维亚地区尤众)。1844年6月史密斯被害，扬接管教会领导权，于1846年率领摩门教徒离开伊利诺伊州。1847年率先锋队至落基山脉，选择盐湖城作为摩门教徒聚集地。1847年12月就任教会会长。1848年率领移民返回犹他州，并终生留居该地。扬以盐湖城为摩门教开拓基地，向犹他州及今加利福尼亚、亚利桑那、内华达、爱达荷和怀俄明各州派出布道团。1849年摩门教徒建立德塞列特临时州，扬任州长，次年并入犹他州，扬仍为州长。1854年连任，因摩门教徒与联邦司法系统发生摩擦，于1857年被布坎南总统免职。他虽不再主持政务，但依然是犹他州民众的实际统治者，直至去世。他以务实著名，少有著作传世。执法严苛，鼓励教育，发展戏剧，重视自给自足。

Young, Charles Augustus　扬(1834-12-15，美国新罕布什尔汉诺威～1908-01-03，汉诺威)　美国天文学家，是在1869和1870年日食时观测到太阳闪光谱的第一人。他对太阳有广泛研究，尤其是利用了分光镜。他写有几本重要的天文学书籍，其中以《普通天文学》(1888)最为著名。1879年他精确测定了火星直径。1877～1905年担任普林斯顿大学天文学教授。

Young, Chic　扬(1901-01-09，美国芝加哥～1973-03-14，美国佛罗里达彼得斯堡)　缪拉·伯纳德·扬的笔名。美国漫画家，连环画《布朗蒂》在20世纪60年代刊登在全世界的1 500多种报纸上。扬出身美术家家庭，做过多种工作，包括铁路公司速记员。通过朋友E.马丁的帮助，初次获得连环漫画工作。20年代中迁居纽约，画过组画《美丽的巴布丝》，然后连续6年画连环漫画《傻多拉》。1930年《布朗蒂》问世，画鬈发美人布朗蒂及其求婚者达格伍德·巴姆斯蒂德(Dagwood Bumstead)。后来陆续添进其他人物，改编成动画片、电视及广播的连播节目。达格伍德成为多层大三明治的专名而家喻户晓。

Young, Coleman　扬(1918-05-24，美国亚拉巴马塔斯卡卢萨～1997-11-29，密歇根底特律)　全称Coleman Alexander Young。美国政治人物，为密歇根州底特律市首位非洲裔市长(1974～1993)。1923年随家人从美国南部搬到底特律。由于无法获得大学奖学金，他便开始在福特公司的汽车转配线上工作，参加了工会并为民权问题斗争。第二次世界大战期间入伍，在美军第一个非洲裔美国人飞行单位担任空勤人员。服役快要期满时，他因试图废除一个军官俱乐部的种族隔离制度而被短期监禁。返回底特律后，于1951年帮助建立了一个全国黑人劳工委员会(NNLC)，为非洲裔美国人寻找工作。1952年因成为著名的激进分子而被众议院非美活动委员会传讯。好斗的证词使他闻名全国，后来他解散了全国黑人劳工委员会，从而免于交出该组织成员的名单。由于被工会组织列入黑名单，他被迫打零工，还当过保险推销员。1964年扬当选为密歇根州议员，4年后成为民主党全国委员会的首位非洲裔成员。1973年竞选底特律市长，以微弱多数票胜出。当时，该市失业和犯罪情况严重，人们纷纷搬往郊区。作为市长，他决心重振底特律，吸引新的投资，改组警察局，监督重要建设项目。连续4届当选市长显示出他很受非洲裔美国人的欢迎，但由于出言直率在白人社会得罪了不少人。因健康原因，决定1993年不再竞选连任。1994年出版自传。

Young, Cy　扬(1867-03-29，美国俄亥俄吉尔摩～1955-11-04，俄亥俄纽科默斯敦)　美国职业棒球运动员，是在大联赛中取胜次数最多的投手。根据不同资料，他共胜509或511场，负313、315或316场。在先后16个赛季(其中有1891～1904年连续14个赛季)中，每个赛季至少胜20场，其中有5年每年至少胜30场。他的其他最高纪录尚有：在816(或818)场比赛中首先上场，打完全场750(或751)次；投球局数7 356(或7 377)。

1890～1911 年 22 年中先后在 5 个球队任投手。1937 年入选美国棒球名人堂。为纪念他而于 1956 年设立的赛伊·扬奖，每年奖给大联赛的最佳投手，自 1967 年起由美国棒球联盟和全国棒球联盟各选一名选手受奖。

Young, Edward 扬（1683-07-03受洗，英格兰汉普郡阿珀姆～1765-04-05，赫特福德郡韦林） 英国诗人、剧作家和文学评论家。《哀怨：或夜思》（1742～1745）的作者。这是

牛津万圣学院供图

一篇论死亡的长篇教诲诗，因一些亲人相继死去，有所感触而作，为近万行的无韵戏剧独白，共分九部分或九"夜"，极为脍炙人口。扬身为剧作家，却缺乏舞台感，剧本很少上演。一般认为《报复》（1721 年 4 月在特鲁里街剧院首演）为其最佳剧作。扬献给他的朋友 S. 理查逊的散文集《试论独创性作品》（1759），提高了扬在欧洲，特别是在德国的声誉。它简明有力地概括了许多被后人看作是浪漫主义的思想倾向。

Young, Ella Flagg 扬（1845-01-15，美国纽约布法罗～1918-10-26，华盛顿［哥伦比亚特区］） 婚前名 Ella Flagg。美国教育家。作为芝加哥的教育厅长，她成为在美国主要教育系统中任此重要职位的第一位女性。1862 年毕业于芝加哥师范学院，最初教小学，后来成为芝加哥师范学校下属新生实习学校的校长（1865～1871）。1871～1875 年教中学，1875～1877 年任初级中学校长。1887 年被任命为芝加哥教育厅副厅长，任期长达 12 年。1895 年开始利用部分时间在芝加哥大学学习，师从 J.杜威，1899 年辞去副厅长职位，成为芝加哥大学教育学副教授。1900 年获得博士学位，后升为正教授。她的博士论文《学校隔离》（1900）是为芝加哥大学丛书《教育贡献》而写的三部书中的第一部。其他两部书为《校风》（1902）和《几种现代教育理论》（1902）。1905 年扬成为芝加哥师范学校（后成为芝加哥师范学院，现为芝加哥州立大学）校长。1909 年被任命为芝加哥教育厅长，成为首位管理一个美国大城市教育系统的女性。改善教师培训、承认教师的职业地位、扩大教师的责任是她在任期内的主要改革方向。她还在学校课程中增加了职业培训和体育。1910 年在 M.黑利的支持下当选全国教育协会首位女主席。1913 年辞去教育厅长职务。后被重新任命，1915 年彻底退休。

Young, Francis Brett 扬（1884-06-29，英格兰伍斯特郡黑尔斯欧文～1954-03-28，南非开普敦） 英国小说家和诗人。虽然他有时感伤和啰嗦，但因其擅长讲故事而受到广泛欢迎。他最著名的小说多以他的家乡伍斯特郡为背景，其中有《黑塔》（1914）、《克莱尔的肖像》（1927）、《我的兄弟乔纳森》（1928）、《他们寻找一片土地》（1937）和《屋子附近的一个人》（1942）。

Young, John W(atts) 扬（1930-09-24，旧金山～ ） 美国航天员，曾参加"双子座"、"阿波罗"和航天飞机的飞行。在美国第一次双人航天飞行"双子座"3 号飞行（1965）中，他任 V.格里索姆的副驾驶员。1952 年毕业于佐治亚州理工学院，获航空工程学位。后参加美国海军，在朝鲜服役。1962 年试飞 F4B 战斗机时创造了两项高度世界纪录。1962～1964 年参加国家航空和航天局的航天长训练。"双子座"3 号于 1965 年 3 月 23 日发射，起始轨道的最大高度达到 224 千米。飞行轨道改变了 3 次，经过 4 小时 53 分飞行后，飞船在南大西洋降落。为此，约翰逊总统授予他国家航空和航天局卓越服务奖章。1966 年7月18日，他同 M.科林斯一起参加"双子

美国国家航空和航天局供图

座"10 号飞行，飞船与"阿金纳"目标火箭对接，利用"阿金纳"的发动机上升到 764 千米的高度。1969 年 5 月 18 日他和 T.P.斯塔福德、E.A.塞尔南乘"阿波罗"10 号发射。这次绕月轨道飞行是在"阿波罗"11 号登月以前对"阿波罗"系统的最后检查。他还是 1972 年 4 月 16 日发射的第五次载人登月的"阿波罗"16 号飞行的指令长。1976 年从海军退役，仍继续为航天计划工作，任航天员办公室主任。他是第一次航天飞机飞行的指令长，1981 年 4 月 12～14 日，同 R.L.克里平驾驶"哥伦比亚"号绕地球飞行 36 圈，然后在爱德华兹空军基地着陆。1983 年他任国家航空和航天局及欧洲航天局联合航天计划的指令长，自 11 月 28 日至 12 月 8 日将"太空实验室"（一个永久性轨道工作站）送入地球轨道。

Young, Lester (Willis) 扬（1909-08-27，美国密西西比伍德维尔～1959-03-15，纽约市） 美国次中音萨克斯管演奏家。20 世纪 30 年代中叶参加巴锡乐队，在密苏里州堪萨斯城爵士音乐界初露头角。所倡导的一种即兴演奏法为现代爵士乐的独奏概念奠定了基础，他的音在分量、色彩和织体上都比较轻盈，颤音也较慢，与约定俗成的那种浓烈、深暗而滞重的音和快速颤音截然不同。其即兴演奏中的摇曳的节奏感远比 30 年代常见的那种要更为从容而优雅。他的音乐线条是流线型

供图：*down beat* magazine

的，富有逻辑性，旋律清新。其风格影响颇广，西海岸的"冷静爵士乐"风格在很大程度上是他的演奏法的直接产物。其地位之显要使得歌唱家 B.霍利戴称他为次中音萨克斯管的"总统"。从此他就以"总统"一词的词头 Pres（"普莱斯"）而闻名。L.R.波特所著传记《莱斯特·扬》一书于 1981 年出版。

Young, Loretta 扬（1913-01-06，美国犹他盐湖城～2000-08-12，加利福尼亚洛杉矶） 原名 Gretchen Michaela Young。美国电影女演员，以其难以捉摸的美貌和饰演有教养、有节制、贞洁健康的妇女而知名。4 岁即作为临时演员开始演艺生涯。后来在女隐修会学校上学，14 岁时饰演一个电影角色，并由此与 20 世纪福克斯影片厂签约。最初仅演一些小角色，很快就饰演天真无邪的少女和女主角，很快适应了有声电影。从影 20 多年后，她以《农夫的女儿》中的表演于 1947 年获得奥斯卡奖，使得许多认为她演技一般、相貌也不算出众的影评家哑口无言。她在《来到马厩》中饰演修女，1949 年第二次获得奥斯卡最佳女主角提名。其他著名电影包括《亚历山大·格雷厄姆·贝尔的故事》（1939）和《主教之妻》（1947）。1953 年息影，1953～1961 年在全国广播公司电视台担任主持人，获得艾美奖，使她成为第一位获得奥斯卡奖和艾美奖两个奖项的专业演员。50 岁时退出表演，但在 20 世纪 80 年代后期又一度重返电视荧屏，在两部电视电影中饰演角色。她是虔诚的天主教徒，从当演员到退休一直从事宗教慈善事业。

Young, Murat Bernard 参阅 **Young, Chic** 扬。

Young, Neil 扬（1945-11-12，加拿大安大略多伦多～ ） 加拿大吉他手、歌手、歌曲作者，以民谣乐手演变为格伦吉摇滚吉他乐手的兼容并蓄风格而闻名。在马尼托巴省温尼伯长大，跟离异的母亲住在一起，父亲是加拿大著名的体育新闻记者。十几岁即在乐队中表演，后来成为多伦多咖啡店的独奏乐手。他的风格无法分类，尝试过不寻常的形式和声音。其毫无修饰和颤抖的嗓音一直是其狂

飙、多变探索中的招牌。1969 年的个人专辑《尼尔·扬》销量不理想。后一张专辑《每个人都知道这毫无结果》(1969)与车库乐队"疯马"合作。这张专辑使他成为偶像。不久加入"克罗斯比、斯蒂尔斯与纳什"乐队,先前他们已推出第一张热门专辑。扬的加入使乐队如虎添翼,但这个四人乐队不断发生冲突。在四人乐队推出第一张专辑《似曾相识》以后,扬创作并主唱《俄亥俄》。《收获》(1972)以稀有的风格持续性成为他最畅销的唱片之一,但并不尽如人意。不过,1979 年《拉斯特从不睡觉》重新确立了他的大师地位,讽刺地是回应朋克的反叛。随后的专辑有《鹰与鸽》(1980)、《反-应-器》(1981)、《大转换》(1982)、《摇滚大家乐》(1983)、《自由》(1989)等。1990 年的《残破荣光》是他近期艺术重生的高峰。1995 年入选摇滚乐名人堂。

Young, Owen D. **扬**(1874-10-27,美国纽约范霍纳斯维尔～1962-07-11,佛罗里达圣奥古斯丁) 又译杨格。美国律师和企业家。他以解决第一次世界大战后的赔偿问题所做的

通用电气公司供图

努力而著称。受教育于圣劳伦斯大学及波士顿大学法律系,1912 年前在波士顿从事法律工作,后任通用电气公司董事长(1922～1939)。1919 年他组织了美国无线电公司,先后担任该公司董事会的名誉主席(1919～1929)和执行委员会主席(1929～1933)。他还担任过若干项公职,特别是担任了第一个专家委员会的成员,该委员会是被指定为有关稳定第一次世界大战后的德国币值向赔偿委员会提供咨询。1929 年担任了第二个专家委员会主席,该委员会起草了一个关于解决赔偿问题的长期计划,一般称为《扬计划》。该委员会还建立了国际清算银行。

Young, Thomas **杨**(1773-06-13,英格兰萨默塞特米尔弗顿～1829-05-10,伦敦) 英国医师和物理学家,确证了光的干涉原理,从而复活了历史悠久的光波动说。也是埃及学家,参与了解译罗塞达碑文。1799 年,在伦敦行医。主要兴趣是官能感觉,在学医时就发现眼球的晶状体改变形状以聚焦于不同距离的物体。1801 年发现散光的原因,同年就转向光的研究。他让光穿过两个靠得很近的针孔射到幕上,发现光束展开又重叠,在重叠区亮带与暗带交替。用这个光干涉的演示确证了光的波动性。又用这个新的光的波动说来解释薄膜(如肥皂泡)的彩色。把彩色和波长联系起来,计算了牛顿分辨出的 7 种色的大致波长。1817 年提出光波是横波而不是长期认为的纵波,从而解释了偏振现象。他的研究工作受到英国大多数科学家蔑视,认为对牛顿学说的任何反对都是不可思议的。只是靠了法国物理学家 A.J.菲涅耳和 F.阿拉戈的工作,他的波动说最后才得到欧洲的公认。他研究色感问题,提出眼球不需要对每种色都有一个机制,只要 3 个(红、绿、蓝色各一个)就够了。后来由德国物理学家 H.L.F. von 亥姆霍兹加以发展,这个理论就叫做杨-亥姆霍兹三色理论。对埃及学发生兴趣之后,于 1814 年开始研究罗塞达碑的碑文。他从其他来源取得更多的象形文字的文件后,几年内就提供了接近准确的译法,从而为古埃及语言的解译做出了重大贡献。还测量过分子的大小、液体表面张力,研究过弹性。最先赋予"能"这个字以科学意义。杨氏模量这个描述弹性的数学方程式中的常数就是为纪念他而命名的。

Young, Whitney M(oore), Jr. **扬**(1921-07-31,美国肯塔基林肯岭～1971-03-11,尼日利亚拉各斯) 善于辞令的美国民权运动领导者,1961～1971 年担任全国城市联盟(世界上最大的社会民权组织)主席的 10 年间,成为争取黑人在美国工业和政府中就业机会均等的先锋。他倡导的"国内马歇尔计划"——以巨额资金来解决美国的种族问题——对华盛顿民主党政府(1963～1969)发起的联邦政府援助贫困计划产生巨大影响。第二次世界大战服役后,扬的兴趣由医学转向了社会工作,1947 年获明尼苏达大学文科硕士学位。1947～1950 年任明尼苏达州圣保罗城市联盟工业关系主任,1950～1954年任内布拉斯

供图:AP/Wide World Photos

加州奥马哈城市联盟执行秘书。1954 年任亚特兰大(佐治亚州)大学社会工作学院院长。1961 年任全国城市联盟执行主席。作为全国性黑人运动积极分子,他促进消除白人政治家和实业家与贫穷的黑人和好斗分子之间的隔阂,从而赢得很高声望。在他的领导下,联盟的分会机构从 60 个增加到 98 个,其工作对象也由中产阶级转向城市贫民。他差不多是单独一人说服美国公司和基金会通过财政捐款支持在工作、住房、教育和家庭重建等方面的自助计划,为此而尤其受到称颂。他曾担任肯尼迪总统和约翰逊总统的种族事务顾问。卒于尼日利亚,当时他正在那里参加由福特基金会举办的促进非洲、美洲互相了解会议。

Young America Movement **青年美国运动** 19 世纪 40 年代末和 50 年代初风靡一时的美国哲学、经济、宗教和政治概念。它受到 19 世纪 30 年代青年欧洲运动的鼓舞,热情支持自由市场的资本主义和扩展领土边界。从 1845 年起成为一个政治组织,其领袖为 E.德莱昂和 G.H.埃文斯。"青年美国"拥护自由贸易的信条,主张向国外市场扩张,兼并南方土地和支持国外的共和运动,在 19 世纪 50 年代初成为民主党内的一派,G.N.桑德斯成为主要发言人,《民主评论》成为机关刊物。当美国因地区纷争陷入四分五裂时,它试图在民主党内把分裂各方团结在其国家主义纲领的基础上,但收效甚微,并随着地区纷争愈演愈烈而日趋消亡。

Young Christian Workers **公教青年工人运动** 比利时天主教神父卡尔迪金于1912 年所发起的运动。其宗旨在于培训工人从事传信活动并协助工人调整所在科室厂房的劳动气氛。1925 年成立全国性机构。受到比利时各主教的赞助以及教皇庇护十一世的支持。卡尔迪金还在青年农民、学生和青年夫妇中间成立类似组织。20 世纪下半叶这个运动在某些地区称为公教青年运动。

Young Germany **青年德意志** 德语作 Junges Deutschland。德国 19 世纪(约 1830～1850)的社会改革和文学运动,曾受到法国革命思想的影响,反对当时流行的浪漫主义和民族主义的极端形式。这一名称最初见于温巴尔格的论文集《美学征讨》(1834)。青年德意志的成员尽管天赋很高,具有文学才华和强烈的政治意识,却未能博得国人的同情,反而招致广泛的敌意。其中部分原因是他们没有社会地位和未受高等教育。有些成员祖籍是犹太人,也是一个障碍。该运动的领导人有温巴尔格、古茨科和蒙特。劳布、黑尔韦格、伯尔纳和海涅同运动也有联系。德意志联邦议会在一项决议(1835-12-10)中把他们集体称为"青年德意志",要求德意志各邦严格进行书报检查,取缔他们的著述。其中一些成员虽然是有才华的诗人,但是他们一般倾向于写雅淡的散文论著,在文中试图把浪漫主义的幻想部分从公众的意识中清除掉,激起一种争取社会和政治正义的运动。青年德意志的宗旨还在于争取一种活泼的民主和民族的戏剧,并为德国的现实主义戏剧铺平道路。1848～1849 年的革命运动导致它的衰落。

Young Ireland **青年爱尔兰** 19 世纪 40 年代爱尔兰的民族主义运动。这一运动由创办《民族》周刊并为其撰稿的一群知识分子发起,鼓吹研究爱尔兰历史和复兴爱尔兰语言(盖尔语),以发展爱尔兰民族主义和取得独立。1846 年他们与全国撤销合并法协会分裂,其影响开始衰落。1848 年他们中的激进派领导起义遭镇压,这一运动停止活动。

Young Italy **青年意大利** 意大利语作 Giovine Italia。1831 年由 G.马志尼发起的运动,在复兴运动(为实现统一的意大利共和国而斗争)中起过重要作用。由于烧炭党人领导的起义屡次失败,因从事革命活动被放逐

到马赛的马志尼想建立一个新的团体。与烧炭党人所用的秘密方式和依靠外援的作法相反,青年意大利要把它的活动建立在意大利人民道德和精神的复兴上,主张成立共和政府,也主张国家的统一。为了宣传这些思想,马志尼于1832～1834年出版《青年意大利》刊物。这个运动从1831年开始时有40个成员,到1833年已发展到5万人以上。青年意大利运动很快在意大利北部蔓延开来,但它一直是一个中产阶级的运动。马志尼不仅瞩目于意大利,1834年他发起青年欧罗巴运动来鼓励在全欧洲成立民族主义组织。19世纪30～40年代青年意大利密谋推翻政府的多次起事均告失败。1848年马志尼以意大利民族委员会取代青年意大利运动。1850年,皮埃蒙特肩负起谋求统一的斗争领导以后,马志尼的影响随之下降。

Young Maori Party 青年毛利党 19世纪末和20世纪初新西兰已经欧化的、受过教育的毛利人组织的团体,致力于使毛利人在一定程度上同化于白人文化。19世纪90年代由蒂·奥特学院的一批毕业生建立。最著名的领袖是A.恩加塔、T.R.希罗阿和M.波马雷。青年毛利党人企图沟通毛利人与白人之间由于毛利人对白人社会的文化与物质生活的反感而形成的隔阂,特别是在卫生和教育方面。他们通过政府工作,形成议会中的一个集团,在某些方面取得一定的成就。

Young Men's and Young Women's Hebrew Association(YM-YWHA) 希伯来男女青年会 又称Jewish Community Centre(犹太社会中心)。分布在各国的犹太社会团体,向犹太社会各个年龄群提供广泛的文化、教育、娱乐和社交活动。宗旨是训练青年参加民主社会,保证犹太教在社会生活中成为积极因素,促进犹太社会的文化统一。该中心起源于19世纪40年代在美国各城市形成的犹太青年文学团体。第一个被称为希伯来青年会的组织于1854年在美国马里兰州巴尔的摩成立。第一个女青年会组织(YWHA)在19世纪80年代成立,作为纽约青年会的附属组织。第一个独立的女青年会成立于1902年。这些男女青年组织最后合并为一个。到20世纪后期,在240个美国和加拿大的城市中的400多个犹太社会中心或YM-YWHA中有会员75万人以上。许多中心主办白日野营、夏令营、托儿所、音乐会、艺术和工艺展览、讲演会和体育-卫生-教育活动。该中心的活动已经扩展到约20个国家,通过世界希伯来青年会和各犹太社会中心保持联系。

Young Men's Christian Association(YMCA) 基督教青年会 以通过团体活动和公民训练发扬基督徒高尚品德为宗旨的跨教派的非政治性组织。1844年伦敦人威廉斯(先为布店店员,后为店主)领导12名青年成立俱乐部以"提高布店和其他行业的青年的灵性修养"。这种俱乐部迅速推广到英国各地,1850年传到澳大利亚,1851年传到北美洲,其后在北美洲获得空前发展。基督教青年会的活动内容有体育运动、野营、生活辅导、正规教育、非正规教育、公共事务和公民活动,此外还经营公寓、宿舍和自助食堂。美国基督教青年会还办有授予学位资格的学校以及成人夜校等各级学校多处。在美国,基督教青年会在南北战争期间开始为武装部队服务,其后一直未断。根据1929年的《日内瓦公约》,基督教青年会有责任在许多战俘营中促进教育和文娱设备的添置。各地基督教青年会联合组成全国委员会,全国委员会参加世界基督教青年会联盟。联盟成立于1855年,中心机构设在日内瓦。1955年联盟百年大庆,在巴黎举行一系列会议,参加代表有8 000人,代表着76个国家和地区的400多万会员。

Young New Zealand Party 青年新西兰党 新西兰议会中的一个集团。这个集团在保守党当政时期(1887～1890)在议会中是有力的反对党,并为自由党造就了许多主要人物,如W.P.里夫斯、J.沃德和J.麦肯齐。他们鼓吹现代的社会和经济思想。该党不仅通过其纲领而结合在一起,而且培养民族意识,使每个党员把自己看作新西兰人,而不是移居来的不列颠人。

Young Ottomans 青年奥斯曼党 土耳其语作Yeni Osmanlılar。1865年6月土耳其民族主义者在伊斯坦布尔成立的秘密组织,主张把土耳其人占统治地位的多民族的奥斯曼帝国改建成更加纯粹的土耳其人国家,并呼吁建立立宪政府。到1867年,党员由原来的6名扩充到245名。该党受到埃及亲王穆斯塔法·法齐的财政与物质支持,并引起奥斯曼王子们的注意。该党在巴黎出版《自由报》,号召土耳其人要求成立立宪政府。阿里帕夏去世后的大赦中,大多数青年奥斯曼党人返回土耳其。这个运动后来逐渐失势,除了如凯末尔的孤立活动外,已不再成为国家事务中的重要因素。

Young Plan 《扬计划》(1929) 又译《杨格计划》。关于德国的第一次世界大战赔款的支付问题的第二次重新协商。由美国人O.D.扬主持的一个新的委员会于1929年2月11日在巴黎开会,修订1924年《道威斯计划》。它的报告(1929-06-07)经过较小改动后被接受,于1930年9月1日开始生效。它把德国应付的赔款总额缩减为1 210亿德国马克,59年付清,建立国际结算银行,处理款项转让事宜,结束外国对德国经济生活的控制。但《扬计划》还没有实施,30年代的世界经济大萧条即已开始,德国完全丧失了支付能力。1932年洛桑会议建议把赔偿缩减到象征性的30亿马克,但是这一建议没有得到批准。

Young Poland movement 青年波兰运动 波兰的文艺运动。20世纪初,波兰的各种不同的新浪漫主义作家聚集一处,共同反对自然主义和实证主义,使波兰文学恢复不受拘束地表达情感和想象的能力,并使之扩展到整个艺术界。他们研究波兰过去的浪漫主义作家以及当代西欧文学趋向,如象征主义,以取得鼓舞。该运动主要集中在克拉科夫,以诗人A.朗格和编辑、评论家Z.普热斯梅茨基(米里安)为其先导。该运动最知名的人物是画家兼剧作家S.韦斯皮扬斯基,他的戏剧《婚礼》(1901)是用传统木偶戏院的流行诗写成的一部杰作。其他作家还有农民诗人J.卡斯普罗维奇和小说家S.热罗姆斯基、W.S.莱蒙特以及K.伊日科夫斯基。

Young Pretender, the 小王位觊觎者 参阅 **Charles Edward, the Young Pretender** 查理·爱德华(小王位觊觎者)。

Young Tunisians 青年突尼斯党 1907年由在法国受过教育的突尼斯青年知识分子组织的政党,反对1883年建立的法国保护国。由阿里·贝什·哈姆巴和巴希尔·斯法尔领导的这个党要求完全由突尼斯人控制本国的政府和行政部门,突尼斯人与法国人有同样充分的公民权利。它在受过教育的、有职业的穆斯林中受到欢迎,但其自由主义的态度和西方化的生活方式疏远了普通人民。1911年青年突尼斯党抗议意大利侵略相邻的穆斯林聚居区的黎波里塔尼亚。他们号召实行抵制和罢工,以反对意大利人在突尼斯开设的公司。同时,针对法国当局把穆斯林墓地登记为公共财产而举行的大规模抗议,导致暴力、谋杀。法国人采取的对策是将该党的领导人放逐(1912)。青年突尼斯党被迫转入地下。第一次世界大战结束时该党重新出现,在突尼斯民族主义运动中成为活跃分子。1920年重新组成宪政党(**Destour**),1957年前很活跃。

Young Turks 青年土耳其党 奥斯曼一些进步团体的联盟,它领导反对苏丹阿卜杜勒-哈米德二世独裁政权的革命运动,最后建成一个立宪政府。青年土耳其党在执政后推行促进奥斯曼帝国现代化的计划,倡导新的土耳其民族主义的精神;然而他们推行的外交政策却导致奥斯曼国家的崩溃。1899年伊斯坦布尔帝国医学院的一群学生暗中计划推翻阿卜杜勒-哈米德二世,并且很快得到该市其他一些学院的响应。事情败露后,许多领导人逃亡国外,大部分去巴黎,他们在那里作革命的准备工作。其中最著名的人物是艾哈迈德·勒扎,他后来成为"统一与进步委员会"的主要发言人。该委员会主张在一个强有力的中央政府领导下推行改革,并排除一切外来的影响。它的主要对手是萨巴赫丁亲王组织的"个人创制与分权联盟"。联盟主张权力分散并在欧洲援助下推行改革。虽然这两个组织在传播自由思想方面起过重要作用,但是真正推动1908年青年土耳其革命的却是在帝国国内的一些集团,特别是驻马其顿第3军团的不满分子。在穆斯塔法·凯末尔领导下,该军团的许多青年军官于1906年组成奥斯曼自由协会。翌年,这个团体在巴黎与统一与进步委员会合并,统一与进步委员会也与个人创制与分权联盟达成为共同目标而并肩战斗的协议。1908年7月3日,第3军团的艾哈迈德·尼亚齐少校在雷斯纳发动起义。起义的烈火迅速蔓延到整个帝国。阿卜杜勒-哈米德只好在7月24日宣布恢复1876年宪法和重新召开议会。1913年统一与进步委员会开始执政，实现行政改革，促进国家工业化，并使妇女得到受教育的权利。内政方面的这些积极发展却被政府外交决策造成的灾难性后果所掩盖。由于对德国军事力量估计过高，随同盟国参加第一次世界大战，终被协约国击败。在失败临近时统一与进步委员会内阁不得不在1918年10月辞职。

Young Women's Christian Association (YWCA) **基督教女青年会** 基督教跨教派组织。其宗旨为"增进女青年在体育、群育、智育、德育和灵育等方面的成长"。其会徽为蓝色三角框，三边分别代表体、智、灵，象征该会的三个活动方面：文体、教育、灵性。基督教女青年会与基督教青年会是互不相属的两个组织。1855年，英格兰有两个团体开会，目的是救助妇女：一个团体组成祈祷联合会，为妇女祈祷；另一个团体为青年妇女开办基督教公寓。这就是基督教女青年会的肇始。这两个团体于1877年合并，取今名。1884年该组织通过章程。在美国，35位妇女在纽约成立第一个基督教女士协会，其宗旨是"为自食其力的青年妇女提供世俗的、道德的和宗教的福利"。1866年，另一些妇女本着同样的宗旨在波士顿开会，写成基督教女青年会章程。到1900年，美国已有几百个基督教女青年会，全国性机构成立于1906年。产业革命对青年妇女，尤其是城市女青年的生活产生深刻的社会影响，而这些影响又作用于早期基督教女青年会。该组织救济贫寒，辅导女青年和妇女进入社会生活的主流。该会为离家自立的妇女提供经济、安全而舒适的住处。该会还举办夏令营、教育事业和文娱活动，女青年不分经济情况、种族出身和宗教信仰，都可参加。各地基督教女青年会参加全国协会，全国协会参加世界基督教女青年会。世界协会在1894年成立于伦敦，其中心机构设在日内瓦。美国基督教女青年会在50个州里均设有机构，提供多种服务和开发活动，对象是妇女、儿童及其家庭。基督教女青年会的活动计划涉及种族平等与和谐、公共政策、卫生保健、儿童保健、职业培训、体育和文娱。

Younger BROTHERS 杨格弟兄（托马斯·科尔曼 1844～1916；约翰 1846～1874；詹姆斯 1850～1902；罗伯特 1853～1889） 美国南北战争以后，中西部的4名亡命徒。少年时期，他们曾经目睹堪萨斯-密苏里边境的流血冲突以及南北战争的战斗场面。科尔曼·杨格参加南部邦联的游击队。1866年南北战争结束后，他又参加杰西和弗兰克·詹姆斯等亡命徒的集团，先在密苏里，后来又在周围各州抢劫银行。詹姆斯·杨格在1868年，约翰·杨格在1869年，罗伯特·杨格在1872年参加他们的集团。1873年夏，这个集团除一般作案外，还几次抢劫火车。平克顿的密探和密苏里的司法官早已开始追捕他们。1874年3月发现约翰和詹姆斯·杨格，在枪战中将约翰击毙。1876年9月7日剩下的3名杨格弟兄及其同伙抢劫明尼苏达州诺斯菲尔德的第一国民银行。他们在离开银行时遭到一群市民的枪击。这个集团有3名被击毙，2名脱逃。杨格弟兄被捕，判处无期徒刑。罗伯特病死狱中。科尔曼和詹姆斯于1901年获释。次年，詹姆斯自己枪击头部而死。科尔曼著有《自述》(1903)，在演艺团中当几年演员。后还乡隐居，患心脏病而死。

Younghusband, Sir Francis Edward 扬哈斯本（1863-05-31，印度穆里～1942-07-31，英格兰多塞特利奇特明斯特） 曾译荣赫鹏。英国军官和探险家。他在印度北部和西藏的

伦敦国立肖像画陈列馆供图

旅行对地理研究有很大贡献。他强迫缔结《英藏条约》(1904-09-06)，使英国取得贸易特权。1882年入伍，1886～1887年从北京出发，穿越中亚到达莎车（在今中国新疆维吾尔自治区）。然后取道喀喇昆仑山脉的木斯塔山口前往印度，发现这条山脉是印度和突厥斯坦的分水岭。后来他又两次去中亚勘察了帕米尔高原。英国曾几次试图取得在西藏的贸易权利。1903年7月，印度总督寇松勋爵派他为全权代表，在武装人员护送下进入西藏，谈判贸易和边界冲突问题，未得结果。英人麦克唐纳少将率兵入侵西藏，在古鲁屠杀藏人600余名。扬哈斯本前往江孜进行贸易谈判，也未成议。他随英军进入拉萨，迫使西藏的统治者达赖喇嘛签订商约。他因此于1904年获得爵士称号。

Youngina 杨氏鳄 原始爬行类的绝灭属。化石见于南非的上二叠统（二叠纪开始于2.86亿年前，延续4 100万年）。是典型的始鳄类（爬行动物的一个基本世系，由它产生后

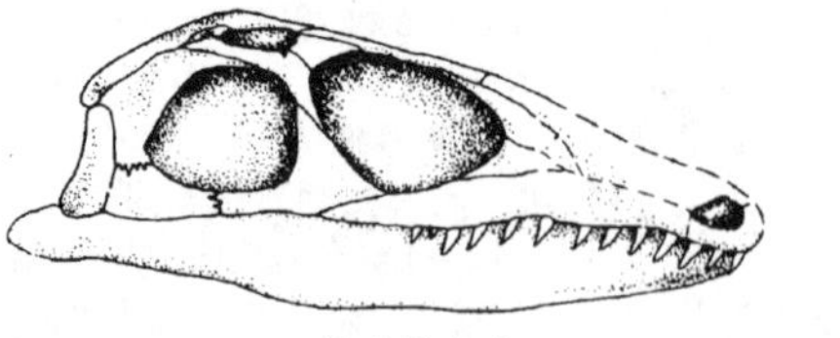

杨氏鳄头骨

来的蜥蜴类和蛇类，可能是2.45亿年前至6 640万年前之间的中生代居统治地位的爬行类的祖先）。具有细长的躯体和四肢、原始又一般化的头骨。保留着松果眼（光感受器，在效果上是第三只眼）。

Young's experiment 杨氏实验 英国医生兼物理学家T.杨在1802年所做的一个著名实验，对光的本性做了经典的研究，在波动理论发展中占有重要地位。杨在这一实验中观察到了干涉现象。他看到，当将单一光源发出的光分成两束，然后再使它们重合时，重合的光束显示出亮、暗相间的条纹，杨推断条纹由下列事实产生：重合的光束的波峰和波谷的相位不同。当两个波峰重合时，它们互相加强，形成明亮线；当波峰和波谷重合时，它们互相抵消，形成暗线。英国科学家不承认杨的波动理论，直到多年以后，由于法国物理学家A.J.菲涅耳和F.阿拉戈所做的工作证实了杨的实验，杨的这一理论才被接受。

Young's modulus 杨氏模量 以18世纪英国医师和物理学家T.杨命名的常量，它描述固体只在一个方向上受到拉伸或压缩时的弹性。以一根金属棒为例，在纵长方向上受到

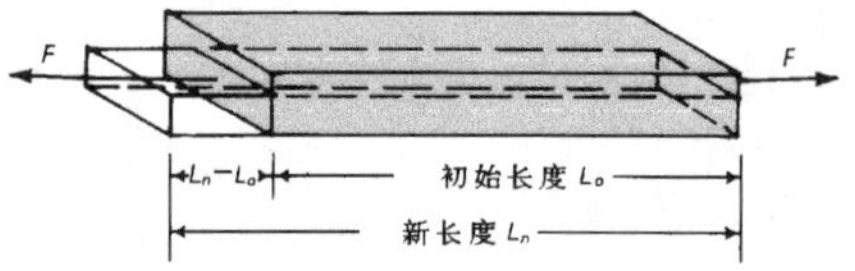

金属棒在张力下长度增加而截面缩小

拉伸或压缩，卸载时会恢复原有长度。杨氏模量是材料在纵长方向受到拉伸或压缩时阻碍长度变化的能力的量度，也称为弹性模量，它等于纵应力除以应变。截面积为 A 的金属棒两端受到拉力 F，棒由初始长度 L_0 拉至新长度 L_n（同时截面缩小）。应力就是张力除以截面积的商，即 F/A。应变或相对形变为长度的变化 $L_n - L_0$ 除以初始长度 L_0，即 $(L_n - L_0)/L_0$。因此，杨氏模量可用下式表述：

$$\text{杨氏模量} = \text{应力}/\text{应变} = \frac{F/A}{(L_n - L_0)/L_0}$$

这是描述弹性的胡克定律的特殊形式。杨氏模量单位为牛顿/米^2。铝的杨氏模量值约为7.0×10^{10}牛顿/米^2。钢的杨氏模量值约为铝的三倍。这表明使钢棒长度发生同样变化所需的力为同形状铝棒的三倍。杨氏模量只在应力与应变成正比，并且当外力取消时材料能恢复原有大小的情况下才有意义。随着应力的增大，杨氏模量减小而不再保持不变，材料或者发生流变，即永久性形变，或者最终断裂。当金属棒在拉力下伸长时，宽度略有减小，这种横向收缩构成横向应变，它等于宽度的变化除以原有宽度。横向应变与纵向应变之比称为泊松比。钢的泊松比平均值为0.28，铝合金为0.33。泊松比小于0.50的材料，在纵向拉力下体积增大，受到纵向压缩时体积缩小。

Youngstown 扬斯敦 美国俄亥俄州东北部马霍宁县和特兰伯尔县城市，又是马霍宁县县城(1876)。地处克利夫兰（西北）与匹兹堡（东南）之间，濒临马霍宁河，邻宾夕法尼亚州。为一钢铁工业联合体（包括沃伦、奈尔斯、坎贝尔、斯特拉瑟斯和吉拉德等市）的中心。1797年始建，1848年设村，1867年设市。1805年建该州第一座冶铁炉。1855年苏圣玛丽船闸开始启用，便利了从五大湖北部运送矿砂；随后，4条铁路干线和4条支线建成。1920年成为美国最大的产钢中心之一。20世纪70年代虽有若干钢铁厂关闭，现仍有钢铁生产。其他工业产品有铝、橡胶、纸制品、办公室家具、飞机和汽车零件等。设有州

立扬斯敦大学、巴特勒美国艺术学院、扬斯敦剧院、扬斯敦交响乐中心、福特自然教育中心。景色优美的米尔河公园中有一条约10千米长的峡谷，谷内有3个湖泊和1个瀑布。人口：市95 732；扬斯敦－沃伦都会统计区492 619（1990）。

Yourcenar, Marguerite　尤瑟纳（1903-06-08，布鲁塞尔～1987-12-17，美国缅因东北港）原名 Marguerite de Crayencour。小说家、小品文作家和短篇小说家，被选为法兰西学院院

供图：©Gisele Freund 1971

士的第一位妇女。该学院为限制严格的文学研究机构，院士仅限40名。尤瑟纳早年跟随父亲游历过不少地方。十几岁就开始写作。她的作品是严格的古典风格，它们所表现出的博学和细致的心理描绘令人瞩目。著名作品有历史小说《哈德良回忆录》（1951）、《黑暗中的工作》（1968）。其他的作品有《东方故事》（1938）、散文诗《火》和短篇小说《致命的一击》（1939），她还写有许多小品文，并将黑人圣歌及各种英美小说译成法文。法兰西学院院士必须是法国公民。虽然她于1947年入美国籍，但是1979年，法国总统授予她美法双重国籍，1980年3月6日被选为该院院士。

youth hostel　青年寄宿舍　为青年提供廉价住宿并有专人管理的住所。它有各种类型，从提供简单膳宿的农舍，到可同时接纳数百人住宿数日的旅馆。世界上许多地方都有这种寄宿舍，通常位于风景区，彼此相隔一定距离，这样旅客可在一天内步行、骑自行车或乘独木舟从一处到另一处。旅客经常自己做饭，自己安排卧具，还协助寄宿舍做些其他轻便工作，因此住宿费远较一般旅馆为低。在某些国家寄宿舍为客人规定了年龄限制，通常对居住期限也有规定。寄宿舍最早是德国在20世纪初建立的，第一次世界大战后，欧洲及世界其他地区纷纷兴办寄宿舍。1932年成立了国际青年寄宿舍联合会，协调各国青年寄宿舍协会的活动，并为其成员的国际旅行提供方便，到1980年它的成员包括50个全国性协会。全国性寄宿舍组织定期出版手册，其中介绍寄宿舍的地址和设备。

Yovkov, Yordan　约夫科夫（1880-11-09，保加利亚热拉夫纳～1937-10-15，索非亚）　保加利亚小说家、剧作家。他的描写巴尔干农民生活和戎马生涯的小说显示出其细腻娴熟的写作散文的技巧。生长于多布罗加，在索非亚完成学业后，回到故乡教书。后来在保加利亚驻布加勒斯特公使馆工作。他的《古山传说》（1927）取材于巴尔干的民间故事。另一部小说《边疆的田庄》（1934）描绘了多布罗加的乡村生活。他的戎马生涯激励他写出一些优秀的小说。剧本有《阿尔贝纳》（1930）、《鲍梁娜》（1932）和一部喜剧《百万富翁》（1930）。

Yozgat　约兹加特　土耳其中部城市。位于安卡拉以东160千米阿克山山谷中青铜时代居民点旧址，海拔1 329米。在锡瓦斯至安卡拉公路干线上。主要为贸易集散地和行政中心。周围地区森林繁茂，主要产品有马海毛、羊毛、谷物、树胶及铅。该地区有许多古代赫梯人遗址。人口59 466（1997）。

Ypacaraí　伊帕卡拉伊　巴拉圭南部城市。建于1887年。为农牧区（烟叶、棉花、水果、牲畜）的商业和制造业中心。工业有轧棉、加工烟叶及石油、制革等业，并生产陶器、玻璃、肥皂及弦乐器等。有玛丽亚阿松塔农业学校和商业学校。与亚松森通铁路和公路。人口约7 098（1992）。

Ypres　伊普尔　佛兰芒语作 Ieper（伊珀尔）。比利时西部西佛兰德省城市。位于奥斯坦德南面，伊佩里河畔。中世纪时曾是主要的纺织中心。第一次世界大战中，为西线英军防区一个重要突出部内的主要城镇。战时伊普尔全部被毁。战后，按照原风格重建，著名建筑有宏伟的布业大厅（原建于1214）、保留着詹森教派的创始人C.詹森陵墓的圣马丁大教堂（13世纪）、中世纪的防御土墙、利勒门和纪念在第一次世界大战中阵亡英军的麦宁门。现为农业集市中心，并生产纺织品和建材。人口：城市区35 282（1992）。

Ypres, John（Denton Pinkstone）French, 1st earl of　伊普尔伯爵（第一）　参阅 **French, John（Denton Pinkstone）**弗伦奇。

Ypsilanti　伊普西兰蒂　美国密歇根州东南部沃什特瑙县城市。临休伦河，位于安阿伯之东。最初沿法国移民贸易站的周围发展，1832年设村。1858年设市，现为农产品贸易中心，并有多种制造业。城东有威洛伦机场和大型威洛伦汽车厂。市内有东密歇根大学（1849）和克利里学院。人口24 846（1990）。

Yr Wyddgrug（Wales）　参阅 **Mold** 莫尔德。

Yrigoyen, Hipólito　参阅 **Irigoyen, Hipólito** 伊里戈延。

Yrjö-Koskinen, Sakari　于里约－科斯基宁（1830，芬兰瓦萨～1903-11-13，赫尔辛福斯）原名 G.Z.福斯曼，受封男爵后改称今名。芬兰历史学家、政治家，用芬兰语写第一部芬兰史的作者。原为民族主义者、学者和19世纪中叶芬兰党党员。该党的宗旨为发展芬兰语，使之凌驾于统治芬兰的少数人所使用的瑞典语之上。他在《芬兰民族史》（1869～1872）中指出：芬兰语是发展高度文化的一种适当语言。19世纪70年代任芬兰党领袖。1872年选入芬兰议会（等级议会）。1882年选入参政院（芬兰政府）。不论在立法或行政部门，他总是为把芬兰语推广到大公国社会的所有角落而奋斗。自1898年俄罗斯化加剧，于里约－科斯基宁的旧芬兰多数派选择与帝俄政府反动措施妥协的道路。作为补偿，他们得以控制参政院，以于里约－科斯基宁为首脑并宣告在一切公共事务中芬兰语与瑞典语有同等地位。但妥协派终于破产，晚年于里约－科斯基宁遭受到不少的反对示威。

Ysabel（Solomon Islands）　**伊莎贝尔**　参阅 **Santa Isabel** 圣伊莎贝尔。

Ysaÿe, Eugène　伊萨依（1858-07-16，比利时列日～1931-05-12，布鲁塞尔）　比利时小提琴家、指挥家和作曲家，是当时法国与比利时作曲家弦乐作品的最佳表演者。1886～1897年任布鲁塞尔音乐学院小提琴教授。1894年在布鲁塞尔举办一组介绍新作品的管弦乐音乐会。同年，创办伊萨依四重奏团。1918～1922年任辛辛那提交响乐团指挥。他的演奏以技巧精湛、富于表现力及大量的颤音著称。

供图：J.P.Ziolo

弗兰克、圣－桑、丹第及福莱的某些作品是在他的启发下写成的。他自己的最佳作品包括6首带有新颖和弦及拨弦效果的无伴奏小提琴奏鸣曲。还写了8首小提琴协奏曲以及室内乐和一部用瓦隆语写成的歌剧《矿工彼得》（1931）。

Yser River　伊瑟河　Yser佛兰芒语作IJzer。源出蒙兹卡塞尔和德勒克莱兹砂岩山地北侧。长77千米，成弧形流经比利时西部的西佛兰德省，经尼乌波特后注入北海。四周围海低地的众多河渠都汇入该河，在尼乌波特的水闸调节河水水位，以利于排水和航行。从法国边境以东起河道已经运河化，但到了漫长的夏季不能通航。该河经卢运河与弗尔讷相通，以伊瑟运河与伊普尔相连。

Ysleta　于斯莱塔　原为美国得克萨斯州西端埃尔帕索县城镇。濒临格兰德河。1681～1682年间由西班牙教士和信奉基督教的印第安人创建，为目前得克萨斯境内最早的居民区。1955年为埃尔帕索合并。现为其东南部分。镇内有印第安人博物馆和工艺美术中

心。卡门圣母教堂(1682)是得克萨斯州最古老的传教机构。堂东的小块灌溉地被认为是美国最早的持续不断的耕地(1681)。

Ysopet 寓言集 又拼 Isopet。在法国文学中为中世纪寓言集的通称,常指《伊索寓言》的译本。"寓言集"一词首次用于 12 世纪后期 M.德·弗朗士写的故事集。据云,该书直接以英译《伊索寓言》为蓝本。另一个比较翔实可信的出处是中世纪的《罗姆里》,此书包括拉丁作家费德鲁斯和阿维恩努斯的作品。

ytterbium 镱(Yb) 化学元素,周期表Ⅲb族过渡稀土金属。熔点低,2 价的镱工业用途很少。J.-C.-G. de 马里尼亚克于 1878 年首次获得镱的精矿,并以最初发现该稀土金属矿的所在地瑞典于特比命名。G.于尔班和 C.A.冯·韦耳斯拔各自独立地指出"马里尼亚克土"是由两种氧化物组成的(1907～1908),于尔班把这两种氧化物叫作新氧化镱和氧化镥。现在这两种金属叫镱和镥。镱是丰度较小的稀土之一。在磷钇矿和黑稀金矿等许多稀土金属矿中以及在核裂变产物中均含极少量镱。天然镱由 7 种稳定同位素组成:镱 168(0.135%)、镱 170(3.03%)、镱 171(14.31%)、镱 172(21.82%)、镱 173(16.13%)、镱 174(31.84%)和镱 176(12.73%)。用离子交换法可将镱与其他稀土金属元素分离。1929 年,W.K.克利姆和 W.舒特用氢将氯化镱(Ⅲ)$YbCl_3$ 还原成氯化镱(Ⅱ)$YbCl_2$,首次制备出镱的2价化合物。用电解还原法或用钠汞齐处理 3 价镱盐也可制备2价的 Yb^{2+} 离子。镱可形成一系列浅绿色 2 价化合物,如硫酸镱(Ⅱ)、溴化镱(Ⅱ)、氢氧化镱(Ⅱ)和碳酸镱(Ⅱ)等。浅绿色镱离子 Yb^{2+} 在水溶液中不稳定,易还原水而释放出氢气。Yb^{2+} 离子稳定性低于2价铕离子 Eu^{2+},但高于2价钐离子 Sm^{2+}。镱主要呈 3 价,可形成一系列白色化合物,如镱(Ⅲ)的氧化物、硫酸盐和硝酸盐。镱是较软的银白色金属,最方便的制备方法是用金属镧热还原镱的氧化物,然后蒸馏出较易挥发的金属镱。单质镱在室温下可被空气缓慢氧化,与水反应释放出氢气。镱原子序数 70。原子量 173.04。熔点 824 °C。沸点1 193°C。比重 6.972(25 °C)。化合价 2、3。电子组态 2,8,18,32,8,2 或(Xe)$4f^{14}5d^{0}6s^{2}$。

yttrium 钇(Y) 化学元素,周期表Ⅲb族过渡稀土金属,用作彩色电视机的红色荧光物质。钇为银色金属,有延展性,比较活泼,金属屑在空气中容易燃烧。1794 年,J.加多林从瑞典于特比矿石中分离出钇土——一种新的土即金属氧化物,钇土是首次发现的稀土氧化物。后来经证明,钇土是多种金属氧化物的混合物。在一百多年中间,先后从这个混合物中分离出 9 种元素,即钇、钪(原子序数 21)和从铽(原子序数 65)到镥(原子序数 71)的重稀土金属。钇主要存在于重稀土矿中,其中以硅铍钇矿、黑稀金矿和磷钇矿最为重要。在地壳火成岩中钇的丰度高于除铈以外的任何稀土元素,是铅丰度的两倍。核裂变产物中也有钇。工业上是用离子交换法将钇与其他稀土分离开来。用钙还原钇的氟化物可制备金属钇。钇用于合金和冶金过程,钇的化合物用于光学玻璃和特种陶瓷,用作催化剂,还用于包括荧光粉和激光器在内的电子与光学器件。含钇和铕的红色荧光粉可大大地改善彩色电视的质量。有两种荧光粉,一种是铕激活的正钒酸钇,另一种是铕激活的氧化钇。利用氧化钇作固态微波器件的石榴子石已用于雷达和通讯系统,例如用钇-铁石榴子石发射短波时,能量损失非常小。掺钕钇-铝石榴子石激光器为切割和焊接金属的有效工具。放射性钇可用于癌症治疗。钇具有典型 3 价稀土元素的化学性质,其离子半径为 0.90 埃,接近钬和铒的离子半径(分别为 0.908 和 0.894 埃),将钇与钬和铒分离是困难的。钇可形成一系列近乎白色的化合物,如钇的氧化物、硫酸盐、氯化物和碳酸盐。Y^{3+} 离子是反磁性的。钇的天然同位素只有稳定的钇 89。钇原子序数 39。原子量 88.905。熔点 1 523 °C。沸点 3 337 °C。比重 4.457(25 °C)。化合价 3。电子组态 2,8,18,9,2 或(Kr)$4d^{1}5s^{2}$。

Yu 禹(公元前 2140～?) 中国传说中古代部落联盟领袖。姒姓。名文命,亦称大禹、夏禹、戎禹。鲧之子。原为夏后氏部落领袖。尧令部落首领鲧治水,鲧仅用筑堤防水之法,

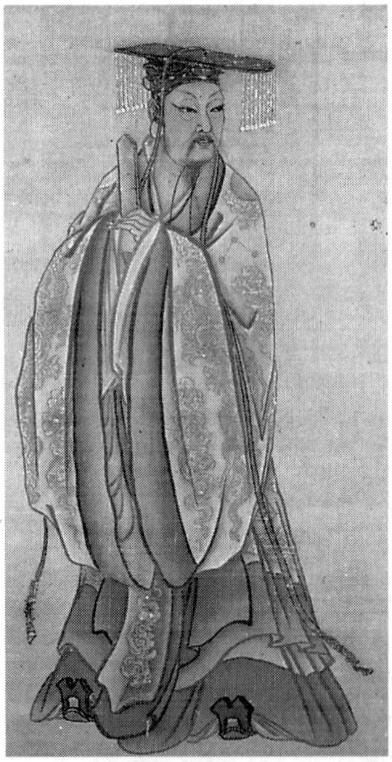

台北故宫博物院供图

9 年未治平,被处死于羽山。舜杀鲧后,令其子禹继续治理洪水。禹鉴于鲧用防堵法治水失败,改用疏导。亲临工地,13 年中三过家门而不入,终于奏功,以此被舜选为继承人。舜死后被任部落联盟领袖。禹死后其子启继位,建立中国古代第一个奴隶制国家,即夏。

yu(Chinese vessel) 参阅 **you** 卣。

yu 敔 中国古代木制击奏体鸣乐器。又名"楬"。周代用于宫廷祭祀、宴享的"雅乐"。在演奏结尾时敲击,以示演奏停止。形状如伏虎,背上排列27个齿状突起物,称"钼铻"。

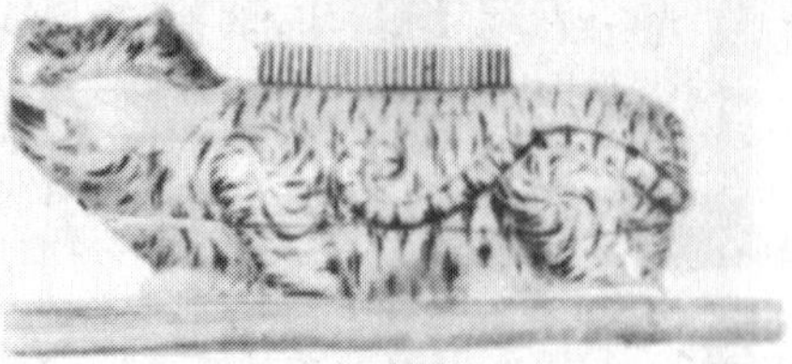

敔

中国大百科全书出版社供图

击敔所用木棒称"籈"。击时以籈敲击钼铻发声。

Yu Bin 于斌(1901-04-13～1978-08-16) 又拼 Yü Pin。中国台湾地区枢机主教。号冠五、希岳,后改号野声。黑龙江兰西人。14 岁受洗加入天主教公教。1919 年就读吉林省城天主教会神罗修道院,后转读上海震旦大学预科法文组。1924 年赴罗马传信大学研读哲学、神学,先后获传信大学宗教学博士、罗马圣多玛斯学院哲学博士、意大利国立伯鲁日大学政治学博士学位,精通拉丁语及英、德、法等数国语言。1928 年在华天主教会在北京成立中华全国公教进行会,于斌曾出任总监。1936 年被教皇庇护十二世任命为南京区主教。抗日战争时期,在重庆主持难民救济工作,并应聘为国民参政会参政员。1943 年赴美国会见罗斯福总统,鲁温斯大学授予他名誉社会学博士学位。1946 年升任南京区总主教,获选为国民大会代表。1949 年在华盛顿创办中美文化协会,在纽约创办中美联谊会。1960 年辅仁大学在台湾复校,于斌任校长。1969 年被教皇保罗六世任命为枢机主教。1978 年赴梵蒂冈参加已故教皇保罗六世葬礼时,因心脏病猝发去世。

Yü Ch'ien(Chinese minister) 参阅 **Yu Qian** 于谦。

Yu-ch'un(Korean painter) **有春** 参阅 **Yi In-mun** 李寅文。

Yu Dafu 郁达夫(1896-12-07,中国浙江富阳～1945-09-17,马来西亚彭亨州武吉丁宜) 又拼 Yü Ta-fu。中国作家。1913 年随大哥赴日留学,开始学医,后入东京帝国大学学习经济。亲身感受帝国主义的压迫歧视,在苦闷、抑郁中阅读大量俄国和西欧文学作品,开始文学创作。1921年与郭沫若等人创立"创造

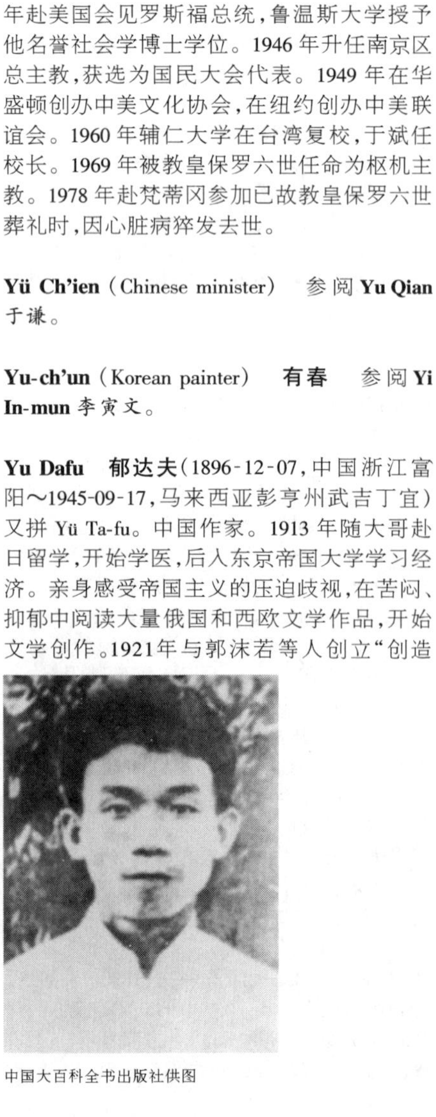

中国大百科全书出版社供图

社”,同年发表处女作、新文学中最早的白话小说《沉沦》,受到青年读者的广泛欢迎。1922年回国后,编辑创造社刊物并继续写作,先后著有《春风沉醉的晚上》、《薄奠》等描写劳动者高贵品质和苦难遭遇的小说。1923年出版小说集《茑萝集》。此后曾在北京大学、武昌师范大学、中山大学任教,并编辑《创造月刊》、《洪水》。1927年“四一二”事变后,曾著文抨击。不久,因创造社内部发生分歧而退出。1928年出版中篇小说《迷羊》,并与鲁迅合编《奔流》杂志。1930年,与鲁迅等同为中国自由运动大同盟、中国左翼作家联盟发起人。1932年出版中篇小说《她是一个弱女子》,遭查禁。1933年初,参加中国民权保障同盟,后因白色恐怖日益严重,隐退杭州,思想一度消沉,在《迟桂花》(1932)、《东梓关》等小说及游记中有所反映。1935年撰写中篇小说《出奔》,这是他的最后一篇小说。1937年,抗日战争爆发后奔赴武汉,任国民政府军委政治部三厅设计员,参加救亡运动。1938年到新加坡,主编《华侨周报》和《星洲日报》副刊,写了不少政论与旧体诗,宣传抗日。1942年日军占领新加坡前夕撤离到苏门答腊,继续抗日工作。1945年9月7日被尚未缴械投降的日本宪兵杀害。郁达夫著作甚富,1928年起,他曾陆续自编《达夫全集》,共8卷。此外还有《日记九种》、《达夫自选集》等。80年代后出版有《郁达夫文集》,以及《郁达夫选集》多种版本。

Yu Guohua　俞国华 (1914-01-10～2000-10-04,台湾)　又拼Yü Kuo-hua。台湾国民党政府政界要人。浙江奉化人。1934年毕业于清华大学,先后任职于军事委员会委员长南昌、武昌及重庆行营。1936年起任委员长侍从室秘书,历经西安事变、两广事变及抗日战争。1942年随蒋介石访问印度,翌年又随蒋介石出席开罗会议。1944年到美国哈佛大学研究经济,1946年转赴英国伦敦继续从事研究。1947年出任国际复兴开发银行副执行董事。1951年改任国际货币基金会副执行董事。1955年到台湾,任“中央信托局”局长,致力于发展外贸工作。1961年调任台湾“中国银行”董事长兼“中国产物保险公司”董事长。1967年12月出任“财政部长”。1969年当选为国民党中央委员,同年转任“中央银行”总裁。1977年又兼任“行政院”经济建设委员会主任委员。1984年6月由蒋经国提名任“行政院”院长。任内以继续经济建设及逐步开放民主为施政重点,包括解除戒严、解除党禁、开放台胞赴大陆探亲等。1989年5月辞职后任“总统府”资政。1995年任蒋经国基金会董事长。

Yu Jiang　郁江　又作Yü River。中国珠江流域西江水系最大支流。在广西壮族自治区南部。北源右江出云南省东南部广南县境内的杨梅山,是郁江干流;南源左江,上流源于越南境内。二江在南宁市邕宁区西部汇合后称郁江。全长1 152千米,总落差1 655米,平均坡降1.4‰,流域面积92 253平方千米。东流至桂平市会黔江后称浔江。郁江水面宽阔,百色以下可通航。

Yu Pingbo　俞平伯(1900-01-08,中国江苏苏州～1990-10-15,北京)　又拼Yü P'ing-po。中国作家、古典文学研究家。原名俞铭衡,字平伯。祖籍浙江德清县。1915年考入北京大学文学部,受到新文化运动影响,1918年在《新青年》上发表新诗《春水》。次年大学毕业,先后任教于浙江杭州第一师范学校、上海大学;赴英、美作过短期进修与考察。回国后,曾加入“文学研究会”、“语丝社”等,标榜“诗的平民化”。1922年与朱自清等人创办《诗》杂志,出版诗集《冬夜》,与朱自清合出诗集《雪朝》。其后又出版诗集《西还》(1924)和《忆》(1925)。1923年写《桨声灯影里的秦淮

中国大百科全书出版社供图

河》,与朱自清的同名散文久传不衰。其后还有散文集《燕知草》(1928)、《杂拌儿》(1928)、《杂拌儿之二》(1933)、《古槐梦遇》和《燕郊集》(1936)等陆续问世。俞平伯同时在古典文学研究方面颇为用力。1923年出版《红楼梦辨》,1925年作《红楼梦辨的修正》,与胡适一起,成为新红学派的代表人物。1924年俞平伯到北京,在北京外国语学校、燕京大学任教,并在北京大学、清华大学、北京师范大学兼任讲师,1931年任清华大学教授。抗日战争期间转至私立中国学院任教。抗战胜利后到1952年任北京大学教授。1953年调入北京大学文学研究所,后为中国科学院文学研究所研究员。1952年出版《〈红楼梦〉研究》(1923年初版名为《〈红楼梦〉辨》),两年后在全国范围内受到由毛泽东发起的批判。1956年任文学所一级研究员。其后出版《脂砚斋红楼梦辑评》(1954)、《红楼梦八十回校本》、论文《红楼梦中关于“十二钗”的描写》等。在古典诗词方面,尚有《读词偶得》(1934)、《清真词释》(1948)、《唐宋词选释》、《论诗词曲杂著》等。此外还有《俞平伯散文选集》、《俞平伯序跋集》等。

Yu Qian　于谦 (1398～1457)　又拼Yü Ch'ien。中国明代名臣、军事家。字廷益。钱塘(今浙江杭州)人。1403年进士。历官监察御史,山西、河南巡抚等,所至平反冤狱,安抚流民,护河堤,广积粟,备水旱,颇有政声。1449年秋瓦剌军进攻,英宗受宦官王振挟持亲征,于土木堡(今河北怀来东)被俘,朝野惊恐。谦怒斥迁都议论,坚主抗战,被监国郕王(后为景帝)擢为尚书,经划京师防御。10月瓦剌军犯京师,谦身自督战,大败瓦剌军。因功进少保,总督军务。次年英宗被释归。1457年乘景帝患病复位,谦遭诬陷以谋逆罪被处死。一生刚直,家被抄没时除受赐诸物外无余资。成化初平反。弘治二年(1489)赠

中国大百科全书出版社供图

特进光禄大夫、柱国、太溥。著有《于忠肃集》13卷。

Yü River(China)　参阅 **Yu Jiang** 郁江。

Yu Shan　于山　中国江西省中南部山脉。赣江和抚河的分水岭。东北-西南走向。北到南城附近的麻姑山,南抵贡水河谷于都、赣县一带,南北长约250千米。主要由红砂岩、

于山脚下的林场苗圃
中国大百科全书出版社供图

砂页岩和砂砾岩构成。谷地中的红色岩层被切割成丘陵,相对高度200～300米,常成陡崖壁立的“丹霞”地形,如宁都盆地的金靖山十二峰、兴国盆地的东面山等。于山主峰亦称于山,海拔634米,在于都县北。于山属中亚热带季风性湿润气候,降水丰富。植被以人工林为主,树种有杉、马尾松和毛竹,是江西主要用材林基地之一。矿产资源丰富,主要有钨、锡、铀、铋、铜、金、稀土等。

Yu Shan　玉山　中国台湾省山脉。北起三貂角,南接屏东平原,长约300千米。东与台湾中央山脉相接,其间有断层截切。西临阿里山脉。山脉中段地势高峻,多海拔3 000米以上的山峰。主峰玉山位于北回归线以北2.3千米,海拔3 997米,不仅为台湾最高山峰,也为中国东部最高峰。日本占领台湾期间于1897年曾将此峰改名新高山。1945年抗日战争胜利台湾回归中国后恢复原名。冬季经常积雪,“玉山”之名来源于此。浊水溪以北的山脉北段称为雪山,山势向北逐级降低,平均海拔1 500～2 000米。南段更低,多在海拔1 000米以下。山地降水量在3 000毫米

以上，东北部火烧寮1912年降水8 408毫米，为中国年降水量的最高纪录。山地多森林。北回归线以北海拔1 800米以下为常绿阔叶林，1 800～3 000米生长有红桧、台湾扁

台湾玉山
中国大百科全书出版社供图

柏等，3 000米以上以台湾冷杉为主，3 600～3 900米为灌丛和草甸。北回归线以南山地海拔500～1 300米为季风常绿阔叶林，1 300～2 000米为常绿阔叶林，2 000～3 000米为常绿阔叶与落叶阔叶混交林，3 000米以上与北段山地的树种相似。目前山地仍有原始林分布，材用、药用和化工用植物资源丰富。

Yu Shun　虞舜　参阅 **Shun** 舜。

Yu Shuyan　余叔岩（1890-11-28，中国北京～1943-05-19，北平[今北京]）　中国京剧演员。名第祺。湖北罗田人。出身梨园世家，祖父三胜，为清道光年间著名老生；父紫

中国大百科全书出版社供图

云，工青衣、花旦，清"同光十三绝"伶工之一。叔岩幼承家学，工文武老生。初从姚增禄学武生，又向吴连奎习老生，以"小小余三胜"艺名在天津贴演《捉放曹》等剧，初露头角。一度因病休养。26岁拜谭鑫培为师。28岁重新登台，出演于天津。29岁搭梅兰芳挑梁的裕群社；后自己挑班，声誉日隆，有"近代须生泰斗"之称。40岁以后常年居家养病，偶尔参加赈灾义务戏或堂会戏的演出，并曾与梅兰芳创办国剧学会，又收李少春、孟小冬为弟子，课徒授艺。他深得谭鑫培的艺术精髓，获谭派传人首席位次，并发展自己的独特风格，称"新谭派"，后来更创立了影响深远的"余派"。他嗓音虽欠洪亮，略带沙音，但清醇圆润，别有韵味，人谓"云遮月"。余派唱腔刚健苍劲而又雅静婉转，演唱时善用立音，声腔挺拔激越；又常用擞音，旋律柔巧动听；讲究字音声韵，出声归韵得当，四声区分准确，韵纯味厚，规矩严谨。擅于揣摩人物，用唱腔表达心态情感。他做表细腻，文武兼长，昆乱不挡，戏路宽广，擅演《战太平》、《定军山》、《洪羊洞》、《琼林宴》、《珠帘寨》、《盗宗卷》、《空城计》、《战樊城》、《镇潭州》、《宁武关》和《骂曹》、《戏凤》、《寄子》、《碰碑》等，以及独具风范的《洗浮山》、《沙桥饯别》。在京剧老生行当中，是继谭鑫培之后，造诣最高，影响最深的流派。弟子有吴彦衡、杨宝忠、王少楼、谭富英、陈少霖、李少春、孟小冬。

Yü Ta-fu（Chinese author）　参阅 **Yu Dafu** 郁达夫。

Yü-tz'u（China）　参阅 **Yuci** 榆次。

Yu Xin　庾信（513～581）　又拼 Yü Hsin。中国南北朝文学家。字子山。南阳新野（今属河南）人。父庾肩吾是南朝梁代著名宫体诗人。庾信早年以写绮丽精巧的诗赋著名。

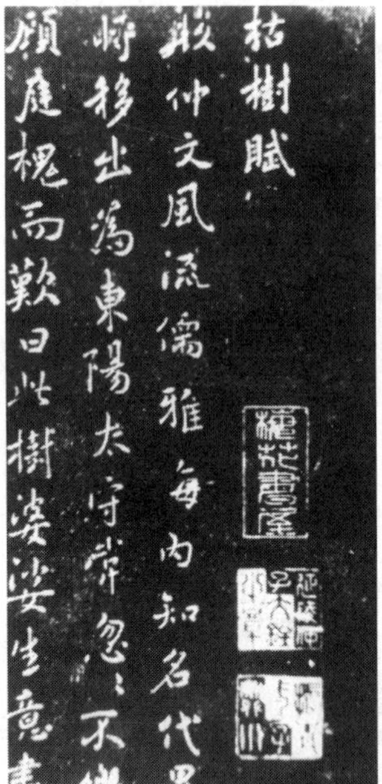

唐代书法家褚遂良书庾信《枯树赋》
中国大百科全书出版社供图

后出使西魏。不久西魏灭梁，羁留长安，历仕西魏、北周。官至开府仪同三司，世称庾开府。后期作品多感伤身世，怀念故国乡土，形成苍劲、悲凉的独特风格。代表作为《拟咏怀》27首。辞赋有著名的《哀江南赋》，历叙梁代兴亡和个人身世，浸透深沉的故国之思，为后人传诵。《小园赋》、《枯树赋》等抒情小赋文情并茂，也很有特色。有《庾子山集》。

Yu Youren　于右任（1879-04-11，中国陕西泾阳～1964-11-10，台湾）　又拼 Yü Yu-jên。中国国民党元老。原名伯循，字右任。7岁入塾学就读，17岁入县学。他才华横溢，被称为"西北奇才"。25岁以第十名考取举人，受聘为商州中学堂监督。后因讥议时政，得罪清廷，亡命上海。1905年与震旦学院离校同学创办复旦公学（上海复旦大学前身）。同年又与留日学生在上海创设中国公学。1906年加入同盟会后，先后筹办《神州》、《民呼》、《民吁》、《民立》等报。其中《民立》报为辛亥前后革命的活动阵地，在中国革命史上占有重要地位，于右任也因此赢得中国近代报业史上"元老记者"的尊称。中华民国成立后，初任南京临时政府交通部次长。1918年回陕西就任陕西靖国军总司令。1922年离陕到上海，与叶楚伧等创办上海大学。1924年当选国民党中央执行委员。1925年孙中山派于右任任北京政治委员会委员。翌年，任国民军驻陕总司令，随军进驻西安。1927年率部与北伐军在郑州会师。1927年以后，历任国民党中央特别委员会委员、常务委员和军事委员会委员等职。1928年任国民政府审计院院长。1931年任监察院院长。1938年任国防最高委员会常务委员。1947年再次当选监察委员，被推任院长，任内对现代监察制度的建立和监察权的行使颇有贡献。于长期寄居台湾，时以诗文抒发思念桑梓、热爱祖国，渴望统一之情。他擅长书法。遗作有《右任诗存》、《右任文存》、《右任墨存》等，另有为数可观的散篇诗文。

Yuan——：元朝帝王　按在位时间顺序排列，并以●为标记。

● **Yuantaizu Genghis Khan　元太祖成吉思汗**（1162～1227）　参阅 **Genghis khan** 成吉思汗。

● **Yuantaizong Ögödei　元太宗窝阔台**（1186～1241）　参阅 **Ögödei** 窝阔台。

● **Yuanshizu Kublai　元世祖忽必烈**（1215～1294）　中国元朝的创建者，政治家、军事家。成吉思汗之孙，拖雷第4子。1250年任总领漠南汉民军国庶事。热心学习汉文化，任用

台北故宫博物院供图

汉族知识分子刘秉忠等，对河南、陕西吏治多有改进。1253年出征云南，灭大理国。1260年在开平（今内蒙古正蓝旗东闪电河北岸）即大汗位。年号中统，在位35年（1260～1294）。其幼弟阿里不哥则即大汗位于和林（今蒙古人民共和国额尔德尼召），双方激战

数年，1264 年阿里不哥始投降。1271 年改国号元。次年定都大都(今北京)。后即发动对南宋的进攻，1279 年灭南宋，统一全国。“遵用汉法”，建立行省制度，加强对边疆地区的管理。多次进攻邻国。1274、1281 年两征日本，1280 年攻占城，1283 年伐缅甸，1284、1287 年两伐安南，1292 年侵爪哇，均告失败。西北的蒙古宗王海都(窝阔台后裔)、笃哇(察哈台后裔)等和东北的乃颜(斡赤斤后裔)都相继反对忽必烈为皇帝。乃颜的叛乱虽得平定，但对西北方面的割据未能讨平，双方长期对峙。忽必烈重视与外国联系，对东南亚、印巴次大陆、西南亚以及东北非的海道贸易有所发展。外国商人、使节、教士纷纷来中国。忽必烈笃信喇嘛教，也保护其他宗教，并提倡程朱理学。

北京居庸关的元代云台浮雕

供图：Rapho/Photo Researchers

● **Yuanchengzong Temür　元成宗铁穆耳**(1265 ～ 1307)　中国元朝第 2 位皇帝。元世祖忽必烈之孙。1293 年被忽必烈立为皇太子，主持北方军务。次年忽必烈死，在大臣伯颜支持下即皇帝位。在位 14 年(1294 ～ 1307)。政治上大体奉行忽必烈制定的政策，国内局势稳定。为笼络人心对诸王驸马滥发赏赐，为佛教法会花费大量钱财，造成财政困难。晚年患病，朝政由皇后不鲁罕处理，政治日趋腐败。

中国大百科全书出版社供图

● **Yuanrenzong Ayurparibhadra　元仁宗爱育黎拔力八达**(1285～1320)　蒙古语称普颜笃。中国元朝第 4 位皇帝。1311 ～ 1320 年在位。早年受儒家教育，倡导汉文化，尊崇儒家思想。即位后任用蒙汉官员对政治进行改革，限制贵族特权，裁并官僚机构，进行土地登记，并恢复科举制度，增进与欧洲贸易关系。原与兄海山(元武宗)约定帝位兄终弟及，弟死传侄。但登基后背弃誓约，生前就立子为太子，加剧了帝位争夺的矛盾。

中国大百科全书出版社供图

● **Yuanshundi Togon-temür　元顺帝妥懽帖睦尔**(1320～1370)　中国元朝末代皇帝。在位 36 年(1333 ～ 1368)。崇信喇嘛，荒淫无度。先后任用伯颜、脱脱掌管朝政，政治腐败，王公官吏暴虐诛求。加以灾荒连年，黄河决口，民不聊生，1351 年爆发全国性农民起义。元廷动员全国力量企图讨平，将领多不听命。1368 年朱元璋率明北伐军攻克大都(今北京)，顺帝逃往上都开平。翌年又逃往应昌(今内蒙古自治区达来诺尔西南)，次年病卒。

Yuan DYNASTY　**元**(1206～1368)　中国历史上蒙古族建立的统一王朝。1206 年成吉思汗铁木真在蒙古高原建立大蒙古国。窝阔台建哈剌和林(今蒙古人民共和国厄尔得尼召)为首都。1260 年忽必烈即位，于 1271 年改国号为大元，次年迁都大都(今北京)。从成吉思汗建国至元朝灭亡共 14 帝，163 年。控制区域北至蒙古高原，东北到鄂霍次克海，南迄南海，东南有台湾，西北尽新疆。此外由蒙古族建立的钦察汗国、伊利汗国、察合台汗国名义上虽尊元朝皇帝为大汗，但实际已分立。元朝除部分地区直辖中央政府外，全国划分 10 个行省，是中国以省为一级政区的开始。其官制、兵制、法制和赋役制度等基本上沿袭中国以往王朝，但也掺杂了蒙古的特点。以纸币(钞)为全国通用货币，在中国和世界货币史上具有重要意义。元代对各种宗教采取保护态度，更重视喇嘛教，其首领被尊为帝师或国师。佛教、道教以及基督教、伊斯兰教均有一定势力。罗马教皇曾向大都派遣主教，使基督教首次在中国大规模传播。伊斯兰教在中国许多地区也广泛流传。日本、朝鲜、东南亚、印度半岛、西南亚、西北非直至欧洲均与元朝有政治、经济、文化联系。意大利人马可·波罗、马黎诺里和摩洛哥人伊本·拔图塔的旅行记为中外友好往来的明证。中国旅行家汪大渊、周达观等也留下了亚非各国情况的珍贵记录。中国的火药、印刷术在元代传到西方，对世界文明影响深远。元代文艺出现完整的戏剧形式——杂剧，《水浒》、《三国演义》、《西游记》等著名长篇小说也在元代奠定基础。蒙古族长篇史诗《蒙古秘史》既是历史著作，又是文学作品。还出现一批有影响的画家、书法家和有成就的科学家。元代统治者为加强统治，制造民族歧视，挑动民族矛盾，在社会矛盾加深和连续自然灾害下导致 1351 年的全国农民起义。经过 18 年的全国动乱，元朝为明朝所取代。

Yüan Chiang　参阅 **Yuan Jiang** 沅江。

Yuan Hong　元宏　参阅 **Weixiaowendi Yuan Hong** 魏孝文帝元宏。

Yuan Hongdao　袁宏道(1568～1610)　又拼 Yüan Hung-tao。中国明代文学家。字中

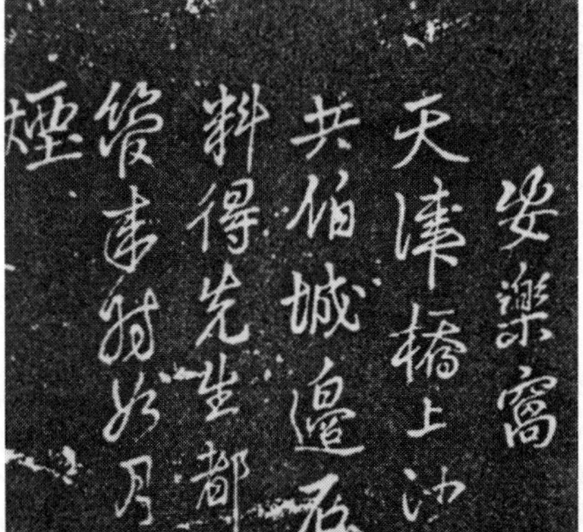

袁宏道手迹石刻

中国大百科全书出版社供图

郎，号石公。公安（今属湖北）人。公安派创始人。与兄宗道、弟中道并称三袁。曾师事李贽，深受其影响。万历二十年（1592）中进士，任吴县知县，官至稽勋郎中。在文学主张上，袁宏道反对摹拟蹈袭，崇尚自然，提倡"独抒性灵，不拘格套"，抒写真情实感，还主张从通俗文学和民间文学中汲取养料。其作品大多抒发生活情趣，间有伤时叹世之作；其中散文成就尤高，取材广泛，手法多样，文笔秀逸，清新活泼，传世名篇甚多。有《袁中郎全集》传世。

Yuan Jiang　袁江　又拼 Yüan Chiang。中国清代（1644～1911）画家。字文涛，晚年号岫泉。江苏江都（今扬州）人。擅画山水、楼阁，初学仇英，后法宋人，更深得扬州、镇江一

袁江绘《观潮图》
中国大百科全书出版社供图

带江山殿阁之助。所作工整富丽而又很有气势，且含有丰富的想象力。在中国画界艺术发展史上与其侄袁耀是继北宋郭忠恕、南宋李嵩之后上薄元明的第三个里程碑。康熙后期画已有成，相传雍正朝曾进入宫廷作画。其后长期在山西为盐商作画，或画神仙缥缈之思，如《蓬莱仙岛》；或画宫廷景光，如《骊山避暑宫》；或对景写生，如《瞻园图》等：从中均能看到山水、林木、楼台、舟车之间的相互关系，将动与静，严整与活泼巧妙结合，给人以强烈的节奏感。袁耀主要活动于乾隆朝，生平事迹不详。

Yuan Jiang　沅江　又作 Yuan River。又称沅水。中国湖南省西部河流。洞庭湖水系重要河流之一。发源于贵州省都匀市附近的云雾山。上游称龙头江，中游称清水江。至洪江市黔城镇与巫水汇合后称沅江。然后沿雪峰山西侧流经辰溪、沅陵、常德等县市注入洞庭湖后归长江。全长1 022千米，流域面积近9万平方千米。黔城镇以下常年通航。丰水季节，木船可上溯至贵州都匀。是湖南西部和贵州东部的重要航道。

Yuan Longping　袁隆平（1930-09-07，中国北京～　）　中国杂交水稻育种专家、中国工程院院士。祖籍江西德安。1953年毕业于西南农学院农学系。任国家杂交工程技术研究中心主任、菲律宾国际水稻研究所（IRRI）特约研究员。20世纪60年代初，开始致力于杂交水稻育种理论研究和制种技术实践，并首先提出培育不育系、保持系、恢复系"三系法"利用水稻杂种优势的设想。1973年实现了"三系"配套，并选配出一批强优势组合，研究出一套较为完整的制种和栽培技术，使杂交水稻产量比常规良种提高20%以上。与他人合作又开展了改良杂交稻品质、改进水稻形态、增强抗病能力的研究，初步培育出了技术更先进、产量更高的超级杂交稻。获2000年度中国国家最高科技奖、2000年度世界粮食奖。被称为杂交水稻之父。

Yuan Shikai　袁世凯（1859-09-16～1916-06-06）　又拼 Yüan Shih-k'ai。中国清末军机大臣、北洋军阀首领、民国初年大总统（1912～1916）。字慰庭，号容庵。河南项城人。1881

1914年袁世凯在北京天坛祭天
中国大百科全书出版社供图

年投靠淮军统领吴长庆，次年随军到朝鲜。1885年任驻朝通商大臣。1895年在天津小站督练新建陆军。1897年任直隶按察使。戊戌变法期间出卖维新派，取得慈禧太后宠信。1899年升工部右侍郎、山东巡抚。1901年署直隶总督兼北洋大臣。借清廷实行"新政"之机广植党羽，扩编北洋军为六镇，成为北洋军阀首领。1907年9月任军机大臣、外务部尚书。1909年初被摄政王载沣罢免。1911年武昌起义后被清廷再度起用，先后任湖广总督、钦差大臣、内阁总理大臣。凭借北洋武力要挟革命党议和，迫使孙中山让位，同时挟制清帝退位。于1912年3月任中华民国临时大总统。1913年暗杀国民党代理理事长宋教仁，向外国银行团借款发动内战，镇压孙中山的讨袁军。1914年解散国会，撕毁《中华民国临时约法》，集军政大权于一身。1915年5月接受日本提出的《二十一条》卖国条约。8月授意党羽鼓吹帝制。12月宣布改中华民国为中华帝国。1916年元旦称帝，改元洪宪。由于全国声讨和蔡锷领导的护国军节节胜利，被迫于3月取消帝制，仍称总统。6月6日忧惧病死。

Yuan Xuefen　袁雪芬（1922-03-26，中国浙江嵊县～　）　中国越剧演员。1933年入四季春科班学正旦。1936年到杭州演出，初次挂头牌。1942年，她在大来剧场倡导越剧改革，建立起正规的排演制度；废除幕表制，使用完整的剧本；开始运用灯光、布景，并参照古代绘画，根据人物身份设计服装。其他剧团纷起仿效。袁雪芬在表演、唱腔上善于博采众长，吸收融化话剧、电影的表演手法，真实、细腻地刻画人物的性格和内心活动；吸收昆曲载歌载舞的特长，设计了许多优美的舞蹈身段。她的唱腔旋律淳朴，节奏多变，感情真挚深沉，韵味醇厚，委婉缠绵，声情并茂。她创立的"袁派"艺术深受观众喜爱，并为一批越剧演员所师承。她主张戏曲应该对社会起有益的作用。在日寇侵华时期，她曾演出《香妃》、《红粉金戈》、《木兰从军》、《王昭君》等表现爱国思想的剧目。1945年成立雪声剧团。1946年在上海首次演出根据鲁迅的名著《祝福》改编的越剧《祥林嫂》。1952年参加第一届全国戏曲观摩演出大会，获荣誉奖。1953年与范瑞娟合作主演中国第一部大型彩色戏曲影片《梁山伯与祝英台》，获国际电影节"音乐片奖"。曾当选全国人民代表大会常务委员会委员；担任上海越剧院院长，中国戏剧家协会、中国戏剧家协会上海分会副主席。

Yuan Zhen　元稹（779～831）　又拼 Yüan Chen。中国唐代文学家。字微之。洛阳（今属河南）人。21岁初仕河中府，25岁授秘书省校书郎。28岁授左拾遗。元和四年（809）为监察御史。因触犯宦官权贵，次年贬江陵府士曹参军。后历通州司马、虢州长史、膳部员外郎、祠部郎中、知制诰。长庆元年（821）迁中书舍人，充翰林院承旨。次年，居相位三月，出为同州刺史、浙东观察使。大和三年（829）为尚书左丞；五年，逝于武昌军节度使任上。元稹的创作，以诗成就最大。与白居易齐名，并称元白，同为新乐府运动倡导者。乐府诗《和李校书新题乐府十二首并序》中的"取其病时之尤急者"，启发了白居易创作新乐府，且具有一定的现实意义。长篇叙事诗

中国大百科全书出版社供图

《连昌宫词》，在元集中也列为乐府类，旨含讽谕，和《长恨歌》齐名。其铺叙详密，优美自然。元诗中最具特色的是艳诗和悼亡诗。悼亡诗为纪念其妻韦丛而作，《遣悲怀三首》流传最广。在诗歌形式上，元稹是"次韵相酬"的创始者。《酬翰林白学士〈代书一百韵〉》、《酬乐天〈东南行诗一百韵〉》，均依次重用白诗原韵，韵同而意殊。元稹在散文和传奇方面也有一定成就。他首创以古文制诰，格高词美，为人效仿。其传奇《莺莺传》（又名《会真记》）叙述张生与崔莺莺的爱情悲剧故事，文笔优美，刻画细致，为唐人传奇中之名篇。后世戏曲作者以其故事人物创作出许多戏曲，如金代董解元《西厢记诸宫调》和元代王实甫《西厢记》等。元稹曾自编其诗集、文集与友人合集多种。其本集《元氏长庆集》收录诗赋、诏册、铭诔、论议等共100卷。事迹见新、旧《唐书》本传。今人陈寅恪有《元白诗笺证稿》，卞孝萱有《元稹年谱》。

Yuanmingyuan　圆明园　中国清代皇家御苑。位于北京市海淀区颐和园东。原是1709

年康熙赐予雍正的别墅，雍正即位后于1725年建为苑囿。乾隆时对圆明园大加扩建，在东面新建长春园和绮春园（后改名万春园）。通常说的圆明园即指圆明、长春、绮春三园。

圆明园“西洋楼”断壁残垣
中国大百科全书出版社供图

1709～1860年间，清帝每年大部分时间在此处理政务。三园建在湖泊密布的平地上，占地320公顷，水面占35%。除圆明园前部中轴线上的正大光明殿和后面的九洲、清宴两组建筑具有宫殿性质外，其余上百组大小建筑群都是分布在湖边岛上的园林建筑。其中圆明园在后湖四周9座岛上布置，包括九洲清宴的9组建筑。又在福海10座岛上散列大量楼台轩馆，湖心建象征蓬莱三岛的3个小岛，在三园中景物最密集。绮春园可称小园集锦；长春园较开阔，以中心大岛上的淳化轩为主体。三园经营了150年，园中各景仿天下名园和历代苑囿大意，按宫廷所尚的雍容华贵风格建造，代表清代园林艺术的最高水平。长春园北还有法国洛可可风格的“西洋楼”，由著名画家郎世宁设计，体现欧洲式建筑的民族化。三园于1860年被英法联军焚毁，后遗址也大半湮没，仅存断壁残垣。1956年开始绿化，有效地改变了百年来的荒芜景象。1983年对遗址开始整修，1987年恢复了长春园万花阵景区，供人游览。

Yuanmou　元谋　中国云南省楚雄彝族自治州辖县。位于省境北部，隔金沙江与四川省会理县毗连。成（都）昆（明）铁路纵贯全境，公路有108国道通过。处滇中湖盆高原北部边缘，受金沙江及其支流龙川江的切割，呈山坝相间的地貌形态。面积1 803平方千米。县府驻元马镇。汉武帝元鼎五年（公元前112）置三绛县，治所在今县境金沙江北岸，属越巂郡。东汉改名三缝县，蜀汉因之。唐属縻州，金沙江南称磨豫，江北称七部。宋代地入大理国，名华竹部，属威楚府。元至元十六年（1279）置元谋县至今。河谷、坝区气候炎热，干燥少雨，是云南省有名的干热坝区，素有“天然温室”之称。经济以农业为主，盛产花生、甘蔗、稻米、玉米、棉花、反季蔬菜（即冬季可种夏季蔬菜）及喜热瓜果等。是云南省花生主产县之一，反季蔬菜远销北京、上海、昆明等大城市。并产亚热带林木和多种药材。建有云南省热带经济作物资源圃。工业有采矿、制糖、造纸、印刷、水泥等。元谋是人类最早的发祥地之一，1965年5月在县境上那蚌村西北发现猿人化石。在大墩子还出土了新石器时代文化遗址。班果、马吼、湾保等地的土林，高大雄伟，千姿百态。土柱上夹有许多石英砂、玛瑙等，在阳光照射下，呈现出五光十色的异彩，成为一方名胜。人口210 000（2006）。

Yuanmou Man　元谋猿人　直立人化石。1965年在中国云南元谋县上那蚌村西北发现。以2枚牙齿为代表。为左、右上内侧门牙，呈灰白色，门齿舌面两侧有棱脊，中间凹陷，呈铲形，齿冠基部结节显著突起，形态特征与北京猿人门齿接近。此后，在当地同一层位找到7块有人工打击痕迹的石制品，其中有3块是石器。另有哺乳动物云南马、爪兽、山西轴鹿、小麂、元谋狼、桑氏缟鬣狗等的化石。据动物群的分析元谋猿人应属更新世早期。古地磁年代测定有两种结果：一是约170万年前，一是50万～60万年前。据古植物分析，当时该地的自然环境是森林和草原，气候比现在凉爽。

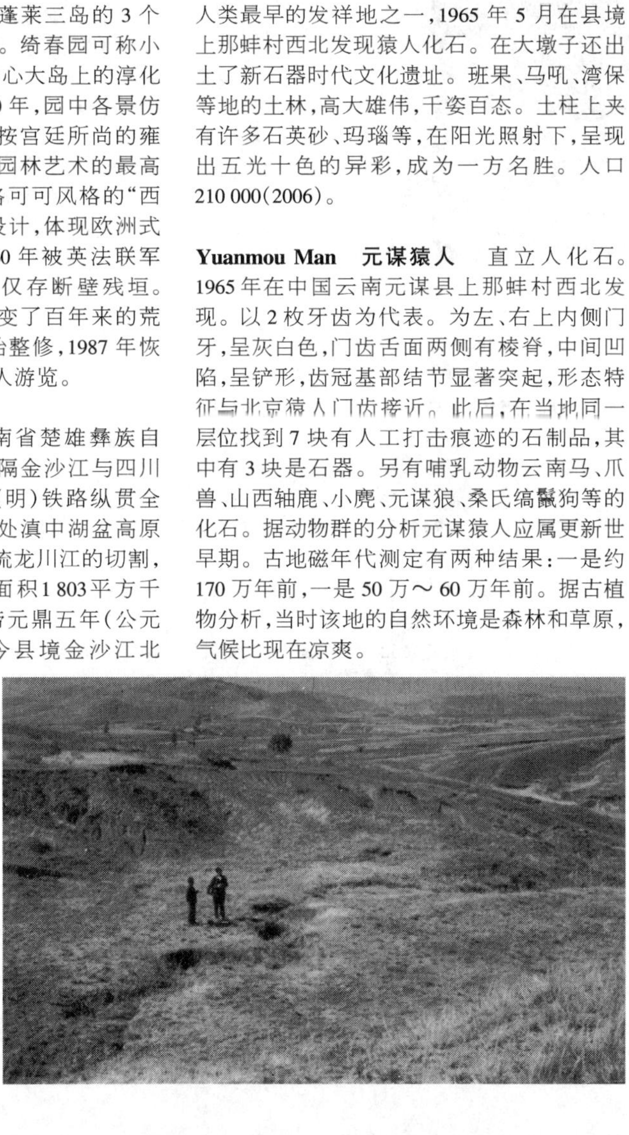

元谋猿人化石出土地点
中国大百科全书出版社供图

yuanqi　元气　中国古代哲学范畴，指构成万物之本。先秦时代，《管子》、《庄子》、《荀子》皆讲过气，但没有“元气”一词。《鹖冠子》的《泰录篇》开始出现这一范畴，视其为天地的本原。汉代著作中，该词屡见不鲜。《太平御览》引《淮南子·天文训》有“宇宙生元气”之说。汉代纬书中多次讲元气，刘歆《三统历谱》也有“太极元气，函三为一”的说法，认为元气在未分化之前已包含天地人生成的要素而成为一个统一体。扬雄认为元气是天地分化的最原始阶段，并在《太玄》一书中确立了“元气”的理论形态。此后，元气论成为汉唐哲学的一大思潮。

Yuanzaju　元杂剧　13世纪初叶在中国北方大都（今北京）、平阳（山西临汾）等地兴起的戏曲艺术。盛行于元代（1271～1368），故称元杂剧，也称北杂剧、元曲。在金院本与诸宫调基础上综合其他伎艺而成。全剧用四组不同调的“套曲”组成，所唱皆北曲，故称“北曲四大套”。每套一“折”，共四折。也可另加“楔子”，以利情节的开展。脚色以正末、正旦为主，另有副末、贴旦、净、副净、丑等。四大套正曲均由正末或正旦主唱。元代著名杂剧作家有关汉卿、王实甫、马致远、白朴、郑德辉等。优秀作品《窦娥冤》、《拜月亭》、《救风尘》、《西厢记》、《赵氏孤儿》、《李逵负荆》、《陈州粜米》、《汉宫秋》、《梧桐雨》、《倩女离魂》等多能反映时代风貌，意境深邃，文辞质朴自然，成为与唐诗、宋词相媲美的一代文学元曲。传世剧本收入《古本戏曲丛刊》，常见选本有明臧懋循编《元曲选》和近人隋树森编《元曲选外编》。

Yuba City　尤巴城　美国加利福尼亚州中北部城市、萨特县县城（1856）。位于费瑟和尤巴两河汇合点，地处萨克拉门托谷地。1849年淘金热中规划，1908年设建制。初为农业中心，现经济以食品加工业为主，还有金属加工业和轻型制造业，亦获益于市东15英里的比尔空军基地。市西12英里开采天然气。尤巴学院位于费瑟河对岸的马丽斯维尔。人口：市36 758；都会统计区139 149（2000）。

Yūbari　夕张　日本北海道中部城市。位于夕张川上游夕张山脉。19世纪80年代在这一地区发现煤矿后发展成为采煤城镇。20世纪中叶成为北海道最大的矿业城市。大部分煤运往岩手县用于炼铁。1960年后产量下降，矿井关闭，城市日渐衰落。人口31 665（1985）。

yuca（plant）　参阅 **cassava** 木薯。

Yucatán　尤卡坦　墨西哥东南部尤卡坦半岛北部一州。北临墨西哥湾。1824年设州。以后面积缩小为38 402平方千米。20世纪30年代赫纳昆剑麻大种植园被没收，并被分为若干合作村社。赫纳昆剑麻产量曾一度下降，50年代中期重又增加。后又实施作物多样化计划。公路、铁路和航空改善了该州与内地联系，并便于游客来此参观马雅文化古迹,旅游业日益重要。除州首府梅里达和主要港口普罗格雷索外,人口中有许多是马雅印第安人。人口约1 363 540(1990)。

Yucatán Channel 尤卡坦海峡 连接墨西哥湾和加勒比海的海峡。在墨西哥的卡托切角和古巴岛的圣安东尼奥角之间,长达217千米。南北赤道洋流从东南进入海峡,形成墨西哥湾中湾流的源头。

Yucatán Current 尤卡坦洋流 大洋表面洋流。从洪都拉斯北部经尤卡坦海峡,进入墨西哥湾的中东部,为墨西哥湾东部顺时针方向环流的西支。夏季最强。

Yucatán Peninsula 尤卡坦半岛 中美洲向东北方突出部分。位于墨西哥湾(西、北)和加勒比海(东)之间。面积计197 600平方千米,其中包括墨西哥的坎佩切、金塔纳罗奥和尤卡坦等州,在南部还有伯利兹和危地马拉的很大部分。半岛平均宽约320千米,海岸线长约1 100千米。

地理 北部和西部沿海地势低洼、多沙,半荒芜。有几条通路通达外部滩岸,有几座小镇或海港就建于此。东部沿岸多峭壁,海湾犬牙交错其间,与几个岛屿隔海相望,其中最大、旅游业发展最佳者为科苏梅尔岛和穆赫雷斯岛。沿岸渔业资源丰富,有极佳的海滨,包括那些在坎昆的豪华旅游胜地(20世纪70年代发展起来)。

半岛几乎全部由珊瑚层和多孔石灰岩构成,形成一个低矮台地,向南逐渐升高。珊瑚岩通过缓慢的风化形成一层干薄泥土覆盖在半岛表面。岩石表面有穿孔之处就有天然井(或沼穴)和山洞,古代马雅人就在其四周建立城市和祭祀中心。

半岛北部气候炎热干燥,由于无高山拦截来自大西洋带湿气的云,因而降雨量有限。往南,湿度增大,年降雨量自460毫米至最高点2 000毫米,灌木丛为高大乔木所取代。日高温为24～37 °C,但全年大部分时间不论白日或夜晚都有凉爽的海风吹来,高温有所缓解。旱季从12月至翌年5月,最热的月份是5月和6月。半岛的大部分地区全年都有适当的降雨量。

靠近坎佩切湾西部和伯利兹的地区有足够的降雨量来维持森林的繁茂,森林中有桃花心木、人心果树、几种珍贵的家具木材树、香子兰、洋苏木树以及其他一些染料木树。洋苏木树生长在所有潟湖和许多海滨的边缘。半岛的一些地方发现有石油。主要的栽培植物有玉米、甘蔗、棉花、咖啡,尤以赫纳昆剑麻(用以制作西沙尔麻)为最。动物有鹿、美洲虎、野猪和猴。爬行动物有大蛇、响尾蛇和鬣蜥。鸟类很多,尤其多的有火鸡、鹌鹑和鹦鹉。

半岛上的居民不论在密度还是在种族结构上都十分多样。在梅里达市附近的大片农村地区人口密度最高。从这里直至伯利兹的多数居民为马雅印第安人和梅斯蒂索人。在东南部的金塔纳罗奥州密度减低到稀少程度。在伯利兹附近,包括伯利兹,其人口的一半是黑人和黑白混血儿,1/4为马雅印第安人,1/4为梅斯蒂索人以及白人。

尤卡坦半岛尤卡坦州中南部奇琴伊察的天然井
供图:©D. Donne Bryant, D. Donne Bryant Stock

历史 墨西哥人曾多年称尤卡坦为马雅潘。半岛的现代历史始于1517年2月,当时一位来自古巴的西班牙冒险家弗朗西斯科·埃尔南德斯·德·哥多华在一次掳奴远征中发现了尤卡坦的东海岸。1518年胡安·德·格里哈尔瓦循同一条路线前往。1519年的第三次远征由科尔特斯率领,在科苏梅尔岛与土著发生了冲突。1525年科尔特斯远征洪都拉斯时横越过半岛的内陆部分。

对半岛的征服是1527年由蒙特霍着手进行的,他在阿纳瓦克高原所遇到的反抗比科尔特斯所遇到的更为强烈。1549年蒙特霍仅在半岛的一半土地上建立了西班牙统治,就此再也没能扩大一步。西班牙人发现了久已衰落的原土著高度文化的遗迹。无人居住的城市渐成废墟,其他诸如奇琴伊察、乌斯马尔和图卢姆等城市仍旧居住着原马雅居民的残存者。

在殖民地时期,尤卡坦一直是新西班牙总督管辖区(中心在墨西哥)的一个遥远而不重要的部分。自从被征服以来,许多独立的马雅人紧紧地守着半岛内陆的农村地区。1839年他们了脱离墨西哥,1843年前一直维持着自己的独立。1847年又发生了一次反抗;直至迪亚斯开始执政(1877)前不久,半岛大部分地区的印第安人实际上是独立的。1910年的又一次反抗取得了初步成就,印第安人随即撤退至金塔纳罗奥的无人知晓的偏远地方。

在尤卡坦的几个地区发现有石油,但是开采仅限在希加兰科的天然气油田和坎佩切湾的海上油田。南部则以伐木和糖胶树胶生产为主要工业。因古迹修复、交通改善,前来半岛游览观光者络绎不绝,旅游业遂成为主要的经济部门之一。

20世纪前,尤卡坦与欧洲的联系比与墨西哥其他地区的联系更为密切,在墨西哥境内的尤卡坦人总是回避被称作"墨西哥人"。1957年通往墨西哥的窄轨铁路放宽为标准轨距,从而便利了大批货物的运输。当地公路网仍然有限,但坎昆及其他旅游城市均有航空线通往墨西哥城和其他国际城市。

Yucatec language 尤卡坦语 又称马雅语。马雅语系的美洲印第安语言,通用于尤卡坦半岛、墨西哥部分地区、伯利兹以及危地马拉北部。16世纪时古典形式的尤卡坦语曾通行于尤卡坦半岛;流传到现在的尤卡坦语,几乎没有方言变异而和古典形式差别不大。尤卡坦语书面文献(也许是一种乔尔语写成的)包括三种象形文字抄本,自西班牙征服之前流传至今,还有许多石刻碑铭。然而这些文字尚未释读成功。用尤卡坦语书写的能阅读的文献资料采用西班牙语拼写法,出现于16世纪末和17世纪初,主要著作是《方士秘录》和《吉巴尔策之歌》。尤卡坦语的语音特点是,既有一系列喉塞音,也有像 *p*, *t*, *k* 那样的清辅音,但如 *b*, *d*, *g* 等浊塞音,则很少见,仅出现于西班牙语借词中。另一个特点是,使用声调来区分词义。在语法和句法中,尤卡坦语经常使用前缀、后缀和中缀以表示复数、所有格和动词时态等语法范畴。小品词的功能类似英语的介词、连词、副词及感叹词。

Yucatec Maya 尤卡坦马雅人 墨西哥东部尤卡坦半岛上的中美印第安人。他们是马雅文化缔造者之一。历法、建筑和象形文字表明他们曾经是具有高度文化的民族。现代尤卡坦人有各种类型:有的群体对其原有文化持极度保守态度,有的群体则完全适应了现代生活。大约50%的人使用马雅语,而10%的人则只会讲马雅语。很多适应现代文化的尤卡坦人居住在西班牙式的城镇中,参加了龙舌兰纤维的编织行业。更多守旧的人居住在小村庄里,种植玉米、豆类、南瓜、辣椒、山药和其他蔬菜。他们居住草舍,饲养鸡、猪。农作为刀耕火种,农具有掘土尖棍、锄及刀等。参阅 **Maya**。

yucca 丝兰 龙舌兰科丝兰属(*Yucca*)肉质植物,约40种,原产北美南部。多无茎,坚挺的剑形叶莲座状丛生于基部。花蜡白色,簇生。约书亚树(短叶丝兰,*Y. brevifolia*)有高达十余米的茎。西班牙刺刀(千手兰、芦荟叶丝兰,*Y. aloifolia*)、西班牙短剑(*Y. gloriosa*)和亚当针(熊草、丝状丝兰,*Y. filamentosa*)等

丝兰属（*Yucca*）植物
供图：New Mexico Department of Development

种类株形独特，花美观，普遍为人所栽培观赏。

Yucca House National Monument　亚卡豪斯国家保护区　以史前美洲印第安人村庄的废墟为主体的国家保护区。在美国科罗拉多州西南角科特斯镇南24千米处，靠近弗德台地国家公园。总计面积约10英亩（4公顷）。1877年霍姆斯发现了这个遗址，1919年美国公园管理处宣告其为国家保护区，但始终未进行大规模的探查和挖掘。它是由许多小土墩环绕着一个高出地面20英尺（6米）的大土墩组成。印第安人使用邻近的石灰石建造他们的村落。遗址现向公众开放。

yucca moth　丝兰蛾　鳞翅目丝兰蛾科丝兰蛾属（*Tegeticula*）昆虫。4种，每种均适应于一个具体种的丝兰。成虫小，昼出，翅上密布细小的刺；在丝兰花开时出现。雌蛾从一朵

正在产卵的雌性丝兰蛾
供图：William E. Ferguson

花上采集花粉，将其滚成球形，再飞到另一朵花上，往子房内产4～5个卵，而将花粉团压入所形成的孔中。花谢后结成约200粒种子，其中有半数为幼虫所食。丝兰仅依靠丝兰蛾传粉，而丝兰蛾幼虫只食丝兰种子。假丝兰蛾属（*Prodoxus*）的种类（假丝兰蛾）与丝兰蛾近缘，其幼虫以丝兰和世纪树（龙舌兰）的茎和果实为食。

Yuchi Yiseng　尉迟乙僧（活动时期约639～710/711）　又拼 Yü-ch'ih I-seng。中国唐代（618～907）画家。于阗（今新疆维吾尔自治区和田）贵族。其父在隋代已入官京师，且善画。乙僧师于父。唐太宗贞观（627～650）初，来长安任宿卫官，袭封郡公。至唐睿宗景云年间（710）仍健在，享年当在90岁左右。善画佛像。其著名作品在长安有《降魔变》、《千钵文殊》与《千眼大悲》等；在洛阳有《净土变》、《婆叟仙》等寺院壁画。所绘功德、人物、花鸟，皆是外国之物像，开扩了人们的视野。他画外国菩萨，小则用笔紧劲如屈铁盘丝，大则洒落有气概。他画佛图魔像，注重凸凹感的色彩渲染和身若出壁的立体感，奇踪异状，千变万化，气正迹高，具有很大感染力。故朱景玄将他与阎立本一同列入神品；张彦远称赞他与阎立本、吴道子一样"可齐中古，与顾、陆为友"。他的作品已无留存，但从近代发现的于阗地区的古代壁画中，可有助于对他作品风格的了解。

Yuci　榆次　又拼 Yü-tz'u。中国山西省晋中市辖区。新兴工业城市。位于省中部太原盆地，太原市东南。西汉置县，北齐改中都县，隋开皇十年（590）复名榆次县。1954年析县城关区置榆次市，1958年撤县入市，1963年撤市置县，1971年县市分立，1983年再撤县入市，1999年撤市改为晋中市榆次区。面积1 327平方千米。土地肥沃，农产富饶，历来是太原盆地农产品的集散地之一。石太、同蒲、太焦三铁路在此交会，为重要交通枢纽，并发展为晋中南物资转运中心。建有大型企业经纬纺织机械股份有限公司。并先后发展了机械、电子、纺织、化工等工业，成为以机械和纺织工业为主的新兴工业城市。农作物有小麦、高粱、玉米、谷子、油菜、棉花等。人口540 000（2005）。

Yudenich, Nikolay　尤登尼奇（1862-07-30，俄罗斯莫斯科～1933-10-05，法国圣洛朗迪瓦尔）　俄国内战时期（1918～1920）任西北战线白军总司令。1879年参加帝俄军队。1887年由俄国总参谋学院毕业，1887～1902年在总参谋部任职，此后任团长。参加日俄战争（1904～1905）后，晋升将军（1905）。1913年任高加索军区参谋长。第一次世界大战期间指挥在高加索的全部俄军。1917年10月布尔什维克夺权以后，他退隐芬兰；后来前往爱沙尼亚的塔林。1919年5月他率志愿军进攻彼得格勒（圣彼得堡）被击退。1919年7月被西伯利亚反布尔什维克政府或白军首领高尔察克承认为西北战线白军总司令。他把波罗的海地区散落的白色力量组成一支1.2万人的军队，于1919年10月对彼得格勒的红军发动进攻，以配合另一支白军从南面进攻莫斯科；红军在彼得格勒外围普尔科沃把他截住，迫使他的军队退往爱沙尼亚，并且解散（1920-01）。他逃往法国，在流亡中死去。

Yudi　玉帝　又拼 Yü Ti，英语作 Jade Emperor。即昊天金阙至尊玉皇大帝，简称玉皇大帝或玉帝。中国道教崇奉的天帝。原是光严妙乐国王子，后舍弃王位到普明秀岩山中修道功成，辅国救民，济度众生。又经历亿万劫才修成玉皇大帝，住天上玉清境三元宫，是总管天上人间一切祸福的尊神，类似人间的皇帝。

Yue　越　又拼 Yüeh。中国古代民族。又称粤、百越、百粤。有渊源于楚或夏禹之后诸说。春秋战国至晋初分布在长江中、下游以南和东南沿海广大地区。有"断发文身"、"雕

广州华侨新村出土的越人陶桶
中国大百科全书出版社供图

题黑齿"、崇尚铜鼓、鸡骨占卜、巢居、善使舟和水战等习俗。部分以龙蛇为图腾。各地区越人有不同的名称，支系繁多。长江口东南一带的称于越（於越）；今福建北部、浙江南部的称闽越；今两广、江西的称南越、扬越；今广东西南、广西南部、海南岛的称骆越、西瓯、瓯越；今云南南部的称滇越。上述各地山区的越人则通称山越。春秋（公元前770～前476）末年于越经济文化发展，精擅冶炼，善植水稻，建立越国。辖今浙江迤北至长江以南地区。越王勾践灭吴（前473），曾称霸中原。楚国兴起后为楚所并（约前306）。秦汉之际闽越首领无诸曾助汉灭秦，受封为闽越王，瓯越首领摇助汉灭楚，受封为东瓯王。百越后逐渐与汉族融合，部分与近代壮侗诸族及东南亚一些民族有密切的渊源关系。

Yue dialect　粤方言　又作 Yüeh（或 Cantonese）language。汉语方言之一。分布在广东省中部和西南部、广西省南部。使用人口约占汉族总人口的5%。语音特点：①无浊塞音、浊塞擦音和浊擦音声母；②无卷舌音声母；③古见母字一律读舌根音；④无介音构成的复元音韵母；⑤有双唇、舌尖中、舌根三个鼻音声母；⑥部分地区有边擦音声母；⑦"夫"、"胡"不分，"昏"、"分"同音；⑧有双唇、舌尖中和舌根部位的塞音和鼻音韵尾；⑨一般有八九个声调。具有粤语特点词汇：乜（什么）、咁（这样）、嘢（东西）、劏（杀）、呃（骗）、摞（拿）、点（怎么样）、重（还）、扯（回家）、晒（完全）。

Yue Fei　岳飞（1103-03-24～1142-01-27）又拼 Yüeh Fei，Yo Fei。中国南宋抗金名将。字鹏举。河北西路相州汤阴（今属河南）人。出身农家，曾当佃客。1126年金兵南犯，投军抗敌为秉义郎（低级军官）。1127年宋高宗赵构在南京（今河南商丘）即位，岳飞上书反对迁都南方，被革职。后随宗泽守卫汴京（今河南开封），任统制（中级军官），宗泽死后从杜充南下。1129年金军逼江南，岳飞在广德、宜兴一带抗击，次年率军收复建康（今江苏南京），驱金军于江北，声名始振。1134年北伐

击溃刘豫军，收复襄阳（今湖北襄樊）等6郡，任靖远将军节度使。次年奉诏与张浚镇压洞庭湖杨太（么）农民起义。驻军鄂州（今湖北武昌）时军容整肃，赏罚分明，纪律严明，号岳家军。曾派人渡河联络太行义军，并多次建议北伐，反对宋高宗和秦桧与金议和。1136年岳家军攻克虢州（今河南卢氏）、商州（今陕西商县），进逼洛阳（今属河南）。1140年又指挥大军收复黄河以南大片地区，在郾城和颍昌（今河南许昌）战役中大败金军；而朝廷一

中国大百科全书出版社供图

意求和，高宗下令撤兵。赶回临安（今浙江杭州）后即被解除兵柄，任枢密副使。随即被诬“谋反”，于绍兴十一年十二月二十九日惨遭杀害。其子岳云和部将张宪也被杀害。孝宗继位后为岳飞平反昭雪。宁宗时追封鄂王。著有《岳忠武王文集》传世。

Yue kiln　越窑　中国唐代（618～907）瓷窑。所制青瓷与邢窑齐名。窑址在今浙江余姚上林湖一带，古属越州。当时产品已远销国外。陆羽《茶经》用“类冰”、“类玉”来比喻越窑茶碗莹润明澈的釉色，列为茶碗的第一

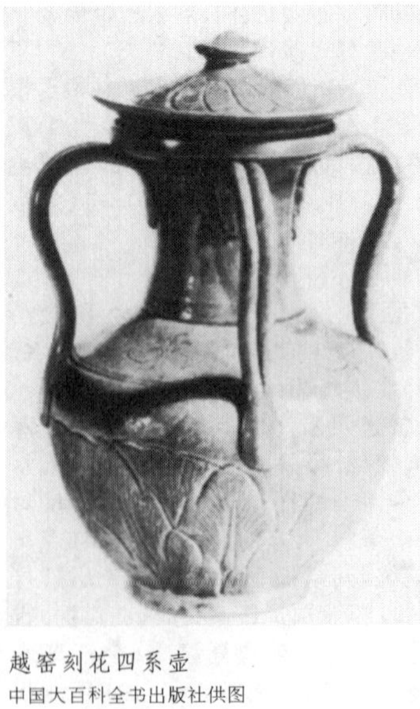

越窑刻花四系壶
中国大百科全书出版社供图

等。越窑青瓷的装饰手法有划花、刻花和雕塑、镂空等多种，以鹦鹉、蝴蝶、云龙、鸾凤、花卉及人物图案为常见。晚唐、五代（907～960）时期越窑曾为官窑，烧制宫廷瓷器，号称秘色瓷，是越瓷鼎盛时期。越窑的烧造工艺为后来龙泉窑青瓷的出现打下基础。

越剧《西园记》（徐玉兰饰张继华）
中国大百科全书出版社供图

yuefu　乐府　又拼 yüeh-fu。中国古代的一种诗体。名称源于汉武帝设立掌管音乐和采集歌辞的官署——乐府（Music Bureau）。魏晋六朝人也称可以入乐的诗歌为“乐府”。唐人袭用古乐府题或仿乐府诗体另创新题写的诗，不论是否入乐，都称为“乐府”。宋郭茂倩编《乐府诗集》收录汉魏至唐乐府诗，比较完备。因为“乐府”之名与音乐有关，所以宋、元以后，词曲也可称为“乐府”。

Yüeh-chou（China）　**岳州**　参阅 **Yueyang** 岳阳。

马师曾、红线女演出粤剧《搜书院》的剧照
中国大百科全书出版社供图

Yüeh Fei（Chinese general）　参阅 **Yue Fei** 岳飞。

yueju　越剧　中国戏曲剧种之一。发源于浙江嵊县，即古代越国所在地，故名。越剧历史不长。嵊县民间原流传“田头唱书”、“落地唱书”等说唱艺术，1906年有人用“落地唱书”调为主要唱调化装演戏。因只有笃鼓和檀板敲击节奏，的笃之声不绝，故称“的笃班”。戏出多以农村生活为题材，如《箍桶记》、《赖婚记》、《养媳妇回娘家》等，角色都由男演员扮演。1916年“的笃班”开始到上海演出，改名“绍兴文戏”。1923年出现第一个女子戏班，

角色都由女演员扮演。由于女班唱腔清晰委婉、扮相俊美，很快在上海和江苏、浙江一带流行。20世纪40年代，绍兴文戏改称越剧，后经过袁雪芬等名演员继续改革，精益求精，使其更加面目一新，在唱腔上也出现袁雪芬、傅全香、范瑞娟、徐玉兰、尹桂芳等流派。越剧很快流行全国，成为有影响的剧种之一。主要剧目有《梁山伯与祝英台》、《红楼梦》、《祥林嫂》、《碧玉簪》、《屈原》、《追鱼》、《柳毅传书》、《打金枝》等。

yueju　粤剧　英语作 Guangdong opera。中国戏曲剧种之一。流行于广东全省、广西南部和香港、澳门等地，东南亚和美洲的华侨聚居地亦有粤剧演出。粤剧唱腔以西皮和二簧为主。用广东方言演唱，吸收民歌和民间乐曲，具有浓郁的地方色彩。剧目有《一捧雪》、《二度梅》、《三官堂》、《四进士》、《五登科》、《六月雪》以及《黄花山》、《西河会》、《苏武牧羊》，在现代又改编演出了《偷祭潇湘馆》、《火烧阿房宫》和根据外国电影、小说编写的《贼王子》、《胡不归》等戏。常演出的剧目有《搜书院》、《关汉卿》、《宝莲灯》等。早期著名演员有李文茂和邝新华，现代著名演员有薛觉先、马师曾、红线女。

yueqin　月琴　又拼 yüeh-ch'in，英语作 moon guitar。中国拨奏弦鸣乐器。木制，音箱扁平，两面蒙以桐木板，中空。因圆如满月，故名。琴颈较短。琴颈与音箱面板上设品，原为10品或12品，张丝弦或金属弦4根，分

成两组，每组调成同音，按五度关系定弦。音箱中装有金属丝制成的弹簧，俗称“琴胆”，演奏时产生振动，使声音更加清脆明亮。现月琴品位（音档）已增至23或24个，张弦3根

月琴

牛津皮特-里弗斯博物馆供图

或4根，不再分组调成同音弦。在中国戏曲、曲艺中为重要伴奏乐器，在民乐中也常作为独奏、合奏乐器。

Yueyang 岳阳 又拼 Yüeh-yang。中国湖南省辖地级市。历史文化名城，新兴工业城市。旧称岳州。位于省境东北部，洞庭湖与长江的汇合处，为湖南省“门户”。地势东高西低，东南部为海拔400米左右的丘陵地带，西北部是洞庭湖冲积平原，一般海拔30～40米。境内有长江及新墙河等。除洞庭湖外，尚有南湖、白泥湖、芭蕉湖、吉家湖、松阳湖、东风湖等。自然资源有洞庭湖区的水产和芦苇，丘陵山区的松、杉、楠竹和铁、铅、锌、钒等矿藏。春秋时楚巩麇城。三国至南朝齐先后为巴丘邸阁、巴陵县和巴陵郡治。南朝梁始置岳阳郡，治今汨罗市，因郡地在幕阜山阳，幕阜又称天岳，故名。并于巴陵县（今市区）置巴州。隋、唐为岳州，宋为岳州巴陵郡。明洪武元年（1368）为岳州府。清光绪二十四年（1898）辟为商埠，在城陵矶设有外侨居留区和商业区。1913年废府，改巴陵县为岳阳县，1961年由岳阳县析出设市，1962年撤销。1975年复设县级市，1983年升为省辖市。辖岳阳楼、君山、云溪3区及岳阳、平江、湘阴、华容4县，并代管临湘、汨罗2县级市。全市面积14 898平方千米，其中城区1 344平方千米。工业部门主要有石油、化工、采矿、食品、纺织、造纸等。为湖南省唯一的石油加工基地，也是重要的化学工业中心。有长岭炼油化工有限责任公司、岳阳化工总厂等企业。特产有龟蛇酒、纸折扇、羽毛扇、美术瓷、竹木制品、皮革等。素称“鱼米之乡”的岳阳是湖南省农业生产条件最好的地区之一。主要农产有稻米、棉花、麻类、油菜、茶叶、柑橘、湘莲、芦苇和生猪、鲜鱼、家禽等。名茶有君山银针、北港毛尖、洞庭春等。长江、洞庭湖、京广铁路和107国道在此处会合，历来是湖南省重要的水陆运输枢纽。水运以洞庭湖为中心，南通湘、资、沅、澧四水，北通长江。岳阳港包括城区和**城陵矶**（**Cheng-lingji**）两大部分，共有码头54座，为全省第一大港和重要的中转港。名胜古迹有江南三大名楼之一的岳阳楼，以及君山、南湖、文庙、慈氏塔、鲁肃墓、桃花井等。人口：全市5 290 000（2005）；市区940 000（2004）。

岳阳市鸟瞰，右下角为岳阳楼

中国大百科全书出版社供图

Yuezhi 月氏 又拼Rouzhi，Yüeh-chih，又作Indo-Scyth。中国古代民族。公元前16世纪即散居中国西北，秦汉时游牧于河西走廊敦煌、祁连一带。公元前2世纪月氏势力强盛。匈奴头曼单于曾将长子冒顿质于月氏。冒顿自立为单于后，将月氏逐走。大部分西去天山以北今伊犁河上游一带，据有原塞种人牧地。后匈奴又助乌孙迫使月氏再向西迁至中亚妫水（今阿富汗北陲）。公元前139年，张骞奉汉武帝命，出使大月氏相约夹击匈奴，未果。1世纪中叶月氏贵霜部落建立王国，魏明帝太和四年（230）封其王为“亲魏大月氏王”。5世纪时被嚈哒所灭。原留在河西走廊的部分月氏进入祁连山区，与羌人杂居，史称“小月氏”。汉武帝击匈奴时归附汉朝，与今青海湟水两岸和甘肃张掖一带汉人共处，从而有“湟中月氏胡”、“义从胡”等名称。

yuga 由迦 根据印度教的宇宙论，由迦是人类历史发展的时代；各由迦次第缩短，人在道德和生理状况上也相应地降低。四由迦次第为吉利多、特雷多、德伐波罗和迦利，合成大由迦，两千大由迦为一劫波。吉利多是完美时代，共1 728 000年。第四也是最堕落的由迦是迦利，始于公元前3102年，将持续432 000年。迦利结束时，世界毁灭，经过一段沉寂期，循环复始，世界再造成功。

Yugoslavia 南斯拉夫 塞尔维亚-克罗地亚语作 Jugoslavija。原为巴尔干半岛中西部的联盟国家。这里只简要介绍1929～2003年南斯拉夫的历史。可参阅**塞尔维亚**（**Serbia**）、**黑山**（**Montenegro**）、**巴尔干**（**Balkans**）。

三个联盟国家都曾被称为南斯拉夫（“南部斯拉夫人的土地”）。南斯拉夫王国于1929年正式宣告成立，第二次世界大战中被推翻，面积247 542平方千米；战后的南斯拉夫社会主义联盟共和国国面积255 804平方千米，人口约2 400万（1991）。除塞尔维亚和黑山外，社会主义的南斯拉夫还包括4个现已独立的共和国：波斯尼亚和黑塞哥维那共和国、克罗地亚共和国、马其顿共和国、斯洛文尼亚共和国。第三个南斯拉夫共和国创建于1992年4月27日，占有前南斯拉夫社会主义联盟共和国大约45%的人口和40%的土地。只保留了塞尔维亚共和国和黑山共和国两个国家。2003年更名为塞尔维亚和黑山共和国。2006年该联盟解散，塞尔维亚和黑山成为两个独立国家。

第一个南斯拉夫 当1912～1913年巴尔干战争结束了土耳其在巴尔干半岛的统治及奥匈帝国在第一次世界大战中战败之后，巴黎和会赞同重新划定巴尔干地区的国界。主要受惠国是新成立的塞尔维亚-克罗地亚-斯洛文尼亚王国。这个王国包括前塞尔维亚王国、黑山王国（包括由塞尔维亚管辖的马其顿）、克罗地亚、波斯尼亚-黑塞哥维那、奥地利在达尔马提亚和斯洛文尼亚的领土以及多瑙河以北的匈牙利土地。在建立这个多民族国家的过程中产生了许多困难。克罗地亚人赞成建立一个尊重各民族传统的封建国家，塞尔维亚人则主张建立一个将散居各地的人民联合起来的中央集权国家。当时中央集权方案占有优势。根据1921年宪法建立起一个在塞尔维亚卡拉乔尔杰王朝统治下高度集权的国家，由君主和议会共同行使立法权。国王任命部长会议并保留了重要的外交特权。议会的作用仅仅是通过已经起草好的法案，地方政府实际上只起到传达贝尔格莱德作出的各种决定的作用。经过10年激烈的党派斗争，亚历山大国王于1929年勒令议会休会，宣布实行皇室专政，改国名为南斯拉夫。历史上形成的疆域被故意不按传统地界划定的9个行省替代。所有这一切都没有缓解对国家性质看法的矛盾，直到1939年克罗地亚和塞尔维亚领导人经协商成立一个新行省，通过自治办法，将克罗地亚人各地区联合起来归一个政府领导。由于1941年4月轴心国军队入侵导致南斯拉夫王国崩溃，这种方式是否能为消除矛盾提供一个持久解决办法至今尚不清楚。

这个新成立的南部斯拉夫人的国家所存在的许多经济问题，在某种程度上也反映出这个国家不同的历史背景。特别是在北部地区，交通设施的修建主要是为奥匈帝国服务的，而横跨巴尔干地区的铁路线则一直由欧洲大国所控制。因此，当地的需求从未得到

满足。在新的君主政体的统治下，某些工业由于大量外国资本的投资而得到发展。此外，中央集权政府本身也对经济有很大影响，如巨额军费开支、庞大的行政机构以及对工业生产和农产品市场的直接干预等。经济的现代化主要局限于北部地区，在生产力和生活水准等方面造成巨大地区差别。到1941年战争爆发时，南斯拉夫依然是一个贫穷的农业国，有3/4以上参与经济活动的人从事农业。人口出生率在欧洲属最高之列，在大多数农村地区文盲比率超过60%。

第二个南斯拉夫 1944～1945年铁托及其共产党领导的游击队加入了打击德国统治者、解放自己国家的斗争，于1946年成立了社会主义的南斯拉夫。它的领土同南斯拉夫王国时期的版图基本相同，只多出从意大利夺取的伊斯特拉和达尔马提亚两块土地。王国由6个名义上平等的共和国组成的联邦政府所取代，它们分别是克罗地亚、黑山、塞尔维亚、斯洛文尼亚、波斯尼亚-黑塞哥维那和马其顿。塞尔维亚的科索沃和伏伊伏丁那两省被赋予自治地位，以表示承认阿尔巴尼亚人和马扎尔人的特殊利益。

尽管采取了联邦制形式，这个新的国家最初在政治和经济上仍是高度集中，权力牢牢地掌握在以铁托为首的南斯拉夫共产党手中，宪法完全按照苏联宪法的模式制定。1953、1963和1974年相继对宪法进行改革，形成一个比较松散和协调的联盟，权力逐步从联邦下放给企业、市和共和国的共产党（改称南斯拉夫共产主义者联盟）机构。通过这种复杂的演变过程，南斯拉夫的国家建制由区、共和国和联邦3级政府组成，500个区负责直接征收几乎全部的政府税收，同时也提供社会服务。

1974年宪法规定，区、共和国和自治省的代表会议包括3个代表团：由自治劳动组织的代表组成的联合劳动代表团，由地方选区公民组成的地方选民代表团及从南斯拉夫劳动人民社会主义联盟、共产主义者联盟、工会、退伍军人、妇女和青年等组织的成员中选举产生的社会政治代表团。联邦议会仅由两院组成：联邦院有来自各种组织、区和社会政治团体的220名代表，共和国及自治省院有来自共和国及自治省代表会议的88名代表。

行政权力机构为联邦执行委员会，该委员会由一名主席及代表各共和国、自治省的委员和代表各种行政机构的官员所组成。1974年铁托任联邦政府终身主席；1980年铁托去世后，主席职务由各共和国和自治省选出的代表轮流担任，国家实行集体领导。

1945年以后，共产党政府对私人占有的大片土地、工业企业、公用事业和其他资源均实行国有化，并开展了轰轰烈烈的工业化运动。但自1948年同苏联分裂后，南斯拉夫更多地依赖市场机制。新"南斯拉夫体制"的一个显著特点是实行"工人自治"，这种体制在《1976年联合劳动法》中臻于最完备的程度。根据该劳动法，工人通过所在的工作单位加入南斯拉夫社会，工作单位可以是"联合劳动的基层组织"（例如某个工业企业），也可以是连接一个整体活动各个部门的"联合劳动复合组织"（例如制造和销售部门）。每个工作单位都由工人委员会管理，工人委员会选举一个管理部负责企业的经营。经理人员名义上是工人委员会的公仆，但实际上由于他们受过较多训练，并能接触到各种信息和其他资料，因此他们比普通工人占有更大优势。

1953～1965年，在新体制下国家经济获得明显增长，但后来发展速度减慢。由于对提高生产效率缺乏真正有效的刺激，工人委员会往往在地方银行和政府官员的默许下将工资提高到实际利润率以上的水平。通货膨胀和失业成为严重问题，特别是在80年代，生产力依然低下。这种体制上的缺陷因未经统一筹划地向国外大量举债而被掩盖，但1983年后国际货币基金组织要求以大规模经济调整作为进一步提供援助的先决条件。在讨论如何满足这个要求的过程中所出现的矛盾，在较富裕的北部和西部与较贫困的南部和东部之间又重新燃起宿怨，前者将资金用于联邦政府的开发计划，而后者往往将资金投入效率较低的企业或非生产性计划。这些分歧在南斯拉夫社会主义联邦共和国解体的过程中起了直接作用。

第三个南斯拉夫 1991年6月25日，斯洛文尼亚和克罗地亚正式宣布脱离南斯拉夫联邦政府。12月19日马其顿也作出同样决定，1992年2～3月，波斯尼亚的克罗地亚人和穆斯林相继投票赞成退出联邦。当内战激烈进行之时，塞尔维亚和黑山成立一个新的联盟，并于1992年4月27日颁布宪法。这部宪法规定建立一个由两院制议会组成的联盟政府，议会通过选举产生总统，总理由总统提名、经议会批准后产生，同时还建立联盟法院、国家检察院和国家银行。大部分社会和经济事务仍属于共和国的权限范围，联盟政府仅负责国防和安全、外交政策、货币制度和统一的市场、人权和民权以及交通系统。联盟议院由有138个席位、经直接选举产生的公民院和有40个席位（每个共和国各有20席）、经各共和国议会分别选举产生的共和国院所组成。塞尔维亚共和国和黑山共和国都有各自的政府和宪法。

经济制裁和南斯拉夫议会的重组促使塞族领导人停止支持1995年塞尔维亚人在波斯尼亚和克罗地亚的叛乱活动。在科索沃来自占人口多数的阿尔巴尼亚人要求更大自治权的运动逐渐升温，演变成1998年的内战。由于共和国院调停失败，同时也是对一支塞族军队对科索沃解放军发动军事攻击的回应，1999年3月北大西洋公约组织对南斯拉夫展开了空袭。这促使塞族领导人米洛舍维奇下令进行"种族清洗"，使得几十万科索沃阿族人成为难民。6月一项和平协议最终达成。2000年底，改革后的南斯拉夫政府恢复了在联合国和欧洲理事会的席位。然而科索沃和黑山的独立运动仍在继续。

由于担心黑山的独立运动可能再次释放20世纪90年代摧毁前南斯拉夫的破坏势力，在欧盟的斡旋下，南斯拉夫和黑山总统以及塞尔维亚总理经过协议同意维持联盟，但赋予各方以更大的自治权。2003年协议正式通过，国名改为塞尔维亚和黑山共和国。南斯拉夫的国名成为历史纪录。

Yugur 裕固族 中国少数民族。分布在甘肃肃南裕固族自治县和酒泉县。人口12 962（2000）。有2种语言：一种是西部裕固语（尧呼尔语），主要分布在肃南裕固族自治县西

裕固族姑娘
中国大百科全书出版社供图

部，属阿尔泰语系突厥语族；一种是东部裕固语（恩格尔语），主要分布在肃南裕固族自治县东部，属阿尔泰语系蒙古语族。无文字，一般通用汉语文。先世为回鹘的一部。唐代迁徙到甘肃河西走廊。史称"河西回鹘"（参阅**Uighur**）。17世纪初进入嘉峪关内祁连山一带，旧称"黄头回鹘"、"撒里畏兀"。主要从事畜牧业。住房以帐篷为主。婚姻为一夫一妻制，同姓同族严禁通婚。丧葬行火葬、土葬或天葬。信仰藏传佛教。1954和1980年在甘肃省成立了肃南裕固族自治县和酒泉市黄泥堡裕固族民族乡。

Yui Shōsetsu 由井正雪（?～1651-09-10，日本旧骏河国骏府） 日本的叛乱者，企图发动政变推翻德川幕府，结果却导致政府努力改变武士道的活动方向。日本江户的著名军事教官，在浪人中弟子众多。1651年德川家光死时，他企图推翻幕府。他的弟子都是没有正当职业的浪人，所以很愿意执行他的计划。但是幕府发现了这一阴谋，逮捕和处决了他的许多弟子，他本人亦自杀。这次反叛大大震动了德川幕府，它采取行动安抚仍然存在日本各地的成千浪人，为他们提供职业，重新训练他们从事文书工作，而不单是军事技能。

Yuit 尤伊特人 住在西伯利亚和白令海及白令海峡中的圣劳伦斯岛、代奥米德群岛上的爱斯基摩居民集团。文化上同*楚克奇人*（**Chukchi**）相近。这些亚洲爱斯基摩人的传统经济活动是捕猎海兽，特别是海豹和海象；19世纪后半期以前还捕鲸。19世纪末他们同俄罗斯人发展了贸易，还同邻近的驯鹿饲养者以及阿拉斯加爱斯基摩人进行贸易。其副业是捕鱼、猎皮毛兽及采集植物食粮。猎捕方法有自岸上或舟中抛掷鱼叉，或在陆地使用梭镖，后来则改用火器。交通工具有单人兽皮船、平底船、捕鲸船及狗曳雪橇等。尤

伊特人信仰各种善、恶精灵,认为恶精灵制造各种苦难,特别是疾病。他们也崇拜某些鸟兽,禁止杀害。宗教活动多为感恩内容,以舞蹈、戏剧等形式表达。妇女在宗教活动中发挥重要作用。在苏维埃及俄罗斯政权统治下,尤伊特人已过集体化生活,捕猎海兽用新设备,并引进了新行业(如兽皮加工以及同楚克奇人合作饲养驯鹿)。

Yuju 豫剧 中国北方戏曲剧种,又称河南梆子,属梆子腔系。最早的传授者为河南开封朱仙镇的蒋门和清河集的徐门两家,都曾办过科班。后在开封又形成祥符调,传至商丘一带的形成豫东调,流入洛阳的一支发展为豫西调,流入漯河的一支被称为沙河调。祥符调与沙河调、豫东调比较接近,一般统称为豫东调,在发声上多用假嗓,音域较高,激越、轻快,俗称"上五音"。豫西调以洛阳为中心,多用真嗓,音域较低,悲凉、缠绵,俗称"下五音"。1927 年以后,王润枝、马双枝、陈素真、常香玉(**Chang Xiangyu**)等女演员先后在开封等城市演出,吸收了坠子、大鼓、京剧的一些唱腔、剧目和表演;又有樊粹庭、王镇南等编写了一批新戏,使豫剧发生了显著变化。豫剧唱腔流畅,节奏鲜明,表演细腻,文辞通俗,多以真声演唱。唱腔结构为板式变化体,主要伴奏乐器有板胡、二胡、三弦、唢呐、鼓板、梆子、锣、手钹等。脚色行当分四生(老生、大红脸、二红脸、小生)、四旦(青衣、花旦、老旦、彩旦)、四花脸(黑脸、大花脸、二花脸、三花脸)。主要剧目有《花木兰》、《穆桂英挂帅》、《唐知县审诰命》(《七品芝麻官》)、《秦香莲》(《包青天》)、《朝阳沟》、《人欢马叫》等。

Yukaghir 尤卡吉尔人 又拼 Yukagir,Yukhagir 或 Jukagir。西伯利亚极地冻原及泰加林地区一古老民族的后裔,住在俄罗斯勒拿河以东,是世界最寒冷的住地之一。因贫困、遭受侵犯及外族带来的疾病,使他们濒于灭绝,20 世纪末约有 1 100人。可分为北(冻原)尤卡吉尔人和南(科雷马)尤卡吉尔人。他们的方言不能相通;至 20 世纪末,与俄语、楚克奇语、埃文语、雅库特语混合使用的多语现象仍十分常见。青年尤卡吉尔人很少有人说母语;由于同化,他们一般说俄语或使用雅库特语和俄语两种语言。虽然他们一般仍住在科雷马河上游,大部分已不再过游牧生活,而从事狩猎、捕鱼和放牧驯鹿。驯鹿的驯化大约始于 17 世纪中叶俄国人征服前不久。北尤卡吉尔人实行婚后从夫居制度,南尤卡吉尔人实行婚后从妻居制度,但都实行父系继承制。一般是一个个小家庭组成氏族。氏族由一位能力强的成年男子领导食物和防御事宜。尤卡吉尔人虽于 18 世纪已信奉基督教,但仍保有许多如萨满教等传统信仰。

Yukaghir language 尤卡吉尔语 仅在俄罗斯萨卡共和国的科雷马河地区数百人中通行的语言。尽管同古西伯利亚语群中其他语言没有亲属关系,结构也不相似,而常被划入古西伯利亚语群。但晚近研究结果曾把尤卡吉尔语视为乌拉尔语系的一个"远亲"。尤卡吉尔语同另外两种已消亡的语言或方言——奥莫克语及楚万语——一起组成尤卡吉尔语族或语系。

yukata 日本浴衣 日本男女都穿的棉织品制作的和服,穿着舒适,通常用镂孔模板靛染图案。原设计为夜服,供在家中浴后穿用。

身着日本浴衣的日本姑娘
供图:Kenzo Yamamoto/Orion Press,Tokyo

如今,夏日傍晚,穿着上街也屡见不鲜。日本的大小旅馆均备有此衣,供住客出去漫步。

Yukawa Hideki 汤川秀树(1907-01-23,日本东京~ 1981-09-08,京都) 日本物理学家。因对基本粒子理论的研究获 1949 年诺贝尔物理学奖。汤川秀树 1929 年毕业于京都帝国大学后留校任讲师,1933年转考大阪帝国

供图:American Institute of Physics, Niels Bohr Library, W. F. Meggers Collection, New York City

大学,1938 年获大阪帝国大学博士学位。他重返京都大学任理论物理学教授(1939 ~ 1950),还曾在美国新泽西州普林斯顿高级研究院和纽约市哥伦比亚大学任职,1953 ~ 1970 年任京都基础物理学研究所所长。1935年,汤川秀树在大阪帝国大学任讲师时,提出一种核力理论,预言介子的存在。介子是质量处于电子和光子之间的粒子。美国物理学家于 1937 年在宇宙线中发现一种介子后,就立刻确定汤川秀树是介子理论的创始人。介子理论以后成为原子核和高能物理学的重要部分。他致力于发展介子理论后,1947年根据非局域场的概念,着手研究更全面的基本粒子理论。

Yukhagir (people) 参阅 **Yukaghir** 尤卡吉尔人。

Yuki 尤基人 四个北美印第安居民集团的通名,原住在美国海岸山岭及加利福尼亚西北部海岸地区。他们的语言是独特的,不与任何已知语言有关。这四个尤基人居民集团是:正统尤基人,居住在伊尔河及其支流的上游地带;胡奇农人,居住在西面的雷德伍德河谷;沿海尤基人,分布于更西面的雷德伍德海湾一带;瓦波人,居住在波莫人中间的一块飞地,位于南面的俄罗斯河谷,约 65 千米之遥。仅因语言上的相同,瓦波人同其他尤基人才有联系;在文化上,瓦波人与波莫人相同。其他尤基居民集团都组成社区,每个社区由几个分散的居民点或村落构成。村落占据一块自然地带,各有首领,不过全社区还有一个总首领总揽全部事务。各村还有一名战争首领、一名"舞蹈指导"和一名萨满教僧或巫医。尤基人某些社区、群体之间以及尤基人与其他印第安人之间战争频仍;不过沿海尤基人是例外,通常与邻居和睦相处。各群体间贸易盛行,内地居民以皮毛与沿海居民的各种海产品及贝壳进行交易,标准货币是蚌壳珠。尤基人以捕鲑鱼、采集橡实以及猎捕熊、鹿等动物为食,而沿海尤基人更多地依赖于海产品。内地尤基人居住圆顶敷泥的房屋,沿海尤基人则居住树皮搭成的锥形房屋。他们都有大型的舞蹈房和蒸汽浴室。尤基人宗教信仰集中于两名对立的神祇,一善一恶。全部尤基人都有大量的庆典、宗教仪式和成丁仪式。参阅 **Pomo**。

Yukon-Charley Rivers National Preserve 育空-查利河国家保护区 位于美国阿拉斯加州中东部,与加拿大交界。1978 年建立。范围包括查利河全段(142 千米)流域和育空河 185 千米长河段流域。总面积10 212平方千米。境内有 1898 年淘金热时留下的遗迹以及古生物学和考古学遗址。当地野生动物种类繁多。

Yukon River 育空河 北美的主要河流之一。其上游最远源头是加拿大育空地区和不列颠哥伦比亚边界以北的麦克尼尔河。往西北流经育空地区,然后弯向西南穿过美国的阿拉斯加州,在诺顿湾注入白令海。全长 3 190千米。流域面积约850 000平方千米,虽历经 19 世纪 90 年代的著名淘金热,但大都尚未开发。该河因 1896 年在其加拿大支流克朗代克河发现丰富金矿而闻名于世。在第一次世界大战后淘金活动渐趋衰退的那些年里,这条河的航运业也衰退下来。比麦克尼尔河更为重要的源头,是从塔吉什湖和阿特林湖流出的河流,在不列颠哥伦比亚和育空地区边界的北面不远处。昔日育空河在源头下约 80 千米处穿过迈尔斯峡谷的狭窄岩壁,并在怀特霍斯瀑布的岩礁间翻腾汹涌。20 世纪中叶在怀特霍斯南拦河筑起水坝为水力发电之用,如今瀑布区和迈尔斯峡谷成为一座水库湖。此后,育空河流经宽广的河道,有

许多小岛。在塞尔扣克村育空河与佩利河汇流,流量大为增加。然后该河又与挟带着西南面冰川和山脉的淤泥的怀特河汇合。另一与之汇流的是斯图尔特河,该河源于东部矿区。克朗代克是条小支流,在历史城镇道森与育空河汇合。在长达近一世纪的时间里,挖金机曾数度在谷地砂砾层作业,从而在此处留下一排排蜿蜒如虫状、堆积如山的砾石。道森以下,河谷渐窄,高原被高1 200米的山脉所切断。育空河跨越阿拉斯加边界之后,下一大支流是波丘派恩河,它在阿拉斯加的育空堡处与育空河汇合。然后育空河向西南流约 240 千米,穿过广阔平坦的河谷,河谷西端是一长而窄的峡谷。在与阿拉斯加南部主要支流塔纳诺河汇合处,育空河海拔已在 90 米以下。塔纳诺河上游有育空河流域最大的城市费尔班克斯。在塔纳诺河汇流处下游约 280 千米处,最后一条主要支流,科尤库克河汇入,此后育空河转向南又向西流数百千米。育空河在接近白令海时,向北急转注入白令海的诺顿湾。河口三角洲宽约 64 千米,多沼泽和湖泊。育空河流域人口一直稀少。虽然矿藏财富的引诱是该地区有人居住的主要因素,但将来育空流域的主要资源可能是其风景和远离尘嚣以及稀疏的人口,这些正是吸引想远避拥挤地区的大陆游客之处。

Yukon Territory 育空地区 加拿大西北部地区。西与美国阿拉斯加州交界,东邻西北地区,南接不列颠哥伦比亚省,北部深入北极圈内直达波弗特海。首府怀特霍斯是最大的居民点。

地处北美西部科迪勒拉多山区域。人口较多地区为大面积的中央高原,周围山峦环绕,内有育空河系向西北流入阿拉斯加。育空河系流域占该地区约 3/4,另有皮尔河流经东北部较小高原,利亚德河流经东南部的平原。中央高原平均海拔约1 200米,周围是北美洲一些最高最壮观的山脉。其中西南端的圣伊莱亚斯山脉最为高大,加拿大最高峰洛根山高达5 951米。北部冻原地带几无河流,多为平坦的永久冻土,各种建设大多十分困难。一般而言,育空地区为大陆性气候,虽靠近太平洋,但大洋的缓和作用因高山阻挡不能直接影响该地区。气温差别很大,夏季有时高达 35 °C,冬季低至 – 51 °C,但月平均气温与靠东靠南的某些加拿大城市相差无几。夏季短,但昼长,尤以北极圈内的北部地区为甚。降水量少,怀特霍斯年平均仅 250 毫米。

该地区原住有美洲印第安人和因务伊特人(爱斯基摩人),今日他们占总人口约 1/5。印第安人主要是库钦人和纳汉尼人,均操阿萨巴斯卡方言。还有住在怀特霍斯南面的塔吉什人,操特林吉特方言。东部住有少数的因努伊特人。大多数印第安人仍以狩猎、捕兽和捕鱼为生,随着季节而迁移住处。他们最喜爱捕捉的是驼鹿。步枪——尤其是机动雪车的采用,已开始改变他们的传统生活方式,使他们能捕捉到更多的猎物。虽然没有有人居住的印第安人居留地,但联邦政府对已登记的印第安人却负有责任。其余的居民是欧洲人或混血人(大多为欧洲人和印第安人混血人)后裔。

第一个来到该地区的欧洲人是英国探险家约翰·富兰克林爵士,他是 1825 年从东部抵达此地以探索通往太平洋的西北通道。他发现赫舍尔岛上的因努伊特人所使用的金属尖头的箭是与来阿拉斯加居住的俄罗斯人贸易中获得的。根据他的报告,哈得孙海湾公司派出 J. 贝尔去作进一步的探索。1840 年贝尔在马更些河三角洲设立麦克弗森堡,1847 年又在育空河和波丘派恩河汇流处建立育空堡,那时该汇流处属俄罗斯领土。同印第安人的贸易蓬勃发展,许多贸易站也相继成立。育空堡曾两次重新迁址,第一次是美国购买阿拉斯加的 1867 年,第二次是 1890 年。

19 世纪 70 年代在育空河支流上发现有金矿,立刻涌进了矿工、美国商人,最后在 19 世纪 90 年代中期来了一支西北骑警队。随着在博南扎河(克朗代克河支流)发现有丰富的矿藏,1898 年掀起了巨大的淘金热。克朗代克的急速发展触发了道森市的设立(高峰期居民达30 000人)以及怀特帕斯和连接怀特霍斯和斯卡圭(在阿拉斯加)的育空窄轨铁路的建设。1898 年,加拿大议会将这个迅速发展的地区从西北地区分离出来,另行设置建制。但克朗代克的繁荣是短暂的。1900 年个体矿工不再淘金,为使用大规模机械采矿技术的公司所取代。

育空地区开采出金、银、铅、锌、铜、石棉和煤,还有许多未开采出的矿藏。联邦的援助刺激了 20 世纪 50 年代的采矿业,但是在 20 世纪后期采矿业却开始衰落。政府和旅游业变成本地区经济的支柱。

第二次世界大战使运输有所改进,包括阿拉斯加公路的建设。连接梅奥、怀特霍斯、道森和斯卡圭的克朗代克公路建于 20 世纪 50 年代至 70 年代期间。连接道森、麦克弗森堡和伊努维克的丹姆斯特公路于 1979 年通车。但是怀特帕斯—育空铁路却于 1982 年中断服务(后斯卡圭与不列颠哥伦比亚之间的一小段重新营业,为旅游服务)。怀特霍斯、埃德蒙顿和温哥华之间有定期喷气式飞机往返服务,轻型飞机往来于育空地区的所有居民点。通信方面也有所改善。这些交通和电信方面的改进促进了旅游业的发展。

大部分地区仍为未经破坏的原野,野兽众多。因为北方绵亘的冻土,水资源缺乏,不适宜于开发。有些地区可以耕种,但由于气候欠佳,土地瘦瘠,无甚收成。实际上也没有什么人专为务农在此居住。

育空地区政府是根据 1898 年的《育空法》和 1966 年的《政府组织法》组织成立的,由成年人普选出来的立法议会组成。常驻行政长官由联邦政府任命,受印第安人事务和北方发展部长领导,是主要的行政官员,但在地方事务上要听取行政会议的意见。以政府首脑为首的行政会议由立法议会的议员组成,负责政府的日常事务。地区政府同省政府享有同等的地方权力,唯一的例外是:除猎物外,育空的所有天然资源均由联邦官员管理。育空有一名联邦参议员,由加拿大总督任命,在众议院有一名普选出来的议员席位。

育空地区阿拉斯加公路斯利姆河桥上方的希普山
供图:Richard Hartmier/First Light

在公立学校和政府资助的天主教及私立印第安人学校,从幼儿园至 12 年级均实行免费和义务教育。政府在印第安人的社区里开始一项计划,鼓励以当地方言和教科书来讲授有关土地知识和谋生技术。在怀特霍斯的育空学院和社区分校网提供两年大学水平的课程和一些职业和成年人教育项目。

关于育空地区的加拿大文学,以塞维斯的诗和小说以及育空出生的伯顿所作的《克朗代克》(1958)最为著名。加利福尼亚的杰克·伦敦首先以他在克朗代克淘金热中的经历所写的短、长篇小说而开始闻名。在怀特霍斯和道森的博物馆中展出有淘金热时期的遗物,在怀特霍斯还有无线电广播和电视台、报纸以及图书馆系统提供新闻和娱乐。

在道森为纪念 1896 年 8 月 17 日在克朗代克发现金矿的纪念日和在怀特霍斯的探矿者集会(2 月)都是以举行比赛、音乐、舞蹈和当地民间创作为特色的节日,道森的“煤气灯活报剧”和怀特霍斯的“狂热活报剧”再现了这些城镇在淘金热时期的气氛。面积483 450平方千米。人口约32 000(1993)。

Yulin 玉林 又拼 Yü-lin。中国广西壮族自治区辖地级市。南流江自北向南流贯。东北有大容山,西南为六万大山,中南部是肥沃的郁林盆地。唐武德四年(621)置南流县,贞观十二年(638)设郁林州。1912 年升为郁林府,1913 年改为郁林县。1955 年改称玉林县,1983 年设市。1997 年撤销玉林地区和县级玉林市,设立地级玉林市。面积12 839平方千米,其中市区面积1 251平方千米。农产品丰富,盛产稻谷、甘蔗、茶叶(红碎茶)、大蒜、蔬菜、黄麻、烟叶、香蕉、柑橙、龙眼、荔枝等。是广西东南地区粮、果、药材和土特产的集散地和公路交通中心。玉林至梧州、广州、北海、湛江、桂平、钦州、贵港、柳州的公路于此辐集，黎塘至湛江的铁路经此；有小型飞机场。有自行车、柴油机制造等机械工业，以及食

玉林天门关
中国大百全书出版社供图

品、粮食加工、纺织和服装、制药、建筑材料、制糖、化肥等工业。工艺品有羽毛平贴画、民族花边、绣花鞋等。名胜古迹东有水月岩；北有寒山风景区，山上有古寒山寺。两者均列入玉林八景之中。西有龙泉岩，有“岭南第一岩”之称。东部茂林乡与北流县交界处的天门关，是古代北方往海南天涯海角必经之地。人口：全市5 980 000(2004)；市区910 000(2004)。

Yuma　尤马　美国亚利桑那州西南部城市和尤马县县城(1871)。位于科罗拉多河岸希拉河口。1854年始建，1871年设镇，1914年设市。为变沙漠为良田的各大灌溉区的中

尤马市的尤马准州监狱州立历史公园
供图：Herb and Dorothy Mclaughlin

心。经济以农业、旅游业、轻型制造业为基础。设有亚利桑那西部学院(1962)。附近有海军陆战队航空站(1928)和尤马科学试验基地(1942)，还有旧监狱改建成的历史公园。人口：市77 515；尤马都会统计区160 026(2000)。

Yuma Desert　尤马沙漠　北美洲索诺兰沙漠的一部分。在科罗拉多河东面和希拉河南面，包括美国亚利桑那州西南角和墨西哥索诺拉州西北角。境内地貌有沙质低地平原、沙丘。该地区几为不毛之地。为支援科罗拉多河谷和希拉河谷的商品农业(冬季蔬果、棉花、亚麻、柑橘、枣和苜蓿)，灌溉工程可进行大面积的浇灌。然而，正是由于这类引水浇灌的巨大影响，科罗拉多河和希拉河下游时常断流(仅间歇性地有水流)。尤马沙漠的降水量不大，晴空万里，有利于坐落在尤马市的美国海军陆战队航空站开展活动。

Yuman　尤马人　若干北美印第安居民集团之统称，传统上居住在科罗拉多河下游及其毗邻地区，其范围约为美国的亚利桑那州西部、加利福尼亚州南部及墨西哥的下加利福尼亚州北部、索诺拉州西北部；操霍卡语系诸亲属语言(尤马诸语言)。尤马民族分为两支：①河边尤马人，住在科罗拉多河下游、基拉河中游，主要居民集团自北而南计有莫哈维人、哈尔奇多马人、尤马人(Yuma)、科科帕人，还有基拉河中游的马里科帕人；②高地尤马人，住在大峡谷以南的亚利桑那州西部，主要居民集团包括华拉派人、哈瓦苏派人及雅瓦派人。另两支操尤马语的居民集团是迪埃古诺人和卡米亚人(今称蒂派人和伊派人)，住在加利福尼亚南部和墨西哥下加利福尼亚州北部。基利瓦人和派派人仍住于下加利福尼亚州北部。河边尤马人主要从事农业，科罗拉多河及基拉河每年洪水泛滥，洪水过后，土质肥沃，使他们深受其益。马里科帕人颇受其近邻皮马人的影响，经常与皮马人联合起来，共同反对其他河边尤马人，如莫哈维人及尤马人(Yuma)。高地尤马人的文化在许多方面颇与古代沙漠文化(参阅 **Cochise culture**)相似，沙漠文化是许多西南文化传统之源。他们也有一些农业，但主要生活来源是狩猎和采集野生植物。哈瓦苏派人的情况是例外，这部分是由于同霍皮人的接触的结果，部分是由于地处瀑布峡谷，溪流灌溉，使广种成为可能；瀑布峡谷是大峡谷的一个侧谷。哈瓦苏派人有睦邻传统，这点也同其他尤马人不同。另一方面，雅瓦派人则经常与西阿帕切人的某些群组结盟，进行劫掠活动，因之有时他们就被称为雅瓦派-阿帕切人。所有尤马人都没有定居的村落，政治组织松散。大多数人具有尚武精神，个人追求战功。尤马人长于制陶，器物多为实用，如有破损，即易新物，很少修旧。宗教是信奉一最高造物主，相信梦幻，并在宗教仪式或庆典中使用歌唱形式以叙述战功、大事。20世纪晚期，美国和墨西哥的尤马人的人数不详，仅在加利福尼亚和亚利桑那两州印第安居留地中的尤马人约有4 000多。参阅 **Diegueño**；**Mojave**。

Yumen　玉门　又拼 Yü-men。中国甘肃省县级市。重要的石油工业城市。位于省西北部祁连山北麓，河西走廊西段昌马河、石油河冲积扇上。东距酒泉市中心80千米。公元前2世纪末，西汉设玉门县，治今赤金镇东。唐中叶后属吐蕃。五代属回鹘地。宋属西夏地。元属肃州路。明再度为吐蕃占领。清乾隆二十四年(1759)恢复县治，治今玉门镇。1955年以石油矿区设玉门市。1958年玉门县撤销并入市。1961年改属酒泉地区。2002年撤酒泉地区，设地级酒泉市，代管玉门市。辖4个街、4个镇、5个乡、1个民族乡。面积13 500平方千米。市境南北为山，中部走廊平原大部是戈壁，仅河流冲积扇前缘为灌溉绿洲。玉门经济系于陆路交通的兴废，唐时地当通往西亚的要道，城市随之繁荣。后海上交通发达，玉门经济日趋衰落。20世纪30年代修建经玉门西通新疆乌鲁木齐公路，促进玉门的发展。1939年在玉门附近老君庙一带钻井出油，1941年正式投产。1949年以后大规模开采，成为中国最早的石油生产基地。1949年产原油69 000吨，占当时中国产量的一半以上。1969年产量上升到250万吨，占全国产量13%。有炼油厂。为中国石油勘探、开采和冶炼人才培训基地。并有电力、机械、农机、化肥、水泥等工业。农牧业亦盛。兰新铁路及312国道等横贯市境，乡、镇通汽车。除汉族外，还有回、蒙古、藏等民族。人口170 000(2005)。

Yun, Isang　尹伊桑(1917-09-17，朝鲜东阳[今韩国忠武]～1995-11-03，德国柏林)　朝鲜出生的德国作曲家。努力以当代西方技巧来表现亚洲人特有的感情。14岁即开始作曲，曾在日本大阪和东京学习音乐。返回朝鲜后，第二次世界大战期间积极参加反对日本的抵抗运动，其后便在东阳、釜山与汉城教授音乐。旋又赴欧洲深造，先在巴黎(1956～1957)，后在柏林师事B.布拉赫尔(1958～1959)。1967～1969年因被无端指控为共产党员而在韩国遭监禁；获释后开始执教于柏林，1971年成为德国公民。尹伊桑作曲的主旨在于运用东亚表演方式和欧洲乐器与其他技巧来发展朝鲜音乐。所作歌剧以道教教义和阴阳学说汲取灵感。他也采用抗议的语汇进行写作，例如在一首大提琴协奏曲(1976)中借以回忆他的狱中岁月，而在作于1981年的一首管弦乐回忆录中则用以纪念1980年光州大屠杀中的牺牲者。其他作品尚有《洛阳》(1962)、《里亚克》(1966)、《比里》(1971)及《火中天使》(1994)。

Yün-kang caves (cave temples)　参阅 **Yungang caves** 云冈石窟。

Yün-lin-hsien (Taiwan)　**云林县**　参阅 **Douliu** 斗六。

Yun Nan-t'ien　恽南田　参阅 **Yun Shouping** 恽寿平。

Yun Shouping　恽寿平(1633～1690)　又拼 Yün Shou-p'ing。中国清代画家。毗陵(今江苏武进)人。原名格，字寿平，改字正叔，号南田。晚年迁居常州城南的白云溪旁并名其画室为瓯香馆，则又号白云外史、瓯香散人。恽寿平的别号特别多，常用的还有东园生、园客、雪衣居士等。他生活在明清交替之际，少年时参加过抗清斗争，有过家破人亡的遭遇。入清后，坚决不应科举考试，以卖画维持生计，终于穷困病死。恽寿平艺术天赋很高，早年向伯父恽向(明末山水画家)学画山水，取法元代王蒙、黄公望、倪瓒，并上溯董源、巨然。得名甚早，但中年以后(约40岁左右)转为以画花卉为主。他从明代沈周、陆治、孙隆等人的作品中吸取创作经验，再参考画史文献资料，“酌论古今，参之造化”，从而创造出一种托名为“仿北宋徐崇嗣”的没骨花卉画法。这种花卉画法的特点是抛开院体画先勾勒轮廓后填彩敷色的方法，而以潇洒秀逸的

用笔直接点蘸颜色敷染成画。在造型上注重对客观对象的观察体验，提倡“对花临写”，因而讲究形似，但又不以形似为满足，有文人画的情调、韵味。他的这种画法，当时被赞誉为

恽寿平绘《花卉》
檀香山美术学院供图

“别开生面，令人耳目一新”。在康熙中叶以来，曾经风靡一时，尤以常州一带学他的为最多，形成了一个以他为首的常州派，主要画家有马元驭、恽冰等。恽寿平不单以画花卉著名，山水画亦有很高成就。他中年后虽然声称耻为天下第二手，改画花卉以让王翚，但实际上，直至晚年他未间断过山水画的创作。他的山水画，笔墨飘逸、灵秀，讲究意境，以神韵、情趣取胜，与王时敏、王鉴、王翚、王原祁、吴历并称清六家。他又善诗文和书法，在绘画理论上亦甚有建树；后人在道光（1821～1850）年间收集他的题画跋语300多条，编成了《南田画跋》一书，其中有不少论画的精辟见解，受到后人重视。

Yuna River　尤纳河　多米尼加共和国中部和东北部河流。为全国三大河系之一。由源出中科迪勒拉山的多支溪流汇成，向东北流入富饶的锡瓦奥谷地，接纳主要支流卡穆河转向东流，流经一片沼泽低地，在桑切斯港口西南注入萨马纳湾。全长160千米，仅下游通航。河水主要用于灌溉稻田。

Yuncheng　运城　中国山西省辖地级市。位于省西南部，黄河中游，运城盆地中央。南倚中条山，北负稷王山，涑水河和姚暹渠由东向西横穿。辖盐湖区和芮城、临猗、万荣、新绛、稷山、闻喜、夏县、绛县、平陆、垣曲10县，代管永济、河津2县级市。面积14 106平方千米，其中市区面积1 237平方千米。历史悠久，是中华民族的最早发祥地之一。原名潞村。春秋属晋，称盐邑。汉属安邑县，称司盐城。元末筑盐务专城，为盐务总汇之区运司驻地，故名运城，俗称凤凰城。1949年设镇，1955年安邑县移治运城镇。1958年以安邑、解虞、临猗3县和永济县一部分合并为运城县，1960年析部分地复置临猗县。1983年改县为运城市。2000年撤运城地区和县级市，设立地级市。盛产棉花、小麦、花生、苹果等。城南盐湖（解池）是历史悠久的著名池盐产地，盛产“潞盐”和芒硝，建有以盐硝为原料的盐化工厂。产品畅销国内20多个省市及亚欧10多个国家和地区，是山西省无机盐化工原料基地。还有冶金、电力、纺织、机械、化肥、水泥等工业。交通便利，南同蒲铁路纵贯南北，侯西铁路横亘东西，209国道斜穿境内，大运、运风、运三高速公路已峻工通车。解州镇是三国蜀汉大将关羽（？～219）的故里，解州关帝庙建于隋开皇九年（589），被尊为武庙之祖。名胜古迹还有池神庙、飞云楼、永乐宫、风陵渡、五老峰等。人口：全市4 910 000（2005）；市区620 000（2004）。

Yundum　云杜姆　冈比亚西区城镇。位于班珠尔西南23千米。为师范学院和政府主要农业实验站所在地。原为第二次世界大战盟军机场的冈比亚国际航空港，在市东南偏东3千米处。人口1 240（1973）。

Yung-an（China）　参阅 **Yong'an** 永安。

Yung-chia（China）　**永嘉**　参阅 **Wenzhou** 温州。

Yung-ning（China）　**邕宁**　参阅 **Nanning** 南宁。

Yungang caves　云冈石窟　又拼 Yün-kang caves。中国古代北方地区佛教石窟寺。位于山西大同武周山南麓。依山凿出，东西绵延1千米。现存主要洞窟53个，造像5.1万尊，

云冈石窟6号窟内景
供图：Seiichi Mizuno

最大佛像高近17米。北魏文成帝和平元年（460）由当时佛教首领昙曜主持，为开国后的5个皇帝各凿石窟一所，后称为昙曜五窟。主要石窟多完成于太和十八年（494）孝文帝迁都洛阳前的30多年间。早期石窟平面作椭圆形，没有后室，全以造像为主。佛像高大，雄伟浑厚，艺术风格受犍陀罗艺术影响。稍后的中部各窟平面多作长方形，有后室，中央雕凿大佛像或中心塔柱，四壁、拱门及窟顶上雕刻许多小佛像、飞天、佛经故事、图案装饰等，风格趋于精细优美。石窟题材有千佛、三世佛、弥勒菩萨、释迦、多宝佛、维摩文殊对坐和佛传故事、佛本生故事等，表现当时中国北方重视禅行的特点。西部窟群的晚期诸窟则多出现褒衣博带式的造像。1961年公布为国家重点文物保护单位。

Yungas　荣加斯　玻利维亚西部亚热带湿热地区。在雷亚尔山脉东坡，在拉巴斯和科恰班巴北面和东北面延伸，地形起伏，多雨林。有金矿，产古柯、咖啡、可可、甘蔗，因此人们乐于来此定居。国家正在改善交通运输，对该地区继续进行开发。

Yunjinghong　允景洪　又拼 Yün-ching-hung。中国云南省南部集镇，为政治、经济、文化中心。西双版纳傣族自治州和景洪市人民政府驻地。位于澜沧江南岸。旧称车里。傣语“景洪”意为“黎明”，“允”意为“城市”，允

允景洪的曼阁佛寺
中国大百科全书出版社供图

景洪即“黎明之城”。20世纪50年代初原是小镇。后来相继修建通昆明—打洛公路，经济逐渐繁荣。70年代起已建起电力、冶金、机械、砖瓦、橡胶、制茶、榨油、食品和木材加工等工厂。街道两旁植有火红的凤凰树，具有热带风土气息。

Yunjiqiqian　《云笈七籤》　英语作 Complete Taoist Library。中国道教类书，约170万字。宋张君房奉命修《道藏》，编成《大宋天宫宝藏》4 565卷（已亡佚）。后取其精要编成《云笈七籤》122卷。道教称书箱为“云笈”；《道藏》分三洞四辅，总称“七籤”。《云笈七籤》只录道经，将不属于道教的著作全部剔除。书中摘录或全录道经原文，不加论说，分类辑录，保存了不少已失传的道经片断，是研究中国道教的重要资料。

Yunlin　云林　又拼 Yün-lin。中国台湾省西岸中部县。县治设斗六市。面积1 290.83平方千米。清光绪年间（1875～1908）初设县时，县治在林圮埔（今南投县竹山镇）的云林坪，故名；旋移治于斗六，仍沿用旧名，后废。1950年由台南县析置。除东部为阿里山麓丘陵地外，大部为肥沃的冲积平原。浊水溪和北港溪分别流经北部和南部边境，其间有虎尾溪、嘉南大圳等水系纵横交错，灌溉条件良好。该县农业发达，盛产甘蔗、稻谷、花生、亚麻、甘薯、凤梨、洋菇、芦笋。花生及薄荷产量居全省第一。家禽饲养也冠于省内各县。工业以纺织和制糖为主。县东部有煤矿，台西一带1980年勘明有浅海油气田。交通便利，其中南北纵贯铁路、中山高速公路分别跨越西螺河的浊水溪西螺桥（长1 940米）和中沙大桥（长2 345米），是台湾省最长的铁路桥和公

云林县的中沙大桥
中国大百科全书出版社供图

路桥。境内名刹古寺多,尤以北港朝天宫(相传初建于1694年),是全台300多座妈祖庙中规模最大、香火最盛的庙宇,每年农历3月23日妈祖诞辰,香客云集。人口750 000(2001)。

Yunmeng Bamboo Slips 云梦秦简 中国湖北云梦战国时期秦国和秦代的墓葬出土的简牍。共两批,包括1975年于睡虎地11号和4号墓出土的1 100余枚(现藏湖北省博物馆)和1989年于龙岗6号墓出土的约300枚(现藏湖北省文物考古研究所),是研究战国晚期至秦代的政治、经济、文化、法律、军事等的宝贵资料。简上文字皆为墨书秦隶。睡虎地秦简内容包括①《编年记》,②《语书》,③《秦律十八种》,④《效律》,⑤《秦律杂抄》,⑥《法律答问》,⑦《封诊式》,⑧《为吏之道》,⑨《日书》,⑩家信。龙岗秦简的内容主要是与禁苑有关的法律摘抄。这两批简牍中,最重要的是有关秦法律的文书,内容已大大超出李悝的《法经》,其中以刑法最为成熟。

Yunmeng Ze 云梦泽 又作Yün-meng Lakes。中国湖北省江汉平原上的古湖泊群的总称。南以长江为界。先秦时这一湖群的范围周长约450千米。后因长江和汉江带来的泥沙不断沉积,汉江三角洲不断伸展,范围逐渐减小。魏晋南北朝时期已缩小一半,唐宋时解体为星罗棋布的小湖群。此后有的小湖逐渐淤平,有的则扩展,洪湖就是在清中叶以后迅速扩展成的大湖。

Yunnan 云南 中国西南边陲省份。简称“滇”。介于北纬21°9′～29°15′,东经97°31′～106°12′,东起乌蒙山,西至高黎贡山与缅甸接壤,北抵金沙江和横断山脉,南达中南半岛北部丘陵、山区与老挝、越南为界。面积394 029平方千米。除汉族外,有彝、白、哈尼、傣、壮、苗、傈僳、回、拉祜、佤、纳西、景颇、瑶、藏、布朗、阿昌、怒、普米、德昂、独龙、蒙古、基诺、满、水、布依等民族以及克木人,是中国民族最多的省区。设8个自治州、8个地级市、12个市辖区、9个县级市、79个县和29个自治县。省会昆明市。

自然条件及资源 全境多山,西北高,东南低,高差大,地形复杂。元江以东为滇东高原,是云贵高原的主体。北部高原面比较完整,海拔约2 000米,南部丘陵、河谷平原降至1 000米以下。高原上石林、溶洞、伏流河广布,以路南石林最著名;山间盆地和河谷平原为重要农产区。滇西是横断山区,南北向的高黎贡山、怒山、云岭、雪山等山脉与怒江、澜沧江、金沙江等河流相间排列,形成高山峡谷地形。北部山峰高达4 000～5 000米以上,山高谷深,交通不便;南部山地降至1 000～2 500米,山缓谷宽,形成广阔的坝子平原,有利农耕。气候垂直变化显著,气温季节变化不大,但干湿季分明。南部年平均气温在20°C以上,夏季炎热,全年无冬,属热带气候。北部夏温冬寒,年平均气温在12 °C以下,属温带气候。中部平均气温介于二者之间,年温差11～13°C,是冬无严寒、夏无酷暑、四季如春的亚热带气候。夏季受来自印度洋的西南季风和来自太平洋的东南季风影响,湿润多雨。滇西南和元江河谷大部分地区年降水量1 000毫米左右。呈东、南、西三面向中、北部减少的趋势。西盟降水量最多,为2 748毫米;宾川最少,仅593毫米。5～10月为雨季,降水量为全年的85%以上;11月至次年4月为旱季,天气晴朗干燥,蒸发旺盛。河流多为入海河流的上游,怒山以东属太平洋水系,主要有金沙江、南盘江、元江、澜沧江;怒山以西属印度洋水系,主要有怒江、独龙江、大盈江等。著名湖泊有滇池、洱海、抚仙湖。水力资源丰富,集中蕴藏在横断山区各河。由于地形复杂、气候多样,动植物种类繁多。有众多的特有树种,如云南松、滇油杉、望天树、毛坡垒等。主要林区在西部横断山区,南部西双版纳分布有热带季雨林。滇南、滇西南多柚木、紫檀、红木、樟、楠、相思、榕等珍贵热带林木。林区还盛产茯苓、天麻、麝香、鹿茸等珍贵药材。矿物资源以铜、铅、锌、锡等有色金属和煤、磷、岩盐、大理石等为最重要。

沿革 云南是人类的发源地之一。1965年在元谋县发现的猿人化石,是中国发现的最早的人类化石之一。公元前3世纪的战国后期,楚将庄跻率兵来到滇池一带,建立滇国。他们与当地民族融合后,史称滇族,从事农、牧、渔和纺织,并经营采矿。史称明昆夷、哀牢夷等的其他民族,居住在云南的西部和中部,主要从事游牧。汉武帝时云南北半部属益州刺史部,曾在今祥云县东南云南驿置云南县,“云南”开始成为地名。元狩年间(公元前122～前117)滇王曾协助汉使探求通往今印度的道路。到元封二年(公元前109),以滇池(今晋宁东)为治所析置益州郡。在今云南西部,也曾设不韦、嶲唐两县,那时农业也有发展,产丝、毛、木棉等。东汉永平十二年(公元69)西部地区置永昌郡,以不韦为治所。益州郡到三国蜀汉建兴三年(225)改为建宁郡,又分建宁郡和永昌郡部分地区设云南郡,“云南”开始成为郡名。西晋泰始七年(271)置宁州,辖有今云南大部分地区,成为中国19个州之一。唐、宋时代,以乌蛮、白蛮等民族为主体,建立南诏、大理政权,同时接受唐、宋王朝册封。当时中心地区农业、手工业(包括冶铁技术)已都很发达。元至元十三年(1276)设云南行中书省,“云南”从此成为省名。明、清为云南省。英国于清同治十三年(1874)、法国于光绪十年(1884),相继入侵云南。宣统元年(1909)法国筑成了从越南到中国云南省昆明的窄轨铁路,由此运出大量农、林和矿产品。抗日战争期间,省内曾建有一些工厂。至1949年,除昆明有一些小型工厂外,几乎没有现代工业。一些边远山区还保持着刀耕火种的农业生产方式。

经济 1949年后云南省逐步因地制宜地发展经济。种植业尤其是粮食作物的种植以稻、玉米、小麦为主,还有豆类、薯类等。经济作物以油菜籽、花生、烟草、甘蔗、茶、棉花、蚕桑等为主。“云烟”质地优良,素负盛名。“滇红”、“滇绿”和“普洱茶”是重要名茶。滇南、滇西南的低海拔河谷适宜热带作物生长,已发展橡胶、椰子、剑麻、油棕、胡椒、可可、枫茅、香茅、金鸡纳、砂仁、龙血树、槟榔、紫胶等生产。农业的显著特点是与自然条件的水平和垂直差异相适应的“立体”开发。从南到北,从河谷、平坝到丘陵、低山和高山,耕作制度从一年三熟过渡为一年一熟;作物从热带种属和喜热的水稻、甘蔗到烟草、油菜、棉花、玉米、薯类,直到耐寒的小麦、青稞;从园艺业、种植业、饲养业、渔业,到农林结合、林牧结合,或以林业、牧业为主的农业。工业方面有食品、冶金、机械、化工、电力、轻纺等部门。食品工业是云南的经济支柱,烟、酒、糖在全国占有一定的地位。有色冶金是工业主导部门,黄磷和锡产量居全国首位,磷矿石产量也居首位,磷肥产量居第三位。

现有贵昆、成昆、南昆等铁路干线同全国铁路网相接,并有昆河等省内铁路和许多专用线,2004年铁路营运里程达4 000千米。公路运输是省内主要运输方式,有213、214、323、326等国道及昆明—畹町、昆明—打洛、昆明—那发等公路干线通达省内各地,联系相邻省区,昆曲、昆玉、楚大等高速公路已建成通车,2005年公路里程达167 000千米。昆明有国际航空线通曼谷、仰光、新加坡和万象,有国内航空线通往北京、上海、广州、成都、西安、武汉、贵阳、香港等各重要城市,并有省内航空线通昭通、保山、西双版纳、芒市、思茅。省内有云南大学等多所高等院校。人口42 300 000(2005),其中少数民族占1/3。

Yunnan-Guizhou Gaoyuan 云贵高原 又作Yunnan-Kweichow Plateau。中国西南部高原。在雪峰山以西,大娄山以南,哀牢山以东,包括云南省东部、贵州省全部、广西壮族自治区西部以及四川、湖南、湖北三省的边界区。海拔1 000～2 000米,中、西部高,向北、东、南三个斜面倾斜。北部的乌江、沅江属长江水系,东部的北盘江、南盘江、柳江属西江(珠江)水系,元江向西南流经红河人北部湾。由于受河流切割,加以石灰岩溶蚀地貌广布,高原地貌比较破碎。贵州高原乌蒙山、大娄山、苗岭等地地形崎岖,河流切穿处多形成峡谷。云南东部多断裂形成的山间盆地,贵州高原也有因溶蚀形成的湖盆,前者如滇池、抚仙湖等，后者如草海等。当地称山间盆地为“坝子”，是重要的农业地区。高原上山地丘陵占总面积的90%。土层薄，尚有大面积宜林荒山。降水较多，宜发展杉木、马尾松、油桐、油茶等经济林木，矿产资源丰富。

Yuntai Shan 云台山 中国江苏省东北部山地。在连云港市南郊。由锦屏山、前云台山、中云台山、后云台山和鹰游山等互不连续的断块山组成。山体为前古生代变质岩系。东南侧平缓，西北侧陡峭。前云台山主峰玉女峰海拔625.4米，为江苏省最高点。除锦

云台山石雕
中国大百科全书出版社供图

屏山外，在第四纪最后一次海侵时全为沉陷海中的岛屿，古称郁洲山或苍梧山。由于沂、沭河挟带泥沙的填积和黄河南徙夺淮入海后带来大量泥沙，黄淮三角洲范围日益扩大。1711年前云台山与大陆相连。1855年前后中云台山、后云台山也相继与大陆联成一体。现鹰游山仍孤悬于东西连岛上。在鹰游山屏蔽下，鹰游门内风平浪静，有利建港，现已建成可停泊万吨轮的海港。云台山已辟为自然保护区。前、后云台山多奇峰异石，以花果山、水帘洞著称。山中有唐、宋、明、清时期的庙宇和石雕。

Yunus Emre 尤努斯·埃姆莱（13世纪中叶，土耳其～约1321，土耳其） 诗人、神秘主义者，对土耳其文学的影响极大。虽然对其生平史实的传说模糊不清，但他仍是一位有名的苏菲（伊斯兰神秘主义）派教徒，师从塔普杜克·埃姆莱40年。尤努斯·埃姆莱以诗歌完美地表达了神秘主义哲学，特别是13世纪的诗人和神秘主义者鲁米的哲学。他跟鲁米一样，也成为安纳托利亚神秘主义的主要代表人物，而且更受欢迎；死后被尊为圣人。他的诗歌，主要是歌颂神圣的爱情和人类的命运，以感情深沉见称。他的写作风格直爽明快，近乎严峻，喜用安纳托利亚民歌的传统诗韵写作。他的诗对后来的土耳其神秘主义者有决定性的影响，极大地激励了1910年以后土耳其民族诗歌复兴时期的诗人。

Yupuru River（South America） 参阅 **Japurá River** 雅普拉河。

Yurak（people） **尤拉克人** 参阅 **Nenets** 涅涅茨人。

Yurok 尤罗克人 北美洲西北沿海印第安人，住于美国加利福尼亚州克拉马斯河下游及太平洋沿岸一带，所操语言属大阿尔冈昆语，与维约特人（**Wiyot**）相近。尤罗克人的村庄较小；各村由若干家庭的独立住房组成，而不是一个拥有全部政治权威的一元化的社区。有时全体居民都享有利用某些地域维持生计的权利和参加某些礼仪活动的权利，但另一些权利，诸如渔、猎及采集的权利，一般讲来，是属于个别家庭的。这些权利多以世袭、嫁妆及血金或购买等方式获得。村庄除住室以外，还有汗房，可用作基层社会单位的男子的集体寝室（包括父系方面的亲属，由一名年长成员为首）。另有一些小型的妇女用的月经期茅舍。经济活动主要为捕捞鲑鱼和采集橡实。他们善于编筐，制作独木舟，出售给内地部落。财富以成串的齿贝计算，也以黑曜岩片、啄木鸟头皮及白鹿皮计算。发财致富是尤罗克人的主要理想。数世结仇是普遍现象，偿付血金多少以伤害程度及受害人社会地位而定。宗教是关于个人努力争取神灵的帮助和关于为公众福利而举行仪式的事务。重要庆祝仪式是“万象更新节”，祈求物阜年丰，人民幸福。唯独妇女有医病的神力。没有散财宴假面具舞蹈、摹写实际生活的艺术以及其他多数西北海岸诸文化的特点。

yurt 蒙古包 又作yurta，蒙古语拉丁字母转写作ger。中亚游牧民族帐篷式住房。以木棍支撑，上覆兽皮、毛毡或色彩鲜艳的手织物。内部简单地配以色彩鲜艳的地毯（以红

蒙古戈壁地区的蒙古包
供图：George Helton—Photo Researchers

色居多），地毯饰有几何图形或动物图案。蒙古包内还有鞍囊、水瓢和纺织用具。游牧民族把蒙古包装在马背上或小马车上，逐水草转移，找到良好牧场后，就把它搭起来。

Yuruá River（South America） 参阅 **Juruá River** 茹鲁阿河。

Yürük rug 约鲁克地毯 安纳托利亚各地区游牧民手工织制的铺地用品。对角图案，迷宫似的销栓钩花饰配以砖红和深蓝，再点上几点牙白，十分像俾路支地毯。安纳托利亚东部有许多库尔德地毯，但也列为约鲁克地毯，用色华丽奇特。图案中的六角形和菱形花饰显出棱角。对冲法拴扣，织出的地毯不是直道而是斜纹。小尺码祈祷毯图案不属任何大类，因此经常被排除在“安纳托利亚”图案之外。约鲁克地毯用毛光泽好，毯面毛绺也长，但多倒伏不能竖立，这是由于纬线道数

19世纪的约鲁克地毯
供图：Joseph V. McMullan

太多的缘故。

Yuryev（Estonia） **尤里耶夫** 参阅 **Tartu** 塔尔图。

Yuscarán 尤斯卡兰 洪都拉斯东南部城镇。位于蒙塞拉特山东麓，海拔1 030米。1730～1740年此地发现金、银矿时建立。曾为殖民时期最繁荣的采矿中心。19世纪采矿业曾一度中断，20世纪40年代恢复。保持殖民时期色彩，亦为木材、谷类、水果产区的商业中心。公路通首都特古西加尔巴。人口约2 155（1988）。

Yushan National Park 玉山国家公园 中国台湾省第二座国家公园。位于台湾省中南部中央山脉与玉山山脉交界地带，跨越南投、嘉义、高雄、花莲4县，面积约1 054.90平方千米，为台湾面积最大、地势最高的国家公园。1985年4月10日建立。其范围东抵花东纵谷，西与阿里山山脉为邻，北至郡大山，南达关山棱线。著名的“台湾百岳”，该园区即占有30座，包括玉山群峰、秀姑峦山、关山、马博拉斯山、新康山等。崇峰峻岭连绵并峙，山

玉山国家公园内的玉山群峰
台湾中华书局供图

势雄浑壮丽。玉山主峰高达3 997米，有“台湾屋脊”之称，为中国秦岭以东及东亚第一高峰。玉山国家公园为台湾少数仍保有原始自然生态的地区之一，植物繁衍茂密，野生动物滋生其间。天然植被随海拔高度增加而递

变,林相约 6 种:1 800米以下的阔叶林带、1 800～2 500米的桧木林带、2 500～3 000米的铁杉林带、3 000米以上的冷杉林带、3 500米以上的亚高山矮盘灌丛带、3 800米以上的高山草本植物带。据调查,该园区内有 15 种台湾特有的鸟类,包括蓝腹鹇、黑长尾和台湾蓝鹊等。较著名的哺乳动物有长鬃山羊、台湾黑熊(狗熊)、水鹿、台湾弥猴。有台湾特有的两栖类动物梭德氏树蛙、莫氏树蛙和褐树蛙。山椒鱼分布在海拔2 000～3 400米之间的阴湿的原始森林底层或溪涧两旁,是世界山椒鱼分布的南界。特有的蝴蝶包括曙凤蝶、台湾麝香凤蝶、双环蝶等 23 种。该公园依据不同的资源特性与分布情形,划分为 5 个分区:①生态保护区,包括玉山群峰、郡大山的核心资源保护区及南横公路桧谷一带;②特别景观区,为山岳、高原台地、断崖等特殊地质地形天然景观,包括玉山连峰、达芬尖山、新康山、向阳山、云峰、秀姑坪、大水窟、关山断崖等地;③史迹保存区,以纵贯该园区的八通关古道旧址为主;④游憩区,包括观高、塔塔加鞍部、梅兰鞍部、天池、大分等处;⑤一般管制区,为上述分区以外可维持原土地利用型态的地区。

yushitai 御史台 英语作 censorate。中国东汉至元设置的中央监察机构。秦、汉时设御史大夫,是丞相的副职,负监察臣下之责。其官署西汉称御史府。东汉光武帝时使御史入兰台工作,以御史中丞为长官,时称御史台或宪台。南北朝、隋、唐、宋、金均沿袭。元代御史台的地位提高,成为和中书省(管理政务)、枢密(管理军事)并列的机构。御史台的主要职责,一是弹劾百官,二是推鞫刑狱。忽必烈曾称中书省和枢密院为左右手,御史台则用来医治左右手。明初一度设置,后改为都察院,长官为左右都御史。清代同。

汉代的御史大夫印章封泥
中国大百科全书出版社供图

Yushu 玉树 中国青海省玉树藏族自治州辖县、自治州首府。位于省境南部,通天河南岸。境内地势高耸,平均海拔为4 498.4米,海拔5 000米以上山峰达 95 座,大部分终年积雪。面积13 462平方千米。1931 年由玉树理事辖地改设玉树县。1955 年成立玉树藏族自治州,州、县政府驻地都在结古镇。结古旧名结更多,在巴颜喀拉山南麓,长江上源通天河支流巴龙曲和扎西曲汇流处。自古有驿道通过,是青海通往川、藏的交通要冲,为青南、川西、藏东的物资集散地。玉树县的经济以畜牧业为主,间有小片农业区。工业有煤炭、电力、建材、农机修配、皮毛加工等。山地森林茂密,野生动植物资源丰富,有 20 多种全国重点保护野生动物,产虫草、川贝、麝香、鹿茸、大黄等贵重药材。有公路通往西宁、治多、杂多、称多等地。县城结古也是青海南部最大宗教中心,有著名的结古寺、文成公主庙。人口80 000 (2005),以藏族为主,约占 91%以上。

Yust, Walter 尤斯特(1894-05-16,费城～1960-02-29,美国伊利诺伊埃文斯顿) 美国新闻工作者和编辑,1938 ～ 1960 年间任《不列颠百科全书》全部出版物的总编辑,任期之长超过历届前任。宾夕法尼亚大学毕业。1917 年入《费城晚报》,后在路易斯安那的新奥尔良从事新闻和出版工作。1926 年任《费城公众报》文学编辑。1929 年写了一篇评论《不列颠百科全书》第 14 版的文章,引起该全书主编 W.考克斯的重视。翌年加盟该百科全书公司,担任广告经理,1932 年任副主编。1938 年任总编辑直至 1960 年退休。

美国不列颠百科全书公司供图

Yūsuf ibn Tāshufīn 优素福·伊本·塔舒芬(? ～ 1106) 穆拉比人的统治者(1061 ～ 1106)。把穆拉比人控制的疆域从马格里布一小块并不稳定的地区扩大为一个大的帝国,包括今摩洛哥和阿尔及利亚的大部分地区,北面远至穆斯林西班牙的弗拉加以及马霍卡、梅诺卡和伊维萨等岛。原为柏柏尔人,是一位杰出的将领和虔诚的宗教苦行者,以榜样来激励他的追随者。1061 年,当时的穆拉比人领袖艾布·贝克尔去沙漠镇压部族叛乱。他得到贝克尔在马格里布的部队的指挥权。塔舒芬深孚众望以致贝克尔征战归来后让位于他。他建立马拉喀什(约 1062),征服摩洛哥和阿尔及利亚大部分,并于 1086 年彻底打败卡斯蒂利亚国王阿方索六世。1089 年他又着手认真地征服西班牙。死前,实际上已控制穆斯林西班牙全境。

Yuwen Huaji 宇文化及(?～619) 又拼 Yü-wen Hua-chi。中国隋末叛军首领、割据者。先世是匈奴族,代郡武川(今内蒙古武川西)人。隋大将宇文述之子。隋炀帝时任右屯卫将军。618 年与武贲郎将司马德戡等在江都发动兵变,绞死炀帝,立秦王杨浩为皇帝,自任丞相。后率军 10 余万北上,在童山(今河南浚县)为李密、徐世勣击溃,率残部 2 万遁魏县(今河北大名东面)。后毒杀杨浩,自称帝。建元天寿,国号许。619 年在聊城为农民起义军领袖窦建德擒杀。

Yuyao 余姚 中国浙江省县级市,重点产棉县市之一。位于省境东北部,姚江流域中、西部。秦置余姚县,旧传为舜支庶封地,舜姓姚故曰余姚。实系越语地名。历属会稽郡、越州、绍兴府。元元贞元年 (1295) 升余姚州,明洪武二年 (1369) 复为余姚县。1985 年撤县改为县级市,1988 年由省直辖,宁波市代管。面积1 527平方千米。地处浙东丘陵北缘、宁绍平原中部,南有四明山,北为滨海平原,中部姚江横贯。农业:北部滨海平原为棉花基地;中部姚江平原种植水稻、油菜;南部丘陵、山地产茶叶、毛竹、水果、木材,其中水果以杨梅为大宗。工业有食品、电子、化纤、仪表等,传统手工业有铁锅、金丝草编、工艺竹编等。萧甬铁路、杭甬运河横贯中部,公路通宁波、绍兴、杭州。1973 年在市东部姚江北岸发现河姆渡遗址,为迄今发现最早的原始社会文化遗址,系中国重点文物保护单位。1993 年建成遗址博物馆,对外开放。市境还有龙泉山、白水冲等风景名胜。人口830 000(2005)。

余姚市河姆渡遗址的发掘现场
中国大百科全书出版社供图

Yuzhno-Sakhalinsk 南萨哈林斯克 又拼 Iuzhno-Sakhalinsk 或 Južno-Sachalinsk。俄罗斯远东区萨哈林州城市和行政中心。位于萨哈林岛(库页岛)南部苏苏亚河畔。原为日本人居民点,1945 年起属苏联。1946 年起用现名。为交通中心,有铁路通往科尔萨科夫海港、霍尔姆斯克和内什。有机车和车辆修理厂,也生产家具、靴鞋、酒。人口约165 000(1993)。

Yuzhny Bug 南布格河 Yuzhny又拼Iuzhnyi 或 Južnyi。乌克兰西南部的河流。长792 千米,流域面积63 740平方千米。发源于沃伦-

波多利斯克台地，迤逦向东，又转东南，流经峡谷，水流湍急，后经起伏不平的草原（多已垦殖）进入黑海。入海口湾弯曲，长47千米。流量季节变化大。沃兹涅先斯克以下河段可通航。河口有尼古拉耶夫港。

Yuzovka（Ukraine） **尤佐夫卡** 参阅 **Donetsk** 顿涅茨克。

Yūzū Nembutsu **融通念佛宗** 日本佛教部派，该宗强调念佛（诵念阿弥陀佛之名）的永恒效验（融通）。他们相信，念佛不仅惠及念佛人，而且惠及全人类。开祖为12世纪初天台宗弘法僧人良忍。该宗是净土教和真宗等净土宗各派的前身。该宗一直存在至今，但其信徒较其他虔敬的净土宗派别为少。

Yvelines **伊夫林** 法国北部法兰西岛大区省份。包括巴黎西部远郊区以及巴黎和诺曼底之间的塞纳河谷，面积2 271平方千米。1964年由从前的塞纳－瓦兹省（1790年前为历史上的法兰西岛省的一部分）的西部组成。该省全境一度曾遍覆森林，现仍有大面积森林，包括省会凡尔赛四周巴黎大区的马尔利

伊夫林省波尔什维尔的热力发电厂
供图：Martine Franck—VIVA

国家森林和圣日尔曼昂莱国家森林以及朗布依埃国家森林（在西南部，占面积12 000公顷）。境内有一片丘陵高原，塞纳河流经该省北部。气候温和，温差小，雨量适中。种植小麦等谷物，特别在该省南部和西北部更为普遍。商品菜圃在河谷地区比较兴旺，河谷地区比东部的巴黎远郊区工业化程度低。由于公路和郊区铁路设施的改善，使住宅区与巴黎之间的交通便利。地区铁路快车班次的建立也改善了当地的交通，特别是在圣日尔曼昂莱和凡尔赛之间。该省境内有很多古迹和娱乐场所，包括凡尔赛城堡、马尔利的皇家公园等。全省设凡尔赛、芒特拉若利、朗布依埃和圣日尔曼昂莱4个专区，属巴黎教育区。人口约1 306 400（1990）。

Yverdon **伊韦尔东** 瑞士西部沃州一城市，位于洛桑之北、纳沙泰尔湖南岸的拉蒂耶勒河河口处。最初为罗马军队的营地，称埃布洛都努姆，罗马人筑墙的废墟今日犹存。瑞士教育家J. H. 裴斯泰洛齐于1805年建立寄宿学校的地方原为萨伏依公爵们的城堡（1260～1278），学校兴盛了20年，现该处有一座图书馆、一个科学幻想小说博物馆和一个藏有裴斯泰洛齐纪念品的历史博物馆。市政厅和牧区教堂都是18世纪的建筑物。伊韦尔东浴场在市中心的东南，自罗马时代即以其碱性含硫小的温泉出名，现已归入供热中心（1977年改建）。伊韦尔东是一个工业日益发展的城市，有铁路修配厂，并生产机械、精密仪器和烟草。人口约21 004（1987）。

YWCA 参阅 **Young Women's Christian Association** 基督教女青年会。

Z

Z particle Z 粒子 作用于全部已知亚原子粒子的弱核力的电中性传递子。它是带电的 W 粒子（**W particle**）的伙伴。Z 粒子的质量为 91.16 ± 0.03 吉电子伏（1 吉电子伏 = 10^9 电子伏），或约百倍于质子质量。W 粒子的质量略小些，为 80.6 ± 0.4 吉电子伏。这些粒子的寿命都很短，约只有 10^{-25} 秒。20 世纪 30 年代，以光子的发射和吸收描述电磁相互作用取得成功之后，就提出了由中介粒子传递弱力的概念。在以后约 30 年内，全部观察到的弱相互作用似乎只需要用带电的弱力传递子来说明。

然而，在 20 世纪 60 年代，建立弱力的规范不变量理论——即相对时空变换对称的理论——的尝试，提出统一弱相互作用和电磁相互作用的建议。所形成的电弱理论需要两个电中性粒子，其中之一为光子，另一是弱力的新传递子，称 Z 粒子。1973 年，设于日内瓦附近的欧洲核研究组织（CERN）的实验揭示在中微子和电子或原子核间存在“中性流”相互作用，且在这个作用过程中没有电荷的转移。这种反应只能由交换一个中性 Z 粒子来解释。这是 Z 粒子的第一个证据。1983 年，CERN 进一步做质子和反质子碰撞实验，更直接地观察到 Z 粒子和 W 粒子。从那时起，已经用 CERN 的高能正负电子对撞机，使总能量约 92 吉电子伏的正负电子对撞产生数千个 Z 粒子。对用此法产生的 Z 粒子的衰变研究，揭示了 Z 粒子的“宽度”或其质量的内禀差异。由不确定性原理知道“宽度”和粒子的寿命相关。该原理指出量子态的寿命越短，其能量或所对应的质量的不确定性就越大。因此，Z 粒子的宽度给出其寿命的量度，从而反映粒子可能衰变途径的数目，因为衰变途径的数目越多，粒子的寿命就越短。尤其是 CERN 的观测显示，当 Z 粒子衰变为中微子-反中微子对时，它产生且只产生三类轻型中微子。这个观测结果具有根本的重要性，因为它表明只有三种系列的轻子和夸克——物质的基本建筑块料。

za 座 日本封建时代的商业或手工业行会。室町时代（1338 ～ 1573）开始垄断商品的生产、运输和销售。由于官准立案，不纳通行税、运输税和市场税。许多座是在贵族、神社或佛寺的赞助下成立的。奈良有 80 多个座，制作和运输纸张、酒、盐和油。也有舞蹈家、乐师、木匠和铁匠组成的座。随着市场经济的发展，其势力日益衰微。约 1590 年，织田信长和丰臣秀吉明令将座取消。

Zaanstad 赞斯塔德 荷兰西部北荷兰省城市。位于近北海运河与赞河汇合处。17 世纪为重要造船业中心。仍留有一些 17 世纪的风车。现为阿姆斯特丹西北 10 千米的一个工业区，有食品、油漆等工业，也是铁路枢纽和木材贸易集散地。人口 135 126（1999）。

Zaberma（people） **扎贝尔马人** 参阅 **Zerma 泽尔马人**。

Zabīd 宰比德 又拼 Zebid。也门西部城镇。位于西部滨海平原东陲，距红海 16 千米，濒临宰比德河。为古代也门的中心。820 年由阿拔斯王朝重建。其继任者齐亚德王朝在此统治着阿拉伯西南部大部分地区。1173 ～1174 年，也门被阿尤布王朝征服，迁都塔伊兹。在塔希尔王朝（15 世纪后期）统治时，该城再度昌盛。宰比德城墙坚厚，城内大清真寺昔日为著名的沙斐仪经学院，现仍享有盛名。过去为纺织印染业和鞣皮制革业的重要中心。人口44 200（1999）。

Zabrze 扎布热 德语作 Hindenburg（兴登堡 1915 ～ 1945）。波兰南部西里西亚省城镇。位于上西里西亚工业区。1742 年归普鲁士。1912 年上西里西亚被波兰和德国瓜分时，该镇仍属德国。第二次世界大战中严重受毁。1945 年移交波兰。为重要的工业和文化中心，也是波兰最古老的矿区居民点之一，1790 年在此首开矿井。经济以采煤、炼焦、金属制品、化工和发电为主。人口 195 293（2002）。

Zacapa 萨卡帕 危地马拉东部城镇。临圣何塞河。海拔 225 米。1896 年巴里奥斯港—危地马拉城铁路筑成后，城镇扩大。今尚有通往圣萨尔瓦多的铁路。所在地区生产甘蔗、玉米、豆类、牲畜，为商业和制造业中心，在当地以产乳酪和雪茄闻名。1976 年地震时市内建筑受到很大破坏。人口16 400（1994）。

Zacapú 萨卡普 墨西哥中西部米却肯州中北部城市。位于莫雷利亚西面，纳瓦岑山地。海拔1 980米。经济以农牧业为主。出产小麦、豆类和玉米。附近有塔拉斯科印第安人建筑遗迹。通公路和铁路。人口 69 739（2000）。

Zacatecas 萨卡特卡斯 墨西哥中北部一州。面积75 040平方千米。位处多山岭的中央高原，海拔平均约2 350米。气候干燥，年平均降雨量约 500 毫米。谷地炎热，山区温和。主要河流有阿瓜纳瓦尔、赫雷斯、胡奇皮拉等。经济以矿业为主，农业（谷物、苜蓿、甘蔗、龙舌兰）也占重要地位。但降雨少，产量不高。仅小部分农田有水灌溉。也饲养牛。工业有肉类加工、矿石粉碎、从银胶菊中提取橡胶、榨糖、酿酒和纺织。铁路、公路和航线将州首府萨卡特卡斯与埃尔帕索（美国）和墨西哥城连接。人口1 351 207（2000）。

Zacatecas 萨卡特卡斯 墨西哥中北部萨卡特卡斯州首府。位处深窄谷地。海拔2 500米。1548 年始建。1585 年为市。直到 19 世纪末，附近银矿产量占世界 1/5。现仍为矿业中心，并为周围农业区商业和制造业中心。1752 年建成的市内大教堂以高柱廊著称，内藏欧洲油画和精美的金银制品。19 世纪 50 和 60 年代实行改革时，大部分物品被没收。城西南偏南的奇科莫斯托克有印第安古迹。通华雷斯—墨西哥城公路和铁路干线，建有机场。人口：市113 947；大都会区 232 965（2000）。

萨卡特卡斯城貌

供图：Walter Aguiar

Zacatecoluca 萨卡特科卢卡 萨尔瓦多南部城市。位于伦帕河谷，圣维森特火山山麓。附近农区的商业中心，经营棉织品、篮筐、盐和木材贸易。生产水泥。1932 年遭受严重地震灾害。为 J.S. 卡尼亚斯的诞生地（卡尼亚斯为结束中美洲的奴隶制度而成功地进行了斗争）。人口约27 725（1987）。

Zaccaria, Saint Antonio Maria 扎加利，圣安东尼奥·马里亚（1502，米兰公国克雷莫纳～ 1539-07-05，克雷莫纳） 意大利基督教司铎、医学家，创立以进行隐修和考证圣保罗书信为宗旨的圣保罗会。1524 年获帕多瓦大学医学博士学位，后研究神学，1528 年受神职。1530 年创立圣保罗会。该会在米兰境内进行传教和慈善工作。后来扎加利又成立女修会圣保罗天使会。两会以圣保罗的训戒为指导，在米兰和其他地区进行传教和兴办教育。扎加利晚年将圣保罗会总会设在米兰圣巴拿巴教堂，因此该会通称巴拿巴派。20世纪70年代，该会在意大利、奥地利、比利时、西班牙、南美洲等地设有隐修院。

Zaccaria, Benedetto　扎加利亚（?，热那亚～约1307，热那亚）　热那亚商人、外交家、海军将领，1284年率领热那亚舰队在梅洛里亚同比萨作战取得决定性胜利的英雄。1264年被任命为热那亚驻拜占廷帝国大使，帝国皇帝迈克尔八世帕里奥洛加斯将士麦那北部的福西亚领地，连同领地上的矾矿一起，赠送给他和他的兄弟曼努埃拉。在此基础上，兄弟俩建立了一个商业帝国，与北非、西班牙、法国、佛兰德、君士坦丁堡和黑海沿岸地区进行贸易。1284年扎加利回到热那亚，率领舰队封锁比萨的第勒尼安港口——皮萨诺港，施展巧计，诱使比萨调动舰队投入战斗。由此爆发梅洛里亚战争，扎加利运筹帷幄，热那亚舰队大胜，比萨从此一蹶不振。1290年扎加利离开热那亚，任卡斯蒂利亚国王桑乔四世的舰队总司令。4年后他率领法国国王腓力四世的舰队与英国作战，1299年封锁了佛兰德。约1301年他率领舰队保卫福西亚，抵抗土耳其和加泰隆海盗的袭击，占领了附近的希俄斯岛。数年后返回热那亚。

Zacconi, Lodovico　扎科尼（1555-06-11，教皇国佩萨罗[意大利]～1627-03-23，佩萨罗附近菲伦佐拉）　意大利音乐学家，文艺复兴时期最后一位杰出的音乐评论家。先是司铎，后为奥古斯丁会修士。在威尼斯学习音乐，师承A.加布里埃利，成为他那教派的音乐总监。1585年应查理大公爵之聘去维也纳。1592年，《音乐实践》第一部分出版，把它献给巴伐利亚公爵威廉五世，那时他已为公爵供职3年。1596年回到意大利。1622年，该书第二部分在威尼斯发表。其著作是对文艺复兴时期音乐理论和实践的权威性百科全书式的总结。此书的实用价值在于他处理理论问题的方法。他对当时的乐器及其结构、音域和使用方面所作的描述，以及有关即兴装饰的讨论，对现代学者和演奏者具有特殊的价值。他的作品包括一套管风琴《利车卡尔（赋格曲）》和4本卡农曲集。他的自传（1626）现藏于博洛尼亚的音乐会堂中。在自传中，他把自己描写成音乐家、画家和诗人。

Zach, Franz Xaver, Freiherr von　扎奇（1754-06-04，匈牙利佩斯或布拉迪斯拉发～1832-09-02，巴黎）　德-匈天文学家，受聘于萨克森-哥达-阿尔滕堡的恩斯特大公。1791年，扎奇在哥达近郊的塞贝格建立一所天文台，并任台长，直至1806年。该处是当时最重要的天文台之一。在此期间，扎奇组织了欧洲各国的24位天文学家系统地搜寻新彗星，以及按提丢斯-波得定则所预期的、存在于火星和木星轨道之间的行星。此项合作的主要成果是发现了几个小行星。扎奇的历时最长的任务是在1798～1826年期间主编了3种科学刊物。

Zacharias（Jewish prophet）　参阅 **Zechariah 撒迦利亚**。

Zacharias, Saint　扎迦利，圣（?，贝内文托公国圣塞韦里诺[意大利]～752-03-14或22，罗马）　教皇（741～752在位）。其父母为希腊人。他对伦巴第采取和解政策，努力劝阻其统治者利乌特普兰德和拉奇斯侵占拜占廷辖境拉韦纳，果然成功，其后他与伦巴第和平相处。他与拜占廷皇帝君士坦丁五世素来友善，他向后者建议希望东派教会恢复圣像崇拜。扎迦利与法兰克的关系尤为友善，经常同德意志使徒圣卜尼法斯通信，可见他对法兰克王国内部事务发挥重大影响。741年任命卜尼法斯为教皇使节，委派他整顿全法兰克教会。751～752年法兰克废黜墨洛温王朝末代国王希尔德里克三世，此事得到扎迦利的赞许。扎迦利委托法兰克教会为出身加洛林家族的丕平举行抹油礼，授法兰克国王称号。扎迦利将教皇格列高利一世所著《对话集》译成希腊文。

Zacharias, Basileios　扎卡赖亚斯　参阅 **Zaharoff, Sir Basil 扎哈罗夫**。

Zachodniopomorskie　西滨海　波兰语作Województwo Zachodniopomorskie。波兰西北部省份，1999年省级行政区调整时建立，主要包括原什切青省和科沙林省。北邻波罗的海，东连滨海省，南邻大波兰省和鲁布斯卡省，西与德国交界。省会什切青。该省地势低洼，有冰碛丘陵、河谷和1 500多个湖泊。是波兰森林覆盖率最高的省份之一，森林面积占全省总面积的1/3。气候也是波兰最温和的省份之一，受波罗的海影响。年平均气温为8.5℃，平均年降水量东部为550毫米，西部为750毫米。是波兰人口密度最低的省份之一，2/3的人口为城市居民。最大的城市为什切青和科沙林。少数民族（主要是乌克兰人）生活在农村地区。虽然几乎一半的面积是农业用地，但该地区主要以海运经济为主。什切青港连接了奥得河与波罗的海。什切青造船厂是波兰第二大造船厂。工业包括捕鱼、鱼类加工、化工、酿酒、伐木和家具制作。铁路干线将什切青与波兰主要城市和德国相连接，什切青附近建有一机场。旅游业发达。设有沃林国家公园和德拉夫诺国家公园，前者以峭壁和沙滩闻名，后者以独木舟运动闻名。该省有众多的中世纪建筑。什切青建有文艺复兴风格的波美拉尼亚公爵城堡。每年举办电影明星节。著名的博物馆包括什切青的国家博物馆和科沙林的地区博物馆，集中展示了西波美拉尼亚历史。该地区在三十年战争（1618～1648）后丧失了独立。什切青被瑞典控制，而该地区的东部并入了勃兰登堡。1720年成为普鲁士的一部分。19世纪普鲁士在什切青建立了主要港口以及造船厂和钢厂。这些工业发展促进了当地经济的增长。农村地区主要是由普鲁士容克拥有的大型庄园。第二次世界大战时，很多城镇遭受毁灭性打击。战后，西波美拉尼亚归入属波兰。德国人被迫迁出该地区，波兰人迁入。面积22 902平方千米。人口1 698 214（2002）。

Zacynthus　扎金索斯　又拼Zakynthos，现代希腊语作Zákinthos，法语作Zante（赞特）。希腊伊奥尼亚群岛（Ionian Islands）最南和第三大岛。在伯罗奔尼撒半岛西海岸外。面积402平方千米。与南面斯特罗塔泽斯岛组成扎金索斯州（面积407平方千米）。主岛南岸有陡崖和深水湾，中部为肥沃平原。弗拉希奥纳斯山（756米）为最高点。首府扎金索斯在岛东岸古城扎金索斯遗址。公元前5世纪历史学家修昔底德称此岛由来自伯罗奔尼撒半岛的亚该亚人开拓。曾多次遭汪达尔人和撒拉逊人洗劫。1194～1328年被奥尔西尼占领。1328～1482年为托克奇伯爵家族据有。1485～1797年在威尼斯统治之下，1797年让与法国。1815年成为英属伊奥尼亚群岛保护地的一部分。后随希腊文化的复兴而繁荣起来。1864年归属希腊。中部平原和东部丘陵已开垦。主要输出葡萄干、橄榄油、葡萄酒和鲜果。1514、1893和1953年曾多次经受毁灭性地震。最后一次地震中被毁建筑物已经大规模重建。人口：州和岛30 014；市9 764（1981）。

Zadar　扎达尔　意大利语作Zara（扎拉），拉丁语作Jadera。克罗地亚风景如画的古城，达尔马提亚原首府。位于一低地半岛顶端，扎达尔海峡将半岛与乌格连和帕斯曼两岛隔开。半岛与大陆之间的小湾形成一个天然深水港。半岛上的古镇可追溯至公元前9世纪，当时是一个利布尔人的居住地，称为亚德拉。公元前1世纪城镇归属罗马人。约公元5～6世纪阿瓦尔人和斯拉夫人入侵达尔马提亚时，该城免遭于难，仍然是拜占廷达尔马提亚的商业、文化和艺术的中心，十分繁荣昌盛。1045～1358年，该城镇与威尼斯断断续续地处于战争状态，1409年被出售与威尼斯。从此该城镇内受威尼斯人的压迫，外受突厥人之欺。1571年抵挡住土耳其人的攻城，接下来一个时期成为亚得里亚海上防御工事最严密的城镇，直至19世纪后期，其防御工事才部分被拆除。1797～1920年该城镇归属奥地利，其间只有1808～1813年为法国短暂

扎达尔镇的圣多纳特教堂
供图：© Robert Holmes

占领。根据《拉巴洛条约》,扎达尔划归意大利,因而地位下降,使斯普利特成为达尔马提亚的主要城镇。第二次世界大战中盟军轰炸毁坏该城 75% 的建筑物,也破坏了港口设施。1944 年解放后成为南斯拉夫的一部分。新建筑大多在大陆地区。工业现有酿酒(以樱桃酒最为著名)、鱼罐头和鱼品加工,并生产绳索、棉花、合成织物、香烟、塑料、皮革制品及家用器具。扎达尔里维埃拉正发展为以水上运动为主的游览中心。城镇有极好的公路、铁路、航空及轮渡设施,可通巴尔干地区其他各地及意大利。老扎尔达特别著名的是在第二次世界大战的空袭中得以幸存下来的许多精美的教堂,幸存的还有古罗马广场和几条古老、狭窄的卵石小巷。非凡的圣多纳特圆形教堂可追溯到 9 世纪;圣马利亚教堂(1091)有克罗地亚最重要的教会宝库之一;罗马式圣克尔什文教堂建成于 1175 年。还有圣斯托希夏(阿纳斯塔西亚)大教堂(是达尔马提亚最大、最佳的罗马式教堂)及方济各会教堂和修道院(1282)。城内有一所考古学博物馆、国家档案馆、剧院及萨格勒布大学一规模较小的分校。人口60 371(1981)。

ẓaddik(Judaism) 参阅 **tzaddiq** 义人。

Zadkine, Ossip 扎德基恩(1890-07-14,俄国斯摩棱斯克～1967-11-25,法国巴黎) 俄国出生的法国雕刻家,巴黎学派成员。作品的人物和形体十分奇特,代表作是鹿特丹市

供图:© Karsh from Rapho/Photo Researchers

的纪念碑《被摧毁的城市》(1951)。扎德基恩出生于俄国,是希腊文兼拉丁文教授的儿子。早年被其父送往英格兰,学习"英文和绅士风度"。后来迁居巴黎,就读于美术学院。1911 年举行雕刻展览。开始是立体派美术家,但也受到古希腊雕刻的影响。1920 年开始形成个人的风格,其代表作为 1924 年的杰作《音乐家》。1939 年用榆木制作挣扎在痛苦之中的《基督》形象,其手臂似光秃的树枝。第二次世界大战期间,因其犹太血统而逃到美国,在纽约市艺术学生联合会当教师。战后回到法国,并访问惨遭轰炸的鹿特丹,随后创作纪念碑《被摧毁的城市》。其雕刻技法,如 1947 年的组雕《形式的诞生》,兼用凸面、凹面、线条和平行面,借以达到韵律的新颖和多维的统一。1950 年荣获威尼斯双年展雕刻大奖,1960 年又荣获巴黎市大奖,60 年代曾受托为耶路撒冷、阿姆斯特丹等城市制作雕像。

Zadokite Fragments 《扎多基特残卷》 参阅 **Damascus Document**《大马士革文献》。

Zaehner, R.C. 扎纳(1913-04-08～1974-11-24,英格兰牛津) 英国宗教史学家、教育家。他考查东方宗教和其他宗教中的伦理制度和奥秘修行形式的演变。扎纳曾在牛津大学修东方语文,专攻波斯文、亚美尼亚文和阿维斯陀文。他于 1946 年改奉天主教,1952 年继拉达克里希南爵士任牛津大学斯波尔丁座东方宗教与伦理学教授。当时他受到人们指摘,因为此席位一向专为亚洲人士保留。1955 发表《楚尔凡——瑣罗亚斯德教的难题》。此后毕生研究宗教史,陆续发表的著作有:《神圣的与渎神的奥秘修行》(1957)、《印度教与伊斯兰教的奥秘修行》(1960)和《印度教》(1962)等,此外他还译有印度教经集。

Zaenredam, Pieter Janszoon(Dutch painter) 参阅 **Saenredam, Pieter Janszoon** 萨恩勒丹。

Ẓafār 宰费尔 又拼 Sephar, Sapphar 或 Saphar。在南部也门耶里姆西南的古代阿拉比亚遗址,是公元前约 115 年～公元约 525 年统治阿拉比亚南部大部地区的希木叶尔人首府。直到波斯人征服(约 575)为止,它是阿拉比亚南部最重要的城镇之一。希木叶尔王朝灭亡和伊斯兰教兴起后渐趋衰落。

Zafarin Islands(Morocco) 参阅 **Chafarinas Islands** 查法里纳斯群岛。

Zafrulla Khan, Sir Muhammad 扎夫鲁拉汗(1893-02-06,印度锡亚尔科特～1985-09-01,巴基斯坦拉合尔) 原名乔德里·穆罕默德·扎夫鲁拉。巴基斯坦政治家、外交家和国际法学家,特别以曾任巴基斯坦驻联合国代表而知名。扎夫鲁拉汗是著名律师之子,曾就读于拉合尔的行政管理学院,并于 1914 年获伦敦大学国王学院法学士学位。以后在锡亚尔科特和拉合尔开业当律师。1926 年任旁遮普省立法议会议员。1930、1931 和 1932 年担任在伦敦举行的关于印度改革的圆桌会议的代表。1931 ～ 1932 年他是全印度穆斯林联盟主席,并于 1935 ～ 1941 年担任英国总督的执行委员会中的穆斯林委员。1939 年率印度代表团参加国际联盟。1941 ～ 1947 年任印度联邦法院法官。1947 年印巴分治以前,扎夫鲁拉汗曾向被委派解决印度和巴基斯坦之间边界问题的西里尔·拉德克利夫爵士表达了穆斯林联盟对巴基斯坦未来的边界的看法。在巴基斯坦独立时,扎夫鲁拉汗出任这个新国家的外交部长。1947 ～ 1954 年担任巴基斯坦驻联合国代表团团长。1954 ～ 1961 年任海牙国际法院法官。1961～1964年他再度代表巴基斯坦出席联合国,并于 1962 ～ 1963 年担任联合国大会主席。1964 年他重返国际法院,1970～1973年担任国际法院院

供图:AP/Wide World

长。1935 年受封为爵士。著有《伊斯兰教:它对现代人的意义》(1962)一书,并翻译了《可兰经》(1970)。

Zagazig(Egypt) 参阅 **Zaqāzīq, az-** 宰加济格。

Zaghlūl, Sa'd 扎格卢勒(1857-07,埃及伊卜亚纳～1927-08-23,开罗) 全名萨德·扎格卢勒·帕夏·伊本·易卜拉欣。埃及政治家、爱国者,华夫脱党及1918～1919年民族主义运

供图:AP/Wide World

动领袖,该运动导致英国在 1922 年给予埃及名义上的独立。1924 年曾短期任首相。出身于尼罗河三角洲小康的农民家庭。在开罗爱资哈尔穆斯林大学和埃及法学院受教育,其后开业任律师,并涉足新闻界。1892 年为上诉法院法官,1895 年与埃及首相法赫米的女儿结婚。1906 年任新设的教育部大臣,不久以后在组成人民党时起了主要作用。当时,埃及民族主义提出反对英国占领,英国总领事、埃及实际统治者克罗默第一伯爵 E.巴林赞许地称人民党主张"与欧洲人合作,将西方文明介绍到该国(埃及)的政策"。他任教育大臣直至 1910 年,同年任司法大臣。1912 年辞职,因为他与赫迪夫阿拔斯·希勒米二世发生意见分歧。任大臣 6 年期间,他在与英国占领者合作的历届政府中服务,这些政府的成员被极端民族主义者几乎视为叛徒。但在 1912 年扎格卢勒改变了态度。1913 年他被选入权力有限的一院制立法议会,任副议长。一年之间因其对政府的批评而在民族主义者心目中恢复了名誉。1914 年第一次世界大战爆发,埃及成为英国的保护国。赫迪夫遭废黜,宣布了戒严法,立法议会被英国人解散。其后 4 年,在埃及停止了公开的政治活动。

埃及老百姓受到物价飞涨、征用和征兵之苦，知识界和自由职业阶层因个人自由受限制和英国显然欲将暂时保护国改为永久殖民地而感到沮丧。1918年11月签订停战协定时国内已民怨沸腾。扎格卢勒和已不存在的立法议会的几位没有合作污点的原议员在战争年代已在全埃及建立积极分子小组，最终目的是进行政治宣传和政治行动。1918年11月13日，即战争结束后第2天，他率领由3名地位显要的原立法议员组成的代表团(华夫脱)去见英国高级专员(英国驻埃及代表当时的称呼)R.温盖特爵士，告知温，他们认为自己，而不是埃及政府，才是埃及人民真正的代表，要求取消保护国地位和签订一项英埃同盟条约。并且要求允许他们到伦敦去，与英国政府直接谈判这样一项条约。这些要求被拒绝后，扎格卢勒及其同僚通过其建立的地下团体组织的广泛动乱爆发了。1919年3月扎格卢勒及其3名同僚被捕并放逐到马耳他岛，此举使动乱愈增。英国政府撤换温盖特，由巴勒斯坦的战时征服者E.艾伦比将军接替。艾伦比面临政府辞职和继续进行军事行动以镇压全国叛乱的前景，释放了扎格卢勒及其同僚，企图平息埃及舆论。扎格卢勒立即去了正在举行和会的巴黎，将埃及问题提交协约国。他在那里几乎一无所获，但在埃及他已成为民族英雄和局势的主宰。

扎格卢勒获释使埃及的社会动乱暂告结束。1919年秋，根据艾伦比建议，以英国殖民大臣米尔纳勋爵为首的代表团赴埃及对此后两国关系提出建议。扎格卢勒决定只有他能与英国人谈判，决计使各种色彩的埃及舆论抵制代表团。1920年夏，他在伦敦与米尔纳举行一系列会谈。米尔纳在会上——非正式地——同意扎格卢勒自己于1918年11月向温盖特提出的要求的实质，即用一项同盟条约替代保护国地位。但扎格卢勒继而又担心与英国人取得任何协议将损害他在埃及以反对英国人为基础取得的地位。因此他拒绝签署任何协议便回埃及，受到狂热的欢迎。1921年2月发表了米尔纳报告，建议结束保护国地位并谈判缔结条约。由扎格卢勒的一位竞争对手阿德勒·帕夏·亚坎组成的政府把该年大部分时间花在谈判那么一项条约上，但受到扎格卢勒实际上的否决权的制约。后来，阿德勒辞职，扎格卢勒使他的支持者上街，阻止组成另一个政府。于是，艾伦比将扎格卢勒逮捕，放逐到塞舌尔群岛，又说服英国政府勉强地发表单方面的宣言。宣言吸收了米尔纳建议，给予埃及以有限的独立(1922-02)。此时，埃及若干政客，包括扎格卢勒先前的一些支持者，对他发动的宣传的社会影响感到吃惊，准备在新的统治下与英国人合作。成立了一个新党，自由立宪主义党，颁布了宪法。但是扎格卢勒发动起来的力量，其对手或他本人都不能轻易压制。扎格卢勒获释以参加根据新宪法举行的头几次选举。他的华夫脱党大获全胜，1924年1月他就任首相。就任后他显得对平息由他所发动起来的暴力煽动却无能为力。在这一年里，许多英国官员和"通敌卖国者"被极端分子杀害。1924年11月，埃及军队的英国人总司令被刺死。扎格卢勒在接到艾伦比无异于一份最后通牒后辞职。英国人激烈的反应引起的震动使温和派团结起来，使极端分子泄气，然而在1926年5月大选中华夫脱党仍得到全国的拥护。但是，扎格卢勒已年近70，不再关心任职。在英国新任高级专员劳埃德勋爵的压力下，扎格卢勒同意成立联合政府，自己满足于任众议院议长。作为议长，他基本上成功地控制了较极端的追随者的行动，直至去世。扎格卢勒不是一位建设性的政治家。他倒是起了催化剂作用，这份催化剂注入埃及政治生命后，启动了民众反对外国占领、反对当地暴政和反对社会封建主义的漫长历程，终于产生了1952年的革命。他的影响在于他能言善辩，还在于以下事实：当时的权位主要被老的土耳其后裔的贵族所占有，与他那一代大多数人不同，他是农民出身的纯埃及人，一个来自人民兼容其优点和局限性的人。

Zaghwān　扎格万　突尼斯东北部城镇。位于土壤肥沃的扎格万山北坡上，海拔1 295米。建于罗马古城齐朱斯的遗址上。公元前2世纪建造的罗马水渠桥和运河的一部分现仍用于向突尼斯城输水。当地建有罗马水庙并流行一句谚语"喝了扎格万的水，总要回到突尼斯"，表明扎格万水的重要。第二次世界大战期间德国人向突尼斯撤退时，该城镇曾发生激战。西面有突尼斯山。土壤肥沃，水源充足，使该地区成为绿色农业带。主要作物有葡萄、橄榄和蔬菜。工业有食品加工和纺织业。人口：城镇约15 300(2000)。

Zagorsk (Russia)　**扎戈尔斯克**　参阅 **Sergiyev Posad 谢尔吉耶夫波萨德**。

Zagreb　萨格勒布　克罗地亚的首都和主要城市。位于梅德韦德尼察山坡和萨瓦河涝原。古城有两个在山丘上的中世纪居民点：格里克是市民居住处，13世纪时因防御突厥人的入侵，四周建起了围墙，遂改名格拉代

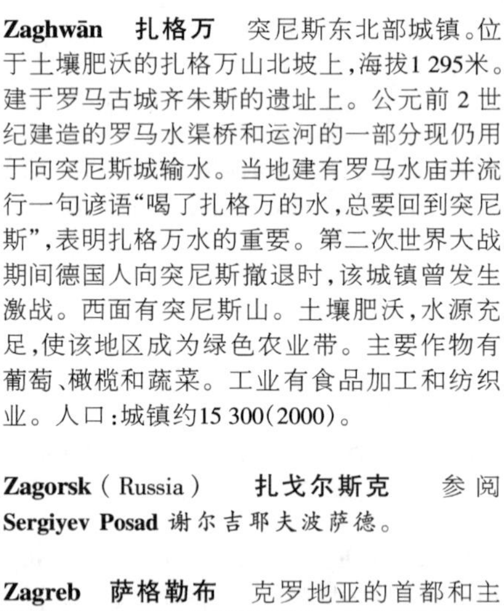

萨格勒布市的圣斯蒂芬大教堂(右上方)
供图：W. Lehmann—Bruce Coleman Inc.

茨，即"堡垒"之意；卡普托尔是基督教会的居住处，16世纪时在此建有防御工事。这两座城镇一直是两个敌对实体，直至19世纪，大量的新建筑把它们联系在一起并向南推进至萨瓦涝原，形成布满广场和新建筑物的由直线构成的新城镇。1860～1914年发展迅速。20世纪继续向东、向西发展，1945年后，新的住宅建筑在萨瓦河右(南)岸拔地而起。梅德韦德尼察山北面是札戈列区，有森林地、葡萄园、风景如画的村庄和古城堡。在格拉代茨著名的建筑物中有哥特式圣马可教堂、巴罗克式的圣凯瑟琳教堂、兹林斯基和奥希克宫殿，一座前耶稣会修道院以及新古典派的德拉斯科维克宫殿。1466年后设防的卡普托尔有一座哥特式的圣斯蒂芬大教堂(13～15世纪)，其圣器保藏室中有一幅13世纪的壁画；大教堂于19世纪末被修复一新。大教堂附近是萨格勒布大主教们的巴罗克式宫殿连同一座圣斯蒂芬小礼拜堂(13世纪中叶)。城内有许多露天广场和公园。萨格勒布作为克罗地亚的文化中心，是科学和艺术科学院以及萨格勒布大学(1669)的所在地。若干所美术馆中陈列有古代和现代收藏品。另外还有各类博物馆、美术学院、戏剧学院和音乐学院。克罗地亚国家剧院设在市内一座新巴罗克式建筑物内。现代萨格勒布于1093年罗马天主教教区设立于此之时首见记载。1241～1242年蒙古人入侵之后，格拉代茨成为一个国王特许的自由城镇并予以设防；若干城堡被保留了下来。作为一个政治中心，它在克罗地亚历史上起过重要作用，先是抗击土耳其，后是抵制奥地利将其日耳曼化的企图。19世纪克罗地亚民族复兴时期，它又是泛南斯拉夫运动和克罗地亚独立运动的中心。1918年10月，在萨格勒布召开的克罗地亚议会决定同奥匈帝国断绝一切关系，宣布克罗地亚、斯拉沃尼亚及达尔马提亚为一个独立国家。12月新克罗地亚国同塞尔维亚、斯洛文尼亚以及门的内哥罗建立邦联。两次世界大战之间，克罗地亚主张民族自治同塞尔维亚倾向中央集权之间严重分歧继续存在，萨格勒布则为克罗地亚农民党城市成员的一个中心。第二次世界大战期间，1941年4月，萨格勒布成为轴心国统治下的克罗地亚傀儡国的首都。1945年5月被铁托元帅领导的南斯拉夫游击队解放。德国投降后不久，克罗地亚国即崩溃。1945年至90年代初期，克罗地亚一直是南斯拉夫的一部分。现在该市是西欧、中欧通向亚得里亚海岸和巴尔干半岛的公路和铁路的重要枢纽；普莱索机场有航班通往欧洲大部分地区。该市是克罗地亚主要的工业和制造业中心，生产重型机械、铁路车辆、电气和金属消费品、水泥、纺织品、鞋类、化工制品、药品、纸张、新闻纸和食品。大规模的化学工业以当地的石油和天然气资源为基础。该市每年举行国际贸易博览会。人口867 865(1991)。

Zagreus　扎格列欧斯　据奥尔甫斯的神话，他是宙斯(以蛇的形状出现)和其女儿珀耳塞福涅所生的天神之子。宙斯意欲将扎格列欧斯立为嗣子，赋予他无限威力。但嫉妒成性的赫拉唆使提坦们在她用玩具引诱扎格列欧斯时，乘其不备对他发动攻击。反对宙斯的威权的提坦们将扎格列欧斯撕为碎片，吞食了除心之外的全身。雅典娜设法保全了孩子的心脏，把它交给宙斯，宙斯把心吞了下去。他为了惩罚提坦们的罪行，用他

的雷击把他们轰成煤烟。人类便从提坦残存的烟灰中出现，半是歹恶，半是神圣，这是因为提坦们吞食了扎格列欧斯的缘故。宙斯此后又以扎格列欧斯的心为主体和塞墨勒生了个儿子，名狄俄尼索斯。这样，扎格列欧斯在俄耳甫斯神话中被认为和狄俄尼索斯同为一体。

Zagros Mountains 扎格罗斯山 伊朗西南部山脉。西北-东南走向，西北起自锡尔万河，东南至设拉子。长约900千米，宽240千米以上。一些山峰高达3 600米，顶部常年积雪。穿过山脉隘口可到达肥沃的山间平原（海拔1 525米）。山区年降雨量约1 000毫米。

扎格罗斯山

供图：Fred J. Maroon—Photo Researchers

Zagwe DYNASTY 扎格王朝 又拼 Zague。12～13世纪埃塞俄比亚的一个国王世系，他们一方面过游牧生活，久历戎马，一方面又急切想望为自己的宗教树碑修庙。他们废黜了阿克苏姆王朝，传说扎格王朝的子嗣与阿克苏姆王朝一位末代国王的女儿结了婚，含含糊糊以此作为继承大统的口实。后来，教会出来给予证实。为报答教会的支持，王室向教会慷慨捐赠。扎格王室由布格纳地区兴起，国王们把布格纳的首府移至罗哈，这是拉斯塔山脉一个很高的、几乎难以到达的区域。虽然扎格王朝诸王统治从蒂格雷至绍阿和从伯根德至安格特的广大地区，但是由于伊法特和哈迪亚等穆斯林国家不断扩张领土，他们本来有可能要求控制绍阿高原以东的山区，结果好梦全都成了空。在扎格王朝的君主中，拉利贝拉最负盛名。他于12世纪末至13世纪初在位，以在该王朝首都（后来用他的名字命名称拉利贝拉）建造整块巨岩凿成的教堂驰誉遐迩。扎格王朝的统治注定短命，因为在13世纪末，阿姆哈拉族的王子耶库诺·阿姆拉克到绍阿煽动叛乱极为成功，将扎格王朝的国王赶下台并且杀死。扎格王朝的新国王兴兵平定叛乱，也被击败。后代一些传说对扎格王朝覆灭的情况添枝加叶，特别突出来自德布雷-达莫的修士亚苏斯·莫阿的地位，此人在海克湖地区的德布雷-埃格吉亚贝赫尔附近创立了一个新社区，据传说讲，他对于耶库诺·阿姆拉克的夺取王位曾起巨大作用。再后代的传说讲另一个修士特克雷·海曼诺如何劝说拉斯塔山的国王让位给耶库诺·阿姆拉克，使得篡夺王位和杀害国王的事情更加模糊不清。

Zaharias, Babe Didrikson 扎哈里亚斯（1911-06-26，美国得克萨斯阿瑟港～1956-09-27，加尔维斯顿） 母家姓 Didrikson。美国女运动员，是20世纪最伟大的运动员之一。在1932年洛杉矶奥运会上获80米跨栏赛跑金牌和标枪金牌，跳高成绩也最佳，只因采用当时认为不正规的翻滚式跳法而未能获得金牌。擅长棒球、垒球、游泳、花样滑冰、台球，甚至足球。从1932年起偶尔打高尔夫球，1934年起专门打这种球。经过一段职业运动员经历，重返业余高尔夫球坛。1946年获美国女子业余高尔夫球比赛冠军。次年17战皆胜，成为第一名获英国女子业余高尔夫球锦标赛冠军的美国运动员。1948年再次加入

合众国际社—美国不列颠百科全书公司供图

职业高尔夫球界，先后于1948、1950、1954年获美国女子高尔夫球公开赛冠军（1954年比赛前曾因癌症接受手术治疗）。1948～1951年是女子高尔夫球运动员中收入最多的人。1938年与职业摔跤运动员扎哈里亚斯结婚。

Zaharoff, Sir Basil 扎哈罗夫（1849-10-06，土耳其穆拉～1936-11-27，蒙特卡洛） 本名

供图：BBC Hulton Picture Library

巴西莱伊奥斯·扎卡赖亚斯。国际军火商兼金融家。世界著名的富豪，被称作"死亡掮客"和"欧洲神秘人物"。父母希腊人，贫困，曾流亡俄国。本人年轻时为其叔在伊斯坦布尔经营布业。1866年被送往英国求学深造，1870年成为叔父商店在伦敦的代表。两年后，其叔控告他挪用公款，但未成。化名离开英国赴地中海东部地区。有一时期住在雅典，在此得见金融家兼外交家斯库卢季斯。由其推荐，被指定为瑞典枪械设计师诺登费尔特在巴尔干地区的代理人。1888年机关枪发明人马克沁参加诺登费尔特的公司，扎哈罗夫成为公司在全东欧和俄国的代表。1895年英国维克斯公司收购马克沁-诺登费尔特公司，扎哈罗夫交易活动区域进一步扩大，由贩卖军火成为百万富翁。1913年取得法国籍。第一次世界大战期间，为协约国的代理人，活动于最高级的显要之间。战争结束，法国为表彰其功勋奖为荣誉军团的大军官；英国授以巴斯勋位和大十字爵士勋位。

Zāhedān 扎黑丹 伊朗东南部城市，锡斯坦-俾路支斯坦省省会，海拔1 352米。靠近阿富汗和巴基斯坦边境。居民为信仰伊斯兰什叶派的波斯族和信仰伊斯兰逊尼派的俾路支族。是伊朗经济比较落后的城市之一。工业有制砖、碾米、家畜饲料、食品加工、编席、编篮子、刺绣和制陶器等。有公路通扎博勒、伊朗沙赫尔、恰赫巴尔和萨拉兰等地。扎黑丹是巴基斯坦边境附近的横贯伊朗铁路的终点站，并建有一个机场。市中心有古城堡遗址和礼拜五清真寺。人口419 518（1996）。

Zahedi, Fazlollah 扎赫迪（1897，伊朗～1963-09-02，瑞士日内瓦） 又拼 Fadl Allah zahidi。伊朗陆军军官、政治人物，1953～1955年为伊朗首相。早年从军，1916年毕业于伊朗军事学院。曾加入波斯哥萨克旅，25岁时（已身为准将）带兵在伊朗西部平息了库尔德人的一次叛乱，一举成名。三年后，他镇压了由英国人支持的族长在胡齐斯坦省领导的阿拉伯自治运动。不久，巴列维国王任命他为胡齐斯坦省军事长官，他任此职一直到1942年9月英国和苏联军队占领伊朗时。英国军事当局怀疑他与德国人有勾结，把他扣押在巴勒斯坦。1945年返回伊朗。1949年11月被任命为德黑兰的军事长官和警察局长。在此期间他还成为新成立的议会议员。1951年首相A.拉兹马拉被暗杀后，扎赫迪被任命为新首相内阁的内务部长。由于与摩萨台的政见不合，他于1951年12月辞职，1952年10月被指控策划政变。1953年5月他在议会寻求避难，得到议长卡沙尼的保护。1953年7月卡沙尼失去议长职位后，他一度离开伊朗。摩萨台与巴列维国王之间不断加剧的权力斗争于1953年8月16日国王逃离伊朗而结束。国王在美国中央情报局代表的督促下任命扎赫迪为首相，取代摩萨台。8月19日扎赫迪带领军队推翻了摩萨台的政府，夺取实际权力，并把伊朗国王请回。国王担心这位得人心的军官有可能对他构成威胁，1955年迫使其离职，派他担任驻联合国欧洲总部（设在日内瓦）大使。

Zahir Shah, Mohammad　查希尔沙赫（1914-10-15，阿富汗喀布尔～　）阿富汗国王（1933～1973）。纳迪尔沙赫之子。1933年其父被暗杀后即位。1964年他颁布宪法，建立君主立宪制度，禁止皇室成员担任公职。他依靠美苏援助发展经济，包括修筑灌渠和公路。在国际政治中保持中立地位。然而，他的改革在喀布尔地区以外成效不大。70年代初国家遭受干旱和饥馑。临巴基斯坦边境的普什图部族要求自治，政府无力解决经济问题。1973年7月17日他在一次不流血政变中被赶下台。同年8月24日被正式废黜。

Ẓahīr-ud-Dīn Muḥammad（emperor of India）**查希尔-乌德-丁·穆罕默德**　参阅 **Bābur** 巴伯尔。

Ẓāhirīyah　扎希里学派　伊斯兰教法学派之一，主张照字面（扎希里）解释《古兰经》和圣训而以之为穆斯林法律的唯一根据。该派于9世纪由达乌德·哈拉夫创立于伊拉克，传至伊朗、北非和穆斯林统治时期的西班牙。在西班牙，哲学家伊本·哈兹姆是这一学说的主要阐释者。尽管受到正统派教义学家的猛烈抨击，扎希里学派仍以不同形式存在约500年，最后可能并入罕百里学派。

Zaḥlah　扎赫勒　黎巴嫩中部城市。位于黎巴嫩山脉东坡。海拔960米。地处贝鲁特—大马士革铁路线上。为贝卡谷地农产品集市中心和避暑胜地。以产葡萄等水果和阿拉克酒闻名。人口77 600（1998）。

Zahn, Ernst　察恩（1867-01-24，苏黎世～1952-02-12，苏黎世）瑞士作家。对乡土派文学运动作过贡献。他的现实主义散文，虽然因循常规，但显示出对阿尔卑斯山区人民日常生活的透彻了解。曾当过乌里州议会的议长，后为一个铁路饭店经理。1917年后，他在文学上的成就使他能够完全埋头于写作。较著名的作品有短篇小说集《山民》（1896）和《平凡的英雄》（1906），以及长篇小说《阿尔宾·英德甘德》（1901）、《金钱》（1901）和《重大的教训》（1943）。《生活破坏什么》（1912）写苏黎世的中产阶级社会。

Zahrā', az-　宰赫拉　参阅 **Fāṭimah** 法蒂玛。

Ẓahrān, aẓ-　宰赫兰　沙特阿拉伯东北部城镇。位于达曼港南面的达曼油田，距1938年该国最初发现石油的地点不远。现为现代化社区，是阿拉伯美国石油公司总部所在地。1945年建有重要的美国空军基地。该镇有石油提炼、运输设施和现代化国际机场。铁路通利雅得和达曼。1963年创办石油矿业学院。人口73 691（1992）。

宰赫兰镇的飞机场

供图：J. Allan Cash—美国不列颠百科全书公司

zaibatsu　财阀　日语，意为"富有的集团"。指第二次世界大战前日本任何的大资本主义企业，同卡特尔或托拉斯相似，但通常以一个家族为中心组成。一个财阀可能在几乎所有重要的经济活动领域中开办公司。例如三井联合企业拥有从事银行业务、对外贸易、采矿、保险、纺织、制糖、食品加工、机械制造以及其他许多领域的公司，或者对这些公司投入巨额资金。所有的财阀均拥有银行，用以筹集资本。四大财阀是三井、三菱、住友和安田，但是也有许多较小的企业。它们全都是在明治维新（1868）以后发展起来的，当时政府开始鼓励发展经济。1900年以前，财阀业已壮大，但是在20世纪，尤其在第一次世界大战期间，由于日本有限的参战给自己带来巨大的工商业利益，财阀的发展最为迅速。第二次世界大战结束后，1946年盟国占领军当局下令解散财阀。总公司拥有的股票拿出来拍卖，财阀帝国的各下属公司摆脱了总公司的控制。但是，各下属公司的管理体制并未发生剧烈的变化，原来组织的协作和控制仍有若干程度的保留。1951年签订和约后，许多公司开始联合，组成所谓的"企业集团"。那些由过去大财阀的子公司组成的企业集团即三菱集团（**Mitsubishi group**）、三井集团（**Mitsui group**）和住友集团（**Sumitomo group**），以主公司或大银行为核心，组织比较松散。它们与集中控制的旧财阀最主要的不同点有二：一是每个集团的政策协调不具有强迫的性质；二是各成员公司之间在财政上相互依赖的程度很小。这些集团的合作性质成为日本战后经济高速增长的一个重要因素，因为，在集中财力方面，它们对于发展各种工业进行的投资大到足够使此等工业在全世界具有竞争能力。

Zaichun　载淳　又拼 Tsai-ch'un，参阅 **Qing**——：清朝帝王序列下 **Qingmuzong Zaichun** 清穆宗载淳。

Zaire　扎伊尔　刚果民主共和国（The Democratic Republic of Congo）的旧称（1971～1997）。

Zaire River（central Africa）**扎伊尔河**　参阅 **Congo River** 刚果河。

Zaitian　载湉　又拼 Tsai-t'ien，参阅 **Qing**——：清朝帝王序列下 **Qingdezong Zaitian** 清德宗载湉。

Zaiwa language　载瓦语　中国景颇族使用的语言之一。属汉藏语系藏缅语族缅语支。分布在中国云南省德宏傣族景颇族自治州的陇川、盈江、潞西等县。使用人口约7万。载瓦语（潞西）的语音特点是：有26个声母，其中包括双唇、舌尖中、舌根塞音分清和清送气二套；舌尖前、舌叶塞擦音也分清和清送气二套；唇齿和舌叶擦音分清、浊；有双唇、舌尖中、舌根鼻音和边音、舌面半元音各1个；有双唇和舌根部位的腭化辅音7个。有86个韵母，其中包括5个单元音韵母各分松紧；4个复元音韵母也各分松紧；68个带辅音韵尾的韵母也大部分分松紧（辅音韵尾由3个鼻音韵尾和4个塞音韵尾组成）。有3个声调（高平、全降和次低降）。有较丰富的弱化音节。词类有名词、代词、数词、量词、形容词、动词、助动词、副词、连词、助词、叹词11类，虚词和词序是表达语法意义的主要手段，有少量屈折形态变化。量词比较丰富；人称代词有单数、双数和多数；单数人称代词有格（主格、领格和宾格）；动词有人称（第一、第二、第三）、数（单数、双数和复数）、式（陈述式、祈使式、请求式、疑问式）、体（一般体、即行体、将行体、已行体）、态（自动态和使动态）等语法范畴，均在句末用语尾助词综合表达。句子的语序是主语在前，谓语在后，宾语和状语在主语之后、谓语之前；名词代词作修饰语在中心词之前，数量词组作修饰语在中心词之后，形容词作修饰语在中心词前后均可，在前时需加助词。1956年设计了载瓦文字方案，经1957年和1983年两次修订，在载瓦语地区试行，效果良好。

Zajsan, Ozero（Kazakhstan）　参阅 **Zaysan, Lake** 斋桑泊。

Zakarpatskaya　外喀尔巴阡州　英语作Transcarpathian oblast。乌克兰西部一州，面积12 800平方千米。西邻斯洛伐克和匈牙利，南接罗马尼亚。战略地位重要。地处喀尔巴阡山，最高点波洛尼亚山霍韦尔利亚峰，海拔2 061米。大部分地区森林密布，地势最高地区有高山草甸。第一次世界大战之前属匈牙利。1920年并入捷克斯洛伐克，1945年划入苏联版图。人口大多为乌克兰人（包括胡楚尔人），还有马扎尔人、俄罗斯人、罗马尼亚人、犹太人和斯洛伐克人。现经济以高度发达的伐木和木材加工为主。穆卡切沃附近开采褐煤。农业集中在河谷与平原地区，耕地约占面积的4/5，主要作物为玉米、小麦、燕麦、黑麦、马铃薯和烟草。蒂萨河谷和附近的低山坡有果园和葡萄园。山地草甸夏季放牧。山谷中养猪业也很发达。居民中约3/5居住在农村，城市规模较小。首府乌日哥罗德。位于西南端的乔普是从斯洛伐克和匈牙利进入乌克兰的要隘。人口1 253 900（2003）。

zakat　天课　又译札卡特。伊斯兰教用语，指穆斯林必须缴纳的法定赋税。缴纳天课是伊斯兰教五功之一。应缴纳天课的有五类物品，即：粮食，果品，骆驼、牛、羊，金、银，动产。缴纳时间为每年收获之后。根据伊斯兰教法，各类财产税率各异。享受天课救济的人有穷苦人、征税者本人和需要"安抚其心"的人（如怀怨的族人、欠债人、志愿参加圣战的人以及朝觐者）。在哈里发时代，天课的征收和使用是国家的职责之一。在当代穆斯林世界中，除了那些严格奉行伊斯兰法的国家（如沙特阿拉伯等)外,是否完纳天课,则由个人自己决定。

Zákinthos(Greece) 参阅 **Zacynthus** 扎金索斯。

Zakopane 扎科帕内 波兰中南部小波兰省城市。位于喀尔巴阡山区塔特拉山麓,靠近波兰同斯洛伐克边境。为主要的冬季运动场所和疗养中心。铁路和公路交通便利。也

塔特拉山麓的扎科帕内市住宅建筑

供图:Gianni Tortoli—Photo Researchers/美国不列颠百科全书公司

是地区文化中心,设有塔特拉查武宾斯基纪念博物馆(1888)和波兰美术协会展览馆,并有几座著名纪念碑和一座公园。1578年设居民点,但直到1889年的一次公开拍卖会上,波兰爱国者扎莫伊斯基从柏林商人手中购得此地,才实现波兰化。1924年他将该地产捐献,作为塔特拉国家公园基地。1889年通铁路,城镇始有发展。公园的建立以及冬季运动与登山机遇,招徕大批游客,促进了该市经济发展。人口28 203(2002)。

Zakrzewska, Marie Elizabeth 扎克热夫斯卡(1829-09-06,德国柏林～1902-05-12,美国马萨诸塞杰梅卡平原[今属波士顿]) 德国出生的美国医生,创立了新英格兰妇幼医院。为女性获准担任医学专业人员作出了巨大贡献。早年就对医学产生了浓厚兴趣。20岁进入德国柏林夏里特医院助产士学校学习。次年成为该校的教学助理,1851年毕业。第二年被任命为主任助产士和教授,但迫于压力不得不于半年后辞职。1853年移民美国,在那里有幸遇到E.布莱克威尔。在她的帮助下,扎克热夫斯卡不仅学会了英语,还进入了西储大学医学院学习,1856年毕业并取得硕士学位。后在纽约开办一家私人诊所,并为布莱克威尔计划中的妇幼医院筹款。这家妇幼医院于1857年开业,1857～1859她出任住院医生兼行政主管。1859～1862年,出任波士顿新英格兰女子医学院妇产科和儿科教授。但这家医学院实际上仅仅只提供产科培训课程。她不甘于此,在办学方向的问题上与医院创办人发生争执,后辞职。1862年,她创办的新英格兰妇幼医院开业,该医院为广大女性提供医学和护理学的临床教育和培训课程。她本人先后出任该院的住院医师、主治医师和顾问医师;同时还在波士顿各处设立自己的私人诊所。她还是一名女权运动的支持者。

Zakynthos(Greece) 参阅 **Zacynthus** 扎金索斯。

Zala 佐洛 匈牙利西部一州。面积3 784平方千米。境内山丘起伏,林木茂盛。西南部的德拉瓦河,构成同斯洛文尼亚的部分边境。河谷坡地土壤侵蚀率高,但谷底多草地和牧场。各河流有渠道网,又有垦荒与土壤保持安排。农业生产水平低下,却是草药的主要产地。注重于赛马的饲养。石油和天然气蕴藏丰富。原油从布达福普斯陶附近用油管输往奥尔马什菲济特、布达佩斯和皇宫堡。瑙吉伦吉尔油田的原油在州首府佐洛埃格塞格(**Zalaegerszeg**)提炼。新近建成的佐洛考罗什矿泉疗养地可治疗风湿症。人口298 056(2001)。

Zalaegerszeg 佐洛埃格塞格 匈牙利西部佐洛州城镇和首府。濒佐洛河右岸。建于中世纪。在匈土战争(16～17世纪)中,为边境要塞,但从未被土耳其攻占。著名建筑物有:格切伊博物馆、巴罗克式教堂和州会堂的小教堂。在佐洛河两岸有露天的格切伊村庄博物馆,陈列有木房、畜棚和水车。有大型服装厂。人口61 654(2001)。

Zalău 扎勒乌 罗马尼亚西北部城镇和瑟拉日县县城。位于梅泽什山西北麓一偏僻地区。为铁路支线终点站和县农产品贸易中心。有以附近山地木材为原料的家具厂。当地考古博物馆藏有史前时期和罗马人占领时期的文物。有公路经此。人口63 305(2002)。

Zaltan 宰勒坦 又拼Zelten。利比亚第一座油田所在的城镇。在地中海锡德拉湾卜雷加港以南169千米。1959年发现,被认为是全国第一座大油田(日产17 500桶)。有输油管(1961年竣工)连接卜雷加港。1969年在卜雷加港建立天然气回收工厂。人口约19 473(1972)。

žaltys 萨勒蒂斯 波罗的海地区古代传说中的一种无害青蛇。它象征丰产和财富,因而受到尊崇。住家在特定角落供奉它,全家定时礼拜祷告,它可以保人丁幸福,庄稼茂盛。偶遇青蛇是吉祥之兆,主婚配或生育。敢杀害萨勒蒂斯者,必有大祸临头。

Zama, Battle of 扎马战役(公元前202) 罗马人对迦太基人的一次战役,为第二次布匿战争中的最后一次决战。结果大西庇阿所率罗马人战胜了汉尼拔所率迦太基军队。此后迦太基孤立无援,不得不把西班牙割让给罗马,交出大部分战舰,并开始向罗马交纳50年的罚金。罗马历史学家李维认为战役发生在纳拉加拉(今突尼斯萨吉耶西迪优素夫)。扎马则是罗马历史学家内波斯在该战役150年后所确定的战场(现代历史学家一直无法确定这一战场的具体位置)。

zamacueca(dance) **扎马库依卡** 参阅 **cueca** 库依卡。

Zamakhsharī, Abu al-Qāsim Maḥmūd ibn ʿUmar al- 扎马赫沙里(1075-03-08,花剌子模[今在土库曼斯坦或乌孜别克斯坦]～1144-06-14,花剌子模朱尔贾尼) 波斯出生的阿拉伯学者、教义学家和语言学家,其主要著作是《古兰经》注释。作为教义学家,他是穆尔太齐赖派的成员。作为语言学家,他认为阿拉伯语是众语之冠,尽管他的母语是波斯语。他的经注《凯沙甫古兰经注》完成于1134年(1856年在加尔各答出版了2卷本),此著作尽管具有穆尔太齐赖派的偏向,却拥有广大读者,特别是在东方;而在伊斯兰世界的西半部,他的武断观点受到马立克学派的反对,但伊本·赫勒敦却对此书评价甚高。在他的语法著作中,《语法详解》(写于1119～1121,出版于1859)以简明而阐释详尽著称。其他著作还包括1部古代谚语集、3部自编的格言集、道德论述和诗篇等。

Zambales Mountains 三描礼士山 菲律宾吕宋岛北部的西南地区的火山山岭。北起林加延湾,南迄巴丹半岛和马尼拉湾入口处。其最高峰海拔2 037米。再往南,从马尼拉过海湾是标志着山岭南端的马里韦莱斯山(海拔1 420米)。有丰富的矿藏,山坡上森林密布。

Zambezi River 赞比西河 又拼Zambesi。流贯非洲中南部及东南部的河流,源出中非高原,往东注入印度洋。赞比西河源头在赞比亚卡莱内山附近,海拔约1 460米,河道呈S状的双弧形,往南流经安哥拉东部及赞比亚西部,再折向东北,形成赞比亚与津巴布韦的边界,最后向东南流,穿过莫桑比克到达三角洲而入印度洋。重要支流有卡博波、隆圭本古、宽多、卡富埃及希雷诸河。赞比西河汇聚了非洲大陆中南部的全部流水。上游段的赞比西河穿过赞比亚与安哥拉,海拔下降约300米,接纳了十几条大小不等的支流。在赞比亚的卡松古拉,海拔880米,河面宽达1 380米,是全河最宽阔的河段,河水在此奔泻而下,构成维多利亚瀑布。作为赞比亚与津巴布韦之间的界河一段长约720千米,其中280千米是卡里巴湖,由卡里巴水坝拦蓄而成。中游段,在接近莫桑比克边界处,河道进入卡布拉巴萨湖。这是卡布拉巴萨水坝拦蓄而成的水库,长约320千米。下游段,赞比西河进入太特盆地,穿过鲁巴塔峡谷,流入莫桑比克平原,在这里赞比西河形成一道宽约5～8千米的广阔河谷地带。在丰特斯城附近,赞比西河与它最后一条大支流希雷河汇合。赞比西河口分汊,流入一片宽阔、平坦而多沼泽的三角洲,三角洲前横亘着条条砂嘴。赞比西河在此首先分为两条主河道,然后又各自再分成两支。位于东面、也较宽阔的河道分成南北两支:北支为穆塞罗河,南支即赞比西河主要河口。位于西面的河道分成的两支是伊翰密森加河与较小的墨兰伯河。赞比西河具有与非洲其他河流同类型的自然障碍——河口多砂嘴、水浅、有急流和险滩。但它仍有大约2 600千米长的河段可通航浅水轮船。河上有4处主要过河点:维多利亚瀑布大桥,津巴布韦境内卡里巴水库的堤坝,津巴

布韦契隆杜地方的一座桥梁以及莫桑比克境内穆塔拉拉(唐娜安娜)与塞纳城之间的大桥。卡里巴水坝在卡里巴地点利用赞比西河水发电。卡里巴湖从大坝到魔鬼峡谷长280千米,湖面最宽32千米。赞比西河全长3 500千米,流域面积1 300 000平方千米,平均年流量7 000立方米/秒。赞比西河沿岸居民有洛齐人(巴罗策人)、东加人、绍纳人、切瓦人及恩森加人。

Zambia 赞比亚 全称赞比亚共和国。旧称北罗得西亚(1911～1964)。非洲中南部内陆国家,南北最长约821千米,东西最宽约1 385千米。西与安哥拉接壤,西北与刚果(金)交界,东北与坦桑尼亚毗邻,东与马拉维相连,东南与莫桑比克交界,南接津巴布韦和博茨瓦纳,西南与纳米比亚相邻,赞比西河是赞比亚同津巴布韦的界河。首都卢萨卡。面积752 614平方千米。人口约9 582 000(2000)。

土地 国土大部分位于海拔1 000～1 500米的高原上,除个别地区被广布的丘陵和山脉中断外,地表几乎完全一致。东部的穆钦加山脉形成刚果河与赞比西河的分水岭,有全国的最高点(2 200米)。其他高地位于北部的姆巴拉高原和东北部的马芬加丘陵。赞比亚境内有几个裂谷,最大的是东部长560千米的卢安瓜河谷。东北部的班韦乌卢沼泽是世界最大的内陆湿地之一。该国主要河流赞比西河流域广阔,它的急流和瀑布(最大的为维多利亚瀑布)使航行受到限制。北部有姆韦鲁湖、班韦乌卢湖和坦噶尼喀湖;南部有人工湖卡里巴湖。

赞比亚属亚热带气候,分为3个不同的季节:干热季(8～10月)、温湿季(11～4月)和干爽季(5～7月)。最热月份(10月)的平均最高温度从西南部巴洛瓦尔的39℃到北部姆巴拉的31℃,最冷月份(7月)则从南部卢萨卡的26℃到姆巴拉的31℃。降雨大多为热带暴风雨,南部河谷平均不到700毫米,而在班韦乌卢盆地达1 500毫米以上。全国大部分为多年生草莽和长有小树的多树大草原,西南部有贵重的赞比西柚木林,湖边生长纸莎草草丛。草原上放养家畜(肉牛和乳牛),并有许多野生动物(象、貘、鬣狗、豹、斑马、长颈鹿、羚羊、狒狒和猴)栖息。数种舌蝇遍布各地。卢萨卡以西240千米的卡富埃国家公园是该国最大和最著名的狩猎区。

赞比亚中部的铜矿带地区长110千米,宽50千米,在30年代开始采掘并发展成为该国重要的矿区。在地质上,铜矿带的铜与砂石、页岩和白云岩等矿床相互重叠,蕴藏相当丰富,约占世界已探明铜矿总储量的5%,但到20世纪后期逐渐枯竭。赞比西河流域的煤田和卡布韦(布罗肯希尔矿区)的铅、锌虽已接近枯竭,但仍占重要地位。其他矿物资源有金、银、铁矿石、宝石(祖母绿和紫晶)和石灰石等。

人民 赞比亚的种族结构除少数桑人(布质曼人)外,几乎全部为班图语非洲人,其中包括特瓦人(俾格米人)。主要的班图语种族集团包括本巴人、马拉维(尼扬贾)人、通加人、洛齐(巴罗策)人、曼布韦人和通布卡人。当地也有少数欧洲人、南非白人和亚洲人(大多为印度人)。英语为官方语言,大约80种当地语言和方言也在各地流通。无线电台广播使用本巴语、通加语、尼扬贾语、洛齐语、卡翁德语、隆达语和卢瓦勒语。赞比亚人民大多信奉基督教。

赞比亚的人口增长率在撒哈拉以南的非洲地区居前列。近一半人口的年龄不足15岁,因此到21世纪该国人口仍将继续保持高出生率和高增长率。铜矿带地区和中部各省是人口密度最大的地区。这是因为人们希望来到这些地方可以解决就业和住房问题。约有一半人口居住在铜矿带内铁路两侧仅40千米的地区(称为铁路沿线区)。卢萨卡是该国最大城市。

经济 赞比亚属混合型经济,兼有国营和私营经济成分。该国过分依赖铜矿的生产和出口,而世界铜价波动较大(特别是20世纪70年代中期铜价的下跌),这严重影响着该国的经济。1991年大选产生的新一届政府表示要采取企业自由经营政策,以改进衰落的农业和工业。整个80年代赞比亚的国民生产总值一直呈下降趋势,90年代国民生产总值有所提升,且人口增长变缓,不过人均国民生产总值仍相当于撒哈拉以南非洲地区的平均水平。

农业约占国内生产总值的1/6,但使用超过2/3的劳动力。农产品商品化的程度很低,生存农业很普遍,主要种植玉米、木薯、小米、小麦、甘薯、花生和高粱。过去主要由欧洲人经营的大型商品农场已被收归国有,这些办得比较成功的商品农场的生产占赞比亚农业总产量的一半。

赞比亚北部和东部的养牛业因舌蝇肆虐而受到限制。牛是财富的传统象征,农民往往不愿宰杀,牛肉和牛奶因此不能满足国内需求。

森林约占全国总面积的2/5,由于农业采取刀耕火种的方式,多数林区已成为次生林。60年代开展了大规模的植树造林计划。

采矿业约占国内生产总值的1/10,铜矿及其副产品(主要为钴)是最重要的矿产品。1969年政府获得两家主要铜矿开采公司各51%的股权,1982年两家公司合并成为由政府控制的赞比亚统一铜矿。该公司的私有化进程于90年代中期开始。

制造业占国内生产总值的1/3,却只使用了很少一部分劳动力。政府拥有一些大型企业的全部或部分股份。制成品包括纺织品、食品、饮料、化学制品和药品。

电力几乎全部来自水电厂。卡里巴水坝、维多利亚瀑布以及卡富埃河水利工程是该国主要水电生产所在地。

铜矿是主要出口产品,也是国家外汇的主要来源;进口主要有机械、运输设备和基础产品。70年代中期以来,由于世界铜价下跌和进口燃料的价格上升,赞比亚的贸易收支开始出现逆差,直到80年代后期才再度出现顺差。主要贸易伙伴包括日本、南非、沙特阿拉伯和印度。

政体与社会状况 赞比亚是一个独立的共和国,1990年之前一直实行一党制。该国1991年宪法(1996年修订)授予总统行政权,总统由选举产生,任期5年。国民议会为立法机构,总统从当选议员中任命内阁成员。联合民族独立党从1964年国家独立到1990年一直统治着赞比亚,是全国唯一合法政党直到1991年,内阁隶属党的中央委员会。该党领袖和赞比亚的资深总统卡翁达于1990年允许各反对党派合法化。赞比亚最高一级法院和上诉法院为最高法院,下设高等法院、治安法院和地方法院。该国法律以英国的习惯法为基础。

医院、农村保健中心、城市诊所和麻风病院可提供保健和医疗服务。营养不良、肺结核、寄生性传染病和麻风病是危害健康的主要因素。通过发展为5岁以下儿童设立的诊所(可改进母婴的健康教育)、疫苗接种、预防注射和营养教育等措施,这些疾病在某种程

美国不列颠百科全书公司供图

度上得到抑制。但总体来说，赞比亚严重缺乏训练有素的医务人员，而且医疗设施极差。在迅速发展的城市地区，有些私营企业为雇员及其家属提供医疗服务。80年代艾滋病开始在城市人口中迅速蔓延。预期寿命男性约47岁，女性48岁。

捐助性的全国慈善基金会向大量的雇员发放退休救济金，许多志愿组织帮助政府处理青少年犯罪，收养孤儿，管制难民并对老人、贫民和残疾人进行救济。城市化导致住房极为短缺，政府正在努力改善城市和农村的住房状况。

赞比亚初等和中等教育的发展速度居非洲的前列，有3/4以上的小学学龄儿童入校就读，在撒哈拉以南的非洲地区这个年龄段的入学率属最高之列。赞比亚大学(1965)是主要高等学府。全国有几种日报和若干份省级报纸，新闻界享有较多的自由。90年代以前广播和电视一直由政府控制，广播节目包括教育和农业培训课程，电视节目全部用英语播放，内容以娱乐为主。

文化生活 赞比亚传统艺术主要包括木雕、制陶、编篮和壁画。音乐、舞蹈和歌曲是部落各种仪式中不可缺少的，以鼓、弦琴、笛、号角和吹管、铃、响器以及"非洲钢琴"进行伴奏。在城市演出中，传统音乐常因使用西方乐器而被改编，本地的舞蹈家定期在利文斯敦露天博物馆演出。利文斯敦有一个国立博物馆，铜矿带地区有一个小型博物馆，陈列着反映中部非洲历史和史前史的各种人工制品。

历史 考古发掘显示，在200万～100万年以前早期人类就曾出没于现在的赞比亚，在许多地区发现了石器时代的遗址和人工制品。大约2 000年以前，铁器时代早期的许多民族在该地定居，从事农耕和家畜饲养。现代通加族的祖先早在公元第2个千年纪开始时便到达该地区，而其他现代民族到了17或18世纪才从刚果(金)和安哥拉来到这个国家。

18世纪初葡萄牙人在赞比西河与卢安瓜河的汇流处建立起贸易传教区。1835年，一批讲班图语的恩戈尼人定居在尼亚萨湖和卢安瓜河流域。苏托人，即科洛洛人(马科洛洛人)穿过赞比西河的上游，成为巴罗策兰的主人。1851年，苏格兰传教士利文斯敦到达赞比西河上游，发现了维多利亚瀑布(1855)，后来又勘测了整个赞比西河流域及坦噶尼喀湖以南的高原。19世纪90年代，罗得斯的使者和英国南非公司同大多数赞比亚酋长订立了许多条约。南非公司在该地区于1924年成为英国的保护地之前一直是当地的管理机构。1911年该地区被称为北罗得西亚，约有1 500名欧洲人在当地定居。

20世纪初，采矿业开始发展。到1924年，铜矿带地区开始发展时，北罗得西亚约有4 000名欧洲人。英国南非公司在1924～1960年间保有矿物开采权，获得巨额盈利。1935年，首府从利文斯敦迁至卢萨卡。20世纪初期，几乎没有非洲人参与政权机构，但在1930年后他们的权力增加，情况开始转变。50年代初期，联合民族独立党和非洲人国民大会开展争取赞比亚独立的运动。到1952年，欧洲人已增至43 000人左右，多数居住在铜矿带地区。

1953年，北罗得西亚不顾国内多数非洲人的反对，在英国的支持下，联合尼亚萨兰(马拉维)和南罗得西亚成立中非罗得西亚和尼亚萨兰联邦。不断高涨的民族主义运动注定这个联邦是短命的，1963年联邦解体，前北罗得西亚于翌年独立，成为英联邦内的赞比亚共和国。联合民族独立党为执政党，由卡翁达出任该国总统。

1991年之前卡翁达一直是赞比亚最主要的政治人物。1969年他开始推行一项国有化政策，首先从铜矿业开始，然后又扩大到其他工业和商业。1973年他颁布一部新宪法，以巩固联合民族独立党的一党统治，但到了1990年卡翁达又签署了一项宪法修正案，允许各反对党派合法存在，通过60年代后期和70年代参与对白人统治的罗得西亚实行贸易制裁，卡翁达在国家对外政策上也起到了重要作用。

由于贸易制裁及愈益依赖铜的输出，世界铜矿价格下跌时，70年代赞比亚的经济开始走向衰退。由于政府对农业的忽视，70和80年代玉米和其他粮食的产量也开始下降。

由于国内人民对经济和他的长期统治表示不满，卡翁达于1990年允许各反对党派合法存在。1991年国民议会通过新宪法。在1991年举行的多党选举中，联合民族独立党被多党民主运动击败，奇卢巴继卡翁达之后任总统(1991～2001)。2001年姆瓦那瓦萨任总统。

Zamboanga City 三宝颜市 菲律宾棉兰老岛西部城市。在三宝颜半岛的西南端，濒临巴西兰海峡，以巴西兰岛为天然屏障，地处战略要地，是个繁忙港口。沿海为狭长平原，

三宝颜市一角
供图：C. A. Peterson

相邻内地为较低丘陵。有可容纳远洋轮船的大码头。出口橡胶、珍珠、椰干、优质硬木、鱼类、麻和果品，进口大米。泛菲公路的南方终点。有飞机场。由西班牙人始建于1635年。1936年设市。第二次世界大战后大部分重建。西班牙式建筑物、美丽的海滩衬以青山以及凉爽气候使它成为旅游城市。建有西棉兰老国立大学(建于1918年)。当地居民有陶撒格人、萨马尔人和雅卡人。方言为查瓦卡诺语，是西班牙语和宿务语的一种混合语。三宝颜市是摩洛人的黄铜和紫铜制品中心，也是贝壳集散地。人口约444 000(1990)。

Zamboanga Peninsula 三宝颜半岛 菲律宾棉兰老岛西部半弧形长条半岛，往西南伸向苏禄群岛与婆罗洲。面积约14 500平方千米。北面和西面濒苏禄海，南临莫罗湾。半岛北部有罗本安、第波罗及基皮特河流贯，北岸高地一般皆朝海边陡降。半岛南部海岸有锡布盖及杜曼基拉斯海湾作锯齿状深深切入内地。北部人口最多的地区是安皮洛和马林当两火山带来肥沃土壤的一片低地。主要经济活动有农业(稻米、玉米、甘蔗、烟草、蕉麻)、渔业及伐木业。沿着北部海岸有小型锯木厂散布。岛际间的港口第波罗是商业和渔业中心，有座航空港与滨海公路。达皮丹港是中央特别市，位于第波罗东北方，是菲律宾国父黎刹1892～1896年的放逐地，现为黎刹国家公园所在地。半岛南部主要河流有苏布科、邦阿西楠及锡奥科，它们形成红树林覆被的三角洲，是出口木材的源地。半岛南部的最大低地和居民中心都位于三宝颜中央特别市范围内或附近地区，以及锡布盖与巴加尼安两半岛和各海湾的湾头。重要经济活动有林业、渔业、农业(橡胶、玉米、稻米、水果、蔬菜)和采矿业。马郎阿斯附近开采铁矿石和煤炭。在东南方，从帕加迪安把稻米和玉米装船运往马尼拉及米沙鄢群岛。半岛大部分居民是从米沙鄢群岛迁来的罗马天主教徒，但穆斯林是一个强有力的少数民族。

Zamenhof, L. L. 柴门霍甫(1859-12-15，俄罗斯帝国波兰比亚韦斯托克～1917-04-14，华沙) 全称Ludwik Lejzer Zamenhof；笔名Doktoro Esperanto(世界语，意为"希望博士")。俄罗斯内科兼眼科医生，曾创造最重要的国际人造语言——世界语(Esperanto)。他是出自操俄语的家庭的犹太人，生活于种族和民族冲突经常发生的波-俄边境。柴门霍甫主要通过发展国际语言使自己致力于促进人们互相谅解。经过一些年的实验，他终于设计出一种语言，以"Doktoro Esperanto"的化名在1887年出版一本讲解性课本《国际语》，他的化名Esperanto，随之成为该语言的名称。他在行医的同时还继续发展"世界语"，并组织推广。1889年出版第一本世界语杂志，世界语组织开始形成于1893年。为改进和试验这种新语言，又翻译大量著作，包括《旧约》、《哈姆雷特》、安徒生的《童话集》、莫里哀、歌德和果戈理的戏剧。1905年在法国布洛涅召开第一次国际世界语大会，随后又在欧洲各不同城市召开几届年会，柴门霍甫都发表了许多令人注意的讲话。但是1912年在波兰克拉克夫他宣布放弃世界语运动的正式领导者的身份。其《世界语基础》(1905；17版，1979)一书确立了世界语结构和形成的原则。M.布尔顿的《世界语创制者柴门霍甫》出版于1960年。

Zamia 泽米属 苏铁科的一属，含30种或更多矮小粗壮似蕨的植物，原产美洲热带和亚热带。茎芜菁状，大部分在地下，在某些种

佛罗里达泽米(*Z. floridana*)
供图：Walter Dawn

高达3米或过之。一些种(如美国东南部的佛罗里达泽米[*Z. floridana*])的根和茎含淀粉,可食。

Zamiatin, Yevgeny Ivanovich 参阅 **Zamyatin, Yevgeny Ivanovich** 扎米亚京。

zamindar 柴明达尔 印度的土地(柴明)持有者或占用者(达尔)。此词源自波斯语,但含意多样。在孟加拉,它指世袭的田赋征收者,他可以取所收田赋的10%。18世纪末英国政府使这些柴明达尔成为土地所有者,从而在孟加拉和比哈尔创造了土地贵族,它一直存在到印度独立(1947)。在北印度部分地方(例如北方邦),它指完全具有土地所有权的大地主。在北印度更多的地区,它指土地耕种者,尤其指北印度村社的共同土地所有者。在马拉塔人地区,它一般指地方的一切世袭征收田赋的官员。

Zamora 萨莫拉 厄瓜多尔东南部城镇。在安第斯山脉主脉以东,萨莫拉河南岸,密林中。天主教会在此设有代表教皇的名誉主教。居民几乎全是印第安人。经济以当地印第安人之间贸易为主,主要实行物物交换。人口10 355(2001)。

Zamora 萨莫拉 墨西哥中西部米却肯州西北部城市。海拔1 567米。在杜罗河萨莫拉谷地,气候温和。1540年始建。经济主要是商业、农业和畜牧业。盛产玉米、小麦、豆、水果和蔬菜。市内有乳制品和糖果厂,还有披巾、珠宝、陶器和凉鞋等手工业。有公路通州首府莫雷利亚。人口122 881(2000)。

Zamora 萨莫拉 西班牙西北部卡斯蒂莱-莱昂自治区一省。西与葡萄牙交界。面积10 559平方千米。主要为平原和起伏的高原,仅西北部有坎塔布连山脉的两道山岭。境内有杜罗和托尔梅斯两河。平原地区盛产谷物、豆类、葡萄酒和亚麻。高地有美利奴羊和山羊饲养业。省会萨莫拉市为交通枢纽。其他主要城镇有贝纳文特和托罗。人口199 090(2001)。

Zamora 萨莫拉 西班牙西北部卡斯蒂莱-莱昂自治区萨莫拉省省会。在马德里西北的杜罗河北岸。"光复运动"(8世纪～11世纪)初期为几经易手的战略要地。最终于1073年被阿方索六世收复。15世纪时曾一度为

萨莫拉市12世纪的大教堂
西班牙国家旅游局纽约办事处供图

胡安娜公主的葡萄牙人支持者所据。1475年复被费迪南德二世夺取。该市现为农产品贸易中心。人口约64 845(2001)。

Zamość 扎莫希奇 波兰东南部一省。1975年设立。面积6 980平方千米。北邻卢布林、海乌姆省,西邻塔尔诺布热格省,西南邻热舒夫省,南邻普热梅希尔省。东与乌克兰接壤。维普日河向西北流经中部,胡奇瓦河向东北流经东部。又有波尔、沃利察和塔内夫等河流经境内。南部有罗兹托切山岭和桑多梅日盆地,北部为卢布林高地。经济以农业(谷物和马铃薯)、食品加工、纺织、化工、木材加工和建筑材料业为主。省会扎莫希奇(**Zamość**)市。其他重要城市有比乌戈拉伊、赫鲁别舒夫和卢布林地区托马舒夫。贝乌热茨(**Belzec**)(原属卢布林省)在第二次世界大战期间为纳粹集中营和杀人场,据信至少有60万犹太人在此被害。人口约489 800(1990)。

Zamość 扎莫希奇 波兰东部卢布林省城市。卢布林高地的几个大社区之一。原为波兰大臣扎莫伊斯基(1542～1605)的庄园,位处黑海通往北欧和西欧的商路上。1578年建筑师B.莫兰多完成城市规划,至今仍为坐标方格式城市设计的典范。现全市为国家历史保护区。1992年被联合国教科文组织列为世界文化遗产。1580年建市。地区科学文化中心,有扎莫希奇学院。第二次世界大战期间被德国人占领,8 000居民遭屠戮。名胜古迹有市政厅和莫兰多设计的圣托马斯联合教会教堂。人口67 160(2002)。

Zamoyski FAMILY 扎莫伊斯基家族 波兰大家族,其成员曾影响波兰政治和历史几达400年之久。15世纪时,该家族定居于波兰马佐维亚地区的拉兹宁。托马什·拉兹宁斯基在此购置一庄园,称扎莫希奇。从此,他的两个儿子弗洛里安(1510卒)和马切伊始称扎莫伊斯基。弗洛里安的孙子斯坦尼斯瓦夫是该家族中第一个担任上议员的成员。到斯坦尼斯瓦夫的儿子J.扎莫伊斯基(**Zamoyski, Jan**)发迹时,该家族才拥有权势。扬的一生在波兰王权政治中都是主要人物。该家族的第二个重要成员安杰伊(1716～1792)是1764年5月提交议会的国家总改革计划的起草人之一。提案要求改进议会制度,限制贵族权力和废除农奴制。他在自己的庄园里,率先取消农奴制。但其提案于1780年终遭议会否决。他的儿子斯坦尼斯瓦夫(1775～1856)晋封为伯爵。斯坦尼斯瓦夫的儿子,小安杰伊(1800～1874)于1830～1831年反俄起义时,曾派往奥地利为革命寻求支援。起义失败后,他退隐老家的庄园。1861～1863年反俄起义再起时,小安杰伊参加起草给俄国沙皇的信,要求波兰自治。他虽反对武装暴动,但拒绝与受俄国控制的波兰政府妥协。1863年9月逃离波兰。小安杰伊的弟弟瓦迪斯瓦夫(1803～1868)任波兰总督君士坦丁大公的随从参谋,参加1830～1831年的起义。后移居英格兰,并在英格兰代表波兰亲王A.J.恰尔托雷斯基的利益。1848～1849年组织波兰支队参加撒丁部队对奥作战。1855年克里米亚战争时在土耳其军中指挥波兰骑兵师。小安杰伊的次子弗朗齐歇克·托马什于1884年得到俄国承认其家族的伯爵头衔。他的儿子马夫雷齐(1871～1939)于1924年曾任波兰共和国外交部部长7个月。

Zamoyski, Jan 扎莫伊斯基(1542-03-19,波兰斯科科夫卡～1605-06-03,扎莫希奇) 波兰国王西格蒙德二世奥古斯特和斯特凡·巴托里的顾问,西格蒙德三世瓦萨的反对者。

乌菲齐美术馆供图

为波兰朝政有势力的主要人物。曾在法国和意大利学习,1565年返波兰,任国王西格蒙德二世秘书。国王死后,他反对大贵族把王位送给奥地利哈布斯堡王朝,支持候选者法国的亨利亲王。亨利逃离波兰后,他支持反哈布斯堡的斯特凡·巴托里,成为其亲密合作者。1578年任首相,1581年任总司令。他极力协助斯特凡·巴托里加强王权。1579～1582年对莫斯科大公国之战中军功卓著。斯特凡·巴托里死后,他反对哈布斯堡候选者马克西米连大公爵,而对西格蒙德三世瓦萨的当选有功。1588年1月率军进击贝奇纳俘获马克西米连。后与西格蒙德三世因利害冲突,势同冰炭。1592年挫败了西格蒙德三世企图把王位让给哈布斯堡王朝以换取后者支持其取得瑞典王位的阴谋,但未能使西格蒙德退位。不过他取得了在摩尔达维亚的自由行事权,在那里,他安置一个依附波兰的君

主，同时还使瓦拉几亚暂时以波兰为宗主国。1600年在利沃尼亚战争中，他从瑞典手中重新夺回了几个堡垒。1602年辞去指挥之职。

Zampieri, Domenico **扎姆皮耶里** 参阅 **Domenichino** 多梅尼基诺。

Zamyatin, Yevgeny Ivanovich **扎米亚京**（1884-02-01，俄罗斯坦波夫省列别姜～1937-03-10，巴黎） Zamyatin 又拼 Zamiatin。俄罗斯小说家、剧作家和讽刺作家。革命成功以后最有才华和最有文化修养的作家之一。反乌托邦小说的创始人。作为实验性风格和世界主义的倡导者，他在苏维埃文学最富创造性的初期影响很大。原在圣彼得堡学造船，同时还从事写作。早期作品有《外省故事》（1913）和《在遥远的地方》（1914）。第一次世界大战时期，他在英国监造俄国的破冰船，曾写《岛民》（1918）一书讽刺英国人的自私和感情压抑。1917年回国。十月革命前，他曾加入布尔什维克，但后来自动脱党。由于讽刺和批评文化政策，官方对他没有好感。他是谢拉皮翁兄弟文学团体的导师。《我怕》（1921）一文是对革命后文学情况的简要总结。这一时期，他写了几篇最优秀的短篇小说。长篇小说《我们》以手抄本形式流传，从未在苏联出版；1924年在美国出版英译本，1927年在布拉格出版俄文本。这部小说描写某个“独一无二的国家”的生活：工人住在玻璃房子里，他们只有号码，没有姓名，身穿同样的制服，口吃化学食品，享受配给的性生活。他们由全体一致通过而且永不更换的一位“大恩人”统治着。1923年开始写剧本，而且有几个剧本上演很成功。但是，由于他在国外出版《我们》，由于他对正统文学的不断嘲讽，苏联报刊对他展开大规模的围剿，他的作品也遭到查禁。1931年，由于高尔基的斡旋，斯大林才准许他离开俄国。后在巴黎了却余生。

Zanardelli, Giuseppe **扎纳戴利**（1826-10-29，奥地利帝国伦巴第布雷西亚～1903-12-26，意大利摩德诺） 意大利首相（1901～1903），议会权利的维护者，在大动乱时期对工人采取和解政策。1848年战争期间为义勇兵团战士。在诺瓦拉战败后，回故乡布雷西亚。一度靠教授法学为生。但因拒绝给报刊写亲奥地利的文章，被禁止教书。1859年当选为议员。1876年起，历任司法部部长和内政部部长。1901年受国王维克托·伊曼纽尔三世之命组织政府。1903年因企图通过离婚立法遭到反对而被迫辞职。他是20世纪初自由派领袖乔万尼·焦利蒂的亲密战友。

Zand DYNASTY **桑德王朝**（1750～1779） 统治伊朗南部的伊朗人王朝。1747年阿夫沙尔的统治者纳迪尔死去，卡里姆·汗·桑德成为权力的主要竞争者之一。1750年他自感羽翼丰满，遂自行宣布为萨非王朝伊斯梅尔三世的摄政。他宁愿保留伊斯梅尔为名义上的国王，自己从未称王。他治理国家30年，使伊朗南部摆脱连年战祸，得到休养生息。他鼓励发展农业，并与英国建立贸易关系。他死后，在权力斗争中曾出现过5位短命的国王。1789年卢特夫·阿里·汗（1789～1794在位）自称新桑德王。1794年，他被阿迦·穆罕默德·汗·加贾尔击败，桑德王朝遂亡，为卡札尔王朝取代。

Zand, Loṭf ʿAlī Khān **桑德** 参阅 **Loṭf ʿAlī Khān Zand** 卢特夫·阿里汗·桑德。

Zande（people） 参阅 **Azande** 阿赞德人。

Zane, Betty **赞恩**（约1766，美国弗吉尼亚哈迪或伯克利［今在西弗吉尼亚］～约1831，俄亥俄马丁斯费里） 美国边远地区的女英雄，她面对美国印第安人的攻击表现出的大无畏精神成为文学记事和小说的题材。赞恩生活在她的家乡弗吉尼亚（今属西弗吉尼亚的一部分）的惠灵镇，该镇1769年由她的三个兄弟埃比尼泽、乔纳森和赛拉斯所建。1782年9月，赞恩刚从她的学校所在地费城返家，惠灵镇就受到印第安人的攻击。该镇所有居民全都挤进了亨利堡，没有携带足够的弹药。据说赞恩主动要求到离此地约40米远的兄弟家中取弹药。有人表示反对，说男人去能跑得更快些，她却回答说，“你们不可以少一个男人，而防守要塞缺个女人没什么”，并且“牺牲一个女孩总比死一个男人强”。要塞大门开启，赞恩迅速冲出，围攻者们大吃一惊或者是觉得可笑，并没有开枪射击。但是，当赞恩拿着弹药返回时，他们意识到她跑出来的目的并向她开枪射击。尽管她的衣服被击破几个洞，但子弹并没有伤身，她安全返回要塞。她带回的弹药使得要塞能够坚守到援军到来。尽管她英勇无畏的故事没有得到充分证实，但依然在传说定型。这个故事最早由A.S.威瑟斯在《边疆战争史》（1831）中发表，后来成为她的后裔赞恩·格雷所著小说《贝蒂·赞恩》（1903）中的主线。赞恩的晚年生活不详，仅知道她结婚并搬到了俄亥俄州的马丁斯费里。

Zanesville **赞斯维尔** 美国俄亥俄州中东部马斯金格姆县城市。西距哥伦布84千米，位于马斯金格姆和利金两河汇合点。1797年始建。1804年成为县城。1810～1812年间为州首府。1814年设村，并建成第一座Y形桥。1829年修通俄亥俄河—伊利湖运河，1841年马斯金格姆河上一系列船闸和水坝落成，由此可通达美国东部市场，经济开始发展。1850年设市。因有丰富的黏土矿，1890年后发展起陶瓷工业。1913年洪水泛滥后在马斯金格姆河流域建造了14座水库的水利网。赞斯维尔周围自然资源丰富（煤、天然气、石油、黏土和石灰石），工业产品有瓦、玻璃、电气设备、合金钢、电池、农业机械和水泥等。设有俄亥俄大学分校、马斯金格姆地区技术学院。城南18千米处有俄亥俄陶瓷中心。附近的狄龙水坝和水库以及州立兰石公园和森林都是游乐胜地。人口26 778（1990）。

Zangī **赞吉**（1084～1146，伊拉克摩苏尔） 又拼 Zengi。伊拉克赞吉王朝创立者，曾领导了对中东十字军国家的第一次重要的反攻。其父为阿勒颇总督，1094年被杀。他逃往摩苏尔，奉仕塞尔柱王朝。1126年塞尔柱苏丹马哈茂德二世任他为巴士拉总督。1127年阿拔斯王朝哈里发穆斯泰尔希德叛变，他支持塞尔柱苏丹。苏丹胜利后，酬以摩苏尔总督。此后又命他把守重镇阿勒颇，防止法兰克人十字军的入侵。他虽然已经统治相当广阔的土地，但还想要建立一个包括叙利亚和巴勒斯坦在内的王国。他以伊斯兰教的捍卫者自居，无论是对十字军还是对不屈从于他的穆斯林王公都给予无情的打击。他运用外交、军事等各种手段不断扩大版图，其直接目标是夺取大马士革。他虽然没有达到目标，但于1144年占领了法兰克人据点埃泽萨，使十字军第一次遭到惨败。他回伊拉克平定叛乱时，被对他怀有私怨的仆人杀死。

Zangid DYNASTY **赞吉王朝** 1127～1222年间统治伊拉克北部（杰济拉）与叙利亚的穆斯林突厥王朝。创立者为赞吉（Zangī）。他死（1146）后，其子努尔丁（1146～1174在位）占据叙利亚，另一子赛义夫丁·加齐（1146～1149在位）占据杰济拉。努尔丁的扩张政策，使他兼并了大马士革（1154），臣服叙利亚（1168），形成一个广泛而能胜任的反对十字军的穆斯林阵线。赞吉王朝的叙利亚一支于1181年与伊拉克一支重新统一，后来纳入萨拉丁的新帝国。杰济拉的赞吉王朝曾几次击败萨拉丁对摩苏尔（1182、1185）的进攻，但不得不承认其宗主权。奴隶将军巴德丁·卢卢升任末代国王纳绥尔丁·马哈茂德（1219～1222在位）的摄政标志着王朝的结束。卢卢统治摩苏尔37年后该城落入蒙古人之手。赞吉王朝的第三支于1170年建立在摩苏尔以西的辛贾尔，统治持续约50年。它着手兴建一些日后由阿尤布王朝完成的巨大工程，如阿勒颇的大清真寺等。赞吉王朝以赞助摩苏尔的金属加工和绘画学校而闻名。摩苏尔生产当时伊斯兰世界中最精细的金属镶嵌制品。工匠们把这一技术传播到阿勒颇、大马士革、巴格达、开罗、伊朗，对这些地区的金属加工工艺影响达数百年之久。摩苏尔的绘画学校在伊拉克只有巴格达的可与之匹敌。摩苏尔的彩饰虽以塞尔柱的传统为基础，但也有自己的象征手法。

Zangwill, Israel **赞格威尔**（1864-02-14，英格兰伦敦～1926-08-01，西苏塞克斯米德赫斯特） 英国小说家、剧作家、犹太复国主义领袖、最早用英文介绍犹太移民生活的作家之一。东欧移民之子，在伦敦东区长大，曾在犹

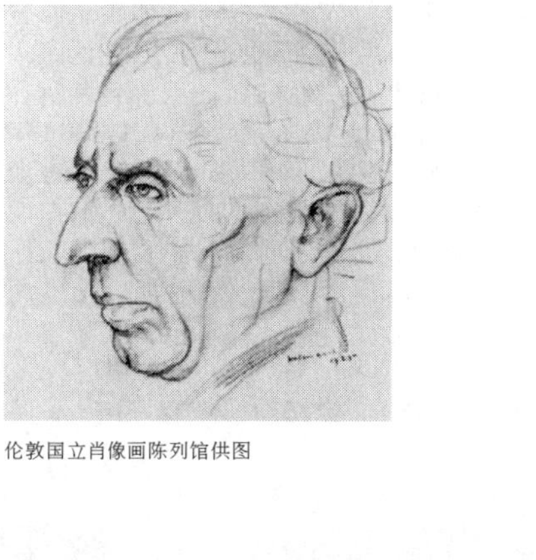

伦敦国立肖像画陈列馆供图

太人免费学校和伦敦大学受教育。早期作品写当时一些流行的主题，但他写的《犹太区的孩子：对一个独特民族的研究》(1892)根据其对犹太人生活的深刻了解，用狄更斯式的笔调，描绘出一幅幅在伦敦怀特查珀尔区的新环境中挣扎生存的犹太移民的画面。他着重写犹太人的异国特性，并在英语中模仿意第绪语句子结构，使这一题材更为新颖，引起人们极大的兴趣。其他写犹太人的作品有描写一个 18 世纪恶棍的惊险小说《群丐之王》(1894)和《犹太人区的梦想家》(1898)，是关于犹太名人斯宾诺莎、海涅和拉萨尔等的文章。美国是一个熔炉、欧洲各民族在其中将被改造成一个新民族的比喻即源于赞格威尔的剧作《坩埚》(1908)的剧名和主题。赞格威尔于 1896 年结识 T.赫茨尔后，成为犹太复国主义运动的发言人，后又与该运动脱离关系，另建立了"英帝国境内安置犹太人地方组织"，并任主席(1905～1925)。

Zanj rebellion　辛吉起义(868～883)　又译黑奴起义(阿拉伯人称黑奴为辛吉)。黑人奴隶对阿拔斯哈里发帝国的造反。当时巴士拉的一些地主从东非运来几千名黑人(辛吉人)，用他们排除城东盐碱滩的积水。他们强迫这些辛吉人从事重体力劳动，但只给很少的口粮。869 年 9 月波斯人阿里·伊本·穆罕默德自称是第四代哈里发的后裔，起来领导辛吉人造反。因有对政府不满的当地农民参加，造反队伍迅速壮大起来。869 年 10 月打败巴士拉的军队。不久以后在盐洼地中建立了自己的首府莫赫塔兰。870 年 6 月占领波斯湾的海港乌剌，切断巴士拉城的对外联系，控制了伊拉克的南部地区，然后又占领伊朗西南部的阿瓦士。871 年 9 月辛吉人洗劫巴士拉城。878 年占领瓦西特。879 年哈里发的弟弟穆沃费格亲自指挥作战，对辛吉人发起大规模的进攻，到 883 年 8 月终于平息了这次起义。

Zanjān　赞詹　伊朗西北部地理区域。位于德黑兰西面。西北与阿塞拜疆接壤，西南与库尔德斯坦毗邻。构成中部伊朗的高地之一。平均海拔2 500米。是里海盆地的一部分。赞詹河为该区唯一主要河流。以农业为主。农作物主要有稻、玉米、油菜、水果和马铃薯。饲养家禽及牛羊。制造业有制砖、水泥、碾米和地毯。矿藏有铬、铅、铜。该区主要城市赞詹有公路、铁路通阿卜哈尔和梅赫拉巴德。

Zanjān　赞詹　又拼Zenjān。伊朗西北部城市。地处德黑兰—大不里士铁路中途的开阔谷地。赞詹地区主要城市。一度是商队贸易点，现为谷物产区中心。伊朗革命前，1978 年该城人民曾与伊朗军队激战。工业产品有米粉、面粉、土布、金属器皿和粗地毯。城东南约 32 千米处的苏丹尼耶村曾是伊朗伊儿汗王朝的都城，建于 13 世纪后期。人口约 205 900(1985)。

Zankle(Sicily)　**赞克勒**　参阅 **Messina** 墨西拿。

zanni　滑稽男仆　意大利即兴喜剧中的定型仆人角色。即侍从丑角、小丑和不务正业的"百事通"。他们讲情理、聪明、自负，爱好恶作剧和耍花招，常常还多嘴、懦弱、嫉妒、小

1580 年绘画《杰洛西剧团》中的滑稽男仆：(左)哈乐根，(右)可能是司卡潘，(中)潘塔隆内
斯德哥尔摩德罗特宁霍尔摩剧院博物馆供图

心眼、善报复，并且背叛主人。这一角色最初由伦巴第的贝加莫创造。滑稽男仆意大利语为"赞尼"，据说就是该地通用人名乔凡尼的一种昵称，专指男仆。也有人把"赞尼"作为即兴喜剧的一种总称。滑稽男仆的服装包括木制的或皮革制的半假面具(上粘头发和胡髭)、宽松的上装、肥大的裤子和带有长羽毛的宽边或高圆锥形的帽子。有些滑稽角色还常常手持一把木制的剑。

Zānskār Range(China)　参阅 **Zāskār Range** 扎斯加尔山脉。

Zante(Greece)　**赞特**　参阅 **Zacynthus** 扎金索斯。

Zanthoxylum　花椒属　芸香科的一个观赏植物属，约 200 种，乔木或灌木，原产于北美、南美、非洲、亚洲及澳大利亚等洲的中纬度地区。植物多刺，芳香。落叶或常绿。花小，淡绿色。果簇生，蓇果，两瓣，每瓣内有亮黑色种子一粒。美洲花椒(普通花椒、牙痛树，

美国南刺椒(*Z. clava-herculis*)
供图：Thase Daniel

Z. americanum)耐寒，分布范围北达魁北克。美国南刺椒(*Z. clava-herculis*)是另一个著名的栽培种。黄心花椒(西印度缎木，*Z. flavum*)木材光亮，金褐色，可制细木家具。

Zanuck, Darryl F(rancis)　柴纳克(1902-09-05，美国内布拉斯加瓦胡～1979-12-22，加利福尼亚棕榈泉)　好莱坞电影业巨头任制片经理达 30 多年，倡导了多种电影潮流。1924 年从影，任华纳兄弟影片公司编剧。不到 3 年，被擢升为制片经理。他促使华纳兄弟公司转向有声电影，拍出第一部有声故事片《爵士歌王》(1927)。他制作的《小凯撒》(1930)、《公敌》(1931)，开 20 世纪 30 年代流行很广、数量众多的强盗片的先河。1933 年与人合建二十世纪电影公司；两年后，与福斯影片公司合并。作为二十世纪福斯影片公司的经理，他制作了《怒火之花》(1940)、《青山翠谷》(1941)、《剃刀边缘》(1946)、《君子协定》(1947)以及《萨巴塔万岁！》(1952)等著名影片。1956 年退出二十世纪福斯公司，6 年后重返该公司任总裁，制作《最长的一天》(1962)和《音乐之声》(1965)两部影片，以轰动一时的票房纪录扭转该公司的经济颓势。后来的《陆军野战医院》(1970)和《巴顿将军》(1970)取得艺术上的成功，备受评论界的推崇。1971 年退职。由于他对电影事业做出的杰出贡献，电影艺术科学学会 3 次授予他欧文·塔尔堡纪念奖。

Zanzibar　桑给巴尔岛　印度洋中的岛屿，距中非东海岸 35 千米。1964 年桑给巴尔与奔巴岛(**Pemba Island**)及其他小岛和大陆上的坦噶尼喀联合组成坦桑尼亚联合共和国。桑给巴尔岛面积1 651平方千米。

面对桑给巴尔海港的前苏丹宫
供图：Paul Hufner—Shostal/美国不列颠百科全书公司

一般认为桑给巴尔岛与奔巴岛都曾是非洲大陆的一部分，奔巴岛在中新世时(2 370万至 530 万年前)，桑给巴尔岛在上新世(530 万至 160 万年前)或更晚的时期与大陆分离。两岛基底都是由各种类型的石灰岩构成，还有隆起的砂地、砂岩以及和邻近大陆冲积层相似的各种残余沉积物。大规模的石灰岩风化作用加上侵蚀和地壳运动，产生了各种土壤，包括红土、壤土、黏土和砂土。桑给巴尔岛上东、南、北三面及其西侧的岛屿有平坦的珊瑚石灰岩区，有些地方珊瑚上覆盖着薄薄的红土或冲积层。

从大陆来到桑给巴尔岛一般的印象是一条低而长的岛屿，沿着中央南北轴线有些小山脊。岛上有椰子树及其他植物。岛屿最长85千米，宽39千米，中央山脊的最高点马辛吉尼海拔119米。地势较高的地区起伏和缓，有几条小河发源于此，西流入海，或消失在珊瑚岩区。

桑给巴尔岛为典型的热带湿润海岛型气候，平均年雨量为1 500～2 000毫米。与东非大部分地区相比，岛降雨稳定且分配均匀。12月至翌年3月吹东北信风，5月至10月吹东南信风。3～5月份是“长雨季”，10～12月份是“短雨季”。

岛上小块乡土林及孤立的大树表明这里大部分地面原先曾为浓密的常绿林所覆盖。广阔的珊瑚岩露头地区生长着浓密的植被，平坦的黏土平原长着草类。主要野生动物有豹子(桑给巴尔的特有种)、灵猫、獴、两种猴子、狐猴、非洲猪、森林小羚羊、岛羚、约20种蝙蝠和30种蛇。雨季里蚊虫孳生。侵害椰子树的害虫缘蝽以及危害动物的害虫和寄生虫，如舌蝇(萃萃蝇)、蜱(将东海岸热病传染给牛)一直是研究与控制虫害的对象。

桑给巴尔岛南部和东部主要居民是操班图语的哈迪姆人，岛的北部以及附近的土姆巴图岛则住着另一支操班图语的土姆巴图人。这两种人是最先来到桑给巴尔岛的民族。整个19世纪及以后时期，他们被后来者，特别是阿拉伯人挤出了岛的西部更为肥沃的地区。但1964年实行了土地国有化，随后又实行了经济改革，重新分配了土地。渔业在沿海村落中一向很重要，现在仍然如此。

高度阿拉伯语化的斯瓦希里语是最为广泛通行的语言。阿拉伯人一般使用斯瓦希里语，纯正的阿拉伯语只限于学者和新来乍到的阿拉伯人使用。亚洲人使用古吉拉特语、印地语、乌尔都语和贡根语。英语和斯瓦希里语也广泛通用。

在东非大陆港口发展起来之前，桑给巴尔岛是该地区的贸易中心，拥有重要的转口贸易。现在岛上经济依赖农业和渔业。

大片的肥沃土地和良好的气候促成多种热带作物的生产，最重要的是丁香和椰子。当地食用作物如稻米、木薯、芋类及热带水果也有重要地位。鱼是重要食品，当地从事渔业的劳动力约占人口的1/10。

桑给巴尔岛的历史深受其地理条件的影响。盛行风使桑给巴尔岛成为印度洋贸易路线上的据点，便利于来自阿拉伯、南亚和非洲大陆的贸易商人及殖民者在此上岸。最早的入境移民是非洲人，其次是10世纪开始登陆桑给巴尔岛的波斯人，他们在短时间内就被当地居民所融合，失去了作为单独群体的特征，但他们的影响力在不同村落的居民逐渐合并成哈迪姆与土姆巴图两个民族的过程中起着作用。这种非洲化的波斯人皈依了伊斯兰教，遵循许多波斯传统。即使在今天，大多数桑给巴尔岛的非洲人仍自称为“设拉子人”，因为最初的波斯移民来自设拉子公国。

阿拉伯人对桑给巴尔岛的影响最深，因为桑给巴尔岛的地理位置使它成为阿拉伯人进入非洲搜罗奴隶和经营远洋贸易的优良转口港。来自阿曼的阿拉伯人特别重要，因为他们在桑给巴尔岛开始建立商人和地主的殖民地，最后成为岛上的贵族。

葡萄牙人于16世纪来到此地，并控制了东非海岸的全部海港，包括最富强的蒙巴萨，以及诸如桑给巴尔的岛屿及阿拉伯沿海地区，包括阿曼首都马斯喀特。然而葡萄牙人的商业目的大于政治目的，所以当17世纪权力衰微时，他们没有留下多少曾经驻足于此地的痕迹。

阿曼的阿拉伯人于1650年将葡萄牙人赶出马斯喀特，他们是整个地区对抗葡萄牙人的领导力量，后来逐渐在桑给巴尔岛等定居地建立了控制权，至少名义上是如此。经过王朝战争及非洲海岸或得或失的长期动乱之后，阿曼苏丹赛义德·伊本·素丹决定将首都从马斯喀特迁到桑给巴尔岛。18世纪末和19世纪初，由于南北美洲种植园需要大量奴工而迅速扩展起来的奴隶贸易，使桑给巴尔岛成为进入非洲内地掳掠奴隶(以及象牙)的贸易路线的重要一站。桑给巴尔岛本身也有重要的椰子、丁香和食料资源。1832年阿曼苏丹将该岛作为他的首都。

1861年桑给巴尔岛脱离阿曼，成为独立的苏丹国，控制着赛义德所拥有的非洲大片领土。但在巴加什苏丹统治期间(1870～1888)，英、德两国瓜分了桑给巴尔在非洲大陆上的大部分领土，并控制了其余的沿海地带的经济。1890年英国宣布桑给巴尔为它的保护地，苏丹权力被削弱，奴隶贸易减缩。

1963年苏丹国重新获得独立，成为英联邦的成员。1964年1月左派人士叛变，推翻苏丹国，建立共和国。革命标志着占人口大多数的非洲人推翻了阿拉伯人在岛上长期建立的统治阶级。4月，桑给巴尔和坦噶尼喀总统签署两国合并法案，同年稍后时期成立了*坦桑尼亚*(**Tanzania**)。人口622 459(2002)。

Zanzibar 桑给巴尔 坦桑尼亚桑给巴尔岛的港口城市，是该岛的主要港口和商业中心。位于该岛西岸，是优良的天然深水港。1824年阿曼的苏丹赛义德·伊本·素丹将都城从阿拉伯半岛的马斯喀特迁至此地。在19世纪的其余年代，该城作为阿拉伯人和欧洲人在东非的活动基地日趋繁荣，也因从事奴隶贸易而臭名昭著。随着达累斯萨拉姆和蒙巴萨(位于非洲大陆东岸)的港口在大量贸易活动中取代桑给巴尔，该城的地位有所下降。但该港仍是出口丁香、椰子、柠檬和其他热带作物的重要港口。人口391 002(2002)。

Zanzibar Treaty 《桑给巴尔条约》(1890-07-01) 又称《黑尔戈兰-桑给巴尔条约》。英德两国为划分在东非的势力范围而签订的条约，表明德国在放弃同俄国的俾斯麦协定后，意图与英国和解。依约，德国放弃桑给巴尔保护地以及维图与朱巴河之间的东非沿海地区，将其让给英国；英国承认北以维多利亚湖至刚果一线为界、西南以尼亚萨湖至坦噶尼喀湖一线为界的东非大陆为德国的势力范围；英国同意德国占领今属纳米比亚北部的卡普里维地带，并将北海的黑尔戈兰岛让给德国。

Zaoshen 灶神 又拼 Tsao Shen，英语作 God of the Hearth。又称灶君。俗称灶王爷。中国旧时民间奉祀的神。古代以炎帝、祝融等配享。汉以前大夫以上祭灶神，后来民间也祭灶。汉代方士认为祀灶可得福，汉武帝曾“祀灶”。汉宣帝（公元前74～前49在位）时阴子方说他在腊日晨炊见到灶神，后世即改为腊月祭灶。中国道教认为灶神掌记一家的善恶。葛洪《抱朴子·微旨篇》：“灶神亦上天白人罪状。”晋周处《风土记》：“腊月二十四日夜祀灶，灶神翌日上天，白一岁事，故先一日祀之。”后来民间改为腊月二十三日祭灶，贡品有麦芽糖，意在粘住灶神的牙齿，使灶神缄口不言。《道藏》中有《太上灵宝补谢灶王经》。

Zaozhuang 枣庄 又拼 Tsao-chuang。中国山东省辖地级市。以煤炭、电力为主的工矿城市。位于省境南部，鲁南低山丘陵与鲁西平原过渡地区。东有山顶平缓的著名的抱犊崮，西倚微山湖。辖市中、薛城、峄城、台儿庄、山亭5区，并代管滕州县级市。面积4 550平方千米，市区面积3 065平方千米。春秋(公元前770～前476)时为鄫、薛、滕等小诸侯国。金置峄州，明洪武二年(1369)降为县。1960年撤峄县改设枣庄市，1961年升为省辖市。矿藏资源丰富，有煤、铁、铝矾土、石青等，尤以煤储量大，质量优，适于炼焦，煤炭开采历史悠久，据传唐代就已开采，元、明采煤业渐盛。所产优质炼焦煤经铁路、运河输往长江沿岸各地，并有少量出口。1949年以前各矿都遭严重破坏而停产。1949年后新矿区迅速发展，老矿井陆续扩建。80年代以来已建成年产千万吨以上的现代化煤炭工业基地。南郊十里泉电厂是大型坑口电站，装机容量约122.5万千瓦，被誉为“鲁南明珠”。此外还有化工、陶瓷、造纸、机械、纺织、食品、卷烟等工业部门。农产品主要有小麦、玉米、甘薯、大豆、高粱、谷子、花生、棉花、黄烟、石榴、黄梨、大枣、板栗、核桃、山楂、苹果等。所产檀木、石榴久负盛名。现代史上以台儿庄大战和铁道游击队闻名。京沪铁路纵贯西境，有支线通市中心区。当地名胜有抱犊崮国家森林公园和世界园林组织命名的“冠世榴园”。有薛国和滕国故城、梁王和匡衡墓、娘娘坟等文物古迹。人口：全市3 660 000(2005)；市区2 080 000(2004)。

Západní Slovensko 西斯洛伐克州 捷克语作 Západoslovenský，英语作 Western Slovakia。斯洛伐克西南部一州。西北与捷克共和国毗连，西南与奥地利接壤，东南邻匈牙利，东北临中斯洛伐克州。南部大部地区为摩拉瓦河、多瑙河、瓦赫河、尼特拉河和赫龙河形成的平原，主要种植小麦、裸麦、大麦、玉米、蔬菜、大麻、葡萄和烟草等，饲养猪、家禽和牛。西部和北部为小喀尔巴阡山和白喀尔巴阡山所环抱，坡地以产葡萄著名。该州河谷产玻璃砂、陶土和砂砾；山里开采大理石和石灰石；在佩济诺克开采锑。20世纪70年代曾在摩拉瓦河谷发现天然气田和油田。瓦赫河上一组五座水坝为集中在沿河城市的工业提供电能。布拉迪斯拉发为州首府，虽然它是单独管辖的，也为全州主要工业中心，实际上也是文化中心。西斯洛伐克州内有若干矿泉疗养地，其周围考古发现的遗物表明这些疗养地早在古罗马时代就已知名。多瑙河和小多瑙诸河间称大黑麦岛的地区有1/2以上居民为匈牙利族，为斯洛伐克一个少数民族最为集中的地方。面积14 492平方千米。人口约1 712 181（1991）。

Západočeský　西捷克州　又作 Západní Čechy，英语作 Western Bohemia。捷克共和国西部一州。北和西邻德国，东接北捷克州、中捷克州和南捷克州。边境地区多山，有一系列西南到东北走向的丘陵似的山脉。贝龙卡河及其若干支流形成的河谷为境内仅有的低地区，这些河流都汇聚到州首府比尔森附近的一处平原上。州内低地主要种植玉米（用作饲料）、饲草、小麦、大麦、燕麦、马铃薯和裸麦。水果以苹果、李、梨、樱桃为主。大量饲养猪、牛和家禽。山区林业很重要。煤炭为州内主要矿产资源，但也开采锡、钨、建筑石材和白陶土。比尔森是州内主要工业中心，也是主要的文化中心。该州以温泉和矿泉疗养地著名。其中最著名的是卡罗维发利，建于 1347 ～ 1358 年。面积10 875平方千米。人口约860 311（1991）。

Zapata，Emiliano　萨帕塔（约1879-08-08，墨西哥阿内内奎尔科～ 1919-04-10，莫雷洛斯）　墨西哥革命领袖，力主土地改革，在墨西哥革命（1910～1920）和以后时期从事游击

供图：Archivo Casasola

活动。训练和出售马匹的梅斯蒂索混血农民之子。17 岁成为孤儿。1897 年因与本村农民共同反对种植园强占土地而被捕。获释后仍在农民中间进行宣传活动，又被强征入伍。6 个月后退役，开始为地主驯马。1909 年邻人推选他担任本村防务委员会主席。他同一群农民用武力夺回种植园所占用的土地。1910 年墨西哥北部的地主弗朗西斯科·马德罗在大选中败于波菲里奥·迪亚斯，然后逃往美国，宣布自己为墨西哥总统。他在农民游击队的支持下，重新进入了墨西哥。萨帕塔决定支持马德罗，1911 年 3 月萨帕塔人数不多的部队夺取库奥特拉城，封锁了通往首都墨西哥城的道路。一周后迪亚斯辞职。萨帕塔率5 000人进入莫雷洛斯州首府库埃纳瓦卡。马德罗在凯旋声中进入墨西哥城。萨帕塔向马德罗要求将种植园的土地归还给印第安人。马德罗坚决主张解除游击队的武装，并提议付给萨帕塔酬金，使他能够购买土地。但为萨帕塔所拒绝。1911 年 11 月马德罗当选总统，萨帕塔再度与他会谈，但毫无结果。萨帕塔宣布马德罗没有能力实现革命的目标，他提出了“土地与自由”的口号。萨帕塔把夺回的种植园土地分配给部下耕种。他们在耕种时扛着步枪，一旦有紧急情况就去参加战斗，在战斗之后又回农田干活。萨帕塔有时能集合几千游击队员，他用征税和向富人索款的钱付给他们军饷。他们从联邦军队手里缴获武器。

1913 年 2 月维克托里亚诺·韦尔塔将军暗杀马德罗时，萨帕塔带领部下到达墨西哥城郊，拒绝韦尔塔将军提出同他合作的建议。这就钳制了韦尔塔，使他不能派遣全部军队进攻北部的游击队。当时，北部的游击队在贝努斯蒂亚诺·卡兰萨的指导下，已经组成一支立宪军来打击新的独裁者。1914 年 7 月韦尔塔被迫离开墨西哥。萨帕塔知道卡兰萨的立宪派惧怕他，他从墨西哥城争取了一些知识分子。后来又建立农民党。韦尔塔倒台时，萨帕塔告诉立宪派，他将独立地战斗下去，不达到目的决不罢休。1914 年 10 月卡兰萨召开所有革命力量的代表大会。潘乔·比利亚派和萨帕塔派在大会中组成多数。卡兰萨拒绝大会的决议，将政府迁至韦拉克鲁斯。温和派（卡兰萨派）和革命者（代表大会派）之间爆发了战争。11 月 24 日，萨帕塔命令部队（现名南部解放军，计 2.5 万人）占领墨西哥城。两周后，萨帕塔和比利亚在首都郊外会晤，两位领袖保证一同战斗。萨帕塔建立农民委员会分配土地，又建立墨西哥第一个农业信贷组织农业贷款银行，还试图将莫雷洛斯的糖业合作化。同时，战争仍在继续。萨帕塔占领了普埃布拉城。1917 年卡兰萨军击败比利亚，使萨帕塔陷于孤立。卡兰萨召开制宪议会，但未邀请萨帕塔参加。议会通过宪法，并选举卡兰萨为共和国总统。美国特使威廉·盖茨在会见萨帕塔之后，在国内发表一系列文章，将萨帕塔控制地区的秩序井然同立宪派控制地区的混乱状况加以对比，并说：“我们可以在萨帕塔派中间找到真正的社会革命。”后萨帕塔在莫雷洛斯遭伏击，被卡兰萨派士兵杀害。

Zapatero，José Luis Rodríguez　萨帕特罗（1960-08-04，西班牙巴利亚多利德～　　）西班牙政治人物，2004 年担任西班牙总理。曾就读于莱昂大学，1982 年毕业后留校教法律。1979 年加入工人社会党，1986 年成为最年轻的国家议会成员。两年后，成为工人社会党莱昂省联盟的总书记。1982 ～ 1996 年，虽以干练勤劳著名，但在政府中并未担任任何公职。2000 年 7 月，击败其他对手成为工社党总书记。他承诺改革该党及其政策，重视经济效益、妇女权利、民主参与和政权还俗主义，成为保守的人民党政府的富有建设性的反对党。2004 年大选临近时，人民党的支持率很高，但 2004 年 3 月 11 日，马德里发生一系列恐怖主义袭击，人民党将其归咎于巴斯克分离主义组织，而无视明显的伊斯兰恐怖主义组织基地组织的罪证，因而遭到民众反对。工社党以此为契机出人意料地赢得大选。萨帕特罗于 4 月 17 日担任总理，他任命的内阁既包括政治元老也包括政坛新星，其中一半为女性。执政数周内，他便从伊拉克撤军。他支持多项社会改革，包括在 2005 年将同性婚姻合法化。

Zapolska，Gabriela　扎波尔斯卡（1857-03-30，匈牙利加利西亚波德哈伊采～ 1921-12-17，波兰勒武夫）　波兰自然主义流派的小说家、剧作家。曾试图在巴黎当演员，但未能如愿。遂开始写作一些廉价的、追求轰动效应的小说，书中充满了对中产阶级价值观、道德和伪善的辛辣讽刺。在她 20 多年间所写的一些小说中，只有两部至今仍令人爱读：《森林萧萧》（1899），这是一部关于旅居巴黎的波兰革命者的真人真事小说；《季节性恋爱》（1905）是一部描写中产阶级在休假小镇扎波塔内追逐时髦生活的长篇小说。她还写过一些剧本，主要是情节剧，大部分像她的小说一样，只是风行一时，但有一部令人铭记难忘，即《杜尔斯卡太太的道德》（1906），这是一部滑稽喜剧，描写一个资产阶级家庭的女家长如何滥施权力，作威作福。

Zápolya，János（king of Hungary）　**扎波利亚**　参阅 **John**（**Hungary**）　约翰（匈牙利）项下的 **John** 约翰。

Zapopan　萨波潘　墨西哥中西部哈利斯科州中北部城市。位处温和的瓜达拉哈拉谷地，海拔1 598米。在州首府瓜达拉哈拉西北 7 千米。为地区商业和制造业中心，附近产玉米、甘蔗、棉花、水果和蔬菜。饲养马、牛和猪。养蜂业、养鸟业和旅游业为辅助收入来源。通公路、铁路和航空线。人口 668 323（1990）。

Zaporizhzhya　扎波罗热　俄语拉丁字母转写作 Zaporozhye。乌克兰东南部一州。面积27 200平方千米。在亚速海北岸，包括沿岸平原、亚述高地和第聂伯平原，直至第聂伯河（包括其右岸地区的很小部分）。地处草原地带，草原多已垦为耕地，冲沟侵蚀严重。气候干燥，许多河流具有季节性。首府扎波罗热有冶金工业，梅利托波尔和别尔江斯克有机械制造业，克列缅楚格水库西南岸有铁矿联合企业。其次有农产品加工业。农业发达，主要作物是小麦与玉米，向日葵、马铃薯、瓜和蔬菜也很重要。有许多葡萄园和果园。北部奶制品业发达，亚速海岸平原盛行养羊。人口约2 108 500（1991）。

Zaporizhzhya　扎波罗热　俄语拉丁字母转写作 Zaporozhye。1921 年前称亚历山德罗夫斯克。乌克兰东南部扎波罗热州城市和州首府。在第聂伯河畔。地处前该河急流正下方。1770 年建立要塞，1806 年建城镇。1927 ～1932 年兴建第聂伯河水电站，城市随之发展。第二次世界大战期间，大坝遭到破坏，后又经重建。由于有动力，发展起大型冶

金工业。扎波罗热轧钢厂为乌克兰最大的轧钢厂之一。焦化副产品为化学工业提供原料。还有许多机械制造业与轻工业，如汽车制造、电气装置等行业。该城沿第聂伯河延伸数千米，工业区与居住区之间有绿化带。设有师范学院、医药学院与机器制造学院。人口约900 000(1993)。

zapote（fruit） 参阅 **sapote** 美果榄。

Zapotec 萨波特克人 居住在墨西哥南部瓦哈卡州东部和南部的中美印第安人。其文化随居住地带(山区、河谷或沿海)和经济形式(自然农业、经济作物或城市劳工)不同而

墨西哥瓦哈卡州制作陶器的萨波特克人
供图：Donald Cordy

不同；语言则各个村子都不相同，有数种互相不懂的方言(也许称为不同的语言更为恰当)。一般来看，萨波特克人的社会是以村庄或城镇为中心组织起来的，各有农业基地。主要作物是玉米、豆类和南瓜；咖啡、小麦和甘蔗等商品作物只在气候条件适宜的地方种植。他们也狩猎、捕鱼和采集野生食物。耕作方法是先烧荒再用犁和牛翻地。某些地区仍盛行手工业，以制陶、编织及棕榈纤维纺织为主。服装兼有传统及现代两种。女性传统服装有长裙、长外衣、披肩等；男性非现代的服装是宽松衣裤，草鞋、草帽、皮帽等。萨波特克人信仰天主教，但对异教神灵的信仰以及异教的仪式和神话依然存在，在某种程度上同基督教混在一起。与教父母结成的仪式亲很受重视。

Zápotocky, Antonín 萨波托斯基(1884-12-12，奥匈帝国波希米亚克拉德诺附近扎科洛尼～1957-11-13，布拉格) 捷克斯洛伐克共产党创始人之一，政治领袖。1948 年共产党发动政变成功，他是领导人之一。在 1921 年捷克斯洛伐克共产党创立之前，他已是有 20 年党龄的社会民主党员。他在民主的捷克议会当议员时，就从事共产党的活动，很有组织和宣传能力。T. 马萨里克任总统期间(1918～1935)，他协助建立党的组织、党的报刊以及党的工会和合作社。1929～1939 年任共产党工会总书记。1945 年成立革命工会运动时，他任主席。1948 年共产党接管政府后，他任政治书记处书记。1953 年 K. 哥特瓦尔德死后，他继任捷克斯洛伐克总统，直至去世。

Zappa, Frank 扎帕(1940-12-21，美国马里兰巴尔的摩～1993-12-04，加利福尼亚洛杉矶) 全名 Frank Vincent Zappa。美国 20 世纪 60、70 和 80 年代的作曲家、吉他手和讽刺作家。他是个多产的工作狂，在 30 年的职业生涯中发行 60 多张专辑。他同最初的"发明之母"乐队共同推出的第一个作品是概念双专辑《想入非非》(1966)，它对次年披头士乐队发表的《佩珀军士孤独心灵俱乐部》有重要影响。第三张专辑《我们只是为了金钱》(1967)的封面故意拙劣地模仿《佩珀军士孤独心灵俱乐部》的封面，就像其音乐用故意的"丑陋"来挑战披头士的爱和美的观念。1969 年推出产生巨大影响的爵士-摇滚融合专辑《热鼠》(1969)。在整个 70 年代里，扎帕推出了一些器乐专辑。在 1993 年去世之前，他的《黄鲨》组曲由柏林现代乐团演奏并录音，他最终被承认为"严肃"音乐作曲家。1995 年入选摇滚乐名人堂。

Zaqāzīq, az- 宰加济格 又拼 Zagazig。埃及城市，东部省省会。位于尼罗河三角洲，开罗东北偏北。在 19 世纪 20 年代，棉花种植传播到三角洲东部时建立了这一城市。在第

宰加济格市运河上的桥梁
供图：Tor Eigeland—《黑星》杂志社

四王朝的布巴斯提斯城土丘遗迹以北约两米两条灌溉水渠交会处。为重要的公路和铁路的枢纽，也是主要的棉花和谷物市场。人口约279 000(1991)。

Zara（Croatia） **扎拉** 参阅 **Zadar** 扎达尔。

Zara, Siege of 扎拉之围(1202) 第四次十字军活动中的一个重要事件，即十字军攻击一个基督教的城市。它成为翌年十字军进攻拜占廷首都君士坦丁堡的前兆。扎拉(即今克罗地亚的扎达尔)是臣属威尼斯共和国的一个城市，但在 1186 年背叛威尼斯，而接受匈牙利国王贝洛三世的保护。威尼斯人为了重新获得他们对扎拉的权利，乃改变原定进军巴勒斯坦和埃及的目标，促使第四次十字军去攻击这个城市。教皇英诺森三世(1198～1216)获悉后致函威尼斯，制止这一行动，即便以革出教门相威胁，亦无法制止军队的行动。威尼斯的舰队于 1202 年 10 月初从威尼斯启航，11 月 10 日到达扎拉。经过两个星期的围困和攻击后，扎拉终于投降了。守军和居民被赦免。十字军在扎拉过冬。

Zaradros River（Tibet-India-Pakistan） **扎拉德罗斯河** 参阅 **Sutlej River** 苏特莱杰河。

Zaragoza 萨拉戈萨 西班牙东北部阿拉贡自治区一省。面积17 194平方千米。北至比利牛斯山麓，西与纳瓦拉、洛格罗尼奥和索里亚三省交界，南邻瓜达拉哈拉省和特鲁埃尔两省，东与东北接塔拉戈纳、莱里达和韦斯卡三省。地势为略微起伏的台地。境内有埃布罗河及其支流流经。主要农作物有小麦和大麦，亦出产苜蓿、牲畜和甜菜等，也出产水果。该省工业集中在省会萨拉戈萨(**Zaragoza**)。其他人口集中的城镇有卡拉塔尤、塔拉索纳-德阿拉贡、卡斯佩、埃赫阿-德洛斯卡瓦列罗斯和陶斯特。人口约842 722(1992)。

Zaragoza 萨拉戈萨 英语作 Saragossa。西班牙东北部亚拉冈自治区萨拉戈萨省省会。位于厄波罗河南岸(已建桥)。公元前 1 世纪末，原为凯尔特伊比利亚的萨尔杜巴城，被罗马人征服，成为奥古斯都皇帝的属地，改名凯撒奥古斯塔，后来演变为阿拉伯名萨拉克斯塔和现在的名称。它是厄波罗河流域主要的商业和军事重镇，也是西班牙最早信奉基督教的城市之一；3 世纪中叶设主教。380 年在萨拉戈萨召开的一次宗教会议上普里西利安教派的苦行修炼、禁绝声色的主张受到谴责。5 世纪先后落入日尔曼斯维比人和西哥德人之手，约 714 年复被摩尔人夺取。778 年法兰克国王查理曼率军围攻萨拉戈萨，后因本国发生撒克逊人叛乱，才不得不撤围回师。1110 年被穆拉比人攻占，1118 年由亚拉冈国王阿方索一世收复，并在尔后的三个半世纪内一直是该国的国都而兴盛繁荣。半岛战争期间被法军长期围困(1808～1809)，市民在梅尔齐将军的率领下奋起抵抗，虽终于陷落，但此举使该城名声大振。参加守城的玛丽亚·奥古斯廷的英勇事迹在《恰尔德·哈罗尔德游记》一诗中受到英国诗人拜伦的歌颂，被称为"萨拉戈萨的少女"。

厄波罗河畔萨拉戈萨市的圣母显圣大教堂
美国不列颠百科全书公司供图

萨拉戈萨作为大主教管区，有两座大教堂，较早的一座为拉塞奥大教堂或萨尔瓦多大教堂，主要为一座哥特式建筑(1119～1520)，但这座建筑在西班牙第一座清真寺旧址上的教堂还带有早期罗马式教堂的某些痕迹。圣母显圣大教堂供奉全西班牙的守护神——纪念柱上的圣母，据传说，公元 40 年 1 月 2 日圣母马利亚曾站立在圣詹姆斯大帝的纪念柱上显圣(詹姆斯大帝的神殿现在圣地

亚哥-德孔波斯特拉);这座大教堂由小埃雷拉设计,于1681年开始兴建,内部饰有戈雅的壁画。14世纪哥特式圣保罗教堂、马格达莱纳和文艺复兴时期的圣恩格拉西亚教堂也很有名。杰出的世俗建筑物包括具有西班牙民族风格的哥特式交易所,卢纳伯爵府邸(1537),现为法院所在地,以及17世纪萨斯塔戈和阿希略伯爵府邸。城西的阿尔哈费里亚府邸有一夸张的圆顶塔楼,属于西班牙第一流的伊斯兰民用建筑。萨拉戈萨大学创建于1474年,医学院是该校最著名的学院,但校舍建成的时间较晚。萨拉戈萨为一工业中心,每年于10月12日揭幕的全国交易会在这里举行。亚拉冈地区比利牛斯山水坝供应的水电和从罗塔(加的斯附近)通过管道输送来的石油促进了该市工业的发展。它还是繁忙的铁路枢纽和农产品贸易中心,附近地区得到因佩里亚尔运河、厄波罗河、韦尔塔河、加列戈河的灌溉,因此土地肥沃,农产品丰富。人口603 400(1998)。

Zaramo 扎拉莫人 又拼Dzalamo或Saramo。居住在坦桑尼亚达累斯萨拉姆周围地区的民族,是该城主要民族成分。扎拉莫人被认为是非洲东海岸斯瓦希里族群的一部分,这一族群混合了具有不同种族背景的多种成分,这些成分由于信仰伊斯兰教和共同使用斯瓦希里语而联合在一起。斯瓦希里—阿拉伯人的文化影响,体现在服装和其他习惯方面,但是久远的传统仍保留在诸如亲族关系这些方面。扎拉莫民族由200～300个母系氏族组成。传统的宗教信仰是丰产祭(科莱洛)和对女神穆隆古的崇拜。扎拉莫人没有中央集权的政治传统,但经常在帕齐(首领)领导下,群居于栅栏围绕的村庄里。扎拉莫人饲养家畜,但主要从事农业,种植水稻、黍稷、高粱、玉米、豌豆、木薯、椰子以及其他作物。由于临海,他们发展了多种捕鱼技术。过去,扎拉莫人铸造铁器,甚至仿造欧洲的火器。近些年来,他们的木刻技巧已表现在门扉、乐器、实用物品以及旅游者所需商品的装饰方面。按照传统说法,扎拉莫人来源于今坦桑尼亚莫罗戈罗专区内的库图族。

Zárate 萨拉特 阿根廷布宜诺斯艾利斯省东北部城市。濒临帕尔马斯河。该河为巴拉那三角州下游一条河道,注入拉普拉塔河。1825年建立。1909年设市。该市腹地种植小麦、苜蓿、亚麻和马铃薯,亦饲养牲畜。城市主要为制造业和交通运输中心。有肉类加工、造纸和乳品厂等。20世纪70年代建成一个33千米长的桥梁、公路和铁路网,首次将阿根廷美索不达米亚与布宜诺斯艾利斯地区直接相连。80年代初在该市附近修建自由贸易区。但萨拉特港不能停靠海轮。人口77 900(1991)。

Zarathushtra (Iranian religious reformer) 参阅 **Zoroaster 琐罗亚斯德**。

Zarcillo, Francisco 参阅 **Salzillo (y Alcaraz), Francisco 萨尔西略(-阿尔卡拉斯)**。

Zaria 扎里亚 旧称扎藻。尼日利亚北方卡杜纳州的古王国和世袭酋长国,现为地方政务会议所在地。州首府在**扎里亚(Zaria)**市。传说这个王国由贡古马国王约建于11世纪,为最早的7个豪萨国之一。因位于最南端,故为诸豪萨国,特别是位于北方的卡诺国和卡齐纳国的市场掳取奴隶。来自撒哈拉的骆驼商队到这里以盐巴换取奴隶、布匹、皮革和谷物。约1456年传人伊斯兰教,因而16世纪初豪萨国王信奉伊斯兰教。桑海帝国的穆罕默德一世阿斯基亚约在1512年征服扎藻;旅行家阿非利卡努斯记载了这次征服的结果。16世纪中,扎藻女王扩大疆域。但到该世纪末却受朱昆王国科罗罗发控制,并改名扎里亚。科罗罗发垮台后,扎里亚王国成为博尔努王国的属国。1808年由富拉尼人统治。1835年创扎里亚酋长国,由索科托苏丹代理人和酋长共同管辖。19世纪末扎里亚开始衰落。1899年比尔宁瓜里镇和酋长领地为西南的孔塔戈拉酋长国占据,国势日衰。1901年求助英国保护。1902年其大部属国被英国占领。现仍为尼日利亚最大的世袭酋长国,面积3.3万平方千米。地处热带草原。为全国主要棉花产地之一,出产各种农作物,还有牛羊和家禽饲养业。南部乔斯高原西缘的锡矿开采业占重要地位。居民以豪萨和富拉尼人为主。

Zaria 扎里亚 尼日利亚中北部卡杜纳州城市。濒临卡杜纳河支流库班尼河。约1536年建城,后发展成豪萨人所建扎藻王国的首邑。该市现为扎里亚地方政务会议所在地和

扎里亚市艾哈迈杜·贝洛大学内的教学楼
美国不列颠百科全书公司供图

扎里亚(Zaria)世袭酋长国首邑。该市有4个主要地区:旧城区设有多所伊斯兰学校,居民为豪萨和富拉尼人;图栋瓦达区为住宅区,容纳旧城区过剩的人口;萨邦加里区为建于殖民时期的非洲移民聚居区;第4个区是非非洲人居住区。旧城城墙总长24千米,有八座城门,内有古老的巨大市场。该市为棉花、烟草、花生、牛油果和生皮的集散地。当地可加工棉花、花生和牛油果,经铁路运至拉各斯出口。也是当地农产品(高粱、粟、大豆、赤砂糖、水果、豇豆、可乐果、布匹、牛、羊等)销售中心。1910年通铁路后,经济以轧棉业为主。鞣革、织染布匹为豪萨和格巴里人的传统手工业。还有铁路维修、家具、棉布印染、香烟、化妆品、篮筐编制和出版业。1939年发行北尼日利亚第一份豪萨文报纸。该市为北方各州教育中心,在西北偏西11千米的萨马鲁设有艾哈迈杜·贝洛大学(1962)、农业研究所(1924)、尼日利亚皮革研究所。在扎里亚城内有尼日利亚民航培训中心、卡齐纳文理工学院分院、商学院、美术学校、药剂学校和护士学校。人口379 200(1996)。

Zariadres 扎里亚德雷斯 塞琉西王国国王安条克三世的总督之一,据认为他与**阿尔塔夏(Artaxias)**一起创建了古代的亚美尼亚。

Zarlino, Gioseffo 扎利诺(1517-03-22,威尼斯共和国基奥贾[意大利]～1590-02-14,威尼斯) 威尼斯作曲家、音乐著作家、16世纪中叶最著名的音乐理论家。1541年担任助祭圣职,并在威尼斯圣马可教堂随A.魏拉尔特学音乐,1565年成为该堂音乐总监。作为作曲家备受尊崇,但作品传世的极少。他的第一篇论文《和声惯例》(1558)使他很快获得声誉,文章对16世纪上半叶的音乐思维作出敏锐的估价。在调音、和弦与调式方面,他的思想预示了17、18世纪的发展。他强调大、小三度的重要性,并论述大小三和弦的特点,启发了后来的作家如J.-P.拉莫的理论。关于复对位的两种最早的说法之一就是出自扎利诺。他对给歌词配乐提出了详细的建议。他的理论遭到他以前的学生V.加利莱伊的猛烈攻击。加利莱伊是佛罗伦萨卡梅拉塔会社的成员,这是一群对歌剧发展有影响的人物。扎利诺写《音乐余论》(1588)作了答复,并把他的著作收集在1589年出版的全集里。《余论》补充和发展了他以前的理论。他强烈地反对卡梅拉塔会社主张的单音宣叙调,坚持音乐有它自身的规律,不能为模仿讲话的词句而放弃音乐的规律。

Żarnowiec 扎尔诺维茨 波兰中北部格但斯克省城市。地近景色优美的扎尔诺维茨湖,在省会格但斯克市西北48千米处。有水电厂。有建于12世纪初的教团僧侣隐修院。市郊森林有在第二次世界大战中被德军杀害的1.2万波兰人的万人坑。人口约5 000(1980)。

zarzuela 萨苏埃拉 西班牙音乐表演剧,由说白、歌曲、合唱和舞蹈组成。起源于17世纪贵族阶级的一种文娱节目,以神话和英雄事迹为题材。因最初在马德里附近的萨苏埃拉皇家别墅演出而得名。其作者包括剧作家德·维加(1562～1635)和德·拉·巴尔卡(1600～1681),以及作曲家J.伊达尔戈(约1600～1685)。这种体裁到17世纪末和18世纪因意大利歌剧的兴起而衰退。至19世纪中叶作为一种通俗音乐表演剧(18世纪的托纳迪利亚的扩展形式)而重新兴起。它风趣而带讽刺性,描述日常生活中的芸芸众生,剧中采用民间音乐、舞蹈,并有即兴表演。

Zāskār Range 扎斯加尔山脉 Zāskār又拼Zānskār Range。喜马拉雅山系一山群,位于印度北部和西藏(中国)西部,从苏鲁河向东南延伸至格尔纳利河上游,长640千米。加

扎斯加尔山脉的群峰

供图：Josef Muench

梅德峰是其最高点（7 756 米），希普基、利普列克和马纳是其最重要的山口。

Zasulich, Vera Ivanovna　查苏利奇（1849-08-08，俄罗斯米哈伊洛夫卡～1919-05-08，彼得格勒［今圣彼得堡］）　俄国女革命家。1878 年刺伤圣彼得堡市市长 F.F. 特列波夫。贵族出身。1868 年成为革命者，此后多年在监狱或流放地度过。1883 年成为俄国第一个马克思主义组织“劳动解放社”的发起人之一，并曾与马克思和恩格斯直接通信。她参加俄国社会民主工党以后，在 1903 年党内发生分裂时站在孟什维克派一边，1908 年以后成为赞成合法政治活动一派的领袖之一。反对布尔什维克 1917 年夺取政权。

Zatishye（Russia）　**扎季舍**　参阅 **Elektrostal 埃列克特罗斯塔利**。

Zátopek, Emil　扎托佩克（1922-09-19，捷克斯洛伐克科普日夫尼采～2000-11-22，捷克共和国布拉格）捷克长跑选手，在 1952 年赫尔辛基奥运会上囊括5 000米和10 000米赛跑以及马拉松三块金牌。在其运动生涯中共创 18 项世界纪录。1949～1954 年一直保持 10 000米世界纪录。其他纪录是在5 000米、10 英里、20 000米、15 英里、25 000米和30 000米赛跑中创造的。在 1952 年赫尔辛基奥运会上创5 000米和10 000米跑的奥运会纪录，并在马拉松比赛中创造历史最好成绩。1958 年退出比赛。1968 年苏军占领捷克斯洛伐克，他公开表示反对，次年被剥夺上校军衔并开除共产党党籍。1970 年后参加捷克斯洛伐克体育训练协会工作，70 年代末与捷克全国体育学院建立联系。

1952 年比赛场上的扎托佩克（左）

供图：AP/Wide World Photos

Zauffely, Johann Joseph（painter）　参阅 **Zoffany, John 佐法尼**。

Zavadsky, Yury Alexandrovich　查伐德斯基（1894-06-30，俄国莫斯科～1977-04-05，莫斯科）　苏联演员、导演和教员。师从瓦赫坦戈夫，学习期间即作首演。曾在瓦赫坦戈夫最后一部备受称赞的剧作《杜兰朵公主》（1922）中饰演主角。此后不久，即首次导演果戈理的剧作《婚事》（1924），并有意识地制造表演上的戏剧性。1924～1931 年在莫斯科艺术剧院工作，1932 年任红军中央剧院院长，在该剧院工作期间，把瓦赫坦戈夫的先锋派手法与斯坦尼斯拉夫斯基的观念熔冶一炉。他导演的爱国主义戏剧，如科尼楚克的《骑兵中队的毁灭》，表现了对形式和整体表演清晰感的重新重视。1936～1940 年在罗斯托夫指导高尔基剧院。返回莫斯科后在国立戏剧艺术学院执教，并出任莫苏维特剧院总导演。1944 年加入共产党，1947 年任国立戏剧学院教授，继续在莫苏维特剧院导演外国经典剧作，如《温莎的风流娘儿们》（1957）。他还导演过 A.苏罗夫的《莫斯科的黎明》（1950）等，并重演 19 世纪俄国剧作家的一些剧作，莱蒙托夫的《假面舞会》使他获列宁奖（1965）。

Zavattini, Cesare　扎瓦蒂尼（1902-09-29，意大利卢扎拉～1989-10-13，罗马）　意大利剧作家、诗人、画家和小说家，以意大利新现实主义的主要阐述者闻名。出身贫寒，在帕尔马大学获得法学学位，开始从事新闻和出版工作。写过两部成功的喜剧小说《我们说我》（1931）和《穷人也荒唐》（1937），后为意大利电影提供故事题材。第一个电影脚本成就 M.卡梅里尼的经典社会讽刺片《我出 100 万》（1935），主演 V.德西卡。在其漫长的职业生涯中，扎瓦蒂尼共完成 126 部剧本，其中有 26 部被导演德西卡拍成电影。他还与一些知名的意大利导演合作，如 A.布拉塞蒂、G.德桑蒂斯、L.维斯孔蒂和 A.拉图阿达，但把扎瓦蒂尼与新现实主义联系在一起的是他为德西卡所写的电影剧本。二人合作的影片包括《毕瓦里医生》（1941）、《孩子在监视我们》（1944）、《擦鞋男孩》（1946）、《骑车贼》（1948）、《米兰奇迹》（1951）等。他对新现实主义的观点强调电影写实主义的纪实风格，使用非专业演员，摒弃好莱坞的传统手法，实景拍摄，避免戏剧性或唐突的编辑，以及以普通人的日常生活为题材。他提出要严格遵守这些原则，直到20 世纪 50 年代初德西卡认为此种体裁已落伍为止。尽管两人从未完全放弃新现实主义理论，但他们在合作的后期还是把精力更多投向主流节目。新现实主义时代结束之后，扎瓦蒂尼完成了多个德西卡电影脚本，取得巨大商业成功。其中包括《两个女人》（1961）、《昨天、今天和明天》（1963）、《芬齐-孔蒂尼家族的园林》（1970）。除了电影事业外，他还是一位有造诣的画家，并出版了几卷诗集。

zāwiyah　扎维亚　波斯语拉丁字母转写作 khānqāh，土耳其语作 tekke。又译扎维叶。伊斯兰教用语，一般指穆斯林世界的综合性修道院，通常是苏非派教团的活动中心。在某些阿拉伯国家，又指不受公款资助的私人小清真寺。建于 13 世纪的北非第一个扎维亚近似于修道院，住有一位潜修圣人和其弟子。随着苏非派的迅速发展，扎维亚激增，最后成为宗教和准军事力量的中心。扎维亚的基本结构形成于中世纪，一直保留到 20 世纪，包括礼拜场地、殿堂、宗教学校以及供学生、客人、朝觐者和旅行者住宿的房屋。

Zāwiyah, Al-　扎维亚　利比亚西北部城镇。位于的黎波里西面 50 千米的地中海岸。附近有大油田，建有全国第一座炼油厂。附近地区有丰富地下水，农业生产马铃薯、番茄等，亦有畜牧业。沿海公路经过该城镇。人口约89 338（1988）。

Zāwiyat al-Bayḍā'　扎维耶培达　又称贝达。利比亚东北部城镇。位于距地中海 32 千米的山脊上。20 世纪 50 年代后期在拉韦菲·伊本·萨比特（穆罕默德的一个圣门弟子）陵墓的遗址上建立，计划作为将来的首都。有现代化机场。公路通西南偏西 170 千米的班加西。古希腊昔兰尼城遗迹在其附近。人口67 120（1984）。

Zayas y Sotomayor, María de　萨亚斯-索托马约（1590-09-12，马德里［西班牙］～约 1661）　西班牙女小说家，所写情节曲折的爱情小说广泛流传，颇受欢迎。生平不详。只知她出身贵族家庭，可能在萨拉戈萨住过，作品均在该地出版。《爱情及训戒小说》（1637）描写男男女女在一个晚上讲述复杂浪漫的婚后生活，给一个生病的女人消磨时光。内容大都是有关妇女受丈夫或情夫虐待的故事。《小说和晚会》（1647）以及《晚会第二部和正派的娱乐》（1649）为上下集。她的许多故事谴责西班牙社会使妇女见闻不广或缺乏感情力量，无法抵御诱惑和欺凌。

Zaydīyah　栽德派　伊斯兰教什叶派的支派，为侯赛因·伊本·阿里之孙栽德·伊本·阿里的拥戴者。栽德派在教义上较什叶派其他支派更接近多数派逊尼派。10 世纪初此派在也门占据统治地位。该派伊玛目即是该地区的精神统治者。从 1917 年土耳其人撤离至 1962 年，栽德派又一度成为也门的统治者。

Zaysan, Lake　斋桑泊　Zaysan 又拼 Zaisan 或 Zajsan，俄语作 Ozero Zaysan。哈萨克斯坦东部的淡水湖。位于阿尔泰山脉和塔尔巴哈台山脉之间的凹地，海拔 386 米。由额尔齐斯河从东面注入形成。原长 100 千米，宽 32

千米,深8米,面积约1 860平方千米。自成为布赫塔尔马水库(长603千米,面积5 500平方千米)的下游部分后,水位提高了6米。渔业(鲟鱼、鲤鱼等)发达,有航运业。

Zayyānid DYNASTY (Berbers) **扎亚尼德王朝** 参阅 **'Abd al-Wādid dynasty 阿卜杜勒瓦迪德王朝**。

zazen 坐禅 佛教名词,指禅宗的打坐参禅。方法是坐于静室,呼吸均匀,腿作全跏趺坐或半跏趺坐,脊柱和头部保持垂直,一手掌放在另一手掌上,双眼睁开;停止思考、欲念、恋慕和判断;听任心识保持在轻松觉醒状态。13世纪日本曹洞宗创始人道元(**Dōgen**, 1200～1253)极力提倡坐禅。参阅 **koan**。

Zazzau (historic kingdom in Nigeria) **扎藻** 参阅 **Zaria 扎里亚**。

Zazzerino, Il (composer) **扎泽里诺** 参阅 **Peri, Jacopo 佩里**。

Zdarsky, Matthias 兹达尔斯基(1856-02-25,奥地利帝国摩拉维亚特雷比茨赫[今在捷克共和国]～1940-06-20,奥地利圣珀尔滕) 奥地利滑雪教练员,号称高山滑雪技术的创始人。他将适合于比较平坦地形的北欧滑雪技巧加以改变,使之适应高山地形。1897年发表《高山滑雪技术》,是第一部讲授滑雪技术的书。他在书中宣传一种新技术,即将一只滑雪板伸出,使之与滚落线成锐角。他先使用单雪杖来控制方向,但很快改用双杖,后来这就成了标准器械。他还提出半犁式接平行式转弯技术。他改进滑雪板和滑雪板固定装置的设计,并组织快速降下滑雪比赛。第一次世界大战期间在奥地利陆军中任滑雪教练,遇雪崩以致身上有80处骨折与脱位。但他使用自制器械,依旧能滑雪。

Zea 玉蜀黍属 莎草目早熟禾科一个高大禾草属,最有名的两个种是玉米(**corn**, *Z. mays*)和类蜀黍(**teosinte**, *Z. mexicana*)。

Zealand 西兰岛 丹麦语作Sjælland。丹麦最大和人口最稠密的岛屿。面积7 031平方千米。位于卡特加特海峡和波罗的海之间,隔松德(厄勒)海峡与瑞典相望,隔大贝尔特海峡与菲英岛相对。全岛分为七个主要行政单位:哥本哈根市和腓特烈斯贝市,哥本哈根州、腓特烈斯堡州、西西兰州和罗斯基勒州,以及斯托海峡州北部。岛北部森林茂密,湖泊散布其间,沿海岸有良好的海滨胜地。一度曾是王室狩猎地,很多漂亮的城堡至今犹存。肥沃的黏土土壤,特别是南方,适于种植谷物、经营奶牛场和饲养牲畜。渔业和旅游业在经济上也占重要地位。有许多石器时代和北欧海盗时期的遗迹,其中包括茨赖勒堡的斯堪的纳维亚人堡垒(约1 000)以及中世纪的教堂、城堡和庄园住宅。除哥本哈根及其郊区外,其他城镇有罗斯基勒、赫尔辛格、奈斯特韦兹、索勒、霍尔拜克、灵斯泰兹、沃尔丁堡、克格、凯隆堡和希勒勒。人口2 096 449(2003)。

Zealot 奋锐党 古代犹太教的一个派别,他们坚决反对罗马国及其所奉异教。奋锐党是富于战斗性的政治团体。他们热爱犹太民族和宗教,甚至鄙视希望与罗马当局和平相处的本国同胞。公元6年罗马普查加利利地区户口,奋锐党遂率领百姓进行抵制,他们宣称:服从此项命令便是默认异教徒统治。奋锐党极端分子采取恐怖主义手法,进行暗杀,通称匕首党。他们身藏匕首出入公共场所,刺杀亲罗马分子。公元66～70年犹太人举行第一次反罗马起事,奋锐党在其中起主要作用。在73年梅察达战役中,奋锐党人据守该要塞,宁死不屈。该党在二世纪初仍是不可忽视的力量。参阅 **Masada**。

Zeami 世阿弥(1363或1364,日本～1443-09-01,京都?) 又作Seami Motokiyo。又称观世元清。日本能剧最伟大的剧作家和理论家。他和乃父观阿弥(1333～1384)是现在形式的能剧的创造者。自从1374年在足利义满将军面前表演以后,世阿弥博得将军的青睐,在将军的赞助下,使能剧得以摆脱它过去的简陋粗糙,发展成一种错综复杂的贵族戏剧。父亲去世后,世阿弥成为能乐界首屈一指的人物,指导"观世流",这一派是他父亲创立的,曾经产生深远的影响。他不仅继续上台作精彩的表演,而且大量写作和改编剧本。现存剧目有230余部剧本,据认为约90部出自他的手笔,而且大多属于最上乘。他于1422年出家为禅宗僧侣,由子元雅继承衣钵。但是,1429年成为将军的足利义教宠爱世阿弥之甥音阿弥,不准元雅在他面前表演。元雅于1432年去世。1434年足利义教将世阿弥流放到佐渡岛。1441年将军死后,世阿弥才返回京都。世阿弥最重要的著作是《风姿花传》(1400～1418),"花"指美妙的表演既新颖别致,又恰当贴切。他的著作都是给弟子们写的教范,其中说:演员必须能扮演武士、妇女和老人三种基本角色,包括适合每种身份的歌唱和舞蹈。能剧的表演有两个要素,一是"物真似"(模仿事物),即表象的一面;一是"幽玄"(意义深远),即象征的一面,这是能剧的精神核心。两个要素处于优先地位,并为能剧优劣的试金石。世阿弥写道:幽玄之实质为真美和极柔,不仅是表面的美,必须通过剧本的台词和演员的优美姿态令观众想到一个不可能看清楚但毕竟是真实的世界。像《松风》(观阿弥写,世阿弥改编)一类的剧本蕴含一种神秘的宁静,仿佛笼罩着作品的可视或可听部分。在世阿弥的其他能剧中,"幽玄"较少,动作较多,有时甚至是写实主义的。

Zebi, Sabbatai (Jewish false messiah) **泽维** 参阅 **Shabbetai Tzevi 沙贝塔伊·泽维**。

Zebid (Yemen) 参阅 **Zabīd 宰比德**。

zebra 斑马 马科马属(*Equus*)黑白斑纹鲜明的兽类。共三种:白切尔氏斑马(*E. quagga*)产于非洲东部和南部大部分富饶的草原;格雷维氏斑马(狭纹斑马, *E. grevyi*)产于肯尼亚、埃塞俄比亚和索马里干燥的、树木稀少的地区;山斑马(*E. zebra*)见于纳米比亚的干燥高地平原和南非西部的几个分散地区。斑马形似马,肩高约120～140厘米。各种之间斑纹类型不同,容易区别。白切尔氏斑马的斑纹宽,各纹之间距离亦宽,其中有些

白切尔氏斑马(*E. quagga*)

供图:Leonard Lee Rue Ⅲ

亚种在主要条纹之间有颜色较浅的"影纹"。北方亚种的条纹比南方亚种的多,南方亚种腿的下部常为白色。已绝灭的白切尔氏斑马指名亚种(*E. q. quagga*)的斑纹只限于头、颈和体前部,背部为纯褐色。格雷维氏斑马的斑纹窄而密,腹部为白色。山斑马体小,臀部有一种独特的格栅形斑纹。斑马类以一匹雄马、数匹雌马和它们的驹所组成家族群活动。格雷维氏斑马的雌马可能组成没有雄马的集群。食物丰富时小群可结成大群,但各小群仍保持独立性。斑马常与羚羊,如牛羚组成混合群,斑马较为警觉,牛羚因而得利。斑马集群可作远距离迁徙去寻找青草。三种斑马都由于人类的活动而减少,山斑马和格雷维氏斑马被列为濒危种。多数斑马在豢养条件下都易繁殖。可望借此恢复野生种群。

zebra fish 斑马鱼 两个非近缘鱼类类群,即鲤形目鲤科鲋属(*Danio*)淡水鱼类和鲉形目鲉科蓑鲉属(*Pterois*)咸水鱼类的统称。斑马鲋(*D. rerio*)是受欢迎的淡水水族箱观赏鱼,原产于亚洲,体长约4厘米,具深蓝与银色纵条纹。咸水斑马鱼是海水水族箱观赏鱼,鳍棘有剧毒,体具色彩丰富的垂直条纹。有些种类称为蓑鲉(**lion-fish**)或称狮子鱼、火鸡鱼。

zebra swallowtail butterfly (*Iphiclides marcellus*, *Graphium marcellus*, or *Papilio marcellus*) **斑马凤蝶** 鳞翅目凤蝶科大型北美常见的

斑马凤蝶(*Iphiclides marcellus*, *Graphium marcellus*, or *Papilio marcellus*)

供图:E. R. Degginger

昆虫。与近缘的欧洲种欧洲杏凤蝶(珍稀凤蝶,*I. podalirius*)相似。该两个种的翅上花纹均似斑马身上的条纹;在浅绿白色或白色的背景上有一系列黑色纵纹。一年内生出几代,春天育出的个体体型小于夏季育出的个体。不同季节发育成的成虫,翅上的斑纹也不同。前翅翅展6～9厘米;后翅尾突长15～25毫米。幼虫主要以巴婆植株为食。

Zebrina　吊竹梅属　鸭跖草科蔓生草本植物属,原产墨西哥和危地马拉,广泛作为盆栽的观叶植物。植物学家对该属的种数意见不一致。有几种独特的种已在花市出售。吊竹梅(*Z. pendula*)有不同叶色的变种,如暗红色或古铜色叶的紫吊竹梅(*Z. pendula*'Purpusii')、叶绿色带金属光泽并间有绿红白条纹的四色吊竹梅(*Z. pendula*'Quadricolor')等。在温暖地区,吊竹梅常用作草坪草。该属植物容易与紫露草属(*Tradescantia*)的种类混淆。

Zebrzydowski Rebellion　泽布日多夫斯基叛乱(1606～1607)　泽布日多夫斯基领导波兰贵族反对国王西格蒙德三世(1587～1632在位)的叛乱,虽然未能推翻国王,但在波兰的政治制度中,牢牢树立了信奉天主教的士绅支配君主的地位。波兰国王路易一世(1370～1382在位)于1374年与波兰贵族和士绅缔结了一个协定,保证他们拥有广泛的权利和特权。此后,波兰士绅逐渐获得越来越高的政治权力,最终产生《亨利王约》(1573),它使波兰由一个王权已经有限的君主国变成一个由选举产生的首席行政官(即国王)领导的士绅的共和国。1587年瑞典约翰三世之子西格蒙德当选为波兰国王,他试图增加君主的权力。他要求波兰国会批准建立常备军和拨付常备军的军费(1606-03)。国会议员认为他的要求是企图窃取他们的权威和减少他们对国王行动的控制。克拉科夫总督泽布日多夫斯基指责国王破坏波兰的基本法。他聚集一群在政治上和宗教上持异见的分子,在1606年内举行一系列会议,制订整套要求。国王没有允诺,泽布日多夫斯基遂率领6万名支持他的人发动武装叛乱。1607年起事者宣布废黜国王,使西格蒙德受到很大威胁,迫使他收拢反对瑞典的军事行动,放弃他在战争中已经取得的利益。当国王的军队发动进攻时,叛乱分子陷入一片混乱,惨遭败北(1607-07)。尽管如此,1609年召开的国会仍然宣布大赦,并保证实行宪法,迫使西格蒙德放弃加强独裁的努力。

zebu(cattle)　**瘤牛**　参阅 **Brahman** 婆罗门牛。

Zebulun　西布伦支派　今日犹太人的祖先,《圣经》时代以色列人的12支派之一。以色列人进入迦南后,约书亚为12支派划定领地,将大致位于耶斯列平原东北的肥沃土地拨归西布伦支派所有。公元前922年国王所罗门死,其后以色列国分裂为南北两国,北朝以色列王国包括10个支派,南朝犹大王国有两个支派。公元前721年亚述灭以色列王国,包括西布伦在内的各支派遂离散。犹太人传说认为西布伦支派是失踪的以色列10支派之一。

Zechariah　撒迦利亚(活动时期公元前6世纪)　又拼 Zacharias。犹太人先知。《旧约》中有《撒迦利亚书》(**Zechariah, Book of**)一卷,记载他的预言。

Zechariah, Book of　《撒迦利亚书》　Zechariah 又拼 Zacharias。《旧约》"十二先知书"(犹太教正典并为一卷)中的第11卷。此书仅第1～8章为撒迦利亚所说预言,第9～14章必是至少两位无名作者所作,学者分别称之为《第二撒迦利亚书》(9～11章)和《第三撒迦利亚书》(12～14章)。据该书第1～8章所提到的年代推算,撒迦利亚的活动时期当在公元前520～前518年,即波斯统治时代的早期,与先知哈该同时。他像哈该一样希望耶路撒冷圣殿得以重建,但他认为圣殿的重建是末世的前奏,而末世已为期不远。因此,此书特别是其中描述的8次夜间异象,写末日的到临以及末日人类生活情况。其中一次异象显示:在耶路撒冷经过巴比伦囚虏时代由上帝复兴之前,出现4位具有象征意义的"乘马者"。其他几次异象表明:圣殿建成,全世界人都承认以色列人的上帝雅赫维。《第二撒迦利亚书》和《第三撒迦利亚书》开头各有一段序言,它们都是各不相关的言论汇编,分别写于公元前4世纪和公元前3世纪。这些言论进一步阐发撒迦利亚的末世论主题,提出救世主式人物的许多形象,《新约》的作者们用这些形象形容耶稣。

Zechariah, Song of(hymn)　**《撒迦利亚之歌》**　参阅 **Benedictus**《以色列颂》。

Zedekiah　西底家(活动时期公元前6世纪初)　原名 Mattaniah。犹大国王(公元前597～前587在位)。约西亚之子,约雅斤之叔。公元前597年巴比伦王尼布甲尼撒围攻并夺取了耶路撒冷,把约雅斤放逐到巴比伦,留下西底家为犹大王国摄政,后为宣誓效忠于尼布甲尼撒的藩王。在地方势力压力下,后与邻国合谋反对巴比伦,受到先知耶利米的谴责。西底家在位第9年,因谋反事被发觉,巴比伦军队围攻耶路撒冷。围城期间耶利米坚持要求臣服巴比伦而被监禁。埃及对犹大的支持使耶路撒冷城暂时解围,该城终于公元前587年被巴比伦军攻陷,西底家逃亡中被俘而被剜眼。后被押往巴比伦,监禁至死。耶路撒冷的城墙和房屋被摧毁,居民被迫迁往巴比伦。犹大失去王国地位,成为巴比伦的一个省。

Zedhor(king of Egypt)　**宰德霍尔**　参阅 **Tachos** 塔科斯。

Zedī(religious sect)　参阅 **Yazīdī** 亚齐德派。

Zedillo, Ernesto　塞迪略(1951-12-27,墨西哥墨西哥城～　)　全名埃尔内斯托·塞迪略·庞塞·德莱昂。1994～2000年任墨西哥总统。在紧靠加利福尼亚州边界南端的墨西卡利的一个工人阶级家庭中养育成长,1965年回到墨西哥城,进入国立工业学院学习。1971年加入革命制度党(PRI),该党自1929年以来一直是墨西哥的占统治地位的政党。从耶鲁大学获得经济学博士学位后进入墨西哥中央银行工作并在计划和预算部任职,1988年成为该部部长。在担任部长期间,他成功地控制住了墨西哥的巨额外债,降低了通货膨胀率并平衡了预算。1992年被任命为教育部长,对公立学校系统实行分散管理,并试图修改教科书和提高入学率。1993年担任革命制度党提出的总统候选人 L. D. 科洛西奥的竞选经纪人。1994年3月23日科洛西奥被暗杀后,塞迪略被提名为该党的总统候选人。他赢得了令人欣慰的多数票,尽管这次选举在革命制度党的历史上是与对手票数最接近的一次。塞迪略就职后不久即面临经济危机。1995年他同意采用一项美国计划来稳定货币。到20世纪90年代末,国家经济缓慢好转。塞迪略发起政治改革,放松了革命制度党对联邦和州的权力控制,并允许自由选举。1999年,他促使革命制度党赢得第一轮总统初选,但该党候选人未能赢得2000年的总统选举,被国家行动党候选人 V. 福克斯击败。塞迪略于2000年离职,从而结束了革命制度党71年的连续统治。

Zeebrugge(Flemish)　**泽布吕赫**　法语作 Bruges-surmer。比利时西北部西佛兰德省的海港。滨北海,在布吕赫以北16千米,为布吕赫的通商口岸。它是一个人工港口,因通往布吕赫的海上通道被淤塞而修筑,围成并保护泽布吕赫海港的防波堤长达2.5千米,建于1895～1907年间。同一时期还挖掘一条连接泽布吕赫与布吕赫的运河,长12千米。1918年4月,在第一次世界大战期间,英国海军在泽布吕赫的海港和运河都沉没一些障碍船,使德国潜艇无法使用这一港口。1940年5月,盟军为了同样的目的再次封锁了该港;1944年泽布吕赫市被退却的德军破坏。1957年在移走旧日同盟国所沉下的最后一艘障碍船后,港口再度开放。泽布吕赫从此成为一个繁忙的海港,经营常规的和集装箱的货运,以及来往于英国的客运和车辆轮渡。到80年代,它已经变成欧洲最繁忙的客运港口之一。

Zeeland　泽兰　荷兰西南部沿海一省。位于斯海尔德河和马斯河三角洲。包括泽兰-佛兰德和6个过去的岛屿(斯豪文-德伊弗兰、托伦、诺德贝弗兰、瓦尔赫伦、南贝弗兰和圣菲利普斯兰)。面积1 790平方千米。泽兰的历史是长期与海洋反复斗争的历史,海岸线不断变化,一方面由于泥沙沉积和筑堤围田而扩大;另一方面受洪水冲刷而被侵蚀。1953年2月1日洪水灾害,破坏堤坝,1 800多人遇难,为此开始进行三角洲工程(**Delta Project**),把原来的岛屿用堤坝衔接并与大陆连成一片。大部分海成黏土地适合种植业,盛产谷物、马铃薯、甜菜、亚麻、油菜籽等作物。有15%的土地用作奶牛牧场,9%用作果园菜圃。有传统的牡蛎、虾和淡菜养殖业,旅游业和海滨疗养地亦因三角洲工程改善了道路系统而得益。泽兰为全国人口最少省份，很少工业，无大城市。人口多聚居在弗利辛恩、米德尔堡(省会)、胡斯、泰尔讷曾和萨斯范亨特等地。有两处沙丘和野生生物等自然保护区。人口370 600(1999)。

Zeeman, Pieter　塞曼(1865-05-25，荷兰宗讷迈勒～1943-10-09，阿姆斯特丹)　荷兰物理学家，因发现塞曼效应与H.A.洛伦兹共获1902年诺贝尔物理学奖。曾在莱顿大学就读，1890年开始在该校讲课，6年后，按他从前的教师洛伦兹的建议，研究磁场对光源的影响，发现在磁场中发射光谱的每条线都分为几条线，即塞曼效应。1900年任阿姆斯特丹大学物理学教授。1908年任物理学研究所所长直到逝世，在该所研究光在运动介质(例如水、石英和燧石)中的传播。

Zeeman effect　塞曼效应　在物理学和天文学中，位于磁场中的光源所发射的光谱线会分裂成频率稍有不同的两条或多条谱线的现象。这一效应是荷兰物理学家P.塞曼于1896年首先发现的，他观察到，在置于强磁极间的火焰中，钠的黄色D线增宽了；后来又发现这一增宽是一种特殊的谱线分裂，分裂的谱线有15条之多。塞曼的这一发现使他与另一荷兰物理学家H.A.洛伦兹共获1902年诺贝尔物理学奖。洛伦兹前此不久就磁场对光的影响提出了一种理论，认为原子内电子振荡产生光，磁场影响电子振荡，从而影响发射光的频率。这一理论为塞曼的发现所证实；后来量子力学对此作了修改，认为光的谱线是当电子从一个离散能级跃迁到另一个能级时发射的。由角动量表征的各种能级在磁场中分裂成能量相同的支能级，这些支能级由它们所产生的相应谱线图样显示出来。塞曼效应可以帮助物理学家确定原子的能级并根据角动量鉴别原子，它还为研究原子核以及诸如电子顺磁共振等现象提供了一种有效的方法。在天文学中，塞曼效应用于测定太阳和其他恒星的磁场。参阅 **Stark effect**。

Zefat　采法特　又拼 Safad 或 Safed。以色列上加利利地区城市和犹太教四圣城之一。公元66～70年间犹太人反抗罗马时期首见记载。后在拉比文献中屡次被提及。十字军时代为交战双方反复争夺之地，最终于1266年被拜伯尔斯一世占领。中世纪后期为著名的"喀巴拉"神学中心城。1577年在该城建立的希伯来文印刷所在全亚洲最早使用活字。18和19世纪间该城饱受德鲁兹派穆斯林和贝都因部落的战火破坏。1837年地震时损失惨重。以色列独立前该市居民以阿拉伯人为主。1948年5月12日被犹太自卫军占领后，阿拉伯居民出逃。现经济以轻工业及旅游业为主。人口约20 900(1993)。

Zeffirelli, Franco　泽菲雷利(1923-02-12，意大利佛罗伦萨～　　)　原名 Gian-Franco Corsi。意大利导演和舞美设计师，歌剧和戏剧演出人，电影和电视制作人。他的细部真实、场面恢宏的歌剧演出尤为著名。泽菲雷利曾在佛罗伦萨大学攻读建筑，在大学时代即与该校剧团发生联系。德国人占领意大利中断了他的学业，他成为一位游击队员，并为"苏格兰人卫队"担任翻译。战争结束后他去罗马从事戏剧事业。1946年加入L.维斯孔蒂的莫雷利·斯托帕剧团，任演员和舞台导演。他与维斯孔蒂在《大地在颤抖》(1948)等影片中合作。在这番经历之后，泽菲雷利开始致力于舞美设计。他的第一部大型歌剧设计是1952～1953年在米兰市拉斯卡拉歌剧院演出的G.罗西尼的《意大利女郎在阿尔及尔》。从50年代起他从事过其他一些歌剧和戏剧的演出，其中著名的歌剧有《失足者》(1958，又译《茶花女》)、《拉美莫尔的露契亚》(1959)和《艺术家的生涯》(1963和1981，又译《波希米亚人》)。他还开始导演电影，其中包括《驯悍记》(1967，与R.伯顿和E.泰勒合作)、《罗密欧与朱丽叶》(1968)、《太阳兄弟，月亮姐妹》(1973)、《无穷尽的爱》(1981)和《哈姆雷特》(1990)，以及歌剧电影如《丑角》(1981)、《失足者》(1982)和《奥瑟罗》(1986)。他还制作电视史诗剧《拿撒勒的耶稣》(1977)，并且继续为歌剧演出作舞美设计，但不如他早期作品那样受评论界的欢迎。

Zehlendorf　采伦多夫　德国柏林西南角一区。面积70平方千米。繁荣的住宅区。设有自由大学(1948)、柏林工业大学分部、马克斯·普朗克研究所的几个分部和达莱姆艺术博物馆。全区一半以上为公园和水域。哈弗尔湖的湖湾大万湖是划船和游泳胜地。人口约85 161(1986)。

Zeila(Somalia)　参阅 **Seylac** 泽拉。

Zeiss, Carl　蔡司(1816-09-11，德国魏玛～1888-12-03，耶拿)　德国企业家，世界著名的精密光学仪器制造商。1846年在耶拿开设工场制造显微镜及其他光学仪器。他了解光学仪器的改进依赖光学理论的提高，就聘请耶拿大学物理与数学讲师(后成为教授)阿贝为研究人员；1866年阿贝成为蔡司的合股人。他们聘用化学家O.肖特，他试制出约100种新的光学玻璃和许多种耐热玻璃。蔡司死后，阿贝将蔡司公司及其在玻璃厂的股金捐赠给蔡司基金会。1923年肖特亦将其玻璃厂的股金捐献给该基金会。

Zeist　宰斯特　荷兰中部乌得勒支省城市。1746年起就是莫拉维亚教会荷兰省总部驻地。现在是森林地区的住宅区和游览胜地。有光学仪器和金、银器制造业。人口约59 096(1993)。

Zeit, Die　《时代周报》　在德国汉堡发行的周报，对一周来影响欧洲特别是德国的政治活动和公众事务进行评述。另有《时代》新闻周刊，对重大的经济、政治和文化题材进行深入的评论，超过有关题材在周报上的报道。周报的编辑立场温和，它吸引德国第一流的新闻记者和作家为其投稿人。它被公认为是德国主要的评论性周报之一。

Zela(Turkey)　**泽拉**　参阅 **Zile** 济莱。

Zelaya, José Santos　塞拉亚(1853-11-01，尼加拉瓜马那瓜～1919-05-17，美国纽约州纽约)　尼加拉瓜政治家、独裁者(1893～1910)，以其对美国的敌对态度和1907年统一

美国国会图书馆供图

中美洲的努力而闻名，执政期间几乎垄断了国家的一切资源。1893年通过自由党的一次叛乱上台，结束了保守党30年的统治。1906年拒绝派代表出席维持中美洲和平而召开的圣何塞会议，反而入侵洪都拉斯，推翻该国政府，继而试图在萨尔瓦多发动革命，使该地区濒临战争边缘，因而激起了墨西哥和美国的干预。在1907年的华盛顿会议上，中美洲5国签署互相维护和平的协议，而塞拉亚不久即将其撕毁。他担心美国的经济控制和传闻中美国企图使尼加拉瓜东部沿海分离的阴谋。1909年美国政府支持保守党人颠覆塞拉亚的行动。同年12月他以参加革命为罪名处死美国雇佣军人，因此美国与尼加拉瓜断交。1910年初被迫逃往墨西哥。

Zelenodolsk　泽廖诺多利斯克　俄罗斯西部鞑靼斯坦城市，伏尔加河港口。主要经济为谷物(取自周围农业区)、木材(以北面的森林为原料基地)和食品加工业，农机制造业亦很重要。1932年设市。有两所技术学院。人口约99 900(1993)。

Zelkova　榉属　榆科的一属。约5种，乔木或灌木。原产于亚洲。日本榉(光叶榉，*Z. serrata*)高达30米，叶深绿色，有尖锯齿，是日本的一种重要材用树和盆景用树。虽不及美洲榆耐寒，但对荷兰榆树病抵抗力较强，各处均有栽培作为遮荫树以取代美洲榆。原产于高加索地区的鹅耳枥叶榉树(*Z. carpinifolia*)及原产中国的中国榉(*Z. sinica*)株型稍小，叶绿具波状齿。

Zell, Matthew　泽尔(1477-09-21，阿尔萨斯凯泽贝尔［法国］～1548-01-09，施特拉斯堡［今斯特拉斯堡］)　德意志作家、宗教领袖，曾发动斯特拉斯堡的新教的宗教改革运动。1511年任布赖斯高地区弗赖堡大学讲师，1517年任该校校长；1518年任斯特拉斯堡天主教主教座堂牧师。1521年接受路德的宗教改革学说，向会众宣传福音派观点。虽受到天主教人士的谴责，但在行政当局和信徒的保护下继续任职。著有《基督教的责任》(1523)以回答他的主教对他的攻击，这是一部讨论宗教改革的圣经教义基础。不少著作以教理问答形式收在《问答》(1536)一书中。

Zelten(Libya) 参阅 **Zalṭan** 宰勒坦。

Zemlinsky, Alexander (von) 策姆林斯基(1871-10-14,奥地利维也纳～1942-03-15,美国纽约拉奇蒙特) 奥地利作曲家、指挥家。在作曲和指挥方面的造诣均有很高评价。策姆林斯基自1887至1892年就读于维也纳音乐学院。1893年创作几首室内乐曲,引起J.勃拉姆斯及其他一些人的注意。1895年在一业余管弦乐队演奏时与A.勋伯格邂逅,二人成为至交,终身不渝。19世纪90年代后期策姆林斯基的一些作品开始演出。自1904年起在维也纳民族歌剧院指挥歌剧演出,1906～1911年间任该院乐长(其间1907～1908演出季在宫廷歌剧院任指挥)。1904年与勋伯格联合创办一音乐社团,引荐并鼓励欣赏维也纳的新音乐。1911～1927年在捷克布拉格任德国国家剧院歌剧指挥,1927～1930年在柏林任克罗尔歌剧院乐长,其后又执教于柏林高等音乐学校直至1933年。在此期间曾担任许多欧洲管弦乐队客座指挥。1933年德国发生的事件迫使他移居维也纳,1938年纳粹德国吞并奥地利后他离开维也纳移民美国。所作10部歌剧中,取材于O.王尔德作品的《佛罗伦萨悲剧》(1915～1916)和《侏儒》(又称《公主的诞辰》,1920～1921)可能是知名度最高的两部。为女高音、男中音和管弦乐队而写的《抒情交响曲》(1923)则在其6部交响曲中名列榜首。歌曲中最负盛名的是为梅特林克的诗谱曲的《歌曲》(1910～1913)。此外尚作有合唱曲5首和深受听众喜爱的器乐与室内乐作品若干首。

Zemlya i Volya 土地和自由社 英语作Land and Freedom。俄国第一个公开鼓吹革命的政党。1876年成立。作为民粹主义运动的产物,该党认为农民乃是社会革命的源泉。党员,尤其是医生和教师,深入农民群众,鼓励他们以改变社会制度的办法来改善自己的生活条件。1879年党员分裂成两派。主张搞恐怖活动的人组成民意党,在1881年暗杀亚历山大二世之后被警察镇压下去。另一些人主张在人民中进行直接宣传鼓动工作,组成土地平分社,一直活动到社会民主工党成立的时候(1883)。

zemsky sobor 缙绅会议 16～17世纪俄国的咨询性会议,必要时由沙皇或最高行政当局召开,通常由教会和寺院当局、大贵族议会、大地主阶级和上层市民的代表组成。首次会议是由伊凡四世召开的。最重要的一次会议(1566)讨论了对波兰进行的利沃尼亚战争问题。1584年举行的缙绅会议确认费多尔一世继承皇位。1598年举行的缙绅会议推选B.戈东诺夫为沙皇。缙绅会议在俄国的混乱时期(1598～1613)经常召开,而且拥有很大权力。1613年缙绅会议推选M.罗曼诺夫为沙皇。1622年起缙绅会议的重要性逐步降低,1653年举行最后一次会议。

zemstvo 地方自治会 俄罗斯帝国和乌克兰的乡村自治机关,1864年为提供社会和经济服务而建立,成为帝俄内部具有开明影响的机构。有县、省两级。县级会议的代表由地主、农民村社选出,省级会议的代表由县级会议选出。每级会议设执行局,聘任专家担任各项工作。地方自治会通常由贵族操纵。尽管受到立法和经费不足的限制,它们兴办学校,修筑道路,发展卫生事业,指导农民改进农业技术。从19世纪90年代末起,它们鼓吹立宪改革,支持1904～1905年和1917年的革命运动。1917年在民主基础上改组。十月革命后撤销。它起源于16世纪的征税机构。

Zen 禅宗 汉语拼音为Chan(梵语dhyāna[静坐沉思]的译音)。日本佛教重要宗派。强调通过直觉感悟到自身固有的佛性。本宗属大乘佛教,兴起于中国。该宗认为,人人有佛性,但因为冥顽而使佛性处于休止状态。唤醒佛性的最佳方法不是学习经教、为好行善、举行仪式或礼拜佛像,而是通过师徒直接传授而达到开悟。但各支派分别提出不同方法。日僧明庵荣西(1141～1215)于1191年自中国引进的临济宗强调利用"公案"求得顿悟。日僧希玄道元(1200～1253)在1227年自中国返回时传来的曹洞宗强调"坐禅"。中国僧人隐元(1592～1673)于1654年创立的黄檗宗一方面采用临济宗的方法,另一方面实行"念佛",即反复诵念"南无阿弥陀佛"。16世纪日本政局动荡,彼时许多禅师担任外交家和行政官员,并且保存文化生活。艺术、文学、茶道和能乐,都是在他们的赞助下发展的。德川幕府时期(1603～1867)所推崇的新儒学,也是由日本禅师传入并传播的。据1977年资料,日本禅宗各派共有信徒960万人。20世纪后半叶北美和欧洲也出现一批禅学团体。

Zend-Avesta(Zoroastrian scripture) **《阿维斯陀》** 参阅 **Avesta**《波斯古经》。

Zend language 禅德语 参阅 **Avestan language** 阿维斯陀语。

zen'ei ikebana 前卫生花 日本花道中的现代风格,强调表达自由,不拘泥于传统的规则。前卫生花是由草月流创始人敕使河原苍风为首的一群花道名家及艺术评论家于1930年创立的。由于采用随意的"投入"样式和"盛花"样式,冲破了限定自然材料的布置与选择和谐的花瓶等一系列成规。

小原流一派的前卫生花
东京国际教育情报学社供图

Zeng Guofan 曾国藩(1811-11-26～1872-03-12) 又拼Tseng Kuo-fan。中国清末大臣,湘军创始人,镇压太平天国革命的清军统帅。初名子城,字居武,号涤生。湖南湘乡(今双峰)人。道光进士。历任翰林院侍讲学士、内阁学士、礼部右侍郎、兵部侍郎、吏部侍郎。1852年末奉命在湖南办团练,创建湘军。1854年2月湘军水陆两军组成,发布《讨粤匪檄》,率军出省,在长江中下游与太平军作战,两次陷武汉。1860年8月授两江总督、钦差大臣,督办江南军务。1861年11月统辖苏、浙、皖、赣4省军务。1862年春遣左宗棠部进攻浙江,命李鸿章部攻取苏南,曾国荃部围攻天京(今南京)。1864年7月破天京。加太子太傅,封一等毅勇侯。1865年5月督办直隶(河北)、山东、河南3省军务,镇压捻军。1866年创"划河圈地"战法对付捻军的流动战术。12月回两江总督原任。1865～1866年与李鸿章等在上海创办江南制造总局等军事工业。次年授大学士。1867年调直隶总督。1870年6月查办天津教案偏袒外国,受到舆论谴责。同年9月再调任两江总督。不久于南京病卒。赠太傅,谥文正。后人辑其所著诗、文、奏章、批牍等成《曾文正公全集》。

台北故宫博物馆供图

Zeng Jing 曾鲸(1568～1650) 中国明代画家。字波臣,福建莆田人,居南京。擅肖像画。注重墨骨,强调传神,每画一像必用淡墨烘染达数十层,神气完足后再加上轻淡的颜色。这种画法同过去的白描写像,及全用粉彩渲染者不同,而是开辟门庭,前无古人,很富立体感,人称凹凸法,学者很多,形成波臣派。他曾给很多名人学者如董其昌、陈继儒、黄道周、侯峒曾、王时敏等画过像。今仍可见的张子卿、顾与治、葛一龙、王时敏等像,都是其代表作。弟子著名者有谢彬、徐易、沈韶、张远等。清代康乾盛世,禹之鼎、徐璋等亦受其影响。沈宗骞《芥舟学画编·传神》中许多论述,就是从曾鲸一派总结出来的。

Zeng Qinghong 曾庆红(1939-07,中国江西吉安～) 中国共产党第十六届中央政治局常务委员，中华人民共和国副主席。1960年4月加入中国共产党，1958～1963年在北京工业学院自动控制系学习。1963～1965年任解放军743部队技术员。1965～

中国大百科全书出版社供图

1969年任七机部二院二部六室技术员。1969～1970年下放到广州部队赤坎基地、湖南西湖生产基地劳动。1970～1973年任七机部二院二部技术员。1973～1979年任北京市国防工办生产处、科技处技术员。1979～1981年任国家计划委员会办公厅秘书。1981～1982年任国家能源委员会办公厅副处长。1982～1983年在石油部外事局联络部工作。1983～1984年任中国海洋石油总公司联络部副经理，石油部外事局副局长，中共南黄海石油公司党委书记。1984～1986年任中共上海市委组织部副部长、部长，市委常委、市委秘书长。1986～1989年任中共上海市委副书记。1989～1993年任中共中央办公厅副主任。1993～1997年任中共中央办公厅主任，中央直属机关工委书记。1997年在中共十五届一中全会上当选为中央政治局候补委员，任中央书记处书记、中央办公厅主任、中央直属机关工委书记。1999～2002年兼任中共中央组织部部长。2002年11月在中共十六届一中全会上当选为中共中央政治局常委，任中央书记处书记，12月兼任中央党校校长。2003年3月在第十届全国人大一次会议上当选为中华人民共和国副主席。

Zenger, John Peter　曾格（1697，德国～1746-07-28，纽约市）　纽约印刷商和新闻工作者。因在一起诽谤案（1735）中被宣判无罪而赢得英属北美殖民地新闻自由的第一次重大胜利。13岁时移居纽约，当学徒8年。1726年自办印刷所。1733年刊印《纽约新闻周报》，是一反对殖民地总督W.科斯比的团体的政治机关报。1734年被以诽谤罪逮捕，系狱10个月。他的辩护律师A.汉密尔顿辩称陪审团本身即能断定曾格所发表的言论是真实的。陪审团宣判曾格无罪，因为他的指控有事实作根据。这一点成为后来诽谤案中的主要判断依据。曾格后来成为纽约州和新泽西州官方承印人。他对上述案件的回忆于1736年发表在《纽约新闻周报》上，在美、英两地广为销售。

Zengi（Iraqi ruler）　参阅 **Zangī** 赞吉。

Zengmu Ansha　曾母暗沙　又作Tseng-mu shoal。中国南沙群岛中最南部的一群暗沙。是中国领土的最南端。由曾母暗沙、立地暗沙和亚西暗沙等组成，一直伸展到北纬3°51′。暗沙离海面较深，曾母暗沙约为22米。

Zengpiyan cave site　甑皮岩洞穴遗址　中国华南地区新石器时代洞穴文化遗址。位于广西桂林独山，1973年发掘。有两层堆积。出土多属打制石器，有砍砸器、刮削器、盘状器等；磨制石器有斧、锛、矛等，还有少数骨器和蚌器。陶器主要是夹砂红陶，质地粗糙，火候甚低，多饰绳纹。出土人骨无墓穴和葬具，多行蹲葬，随葬品仅见两件蚌刀。碳14测定并经过校正的下层年代约为公元前7000年，上层年代约为公元前5500年。同类遗址在广西和广东石灰岩地区发现甚多，大部分属于新石器时代早期。

Zengwen Reservoir　曾文水库　又拼Tseng-wen Reservoir。中国台湾省最大的多用途水库。主要供应嘉南地区农业灌溉用水，以补乌山头水库（珊瑚潭）供水之不足，并兼具发电、防洪、观光等功能。坝址在嘉义县南部的柳藤潭，位于台南市东北约60千米处，距台南县境内的乌山头水库仅约10千米。1967年始建，1973年10月竣工，利用曾文溪上游蓄水成库。水域面积达17平方千米，坝高133米，弧状坝顶长约400米。溢洪道长458米，宽45米。蓄水量达9亿立方米，最大泄洪量每秒9 470立方米。该水库规模宏大，与乌山头水库串联运用，所储水量可经东口

曾文水库大坝
台湾中华书局供图

引水隧道注入乌山头水库，以增供所需灌溉用水。溢洪道左侧设有地下发电厂，坝区附近有木瓜园及观光游憩区，环湖道路由风吹岭经火烧寮、嘉义农场、大茅埔抵大埔。现为嘉义县著名观光胜地。

Zengzi　曾子　又拼Tseng-tzu。中国先秦时期思想家。传为儒家经典《大学》（Daxue）的作者。鲁国南武城（今山东费县）人。名参，字子舆。孔子的学生，以孝著称。

zenith　天顶　天文学名词，指天球上正对地面观测者头顶的一点。与天顶相差180°、正对着观测者脚下的一点是天底。天文天顶是根据重力，即根据铅垂线确定的。若不是因为地球质量的局部不规则（如高山等）而使铅垂线产生偏斜，它将会指向地理天顶。由于地球不是一个理想的球体而且有自转，除赤道和两极外，地心天顶和地理天顶稍有偏离。地心天顶是从地球几何中心通过观测者所在位置引出的一条直线与天球的交点。

Zenjān（Iran）　参阅 **Zanjān** 赞詹。

Zenjirli Höyük（Turkey）　参阅 **Zincirli Höyük** 津吉尔利许于克。

Zennichi（Buddhist prophet）　**善日**　参阅 **Nichiren** 日莲。

Zeno　芝诺（?，东罗马伊索里亚主教区～491-04-09）　东罗马皇帝（474～491），在位期间叛乱及教派之争困扰帝国。466（或467）年同东罗马皇帝利奥一世的女儿结婚，469年被任命为执政官兼军事长官。474年初利奥一世去世，芝诺年仅7岁的幼子作为利奥二世继位，也于同年年底夭折，但在幼帝死前，芝诺业已被指定为同朝皇帝。芝诺与阿非利加的汪达尔人缔结了一项长期和约，可是不久他在国内却遇到困难，他最信任的顾问伊卢斯竟然和利奥一世的内弟巴西利斯库斯策动军事政变，他被迫逃往伊索里亚。476年，伊卢斯又倒戈投向旧主，芝诺在他的协助下于同年8月返回君士坦丁堡。伊卢斯从此愈加骄横，484年在小亚细亚再次叛乱。直至488年芝诺才将其俘获斩首。在这些年中，芝诺还穷于应付以狄奥多里克为首的东哥特人的叛乱。489年，他指定狄奥多里克取代奥多阿塞为意大利国王，才使东哥特人撤离了东罗马帝国。他执政期间正教基督教徒与基督一性论派之间存在着激烈争执。为缓和两派之间的冲突，482年他向埃及教会发出了一封被称为《归宗一神诏》的信件，其主旨为基督一性论派所接受，从而使东罗马帝国实现了一定程度的宗教和解。可是，这也导致了与罗马教会从484年持续到518年的分裂。

Zeno of Citium　芝诺（基提翁的）（约公元前335，塞浦路斯基提翁～约前263，雅典）　希腊思想家、斯多葛哲学学派创立者。这一学派曾对希腊化和罗马时期哲学和伦理学思想的发展产生影响。他于公元前312年赴雅典，听犬儒学派哲学家底比斯人克拉特斯和迈加拉人斯提尔波的讲学，并在学园听课。当他自己的哲学有所成就时，便开始在彩色的柱廊下设馆讲学，教授生徒；柱廊之名希腊语为Stoa Poikile，由是衍生出斯多葛派哲学之名称。芝诺的哲学体系分为逻辑学、物理学和伦理学，而以伦理学为中心。他教导人们，幸福在于使人的意志适应统治宇宙的神的理性。在逻辑学和认识论方面他受安提西尼和狄奥多罗斯·克洛诺斯的影响；在物理学方面，他受赫拉克利特的影响。他用希腊语写的论文均失传，仅有片断引语留存在他人著作中。

Zeno of Elea　芝诺（埃利亚的）（约公元前495～约前430）　希腊哲学家和数学家，亚里士多德称他为雄辩术的发明者。他尤以悖论著名，这些悖论对于逻辑和数学的严密性

的发展是有贡献的，而且只有发展了连续和无穷的精确概念后，才有可能解决这些悖论。他正是凭借这些悖论来介绍巴门尼德关于“一”(即不可分的实在)的存在的学说，以此试图反驳在通常意义下的关于“多”(即可辨别的性质和能运动的东西)的存在的信念。他是一个姓坦留德格勒斯的人的儿子，并是巴门尼德的学生和朋友。在柏拉图的《巴门尼德》中有苏格拉底(当时还很年轻)与巴门尼德和芝诺(当时约 40 岁)的对话，从年龄看，这样一次会见是否可能值得怀疑，但柏拉图在书中所述的芝诺的目的可能是对的。为了回答那些认为巴门尼德关于“一”的存在理论前后矛盾的人们，芝诺试图证明：假定众多的事物存在于时间和空间之中将带来更严重的矛盾。芝诺年轻时把他的论证收集成书，按照柏拉图的说法，这本书是在他不知道的情况下传播开的。

芝诺用到了三个前提：第一，任一作为整体的单位都有大小；第二，任一作为整体的单位是无穷可分的；第三，任一作为整体的单位是不可分的。他还对每一个前提作了论证：对第一个，他论证说，把乙加到甲上去，或从甲减去乙，而且既不使甲增加也不使甲减少，则乙只能是无；对第二个，他说，一个单位，既然是“一”，就是均匀的，所以，假如可分，那就不可能在某一点可分而在另一点不可分；对第三个，他说，一个单位，假如可分，那就或者分成更小的单位而与第二个命题相矛盾，或者由于第一个命题而分为无。他掌握了二难推理中的一种非常有力的复杂论证，一是假定了不可分性，另一是假定了无穷可分性，两者都导致和原来的假设相矛盾。他的方法有极大的影响，可以总结如下：他继承了巴门尼德抽象、解析的方式，但是他是从对方的论点出发，并用反证法把其论点驳倒。可能是亚里士多德注意了后两个特征，把芝诺称为雄辩术的发明者。芝诺可能一直在和他的真正的论敌毕达哥拉斯派的信徒论战，后者相信由数字组成的众多性，可以把这些数字想象为广义的单位。这就是争论所在。在芝诺的一生中好像并没有注意到任何的数学蕴含关系(即怀疑在几何中应用无穷小)。但是，事实上，由他的悖论提出的关于数学连续统的逻辑问题是严肃的、基本的问题，而且亚里士多德是没有能力去解决它们的。

Zeno, Carlo　泽诺(1334，威尼斯～1418-03-08，威尼斯)　威尼斯海军将领。早年入帕多瓦大学，因家贫而辍学当兵，后来又成为商人。在 1378 年的基奥贾战争中，他负责保卫特雷维索。威尼斯舰队在波拉失利后，他在利古里亚海和爱琴海骚扰热那亚人。当热那亚舰队夺取基奥贾并威胁威尼斯时，他从塞浦路斯匆忙回国。1380 年皮萨尼率领威尼斯舰队以沉船堵塞航道的方法封锁基奥贾港，随后击毙敌帅多里亚，迫使热那亚舰队于 6 月 24 日投降。是年 8 月皮萨尼去世，泽诺成为海军大将。退役后任驻法国、英格兰大使。1403 年再被征召服役，先在热那亚附近的海上同法国舰队作战，后与帕多瓦领主弗朗西斯科作战。因被指控参与洗劫帕多瓦宫廷被监禁两年。释放后去塞浦路斯指挥军队与热那亚人作战，并把后者逐出塞岛。

Zeno, paradoxes of　参阅 **paradoxes of Zeno** 芝诺悖论。

Zenobia　芝诺比阿(?～274以后)　全名塞蒂米娅·芝诺比阿。罗马属下帕尔米拉殖民地(在今叙利亚)的女王(267 或 268 ～ 272)。芝诺比阿的丈夫奥登纳图斯系统治帕

供图：Anderson—Giraudon from Art Resource/美国不列颠百科全书公司

尔米拉的罗马藩主，曾从波斯征服者手中收复了罗马东方，267 或 268 年与其长子希律同时被暗杀，于是，芝诺比阿辅佐自己的幼子瓦巴拉特即位。她自称帕尔米拉女王，让瓦巴拉特继承其父的头衔称“王中之王”兼“全东方总督”。芝诺比阿不甘心作罗马的附庸。269 年，她先侵占埃及，然后又占领了小亚细亚的大部分地区，宣布脱离罗马而独立。罗马皇帝奥勒利安发兵东进，先后在安条克和厄梅萨将其击败，并包围了帕尔米拉。芝诺比阿和瓦巴拉特企图逃离该城，但终被俘获，解往罗马(272)。274 年在罗马为奥勒利安举行凯旋式时被作为战俘。瓦巴拉特命运不详，芝诺比阿后来嫁给了　位罗马元老院议员，大概在其提布尔(今意大利蒂奥利)的别墅里度过余生。

Zenodotus of Ephesus　泽诺多托斯(以弗所的)(活动时期约公元前 3 世纪末期)　希腊语法学家，亚历山大图书馆第一任馆长(约自公元前 284 年起)，以出版第一部校勘本荷马诗集而著名。他生活在托勒密一世及二世统治时期，是科斯岛的菲勒塔斯的门生。泽诺多托斯任亚历山大图书馆馆长期间曾主持编辑希腊史诗及抒情诗人的作品。他比较了荷马作品的各种不同手稿之后，对可疑的诗行进行删除，对另一些诗行改动其位置，进行校订，并将《伊利亚特》和《奥德赛》各分成 24 卷。对泽诺多托斯的版本所了解的情况几乎完全来自后世学者对荷马作品所作的评注。他的这一版本遭到其继任者之一阿里斯塔科斯(约公元前 200 ～约前 143)的严厉抨击。泽诺多托斯还编了一本荷马语词汇编，除了编纂赫西奥德的《神谱》外，还出版了研究品达罗斯的论文集。这些论文的残篇见于在俄克喜林库斯城出土的纸莎草纸古文书中。

Zenshin(Buddhist reformer)　**善信**　参阅 **Shinran** 亲鸾。

Zenshōbō Renchō(Buddhist prophet)　**生房莲长**　参阅 **Nichiren** 日莲。

Zenta, Battle of　森塔战役(1697-09-11)　奥斯曼帝国与神圣同盟(奥地利、波兰、威尼斯和俄国)战争期间(1683 ～ 1699)奥地利军在蒂萨河畔的森塔对奥斯曼军取得决定性胜利的战役。该役使奥地利成为中欧的一等强国。1697 年 9 月 11 日穆斯塔法二世率领奥斯曼军队在森塔渡河，突然遭到奥地利军队袭击。奥斯曼军慌乱一团，首席大臣在战场上为叛变的禁卫军所杀。穆斯塔法被迫求和，于 1699 年签订《卡尔洛维茨条约》。

zeolite　沸石　一族含水的硅铝酸盐矿物，含有碱金属和碱土金属。沸石以其离子交换和可逆脱水的特性而著称，它具架状结构，其中有连通的空腔，为大的金属阳离子和水分子所占据。基本结构特征是三维的四面体骨架，其中每个氧原子为两个四面体所共有。若所有四面体皆含硅，则骨架为中性。当铝代替硅时，引起电荷不平衡，需要有其他金属离子出现在骨架中相对大的空腔里。在天然沸石中，这些金属离子是典型的一价或二价离子，如钠、钾、镁、钙和钡。除空腔较大和总有水分存在外，沸石类同长石矿物很相似。在结构上，沸石是按照组成骨架的结构单位(环或多面体)的类型进行分类的。由骨架单位形成的空腔，其直径约 2 ～ 8Å，这使离子在空腔间比较容易运动。离子和水分子在骨架内容易运动，使脱水作用和离子交换可逆；这些性质随化学成分和结构特性的差异而有很大变化。脱水特性随水分子在结构中受束缚的方式而变。在水分子束缚牢固的那些沸石中，脱水作用在高温时发生，相反，在有大空腔的沸石中，某些水分在低温时就能排出。离子交换速率取决于空腔的大小及其连接关系。某些离子由于具有特殊的结构性质而不能进入沸石。通过大规模生产具有特殊结构特征和化学特征的沸石，使沸石的特性得到利用。一些商业用途包括：①在提炼石油时，分离碳氢化合物；②使气体和液体干燥；③通过选择性分子吸附作用，控制污染。天然沸石在基性火山岩中作为空穴充填物产出，可能是各种液体或蒸气析出作用的结果。在沉积岩中，沸石作为火山玻璃的蚀变产物出现，在碎屑岩中起着胶结物的作用。在海成化学沉积岩中也曾发现沸石。所有大洋里都有广泛的沸石沉积。变质岩中含有一系列沸石矿物，可用于确定相对的变质级别；这些沸石矿物是由长石和火山玻璃形成的。

附表：沸石，见 510 页。

zeolitic facies　沸石相　变质岩矿物相分类的主要单位之一，此相岩石在与区域变质作用有关的最低温度和压力下形成。相当于成岩作用的沉积过程和表现为绿片岩相的明显区域变质作用之间的过渡类型。该相首先提出是指那些埋藏深度为 6 ～ 9 千米的岩石，在那里岩石所受的负荷压力大约是1千巴的

沸　石

名称 化学式	颜色	光泽	莫氏硬度	比重	习性和形状	解理面	折射率	结晶系空间群	备注
方沸石 $NaAlSi_2O_6 \cdot H_2O$	无色，白色，灰色，粉红色	玻璃光泽	5～5½	2.2～2.3	透明到几乎不透明，性脆，良好的结晶，放射状集合体	解理面很差	$n = 1.479 \sim 1.493$	等轴 Ia3d	由于其具有交换和脱水性能而被归入沸石；由于其结构又被归入似长石
锶沸石 $(Sr,Ba,Ca)Al_2Si_6O_{16} \cdot 5H_2O$	白色，黄色，灰色		5	2.5	柱状晶体	板状解理面	$\alpha = 1.510$ $\beta = 1.512$ $\gamma = 1.523$	单斜 $P\frac{2_1}{m}$	
菱沸石 $(Ca,Na_2)Al_2Si_4O_{12} \cdot 6H_2O$	白色，鲜红色	玻璃光泽	4½	2.0～2.1	性脆，透明或半透明，单个，立方体状菱面体	解理面差	$\left.\begin{matrix}\omega\\ \varepsilon\end{matrix}\right\} = 1.470 \sim 1.494$	六方 $P\bar{3}m$	
斜发沸石 $(Na,K)_4CaAl_6Si_{30}O_{72} \cdot 24H_2O$	多种颜色，但通常为无色或白色	玻璃光泽	3½～4	2.1	透明，性脆，柩形晶体	一个完全解理面	$\alpha = 1.476 \sim 1.488$ $\gamma = 1.479 \sim 1.489$	单斜 $I\frac{2}{m}$	
环晶沸石 $(K_2,Na_2,Ca)_5Al_5Si_{19}O_{48} \cdot 18H_2O$	无色		4～4½	2.2	柱状双晶	一个板状解理面	$\alpha = 1.491$ $\beta = 1.496$ $\gamma = 1.499$	单斜 $C\frac{2}{m}$	
钡沸石 $BaAl_2Si_3O_{10} \cdot 3H_2O$	无色，白色，粉红色，褐色	玻璃光泽	4～4½	2.7～2.8	锥形晶体；块体	二个解理面	$\alpha = 1.541$ $\beta = 1.553$ $\gamma = 1.557$	斜方(假正方) $P2_12_12$	热电性
柱沸石 $CaAl_2Si_6O_{16} \cdot 5H_2O$	无色，白色，淡粉红色	玻璃光泽	4	2.2	束状集合体	一个很好的解理面	$\alpha = 1.485 \sim 1.505$ $\beta = 1.497 \sim 1.515$ $\gamma = 1.497 \sim 1.519$	单斜 $C\frac{2}{m}$	压电性
毛沸石 $(Na_2,K_2,Ca)_{4.5}Al_9Si_{27}O_{72} \cdot 27H_2O$	白色			2.0～2.1	羊毛状纤维；放射状结晶群		$\omega = 1.468 \sim 1.472$ $\varepsilon = 1.473 \sim 1.476$	六方 $P\frac{6_3}{m}mc$	
八面沸石 $(Na_2,Ca)_{3.5}Al_7Si_{17}O_{48} \cdot 32H_2O$	无色，浅黄色		5	1.9	透明或不透明圆形八面体	一个清晰的解理面	$n = 1.471 \sim 1.480$	等轴 Fd3m	在全部沸石中其结构最为开放
镁碱沸石 $(Na,K)_4Mg_2Al_6Si_{30}O_{72}(OH)_2 \cdot 18H_2O$	无色，白色	玻璃到珍珠光泽	3	2.2	放射状刃状晶体群	一个完全解理面	$\alpha = 1.478$ $\beta = 1.479$ $\gamma = 1.482$	斜方 Immm	
水钙沸石 $CaAl_2Si_2O_8 \cdot 4H_2O$	无色或白色，浅蓝，浅灰，浅红		4½	2.2～2.3	双锥形晶体	一个清晰的解理面	$\alpha = 1.531 \sim 1.538$ $\beta = 1.539 \sim 1.543$ $\gamma = 1.548$	单斜 $P\frac{2_1}{c}$	
钠菱沸石 $(Na_2,Ca)Al_2Si_4O_{12} \cdot 6H_2O$	无色，白色，浅黄，浅绿，白色微红	玻璃光泽	4½	2.1	晶体良好	一个良好的解理面	$\varepsilon = 1.474 \sim 1.480$ $\omega = 1.476 \sim 1.494$	六方 $P\frac{6_3}{m}mc$	
纤沸石 $Na_2CaAl_4Si_6O_{20} \cdot 5H_2O$	无色，白色，粉红色，褐色	玻璃光泽	5	2.3	小球粒		$\alpha = 1.497 \sim 1.506$ $\gamma = 1.499 \sim 1.508$	斜方	
交沸石 $BaAl_2Si_6O_{16} \cdot 6H_2O$	白色到灰色，黄色，红色，褐色	玻璃光泽	4½	2.4～2.5	十字形穿插；双晶	一个清晰的解理面	$\alpha = 1.503 \sim 1.508$ $\beta = 1.505 \sim 1.509$ $\gamma = 1.508 \sim 1.514$	单斜 $P\frac{2_1}{m}$	
片沸石 $(Ca,Na_2)Al_2Si_7O_{18} \cdot 6H_2O$	白色到红色，灰色，褐色	玻璃到珍珠光泽	3½～4	2.1～2.2	透明，性脆，柩形晶体	一个完全解理面	$\alpha = 1.491 \sim 1.505$ $\beta = 1.493 \sim 1.503$ $\gamma = 1.500 \sim 1.512$	单斜 $I\frac{2}{m}$	
浊沸石 $CaAl_2Si_4O_{12} \cdot 4H_2O$	白色到黄色或灰色，有时为红色	玻璃光泽	3～4	2.2～2.3	柱状晶体	两个良好的解理面	$\alpha = 1.502 \sim 1.514$ $\beta = 1.512 \sim 1.522$ $\gamma = 1.514 \sim 1.525$	单斜 C2 或 Cm	
插晶菱沸石 $CaAl_2Si_4O_{12} \cdot 6H_2O$	无色，白色，浅灰，浅红，浅黄	玻璃光泽	4～4½	2.1	八面体结晶		$\varepsilon = 1.491 \sim 1.500$ $\omega = 1.496 \sim 1.505$	六方 $R\bar{3}m$	
中沸石 $Na_2Ca_2Al_6Si_9O_{30} \cdot 8H_2O$	无色到白色，黄，灰，粉红，红	玻璃到珍珠光泽	5	2.3	针状晶体，块体，几乎为不变的双晶	一个完全的解理面	$\alpha = 1.505 \sim 1.507$ $\beta = 1.505 \sim 1.507$ $\gamma = 1.506 \sim 1.508$	单斜 C2	从化学上看是介于钠沸石和钙沸石之间的中间矿物

续表

名称 化学式	颜色	光泽	莫氏 硬度	比重	习性和 形状	解理面	折射率	结晶系 空间群	备注
丝光沸石 $(Na_2,K_2,Ca)Al_2Si_{10}O_{24}\cdot 7H_2O$	无色，白色，红色，褐色，黄色	玻璃光泽	3～4	2.1～2.2	细小，透明，性脆，柩形晶体，玫瑰花形	一个完全解理面，一个良好解理面	$\alpha=1.472\sim1.483$ $\beta=1.475\sim1.485$ $\gamma=1.477\sim1.487$	斜方 Cmcm 或 Cmc2	
钠沸石 $Na_2(Al_2Si_3O_{10})\cdot 2H_2O$	无色，白，灰，黄，红，粉红	玻璃到珍珠光泽	5	2.2～2.3	细长的柱状晶体，纤维形放射状集合体	一个完全的解理面	$\alpha=1.473\sim1.483$ $\beta=1.476\sim1.486$ $\gamma=1.485\sim1.496$	斜方 Fdd2	热电性
钙十字沸石 $(K_2,Na_2,Ca)_3Al_6Si_{10}O_{32}\cdot 12H_2O$	无色，白色，粉红，黄色，灰色	玻璃光泽	4～4½	2.2	脆性晶体，通常为穿插双晶	两个清晰的解理面	$\alpha=1.483\sim1.504$ $\beta=1.484\sim1.509$ $\gamma=1.486\sim1.514$	单斜 $P\frac{2_1}{m}$ 或 $P2_1$	
钙沸石 $Ca_2Al_4Si_6O_{20}\cdot 6H_2O$	无色到白色，灰色，粉红，红色，黄色	玻璃到丝绢光泽	5	2.2～2.3	细长的柱状晶体，往往为双晶；放射状结晶块体；纤维状块体	一个几乎完全的解理面	$\alpha=1.507\sim1.513$ $\beta=1.516\sim1.520$ $\gamma=1.517\sim1.521$	单斜 Cc	
辉沸石 $(Ca,Na_2,K_2)_4Al_8Si_{28}O_{72}\cdot 28H_2O$	白色，黄色，红色，蓝色	玻璃光泽	3½～4	2.1～2.2	束状结晶集合体；十字穿插双晶	一个很好的解理面	$\alpha=1.484\sim1.500$ $\beta=1.492\sim1.507$ $\gamma=1.494\sim1.513$	单斜 $C\frac{2}{m}$	
杆沸石 $NaCa_2Al_5Si_5O_{20}\cdot 6H_2O$	无色，白色，粉红，褐色	玻璃到珍珠光泽	5～5½	2.1～2.4	放射状球形结核；致密块体，柱状	一个完全和一个良好解理面	$\alpha=1.497\sim1.530$ $\beta=1.513\sim1.533$ $\gamma=1.518\sim1.544$	斜方 Pnma	热电性
斜钙沸石 $CaAl_2Si_4O_{12}\cdot 2H_2O$	无色到白色	玻璃光泽	5½～6	2.3	通常为双晶		$\alpha=1.498$ $\gamma=1.502$	单斜 $I\frac{2}{a}$	
汤河原沸石 $CaAl_2Si_6O_{16}\cdot 4H_2O$	无色到白色	玻璃光泽	4½	2.2	扁平晶体	解理面差	$\alpha=1.495$ $\beta=1.497$ $\gamma=1.504$	单斜 Pc	

1/5 和 200～300℃的温度。在这种条件下出现的典型矿物有沸石、钠长石、石英和葡萄石。挥发组分对沸石相的化学成分有重要影响，因为温度和压力能改变沸石相中水和二氧化碳的化学势，而产生绿片岩相的矿物。

zeon　注活水　东正教圣体圣事的一个程序，即由辅祭将热水滴于圣体杯。其源起不可考，显然已有悠久历史。据有人解释，象征信仰热忱或圣灵的降临。

Zephaniah　西番雅（活动时期公元前7世纪）又拼 Sophonias。以色列人的先知，据说是《旧约》"小先知书"之一《西番雅书》的作者，他宣告上帝的审判即将到临。《西番雅书》开头说，西番雅是犹大国王约西亚（约公元前 640～前 609 在位）的同时代人。但是，他的活动或许是在约西亚统治早期，因为他抨击耶路撒冷城内对某些神灵（巴力、玛勒堪和诸天众神）的崇拜活动，这些批评若在约西亚的改革运动（约公元前 623 或前 622）之后，则毫无意义。

Zephaniah, Book of　《西番雅书》　Zephaniah 又拼 Sophonias。《旧约》中 12 卷书（犹太教正典统称"十二小先知书"）的第 9 卷。此书收互不连贯的若干段言论，其中大部分确为西番雅于公元前 640～前 630 年所撰，但经过后人编订与增补。该书主要论"主的日子"，而这个日子的临近是由于犹大所犯罪恶所致。经过审判，去污存洁，将要留下"困苦贫寒的民"。书中所谓审判的日子是指历史上某一日期还是末日，无法肯定。但可以断定，最初由阿摩司和以赛亚提出的这种观念，经过西番雅重新提出，或许又影响了比他年幼的耶利米。西番雅对于"主的日子"的描写，先由基督教会悼念死者的应答词选用，后为中世纪著名赞美诗《震怒的日子》所采用，深深地融入民间关于最后审判日的观念。

Zephyrinus, Saint　泽菲利努斯，圣（？，罗马？～约 217，罗马？）　教皇（约 199～217 在位）。当时，罗马教会司铎希波里图斯大力抵制神格唯一论异端教义的蔓延。泽菲利努斯没有谴责这种异端，也没有支持希波里图斯所极力倡导的逻各斯论。于是希波里图斯发起基督教历史上第一次分裂。泽菲利努斯死于罗马皇帝塞维鲁迫害基督教时期。

zeppelin　齐柏林飞艇　齐柏林飞艇制造公司制造的硬式飞艇。它有一个由桁架和蒙皮构成的雪茄形艇体，由内部气囊来支撑。第

"齐柏林伯爵"号飞艇
《欧洲人》杂志社供图

一艘齐柏林飞艇由德国退役军官齐柏林伯爵设计，1900 年 7 月 2 日它从德国康斯坦茨湖的水上艇库出发作首次飞行。在 128 米长的艇身下有两个外挂吊舱，各装一台 16 马力发动机带两副螺旋桨，速度达 32 千米/时。第一次世界大战期间，德国人用齐柏林硬式飞艇进行远程轰炸，取得一定的成效，因为飞艇比当时的飞机飞得高。1917 年，德国的齐柏林飞艇有两次曾达到将近 100 小时的续航时间。这样的性能使许多人相信大型飞艇在航空发展上将起显著作用。不少齐柏林飞艇作为战后赔偿的一部分，分配给协约国。以后造的许多齐柏林式飞艇中，以 1928 年 9 月制成的"齐柏林伯爵"号和 1936 年首飞的巨大的"兴登堡"号最为有名。"齐柏林伯爵"号首创横越大西洋的飞行业务，直到它 1937 年停用之前，飞行 590 次，包括 144 次越洋飞行，里程在 160 万千米以上。1929 年这艘飞艇用约 21 天的时间作环球航行，航程约 3.46 万千米。"兴登堡"号全长 245 米，用 4 台1 100 马力的柴油机为动力，最大速度达 135 千米/时。1936 年它在德国与美国之间进行了 10 次定期的往返飞行，共载客1 002名。1937 年 5 月 6 日，当它在新泽西州的莱克赫斯特着陆时，充氢气的艇身突然着火而全部焚毁，有 36 人死亡。第二次世界大战期间，齐柏林飞艇工厂被盟军炸毁，此后再也没有恢复制造大型飞艇。1993 年，齐柏林飞艇制造公司的后继公司组建了齐柏林飞艇技术股份有限公司，并开发出齐柏林 NT（"新技术"）飞艇，这是一种更小的（只有 75 米）氦气飞艇，这种飞艇在 2001 年开始用于康斯坦茨湖及其他

着陆地的短途观光旅游。

Zeppelin, Ferdinand (Adolf August Heinrich), Graf von　齐柏林伯爵(1838-07-08,巴登康斯坦茨～1917-03-08,柏林附近夏洛滕堡)　德国航空界的先驱、第一位硬式飞艇的大规模制造者。1858年在军队任职。美国南北战争期间,他作为北方联邦军的军事观察员(1863),曾在明尼苏达州圣保罗完成了他第一次气球升空。后参加七国战争和普法战争。1890年退役,开始将其余生精力从事研制硬式飞艇的工作。他奋斗了10年,制造出轻于空气的飞行器。1900年7月2日他的第一艘齐柏林飞艇LZ-1在腓特烈港附近作了首次飞行。1906年实现24小时持续飞行的目标。在第一次世界大战中,100余艘齐柏林飞艇执行了军事任务。1910年建立了一家飞艇客运公司,但未及实现其洲际飞行的目标便辞世。

Zera'im　泽拉因　希伯来语,意为"种子"。犹太教口传律法汇编《密西拿》6个回目中的第1回目。泽拉因共包括11篇专论;第1篇《祝福》论公共崇拜和私人祈祷,其余10篇论述有关耕作的律法:《地角》、《不必课征什一税的产物》、《杂类》、《第七年》、《举祭》、《什一税》、《第二什一税》、《素祭》、《不洁》和《初果》。

Zeravshan Range　泽拉夫尚山脉　塔吉克斯坦和乌兹别克斯坦境内山脉,属吉萨尔-阿莱山系。与土耳其斯坦山脉平行,东西绵亘370多千米。北为泽拉夫尚河谷,南为亚格诺布河谷和伊斯坎德尔河谷。该山脉被凡河、克什图特河和马吉安河分成四部分。许多山峰高5 000米以上,最高奇姆托尔加峰,海拔5 489米。泽拉夫尚山脉的各地属半干旱地带,夏季干热,冬季多急雨雪。高海拔地带的降水量最大,而且主要为降雪。植被多样化,最低海拔处有矮小灌木和草地,海拔约3 500米处有高山草甸。

Zeravshan River　泽拉夫尚河　塔吉克斯坦和乌兹别克斯坦境内河流。源出土耳其斯坦山脉东部,向西流经塔吉克斯坦和乌兹别克斯坦东南部,消失在查尔朱以北、阿穆河附近的沙漠中,全长877千米。泽拉夫尚河通过灌渠供给南部卡尔希干旷草原等地广袤灌区用水。泽拉夫尚河谷人烟稠密,尤其在乌兹别克境内。

Zerma　泽尔马人　又拼 Zarma, Djerma, Dyerma;又称 Zaberma(扎贝尔马人)。居住在尼日尔西端的民族,也居住在布基纳法索和尼日利亚的邻近地区。所操语言是尼罗-撒哈拉语系桑海语支的方言,他们是桑海人(**Songhai**)的一支。生活在萨赫尔地区干旱土地上。许多人住在尼日尔河谷地带,利用河水灌溉田地。他们种植黍类、高粱、水稻、玉米、烟草;棉花和花生是经济作物。泽尔马人拥有牛群,但将其交给富拉尼人(富尔贝人)或图阿雷格人去放牧。牛奶是他们的重要日常饮食。马匹都由重要人物饲养,过去泽尔马人曾以拥有训练有素的骑手著称。对泽尔马人来说,马(尤其牛)是重要的财富来源。长期以来,他们把牛赶到南部沿海国家出售。尼日尔首都尼亚美以及多索和蒂拉贝里两城镇,都坐落在泽尔马人的土地上。长期以来泽尔马人到沿海国家去寻找工作,尤以去加纳的人数为多。21世纪初,居住在尼日尔的泽尔马人约有200万。

Zermatt　采尔马特　瑞士南部瓦莱州城镇,位于锡永东南马特维斯普谷地的顶端和马特峰(4 478米)山麓,海拔1 616米。是四周有高山和冰川环绕的全年游览地,拥有几处瑞士最壮丽的景色,亦是最著名的阿尔卑斯登山运动和冬季运动的中心之一。有许多登

采尔马特镇的村庄与教堂,背景为马特峰
供图:J. Allan Cash—Ostman Agency

山索道,通到小马特峰的是欧洲最高的索道。通铁路,但禁止通行汽车。山谷公路止于圣尼克劳斯。居民讲德语,信仰天主教。人口3 548(1980)。

Zernike, Frits　泽尔尼克(1888-07-16,荷兰阿姆斯特丹～1966-03-10,荷兰格罗宁根)　荷兰物理学家。因发明相衬显微镜获1953年诺贝尔物理学奖。这种仪器使有可能在不染色因而不杀死细胞的情况下研究内细胞结构。1915年在阿姆斯特丹大学获博士学位。1913年任国立格罗宁根大学助教,并自1920年起到1958年止任该校的专职教授。他最早的光学著作是关于天文望远镜的。当他研究由于刻线间的不完美间距而在一些衍射光栅上出现的缺陷时,发现了相衬原理。他曾提到他能区分透过不同透明材料的光线。1938年他运用该原理制造了一台显微镜。1952年伦敦皇家学会授与他朗福德奖章。

Zero　零式飞机　又称三菱A6M。第二次世界大战中日本大量使用的单座下单翼战斗机。它有两种类型:陆基型及停放时翼尖能折叠的舰载型。1937年设计,1939年试飞,1940年生产并用于对中国作战。安装一台1 020马力的星形14缸气冷式发动机,后改为1 130马力的发动机驱动3叶恒速螺旋桨。在接近2万英尺高度上最大速度350英里/时。机翼上装有两挺7.7毫米的机枪和两门20毫米机关炮。机翼下面能携带2枚132磅的炸弹。零式飞机初出现就在机动性上胜过所有对手。除156加仑的内油箱外,还有一个94加仑的外挂副油箱,副油箱的油用尽后可以投弃,使航程大为增加。1943年以前,盟国

日本零式飞机,又称三菱 A6M
美国史密森学会供图

没有把能在空战中击败零式飞机的战斗机投入战场。在战争结束前几个月中,许多零式飞机都改为神风队自杀飞机。零式飞机共生产了约10 430架。

zero-point energy　零点能　分子在绝对零度仍保有的振动能。温度在物理学中被看作分子无规运动的量度。当温度降至绝对零度时,可以认为一切运动都停止,分子进入静止状态。但是事实上对应于零点能的运动从未消失。零点能是由量子力学原理推出的。如果分子完全静止,组成该分子的原子必定有准确的位置而且同时有准确的特定速度,即零。但是量子力学的一条公理是:物体不可能同时具有准确的位置值与速度值(参阅**uncertainty principle**),因此,分子永远不可能完全静止。

Żeromski, Stefan　热罗姆斯基(1864-11-01,俄罗斯帝国波兰斯特拉夫钦[今属波兰]～1925-11-20,波兰华沙)　波兰小说家,因其自然主义的抒情风格而受人喜爱。1905

克拉科夫纳罗多瓦博物馆供图

年住在纳文丘夫,因从事群众教育事业于1908年被俄国当局逮捕。早期短篇小说于1889年发表。第一部长篇小说《徒劳无功》于1897年发表。《灰烬》(3卷,1904)最后确立了他的声誉。他的最后一本小说《春天》(1925)描写民族独立带来的最初成果。

Zerubbabel　所罗巴伯(活动时期公元前6世纪)　波斯统治下的犹太省长。本来是居住在巴比伦的犹太人,率领流亡犹太人回国,担任省长。在先知哈该和撒迦利亚的影响下,重建圣殿,重新激起犹太人对弥赛亚的期望。

Zervanism(Persian religion)　参阅 **Zurvanism 佐尔文派**。

Zeta Ursae Majoris(star) **大熊座ζ** 参阅 **Mizar** 开阳。

Zetes(Greek mythology) **泽特斯** 参阅 **Calais and Zetes** 卡莱斯和泽特斯。

Zethus(Greek mythology) **西苏斯** 参阅 **Amphion and Zethus** 安菲翁和西苏斯。

Zetkin, Clara **蔡特金**(1857-07-05,萨克森维德劳～1933-06-20,俄罗斯联邦阿尔汉格尔斯科耶) 母家姓艾斯纳。德国女权主义者、社会主义者和共产党领袖。第一次世界大战

供图:Portratsammlung Deutsche Staatsbibliothek, East Berlin

后在新建的德国共产党和第三国际中起领导作用。早年就读丁莱比锡女子师范学院,在校时即与德国社会民主党建立联系。后与流亡的俄国革命者奥西普·蔡特金结婚。19世纪80年代在瑞士和巴黎过流亡生活。1889年参加第二国际成立大会,后回德国。1892～1917年在斯图加特编辑社会主义妇女报纸《平等》。她是1907年国际社会主义妇女大会发起人之一,与列宁和革命作家、活动家R.卢森堡交谊甚笃。1915年在伯尔尼组织第一次国际妇女会议反对世界大战,1916年参与创建斯巴达克同盟,1919年加入新建的德国共产党,1920年成为党中央委员和联邦下议院议员。1921年选入第三国际主席团。1924年列宁去世后,她逐渐失去影响。她的3卷本选集《演说与书信选》于1957～1960年在东柏林出版。

Zeuglodon(extinct whale) 参阅 **Basilosaurus** 古蜥鲸。

Zeus **宙斯** 古希腊宗教中众神的主神,天

希腊多多纳出土的公元前5世纪早期的青铜像——宙斯投出一阵雷电
柏林国家博物馆供图

与气候之神。相当于罗马的朱庇特。人们认为雷与闪电、雨和风都是他发送出来的,而他的传统武器是雷电。他被称为神和人的父亲(即统治者和保护者)。

根据一个后来为希腊人所接受的克里特神话,提坦神之王克洛诺斯得知他的一个孩子注定要把他推翻之后,就在他们出生之时吞食他们。他的妻子瑞亚救下了婴儿宙斯,把孩子藏在克里特的一个洞穴里,用襁褓包了块石头来替换宙斯让克洛诺斯吞食。宙斯在那里受到仙女(或母山羊)阿玛尔忒亚的抚养并有库瑞忒斯(年轻战士们)守卫,孩子哭时他们便响动武器为之掩盖。宙斯长大后,就发动一次反对提坦神的叛乱,可能在他的兄弟哈得斯和波塞冬的帮助下,推翻了克洛诺斯。后来他就同他们平分了世界。作为上天的领袖,他率领诸神战胜了巨人们(该亚和塔耳塔洛斯的后人)并成功地粉碎了众神反对他的几次叛乱。据希腊诗人荷马的说法,上天就在奥林波斯山(希腊最高的山)的峰顶上,这是气候之神当然的住所。其他众神和宙斯一道住在那里并服从他的意旨。从奥林波斯山顶的崇高地位,宙斯被认为全知地注视着人们的事务,看到一切,统治一切并且兴善罚恶。宙斯除了主持正义之外,还是城市、财产、异邦人、客人和恳求者的保护者。宙斯以好色出名,这使他同妻子赫拉经常发生争吵。他同凡人和女神发生过多次恋爱关系。为使他的情欲得到满足,他常常变换成其他动物形状。例如,他在强奸赫拉时化为杜鹃,强奸勒达时化为天鹅,抢走欧罗巴时化为公牛等。他的子嗣中赫赫有名的是与女提坦神勒托生的双生子阿波罗和阿耳忒弥斯,和斯巴达的勒达生的海伦和狄俄斯库里兄弟,和得墨忒耳女神生的珀耳塞福涅,吞食女提坦墨提斯后从头中生出的雅典娜,和他的妻子赫拉生的赫菲斯托斯、赫柏、阿瑞斯和埃雷图娅,和塞墨勒女神生的狄俄尼索斯。还有其他许多人。虽然各地的希腊宗教家都把宙斯看成是全能的众神之王,但正是他的普遍性使他同强大的地方神如雅典娜和赫拉比起来,反而显得有些逊色。虽然宙斯·赫尔凯俄斯(家宅守卫者)的雕像和宙斯·色尼俄斯(好客的)的祭坛为家宅的前庭增光,虽然他在山顶上的神龛受到巡礼者的朝拜,但是宙斯直到公元前6世纪晚期才在雅典拥有一座神殿,甚至在奥林匹亚他的神殿比赫拉的也要晚。在艺术作品中,宙斯的形象是一位身体魁梧、蓄须、表情严肃的成年人;他最突出的象征是雷电和鹰。

Zeus, Statue of **宙斯神像** 世界七大奇观之一,位于希腊西部奥林匹亚的宙斯大神庙中,是古希腊雕刻家菲迪亚斯两大杰出作品之一(另一件为雅典帕台农神庙中的雅典娜神像)。宙斯神像高近12米,饰以黄金和象牙,坐在雪松木宝座上,宝座上饰以乌木、象牙、黄金和宝石。神像前伸的右手托着奈基神像(胜利女神),左手握着一根节杖,上栖一鹰。神像的制作费时8年,以神态庄严仁慈著称。20世纪50年代,在神庙区附近发现了菲迪亚斯的工作室,证实宙斯神像的制作年代约为公元前430年。神庙于公元426年被毁,宙斯神像可能在当时被毁,或在约50年后君士坦丁堡(今伊斯坦布尔)的一次大火中焚毁。

Zeuxis **宙克西斯**(活动时期公元前5世纪末,大希腊赫拉克利亚[意大利]) 古希腊最著名的画家之一,创作壁画和镶板画。擅小型构图,往往只画一个人物。他摆脱古典的传统,把世俗题材引入纪念性的绘画之中。其作品虽已无存,但据古代作家的记载,他画神话故事和人物,如宙斯、厄洛斯和潘;还创作一些风俗画,如运动员、老妇人、拿葡萄的男孩和静物葡萄。另外,他也作一些单色画和泥雕。在技法上,宙克西斯采取明暗法,其效果比旧法更为逼真。传说宙克西斯曾画过一串葡萄,简直就和真的一样,引来一些小鸟啄它。

Zewail, Ahmed H. **泽维尔**(1946-02-26,埃及达曼胡尔～) 埃及出生的化学家,因发明快速激光技术而获1999年诺贝尔化学奖。快速激光技术使科学家可以研究化学反应中原子的行为。这项突破开辟了物理化学的一个新领域,称为飞秒化学。获亚历山大大学学士(1967)和硕士(1969)学位后,到美国宾夕法尼亚大学深造,1974年获博士学位。两年后到加利福尼亚理工学院任教,1990年当选首任泡令化学物理教授。还曾任得克萨斯大学、艾奥瓦大学和开罗美国大学等校的客座教授。20世纪80年代末,他利用以可产生数十飞秒闪光的新激光技术为基础的方法观察到原子和分子的运动。在这种称为飞秒光谱学的方法中,分子在一个真空管中混合,管中有一个超速激光器发射两种脉冲。第一种脉冲供给反应能量,第二种脉冲检测不断进行的动作。然后研究分子的特征光谱(或光图像),即可确定分子的结构变化。根据他的发现,科学家能更好地控制化学反应的结果,此发现有望得到多方面应用。

Zeyārid DYNASTY **齐亚尔王朝**(927～约1090) 伊朗人的王朝,统治里海沿岸的戈尔甘和马赞德兰诸省。创建者马尔达维兹·伊本·齐亚尔(927～935在位)利用萨曼军队的叛乱,夺得伊朗北部的政权。他很快扩大了自己的领土,夺取哈马丹、伊斯法罕等城市。935年马尔达维兹·伊本·齐亚尔被害后,王朝权力崩溃,但在随后萨曼王朝与白益王朝的战争中,齐亚尔人数度改变效忠对象以保持自治地位。当伽色尼王朝政权巩固后,齐亚尔人被迫承认该王朝的宗主权,并数度与之联姻。11世纪中叶塞尔柱人占领马赞德兰后,齐亚尔人遁入里海南岸的山区,在那里苟延残喘至约1090年。齐亚尔人以赞助艺术而闻名。著名的伊斯兰地理学家比鲁尼曾长期居住在齐亚尔宫廷。

zhaijiao **斋醮** 道教设坛祭祷鬼神、消灾祈福的仪式。供斋要求诚敬严肃,素食清修。醮祭不用牺牲肉食,以瓜果为供品。祭祷的神有玉皇及日月星辰等。斋醮目的不外消灾度厄、超度亡灵、谢罪悔过、避祸求福。仪式是设坛立神位,摆供品,焚香念咒,上章表于

上海白云观的道教斋醮仪式
中国大百科全书出版社供图

神灵，诵经，赞颂，并配以祭祀音乐。传斋醮始于张道陵，最初仪式简单。到南宋陆修静才制定仪范，唐末杜光庭更集中整理各种斋仪，使成定式。斋醮用的赞颂词(即“青词”)和音乐(如“步虚声”)在中国古典文学、艺术、音乐上有一定影响。

Zhalong Nature Reserve　扎龙自然保护区 中国大型水禽自然保护区。位于黑龙江省齐齐哈尔市东南。1979年建立，面积为2 100平方千米，1991年经国务院批准为国家级自然保护区，1992年被列入“国际重要湿地名册”。发源于小兴安岭的乌裕尔河下游的一块永久性和季节性的沼泽地，其中有无数小型浅水湖泊。沼泽地一般水深75厘米，湖泊水深可达5米。年平均气温3.2℃，1月份最低气温为－39.5℃，7月份最高气温39℃。植被主要有四种：芦苇沼泽、苔草草甸、草原草甸和水生植物。保护区有鸟类17目45科236种，尤其以保护鹤类为重点，素有“仙鹤故乡”之称。全世界有15种鹤类，中国就有9种，在扎龙可见到6种：丹顶鹤、白枕鹤、白头鹤、白鹤、灰鹤、蓑羽鹤。白鹳、黑鹳、大天鹅、小天鹅、白琵鹭、鸿雁等也是这里常见的珍贵鸟类。丹顶鹤每年4月迁飞到这里，在芦苇沼泽上筑巢并产卵1～2枚，孵化期为33天左右，幼鹤在出壳后90天即可飞翔。根据保护区科学家统计，每年到扎龙保护区来繁殖的丹顶鹤可达180～200只。秋季10月，丹顶鹤开始集群并逐步南飞到长江中下游地区越冬。扎龙保护区科学工作者已对丹顶鹤和其他水禽进行野外种群繁殖生物学研究，并建立了一群有50多只可自由飞翔的鹤类群，这些鹤冬季也在保护区越冬。科学家通过对鹤类群的研究，了解和掌握鹤类迁徙和越冬的原因和机制。

Zhan Tianyou　詹天佑(1861-03-17，中国广东南海～1919-04-24，湖北汉口)　中国铁路工程师。字眷诚，原籍安徽婺源。11岁考取容闳所招出洋留学生习技艺，次年赴美，为中国首批留美官费生。1878年(光绪四年)入耶鲁大学工学院土木建筑科，1881年毕业。归国后，奉派赴福州水师学堂习驾驶，翌年以优异成绩调派赴扬武兵舰服务。1884年应两广总督张之洞之聘任广东博学馆教席，2年后完成测绘广东沿海险要图。1888年起献身铁路工程，任工程师，先后主持塘沽天津段、滦河铁桥、津芦段、萍乡至醴陵、潮汕铁路、京张铁路等建筑工程。其中京张铁路又名平绥铁路，穿山凿洞，工程艰巨，历4年(1905～1909)完工，创造性地解决了多项施工难题，成为中国人自筑的第一条铁路。1912年广州组织中华工程师会，被推为会长；翌年任交通部技监，驻汉口专办路事。1913年引进和使用了火车自动挂钩，状似两手指弯曲，两车厢相撞即自动钩住，现仍为世界各国普遍采用，谓之詹天佑钩。1917年北洋政府交通部成立铁路技术委员会，订定国有铁路标准，奉其为会长。1919年奉命至海参崴、哈尔滨参加协约国西伯利亚铁路监管会。时北地严寒，复以公务繁忙，因操劳过度患病，不久逝世于汉口。著有《铁路名词表》、《京张铁路工程纪略》及《图制》。

中国大百科全书出版社供图

Zhan Ziqian　展子虔　又拼Chan Tzu-ch'ien。中国隋代画家。渤海(今山东阳信南)人。约活动于6世纪后半叶，历北齐、北周，至隋文帝任朝散大夫、帐内都督。擅人物、车马与佛教画。在佛教画方面画有生活气息浓郁的《法华经变》；在人物风俗画中创作出《长安车马人物图》；其山水画成就更高，影响更大。现存《游春图》虽系后代摹绘，大体上仍是展子虔格制，笔致凝炼，色彩秾丽，其空间远近关系的处理，以及大小比例的安排相当完善合理。他在山水画上所达到的成就及其绘画方法直接开启了唐代画家李思训、李昭道父子金碧山水的先河，被后世誉为唐画之祖。

展子虔绘《游春图》(摹本)
中国大百科全书出版社供图

zhang　丈　中国旧长度单位，等于10尺或3.58米(11英尺9英寸)。中国曾在与英、法两国订约(1842～1844和1858～1860)中使用此度量单位。此后中国海关即以它为计算关税的标准，但其他处不通用。至于1尺的长度，过去中国各地不一，短者仅28厘米(11英寸)，长者达40厘米(15.8英寸)。海关使用的所谓“条约尺”则定为35.8厘米(14.1英寸)。现在中国法定1尺(1市尺)为1/3米。

Zhang Binglin　章炳麟(1869-01-12，中国浙江余杭～1936-06-14，苏州)　又拼Chang Ping-lin。中国近代民主革命家、学者。又名绛，字枚叔，号太炎。早年从朴学大师俞樾学经史。1895年加入强学会。1897年任《时务报》撰述，宣传改良思想。1898年戊戌政变后被通缉，避地台湾，任《台北日报》记者。1899年春，他把自己有关经学、史学、哲学、文学和音韵等方面的散论辑成《訄书》，成为近代文化思想名著(后收入《章氏丛书》，改名《检论》)。同年夏东渡日本。1900年在上海参加唐才常发起的“张园国会”，剪去辫发以示立志革命。1902年再次逃亡日本，结交孙中山。1903年回到上海，因发表《驳康有为论革命书》、替邹容《革命军》作序而在上海被捕入狱。1904年在狱中与狱外的蔡元培联络，发起成立光复会。1906年6月出狱后孙中山派人迎至日本，参加同盟会，主编同盟会机关报《民报》，与改良派展开论战。1908年10月《民报》被迫停刊后，在东京讲学。1911年上海光复，回国。1912年1月在上海组织中华民国联合会，出任会长。1912年3月，该会改为统一党，任理事，表示拥护袁世凯当大总统。1913年4月得悉宋教仁被袁世凯刺杀后，参加讨袁，被袁世凯软禁。袁世凯死后获释。1917年参加孙中山护法军政府，任秘书长。五四运动后思想逐渐保守、消沉。1924年反对孙中山“联俄、联共、扶助农工”三大政策，脱离孙中山改组的国民党，专心讲学。著名弟子有黄侃、钱玄同、吴承仕、沈兼士等。1931年“九一八”事变后痛愤日本侵略中国，赞助抗日救亡运动。1936年病逝于苏州。一生著述甚丰，被尊为经学大师，著作有《章氏丛书》、《章氏丛书续编》、《章氏丛书三编》等，后辑为《章太炎全集》。

中国大百科全书出版社供图

Zhang Boduan 张伯端(984～1082) 又拼 Chang Po-tuan。中国北宋道士。字平叔。天台(今属浙江)人。少中进士,学识渊博,精通儒释道三教经典。但一生不得志。流转到成都时,自称遇异人授金液还丹诀,遂改名用成,号紫阳。所著《悟真篇》阐述内丹修炼成仙的方法,认为通过入静、调整呼吸,以体内精气为药物,经过炼精化气、炼气化神、炼神还虚即可成仙。《悟真篇》有注本收入《道藏》。他一生除著书立说和传授弟子外并未创教。但死后被其传人奉为祖师,逐步形成教派。元时全真道盛行,张伯端传人在南方所创教派也称全真道,成为南宗。南宗奉张伯端为第一代祖师,尊为紫阳真人。

Zhang Daoling 张道陵 参阅 **Zhang Ling** 张陵。

Zhang Daqian 张大千(1899-05-10,中国四川内江～1983-04-02,台湾台北) 又拼 Chang Ta-ch'ien。中国现代国画家。名权,后改名爰,又名季、季爰,一度出家,法号大千,别号大千居士,画室名大风堂。祖籍广东番禺。

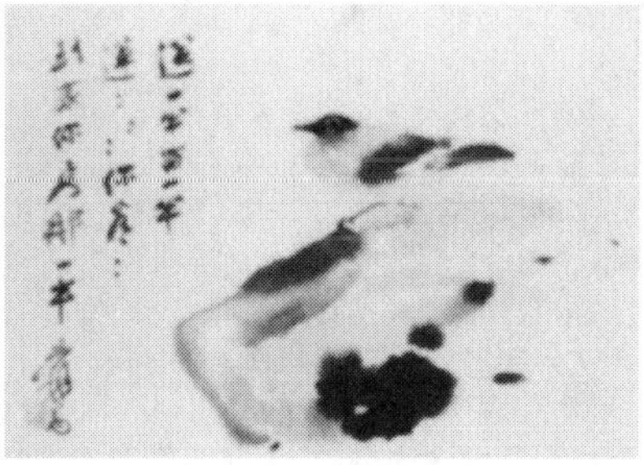

张大千绘《雀石图》
中国大百科全书出版社供图

其母善绘事。兄弟 10 人,大千排行第八,二兄张泽以画虎名于世。1914 年就读于重庆求精中学。1917 年与二哥同去日本京都学习染织。1919 年回上海拜著名学者曾熙为师。不久在松江禅定寺出家,3 个月后还俗,从李瑞清学书法。1929 年张大千任第一届全国美术展览会干事会员。1932 年全家移居苏州,靠卖画为生。1936 年任南京中央大学美术系教授。1940 年到甘肃敦煌莫高窟临摹古代壁画 276 幅,历时 2 年零 7 个月,并为莫高窟重新编号。1943 年出版《大风堂临摹敦煌壁画》,在文化界轰动一时。抗日战争胜利后,张大千赴印度临摹阿旃陀壁画,并在印度讲学,举行画展。1950 年后先后在欧美以及东南亚各大城市举办画展。1969 年迁居美国旧金山。1978 年移居台北"摩耶精舍"。张大千的作品题材广泛,人物、山水、花鸟、走兽皆精。画人物多采古装,借人物以抒情怀;画翎毛花卉或工笔或写意,清润秀丽,落落大方。山水涉笔成趣,点画新奇,富有诗意。晚年常用泼墨、泼彩描绘风景,独具风格。张大千精于鉴别收藏,出版有《大风堂藏画》和《张大千画集》。

Zhang Guolao 张果老 又拼 Chang Kuo-lao。中国神话中道教八仙之一。姓张,名果,唐代(618～907)人。《新唐书》载张果隐居中条山,往来于今晋南一带。世传数百岁。武则天和唐玄宗都曾屡遣使者召请出山,坚

18 世纪的张果老木雕像
巴黎吉梅博物馆供图

不奉诏。常骑白驴日行数万里,不骑时折叠如纸,藏于箱中。再骑时喷以水立成活驴。画像中常绘为倒骑毛驴,持羽扇、仙桃。旧时民间洞房常悬果老画像,传能使新婚夫妇得子。

Zhang Guotao 张国焘(1897-11-26,中国江西萍乡～1979-12-03,加拿大多伦多) 又拼 Chang Kuo-t'ao。中国共产党早期领导人之一,后成为叛徒。又名张特立。1916 年入北京大学,后来曾参加五四运动。原为无政府主义者,后转信马克思主义。1920 年加入北京共产主义小组,参与创建中国共产党的活动。1921 年 7 月出席中国共产党第一次代表大会,被选为中央局三个成员之一,兼劳动组

中国大百科全书出版社供图

合书记部主任。1922 年初代表中共出席在俄国召开的远东各国共产党和民族革命团体第一次代表大会,会见过列宁。1923 年参与发动和领导京汉铁路大罢工。在中国共产党第二、四、五、六次代表大会上均被选为中央委员。1924 年 1 月在第一次国共合作后举行的中国国民党第一次全国代表大会上,当选为国民党中央候补执行委员。同年 5 月在北京被北洋军阀政府逮捕,叛变自首,出狱后隐瞒了叛变行为,任中共中央执行委员、中央局委员、湖北省委书记等职。1927 年 5 月当选为中共五届中央政治局委员、政治局常委。国共合作破裂后他是中共中央常委成员(共 5 人)之一,曾以中央代表身份去南昌,阻止南昌起义的发动,未逞。他参加起义,后去苏联,在对"右倾错误"作了自我批评之后,于 1928 年 6 月在中共第六次代表大会后被选为中央政治局委员,留在莫斯科参加中共驻共产国际代表团的工作。1931 年初回国后,被王明为代表的"左"倾冒险主义中央派往鄂豫皖革命根据地,任鄂豫皖中央分局书记兼军委会主席。他利用职权排除异己。以"肃反"为名诬害许多正直的共产党人,并于 1932 年和 1935 年在国民党军队压力下先后放弃了鄂豫皖和川陕革命根据地。1935 年 6 月他所率领的红军第四方面军在四川省懋功(今为小金)与毛泽东率领的红军第一方面军会师后,任红军总政治委员、中央军事委员会副主席。他反对中共中央关于红军北上抗日的决定,并且要求改组中共中央。1935 年 9 月擅自率 8 万红军南下,公开分裂中国共产党和中国工农红军,自行成立党中央。由于中共中央的批评,朱德、刘伯承等的抵制,四方面军大多数指战员的不满,南下又遭到重大失败,1936 年 6 月他被迫取消他所成立的党中央。在同红二方面军会合后,红二方面军领导人任弼时、贺龙等坚持党中央北上方针,反对张国焘的分裂活动。7 月初他才率领红四方面军与红二方面军共同北上。同年 10 月中国工农红军第一、二、四方面军在甘肃省会宁地区会师。1937 年 3 月中共中央举行会议,清算了他的右倾分裂主义错误,继续让他担任陕甘宁边区政府副主席。1938 年 4 月初他只身逃离陕甘宁边区,经西安到武汉,脱党逃到国民党方面。4 月 18 日中共中央决定开除他的党籍。1949 年移居香港。后转赴巴西和加拿大。在他所写的《我的回忆》中,对自己在革命中所犯的错误进行辩解,自我吹嘘,并对中国共产党的历史作了许多歪曲事实的叙述。

Zhang Heng 张衡(78～139) 又拼 Chang Heng。中国东汉科学家、文学家。字平子。河南南阳人。博学多才。历任郎中、尚书侍郎。两度任太史令,前后凡 14 年。后又任侍中、河间相。在天文学上成就最为突出,是中国古代宇宙结构理论浑天说的代表。认为宇

中国大百科全书出版社供图

宙在空间上和时间上都无极限。继承前人宇宙起源演化思想,描述天地万物发生、发展过程。正确解释了月食成因,认为月食是由于月球进入地影而产生。用"近天则迟,远天则

速"理论解释五星运动的快慢现象，是五星运动快慢与太阳距离远近关系的早期论述。还统计出中国中原地区能看到的恒星数2 500颗，测出日、月视直径约为0°49′。这些都与今测结果相近。创制水运浑象，利用齿轮系把计时漏壶与浑象(天球仪)联系起来。以漏壶滴水为原动力，推动浑象每日均匀绕轴旋转一周，演示天象。132年创制世界第一台测地震仪器——候风地动仪。还制造指南车和记里鼓车等。著有数学名著《算罔论》。求出圆周率 $\pi=730/232\approx3.1466$ 和 $\pi=\sqrt{10}\approx3.1622$ 两个数值。所作《地形图》一直流传到唐代。著名文学作品有《二京赋》、《四愁诗》等。又为当时六大画家之一。

Zhang Hengqu　张横渠　参阅 **Zhang zai 张载**。

Zhang Henshui　张恨水(1895-04-24，中国江西广信[今上饶]～1967-02-15，北京)　又拼 Chang Hen-shui。中国小说家。原名张心远，笔名张恨水。祖籍安徽潜山县。小时酷

中国大百科全书出版社供图

爱文学。1915年出外谋生，在芜湖一报社当校对、新闻记者，1918年任《皖江日报》总编辑。1919年到北京，先后在几家报社任职。早期作品有《春明外史》(1924)、《金粉世家》(1926)等长篇小说，受到鸳鸯蝴蝶派的影响。1931年出版《啼笑姻缘》，轰动一时，曾被改编为电影、话剧、唱弹词。这一时期还有《夜深沉》、《落霞孤鹜》、《满江红》等长篇言情小说，多写市民与小知识分子阶层的悲欢遭遇。1936年，在南京与张友鸾共办《南京人报》。1938年到重庆，随后创作《石头城外》、《巷战之夜》(1939)、《蜀道难》、《大江东去》(1943)、《热血之花》(1946)等作品。多以抗日战争作小说背景，抗战胜利前后著有《八十一梦》(1943)、《魍魉世界》、《五子登科》(1947)等长篇小说，揭露当时社会黑暗与时弊。1949年后，张恨水曾任中国作家协会理事、中央文史馆馆员等职；改写了传说《梁山伯与祝英台》、《白蛇传》、《磨镜记》、《孟姜女》等。张恨水创作小说有120多部，故事情节曲折，继承了中国章回小说的传统，在语言、倾向、人物塑造上有所突破，为中国现代小说发展作出了贡献。此外，他还写有大量诗词、杂文。

Zhang Jian　张謇(1853-07-01，中国江苏南通～1926-08-24，南通)　又拼 Chang Chien。中国近代实业家、教育家，立宪派首脑人物。字季直，号啬庵。早年入淮军将领吴长庆军幕，与袁世凯结识。1894年中状元。中日甲午战争后同情维新运动，列名强学会，立志兴办实业和教育。1895年在南通创办大生纱厂，至1899年建成投产。后又创立垦牧、渔

中国大百科全书出版社供图

业、轮船公司、榨油厂、面粉厂、铁厂等。还举办了通州师范学校，通州女子师范学校和10余所职业学校，以及图书馆、剧场、医院等。称实业、教育为"富强大本"。热衷于请愿立宪运动，1906年发起成立预备立宪公会。1909年任江苏咨议局议长。1910年任中央教育会会长。辛亥革命后任南京临时政府实业总长，暗中与袁世凯函电联系，为其窃取政权声援。后组织统一党与国民党对抗。1913年任袁世凯政府农林商总长并全国水利局总裁。袁世凯称帝前夕辞官南归，继续从事实业与文化教育事业。1925年大生纱厂因负债被上海、金城等4家银行接管。次年于南通病逝。著有《张季子九录》、《柳西草堂日记》等。

Zhang Junmai　张君劢(1887-01-18，中国江苏宝山[今属上海]～1969-02-23，美国旧金山)　又拼 Chang Chün-mai。中国民国时期民主社会党主席。名嘉森，字士林，号立斋。6岁入私塾，12岁与其弟张嘉璈同入上海江南制造局广方言馆。17岁中秀才。1906年获宝山县公费留学日本，在早稻田大学攻读政治经济，次年加入梁启超在东京组织的"政闻社"。1910年毕业归国，次年任翰林院庶吉士。辛亥革命后，返宝山任县议会议长。1912年与张嘉璈等组织民主党，同年迎梁启超回国，创刊《少年中国》，指出袁世凯十大罪状。1913年赴德国留学，1915年回国后任上海《时事新报》总编辑。1917年任北京大学教授。1922年参加起草宪法，著《国宪议》，幻想在军阀统治下施行宪政。翌年在清华大学演讲人生观，在学术界引起"玄学与科学"的论战。1925年任政治大学校长。1928年在上海创办《新路》杂志。1932年与张东荪等在北平组织"中国国家社会党"，出版《再生》月刊，宣扬"国家社会主义"。1934年与张东荪创学海书院于广州，并在香港创《宇宙》周刊。1938年被选为国民参政会参政员；同年发表《立国之道》一书，阐述其政治观点。1941年参加组建"中国民主政团同盟"(1944年改称中国民主同盟)，任常务委员。1945年奉国民政府委派出席联合国会议，代表中华民国签署《联合国宪章》。1946年回国，出席在重庆召开的政治协商会议，参与起草宪法草案。同年8月，"中国国家社会党"与"中国民主宪政党"合并为"中国民主社会党"，他当选为主席，11月代表民社党参加蒋介石召开的国民大会。1949年在香港召开民社党中央常务委员会，决定与国民党领导的政府密切合作。此后讲学于世界各地，从事学术研究。1951年移居美国。1969年病逝于旧金山。张君劢自称"徘徊于学术、政治之间"，阐明儒学而不忽略实际政治。著有《明日之中国文化》、《新儒家哲学思想史》(上、下册)等。

Zhang junqiu　张君秋(1897-10-14，中国北京～1997-05-27，北京)　中国京剧演员。原名滕家鸣。祖籍江苏丹徒。母张秀琴为河北梆子青衣演员。幼年家贫，常随母客串演出。师从李凌枫学京剧青衣。15岁时在北京演出初露头角。先后与雷喜福、王又宸、孟小冬、谭富英、马连良等同台演出，声誉渐起。在此期间曾得尚小云、梅兰芳的教益，戏路愈宽。1942年组谦和社，自挑头牌，开始青衣唱腔的创新尝试；1944年，谦和社改组为秋社。1952年在北京组成北京市京剧三团，任团长。1956年与马连良、谭富英、裘盛戎等组成北京京剧团。1979年入中国戏曲学院。张君秋扮相雍容华贵，嗓音宽亮甜润。他善于在京剧旦脚传统唱腔的基础上，吸收其他行当及曲艺、歌曲的唱腔，创制出大量新腔。他的演唱音色绚丽，感情丰富，舒展自如，形成了华丽柔美、刚健清新的独特风格。表演身段端庄含蓄，自然率真。在化妆、服饰等方面，讲求色调同人物身份、处境的协调。在长期的艺术实践中，成功地塑造了谭记儿、崔莺莺、秦香莲等聪明秀丽、勇于同旧势力抗争的古代妇女形象。代表剧目有《望江亭》、《诗文会》、《西厢记》、《秋瑾》、《秦香莲》、《赵氏孤儿》等。著有《张君秋戏剧散论》。李炳淑、杨春霞、王婉华、等在演唱上都深受他的影响。曾当选中国人民政治协商会议第五届全国委员会委员，中国戏剧家协会副主席，中国戏曲学院副院长。

Zhang Junxiang　张骏祥(1910-12-17，中国江苏镇江～1996-11-14，上海)　又拼 Chang Chün-hsiang。中国剧作家、导演。笔名袁俊。1931年毕业于清华大学外文系，后留校任

中国大百科全书出版社供图

助教。1936年进美国耶鲁大学学导演，得硕士学位。1940年回国后，致力于戏剧教学和编导工作，曾在重庆、成都办剧团，导演过《蜕变》、《北京人》、《罗密欧与朱丽叶》等话剧，写

过《小城故事》、《万世师表》等剧本。抗日战争胜利后在上海、香港从事编导和教学工作，写了《乘龙快婿》、《还乡日记》等电影文学剧本。1949年由香港回到北京，历任上海电影局副局长、局长，文化部电影局副局长。写有电影剧本多种，导演过《翠岗红旗》、《燎原》等影片。1963年编导的影片《白求恩大夫》是他的代表作。论著有《关于电影的特殊表现手段》。

Zhang Juzheng　张居正（1525～1582）　又拼 Chang Chü-cheng。中国明朝大臣、政治家。字叔大，号太岳。江陵（今属湖北）人。嘉靖进士。隆庆元年（1567）入阁。1572年，神宗10岁即位，居正得太后及幼帝信任，为内阁首辅，总揽国政。时军政败坏，财政支绌，农民起义此伏彼起。居正大力整顿，1578年下

中国大百科全书出版社供图

令清丈土地，查出豪强地主隐瞒庄田，抑制土地兼并；推行一条鞭法，改革税制，合并税役按亩征银；裁汰冗员，抑勋贵，减开支；任用名将戚继光等治兵御边；用潘季训主持浚治黄河、淮河。朝政为之一新。死后赠上柱国，谥元忠。著有《张文忠公全集》45卷。

Zhang Liang　张良（？～公元前186）　又拼 Chang Liang。中国西汉初重要谋臣、政治家。字子房。祖父、父相继为韩昭侯、宣惠王等五世丞相。秦灭韩后，良结交刺客，图谋恢复韩国，在博浪沙（今河南原阳东南）狙击秦始皇未中。传逃亡下邳（今江苏睢宁北）时遇黄石公，得《太公兵法》。公元前209年聚众反秦，后归刘邦，为主要谋士。楚汉期间提出不立六国后裔，争取英布、彭越，重用韩信等策略，使项羽腹背受敌。刘邦攻取咸阳后，提出封存府库，还军霸上等建议，均为刘邦采纳。公元前201年封留侯。

陕西留坝县北张良庙
中国大百科全书出版社供图

Zhang Ling　张陵（34？～156？）　又拼 Chang Ling。中国东汉五斗米道创立者，又称张道陵，字辅汉。号张天师。沛国丰（今江苏丰县）人。原是太学生，后入蜀到鹤鸣山（四川省大邑县境）修道。自称太上老君"授以三天正法，命为天师"。作道书24篇，并传作《老子想尔注》。创立五斗米道或称天师道。尊老子为教主，奉《道德经》为经典。传有弟子300余人。其子孙世袭天师道法。

Zhang Lu　张鲁（活动时期3世纪）　中国东汉五斗米道代表人物。字公旗，沛国丰（今江苏省丰县）人。张陵之孙。191年在汉中建政教合一政权。自称"师君"，派"祭酒"治理各教区，并在管区内设"义舍"、"义米"、"义肉"，过路者可量腹取食。对人教以诚信不欺。对犯法者原宥三次然后用刑。犯小过的令修路100步。张鲁统治汉中近30年，为政宽厚，受到当地人和少数民族的拥护。215年曹操攻占汉中后，任张鲁为镇南将军，封阆中（今四川省阆中县）侯。后道教徒尊为"系师"。

Zhang Qian　张骞（？～公元前114）　又拼 Chang Ch'ien。中国西汉外交家。汉中成固（今属陕西）人。公元前139年奉汉武帝命出使西域，联络大月氏夹击匈奴。途中被匈奴拘禁11年，娶妻生子，但始终保持汉节。后逃脱，越葱岭，历大宛、康居和大月氏等中亚各国。返回时又为匈奴所执，扣留1年多。公元前126年才回到长安。后以校尉从大将军卫青击匈奴，有功，封博望侯。公元前119年又奉命出使乌孙，并派副使出使大宛、康居、大夏、安息等地。两次出使，加强了中原和西域各民族的联系，促进了汉朝与中亚各国的经济文化交流。

Zhang Qun　张群（1889-05-09～1990-12-14）　又拼 Chang Ch'ün。中国民国时期行政院长，台湾国民党党政要人。字岳军，四川华阳人。1908年春由保定陆军军官学校保送至日本留学。同年在东京加入同盟会。1911年武昌起义后回国，参加上海战役。1912年参加讨伐袁世凯，事败再赴日本继续完成陆军士官学校学业。1917年任职于广州大元帅府。后奉命返川，为西南大局奔走。1926年任国民革命军总司令部总参议。1928年任军政部政务次长、兵工署长，兼任上海同济大学校长。1929年4月任上海特别市长，5月当选国民党中央委员会委员。1933年7月任湖北省政府主席。1935年冬任外交部长。1937年2月任中央政治委员会秘书长，兼外交专门委员会主任委员。同年抗日战争爆发后，任军事委员会秘书长。1938年初，任行政院副院长兼委员长重庆行营主任。1939年1月任国防最高委员会秘书长。1940年11月任委员长成都行辕主任兼四川省政府主席。1945年抗战胜利后，参加国共重庆

中国大百科全书出版社供图

谈判。次年1月为执行停战协定，代表国民党参加三人军事小组。1947年春任行政院院长。次年5月辞职，任总统府资政；11月当选第一届国民大会代表。1949年2月任重庆绥靖公署主任，后改任西南军政长官。1950年任国民党中央评议委员。1952年在台湾创设"中日文化经济协会"，是台湾当局与日本方面合作的代表人物。1954～1972年任总统府秘书长。后任总统府资政。张群曾先后获美国伊利诺伊大学法学博士、韩国国立汉城大学法学博士、美国圣若望大学法学博士、韩国成均馆大学政治学博士、东吴大学文学博士等学位。著作有《中日关系与美国》、《对日言论集》、《谈修养》、《至德管窥录》等。

Zhang Ruifang　张瑞芳（1918-06-15，中国河北保定～2012-06-28，上海）　中国电影、话剧演员。在北平第一女子中学读书时为戏剧演出活动积极分子。1935年主演了著名

中国大百科全书出版社供图

街头剧《放下你的鞭子》，引起强烈社会反响。抗日战争爆发后到重庆从事戏剧演出，塑造了众多舞台形象，如《棠棣之花》中的春姑、《屈原》中的婵娟、《北京人》中的愫方、《大雷雨》中的叶卡捷林娜等。当时她与白杨、舒绣文、秦怡并称话剧界四大名旦。1947年首次在影片《松花江上》扮演重要角色，从此走上银幕。1951年，被调入上海电影制片厂，扮演《南征北战》中的民兵队长、《家》中的瑞珏、《李双双》中的李双双等。其中因《李双双》一片而荣获第2届百花奖最佳女演员奖。80年代，她又在影片《大河奔流》、《怒吼吧，黄河》和儿童片《泉水叮咚》中扮演重要角色。

Zhang Sengyao 张僧繇 又拼 Chang Sengyao。中国南朝梁画家。吴中(今江苏苏州)人。主要活动于6世纪上半叶。顾恺之、陆探微之后,吴道子以前二三百年间他的声誉最高,影响最大。从事艺术活动主要在梁武帝朝(502～549)。历官直秘阁知画事、右军将军、吴兴太守。擅作人物故事画、宗教画、肖像画与风俗画。梁武帝崇奉佛教,大建佛寺,常命他画壁。所绘佛像自成样式,有"张家样"之称,为雕塑者所楷模,是吴道子"吴家样"以前最广泛流行的中国风格。画梁武帝诸子"对之如面"。画古今中外各种人物的像貌、服饰都非常真实生动。作画题材广阔,骨

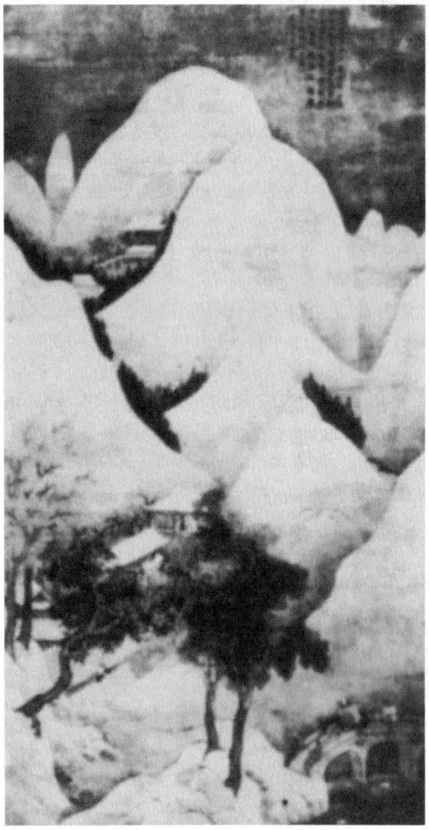

传为张僧繇绘《雪山红树》
中国大百科全书出版社供图

气奇伟,体势雄强,佛教人物面型较为丰腴健壮,故曰:"张得其肉,陆得其骨,顾得其神。"他还画过一些斗龙、斗虎、射蛟、跃马等惊险的战斗场景。他创造的"疏体"线描法,"笔才一二,像已应焉,离披点画,时见缺落,此笔不周而意周也"。他曾将晋代女书法家卫铄(272～349)《笔阵图》中的书法用笔方法融入绘画,使其更富于表现力。他还曾用天竺(今印度)法在一乘寺画过"凹凸花",引起人们的惊异,因而改称凹凸寺。这对以后的"没骨"画法与装饰图案的表现方法,都起过很大影响。他的真迹今已无存,但从北朝后期至盛唐以前许多比较丰腴壮硕的雕塑中,以至日本奈良法隆寺金堂西壁净土变相中,都可找到他的一些规范。论者以为"道子画、惠之塑、夺得僧繇神笔路",唐朝两位艺术家吴道子、杨惠之便是在张僧繇的艺术基础上向前发展的。

Zhang Shicheng 张士诚(1321～1367) 又拼 Chang Shih-ch'eng。中国元末起义领袖。

张士诚铸造的钱币"天佑通宝"
中国大百科全书出版社供图

小名九四。泰州白驹场(今江苏大丰)人。原为盐户。1353年率盐丁在淮东(今江苏北部)起兵反元。1354年拥众万余,据高邮,宣布建国,国号大周,自称诚王,年号天佑。1355年以后势力发展到浙西(今江苏南部和浙江北部)。1357年与朱元璋交战失利,投降元朝,割据浙西、淮东等地。1363年自称吴王。1367年为朱元璋所俘,在应天(今南京)自杀。

Zhang Tianshi 张天师 参阅 **Zhang Ling** 张陵。

Zhang Tianyi 张天翼(1906-09-10,中国江苏南京～1985-04-28,北京) 又拼 Chang T'ien-i。中国作家。原名张元定,号一之。原籍湖南湘乡。少年时代随家庭奔波,接触社会各阶层人物。1922年在《礼拜六》开始发表作品,1925年入北京大学预科班。次年于《晨报》副刊发表散文《黑的颤动》,开始用笔名"张天翼"。同年加入中国共产党。1928年写短篇小说《三天半的梦》,次年在《奔流》发表后,开始专门从事创作。1931年加入中国左翼作家联盟,1934年创作短篇小说《包氏父子》。抗日战争爆发后,与人共同发起上海市文艺界救亡总会,任《救亡日报》编委,1938年参加中华全国文艺界抗敌协会,当选为理事。4月发表短篇小说《华威先生》,是当时公认佳作。1944年带病离湘,后到成都。10多年间出版中、短篇小说集13种,长篇小说5部。其作品题材广泛,语言讽刺幽默,为30年代树立一种新的文风。他还擅长写儿童文学作品,1933年著有《大林和小林》、《秃秃大王》、

中国大百科全书出版社供图

《奇怪的地方》等。此外还写过许多评论文章。1950年到北京,先后任文学讲习所副主任、文联委员、作协书记处书记、《人民文学》主编等职。业余致力于儿童文学创作,其中《罗文应的故事》曾获全国儿童文学艺术创作一等奖。1979年起继续为中国文联全国委员会委员。1984年底被聘为中国作家协会顾问。张天翼作品以讽刺、幽默见长,语言生动,富有漫画手法。有10卷《张天翼文集》。

Zhang Tingyu 张廷玉(1672～1755) 又拼 Chang T'ing-yü。中国清代大臣。字衡成,号研斋。安徽桐城人。康熙进士。官至保和殿大学士,军机大臣,加太保。雍正时设军机处,是首任军机大臣之一,参与制订军机处各项规制。乾隆时晋封伯爵。督修《明史》,任总裁,至1735年成书。1749年以大学士衔退休。著有《澄怀园文存》等。

Zhang Wentian 张闻天(1900-08,中国上海南汇～1976-07-01,江苏无锡) 又拼 Chang Wen-t'ien。中国共产党第六、七届中央政治局委员,第八届中央政治局候补委员。又名洛甫。20年代初在南京参加新文化运动。后去美国留学。1925年参加中国共产党,同年被派赴苏联,先后在莫斯科中山大学和红色教授学院学习,兼做中山大学和共产国际东方部的一些工作。1931年2月回到上海,担任中共中央宣传部部长,9月被指定为临时中央政治局委员和政治局常委,成为以王明为代表的"左"倾冒险主义的执行者之一。

中国大百科全书出版社供图

1933年初他随中共中央机关从上海进入江西中央革命根据地。在1934年1月中共六届五中全会上当选为中央政治局委员和书记处书记,同年2月当选为中华苏维埃共和国人民委员会主席。10月参加长征。遵义会议前夕他支持毛泽东的主张,参与促成遵义会议的召开。在长征行军途中,中央政治局常委进行分工,由他代替博古负总责,他同张国焘的分裂主义进行斗争。到达陕北后,他协同毛泽东、周恩来、刘少奇、朱德等实现了中共从国内革命战争到抗日民族解放战争这一具有伟大历史意义的战略转变。抗日战争开始后他反对王明的投降主义。长征后长期兼任中共中央宣传部部长,中共中央马列学院院长等职。为中共中央起草过著名的遵义会议决议、瓦窑堡会议决议和民主共和国决议,发表过许多有影响的政治评论和思想评论文章。1945年在中共第七次全国代表大会上当选为中央委员,随后当选为中央政治局委员。抗日战争胜利后先后担任牡丹江地区的中共中央东北局代表,中共合江省委书记,中共东北局常委兼组织部长,东北财经委员会副主任,中共辽东省委书记等职务。

中华人民共和国建立后先后担任驻苏大

使和外交部第一副部长。1959 年在庐山会议上同彭德怀一起受到错误的批判，从此离开了外交岗位，从事社会主义经济建设理论的研究。他是中共八届中央委员和政治局候补委员，第一、二届全国人民代表大会的代表和常委。在文化大革命期间一度完全失去自由，在极端困难的情况下他坚持原则，顾全大局，坚决同林彪、“四人帮”进行斗争，写下了《无产阶级专政下的政治和经济》、《党内斗争要正确进行》等理论著作。

Zhang Xianzhong　张献忠（1606 ～ 1646）又拼 Chang Hsien-chung。中国明末农民起义领袖。字秉吾，号敬轩。延安卫柳树涧（今陕西定边东）人。曾为延绥边兵。1630 年率陕西米脂十八寨农民响应王嘉胤农民军举行起义，自号“八大王”。1635 年参加起义军各部首领荥阳大会后，与高迎祥配合，大举东征，破安徽凤阳，焚明皇陵，转战豫、陕、鄂、皖各地。1640 年率部进兵四川。1643 年取武昌，称大西王。旋克长沙，宣布三年免征钱粮，湘赣农民群起拥护。1644 年明朝亡，献忠再取四川，在成都建立大西政权，即帝位，年号大顺。大西政权曾开科取士，选拔贤能，严厉镇压明朝地方势力的反抗。1646 年率部迎战清兵，在川北西充凤凰山遭袭击，中箭牺牲，起义军大败。余部南下云贵，1662 年起义军最后失败。

Zhang Xiaoqian　张孝骞（1897-12-28，中国湖南长沙～ 1987-08-08，北京）　中国著名内科学家。1921 年毕业于湖南湘雅医学专门学校，获美国康涅狄格大学医学博士学位，1924 年到北京协和医学院内科工作。1926 年到美国约翰斯·霍普金斯大学医学院进修，1927 年回国，1932 年任内科副教授。1933 年又到美国斯坦福大学医学院进修。抗日战争爆发后回湘雅医学院任教授兼教务主任，后任院长。1946 年赴美国考察医学教育。1948 年回国，任协和医学院内科学教授及内科主任。1949 年后先后任中国医科大学副校长、中国医学科学院副院长和中国科学院学部委员，并主

中国大百科全书出版社供图

编《中华内科杂志》。他早年从事生物化学、代谢等研究。1926 年在美国建立了测定人体循环血容量的一氧化碳方法，并证实糖尿病酸中毒时血容量降低。以后又发现甲状腺功能亢进病人血容量增加，营养不良性水肿和肾病综合征病人血容量下降是血胶体渗透压降低所致。1930 年后研究消化系统，在协和创建国内第一个临床消化专业小组。首次在

张萱绘《虢国夫人游春图》
中国大百科全书出版社供图

中国采用组胺法化验胃液分泌，研究了发热、贫血和维生素 A 缺乏对胃酸分泌的影响，提出发热对胃液分泌功能有抑制作用的新观点。曾诊治许多疑难病和罕见病如希恩（又译席汉）氏综合征、间叶瘤等。主要著作有《测定循环血容量的一氧化碳法》（1928）、《糖尿病酸中毒时的血容量》（1928）、《发热和传染病时的胃液分泌》（1933）和《胃溃疡恶变的发生率》（1936）。

Zhang Xu　张旭（？～约759）　中国唐代书法家。字伯高，吴郡（今江苏苏州）人。官至金吾长史。能诗，工七言绝句。学书得笔法于其舅父陆彦远，彦远之父陆柬之（均书法名家）又是虞世南之甥。自汉以来，笔法一脉相

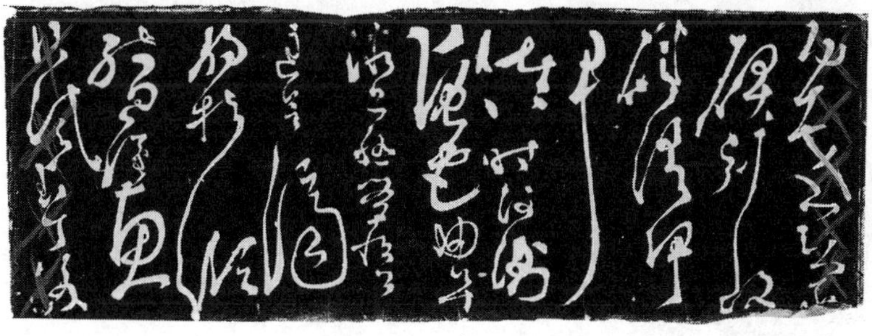

张旭书《千字文》
芝加哥菲尔德博物馆供图

传，至张旭更加发扬光大。张旭性情狂逸旷达，每大醉，则号呼狂走，索笔挥洒，其书法变化无穷，时人号为“张颠”。其《郎官石柱记》深得王羲之、虞世南神髓；其小楷《乐毅论》，亦虞、褚之流，其《得足下十五日帖》草书，神似王羲之；其《冠军帖》草书，长期被订为王献之。至于他超绝古今、逸势奇状、连绵回绕的狂草，亦是意兼篆籀，法度具在。除学习前人外，自言始见公主担夫争道，又闻鼓吹而得笔法；观公孙（大娘）舞剑器而得其神。当时评价在欧、虞、褚之上。杜甫、韩愈有诗文对他极为赞美。颜真卿、韩滉、徐浩、怀素均系其弟子。吴道子绘画的用笔，亦深受其影响。唐文宗时，诏以李白诗歌，斐旻剑舞，张旭草书为三绝。其狂草今有《肚痛帖》、《千字文》石刻与《古诗四帖》墨迹，近人或对之质疑，但理由尚不够充足。

Zhang Xuan　张萱　又拼 Chang Hsüan。中国唐代（618 ～ 907）画家。京兆（今陕西西安）人。唐玄宗开元年间（713 ～ 741）史馆画直，后曾在太府寺任职。工画人物，名冠当时，尤以仕女画称绝，与周昉并行，见重于中国绘画史。他善将亭台、树木、花鸟、鞍马等与人物活动组合在一起，成就很大。所绘仕女反映了唐代昌盛时期上层社会妇女丰硕富丽的真实形象。他的《长门怨词意图》、《宫中乞巧图》、《望月图》等，不只同情失宠的后妃，更描绘出众多宫女长期禁闭深宫的幽怨。存世作品《捣练图》、《虢国夫人游春图》均传为宋徽宗摹制。前者现藏美国波士顿美术博物馆。构图、造型、色彩、线条均有独到；整个画面很有气派，既典重，格调又高。后者风格略同于前者，因在行进之中，故显得更加生动流畅。二图可称为工笔重彩的典范。即以设色而论，前图之中暖色只是点缀，而全图却取得大设色重彩的效果；后图中马鞍鞯的小鸟是把石色当作水色使用，技法高妙。至于二图中衣服、地毯、马鞍鞯上的花纹图案则是研究中国古代染织艺术的重要参考资料。还有《唐后行从图》传世，可见中国历史上著名女皇帝武则天的形象，也可看到画家善于布置景物的高超技艺。

Zhang Xueliang　张学良（1901，中国辽宁海城～ 2001，美国夏威夷）　又拼 Chang Hsüeh-liang。中国国民党军队爱国高级将领，西安事变的发动者。字汉卿。奉系军阀首领张作霖的长子。1928 年张作霖被日本军人炸死后就任东三省保安总司令，开始统治东北。为抵制日本侵略，同年 12 月宣布服从南京国民政府，任东北边防司令长官，陆海空军副司令。1931 年“九一八”事变后被解除副司令职，改任北平绥靖主任。1933 年日军攻占热河后，蒋介石、张学良受到全国舆论谴责，张代蒋受过引咎辞职。1935 年奉命率军到中国西北与红军作战。在全国人民要求停止内战实行抗日的呼声日益高涨的形势下，张面对既不能抗日复土，而“围剿”红军又屡遭失败的严峻现实，毅然改变态度，接受中国共产党的“停止内战，一致抗日”主张。1936 年 12 月 12 日与杨虎城在西安扣留蒋介石，逼蒋与中共合作抗日，史称西安事变。事变结束后亲

中国大百科全书出版社供图

送蒋回南京，从此被软禁。1946年召开的政治协商会议上中共曾提出释放张学良，没有成功。后国民党撤往台湾，蒋将张转至台湾继续软禁。1988年蒋经国逝世后逐渐获得人身自由，多次公开表示希望祖国早日统一。1993年先后受聘为东北大学名誉校长、哈尔滨工业大学名誉理事长。1995年离台，侨居美国。

Zhang Xun　张勋（1854～1923-09-12）　又拼 Chang Hsün。中国清末民国初年军阀。字少轩。江西奉新人。1895年参加袁世凯小站练兵，任工兵营管带。后历任副将、总兵、提

1917年7月张勋复辟帝制，北京街头又挂龙旗
中国大百科全书出版社供图

督。1911年武昌起义后在南京顽抗革命军，后退守徐州。中华民国成立后禁所部剪辫子，以示忠于清室。1913年奉袁世凯命率部进攻国民党讨袁军，攻占南京，任江苏督军。不久改任长江巡阅使，驻徐州。1916年任安徽督军。袁世凯死后加紧策划复辟清室。1917年利用黎元洪和段祺瑞的矛盾率“辫军”入京，逼黎解散国会。7月1日发动复辟，拥12岁的溥仪登基，自封为议政大臣兼直隶总督和北洋大臣。复辟消息传出后，全国舆论一致声讨。7月12日被段祺瑞军击败，被通缉。后病死天津。

Zhang Yanyuan　张彦远（约815～?）　中国唐代书画理论家和书法家。字爱宾，蒲州猗氏（今山西临猗）人。出身于宰相世家，家藏甚富，使他能接触到许多重要的书画真迹，著有《历代名画记》和《书法要录》。《历代名画记》成书于大中元年（847），书中汇集整理了前人的绘画理论和历史著作，并记述了自己的见解。全书10卷，内容包括对绘画历史发展概况的叙述，有关书画鉴识收藏方面的叙

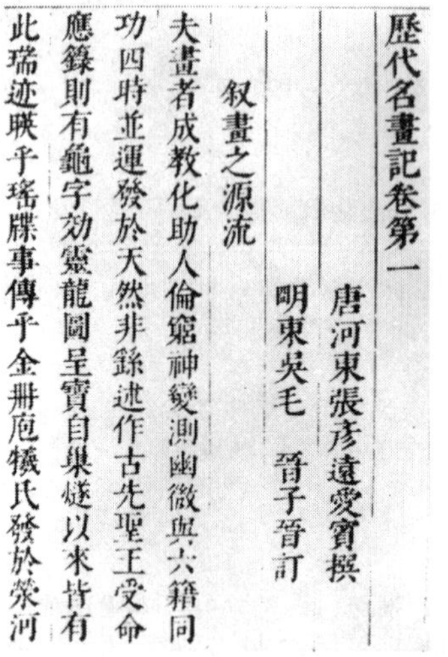
歷代名畫記卷第一
唐河東張彥遠愛賓撰
明東吳毛　晉子晉訂
敘畫之源流
夫畫者成教化助人倫窮神變測幽微與六籍同功四時並運發於天然非繇述作古先聖王受命應籙則有龜字效靈龍圖呈寶自巢燧以來皆有此瑞迹映乎瑤牒事傳乎金冊庖犧氏發於滎河

张彦远著《历代名画记》书影
中国大百科全书出版社供图

述，以及841年以前370余名画家的传记。张彦远阐发了谢赫的六法论并提出自己的见解，第一次分析了六法的相互关系，认为构思、构图关系作画全局，经营位置是画之总要，而画家的临摹能力则比较次要。强调风骨气韵，进一步说“夫像物必在于形似，形似须全其骨气，骨气形似皆本于立意，而归乎用笔”，他要求绘画追求形似之外的表现。并提出自然、谨、妙、精、谨细五个等级标准，要求意在笔先、画尽意在。画家传记部分占全书一半，旁征博引较客观地综述了前人对历代画家的记述并阐明了自己的评价，记述了画家生平、著述和作品。《历代名画记》是第一部绘画通史，发挥了史论结合的传统，保留了不少佚书的片断，是研究远古至唐代绘画发展的重要史籍。

Zhang Yuanji　张元济（1867-10-25，中国广东～1959-08-14，上海）　中国出版家。字筱斋，号菊生。原籍浙江海盐，从小接受儒家传统教育。1889年（光绪十五年）中举人，1892年中进士，任翰林院庶吉士。1894年任刑部

中国大百科全书出版社供图

主事，1896年改任总理各国事务衙门章京。1898年戊戌变法为光绪皇帝召见，变法失败后被革职。1899年在上海任南洋公学译书院长，选译国外的政治、军事、法律、商业等方面书籍，后任公学总理。1901年投资商务印书馆，并主持该馆编译工作。后历任编译所所长（1903～1916）、经理（1916～1920）、监理（1920～1926）、董事长（1926～1959）。曾主持编纂《最新教科书》，为中国废科举、兴学校提供优秀教材；主编《外交报》，创办《东方杂志》、《小说月报》；创建涵芬楼，后扩充为规模宏大的东方图书馆，1932年被入侵日军炸毁；主持影印出版《四部丛刊》、《续古逸丛书》、百衲本《二十四史》三种丛本610种，近2万卷，规模空前，且均为最佳版本，开创了近代技术影印古籍之先河。在他主持下，商务印书馆成为中国最大的出版机构。1948年任中央研究院院士。张元济精于版本目录校勘之学，著有《涵芬楼烬余书录》（1951）、《宝礼堂宋本书录》（1939）、《涉园序跋集录》（1957）、《张元济傅增湘论书尺牍》（1983）、《张元济日记》（1981）和《张元济书札》（1981）。

Zhang Yuzhe　张钰哲（1902-02-16，中国福建福州～1987-07-21，江苏南京）　中国天文学家。17岁考入清华大学堂。21岁考入美国康奈尔大学建筑系，两年后考入芝加哥大学，24岁在该校天文系毕业后到叶凯士天文台工作，27岁获博士学位。1929年回国任中央大学物理系教授兼中央研究院天文研究所特约研究员，后升任该所所长。1946～1948年再度去美国从事交食双星光谱的研究。1950～1984年任中国科学院紫金山天文台台长。曾任中国天文学会理事长。1928年用美国叶凯士天文台的60厘米反射望远镜发现第1125号小行星，并将它命名为中华。1950年以后，在他的领导下，紫金山天文台行星室长期从事小行星的发现和研究，发现了数以百计的小行星，并开展了用光电测光方法测定小行星光变周期的工作。一生5次参加日全食观测，其中有3次取得丰硕成果。在中国率先应用天体力学基础理论研究人造卫星轨道问题。毕生发表论文、报告近60篇，并出版多部天文学科普著作。为表彰张钰哲，1978年8月国际小行星中心把哈佛天文台1976年发现的，编号为2051的小行星命名为Chang（张）。

Zhang Zai　张载（1020，中国长安［今陕西西安］～1077）　又拼 Chang Tsai。中国北宋哲学家。字子厚。原籍大梁（今河南开封），随父侨寓于凤翔郿县（今陕西眉县）横渠镇，故又名张横渠。早年学兵法，作过县令，后入朝任崇文院校书。不久回横渠讲学，世称横渠先生。横渠地处关中，故其学派被称为“关学”。在哲学上批判佛家“一切唯心”和道家“有生于无”的观点，认为“气”是万物本原，气的聚散形成万物，并说气处于永恒运动中。又肯定性是气所固有，提出“天地之性”与“气质之性”相区别，主张“气质之性”返回到先天的“天地之性”。在认识论上承认“见闻之知”（感性知识），但又强调存在先验的“德性所知”。张载哲学对明代王廷相和明清之际王

中国大百科全书出版社供图

夫之有很大影响。主要著作有《易说》、《正蒙》，并有弟子整理的《语录》、《理窟》。明代沈自彰将张载著作编为《张子全书》，中华书局近以《张子全书》为底本编定《张载集》。

Zhang Zao 张璪 又拼 Chang Tsao。中国唐代（618～907）画家。璪一作藻。字文通，吴郡（今江苏苏州）人。活动于8世纪中后期。受知于宰相刘晏与王缙。曾任检校祠部员外郎、盐铁判官。擅写山水树石，长于破墨，尤工画松。所画山水，当时列入神品，高过王维、王宰。画树木时能同时手握双管，一为生枝，一为枯枝，气傲烟霞，势凌风雨。以画树石有盛名的毕宏看到他的才艺惊叹不已，因问所受。璪以"外师造化，中得心源"作答，毕宏于是搁笔不画。在唐代，树石画成就最高的是张璪。所谓"树石之奇，妙于韦偃，穷于张文通"。张璪便是用水墨技法将山、水、树、石奇妙地融会在一起，奠定了中国水墨山水画长期发展壮大的牢固基础。至于他答毕宏问的八字名言，更明确解决了山水画创作方法的重大问题，长期指导着中国山水画的发展。他曾自撰《绘境》一篇，言画之要诀，已佚。其绘画作品今亦无存。

Zhang Zeduan 张择端 又拼 Chang Tseh-tuan。中国北宋（960～1127）画家。字正道，东武（今山东诸城）人。宋徽宗（1101～1125）时为宫廷画家。幼读书游学于京城汴梁（今河南开封），后学习绘画，工于界画，尤于舟车、市桥、郭径，自成一家。画有《西湖争标图》、《清明上河图》。今《清明上河图》尚存，是一幅具有重要历史价值的风俗画长卷。北宋末汴京繁华，更逾往日，有人口约80万。画家成功地描绘出汴京城内及近郊在清明时节社会上各阶层的生活景象。主要表现的对象是劳动者和小市民。他还完美地描绘出无名匠师心血结晶的"虹桥"或"下土桥"的建筑图样。对人物、建筑物、交通工具、树木、水流之间的相互关系的处理非常巧妙，整体感很强，是《东京梦华录》、《圣畿赋》、《汴都赋》等著作的最佳图解，具有极大的考史价值。不只继承发展了久已失传的中国古代风俗画，尤其是继承了北宋前期《七夕夜市》、《淮扬春市》、《舶船渡海》等历史风俗画的优良传统。在靖康难起，汴京残破，宋室南渡之后，南方出现此图的摹本很多，更能引发人们的江山故国之思，激励人们的爱国主义思想感情。根据各种摹本互相参证，此图似非戛然而止，短缺部分可能占三分之一左右。此后历代绘制的都市风俗画，无不受其影响。

张择端绘《清明上河图》（局部）
中国大百科全书出版社供图

Zhang Zhi 张芝（？～约192） 又拼 Chang Chih。中国东汉书法家。字伯英，敦煌酒泉（今属甘肃）人。有征不仕，学书极勤，最擅章草，将章草书法艺术发展成为一种具有独立欣赏价值的艺术门类。三国魏韦诞尊他为"草圣"。其后王羲之对他和钟繇极为敬佩，认为"其余不足存"。梁武帝评其书"如汉武爱道，凭虚欲仙"，借此可以想见章草威严而又飘逸的体势。他的作品传世极少，唐太宗故有"无复余纸"之叹。其后，唐张怀瓘提出他还是今草的创始人，并指出其与章草不同之处是："章草之书，字字区别；而今草之体势，一笔而成，偶有不连，而血脉不断。"他曾著有《笔心论》5篇，已佚。其弟张昶亦善章草，人称"亚圣"。其姊之孙索靖，亦以章草称绝。今张芝有《秋凉平善帖》，索靖有《月仪帖》等传世。

Zhang Zhidong 张之洞（1837-09-02～1909-10-04） 又拼 Chang Chih-tung。中国清末重臣、洋务派代表人物。字孝达，号香涛，又号香严，晚年自号抱冰老人。直隶南皮（今属河北）人。同治进士。历任翰林院编修、侍读、侍讲学士、内阁学士。是"清流派"重要成员。1881年末出任山西巡抚。1884年中法战争时升任两广总督。起用冯子材在广西边境击败法军。在总督任内设广东水陆师学堂，办枪炮厂，开矿务局，立广雅书院。1889年调任湖广总督，开办汉阳铁厂、湖北枪炮厂，设湖北纺织官局，创办两湖书院，筹办芦汉铁路。1894年代替刘坤一为两江总督。中日《马关条约》议订时上疏阻议和，要求变陈法，除积

贝特曼档案馆供图

弊。仿德国营制在江宁（今南京）练江南自强军，设武备、农工商、铁路、方言、军医诸学堂，筹款造船。1895年8月强学会成立时捐五千金，上海强学分会成立时被推为会长。旋回湖广总督任。1898年4月撰《劝学篇》，斥维新思想为"邪说"，提出"旧学为体，新学为用"，反对戊戌变法。1900年义和团运动爆发时力主镇压。在英国策划下与两江总督刘坤一倡办东南互保，与外国驻上海领事订立《东南互保章程》。张之洞曾镇压两湖反洋教斗争和唐才常自立军起义。1902年再署两江总督。1907年调任军机大臣，兼管学部。遗著辑为《张文襄公全集》。

Zhang Zhongjing 张仲景（150～219） 又拼 Chang Chung-ching。中国东汉医学家。名机。南阳（今属河南）人。以精通传染病和内科杂病医术闻名于世。曾总结前人医疗经

中国大百科全书出版社供图

验，归纳不同传染病的共性和用药规律，倡六经分证和辨证论治原则。还收集许多有效方剂，医疗效果显著，被中国医家尊为"医中之圣"。著有《伤寒杂病论》（经后人整理成《伤寒论》和《金匮要略》），内容以六经辨证为纲，方剂辨证为法。对中国医学发展有重大贡献。近年中国中医界建立了仲景学说研究会。中日两国学者都在探讨他的医学奥秘。

Zhang Ziping 张资平（1893-04-09，中国广东梅县～1959-12-02，安徽） 又拼 Chang Tsu-p'ing。中国作家。1911年留学日本。先后就读于同文书院，第一高等学校。1914年进东京帝国大学地质学系，但兴趣在文学方面。1919年创作《冲积期化石》，1921年完成，为中国现代文学的第一部长篇小说。它针砭时弊，带有民主倾向。1921年与郭沫若等人组

织创造社，次年回国后脱离该社，在武昌师范大学等校教地质学。两年后辞职到上海，专事创作，以写青年男女性爱小说知名，前后出版有30多部小说。早期作品通过写两性关系还能反映一些社会问题。如《她怅望着祖国的天野》，表达作者对弱者的人道主义同情，曲折反映了留日学生怀念祖国的情绪。有的作品写因社会地位悬殊引起的恋爱悲剧。但这类作品为数不多，大量作品是写男女间性爱生活、三角恋爱，甚至变态的纵欲乱伦，故有"三角恋爱小说作家"之称。1927年在上海任大学教授。1928年在上海开书店、办杂志，刊印自己作品。张资平的主要作品有短篇小说集《爱的焦点》、《雪的除夕》、《不平衡的偶力》（1924）；中篇小说有《飞絮》（1926）、《苔莉》（1926）、《长途》、《上帝的儿女们》（1931）、《新红A字》（1944）等；译作有《文艺新论》（日本滕森成吉著）；专著有《欧洲文学史纲》等。抗日战争期间留居上海，在南京汪精卫伪政权中任职。抗战胜利后以汉奸罪被判刑。

Zhang Zuolin　张作霖（1875-03-19～1928-06-04）　又拼 Chang Tso-lin。中国民国初期北洋军阀奉系首领。字雨亭。奉天（今辽宁）海城人。出身绿林，1902年受抚为清军管带。1911年辛亥革命中与赵尔巽合谋镇压革命，

中国大百科全书出版社供图

累次擢升。1916年任奉天督军兼省长。1918年任东三省总督。在日本支持下长期统治东北。1924年打败直系军阀后控制北洋政府。1926年任安国军总司令反共讨赤，次年4月杀害共产党人李大钊等和进步人士。6月称中华民国军政府陆海军大元帅。1928年为"北伐军"击败，6月4日乘火车退回东北时在皇姑屯被日本关东军预埋的炸药炸成重伤，当日去世。

Zhangchu　张楚　中国秦末农民起义领袖陈胜建立的政权。公元前209年陈胜率起义军攻克陈县（今河南淮阳）后建立。陈胜自立为王，国号张楚，任命吴广为假王。设上柱国、将军等官职。次年陈县失守。陈胜为叛徒庄贾杀害。后陈胜部将吕臣组织苍头军收复陈县，恢复楚政权。同年项梁在盱台（今江苏盱眙东北）拥立楚怀王，吕臣归其统属，楚政权结束。

Zhangdian（China）　**张店**　参阅 **Zibo 淄博**。

Zhanghua　彰化　又拼 Chang-hua。中国台湾省的县辖市，彰化县政府所在地。面积65.7平方千米。位于台湾西岸中部。17世纪是汉族大规模开发台湾的前哨。1734年筑城，成为台湾中部的重要市场和商业中心。日本侵占时期（1895～1945）繁荣程度超过台中市。现为铁路枢纽，纵贯铁路山线与西部平原的海线在此交会，也是甘蔗、稻谷、凤梨、柑橘及其他水果的集散地。主要工业有食品、化学、机械和纺织等。台湾省公立教育学院设在该市。市东的八卦山顶上有大佛寺和宝塔，寺前的巨佛高21.6米，是世界最大的佛像之一。人口227 715（1999）。

Zhanghua　彰化　又拼 Chang-hua。中国台湾省西岸中部县。县治设彰化市。旧称半线社。清初属诸罗县，雍正元年（1723）设县。日本占据时属台中。1945年台湾光复后，1950年复设县。面积1 047.4平方千米。是台湾岛上地少人稠的县。境内除东南部的八卦山外，大部为肥沃的三角洲冲积平原。浊水溪和大肚溪分别在南部与北部边境入海。其间水系众多，鹿港溪、麦屿厝溪等均顺地势自东南流向西北。农业灌溉发达，盛产水稻，素有台湾"米仓"之称。油菜籽、亚麻产量为全省第一，并产甘蔗、柑橘、花生、甘薯、玉米、小麦等。家畜、家禽饲养业兴旺。农产品加工业兴盛，有碾米、制糖、食品罐头、纺织、造纸等工业。全省最大的乳制品厂设在该县。矿藏资源有石棉和大理石。手工业、手工艺品有金属工具、雕刻、竹帘、石砚、草席、羽毛制品、装饰品、玩具等。铁路、公路交通便捷，水运仍用鹿港。彰化市东八卦山有大佛寺和宝塔。人口约1 255 000（2004）。

Zhangjiagang　张家港　中国江苏省县级市。在省东南部，长江南岸。1962年析常熟县西北部和江阴县东北部置沙洲县，1983年划属苏州市。1986年撤县建市，改名张家港市。辖杨舍、塘桥、凤凰等8镇及常阴沙农场。面积813平方千米。地处长江三角洲沿江平原，农业发达，农作物以水稻、麦类、棉花、花生、油菜为主，为国家优质棉花生产基

张家港市的商业步行街
中国大百科全书出版社供图

地。家畜家禽饲养业、桑蚕饲养业和水产养殖业遍及各乡镇。乡镇企业兴起较早，拥有轧钢、机械、汽车配件和装配、橡胶、化肥、农药、纺织、服装、针织、塑料等部门。有公路和内河航道通上海、苏州、无锡、常熟、江阴等市。沿江的西界港和十一圩与南通市间均设有汽车轮渡，为苏南、苏北交通要津。市西北隅港区镇的张家港，是中国长江下游新建的对外贸易口岸。这里岸线顺直，长达5.5千米。港阔水深，河床稳定，深航道宽达400米，岸外有双山沙屏蔽，风平浪静。1968年始建，1973年正式开港，1982年对外开放。长江下游海轮、江轮和内河航船联运换货港口。外贸出口物资主要有苏州、无锡、常州三市及其所属市县的丝绸、棉布、服装、工艺品、土特产品和畜产品等，进口物资以木材、钢材、化肥、杂货等为大宗。来自秦皇岛、青岛、连云港的煤船均在此卸货，转运上海、苏州、无锡、常州等城市。年货物吞吐量已超过1亿吨。204国道纵贯南北。1992年于港区东侧建立张家港保税区，它有利于与上海浦东开发区接轨，加快长江流域的开发。市区古黄泗浦，今名恬庄，是唐代鉴真和尚第六次东渡日本时的启航地。全市人口870 000（2005）。

Zhangjiajie　张家界　中国湖南省辖地级市。位于省境西北部枝柳铁路线上。地处武陵山区，地势由西北向东南递降。境内群山起伏，岗峦林立，天门山、七星山、朝天关等山峰皆在1 000米以上。中部是澧水河谷平原。有大小河流20余条，澧水由西向东流贯市境。矿藏有煤、铁、铅、锌、磷、重晶石等。秦（公元前221～前206）属黔中郡慈姑县，三国（220～265）吴在今市境东置溇中县，南朝梁以后废。明洪武二十二年（1389）设永定卫，清雍正十三年（1735）改设永定县，1913年更名为大庸县。1985年撤县建市，1988年升为省辖市。1994年大庸更名张家界市。辖永定、武陵源2个区和慈利、桑植2县。面积9 516平方千米，其中市区面积2 572平方千米。有少数民族约70余万，主要是土家族和苗族。农产有稻谷、玉米、苎麻、柑橘、茶叶等。大庸毛尖和龙虾茶系中国名茶，"菊花蕊柚子"享有盛名。工业产品有氮肥、棉布、纸张、纤维板等。枝柳铁路贯穿市境，公路运输比较方便，澧水四季可通航。新兴旅游胜地，风景名胜有**武陵源**（**Wulingyuan**）风景区、誉称"武陵之魂"的天门山、誉称"百里画廊"的茅岩河，以及普光禅寺、玉皇洞石窟、飞潭瀑布等。其中武陵源国家级风景名胜区于1992年被联合国教科文组织列为世界遗产。人口：全市1 580 000（2005）；市区470 000（2004）。

Zhangjiakou　张家口　又拼 Chang-chia-k'ou 或 Kalgan。中国河北省辖地级市。位于省西北部，长城南侧，北靠坝上高原，南处洋河盆地，历来是坝上、坝下的重要通道和隘口。境内多山，属寒温带大陆性季风气候，年均温度7.5℃，年降水量400毫米，无霜期短，多风。西汉（公元前206～公元25）置广宁县，西晋废。明宣德四年（1429）始筑城堡，嘉靖八年（1529）后称张家口。清雍正二年（1724）置张家口厅。民国初为万全县治。1928年为察哈尔省省会。1939年设张家口市。1945年为晋察冀边区政府所在地。1948～1949年为内蒙古自治区人民政府驻地。1952年察哈尔省撤销后，划归河北省。辖桥东、桥西、宣化、下花园4区及宣化、康保、张北、阳原、赤城、沽源、怀安、怀来、崇礼、尚义、涿鹿、万全、蔚县13县。面积36 829平方千米，其中市区面积845平方千米。历史上是军事重镇和北方蒙

张家口市一角

中国大百科全书出版社供图

汉民族贸易的商业中心。清咸丰十年(1860)开放对俄贸易,中国茶叶大量经此输往西伯利亚等地。1911年京包铁路京张段通车后,有商号7 000家,上千峰骆驼组成商队,贸易盛极一时。铁路西延至呼和浩特后贸易地位下降,1949年以后又得到发展。已建有机械、冶金、煤炭、钢铁、化工、建材、电子、毛纺、皮革、造纸、食品等工业部门。是河北省机械工业基地,主要生产矿山、地质工程、采掘等重要机械,产品销往国内外。毛纺、皮革业有传统特色,素有"皮都"之称。下花园区的煤炭和宣化区及庞家堡的钢铁在河北省占有一定地位,有两条铁路支线通往矿区。轻工业中卷烟、啤酒、合成洗涤剂的产量长期居全省首位。郊区畜牧业较发达,传统产品有"口皮"、"口蘑"等。京包铁路、大秦铁路和京张高速公路纵贯全境,是连接京、冀、晋、内蒙古的交通枢纽,并有110、112、207等国道过境。有河北北方学院、河北建筑工程学院等高等院校。市区北部外长城的大境门建于清代,是通往塞外的重要关隘。背靠朝山和卧云山的水母宫和市区西部赐儿山上的云泉寺等是该地主要游览胜地。人口:全市4 500 000(2005);市区850 000(2004)。

Zhangshu 樟树 中国江西省县级市。位于省境中部,袁水入赣江的汇流处。扼江西水陆要冲,占有"八省通衢"之称。地形以低丘和平原为主。气候温暖,河流众多。地下岩盐储量达1 000多万吨,为中国江南之最。面积1 287平方千米。五代南唐升元二年(938)析高安、新淦(今新干县)地置清江县,治所在今临江镇。因滨赣江水清见底故名清江。1950年移治樟树镇。1988年撤销清江县,设立樟树市。农业较发展,是江西省粮食、棉花、油料、柑橘重点产区之一。有杉、樟、松、竹等大量林产品。工业有采煤、机电、建材、制药、酿酒、农产品加工等部门,其中药、酒、盐为三大优势产品。交通发达,浙赣铁路斜穿市区中部,有矿区专用铁路线纵贯北部。赣粤公路等可通往省内外。赣江常年通航,并与长江航道相连。樟树历为中国南方中药材集散地,号称"药都"。古迹有鸣水桥、大观楼、万寿宫等。距市中心20千米的阁皂山,为中国道教胜地。特产有三湖红橘、四特酒、枳壳、樟木箱。人口536 000(2003)。

Zhangsun Wuji 长孙无忌(?~659) 又拼 Chang-sun Wu-chi。中国唐代(618 ~ 907)初期大臣。唐太宗长孙皇后之兄。字辅机。河南洛阳人。先世为后魏拓跋氏,后改姓长孙。早年协助唐太宗夺取皇位。贞观年代,历任尚书右仆射、司徒、太尉,封赵国公,执政30年;又监修国史。后在反对武则天斗争中失败,被许敬宗诬构"谋反"罪流放黔州(今四川省彭水、黔江地区),逼令自缢,全家籍没。与房玄龄等据隋代《开皇律》修订撰成《唐律疏议》30卷,阐释著名唐律《永徽律》,为中国现存最古、最完整的封建刑事法典,影响深远。

Zhanguo Qixiong 战国七雄 参阅 Warring States Period 春秋时期。

Zhangye 张掖 中国甘肃省辖地级市。位于省西北部巴丹吉林沙漠南缘、祁连山北麓,河西走廊中段里河中游最大的绿洲上。原名甘州。北沿弱水通蒙古戈壁,南经祁连山隘口到青海高原,并倚长城,形势险要。为历代边防要镇,也是中国古代丝绸之路上的商业中心。张掖是227国道起迄点,并有312国道与兰新铁路过境。汉置觻得县,为张掖郡治。晋改永平县,西魏废帝三年(554)为甘州治。隋大业二年(606)始称张掖县。唐后并入吐蕃。清雍正二年(1724)复置张掖县,为甘州府治。1913年废府留县。1958年改张掖市,1961年复改县。1985年再改张掖市。2002年撤张掖地区和县级市,设地级市。辖甘州区和民乐、临泽、高台、山丹4县及肃南裕固族自治县。面积40 874平方千米,其中市区面积4 240平方千米。市境所在绿洲有"塞上江南"和"金张掖"之称。物产丰盛,有小麦、稻、谷子、豆类、瓜果、蔬菜等。工业以地方中小企业为主,有电力、煤炭、化学、机械、纺织等部门。河西走廊粮棉和青海东部畜产品在此集散。文物古迹有明水乡汉黑水国城址;城内有建于西夏永安元年(1098)的大佛寺,寺内有长34.5米的释迦牟尼卧佛塑像;还有建于隋开皇二年(582)的木塔及明鼓楼等。人口:全市1 280 000(2005);市区500 000(2004)。

Zhangzhou 漳州 又拼 Chang-chou。中国福建省辖地级市。中国历史文化名城。位于省南部。博平岭盘踞西部和北部,一般海拔800米,自西向东递降。东北部为九龙江下游冲积平原,河谷宽展,是福建沿海最大的平原。东南部主要是丘陵、台地和小型平原。海岸线曲折,港湾岬角多。沿海岛屿星罗棋布,最大的为东山岛,面积188平方千米,已建八尺门海堤与大陆相连。市区位于九龙江下游的海积平原,平坦开阔、河网密布,有温泉56处。南朝梁天监中置龙溪县。唐乾元二年(759)徙漳州和龙溪县治所于今漳州市区。宋代成为重要对外贸易港口。明代对菲律宾贸易兴盛,输出丝织品和糖。后因入海河道淤积,海上贸易地位被厦门取代。元至元十八年(1281)升漳州为漳州路,明洪武元年(1368)改为漳州府。1913年废府存龙溪县。1951年以龙溪县城及近郊建漳州市,属龙溪地区。1985年撤地区改省辖市。辖芗城、龙文2区和南靖、诏安、漳浦、华安、东山、长泰、云霄、平和8县,并代管龙海县级市。面积12 888平方千米,其中城区366平方千米。属南亚热带湿润气候。农业以稻谷、甘蔗、黄麻、花生为主。水果品种繁多,以天宝香蕉、漳州芦柑和浦南柚子著名,有"水果之乡"美誉。四季花卉争艳,以水仙花闻名。市区是九龙江中下游农产品集散中心。工业有食品、制糖、纺织、机械、造纸、化学等。交通发达,除九龙江水运外,鹰厦电气化铁路横贯市境并有支线连市区,319、324国道和厦漳、漳诏、漳龙高速公路等过镜。市内古迹较多,有唐古刹南山寺、开漳圣王陈元光将军墓、华安土楼等。市境辟有滨海火山地质公园和面积61公顷的红树林自然保护区。人口:全市4 560 000(2005);市区520 000(2004)。

Zhanjiang 湛江 又拼 Chan-chiang, Tsam-kong。中国广东省辖地级市。位于省西南部,雷州半岛上。辖赤坎、霞山、坡头、麻章4区及徐闻、遂溪2县,并代管廉江、雷州、吴川

湛江港输油码头

中国大百科全书出版社供图

3县级市。全市面积12 490平方千米,其中市区面积1 360平方千米。旧称广州湾。原属遂溪、吴川两县地,清光绪二十四年(1898)为法国强占,1943年被日本占领。1945年抗日战争胜利后收回,改置省辖市。因南北朝有椹县,隋改椹川县,后据椹川名,以椹作湛,释川

为江,定名湛江。1958年改为县级市。1983年撤湛江地区,升为省辖地级市。1984年辟为沿海开放城市。市境大部地处雷州半岛,多为台地和丘陵。农产有稻谷、花生、甘薯、甘蔗、红黄麻等。盛产剑麻、菠萝、胡椒、橡胶等,为广东热带作物生产基地。渔业、畜牧业发达。"雷州黄牛"、"徐闻山羊"是中国优良家畜品种。市区在雷州半岛东北部,广州湾头,麻斜海西岸,市区以南为湛江港。港口傍城市而兴筑,城市借港口而繁荣。港口深居麻斜海内,口外有岛屿为护港屏障,现已建成大型现代化海港,包括几个深水码头和5万吨级油轮码头,是华南第二大港。黎湛、广湛铁路和207、325国道等过境,湛茂高速公路已建成通车。有黎湛铁路终点站、湛江港、民航机场和湛江经济技术开发区。工业以化学、机械、家用电器、汽车制造、建材工业为主,为中国磷肥生产和机电产品出口基地之一。高等院校有广东海洋大学、湛江大学等。城市建设具热带海滨特色。海运方便,铁路可通国内主要城市;民航班机通广州、北京、香港;公路通广州、海安、南宁;是广东西南部交通中心。名胜古迹有湖光岩风景区、吴川人民抗法斗争遗迹,以及楞严寺、白衣庵古刹。人口:全市7 070 000(2005);市区1 430 000(2004)。

Zhao 赵 中国战国时期(公元前475～前221)诸侯国,七雄之一。嬴姓。开国君主赵籍是春秋晋国大夫赵衰的后代。公元前403年和魏、韩瓜分晋国,建都晋阳(今山西省太原市东南)。公元前386年迁都邯郸(今属河北省)。疆域有今山西中部、陕西东北角、河北西南部。赵武灵王时进行军事改革,胡服骑射,开发边地,巩固国防。赵惠文王继续推行富国强兵的措施,不断攻取齐魏土地。公元前270～前269年赵奢在阏与大破秦军的进攻。公元前262年赵将廉颇在长平坚壁固守3年,后赵王因误中反间计改用赵括,被秦打败,从此国势衰落。公元前222年为秦所灭。

Zhao Dan 赵丹(1915-06-27,中国江苏扬州～1980-10-10,北京) 中国电影演员。原名赵凤翔。由于父亲开设了一家影剧院,从小受到电影和戏剧的熏陶,中学时代即参加演出。后考入上海美术专科学校学习中国山水画,同时参加美专剧团、新地剧社、拓声剧社等,在工厂、街头演出抗日救亡剧目。1932年演出第一部影片《琵琶春怨》,从此成为明星影片公司的主要演员。此后主演或演出了《上海二十四小时》(1933)、《女儿经》(1934)、《落花时节》(1935)、《小玲子》(1936)、《清明时节》(1936)等20多部影片。1936和1937年主演《十字街头》和《马路天使》,奠定了他表演艺术风格的基础。抗日战争爆发后随抗日救亡演剧三队深入民众,宣传抗日。1940年5月在新疆被盛世才投入监狱达5年之久。1945年回到上海,演出影片《遥远的爱》(1947)、《幸福狂想曲》(1947),并导演了第一部影片《衣锦荣归》。1948年后,在昆仑影业公司主演了《关不住的春光》、《丽人行》和《乌鸦与麻雀》等影片。其中《乌鸦与麻雀》成为他的代表作,并被誉为当时电影表演艺术的高峰。1949年后,他成为上海电影制片厂主要演员,先后主演了《为了和平》(1956)、《李时珍》(1956)、《海魂》(1957)、《林则徐》

中国大百科全书出版社供图

(1959)、《聂耳》(1959)、《烈火中永生》(1965)等影片,并自编自导自演了影片《青山恋》。"文化革命"期间被监禁5年。1978年后,他曾在北京电影学院、上海戏剧学院等单位讲授表演课。后在病中完成了《银幕形象创造》和《地狱之门》两部艺术专著(1979)。他还擅长书画,《赵丹书画选》于1982年出版。

Zhao Gao 赵高(?～公元前207) 又拼Chao Kao。中国秦朝宦官、权臣。出身赵国宗族。通晓法律,被秦王政任为中车府令兼行符玺令事。投靠秦始皇少子胡亥。公元前210年始皇病死后,高与胡亥、李斯合谋秘不发丧,伪诏逼始皇长子扶苏和大臣蒙恬自尽,立胡亥为二世皇帝。后任郎中令,决断朝政。公元前209年杀害丞相李斯,自为丞相。公元前207年刘邦率起义军攻屠武关,赵高与其婿阎乐逼令二世自杀于望夷宫,企图篡位自立。因百官不从,立二世兄子子婴为秦王。9月被子婴刺杀,夷三族。

Zhao Gou 赵构 又拼Chao Kou,参阅Song——:宋朝帝王序列下 **Songgaozong Zhao Gou** 宋高宗赵构。

Zhao Heng 赵恒 又拼Chao Heng,参阅Song——:宋朝帝王序列下 **Songzhenzong Zhao Heng** 宋真宗赵恒。

Zhao Huan 赵桓 又拼Chao Huan,参阅Song——:宋朝帝王序列下 **Songqinzong Zhao Huan** 宋钦宗赵桓。

Zhao Ji 赵佶 又拼Chao Chi,参阅Song——:宋朝帝王序列下 **Songhuizong Zhao Ji** 宋徽宗赵佶。

Zhao Jiong 赵炅 参阅Song——:宋朝帝王序列下 **Songtaizong Zhao Jiong** 宋太宗赵炅。

Zhao Kuangyi 赵匡义 又拼Chao K'uang-i,参阅Song——:宋朝帝王序列下 **Songtaizong Zhao Jiong** 宋太宗赵炅。

Zhao Kuangyin 赵匡胤 又拼Chao K'uang-yin,参阅 Song——:宋朝帝王序列下 **Songtaizu Zhao Kuangyin** 宋太祖赵匡胤。

Zhao Kuo 赵扩 又拼Chao K'uo,参阅Song——:宋朝帝王序列下 **Songningzong Zhao Kuo** 宋宁宗赵扩。

Zhao Mengfu 赵孟頫(1254～1322) 又拼Chao Meng-fu。中国元代书画家。字子昂,号松雪道人,湖州(今浙江吴兴)人。官翰林学士承旨、荣禄大夫、知制诰,卒封魏国公,谥文敏。因身为宋宗室出仕元朝,曾受到人们的非议,他自己亦常作诗作画喻欲归隐故乡之意。有《松雪斋集》传世。其《岳鄂王(飞)墓》七律是宋代以后罕见的佳作。其书法尤精楷书、行书,恢复碑学,亦兼长篆、隶、章草,能为宋人之所不能为。楷、行上追二王笔法,又取

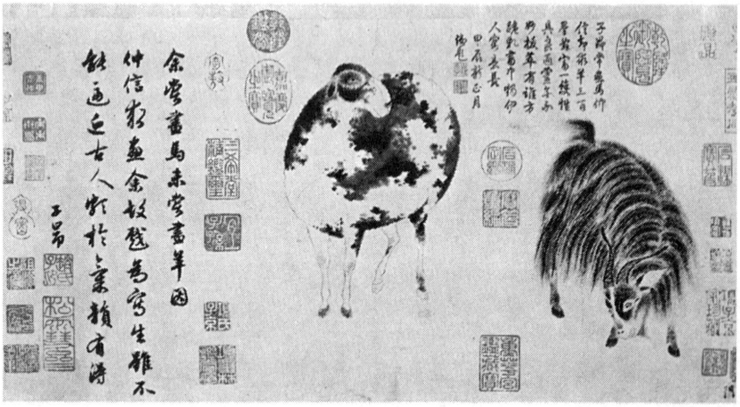

赵孟頫绘《二羊图》

华盛顿弗里尔艺术陈列馆供图

李邕之体势,创造出一种圆转秀润的风格,世称"赵体",对元、明、清书法艺术影响极大。与当时的鲜于枢(1257～1302)并称"鲜赵"。董其昌认为他能"超过唐人,直接晋人"。另外也因为缺乏凝重刚健的精神而受到清初傅山的抨击。其代表作传世甚多,如《胆巴碑》、《仇锷墓碑铭》、《三门记》、《道德经》、《兰亭十三跋》与不少题画之作等。其绘画,山水、人物、佛像、鞍马、竹石、花鸟,各体兼擅,题材广泛,自成风格。画人物师法唐人,也重视观察现实生活;画鞍马师法曹(霸)、韩(幹)与李公麟,更有新的突破,元、明、清三朝无人能超过他。其画山水师法董源、巨然和李成、郭熙两

大体系，创造出自己独特的风格，由着色至淡墨，由繁密至单纯，有时甚至画出近于白描的山水图。他非常重视师法造化，对于竹、石、古木的画法，更有独特的创造，发展了宋、金

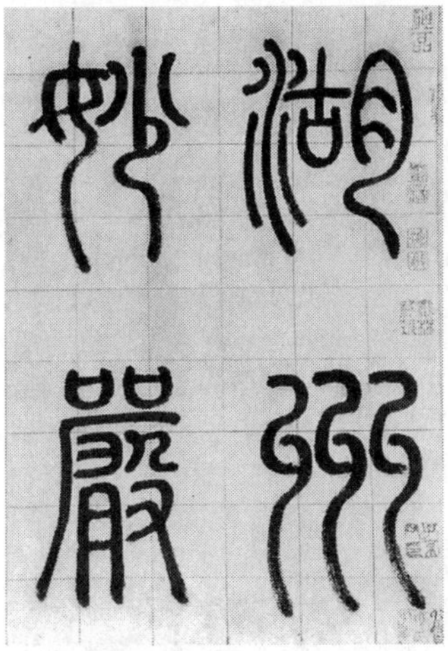

赵孟頫书《湖州妙严寺记》的篆书
普林斯顿大学艺术博物馆供图

的文人画派，系统提出书与画用笔相同的理论，是绘画艺术发展的一大转关，对后代影响极大。存世画迹有：《鹊华秋色图》、《百尺梧桐轩图》、《红衣罗汉图》、《人骑图》、《疏林秀石图》、《水村图》、《重江叠嶂图》、《秋郊饮马图》、《双松平远图》、《浴马图》、《二羊图》等。他兼工篆刻，以"圆朱文"著称，是使诗、书、画、印密切结合的先行者。其妻管道昇，其子赵雍、赵奕，孙赵凤、赵麟均工书能画。"元四家"之一的王蒙是他的外孙。

Zhao Puchu　赵朴初（1907-11-05，中国安徽芜湖～2000-05-21，北京）　中国佛教学者、居士。中国佛教协会会长、中国佛学院院长、中国人民政治协商会议全国委员会副主席。安徽太湖人。出身于一个四代翰林的书香门第。幼承家学，研习文史典籍，打下了深厚的中国古典文化功底。青年时期考入苏州东吴大学，对佛学产生了浓厚的兴趣，遂潜心研究，探索佛教各宗哲理教义。大学毕业后，以居士身份任中国佛教会主任秘书，致力于佛

中国大百科全书出版社供图

教及社会救济事业。1936年参加抗日救亡运动，发起成立中华佛教护国和平会。1937年8月13日日军轰炸上海之夜，他手持"红十字"旗帜，将上千名难民安置在安全场所。上海沦陷后，仍坚持收容难民，并动员青壮年参加抗战。1939年参加宪政促进运动。1945年与马叙伦、许广平等发起组织中国民主促进会。1949年组织上海临时联合救济委员会，收容安置失业人员和游民。1952年发起并筹备成立中国佛教协会，历任该会秘书长、副会长、会长等职，领导和团结全国各族佛教徒发扬佛教优良传统，爱国爱教；推进佛教各方面事业的发展。为促进国际佛教徒之间的团结与交流，赵朴初多次参加国际和平会议及世界宗教徒和平会议。1982年日本佛教传道协会特授予传道功劳奖，日本佛教大学授予名誉博士学位。1985年日本庭野和平财团授予"和平奖"。赵朴初还以书法和诗词作品闻名于世，诗词作品中尤以散曲为上乘。著作有《滴水集》（1961）、《片石集》（1978）、《佛教常识答问》（1985）等。

Zhao Rukuo　赵汝适（活动时期13世纪）又拼 Chao Ju-k'uo。中国南宋（1127～1279）地理学家。宋太宗赵匡义八世孙。嘉定、保庆年间（1208～1228）在泉州任提举福建路市舶，掌管海外贸易，得以结识中外商人。将采访资料撰成《诸蕃志》（2卷），记东起日本西至摩洛哥诸亚非欧沿海各国地理交通、风土物产和进口货物。所记均较详赅可信。其中对西欧的记述是见之于中国文献中的较早者。为研究宋代中外交通、中外贸易和某些国家有关历史提供了重要史料。原本已佚，今本从《永乐大典》中辑出。1912年有英译本。

Zhao Shuli　赵树理（1906-09-24，中国山西沁水～1970-09-23，山西太原）　又拼 Chao Shu-li。中国现代作家。出身贫苦农家，熟悉农村生活。自幼喜爱民间通俗文艺，因而奠

中国大百科全书出版社供图

定后来创作的风格。1925年就读于山西长治师范学校，开始接触新文学，曾写过新诗及小说。1929年因参加共产党组织的活动而被捕入狱。1930年出狱后，做过小学教员，但经常失业，生活颠沛流离。为谋求生计而开始向报刊投稿，发表过多篇小说。抗日战争爆发后，加入中国共产党，后来长期在基层工作，曾任区长、剧团团长等职。1939年任《黄河日报》副刊编辑，1942年编辑通俗小报《中国人》。提倡通俗文艺，曾写过为数颇多的小鼓词、小小说和杂文。1943年以短篇小说《小二黑结婚》和《李有才板话》而成名。后又有多部作品如《李家庄的变迁》（1946）、《地板》（1946）、《福贵》（1947）、《传家宝》（1949）相继问世，小说具有大众化的独特风格。1949年后，历任中国文联委员，中国曲艺工作者协会主席，《曲艺》和《说说唱唱》主编，这时期的作品有《登记》。50年代后期有短篇小说《锻炼锻炼》（1958）、《套不住的手》、《卖烟叶》，传记作品《实干家潘永福》，1955年出版长篇小说《三里湾》，作品始终保持大众化风格。他是当代文学流派"山药蛋派"的主要代表人物。其部分名作曾被译成英、日、俄等多种外文版本。80年代由工人出版社出版《赵树理文集》。

Zhao Wuji　赵无极（1921，中国北京～　　）华裔法国画家。父亲是古玩碑帖书画收藏家，自幼受到中国传统艺术熏陶。1935年考入杭州艺术专科学校，从林风眠学西洋画；

中国大百科全书出版社供图

1938年随校迁往四川重庆，毕业后留校任教。1946年曾与林风眠、关良、丁衍庸、吴大羽、李仲生在重庆举行过颇具前卫色彩的现代画展。他的处女作较多受到塞尚、毕加索和马蒂斯的影响。1948年赴巴黎学画。1949年5月在克鲁兹画廊举行画展，国立现代美术博物馆馆长多里瓦尔在为他的目录撰写的序言中称他的作品"富有中国的内涵，有些方面兼具了现代和法国的特色"。1950年出版附有法国著名诗人米肖八首诗的石版画集《亨利·米肖眼中赵无极的八幅版画》，嗣后他不断创作石版画、铜版画、文学书籍插图，并为芭蕾舞剧设计绘制布景，为现代建筑作壁画。1951年在首次访问瑞士时被P.克利的画所吸引，启发他以中国古代象形文字演变为符号作为构思意念。1953～1954年间他的画风发生重要转变，逐渐抛弃符号和具象，纯粹用色彩的变幻、笔触的力度、构图的跌宕起伏和虚实关系来表现无限空间、光感、韵律和生命的腾跃，从而形成了他被称作"抒情的抽象"的风格。60年代后他更抛弃了作品的标题而只用创作日期来标示。70年代起他兼作水墨画。赵无极于1958年被聘为法兰西画廊终身画家。1964年入法国籍。1974年获法国骑士勋章。1980年受聘任巴黎国立装饰艺术高等学校壁画教授。他在世界各大城市举行过160余次画展，参加数百次国际性联展，作品为世界各大博物馆、画廊所收藏。1982年7月应贝聿铭约请为北京香山饭店作大型水墨壁画2幅。1983年9月在中国美术馆举办赵无极画展。

Zhao Xu　赵顼　又拼 Chao Hsü，参阅 **Song**——：宋朝帝王序列下 **Songshenzong Zhao Xu** 宋神宗赵顼。

Zhao Xu　赵煦　参阅 **Song**——：宋朝帝王序列下 **Songzhezong Zhao Xu** 宋哲宗赵煦。

Zhao Yuanren　赵元任（1892-11-03，中国天津～1982-02-25，美国）　又拼 Chao Yüan-jen。中国现代语言学家。祖籍江苏武进，1910 年考入清华学校用庚子赔款设立的官费生，入美国康奈尔大学就读，1914 年获数学系学士，后转攻哲学。1915 年转入哈佛大学，1918 年获哲学博士学位。1919 年回康奈尔大学任物理学讲师。1920 年夏返国，到清华学校任教，并为罗素演讲翻译。1921 年与杨步伟医学博士结婚后同赴哈佛，在该校大辞典编纂处工作并担任战时军人华语科主任。1925～1929 年在清华学校研究院教授语言学。1929～1938 年任中央研究院历史语言研究所语言组主任。1938～1963 年在夏威夷大学、耶鲁大学、哈佛大学和伯克利加利福尼亚大学任教。1945 年当选为美国语言学会会长。1963 年香港中文大学成立，应聘担任中大人文组主席顾问，1969 年 2 月担任康奈尔大学教授。1981 年成为北京大学名誉教授。

赵元任长期致力于推行国语（普通话）、方言研究等工作，在记音方法和记音工具上也有重要贡献。重要著作有：《现代吴语的研究》（1928）、《中国方言中爆发音的种类》（1935）、《湖北方言调查报告》（1948）、《中国话的文化》（1965）等。

Zhao Zhen　赵祯　又拼 Chao Chen，参阅 **Song ——：宋朝帝王序列下 Songrenzong Zhao Zhen** 宋仁宗赵祯。

Zhao Ziyang　赵紫阳（1919-10-17，中国河南滑县～2005-01-17，北京）　又拼 Chao Tzu-yang。曾任中华人民共和国国务院总理，中共中央总书记、中央政治局常务委员。1932 年加入中国共产主义青年团。1938 年 2 月加入中国共产党。抗日战争时期在冀鲁豫一带从事党的工作，先后任县委书记、地委书记。1947 年任河南、湖北边境的桐柏区党委副书记。中华人民共和国建立后，历任中共中央华南分局农村工作部部长、分局副书记，中共广东省委常务书记、第二书记、第一书记，中共中央中南局书记处书记。“文化大革命”开

中国大百科全书出版社供图

始后，一度受到冲击，被撤销一切职务。1971 年重新出任领导工作。先后任中共内蒙古自治区委员会书记、革命委员会副主任，广东省委第一书记、革命委员会主任。1975 年调到四川省担任省委第一书记、革命委员会主任，中国人民解放军成都部队第一政委。1980 年 4 月被任命为国务院副总理。同年 9 月，在第五届全国人民代表大会第三次会议上被任命为国务院总理。1983 年 6 月在第六届全国人民代表大会第一次会议上他继续被任命为国务院总理。

他是中共十至十三届中央委员。在 1977 年十一届一中全会上当选为中央政治局候补委员，1979 年十一届四中全会上当选为中央政治局委员，1980 年十一届五中全会上当选为中央政治局常务委员。1981 年十一届六中全会上当选为中共中央副主席。1987 年 1 月代理中共中央总书记，同年 10 月在中共十三届一中全会上正式当选为中央总书记，并任中共中央军事委员会第一副主席。1988 年 4 月任中华人民共和国中央军事委员会副主席。1989 年 6 月中共十三届四中全会审议通过《关于赵紫阳同志在反党反社会主义的动乱中所犯错误的报告》，决定撤销他的党内一切领导职务。同月，第七届全国人大常委会第八次会议决定撤销他的中华人民共和国中央军委副主席职务。

Zhaohui　兆惠（1708～1764-12-10）　又拼 Chao-hui。中国清代将领。吴雅氏，字和甫。满洲正黄旗人。乾隆十四年（1749）擢户部侍郎。参与平定准噶尔之役。授定边将军。次

《兆惠骑射图》
中国大百科全书出版社供图

年因解乌鲁木齐围有功，进一等武毅伯、户部尚书。不久又授定边将军，主持征讨天山南路大小和卓之乱。因孤军深入，曾一度陷围于叶尔羌附近的黑水营，但最终获大胜，受封一等武毅谋勇公。回京后授御前大臣，协办大学士兼刑部尚书。

Zhaoqing　肇庆　又拼 Chao-ch'ing。中国广东省辖地级市。中国四大仪表工业基地之一。位于省境中部偏西，西邻广西梧州。辖端州、鼎湖 2 区及广宁、德庆、封开、怀集 4 县，并代管高要、四会 2 县级市。面积 15 056 平方千米。其中市区面积 658 平方千米。西汉武帝时置高要县，隋开皇九年（589）为端州治，北宋重和元年（1118）后为肇庆府、路治。1949 年析高要县城区设肇庆市。1951 年撤销，并入高要县。1958 年复置肇庆市，1959 年又撤市，1961 年再复置市。1988 年升省辖市。境内多山地、丘陵，中南部为西江下游谷地，北部为绥江谷地。市区处西江下游谷地，三面环江，北靠北岭山。扼梧州至广州咽喉位置，是西江下游出海必经之地，为西江下游重要门户和货物集散地。主种水稻，木薯居次。木薯产量占广东省首位。兼种花生、黄红麻、甘蔗、烟草等。有金、钨、锰、铜、铁、锡、铅、锌、大理石、石灰石、花岗石等矿藏。工业有食品、机械、电子、化纤、制糖、建材、电力、仪表等部门。交通以公路和内河航运为主。321、324 国道等经此。航运以西江为主干，上达梧州、桂林、南宁，下通广州、江门、佛山、中山及香港、澳门。三茂铁路穿越市境。有叶

肇庆市七星岩和五龙亭
中国大百科全书出版社供图

挺独立团团部旧址，邓发、蔡廷锴、周其鉴故居等纪念地，梅庵、德庆学宫、崇禧塔、国恩寺、悦城龙母庙、茅岗建筑遗址等文物古迹，北郊有七星岩风景区，以及一江（西江）、两湖（星湖、鼎湖）、三峡（三榕峡、大鼎峡、羚羊峡）、八景等风景游览区，是岭南闻名的旅游胜地。还建有鼎湖山自然保护区。人口：全市 3 950 000（2005）；市区 480 000（2004）。

Zhaoshi Gu'er　《赵氏孤儿》　中国元代杂剧作家纪君祥的作品。纪君祥又作纪天祥，生卒年不详，大都（今北京）人，与李寿卿、郑廷玉同时。有《元刊杂剧三十种》、明刊《元曲选》、《古今名剧合选》本。元刊本 4 折只载曲词，无科白；明刊本科白俱全，但部分曲词已不同于元刊本，且多出一折。作品写春秋时晋国上卿赵盾遭大将军屠岸贾诬陷，全家 300 余口被杀，只有一个不到半岁的婴儿为门客程婴救出，即赵氏孤儿。为了救护孤儿，先后有晋公主、韩厥、公孙杵臼等人献出了生命；最后程婴用自己的儿子作替换，保全了孤儿。20 年后，孤儿长大成人，程婴将赵家冤案始末绘成图卷，对他讲述了往事，孤儿遂决意擒杀屠岸贾报仇。元刊本至此结束。明刊本还有晋悼公处死屠岸贾、为赵家雪冤等情节。纪君祥从《左传》、《国语》、《史记》等史籍取材，并据历代流传的程婴保存赵孤的故事进行加工创造，写成了这部感人的悲剧。作品具有悲壮的色彩，是元杂剧的传世名作，历代上演不衰。

Zhaoxian　赵县　中国河北省石家庄市辖县。位于省境中南部。面积 714 平方千米。县府驻赵州镇。汉为平棘县，北魏为赵郡治，唐改为赵州。明洪武初废平棘县入赵州。1913 年改赵州为赵县。地处河北平原，地势西北高，东南低。境内河流主要有洨河、沙河等，循地势流贯县境。为暖温带季风气候，年

平均气温12.2℃,全年无霜期约198天,年平均降水量501毫米。由于光热充足,地下水丰富,农业发达,以棉花、小麦、玉米为主。20世纪80年代末以来,由单一的农业生产发展为农、林、牧、副、渔多种经营。水果有雪花梨、鸭梨、苹果、桃等,其中赵州雪花梨在国内外享有盛誉。工业有纺织、化肥、制糖、机械、化学、建材、造纸、石油开采和酿造等。赵县是中国北方的古城,多文物和古迹。国家重点保护的有安济桥(赵州大石桥)、永通桥(小石桥)和陀罗尼经幢等。人口560 000(2005)。

Zhaozhou Bridge　赵州桥　中国古代著名大石拱桥,又名安济桥。位于河北赵县洨河上,是世界现存最早的大型石拱桥。591～599年间由李春主持建成。桥长50.82米,桥面宽约10米,主拱跨径37.02米,拱圈矢高7.23米。弧形平缓。拱圈由28条并列石条组成,上设4个小拱,既减轻重量,又便于排洪。建桥中采用坦拱和敞肩拱等新工艺,在桥梁建筑史上创卓越典范。

赵州桥
中国大百科全书出版社供图

Zhdanov(Ukraine)　日丹诺夫　参阅 **Mariupol 马里乌波尔**。

Zhdanov, Andrey Aleksandrovich　日丹诺夫(1896-02-26,俄罗斯帝国马里乌波尔[今乌克兰]～1948-08-31,俄罗斯联邦莫斯科)苏联党政官员。1915年入党,1917年十月革命后在党内步步高升,后任列宁格勒第一书记。1941～1944年德军围攻列宁格勒时,他曾领导列宁格勒保卫战。他是斯大林的亲密战友,1939年任政治局委员。第二次世界大战后其事业达到顶峰,他严密控制战后文化活动的导向。1947年监督苏联国际宣传的分支机构——共产党和工人党情报局——的建立。他的死始终是一个谜。他死后不久发生了众所周知的**列宁格勒事件**(**Leningrad Affair**),当时被清洗者达2 000人之多,其中有许多是日丹诺夫的同事和下属。这次清洗可能是他的政敌马林科夫和贝利亚搞的。

Zhdanovshchina　日丹诺夫主义　苏联在第二次世界大战之后冷战时期实行的文化政策。要求政府对艺术进行更严格的控制,提倡一种极端的反西方的偏见。最初是针对文学的,后来很快就扩大到其他领域,并逐步发展到包括哲学、生物学、医学及其他科学在内的所有知识活动领域。日丹诺夫主义是由苏联共产党中央委员会于1946年8月14日通过的一项决议发动的。这项由党的书记和文化工作的领导人日丹诺夫加以阐述的决议是针对文学杂志《星》和《列宁格勒》的。决议严厉批评这两个杂志发表了讽刺作家M.左琴科和诗人A.阿赫马托娃的非政治的、资产阶级的、个人主义的作品。结果两位作家被苏联作家协会开除,协会本身也进行了改组。不过,决议的目的要比这些更为深远:即要使苏联文化从"西方面前的奴性"中解脱出来。在运动开展过程中,一切西方主义或世界主义的痕迹在苏联生活中都被铲除干净。早些时候的批评家和文史学家也因提到俄国古典作品中有卢梭、莫里哀、拜伦和狄更斯的影响而受到指摘。西方的发明和科学理论也被说成是源出俄国。日丹诺夫虽然死于1948年,反对"世界主义"的运动却一直持续到1953年斯大林逝世,其间伴随着日益增强的反犹太浪潮。这一时期(1946～1953)一般认为是苏联文学最低落的时期,虽然持续时间不长,但在苏联和西方的文化交流中却设置了难以逾越的障碍。

Zhe school　浙派　又作Che school。中国明代绘画流派。因开创人戴进为浙江人,故名。其主要成员还有吴伟、张路、蒋嵩、汪肇等人。戴进、吴伟等也曾一度服务于宫廷。在继承传统和艺术追求上,浙派与当时的院派(亦称院体画),同受南宋院体山水画的影响,但不同的是,浙派画家在继承的同时,更注意个人笔墨技法与画风的变化。浙派作品中虽然也显露出师承李唐、刘松年、马远、夏圭等南宋院体画家的痕迹,但构图、笔墨等表现形式均有个人风格。并且同是浙派画家,其风格亦各有不同,如戴进之劲爽精微,于淋漓畅快中显出秀逸之致;而吴伟则以豪迈简括,纵逸洒脱为特征;至于张路、蒋嵩、汪肇等或爽健,或恣肆,各有区别。作为绘画流派,浙派在明代前期与院派同为画坛主流,追随者甚众,影响颇大。因浙派中的吴伟是江夏(今湖北武汉)人,故画史亦称他及其追随者

浙派画家吴伟绘《渔村乐图》
收藏者供图

为江夏派。到了明代中期以后浙派画家由于一味追求恣肆、狂放,流于草率,逐渐失去画坛主流地位,而被新兴的吴门派所取代。

Zhejiang　浙江　又拼Chekiang。中国东南部省份。简称"浙"。位于太湖以南,东海之滨。介于北纬27°12′～31°30′,东经118°～123°。北与上海市、江苏省为邻,西与安徽、江西两省相连,南接福建省。因境内主要河流钱塘江古名"浙江"而得名。面积103 617平方千米。设11个地级市、32个市辖区、22个县级市、35个县和1个自治县。省会杭州市。

自然条件及资源　省境西南高,东北低,70%是山地、丘陵。浙南山地延伸于瓯江流域,1 000米以上的山峰连绵不绝。洞宫山主峰百山祖海拔1 857米,黄茅尖更高达1 921米,为全省最高点。浙东丘陵位于浙南山地以北,一般海拔200～1 000米,山间分布小型盆地。浙西山地延伸于富春江以西,一般海拔亦在200～1 000米之间,浙、皖边境西天目山海拔1 507米。上述山地与丘陵之间的金(华)衢(州)盆地是全省最大盆地,面积6 400多平方千米。平原主要分布在北部和东部沿海。钱塘江、杭州湾以北的杭嘉湖平原是长江三角洲的一部分,地面高程3～7米,面积6 500平方千米,其中约有1/10是河湖水面。钱塘江、杭州湾以南是宁绍平原,面积稍小,密布河网。大陆海岸线曲折,长2 200多千米。大陆山地丘陵的延伸和海岸带地壳的运动,形成了众多的港湾和岛屿。主要港湾有杭州湾、象山港、三门湾、台州湾、温州湾;有大小岛屿2 161座,约占中国岛屿总数的2/5。其中舟山岛面积472平方千米,是中国第4大岛。全省位于中亚热带,气候暖热湿润。年平均气温自西北到东南由16℃递增至18℃。最冷月气温3～7.5℃,最热月气温全省都在28℃以上。金衢盆地受地形影响,气温在29℃以上,是全省夏季最热的地方。年平均降水量由北部平原的1 100毫米递增到南部山区的1 900毫米。初夏梅雨期和夏秋台风季节是两个多雨期。无霜期长达243～276天。境内由北至南有苕溪、钱塘江、甬江、椒江、瓯江、飞云江、鳌江七大水系,还有京杭运河和杭甬运河分别流贯杭州湾两岸的平原地区。各河水源充足,含沙量小,上游坡陡流急,下游河谷宽广,深受潮汐影响。钱塘江是全省第一大河,源出安徽省休宁县西南皖、赣两省交界怀玉山主峰六股尖(1 629.8米)东坡,干流分别称新安江、富春江。富春江段以下至

杭州闸口，河道曲折如"之"字，称之江。闸口以下称钱塘江，到澉浦注入杭州湾，全长605千米。衢江、兰江是第一大支流。钱塘江口杭州湾呈喇叭形，海潮上涌，形成雄伟的"钱塘潮"天下奇观。森林覆盖率约占全省面积的1/3。杭州湾以南广泛分布常绿阔叶林，有青冈栎、木荷、冬青、樟等树种。杭州湾以北和1 000米(中、北部)到1 500米(南部)左右的山地是落叶阔叶、常绿阔叶混合林，1 000米和1 500米以上的山地则有落叶阔叶林和山地草甸。此外还有人工培育的毛竹等用材林和柑橘、油茶、茶、桑等经济林。有煤、铁、钼、铜、铅、锌等矿藏，氟石和明矾藏量丰富，在中国居重要地位。

沿革 从余姚河姆渡、嘉兴马家浜、余杭良渚等新石器文化遗址出土文物证明，在4 000～7 000年前就有人类在浙江繁衍生息，他们种植水稻，饲养家畜，从事渔猎，创造灿烂的原始文化，是中国文明发祥地之一。春秋时分属吴、越，越都大越就在今绍兴。战国属楚，开发范围逐渐扩大到钱塘江中下游和新安江一带。西汉初年冶金、制盐业进一步发展。东汉时传入北方中原先进的耕作技术，会稽、山阴间修建了鉴湖水利工程，蚕桑和纺织业先后兴起。三国属吴，东部沿海逐渐得到开发。隋、唐京杭运河修通，在1 000多年间一直是漕运要道，也扩大了南北的文化交流。同一时期，明州(今宁波市)和温州开始成为中国东南沿海贸易的重要港口，沿海居民外出谋生或经商的逐渐增多。五代属吴越国，杭嘉湖平原上逐渐兴起"圩田"的垦殖方式，与水争田，与海争田，扩大农业生产。北宋浙南山地开始开发。南宋以临安(杭州)为"行在"，浙江成为中国政治、经济、文化中心。由于人口骤增，开始在山区修建梯田，以满足对土地的需要。茶叶、柑橘、麻类等的产量日增，织造、陶瓷、造纸等手工业也日益繁荣。元属江浙行中书省。明置浙江省，从此省名确立，省界也基本不变。经明、清两代、杭嘉湖的蚕桑和杭州湾两岸的植棉业逐渐形成专门化。1840年鸦片战争后，宁波被辟为全国五个通商口岸之一，杭州、温州随后也被辟为商埠，浙江经济命脉逐渐被外国资本所控制。19世纪末宁波、杭州、萧山开始出现纱厂、丝厂等近代工业，但当地中国资本多属金融资本形式，近代工业始终落后于上海、苏南等地。

经济 浙江省素有"鱼米之乡，丝绸之府"之誉。农业以生产粮食为主，主要是稻谷，沿海平原和河谷盆地为重要产区。主要经济作物棉花的产区集中于杭州湾两岸以及东南沿海各县。金衢盆地光照充足，是新发展的重点产棉区。黄麻生产也居重要地位，杭嘉湖是重点蚕茧产区。茶园集中于丘陵、低山区，以绿茶为主，有眉茶、珠茶、烘青、龙井等著名品种。油菜籽种植普遍。果品以柑橘最重要，主要产地在黄岩、衢州、温州等地。畜禽饲养业较为普遍，金华地区产"两头乌"良种猪，加工制成的金华火腿享有盛名。杭嘉湖平原的湖羊，以毛、皮质优著称。沿海渔场广阔，盛产大黄鱼、小黄鱼、带鱼、墨鱼(乌贼)等。工业以轻纺为主，尤其是丝绸和麻纺。丝绸工业以杭州、湖州为中心，产量占全国的1/3。杭州有中国最大的麻纺厂。造纸工业因原料丰富，比较发达。棉纺织和新发展的化纤纺织业主要分布在杭州以及其他产棉地区。电力、煤炭、机械、化工、冶金、建筑材料等部门也有不同程度的发展。新安江水电站的建设对该省工业发展起了重大的促进作用。1991年12月位于杭州湾北岸的秦山核电站建成发电，结束中国大陆无核电的历史。以精美著称的工艺品是该省的重要特色，主要有青田石刻，东阳木雕，嵊州、东阳安吉的竹编，龙泉青瓷、宝剑，温州瓯塑、瓯绣，萧山花边，杭州织锦，绸伞、扇子、剪刀等。

运输、教育及其他 铁路以杭州为枢纽，有沪杭、浙赣等铁路复线和杭长、杭甬、金温等铁路干线在活跃省内物资交流方面起着重要作用，铁路营运里程达1 212千米(2004)。公路以杭州为中心，104、320、330等国道与杭金衢、金丽温、甬台温等高速公路以及多条省道构成公路干线网，通达省内各市、县，2005年公路通车里程已达47 500千米。各大河下游都可通航，通航里程共10 592千米(1996)，其中8 000千米可驶轮船，但航道主要集中在省内东北部。有宁波、舟山、乍浦、海门和温州五大港为主的港口群。杭州、宁波、温州、黄岩、义乌等地有民航班机通北京、深圳、武汉、成都及香港等地，开通国际航线百余条。有浙江大学、杭州大学等多所高等院校，还有中国海洋第二研究所、中国水稻研究所、中国茶叶研究所、浙江丝绸科学研究院、浙江工艺美术研究所等科研机构。杭州的浙江图书馆和宁波的"天一阁"藏书丰富。杭州西湖，嘉兴南湖，海宁钱塘潮，舟山普陀山和嵊泗列岛，绍兴东湖，以及富春江、千岛湖、楠溪江、雁荡山、天台山、天目山、莫干山等是著名的旅游胜地。人口45 770 000(2005)。

Zhejiang University 浙江大学 中国的一所以工为主，理工结合，经济管理人文科学协调发展的大学。校址设在浙江省杭州市。前身为1897年创建的求是书院。1901年后几度易名。1928年定名为国立浙江大学。抗日战争期间迁往贵州省遵义、湄潭、永兴三地建校。1946年秋迁返杭州。1952年全国高等学校院系调整，该校成为一所多科性工科大学。1957年重建理科系，成为多科性理工科大学。1978年后又增设人文经济管理学科。1998年，同根同源的原浙江大学、杭州大学、浙江农业大学、浙江医科大学4校合并重组，成为一所学科齐全的综合性大学。设有经济、法学、教育、人文、外国语言文化与国际交流、理学、生命科学、机械与能源工程、材料与化学工程、电气工程、信息科学与工程、建筑工程、生物系统工程与食品科学、环境与资源、生物医学工程与仪器科学、农业与生物技术、动物科学、医学、药学、管理学、计算机科学与技术、软件等21个学院。学科涵盖哲学、经济学、法学、教育学、文学、历史学、理学、工学、农学、医学、管理学等十一大门类。共有110个本科专业，264个硕士学位授权点，10个专业硕士学位授权点，31个一级学科博士学位授权点，181个二级学科博士学位授权点，1个专业博士学位授权点，39个博士后科研流动站。有24个国家重点学科，12个国家重点(专业)实验室，5个国家工程(技术)研究中心，8个国家级基础科学研究和教学人才培养基地，3个国家级基础课程教学基地，1个国家级大学生文化教育基地，1个国家生命科学与技术人才培养基地，1个国家集成电路人才培养基地，1个国家示范性软件学院。有教职工8 200余人，其中中国科学院院士12人，中国工程院院士8人，教授1 100余人，副教授2 300余人.全日制在校学生42 000余人，其中本专科生25 000余人，硕士生11 000余人，博士生5 500余人，外国留学生1 000余人。校园总面积(含玉泉、西溪、湖滨、华家池、之江、紫金港等6个校区)533万平方米。校舍总建筑面积200万余平方米。图书馆藏书618万余册。拥有6家省级附属医院和1家出版社。出版物有《浙江大学学报》等。

Zheleznogorsk 热列兹诺戈尔斯克 俄罗斯西部库尔斯克州城市。位于库尔斯克市西北130千米处。随着库尔斯克地磁异常区铁矿(苏联最大铁矿区之一)的开发，于1958年建立。现为当地主要采矿中心之一。有轻工业。设有一所冶金学院。1962年设市。人口约91 300(1993)。

Zhelyabov, Andrey Ivanovich 热利亚博夫 (1851-08-29，俄罗斯帝国克里米亚尼古拉耶夫卡[今在乌克兰]～1881-04-15，俄罗斯圣彼得堡) 俄国民粹派革命家。农奴家庭出身。曾在敖德萨新罗西斯克大学法学院求学，1871年10月因参加学生运动被学校开除。此后在基辅和敖德萨继续从事革命活动，因而被捕，但后来宣判无罪。1879年6月参加政治恐怖主义者大会，并成为恐怖主义的鼓吹者。1880年参与创建民意党和该组织的报纸，几次为民意党起草宣言。1881年因参与谋刺亚历山大二世于2月27日被捕，后被处决。

Zhenbao Dao 珍宝岛 位于黑龙江支流乌苏里江主航道中国一侧的岛屿。属中国黑龙江省虎林市。因状如元宝而得名。全岛面积0.74平方千米。岛上林木茂密，有柳、榆、杨等。地处江心，水产资源丰富。该岛因1969年3月发生中苏边界事件驰名中外。对外的主要通道是珍宝岛至五林洞公路。

zheng 筝 又拼cheng，tranh。拨奏弦鸣乐器。木板制中国齐特琴。公元前237年以前已在秦地流行，故又称"秦筝"。音箱为木制、长方形。面上张弦。每弦用柱支撑，并可移

筝

中国大百科全书出版社供图

动以调节音高，按五声音阶定弦。秦时的筝为12弦，隋唐时改为13弦，近已增至21弦、25弦。演奏时用右手指弹拨，左手指按弦。用于独奏、伴奏和合奏。现代演奏技巧日益提高，加上手扳或脚踏转调装置后，筝的表现力更加丰富。这种短齐特琴在越南称为 tranh。中国筝和日本筝所用汉字相同,但后者的尺寸要大得多。

Zheng Banqiao 郑板桥 参阅 **Zheng Xie** 郑燮。

Zheng Chenggong 郑成功(1624-08-28,日本平户～1662-06-23,中国台湾) 又拼 Cheng Ch'eng-kung,又名 Koxinga。中国明清之际抗清名将,收复台湾的民族英雄。名森,字名

福建南安郑成功墓
中国大百科全书出版社供图

俨,号大木。福建泉州府南安(福建南安东)石井乡人。其父郑芝龙曾在日本经商,其母原籍日本。1630年7岁时回到中国。1645年南明隆武帝(朱聿键)赐姓朱,改名成功。尊为"国姓爷",后被永历帝封为延平郡王。1646年清军进攻南明隆武政权。郑成功反对其父郑芝龙不战而降,在南澳(今属广东)起兵抗清,在福建沿海地区不断与清军作战。1659年郑成功率10万大军攻入长江,进围南京城。1661年4月率军队2.5万人进军台湾。经8个月战斗,于1662年2月1日从荷兰侵略者手中收复台湾。郑成功在台湾建立起行政机构,屯田开垦,发展对外贸易和民间贸易,促进了台湾当地的社会与经济的发展。

Zheng Daozhao 郑道昭(?～516) 又拼 Cheng Tao-chao。中国北魏书法家。字僖伯,

郑道昭书《论经书诗》石刻(细部)
中国大百科全书出版社供图

自称中岳先生,荥阳(今属河南)人。官至秘书丞,《魏书》有其传。宋赵明诚《金石录》、郑樵《通志》载有云峰山石刻数种,清代中叶以来,又陆续在山东云峰山等处崖壁上发现石刻48种,其中绝大多数为郑道昭所书。他的书法作品如《郑文公上、下碑》、《论经书诗》、《观海童诗》、《人大基山诗》与《白驹谷》等,笔力雄强,结构新奇,意兼篆籀,方圆随心,气势磅礴,极为人所惊佩。即以《郑文公下碑》而论,乾嘉之际始见拓本,包世臣、叶鞠裳、康有为等皆对此备加推崇,称其为"书圣",几与王羲之同列,对清代后期书法艺术的发展影响很大,在中国书法发展史上占有非常重要的地位。

Zheng Fengrong 郑凤荣(1937-05-06,中国山东济南～) 中国女子田径运动员,1957年以越过1.77米的成绩创造了当年世界女子跳高新纪录。身高1.70米。1952年第一次参加济南市运动会,跳高成绩为1.27米,名列第二。1953年越过1.36米横竿被选入国家田径队。1954年在全国13城市大、中学生田径运动会上,以1.45米的成绩打破全国女子跳高纪录,夺得冠军。后进入北京体

中国大百科全书出版社供图

育学院,跳高成绩从1.48米提高到1.61米,成为中国第一名跳高运动健将。1957年9月在南京举行的全国田径比赛中成绩是1.73米;11月在北京市田径比赛中越过了1.77米高度,打破了美国运动员M.麦克丹尼尔保持的1.76米的世界纪录,因而成为中国第一位打破世界纪录的女运动员,也是中国打破田径世界纪录的第一名运动员和1936年以来打破田径世界纪录的第一名亚洲运动员。1963年又跳过了1.78米高度,创造了她的最好成绩。郑凤荣采用剪刀式跳高技术,从助跑到起跳,动作衔接得当。她的身体有全面的高水平训练,经常参加三项全能和五项全能体育比赛。1959年在青岛创三项全能全国纪录;1965年在北京创五项全能全国纪录。被收入英国《吉尼斯田径全书》。郑凤荣自1979年起任中国田径协会副主席。1984年被评选为中华人民共和国建国以来40名优秀运动员之一。曾任中国体育服务公司副总经理、中华全国体育总会副秘书长。

Zheng Guanying 郑观应(1842,中国广东香山[今中山市]～1922-05,上海) 又拼 Cheng Kuan-ying。中国近代实业家,改良派政论家。原名官应,字正翔,号陶斋,别号杞忧、慕雍山人等。1858年在上海任英商太古洋行买办。也投资经营商业。1880年以后先后担任上海机器织布局、上海电报分局、轮船招商局总

中国大百科全书出版社供图

办,并在这些企业投资。此外,还主持招股创办造纸厂。1884年中法战争中反对李鸿章投降派的议和,遭受洋务派排斥。19世纪80年代到90年代初逐渐形成维新改良思想,发表大量政论文章,宣传变革以御外侮。主张实行议院制,发展本国工商业。要求实行护商政策,收回海关,采取保护关税措施。在当时政治思想界影响很大。1896年任汉阳铁厂总办。1906年任粤汉铁路总办。1909年协助盛宣怀组织轮船招商局商办,被选为董事。辛亥革命后一面从事商业活动,一面致力教育事业。著有《救时揭要》、《易言》、《盛世危言》等。

Zheng He 郑和(1371～1433) 又拼 Cheng Ho。中国明代航海家、外交家。本姓马,小字三保。回族。云南昆阳(今云南晋宁)人。祖父、父均曾到伊斯兰圣地麦加朝圣,故幼时了解外洋情况。1381年明军入云南时被俘,入燕王府为宦官,后成为燕王朱棣亲信。1404

云南晋宁昆阳镇郑和纪念亭
中国大百科全书出版社供图

年，在燕王为争夺皇位发动的靖难之役中立功，赐姓郑，升内官监太监。1405年奉命通使“西洋”，率大小舰船百余艘，27 800人出长江口南下，两年而返。前后7次奉使，历时28年，先后到达东南亚、印度半岛、波斯湾、阿拉伯半岛、非洲东岸和红海海口，访问30余国，迎送各国使者，促进了中国与各国的经济、文化交流。1433年，郑和在归途中客死古里（今印度南部西海岸的科泽科德）。在世界航海史上郑和的远航比哥伦布早87年，比伽马早93年，比麦哲伦早116年。郑和使团中重要成员马欢著《瀛涯胜览》、费信著《星槎胜览》、巩珍著《西洋番国志》，对所访主要国家情况作了翔实记述。《郑和航海图》集中反映了有关太平洋、印度洋地区的地理知识，并为后世留下了中国最早、最具体完备的关于牵星术的记载。

Zheng Qiao　郑樵（1104-04-26～1162-04-22）　又拼 Cheng Ch'iao。中国南宋史学家。字渔仲，别号溪西遗民。南宋兴化军兴化县（今福建莆田）人。长期深居于夹漈山中，学

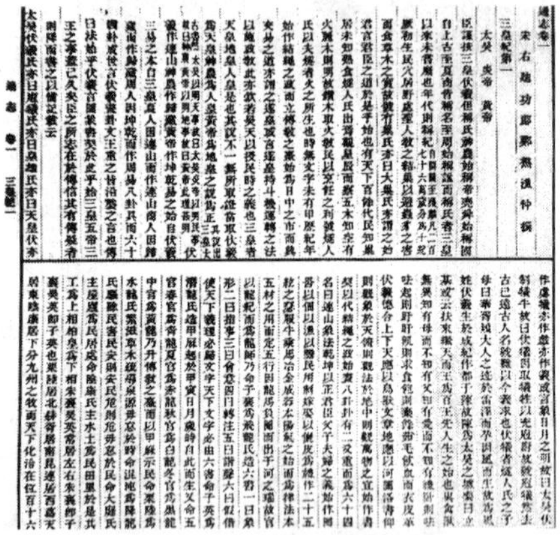

万有文库本《通志》书影
中国大百科全书出版社供图

者称为夹漈先生。抱集天下之书为一书的壮志，苦学30年，访书10年，通百家之学，讨六艺之文，写了大量著作。于晚年总撰为上起先秦下迄隋唐的纪传体中国通史《通志》200卷。其中的《二十略》最具创见，对哲学、语音学、氏族演变和史料学等诸方面的论述，开中国史学之先声，在学术思想史和中国史学史上均有贡献。其治学目的在于维持名教。反对断代为史，力主编写通史；反对任情褒贬，主张据事直书；反对五行相应之说和空谈义理之学，主张求实和注重调查。对天文、地理、草木、虫鱼等方面的研究都进行过实际考察。为取得封建王朝的支持曾三次赴京献书，得到宋高宗召见。1161年献《通志》，被授为枢密院编修官。著作达84种，现仅存《通志》、《夹漈遗稿》、《尔雅注》、《诗辨妄》和少数零篇。

Zheng Sixiao　郑思肖（1241～1318）　又拼 Cheng Ssu-hsiao。中国宋末元初诗人、画家。字忆翁，号三外野人，连江（今属福建）人。宋亡隐居苏州，坐卧必南向，自号所南，以示怀念宋室，不臣元朝。工画墨兰，尝自画墨兰长卷，天真烂漫，高出物表，题云：“纯是君子，绝无小人。”画兰不画土，人问其故，答曰“土为番人夺去”，以表亡国之痛。地方官向他索画，他坚决拒绝说：“头可得，画不可得。”传世《墨兰图》寥寥数笔，无土无根，却显得非常厚重、坚定，很能反映他的风范志节。兼工墨竹，亦有幽思远韵。著有《郑所南先

郑思肖绘《墨兰图》
中国大百科全书出版社供图

生文集》、《所南翁一百二十图诗集》。他的诗大多怀念宋室，题画诗尤有佳作名句。著有《心史》一书，或以为伪托。

Zheng Wanjun　郑万钧（1904-06-24，中国江苏徐州～1983-07-25，北京）　中国林学家。1923年毕业于南京江苏第一农业学校林科，后在南京任教，直至1929年。1929～1938年任中国科学社生物研究所植物研究员，1939年赴法国图卢兹大学森林研究所进修，后获科学博士学位。1940～1944年任云南大学农学院教授，兼云南植物研究所研究员、副所长。1944～1949年任中央大学农学院森林系教授。1949～1961年先后任南京大学农学院林学系教授、系主任，南京林学院教授、副院长和院长。1962～1970年任中国林业科学研究院研究员、副院长，1978～1982年

中国大百科全书出版社供图

任院长，兼任中国林学会理事长。1983年任该院名誉院长。1955年被聘为中国科学院生物学部委员。

郑万钧一生从事树木分类学、森林地理学的研究及教学。曾深入浙江龙泉山、湖南莽山、云南苍山和东北大小兴安岭等处实地采集标本，调查树木形态特征及地理分布，观察树木生长发育规律及林木生态、生长、生理，尤其在裸子植物系统研究中做出了贡献。1948年5月他与胡先骕教授共同发表《水杉新科及生存之水杉新种》，为所谓活化石水杉命名，受到国内外植物学界、古植物学界的高度重视，被誉为近一个世纪中植物学研究的最好成果。先后命名了白头杉、普陀鹅耳枥、夏蜡梅、琅玡榆等约100个树木新种和白头杉属、水杉属等新属。撰写了中国榆树新种、四川及西康东部的森林及中国西部槭树研究等60余篇（部）论文及科学著作。主编过《中国植物志》第7卷（1978）、《中国主要树种造林技术》（1975）和《中国树木志》（第1册，1982；第2册，1984）。

Zheng Xie　郑燮（1693～1765）中国清代画家、书法家。扬州八怪之一。字克柔，号板桥。江苏兴化人。出身贫寒，幼年丧母。少年时从学于乡长辈陆震。20余岁（康熙年）中秀才，39岁（雍正年）乡试中举人，43岁（乾隆元年）中进士。曾任山东范县、潍县知县。他性格旷达，不拘小节，为政清廉，同情底层人民。因请赈得罪大吏而被罢官。罢官后居扬州，以卖画为生。郑燮为文主张“理必归于圣贤，文必切于日用”，“作主子文章，不可作奴才文章”。对待传统和前人成法，主张“学一半，撇一半”，“不泥古法，不执己见”。注重对自然的直接观察，以真切的感受萌发画意，主张“胸无成竹”的创作方法，指出“眼中之竹”、“胸中之竹”、“手中之竹”的联系和区别，见解独到，为前人所未道。他长于画兰、竹、石、松、菊等，偶亦写梅，笔法直接取法石涛，又多从徐渭、高其佩等画家中得其意。剪裁构图崇尚简洁，笔情纵逸，随意挥洒，苍劲豪迈。题材虽然局限于传统的文人画“四君子”范围，但通过题诗、题跋寓社会伦理教育于画中，能时出新意。其书法以画法入笔，杂用篆、隶、行、楷，折中行书和隶书之间，自称“六分半书”。纵横错落，整整斜斜，人称“乱石铺街”体，亦称“板桥体”。

Zheng Zhenduo　郑振铎（1898-12-19，中国浙江永嘉[今温州]～1958-10-17）　又拼 Cheng Chen-to。中国作家、学者，笔名西谛。祖籍福建长乐。1917年入北京铁路管理学校。五四运动爆发，与瞿秋白等编辑《新社会》旬刊，提倡改造社会，旋为北洋政府查封。1920年创办《人道》月刊。同年与沈雁冰等人组织“民众戏剧社”，编辑《戏剧月刊》。后入商务印书馆编译所工作。1921年与沈雁冰等组织“文学研究会”，负责编辑《文学旬刊》，出版《小说月报》，提倡“为人生的文学”。1923年接任《小说月报》主编。1922年创办中国最早的儿童刊物《儿童世界》。1925年加入“上

中国大百科全书出版社供图

海学术研究会”，与叶圣陶等合编《公理日报》，并先后任复旦、暨南两大学讲师。1927年与胡愈之等人组织上海著作人公会，积极参加上海工人第三次武装起义临时政权的组织活动。“四一二”政变后被迫远走英、法、意等国。1929年回国后任上海商务印书馆编辑。1931年任燕京大学教授，主编《文学》月

刊和《文学季刊》。1934年任暨南大学文学院院长。次年为生活书店主编《世界文库》和《中国新文学大系、文学论争集》。搜集整理中国古典文学史料，出版有《中国文学论集》(1929)、《插图本中国文学史》(1932)、《中国俗文学史》(1938)、《中国文学研究》(3卷，1957)以及《俄国文学史略》、《泰戈尔传》等。郑振铎在民间文学、旧小说、戏曲的资料收集方面做了许多工作。创作方面有《山中杂记》(1927)、《欧行日记》、《海燕》(1932)、《佝偻集》(1934)、《取火者的逮捕》(1934)等；译作有《沙宁》、《血痕》、《灰色鸟》、《新月集》、《飞鸟集》等。抗日战争时期参加"中国文艺家协会"等左翼团体，并与胡愈之等组织"复社"，出版《鲁迅全集》、《列宁文选》等。1945年创办《民主》周报。日本投降后奉命接收"同文书院"及"自然科学研究所"等敌伪文化机构。1949年后，曾任政协委员、北京大学文学研究所所长、文化部副部长、中国科学院文学研究所所长、考古研究所所长、全国文联主席团委员等职，致力编印《古本戏曲丛刊》。1958年10月率文化代表团出访苏联，因飞机失事遇难。有7卷《郑振铎文集》问世。

Zheng Zhilong 郑芝龙(1604～1661-11-24) 又拼 Cheng Chih-lung。中国明代将领。字飞皇，小字一官。福建泉州府南安(今福建南安东)石井乡人。原为闽浙沿海海盗。后去日本经商，取妻日人田川氏。1628年受明廷招抚，官至都督同知。明亡后南明弘光政权封为南安伯。1645年弘光政权灭亡，拥朱聿键在福州称帝，建立隆武政权，封平虏侯。排挤首辅黄道周，把持军政大权。次年清军入闽，不听其子郑成功(又名 Koxinga)的劝告降清。后被软禁北京，封同安侯。多次招降郑成功不成，1655年入狱。1661年被杀。

Zhengao 《真诰》 英语作 Instructions of Truth。道教著作。真诰意为"真人口授之诰"。假托晋哀帝兴宁(363～365)中扶乩降授，由杨羲、许谧、许翙书写，梁陶弘景编注，共20卷，分《运题象》、《甄命授》、《协昌期》、《稽神枢》、《阐幽微》、《握真辅》、《翼真检》等7篇。论述仙真与生人相会授道事迹和仙真降授修道积德的功行，踏星、存神、按摩、服气、服药、养生等方术。前16卷为仙真降授部分，后4卷则为杨、许、陶自记。书的内容庞杂，多有因果报应、轮回幻化等佛教思想。《甄命授》一篇中有20处取自佛家《四十二章经》。陶弘景是中国道教著名学者。该书引述道书和仙真语录的佚文和保存关于道教与科技史的材料，为后代所重视。

Zhengde 正德 参阅 **Ming**——：明朝帝王序列下 **Mingwuzong Zhu Houzhao** 明武宗朱厚照。

Zhengding 正定 又拼 Cheng-ting。中国河北省石家庄市辖县。位于石家庄市东北。县府驻正定镇。辖1街道、4镇、5乡。面积568平方千米。秦置东垣县。西汉高祖十一年(公元前196)，平息陈豨叛乱后，取真正平定之意改名真定县。武帝元鼎四年(公元前113)于此置真定国，至东汉建武十三年(公元37)国废。北周宣政元年(578)置恒州，唐元和十五年(820)改镇州，五代后唐升真定府，后屡名恒州、真定府或镇州，北宋庆历八年(1048)又升为真定府。元为真定路，明洪武初年(1368)复为真定府。清雍正元年(1723)，因避帝名胤祯讳，更名正定县，为正定府治。1913年废府存县。地处太行山东麓洪积冲积平原上，滹沱河顺地势自西向东横贯全境。属暖温带大陆性季风气候。农业发达，为河北省主要粮棉生产县之一。农作物有小麦、玉米、谷子、水稻、棉花、花生等。

正定县隆兴寺大悲阁
中国大百科全书出版社供图

1988年被农业部和河北省定为粮食、花生、蔬菜、瘦肉型猪、奶牛生产基地县。1991年又发展了高效农业、基地农业、创汇农业和开发农业。工业发展较快，有冶金、机械、电子、化工、纺织、食品、建材、造纸等工业。境内京广、石太和石德铁路，京广公路、京深高速公路和沧石公路等纵横成网，交通发达。名胜古迹很多，其中隆兴寺(又称大佛寺)建于隋开皇六年(586)，寺中大悲阁的千手观音是中国现存最大的铜铸佛像。华塔(又名多宝塔)建于唐贞元年间(785～805)，造型优美。人口440 000(2005)。

Zhengtong 正统 又拼 Cheng-t'ung。参阅 **Ming**——：明朝帝王序列下 **Ming Yingzong Zhu Qizhen** 明英宗朱祁镇。

Zhenguanzhizhi 贞观之治 参阅 **Tangtaizong Li Shimin** 唐太宗李世民。

Zhengyidao 正一道 又拼 Cheng-i Tao，英语作 Cheng-i Taoist sect。中国道教教派之一。由2世纪张陵所创的五斗米道(天师道)演变而成。因奉《正一经》传正一符箓，故称正一道。从张陵第4代张盛起以江西龙虎山为本山，故又称"龙虎宗"。1304年元成宗封第38代天师张与材为"正一教主"，总管龙虎山、阁皂山(灵宝派)、茅山(上清派)三派道教。从此道教符箓各派统称正一道。尊天敬神，诵经行醮，以符咒驱鬼役神、祈福禳灾；允许道士结婚。13世纪后正一道与全真道并峙，为流传至今的两大派。

Zhengzhi University 政治大学 在台湾复校的中国高等学府之一。校址设在台北。前身为中央党务学校，1927年春创设于南京，校长为蒋介石。1929年6月易名中央政治学校，初分行政、法律、财政、社会经济4系，后增设教育、外交2系。1937年抗日战争开始

政治大学校园
美国不列颠百科全书公司供图

后，该校向后方迁徙，一度中止招生(1939-07)，另设公务员训练部及专修部。1941年8月恢复大学部招生。抗日战争胜利后迁回南京。1946年8月与中央干部学校合并，改称政治大学，翌年8月派顾毓琇任校长。随着内战形势的变化，该校先后迁址杭州、广州及重庆，其后校务停顿。1954年7月在台北木栅复校，校长为陈大齐。先办研究部(4个研究所)，1955年秋增设大学部(5个系)。现设有文、理、社会科学、法、商、外国语文、传播等学院、研究所、博士班等。另有公共行政及企业管理教育中心、社会科学资料中心、电子计算机中心、语言视听教育中心，附设公务人员教育中心、国际关系研究中心及选举研究中心等。

Zhengzhou 郑州 又拼 Cheng-chou。中国河南省辖地级市，省会。位于省境中部，北临黄河，西倚邙山，东、南两面是广阔的黄淮平原。辖中原、二七、金水、上街、惠济区和管城

郑州市的象征——商代铜鼎
中国大百科全书出版社供图

回族自治区以及中牟县，并代管巩义、新郑、新密、登封、荥阳5县级市。面积7 507平方千米，其中市区面积1 024平方千米。1972年在郑州北郊大河村一带，发现仰韶文化和龙山

雪后郑州市中心的二七广场
中国大百科全书出版社供图

文化的新石器时代遗址,由此证明在5 000年前已有人类活动。商代建有都城,城墙周长6 960米,并有完整的城市供水系统;还有高超的青铜冶铸技术。西周为叔鲜的封地,称管国。春秋称东里,为郑国大夫公孙子产的采邑。隋开皇三年(583)置郑州,治成皋。开皇十六年置管城县(今郑州市区),并为管州治所。唐贞观元年(627)废管州,贞观七年移郑州治所于管城县,始名郑州。隋、唐时期因是新汴运河的终点,城市发展较快。北宋定都开封后,地位有所下降。1913年改郑州为郑县。1928年析县城设郑州市,1931年撤销,1948年复置市。气候特点是春季温暖干旱,夏季炎热多雨,秋季天高气爽,冬季寒冷多风,属暖温带大陆性气候。年平均气温14.3℃,年降水量640毫米,集中于7～9月。矿产主要有煤炭、铝土、泥灰岩、铁、耐火黏土、石棉等。农业盛产小麦、稻谷、玉米、花生和棉花等,是黄淮海平原粮食、棉花和其他农产品的集散地。

20世纪初修建京汉、陇海铁路,郑州从此成为中国主要铁路枢纽。郑州还是中国近代工人运动的中心之一。1923年爆发震撼全国的京汉铁路工人"二七"大罢工,沉重地打击了军阀统治。1948年前只有面粉、卷烟、发电等几家小工厂,城市破旧不堪。1949年后工业迅速发展,现有纺织、机械、电力、冶金、化工、食品等工业。形成完整的棉纺工业体系,是中国新兴的棉纺织工业基地之一。郑州是中国重要商业城市之一,具备为30万流动人口提供食宿和活动场所的服务功能。京广、陇海两大铁路干线交会于郑州,是中国重要交通枢纽之一。郑州中心站属中国五大客运站之一,每天发送旅客10万人次,占全国第3位;东站是中国最大的一个零担货物中转和集装箱集散站;北站为大型路网性铁路编组站,编组作业量居世界第一。郑州—武昌段是目前中国装备最好的电气化铁路。以国道107和310两大公路为依托的交通网,以及境内18条公路干线辐射周围各省市,郑洛、开郑、石郑等高速公路已投入运营,年货运量达4 000万吨。郑州机场已有至北京、上海、广州、厦门、乌鲁木齐、长春、香港等地的40余条航线。公路和航空港组成与铁路枢纽相配套的运输网络。城区园林绿化面积高于中国省会城市平均水平,已成为著名的绿色城市。有110多个科研机构和郑州大学等多所普通高等院校和成人高校。市内有人民、碧沙岗、紫荆山等公园,以及中州乐园、道教圣地中岳庙、邙山黄河游览区、环翠峪风景区,并有商代古城、大河村仰韶文化遗址、宋代皇陵群、嵩阳书院和"二七"纪念塔等。人口:全市6 700 000(2005);市区2 400 000(2004)。

Zhenjiang 镇江 又拼 Chen-chiang。江苏省辖地级市,中国历史文化名城。在长江南岸江南运河入江口,隔长江与扬州市相望。沪宁铁路和沪宁高速公路由西南郊通过,是江苏省长江南北交通口岸。春秋时称朱方。秦置丹徒县,治所在今丹徒镇。东汉建安十三年(208)吴主孙权在今镇江市区北固山下筑城,为吴郡治,史称京城(俗称京口),是镇江市区聚落的起源。南朝宋永初二年(421)称南徐州。隋开皇十五年(595)置润州,为镇江又称润州的由来。大业初废,属江都郡。唐武德三年(620)后置润州、丹徒县。建中初年(780)置镇海军节度使。北宋开宝八年(975)改称镇江军节度使,镇江之名自此始。政和三年(1113)升为镇江府。元至元十三年(1276)升为镇江路总管府。明清二代为镇江府。1912年废府存县,名丹徒县。1929年江苏省政府迁此,改名镇江县。1949年析镇江县城、郊区置镇江县级市。1983年升为省辖市。辖京口、丹徒、润州3区,并代管丹阳、句容、扬中3县级市。面积3 799平方千米,其中市区面积979平方千米。

镇江市境内宁镇山脉横亘,茅山南北纵列,平原圩区约占总面积的1/3,种植水稻、麦类、油菜等。低丘、岗地以玉米、甘薯、豆类、棉花为主要作物,低山区并有松、杉及杂木林。从隋唐漕运兴起,到20世纪初沪宁、津浦二铁路建成通车,镇江以交通位置优越,一直是长江下游重要商业中心。1858年辟为商埠,1892年建立电灯、自来水、面粉、碾米、缫丝、造纸等工厂。长江和沿海航运兴起后,物资集散大都移往上海、南京,镇江的商业地位下降。1949年建市以来,先后疏浚港口,整修京杭运河,修建镇江鲇鱼口—瓜洲汽车轮渡,再度成为江苏省长江南北物资转运和旅客中转口岸,成为中等规模的综合性工业城市。镇江市工业有电力、采矿、钢铁、机械、造船、建筑材料、石油化工、电子、仪表、食品、造纸、纺织、缫丝、服装等部门。20世纪80年代在丹徒区大港辟建万吨深水港口,对外开放。建有专用公路与市区相通,有专用铁路线与沪宁铁路衔接,成为江苏省重要对外贸易口岸。京沪铁路、312国道和沪宁高速公路从境内穿过。镇江山水秀丽,风景幽美,自古即为旅游胜地,有"天下第一江山"美誉。以沿江的金山、北固山、焦山和南郊的鹤林、竹林、招隐三寺最为引人注目。句容宝华山建有自然保护区。有江苏理工大学、江苏科技大学、镇江医学院等多所高等院校。人口:全市2 670 000(2005);市区1 000 000(2004)。

镇江市北固山上的甘露寺
中国大百科全书出版社供图

Zhenlafengtuji 《真腊风土记》 英语作 Description of Kampuchea。中国元代反映柬埔寨吴哥时代的重要著作。作者周达观,号草庭逸民。永嘉(今属浙江)人。1295年随元使赴真腊(今柬埔寨),1297年返国。此书记述出使见闻。"吴哥时代"(10～13世纪)为柬埔寨文明极盛时期。全书8 500字,生动描述当时国都吴哥城建筑、雕刻和当地人民经济活动、日常生活,也记载了柬埔寨和中国人民的通商友好关系。为研究柬埔寨史和古代中国真腊交通史的珍贵史料。

zhenren (Taoism) **真人** 又拼 chen-jen。参阅 **daoshi** 道士。

Zhinü 织女 又拼 Chih-nü。星宫名。后演变为中国神话人物。参阅 **Niulang and Zhinü** 牛郎织女。

Zhitomir 日托米尔 又拼Žitomir。乌克兰一州。面积29 900平方千米。北半部为多森林的普里佩特沼泽地(部分已垦殖)。南半部为沃伦-波多尔斯克高地,久经侵蚀,河谷与冲沟纵横。经济以农业为主。农村人口约占50%。主要农作物有小麦和甜菜,北部低地有蛇麻、亚麻等作物,还饲养家畜,林木加工业也很发达。城市除州首府日托米尔外,规模都较小,从事农产品加工。瓷器和玻璃产品是西部各城市的特产,尤以戈罗德尼察闻名。人口约1 503 700(1991)。

Zhitomir 日托米尔 又拼Žitomir。乌克兰西部日托米尔州城市和首府。濒临捷捷列夫河(河岸很高,多岩)。日托米尔的历史可追溯到9世纪,1240年首见记载,当时遭鞑靼人劫掠。长期为商业中心和州首府,现为交通枢纽。自基辅西行的铁路和公路干线在此与南北线路交叉。该市的轻工业主要是加工当地所产材料为主，产品有家具、亚麻布等，近年来发展合成纤维工业。当地特产是乐器，手风琴尤其著名。设有农业和师范学院。人口约298 000(1991)。

Zhivkov, Todor (Khristov)　日夫科夫(1911-09-07，保加利亚博泰夫格勒附近普拉韦茨～1998-08-05，索非亚)　保加利亚共产党第一书记(1954～1989)及保加利亚总统(1971～1989)。贫农家庭出身，早年到保加利亚首都索非亚谋生，20世纪20年代末参加被取缔的共产主义青年团。他在党内的地位上升并于第二次世界大战期间参加组织称为人民解放起义军的抵抗运动。战后苏联扶持的共产党政府在保加利亚建立后，日夫科夫担任越来越重要的职务，包括领导民兵，逮捕了数以千计的政治反对者。他于1951年任政治局委员，1954年3月任中央委员会第一书记，为苏联集团各国中最年轻的领导人。因有苏联领导人赫鲁晓夫做后台，在历次党内斗争中均占上风。1962～1971年日夫科夫任保加利亚部长会议主席，1971年当选为根据保加利亚新宪法成立的国务委员会主席。1965年在持不同政见的党员和军官发动未遂政变——共产党政权下第一次——中幸免于难。日夫科夫在国内外事务中紧跟苏联路线。他确实是 位管理经济的能手，在他领导下，保加利亚工业化持续发展，人民生活水平大为提高。但当1989年民主化浪潮横扫东欧苏联集团国家时，年迈的日夫科夫在是年11月辞去一切职务，为较温和的共产党领导让路，12月被开除出保加利亚共产党。日夫科夫1990年1月被拘禁，1992年因盗用公款罪被判处7年徒刑。

Zhiwu Mingshi Tukao　《植物名实图考》　英语作 Illustrated Catalogue of Plants。中国清代植物学专著。吴其濬撰。1848年由陆应穀刊行。全书共38卷。收植物1 714种，分谷、蔬、山草、隰草、石草、水草、蔓草、毒草、芳草、群芳、果、木12类。每类分若干种，叙述其名称、形、色、味、品种、产地、生长习性、用途等，并有附图。著录每种均经本人亲自观察、考证，修正了过去本草书中的许多错误。植物图也较为精确，有的可据以鉴定植物的科和目。另有《植物名实图考长编》22卷，收植物838种，系辑录古代植物文献编成。

zhixing　知行　又拼 chih-hsing，英语作 knowledge versus practice。中国古代哲学术语。“知”指知识、知觉、思想；“行”指行为、行动、践履。关于知行先后问题，朱熹、陆九渊主张“知先行后”，王守仁主张“知行合一”，王夫之认为“知中有行，行中有知，”知行难易问题，一说知易行难。《左传·昭公十年》：“非知之实难，将在行之。”一说知难行易。孙中山《心理建设·知行总论》：“行易知难，实为宇宙间之真理，施之于事功，施之于心性，莫不皆然也。”知行轻重，孔子认为“行重于知”。《论语·学而篇》：“行有余力，则以学文。”荀子认为“学至于行之而止矣”。朱熹也以为“论轻重，行为重”。朱熹还有能行才是真知的思想。王廷相在《家藏集·与薛君采》中也说：“讲得一事即行一事，行得一事即知一事，所谓真知矣。”王夫之更肯定行是知的基础。《尚书引义》卷三：“且夫知也者，固以行为功者也，行也者不以知为功者也。行焉可以得知之效也，知焉未可以得行之效也”，这是对知行关系的深刻见解。

Zhiyi　智顗(538～597)　又拼 Chih-i。中国陈、隋时僧人。天台宗第三祖，实为天台宗创始人，世称“天台大师”。俗姓陈，字德安。祖籍颖川(今河南许昌)，后迁荆州华容(今湖北

中国大百科全书出版社供图

潜江西南)。父为梁时大官。因目睹王朝频繁更迭，哀叹人生无常而遁入佛门。18岁出家，20岁受具足戒。初学律，后到太贤山诵《妙法莲华经》(简称《法华经》)、《无量义经》、《观普贤经》等。23岁拜名僧慧思为师学禅法，修行法华三昧。慧思去南岳，智顗受慧思嘱于陈光大元年(567)赴金陵(今南京)讲《法华经》、《大智度论》等，传布禅法，博得声誉，受陈宣帝及群臣礼敬，影响颇大。陈太建七年(575)入天台山建草庵。陈宣帝诏割始丰县(今浙江天台)调以供寺用，又拨两户农民专门供应“薪水”(实际是做寺奴)。后应陈后主诏，回金陵讲《大智度论》、《仁王般若论》、《法华经》等经论。智顗融合佛教各派教义，强调各种佛经是释迦牟尼佛按不同接受能力的说法，分为五期，而以《法华经》为最高。故以《法华经》为宗要，《大智度论》为指针，参照其他经论组成“一念三千”、“三谛圆融”的学说，陈亡后游化荆、湘二州(今湖北、湖南一带)，又往庐山讲经。隋开皇十一年(591)应晋王杨广请到扬州为其授菩萨戒，杨广授予“智者”称号，故又称“智者大师”。智顗卒后，杨广按其遗图在天台山造寺，赐名“国清寺”。智顗一生造大寺35处，度僧4 000余人，传业弟子32人，著名的有灌顶、智越、智璪等。著作宏富。《法华玄义》、《法华文句》和《摩诃止观》是天台宗代表性著作，称“天台三大部”。此外还有《观音玄义》、《金光明经玄义》、《金光明经文句》、《观音义疏》、《观经疏》(系伪托)，称“天台五小部”。

Zhiyu site　峙峪遗址　中国华北地区旧石器时代晚期的古人类文化遗址。1963年在中国山西省朔县峙峪村发现。文化遗物与披毛犀、蒙古野马、河套大角鹿、斑鬣狗等动物共生。地质时代为晚更新世。遗物包括人类化石、石器、装饰品和烧石、烧骨等用火遗迹。人类化石为一块枕骨，其特征接近现代人。石制品1.5万余件，原料多为脉石英、石英岩

峙峪文化的石器，山西朔县峙峪遗址出土
中国大百科全书出版社供图

和多种颜色的石髓。制作技术较进步，当时已出现用间接打击法和压制法加工石器的技术，故石器小而精致。有刮削器、尖状器、雕刻器、斧形小刀和箭头等。当时人类已掌握磨制和钻孔技术，有一件石墨装饰品即用此法制成。从石器组合可看出当时峙峪人以狩猎为谋生手段。

Zhob　兹霍布　前称桑德曼堡。巴基斯坦西部俾路支省城镇。位于兹霍布河东面平川上。其北面有一高45米的山脊，上面建有一座城堡，为英国统治时期的官邸。为一交通中心，有公路通往奎达、木努和白沙瓦。人口44 248(1998)。

zhong　钟　又拼 chung。中国古代祭祀、宴享的乐器。一般是铜器。二里头文化晚期已发现铜铃，商代后期流行铜铙(或叫钲)。西周中期才出现钟，东周广为流行。铃是铙和钟的前身。铙的口向上，柄在下；钟则口向下，柄在上。钟依口型分为两种：口呈弧形的为钟；平口的为镈。铙、钟或镈都必须成组，

中国周代末期的青铜钟
华盛顿弗里尔艺术陈列馆供图

悬挂在架上，用木槌敲击演奏。商代的铙一般3个或5个1组，都是大小相次。周代较早的钟也是3个1组，后增至7个或7个以上1组，也是大小相次。这种成组的钟成排悬挂起来叫编钟(**serial bells**)。单独悬挂的大钟叫特钟。

Zhong Huilan　钟惠澜(1901-08-08，东帝汶叻利岛～1987-02-06，中国北京)　中国著名

内科学家与热带病学家。1929年毕业于北平协和医学院，后获美国纽约州立大学医学博士学位。曾先后在北平协和医院、中和医院及中苏友谊医院任职，为中国科学院生物学

中国大百科全书出版社供图

部委员。钟惠澜首次证明中国黑热病的犬、人、白蛉三者流行环节的关系。发现虱传播回归热的确切机理。对黑热病的早期临床表现、发病机理、诊断和治疗进行过深入研究，并明确指出贮存宿主犬在中国传播黑热病中的重要作用及主要传播媒介是中华白蛉，为中国黑热病的防治奠定了基础。他对钩端螺旋体病的流行学、临床表现和分型、早期诊断、发病机理、治疗和合并症等均有过深入研究。他还发现以蠕蚴移行症为主要表现的四川肺吸虫病，后发现病原体四川并殖吸虫，首先提出了卫斯特曼氏并殖吸虫种下分型的问题。对中华分枝睾吸虫病、阿米巴病、肝片吸虫病、囊虫病、曼森氏裂头蚴病、布鲁斯氏杆菌病、斑疹伤寒、乙型脑炎等病均有较多的研究。曾发表论文300多篇，编有《热带医学》一书。

Zhong Kui 钟馗 中国旧时民间传说中的驱妖逐邪神。由“终葵”演化而来。终葵即椎。古代民俗用椎逐鬼，六朝人认为终葵可驱鬼辟邪。后演变为钟馗。传说唐玄宗(713～755在位)病中梦见大鬼啖一小鬼，大鬼自称钟馗，曾应武举未中，死后决心除尽世

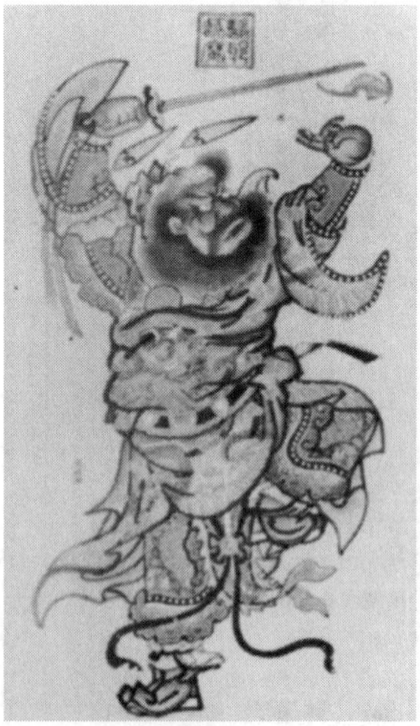

中国大百科全书出版社供图

间妖孽。玄宗醒后命吴道子绘钟馗像。破帽，蓝袍，眇一目，左手捉鬼，右手挖鬼眼。后民间以钟馗像能驱鬼辟邪，端午节多悬钟馗像，以除邪祟。

Zhong Rong 钟嵘(约468～约518) 又拼Chung Jung。中国南朝齐、梁文艺批评家。字仲伟。颍川长社(今河南长葛)人。作过记室、参军等小官。所作《诗品》是中国第一部论诗著作。书中品评汉代至梁代诗人122人，分为上中下三品，就这些诗人的思想艺术特点、风格源流分别评述。书中还批评当时诗坛堆垛典故，刻意追求声律的倾向，认为诗

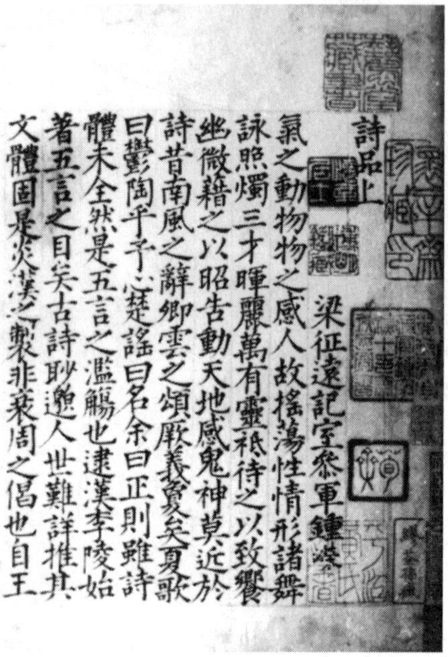

詩品上

梁征遠記室參軍鍾嶸

氣之動物物之感人故搖蕩性情形諸舞詠照燭三才暉麗萬有靈祇待之以致饗幽微藉之以昭告動天地感鬼神莫近於詩昔南風之辭卿雲之頌厥義夐矣夏歌曰鬱陶乎予心楚謠曰名余曰正則雖詩體未全然是五言之濫觴也逮漢李陵始著五言之目矣古詩眇邈人世難詳推其文體固是炎漢之製非衰周之倡也自王

明代正德元年退翁书院抄本《诗品》

中国大百科全书出版社供图

歌应当表现真实情感。重视“滋味”、“风力”。对五言诗的起源发展也有论述。今人陈延杰有《诗品注》(1980)。

Zhong Yao 钟繇(151～230) 又拼Chung Yao。中国三国魏大臣，书法家。字元常。颍川长社(今河南长葛)人。曹操当政时，镇守关中，政绩卓著。魏代汉后，任廷尉、相国、太尉、太傅。学书刻苦，师法曹喜、蔡邕、刘德升等，博取众长，兼擅铭石、章程、行押三体。铭石书如《上尊号奏》、《受禅表》，隶法遒古，如斩钉截铁。章程书、行押书如《戎路表》、《宣示表》、《荐季直表》、《力命表》、《调元表》、《墓田丙舍》、《还示》、《雪寒》等帖。诸帖皆出于后人临摹，从中仍可看出他“尤精隶楷”，朴茂幽深、开张而又自然，信如梁武帝所评：“云鹤游天，群鸿戏海”的风格特点。在书法史上，由他开创了向楷书发展的新时代，书史上与王羲之并称钟、王。王羲之主要是向他和张芝学习。在南朝与唐代他和张芝、王羲之、王献之四人同被尊为书坛上的最高典范。晋武帝设书学博士，命以钟为法。西晋、南北朝都是向他学习，北朝尤为显著。江左虽有王羲之父子出，而钟繇之祀不祧。唐宋以后，写楷、行书欲求高古厚重者，如颜真卿、朱熹、宋克、倪元璐、黄道周、朱耷、石涛、刘墉等著名书法家，无不从他那里汲取营养。著有《书法

钟繇书《荐季直表》

中国大百科全书出版社供图

十二意》，梁武帝以及张旭、颜真卿师徒曾对此进行阐发，很有益于书学。

Zhongchao 中朝 英语作Inner Court。中国汉代(公元前206～公元220)的职官制度。即内朝。汉武帝为强化皇权，将朝官制分为内朝和外朝。内朝由皇帝亲信组成，形成决策中心。其中官员为皇帝近臣、侍中、常侍、给事中、尚书等。外朝又称外廷，是丞相领导的中枢官僚机构，权力受到裁抑，成为单纯的执行机构。西汉昭帝以后尚书地位更趋显要，东汉光武时专任尚书台执掌中朝职能。东汉末宦官即以中常侍和小黄门身份控制尚书台而擅权。

Zhongguohua 中国画 英文作traditional Chinese painting。广义泛指中国绘画。狭义则通称国画，专指使用中国传统的笔(毛笔)、墨、纸(宣纸)、印和特殊的技法创作的绘画，以区别自明末以来传入中国的西方绘画。中国画在世界美术领域中自成体系，是东方画系的重要组成部分。中国画在长期的历史进程中，形成了反映民族审美观念的特点，构成以宫廷画、民间画和文人画三大系统为主导的艺术体系。它的方法受中国传统哲学思想的影响，体现了中国人特有的审美习惯，主张以大观小，小中见大。对于处在一定时空中的物象，并不着眼于特定光源所引起的明暗与色彩的变化，也不认知对象的外表特征，而是抓取深藏于对象之内的神采与本质，即所谓的遗貌取神。如对山水花鸟等本来无情之物的观察往往带有浓重的感情色彩，努力捕捉对象与人类审美感情及精神生活有联系的特征，通过形象记忆，发挥想像，形成熔铸了作者品格、情操与感情的胸中意象。山水花鸟画是中国画的重要题材。其特征是重视艺术形象的神韵或气韵：山水画强调留影与意境，反对“谨毛而失貌”，主张情与景的统一；花鸟画则强调写生与寓兴。中国画重视立意构思的统帅作用，崇尚作品的神韵；注重把握物象的骨法结构，对形象的刻画不拘于形似，而是提倡“似与不似之间”，大胆使用程式化、装饰化和夸张变形的手法；构图布局不拘于特定的时空，“计白当黑”；讲求笔法，用色以墨为主，以色为辅，“随类赋彩”；最后用印辅助签字落款，补充或点醒画意，在构图上把书

法与绘画有机结合起来，使作品成为以画为主体、以诗、书、印相辅衬托的小型综合艺术。中国画艺术表现的出发点是“本于立意”。立意着眼于“千载寂寥，披图可鉴”的认识作用，“恶以诫世，善以示后”的教育作用，以及“怡悦情性”的审美作用。在着重体现审美作用的同时也往往寓教于乐。

Zhongli 中坜 又拼 Chung-li。中国台湾省西北部新兴城市。位于桃园市西南约 9 千米，地当北部沿海台地上，在新街溪西岸。该地 17 世纪末为台湾北部农产品集散中心。农产品以稻谷、茶叶、甘薯等为主。制糖、碾米、纺织为其主要工业。现有中山高速公路与西线纵贯铁路北接台北市，南达高雄市，并可通附近的小人国、野生动物园。中央大学(1968)和中原大学(1955)均设于此。人口 318 649(1999)。

Zhongli Quan 钟离权 又拼 Chung-li Ch'üan。中国神话中道教八仙之一。字云房。唐(618 ～ 907)末京兆咸阳(今属陕西)人。曾为五代后汉将军，故又称汉钟离。传

18 世纪的钟离权木雕像
巴黎吉梅博物馆供图

说他与吕洞宾同时。钟离权在八仙中居首位，全真道尊为正阳祖师。相传王玄甫授以赤符玉箓、金科灵文、太丹秘诀、周天火候、青龙剑法。吕洞宾为其弟子。中国画中钟离权满脸胡须、背插拂尘、手执仙扇。有时也画成武将。

Zhongshan 中山 又拼 Chung-shan。中国广东省辖地级市。位于省境中南部，珠江口西岸。辖 6 个街道、18 个镇。面积1 800平方千米。南宋绍兴三十二年(1162)析东莞县香山镇置香山县。1925 年为纪念孙中山改名中山县。1983 年撤县改县级市。1988 年升为省辖市。广东省著名侨乡。广东经济“四小虎”之一。地当珠江三角洲南部的西、北江下游出口处。中南部为五桂山，四周是冲积平原。市区名石岐，地处境内中部，石岐河纵

中山市的温泉宾馆
中国大百科全书出版社供图

贯。农业主种水稻，兼种甘蔗、花生、水果、蔬菜、蚕桑。饲养猪、家禽和塘鱼。素称“鱼米之乡”，为广东省传统商品粮、糖、塘鱼、蚕茧产区和出口基地之一。张家边良种猪、沙栏鸡、中山麻鸡、石岐乳鸽、长江脆肉鲩、罗氏沼虾等为当地培殖的良种。有铁、泥炭土、花岗岩、高岭土、钾长石、水晶、锰、钨、锡、铝、钼等矿藏。工业发展很快，商品经济较发达。初步建立起外向型轻工业体系，主要有机械、电子、家用电器、食品、纺织、化工、制药、印刷、编织、建材等行业。名胜古迹有翠亨村孙中山故居、中山温泉旅游区和长江乐园等。105 国道和京珠高速公路纵贯全境，对外贸易港口中山、石岐、小榄等有客、货轮通广州、深圳、江门、肇庆、梧州、香港、澳门等地。人口 1 390 000(2005)。

Zhongshan 钟山 参阅 **Zijin Shan** 紫金山。

Zhongshan Freeway 中山高速公路 又作 Sun Yat-sen Freeway; Sun Yat-sen Memorial Expressway。中国台湾省第一条最长的高速公路。1971年始建，1978年10月31日竣工通

台湾中山高速公路
台湾中华书局供图

车。主线北起基隆，南迄高雄，沿线经台北、桃园、新竹、苗栗、台中、彰化、云林、嘉义、台南等县市。全长 373.4 千米，并有支线连接桃园中正机场、高雄小港机场及台中港。全线采用立体交叉设计，依各地路段交通流量而分四线、六线和八线 3 种车道，目前已设置 12 种型式的交流道 37 处。因途经大小河流数以百计，沿线架跨河桥梁达 354 座，其中以云林、彰化两县交界的中沙大桥最长(原名浊水溪桥，长2 345米)，上有桥墩 66 座，系台湾第一长桥。中山高速公路工程浩大，施工质量臻于国际标准，运输量大，交通便利，由台北至高雄仅需约 4 小时，是贯通台湾南北部的陆路交通大动脉。

Zhongshan Mausoleum 参阅 **Sun Yat-sen Mausoleum** 中山陵。

Zhongxing Xincun 中兴新村 又拼 Chung-hsing-hsin-ts'un。中国台湾原省政府所在地。位于南投县西北方草屯与南投之间，地处虎山山麓，北距台中市约 22 千米。始建于 1957 年，其位置的选择、规划的构想颇受当时英国

中兴新村内的中兴堂
美国不列颠百科全书公司供图

“田园城市”思想影响。原规划开发面积共约 1 000余公顷，已开发 200 公顷，系一平缓山坡台地，风景优美，气候宜人。中兴新村为台湾地区第一座规划完整的新市镇，建筑宏伟，秩序井然，环境清静整洁，不仅是台湾原省政府的办公中枢，亦为假日游客休憩的场所。有高速公路北通台中市，南连南投市。草屯镇人口约99 123(2004)。

Zhongyang Yanjiuyuan 中央研究院 英语作 Academia Sinica。中国国民政府时期成立的最高学术研究机构。前身是中华民国大学院中央研究院。1927 年 4 月 18 日国民党中央政治会议议决设立中央研究院筹备处，推蔡元培等 6 人为筹备委员；同年 7 月决定在中华民国大学院内设立中央研究院。1928 年 4 月，中华民国大学院被撤，改中央研究院为国立中央研究院，蔡元培任院长；6 月 9 日，中央研究院正式成立，直隶国民政府，于南京设总办事处。任务是从事科学研究(包括基础科学、应用科学和理论科学)，并指导、联络、奖励学术研究；其评议会为最高学术评议机构。抗日战争爆发后，中央研究院先后迁至四川、广西、云南等省。抗战胜利后，中央研究院一面接收日本设在上海和北平的研究机构，一面迁回南京、上海。1947 年 10 月正

式建立院士制度。1948年5月改隶总统府。12月,中央研究院数学、历史语言两研究所大部迁往台湾(原有的81位院士中仅有傅斯年、林可胜等7人随迁),并延用原名,院长先后由朱家骅、胡适、吴大猷等人担任。留在大陆各所于1949年10月为中华人民共和国中国科学院接管。

zhongyong 中庸 中国古代哲学的范畴。中,有中正、中和、不偏不倚等义;庸,有平常、常道、任用等义。该词最早见于孔子"中庸之为德也,其至矣乎"之说,以中庸为最高的道德。中庸的基本原则是"允执其中",要求把握适当的限度,以保持事物的平衡,使人的言行合于既定的道德标准。其后,历代学者解说不一,评述殊异,借以发挥自己的思想。子思及其门人著《中庸》一书,认为人们在实行道德之时,往往智者贤者"过之",而愚者"不及",致使正道不行,主张用中庸纠正极端倾向,以维护正道。宋代理学家们把"允执其中"视为"道统"的核心。程颐称"不偏之谓中,不易之谓庸。中者天下之正道,庸者天下之定理"。朱熹认为中庸指知行"恰到好处,无些过与不及",凸显了中庸的方法论意义。

Zhongyong 《中庸》 又拼Chung-yung,英语作Centre或Unchangeable。中国儒家的经典之一。原属《礼记》的一篇,宋代把它和《礼记》中的《大学》独立出来,同《论语》、《孟子》配合称《四书》。关于《中庸》的作者,《史记》中认为是孔子之孙子思。《中庸》发挥孔子"过犹不及"的思想,追求"和而不流"、"中立

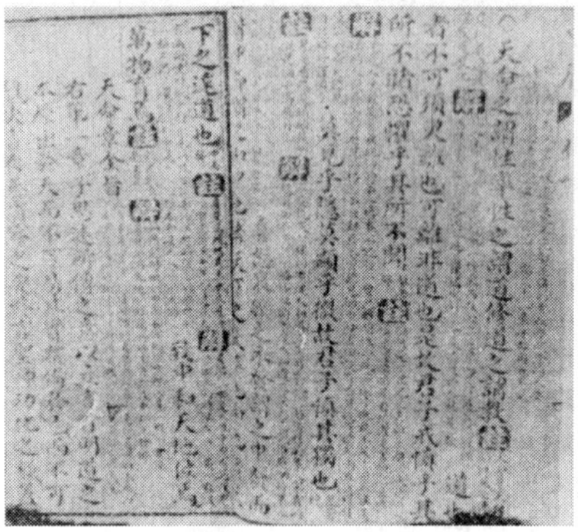

明刻本《中庸》书影

中国大百科全书出版社供图

不倚"的境界。《中庸》中认为,在君臣、父子、夫妇、兄弟、朋友这五种关系中实行智、仁、勇三德,以此为修身、治人、治国的基本。《中庸》的核心观念是"诚",认为"诚"是"天"的本性,是天地万物皆赖以存在的根本。人要通过道德修养工夫,"择善而固执之",以求达到"不勉而中,不思而得,从容中道"的境界。《中庸》既尊重固有的德性,又重视学问的积累;要求达到最高的精神境界,又要保持中庸的原则。这些观点对于后代的思想产生了深远影响。

Zhou 纣(约公元前1075~前1046在位) 又拼Chou。中国商朝(约公元前1600~前1046)末代国王。名受,亦称帝辛。为著名暴君。在位30年。黩武好战,曾征服淮水流域的东夷,获大量俘虏。又重刑厚敛,好酒淫乐,残暴专横,宠幸爱妃妲己,营建规模巨大的宫殿台苑,杀劝谏诸侯梅伯,囚周族首领文王,黜良臣商容,逼走庶兄微子启,杀王叔比干。后周武王会合西南各族讨伐,牧野(今河南淇县南)决战中商兵阵前倒戈,纣兵败,自焚于朝歌。商朝随之灭亡。

Zhou——: 周朝帝王 按在位时间顺序排列,并以● 为标记。

● **Zhouwenwang 周文王**(活动时期约公元前12世纪) 中国商朝末期西方诸侯之长。姬姓,名昌。古公亶父之孙。在位50年。幼年从事农牧。父季历被商王诛杀后继为诸

中国大百科全书出版社供图

侯,商王封为西方诸侯的首领,称西伯。为人谦恭,礼贤下士,威望日增。公元前1144年被纣囚于羑里(今河南汤阴县北),以献美女、骏马获释。晚年为伐商作布署,先后攻灭黎(今山西长治西南)、邘(今河南沁阳西北)、崇(今河南嵩县北)诸国,剪除商的羽翼;又迁都丰邑(今陕西长安西北),建立前进基地,为其子武王灭商建立周朝奠定了基础。西伯昌终身没有称王。武王伐商后始追称他为文王。传晚年曾演《易》八卦为六十四卦。卒年97岁。

● **Zhouwuwang 周武王**(公元前1046~约公元前1043在位) 中国西周(公元前1046~前771)王朝的建立者。姬姓,名发。周文王次子。继周文王为西伯,是商朝西方诸侯首领。即位第二年在孟津(今河南孟县

中国大百科全书出版社供图

南)大会诸侯,检阅军容,准备伐商。又二年商纣王专横暴虐变本加厉,伤残百姓,囚杀谏臣和宗室,众叛亲离,武王乃联合庸、蜀、羌、髳、微、卢、彭、濮等族兴兵伐纣。牧野(今河南淇县西南)会战取得大胜,直捣商都朝歌(今河南淇县),遂灭商,建立周王朝。定都镐京(今陕西西安西南)。

● **Zhougong 周公**(约公元前1043年摄政) 中国西周(约公元前1046~前771)初年政治家。姬姓,名旦,亦称叔旦。周文王之子,武王之弟。因采邑在周(今陕西宝鸡东

中国大百科全书出版社供图

北),故称周公。曾助武王灭商。武王卒后成王年幼,由周公摄政。其兄弟管叔、蔡叔等起而反对,商纣子武庚乘机勾结管、蔡和东夷部族联合叛周。周公亲率大军东征,3年后讨平叛乱。又营建东都成周,称洛邑(今河南洛阳),驻重兵监视殷顽民。大规模分封诸侯,先后建置71国。在封区内普遍推行井田制,统一规划土地,加强了国家经济基础。传周公还制定典章礼乐制度。周公辅成王7年后,于公元前1057年还政于成王。

● **Zhouxuanwang 周宣王**(公元前827~前782在位) 中国周朝第11位国王。名静(一作靖),姬姓。周厉王子。厉王因暴虐被国人驱逐,太子静藏匿大臣召穆公家中14年,幸免于死。其间召穆公、周定公共同行政,号为共和。共和元年(前841)为中国古史有确切纪年之始。共和十四年厉王死后,静被立为国君,由周、召二公辅政,整顿吏治,继承文、武、成、康诸王遗风,重新得诸侯拥戴。又为解除边境威胁,对猃狁、西戎等族用兵以经略西北,征讨荆蛮、淮夷、徐戎以经略东南,使国势复振,号称"中兴"。后期因冤杀大臣招致民怨,武力干涉鲁国君的废立引起诸侯不满;又不断攻伐,国力大损,与姜氏之戎战争中全军覆没,竟采取"料民"手段以清查户口强征兵员。死后其子周幽王即位(公元前781)仅11年,周政权即被异族攻灭,进入东周诸侯鼎立的春秋时期。

● **Zhoupingwang 周平王**(公元前771~前720在位) 中国周朝第13位国王。名宜臼(一作宜咎)。周幽王子,申后所生。幽王为博宠妃褒姒欢心废嫡立庶,申后母子皆被废。申后父申侯联合曾、犬戎攻杀幽王,宜臼为诸侯拥立在申(今河南南阳市北)即位。不久迁都洛邑(今河南洛阳),史称东周。从此王室衰微,政权依靠诸侯挟辅立国,中国历史遂转入诸侯称霸的春秋时期。

Zhou DYNASTY **周**(约公元前 1046～前 256) 又拼 Chou。中国历史上商朝之后的一个统一王朝。周人是古老的农业部落，兴起于今陕甘一带。传说其始祖名弃，在尧、舜时任农

山东临淄东周墓殉马坑
中国大百科全书出版社供图

师之职，受封于邰(今陕西武功西)，号后稷。弃死后，子孙世代为夏朝农官。因夏政衰，后人先迁居于豳(今陕西旬邑西)，到古公亶父时迁至周原(今陕西扶风、岐山间)，并于商代晚期建立周国。周文王时，周国已相当强大，但仍为商朝属下的诸侯国。武王继位后，伐纣灭商，建立周朝，建都镐(今陕西西安，又称宗周)。周公东征后确立宗法制，创立典章制度，先后分封几十个诸侯，以捍卫周室。公元前 771 年外戚申侯联合犬戎攻入镐京，杀周幽王。太子平王即位后迁都洛邑(今河南洛阳)。史称东迁以前为西周，东迁以后为东周。东周分为春秋和战国时期。**春秋时期(Spring and Autumn Period)**诸侯称霸，周天子处于被挟辅地位，是名义上的共主。**战国时期(Warring States Period)**诸侯间侵攘兼并，连年战争，周王室依附苟延，名存实亡。公元前 256 年周赧王被秦攻灭，东周结束。周朝共传 30 代，34 王，历时 800 余年。统治地区包括今黄河、长江流域和东北、华北地区的大部。西周时期农业和手工业均较发达。青铜器的冶炼铸造更加精美。东周以后铁器已在农业、手工业上使用，开始用牛耕地。商业发展，出现了商业都市。在文化领域产生老子、孔子、墨子、孟子、庄子等许多思想家。科学技术有显著发展。医学等方面也有新的成就。

Zhou Bangyan **周邦彦**(1057～1121) 又

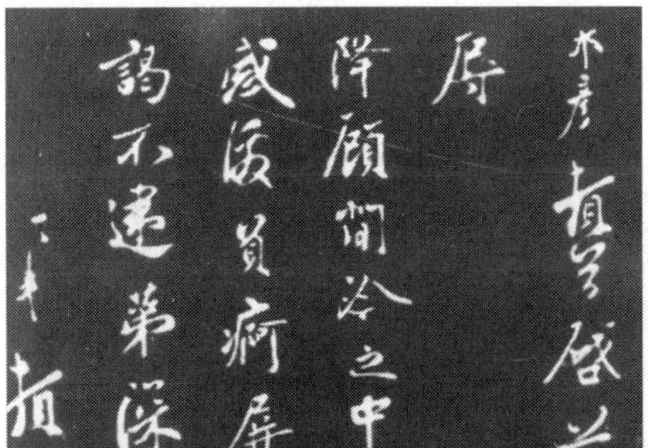

周邦彦手迹石刻
中国大百科全书出版社供图

拼 Chou Pang-yen。中国北宋词人。字美成，号清真居士。钱塘(今浙江杭州)人。年轻时生活放浪。因献《汴都赋》得官。徽宗时提举大晟乐府。精于音律，能自度乐曲。在大晟乐府任职时创制多种新曲，使词的调律更趋精密。多写艳情、旅思和自然景物，含蓄蕴藉，典雅工丽，代表作有《兰陵王》(“柳阴直”)、《满庭芳》(“风老莺雏”)、《六丑》(“正单衣试酒”)、《西河》(“佳丽地”)等。尤善于将前人诗句融化入词，摹写物态曲尽其妙。慢词铺叙婉转，短调也清新明丽，圆转自然。被奉为北宋词集大成者。有《清真词》(又名《片玉词》)。

Zhou Dunyi **周敦颐**(1017～1073) 又拼 Chou Tun-i。中国北宋哲学家，道学的先驱者。原名敦实，字茂叔，道州营道(今湖南道县)人。晚年筑室庐山莲花峰下小溪上，取名“濂溪书堂”，后人称濂溪先生。他继承《周易》、象数学、《老子》以及道教的思想。在其哲学著作《太极图说》中提出简明的宇宙构成论，认为宇宙最初阶段是“无极而太极”，“太极”一动一静产生阴阳万物。圣人又模仿“太

中国大百科全书出版社供图

极”建立“人极”，“人极”即“诚”，“诚”是“纯粹至善”的道德境界，只有通过无欲无为才能达到。周的学说成为朱熹理学的前奏，对宋代理学形成有很大影响。他的主要著作还有《通书》及一些哲理诗文，后人将其著作合编为《周子全书》，又称《周元公集》或《周濂溪集》。《太极图说》全文只有 249 字，但对后世影响很大，并成为道学的经典文献，一直受到明、清王朝的重视。曾被清康熙帝列在御纂《性理精义》的卷首，颁布学宫，作为培养人才的教科书。

Zhou Enlai **周恩来**(1898-03-05，中国江苏淮安～1976-01-08，北京) 又拼 Chou En-lai。中国共产党和中华人民共和国主要领导人之一，中国人民解放军创建人之一，无产阶级革命家、政治家、军事家和外交家。原籍浙江绍兴。1917 年在天津南开学校毕业后赴日本求学，开始接触马克思主义，思想观点发生重要转折。1919 年回国，9 月入南开大学，在著名的五四爱国运动中成为天津学生界的领导人，并与运动中的其他活动分子共同组织进步团体觉悟社。1920 年去法国勤工俭学。1921 年参加中国共产党，坚定了共产主义的信仰。1922 年和赵世炎(后来是党的前期重要领导人之一)等组织旅欧中国少年共产党(翌年改名为中国社会主义青年团旅欧支部)。后任中国社会主义青年团旅欧支部书记、中共旅欧支部领导人。1923 年被国民党本部委任为国民党巴黎分部筹备员、国民党驻欧支部特派员和代理执行部长等职，主持

供图：P. Ramrakha

国民党驻欧支部的工作。1924 年秋回国，正值国共合作，在这一期间他曾任广东黄埔军校政治部主任，国民革命军第一军政治部主任、第一军副党代表等职，并先后任中共广东区委员会委员长、常务委员兼军事部长，两次参加讨伐军阀陈炯明的东征。1925 年 8 月与邓颖超结婚。1927 年 3 月在北伐的国民革命军临近上海的情况下，领导上海工人第三次武装起义，赶走了驻守上海的北洋军阀部队。5 月在中共第五次全国代表大会上当选为中央委员，在五届一中全会上当选为中央政治局委员。当时国共合作即将全面破裂，7 月 12 日中共中央改组，周恩来任中共中央政治局临时常务委员会委员(共 5 人)。国共全面分裂后，他同贺龙、叶挺、朱德、刘伯承等一起于 8 月 1 日在江西南昌领导武装起义，任中共前敌委员会书记。1928 年在中共六届一中全会上当选为中央政治局常务委员。后任中共中央组织部部长、中央军委书记。当时中共中央在上海处于秘密状态下工作，他为保证中共中央的安全，为联系和指导各地区共产党领导的武装斗争，为发展在国民党统治区的秘密革命工作，起到了重要作用。在这一阶段的大部分时间内，他实际上是中共中央的主要主持者。

1931 年 12 月，他离开上海到位于江西省南部和福建省西部的中央革命根据地，先后任中共苏区中央局书记、中国工农红军总政治委员兼第一方面军总政治委员、中央革命军事委员会副主席。1933 年春和朱德一起领导和指挥红军战胜了国民党军队对中央革命根据地的第四次“围剿”。1934 年 10 月参加长征。1935 年 1 月在贵州省遵义县城举行的中共中央政治局扩大会议(即遵义会议)上，他支持毛泽东的正确主张，继续被选为中央主要军事领导人之一。1936 年 12 月，当时驻在陕西西安的爱国将领张学良和杨虎城，由于反对蒋介石拒绝抵抗日本侵略而集中全力反共，发动了武力拘禁蒋介石的“西安事变”。周恩来任中共全权代表与秦邦宪、叶剑英等去西安同蒋介石谈判，和张、杨一起迫使蒋介石接受“停止内战、一致抗日”的主张，促使团

结抗日局面的形成。

抗日战争期间，周恩来代表中共长期在重庆及国民党控制的其他地区做统一战线工作，努力团结各方面主张抗日救国的力量，并先后领导中共中央长江局、南方局的工作。他坚持国共合作，积极团结民主党派、进步知识分子、爱国人士和国际友好人士，制止反共逆流，克服对日投降的危险。在1945年的中共七届一中全会上当选为中央政治局委员，书记处书记，和毛泽东、朱德、刘少奇、任弼时组成了以毛泽东为首的中共中央书记处。抗日战争胜利后，为制止内战他率中共代表团同国民党谈判，并领导了在国民党统治区内党的工作、军事工作和统一战线工作。1946年夏全面内战爆发后，他任中央军委副主席兼代总参谋长，协助毛泽东组织和指挥解放战争，同时指导国民党统治区的革命运动。

1949年中华人民共和国建立后，周恩来一直任政府总理，曾兼任外交部长，并任中国人民政治协商会议全国委员会副主席、主席，以及中共中央副主席、中央军委副主席等职。1949～1952年他成功地组织领导了国民经济的恢复工作。1953～1957年第一个五年计划期间，他领导了以156个建设项目为中心的工业建设。1954年他提出建设现代化工业、农业、交通运输业和国防的四化目标，组织制定了《1956年至1967年科学发展规划》。1961～1965年纠正经济工作中的失误，扭转经济困难的局面，他领导了国民经济的调整工作。主张经济建设必须实事求是，从中国的实际出发，积极稳妥，综合平衡。他特别关注新中国的水利建设和发展高科技事业。他参与制定和执行重大的外交决策。1950年朝鲜战争爆发，他协助毛泽东指挥中国人民志愿军作战，并担负了后勤保障的组织工作，领导了中国代表团的停战谈判。1954年参加日内瓦会议。这次会议解决了印度支那问题，使越南(北方)、老挝、柬埔寨三国的独立获得国际承认。他代表中国倡导和平共处五项原则，作为国与国关系的准则。1955年在亚非29国于印度尼西亚举行的万隆会议上主张和平共处，反对殖民主义，提倡求同存异、协商一致。先后访问过欧、亚、非洲的几十个国家。“文化大革命”中他同林彪、江青集团进行了各种形式的斗争，在非常困难的处境中为使党和国家还能进行许多必要的工作，为尽量减少“文化大革命”所造成的损失，为保护大批党内外干部作了坚持不懈的努力。他为实现中美、中日关系正常化和恢复中国在联合国的席位作出了贡献。1972年他患膀胱癌后，仍然坚持工作。在1975年的第四届全国人民代表大会第一次会议上，代表中国共产党重新提出在中国实现工业、农业、国防和科学技术现代化的目标。

周恩来的逝世受到极广泛的悼念。在1976年的4月初，北京天安门广场人民英雄纪念碑周围，人们为了纪念他举行自发的集会。这个集会在4月5日遭到“四人帮”的武力镇压，被称为“天安门事件”。他的主要著作收入《周恩来选集》。

Zhou Fang　周昉　又拼Chou Fang。中国唐代画家。字景玄，又字仲朗，长安(今陕西西安)人。生卒年不详。出身显贵，唐代宗大历(766～799)年间任越州(今浙江绍兴)长史。“好属文，穷丹青之妙，游卿相间”。工宗教人物，尤擅仕女，被评为“古今冠绝”。德宗贞元

周昉绘《簪花仕女图》(局部)
中国大百科全书出版社供图

(785～804)时曾奉诏画章敬寺壁画，都人竞观。曾为名将郭子仪婿赵纵画像，移其神气，得赵郎情性言笑之姿，胜过名画家韩幹。所画仕女初效张萱，后则小异，颇极风姿。全法衣冠，不近闾里。衣裳劲简，彩色柔丽。如现存相传是其作品的《挥扇仕女图》与《簪花仕女图》，均系宫廷与上层社会的丰肥、华贵、游嬉、懒散而又带有愁怨情绪的妇女，线纹富于变化，主要用“琴弦描”，细劲圆润，活泼流利，设色用重彩，鲜艳、华丽、明快、典重，极见匠心。当时名扬国外，新罗(朝鲜古国名)人曾高价购买他的画数十卷。在宗教画方面他创制了具有民族风格更加世俗化的“水月观音”。还创制出不断为唐宋画家效法的北方天王像。他的绘画风格还影响雕塑艺术，与曹不兴、吴道子并称“周家样、曹家样、吴家样”。在中国佛教艺术发展史上地位很高。

Zhou Guangzhao　周光召(1929-05-15，中国湖南长沙～　　)　中国理论物理学家。中国科学院院士。1951年毕业于清华大学物理系，1954年毕业于北京大学研究生院，后留校任教。1957年赴苏联杜布纳联合原子核研究所工作。1960年回国参加中国原子弹与氢弹的研制工作。历任北京大学教授，中国科学院理论物理研究所研究员、所长(1982)，中国科学院副院长(1984)、院长(1987)。1980年当选为中国科学院数学物理学部委员，任学部主席团执行主席(1992)。是第三世界科学院院士，也是美国科学院、苏联科学院、欧洲科学院的外籍院士。他在理论物理学许多领域做出过重要贡献。在粒子物理学方面，曾严格证明了CP破坏的一个重要定理，即在CPT联合反演不变的情况下，尽管粒子和反粒子的衰变总宽度相同，但T反演不守恒，它们到不同过程的衰变分宽度仍可以不同。1960年他简明地推导出赝矢量流部分守恒定律(PCAC)，这对弱相互作用理论的建立起了重大推进作用，被世界公认为是PCAC的奠基者之一。他首次引入螺旋振幅概念及相应的数学描述，以分析高能散射振幅。他最先提出用缺失质量方法寻找共振态和用核吸收方法探测弱相互作用中的弱磁效应。他用色散关系理论对光核反应作了大量理论研究工作。他还组织领导一些中青年物理工作者对大统一、CP破坏、陪集规范场、非线性σ模型、超对称性破缺、量子场论的大范围拓扑性质及其与反常的联系等方面作了大量工作。他在粒子物理领域取得举世瞩目成就的时刻，奉调参加中国核武器的研制，他中止了即将取得更有价值成果的研究，投入原子弹的

中国大百科全书出版社供图

理论研究中，开展了爆轰理论、内爆动力学、高温高压物理、中子物理、计算物理等领域与核武器有关的研究工作，为中国原子弹、氢弹的研制作出了巨大贡献。在凝聚态物理方面，周光召领导一个研究小组发展了非平衡统一理论中的数学形式——闭路格林函数方法，并将其用于研究激光、等离子体、临界力学、随机淬火系统等方面取得不少成果。

Zhou Wenju　周文矩　又拼Chou Wen-chü。中国五代南唐(937～975)画家。建康句容(今江苏句容)人。生卒年不详。李中主昇元(937～942)中已在宫廷作画，后主李煜时期(943～975)任翰林待诏。工画人物、车马、山川，尤擅仕女。衣纹作“战笔”(曲折颤动之意)。存世作品有《重屏会棋图》、《琉璃堂人物图》、《宫中图》等，皆系宋代摹本。南唐人物画多表现贵族的闲适生活，统属于当时清

周文矩绘《重屏会棋图》
中国大百科全书出版社供图

秀潇洒的画风，周文矩的作品代表性最强。《重屏会棋图》(北京故宫博物院藏)描绘李璟兄弟弈棋，肖像神情逼真，衣纹细挺而带转折，瘦硬战掣，极具周文矩的线描特色。图屏风上又画一屏风，内容表现白居易《偶眠》诗意，故有"重屏"之名。他的仕女画从题材内容到表现形式，都继承了唐代周昉的传统。论者谓其体近周昉而更增纤丽，反映出南唐以至五代仕女画的最高水平。

Zhou Xinfang 周信芳(1895-01-14，中国江苏清江浦[今清江]～1975-03-08，上海) 又拼 Chou Hsin-fang。中国京剧演员。字士楚，原籍浙江慈溪。6岁从陈长兴学戏，7岁以"七

周信芳演出《义责王魁》的剧照
中国大百科全书出版社供图

龄童"艺名登台。后改用"麒麟童"艺名，长期在上海演出。年轻时与谭鑫培、金秀山、冯子和等名演员同台演出，深受熏陶。周信芳在艺术上勇于革新，反对墨守陈规，博采京剧老生孙菊仙、谭鑫培、汪桂芬等人之长，融会贯通，形成自己的风格，世称"麒派"。他擅长运用手、眼、身段、步法以及髯口、服饰和扇子等道具，以刻画人物性格，表达人物内心世界。其代表作有《四进士》、《萧何月下追韩信》、《徐策跑城》、《乌龙院》。唱功质朴、苍劲、浑厚，念白起伏跌宕、铿锵有力，重视唱念的性格化，讲究声情并茂。五四运动前后演出过《宋教仁》等新戏，后又在欧阳予倩、王鸿寿、汪笑侬等人影响下编演《英雄血泪图》等新戏。20世纪30～40年代编演《徽钦二帝》等戏剧宣传爱国思想。还参加过爱国民主运动和京剧革新工作。1949年后编演《义责王魁》、《海瑞上疏》等剧。1956年率上海京剧团出国演出。1959年加入中国共产党。摄有《宋士杰》(《四进士》)、《周信芳舞台艺术》等影片。著作有《周信芳演出剧本选集》、《周信芳演出剧本新编》和《周信芳戏剧散论》、《周信芳舞台艺术》。

Zhou Xuan 周璇(1918，中国上海～1957-09-22，上海) 中国电影女演员、歌唱家。祖籍江苏常熟。原名小红。自幼被父母遗弃，卖到上海。8岁进一家小歌舞班学艺。1931年入黎锦辉主办的明月歌舞团。"九一八"事变后，歌唱《民族之光》受到观众热烈欢迎。随后改名为周璇。1934年，在上海各家广播电台联合举办的歌星比赛中，被称为新发现的小歌星，获得"金嗓子"的佳誉。1936年，在艺华影业有限公司的影片《花烛之夜》中扮演一个小角色，接着又在《喜临门》(1936)、《百宝图》(1936)、《满园春色》(1937)、《女财神》(1937)、《三星伴月》(1937)、《狂欢之夜》(1936)中参加演出。1937年，在《马路天使》中扮演女主角小红，成功地塑造了一个在旧社会受尽侮辱和损害，却对前途抱有美好理想的歌女形象，并主唱两首插曲《四季歌》和《天涯歌女》。1939～1941年，拍有《李三娘》、《董小宛》等20部民间故事影片。抗日战争胜利后，拍有《长相思》、《歌女之歌》、《莫负青春》等片。1947年有作品《忆江南》和《夜店》。

Zhou Yang 周扬(1908-11-07，中国湖南益阳～1989-07-31，北京) 又拼 Chou Yang。中国现代文艺理论家。原名周起应。1927年大革命失败后，在上海参加中国共产党。1928年毕业于大夏大学。1929年赴日留学，1931年回国后参加领导左翼作家联盟，次年主编左联机关刊物《文学月报》。曾参加30年代文艺思想论战和大众化问题讨论。1937年至延安，任陕甘宁边区教育厅厅长，鲁迅艺术文学院院长，延安大学校长。1949年以后，先后任文化部副部长，中共中央宣传部副部长，中国文学艺术界联合会副主席。在1966年开始的"文化大革命"中，被指控为文艺黑线的代表，遭受批判和政治迫害。1978年复出，任中国社会科学院副院长、中国文学艺术界联合会主席等职。1982年被选为中共中央顾问委员会委员。

中国大百科全书出版社供图

周扬长期从事文艺理论工作，30年代开始向国内介绍马克思主义文艺思想和俄国革命民主主义者车尔尼雪夫斯基等人的文艺理论。1933年介绍正在苏联倡导的社会主义现实主义。在延安时期，编选《马克思主义与文艺》(1944)一书，将马克思主义作家有关文艺问题的言论作了系统介绍。曾翻译托尔斯泰的小说《安娜·卡列尼娜》。其后，撰写了《表现新的群众的时代》(1944)，《新的人民文艺》(1950)、《坚决贯彻毛泽东文艺路线》(1952)、《文艺战线上的一场大辩论》(1958)、《我国社会主义文学艺术的道路》(1960)等理论文章。1978年复出后，倡导思想解放，1978～1984年间，撰写了《三次伟大的思想解放运动》、《继往开来，繁荣社会主义时期的文艺》等论文。从1984年起，人民文学出版社陆续出版5卷本《周扬文集》。

Zhou Zhirou 周至柔(1899-10-28，中国浙江临海～1986-08-29，台湾台北) 又拼 Chou Chih-jou。中国国民党军队高级将领。1922年毕业于保定军官学校第八期。1925年投效国民革命军，任黄埔军校兵学教官及虎门要塞司令部参谋长。次年参加北伐战争，任国民革命军第21师63团团副，转战赣、浙、苏等省。1927年升任团长，参与龙潭之役，克复南京，不久调任师参谋长。1930年参加中原会战，次年因功升任第14师中将师长。后曾参加"围剿"江西中央苏区。1933年任第18军副军长。同年，奉国民政府之命赴欧美各国考察航空事业。次年回国提出建设空军计划，出任中央航空学校校长。1935年任航空委员会主任，着手建立中国空军。1937年抗日战争爆发后，兼任空军前敌总指挥。1942年随蒋介石访问印度，翌年又随蒋参加开罗会议。抗日战争胜利后，任空军首任总司令。1949年到台湾，任国防部参谋总长兼空军总司令，任内确立军事人员定期调任制度。1951年晋升陆军一级上将。1954年调任国防会议秘书长。1957～1962年，任台湾省政府主席。1962年任"总统府"参军长。1967年出任国安会所属国家建设委员会主任委员。1986年病逝于台北。

Zhou Zuoren 周作人(1885-01-16，中国浙江绍兴～1967-05-07，北京) 又拼 Chou Tso-jen。中国散文家、学者。鲁迅的弟弟。1901年入南京江南水师学堂。1906年随鲁迅到日本东京留学，先学海军技术，后改学外国语，广泛接触外国文学，并开始用文言译外国小说。1912年携日本妻子回国。先在绍兴教育界工作。1917年起任教北京大学。新文化运动兴起时期参加了《新青年》的编辑工作，发表《人的文学》、《平民文学》、《思想革命》等文，提倡人道主义，反对旧文学、旧礼教。并致力译介外国文学，撰写了不少散文与新诗。1921年参加发起文学研究会，被推为宣言起草人，提倡文艺为人生。1924年又成为语丝社重要成员。这时期作品同上述团体的倾向大体一致，对新文学运动有所贡献。特别是他的散文笔调恬淡，自成一格，在当时颇有影响。他认为自己身上"有一个叛徒与一个隐士"，前

中国大百科全书出版社供图

者使他反抗旧势力，后者则使他向往闲适与隐逸。1927年以后特别是左翼文艺兴起的30年代，闲适思想有所发展。主张"闭户读书"，提倡"平和恬淡"的散文小品。1934年发表50岁自寿诗，宣布消极避世思想，引起进步文化界的非议与批评。抗日战争时期留居日军战领的北平，任北京大学图书馆馆长、文学院院长、日伪政府委员、教育总署督办。抗日战争后以汉奸罪判刑，监禁于南京，1949年释放。出狱后回北京定居，译述不少希腊、日

本文学作品，并撰写许多有关鲁迅的回忆文章。主要作品有《自己的园地》(1923)、《雨天的书》(1923)、《泽泻集》(1927)、《谈龙集》(1927)、《谈虎集》(1927)、《看云集》(1932)、《苦茶随笔》(1931)、《苦竹杂记》(1935)、《瓜豆集》(1936)、《秉烛谈》(1937)、《药味集》(1942)、《药堂杂文》(1943)、《鲁迅的故家》(1951)、《鲁迅小说中的人物》(1952)；学术著作有《新文学的源流》、《欧洲文学史》；译作有《域外小说集》(与鲁迅合译)、《日本狂言集》、《伊索寓言》、《欧里庇得斯悲剧集》等。

Zhoukou 周口 又拼 Chou-k'ou。中国河南省辖地级市。位于省境东部豫东平原，淮河支流沙河、颍河、贾鲁河汇合处。三河将市区分为三部分，形如鼎足。曾是河南省四大名镇之一。1949年由商水县析置市，1952年撤市改镇，1954年又置市。1958年撤销，1980年复设市。2000年撤周口地区和县级市，设周口地级市。辖川汇区和扶沟、西华、商水、太康、鹿邑、郸城、淮阳、沈丘8县。面积11 968平方千米，其中市区面积141平方千米。原名周家渡口，为重要河港，南可抵安徽、江苏，北可达河南郑州。也是河南东部及东南各地陆上交通的要冲，是周围地区农副土特产品集散中心。明万历年间(1573～1620)为鼎盛期，人口达20余万。当时手工业发展，作坊达1 400余家。清代有粮铺水利通判驻此。京汉铁路及津浦铁路通车后，商业、手工业日趋衰落，但仍为农产品集散中心。20世纪50年代以来，建起电力、机械等基础工业，并发展有纺织、制革、印染、服装、食品加工等工业部门。农业主产小麦、玉米、棉花、黄红麻、芝麻等，是河南省粮、棉、油和畜牧业的生产基地。交通便利。许郸铁路、漯阜铁路实现了京广、京九铁路的联运。有311、106国道等公路干线与周围省、市、县相通。名胜古迹有建于清顺治年间(1644～1661)的关帝庙。人口10 940 000(2005)。

Zhoukoudian 周口店 中国北京市房山区辖地区。位于房山区中部，距北京市区约50千米。村居"周"字形山口，旧有客店，故名。附近的龙骨山是中华民族远祖"北京猿人"的

周口店"北京人"遗址
中国大百科全书出版社供图

故乡。1929年中国古生物学家裴文中等人在龙骨山洞穴中首次发现人类的牙齿、骨骼和一块完整的头盖骨，还找到"北京人"生活、狩猎及使用火的遗迹，证实约60万年以前北京地区已有人类活动。在"北京人"洞穴上方还发现距今约1.8万年的"山顶洞人"，已进入旧石器时代的晚期。周口店"北京人"遗址的发现轰动世界，对研究人类进化史和当时地理环境具有重要意义。周口店已成为驰名中外的研究人类起源和进化的科学基地。1953年建立北京人博物馆，展出出土的各种人类化石、动物化石和文化遗物。遗址现为全国重点文物保护单位，被列为世界文化遗产。

Zhoukoudian Upper Cave fossils 周口店山顶洞化石 中国华北地区旧石器时代晚期人类化石。属晚期智人。亦称北京山顶洞化石。1930年发现于北京周口店，山顶洞位于

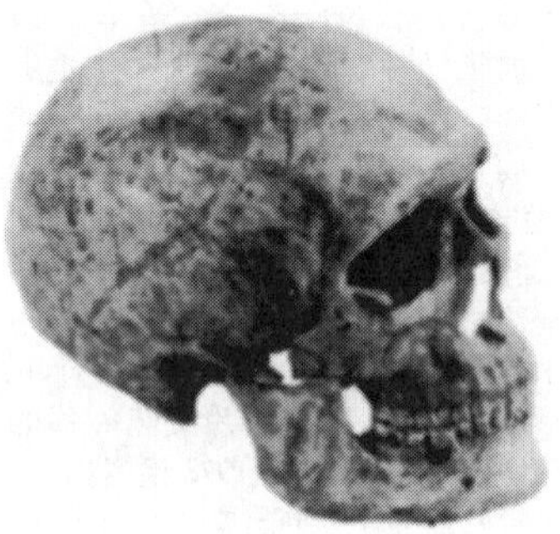

山顶洞人头骨模型
中国大百科全书出版社供图

裴文中1929年发现"北京人"的洞穴之上。地质时代属晚更新世末。山顶洞化石属8个个体的骨骼遗存(其中有3个儿童)，包括3具完好的头骨。脑容量达1 300～1 500毫升，体质特征与现代人相一致。伴出的还有化石动物群，其中有熊、鹿、鬣狗和鸵鸟，还有各种石器、骨针、带孔的狐牙和鹿牙(可能是作项链用的)，磨光的有孔石珠和鹿角及染色石头。3具人头骨中一具属于男性老人，两具属于两个青年女人。德国体质人类学家魏敦瑞认为山顶洞人分别属于3个不同的种群：老年男人属于旧石器时代欧洲人种，一个女人属于美拉尼西亚人种，另一个女人是爱斯基摩人种。中国学者吴新智1961年阐述了多数人的观点，提出山顶洞人属早期蒙古人种，与现代的爱斯基摩人、美洲的印第安人以及蒙古人种有密切关系。出土的山顶洞人化石标本在第二次世界大战期间已全部遗失，但是由于在30年代后期曾经制作过一批精致的模型，辅之以详细的文字叙述，人们还可以继续研究山顶洞人。

Zhouli 《周礼》 又拼Chou-li，英语作Rites of Chou。又称《周官》、《周官经》。中国周朝官制之书，大致写定于战国时期。西汉末始称《周礼》。全书共6篇，分载6官：天官冢宰，称治官，管理朝政；地官司徒，称教官，管理土地方域及人民教育；春官宗伯，称礼官，管理宗教、文化；夏官司马，称政官，管理军制、交通及各方诸侯事项；秋官司寇，称刑官，管理司法、刑狱，兼掌礼宾；冬官司马，称事官，管理土地、工程、水利。每一官职下设属官，属官下有属员，形成系统的国家管理体制。唐、宋以后，《周礼》成为儒家经书之一，与《礼记》、《仪礼》并称三礼。

Zhoushan 舟山 又拼Chou-shan。中国浙江省辖地级市。位于省境东北部，杭州湾外东海舟山群岛上。由1 300余个大小岛屿组成，主要岛屿有舟山、岱山、衢山、六横、金塘、朱家尖等，是中国唯一以群岛组成的省辖市。春秋时为越国东境，称甬东，秦、汉分属句章、鄮两县。唐开元二十六年(738)始于舟山岛置翁山县，大历六年(771)废。北宋熙宁六年(1073)置昌国县，元至元十四年(1277)升昌国州，明废。清康熙二十七年(1688)，又置定海县，道光二十一年(1841)升定海直隶厅，1912年复降为县。1953年置舟山专区，1970年改舟山地区，1987年改置舟山省辖市。市区在舟山岛，分定海、普陀两区，并辖岱山、嵊泗两县。面积1 440平方千米，其中市区面积1 028平方千米。以丘陵为主，海滨平原狭窄，溪流短小。农业主要种植水稻、甘薯、麦类、油菜、棉花。周围海域有长江、钱塘江、甬江流注，适宜鱼类栖息繁殖，盛产大黄鱼、小黄鱼、带鱼、墨鱼，舟山渔场是中国最大的渔场，沈家门港为中国最大渔港。工业有食品、水

舟山市鸟瞰
中国大百科全书出版社供图

产加工、机械、纺织、化工、电子等部门。岱山岛为浙江省主要产盐区，所产"岱盐"以质纯、洁白、粒细、味鲜闻名，普陀佛茶为传统名产。地处中国沿海南北航线与长江水道交汇点，海运发达，有定海、沈家门、高亭、泗礁等港，班轮通上海、宁波、温州。舟山、岱山诸岛公路有汽车轮渡与大陆公路相连。有浙江海洋学院和浙江海洋水产研究所等。中国佛教四大名山之一普陀山、"蓬莱仙境"岱山岛及嵊泗列岛，均为中国著名的风景名胜区。人口：全市970 000(2005)；市区690 000(2004)。

Zhoushan Qundao 舟山群岛 又作Chou-shan Archipelago，Chusan Archipelago。中国沿海

舟山群岛的普陀风光
中国大百科全书出版社供图

最大的群岛。位于浙江省东北部，长江口以南，杭州湾外东海中。北起花鸟山，南至六横岛，由1 339座岛礁组成，其中以舟山岛最大，面积472平方千米，是中国第四大岛。群岛附近海域接纳来自长江、钱塘江和甬江诸水，是鱼类重要的觅饵和产卵场所，盛产大黄鱼、小黄鱼、带鱼和墨鱼，是中国最大渔场。沈家门港设有水产加工等工业。岱山岛盐场是浙江省重点产盐区。唐代在舟山岛置翁山县，明为定海卫，清初设定海县，现为定海区，是舟山市、舟山群岛政治、经济、文化、交通中心。1949年以后又陆续设置嵊泗县、岱山县和普陀区。1953年置舟山专区，1970年改舟山地区，1987年起置舟山市。

Zhouyuan site　周原遗址　中国西周（约公元前11世纪～前771）早期都城遗址。位于今陕西省扶风、岐山两县的北部。中心地区在岐山南麓，面积约7～8平方千米。传为

周原遗址发掘的铜器窖
中国大百科全书出版社供图

古公亶父迁居处，西周初年曾为周、召二公采邑。早在西汉时期周原就曾出土西周铜器；清代出土大豐𣪕，大、小盂鼎，毛公鼎等著名铜器。历年出土西周窖藏铜器近千件。在岐山凤雏和扶风召陈、云塘、庄白等地发现宫殿基址、骨器作坊遗址和贮有大量青铜器的窖穴。在凤雏宫殿基址窖穴中发现1.7万多片甲骨，上有祭祀商朝先王的刻辞，据此可了解周人早年与商王国的关系。1995年在遗址内的一座西周墓葬中出土一件圆形青铜凹面镜，经考证鉴定为迄今国内最早的人工金属取火用具——阳燧，用于在阳光下聚焦取火。

Zhu Changluo　朱常洛　参阅 **Ming——**：明朝帝王序列下 **Mingguangzong Zhu Changluo** 明光宗朱常洛。

Zhu Da　朱耷（1626～1705）　又拼Chu Ta。中国清初画家。僧人。谱名统𨨗，有雪个、个山、人屋、八大山人等别号。江西南昌人，明宁献王朱权后裔。明亡后，于清顺治五年

朱耷绘《二鸟图》
供图：Sen-Oku Hakko Kan, Kyoto, Japan

(1648)出家为僧，名传綮。康熙二十三年(1684)开始在书画上署款“八大山人”。“八大山人”四字草书连缀，似“哭之”或“笑之”，人谓别有用意。擅书画，花鸟画继承和发展了明代陈淳、徐渭以来的水墨写意传统。笔墨简括凝炼，形象夸张，作风泼辣，题诗有时寓以讽刺，然晦涩难懂。每画泼墨淋漓，“墨点无多泪点多”，寄寓了亡明之痛。山水画师法董其昌而有所变化，老树枯枝，形象古怪，意境荒寒冷寂，曾有诗句云：“郭家皴法云头少，董老披麻树上多；想见时人解图画，一峰还写宋山河”，可见其寄意。书法行楷学王献之，亦受董其昌影响，行气与结体疏朗，笔法纯朴圆润，自成一格。他的艺术和水墨技巧对“扬州八怪”和近代有深远影响。

Zhu De　朱德（1886-12-01，中国四川仪陇～1976-07-06，北京）　又拼 Chu Teh。中国共产党和中华人民共和国主要领导人之一，中国人民解放军创建人之一，中国共产主义革命家、政治家和军事家。生于佃农家庭。幼年入私塾（中国的旧式初级学校），因家贫，一面读书，一面劳动。1909年到昆明市考进云南陆军讲武堂，同年加入孙中山领导的中国同盟会。1911年，在云南参加反对清王朝的革命武装起义。1915年参加反对袁世凯复辟帝制的战争。1917年任滇军旅长，在四川参加反对北洋军阀段祺瑞的战争。1921年任云南陆军宪兵司令部司令官，后改任云南省警务处处长兼省会警察厅厅长、云南省禁烟局会办。在俄国十月革命和中国五四运动的影响下，他逐渐接受马克思主义。1922年，为寻求革命真理，抛弃高官厚禄，离开云南到北京、上海转赴德国，在柏林结识了周恩来和其他共产党人，加入中国共产党。1923～1924年曾在德国格丁根市留学。1925年返柏林，当选中国国民党驻德支部执行委员，因积极从事革命活动两次被德国政府逮捕，并被驱逐出境。随即到苏联学习军事。1926年夏回国，受中共派遣到四川军队中进行革命工作。1927年初到江西南昌创办国民革命军第三军军官教育团，培训革命军事干部。

1927年国共全面分裂后，他参加领导了在江西南昌举行的“八一”起义，任起义军第九军军长。起义军南下广东，其主力在潮汕地区被国民党军队击败，他率领余下的起义军重整旗鼓，坚持斗争，转战至湖南省南部，发动农民起义，建立苏维埃政权。1928年4月率部万余人前往井冈山，同毛泽东领导的部队会合；随即成立工农革命军（不久改称红军）第四军，任军长，毛泽东任党代表。他和毛泽东指挥部队多次战胜国民党军的“进剿”、“会剿”，创建了井冈山革命根据地。1929年和毛泽东率部向江西省南部和福建省西部进军，为建立中央革命根据地奠定了基础。1930年8月任中国工农红军第一方面军总司令。后任中国工农红军总司令。1930年9月在中共六届三中全会上当选为候补中央委员。1931年中华苏维埃共和国临时中央政府成立，任中央革命军事委员会主席。他先是同毛泽东一起指挥红军战胜了国民党军队对中央革命根据地的第一、二、三次“围剿”，后又同周恩来一起指挥红军战胜了国民党军队对中央革命根据地的第四次“围剿”。1934年1月在中共六届五中全会上当选为中央政

中国大百科全书出版社供图

治局委员。同年10月参加长征。1935年1月他在贵州省遵义县城召开的中共中央政治局扩大会议(即遵义会议)上,支持毛泽东的正确主张。长征途经四川北部时,红四方面军领导人张国焘进行分裂共产党和红军的活动,朱德同他进行了坚决的斗争。1936年他主张并促成贺龙、任弼时等率领的红二、六军团同红四方面军在四川省西部的甘孜会合,然后率领红二、四方面军北上到陕北与毛泽东领导的中央红军会合,胜利完成历时两年的长征。

1937年抗日战争爆发后,中国工农红军改编为国民革命军第八路军,他任总指挥(不久即改称国民革命军第十八集团军总司令),率领和指挥八路军开赴华北前线,积极配合国民党军对日作战,取得平型关等战斗的胜利,尔后指挥八路军各部深入日军战线后方,广泛开展游击战争,建立和扩大了许多抗日根据地,并指挥根据地军民多次战胜日军的围攻和扫荡,迅速发展了抗日武装力量。1938年写了《论抗日游击战争》这本重要著作。他还先后兼任第二战区东路军总指挥和第二战区副司令长官,指挥所辖部分国民党军与八路军协同作战,做了大量的团结工作,维护了国共两党合作抗日的局面。1940年5月从前线返回延安,协助毛泽东领导各抗日根据地的斗争。同年冬提出"南泥湾政策"(南泥湾是延安南部的一片荒地),要求部队在不妨碍作战的条件下开荒种地,开展大生产运动,打破国民党对陕甘宁边区的经济封锁。他还兼任中共中央海外工作委员会主任,被选为东方各民族反法西斯大同盟执行委员。1945年在中国共产党第七次全国代表大会上作《论解放区战场》的军事报告,总结了八路军、新四军对日作战的经验,论述了中国人民抗战的军事路线和人民军队的建军原则。又向大会作了关于军事问题的结论的报告,第一次提出了毛泽东军事思想的概念。在中共七届一中全会上,当选为中央政治局委员,书记处书记,和毛泽东、刘少奇、周恩来、任弼时组成以毛泽东为首的中共中央书记处。

在1946年开始的解放战争中,任中国人民解放军总司令。1947年国民党军队攻占延安,他同刘少奇等组成以刘少奇为书记的中共中央工作委员会,到华北进行中央委托的工作。后来,他亲临华北前线指导作战,取得了清风店、石家庄两大战役的胜利,开创了攻克坚固设防城市的先例。在战略决战阶段,他协助毛泽东组织和指挥了辽沈、淮海、平津三大战役。1949年4月和毛泽东一起发布中国人民解放军渡长江南下作战的命令。经过南下作战和占领西南、西北地区的几大战役,推翻了蒋介石在中国大陆的统治。

1949年10月中华人民共和国建立后,历任中央人民政府副主席、中华人民共和国副主席、全国人民代表大会常务委员会委员长。在党内曾任中共中央政治局委员、中央军委副主席、中央纪律检查委员会书记、中央副主席等职。1955年被授予中华人民共和国元帅军衔。在"文化大革命"期间,曾遭到林彪、江青集团的侮辱和抨击,但是受到毛泽东的保护。他的主要著作收入《朱德选集》。朱德的夫人康克清是中国人民政治协商会议全国委员会副主席、中华全国妇女联合会主席。

Zhu Di 朱棣 参阅 Ming——:明朝帝王序列下 **Mingchengzu Zhu Di** 明成祖朱棣。

Zhu Gaochi 朱高炽 参阅 Ming——:明朝帝王序列下 **Mingrenzong Zhu Gaochi** 明仁宗朱高炽。

Zhu Guangqian 朱光潜(1897-09-19～1986-03-06) 又拼 Chu Kwang-tsien。中国现代美学家。名孟实。安徽桐城人。1918年肄业于武昌高等师范学校国文系,随后转入香港大学文学院。1922年毕业后在上海中国公学、浙江上虞春晖中学任教。后在上海与友人合办立达学院,与叶圣陶创办《中学生》杂志。1925年冬赴欧洲留学,先后在英国的爱丁堡大学、伦敦大学,法国的巴黎大学、斯特拉斯堡大学学习,获文学硕士、博士学位。其间著有《给青年的十二封信》、《谈美》(1932)、《变态心理学》(1933)、《悲剧心理学》(博士论文,1933年英文版)、《文艺心理学》(1936)、《诗论》(1943),在中国学术界颇有影响。1933年朱光潜任教于北京大学西语系,并在清华大学兼职。1937年与沈从文等人创办《文学杂志》,任主编。抗日战争爆发后,曾在四川大学文学院、武汉大学外文系任教,并参加中华全国文艺界抗敌协会。其间著有《谈文学》、《谈修养》等。1946年回到北京大学担任文学院代理院长。1949年后任北京大学教授,中国美学学会会长,中国科学院哲学社会科学学部委员。他力图运用马克思主义指导美学研究。《西方美学史》(1963)是他的传世之作,受到学术界高度重视。此外还著有《克罗齐哲学述评》(1948)、《谈美书简》(1980)、《美学拾穗集》(1980)、《艺文杂谈》(1981)、《朱光潜美学文集》(5卷,1982)。译著有黑格尔的《美学》、柏拉图的《文艺对话录》、爱克曼的《歌德谈话录》、莱辛的《拉奥孔》、维柯的《新科学》等。其晚期的著译是他一生的主要成就,在推进中国的美学研究方面起了重要作用。

中国大百科全书出版社供图

Zhu Houcong 朱厚熜 又拼 Chu Hou-ts'ung。参阅 Ming——:明朝帝王序列下 **Mingshizong Zhu Houchong** 明世宗朱厚熜。

Zhu Houzhao 朱厚照 又拼 Chu Hou-chao。参阅 Ming——:明朝帝王序列下 **Mingwuzong Zhu Houzhao** 明武宗朱厚照。

Zhu Huang 朱晃 又拼 Chu Huang。参阅 **Houliangtaizu Zhu Huang** 后梁太祖朱晃。

Zhu Jiang 珠江 中国第三大河。旧称粤江。原指广州到虎门一段入海水道,现为西江、北江、东江三江的总称。流域跨云南、贵州、广西、广东、湖南、江西6省区,面积45.26万多平方千米。水系支流众多,水道纵横交错。西江是水系主流,发源于云南省曲靖市马雄山。西江干流上、中游各段分别称南盘江、红水河、黔江和浔江,在梧州市以下称西江。干流全长约2 210千米,流域面积35.5万平方千米。主要支流有北盘江、柳江、郁江和桂江。总落差2 130米。北盘江支流打帮河上的黄果树大瀑布水头高达66米。北江的正源是浈水,源于江西省信丰县西溪湾。在韶关附近与武水相汇称北江。韶关以上水流湍急,韶关以下河道顺直,沿途有滃江、连江汇入,在穿越育仔峡、飞来峡后进入平原,河宽水浅,至思贤滘流入珠江三角洲。干流全长468千米。东江发源于江西省寻乌县大竹岭。上源称寻乌水,西南流入广东省。上游河窄水浅,两岸为山地,干流全长523千米。东、西、北三江各在入海处冲积成一个小型三角洲,连缀而成珠江三角洲。目前各小三角洲的前缘仍以每年约100米左右的速度向海中发展。珠江三角洲是中国粮食、蔗糖、桑蚕和淡水鱼重要产地之一。三角洲上河网密布,大小河道百余条,互相沟通,交织成网,最

珠江风光
中国大百科全书出版社供图

后分别经由虎门、蕉门、洪奇沥、横门、磨刀门、鸡啼门、虎跳门和崖门8个口门流入南海。珠江水资源丰富,理论蕴藏量为3 348.4万千瓦,约占全国的5.8%,仅次于长江和黄河。可能开发的装机容量为2 485万千瓦。红水河水力发电梯级开发,已被列为国家重点开发项目。已建和在建的大型发电站有:

红水河大化站、东江新丰江发电站等。航运也很发达，广州黄埔港以下可通万吨海轮，千吨轮船溯西江可到梧州，小轮船可上达柳州、南宁。全流域通航里程约 1.29 万千米。

Zhu Jianshen　朱见深　参阅 **Ming——**：明朝帝王序列下 **Mingxianzong Zhu Jianshen** 明宪宗朱见深。

Zhu Jingxuan　朱景玄　中国唐代（618～907）　画史著作家，以《唐朝名画录》知名。吴郡（今江苏苏州）人，官翰林学士。主要活动于唐宪宗元和至唐文宗大和（806 ～ 835）年间。《唐朝名画录》是中国最早的绘画断代史。书中收录有唐开国以来下至会昌共 120 人，依张怀瓘《书品断》立神、妙、能三品，每品之中又分上中下，共有九品。此外又自加逸品，不分等格，画家之称逸品者当自此书始。列传部分提供很多史料，翔实、生动。品位愈高者资料愈多，描写愈加生动，分析愈加深刻，论断愈有说服力。书中对生长或活动于江浙等东南地区画家如周昉、韩滉、张璪、朱审、程修己等甚加重视，便于现在探索唐代东

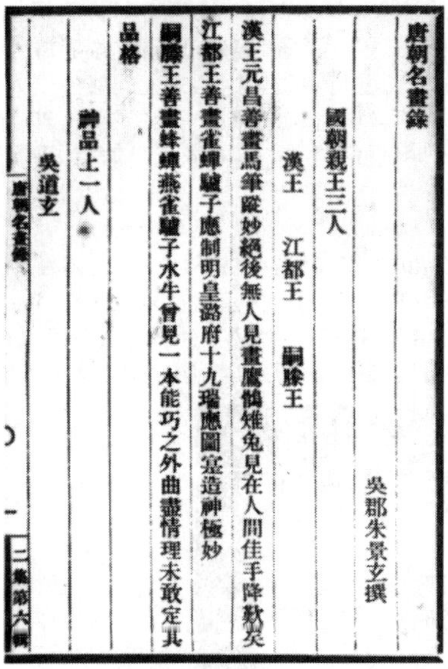
唐朝名畫錄
吳郡朱景玄撰
國朝親王三人
漢王　江都王　嗣滕王
漢王元昌善畫馬筆蹤妙絕後無人見畫鷹鶻雉兔見在人間佳手降歎矣
江都王善畫雀蟬驢子應制明皇潞府十九瑞應圖寔造神極妙
嗣滕王善畫蜂蟬燕雀驢子水牛曾見一本能巧之外曲盡情理未敢定其
品格
神品上一人
吳道玄
唐朝名畫錄　二集第六輯

朱景玄撰《唐朝名画录》书影
中国大百科全书出版社供图

南地区文化艺术的发展兴盛情况。此外还强调人物画的社会功能，重视“师法造化”，深入生活，提炼形象。

Zhu Kezhen　竺可桢（1890-03-07，中国浙江绍兴～ 1974-02-07，北京）　中国气象学家、地理学家和教育家。中国现代地理学的开创者和现代气象事业的主要奠基人。字藕舫。1910 年赴美留学，1913 年毕业于伊利诺伊大学农学院，转入哈佛大学地学系研究气象学，1918 年获博士学位后回国。1918 ～ 1927 年任武昌高等师范（后为武汉大学）、南京高等师范（后为东南大学、中央大学）、南开大学教授，商务印书馆编辑。1928 ～ 1936 年任中央研究院气象研究所所长，1936 ～ 1949 年任浙江大学校长（1946 年前兼气象研究所所长），1949 ～ 1974 年任中国科学院副院长。曾被选为中央研究院评议员、院士，中国科学院学部委员，中国气象学会理事长，中国地理学会理事长，中国科学技术协会副主席等。他以毕生精力对中国科学和教育事业作出了重要贡献。在地理和气象方面的主要贡献是：①1921 年在东南大学创建了中国第一个地学系，培育了中国第一批现代地理学家和气象学家。②以自己的开拓性研究推动了气象学和地理学多个分支领域研究的发展，如东亚台风、季风、中国气候区划、中国历史气候变迁、中国物候学等。③创设并推动创设了中国早期的包括高山、边远地区的气象观测网，气象情报的分区广播和天气预报、警报业务。④领导组建了中国科学院地理研究所和十多

中国大百科全书出版社供图

个自然资源综合考察队，推动建立了多个地区性和专业性地理研究所。⑤领导或指导了多次地理学研究发展规划的制订，指出中国地理学为生产建设特别是为农业服务的方向；在发挥综合性研究特点的同时，注意发展部门地理学的研究等，这些意见对中国当代地理学的发展有重要影响。主要论著有《台风中心的若干新事实》（1918）、《远东台风的新分类》（博士论文，1924）、《中国气候区域论》（1930）、《东南季风与中国之雨量》（1934）、《中国近五千年气候变迁的初步研究》（1972）、《物候学》（1966，与宛敏渭合著）。《二十八宿起源之时代与地点》（1944）是他在自然科学史方面的代表作。

Zhu Qiyu　朱祁钰　又拼 Chu Ch'i-yü。参阅 **Ming——**：明朝帝王序列下 **Mingdaizong Zhu Qiyu** 明代宗朱祁钰。

Zhu Qizhen　朱祁镇　又拼 Chu Ch'i-chen。参阅 **Ming——**：明朝帝王序列下 **Mingyingzong Zhu Qizhen** 明英宗朱祁镇。

Zhu Quanzhong　朱全忠　又拼 Chu Ch'üan-chung。参阅 **Houliangtaizu Zhu Huang** 后梁太祖朱晃。

Zhu Rongji　朱镕基（1928-10-23，中国湖南长沙～　　）　中国共产党第十四、十五届中央政治局常务委员，中华人民共和国国务院总理（1998 ～ 2003）。1947 年在清华大学电机系电机制造专业学习并参加“新民主主义青年联盟”。1948 年 12 月参加革命工作。1949 年 10 月加入中国共产党。1951 年在清华大学毕业后任东北工业部计划处生产计划室副主任。1952 年后，任国家计划委员会燃料动力局、综合局组长，国家计委主任办公室副处长，国家计委机械局综合处副处长。1958 年后，任国家计委干部业余学校教员，国民经济综合局工程师。1970 ～ 1975 年下放国家计委“五七”干校劳动。1975年后，任石

中国大百科全书出版社供图

油工业部管道局电力通讯工程公司办公室副主任、副主任工程师，中国社会科学院工业经济研究所室主任。1979 ～ 1982 年任国家经济委员会燃料动力局处长、综合局副局长。1982 年后，任国家经委委员、技术改造局局长。1983 ～ 1985 年任国家经委副主任、党组成员。1985 年后，任国家经委副主任、党组副书记。1987 年 10 月在中共第十三次全国代表大会上当选为中央候补委员。1987 年后任中共上海市委副书记、上海市市长。1989 年 8 月后任中共上海市委书记，兼任上海市市长。他多次考察上海浦东地区，提出浦东开发基本思路和总体规划的设想。1990 年 4 月，中共中央、国务院批准开发开放浦东，他领导实施这一重大决策。1991 年后，任国务院副总理兼国务院生产办公室（1992 年后改组为国家经济贸易委员会）主任、党组书记。1992 年 10 月在中共第十四次全国代表大会上当选为中央委员，在中共十四届一中全会上当选为中央政治局委员、常务委员。1993 年 3 月被任命为国务院副总理（负责常务工作）。同年 7 月兼任中国人民银行行长。他致力于推进国民经济持续、快速、健康地发展，大力整顿金融秩序，加强和改善宏观调控，努力推行适度从紧的财政政策，深化财政管理体制改革和金融体制改革。1997 年 9 月，在中共十五届一中全会上继续当选为中央政治局常务委员。1998 年 3 月，在第九届全国人民代表大会第一次会议上当选为中华人民共和国国务院总理。1984 年 4 月至 2001 年 6 月兼任清华大学经济管理学院院长。

Zhu Shijie　朱世杰　又拼 Chu Shih-chieh　中国元代数学家。字汉卿，号松庭。终身不仕。毕生从事数学教育。著有《四元玉鉴》（1303）和《算学启蒙》（1299）。《四元玉鉴》论述二元、三元、四元的高次方程组和高阶等差级数求和的方法，被后世推为世界杰出的数学专著。500 年以后的 1819 年，英国数学家 W.G.霍纳才在西方首次得出这一方法，被称为霍纳法。《算学启蒙》全面介绍到天元术为止的各种数学知识，是一部由浅入深的教学用书，后曾传入朝鲜、日本。

Zhu Wen　朱温　参阅 **Houliangtaizu Zhu Huang** 后梁太祖朱晃。

Zhu Xi　朱熹（1130-10-18 ～ 1200-04-23）又拼 Chu Hsi。中国南宋哲学家、教育家，当时最博学的学者。字元晦，号晦庵，别称紫阳，世称朱子。徽州婺源（今属江西）人，侨寓建阳（今属福建）。18岁中进士，曾任秘阁修撰等职。他做官仅十余年，从事教学约40年。31岁拜程颐的三传弟子李侗为师，专心儒学，成为程颢、程颐之后儒学的重要人物。在经学、史学、文学乃至自然科学的训诂考证、注释整理上都有成就。

朱熹哲学发展程颐等人的思想，集理学之大成，建立唯心论的唯理论体系。认为“理”、“气”不相离，但“理在先，气在后”，“理”是物质世界的基础和根源。没有“理”就没有世界万物，即使山河大地都毁灭了，“理”仍然存在。还提出“理一分殊”，认为“理”体现在

台北故宫博物院供图

万事万物中，万事万物是“理”的具体体现。就像天上一轮明月照在无数江河湖泊水面上，江河湖泊上的无数月亮不过是天上明月的影子。朱熹强调“天理”和“人欲”对立，要求人放弃“私欲”，服从“天理”。朱熹提出“格物致知”说，认为应该从考察客观事物求得认识，但这种认识在人心中本来就有，考察只是发现心中之“理”的途径。所以格物既是认识外物的活动，又是道德的修养方法。朱熹晚年受韩侂胄排斥，学说被目为“伪学”，遭到禁止。但后来朱熹理学一直成为官方哲学，元代复科举后，朱学被定为科场程式；在明清两代被列为儒学正宗，在思想界形成“非朱子之传义不敢言”的局面。在中国儒学史上，朱熹的作用和影响仅次于孔子。朱学传到朝鲜和日本，在日本德川时代一度形成朱子学热，影响颇大。著作有《四书章句集注》、《周易本义》、《西铭解》、《太极图说解》、《诗集传》、《楚辞集注》和后人编纂的《朱文公文集》、《朱子语类》。

Zhu Yijun　朱翊钧　又拼 Chu I-chün。参阅 **Ming——**：明朝帝王序列下 **Mingshenzong Zhu Yijun** 明神宗朱翊钧。

Zhu Yizun　朱彝尊（1629～1709）　又拼 Chu I-tsun。中国清代文学家、学者。字锡鬯，号竹垞。秀水（今浙江嘉兴）人。少逢丧乱，家境穷困，刻苦自励，肆力古学。康熙十八年（1679）举博学鸿儒科，授翰林院检讨。参与纂修《明史》。康熙三十一年（1692）引疾归

中国大百科全书出版社供图

里。通经史，精于考证，工诗词古文。著有《经义考》、《日下旧闻》和《曝书亭集》等。以词成就最高，是浙西词派创始者。词作追求高旷清远的意境，圆转浏亮的音调。但多写琐事，间有少量咏物怀古之作，寄托兴亡之感。诗以学力、词藻见长，清新浑朴，与王士禛齐名，有一些倾诉愤懑、抒写民生疾苦的篇章。编有《词综》、《明诗综》等。

Zhu Youjian　朱由检　又拼 Chu Yu-chien。参阅 **Ming——**：明朝帝王序列下 **Mingsizong Zhu Youjian** 明思宗朱由检。

Zhu Youlang　朱由榔（1623～1662）　又拼 Chu Yu-lang。中国南明末代皇帝。明神宗孙、思宗堂弟。袭封桂王。1646年隆武帝政权亡后，被瞿式耜、吕大器等拥为监国，在广东肇庆即位。次年改元永历。在清军追击下不断败退，赖大顺农民军和大西农民军余部及抗清将领力战，政局一度稳定。但朝臣派系林立，纷争不已，将领又歧视农民军，使局势再度危殆。1659年被清军三路进逼逃亡缅甸。1661年为缅人献出，次年被吴三桂在昆明杀害。

Zhu Youtang　朱祐樘　参阅 **Ming——**：明朝帝王序列下 **Mingxiaozong Zhu Youtang** 明孝宗朱祐樘。

Zhu Youxiao　朱由校　又拼 Chu Yu-hsiao。参阅 **Ming——**：明朝帝王序列下 **Mingxizong Zhu Youxiao** 明熹宗朱由校。

Zhu Yuanzhang　朱元璋　又拼 Chu Yüan-chang。参阅 **Ming——**：明朝帝王序列下 **Mingtaizu Zhu Yuanzhang** 明太祖朱元璋。

Zhu Yujian　朱聿键（1602 ～ 1646-08-28）又拼Chu Yü-chien。中国南明皇帝。朱元璋第9世孙。1645～1646年在位，年号隆武。1632年嗣唐王位。1645年清军攻破南京后，受郑鸿逵、郑芝龙、黄道周等人拥戴在福建称帝。得江南各地义军及李自成大顺农民军余部荆襄十三家军支持，辖区除福建、两广、云贵外，还远及湖南、安徽、江西、湖北的部分地区。但武臣郑芝龙擅权，首辅黄道周出师北伐，兵败就义。1646年清军入福建，芝龙暗中与清军洽降。隆武帝出奔汀州，后被清军擒杀。

Zhu Yunwen　朱允炆　又拼 Chu Yün-wen。参阅 **Ming——**：明朝帝王序列下 **Minghuidi Zhu Yunwen** 明惠帝朱允炆。

Zhu Zaihou　朱载垕　参阅 **Ming——**：明朝帝王序列下 **Mingmuzong Zhu Zaihou** 明穆宗朱载垕。

Zhu Zhanji　朱瞻基　参阅 **Ming——**：明朝帝王序列下 **Mingxuanzong Zhu Zhanji** 明宣宗朱瞻基。

Zhu Zhiyu　朱之瑜（1600～1682）　又拼 Chu Chih-yü。中国明清之际学者。字鲁屿，号舜水。浙江余姚人。明诸生。明亡后至舟山策划抗清，失败后流亡海外。常回国与张煌言等抗清力量进行反清复明运动。1659年事败，定居日本讲学。治学强调实际效用，重视史学研究。曾参加水户藩主德川光圀主编《大日本史》的编纂工作，在草拟全书纲领中强调贯穿忠君爱国思想。卒后日本学者谥为文恭先生。在日本讲学中的书札问答由门人辑为《朱征君集》和《朱舜水先生文集》。其中反清复明思想对清末中国留日学生很有影响。

Zhu Ziqing　朱自清（1898-11-22，中国江苏东海～ 1948-10-12，北京）　又拼 Chu Tzu-ch'ing。中国散文家、诗人、学者。原名自华，号秋实，字佩纮。祖籍浙江绍兴。因祖父、父

中国大百科全书出版社供图

亲长期定居扬州，故自称扬州人。1916年入北京大学预科，次年转哲学系。1919年五四运动后开始写作新诗。1920年大学毕业后在江苏、浙江、上海一些中学教书。1922年与俞平伯创办月刊《诗》，这是中国现代文学的第一个诗歌刊物；并与俞平伯合作出版诗集《雪朝》。次年发表长诗《毁灭》，颇受当时文坛重视。1924年出版诗歌、散文集《踪迹》。1925年被聘为清华大学教授后，主要进行散文创作与中国古典文学的研究。散文集《背影》（1928）的问世使他名声鹊噪。他的《荷塘月色》、《绿》、《桨声灯影里的秦淮河》、《背影》皆为现代散文名篇，至今传诵不衰。它们感情真挚、简朴平易，极富韵致。1931～1932年在英国学习语言与英国文学。回国后任清华

大学中文系主任。1934 年与郑振铎等人编辑《文学季刊》,与陈望道合作编辑散文刊物《太白》,并编选《中国新文学大系·诗集》,为该集写《导言》。抗日战争爆发后,随校迁往昆明,任西南联大中文系主任。任中华全国文艺界抗敌协会理事,参加抗日爱国活动。抗战胜利后,积极参加民主运动。1946 年见李公朴、闻一多被暗杀悲愤异常。他反对内战,签名拒绝美援,嘱咐家人不买政府配给的美国面粉,最后在贫病交加中逝世。朱自清著作甚多,除上述著作外,还有散文集《欧游杂记》(1934)、《你我》(1936)、《伦敦杂记》(1943)等。评论集有《经典常谈》(1942)、《诗言志辨》、《新诗杂话》(1944)、《标准与尺度》(1947)、《论雅俗共赏》(1948)等。1949 年后出版有《朱自清选集》、《朱自清古典文学专集》(上、下,1981)、《朱自清序跋书评集》(1983)及 10 卷本《朱自清文集》。

Zhuang 壮族 又拼 Chuang。中国少数民族。分布在广西壮族自治区的南宁、百色、河池、柳州 4 个地区和云南文山壮族苗族自治州,少数分布在广东、贵州和湖南。人口

壮族姑娘

中国大百科全书出版社供图

16 178 000(2000),是中国人口最多的少数民族。约 95% 在广西。语言属汉藏语系壮侗语族壮傣语支,有南北两种方言。大都兼通汉语,使用汉文。1955 年创制了拉丁字母的文字。“壮”原作“獞”、“僮”,始见于南宋。当时庆远(今广西宜山、东兰、忻城、河池等地)南丹一带的溪峒居民称为“獞”,是苗、瑶、僚、仡佬等五种溪峒少数民族之一。先世源出于中国古代的百越。“断发文身”、“巢居干栏”、崇尚铜鼓、信占鸡卜等文化习俗在近代壮族中仍有所见。现代壮语也具有古越语特点。至今不同地区壮族的自称布衣、布雅依、布侬、布越等与壮语称古越人的语音相同或相近。花山崖壁画和铜鼓是古代僮族文化的代表。迄今已发现秦汉至元的崖壁画 50 多处,多分布在左江两岸。画面以人形为主,赭色。画风古朴。已出土和收藏的铜鼓共 500 多面,其中有的纹饰粗犷,鼓面铸有立体骑士和牛、马、蛙、蟾蜍等形象,用作乐器、祭祀重器和权力的象征。农业有悠久历史,明代中叶生产水平已与汉族相近。大部地区一年稻粟两熟。壮锦、练子布、环首刀、标枪等手工业品久已驰名全国。传统住房形式为“干栏”,上层住人,下层圈养牲畜,有的地区至今沿用。服饰大多同汉族。桂西一带妇女左衽,上衣有锈花镶边,在褶裙上束以绣花围腰。过去崇拜多神,崇拜祖先和自然物。少数人信仰基督教、天主教。具有民族特点的“牛王节”在农历四月春耕时举行,蒸五色糯米饭和鲜草一束以饲耕牛。歌圩是青年男女社交场所,圩日时集体对唱山歌,传说中的唐代女歌手刘三姐即以善歌名垂后世。1952 年壮族地区推行民族区域自治。1958 年建立广西壮族自治区,先后与其他民族建立了 1 个自治州、3 个自治县和 10 个民族乡。为避免“僮”字误读,1965 年经国务院批准正式改“僮”为“壮”。

Zhuang language 壮语 中国壮族语言。属汉藏语系壮侗语族壮傣语支。分布在中国广西壮族自治区、云南省文山壮族苗族自治州和广东省连山壮族瑶族自治县境内。使用人口约1 200万,是中国使用人口最多的少数民族语言。分南北两个方言。1957 年创制壮文时确定以北部方言武鸣县的语音为标准音。语音特点:有 23 个声母,其中包括 6 个擦音、6 个塞音、4 个鼻音、1 个边音、1 个半元音、3 个腭化音和 2 个唇化音。有 79 个韵母,其中包括 7 个单元音韵母、12 个复元音韵母和 60 个带辅音韵尾的韵母(由 3 个塞音韵尾和 3 个鼻音韵尾组成)。有 8 个声调,包括 6 个舒声调和 2 个入声调。

以虚词和词序表示句子成分的语法关系。名词前常冠以表示事物类别的量词;量词中还有一类兼表强调和蔑称的量词;量词重叠表示“每一”、“任一”;部分单音名词在一定句式中能以 AA 和 AABB 式重叠,表示强调;部分名词还有少量类别词头;名词修饰语大都在名词后,但数量修饰语(“一”除外)则在名词之前;量词也能作修饰词组的中心;形容词能以 AA 式重叠表示强调;动词和形容词能加描绘性的后附成分表示状态、程度;表示行为、动作的动词能加词尾表示催促和随便处置的意思;壮语助词有用在动词和补语之间表示程度或结果的结构助词,用在动词或词组后表示附加意义的助词,用在人称代词、指人的名词或机关团体的名称前表示领有关系的助词等几类;句子主语在谓语之前,宾语和补语在动词之后。由于壮、汉两族人民长期交往,壮语中有许多汉语借词,通常占词汇总量的 10%;如果是涉及政治、时事的语词则往往超过半数。这种借词可分为老借词和新借词两类。老借词借入时代较早,保留鼻音和塞音韵尾和 8 个调类,在方音变化中受壮语固有的语音变化规律的支配。因此老借词在各方言的读音和对应规律比较整齐。新借词主要是近代按西南官话语音吸收的,没有双唇鼻音和塞音韵尾,只有 4 个声调,与壮语固有的语音变化规律不合。老借词各地调类一致而调值不尽相同;新借词各地调值相同或相近,但调类不一定相同。

壮语语法受汉语影响也发生一些变化。如壮语体词性修饰词组,定语一般要放在中心词后,但在汉语影响下有时也可放在中心词前;在动词后带有宾语和补语的情况下,壮语固有语序一般是动+宾+补,但在汉语影响下可以有条件地改变为动+补+宾;壮语还从汉语借进一些表示语法意义的虚词。壮语北部方言又分桂北、柳江、红水河、邕北、右江、桂边和邱北 7 种土语;南部方言又分邕南、左江、德靖、砚广和文麻 5 种土语。

方言差别主要在语音和词汇上,语法上除虚词和附加成分稍有不同外,在结构上没有差别。语音差异是:①北部方言一般没有送气音声母,南部方言有一套送气的清音声母;②南部方言都有舌尖前塞擦音清、清送气的对立,北部方言合并成一个音位;③北部方言有 r 声类(有多种方音变体,多数地方读舌根擦音),南部方言没有这个独立的声类;④北部方言多数地方有舌面半元音和唇齿浊擦音带前喉塞的声母,南部方言一般没有这两个声母。语法差异是:①北部方言和南部方言使用不同的领属助词;②北部方言多数地方有动词词头,南部方言无相当词头;③表示被动的介词北部与南部方言不同;④北部方言第一人称多数有包括式和排除式的分别,而南部方言没有。1955 年创制拉丁字母形式的文字,1957 年经国务院批准推行。

Zhuang Zedong 庄则栋 (1940-08-09,中国北京～2013-02-10,北京) 中国乒乓球运动员。连续 3 次世界乒乓球锦标赛男子单打冠军获得者。自幼参加乒乓球运动,早期在北

中国大百科全书出版社供图

京市少年宫业余体校进行乒乓球训练。曾获北京市少年乒乓球赛男子单打冠军。1957 年入北京市乒乓球队。同年参加全国比赛,与队友获混合双打冠军。1959 年入选国家青年乒乓球队。同年参加斯堪的纳维亚国际乒乓球赛,获男子单打冠军,并和同伴一起获男子团体、男子双打冠军。1960 年获中国运动健将称号。1961 年成为中国乒乓球男队主力队员之一。他参加过 4 届世界乒乓球锦标赛,蝉联第 26、27、28 届男子单打冠军,成为第一名在世界锦标赛上三连冠的中国乒乓球选手,并获得了圣·勃莱德杯的复制杯作为永久纪念。在第 28 届世界乒乓球锦标赛上,他与徐寅生共同获得男子双打冠军。中国国家体育运动委员会于 1961、1963 和 1965 年 3 次为他记特等功并授奖。庄则栋具有较好的身体素质,采用独特的快速抢攻、直拍近台两面攻打法。1974 ～1976 年任中国国家体育运动委员会主任。1980 年在山西乒乓球队做训练工作。后任北京市少年宫教练。著有《创与闯》(1983)一书。

Zhuangzi 庄子(约公元前369～前286) 又拼 Chuang-tzu。中国战国时期哲学家、文学家。名周。宋国蒙(今河南商丘东北)人。幼

年家境贫穷，靠打草鞋为生，后做过漆园吏。因厌恶政治而归隐。楚威王因其才礼聘为相，遭拒绝，终身不仕。

台北故宫博物院供图

庄子师法老子，认为道是天地根本，无所不在，也无界限差别。庄子思想的特征是相对主义。认为物我、是非、大小、美丑、善恶、贵贱、生死都无绝对差别。“是亦彼也，彼亦是也，彼亦一是非，此亦一是非”。所举著名论例：庄子梦为蝴蝶，醒来仍是庄子，“不知周之梦为蝴蝶与？蝴蝶之梦为周与？”认为根本不必去追求这种区别。因此不主张追求知识，反对辨别是非。认为生命短促，知识无限，以有限的生命追求无限的知识，必然要失败。庄子对现实十分悲观，消极厌世，对整个人生取虚无主义态度。他把提倡仁义看作是加在人身上的刑罚。还认为仁义道德是大盗兴起的根源，要求毁灭仁义。反映庄子思想的《庄子》一书被道家奉为经典。唐天宝元年(742)列入《道藏》，诏号《南华真经》。《汉书·艺文志》著录《庄子》52篇。现存33篇为晋人郭象编定注释。其中“内篇”7篇一般认为庄子所著，“外篇”15篇和“杂篇”则掺有庄子门人和后学作品。《庄子》文章汪洋辟阖，仪态万方，又多采用寓言形式，在哲学和文学方面都有很高价值。

zhuanke　篆刻　英语作 seal cutting。中国具有艺术价值的印章镌刻的通称。古代印章一般采用篆书，先写后刻，故称篆刻。金属印章先刻印模，随后浇铸；晶玉印章，古代用手工琢成，今用金刚砂喷蚀，叫电刻；石、牙、角等印章皆用刀镌刻，是中国传统艺术之一。起源很早，远古的陶器和青铜器上打印的连续纹样及文字是印章的滥觞。

阶级社会开始后印章成为权势者的信物，以及人们之间往还的取信凭据。先秦通称为玺，文字为当时六国的篆书，风格奇特，形式多样，不同于秦篆与甲骨文。秦（公元前221～前206）统一后，皇帝印信称“玺”，官、私所用称“印”，秦印字体多用小篆，白文的印面常有界格，风格苍秀，其字笔划整齐，不呆板，结体方中带圆，具有妩媚秀丽的风格。汉至魏晋时期（公元前206～公元420）的印章一般均称“汉印”。西汉凿印较少，印钮形式复杂，有鼻钮、瓦钮以及蛇、鱼、龟钮等。篆体正方平直，布局严谨。新莽时期雕工精美，布局均匀整齐，有的私印加鎏金，官印比西汉小。东汉印章质地有金、银、玉、铜，还有玻璃印，印型有方、长方和圆形。私印多白文，间有半朱半白。套印有两套或三套，一般铸有兽、龟等钮，大印腹空、小印嵌入腹内，像母抱子状，故又称“子母印”。印文除姓名、吉祥语外，尚有人物、车马、鸟兽等肖形印，亦称“象形印”或“图案印”。魏晋印沿袭汉代，文字章法别具一格，笔划纤弱，布局随意，私印中有“悬针印”，即竖笔引长下垂、末端尖细，如悬针状，故名，据说为东汉曹喜所创。南北朝流行六面印，状如“凸”字，上为印鼻，鼻端刻小印，加上其余五面，是称六面印。唐宋(618～1279)以来，印学发达，各有其时代的特点和风格。隋官印开始加大；唐开始用隶书入印；宋出现“九叠印”，即篆字别体，根据笔划繁简决定折叠多少，折叠的笔划均匀，填满印面。宋代创始一种“花押印”，没有外框，押字极花，使人不易摹仿。金朝多用汉文篆书，也用女真文入印。西夏印文多用西夏文篆体，印型圆角加边，别有特点。元代(1279～1368)盛行花押印，印面上刻楷书姓氏，下刻八思巴文，别称“元押”或“元戳”。元画家王冕开始用花乳石刻印，由于镌刻方便，在明清(1368～1911)士大夫中广泛流行，使印学流派增多，名家辈出。如明代何震开创皖派，专学秦汉篆刻，风格朴茂苍秀；徽派中的汪关、程邃等人摹汉印几可乱真；莆田派的宋珏以八分书入印，风格清丽；浙派在乾隆年间由丁敬开创，继起者有蒋仁、黄易、奚冈、赵之琛、钱松等人，他们宗秦汉，善用切刀，不主一体，各具特点，凡效诸人风格者，通称浙派。因丁敬等8人皆杭州人，又称西泠八家，刀法峭利，一变皖派之风。晚清以来，异军突起，赵子谦博采陶、帛布、瓦当文字入印，古意盎然，别创一格；吴昌硕以石鼓文笔法入印，笔力雄健，气势浑厚；齐白石以刀代笔，笔力劲健，气势雄伟。

这门传统艺术发展到今天，已不单是作为信验的凭据，在书画、书报杂志的封面刊头上还起着丰富内容的艺术效果。

zhuanshu　篆书　英语作 seal character。中国汉字书体之一，大篆、小篆的统称，是汉魏以前通行的字体。有广狭二义：狭义指籀文和小篆；广义指甲骨文、金文、籀文和春秋战国时期通行于各国的文字和创始于秦代的小篆。

甲骨文　从清末(1899)迄今出土已十几万片，共有4 600个左右不同的字，现在认出来的有2 000多个。这是研究商殷王朝后期270余年间政治、经济、文化状况的宝贵资料。在今天可识的汉字中以甲骨文为最古。由于它的文字结构不仅由独体趋向合体，而且有大批形声字的出现，符号化程度很高，这就说明它是经过长期发展而来的，在它以前很久，文字就已产生了。甲骨文系用刀刻字，亦有用笔书者，书风可分早晚二期。早期大字胜，书风较雄奇；晚期小字多，书风甚精密。现已有人摹学。

金文　旧称“钟鼎文”，包括铸刻在殷、周、春秋、战国的钟、鼎、尊、爵、兵器、钱币等青铜器上的所有文字。其书法风格，殷代至西周早期与甲骨文相近，乃方笔用折，大盂鼎可作代表；西周中叶以后至东周早期，变为圆

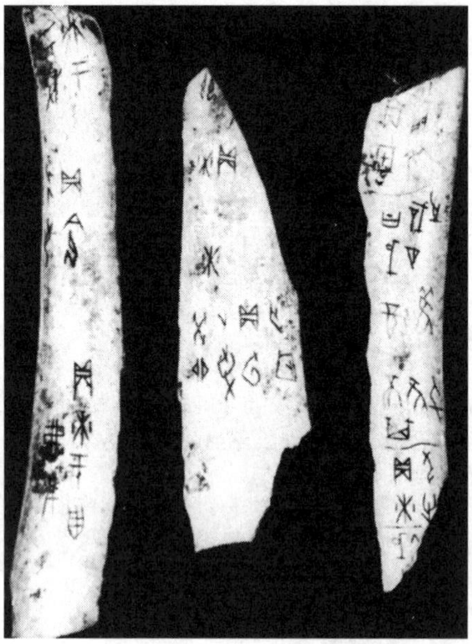

河南小屯出土商代甲骨文，公元前14或12世纪
剑桥郡剑桥市大学图书馆供图

笔用转，散氏盘、毛公鼎可作代表；其后至春秋时期用笔渐趋纤劲，齐仲姜镈可作代表；发展至战国，因时代变乱，金文字体亦混乱、诡异，至有不可识者。古代文字至此已呈分裂现象。商周金文书法，清代中叶以来渐有人追摹。著名的有张廷济、吴大澂、李瑞清等。李有“求分于石，求篆于金”之论，他用涩笔写金文，刚劲顿挫，很有独到之处。

籀文　亦称“籀书”、“大篆”，因著录于“史籀篇”而得名，相传为周宣王时太史籀所编。周室东迁之后，秦据周地，春秋、战国时期通行于秦国，今存石鼓文即这种字体的代

周代大篆，公元前779年
台北故宫博物院供图

表。原石共10块，现藏北京故宫博物院，这是中国现存最早的刻石文字，原文逾700字，现仅存272字，历来对其书法艺术评价很高。近代吴昌硕最擅此体，雄健朴茂，气魄很大。大篆亦有广狭二义，狭义专指籀文，广义泛指前述之甲骨文、金文、籀文和春秋、战国时期通行于各国的文字。

小篆　大篆之对称，亦称秦篆。是在籀文的基础上发展形成的。秦始皇统一中国后，丞相李斯等人以秦国文字为基础，规定以一种标准字体来统一全国的文字，这种标准

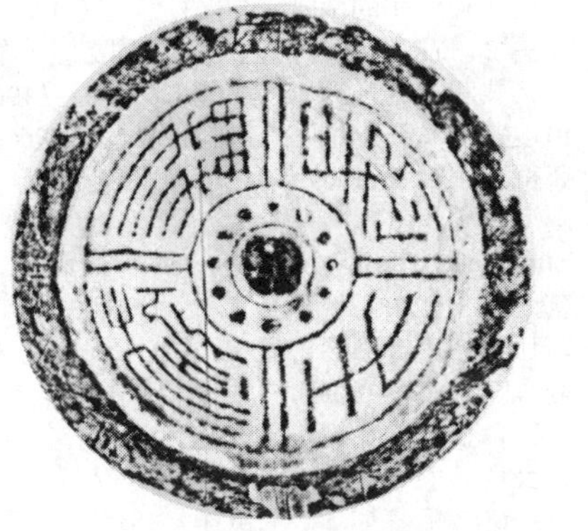

秦代瓦当小篆，公元前3世纪

芝加哥菲尔德博物馆供图

字体就是小篆。将其他各个地区的异体字，尽行淘汰，对汉字的规范化起了很大作用。小篆形体匀圆整齐，存世有相传为李斯所写的《琅玡台刻石》与《泰山刻石》，历来被认作小篆书法艺术的最高典范。汉魏以后，由于隶书、八分盛行，多有以隶书、八分之法写小篆者，最著名的如三国吴之《天发神谶碑》；又北朝初唐碑额亦多见作篆如分之制。至盛唐李阳冰出，乃尽去分势，而专宗李斯，用笔中锋圆稳，不露锋芒，世称《玉箸篆》。此后千年之久，小篆书法名家大都宗法二李。清代中晚期邓石如、伊秉绶、赵之谦等，更用侧笔露锋出之，才出现新的风格。

Zhufanzhi　《诸蕃志》　英语作 Description of the Barbarians。中国地理名著。南宋赵汝适撰。参阅 **Zhao Rukuo**。

Zhuge Liang　诸葛亮（181～234-08）　又拼 Chu-ko Liang。中国三国时期蜀国大臣，政治家、军事家。字孔明。琅琊（今山东沂南）人。东汉末隐居隆中（今襄阳西部）。207年

中国大百科全书出版社供图

刘备三顾茅庐时建议联吴抗曹，占取荆、益，进而统一全国。从此成为刘备的主要谋士。他促成孙权、刘备联合，取得赤壁之战的胜利，后与关羽镇守荆州，此后协助刘备取得益州。刘备称帝，以亮为丞相录尚书事。刘备猇亭之败后，亮收拾残局，辅助后主刘禅，封武乡侯，总领军、政。平定南中（四川南部及云南、贵州地区），改善与西南各族关系，发展当地经济、文化。治蜀以严明著称，用人唯贤，推行屯田，发展生产。曾5次攻魏、争夺中原。234年与魏司马懿军对峙于渭南，病卒五丈原军中，谥忠武侯。亮精通兵法，善于制作机械。著作有《诸葛亮集》。

Zhuguang Shan　诸广山　中国江西、湖南两省边境山脉。呈北北东-南南西走向。属罗霄山脉南段。北接万洋山，南与南岭相连。主要由花岗岩组成。中山地貌，由数十个高峰连接而成。北部高1 500～2 000米，南部降至1 000～1 500米。诸广山主峰齐云峰海拔2 061米，为江西省第3高峰。植被垂直带谱明显，有三尖杉、黄山松、粤松、建柏等珍贵树种。人工植被以马尾松林、毛竹林和杉木林等为主。

Zhuhai　珠海　中国广东省辖地级市。在省境中南部，毗邻澳门，扼珠江口。辖香洲、斗门、金湾3区。面积1 653平方千米。主要为万山群岛、三灶岛、担竿列岛等岛屿。原为中山县地，小部属东莞县和宝安县。1952年

珠海市拱北口岸夜景

中国大百科全书出版社供图

置渔民县，1953年改为珠海县。因处珠江口沿海得名。1959年并入中山县，1961年复置珠海县。1979年改为珠海省辖市。1980年8月设立珠海经济特区。地处丘陵性海岸区，内侧多丘陵、台地，外侧为滨海平原。海域宽广，海岸曲折，岛屿、港湾众多，是广东省主要海岛城市。西江自北向南经磨刀门、鸡啼门、虎跳门分流入海。

1980年珠海始建经济特区，已形成以工业为主，农、渔、牧业，商业，旅游业综合发展的外向型经济体系。主要工业有电力、电子、轻纺、建材、制糖和食品加工等。粮食作物以水稻为主，经济作物有甘蔗、花生、蔬菜、水果、花卉等。鱼、虾、贝、藻类等水产资源丰富。渔业以海洋捕捞为主，捕养结合，海水网箱养殖与淡水养殖发展迅速，万山渔场是广东省最大的渔场。有瓷土、钾长石、石英石等矿产。珠海是105国道的起迄点，广州一珠海高速公路通过拱北，与澳门公路网联通。拱北为中国重要对外口岸之一。沿海港口有通广州、香港、深圳和广西等地的航线。九洲港是中国华南与亚太区联络的枢纽之一，可泊万吨级货轮，直通世界各港。直升机航线通广州、汕头和海口。湛澳岛苏兆征故居和三灶岛"万人坟"为广东省重点文物保护单位。白藤湖度假村、金海滩、石景山等为旅游地。人口：全市860 000（2005）。

Zhuji　诸暨　中国浙江省县级市。位于省境中部偏北，钱塘江支流浦阳江流域。秦置诸暨县，旧传以境内诸山、暨浦得名，实为越语方言地名，其义不明。曾改名为疏虏、暨阳，五代后梁开平二年（908）复名诸暨县。元元贞元年（1295）升诸暨州，至正十九年（1359）改诸全州，至正二十六年仍复名诸暨县。1989年撤县设市，由绍兴市代管。面积2 311平方千米。地处浙东丘陵西北部，东为会稽山，西有龙门山，中为诸暨盆地，浦阳江自南而北流经全境。农业以水稻、小麦、油菜、红薯、棉花等为主，林产以毛竹、生漆为大宗，并产蚕茧、茶叶、苎麻。是浙江省商品粮基地和蚕茧、茶叶重点产区之一。诸暨还是香榧主要产地，枫桥香榧为传统特产，驰名中外。西江等地养殖珍珠，远销海外。工业有纺织、机械、服装、冶金、建筑、建材、采矿、食品等。矿产有金、银、铜、铅、锌、石墨等。锌精矿产量居全省之冠，黄金产量居全省第2位，石煤储量在6亿吨以上。浙赣铁路、萧金公路纵贯南北，并有支线公路通绍兴、浦江、东阳。城南有西施浣纱石和范蠡故居遗址。市西五泄风景名胜区，以瀑奇、景幽著称。人口1 060 000（2005）。

Zhujiang Sanjiaozhou　珠江三角洲　又作 Pearl River Delta。中国珠江在广东中部入海处冲积成的三角洲。由西江、北江和东江及潭江、绥江、流溪河、增江等在珠江河口湾内堆积而成的复合三角洲，面积约1.1万平方千米，为华南最大的平原。三角洲上有160多个基岩残丘，距今约6 000～2 000年时原是浅海湾中的岛屿。珠江含沙量不多，每年总沙量不过1亿吨，但因多岛屿的浅海湾有利于泥沙滞积，所以2 000年来三角洲发展较快。残丘海拔300～500米，往往成为秀丽的风景区，如西樵山、五桂山、崖山等。目前三角洲上较大水道近百条，较小的港汊更多，交织成网。珠江分别由8个口门入海。入海处常有残丘夹峙，形势险要，称为"门"。著名的有虎门、磨刀门、崖门等。珠江三角洲位于南亚热带，当地人民创造了"桑基渔塘"、"果基渔塘"、"蔗基渔塘"等经营方式，既利用了优越的自然条件，又护养了农业生态系统。由于修筑堤防，建立电力排灌系统，防止了洪涝灾害和海潮侵袭，促进了珠江三角洲农业的发展。盛产水稻、甘蔗、蚕茧、黄麻以及香蕉、菠

珠江三角洲上的农村

供图：© Georg Gerster—Rapho/Photo Researchers, Inc.

萝、木瓜、荔枝、龙眼、橙、柠檬等，淡水渔业亦发达。

Zhukov, Georgy Konstantinovich　朱可夫（1896-12-01[旧历 11-19]，俄罗斯卡卢加省～1974-06-18，莫斯科）　苏联元帅，第二次世界大战中苏联最重要的军事指挥官。

第一次世界大战中应征加入沙皇军队，1918 年参加红军，在俄国内战期间任骑兵指挥官，后在德国和伏龙芝军事学院（1931 年

供图：Tass—Sovfoto

毕业）研究军事科学。他在军队中不断得到升迁，作为驻中国东北边界地区苏军首脑，1939 年指挥了对日本军队的胜利反攻。

第二次世界大战开始时，在苏联对芬兰的冬季战争中，朱可夫任苏军参谋长。后调任基辅军区司令，1941 年 1 月被任命为红军总参谋长。德军侵入苏联（1941-06）后，他组织了列宁格勒（圣彼得堡）保卫战，随后任西线总司令。他指挥了 1941 年秋天的莫斯科保卫战和同年 12 月对德军的大反攻，将德国中央集团军群从俄罗斯中部赶回。

1942 年 8 月朱可夫被任命为副国防人民委员和苏联武装部队第一副总司令。他成为斯大林的最高统帅部主要成员，参与制订或实施几乎每一次重大战役计划，表现极为突出。他指挥了 1942 年末的斯大林格勒保卫战，策划并指挥了反攻，将德国第六集团军包围在该城市（1943-01）。此后不久，他被任命为苏联元帅。朱可夫深深地卷入库尔斯克战役（1943-07），并在 1943 年冬与 1944 年春指挥了苏军横扫乌克兰的战斗。他指挥了苏军在白俄罗斯境内的进攻（1944 年夏、秋），使德军中央集团军群崩溃，并结束了德国对波兰和捷克斯洛伐克的占领。1945 年 4 月，他亲自指挥攻克柏林战役，后作为苏联占领军司令驻在德国。1945 年 5 月 8 日，他代表苏联接受德国正式投降。其后，任盟军管制德国委员会苏联代表。

1946 年朱可夫返回莫斯科，他显然因声誉过高，被斯大林认为是个潜在的威胁，被派往一些较偏远的地区当司令官。斯大林去世（1953-03）后，新的政治领导人希望得到军队的支持，任命朱可夫为国防部副部长。他后来支持赫鲁晓夫反对部长会议主席马林科夫，后者赞成削减军费。赫鲁晓夫迫使马林科夫辞职，由布尔加宁接替（1955-02），朱可夫继布尔加宁任国防部长；那时，他还当选为苏联共产党中央主席团候补委员。

此后，朱可夫实施一系列提高军队素质的计划。由于这种努力减弱党的政治顾问的作用，从而减弱党对军队的控制，他的政策使他与赫鲁晓夫发生冲突。然而，当主席团的大多数（称作“反党”集团）试图排挤赫鲁晓夫时，朱可夫却提供飞机将中央委员们从边远地区送到莫斯科，从而使政治力量的对比转为有利于赫鲁晓夫（1957-06）。后来，朱可夫被提升为苏联共产党中央主席团委员（1957-07）。但是赫鲁晓夫不能容忍这位元帅不断使军队独立化的举措，结果朱可夫在 1957 年 10 月 26 日被正式解除国防部长职务，一周以后又被解除党内职务。赫鲁晓夫下台（1964-10）之前，朱可夫处于相对隐退状态。1966 年获得列宁勋章，1969 年被允许出版自传。

Zhukovsky, Vasily Andreyevich　茹科夫斯基（1783-02-09，俄罗斯图拉省～1852-04-24[旧历 04-12]，德国巴登-巴登）　俄国诗人、翻译家。在形成俄国的诗风和诗歌语言方面是普希金最重要的前辈之一。他是一个地主和土耳其女奴的私生子。曾在莫斯科受教育。1812 年参加拿破仑战争。1815 年成为沙皇的侍从之一。1826 年任皇储的导师。1841 年退居德国。他是浪漫主义文学运动领袖 N.卡拉姆津的追随者，反对古典主义，认为诗歌应当成为一种感情的表达方式。像普希金一样，他特别对个人经历、富有魅力的景致以及民谣感兴趣。最初发表的作品是英国诗人 T.格雷所写《墓园挽歌》的译作。他还把当时德国和英国的作家，如 G.毕尔格、席勒、歌德、W.司各特、拜伦和 R.骚塞等人的作品介绍给俄国。此外，还将荷马史诗《奥德赛》翻译成俄文。他的4卷文集于1959～1960年出版。

Zhumadian　驻马店　中国河南省辖地级市。位于省境南部，黄淮平原西南部。原属确山县。明成化十年（1474）汝宁府在此设驿站，先后称驻马镇、驻马店，为遂平、明港间驿马驻所。1904 年京汉铁路修通后，镇区扩大，商贾云集。1949 年设市。2000 年撤销驻马店地区和县级市，设地级市。辖驿城区和确山、泌阳、遂平、西平、上蔡、汝南、平舆、新蔡、正阳 9 县。面积14 974平方千米，其中市区面积770平方千米。已形成有电机、纺织、医药、卷烟、印刷、食品、农机修造等工业的新型工商业城市。矿产有大理石、钾长石、煤、铁等。农业主产小麦、玉米、油菜、芝麻、大豆等，是全省商品粮基地之一。其中芝麻以出油率高、油质纯正著称。京广铁路纵贯市区，另有驻马店—汝南地方铁路和京深（圳）、驻泌（阳）等公路干线，为通淮北地区重要交通枢纽之一。建有高等院校。名胜古迹有薄山水库国家森林公园、宿鸭湖、北泉寺、大乐山等。人口：全市 8 340 000（2005）；市区 580 000（2004）。

Zhuxianzhen　朱仙镇　中国历史上四大名镇之一。位于河南省开封市南 23 千米处，属开封县。面积 5 平方千米。战国时朱亥的故里。亥居仙人庄，故名。朱亥为战国魏的显贵信陵君的门客，是“窃符救魏”事件的主角之一。朱仙镇军事地理位置重要。南宋绍兴十年（1140）岳飞抗金作战于此。明崇祯十五年（1642）农民起义军李自成乘胜进军至此，包围开封城。清咸丰三年（1853）太平军曾屯兵于此，后西进。同治五年（1866）清政府曾以朱仙镇为中心筑防线，包围在豫、皖两省活

动的捻军。其重要性皆因地当华中、豫南到开封陆路要冲，为省垣南面的门户。朱仙镇自贾鲁河通航后，从17世纪到19世纪中叶，进入兴盛期。清康熙年间(1662～1723)，人口达30余万。南门外贾鲁河沿岸，码头林立。当时，与广东佛山镇、江西景德镇、湖北汉口镇齐名。清乾隆后，因黄河多次决口灌镇，河道淤塞，水运断绝；又因京汉、陇海两铁路修通，陆运转移，加之屡遭战祸，朱仙镇日渐衰落。今为开封县西南重要农贸市场和小商品批发市场。朱仙镇特产有木版年画、红纸、玉堂号豆腐干。年画具有坚毅朴素的强烈地方特色。名胜古迹有岳飞庙、清真寺、大石桥等。人口38 000(2001)，回族占30%。

Zhuoshui Xi　浊水溪　中国台湾省最长的河流。位于台湾中西部。全长186千米。流经南投、彰化、云林三县，流域面积约3 115平方千米。发源于中央山脉合欢山主峰与东峰

浊水溪畔的水里聚落
美国不列颠百科全书公司供图

之间，沿途接纳塔罗湾溪、万大溪、卡社溪、丹大溪及郡大溪后，折而西行，又汇陈有兰溪而水量大增，河面渐宽展，河道成辐射状。至林内会合南岸清水溪后进入平原，形成冲积扇。河水分成4条分流入海，由北而南依序为：北溪(旧浊水溪)、西螺溪(浊水溪)、新虎尾溪及北港溪。其中以西螺溪最为宽广，主流即经该溪注入台湾海峡，闻名的西螺大桥亦跨越此溪河床而建。其上游地势起伏，河道多成纵谷；落差大，雨量多，水力资源丰富，建有万大、雾社及日月潭3水库，均供水力发电之用。林内以下的河水则用于灌溉。

Zhuozi　卓资　中国内蒙古自治区乌兰察布市辖县。位于乌兰察布市中部，阴山山地南麓。地势西北高，东南低。县政府驻卓资山镇。面积3 119平方千米，山区占88.4%，平原占11.6%。属中温带大陆性气候，冬寒而长，夏短温凉，昼夜温差大。年平均气温3.3℃，无霜期110～120天。年平均降水量471.8毫米。境内多季节性河流，常年有水的河流有12条，湖泊近百个，素称"九十九泉"，水面积共222.3公顷。历史上是塞外牧区，19世纪末，山西、河北的农民移此开垦，渐成为农业区。1948年析集宁、陶林、丰镇、凉城等地部分设县，名为龙胜县，1952年改名卓资县。人均耕地面积大大高于全国人均水平。主要农作物有小麦、莜麦、马铃薯、胡麻等。各类草地占全县总面积的54.37%，基本上满足畜牧业的需要。地下矿产资源种类较多，已探明的有金属矿7种，非金属矿14种，其中云母矿的质量居中国之首，远销国外。工业基础薄弱，是一个以农业为主的县。东距乌兰察布市政府集宁70千米，西距自治区首府呼和浩特90千米，京包铁路横贯，全县20个乡镇都有公路相连，交通运输便利。人口230 000(2005)。

Zhuzhou　株洲　又拼 Chu-chou。中国湖南省辖地级市。位于省境东部、湘江中游。境内以冲积平原、河流阶地和丘陵地貌为主，湘江流经市区西部。三国吴设建宁县。隋废，地入湘潭县。南宋名为槠洲，因盛产槠树得名，后简称株洲。20世纪初仅是一小镇。1905年萍乡至株洲铁路通车后成为煤炭转运港，1918年粤汉铁路通到株洲，1937年浙赣铁路全线通车并与粤汉铁路接通，株洲的交通位置日益重要。1951年从湘潭县划出设株洲县级市，1956年升为省辖市。辖天元、荷塘、芦淞、石峰4区，株洲、攸县、茶陵、炎陵4县，并代管醴陵县级市。面积11 262平方千米，其中市区面积535平方千米。20世纪90年代初，株洲成为全省经济发展水平较高的城市和主要的重工业基地之一。已建成门类较齐全的工业体系。工业部门有机械、冶金、化工、建材、食品、纺织、煤炭及炼焦、电力等，其中冶金、建材、煤炭的产值均为全省之冠。株洲冶炼厂是中国最大的有色冶炼企业之一，以生产铅、锌、铜为主，综合回收20余种金属元素。株洲硬质合金集团有限公司系中国最大的硬质合金生产企业。株洲电力机车厂是中国重要的电力机车科研和生产基地。市郊为蔬菜和农副产品生产基地，有棉花、油料、麻类、烤烟、茶叶、柑橘等。株洲水陆交通便利。京广、浙赣、湘黔3条铁路干线在此交会，贯通南北，连接东西，是中国南部铁路运输枢纽。株洲火车站是中国综合性的客货特级站和较大编组站之一。106、320国道和京珠高速公路过境。湘江全年可以通航，港口货物吞吐量137万多吨。株洲是地区性的物资集散地和商贸中心，服装市场规模宏大。市内有中南林业科技大学和湖南工业大学。名胜古迹有位于宋家桥的周楚贤人老莱子墓、市郊的秋瑾故居和渌田镇南的建宁古城遗址。人口：全市3 710 000(2005)；市区780 000(2004)。

Zi Chan　子产(？～公元前522)　又拼 Tzu Ch'an。又称公孙侨、公孙成子。中国春秋后期郑国执政、政治家。郑国人。郑穆公之孙，大司马公子发之子。公元前554年为卿，前543年为郑国执政。整顿田地疆界沟洫，使利于农耕；制定按"丘"征赋制度，以充实军力；将法律条文铸在铜鼎上公布(铸刑书)，使贵贱尊卑一体遵循；保护乡校，以保持国人议政风气；抨击霸主对弱小国家的过分勒索，公元前529年平丘会盟时争得对大国朝聘以较合理的负担。子产还提出著名的"天道远，人道迩，非所及也"观点，反对迷信活动，发展了中国古代的无神论思想。

Zi Shui　资水　中国湖南省中部河流，洞庭湖水系重要河流之一。又称资江。由发源于广西壮族自治区资源县的夫夷水和发源于湖南城步苗族自治县的赧水在邵阳县双江口汇合而成。流经新化、安化、益阳等地，到湘阴县入洞庭湖归长江。全长713千米，流域面积2.81万平方千米，年径流量217.4亿立方米。上中游穿越雪峰山，河道陡险，建有柘溪水电站。新化县以下可通航。

Zia(ur-Rahman), Begum Khaleda　齐亚(1945-08-15，印度东孟加拉邦迪纳杰布尔[今孟加拉国]～　)　婚前名 Khaleda Majumdar。孟加拉国政治家，1991～1996年以及从2001年起任孟加拉国总理。是孟加拉国第一位女总理，任职期间恰逢国内发生自然灾害、经济危机和民众骚乱。她是经商的马君达夫妇所生5个子女中的第三个。1960年通过政府的大学入学考试，后进入迪纳杰布尔的苏仁德拉那特学院。1959年与Z.拉赫曼结婚，丈夫是争取孟加拉国(当时是巴基斯坦的一部分)独立的领袖。在1971年的斗争中，她被软禁在家中，尽管她在很大程度上对政治不感兴趣。1981年丈夫被军官暗杀后，她才开始在政坛上活跃。1984年她担任孟加拉国民族主义党的领导人。80年代在H.M.艾尔沙德的专制统治期间多次被捕，但1991年她领导反对派取得胜利，成为总理。在第一届任内，她试图通过工业民营化和鼓励私人投资来解决国家紧迫的经济问题，她的政府还注意改善国家的教育体系，为妇女扩大经济机会。然而，所作努力被1991年的一场热带风暴所阻扰，那场暴风雨造成13万人死亡以及20亿美元的经济损失。1996年2月，以压倒优势赢得第二任总理之职。经过一场罢工和示威的浪潮后，她于任职的第二个月辞职。2001年她重新掌权，承诺要消除贪污和恐怖主义。

Zia-ul-Haq, Mohammad　齐亚·哈克(1924-08-12，旁遮普贾朗达尔[今在印度]～1988-08-17，巴基斯坦巴哈瓦尔布尔附近)　巴基斯坦陆军参谋长和军事管制首席执行官，1978～1988年任巴基斯坦总统。1945年毕业于台拉登印度皇家军事学院，第二次世界大战末期在东南亚英国装甲部队中服役。在

中国大百科全书出版社供图

担任了19年的各种参谋和指挥职务后，任奎达的指挥和参谋学院教官。1966～1972年间，历任团长、旅长、师长和军长。1972年起为少将，任军事法庭庭长，审判涉嫌于1972年阴谋推翻布托总理的政府的几个陆军和空军军官。1975年布托提升他为陆军中将，1976年任命他为陆军参谋长。齐亚在1977

年7月5日的不流血政变中,从布托手中夺取了政权,任军事管制首席执行官,同时保持其陆军参谋长的职务。在乔德里总统辞职后,他接任总统。在将具有领袖气质和魅力并仍受群众爱戴的布托以谋杀未遂的罪名于1979年处死后,他加紧了对政府的控制。同年中止政党活动,禁止工人罢工,对报刊实行严格审查,并宣布在全国实施军事管制法(名义上于1985年取消)。在1979年苏联入侵邻国阿富汗后,他以着手在美国援助下加强巴基斯坦军事力量作为回应。他还试图扩大其获得支持的基础,并致力于使巴基斯坦政治和文化生活伊斯兰化。死于飞机失事。

Ziba(people) **齐巴人** 参阅 **Haya** 哈亚人。

Zibo 淄博 又作Tzu-po。中国山东省辖地级市,大型工矿城市。齐文化的发祥地。位于省境中部,泰沂山地北部和黄河下游的冲积洪积平原上。1950年设县级市,1954年改

淄博市的蒲松龄墓园
中国大百科全书出版社供图

省辖市。其后行政区划几经变更。辖张店、淄川、博山、临淄、周村5区,桓台、高青、沂源3县。呈梅花状分布,是独具特色的组群式城市。面积5 939平方千米,其中市区面积2 972平方千米。地处鲁中山地北侧的淄博盆地中部,又扼南去入山关口,是中国古代著名政治文化中心之一。临淄为古齐国都城,自齐献公在此建都共历600余年,有"海内名都"之称。张店是古昌国。汉代淄川为般阳县,周村为于陵县。博山原名颜神店,在金代也为要地。随着淄川、博山煤田的开发,1927年两地合并取其首字,得名"淄博"。境内矿产资源丰富,品种多,储量大,有煤、铁、铝矾土、重晶石、耐火黏土、陶土及铜、铅、钴等,其中尤以煤、铁、铝矾土著称。20世纪50年代以来,淄博发展成为重要工业基地。主要工业有煤炭、钢铁、电力、石油加工、纺织、机械、建材、化工、食品、电子等。张店是淄博市政治、文化、交通中心,临淄的齐鲁石油化工总公司,建有大型炼油厂、化肥厂、合成橡胶厂和30万吨乙烯工程等企业,是中国著名的石油化工基地之一。淄川、博山以煤炭、钢铁、机械、建材等工业为主。周村的丝绸久负盛名,是中国重要丝绸工业中心之一。农业以粮食、烟草、花生、麻为主,盛产苹果、梨、核桃、枣、柿等。胶济、辛泰、淄东铁路及205国道、308国道、济青高速公路过境。名胜古迹有鲁山、原山国家级森林公园,中国北方最大的溶洞群——博山、沂源溶洞群,以及管仲墓、晏婴墓、东周殉马坑和临淄古齐国都城遗址等。淄川浦家庄有清代文学家蒲松龄故居。人口4 150 000(2005)。

Ziegfeld, Florenz 齐格飞(1869-03-21,芝加哥～1932-07-22,好莱坞) 美国戏剧演出人。以"美化美国女郎"为口号,使时事讽刺剧达到登峰造极的地步。1896年转而经办剧院。

美国不列颠百科全书公司供图

1907年在纽约市上演其第一出模拟巴黎女神游乐场的时事讽刺剧《1907年度活报剧》,集半裸体表演、壮丽的行列和喜剧场面之大成,此剧后来成功地演出达23年之久,直至经济大衰退时才停止。他去世后,出现了另外4种活报剧的翻板,最后一剧于1957年问世。他扶植的明星有M.米勒、W.罗杰斯、L.埃罗尔、B.威廉斯、F.布赖斯和E.坎托等。除《活报剧》外,他还上演过《萨莉》(1920)、《演艺船》(1927)、《丽奥·丽泰》(1927)和《甜得发苦》(1929)等剧。

Ziegler, Karl 齐格勒(1898-11-26,德国卡塞尔附近黑尔萨～1973-08-12,西德米尔海姆) 德国化学家。因对塑料质量的重大改进而与G.纳塔共获1963年诺贝尔化学奖。1923年在马尔堡大学获博士学位后,在美因河畔法兰克福、海德堡和哈雷的大学任学术职务。1943年任鲁尔河畔米尔海姆的威廉皇家(后改为M.普朗克)煤炭研究所所长。1928年他首次阐明了橡胶合成中的反应。他用锂进行有机化学研究,制出一种以格利雅

供图:Bavaria—Verlag

试剂为原型的但更为活泼的化合物。他对环状碳化合物研究被应用于具有麝香香味的香料的合成。第二次世界大战后,他专心于有机铝化合物的研究。齐格勒的多数重要发现是在1953年作出的。他和他的学生E.霍尔兹卡姆普原打算用加热乙烯和三乙基铝的方法去重复制备较高级的烷基铝;出乎意料,他们却得到了乙烯($CH_2=CH_2$)单体完全转化成的二聚体即丁烯-1($CH_3CH_2CH=CH_2$)。对此的解释归因于痕量胶体镍的存在,该镍是高压釜加氢实验用的催化剂。这使他发现:由混合有机金属化合物与某些重金属化合物构成的物质,可使乙烯在大气压下迅速聚合成高分子量的、具备有用的塑料性能的线型聚合物(其他方法需用高压且生成带有支链的聚合物)。证实了由烷基铝和四氯化钛制成的催化剂特别有用,它奠定了后来开发出来的几乎所有由烯烃(如乙烯和丁二烯)制成的长链烃聚合物的基础,合成出来的产物广泛用作塑料、纤维、橡胶和薄膜。

Ziegler-Natta catalyst 齐格勒-纳塔催化剂 能引起烯烃(含有碳-碳双键的碳氢化合物)聚合成高分子量的、结构高度有序(立体规整性)的聚合物的一类重要混合物的总称。这类催化剂是20世纪50年代德国化学家K.齐格勒首先发现,并用于乙烯常压聚合的。齐格勒所用的催化剂是四氯化钛和烷基铝衍生物的混合物。意大利化学家G.纳塔根据他在聚合反应机理方面的发现,把这种方法扩大到其他烯烃的聚合,并进一步发展了齐格勒催化剂的各种配方。齐格勒-纳塔催化剂包括一系列由过渡金属特别是钛、铬、钒和锆的卤化物与非过渡金属有机衍生物主要是烷基铝组成的许多混合物。

Zielona Góra 绿山 德语作Grünberg。波兰中西部卢布林省城市和两个省会之一(另一个是大波兰地区戈茹夫)。为重要工业中心,生产纺织品和金属制品。也是几世纪以来发展戏剧艺术和哺育生动的民间文化的文化中心。13世纪佛兰芒织布工的到来,使该城兴盛,成为纺织中心。15世纪经济发展达顶峰,此后多次遭火灾和战争破坏。第二次世界大战中,城市30%的建筑被德军摧毁。该市位于山谷中,四周的丘陵遍布葡萄园。波兰画家T.柯涅茨1733年诞生于此。建于中世纪的市政厅内有18世纪的增建部分(内设博物馆)和15世纪建造的塔。人口约118 293(2002)。

ziggurat 塔庙 又称庙塔。约公元前2200～前500年古代美索不达米亚地区(今在伊拉克)各大城邦中的一种艺术性和宗教性建筑,为阶梯式的金字塔形,平面通常为方形或长方形,平均50米见方或40米×50米,均用砖建而无内室。现存的塔庙已无一能完

两河流域的塔庙遗址
美国国会图书馆供图

整地保持原有高度。登塔时由外部的三面阶梯或盘旋坡道上升，但现存遗址中几乎有半数不明其登临方法。各层的平台及斜面上常种植树木和灌木（巴比伦空中花园即由此而来）。保存得最好的一座塔庙在乌尔（今伊拉克泰勒穆盖耶尔）。最大的一座在埃兰的绰加萨伸尔，102 米见方，高约 24 米，估计不及原高的一半。

Zigong 自贡 又拼 Tzu-kung。中国四川省辖地级市，以制盐、化工为主的综合性工业城市。位于四川盆地西南部，沱江支流金溪河畔。自贡是中国最早以天然气煎盐之地。早在秦代已在今自贡一带发现有卤水溢出，食之有咸味。但掘井熬盐始于东汉。唐初成为四川最大的产盐区，有盐井 30 余眼。北宋仍为四川三大盐场之一。明代中叶，开始采天然气并用于煎盐，自流井气田是世界最早进行大规模工业性开采的。清代达全盛时期，最高年产盐达 20 万～30 万吨，占四川的 50%。食盐销往全省及滇、黔、湘、鄂等省。道光十五年（1835），境内的燊海井的钻深进尺达1 001.4米，是世界第一口超千米深井。1939 年将富顺县的自流井和荣县的贡井合并设市，自贡一名即出于此。现辖自流井、贡井、大安、沿滩 4 区及荣县、富顺 2 县。面积 4 373平方千米，其中市区面积 813 平方千米。市境冈峦起伏，丘陵纵横，是四川盐卤和天然气主要产区之一。市西北的威西盐矿面积 500 多平方千米，氯化钠含量高达 95%以上，号称“地下盐海”。

自贡市的主要工业部门有制盐、化学、机械及冶金、建材等。自贡市产盐量达 100 万吨以上，占四川省的 65%、中国井盐的1/3，是中国最大的井盐生产基地，有“盐都”之称。市境邓关盐厂是中国西南地区最大的化学制盐厂，鸿鹤镇化工厂则是四川最大的制碱联合企业。化工产品种类繁多，其中二氯甲烷、瓦斯糟黑、碘等产量居全国之冠，硼、钾、溴、炭黑在中国占有一定地位，氯化钡销往 38 个国家和地区。交通方便，内昆铁路和内乐、川滇中线等公路干线均经市区。主要名胜古迹有西秦会馆、燊海井、荣县大佛、富顺文庙及盐业历史博物馆等，前二者系中国重点文物保护单位。自贡境内有恐龙化石产地 57 处，享有“恐龙之乡”盛誉，已建立起中国第一个专业性的恐龙博物馆，并在每年春节举行国际恐龙灯会。市内有四川理工学院及晨光化工研究院、炭黑研究所、井矿盐设计研究院等多所院校和研究机构。人口：全市3 150 000（2005）；市区1 060 000（2004）。

自贡市的西秦会馆
中国大百科全书出版社供图

Zigui 秭归 中国湖北省宜昌市辖县。中国柑橘主要产区之一。长江三峡坝上库首第一县和库区移民县之一。著名诗人屈原故里。位于省境西部，长江西陵峡两岸。境内山岭连绵，海拔1 000米以上的山峰有 87 座，山间河旁有零星坪坝。主要支流有香溪河、青干河等。矿产主要有煤、铁、铜、磷、重晶石、石膏等。县府驻茅坪镇，原县府驻地归州镇。四周城垣以巨石垒成，状如葫芦，有“葫芦城”、“石头城”之称。面积2 427平方千米。春秋为夔子国地。西汉置秭归县。据《水经注》：“屈原有贤姊，闻原放逐亦来归，因名秭归”。后魏改为长宁县，隋开皇初（581～600）复置秭归县。明洪武十三年（1380）改置归州。1912 年改归州县，1914 年改为秭归县。农业主产玉米、小麦、薯类和油料作物，特产有柑橘、油桐、乌桕、生漆、茶叶等。其中柑橘栽培历史已有2 000多年，多分布在长江和香溪河沿岸，有“三峡橘乡”之称。所产“脐橙”、“桃叶橙”为优良品种，“湖北鲜橙”、“湖北甜橙”和“湖北锦橙”畅销海内外。橙汁加工工业具有一定规模。工业有采煤、水泥、纺织、陶瓷、造纸、食品等。水运以长江为主，香溪港上通信陵镇，下抵宜昌市。公路有宜秭、香堡等干线，可通宜昌、兴山、长阳等县市。1949 年后，兴建水库 10 多座，引水堰渠 40 多处，有青干河、文昌阁等 3 座中型水电站。

该县东北的香炉坪，是中国春秋战国时期爱国诗人屈原的诞生地，有屈宅遗址和屈原庙、读书洞、照面井、玉米三垢等遗迹。西陵峡沿岸有兵书宝剑峡、牛肝马肺峡等胜景。人口390 000（2005）。

Ziguinchor 济金绍尔 塞内加尔西南部河港城镇，濒临卡萨芒斯河。早为欧洲海员所熟知。工业有花生油加工厂。城东有巴塞-卡萨芒斯国家公园。人口约148 831（1992）。

Zijin Shan 紫金山 中国江苏省西部宁镇山脉的一部分。在南京市东郊。汉代称钟山。拔地而起，形似盘曲的巨龙，称为“钟阜龙盘”。因山坡出露紫色页岩，在阳光照射下闪耀金色光芒，东晋时改称紫金山。东西长约 7 千米，南北宽约 3 千米。主峰北高峰海拔 448 米，为宁镇山脉最高峰。1926 年在南坡建有孙中山陵墓。其西侧有明孝陵，东侧有灵谷寺等名胜。山上林木葱郁，为中国国家级风景名胜区。

zikr（Muslim ritual prayer） 参阅 **dhikr** 齐克尔。

Zile 济莱 史称泽拉。土耳其中东部城镇。位于耶希尔河流经的肥沃平原，附近小山上有残存古堡。该城是当地重要的商业和农业市场。附近图尔哈尔有甜菜厂。有公路与托卡特和阿马西亚连接。并邻近锡瓦斯—萨姆松铁路。人口52 640（2000）。

Žilina 日利纳 德语作Sillein（锡莱恩），匈牙利语作 Zsolna（若尔瑙）。斯洛伐克中北部城镇，濒临瓦赫河同基苏察河、拉伊奇安卡河汇合处。建于 13 世纪，1312 年成为皇家自治镇。有一拱顶市场和若干中世纪建筑物，包括罗马式教堂、教区教堂以及一座文艺复兴时期的孤塔。城北有布达廷城堡。现为铁路枢纽和公路交叉点。有交通电信大学（1953）、音乐学校和眼科医疗中心。工业有木材加工、机械工程、纤维素和塑料制造业。人口85 400（2001）。

Ziller, Tuiskon 齐勒尔（1817-12-22，萨克森-迈宁根公国迈宁根附近瓦松根［德国］～1882-04-20，莱比锡） 德国教育家。以在德国小学运用 J. F. 赫尔巴特的教育方案而闻名。曾就读于莱比锡大学，受赫尔巴特追随者的影响。1853 年在该大学任讲师。1862 年开办了自己的教育学院。1869 年建立科学教育学协会，作为德国赫尔巴特派中心。大力支持赫尔巴特所强调的教育以道德为目的的主张，并试图展示小学教育的每一部分何以能够助益于坚强个性的形成。

Zimbabwe 津巴布韦 全称津巴布韦共和国。非洲南部内陆国家。北与赞比亚毗邻，东北和东与莫桑比克接壤，南与南非交界，西南和西与博茨瓦纳相接，其最西端的一角与纳米比亚相连。哈拉雷（前称索尔兹伯里）为该国首都。面积390 759平方千米。人口约 11 719 000（2003）。

土地 津巴布韦的主要地形特征为一条海拔1 200～1 500米的宽阔山脊，称为高草原。它起于西南部，贯穿该国全境，与东北部的伊尼扬加山脉相连，约占总面积 1/4。中央山脊的两侧是称为中草原的广阔高原，高度为 900～1 200米，约占津巴布韦土地面积的 2/5。西北和东南两端为低草原，约占土地面积 1/3，高度多在 300 米以上。

赞比西河沿着大断层造成的一个槽谷，形成津巴布韦同赞比亚之间的西北部边界。1959 年，在赞比西河上筑起一个大坝，形成卡里巴水库，面积达5 200平方千米以上，为世界最大人工湖之一。高草原形成分隔西北部赞比西河流域同东南部林波波河及萨比河两流域的分水岭。全国大部分流量随着这 3 条河向东流经莫桑比克注入印度洋。

津巴布韦虽地处热带，但由于其平均高度高，气候属亚热带性。月平均气温各地不同，伊尼扬加月平均温度7月为11°C，10月

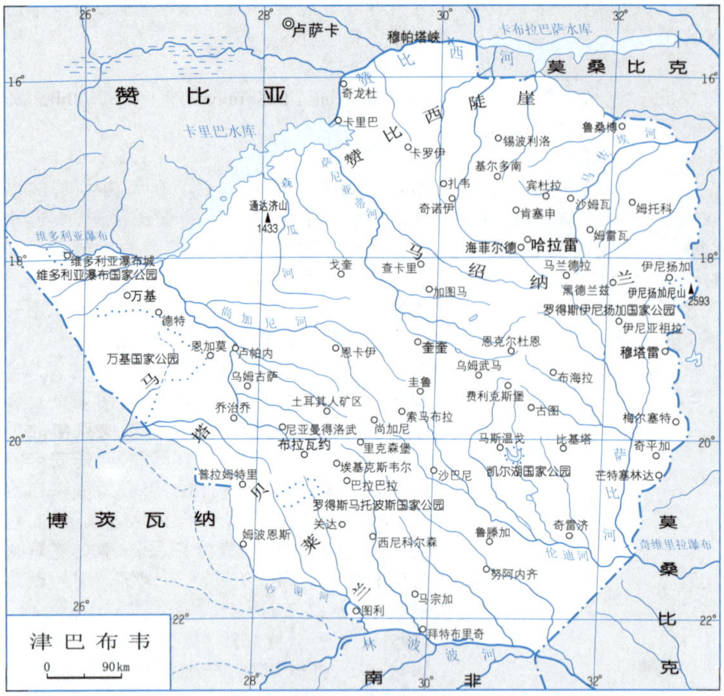

美国不列颠百科全书公司供图

18 °C;哈拉雷 7 月为 14 °C,10 月 21 °C。在整个西部地区 5 ～ 8 月是持续的冬季干燥季节,年平均降雨量从西南到东北逐渐增加,沿南非边界的林波波河流域平均不到 400 毫米,在东部高地区为1 000毫米以上。

境内大多为热带草原,湿润的夏季有利于树木生长茂盛。万盖国家公园将大量的土地辟为狩猎区。动物的种类和数量很多,包括狮和其他猫科动物、鬣狗、豺、象、河马、长颈鹿、大猩猩、黑猩猩、狒狒、各种羚羊、鳄鱼、蜥蜴和蛇类。

人民 津巴布韦主要的语言种族集团为绍纳人,约占总人口的 70%,恩德贝勒人约占 16%,白人约占 2%。英语为官方语言,尽管讲班图语的绍纳人和恩德贝勒人要多得多。近一半人口为基督徒,其中有许多人同时信仰非洲本地宗教,另一半人口为泛灵论者。约有 3/4 的人口居住在乡村。

津巴布韦的人口增长迅速,但比非洲其他大多数国家缓慢。人口出生率和死亡率高于世界水准,就非洲而言则较低。人口密度也比较低,政府对人口的增长率曾表示满意。预期寿命男性为 58 岁,女性 61 岁,是撒哈拉沙漠以南的非洲地区寿命最长的国家之一。

经济 津巴布韦属半发达的混合型经济,政府参与不多。国民生产总值的增长慢于人口增长,人均国民生产总值虽然大大高于南部非洲的平均水平,但按世界标准衡量仍然较低。制成品约占出口货物的 1/3,国内生产总值分散于若干经济部门,同撒哈拉沙漠以南非洲地区的多数国家相比,该国经济更加多样化。

农业生产约占国内生产总值的 1/8,雇用约 1/4 的劳动力,经济作物主要由大农场(多数由白人拥有)种植,大农场约占全部农田的一半,种植玉米、甘蔗、小麦、籽棉、烟草、高粱和大豆。其余土地为小块农田,主要为黑人所有,种植维持生活的作物,包括玉米、小米、花生、木薯、马铃薯、干豆、香蕉和柑橘。为使作物生产多样化,现已引进了咖啡和茶。

农业受到周期性干旱、舌蝇蔓延(在某些地区)以及土地重新分配等问题的困扰。1980 年国家独立后,政府开始在购自离境白人农民的土地上安置更多的黑人农民,但即使移民人数减少后政府仍避免强征土地。放牧地和牧场约占土地面积的 1/8,主要牲畜有牛、山羊和绵羊。约有半数牛群由黑人按传统方法放牧。

津巴布韦有丰富的矿藏,但矿业产出只占国内生产总值的 1/12,雇用约 1/20 的劳动力。金矿居开采矿物的首位(按价值计算),其次为镍和石棉;煤、铜、铬、铁矿石、银和锡也有生产。

制造业门类繁多,主要因为在 1980 年以前罗得西亚受到制裁,迫使该国大多数需求须自给自足。制造业产品占国内生产总值的 1/4 以上,雇用约 1/6 的劳动力。约有一半工业从事农产品加工,其他工业产品包括粗钢、生铁、钢材、水泥、电气机械和其他机械、棉织品、服装和鞋袜、化学品、塑料和橡胶制品以及化肥和农药。1/3 的电力来自水电站,其余由热电厂供应。旅游业在 70 年代后期受内战影响逐渐衰落,1980 年迅速回升,但随后因绍纳人和恩德贝勒人互相敌对使旅游者又再度减少,到 80 年代中期重新兴旺起来。设在哈拉雷的津巴布韦工会大会是主要的劳工联合会,所有按产业分别组织起来的工会均隶属于该会。自从独立以来,政府在控制工业方面逐步发挥更重要的作用。政府建立了管制机构负责买卖矿产品(金矿除外),所有新矿开采须有政府参与。在农业方面,已通过一项在较好的土地上安置农民,并给予技术帮助、种子和肥料的计划。农作物的收购价格有所提高,黑人和白人享有同等的工资和工作条件。政府的一项主要任务是解除前游击队的武装,并安置他们回乡当农民。

津巴布韦的铁路网是撒哈拉沙漠以南非洲地区最密集的铁路网之一,由政府负责经营,全长约2 700千米,其中约 1/10 已实现电气化。范围广泛的公路网有近 1/5 已铺设路面,但大多数农村地区的路况仍很差。哈拉雷建有一座国际机场,各主要城市之间有国内航班相连接。

独立以后,由于消费需求急剧上升和全球性经济衰退,贸易赤字不断恶化,但 80 年代中期贸易出现顺差。主要出口商品有烟草、黄金、铁、钢、铁合金制品以及玉米和棉花,主要输往德国、英国、南非、美国、博茨瓦纳和日本。进口商品主要有机械和运输设备、石油产品、化学品和基本工业品,大多来自以上的贸易国。

政体与社会状况 津巴布韦为一多党制的独立共和国,总统为国家元首,一院制议会由有 150 个席位的众议院组成,其中 120 席由选举产生,10 席由传统的酋长推举,20 席由总统任命。内阁受总理领导,其成员选自议会。总统经议会选举产生,任期 6 年。众议院议员的任期也是 6 年。法官由总统根据司法事务委员会的建议任命。

医疗和保健设施优于非洲其他国家,服务内容包括母婴保健、疾病防治、学生健身、环境卫生和农村健康免疫等计划,通过医院以及农村和地区保健中心提供。这些计划的成功主要表现在该国的婴儿死亡率相对较低,属撒哈拉沙漠以南非洲地区最低之列。疟疾、血吸虫病和肺结核仍继续蔓延,麻疹和肺炎是造成死亡的主要原因。但在 21 世纪,艾滋病是津巴布韦人最主要的威胁,每 4 个成人中就有 1 个被感染。城市区住房严重短缺,为缓解这种状况,已为低收入工人建造了新住房。教育实行 3 级制,包括小学(免费,1987 年开始实行义务教育制)、中学和大学教育。津巴布韦大学 1955 年创办时称罗得西亚和尼亚萨兰大学学院,位于哈拉雷。新闻媒体受到政府严密控制,津巴布韦电台用英语、绍纳语和其他几种地方语言广播。

文化生活 津巴布韦中南部的古代石头城堡大津巴布韦(该国名称的由来),集中体现出该国建筑的传统特色。手工艺品由纤维、草和芦苇编织或打辫而成。在津巴布韦,口传文学,尤其是诗歌的题材十分丰富。小说主要描述传统的农村文化与现代城市生活之间的冲突。津巴布韦国家美术馆和几座博物馆分别设在哈拉雷、穆塔雷(前称乌姆塔利)、尼扬达(前称维多利亚堡)和布拉瓦约。国家档案馆藏有大量历史资料。

历史 在今津巴布韦境内曾发现 50 万年前石器时代的文化遗物。5 ～ 10 世纪期间,首批讲班图语的民族来到该地区,将桑人(布须曼人)居民驱赶到沙漠地区。为逃避祖鲁人领袖恰卡的入侵,班图语民族第二次迁移始于 1830 年左右。一个名为恩德贝勒的部落在征服绍纳族的过程中,按照祖鲁人的游牧传统创立了一个王国。在此期间,英国和阿非利堪狩猎者、商人和探矿者带领传教士一道从南部来到该地。

1889 年,C.罗得斯建立英国南非公司,在该地区进行殖民并发展贸易。19 世纪 90

年代,其他欧洲移民开始抵达该地,并要求获得探矿权。欧洲人的大肆掠夺引起恩德贝勒人和绍纳人的武装起义,但到1897年该地区已趋于平定。南非公司在该国的统治一直持续到1923年。1922年举行公民投票,3.4万欧洲人赞成英国殖民地自治政府,拒绝加入南非联邦。1923年南罗得西亚被英国并吞。

两次世界大战期间,该地区在白人统治之下,物质进步,经济得到适度的繁荣和发展。1953年,该殖民地联合尼亚萨兰(马拉维)和北罗得西亚(赞比亚)组成中非罗得西亚联邦。在联邦成立的10年中,由国家民主党领导的黑人非洲民族主义运动加紧活动。后来该党被取缔,分裂为由J.恩科莫领导的津巴布韦非洲人民联盟,以及先由N.西索尔,继而由R.穆加贝领导的津巴布韦非洲民族联盟。1963年联邦解散,南罗得西亚恢复其以前的殖民地地位。

1965年由I.史密斯领导的保守的白人罗得西亚阵线政府单方面宣布该国脱离英国独立。这一行动导致英、美两国先后对罗得西亚实施经济制裁。60～70年代该国经济因受制裁而一蹶不振,后因南非的援助才得以恢复。

津巴布韦非洲人民联盟和津巴布韦非洲民族联盟的游击队分别在莫桑比克和赞比亚成立,游击队从两国出发对罗得西亚的安全部队发动多次袭击。近10年断断续续的战斗造成数以千计的人死亡,几乎100万人无家可归。白人少数派最后同意于1980年举行由英国人监督的多民族选举,以绍纳人为基础的津巴布韦非洲民族联盟领袖穆加贝大获全胜。穆加贝出任总理兼国防部长,并一度接受前游击队敌对派参加政府。穆加贝最终建立了一个倾向马克思主义的一党制国家,但开明地允许从前的政敌参加政府。1990年建立多党制。近年来,政府对在殖民地时期遭受歧视的黑人给予赔偿政策,使白人农场主与黑人政府领导者关系紧张。

Zimbabwe　津巴布韦遗迹　班图语,意为“石房子”,非洲东南部一大片石头建筑的废墟,位于津巴布韦维多利亚堡东南。其中最古老的部分建于8世纪,但在那之前约600年时这里已有人居住。11～15世纪可能是卡兰加人帝国的宗教中心。卡兰加人在此冶炼金矿,并在印度洋沿岸以黄金换取玻璃珠和中国出产的瓷器。红铜钱币和皂石雕的鸟类形象也是他们的珍品,这个中心至少继续存在到17世纪。遗迹于1867年被发现。津巴布韦遗迹是一个大面积的建筑群遗存,占地24公顷以上。山顶建有以曲廊连通各个房间的大型碉堡;谷底以巨石建成椭圆形厚墙,围绕一座圆锥塔,围墙内外都有较小的石料建筑;排水系统遍布各处。

Zimmermann, Arthur　齐默尔曼(1864-10-05,东普鲁士马格拉博瓦[今波兰奥莱茨科]～1940-06-06,德国柏林)　第一次世界大战中任德国外交部长(1916～1917),曾发起向墨西哥提出耸人听闻的建议,要墨西哥加入反对美国的联盟。1901年转入外交部。1914年7月在担任代理外交部长期间,斐迪南大公在萨拉热窝被暗杀后参与德国支持奥匈帝国向塞尔维亚施加压力的决定。他起草一份电报把德国决定发给维也纳,这加深了危机,终于爆发战争。1916年11月25日,齐默尔曼任外长。他策划使美国与墨西哥和日本交战,以减缓或抵消美国干涉欧洲。1917年1月16日他发出密电,授权德国驻墨西哥公使向墨西哥总统V.卡兰萨建议结盟,表示德国“谅解墨西哥恢复在得克萨斯、新墨西哥和亚利桑那的失地。”并要求卡兰萨“邀日本立即参加”。这份密电为英国海军部情报机构截获和破译。1917年3月1日美国总统威尔逊公布了电文,5周后美国向德国宣战。1917年夏贝特曼·霍尔韦格政府垮台,他遂失去公职。

Zimmermann, Dominikus　齐默尔曼(1685-06-30,巴伐利亚韦索布伦附近盖斯波因特[德国]～1766-11-16,维斯)　巴伐利亚的巴罗克风格建筑师和灰塑装饰师。他修建于维斯(今在巴登-符腾堡)的教堂,被誉为最佳的巴罗克风格建筑之一。他师从J.施穆策学习灰塑装饰,独立承担的第一项建筑设计为默丁根的多明我会教堂(1716～1721),在此工程中,曾获得其弟J.B.齐默尔曼的协助。后者为著名的巴伐利亚宫廷灰塑师及壁画家。他的大部分生涯致力于两项“整体的艺术作品”,包括建筑和装饰的全面设计和建造。两项均为朝圣教堂:一所在斯泰因豪森,始建于1727年,平面基本上为椭圆形,拱顶由10根独立的墙墩支承,由其弟作巴罗克风格的拱顶画;另一所在维斯,建于1746～1754年,教堂的外观虽较单调拘谨,但内部装饰比前者更为富丽。平面也是椭圆形,由8根柱墩支承形式华美的拱顶。拱顶以洛可可风格进行装饰,拱顶画由J.巴普蒂斯特绘制。教堂内部以色调鲜丽和谐及装饰线条流畅节制著称。

Zimorowic, Józef Bartłomiej　齐莫罗维奇(1597-08-20,波兰勒武夫[今乌克兰利沃夫]～1677-10-14,勒武夫)　波兰-拉丁文巴罗克风格作家。写有大量讽刺诗和爱情诗。晚年出版了《新罗塞尼亚牧歌》(1663)。曾任勒武夫市长多年,目睹了哥萨克反抗波兰统治乌克兰的起义(1648～1649),并为此写了两首诗:《哥萨克》和《罗塞尼亚人的争斗》。

Zimyatov, Nikolay　济米亚托夫(1955-06-28,苏联莫斯科～　　)　苏联越野滑雪运动员,是第一位在一次冬季奥运会上赢得该项运动3块金牌的男运动员。1980年参加在美国纽约州普莱西德湖举办的奥运会时,还是一名24岁的学生。身材瘦长的济米亚托夫曾经是苏联30 000米比赛的全国冠军,在奥运会该项目中摘取了他的首枚金牌。在50 000米角逐中,他获得决定性胜利,用时2小时27分24.60秒,比银牌得主快了近3分钟。他还是取得4×10 000米接力赛金牌冠军队的最后冲刺运动员。他的3块金牌平了1972年由队友G.库拉克娃在女子越野滑雪中创下的纪录。在1984年南斯拉夫萨拉热窝(今波斯尼亚-黑塞哥维那)奥运会上,济米亚托夫在暴风雪中奋力拼搏,为苏联队在30 000米比赛项目中夺得四连冠。他再次参加了4×10 000米接力赛,但苏联队未能卫冕冠军,输给了瑞典队,名列亚军。此后再未参加奥运会。

zinc　锌(Zn)　化学元素,周期表Ⅱb族(锌族)低熔点金属,是生命必不可少和应用最广的金属之一。在古罗马时代,就知道黄铜是锌铜合金。印度冶炼家似乎早在13世纪就已制得锌。到16世纪,在中国已能大规模生产锌。在西方,商品锌的生产是18世纪中叶在英国W.钱皮恩领导下开始的。锌的丰度比铜稍高,每吨地壳平均含锌65克(2.3盎司)。主要的锌矿为锌的硫化物闪锌矿,几乎世界上所有的锌矿都是闪锌矿及其氧化产物菱锌矿和异极矿。澳大利亚、新西兰和美国虽报道过有天然锌存在,但均未被完全证实。关于其矿物学性质,参阅自然元素(**native element**)条中表。锌是人体必不可少的痕量元素,在红血细胞中其浓度很高,是碳酸脱水酶的主要成分,能促进许多与二氧化碳代谢有关的反应。胰脏中的锌有助于胰岛素的贮存。锌是某些胃肠道中蛋白质消化酶的组分。坚果树和水果树缺锌会患美洲山核桃叶丛生病、小叶病和叶斑等病害。锌在蜗牛血液的血蓝蛋白中起输送氧的作用,与铁在人体血液的血红蛋白中的情况相似。将硫化锌矿石焙烧后,再将其氧化产物用硫酸浸提或在鼓风炉内熔炼;将浸提液电解或将鼓风炉所生成气体的冷凝物加以蒸馏以除去杂质,即得到金属锌。金属锌主要用于钢铁表面镀锌,制造黄铜和压铸合金。普通干电池的负极(外皮)由锌制成。新浇铸的锌表面呈发蓝的银白色,在空气中可缓慢氧化,生成灰白色保护性氧化物膜。高纯锌(99.99%)有延展性;所谓基准西方级锌(纯度99.8%)在低温下性脆,但在100℃以上时则可轧制成挠性薄片。锌为六方密堆积晶格。锌与铁同置于腐蚀性介质中时构成一电池,由于锌的电极电势较高,故先被侵蚀(氧化成Zn^{2+}离子)。由于这种所谓牺牲阳极性保护作用,再加上锌在大气中有很强的耐腐蚀性,构成了镀锌的依据。天然锌是五种稳定同位素的混合物:锌64(48.6%)、锌66(27.9%)、锌67(4.1%)、锌68(18.8%)和锌70(0.6%)。锌在化合物中几乎只呈+2氧化态。虽报道过有几种锌(Ⅰ)化合物存在,但从未见过锌(Ⅲ)或更高价锌的化合物。氧化锌(ZnO)是最重要的锌化合物之一。由锌蒸气在空气中燃烧,可制得纯度很高且形状和大小各异的氧化锌晶体。由于氧化锌具有很高的热导率和热容,它经常作为散热剂掺入橡胶中。氧化锌晶格(由离子形成的有序结构)是开放型的,其中锌和氧离子只占44%的体积。通过特殊处理,例如往晶格的空隙中引入局外原子或锌原子,可以在晶格中产生缺陷。氧化锌晶体经如此处理后便具有各种电学、光学和催化性能。因此,氧化锌在制造电视显像管发色剂和荧光灯中用作半导体材料。氧化锌能影响许多化合物的反应性,可用作合成橡胶和合成甲醇催化剂。还可用于涂料、化妆品、塑料、医药和油墨中。在光的影响下,氧化锌的电导率可增加许多倍，因此可用于某些照相复制过程中。硫酸锌（$ZnSO_4$）是由锌矿石电解制锌过程中的中间化合物。它可用作除草剂，用于黏胶纤维生产和在印染业中用作媒染剂。氯化锌（$ZnCl_2$）可通过锌与氯直接反应或者将各种反应中所生成的氯化锌水溶液蒸发而制备。它强烈潮解（吸水），可用作干燥剂和助熔剂。它的水溶液可用作木材防腐剂。硫化锌（ZnS）在自然界中以闪锌矿的形式存在，也可用硫化氢处理锌盐溶液来制备。它曾长时间用作白色颜料，但现在已逐渐被二氧化钛所取代。在硫化锌中加入少量铜、锰、银或砷而使它活化后，可具有发光特性，因此已用于 X 射线的荧光屏中和钟表的夜光表盘中。锌原子序数 30。原子量 65.39。熔点 420 °C。沸点 907 °C。比重 7.133（25 °C）。化合价 2。电子组态 2，8，18，2 或（Ar）$3d^{10}4s^2$。

zinc-group element　锌族元素　构成周期表Ⅱb 族的 3 个金属元素的统称，即锌（Zn）、镉（Cd）和汞（Hg）。3 个锌族元素都存在于地壳中，但从不以游离（即非化合）状态存在。它们均为银白色，具有较低的熔点和沸点。汞的沸点比任何其他金属低，是室温下唯一为液体的常见金属。因为锌族诸元素原子结构有一定的相似性，故显示出相似的化学性质。这些元素的原子都能失去最外层的 2 个电子而形成正 2 价的离子，从而暴露出次外层的 18 电子稳定结构。通常的化学反应不能提供足以除去 2 个以上电子的能量，因而不能得到高于 2 的化合价。锌族元素倾向于用其最外层 2 个电子形成共价键。这种倾向以汞最明显，其次是锌，而镉最小。

zincblende（mineral）　参阅 **sphalerite** *闪锌矿*。

Zincirli Höyük　津吉尔利许于克　Zincirli 又拼 Zenjirli 或 Zinjerli。古称撒马尔，土耳其境内考古遗址，位于该国中南部前托罗斯山脉的山麓。撒马尔是赫梯帝国晚期城邦之一，帝国约于公元前 1190 年解体，该城邦却能在此后保持住他们在某种程度上闪米特化的南安纳托利亚文化达数个世纪之久。津吉尔利许于克呈椭圆形，由法国东方学会于 1888 ～ 1902 年间进行发掘，出土一处有围墙的城堡。城堡分为几个部分，各不相同，并有数幢重要建筑物，其中宫殿为上、下层相联的结构，显示出一种典型的"直柱支撑的门廊"的建筑风格。城堡坐落于撒马尔城的中心，城墙环状筑堞，上设碉堡 100 座。津吉尔利遗址由于学者们发现公元前 670 年亚述王以撒哈顿的一块记述战功的碑铭而被证实为古之撒马尔城邦。津吉尔利作为一处古代人类的聚落来说，其重要性随着公元前 7 世纪末亚述帝国的衰落而告终结。

zincite　红锌矿　氧化锌（ZnO）构成的矿物，往往呈板状或颗粒状块体产出。特征是具有血红的颜色和橙黄色的条痕，常同黑色的锌铁尖晶石和白色的方解石伴生。著名的标本发现于美国新泽西州奥格登斯堡附近的

产自美国新泽西州富兰克林的白色方解石中的红锌矿
供图：B. M. Shaub

富兰克林和斯特灵山。呈六方晶系，明显的晶体很少见；晶体是异极象的，由一个单基面和一个六方锥体组成。在少数标本中锰可能部分地置换锌。

Zinder　津德尔　尼日尔中南部城市，该国第二大城市。18 世纪建立的穆斯林王朝的首都，19 世纪中叶摆脱了博尔努的统治。法国军队 1899 年占领该城市。1922 ～ 1926 年是前法国尼日尔殖民地（在法属西非内）首都。地处重要的花生产区的中心，是重要的加工中心和市场，有花生加工厂、小米面粉制作厂、制革厂和热电厂。与定居的豪萨农民

津德尔市的水湾
供图：Dominique Darbois

及游牧的富拉尼人居住的地区接壤。位于穿过尼日尔的主要东西大道和从阿加德兹通往尼日利亚卡诺的北南大道的交叉点。有一个机场。人口约120 892（1988）。

Zinder, Norton David　津德（1928-11-07，美国纽约州纽约市～ 2012-02-03，纽约布朗克斯）　美国生物学家。发现沙门氏菌的转导现象。曾在哥伦比亚大学学习，后到威斯康星大学师从 J. 莱德伯格（1952 年获博士学位）。1952 年到纽约市洛克菲勒医学研究所（今洛克菲勒大学）任职，1964 年任教授。莱德伯格于 1946 年发现大肠杆菌的接合现象。津德希望有进一步的发现，他使沙门氏菌在特殊的营养培养基上接合，以便得到大量突变体细菌来做实验。但结果细菌并未接合，却表现出另一种遗传交换形式（转导）。他后来的细菌转导实验表明，影响特定的生理过程的细菌基因组成一个集团（今称为操纵子）。他又通过实验发现唯一的以 RNA 为遗传物质的噬菌体。

Zingarelli, Nicola Antonio　津加雷利（1752-04-04，那不勒斯［意大利］～ 1837-05-05，那不勒斯附近托雷德尔格雷科）　他那一时代主要意大利歌剧和宗教音乐作曲家之一。曾就读于洛雷托音乐学院，青年时代以演奏小提琴维持生计。第一部歌剧《蒙提祖马》于 1781 年在那不勒斯圣卡洛剧院上演取得成功。《阿尔辛达》于 1785 年在米兰拉斯卡拉歌剧院首演后，他的一系列歌剧相继在该院演出，直到 1803 年。1789 年津加雷利应邀赴巴黎，为 J.-F. 马蒙泰尔的台本《安提戈涅》作曲，由巴黎歌剧院演出。法国大革命把他驱赶到瑞士，又从那里回到米兰，1792 年被任命为大教堂音乐总监。后来为拉斯卡拉歌剧院所写作品包括喜歌剧《蒙弗雷戈索的市场》（1792，取材于 C. 哥尔多尼戏剧，在德国诸邦十分流行）和《罗密欧与朱丽叶》（1796，取材于莎士比亚作品，被认为是他的最佳之作）。1794～1804年在洛雷托任音乐总监，创作大

供图：© G. Ricordi & Co.

量圣乐（未出版），并继续写作歌剧供米兰和其他意大利城市演出。1804 年在罗马任西斯廷礼拜堂音乐总监，以 T. 塔索和但丁的诗为词创作康塔塔，还写了两部歌剧在罗马演出，其中第二部《贝雷尼切》（1811）大为走红，这是他的 37 部歌剧中的最后一部。1811 年出于爱国主义原因，津加雷利拒绝指挥向拿破仑之子（"罗马王"）致贺的《感恩赞》，因而被捕并遣送巴黎。但皇帝是他的知音，将他释放，还赐以一笔津贴。1813 年被任命为那不勒斯音乐学院院长，1816 年接替 G. 帕伊西埃洛担任该市大教堂音乐总监。他的学生包括 M. 科斯塔、V. 贝利尼和 S. 梅尔卡丹特。

Zingiberaceae　姜科　又称蘘荷科。姜目最大的一科。含约 53 属，1 200多种芳香的草本植物。主要分布热带和亚热带土壤潮湿松软的地区。多年生，具分叉的肉质根状茎，株高

普通姜（*Zingiber officinale*）
供图：Helen Cruickshank from the National Audubon Society Collection / Photo Researchers

可达 6 米（少数种附生）。包卷的叶鞘有时形成明显而短的气生茎。花萼绿色，结构和颜色均不同于花瓣。苞片螺旋状排列。花簇呈球果状。姜科的花结构似兰花，其唇瓣（2 或 3 个合生雄蕊）与二枚花瓣状的不育雄蕊连合；花管细长，具蜜腺；花鲜艳，但仅开数小时，授粉后枯谢，靠蝶类传粉。茴香砂仁属

(*Achasma*)植物生长方式独特，除了一环花瓣状的鲜红色结构出现于地面外，花的其余部分于地下生长，但多叶的枝干可高达 5 米。姜科许多种是重要香料和香水植物，如姜黄(*Curcuma longa*，干燥根状茎入药)、小豆蔻(*Elettaria cardamomum*，种子即小豆蔻)、普通姜(真姜，广东姜，*Zingiber officinale*，根状茎为香料)等。贝壳花(山姜属，*Alpinia*)有几个种作为观赏植物栽培；姜花属(*Hedychium*)花美丽，用做花环等。

Zingiberales 姜目 显花植物的一目，属于单子叶植物纲(特征为仅具一片子叶)。含 8 科，89 属，1 800种。著名的种类有香蕉、姜及美人蕉等。与其他单子叶植物一样，姜目植物亦无形成层。虽然姜目植物的外形可以千差万别，但大多数种类的叶柄横断面上可见维管束呈突出的弧形，中间夹杂着气沟。

姜目植物的大小差异极大，小至高数厘米的草本，大至旅人蕉(旅人树，马达加斯加旅人蕉，*Ravenala madagascariensis*)。该种可高至 8 米，具 20 片或更多长 4 ～ 5 米的叶片，排列成扇形。

姜目广泛分布于热带，但各具体科则仅分布于一定的范围之内。有数属有重要的经济价值。粉芭蕉(*Musa paradisiaca*)的杂种最为重要，能结可食的香蕉和大蕉。蕉麻(*Musa textilis*)原产于菲律宾群岛；叶柄的纤维坚韧，称为马尼拉麻，其果不能食。可用以制绳索和麻线。芦苇状竹竽(*Maranta arundinacea*)主要栽培于西印度群岛，其根状茎可制竹竽粉，用于某些特殊的膳食及精细的焙烤食品。美人蕉属(*Canna*)种类的根状茎亦可食，但本属许多栽培品系以花朵鲜艳著名。姜科是一个大科，其种类的叶和花芳香。姜(*Zingiber officinale*)的根状茎即可食的姜。其他姜属植物为香料、药物、染料和调味品的来源。大部分姜属植物原产于热带亚洲，但一些种栽于温室用作观赏植物，在温暖的温带地区能耐受冬季的气候条件。

旅人树(旅人蕉)和近缘的种类的茎纤细，上覆新生出的叶。成熟茎上的叶鞘脱落，留下绕茎排列的叶痕。姜目植物的茎多数较短，位于地下。许多姜属种类的叶均自近地处生出，叶鞘紧紧缠绕茎部，叶鞘和叶基将茎遮盖。香蕉的茎为粗壮的地下茎，并伸出土壤表面一个短距离；茎的地上部分为宽大的叶所包绕而隐匿不见。每一片新叶均生长在以前的叶的鞘内侧。叶片的一个边缘重叠于另一边缘之上，结果，最下部的叶缘几乎全被遮住。香蕉植株的“茎”其实是“假茎”，由许多叶鞘纵向卷曲互相包裹形成圆筒状而成。

姜目植物从地下茎发出分支，长形的分支称为根状茎，短而粗者称为根出条；叶由此生出，最终露出土壤表面。与亲本分离后，这些部分可形成新植株，从而进行营养繁殖。这种繁殖方式可保证所需的遗传性状代代相传；而如果用种子繁殖，则某些人类所需的性质会被其他不需要的性质所替代。

当姜目某些属(如芭蕉属)的植株成熟到将开花时，茎的顶端便生出花柄(花序)，而茎的下部则由叶鞘重叠而成。花茎可以很长，从生于顶端的成簇叶片下方钻出。花序一般

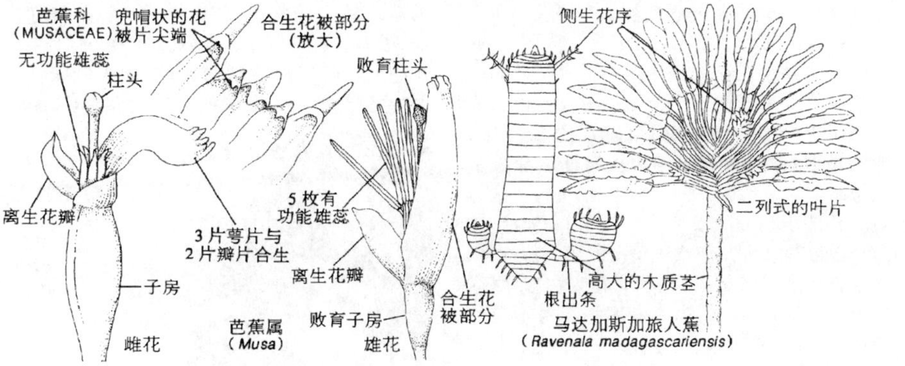

(左)芭蕉科的花部构造；(右)马达加斯加旅人蕉的茎叶和花

是具苞片的直立的轴。最末端的花簇与苞片共同出现，通常多分枝。每个分枝中末端的花最先开放。

姜目的花通常具 3 枚萼片及 3 枚花瓣；雄蕊 6 枚；雌蕊 1 枚，由 3 心皮形成，子房下位；但变异甚多。芭蕉科的一些种的花在功能上为单性(雌性或雄性)，以保证异花传粉。栽培的香蕉类即使其花具浓烈的气味并产生大量花蜜，其果实的形成也不依靠传粉；即使花已受粉，结成的果实也不含种子。野生香蕉及鹤望兰属(*Strelitzia*)的花靠鸟类传粉。姜科植物的花借蝴蝶传粉。

姜目的 8 个科是：芭蕉科(Musaceae)、旅人蕉科(Strelitziaceae)、蝎尾蕉科(Heliconiaceae)、兰花蕉科(Lowiaceae)、姜科(Zingiberaceae)、闭鞘姜科(Costaceae)、竹竽科(Marantaceae)及美人蕉科(Cannaceae)。

Zingiberidae 姜亚纲 单子叶显花植物的一个亚纲。姜亚纲的种类均为草本植物，可为陆生或附生(攀附在其他植物身上生长，具气生根，暴露于潮湿的大气中)。姜亚纲含 2 目：姜目及凤梨目。前者有 8 科，后者仅 1 科——凤梨科。姜亚纲植物的花为完全花(同一朵花中具雄蕊及雌蕊)，有时雄蕊或雌蕊退化，花变成功能上的单性花。花的各部分为 3 的倍数，适应于虫媒传粉，少数种类为风媒花。花瓣通常明显。雄蕊 6 枚，排成 2 轮，每轮 3 枚，某些雄蕊退化为花瓣状的退化雄蕊。

Zinjanthropus boisei 鲍氏东非人 化石人科的一个亚种，后被重新命名为鲍氏南猿。参阅 **Australopithecus**。

Zinjerli Höyük (Turkey) 参阅 **Zincirli Höyük 津吉尔利许于克**。

zink(musical instrument) 参阅 **cornett 科尔内管**。

Zinkernagel, Rolf M. 青克纳格尔(1944-01-06，瑞士巴塞尔～) 瑞士免疫学家和病理学家，他与澳大利亚的多尔蒂(**Doherty, Peter C.**)因发现身体的免疫系统如何区别正常细胞与受病毒感染的细胞而共获 1996 年诺贝尔生理学或医学奖。(参阅 **immunity**)。青克纳格尔在巴塞尔大学获硕士学位(1970)，在堪培拉澳大利亚国立大学获博士学位(1975)。1973 年以研究人员身份加入堪培拉的约翰·柯廷医学研究学院，很快便开始与多尔蒂合作研究免疫系统在防止老鼠受淋巴脉络丛脑膜炎病毒(能引发脑膜炎)感染时所扮演的角色。他们的研究集中于一种名为毒害细胞的 T 淋巴细胞的白细胞，其作用是摧毁入侵的病毒和受病毒感染的细胞。青克纳格尔和多尔蒂在实验中发现：受感染老鼠的 T 淋巴细胞能摧毁取自另一只老鼠的受感染细胞，只要两只老鼠在基因上属于同类。T 淋巴细胞会略过那些取自不同类的实验老鼠的受感染细胞。进一步的研究显示，为了杀死受感染细胞，T 淋巴细胞必须在受感染细胞的表面认出两个主要信号：致病病毒信号；某些“自身”分子的信号，称为主要组织适应体(MHC)抗原，能告知免疫系统某一特定细胞属于自身。在实验中，一类老鼠的 T 淋巴细胞无法认出另一类老鼠受感染细胞上的主要组织适应体抗原，因此不发生免疫反应。T 淋巴细胞必须同时辨认细胞上自身份子和外来分子以做抵抗反应，这个发现形成全新理解细胞免疫总机制的基础。1975 年离开约翰·柯廷医学研究学院后，青克纳格尔在苏黎世大学担任副教授(1979 ～ 1988)和正教授(1988 ～ 1992)，1992 年成为该大学实验免疫学院院长。

Zinn, Walter Henry 津恩(1906-12-10，加拿大安大略基奇纳～ 2000-02-14，佛罗里达克利尔沃特) 加拿大出生的核物理学家，第二次世界大战中对美国原子弹工程，以后对核反应堆的发展都作出贡献。他是安大略省金斯敦女王大学的优秀学生。1934 年在哥伦比亚大学获得哲学博士学位。由费米吸收参加曼哈顿工程，曾从原子反应堆中抽出控制棒，从而开始了世界第一次自持链式核反应。后来监督拆卸该堆迁往阿尔贡(芝加哥附近)国家实验室，1946 年任该室主任。1951 年在爱达荷州设计了第一座试验性增殖反应堆。在设计美国第一艘核动力潜水艇“鹦鹉螺”号时任科学总顾问。

Zinnemann, Fred 津内曼(1907-04-29，奥地利维也纳～ 1999-03-14，英国伦敦) 又译齐纳曼。奥裔美国电影导演。他的影片以现实主义的风格和人物塑造而著称。津内曼曾在维也纳大学学习法律(1925 ～ 1927)，后立志摄制电影。为从事这一事业，他去巴黎学习电影摄影(1927～1928)。1929年移居美国，

1937 年成为美国公民。起初他在好莱坞做一些不重要的工作，后来成为纪录片先驱 R.弗莱厄蒂的助手。这一经历对他后来拍摄的全部故事片均有影响，这些影片在内容和风格上显示出严格的真实性。在随后的 10 年中，他拍摄纪录片，终于获得两次奥斯卡金像奖（《母亲们会活着》，1938；《本吉》，1951）。他导演了几部著名的故事片，如《搜寻》（1947），这是一部描写欧洲儿童难民情况的感人影片，影片中首次推出演员 M.克利夫特。在影片《这些男人们》（1950）中，津内曼雇用半身不遂的老兵当演员，并让 M.白兰度初次在银幕上露面。他的名片《正午》（1952）是最初的西部片之一，片中的主人公并不像通常这类影片那样尽演史诗般的英雄事迹。其他影片有：《结婚伴侣》（1953）；《从这里走向永恒》（1953），由于这部影片他获得奥斯卡最佳导演奖；《俄克拉何马》（1955）；《公正的人》（1966），由于这部影片他又一次获得奥斯卡金像奖；《豺狼的日子》（1973）；还有《夏日五天》（1982）。津内曼影片中的一个反复阐明的主题是良心危机，要求每个人在保持个人的整个价值和适应外界的要求之间作出抉择。

zinnia　百日菊　菊科百日菊属（*Zinnia*）植物，约 22 种，草本或灌木，主要原产于北美。原产地范围从美国南部至智利，在墨西哥尤其繁盛。在原产地为多年生，但在其他地区

雅致百日菊（*Z. elegans*）
供图：Kenneth and Brenda Formanek

为一年生。百日菊的茎直立，被柔毛。叶广椭圆形或披针形，对生，通常抱茎。雅致百日菊（*Z. elegans*）有许多庭园花卉品种，栽培以观赏其艳丽的花。头状花序单生于枝端的苞片与花托连接处。花色多种多样，但无蓝色者。百日菊的庭园类型甚多；小巧者高度不足 0.3 米，花序直径 2.5 厘米；高者可达 1 米，花序直径 15 厘米。狭叶百日菊（*Z. angustifolia*）不如雅致百日菊著名，株高 0.5 米，花序小，呈深浅不等的黄色或橙色。有些百日菊外形并不美观，粗生，但仍具潜在的优点，随时可以开花，花期长，能耐受烈日、干旱，即使疏于照料也能生存，这些情况别的庭园花卉不能耐受。

Zinovyev, Grigory Yevseyevich　季诺维也夫（1883-09-23，俄罗斯帝国乌克兰伊丽莎白格勒[今乌克兰基洛沃格勒]～1936-08-25，苏联俄罗斯莫斯科）　俄国革命家，十月革命前在布尔什维克党内与列宁紧密合作，20 世纪 20 年代为苏共领导集团的一位核心人物，后成为斯大林大清洗的受害者。犹太人家庭出身，没有受过正规教育，1902～1905 年在伯尔尼大学听过法律课。1901年加入俄国社会民主工党和党内激进的列宁火星组织。1903

供图：H. Roger-Viollet

年党内发生分裂，他站在布尔什维克一边。1905 年革命期间，他在圣彼得堡工人中间进行宣传鼓动。1907 年伦敦代表大会以后，他当选为党中央委员会委员。1908 年被捕，但不久因病获释。他是列宁在 1909～1917 年侨居法国、奥地利和瑞士期间的主要合作者，曾参加对孟什维克和 L.托洛茨基的斗争。第一次世界大战期间，他曾试图把欧洲各国社会党人中的“国际主义者”组织起来。1917 年 4 月随列宁回到俄国。同年 10 月，列宁坚持由布尔什维克夺取政权，而他和加米涅夫却反对列宁，竟至向报界泄漏预定的政变计划。十月革命后，他要求布尔什维克允许其他社会主义政党的成员参加政府，但遭到拒绝。为了表示抗议，他退出布尔什维克中央委员会（1917-11）。然而为时不久，又恢复了他作为布尔什维克主要领导人的地位。他以杰出的演说才能为新政权赢得群众的支持。1921 年他成为彼得格勒（后为列宁格勒）党组织的领导人、彼得格勒苏维埃主席、党中央政治局委员。1919 年还担任共产国际执行委员会主席。20 世纪 20 年代初期在政治局中同加米涅夫和斯大林结成联盟，阻止托洛茨基成为列宁的接班人。但在排除托洛茨基之后（1925 年初），斯大林又把矛头转向他的同盟者。1926 年季诺维也夫被赶出政治局和共产国际，1927 年被开除出党。后来虽恢复党籍，但再也没有恢复先前的威望。1935 年因“在道义上参与”暗杀党的领袖 S.M.基洛夫而遭到逮捕和秘密审讯，被判 10 年徒刑。次年在第一次大清洗中，他再度遭到审讯，以建立恐怖组织暗杀基洛夫和其他苏维埃领导人的罪名被处决。1988 年苏联最高法院撤销了对他的判决。

Zinsou, Émile Derlin　津苏（1918-03-22 或 23，达荷美维达[今贝宁]～　　）　达荷美民族主义政治家、总统（1968～1969），因成功地努力解决国内十分严重的经济和财政问题而驰名。原学医，但第二次世界大战后积极参加新闻工作和政治活动。1946 年给法国国民议会议员 S.M. 阿皮蒂当秘书，后在阿皮蒂内阁中任商业部长（1957）。1960 年选入达荷美议会，1960～1962 年任最高法院院长。1960 年 8 月 1 日达荷美独立后，他曾担任多种职务（包括外交部长）。曾多方出访，受到国际社会的尊敬，在任驻法大使时尤其受人敬重。在国家经过一个时期的军人统治后，1968 年军事将领们请津苏出任总统，后赢得公民投票赞成。这时国家分裂，政府威信扫地，经济停滞，政府开支高得难以负担。津苏于 1969 年缩小财政赤字，但是随着这一年过去，他的严厉的经济措施（包括禁止边境走私活动）使他失去原不稳定的群众支持，同年底被陆军参谋长推翻，后获准出国，定居巴黎。1975 年被缺席判处死刑。

Zinzendorf, Nikolaus Ludwig, Graf von　亲岑道夫（1700，萨克森德累斯顿[德国]～1760-05-09，黑恩胡特）　宗教改革家和社会改革家、德国虔敬派的重要人物，作为摩拉维亚教会领袖想创立一个普世基督教运动。他的外祖母出身名门，与虔敬派神学家斯彭内尔友善，他自幼受外祖母严格管教。1710～1716 年在哈雷的弗兰克学院进修。结业后进行观光旅行，结识加尔文宗人士和天主教人士。1721 年返德累斯顿，在萨克森政府任次要职务；不久继承外祖母的贝特尔斯多夫庄园的一部分，辞去公职，专心务农，特别关怀波希米亚和摩拉维亚逃来的难民。他们都是参加弟兄联盟的信徒，因受迫害而离乡背井。亲岑道夫帮助他们在黑恩胡特建成摩拉维亚派信徒聚居点，以后又陆续建立这种聚居点多处。在这些地方，人们打破家庭界线，分属严格按年龄、性别和婚姻状况区分的小组，各小组设有集体宿舍，提供衣食工作，并根据亲岑道夫的教育理论抚育儿童。黑恩胡特聚居

摩拉维亚档案馆供图

点日益兴旺发达，使得豪门、行会和信义会日益反感。亲岑道夫于 1734 年受神职而成为信义会牧师，意在以此自明并非别立门户，并非违背奥格斯堡信纲。尽管如此，两年后萨克森政府仍将他流放。他在流放期间任弟兄联盟的主教，以期更有资格代表摩拉维亚人。他在韦特拉维亚境内建立一些摩拉维亚人聚居地，在尼德兰和波罗的海地区成立摩拉维亚教会，然后在西印度群岛度过一段时期，最后到英格兰筹建摩拉维亚教会并多次同循道宗创始人 J.卫斯理接触。1741～1743 年旅居美洲，在纽约和宾夕法尼亚成立摩拉维亚教会，带头向印第安人传教并努力联合宾夕法尼亚境内各德裔新教教会而未果。返欧后，亲岑道夫为求普世基督教会联合，宣传基督教新教各派都体现唯一的真基督教会，相

互间的歧异仅在于对共同的信仰体系理解不同,解释不同。1747 年萨克森当局撤销对亲岑道夫的放逐令;并于两年后承认他所创办的弟兄归一会。

Zion 宰恩 美国伊利诺伊州东北部莱克县城市。临密歇根湖,邻威斯康星州边界。1901 年创建为基督公教会总部所在地,1902 年设建制。1935 年前该地实行神权统治,教会控制所有商业活动。1939 年教会学校关闭后该市实行现代教育法。现主要为住宅区,亦发展工业。1973 年建核电站。市内的宰恩饭店正面宽 112 米,是全国最大的全框架式建筑之一。城南有州立伊利诺伊湖滩公园。人口22 866(2000)。

Zion 锡安 《旧约》中指耶路撒冷城内两山中的东山。耶路撒冷原为耶布斯人所据,公元前 10 世纪以色列与犹大之王大卫攻占该城,建都于此。有些学者认为,大卫所攻取的“锡安的保障”也叫做锡安,它或许是耶路撒冷城的堡垒。公元 1 世纪犹太史学家约瑟夫斯认为,锡安指耶路撒冷的西山(当时该城大部分所在)。这种误解持续多年,直到 19 世纪末 20 世纪初,人们才判明锡安山为今名奥弗尔山的东山。该山不在 16 世纪所建今城墙内,目前依然是农田和葡萄园。“锡安”的语源和意义不详,它或许是先于以色列人占领的迦南地名,指耶路撒冷建城之址。“锡安山”一词很流行,但在《圣经》的用法上,“锡安山”往往指耶路撒冷城而不是该山本身。“锡安”作为耶路撒冷城的称号在《旧约》共出现 152 次,它在《新约》出现 7 次。这一名称含有诗意和预言意味,一般不常用。此词一般含有强烈的感情和宗教意味,但为什么“锡安”含有这种意味而“耶路撒冷”却没有,不得而知。“锡安”的宗教和感情成分来源于耶路撒冷的重要性,它是王国的京城和圣殿所在之城。耶路撒冷代表以色列人信仰中几点基本内容。锡安山是以色列人的上帝所居之处,是上帝作王之处,是上帝立大卫为君之处。由此可见,锡安山是雅赫维在人类历史中施展作为的基地。耶路撒冷城被当作一位女子,称作“锡安的女儿”,这样体现出来的感情源起于相互矛盾的两种思想之一:耶路撒冷被毁;耶路撒冷得救。耶路撒冷于公元前 586 年毁于巴比伦人,其后,以色列人忘不了锡安,而在犹太人的巴比伦囚虏时代结束之后各先知所说的预言中,锡安是雅赫维通过弥赛亚实行救恩之处。被囚虏的人们将要带回到锡安,他们要在锡安觐见雅赫维。由于有这许多含意,于是 19 ～ 20 世纪争取在巴勒斯坦建立犹太民族中心的运动(犹太复国主义)被称作锡安主义(Zionism)。“锡安”一词不常见于《新约》,但是基督教文献和赞美诗却时常用它指天城或体现基督教信仰和友爱的地上城市。

Zion National Park 宰恩国家公园 美国犹他州西南部国家公园。位于圣乔治东北。1919 年建立。宰恩峡谷(长 24 千米,深 800 米)。1956 年毗邻的宰恩国家纪念地并入后,面积达 593 平方千米。峡谷为 2.45 亿至 3 660万年前沉积岩形成。多深谷、峭壁和方山。宰恩谷壁上有史前穴居人遗迹。谷壁上有一巨石(名为大白宝座)高出谷底 730 米。有多种哺乳动物和 150 多种鸟。

宰恩国家公园内的砂岩峭壁
供图:Peter L. Kresan

Zionism 犹太复国主义 犹太民族主义运动,目标是在犹太人的古代故乡巴勒斯坦(希伯来语:“以色列国土”)创立和维持一个犹太民族国家。虽然犹太复国主义于 19 世纪下半叶产生在中、东欧,但它在许多方面是犹太人和犹太宗教对于历史上巴勒斯坦地区那种古老的民族主义眷恋的继续。在巴勒斯坦有一座古代耶路撒冷的小山,名叫锡安山。

16 和 17 世纪出现许多“弥赛亚”,努力劝说犹太人“返回”巴勒斯坦。然而,18 世纪末的哈斯卡拉(“启蒙”)运动却主张犹太人接受西方的世俗文化。19 世纪初,犹太人返回巴勒斯坦的想法主要是由基督教的千禧年论者继续传播。尽管有哈斯卡拉运动,东欧系犹太人并未被同化,他们对沙皇屠杀犹太人的反应是组织霍维夫宰恩(锡安的热爱者)来促进犹太农民和工匠定居巴勒斯坦。

奥地利报人 T. 赫茨尔赋予犹太复国主义一个政治性的转机。他认为同化是十分可取的,但鉴于反犹主义,是不可能实现的。因此,他主张,如果外部压力迫使犹太人形成一个民族,那只有集中在某一领土内,他们才能够正常生存。1897 年他在瑞士巴塞尔召集了第一次犹太复国主义者代表大会,起草了犹太复国主义运动的巴塞尔纲领,宣称“犹太复国主义所追求的是在巴勒斯坦为犹太人建立一个受到公法保护的家园”。

犹太复国主义运动中心设在维也纳,在那里赫茨尔出版了机关周刊《世界报》。犹太复国主义者大会在 1901 年前每年举行一次,此后每两年举行一次。奥托曼政府拒绝赫茨尔关于巴勒斯坦自治的要求后,他得到英国的支持。1903 年英国政府愿意给 1.55 万平方千米乌干达无人居住的土地以供定居,但犹太复国主义者坚持非巴勒斯坦不要。

1904 年赫茨尔去世,领导机关从维也纳迁至科隆,后又迁至柏林。第一次世界大战前,犹太复国主义代表少数犹太人,主要来自俄国但由奥地利人和德国人领导。它通过讲演和小册子开展宣传,创办自己的报纸,并推动文艺上的所谓犹太复兴。现代希伯来语的发展主要在于这时期。1905 年俄国革命失败后,多次屠杀和镇压使越来越多的俄国籍犹太青年作为移民的先驱移居巴勒斯坦。到 1914 年在巴勒斯坦约有 9 万犹太人,1.3 万移民生活在 43 个犹太农业居留地,其中许多人靠法国籍犹太慈善家埃德蒙·德·罗思柴尔德男爵资助度日。

第一次世界大战爆发后,再一次提出犹太复国主义,其领导权转入住在英国的俄国籍犹太人手中。两个住在英国的俄籍犹太复国主义者 C. 魏茨曼和 N. 索科洛夫促使英国发表《贝尔福宣言》(1917-11-02)。宣言允诺,英国赞成在巴勒斯坦为犹太人建立一个民族之家。该宣言包括在英国受国际联盟委托对巴勒斯坦实行统治的文件内。

其后的年代,犹太复国主义者在巴勒斯坦建立了城乡居住区,完善自治组织,巩固犹太文化生活和希伯来教育。1925 年 3 月,巴勒斯坦的犹太人口据官方估计为 10.8 万,1933 年上升为 23.8 万(人口的 20%)。然而,直到希特勒主义在欧洲兴起前,犹太人移居仍较慢。但是,阿拉伯人担心巴勒斯坦最终会成为一个犹太国家而坚决反对犹太复国主义以及英国支持犹太复国主义的政策。几次阿拉伯叛乱,尤其是 1929 年和 1936 ～ 1939 年,促使英国人想方设法调和阿拉伯人与犹太复国主义者的要求。

希特勒主义和大规模地消灭欧洲犹太人,导致许多犹太人在巴勒斯坦寻求避难所,又有许多犹太人(特别是在美国)接受了犹太复国主义。由于阿拉伯人与犹太复国主义者之间关系日益紧张,英国先后把巴勒斯坦问题提交英美双方和联合国讨论解决办法。1947 年 11 月 29 日,联合国建议把巴勒斯坦分成独立的阿拉伯国家和犹太国家,并使耶路撒冷国际化。1948 年 5 月 14 日以色列国的建立引起了 1948 ～ 1949 年阿以战争。在战争中,以色列得到比联合国决议划给它的更多的领土,并驱逐 80 万阿拉伯人,使他们成为被迫流离者,通常叫作巴勒斯坦人。于是,第一次犹太复国主义者大会 50 年之后、《贝尔福宣言》30 年之后,犹太复国主义实现了在巴勒斯坦建立一个犹太国家的目标,但与此同时,它成为一个武装的营地,被敌对的阿拉伯国家和在以色列内外从事恐怖主义活动的巴勒斯坦“解放”组织所包围。

此后 20 年间,许多国家的犹太复国主义者组织继续为以色列募捐,从财政上给予支持，并鼓励犹太人移居以色列。但是，大部分犹太人反对以色列的许多非常正统的犹太人宣传，即在以色列国外的犹太人在“流放”中生活，而只有在以色列才能过完美的生活。

Zionist church　锡安会　非洲南部相信祈祷治病的教派；相当于尼日利亚的**阿拉杜拉**(**Aladura**)、加纳的灵恩会和其他地区的祈祷得愈派等独立教会。锡安会名称源起于1896年创立于美国芝加哥的锡安使徒公教会，该会曾于1904年派遣传教士到南非活动。宣传祈祷疗法，施洗礼时要把受礼者浸入水中三次，相信基督即将复临。非洲的锡安使徒公教会信徒1908年接触到美国基督教五旬节派使徒信心会传教士，得知锡安使徒公教会没有经过圣灵第二次洗礼，即缺乏特殊力量或特殊品质；因此另立五旬节派锡安使徒会。锡安使徒会衍生出许多独立的教会，通称锡安会或灵恩会。锡安会于20世纪20年代由曾在南非与锡安会有接触的农业工人传入罗得西业(津巴布韦)，以后不断分化。20世纪80年代中期以J.马兰凯为首的非洲使徒会规模最大，据说在津巴布韦有约26万信徒，在周围各国也有很多信徒。

ZIP Code　美国邮政编码　英语全称Zone Improvement Plan Code。1963年美国邮政部(今美国邮政总局)为了便于邮件的分拣和投递而采用的邮政编码体系。经过广泛的宣传后，终于为公众所普遍接受。编码体系要求通信人用5位数字的代码来表示通信地址，其中头3位数字表示邮件投递的地区，后2位数字表示具体的邮局或收件人所在的邮区。主要目的是使识别和分拣邮件的电子设备充分发挥效用。1983年美国邮政总局使用9位数字的邮政编码。它包括原有的5位数字、一个连字符和4位新增数字，以加快自动信拣工作。附加4位数字中的头两位数，表示某几条街道或某几幢大楼，后两个数字代表更小的区域，亦称“片”，包括城市街区的一边，大楼的一层楼或一组邮箱。

zipper　拉链　又作slide fastener。又译拉锁。用于使服装或提包一类物品的开口两边并合在一起的附件。拉链由边缘镶有金属或塑料齿的两条带子和一个滑动拉头组成。滑动拉头向前拉时，则使拉链齿联锁起来；往回拉时，则重新分开。关于拉链的设想，是W. L.贾德森于1893年在芝加哥举行的哥伦比亚世界博览会上展示的。贾德森的拉链被称为自锁扣，是一种由一排扣钩和扣眼组成，靠一个滑动扣环开、合的装置。一位在美国工作的瑞典工程师G.松德贝克用弹簧夹取代扣钩和扣眼，于1912年生产出“无钩2号”拉链。同一年，C.库恩-穆斯的类似发明在欧洲获得专利。1917年美国海军开始装备带拉链的防风飞行服。20年代末和30年代初，男女装上都出现了拉链。1923年B.F.古德里奇公司的B.G.工厂给刚刚在套鞋上采用(封闭开口用)的拉链定名为zipper。

ziran　自然　又拼tzu-jan，英语作naturalness。中国古代哲学术语。道家用以指原始本来状态。《老子》：“道之尊，德之贵，夫莫之命而常自然。”《庄子·田子方篇》：“无为而才自然矣。”后王充讲“天道自然”，郭象讲“自然者，不为而自然者也”(《庄子·逍遥游注》)均是此意。自然也指道家理想的生活方式。道家认为世界万物都有其自然状态，因而主张人要力求符合自发状态，与自然保持一致。

zircon　锆石　硅酸盐矿物，是锆的硅酸盐($ZrSiO_4$)，锆的主要来源。在酸性火成岩中作为副矿物广泛存在，也产于变质岩及碎屑沉积物中。在世界许多地方，特别是澳大利亚、

产自美国科罗拉多夏延峡谷的锆石和石英
芝加哥菲尔德自然史博物馆供图

印度、巴西和美国佛罗里达州，产在海滩砂中，是沉积岩中常见的重矿物。宝石级的各种锆石产在河流砂砾中和碎屑沉积物中，特别在印度支那和斯里兰卡，在缅甸、澳大利亚和新西兰也有产出。锆石是挪威南部正长岩的重要组成部分，在加拿大魁北克则呈大晶体产出。锆石的高折射率和色散使它的火彩和辉度接近于金刚石。不同颜色的锆石宝石有若干不同的名字。红锆石为纯净透明的红色、橙色和黄色的变种。斯里兰卡的锆石纯净无色，或是天然的或是在氧化条件下通过人工加热处理而制成。黄锆石一名用于所有其他颜色的锆石。锆石在还原条件下加热处理可制成漂亮的蓝色宝石。

zirconia　氧化锆　二氧化锆。一种工业上重要的锆和氧的化合物，通常来源于锆石。参阅 **zirconium**。

zirconium　锆(Zr)　化学元素，周期表Ⅳb族金属，用作核反应堆的结构材料。20世纪40年代末期以前仍不出名的锆，由于它能让中子顺利地穿过，而成为核工业的重要工程材料。1789年德国化学家M.H.克拉普罗特从锆的氧化物组成的锆石中发现了锆。1824年瑞典化学家J.J.贝采利乌斯制得了不纯的金属锆。这种不纯的锆(包括纯度达到99%的)是硬而脆的。高纯度金属锆为白色、质软、具有延展性的金属，是1925年荷兰化学家A.E.van阿克耳和J.H.德博尔用四碘化锆(ZrI_4)热分解法首次大量制得的。40年代初期，卢森堡人W.J.克洛耳发展了一种用镁还原四氯化锆($ZrCl_4$)的比较经济的生产金属锆的方法。锆在地壳中的丰度相当高，在各种S-型星体上也观测到有锆存在。锆在工业上主要由锆石矿和斜锆石矿制得。因为锆具有反应堆所要求的各种性质，所以它的最重要应用是在核反应堆中用作核燃料棒的包覆材料，并与铀形成合金和用于反应堆核芯结构。锆的高温强度好，耐快速循环冷却剂的腐蚀，不形成强放射性的同位素，并能承受中子轰击所造成的机械损伤。铪与锆化学性质相似，且存在于各种锆矿中，但铪强烈吸收热中子，因此用于反应堆的锆，应彻底地分离出铪。锆吸收氧、氮和氢的能力达到惊人的程度。约800℃时，锆与氧化合生成氧化锆(ZrO_2)。锆能还原镁、铍和钍的氧化物等耐火坩埚材料。鉴于锆对氧气和其他气体的强烈亲合力，故可用作清除电子管中残余气体的吸气剂。在常温下锆在空气中能形成保护性氧化膜或氮化膜而呈钝态。即使没有这些保护膜，锆也能够耐弱酸和酸性盐的侵蚀。由于锆的这一极好的抗腐蚀性，它被广泛用于制造泵、阀门和热交换器的工业中。锆也用作制造某些镁合金的合金剂和钢的添加剂。天然锆是5种稳定同位素的混合物：锆90(51.46%)、锆91(11.23%)、锆92(17.11%)、锆94(17.40%)和锆96(2.80%)。锆有两种同素异形体：在862℃以下为六方密堆积结构，在862℃以上为体心立方结构。锆在其化合物中以4价为主。但是已知有一些较不稳定的3价化合物。各种锆化合物在工业中有重要的应用。其中有二氧化锆(又称氧化锆，ZrO_2)为白色或黄棕色的硬质固体，熔点很高(约2700℃)。它常用作磨料和耐火材料，以及耐酸碱玻璃和燃料电池中陶瓷的组分。二氧化锆在自然界中以斜锆石的形式存在，但是其工业产品却由锆石制得，成本比较低。锆的其他重要工业化合物包括四氯化锆($ZrCl_4$)和硫酸锆[$Zr(SO_4)_2 \cdot 4H_2O$]。由碳化锆或氧化锆氯化制得的四氯化锆，用于生产有机锆化合物，也可用作诸如石油裂化和乙烯聚合的反应中所用的催化剂。由硫酸与氢氧化锆[$Zr(OH)_4$]作用而生成的硫酸锆，可用作润滑剂和化学试剂，也可用于白色皮革的鞣制。锆原子序数40。原子量91.22。熔点1852℃。沸点3578℃。比重6.49(20℃)。化合价4。电子组态2,8,18,10,2或(Kr)$4d^2 5s^2$。

Zīrid DYNASTY　齐里王朝　又称巴努齐里。柏柏尔人桑哈贾部族建立的穆斯林王朝，972～1152年，他们的各个分支统治着易弗里基叶(突尼斯和阿尔及利亚东部地区)和格拉纳达。齐里人在阿尔及利亚的卡比利亚群山中建立了最初的都城艾希尔。他们与凯鲁万的法蒂玛人结盟。972年法蒂玛王朝哈里发穆伊兹迁都开罗，指派优素福·布卢金·伊本·齐里一世为凯鲁万总督。在其统治下齐里国疆界向西扩展，远至直布罗陀海峡的塞卜泰(今休达)。巴迪斯·伊本·曼苏尔统治时期(995～1016)，齐里人分裂为两部：东部凯鲁万的齐里人和他们的亲族阿尔及利亚盖拉的哈马迪德人。1048年，穆伊兹(1016～1062)宣布从法蒂玛人的管辖下独立。1052年，法蒂玛人派遣巴努希拉尔和巴努苏莱姆贝都因人到马格里布，北非同东方的商道被

切断，农民经济崩溃。许多已定居的又重过游牧生活。齐里人被迫放弃凯鲁万，撤退到马赫迪耶。他们的国家在西西里的诺曼人进攻下终于在1148年覆灭。与此同时，1067年哈马迪德人迁居贝贾亚（布日伊），1152年被穆瓦希德人征服。另有一支齐里人到达西班牙，在伍麦叶王朝穆扎法尔（1002～1008在位）的柏柏尔军队中服役。后来在扎维·伊本·齐里领导下在格拉纳达建立独立的王国（1012～1090）。11世纪初西班牙的伍麦叶哈里发苏莱曼·穆斯台因将埃尔维拉省赐给这些齐里人，到1038年王国已扩展到包括哈恩和卡布拉在内。约1058年，巴迪斯·伊本·哈布斯自哈马迪德人手里夺取了马拉加，此地成为齐里人在西班牙统治的第二个中心。1090年这些齐里人被穆瓦希德人消灭。

Zirkel, Ferdinand　齐克尔（1838-05-20，波恩～1912-06-12，波恩）　德国地质学家，微观岩类学（也就是通过在显微镜下观察岩石薄片并记录其光学特征而研究岩石矿物）的先驱。1863年任伦贝格大学矿物学教授。他的名著《岩类学读本》的初版（1866）是在没有学到地质学家H.C.索比在英国发展起来的微观岩类学技术之前写成的。1868年他访问不列颠群岛并结识了索比之后，就采用索比的新技术，并于1870年发表了《对显微镜下玄武岩矿物成分和构造的研究》。同年齐克尔接受莱比锡大学矿物学教授职务，并继续进行他的研究。1873年出版的《矿物和岩石的微观性质》一书使这一新的研究方法得到了广泛应用。19世纪70年代齐克尔应美国著名地质学家C.金的邀请，研究在美国西部北纬40°沿线一带调查期间采集的岩石标本。1876年他写出了调查报告的第4卷，从而把微观岩类学介绍到美国。他在莱比锡大学任职期间，又重写了《岩类学读本》，于1894年分三大卷再次出版，成了地质学上的经典著作之一。当时这部书是岩类学方面唯一的一套完整手册。

Zisi　子思（约公元前481～前402）　又拼Tzu Ssu。中国战国初期思想家。姓孔，名伋，字子思，鲁国陬邑（今山东曲阜）人。孔鲤之子，孔子之孙。传曾受业于孔子弟子曾参。

中国大百科全书出版社供图

子思以“诚”作为世界本原，认为“性”是天之所命，“道”则是遵循“天命”。《汉书·艺文志》著录《子思》23篇，已佚。现存《礼记》中《中庸》、《表记》、《坊记》等，传为子思所作。其中《中庸》被后世奉为儒家典籍“四书”之一。孟子曾受业于子思的门人，并继承发挥了子思思想，史称思孟学派。

zither　齐特琴　某些弦乐器的通称。欧洲齐特琴在扁平的音箱上张以30或40根肠衣或金属弦，离演奏者最近的弦线张在有品的指板上，左手按弦以奏出旋律音。演奏时琴

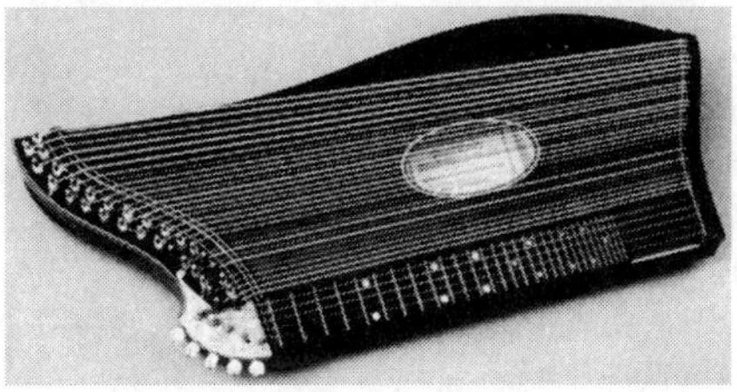

维也纳制作的齐特琴
供图：A. V. Ebblewhite, London

横放在演奏者膝上或桌上。用套在右手拇指上的拨子拨奏。18世纪末发展成两种主要的变种：萨尔茨堡齐特琴和米滕瓦尔德齐特琴，二者的定弦不同。通常萨尔茨堡齐特琴的5根旋律弦的定弦是a′、d′、g′、g、c，29根伴奏弦按5度循环（C、G、D、A等）定遍半音音阶的12个音。齐特琴还泛指弦张在一个框架上、无任何伸出的颈或臂的弦乐器。共鸣箱或与琴身一体，或连接在琴身上。齐特族乐器品种不一。琴身可能是一根可弯曲的棍，如弓琴；也可能是一根刚性的条，如许多印度和东南亚以及某些非洲齐特琴。条形齐特琴的品较高。单弦的品种可称为独弦琴。亦有琴身为一竹管的。其他重要的形式有由一框架及粘贴其上的音板组成的类型，如萨泰利琴、大扬琴及其派生的弦键乐器；盒式的如沙伊霍尔特琴和欧洲其他有品的齐特琴；东亚的大型齐特琴如中国及日本的古筝称为“长齐特琴”。齐特琴可能来自地面弓琴和地面齐特琴这类原始乐器。

Žitomir（city and *oblast*, Ukraine）　参阅 **Zhitomir** 日托米尔。

Zittau　齐陶　德国东部萨克森州城市。濒临劳西茨尼斯河，靠近波兰和捷克边境。原为斯拉夫人定居点。1230年始见记载。1255年设市，属波希米亚。1346年参加卢萨蒂亚联盟，1635年为萨克森攻占。13和15世纪的4座教堂现仍存在。为公路和铁路枢纽，纺织业中心，生产机械、化学品和车辆，附近还采掘褐煤。人口约26 096（2003）。

Zittel, Karl Alfred, Ritter（Knight）von　齐特尔（1839-09-25，巴登巴林根［德国］～1904-01-05，德国慕尼黑）　德国古生物学家。曾证明撒哈拉在更新世冰期时未被水淹没。1863年任维也纳皇家矿物陈列馆馆员和卡尔斯鲁厄工业学院矿物学、地球构造学和古生物学教授。1866年任慕尼黑大学地质和古生物学教授。早期研究矿物及岩相学。1873～1874年到利比亚考察，搜集资料，从而得出其有关撒哈拉的论断。后来接受进化论并率先将其应用于古生物学，尤其是对菊石的研究。1876年开始研究海绵化石，进行了分类，并奠定现代海绵形态分类的基础。他对巴伐利亚石灰岩中海龟和飞龙化石的研究是对古脊椎动物学的重要贡献。主要著作有《地质学和古生物学史》（1899）、《古生物学手册》（1880～1893）。

Živković, Petar　日夫科维奇（1879-01-01，塞尔维亚内戈廷～1947-02-03，法国巴黎）　南斯拉夫首相，独裁者（1929～1932）。早年在塞尔维亚禁卫军中服役，曾参与暗杀国王亚历山大（1903），推翻奥布廉诺维奇王朝，恢复卡拉乔尔杰王朝。后加入白手社，这是一个反对极端民族主义黑手社的军官组织。1921年任禁卫军司令，1929年任首相。他以反共为名解散政党，迫害异己，维护一党制度。1932年可能由于无法解决经济困难而自动辞职。日夫科维奇是南斯拉夫民族党的缔造者，1936年出任该党主席。1941年德军入侵后逃往国外，1943年担任南斯拉夫流亡政府大臣。

Ziya, Mehmed　齐亚　参阅 **Gökalp, Ziya** 格卡尔普。

Ziya He　子牙河　中国海河水系五大支流之一。在河北省南部。全长730余千米，流域面积7.87万平方千米。上游有滹沱河、滏阳河两支。滹沱河发源于山西省五台山北侧，沿途在山西、河北境内接纳清水河和冶河，东流在献县与滏阳河汇合，称子牙河。滏阳河源于邯郸市和村附近。滏阳河上游是古

子牙河水利工程
中国大百科全书出版社供图

大陆泽（湖泊）和古宁晋泊（湖泊）故地，地势低洼，汇有众多溪流。子牙河下游经大城至第六堡与大清河相汇入海河。由于流域内降水集中，又多暴雨，上游流经黄土地区，水土流失严重。根治海河后子牙河上游修建岗南、黄壁庄、朱庄等水库和山区一些农田水土保持工程，下游开挖滏阳新河、子牙新河，引洪水直接流入渤海。

Ziyādid DYNASTY　**齐亚德王朝**　819～1018年统治也门的穆斯林王朝，首都宰比德。王朝的开创者穆罕默德·伊本·齐亚德。他在呼罗珊军队支援下，占据也门沿海地区。第二

代为易卜拉欣·伊本·穆罕默德(859～902),失掉许多土地。他的继承者事迹不明。但是,到了艾布·杰什·伊沙克统治时期(904～981),又恢复了王朝的威势和版图。989年,拜努·亚福尔攻占并焚毁了齐亚德王朝的首都。1018年,齐亚德王朝的末代统治者被奈菲斯杀害,王朝遂告终结。1022年纳贾王朝开始对也门实行统治。

ziyārah 谒陵 伊斯兰教用语,指拜谒沙特阿拉伯境内麦地那清真寺内的先知穆罕默德墓;又指拜谒其他圣人的陵墓。穆斯林宗教权威人士尤其是瓦哈比派对拜谒其他圣人陵墓是否合法提出异议。后者认为,拜谒圣人陵墓和有难时呼唤圣人之名是多神论的一种表现形式,因为只有真主才能拯救有难者。尽管如此,穆斯林依旧拜谒这些陵墓,以期祛除疾病、目睹神迹,或蒙圣人祝福。阿拉伯各城镇大都有圣人,当地居民在许多场合都要拜谒这些圣人的陵墓。

Zizhi Tongjian 《资治通鉴》 参阅 **Sima Guang** 司马光。

Žižka, Jan, Count (Hrabě) **杰士卡**(约1376～1424-10-11,波希米亚普日比斯拉夫[今在捷克共和国]) 波希米亚军事统帅和民族英雄。他领导新教胡斯派军队打败国王

布拉格国家博物馆供图

西吉斯蒙德;他运用机动炮兵预示了战术的革命性变化。在国王瓦茨拉夫四世的宫廷中长大。早年一目失明。他给波兰人充当很长时期雇佣军之后才回波希米亚,并成为宗教改革家J.胡斯的信徒。1419年国王瓦茨拉夫死后,他的异母兄弟西吉斯蒙德争夺波希米亚的王位。波希米亚人由于知道西吉斯蒙德定会镇压胡斯运动,所以就起来进行反抗。他统率农民军中的塔波尔派,把火炮装在车上,灵活作战。他是把步兵、骑兵和炮兵作为一个战术单位来使用的最早的统帅之一。1420年,他在布拉格附近打败西吉斯蒙德。不久,他的另一只眼睛失明,但仍指挥作战,打败天主教徒及胡斯运动内部的对手。1424年死于瘟疫。

Zlatoust 兹拉托乌斯特 俄罗斯西部车里雅宾斯克州城市。跨阿伊河两岸,在乌法至车里雅宾斯克的铁路干线上。河流与铁路均穿过乌拉尔山脉的乌廉加山。1754年在此建科索图尔炼铁和炼铜厂,1865年设市。十月革命前该市以雕刻钢器和刀剑著称,现仍为乌拉尔地区重要冶金中心,尤其是生产优质钢和不锈钢,还制造钟表和仪表。该市沿狭窄的阿伊河谷伸展,第二次世界大战期间,在离旧城11千米处,已建成一新的市中心。人口约210 700(1991)。

Zlín 兹林 1948～1990年称哥特瓦尔德夫。捷克共和国南摩拉维亚州城市,位于德热弗尼采河与摩拉瓦河汇流处附近的德热弗尼采河河畔。兹林本是14世纪所建村庄,第一次世界大战后迅速发展,1948年与周围几个居民点合并成哥特瓦尔德夫。合并后的城镇以捷克斯洛伐克首任共产党总统K.哥特瓦尔德的姓氏命名。1990年哥特瓦尔德夫作为一个整体易名为兹林。兹林为一文化中心,市内有一管弦乐队和几家电影制片厂。该市新区的规划,部分由法裔瑞士建筑师勒科比西埃设计。兹林是享誉国际的拔佳(Báťa)制鞋企业所在地,亦生产编织机、皮革和橡胶制品以及制作动画影片。该市组织成一个近于自给自足的工厂区,设有对工人的教育设施。附近的奥特罗科维采有些大制革厂。人口约84 634(1991)。

zloty 兹罗提 波兰的货币单位。每个兹罗提等于100格罗兹。波兰国家银行拥有在该国发行货币的专有权。硬币的面值从1格罗兹到5兹罗提不等,纸币的面值从10至200兹罗提不等。钞票的正面印有历史人物像,例如,50兹罗提的纸币正面印有国王卡齐米日三世(1310～1370),200兹罗提的纸币上印有国王西格蒙德一世(1467～1548)。背面印有正面人物像统治时期的象征。例如,50兹罗提的纸币上印有一只鹰,源自卡齐米日三世的玉玺;而200兹罗提的纸币印有一个与字母S缠绕在一起的鹰,取自一个刻有西格蒙德名字的教堂上面的图案。在正式使用兹罗提之前,有许多货币体系存在于波兰。兹罗提在西格蒙德一世统治时期首次使用,旨在改革和巩固不同的货币体系,此种货币很快就流通到立陶宛和普鲁士。兹罗提从此一直是波兰的货币单位,尽管经历过多次改动,特别是它的面值和辅币;而外币,如俄国19世纪的卢布,曾于不同时期在波兰使用过。第一次世界大战刚刚结束时,波兰的通货膨胀极其严重,为稳定经济,国家发行了新版兹罗提。1995年波兰的后共产主义政权为恢复经济也发行了一种新版兹罗提,旧版兹罗提与新版兹罗提的兑换率为10 000:1。此后,该货币成为国际市场可兑换货币,波兰政府后来将兹罗提与欧元(欧洲联盟的单一货币)挂钩。

Znaim (Czech Republic) **茨纳伊姆** 参阅 **Znojmo** 兹诺伊莫。

Znaniecki, Florian (Witold) 兹纳涅茨基(1882-01-15,普鲁士斯维特尼基[今在波兰]～1958-03-23,美国伊利诺伊尚佩恩) 波兰出生的美国社会学家,其有关社会学理论及方法论的著作促使社会学成为一门独立学科。他是倡导实地调查的先驱人物和波兰农民文化的权威。早年为诗人,因积极支持波兰民族主义运动而被华沙大学开除。后去法国和瑞士留学。1909年在克拉科夫大学获得哲学博士学位。在美国社会学家W.I.托马斯的影响下,他开始研究社会学。1914年去芝加哥大学,与托马斯合写《欧洲和美国的波兰农民》5卷(1918～1920)。这部著作无论在方法上(主要使用详细的个人生活史资料)或实质上(提出有关个性的社会学观点之框架及移民社会解体之研究),都使社会学有重大的进展。他于1920年回国任波兹南大学社会学教授,1922年创办社会学研究所。著有《社会心理学的规律》(1925)、《社会学的方法》(1934)、《社会行动》(1936)和《知识分子的社会作用》(1940)。第二次世界大战爆发时,他正在美国讲学,无法回国,于是到设在尚佩恩-厄巴纳的伊利诺伊大学任教,在那里著有《文化科学的起源和发展》(1952)和《现代民族》(1952)。

Znojmo 兹诺伊莫 德语作Znaim(茨纳伊姆)。捷克共和国南摩拉维亚州城市。位于布尔诺西南,濒临迪耶河,邻近奥地利边界。11世纪建立,旧镇内有许多中世纪建筑物。瓦格拉姆战役(1809)后,奥地利查尔斯大公同拿破仑在此会晤,协商停战事宜。现有制革、陶瓷、靴鞋和运动设备等工厂。又有酿酒和食品加工,尤其是水果、蔬菜及泡菜的罐头制造等重要传统工业。人口约39 910(1991)。

Zoan (ancient Egyptian city) **琐安** 参阅 **Tanis** 塔尼斯。

zoanthid 菟海葵 刺胞动物门珊瑚虫纲菟海葵目动物,约有300种。形似海葵,但一般体型较小,体外有黏液,粘有沙粒和其他物质。巨菟海葵(*Isozoanthus giganteus*)是最大

菟海葵(*Parazoanthus*)群体
供图:Douglas Faulkner

的菟海葵,长约19厘米,宽2厘米。许多种类与海绵等其他动物共栖。美洲上菟海葵(*Epizoanthus americanus*)生活在北美大西洋沿岸暖水中,附在寄居蟹的螺壳上,能溶解螺壳,最终将蟹包住。

zodiac 黄道带 天文学名词，指天球上黄道南北两边各9°宽的环带区域。月球和一些主要行星(冥王星除外)的轨道都在黄道带中。黄道十二宫的一宫各占整个黄道带的1/12(或30°)，实际上，黄道十二宫与太阳实际所处的黄道星座已不能一一对应。黄道星座的大小和形状并不一致，而太阳每年总要穿过的蛇夫座，并非黄道十二宫之一。由于黄道星座的形象多为动物，古希腊把黄道带称为"动物圈"或"兽带"。在古代，黄道星座的数目和大小是不同的，到了数学天文学发展以后，才固定下来。下表给出黄道带星座和太阳经过它们边界的日期。尽管岁差已使星座东移(例如，现在1月1日的太阳并不在摩羯座而在人马座)，但这些数据仍被占星术继续沿用。黄道十二宫符号的来历迄今未明，它们似乎是在中世纪晚期的希腊文献中最先出现的。

♈白羊座，3月21日～4月19日
♉金牛座，4月20日～5月20日
♊双子座，5月21日～6月21日
♋巨蟹座，6月22日～7月22日
♌狮子座，7月23日～8月22日
♍室女座，8月23日～9月22日
♎天秤座，9月23日～10月23日
♏天蝎座，10月24日～11月21日
♐人马座，11月22日～12月21日
♑摩羯座，12月22日～1月19日
♒宝瓶座，1月20日～2月18日
♓双鱼座，2月19日～3月20日

zodiacal light 黄道光 夜空中的光带，一般认为是由聚集在黄道面(或黄道)的流星颗粒反射太阳光形成的。热带地区的人在黄昏后的西方或黎明前的东方很容易看到它，因为黄道在该处大致垂直于地面。在北半球中纬度地区，2、3月的傍晚或9、10月的黎明是看黄道光的最好时期。沿着黄道带，在距太阳30°～90°范围内，用肉眼可看到黄道光。光度测量表明，这条光带一直延伸到对日点附近，在该处，黄道光的亮度略有增强，形成能被人眼看到的"对日照"。在全天的其他部分也有一些黄道光，有些天文学家认为那是太阳F日冕的延伸。

Zoe 佐伊(约978，君士坦丁堡～1050，君士坦丁堡) 拜占廷女皇(1042起)。君士坦丁八世之女。1028年嫁皇位继承者罗曼努斯三世(阿吉鲁斯)，同年罗曼努斯继位后她成为皇后。她固执己见而妒忌成性，曾把妹妹*狄奥多拉*(**Theodora**)驱入隐修院，又因不被丈夫所爱，乃与宫廷总管迈克尔发生暧昧关系。1034年皇帝死后把持朝政，并与迈克尔结婚；迈克尔被立为皇帝，称迈克尔四世。1041年迈克尔四世死，由迈克尔五世·卡拉法提斯继位。1042年4月，群众暴动，废黜迈克尔五世，立佐伊与其妹狄奥多拉为共治女皇。由于姊妹不和，佐伊又与君士坦丁九世(莫诺马库斯)结婚以保住自己权位。

Zoe 生活社 又称神学兄弟会。希腊宗教团体，仿照西方教会修会组成。1907年由E.玛索普洛斯创立，最早参加者是100多名独身男子，后来广收成员。该社对成员要求严格，他们必须发清贫、坚贞、顺服等愿。成员中受神职的司铎与在俗信徒各约占一半；每年进行一个月的集体退修，以其余时间在希腊各地从事教学、传教、办学、组织青年、出版书刊等活动。第二次世界大战后，特别是几名成员脱离该社而另立索泰尔社以后，该社势力减弱。生活社与1967年成立的独裁政权有联系，故其威信和号召力进一步下降。

Zoetermeer 祖特梅尔 荷兰西部南荷兰省城市。在鹿特丹北面约16千米处。地处17世纪围垦的圩田内。生产机械、烟草制品、食品。四周农区产谷物和饲养牲畜。附近有油气田。阿姆斯特丹—海牙铁路线和海牙—阿纳姆公路经此。人口约100 623(1992)。

Zoffany, John 佐法尼(约1733，美因河畔法兰克福～1810-11-11，英格兰米德尔塞克斯) 原名可能是Johann Joseph Zauffely。德国出生的肖像画家，皇家学院(1768建)奠基人。擅长以风俗画形式描绘当代戏剧情节片断和肖像。在德国与意大利结束学业后，1758年左右到英格兰，在W.贺加斯的引导下，从流行的戏剧作品中汲取风俗画的题材，如作品《农人归来》(1762)。肖像画尤以描绘乔治三世的作品最为有名，如《夏洛特皇后和她的儿子们——威尔士亲王和约克大公》。1772年在国王资助下到意大利逗留7年，为皇室创作了著名的风俗画《乌菲齐宫画廊》(1780)。1783～1789年他作为肖像画家在印度工作，回到英格兰后，画了类似《查尔斯·汤利在他玩的弹子中间》(1790)这样风格奇特的著名肖像。

佐法尼绘《乌菲齐宫画廊》(1780)
供图：The Royal Collection © 1994 Her Majesty Queen Elizabeth II; photograph, A.C. Cooper

Zog I 索古(1895-10-08，阿尔巴尼亚布尔加耶蒂堡～1961-04-09，法国苏雷斯纳) 阿尔巴尼亚总统(1925～1928)和国王(1928～1939)。严重地依赖于B.墨索里尼的意大利，但终于在第二次世界大战前夕被这位意大利独裁者赶下台。第一次世界大战期间支持奥地利，战后为改良主义的人民党领袖。1920～1924年历任各部部长。1924年6月被迫流亡，但在12月依靠南斯拉夫的支持返国。1925年2月当选总统，1928年9月立为国王，称索古一世。在他统治下，1925年向意大利贷款，1926年与意大利签订《友好安全条约》，1927年签订《阿意军事同盟条约》。墨索里尼把阿尔巴尼亚当做进犯巴尔干诸国的桥头堡。到1939年意大利已经完全控制该国的财政和军队。1939年4月阿尔巴尼亚丧失独立，沦为意大利保护国，以意王伊曼纽尔三世为国王。索古出走。1946年1月2日正式宣告退位。

供图：BBC Hulton Picture Library

Zohar, Sefer ha-(Jewish mystical text) 参阅**Sefer ha-zohar**《*光辉之书*》。

zoisite 黝帘石 硅酸盐矿物，为钙和铝的硅酸盐[$Ca_2Al_3(SiO_4)_3OH$]。是火成岩受到区域变质和热液蚀变的特征矿物。属岛状硅酸盐绿帘石族。呈白色、绿褐色或灰色的晶体或块体。常与闪石矿物一起产于结晶片岩中。也产在变质的钙质页岩中；最常产在泥质（黏土质）的钙质砂岩中；而在热变质石灰岩中不常见。黝帘石的产地有意大利、德国、

产自挪威的黝帘石
伊利诺伊州立博物馆供图

瑞士、墨西哥、苏格兰和美国马萨诸塞州。锰黝帘石为产自挪威泰勒马克和意大利皮埃蒙特的含锰变种，是粉红色的。来自坦桑尼亚的宝石变种坦桑黝帘石是鲜艳蓝色的。黝帘石与斜黝帘石的化学分子式相同，但晶体结构不同。

Zoji La　佐吉拉山口　印度次大陆北部查谟和克什米尔印度控制区拉达克县境内喜马拉雅山脉的山口。海拔3 529米。唯一一条从克什米尔谷地至拉达克县列城的公路经过该山口，公路从列城继续延伸到中国的西藏地区。

zokor　鼢鼠　又称阿尔泰鼹鼠。亚洲北部生活于地下的啮齿类动物。形似鼹鼠，身躯矮胖，圆筒状，肢体短而有力。足大，强壮；前爪长，非常有力，能自行将其磨尖。眼小，对光线敏感，几乎隐藏在毛发当中。体型中等，体重150～560克，身长15～27厘米。身上覆盖丝状长毛，颜色各异，从浅灰色到浅红褐色或暗黄色带浅红色不等。有一个种的口鼻部有斑点。鼢鼠尾圆锥形而短（3～10厘米），覆以稀疏的毛发，颜色均匀或上部色深而下部为白色。体强健，善挖洞。一个范围广泛的隧道网在它们用作食物的植物下方通过，地面土墩的分布情况反映出该动物在地下的移动路径。不冬眠，但在春季和秋季更加活跃，春季产仔，每窝4～6仔。食物主要包括植物的根、鳞茎和根状茎，但有时也吃叶子和嫩株。分布范围包括中国北部、蒙古南部和西伯利亚西部。喜欢树木茂盛地区和沿河谷（尤其是海拔900～2 200米的山脉河谷）的草地；却不喜欢长满草的干草原和多石的坡地。其理想的生境包括丰富的草本植物、块茎、根茎丰富的黑沃土，因此无怪乎这些啮齿类动物也见于牧场、荒废的农地和菜园。虽然常被称为“鼹鼠”，但其实鼹鼠是食虫目的哺乳动物，与其并无亲缘关系。鼢鼠与其他善于挖洞的啮齿类动物也非近缘。鼢鼠是纯北亚细亚的类群，并无近缘种；构成自己单独的亚科，鼠科（*Muridae*）的鼢鼠亚科（*Myospalacinae*）。其化石历史在中国可追溯到晚中新世（1 120万～530万年之前）。

Zola, Émile(-Édouard-Charles-Antoine)　左拉（1840-04-02，巴黎～1902-09-28，巴黎）　法国小说家、评论家和自然主义文学奠基人。他的《鲁贡玛卡》是20部小说的小说集，其副标题为《第二帝国时代的一个家族的自然史和社会史》，包括《娜娜》（1880）和《萌芽》（1885）在内。他还以他为德雷福斯辩护的一篇著名短文《我控诉》而闻名。其父是移居法国的意大利工程师，在左拉7岁时病死。其母是法国人。1859年，左拉参加中学毕业会考失败，其后两年，备尝失业辛酸，也因此体验了芳苦大众的生活，为日后的文学创作准备了条件。1862年进阿歇特出版社工作。1864年他的第一部短篇小说集《给妮侬的故事》出版，次年写了一部自传体小说《克洛德的忏悔》，因内容淫秽，引起警方注意，翌年被迫辞职。随着工业革命出现的19世纪社会变革促使现实主义作家描写社会生活的各个方面。左拉把这种现实主义手法提高到更新的阶段。他强调资料考证和客观描写，从科学的哲学观点去全面解释人生，从纯物质的角度去看待人的行为与表现。1867年，左拉

供图：Cliche Musees Nationaux, Paris

首次把他这种科学理论付诸实践，发表了令人毛骨悚然的小说《黛莱丝·拉甘》，翌年又写了另一部科学实证小说《玛德莱纳·菲拉》。1871年开始发表长篇连续性小说《鲁贡玛卡家族——第二帝国时代一个家族的自然史和社会史》的第一部《鲁贡玛卡家族的命运》。随后，每年出版一部。1877年，第七部研究酗酒后果的《小酒店》问世，左拉一举成名，从此踏上成功之路。接着，他又用16年时间写完余下的13部，其中重要的有《娜娜》、《萌芽》、《金钱》、《崩溃》等。从某种意义上看，《鲁贡玛卡家族》是拿破仑三世上台到1870年普法战争法国在色当失败这段时期法国生活各个方面的写照。继《鲁贡玛卡家族》之后，左拉又写了两部短篇系列小说《三城市》和《四福音书》。左拉笃信科学，是科学决定论者，认为自然主义是法国生活中固有的因素。他自称他的方法来源于19世纪生理学家贝尔纳的论著《实验医学研究导言》，左拉在他的论文《实验小说论》中说，作家可以在虚构的人物身上证明在实验室新获得的结论。他相信，人性完全决定于遗传，缺点和恶癖是家族中某一成员在官能上患有疾病的结果，这种疾病代代相传。一旦弄清楚了原因，便可以用医疗与教育相结合的办法予以克服，从而使人性臻于完善。这就是贯穿于《鲁贡玛卡家族》中的主要观点。在轰动一时的犹太血统的法国军官德雷福斯被诬向德国出卖军事机密的案件中，左拉于1898年1月挺身而出，在《震旦报》发表公开信，开头一句是“我控诉”。他揭露法国总参谋部陷害德雷福斯的阴谋，结果以诽谤罪被判徒刑，只好逃往英国，次年6月才回到法国。在流亡期间开始写《四福音书》：《繁殖》（1899）、《劳动》（1901）、《真理》（1903）、《正义》（未完成）。左拉在巴黎死于煤气中毒（有说他为政敌所害，但终因无根据而作罢）。死后举行公祭，遗体移置先贤祠。左拉生前是一个有争议的人物，他的作品被具有保守思想的公众视为淫书，尤其是1887年他的作品《土地》出版时，更遭到舆论的非难，终其一生，未能进入法兰西学院。

Żółkowski, Alojzy Fortunat　佐乌科夫斯基（1777-11-02，波兰诺沃格鲁德克附近～1822-09-11，华沙）　又名福蒂纳·阿洛伊齐。波兰演员、作家、翻译家、幽默家和波兰一戏剧世家家长。出身贵族家庭。1798年在华沙首次登台演出，接着在全国巡回演出4年，最后进入国家剧院。其饰演的喜剧角色如博马舍《塞维利亚理发师》中的巴托罗和莫里哀《太太学堂》中的阿诺尔夫等均受赞赏。他还写有几部很有独创性的喜剧，翻译过英国和法国的剧本，编辑过包括“莫墨斯”和“杂集”在内的幽默作品。其妻玛丽亚·路德维卡（1790～1853）是国家剧院一位极受观众欢迎的经典剧演员。其子女中有3个继续从事戏剧，最有名的是阿洛伊兹·贡萨加（1814～1889），他是一个极受人们尊敬的演员和歌剧歌唱家。丰富的男中音嗓音和身手不凡的演技使他饰演的唐尼采蒂《爱情的灵丹》中的杜尔卡莫拉和《哈姆雷特》中的波洛涅斯等各种不同角色均获成功。他的女儿阿洛伊莎（1850～1921）继承了这一戏剧家庭的传统，并与波兰另一戏剧世家成员奥斯特洛夫斯基结为夫妇。

Zolli　参阅 **Basel Zoological Garden** *巴塞尔动物园*。

Zollinger, Albin　措林格尔（1895-01-24，苏黎世～1941-11-07，苏黎世）　诗人和小说家，两次世界大战之间的瑞士诗歌复兴运动的主要人物。除在阿根廷居住过4年（1903～1907）以外，一生都住在苏黎世一带。作品有3/4写于他生命的最后10年。他追随印象主义，成为描写景物的大师。他也被一种热烈的愿望所困扰，一心想超越人类天性的狭窄范围。在荷尔德林、里尔克等人的鼓励下，他为这类主题作了倾泻无遗的抒情的描述：《诗集》（1933）、《清晨》（1936）、《秋的寂静》（1939）、《生命之家》（1939）。他的小说《柔弱的人》（1929）、《大动乱》（1939）、《豆花》（1942），以及他的中篇小说《风雨》（1943），都是与他那个时代的大运动的对抗。他所写的故事情节虽松散，但语言却多彩动人。

Zollverein 关税同盟 英语作 Customs Union。1834年在普鲁士领导下成立的德国关税联盟。同盟创立几乎包括全部德意志地区的自由贸易区，通常被认为是统一德国的一个重要步骤。德国的自由贸易运动深受提倡自由贸易政策的经济学者们的影响，F.李斯特是19世纪早期德国自由贸易政策最积极的倡导人。1818年普鲁士颁布关于废除全部国内关税的法令，表示愿与邻近诸邦建立自由贸易关系。10年后，普鲁士与黑森-达姆施塔特邦签署第一个自由贸易协定。1828年巴伐利亚与符腾堡在南德意志建立关税同盟。1829年巴拉丁领地加入这一同盟。1828年中德各邦也筹建类似的同盟，成员包括萨克森、图林根诸邦、黑森选侯区和拿骚。到1834年有18个邦参加了关税同盟。汉诺威和奥尔登堡于1854年加入同盟。两个梅克伦堡、石勒苏益格-荷尔斯泰因、劳恩堡和吕贝克于1867年加入同盟。这样，除汉堡和不来梅以外，德意志所有各邦都加入了同盟。汉堡和不来梅在德意志帝国成立17年后(1888)加入。

Zomba 松巴 马拉维南部区松巴县城市。位于布兰太尔东北60千米的松巴山低坡上。1885年建为居住区。1891年为英属中非保护地(后为尼亚萨兰)行政中心。马拉维独立后，1966～1975年以松巴为首都。穆隆古希河畔的前总督官邸(1887)现为政府的疗养所。松巴城内现有总统驻地、议会大厦(1957)、国家出版社、地质调查局、国家档案局和统计局等。1974年建马拉维大学法学院，于是松巴即从政府和文职机关中心变为大学城。松巴也是松巴县烟草种植园和牛奶场的中心。还生产稻米、玉米、鱼类和软木材。人口43 250(1987)。

Zomba Massif 松巴山地 马拉维南部希雷高地上孤立正长岩构成的山体。面积约130平方千米。多马西河谷将其分成松巴高原(南)和马洛萨山(北)两部分。松巴峰海拔2 087米，其东、南陡崖降为765米。海拔1 800米的平地上种植针叶树，也是山区游览地。

松巴山地南部的松巴高原
供图：Gerald Cubitt

Zonaras, Joannes 佐纳雷斯(活动时期12世纪上半叶) 拜占廷历史学家，所著《历史概要》上起创世，下迄1118年，为研究11世纪的宝贵资料。原在君士坦丁堡任高官，后成为修士，隐居远方的一个岛屿。他的《历史概要》引用了大量资料，有些资料是因为他引用才保存下来的，如：卡修斯《罗马史》中若干卷帙即其一例。相传他编过一部辞典和写过一些神学著作。

Zond 探测器 苏联的月球和行星际探测器系列，共发射8枚。"探测器"1号(1964-04)和2号(1964-11)分别以金星及火星为目标，但未能发回有关行星的资料。"探测器"3号(1965-07)在进入绕日轨道前发回了月表780万平方千米面积的照片，包括月球背面的近景照片。"探测器"5号(1968-09)是第一个绕月飞行后返回地球软着陆的航天器。6～8号(1968-11～1970-10)都做绕月飞行，它们携带生物标本，并发回月球表面的照片。

zonda 干热焚风 从西面越过安第斯山脉吹来的阿根廷冬季的焚风(**foehn**，沿山坡向下吹的干热风)。在阿根廷，zonda也指一种在低气压系统前面，从北方吹过平原的湿热风。

zone melting 区域熔化 靠熔化狭窄区段并使熔化了的液体区域缓慢移动通过一段较长的固体锭条或装料(待熔材料)，来提纯元素或化合物，或者控制它的化学成分的技术。当熔化区移动时，可使杂质沿锭条重新分布。杂质的最后分布取决于杂质在原待熔材料内的分布、杂质在锭条材料的固相和液相间的分配(称为分配系数 k，它是各种杂质的特性参数)，以及熔化区的大小、数量和移动方向。区域熔化是利用凝固过程来控制杂质的方法。此法利用凝固的晶体在化学成分上与从中形成结晶的液体不同，使狭窄液体区通过一段较长的固体。

区域精炼是区域熔化技术中最重要的一种方法。在区域精炼中，使若干熔化区沿一个方向通过固体而将固体精炼。每一个区域都携带一部分杂质到待熔材料的终端，因而就净化了剩余的部分。美国科学家W.G.普方最早发表了区域精炼法，并于20世纪50年代初期首先用于提纯制造晶体管所需的锗。所获纯度是前所未有的，杂质含量少于10^{-10}。结果全世界的晶体管制造业很快就采用了这个方法。由于区域精炼的原理适用面广，因此该法被用来精制过许多材料。已有1/3以上的元素和数百种无机和有机化合物采用区域精炼法，使它们的纯度提高到最高水平。其中很多首次被提纯到足以显示出它们的固有性质。

区域精炼的原理 当含有杂质B的材料圆棒A被熔化，随即使之从一端到另一端缓慢凝固时(如图1A)，杂质通常集中在圆棒最后凝固的区域内。这是正常的凝固过程。在这个例子中，组分B被重新分布，这是因为在固-液界面上，B的原子(或分子)更多地进入

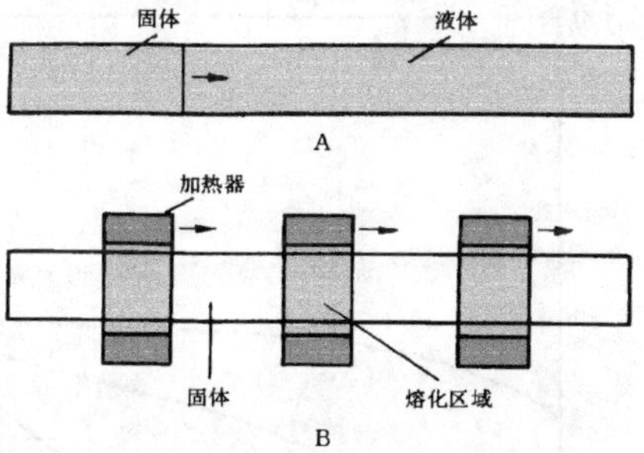

图1 (A)正常凝固(B)区域精炼的示意图

液相而不进入固相。量度这种选择方式的特性参数是分配系数 k，它被定义为杂质B在刚凝固的固体A中的浓度与其在液体A中的浓度之比。在非常缓慢的凝固速率下，存在一种平衡状态；这种平衡状态下的分配系数用 k_0 表示。在中等凝固速率，即1～30厘米/时，有效分配系数 k 位于 k_0 和1之间。这是因为 k 小于1，被排出的杂质B积聚在紧邻向前扩展的固体前面的液体中，所以从刚凝固的固体向前可以看到比大部分液体含有更多杂质的液体。如果凝固得足够快，则 k 可接近于1；即液相中的杂质浓度与固相中的杂质浓度相同。在这种情况下，就不会有区域精炼，而且固-液界面可能变为树枝状。

正常的凝固操作是人们早就知道的反复部分结晶技术的基础。虽然居里夫妇曾用这种技术分离出镭，但是该技术从未得到广泛应用，因为它需要一个长且麻烦的操作程序：部分凝固，将晶体与未凝固的液体分开，再熔化，以及与其他部分再结合。

区域精炼可以非常简单地得到相同的结果。如图1B所示，通过一系列加热器可使一系列熔化区在同一方向穿过锭条。每一个区域在其熔融界面吸入杂质，并在其凝固界面凝固出比液体所含杂质更少的固体，且无需将各部分分开和重新结合，甚至丝毫不用接触或移动装料。

对于具有10个熔区那样长的锭条进行连续若干次的区域熔融后，且取 $k=0.5$(个既不特别有利又不特别无利的数值)，则杂质B的分布如图2所示。

当进行更多次区域熔融时，锭条的起始杂质浓度就会逐步降低到一个称为极限分布的极限值。杂质B的这个最低浓度非常小，它小于0.000 1。

区域精炼的技术 通过加热的方法(和冷却相邻的固体)可以形成液相区。已采用许多有实用价值的加热方法，如电阻线圈、感应加热、电弧、电子束、辐射能、等离子体(离子化的气体)、太阳能、激光以及珀耳帖加热和冷却(电流通过两种不同材料的接合处形成的)。对于有机化合物采用电阻线圈加热更为普遍，但也有使用辐射加热的。如果元素和化合物在室温下是液体，则通常可在电冰箱里实现区域熔化操作。

所用容器应不污染所盛材料。已广泛使用玻璃、石英玻璃(耐热和耐化学腐蚀)、熔凝硅、钼、钽和石墨制造容器。如果在垂直方向进行区域精炼，则使用透明容器是有益的，但是使用不透明(如不锈钢)容器也能取得很好的效果。如果容器是水平放置具有半圆形截面的船形器皿，则可以是不透明的，因为液相

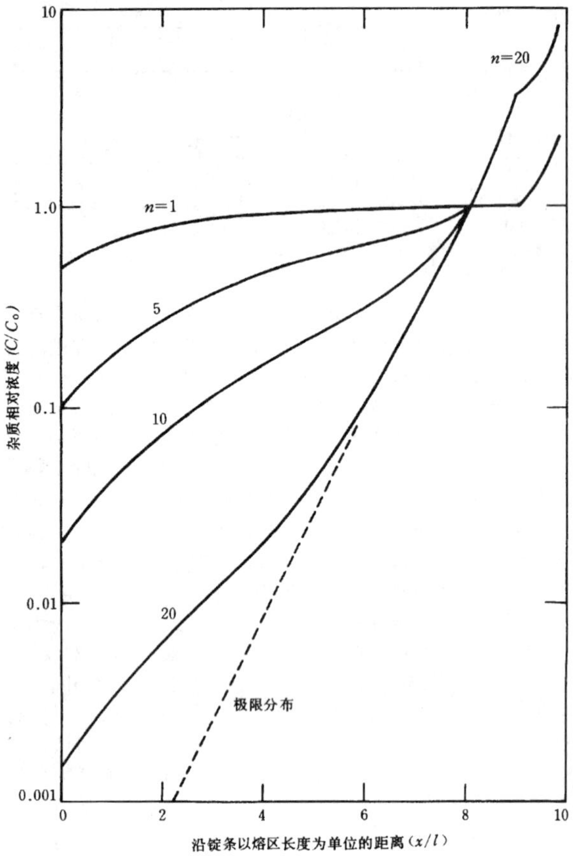

图 2　锭条杂质的相对含量沿锭条变化的半对数曲线（锭条相当于 10 个熔区长，分配系数为 0.5，n 为熔区通过数）

区很容易与固相区相区别。当采用垂直或水平放置的装满待熔材料的容器时，必须注意防止由凝固（或熔化）时体积的变化和不同热收缩率（若熔融液体黏附在容器壁上时）所引起的破裂。对这些问题已经找出多种解决方法。

容器对待熔材料的污染，在所有提纯工作中都是一个大问题，但是对于区域精炼，已经找到了一种独特的解决办法，即悬浮区域精炼法。此法是美国科学家在生产超纯硅时发明的。硅这种半导体元素在大多数晶体管应用中甚至比锗还有用。在悬浮区域精炼中，用两个端夹头夹住一根垂直的硅棒，用感应加热法（由交变磁场感应出的电流产生热）产生的局部熔化区沿硅棒移动。液体靠自身的表面张力保持在原位。在理论上，表面张力限制稳定熔化区的高度。为了稳定较高高度上的熔化区，已设计出各种巧妙的感应加热过程。商业上已经用这种方法生产出几乎非常完善的超纯单晶硅。

在高温下熔化的物质也具有较高的表面张力，从而有可能用悬浮区域精炼法进行超纯精炼。这方面的例子有钨、钼、钽和铍。一个 0.5 英寸的铍棒，平时是非常硬和脆的金属，经过在高真空中用电子束产生熔化区的悬浮区域精炼后，可以很容易地被手折弯 360°。但是，在应用区域熔化技术时，其他一些重要因素，如搅拌、自然对流和对气化物质的处理等，都必须考虑进去。

实际应用　区域精炼法作为一种物理分离法，其成败在于如何利用一种成分在两相间的浓度差。在蒸馏中，如果在沸点的分离是不利的，则可将蒸馏器做得长些。在区域精炼中，如果分配系数接近于 1，则可将锭条与熔化区的长度比加大一些。

区域精炼法已用作几百种物质的主要提纯技术。但是，它的缺点是过程进行得比较缓慢。对于有机物，典型的凝固速度是 0.1～2.0 厘米/时；对于无机物是 0.5 ～ 30 厘米/时。此法独特的优点是简单而且不受容器和诸如在结晶中通常作溶剂用的化学试剂污染。

商业上，区域精炼是制造半导体的重要方法。该技术的实验性应用很多而且多样，但是对制备有限数量的极纯材料特别有用。由于金属热导率高，热损失大，所以此法不适用于大规模（每天数吨）的金属精炼。但是，按吨计的有机化合物使用区域精炼，看来是可行的，因为有机化合物的热导率低。

液-固转变今后可能将继续作为区域熔化的主要方面。但在蒸气-固体和固体-固体的转变方面已证明区域精炼效果良好。蒸气-固体转变，由于蒸发时体积发生巨大变化（其结果是材料必定会沿着装料管移动）而实际上受到限制。固体-固体的转变则因在固体中扩散缓慢而受到限制。

Zong Bing　宗炳（375～443）　又拼 Tsung Ping。中国南朝宋画家、学者、音乐家。字少文，南阳涅阳（今河南镇平）人。士族，隐居不仕。擅长书画与弹琴。在庐山曾参加名僧慧远领导的“白莲社”，研究佛学，著有《明佛论》。好游览山水，所历甚广，后归老江陵（今属湖北），将所见山水景物，绘于屋壁，自谓：“澄怀观道，卧以游之”，又谓“抚琴动操，欲令众山皆响”。著《画山水序》云：“去之稍阔（远），则其见弥小，今张绡素以远映，则昆阆之形，可图于方寸之内，竖划三寸，当千仞之高；横墨数尺，体百里之迥。”在 4 世纪就解决了山水画空间关系处理的关键问题。文末提出山水画不仅能给人以美的享受，更能使人尚友千古，甚至能“与天地精神往来”（庄子语）的“畅神”说，将山水画的地位空前提高。这也是人物画“以形写神”说的新发展。与宗炳同时稍后的王微，在其所著《叙画》中也提出“以一管之笔，拟太虚之体”，即主张山水画要体现自然的内在精神。这和当时士大夫好游山水的社会风尚，玄学家的崇慕自然，山水诗的出现，尤其是和在绘画艺术领域中前辈画家戴逵、顾恺之等在这方面所取得的成就等都是分不开的。此外宗炳还运用张芝、王献之书法艺术的笔法，创制出“气脉通连”的“一笔画”，此种画法又为陆探微开了先路。

Zongmi　宗密（780～841）　又拼 Tsung-mi。中国唐代僧人，华严宗五祖，又是禅宗菏泽系禅师。因常住陕西鄠县圭峰草堂寺，世称“圭峰大师”。俗姓何，果州西充（今属四川省）

中国大百科全书出版社供图

人。幼通儒术。元和二年（807）谒遂州道圆禅师，即随从受教，同年从拯律师受具足戒。后读澄观《华严经疏》和《大疏钞》，欣然到长安（今西安市）华严寺从澄观习华严教义，昼夜随侍达 2 年之久。此后即在终南山草堂寺诵经修禅，传法著述。宗密在阐述华严教义同时，对禅宗也广事撰述，收集诸宗禅言为《禅源诸诠集》百卷，今仅存其《都序》。唐文宗曾两次诏入宫中演说佛法，敕号大德。卒后追谥“定慧禅师”。宗密著作约 200 卷。除《禅源诸诠集》外，还有《华严经行愿品别行疏钞》、《注华严法界观门》、《圆觉经大疏》、《圆觉经大疏钞》、《盂兰盆经疏》、《华严原人论》、《禅门师资承袭图》等。

Zonguldak　宗古尔达克　土耳其西北部城市，宗古尔达克省省会。黑海海港。港口设备完善，为宗古尔达克与埃雷利之间盆地所采煤炭的主要出海口。19 世纪中叶以后因煤业发展，城市繁荣，人口急剧增长。1940 年后大力发展矿业，全市就业人口约 80% 与煤业有关。设有宗古尔达克矿业技术学校，并有化工厂和炼焦炉。铁路线通安卡拉，海上航线通伊斯坦布尔。宗古尔达克省面积9 038 平方千米。多山地，森林繁茂。境内有阿拉奇河、代夫雷克河、菲利约斯河和奥瓦河，沿河肥沃谷地产玉米、亚麻和蔬菜。为全国重工业中心。卡拉比克、埃雷利有全国最大的钢铁联合企业。附近有全国最大的煤田。恰塔拉泽发电厂供全国西部广大地区用电。巴

黑海海滨的宗古尔达克市

供图：Turkish Press Broadcasting and Tourist Dept.

尔滕素以建造小帆船闻名。人口：市109 044（1980）；省约1 025 600（1983）。

Zonheboto　宗合博托　印度东北部那加兰邦宗合博托县县城和城镇。位于科希马镇东北66千米处。城镇有一些家庭手工业。宗合博托县面积约1 300平方千米。地形崎岖，平均海拔600～900米，覆盖着浓密的森林。区内地层断层线纵贯交错，有时发生地震。拉尼耶河和迪库河均作南北向流经窄谷。经济以农业为主，实行轮作。作物有水稻、姜、薯蓣、棉花、玉米、马铃薯、水果、芝麻和甘蔗，并饲养猪和家禽。家庭手工业有织染与藤、竹、木器、制陶等业。有伐木业并开采石灰石和煤炭。交通不便。主要民族为安加米族、仑格马族、查克桑族和择利昂族。由于地形复杂陆路交通困难。人口：城镇11 473；县96 218（1991）。

zoning　分区制　管理土地使用性质的立法措施，主要用于城市地区，即将土地划分为若干个区，对于行将建设的建筑类型（例如商业建筑或居住建筑）、人口密度等问题作出规定，并对每个区制订其土地和建筑可以合法地发展和使用的特定条件。分区制与其他的城市规划措施相配合是在城市中获得较好的有形秩序的重要手段。分区制的最早形式受到至19世纪末欧洲各城市采用的建筑与城市规划管理办法的启发。1875年左右，德国和瑞典的城市，根据久已确立的市政府权力，对旧城周围进行城市化建设的新土地实行分区制，作为控制建筑物高度及密度、避免拥挤的方法。德国和瑞典的城市由于较早建立了详细的分区规章，并在随产业革命而来的大规模建筑活动中广泛地执行，对城市秩序性以及对建筑界线和高度的控制贯彻始终，因而取得较好的效果。与此相反，美国的分区制在于较多地考虑到土地利用的社会和经济功能，而不在于建筑和总体布置的标准。美国最初的分区制法规，约制订于20世纪初，是为了需要规定商业和工业的活动地点而编制的。

zoo　动物园　又作zoological garden，zoological park。展出豢养野生动物（在某些情况下包括家养动物）的场所。一般说，野生动物在动物园内所能得到的照顾比自然保护区或禁猎区内多得多。大部分历史较为悠久的动物园展出各种各样的动物，但某些建立较晚的动物园则专门展出某些类群的动物，如灵长目动物、大型猫科动物、热带鸟类或水禽类等。海生无脊椎动物、鱼类以及海生哺乳动物则常豢养于单独的机构——*水族馆*（**aquarium**）——内。英语中zoo一词在19世纪晚期出现并流行于伦敦，用作zoological garden一词的缩略语。

最早的动物园于何时建立尚不清楚，但动物园的出现可能与人类企图驯化动物有关。早在公元前4500年，相当于现代的伊拉克地方的居民就已养鸽；再过2 000年，象在印度已可半驯化。可追溯到公元前2500年的塞加拉古埃及墓画中描绘着羚羊类（包括旋角羚，巨角塔尔羊，大羚羊等）戴着颈圈的形象。在中国，约公元前1150年时，商朝的王后妲己用大理石建造了“鹿台”；公元前1000年前在位的周文王建造过称为“灵台”的动物园，该园占地1 500英亩。

圣经时代的所罗门王，在位年代也约在公元前1000年左右；他既从事农业，也是动物学家。在他以后的至少600年间，其他一些国王也都管理着动物园，这包括亚述的塞米拉米斯女王和亚述巴尼拔王，以及巴比伦的国王尼布甲尼撒。

公元前7世纪的古希腊人已将野生动物捕来饲养，可能到公元前4世纪大部分希腊城邦国家（如果不是全部的话）都存在这种现象。亚里士多德（公元前384～前322）显然对动物园的情况十分熟悉；他的最著名学生亚历山大大帝就把在进行军事远征时捕到的许多动物送回希腊。

在早期，古埃及和亚洲的动物园主要用以向公众展出动物，研究是次要的；但亚里士多德时代的希腊人对研究和实验给予更多的关注。古罗马人豢养的动物有两种类型：其中一类将被送到角斗场，另一类饲养于私人动物园和鸟舍中。

随着罗马帝国的衰亡，动物园事业也走下坡路，但公元8世纪的查理曼大帝和公元12世纪的亨利一世均保持着收集豢养动物的习惯。在欧洲，腓力六世于1333年在巴黎的罗浮宫有一个兽栏，波旁王朝的许多国王也在凡尔赛豢养着许多动物。

在新大陆，H.科尔特斯于1519年在墨西哥发现一个宏伟的动物园。该动物园饲养着猛禽、哺乳动物和爬行动物，其规模极大，需要300个工作人员才能维持其运转。

现代的动物园事业可以说起始于1752年，当年在维也纳的申布伦府邸建立了一所皇家动物园。该动物园于1765年向公众开放，至今依然兴旺。1775年在马德里皇家公园内建立了一所动物园，18年后巴黎的皇家植物园开始建立其动物园。1828年，伦敦动物学会在摄政王公园建立自己的动物园，这是该学会成立2年之后的事。

到19世纪中叶，动物园在全世界陆续开办起来；其中有40多所一直维持至今。这些维持至今的动物园中大部分在欧洲，而且历史超过100年。第二次世界大战结束以来，动物园事业一直在世界范围内迅速发展，其中许多动物园之所以建立，其目的不是研究动物而是为了娱乐公众和获取商业利益。今天全世界向公众开放的动物园总数不详，但知在1 000家以上。

功能和目的　由科学学会管理的动物园，其目的主要是研究动物。因此，伦敦动物学会的目的，就如在其《皇家特许状》中所述，是“促进动物学和动物生理学，并提出有关动物界奇特的新课题”。该学会一直是全世界许多其他动物学会的榜样。在19世纪科学动物园内进行的研究工作主要强调分类学、比较解剖学和病理学。今天，科学研究的机会要多得多，少数学会已建立了专门的研究机构。在美国，费城动物园的彭罗斯研究室特别关注比较病理学研究。纽约动物学会管理着一个动物行为研究所，并在特立尼达管理着威廉·毕比热带研究站。在英国，伦敦动物学会除一家现代化的医院和几个病理实验室外，还管理着两家研究机构——纳菲尔德比较医学研究所和韦尔科姆比较生理学研究所。

许多动物园出版自己的科学杂志和期刊，其内容从科学普及到技术性极强的文章。伦敦动物学会也在这方面起牵头作用。学会的“公报”今称为《动物学报》，自1830年起出版，至今从未间断。

近年来，少数动物园更加努力向各级学校的学生提供教育活动的机会，通常是与教育当局合作进行。有些动物园有专职的或志愿的向导，其职责是向参观者提供更多的信息，固然笼槛上的说明标签也提供一些信息，但他们提供的信息比这多得多。另一些动物园提供“会说话的标签”（由参观者自己操纵的预先录制好的磁带），从而也能满足这方面的需求。

第二次世界大战以来，已设计和建立了许多用作繁育中心的动物园，用以繁育在野外已濒于绝灭的动物。许多濒危动物在豢养条件下繁殖生息，物种得到挽救。例如，在1947年估计全世界只有夏威夷还存活着50只夏威夷雁，其他地方则一只也未发现。1950年两只夏威夷雁被收容在英格兰库析的野生动物托拉斯，1951年孵出一只小雄雁。夏威夷雁继续成功地繁殖下去，这些在欧洲豢养的种群渐渐扩散到十多个不同的动物园中，以减少因疾病或掠食者造成的风险。另一个在动物园内繁殖而得到挽救的物种是欧洲野牛，最后一只野生的欧洲野牛于1925年死亡。其他在动物园的帮助下得以生存的种有四不像以及许多罕见的狩猎鸟类。在动物园内出生的野生动物越来越多，这使人产生希望：动物园也许能用在园内出生的动物重新恢复野生的种群（而将野生动物捕来展出是不能达到这个目的的）。

设计和建筑　动物园的设计和建筑必须满足两个常常是互相冲突的需求：动物（以及照顾动物的动物园工作人员）的需求和来参观的公众的需求。动物园的位置、规模、布局、园龄以及气候条件千差万别，因此很难有一个标准的建筑形式。

城市动物园可能占所有动物园的80%，其规模必然受到限制，又必须最充分地利用一切可利用的空间。动物通常养在房舍内，有时这些房舍还附有一片带围栏的露天场地。通常需要设置笼槛或某些形式的屏障以预防动物逃遁，并使公众不能走到离动物太近的地方。笼槛内有一些最简单的设备，如供狮子、老虎搔痒的桩柱和供猴类攀缘用的树枝和悬挂的链条、绳索等。此外，现代材料也用得越来越多，用来建造背景、人工岩石和树木等，以便模拟更自然的生境。

象和犀牛都属于体型最大的动物之列，通常饲养在同一所建筑物内；该建筑物有时也设计来收容河马和貘。通常也给这些动物提供露天围场，围场中总有一个池塘供河马使用，也常供其他动物使用。长颈鹿可以高达4.5米，显然需要住在具有足够净空高度的建筑物内，也需要一个露天围场，好在此活动身体。马、斑马、獾加狓、骆驼、猪类、牛类和羚羊类既需要房舍，也需要围场。只有小型的哺乳动物可以方便地关在一所房子里而不需要露天围场。

许多动物园成功地将夜行性动物安置在建筑物内展出，在这种建筑物内通过人工照明的方法将正常的日光周期颠倒过来。在正常情况下，这些夜行性动物于白天睡觉，但此时动物园正向公众开放，于是建筑物内以微弱的白色或红色光线照明，这使动物保持活跃状态。到了夜间，建筑物内反而灯火通明，于是动物得以入睡。

城市动物园的大型鸟舍形式多种多样。可以是一所房子，里面有许多小型的鸟笼，每个笼中关着一只或一对鸟。可以是一个很大的鸟笼，里面收容着许多鸟，这些鸟可以是近缘的种类，也可以是生活于某种生境的不同鸟类，如水滨鸟类或林地鸟类。为了既把鸟类关在鸟舍内，同时又能使观众看到，可以采用许多方法。金属丝网是最常用的方式。有一种用钢琴丝以0.5～1英寸的间隔垂直排列建成的鸟舍，对视线的影响更小。有时也使用玻璃，但除非安放在适当的位置，否则玻璃会产生有害的反光。鸟类也可以关在简单而有效地“围起来”的鸟舍内，该鸟舍内的某些部分受到强烈的照明，而公众区则处于黑暗中。所谓“穿行”鸟舍是这样的：鸟类有一个很大的活动空间，并允许参观者通过“气密”类型的门进入其中。这样的鸟舍可以模拟带有植被和溪流的自然环境。

水禽和猛禽通常关在附有隐蔽处的露天鸟舍内。为这些鸟类建造的现代鸟舍非常大，其中的鸟有充裕的空间进行活动。

世界上最宏伟的大型鸟舍之一见于加利福尼亚州的圣迭戈动物园，大到可以将自然的峡谷包容在内，其中一个用作穿行鸟舍，高约25米，长46米，宽21米。伦敦动物园的斯诺顿穿行鸟舍，大小与此相近，但建在一个人造悬崖上。该穿行鸟舍于1965年开放，设计颇为独特。电镀的钢制强力缆索和铝管制成的起重三角架支撑着悬在半空中的四角形框架。穿行过道从悬崖顶端向外伸出12米。

动物园设有四周围起的爬行动物馆，动物可以关在置于馆内的单独的笼子里。在热带和亚热带的动物园中，爬行动物常关在露天的半自然状态的围场或坑穴中。

当动物被关在房舍内时，通风、光照、温度和湿度要经过调整，以适应有关物种的特殊需求。每所建筑物内可能需要安装供暖总站和增湿器，对不同的笼子还有单独的控制系统。许多动物喜欢在“热地点”晒太阳，并在温度较低的环境中觅食。有时红外线灯可用于此目的，对生活于荒漠的爬行动物之类的物种也可以使用紫外线灯。若窗户能透过紫外线则直接的日光照射就已足够。

20世纪30年代早期以来，在农村环境建立了许多开放场地式的动物园。其原型是1932年伦敦动物学会建立的惠普斯内德公园。与城市动物园相比，此类动物园中展出的动物种类较少，但豢养于大型的围场内更为自然的条件下。用各种各样的方法，包括充水的壕沟、干燥的壕沟和金属丝网筑成的围栏等，将动物限制在其活动范围以内。

虽然许多开放场地式动物园在围场内只展出一种动物，如一群狮子、一群角马或美洲驼，但一些此类动物园也试图创建一些由不同动物种群组成的生境展示。最好的此类动物园之一在瑞典的布罗斯帕尔肯，园中的非洲生境展示动物包括象，白犀牛，格兰特氏斑马，网纹长颈鹿，白尾角马，地犀鸟，鸵鸟和珠鸡等。

某些现代的动物园称为观兽园或狮园，园中的动物被围在一个面积极大的围场内，参观者可以驾车进入。这种做法是以非洲自然保护区的实践为基础的，但如果进入的车辆过多，如果参观者未能把车窗关紧或离车外出，则可能出现危险。只要开放场地式动物园由有经验的并受过适当培训的工作人员管理，并且园内有值班兽医专门照管从外国引进的动物，这种动物园便会成为稀有动物或濒危动物的繁育中心。

动物的获得和管理　据估计，对一所高质量的现代动物园而言，每20头展出的动物中，仅约5头是在豢养条件下繁育的，其余则是捕自野外，通常从动物商贩手中购得。同样地，每从商人手中购得一头动物，就很可能有几头在人们搜捕的过程中丧生或在卖给动物园或其他买主前死去。为了保护动物，最好从豢养的动物中繁育后代。

动物到达动物园后应先进行检疫，并使之适应其新环境。各动物园之间也直接地或通过《国际动物园年鉴》互相交换有关适当营养的信息。也要研究温度和其他环境要求。例如，某些企鹅必须饲养在供应冷气的室内才能健康地生活并生殖后代。也应给动物提供足够睡眠的场所，如给狐狸和狼提供窝穴，给啮齿动物提供地洞等。

资金筹集　动物园的资金有多种来源。在美国，大部分动物园的经费全部或部分来自所在州、市或镇的公共资金。华盛顿的国家动物园是美国国会于1889～1890年建立的。地皮由美国政府购买，日常开支来自公共基金。纽约市的布朗克斯动物园和费城动物园则由动物学会管理。这两家动物园的经费部分来自会员的捐赠，部分来自门票收入，部分来自每年的市政津贴。在英国，大部分历史悠久的动物园都有教育的目的，而且由学会或托拉斯管理。动物园的日常开支靠门票收入、会员捐赠、赠予和遗赠来支付。

大部分欧洲的动物园，尤其是德国的动物园，是作为市政机构管理的，但也收取门票。某些著名的动物园，包括科隆和法兰克福的动物园，得到市政府的资助，但由动物学会管理。巴黎动物园是直接由法国教育部支持的许多机构之一，同样，莫斯科动物园也是国家机构。

在许多国家，建立了动物园协会或动物园联合会。其中最大的是1924年成立的美国动物园和水族馆协会。其他动物园联合会包括大不列颠和爱尔兰、西班牙和通用西班牙语的拉丁美洲国家、日本、波兰和德国的联合会。有关的组织包括国际动物园园长联盟和野生动物增殖托拉斯。这些联合会的宗旨一般包括收集和传播下述事实和信息：动物园的管理，保持和提高动物园的水平，促进动物的交换和进口以及野生动物保护。

zoochlorella　动小球藻　生活在各种淡水原生动物和无脊椎动物体内的小型绿藻（如小球藻属[*Chlorella*]）或有鞭毛原生动物（如四鞭藻属[*Carteria*]）。常使其寄主带上绿色（如绿水螅和绿色的袋状草履虫[*Paramecium bursaria*]）。作为共生者，动小球藻利用二氧化碳及含氮、含磷废物，并提供氧与营养物质。有时动小球藻被寄主消化，也能独立生存。可在寄主的生殖细胞中代代相传下去。

zooflagellate　动鞭毛虫　传统上归入动鞭毛虫纲（Zoomastigophorea 或 Zooflagellata）的具鞭毛的原生动物。但现在的分类系统对该词的分类学意义提出疑问，因为已发现有些动鞭毛虫能行光合作用，而有些植物鞭毛虫能营异养生活。动鞭毛虫以渗透营养或吞食营养的方式同化有机物质。某些属的动鞭毛虫，其可弯曲的表膜可容伪足突出。动鞭毛虫形态差异很大。可自由生活，或与人类、其他动物、其些植物形成共生、共栖或寄生关系。参阅 **choanoflagellate**；**Holomastigotoides**；**hyper-mastigote**；**protomonad**；**trichomonad**；**trypano-some**。

zoogeographic region　动物地理区域　参阅 **faunal region** *动物区系区*。

zoogeography　动物地理学　*生物地理学*（**biogeography**）的一个分支学科，主要研究各动物种属的地域分布问题。除研究并确定现有动物的分布现状外，动物地理学家致力于根据地理学、地形学、气象学、地质历史学的有关知识，并根据对各类相关动物的进化史和亲缘关系的研究结果，建立新的理论体系，对各动物种属的地域分布问题做出科学的解释。

zoology　动物学　生物学的一个分支学科，研究动物界的种类以及一切称为动物的生物体。动物学不仅研究动物的身体结构及作为其基础的生命过程，还研究动物个体和群体相互之间以及它们与环境之间的关系，涉及一切可想象到的研究内容。因为动物学涉及范围极广，故又可分为许多次级分支学科，其中主要的分支学科包括细胞学、胚胎学、形态学、生理学、病理学、古生物学、遗传学与进化论、分类学、行为学（研究动物的行为）、生态学和动物地理学等。动物学起源于古希腊和罗马帝国时代，希波克拉底、亚里士多德、普林尼的著作中已有许多有关动物学的内容。

以后的博物学家继续保持亚里士多德的传统。15世纪印刷术发明,有力地促进了信息的传播。W.哈维(血液循环)、C.林奈(命名系统)、布丰(博物学)、G.居维叶(比较解剖学)等人的研究成果,进一步促进了动物学的发展。研究证明,细胞是所有生物的共同结构单位;化学研究也取得进展,这些都有助于C.贝尔纳提出内环境稳定的概念。随着技术的进步,许多新的生物学分支学科(如胚胎学)开始发展。1859年,动物学研究出现一个重大的转折点,当年C.达尔文发表《物种起源》,在书中系统地阐述了进化的理论。从那时起,遗传学研究变得对许多生物学学科必不可少。随着动物学各分支学科的分工越来越细,人们也越来越清楚地认识到,有必要进行跨学科的研究。

Zoomastigophorea 动鞭毛虫纲 又作Zooflagellata。原生动物的一纲。参阅 **zooflagellate**。

zoonosis 动物传染病 人与其他脊椎动物均可受染的传染病。原来仅指可从家禽、家畜传染给人的疾病,现指人与其他脊椎动物间可以互相传播的疾病。如狂犬病(**rabies**;可从诸如犬、狐、蝙蝠及啮齿动物之类小型哺乳动物受染);鹦鹉热(**psittacosis**;可从鹦鹉科鸟类受染);炭疽(**anthrax**;可从反刍动物、马类及猪受染);图莱里热(**tularemia**;可从兔类、野生啮齿类受染);鼻疽(**glanders**;可从马类受染);布鲁斯氏杆菌病(**brucellosis**;可从家畜受染)及多种呼吸道传染病(从家禽、家畜、家庭宠物受染)。

zooplankton 浮游动物 漂浮的或游泳能力很弱的小型动物。随水流而漂动,与浮游植物一起构成浮游生物。几乎一切海洋生物的营养来源均最终依赖浮游生物。从单细胞的放射虫和有孔虫到鲱、蟹和龙虾的卵或幼虫,都可见于浮游动物中。终生浮游生物(如原生动物和桡足类)以浮游生物的形式度过全部生命,暂时性浮游生物或季节性浮游生物(如幼海星、蛤、蠕虫和其他底栖生物)在变成成体而进入栖息场所以前,以浮游生物形式生活和摄食。

zooxanthella 动金甲藻 有鞭毛原生动物,有时划归于黄藻(黄绿藻)。载色体含黄或褐色素。动金甲藻生活在其他原生动物(有孔虫和放射虫)以及某些无脊椎动物体内。利用寄主的二氧化碳和废物,并供给氧与食料于寄主。动金甲藻在寄主体内度过其静止期。有时逸出寄主成为自由游动的鞭毛虫。例如隐滴虫属(*Cryptomonas*;参阅 **cryptomonad**)和金藻属(*Chrysidella*)。

Zophar 琐法 又拼Sophar。《约伯记》(2:11,11:1,20:1,42:9)中约伯的三位安慰者之一。约伯是《圣经》中一位无端遭难的好人。像另外两位安慰者比勒达和以利法一样,琐法强调希伯来人的老观念:恶人不免受苦;因此,约伯自称无辜无非是骗人,甚至是有罪的。琐法比约伯的那两位朋友更加慷慨激昂。《约伯记》第2章说他是拿玛人,拿玛或许是阿拉伯的一个地区。琐法第一段发言(11:1)大讲三种思想:上帝具有无限的超在性;约伯必须悔弃自己否认的罪以便上帝使他出灾入福;恶人必遭毁灭。琐法的第二段发言(20:1)首先承认自己急躁。约伯哭求朋友们怜悯,约伯的某些论点难倒了琐法。他强抑怒火,斥责约伯而大谈恶人的享乐无非昙花一现。这种人可能得意于一时,却"必吸饮虺蛇的毒气"(20:16),那时他才发现"地要兴起攻击他"(20:27)。琐法不同于那两位朋友,他没有作第三次发言,有些解经家断定,约伯的多次发言中包含着这第三段答复。

Zoppot(Poland) 参阅 **Sopot** 索波特。

Zoquean(people) **佐克人** 参阅 **Mixe-Zoquean** 米塞-佐克人。

Zorach, William 佐拉奇(1887-02-28,立陶宛厄尔博格~1966-11-16,美国缅因巴斯) 美国雕刻家,坚持朴素的譬喻主题的传统主义,在20世纪初重新提倡直接雕刻法的带头

供图:© Arnold Newman

人物,主张雕刻家应直接从他所要雕刻的材料中寻求形象,而不要依靠模特儿提供的灵感或机械方法的帮助。其成熟作品形体巨大,能巧妙利用石、木等材料的天然颜色、纹理和结构,雕琢往往只是为了使材料表面更加增色。佐拉奇4岁移居美国,在克利夫兰长大,先后在克利夫兰艺术学院和巴黎学画。在巴黎时(1910~1911)曾仿照马蒂斯和其他野兽派画家的风格,以鲜艳的色彩和不拘一格的形式作画。1917年开始从事雕刻,1922年放弃除水彩以外的绘画,1929~1960年在纽约市艺术学生联合会任雕刻教师,鼓励许多学生从事木雕。其主要作品包括:《舞之魂》(1932,纽约市无线电城音乐厅),梅奥诊所浮雕《人与工作》(1953,明尼苏达州罗切斯特)以及《海之魂》(1962,缅因州巴斯)。他写过两本书:自传《艺术就是我的生命》(1967)和《佐拉奇论雕刻》(1947)。

zorapteran 缺翅虫 缺翅目昆虫,1科,至少22种。除欧洲外,各大洲都有分布。体小,长度不足3毫米,咀嚼口器,触角9节。多数无翅,无眼;少数有两对翅脉稀疏的膜翅和眼。成群生活在腐木的树皮下及腐殖土

树皮下缺翅虫的若虫

供图:E.S.Ross

内,但无社会组织。以其他节肢动物和真菌孢子为食。无经济价值。

zorille(*Ictonyx* [sometimes *Zorilla*] *striatus*) **非洲艾虎** 又拼zoril,zorilla,又称striped polecat(条纹艾鼬),African polecat(非洲艾鼬),Cape polecat(好望角艾鼬)或striped weasel(条纹鼬)。非洲的鼬科食肉动物,常见于各种栖

非洲艾虎(*Ictonyx striatus*)

供图:Russ Kinne—Photo Researchers

息地。体细长,长29~39厘米。蓬松的白尾长21~31厘米。毛长而黑,背部有白色斑纹,脸部有白色斑点。通常独居,夜出捕猎,以啮齿动物和昆虫为食。一窝2~3仔。

Zorn, Anders (Leonard) 左恩(1860-02-18,瑞典莫拉~1920,莫拉) 瑞典油画家、铜版画家,19世纪末欧洲享有国际声誉的风俗画和肖像画家。曾在斯德哥尔摩学院学习,遍

左恩的铜版画《恩斯特·勒南》(1892)

斯德哥尔摩国家博物馆供图

游欧洲,并在英国、法国和美国工作,1896年回到莫拉。用油画和水彩创作印象主义风景画和肖像画,以其表现农村浴女的作品最为著名。他的铜版画是运用贯穿版面的复合平行线的技法刻制成的。

Zoroaster 琐罗亚斯德(约公元前628,伊朗拉格斯?~约前551) 古伊朗语作Zarathushtra或 Zarathustra。伊朗宗教改革家、琐罗亚斯德教创始人。作为世界宗教史上一位重要人物，他引起人们注意有两个原因。一方面，他成为一个据信与希腊化时代（约公元前300～公元300）流行于近东和地中海地区的奥秘和巫术有联系的传奇人物；另方面他的一神论观念引起现代宗教史学家的注意，他们思索他的教义与犹太教、基督教信仰之间的联系。尽管泛伊朗主义的极端要求可以不予重视，但琐罗亚斯德的宗教思想的广泛影响却不容忽视。根据琐罗亚斯德教传说，他主要活动在亚历山大以前258年。亚历山大于公元前330年征服阿契美尼德王朝（公元前559～前330统治波斯）首都波斯波利斯。他出身于低级骑士，他可能是祭司，经过智慧之主阿胡拉·玛兹达向他显现，奉这位神灵之命宣传真理，结果遭到当地政治、宗教当局的反对。他固然坚信阿胡拉·玛兹达向他启示的真理，但不准备彻底推翻伊朗固有的多神教，仅仅宣称，在使人永生免死长享幸福的正义之国，阿胡拉·玛兹达总其枢纽。他一方面着重讲述一神论，另一方面又宣传二元论，谓智慧之主有一个对手，即阿里曼（又叫安格拉·纽曼），是万恶之源；人可以在善恶两主之间进行自由选择，选择阿里曼的人都是恶人。这种二元的伦理源出于琐罗亚斯德的宇宙论。琐罗亚斯德教义说认为，太初有两灵相会，他们自由在生与无生之间进行选择。经过这种选择，产生了善根与恶根。善根有正义与真理之国与之相应；恶根则有谎言之国，居此国者均为恶魔，即印度-伊朗系各民族本来所崇奉的诸大神。智慧之主与众天使终必消灭罪恶之灵。这一条教义是二元宇宙论和二元伦理的终极，似乎是琐罗亚斯德的宗教改革中的主要内容。乔拉斯米亚国王维什塔斯巴信奉这一套教义之后，将琐罗亚斯德留在朝廷。官员们也有信奉的，一位大臣娶琐罗亚斯德之女为妻。他死后盛传当年他诞生时天地共庆，他曾向许多国家传教，点燃圣火，参加圣战。

Zoroastrianism　琐罗亚斯德教　伊斯兰教出现之前古代伊朗的主要宗教。现存于伊朗偏僻地区并盛行于印度境内帕西人中间。印度-伊朗宗教把诸神分为提婆和阿修罗两类。在印度，阿修罗逐渐被认为邪恶之鬼，而阿修罗（阿胡拉）在伊朗则为大神，提婆则为魔鬼。琐罗亚斯德是号称玛兹达（智慧）的某阿胡拉的祭司。在居鲁士二世大帝统一伊朗之前，琐罗亚斯德生活在远离西亚文明地区的伊朗东部某地。琐罗亚斯德教必是在亚里士多德（前384～前322）时代之前即已传到伊朗西部，因为亚里士多德曾间接提到琐罗亚斯德的二元论。马其顿国王亚历山大征服伊朗后，该国宗教几乎完全为希腊文化所淹没。后来伊朗宗教逐渐复兴。公元1世纪中，科玛吉尼（今叙利亚地区）的诸神既有希腊文名字，又有伊朗文名字。土库曼斯坦境内阿什哈巴德附近尼萨地方曾发现史料，证明当时伊朗已采用琐罗亚斯德教的历法。大祭司长这一称号大概始见于萨珊王朝国王巴赫拉姆五世在位时期（420～438）。伊斯兰教军队于635年在卡迪西亚彻底打败萨珊王朝末代国王亚兹德格德三世（即伊嗣埃三世）。琐罗亚斯德教徒鼓动反抗，招致迫害。在穆斯林统治下，琐罗亚斯德教徒继续存在于伊朗境内亚兹德和克尔曼等地，但备受迫害，势力衰微。10世纪以后，一些琐罗亚斯德教徒分批移居印度境内古吉拉特地方，称为帕西人。他们本来从事农业，地位低下，在英国统治时期开始经商，后来又从事工业，成为繁荣而讲求维新的社会力量。他们原讲古吉拉特语，服色同于印度教徒，后来采用英国习俗和服装，允许女子受教育，废除童婚，并按照西方模式办企业和慈善团体。现在帕西人人口约有10万人，主要居住在孟买。19世纪起，他们从经济和政治方面支援伊朗的琐罗亚斯德教徒。在琐罗亚斯德教的经典《阿维斯陀》（即《波斯古经》）中，只有《伽泰》（《神歌》）据说是琐罗亚斯德本人所著，收在该经《耶斯那》部分。《维斯柏拉特》部分是经过扩充的祭仪。《维斯吠达特》部分述律法如何传授与人，随即列17条戒规。《西罗扎》部分历述司掌每月30天的各神灵。《耶斯特》是21篇神歌，分别赞美21位神灵。《哈托克斯特·纳斯克》描述人死后灵魂的遭遇。《库尔达》又称《小阿维斯陀》，由短篇文字组成。其他巴列维文著作尚有《阿维斯陀》的译本评注以及关于宇宙起源的《本达希欣》。除巴列维文典籍外，琐罗亚斯德教还有一批波斯文著作，或为诗歌，或为散文。据《本达希欣》载，自亘古以来，奥尔穆兹德与阿里曼两神即已存在，中间隔着虚空。阿里曼进攻奥尔穆兹德，于是创业过程开始。根据琐罗亚斯德教楚尔凡派教义，奥尔穆兹德（即阿胡拉·玛兹达）和阿里曼即安格拉·纽曼都是楚尔凡（时间之神）所生。奥尔穆兹德创造物质世界时，先从无限光明引火，火生万物。这种火明亮，色白而形圆，遐迩可见。据说原人伽约玛特也形如球，又似穹苍。奥尔穆兹德创造世界，用以作为战胜阿里曼的战场。两神相约战斗9 000年。他们各自创造自己的物质世界，然后奥尔穆兹德靠阿胡那·伐尔耶祷文击败阿里曼的第一次进攻，于是阿里曼再匍伏3 000年。这3 000年后，阿里曼由邪神（女原人）激起再战，此次战斗是在物质宇宙进行。阿里曼杀死原牛，原牛的骨髓产生植物，其精液被收起置于月中提纯，从而产生有用的牲畜。阿里曼后来杀死原人伽约玛特，其尸体变成各种金属，其精液被保存起来，置于太阳之中提纯。一部分精液产生大黄，大黄产生人类第一对夫妇。他们受阿里曼的诱惑堕落，又3 000年后琐罗亚斯德出世，阿里曼再不能为所欲为。从此奥尔穆兹德与阿里曼势均力敌，继续争斗；再过3 000年，奥尔穆兹德即将取得最后胜利。自阿里曼发动进攻，人即成为必死之物。但人虽死却仍有五种不死之物，即生命、信德、知识、灵魂和先存诸魂。印度和伊朗宗教关于死后的教义有许多共同之处，都相信亡灵先由女性精灵迎接，过有群狗守护之桥前往天堂。据印度古代经籍《奥义书》载，灵魂在天堂有五百飞天迎接。据伊朗传说，人如在世正直，他的信德化为少女迎接他；否则将遇到凶恶的女鬼。人死后灵魂要受审判。到了末世，琐罗亚斯德将重返世界，或是亲身降临，或是借由他的三个儿子之一显现。他的精液每隔1 000年产生一子，最后一子阿斯特瓦特雷特为义的化身，也就是救世主。按照琐罗亚斯德教的习俗，人死后，家人应一天五次将狗带到尸体之前，这狗最好是四眼狗。第一次引狗卫尸之后即将火移入房中，待到尸体移到沉寂塔三天后将火熄灭。移尸必须在白昼。尸体在沉寂塔应裸陈，一二小时后秃鹫啄尽其肉，骸骨经日晒干枯之后投入中央井中。琐罗亚斯德教的伦理教义主要讲如何保持生命而与邪恶作斗争。为了保持生命，人必须从事畜牧和农业，而且生儿育女。与邪恶作斗争就是与魔鬼和他所统率的活物（包括人与禽兽）战斗。

Zorrilla de San Martín, Juan　索里利亚·德·圣马丁（1855-12-28，蒙得维的亚～1931-11-03，蒙得维的亚）　乌拉圭诗人。由于其长篇史诗《塔瓦雷》（1886）而著名。这部6章的长诗据一个西班牙姑娘和一个印第安青年的恋爱传说写成。他的第一本作品《一首赞美诗的注释》（1876），写忧伤和爱国主义的主题，明显地反映出著名西班牙浪漫主义诗人G.A.贝克尔的影响。他以后的作品都以这种情调写成。1879年发表爱国主义颂诗《祖国的传说》。一生中担任过许多政府职务，其中包括乌拉圭驻法国、葡萄牙、西班牙和梵蒂冈公使。

Zorrilla y Moral, José　索里利亚-莫拉尔（1817-02-21，西班牙巴利阿多利德～1893-01-23，马德里）　西班牙诗人、戏剧家、西班牙浪漫主义运动民族派主要人物。他的作品极为流行，现被认为具有纯正的西班牙风格和情调。1889年受封为民族诗人，获得政府年金。最大成就在于他有关唐璜故事的剧本《勾引女人的唐璜》（1844）。这个剧本是他20多岁时所写，后来被他自己贬为失败之作。但是这部作品后来却成为19世纪西班牙最流行的剧本，至今仍经常上演。跟他其余的作品一样，这个剧本也显示出那种使他得以成为民族作家的典型西班牙特色：流浪汉式的人物、各种阴谋诡计、偶然的巧合、勃发的诗情，以及浓重的浪漫主义色彩。

zorrino　参阅 **skunk** 北美臭鼬。

Zorzor　佐尔佐尔　利比里亚西北部城镇，地当蒙罗维亚—塞拉利昂公路线上。为当地克佩尔人和洛马人所产农产品（稻、木薯、菠萝、棕油和棕仁）的贸易中心。有一所美国信义会教堂医院、一个麻疯病隔离区和一个手工艺厂。人口4 752（1974）。

Zoser（king of Egypt）　参阅 **Djoser** 左塞。

Zoshchenko, Mikhail Mikhaylovich　左琴科（1895-08-10，俄罗斯帝国乌克兰波尔塔瓦～1958-07-22，列宁格勒[今圣彼得堡]）　苏联讽刺作家。他的短篇小说和随笔是苏维埃时期最优秀的幽默作品。曾学过法律，1915年入伍。1917～1920年曾辗转许多城市，干过各种零工。1921年前往彼得格勒（今圣彼得堡），成为谢拉皮翁兄弟文学团体的一员。他的故事主要讽刺苏联当代的现实生活，攻击的主要对象之一是官僚主义的官样文章和贪污腐化的行径。他故意用一种矫揉造作和音同义不同的俗言俚语加以挖苦攻击，使之妙趣横生。30年代受到苏联官方的严厉批判。他试图满足社会主义现实主义的要求，主要作品是描写白海—波罗的海运河建设的小说《一个人的故事》(1935)，但不很成功。1943年在《十月》杂志开始发表《日出之前》，仅刊两期即行中止。1946年在文学杂志《星》上发表一篇短篇小说《猴子奇遇记》，被认为是对苏联人民的诽谤和侮辱，受到猛烈谴责，被苏联作家协会开除。逝世之后，苏联报刊也故意避而不提他的名字。但是，他的一些作品仍大量再版和畅销，表明他仍拥有读者。

Zosimus, SAINT **索西穆斯，圣**(?，希腊～418-12-26，罗马) 教皇(417～418在位)。登位后提升阿尔勒主教巴特罗克鲁斯为教皇驻高卢使节。纳博讷、马赛、威尼斯等地主教纷纷反对，索西穆斯则以绝罚对他们进行威胁。起初，贝拉基派的创始人贝拉基已于417年被教皇英诺森一世处以绝罚，非洲各主教也普遍谴责贝拉基。此时贝拉基派向罗马申诉。索西穆斯听取贝拉基申述，然后于417年写信给非洲各主教，严斥他们谴责贝拉基失之轻率。但次年索西穆斯又召唤贝拉基派人物塞莱斯蒂乌斯到罗马接受审查，塞莱斯蒂乌斯逃离罗马。索西穆斯发布通谕，宣布绝罚贝拉基和塞莱斯蒂乌斯并驳斥他们的谬论。先是名声扫地的司铎阿皮亚里乌斯已由锡卡维内里亚主教乌尔班处以绝罚。索西穆斯不顾非洲教会法，派使节前往非洲传达指示，宣布改变非洲与罗马之间的上诉程序，同时强迫乌尔班改正对阿皮亚里乌斯的处分，否则定予绝罚。罗马一部分神职人员摆脱索西穆斯的控制，向拉韦纳西罗马帝国政府申诉，索西穆斯因此而将他们一律处以绝罚。此案未了而索西穆斯死。

Zou Rong 邹容(1885～1905-04-03) 又拼Tsou Jung。中国近代民主革命家。原名绍陶，又名蔚丹、威丹。四川巴县人。1902年春赴日本留学，参加中国留学生革命活动。

中国大百科全书出版社供图

1903年返国，加入上海爱国学社，写成《革命军》，号召推翻清朝封建专制统治，建立中华共和国。由章炳麟作序，全文在《苏报》刊出，后由上海大同书局正式印行，影响甚大。清廷震恐，勾结上海公共租界工部局封闭《苏报》，逮捕章炳麟，邹容亦投案入狱。被判刑二年。1905年4月3日死于狱中，年仅20岁。1912年3月29日南京临时政府经孙中山批准，追赠为大将军。遗著辑有《邹容文集》。

Zou Taofen 邹韬奋(1895-11-05，中国福建永安～1944-07-24，上海) 中国编辑家、政论家、出版家。原名恩润，笔名韬奋。祖籍江西余江。1921年毕业于上海圣约翰大学。次年

中国大百科全书出版社供图

任中华职业教育社编辑股主任，主编《教育与职业》月刊。1926年10月任《生活》周刊主编，锐意革新，影响日广，销数达到15万份，为全国杂志之冠。1932年7月创办生活书店。抗日战争开始后，1937年8月在上海创办《抗战》三日刊，1938年7月在汉口改出《全民抗战》三日刊，后迁重庆出版，先后改为五日刊和周刊，1941年2月被封。他所办刊物的早期侧重宣传职业教育、青年修养。1931年“九一八”事变后，大力鼓吹抗战，并从事民权运动和救亡运动，担任中国民权保障同盟执行委员会委员，上海文化界救国会和全国各界救亡联合会执行委员。1933年7月至1935年8月曾被迫流亡海外。1936年11月20日同沈钧儒、章乃器、王造时、沙千里、李公朴、史良一起被当局逮捕，时称“七君子事件”，1937年7月31日获释。1938年被聘为国民参政会参政员。在重庆因所办书店和刊物屡遭当局查禁，1941年2月出走香港。5月，《大众生活》周刊在香港复刊。日军占领香港后进入中共领导的抗日游击区。1943年初因患癌症，潜赴上海治疗，次年在当地病逝。著有《萍踪寄语》(3集，1934～1935)、《萍踪忆语》(1937)、《经历》(1937)、《抗战以来》(1941)、《患难余生记》(未完，1946)等。主要著作编为《韬奋文集》(3卷，1955)。

Zou Yan 邹衍(约公元前305～前240)又拼Tsou Yen，邹又作驺。中国战国末期思想家。齐国(今山东省)人，稷下学者。曾历游魏、燕、赵等国，受到诸侯尊礼。提出“五德终始”说，五德指五行(水、火、木、金、土)之德。认为历史发展、王朝兴衰是“五德转移”的过程，即“五德”的循环终始。邹衍喜谈宇宙变化，具有丰富的地理知识，认为世界由九大州组成，九小州合为一大州，赤县神州(指中国)是九大州的一州。大州周围有大海环绕，往外是天地边际。汉人列他为阴阳家，但现存史料不见其有阴阳学说。《汉书·艺文志》著录《邹子》49篇、《邹子终始》56篇，皆不传。他的遗说载清代马国翰所编《玉函山房辑佚书》。

Zouche, Richard 朱什(1590，英格兰威尔特郡安斯第～1661-03-01，牛津) 英国法学家、国际法的创始人之一。在牛津大学担任过民法钦定讲座教授，后来在伦敦开业当律师十分成功。1641年被任命为海事法院法官，并两度作为肯特郡的海斯城的代表被选入议会。朱什是一个保王派，在1646年内战期间，他是牛津向国会军队投降的谈判者之一。1649年失去了法官的席位，但保持了教授职位，并在王政复辟(1660)之后，又重新被任命为海事法院法官。他因其国际法论著《国际法及法院》(1650)而被人们铭记不忘。这是第一部涉及整个这一领域的科学手册。因为惯例和当代的先例在他的著作里比早期作家的著作里显得更为突出，所以他被某些学者认为是第一个法律实证主义者。虽然他没有杜撰“国家间的法律”这一词语用于国际法，但他第一个采用它作为比“万国法”更适合于这一主题的名称。

Zoug (Switzerland) 参阅 **Zug 楚格**。

Zouîrât 祖埃拉特 毛里塔尼亚中北部城镇。当地开采铁矿，产品占该国出口收益的大部分。有铁路通大西洋港口努瓦迪布。人口约25 892(1988)。

Zoysia 结缕草属 早熟禾科的一属。含4～5种多年生匍匐状禾草。原产于东南亚和新西兰。为平坦沙质开阔地的优良地被。日本草坪草(日本结缕草、朝鲜草坪草，*Z. japonica*)、马尼拉结缕草(*Z. matrella*)和马斯克林草(细叶结缕草，*Z. tenuifolia*)的根状茎粗壮，叶细长坚韧，可种作草皮或草坪，已引进北美。

Zrínyi, Miklós 兹里尼(1620-01-05，匈牙利恰克堡～1664-11-18，恰克托尔尼奥) 匈牙利政治家、军事领袖、匈牙利文学中第一部史诗的作者。生于极其富有的贵族世家，曾受过耶稣会教育。1647年任克罗地亚总督。他是匈牙利17世纪杰出的军事领袖，他最关切的是把土耳其人赶出匈牙利，反对哈布斯堡王朝的统治，为被肢解的祖国的统一和建立现代专制国家进行斗争。1664年创办了一个反哈布斯堡王朝的团体，同年被野猪咬死。其最佳文学作品及匈牙利文学的巨作之一史诗《锡盖特之危》(1645～1646)，描写锡盖特堡英勇抵抗苏丹苏莱曼二世的围攻(1566)。这部史诗的中心人物要塞司令官是诗人的曾祖父，在被围中阵亡。

Zsigmondy, Richard 席格蒙迪(1865-04-01，奥地利帝国维也纳～1929-09-23，德国格丁根) 奥地利化学家，因研究胶体获1925年诺贝尔化学奖。1889年从慕尼黑大学获得博士之后，他在柏林从事研究工作，接着在奥地利的格拉茨大学任教。1908～1929年在格丁根大学任无机化学研究所所长。1897年

于玻璃厂任职期间，把注意力放在红宝石玻璃的胶体金研究上，并且发现了金的水悬浮体。他在理论上认为从粒子散射光的研究上，可以更多地了解物质的胶体状态。为促进这一研究，同 H.西登托夫一起发明了超显微镜(1903)且利用它较全面地研究了胶体，包括布朗运动。他的研究工作对生物化学和微生物学很有益。

Zsolna(Slovakia) **若尔瑙** 参阅 **Žilina** 日利纳。

Zu Chongzhi **祖冲之**(429～500) 又拼 Tsu Ch'ung-chih。中国南北朝时期南朝数学家、天文学家。字文远。范阳遒(今河北涞源)人。官至长水校尉，著有《长水校尉祖冲之集》51卷。数学著作有《缀术》、《九章术义注》等，都已失传。所编《大明历》于 510 年颁行。在中国历法史上第一次考虑岁差影响。在 391 年间置 144 个闰月，采用新的闰周。回归年长度取 365.242 814 8 日，是宋代《统天历》(1199，回归年日数采用 365.242 5 日)之前中国历法的最佳数值。被收入《宋书·律历志》，流传至今。另一重要成就是计算圆周率。算出圆周率值在 3.141 592 6 和 3.141 592 7 之间(准确度达小数点后 6 位)，并提出圆周约率 22/7 (≈3.14)、密率 355/113(≈3.141 592 9)，密率值比欧洲早 1 000 多年。直到 15 世纪阿拉伯数学家卡西(al-Kashi)才算得小数点后 16 位的圆周率；密率 355/113 也在千余年后才被德国的奥托(1573)再次算得。还改造指南车，作水碓磨、"千里船"等。其子祖暅精通天文历法和数学。曾修订《大明历》并首次求得球体积的正确公式。为此，他引入了祖氏公理，即后世以意大利数学家卡瓦列里(**Cavalieri**, 1598 ～ 1647)命名的卡瓦列里公理。

Zuara(Libya) 参阅 **Zuwārah** 祖瓦拉。

Zubatov, Sergey Vasilyevich **祖巴托夫**(1864，俄国莫斯科～ 1917-03-15，莫斯科)俄国宪兵上校，以建立情报网监视革命组织活动而闻名。1884 年在内务部保安局当密探，1896 ～ 1902 年任莫斯科保安局长。1901 ～ 1903 年建立一些合法的拥护政府的工人组织(后来人称"祖巴托夫工会")，其目的在于缓和社会风潮，使工人运动受到警察的秘密监视。第一个这类组织是 1901 年在莫斯科建立的"机械工人互助协会"，同年在明斯克和维尔纳相继成立"犹太独立工人党"。这些组织被激进派报纸称之为"警察社会主义"。1902 年 2 月 19 日，这些组织在亚历山大二世纪念碑前举行群众性示威。但祖巴托夫工会吸收的工人越多，沙皇政府也就越难控制。1903 年，这些"工会"由于把示威转成总罢工而被明令取缔，祖巴托夫也因参加反对内务大臣的阴谋活动而被免职，流放到弗拉基米尔。1917 年革命爆发后，祖巴托夫畏罪自杀。

Zubayr, Az- **祖拜尔** 伊拉克东南部城镇。位于哈马尔湖东南，为一条通往巴格达的铁路线的终点站。长期以来在与沙特阿拉伯和科威特的贸易中占重要地位。坐落在公元 7 世纪巴士拉城原址上。在巴格达建立(公元 762 年)之前，巴士拉、库法和瓦西特为伊拉克最大、最重要的城镇。多世纪来巴士拉城为寻找水源而逐渐东移，每次均放弃西面地区，直至到达现在的地点。1949 年以来祖拜尔发展起一座油田。人口约49 557(1970)。

Zubiri, Xavier **苏比里**(1898-12-04，西班牙圣塞瓦斯蒂安～ 1983-12-21，马德里) 西班牙天主教存在主义哲学家。因按照哲学、科学和宗教的相互关系对实在进行的分析而闻名。他曾在罗马研究神学，在马德里和弗赖堡研究哲学，还曾在比利时卢万大学研究物理学和生物学。由于受天主教哲学和实证科学的影响，他创建了一种关于实在的宗教理论；按照这种理论，个人与上帝的关系以及他的自我意识都建立在履行人来到世间后应尽的义务之上。先后在马德里大学(1926 ～ 1936)和巴塞罗那大学(1940 ～ 1942)教哲学史，当西班牙内战时曾一度中断。然后成为一个得到公认的非常成功的私人教师和作家。他的著作有：《论判断力的现象学理论》(1923)、《自然、历史、上帝》(1944)、《论本质》(1962)、《哲学五讲》(1963)，以及三部曲《感觉的知慧》(1980)、《智慧与逻各斯》(1982)、《智慧与理性》(1983)。

Zuccarelli, Francesco **祖卡雷利**(1702-08-15，托斯卡纳皮蒂利亚诺～ 1788-12-30，佛罗伦萨) 意大利洛可可画家，英国 18 世纪的风景画受其影响。曾在罗马与 G.莫兰迪共事。后在佛罗伦萨短期居住。约于1732年到威尼斯。所作优美别致的阿卡迪亚风景画，技法流畅，风光宜人，有古典牧歌情调，特别受英国人欢迎。曾两度访问英格兰：第一次在 1752 年底，一住 10 年，风景画取得极大成功；第二次自 1765 ～ 1771 年。他是英国皇家学院(1768)的创建人之一，乔治三世特别喜爱的画师之一。1763 年被选入威尼斯学院，1772 年任该院院长。除风景画外，还作过许多素描、少量宗教画、铜版画和挂毯图案。

祖卡雷利绘《风景与人物》
供图：Museo Poldi Pezzoli, Milan

Zuccari, Federico **祖卡里**(约1540，乌尔比诺公国圣安杰洛-因-瓦多～ 1609-07-20，安科纳) 意大利画家和艺术理论家，罗马风格主义画派的核心人物，提香死后欧洲最著名的画家。1561 年以前他是其兄塔蒂奥·祖卡里的学生和助手。1565 年到佛罗伦萨，在画家、建筑家、传记作家 G.瓦萨里的指导下把风格主义理论辑成《雕刻家、画家与建筑家的理想》(1607)。1593 年成为罗马圣路加学院第一任院长，该院在某种程度上是现代美术学院的母体。1575 年在英国为女王伊丽莎白一世与莱斯特伯爵画像。1575 ～ 1579 年为佛罗伦萨大教堂绘穹顶画。晚年作品较前肃穆，风格主义已不明显。

祖卡里 1593 年设计的罗马祖卡里宫(现为图书馆)
供图：Photo SASKIA, North Armherst, Mass.

Zuccari, Taddeo **祖卡里**(1529-09-01，乌尔比诺公国圣安杰洛-因-瓦多～ 1566-09-01 或 02，罗马) 意大利画家，与其弟费德里科·祖卡里一同为罗马风格主义画派领袖。主要在罗马自学绘画，从 16 世纪 50 年代初起，为一些宫殿的正面与室内画了许多装饰壁画以及少量宗教画。从 1559 年直至逝世，主持了法尔内塞别墅的壁画创作和灰泥装饰。

zucchetto **小便帽** 天主教神职人员所戴的丝质便帽，是主教冠或四角帽的衬帽，也可

戴小便帽的教皇保罗六世
供图：AP/Wide World

以单独戴用。由罗马人日常所戴的无沿便帽**皮莱乌斯帽**(**pileus**)发展而来。颜色因职位高低而异：教皇用白色，枢机用红色，主教用紫色，其他神职人员用黑色。

Zucchi, Niccolò　祖基(1586-12-06，帕尔马和皮亚琴查公国帕尔马～1670-05-21，罗马)　意大利天文学家。他先于J. 格雷果里和牛顿于1616年前后设计出早期的反射望远镜。他用这架望远镜发现了木星的云带(1630)并研究了火星上的斑点(1640)。1652年，他还指出，磷光是发光而不是蓄光。

Zuckerman, Yitzhak　祖克尔曼(1915，波兰华沙～1981-06-17，以色列特拉维夫)　又译楚克曼。在第二次世界大战中，抵抗纳粹的犹太人英雄，**华沙犹太区起义**(**Warsaw Ghetto Uprising**)的少数幸存者之一。他是青年犹太复国主义组织联盟赫哈卢茨的积极分子，很早就主张对迫害犹太人的纳粹进行武装斗争。1942年3月代表"赫哈卢茨"出席犹太复国主义会议，要求立即武装起来。同年7月成立犹太人保卫队，他为指挥官之一。同时，他还兼任犹太人全国委员会主席。他同犹太人居住区以外的许多地下组织进行频繁的接触，为保卫队弄到手枪、手榴弹和一些步枪。他把这些武器通过华沙的下水道运入犹太人居住区。当华沙犹太人居住区举行起义的时候，他在保卫队的司令部被纳粹占领以后，毅然回到犹太人居住区担当指挥任务。在起义的最后时刻，他率领犹太人保卫队的75名战士包括其未来妻子从下水道撤至犹太人居住区以外的地下避难所。他继续进行战斗，领导一群犹太人在波兰打游击。第二次世界大战结束后，他参加把犹太难民从欧洲秘密运往巴勒斯坦的组织工作，并于1974年与其妻在巴勒斯坦定居。1961年在审判德国战犯A.艾希曼时，他和妻子出庭作证。

Zuckmayer, Carl　楚克迈尔(1896-12-27，德国纳肯海姆～1977-01-18，瑞士菲斯普)　德国剧作家，他的作品批判地探讨了两次世界大战产生的许多现代问题。第一次世界大战期间他在德军中服役4年，此后专事写作。虽然他在1924年与先锋派剧作家B.布莱希特和革新派导演M.赖因哈特合作，但是，他仍然忠于自然主义技巧。第一个成功剧作是喜剧《欢乐的葡萄园》(1925)，获克莱斯特奖。他最受推崇的作品之一《克彭尼克上尉》(1931)是对普鲁士军国主义的讽刺。1933年，政治压力迫使他移居奥地利，他在那里写了《贝尔根的无赖》(1934)。1939年，他逃往美国，并加入美国籍，在那里写出他最著名的一个剧本《魔鬼的将军》(1946)。该剧描写在忠于祖国还是忠于良心的抉择中心情矛盾的人们，从此他的戏剧生涯进入一个新阶段。他的早期作品那种热烈的、肯定人生的精神，由于后来持一种严峻的道德评价态度而被冲淡。正是本着这种精神，他写了《巴尔巴拉·布洛姆贝格》(1949)、《火炉中的歌声》(1950)和《冷光》(1955)。后者根据原子能科学家

供图：Bavaria-Verlag

K.富克斯的叛国案写成。1946年，他定居瑞士。1952年，他的文集获得歌德奖。楚克迈尔对人性的信仰从未完全动摇过。他的剧作虽多是批判性的，但并无德国同时代人的那种启示语调。

Ẓufār(Oman)　参阅 **Dhofar 佐法尔**。

Zug　楚格　德语，法语作Zoug。瑞士最小的州，面积238平方千米。其中31平方千米的面积为楚格湖和埃格里湖。位于丘陵起伏的瑞士中部高原，流过境内的主要河流是洛尔策河。历史上，楚格州在1798年以前拥有首府**楚格**(**Zug**)获得和统治的属地。1803年以前是赫尔维蒂共和国的大州瓦尔德斯泰滕州的一个区，同年又成为一个独立州。1845年，楚格作为6个天主教州之一，加入了天主教分离派联盟。1848和1874年投票反对联邦宪法(这两部宪法都被通过)。目前的州宪法于1894年制订。经济主要依靠农业，水果占有特别重要的地位，工业有金属制品、纺织品和生产含酒精的饮料。居民讲德语，主要信仰天主教。人口约77 234(1983)。

Zug　楚格　德语，法语作Zoug。瑞士中北部楚格州首府，位于楚格湖的东北岸，苏黎世的正南。1242年首见记载。1352年加入瑞士联邦。宗教改革时期是天主教州，1586年"黄金联盟"的成员之一。在14～15世纪，楚格获得不少邻近地区，作为属地统治到1798年。当地的历史建筑物有钟楼(1480)、镇公所(1505)、圣奥斯瓦尔德教堂(1478～1545)和嘉布遣会隐修院(1597)等。楚格是一个重要的牲畜市场。其工业有金属制品、电器设备和纺织品。居民讲德语，主要信仰天主教。人口约21 369(1983)。

Zugspitze　楚格峰　德国最高山，2 962米。在德国南部与奥地利边界上，属巴伐利亚阿

楚格峰的东部顶峰
供图：Hans Huber

尔卑斯山的韦特施泰因山。以美景和滑雪及登山而闻名。通缆车和火车。设有气象站。

Zuhayr(**ibn Abī Sulmā Rabī'ah ibn Rīyāḥ al-Muzanī**)　**祖海尔**(约520～约609，阿拉比亚内志地区)　伊斯兰教以前时期最伟大的阿拉伯诗人之一，他在《悬诗》中的长颂诗最为闻名。来自穆扎伊纳赫部落，生长在卡塔凡部落。其父为诗人，发妻是一位诗人的姐妹，两个儿子也都是诗人。长子凯尔卜以他为先知穆罕默德背诵的那首诗歌而出名，此举标志着他入宗伊斯兰教。祖海尔在《悬诗》(**Mu'allaqat, al-**)中的诗篇赞扬那些为阿布斯和祖布延两族带来和平的人。他在诗中把战争比作一架石磨，那些驱动磨盘的人将被磨成齑粉，诗人则作为一个饱经沧桑的老人，论述了人类对道德基本规范的需要。他留存至今的诗歌收在几部阿拉伯版本里，还包括其他一些颂诗和讽刺诗。

zuhd　祖赫德　阿拉伯语，意为超然。伊斯兰教指禁欲苦修。伊斯兰教义固然允许穆斯林充分享受真主所赐的正当福乐，但也鼓励并赞扬弃绝奢侈、生活朴素、对真主虔诚的人。随着穆斯林武功的扩大，占地日多，财富剧增，许多人沉溺于奢侈生活。针对这一倾向，虔诚的穆斯林乃号召人们恢复先知及圣门弟子的生活方式。伊斯兰国家隆盛之后，内部发生剧烈政治纷争，穆斯林相互争夺权利，斗争日益激烈，流血事件此伏彼起，虔诚人士乃谴责这种行为，戒绝一切不敬真主的行为，追求内心平和。

Zuiderzee　须得海　13～20世纪伸入荷兰的北海海湾，面积约5 000平方千米，与北海隔有现在的西弗里西亚群岛(以前为沙洲)。约4世纪时当地(现为岛屿)就开始有弗里西亚人居住，他们筑堤垒台与海水斗争，其工程量之大，堪称人类伟大工程之一。这片海面原为密布湖泊的低地，湖水经莱茵河一支流排泻入海。到13世纪海水大幅度上升淹没大片土地，形成须得海本身。到1000年前后，人们已围绕居住处高地筑堤阻挡海水，在堤内垦殖土地(参阅 **polder**)。到1667年有人建议修筑拦海大堤，但到1916年水灾后才采纳C.莱利的围垦方案。1927～1932年长30千米、横贯须得海的大堤建成，把它分隔为外侧的瓦登海(通北海)和里侧的艾瑟尔湖。到80年代初，通过构建的泵站、堤坝、泄水道和

闸门系统创建了4块圩田。艾瑟尔湖约有一半水面(1 620平方千米)得到开垦,留下来大为缩小的水面已渐渐变为淡水湖。参阅 **IJsselmeer Polders**。

Zuid-Holland　南荷兰　英语作South Holland。荷兰西部省份。濒临北海。北界北荷兰省,东邻乌得勒支省和海尔德兰省。南部与北布拉班特省和泽兰省接壤。包括多德雷赫特、艾瑟尔蒙德、胡克瑟、瓦尔德、福尔讷-皮滕和胡雷-上弗拉凯6个岛屿。面积2 871平方千米。省会海牙也是全国首都。境内有莱克、

南荷兰省一条运河沿岸的风车
供图: Eric Carle—Shostal

瓦尔和马斯等3条河流。沿海沙滩和沙丘地带为疗养、娱乐和住宅区。大部分沙质冲积土地用以经营园艺。内陆圩田种植作物,在原有土地上放牧奶牛,东部地区出产干酪。三角洲工程(**Del-ta Project**)实施后,在岛屿间水道两端筑堤排水,增加大量可耕地。鹿特丹港口和工业区是全省经济重点。人口约3 313 193(1994)。

Zukerman, Pinchas　朱克曼(1948-07-16,以色列特拉维夫～　　)　以色列裔美籍小提琴家、中提琴家和指挥家,以技巧精湛著称。7岁左右开始拉琴,8岁入特拉维夫音乐学

中国大百科全书出版社供图

院。1962年由小提琴家I.斯特恩资助赴纽约就读于朱利亚德音乐学院,直到1967年。其后在北美各地以独奏家身份巡回演出。1969年在纽约首演后,经常在欧洲巡回演出。所录制唱片中有全套贝多芬小提琴奏鸣曲(与D.巴伦波伊姆合作)和钢琴三重奏(与巴伦波伊姆和J.迪·普雷合作)。与小提琴家I.珀尔曼为莫逆之交,朱克曼(拉中提琴)常与他联袂演出。1974年开始指挥室内乐。1980年应聘担任明尼苏达州圣保罗室内管弦乐队音乐总监。

Zukor, Adolph　朱科尔(1873-01-07,匈牙利里舍～1976-06-10,美国加利福尼亚洛杉矶)美国电影实业家。原为穷苦的匈牙利移民,靠经营皮货买下影院,后经营力量雄厚的"名演员-派拉蒙影片公司"。1912年朱科尔买下英法合拍由S.贝因哈特主演的影片《伊丽莎白女王》在美国的上映权,独家发行,获利甚丰。由此产生请百老汇舞台演员演出名剧的念头,创建了"名演员影片公司",拍了《基度山伯爵》和《任达的俘虏》等片。他还聘用了M.璧克馥去好莱坞演电影。1916年,他将"名演员"与J.L.拉斯基的"情节剧"两公司合并,自任总经理。1917年又负责"名演员-拉斯基"的发行公司"派拉蒙公司"。从1935年起,担任派拉蒙影片公司董事长,这是一个虚职,但他保持这一荣誉职位直到103岁逝世为止。朱科尔是最早认识到明星制的潜力并向演员付高薪的电影实业家之一。他的另一成功原因是他控制着一大批放映网点。著有自传《观众永远不会错》(1953)。

Zulia　苏利亚　委内瑞拉西北部一州。西邻哥伦比亚,北临委内瑞拉湾。面积63 100平方千米。主要为低地。南部炎热潮湿,北部干燥炎热。从前依赖有限的农业资源,是一个贫穷的州。自1917年发现石油后,尤其是第二次世界大战后,经济发生根本变化。境内马拉开波湖是世界上最丰富的产油区之一,产油量约占委内瑞拉总产量的2/3。炼油厂、输油管和千万座井架星罗棋布,人口剧增。州首府马拉开波(**Maracaibo**)是湖滨最大、居全国第二位的大城市。通往各石油中心的运输极为便利。人口约2 752 431(1995)。

Zulu　祖鲁人　南非夸祖鲁-纳塔尔省操恩古尼语的一个部落,南部班图人一支,在种族、语言和文化上与斯威士人和科萨人有密切关系。祖鲁人是南非一个最大的黑人种族集团,20世纪后期约有900万人。他们一向是粮农。在树木稀少的草原上也大群养牛。主要靠抢劫邻族扩大畜群。19世纪连年战争,欧洲殖民者夺走祖鲁人的牧场和水源。

南非纳塔尔的祖鲁人首长
供图: Authenticated News International

现代祖鲁人由于财产大部分失去,多半依靠在白人农场做工或在南非城市里工作谋生。在19世纪初,祖鲁人与邻族纳塔尔恩古尼人(**Nguni**)联合,在酋长恰卡的领导下,建立祖鲁帝国。在这之前,祖鲁人仅是许多恩古尼氏族之一。这种氏族至今仍是基层社会组织,由若干父系家族组成,各有土地及畜群。婚姻是一夫多妻制。实行转房婚(即遗孀必须嫁亡夫之弟)。各氏族长房男子是其族长,习惯上是战时的统帅,和平时的法官。头人(通常由酋长近亲充任)仍受指派来管理氏族内部事务。氏族制度普遍实施,绝大多数酋长都与祖鲁王是亲戚。祖鲁国家建立后,酋长都娶国王氏族的女子为妻,或者就以王族人员取代原有酋长。祖鲁王由议事会辅佐以施政及处理司法事务。祖鲁人实施年龄组制度,年龄组为祖鲁军队的组成部分,由国王直接统率全军。传统的祖鲁宗教基本上是祭祖并信仰创世神和男女巫。现代祖鲁人基督教的特点是在先知(是些有钱有势的人)的领导下发展自立的教会。

Zulu language　祖鲁语　南非共和国内有超过900万人使用的一种班图语,主要通行于纳塔尔省的祖鲁地区,属尼日尔-刚果语系贝努埃-刚果语族班图语支的东南分支(或恩古尼分支)。这个分支的其他语言还有科萨语、斯威士语、索托语(巴苏陀语)、茨瓦纳语(贝专纳语)、文达语和恩德贝勒语。祖鲁语和科萨语极其相似,可以看做一种语言的不同方言;但是,操祖鲁语的人和操科萨语的人仍然认为它们是独立的两种语言。祖鲁语有许多外来语借词,尤以阿非利堪斯语(南非荷兰语)和英语借词为多。祖鲁语语音系统包括可能借自科伊桑语的三种吸气音。大多数祖鲁语单词都以元音结尾。

Zulu War　祖鲁战争(1879)　南非东部爆发的一场持续6个月的战争,结果英国人打败了祖鲁人。战前,祖鲁兰和英属纳塔尔殖民地是以图盖拉河为界的。19世纪70年代初,塞奇瓦约(**Cetshwayo**)成为祖鲁人的国王。他不愿受英国人控制,集结一支纪律严明的军队,有4万～6万人。1878年底,他收到来自纳塔尔的最后通牒,要他解散军队,支付赔偿金。他不予答复,后英军进犯祖鲁兰,祖鲁军队杀敌800人,缴获近千支步枪及弹药。不久英国派来援军,塞奇瓦约向后撤退。翌年7月塞奇瓦约兵败乌伦迪。祖鲁兰处于英国人的非正式控制之下,1897年祖鲁兰被并入纳塔尔。

Zululand　祖鲁兰　历史地区名,在今南非共和国夸祖鲁-纳塔尔省(原纳塔尔省)东北部。祖鲁人(**Zulu**)的故土。祖鲁人原属姆泰特瓦帝国。恰卡在位时期(1816～1828),控制邻近的部族;建立一支纪律严明、战斗力很强的部队,征服了今夸祖鲁-纳塔尔的大部分地区。恰卡的继位人丁冈统治时期,布尔人侵入祖鲁人帝国,与丁冈兄弟姆潘德联盟,1840年废黜丁冈。在姆潘德统治时期(1840～1872),部分领土被布尔人和英国人夺去。姆潘德继承人塞奇瓦约拒绝解散军

队，接受英国人控制，1878 年爆发了战争。1879 年 7 月英国人打败祖鲁人，侵占祖鲁人的土地，把祖鲁兰分成 13 个小王国。1887 年祖鲁兰成为英国殖民地。1888 和 1906 年祖鲁人举行起义，没有成功。1894 年，英国没收了 2/3 的祖鲁人土地，把祖鲁人赶入保留地。1897 年，英国人将祖鲁兰并入纳塔尔，从此祖鲁兰不再作为一个政治区划而单独存在。在种族隔离制度下，20 世纪 70 年代为祖鲁人建立的班图家园，称夸祖鲁。当废除种族隔离制度后，夸祖鲁于 1994 年并入纳塔尔省，更名夸祖鲁-纳塔尔省。

Zumalacárregui y de Imaz, Tomás de　苏马拉卡雷吉-德伊马斯(1788-12-29，西班牙奥尔麦斯特圭～ 1835-06-24，塞加马)　西班牙杰出的战术家，第一次卡洛斯战争(1833 ～ 1839)中的卓越军人。原习法律，1808 年投笔从戎，在西班牙独立战争中与法国人作战，擢升上尉。1823 年升为上校，任埃尔费罗尔·德尔考迪略的军事总督。1833 年 12 月参加卡洛斯派。苏马拉卡雷吉-德伊马斯是一个有能力的组织者，在纳瓦拉和巴斯克省负责训练卡洛斯派的军队，然后打了一次胜仗。在奉命围攻北方港口毕尔巴鄂时受轻伤，因得不到妥善治疗而死去。

Zumpe, Johann Christoph　楚姆佩(1735，萨克森？～ 1800，德国)　德国钢琴制造家，是已知最早一架英国钢琴(1766)的制造者。著名乐器制造家 G.西尔伯曼的弟子。18 世纪 50 年代移居英国，曾在瑞士出生的拨弦键琴制造家 B.舒迪的作坊工作，1761 年独立经营，主要制作为家庭使用的含有单项机械装置的方形钢琴，价廉物美，销路很广。1784 年返回德国。1768 年，J.C.巴赫在伦敦用其钢琴举行首次钢琴独奏音乐会。他还制造过西特琴和击弦风琴。

Zumthor, Peter　楚姆托尔(1943-04-26，瑞士巴塞尔～　　)　瑞士建筑师，以建筑设计简洁纯朴见称。家具制造者和细木工之子，1963 年毕业于瑞士巴塞尔工艺美术学院，1966 年到美国纽约普拉特学院深造。1979 年在瑞士开办自己的建筑设计业务。刻意把业务保持在一个较小规模，以便能够参与到设计与建造的各个环节。早期曾在瑞士承接圣本尼迪克小教堂等建筑，因其选址和用料而赢得声誉。该教堂为木结构，高耸于近乎纵长的牧场上。其简洁的外围墙面板极具当地传统特色，而异常简朴的建筑则完全现代化。和他的大多数建筑一样，建筑内部充满自然光。承建瑞士瓦尔斯的温泉使其第一次有机会实现各种不同空间的创意。他将宏伟与隐幽融为一体，而且运用物料巧妙，为此在国际上受到重视。虽有时因设计空间简朴而被视为极简主义者，但其风格和选材并非千篇一律。曾在德国慕尼黑工科大学、美国洛杉矶南加州建筑学院、新奥尔良图兰大学等校执教。1998 年荣获丹麦嘉士柏建筑奖。

zun　尊　又拼 tsun。中国古代酒器。甲骨文、金文均有尊字，像双手捧酉(酒)形。陶尊

商代青铜尊
纽约大都会艺术博物馆供图

皆大口、深腹，有的有高圈足。最早见于龙山文化(公元前 2500 ～前 2000)，商代前期极为流行。方肩铜尊始见于商代前期，西周中期渐消失。觚状尊始见于商代后期，春秋晚期南方偶尔可见。

Zuni　祖尼人　北美印第安普埃布洛人，居住在新墨西哥州中西部，此地与亚利桑那州交界(参阅 **Pueblo Indians**)。祖尼人操一种与佩纽蒂语有关的语言。他们的来源及早期历史已不可考；神话把其远祖描绘为来自地下，漫游到达现在住区。16 世纪他们初次遇到西班牙人时，正住在哈维库及其他五六个城镇。这些城镇通名为“西伯拉七城”，后来成为科伦纳多等探险家所追求的黄金帝国的中心，但这些人的想法并未实现。17 世纪末，祖尼人被西班牙人击败之后，就退居到一座多层的石造房屋构成的“普埃布洛”或“村庄”之中。祖尼社会由 13 个母系氏族组成，主要官员均为男性。男子的主要工作是种植玉米，不过也有一些人已成为优秀的银匠和绿松石饰物制造工人。编筐和制陶是妇女的主要工艺。祖尼人是和平民族，虔诚信教，礼仪繁缛。男人常戴面具，穿古装，扮演称为“卡其纳”的神灵。20 世纪晚期，祖尼普埃布洛人人口超过5 000人。

《祖尼人村庄一角》，E.S.柯蒂斯 1903 年摄
芝加哥纽伯里图书馆供图

Zunyi　遵义　又拼 Tsun-i。中国贵州省辖地级市。革命历史名城，省内第二大城市。位于省北部，云贵高原东北部，川黔铁路线上。北倚娄山关，南临乌江，历来为川、黔咽喉，黔北重镇。辖红花岗、汇川 2 区和遵义、桐梓、绥阳、正安、凤冈、湄潭、余庆、习水 8 县以及道真、务川2个仡佬族苗族自治县，并代管赤水、仁怀 2 县级市。面积30 763平方千米，其中市区面积1 304平方千米。西汉置鳖县，南朝梁废。唐贞观初年(627)置郎州，旋废。贞观十三年置播州，为州治，贞观十六年

遵义市一角
中国大百科全书出版社供图

置遵义县。向为军事要地。宋置军、安抚司，元改宣抚司，明升宣慰司。万历二十八年(1600)平土司杨应龙后，翌年置遵义府。1913 年废府存遵义县。1935 年 1 月中国工农红军长征途中，曾在此召开中共中央政治局扩大会议。1949 年析遵义县置市。1997 年撤遵义地区和县级市，设地级市。城市坐落在船形的构造盆地中，农产富饶，有“黔北粮仓”之称。周围山区蕴藏丰富的煤、铁、锰、磷、硫化铁等矿，现已建起冶金、机械、电力、煤炭、化工、电子、汽车、纺织、食品、建材等工业，是以重工业为主的新兴工业城市。川黔铁路及210、326 国道等过境，遵重高速公路及贵遵高等级公路均已建成通车。名胜古迹有国家级赤水桫椤自然保护区以及桃溪寺、湘山寺等。人口：全市 7 230 000 (2005)；市区 820 000 (2004)。

Zunyi Conference　遵义会议　中国共产党中央政治局 1935 年 1 月在长征途中于贵州遵义举行的扩大会议。会议结果改变了以王明、博古为代表的“左”倾教条主义、冒险主义的错误领导，确立了毛泽东在红军和党中央的领导地位。大革命时期，博古领导的中央

苏区排斥了毛泽东的正确领导，使1933年到1934年中央苏区的第五次反“围剿”在秦邦宪（博古）、李德（奥托·布拉恩，德国人，共产国际指派的军事顾问）的指挥下遭到失败。红

遵义会议旧址
中国大百科全书出版社供图

军被迫于1934年10月开始长征。长征中红军从8万余人锐减至3万余人。广大指战员和中共中央的多数领导人，逐渐觉悟到这是执行错误的军事指导方针所造成，迫切要求改换领导，以挽救红军和革命事业。1935年1月中央政治局在遵义召开扩大会议。毛泽东在会上着重批评了“左”倾冒险主义在军事指挥上的错误。与会的周恩来、王稼祥、张闻天、朱德、刘少奇等支持毛泽东的主张。会议通过《中央关于反对敌人五次“围剿”的总结决议》，肯定了毛泽东积极防御的战略方针和红军作战的基本原则，推选毛泽东为政治局常委；取消秦邦宪、李德的最高军事指挥权。会后由张闻天代替秦邦宪负党中央总的责任，由毛泽东、周恩来、王稼祥三人组成军事指挥小组，负责指挥军事。遵义会议确立了毛泽东在中共中央和红军的领导地位，使红军能够战胜优势于己的国民党军队的围剿堵击，并克服党内张国焘的分裂主义，胜利完成长征。由于这次会议开始克服“左”倾教条主义的领导，它成为中共历史上的一个转折点。

Zunz, Leopold　聪茨（1794-08-10，利珀代特莫尔德[今在德国]～1886-03-18，柏林）　希伯来语作 Yom-Tob Lippmann（约姆-托伯·李普曼）。德国的犹太文学史家，常被认为是19世纪最伟大的犹太学者。1819年发起犹太教科学运动，强调以现代学术工具分析犹太文学和文化。虽然已在哈雷大学获博士学位，但又在柏林大学攻读古典文学和历史。后来的生活大部分是在贫穷中挣扎度过的。他当过非神职的布道师和报纸编辑（1824～1831），后在柏林犹太教师讲习学校任教师和校长（1840～1850）。“犹太教科学”运动发轫于他的布道文集《论犹太教文献》（1818），这个文集第一次向读者展示《圣经》以后犹太文学的广博与优美。1819年同E.甘斯、M.莫泽尔等共同创办犹太文化及科学协会。他和他的同事们希望通过分析和说明犹太历史、文学和文化的广度和深度，会使犹太人普遍地被接受。1822～1823年，负责编辑该会的杂志，并在其中发表了一篇关于拉希的优秀传记。拉希是评注《圣经》和犹太教著作的中世纪伟大学者。该会于1824年解散后，他独自继续该会的工作。他的《犹太人礼拜布道的历史沿革》（1832）揭示了中世纪犹太文明的深度，驳斥了认为犹太文化和学问已随着《圣经》时期的结束而结束的观点。他的《论历史与文学》（1845）内容广泛，在该著作中把全部犹太文学活动纳入欧洲文学和政治的范畴内加以考察。他写出3本论犹太教礼拜仪式的重要著作，还担任《圣经》译本的主编（1838）。晚年写了一系列阐述《圣经》的论文，收在《文集》（3卷，1875～1876）里。

Zunzunegui, Juan Antonio de　松苏内吉（1901-12-21，西班牙波图加莱特～1982-05-31，马德里）　西班牙小说家，以其细腻的现实主义手法和社会批评著称。1957年任西班牙学院院士。小说《奖金》（1961）讽刺西班牙各种文学奖，却获得了国家文学奖。1926～1950年间的小说大都集中描写当代毕尔巴鄂的生活，如《奇里皮》（1925）和《奇普利昌德莱》（1940），批评西班牙伤风败俗的社会风气；《啊！这些孩子们！》（1943），描写毕尔巴鄂的家庭生活；还有两部描写毕尔巴鄂银行家的小说《破产》（1947）以及有意怪诞地歪曲人物形象的自然主义小说《溃疡》（1949）。他的所有作品都是对西班牙当代社会的详尽写照，常常表现当今社会上仅够温饱的人物。他的语言直率，很少雕琢，人物塑造缺乏深度。他的叙述遵从19世纪传统的现实主义风格。《如此生活》（1954）被认为是他最好的作品。

Zuo Si　左思（约250～约305）　又拼 Tsuo Ssu。中国西晋文学家。字太冲。临淄（今山东淄博）人。出身寒微，不为门阀社会所重，终生不得志。诗《咏史》8篇为其代表作。诗中借史事抒写个人怀抱，倾诉怀才不遇的愤慨，抨击门阀制度对人才的压抑；格调豪迈高昂，笔力雄劲，在当时别树一帜，后世称为“左思风力”。曾构思十年写成《三都赋》，当时豪富人家竞相传抄，以致“洛阳纸贵”。有《左太冲集》。

Zuo Zongtang　左宗棠（1812-11-10，中国湖南湘阴～1885-09-05，福建福州）　又拼 Tso Tsung-t'ang。中国清末重臣，湘军重要统帅，洋务派首领。字季高。1832年中举人。长于“义理经世”之学，对兵法和地舆有研究。太平军起义后一度在家乡办团练，1860年由曾国藩保举襄办皖南军务。1862年初任浙江巡

中国大百科全书出版社供图

抚，率湘军入浙江，进攻和镇压太平军。1864年授闽浙总督，伙同法国人组成中法混合军，称“常捷军”，攻陷杭州。1864年追击太平军余部李世贤、汪海洋，至1866年2月消灭太平军于广东嘉应州（今梅县）。1866年创办福州船政局，成为洋务派首领之一。1867年任陕甘总督，率湘军镇压西捻军和陕甘回民起义。继在西安、兰州两地创办机器局。1875年任钦差大臣，督办新疆军务。次年率军讨伐俄、英支持的阿古柏侵略军，先后收复除伊犁外的天山南北各地。主张加强边防，开发新疆，力图收复伊犁。1881年升任军机大臣，调两江总督兼通商事务大臣。中法战争中为主战派，督办福建军务。1885年病故于福州。有《左文襄公全集》。

Zuozhuan　《左传》　又拼 Tso chuan（Tso Ch'iu-ming's Commentary on the Spring and Autumn Annals）。记载中国春秋时期的编年史书。又称《春秋左氏传》、《左氏春秋》、《左氏传》。为儒家经典之一，约20万字。传春秋时鲁太史左丘明撰，清末康有为认为是刘歆改编，近人则多认为是战国初年人编定。传文起鲁隐公元年（公元前722）止鲁悼公四年（公元前464），比《春秋》多记17年，叙事更至悼公十四年（公元前454）。《左传》与《公羊传》、《穀梁传》用义理阐释《春秋》不同，《公羊传》与《穀梁传》属今文经学，阐释《春秋》的“微言大义”，而《左传》多用史事解释《春秋》，是春秋史实的详细记录。书中保存大量古代史料和当时哲学思想的片断材料，比《公羊传》和《穀梁传》有更大的学术价值，是研究春秋思想史的重要典籍。《左传》注本很多，主要有西晋杜预《春秋左氏经传集解》、唐孔颖达据杜注作《春秋左传正义》、清顾炎武《春秋杜解补正》、洪亮吉《春秋左传诂》、刘文淇等《春秋左氏传旧注疏证》。今人杨伯峻有《春秋左传注》。

Zuppke, Bob　朱普凯（1879-07-02，德国柏林～1957-12-22，美国伊利诺伊尚佩恩）　美国大学橄榄球教练。20世纪20年代初首创临阵秘商战术的做法。1881年随家迁居美国，毕业于威斯康星大学。1913年任伊利诺伊大学橄榄球队主教练，他所训练的各队在29个赛季中胜131场，负81场，平12场，先后于1916和1939年击败号称无敌的明尼苏达大学队和密歇根大学队。1927年他所训练的队被评为全国冠军；1923年他训练的队后来被赫尔姆斯体育基金会追评为全国冠军。

Zurbarán, Francisco de　苏巴朗（1598-11-07受洗，西班牙丰特-德坎托斯～1664-08-27，马德里）　西班牙巴罗克重要画家，特别以宗教题材画驰名。作品具有卡拉瓦乔式的自然主义和暗色调主义的特征。是一个乡土美术家，也是出色的宗教生活画家。他的个人风格早于1629年已在塞维利亚形成；而其发展大抵受D.委拉斯开兹的早期作品和J.里贝拉的作品的影响。这种风格适于作肖像画和静物画，但最能发挥其特色的还是宗教题材画。实际上他用自然主义所表达的强烈宗教虔诚，比其他人更令人折服。他创造的

苏巴朗绘《方济各会僧侣》(1630～1632)
圣路易艺术博物馆供图

使徒、圣者和修士的形象采用的几乎全是雕刻式的手法,注重服饰细节,因而使人物在奇妙、幻觉和神化方面都富有逼真之感。这种写实主义同宗教情感的非凡结合,与特伦托会议(1545～1563)为艺术家规定的反改革方针正相符合。到1658年,其画在风格和内容上都发生了变化,原因可能在于牟利罗的影响。晚年作品如《圣家族》和《圣母怀胎》(1569和1661,藏布达佩斯美术博物馆),其宗教画人物比从前理想化,形体不如从前固定,表达的宗教情感也为伤感所损坏。

Zürich　苏黎世　瑞士东北部一州。面积1 729平方千米(其中估计约80%的土地肥沃),包括面积约505平方千米的林区和72平方千米的湖泊。全州由低洼的河谷组成,最重要的是林特谷地,林特河流入苏黎世湖,并在流出后成为利马特河。该州领土是州首府苏黎世城到1803年止所拥有的领地。苏黎世城1351年首先参加瑞士联邦为正式成员。1362年苏黎世湖南半部才全部并入州境。1467年从哈布斯堡购得温特图尔以后,州境达到莱茵河畔。现在它的州境从德国巴登-符腾堡州境内莱茵河右岸的飞地起,延伸到普费菲孔湖以南约13千米处。现行的州宪法订于1869年。苏黎世州的土地已经得到充分垦殖,但它主要是一个工业州,特别以制造机械和铁路车辆著名。全州生产的机器约占瑞士全国总产量的1/3。丝织业和纺织业广泛分布。苏黎世城和温特图尔是州内的主要城市,格赖芬湖以东的乌斯特和苏黎世湖西岸的塔尔维尔、霍尔根、韦登斯维尔都是工业城市。有几条铁路穿过各个谷地。标准轨距的铁路和山区铁路以苏黎世城为中心向各个方向伸展。人口数量在瑞士各州中占第一位,居民讲德语,主要信新教。人口约1 127 996(1983)。

Zürich　苏黎世　瑞士最大的城市和工业、金融的中心。苏黎世州首府。在苏黎世湖西北端。当地最早的居民为史前民族。凯尔特民族赫尔维蒂人曾在利马特河右岸建立社区。公元前约58年被罗马人占领,建立税卡。罗马衰败后,先后落入阿勒曼尼人和法兰克人之手。后商人来此定居经商,社区开始繁荣。1218年成为自由城市。1351年成为瑞士联邦的重要盟员。"反宗教改革"期间,意大利北部和法国的难民迁居到此,促进了当地文化、经济的发展。19世纪30年代,自由民主制度开始出现,苏黎世因而得以进入现代工业时期。早在1787年,城市的1/4人口从事纺织业。1830年的宪法促进了以制造业和服务业为中心的经济不断增长。20世纪下半叶,纺织业的主导地位被制造业(主要为机器生产)取代。为主要的铁路中心,附近的苏黎世-克洛滕机场为瑞士最繁忙的航空港。旅游贸易蓬勃发展,市中心成为世界最大商业区之一。国际会议亦占重要地位。苏黎世有丰富的文化生活,戏剧、歌剧富于创

苏黎世市远眺
供图:Comet—Bavaria-Verlag

新。设有苏黎世大学(1833)和瑞士联邦技术学院(1855)。市内瑞士国家博物馆(1898)收藏有历史、艺术和科学方面的珍品。苏黎世旧城多古建筑,有些辟为饭店和市政之用。该市每年有两大节庆:4月的六角钟鸣节和9月的射击竞赛。登山(阿尔卑斯)活动极为流行。人口:市约367 900;都会区约839 939(1983)。

Zürich, Lake　苏黎世湖　瑞士的湖泊。从苏黎世城向东南延伸,海拔406米,面积约88平方千米,最长处29千米,最宽处约4千米,最深处为143米。林特河注入湖中,流出后称为利马特河。大部分属于苏黎世州,施维茨州占有21平方千米,圣加仑州占有10.5平方千米的湖面。湖岸坡度徐缓,遍布葡萄园和果园,山顶向南可以远眺阿尔卑斯山。苏黎世湖是由向西北流动的林特冰川和莱茵冰川形成的一个冰蚀湖。另一条冰碛把苏黎世湖可通航的南部与水浅的北部分开。这条冰碛以前是朝圣者通往乌弗瑙岛上艾恩西德伦隐修院的通道,现在通火车和汽车,长926米的石堤建于1878年。在石堤的中段有一座平转桥可以让小船通行。苏黎世市是湖边的唯一大城市。

Zürich ware　苏黎世陶瓷器　苏黎世附近一家工厂(建于1763)制造的锡釉陶器、铅釉陶器和瓷器。起初锡釉陶器的彩饰风格类似于瓷器,1775年后,锡釉陶器和铅釉陶器都采

餐桌中央的苏黎世陶瓷器物,饰有编织篮筐、贝壳和海豚,约1770年
伦敦维多利亚和艾伯特博物馆供图

用转移印花的方法进行装饰。有两种花卉装饰的餐具很流行:形式主义的和自然写实主义的。此外还有精心设计和绘画的瑞士风景。这个工厂还生产瓷塑像等。有些塑像是J.V.松嫩沙因塑制的,他从约1775～1779年在苏黎世工作。虽然苏黎世陶瓷器以善用技巧而又有所节制为方针,但在约1770年却曾生产过至少一套精心制作的餐具,在其装饰中,编织的篮筐、贝壳和海豚等物尽情包容。该厂于19世纪行将结束时关闭。

Zürich Zoological Garden　苏黎世动物园
苏黎世市的一所动物园,由私人开办,但接受苏黎世市和苏黎世州的经济补助。动物园于1929年开放。占地10公顷,共展览330多种、近2 100只动物。该园拥有出色的有蹄类动物展品和一个洪堡氏企鹅的繁殖种群。其

突出的展品包括骆马、倭猪、雪豹、阿拉伯大羚羊和罗思柴尔德氏鹩哥。该园又是骆马谱系簿的掌管者。

Zurita y Castro, Jerónimo de 苏里塔-卡斯特罗(1512-12-04, 西班牙萨拉戈萨～1580-10-31) 西班牙政府官员,被视为第一位现代西班牙史学家。阿拉贡贵族家庭出身。阿尔卡拉大学毕业。在神圣罗马皇帝查理五世(西班牙国王查理一世)及西班牙国王腓力二世治下历任政府官职,其中包括马德里异端裁判所秘书一职。1548 年任阿拉贡王国史官。腓力二世命他搜集阿拉贡和西属意大利领地的文件,藏于锡曼卡斯城堡,那里早已集中储存了卡斯蒂利亚王国的文件,因之苏里塔就在 1567 年参与创建了锡曼卡斯西班牙国家档案馆。著有《阿拉贡王国编年史》(1562～1580),此书所载史实上自 8 世纪摩尔人入侵西班牙,下至 1516 年费迪南德二世之死,为阿拉贡第一部国史,迄今仍为有用的参考资料。

Zurvanism 佐尔文派 又拼 Zervanism。萨珊王朝(3～7 世纪)在波斯兴起的宗教,是从琐罗亚斯德教分化出来的,与当时已经发展成为二元教义的正统琐罗亚斯德教相对立。该派认为,无限永恒的和自生的时间才是万物之源。司掌时间和命运之神佐尔文遥遥操纵人的命运,他或者表现为无限的时间(永恒的真主),或者表现为长治的时间(世间的真主)。较晚的经籍则认为佐尔文是奥尔穆兹德(即阿胡拉·玛兹达)和阿里曼(参阅 **Ahura Mazdā**)二神之父。

Zutphen 聚特芬 荷兰中东部海尔德兰省城市。在艾瑟尔和贝克尔两河汇合处。11 世纪建立。1190 年成为海尔德兰伯爵领地。后被西班牙人和法国人占领。第二次世界大战中被德军侵占时破坏严重。现为铁路枢纽和内陆水运站,经营木材贸易,生产纸张、金属制品和纺织品。中世纪城堡遗迹有贝克尔门(1312)和城塔(1444～1446)。其他古迹有圣瓦尔博吉斯教堂(13～15 世纪)、酒坊塔楼(1627)和市政厅(1729)等。人口 34 000(1998)。

Zutuhil(people) 参阅 **Tzutujil 楚图希尔人**。

Zuwārah 祖瓦拉 又拼 Zuara。利比亚西北部港口。濒临地中海,1912～1943 年为意大利控制的利比亚的西部前哨据点。为通往其东面 105 千米的的黎波里的铁路终点,不过该铁路现已停运。其人工港是机轮捕鱼队的基地。当地物产有谷物、椰枣、茅草(用以编绳、制鞋和造纸)。居民中包括少数定居的柏柏尔农民。人口31 200(1988)。

Zuylen, Belle van (Swiss novelist) **楚伊伦** 参阅 **Charrière, Isabelle-Agnès-Élizabeth de 沙里埃尔**。

Zūzanī, az- 左扎尼 参阅 **Ḥamzah ibn ʿAlī 哈姆扎**。

Zvenigorod 兹韦尼哥罗德 俄罗斯西部莫斯科州城市。濒临莫斯科河,在莫斯科以西 53 千米。1943～1945 年和 1954～1957 年考古表明,公元 12～13 世纪已有人定居。1339 年首见于莫斯科和弗拉基米尔大公伊凡·卡利塔的遗嘱。14～16 世纪为莫斯科西的防御据点;当时在莫斯科河畔建造的土筑城堡保存至今。1398 年附近建成圣斯托罗赫夫斯基隐修院;1682 年兵变中,彼得大帝曾到该隐修院避难。山林自然环境使城市四周乡村成为许多俄国名人喜爱的隐居地,赫尔岑(1812～1870)、契诃夫(1860～1904)、柴可夫斯基(1840～1893)、高尔基(1868～1936)都曾在此居住。现生产家具、文具、玩具、体育器械等。设有财经学校。市内多精美建筑,如始于 14 世纪的圣母升天教堂(内有莫斯科画派创始人 A. 鲁勃廖夫[1360 或 1370～约 1430]的壁画)、耶稣降生大教堂(1405)等。人口约18 900(1991)。

Zveno Group 兹维诺集团 1934～1935 年在保加利亚建立的短暂的独裁统治的一个小型政治组织。"兹维诺"意即链条中的一个环节。该集团 1930 年成立,由 K. 格奥尔基耶夫上校领导,主要成员是激进平民。他们对由军人掌权、政党不负责任、被无控制的恐怖活动所困扰的政府感到失望。1934 年 5 月 19 日,兹维诺集团的 D. 维尔切夫上校发动政变,格奥尔基耶夫成为保加利亚总理。兹维诺政府实行独裁,解散国会,取缔政党,查禁工会,实行新闻检查,但努力稳定保加利亚的政治,改善国家的经济和国际地位。但国王鲍里斯三世利用关于兹维诺集团打算建立共和制的谣传,借助部分军官的支持,于 1935 年 1 月 22 日废黜了格奥尔基耶夫及其政府。

Zvishavane 兹维沙瓦内 前称沙巴尼(Shabani)。津巴布韦中南部城镇。周围有丘陵环绕,有铁路直通哈拉雷(前索尔兹伯里)、布拉瓦约和莫桑比克的马普托。经济收益主要来自附近的石棉矿。1920 年建村,1930 年设镇。人口约16 071(1992)。

Zwaardecroon, Hendrick 兹瓦尔德克龙 (1667-01-26,荷兰鹿特丹～1728-08-12,荷属东印度群岛爪哇巴达维亚[今印度尼西亚雅加达]) 荷属东印度群岛总督(1718～1725)。1684 年给荷兰东印度公司董事长当秘书。此后扶摇直上,1718 年任总督。他严禁走私,把新产品引进爪哇,鼓励生产靛蓝、苏木等染料,改进棉花种植并与中国发展贸易。1721 年对所谓的厄伯费尔特阴谋活动(据称其目的是驱逐荷兰人)进行残酷镇压。

Zwangendaba 兹万根达巴(?～1848,坦噶尼喀乌菲帕附近马普波[今在坦桑尼亚]) 非洲国王(约 1815～1848 在位),曾率领杰雷人进行一次长途1 000英里、历时 20 余年的历史性大迁徙。他是一位身材高大无比的领袖,他将原来较小的部落(后称恩戈尼人,即恩古尼人)由今斯威士兰附近家园带到今坦桑尼亚西部,建成东非最强的王国之一。1818 年,因姆菲卡尼(指恩戈尼人与祖鲁人战争和迁徙的时期)而被从南部非洲东部逐出。他率领族人北迁,聚积一支颇大的战斗队伍,1822 年进入南莫桑比克,1831 年循赞比西河到今津巴布韦,灭掉有 300 年历史的昌加米腊帝国。他又于 1835 年渡过赞比西河,直抵坦噶尼喀湖南端,建立马普波城。他死后,恩戈尼人分为 5 群继续迁徙,占领了今坦桑尼亚、马拉维和赞比亚的一些地区。

Zwedru (Liberia) **绥德鲁** 参阅 **Tchien 奇恩**。

Zweibrücken 茨韦布吕肯 德国西南部莱茵兰-普法尔茨州城市。濒临施瓦兹河。Zweibrücken 意为"两座桥"。以很早印刷希腊、罗马经典著作闻名于学术界。1352 年建制。第二次世界大战中几乎全部被毁,战后重建。现保存有城堡(1720～1725)、后期哥特式圣亚历山大教堂(1493)等古建筑,市政厅(1779～1785)和其他建筑物是洛可可式和巴罗克式的。以栽培玫瑰和养马、赛马闻名。有金属加工、机械和纺织业。人口约34 645(1992)。

Zweig, Arnold 茨韦格(1887-11-10,德国西里西亚格洛高[今在波兰]～1968-11-26,柏林) 德国犹太人作家。主要作品是描写第一次世界大战的小说《格里沙中士案件》(1927)。该书通过俄国战俘格里沙与庞大的普鲁士军事官僚机构的悲剧性冲突,描写德国陆军这个社会有机体。茨韦格被纳粹剥夺德国国籍以后,1933～1948 年作为移民住在巴勒斯坦,从 1948 年起,居住在东德。其他作品包括《1914 年的青年妇女》(1931)、《德弗林特回家》(1932)、《凡尔登的教育》(1935)及《国王登位》(1937),每一本小说都是继续描写《格里沙中士案件》中的人物的命运。

Zweig, Stefan 茨韦格(1881-11-28,奥地利维也纳～1942-02-22,巴西里约热内卢附近佩特罗波利斯) 奥地利作家。他在诗、短论、短篇小说和戏剧方面都获得优异成绩,尤长于阐释虚构人物和历史人物。1913 年定居萨尔茨堡,1934 年遭纳粹驱逐,过着流亡生活,先移居英国,1940 年移居巴西。在新环境中感到越来越孤寂和失望,他和他的妻子双双自杀。茨韦格对心理学和弗洛伊德学说颇感兴趣,这导致他在作品中进行细致的性格刻画。他的短论包括对下列人物的研究:巴尔扎克、狄更斯、陀斯妥耶夫斯基(《三位大师》,1920),以及荷尔德林、克莱斯特和尼采(《与恶魔作斗争》,1925)。他因描写 5 个历史人物肖像的短篇集《人生的际遇》(1928)名噪一时。此外,他还写过 J. 富歇和 M. 斯图亚特等人的传记,短篇小说《感觉的混乱》(1925),长篇心理小说《心灵的焦躁》(1938)。

Zwelitsha 兹韦利查 南非东开普省城镇。1981～1994 年为西斯凯共和国临时首都。位于威廉王城正南。建于 1946 年,是附近好望纺织公司所属达伽马纺织厂雇员的住宅区。大部分住房为南非班图托拉斯所建。周围地区种植玉米、高粱和饲养牲畜(牛、绵羊和山羊)。生产家具、皮革制品、手织地毯、油漆、农业设备、塑料织品、陶器和玩具。该城小规模的综合工业企业从事羊毛洗涤、皮革剖割、锯木和采石业。有一所技工专业学校及一个教师培训中心。当地居民为科萨族和姆丰古族,操科萨语。有公路连接威廉王城和附近的东伦敦。人口约55 000(1987)。

Zwickau 茨维考 德国萨克森州城市。在莱比锡南面,濒茨维考穆尔德河。1118年首见记载。1135～1145年间作为帝国城市发展起来。1150年左右为一大型市场。1520～1521年,德国宗教改革者闵采尔曾在此传教。德国作曲家舒曼1810年出生于此。1955年建有舒曼纪念馆。名胜有圣马利亚教堂(1465～1536,修复于1883～1891)、圣凯瑟琳教堂(1212～1219)、15世纪市政厅和奥斯特施泰因城堡(1565～1585)等。工业有采煤、汽车制造、机械生产和织布。人口约99 846(2003)。

Zwicky, Fritz 兹威基(1898-02-14,保加利亚瓦尔纳～1974-02-08,美国加利福尼亚帕萨迪那) 瑞士天文学家和物理学家。他对了解超新星(在短时间内亮度猛增到远超过正常星亮度的恒星)和建立超新星理论都有卓越贡献。1922年获瑞士联邦理工学院物理博士学位。1925～1972年在美国帕萨迪那加利福尼亚理工学院任教。30年代早期,他主要从事固体物理、气体电离和热力学的研究,但很快就转向超新星、新星和宇宙线的研究。1934年他同巴德一起提出超新星爆发是一类完全不同于新星爆发的恒星爆发,而且发生这种爆发的次数很少(在银河系中,每1 000年才出现2～3次)。为了研究超新星,他对邻近的河外星系开始广泛研究。1937～1941年他共发现了18颗超新星,而在人类史上只记载过约12颗超新星。1943～1946年,在他担任加利福尼亚州阿祖萨航空喷气工程公司研究部主任和随后担任技术顾问期间,他改进了许多早期的喷气引擎,其中包括载重飞机从短跑道起飞的喷气起飞助推器。

Zwiebel 茨维贝尔 参阅 **Hoffmann, Heinrich 霍夫曼**。

Zwingli, Huldrych 茨温利(1484-01-01,瑞士圣加伦吐根堡河谷维尔德豪斯～1531-10-11,卡佩勒附近) 瑞士重要的宗教改革运动

供图:Kunstmuseum Winterthur, Switz.

领袖。曾在巴塞尔(1494)和伯尔尼(1496)学习;1498年入维也纳大学;1502年入巴塞尔大学,1504年毕业。受神职后于1506年在格拉鲁斯任司铎,鼓励教育并开始学习希腊文和希伯来文,博览教父著作。1516年调艾因西德伦任职。1518年在许多人表示反对的情况下,被任命为苏黎世大教堂民众司铎。1519年鼠疫流行期间,他忠于职守,身染鼠疫幸得康复,而其弟则死于次年。经过这些事,他的思想和言论都在灵修和教义方面达到新的深度。1520年,苏黎世市当局批准他宣讲"真正经义"。他的讲演促进反对禁食和教士独身制的运动,而这种运动正是1522年瑞士宗教改革运动的发端。1523年是苏黎世宗教改革运动的关键时刻。根据预定,茨温利应于1月在苏黎世与康斯坦茨代理主教进行辩论。事先茨温利发表《六十七条论纲》。该地区大多数司铎赞成该文中的主要论点,于是独身制取消,礼拜仪式改革,大教堂也即将经受改革。改革的主要内容之一是改组大教堂的学校,使之成为文法学校兼培训改革派牧师的神学院。10月间,除去教堂圣像问题引起第二次辩论。茨温利和他的挚友犹德在辩论中取得胜利。在1524、1525两年间所进行的改革包括拆除圣像和风琴、解散隐修院、废除弥撒而代之以简单的圣餐礼、改革洗礼仪式、增加朗诵《圣经》次数、变革神职人员体制和编译本国文《圣经》(苏黎世版《圣经》于1529年出版)。茨温利发表多种著作,鼓吹宗教改革。宗教改革运动迅速从苏黎世扩展到全州及邻近各州。森林地区的卢塞恩、楚格、施维茨、乌里和翁特瓦尔登5个州借助于天主教神学家埃克,抵制改革潮流,但巴塞尔和伯尔尼等重要城市则支持茨温利。苏黎世与巴塞尔及伯尔尼两州,通过协商成立基督教城市联盟。这个联盟除以过去巴塞尔加入瑞士联邦的条款为基础外,另加共同信仰声明。1525年起,瑞士教会内部发生争执,同时又受境外信义宗干扰。1525年1月和3月,茨温利同再洗礼派举行辩论,但无结果而中断。市政议会逮捕再洗礼派领袖,并在1525年11月将他们判处死刑。茨温利著《论洗礼》,从神学角度驳斥再洗礼派,指出洗礼象征上帝与信徒立约。在圣餐礼问题上,茨温利同路德发生严重争执。路德拘泥于耶稣"这是我的身体"一语的词句,认为基督的血和肉确实存在于圣餐的饼和酒中,或与饼与酒同时存在,或以饼与酒为表象,虽然饼和酒并没有变成肉和血。茨温利则认为此处"是"一词意为"代表",后来尽管路德和茨温利在大部分问题上达成协议,但在圣餐礼问题上分歧仍然存在。这时森林地区5个州联合反对基督教城市联盟。城市联盟在卡佩勒向森林地区各州联军发动进攻。在第二次卡佩勒战役中,茨温利任苏黎世军队的随军牧师,死于卡佩勒附近的战场。

Zwischengoldgläser 夹金玻璃品 把刻有图案的金箔夹在两层玻璃之间的玻璃饮杯。通常指17世纪末18世纪初的波希米亚大口酒杯、高脚杯和平底酒杯,但在3世纪的古罗马陵寝中已有夹金玻璃品。它是先在玻璃杯底的内侧敷上一层金箔,在金箔上刻出图案后再覆上另一块玻璃经熔化组合制成的。参阅 **Mildner glass**。

Zwolle 兹沃勒 荷兰中北部城市,上艾瑟尔省省会。临兹瓦特河。1230年建市。中世纪时加入汉萨同盟。现为商业中心、铁路枢纽和荷兰东部与北部运河水运枢纽。有造船、金属制品、化工和建材工业。古建筑有15世纪圣迈克尔教堂、圣母教堂和市政厅等。人口约95 572(1991)。

Zworykin, Vladimir Kosma 兹沃尔金(1889-07-30,俄国穆罗姆～1982-07-29,美国新泽西普林斯顿) 俄国出生的美国电子工程师、发明家和现代电视之父。他在圣彼得

威斯汀豪斯电气公司供图

堡技术学院及巴黎的法兰西学院完成学业后,于第一次世界大战期间在俄国通信部队服役。兹沃尔金在1919年移居美国,1924年成为美国公民。1920年参加匹茨堡的威斯汀豪斯电气公司。1923年提出申请光电摄像管或电视发射管的专利。次年他又提出了显像管即电视接收管的专利申请。这两项发明首次形成了全电子电视系统。而过去所有的系统都是机电的,都用开小孔的快速转盘或其他类似装置。虽然在1923年兹沃尔金首次演示他的电视后,威斯汀豪斯公司表示不大热心,但是在1929年他的改进装置演示后,给美国无线电公司留下深刻印象。于是请他任新泽西州美国无线电公司电子研究室主任,来继续完成他的发明。兹沃尔金的电视装置推动了作为文娱和教育工具的现代电视的发展。光电摄像管虽然最终被正析摄像管和超正析摄像管所代替,但它是电视摄像机取得许多重要进展的基础。现代电视显像管基本上就是兹沃尔金显像管。1928年他研制出一套彩色电视装置,由此得到一项专利。他在电子学上的其他发明有早期电眼和对电子显微镜的多项革新。他发明的电子显像管对红外线很敏感,是研制步枪红外瞄准镜和夜视器的基础,这些装置在第二次世界大战中首次用于黑暗中观察。他的次级发射倍增器用于闪烁计数器中,是最灵敏的辐射探测器之一。1954年他被提名为美国无线电公司名誉副董事长,从那时起到1962年他还兼任

纽约市洛克菲勒医学研究院(现为洛克菲勒大学)的医疗电子学中心主任。1967 年美国全国科学院因为他在科学仪器、工程学、电视以及促进工程学在医学上的应用等方面做出的贡献,授予他国家科学奖章。他还是国际医用电子学及生物工程学联合会的创办会长;1965 年接受大不列颠的法拉第奖章;1966 年获美国总统科学奖章,1977 年为美国国家名人纪念堂名人。兹沃尔金的著作有:《光电管及其应用》(1932),《电视》(1940;1954 年修订版),《电子光学及电子显微镜》(1946),《光电学及其应用》(1949),《科学与工业中的电视》(1958)。

zygomatic arch 颧弓 从头两侧的颞骨向前延伸、从上颌骨前方通过的骨梁,以颧骨为其主要部分。在咀嚼中起重要作用的咬肌起自颧弓下缘,另一重要咀嚼肌——颞肌——在颧弓下方通过。食草动物(包括狒狒和类人猿)的颧弓特别粗壮,随着人类的进化,颧弓变得纤弱。粗壮南猿(傍人)的颧弓较大,或以为即其草食习性的证明。非洲南猿的颧弓小而薄,故一般认为它能猎食其他动物并具杂食性。现代人中有些人种的颧弓亦较突出,男性更为发达。

zygomatic bone 颧骨 又作cheekbone、malar bone,又称颊骨。位于眼眶下侧面和面颊最宽部分的菱形骨。在眼眶外缘连接额骨,在眼眶内下侧连着蝶骨和上颌骨,前面连接上颌骨,侧面连接颞骨的颧突,是颧弓的中间部分。颧骨为膜内成骨,出生时已骨化。

Zygomycetes 接合菌纲 真菌门(Mycota)的一纲,特征为具接合孢子。无性繁殖为孢子囊内产生不动孢子。本纲种类为腐生或寄生于植物或动物体内。常见的有根霉属(*Rhizopus*)种类,俗称面包霉,如匍枝根霉(黑根霉,*R. stolonifer*[*nigricans*]),寄生于成熟果实和蔬菜上,造成腐烂;在工业上用以生产酒精和有机酸。水玉霉属(*Pilobolus*)生长于粪便上,能将孢子囊弹射 1.8 米高,故俗名抛帽蕈或机枪蕈。虫霉目(Entomophthorales)寄生于昆虫体内。捕虫霉目(Zoopagales)寄生于线虫、轮虫和其他小型动物。

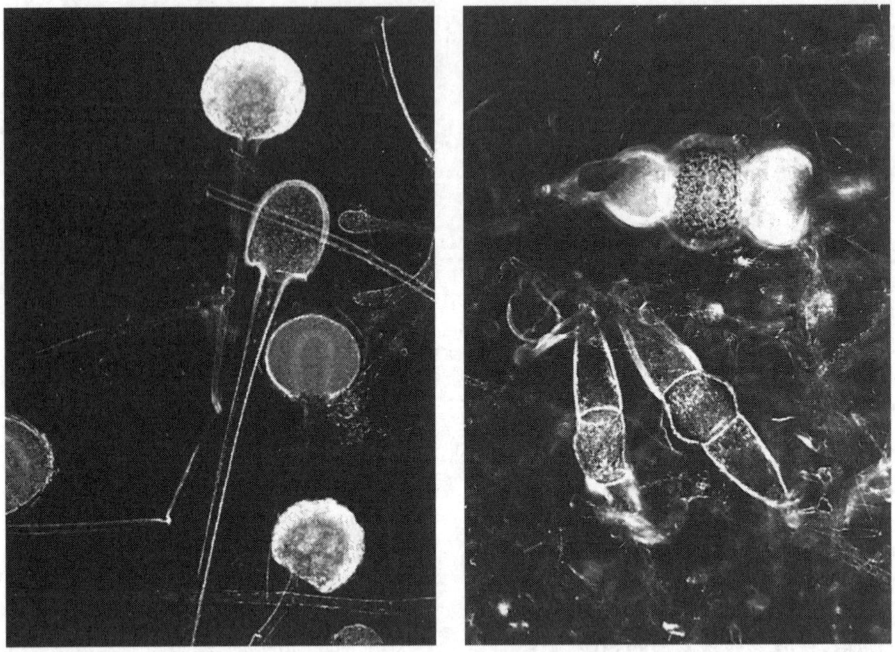

黑根霉(*R. nigricans*)的繁殖:(左)无性繁殖,由柄状孢囊梗顶部的圆形孢子囊释放出孢子;(右)有性繁殖,由配子囊融合形成接合孢子
供图:J. M. Langham

Zygopetalum 对瓣兰属 兰科的一属,原产热带美洲,约 20 种,附生植物,常用作观赏植物。具卵形假鳞茎,其上着生 2 至多片长而薄的叶;穗状花序,开花时长达 60 厘米。花瓣和萼片均为绿色,具紫色或褐色斑点。唇瓣白色,有紫色条纹。麦凯氏对瓣兰(*Z. mackayi*)和中间对瓣兰(*Z. intermedium*)形态相似,花芳香,花期长,因此普遍栽培。

zymogen 酶原 又作 proenzyme。一类本身不表现催化活性但在机体内可转变成酶(特别是转变成催化蛋白质降解反应的酶)的蛋白质。胰脏分泌的胰蛋白酶原及胰凝乳蛋白酶原在小肠内活化成胰蛋白酶及胰凝乳蛋白酶。活化作用即是打断酶原分子内的一个或多个肽键,这作用受不同的酶催化(如肠激酶将胰蛋白酶原转变成胰蛋白酶)或受酶的活化型本身的催化(胰蛋白酶也可将胰蛋白酶原转变成更多的胰蛋白酶)。酶原细胞合成并贮存钝化形式的酶原。

Zyryanovsk 济良诺夫斯克 哈萨克斯坦东部城市。濒临别廖佐夫卡河。地处阿尔泰山南部。1794 年被流放的 G.济良诺夫在此首次发现多金属富矿。现为重要的铅锌矿业中心。有铁路与乌斯季-卡缅诺戈尔斯克相连。人口约53 800(1991)。

Żywiec 日维茨 波兰中南部别尔斯科-比亚瓦省城镇。位于喀尔巴阡山区,濒临索拉河,邻近斯洛伐克边界。地处格鲁耶茨山麓,为重要旅游中心。因建有大型酿酒厂而闻名。14 世纪首见记载。名胜有哥莫罗夫斯基城堡(16 世纪)、圣十字教堂(15 世纪)和教区教堂(15 世纪)。后一教堂内有大约创作于 1500 年的雕塑《沉睡的圣母》。人口32 048(2002)。